В. М. Мокиенко, Т. Г. Никитина

МЕЖДУНАРОДНАЯ АССОЦИАЦИЯ ПРЕПОДАВАТЕЛЕЙ РУССКОГО ЯЗЫКА И ЛИТЕРАТУРЫ

РОССИЙСКОЕ ОБЩЕСТВО ПРЕПОДАВАТЕЛЕЙ
РУССКОГО ЯЗЫКА И ЛИТЕРАТУРЫ

САНКТ-ПЕТЕРБУРГСКИЙ ГОСУДАРСТВЕННЫЙ УНИВЕРСИТЕТ
МЕЖКАФЕДРАЛЬНЫЙ СЛОВАРНЫЙ КАБИНЕТ им. проф. Б. А. ЛАРИНА

Большой словарь русских поговорок

Более 40 000 образных выражений

ОЛМА
МЕДИА ГРУПП

ББК 94.8
М11

Под общей редакцией проф. В. М. Мокиенко

Мокиенко В. М., Никитина Т. Г.
М 11 Большой словарь русских поговорок. – М.: ЗАО «ОЛМА Медиа Групп», 2008. – 784 с.
ISBN 978-5-373-01386-4

Знаменитый сборник «Пословицы русского народа» В. И. Даля, впервые увидевший свет в 1861–1862 гг., до сих пор оставался самой большой коллекцией пословиц, поговорок, устойчивых сравнений и метких «ходячих» слов из русской живой речи. При этом собственно поговорки составляли в нем не более одной пятой части всего фольклорного материала и специально не выделялись.

Словарь известных собирателей русского фольклора В. М. Мокиенко и Т. Г. Никитиной – первый современный полный свод поговорок, в семь раз превосходящий далевскую коллекцию.

В словарь вошло свыше 40 000 русских поговорок, отражающих литературную и народную речь XIX–XXI веков. Материал словаря накапливался составителями около 40 лет из различных источников: из большинства собраний русского фольклора, произведений классической и современной литературы, средств массовой информации (публицистики, радио, телевидения и Интернета), литературных, фразеологических, диалектных и жаргонных словарей, записей современной речи и ответов на анкеты по специальной авторской программе. Читатель поэтому найдет в словаре как давно устоявшиеся и вошедшие в литературный язык выражения (*съесть собаку, бить баклуши, не видно ни зги, задать стрекача, отложить в долгий ящик* и т. п.), так и яркие, меткие выражения регионального масштаба: новгородское *волка в пастухи поставить* – допустить кого-л. туда, где он может навредить и поживиться; сибирское *оба лаптя на одну ногу* – об одинаковых, сходных по каким-либо качествам людях; псковское и новгородское *съездить в Москву* – о неудачной поездке куда-либо, о слишком дорогой покупке; архангельское *гнуть под свой палец* – делать что-либо по-своему, действовать в своих интересах и др.

Чрезвычайно полно представлены в словаре и современные просторечные и жаргонные обороты: *быть в [полном] обалдайсе* – сильно удивляться, поражаться чему-либо, *остров невезения* – первая парта в классе, *накрыться [медным] тазом (тазиком)* – умереть, не реализоваться, потерпеть крах (о планах, надеждах), *гнать (пороть) туфту* – говорить ерунду и т. п.

Большинство поговорок описывается по единой последовательной и детализированной системе: определяется их исходная форма, дается стилистическая характеристика и полное толкование значения, точно паспортизируется источник. Любитель образного русского слова найдет в словаре также объяснение истории и этимологии, толкование непонятных (особенно диалектных, иноязычных или жаргонных) слов, входящих в поговорку.

Словарь русских поговорок предлагаемого объема и типа – первое собрание народной мудрости этог жанра как в России, так и за рубежом.

ISBN 978-

осква
2008

Посвящается нашему Учителю
Галине Алексеевне Лилич

К ЧИТАТЕЛЮ

Перед читателем — первое полное собрание русских *поговорок*, т. е. метких устойчивых выражений экспрессивно-образного типа, ярко характеризующих человека и окружающую действительность. В отличие от *пословиц*, которые имеют назидательный смысл и являются логически законченными сентенциями, поговорки лишь оценивают то, что называют, но зато оценивают столь градуированно и многообразно, что становятся точными портретами называемых ими людей и явлений. Поговорки, собственно говоря, — это народная *фразеология*, или *идиоматика*, давно ставшая золотым фондом словарного запаса каждого развитого языка.

В сокровищнице народной мудрости поговорки, как и пословицы, занимают особое место. Они являются сгустками древнейшей образности и новейшего языкового остроумия, самым точным и ярким способом оценки окружающей жизни и общества. Неслучайно поэтому собрания пословиц и поговорок издревле ценились читателями, а многие любители живого слова записывали и бережно хранили их в своих рукописных коллекциях. До сих пор у нас в России непререкаемым авторитетом в этом трудном, но благородном деле остается Владимир Иванович Даль, книга которого «Пословицы русского народа», увидевшая свет в 1863 году, до сих пор является непревзойдённой по количеству описанных в ней пословиц и поговорок.

В этом, между прочим, — один из парадоксов нашего русского благоговейного отношения к великому «Собирателю слов». За полтора века, уплывших с первого издания далевских «Пословиц», было немало попыток описания самого малого жанра русского фольклора — поговорок. Но большинство из них, как убедится Читатель, пролистав обширную библиографию, прилагаемую к настоящей книге, не только не переросли его собрание, но и не доросли до него ни качественно, ни количественно. Основная масса коллекций русских пословиц и поговорок, которые выходили и выходят после В. И. Даля, — не что иное, как весьма произвольные выборки из его собрания, — увы, нередко и выборки неточные, искажающие оригинал. Конечно, это относится прежде всего к популярным, коммерческим изданиям либо к некоторым сборникам пословиц и поговорок советского периода, в которых стремление к идеологизации толкало составителей на создание искусственных советских эталонов мудрости вроде *Набирайся силы у груди матери, а ума у Коммунистической партии* (Жиг. 1969, 82); *Что сделал советский человек — не забудется вовек* (Агитатор 1959, № 19, 28) или *При царе жили — слезы лили, при Советах живем — счастье куем* (Жиг. 1969, 145). Настоящие же филологи и коллекционеры, для которых народное Слово оставалось светом истины, благоговейно извлекали материал из старинных источников, точно фиксировали его в разных регионах страны, пытались разгадать историю и исходный образ той или иной пословицы и поговорки[1]. До сих пор, однако, никто не предпринял попытки синтезировать тот богатейший материал, который появился после выхода далевских «Пословиц», а тем более дать ему истолкование на современном уровне, особенно — на уровне лексикографическом.

В предлагаемый нами Словарь входит свыше 40 000 русских поговорок, отражающих литературную и народную речь XIX–XXI веков. Для сравнения: в «Пословицах русского народа» В. И. Даля поговорок включено не более 7 тысяч (из общего числа около 60 тысяч пословиц, поговорок, сравнений, скороговорок, загадок и т. д.). Почти в шесть раз превосходя далевскую коллекцию, наше собрание и строится по совершенно иному — чисто словарному принципу, позволяющему по стержневому слову быстро отыскать любую поговорку, получить детальное толкование ее смысла и стилистическую характеристику. Такой принцип описания поговорок принят в европейских паремиологических собраниях (напр., немецких, французских, польских), но для русского материала практически еще не применялся.

Источники нашего словаря различны. Во-первых, это извлечения из большинства собраний русского фольклора; во-вторых, — материалы из произведений классической и современной литературы; в-третьих, — фиксация живой фразеологии из средств массовой информации (публицистики, радио, телевидения и Интернета); в-четвертых, — поговорки из литературных, фразеологических, диалектных и жаргонных словарей; наконец, — материал из наших записей современной речи и ответов на анкеты по специальной авторской программе. Отбор материала проводился на базе картотеки, собираемой около 40 лет и насчитывающей свыше 40 тысяч русских поговорок (включая народные, диалектные, сленговые, архаичные и т. п.). Картотека и ее компьютерная обработка, как кажется, и дали возможность сделать почти полную выборку яркого по образности материала, отражающего жизнь русского народа во многих ее аспектах и демонстрирующего связи русского языка со славянскими и неславянскими языками Европы. Основа картотеки —

[1] Обзор и библиографию русских собраний дореволюционного времени см. в книге И. И. Иллюстрова (1915), послереволюционного — в сборнике «Русские пословицы и поговорки» А. М. Жигулёва (Жиг. 1969). Последними из больших собраний нашей паремиологии является алфавитный свод «Русские пословицы и поговорки» под редакцией известного фольклориста В. П. Аникина (М., 1988) и московского филолога В. И. Зимина и собирателя-любителя А. С. Спирина (ЗС 1996). Анализ новейших русских паремиологических собраний см. в рецензии на последнюю книгу (Мокиенко 2000).

выписки из художественной литературы, публицистики, выборка из основных словарей русского языка и других самых разных источников, в первую очередь сборников пословиц и поговорок (особенно — собраний В. И. Даля, И. М. Снегирева, И. И. Иллюстрова, М. И. Михельсона, П. Симони, В. П. Аникина, М. А. Булатова, А. М. Жигулёва, М. А. Рыбниковой, А. И. Соболева, М. Я. Мельц, В. В. Митрофановой, Г. Г. Шаповаловой, М. М. Шахнович, В. И. Зимина, А. С. Спирина и др.). Немало в картотеке и собственных записей живой русской речи.

Потребность в большом словаре русских поговорок давно ощущалась на фоне зарубежной лексикографии, в которой подобные издания представлены весьма широко. Таковы, например, сводный словарь «Чешские поговорки» (Lidová rčení — Zaorálek 1963), недавно изданный словарь хорватской диалектной идиоматики (Frazeologia novoštokavskih ikavskih govora u Hrvatskoj — Menac-Mihalić 2005) и многократно переиздававшийся большой (пятитомный) словарь поговорок немецких (Das große Lexikon der sprichwörtlichen Reden-sarten — Röhrich 1995). В этих словарях даётся синтетическое описание народной фразеологии национальных языков, т. е. в один словарный корпус включены как идиомы народного происхождения, «заквашенные» на собственно национальном духе, так и фразеологизмы литературного происхождения, включающие и многие обороты интернационального (resp. общеевропейского) происхождения. Именно по этому пути пошли и составители настоящего Словаря, целью которого было дать максимально полный свод русской национальной идиоматики во всех её функционально-стилистических сферах — литературной, публицистической, диалектной, разговорно-просторечной, субстандартной и профессиональной. Собственно, и здесь мы во многом следовали максималистскому принципу В. И. Даля, в наши дни лексикографически обоснованному Б. А. Лариным, который создал концепцию словарей полного типа. (Мокиенко 1999). Такой подход, вытекающий из традиций европейской лексикографии, является продуктивным уже потому, что дает возможность лексикографически представить ту или иную часть национального языка как относительно полную систему. На материале русских поговорок такая попытка и сделана в настоящем Словаре.

Разумеется, словарное собрание поговорок такого объёма и ареального охвата оказалось делом длительным и трудоёмким. Оно потребовало большой подготовительной работы и выросло из опыта создания целой серии словарей самого разного типа — в том числе и серии словарей фразеологических, которые уже давно составляются членами Фразеологического семинара при Межкафедральном словарном кабинете им. Б. А. Ларина. Таковы, напр., лингвострановедческий и школьный словари русской фразеологии (ФМ 1990, 1999, 2000), словарь русских фразеологических синонимов (БМС-Син 2001), словарь «Фразеологизмы в русской речи» (Мелерович, Мокиенко 1997), «Историко-этимологический словарь русской фразеологии» (БМС 1998; 2005), «Словаря сравнений русского языка» (Мокиенко 2003) и мн. др. Большим стимулом для такой подготовительной работы стала работа над комментариями к переизданному в 1994 году монументальному собранию русской фразеологии М. И. Михельсона (Михельсон 1994).

Многие принципы лексикографической обработки русских поговорок были авторами этого Словаря отработаны при составлении свода пословиц и поговорок Псковщины (СПП 2001). На его составление нас подвиг бесценный опыт составителей региональных словариков русской народной фразеологии, издававшихся в Самаркандских научных сборниках в конце 60-х — начале 70-х гг. Л. И. Ройзензоном и его сотрудниками (Ройз.Хаз.Сл. 1971; РАСлОльх. 1972; РойзБалСл. 1972). По примеру самаркандских диалектологов-фразеографов в 70-х гг. и позднее создается несколько словарей севернорусской народной фразеологии. К ним относится дважды переизданный «Фразеологический словарь русских говоров Сибири» (СФЕ 1972; ФСС 1983), составленный опытным коллективом новосибирских фразеологов под руководством проф. А. И. Федорова; ценное собрание пермских народных выражений, также дважды опубликованное К. Н. Прокошевой (МФС 1972; Прокошева 2002) и недавно опубликованный «Фразеологический словарь русских говоров республики Коми» И. А. Кобелевой (Кобелева 2004). Ярок и уникален «Словарь образных слов и выражений народного говора» О. И. Блиновой, С. Э. Мартыновой и Е. А. Юриной под ред. О. И. Блиновой, выдержавший 2 издания (СОСВ 1997, 2001). Появился наконец, и первый идеографический словарь русской региональной фразеологии под ред. М. А. Алексеенко, в котором использованы материалы диалектных и специальных словарей разных регионов России — в том числе и извлечения из уже названных диалектных фразеологических коллекций Л. И. Ройзензона (АБЛ 2004).

Ценными источниками нашего словаря стали и диссертации по диалектной фразеологии, в текстах и в приложениях к которым было немало свежего, собранного в поле поговорочного материала. Таковы, напр., докторские диссертации Л. А. Ивашко, Л. Я. Костючук, Е. В. Брысиной, кандидатские — Е. П. Бугрий, Б. Ф. Захарова, М. В. Орел, Н. К. Пахотиной, К. Н. Прокошевой, И. А. Подюкова, Е. Н. Шестаковой и мн. др. (библиографию таких работ заинтересованный Читатель найдёт в списке литературы).

Обилие яркого и свежего материала, извлечённого нами из множества таких поговорочных «сусеков», постепенно убеждало нас в необходимости составления сводного словаря русских поговорок. Убеждало и то, что даже некоторые региональные словари народной фразеологии и паремиологии отражали в своих словниках гораздо большее число единиц, чем словари русского литературного языка. Так, в словаре сибирской народной фразеологии под ред. А. И. Федорова (ФСС 1983) было описано около 7 тысяч единиц, а в нашем словаре псковских пословиц и поговорок (СПП) — свыше 13 тысяч паремий. В классическом же толковом «Фразеологическом словаре русского языка» под ред. А. И. Молоткова, выдержавшем 5 изданий (ФСРЯ; ФСРЯ 1994), таких оборотов описано значительно меньше — едва более 4 тысяч. Факт, что даже областные поговорочные закрома оказываются более полными, чем литературные, убеждал нас в том, что сокровищница русских поговорок далеко ещё не исчерпана лексикографически и что пора наконец создавать полный словарь общерусских поговорок.

Предлагаемый Читателю Словарь с более чем 40 тысячами выражений является не только самым полным словарем русских поговорок, но и по количеству описанных в нём образных выражений превысил упомянутые выше европейские собрания соответствующего фольклорного жанра.

В словарь вошли поговорки самого разного типа:

• выражения, ставшие активно употребительными и кодифицированными литературным языком, напр.: *съесть собаку, бить баклуши, не видно ни зги, задать стрекача, отложить в долгий ящик* и т. п.

• яркие, меткие поговорки регионального масштаба, напр.: пск. *петь аллилуйю кому* "захваливать, превозносить без меры кого-л."; новг. *волка в пастухи поставить* "допустить кого-л. туда, где он может навредить и поживиться"; ворон. *галки в рот влетели кому* "кто-л. остался обманутым"; сиб. *оба лаптя на одну ногу* "об одинаковых, сходных по каким-л. качествам людях"; пск., новг. *съездить в Москву* "о неудачной поездке куда-л., о слишком дорогой покупке", "родить ребенка"; арханг. *гнуть под свой палец* "делать что-л. по-своему, действовать в своих интересах"; сибирск. *не пьёт, только за ухо льёт* "о том, кого ошибочно считают трезвенником" и др.

• современные просторечные и жаргонные обороты, напр.: мол. жарг. *быть в [полном] обалдайсе* "сильно удивляться, поражаться чему-л."; школьн. жарг. *остров невезения* "первая парта в классе"; разг. эвфем. *двадцать первый палец* "мужской половой орган", жарг.-разг. *накрыться [медным] тазом (тазиком)* "умереть", "не реализоваться, потерпеть крах (о планах, надеждах)", мол. жарг. *заело тормоз у кого* "о глупом, несообразительном человеке", угол. и мол. жарг. *гнать (пороть) туфту* "говорить ерунду; обманывать кого-л.", мол. жарг. *крутить фишки [с кем]* "ухаживать за девушкой, склонять её к вступлению в близкие отношения" и т. п.

При отборе словника для данного Словаря основными критериями являлись прежде всего яркая образность и экспрессивность и соответствие типичным для поговорок структурно-семантическим моделям. Поскольку наш Словарь — словарь тезаурусного типа, то Читатель найдет в нём и выражения устаревшие и периферийные (как в территориальном, так и в хронологическом плане), а также индивидуально-авторские выражения, во многом отталкивающиеся от устойчивых оборотов. Многие такие поговорки снабжаются в рамках словарной статьи толкованиями непонятных слов и сочетаний, указанием на ареал распространения, авторство и время фиксации.

Главное отличие большого словаря русских поговорок, представляемого ныне Читателю, — даже не в количестве описываемых оборотов, а в том, что большинство из них взято из живой русской народной речи, которая в словаре точно локализована во времени и пространстве. Разумеется, поговорочный материал «Пословиц русского народа» В. И. Даля вошел в наш Словарь целиком.

Материал Словаря не только долго собирался, но и постоянно и последовательно обрабатывался, сопоставляясь с описаниями, предложенными нашими предшественниками. Особо трудоёмкой оказалась работа по извлечению и лексикографической унификации поговорок из массы диалектных словарей. И не только потому, что благодаря многочисленным подвижникам — собирателям и ценителям народного русского Слова, а также планомерной работе по созданию диалектных картотек и словарей во всех регионах бывшего Советского Союза (стимулированной проектом Лингвистического атласа русского языка в послевоенное время) таких словарей, многие из которых являются многотомными, уже выпущено более ста (см. библиографию). Главной трудностью извлечения поговорок из таких словарей было то, что большинство таких выражений составителями не выделяются в особые вокабулы. Ведь многие из них рассматривались составителями диалектных словарей как свободные образные словосочетания, а не как устойчивые фигуры речи. Расписывая эти словари, нам пришлось поэтому прочитывать их буквально «от корки до корки», нередко вылавливая из контекстов, а не из вокабул, интересующие нас обороты и самостоятельно толкуя и стилистически маркируя их. Поэтому пусть Читатель не удивляется, если, обратившись к точно паспортизированному словарному источнику той или иной поговорки, он не сразу отыщет её на указанной странице соответствующего диалектного словаря: лишь внимательно прочитав все к о н т е к с т н ы е и л л ю с т р а ц и и на указанном месте, он найдёт описанный нами оборот. Отсюда и наш педантизм в указании на точный источник большинства поговорок, включаемых в Словарь. Хочется надеяться, что такие указания не только дают читателю точные пространственные, временные и стилистико-функциональные параметры каждого из описываемых нами оборотов, но и помогут лексикографам-диалектологам учесть эти параметры при составлении словарей своих регионов.

Массированное извлечение материала из диалектных источников вызвало и необходимость точной фиксации ударений над каждым компонентом поговорки. В большинстве фразеологических словарей русского языка этот важный параметр устойчивых словосочетаний неправомерно отсутствует. В нашем словаре акцентологическая характеристика даётся как для диалектных, так и для литературных поговорок, что даёт возможность показать (с помощью стилистических помет) и дифференциацию некоторых их вариантов в нормативном и свободном речевом их употреблении.

Большинство поговорок описывается по единой последовательной и детализированной композиции:

1) вокабульное выражение;

2) стилистическая характеристика (употребительность, сфера распространения, экспрессивно-стилистическая квалификация);

3) точное и полное толкование значения;

4) точная паспортизация источника;

5) объяснение истории и этимологии, толкование непонятных (особенно диалектных, иноязычных или жаргонных) слов, входящих в оборот.

Материалы Словаря во многом отражают, как уже говорилось, речевой статус русских поговорок в течение двух веков. Показателем их преимущественно речевого узуса является их активное варьирование, из-за чего строгое разграничение устойчивых выражений от неустойчивых является достаточно условным.

Создание индивидуально-авторских поговорок (в том числе и таких, «автором» которых является народ) нередко стимулируется именно активным варьированием устойчивых образных сочетаний. Обычно такие обороты создаются по известным устойчивым структурно-семантическим и образным моделям или, как уже говорилось, являются «озвучиванием» писателями диалектных или социолектных выражений. Именно поэтому в корпус настоящего Словаря включены и поговорки такого рода. По ним Читатель сможет получить более полное представление о динамике и образных потенциях русских поговорок.

Одна из основных задач этой книги — сделать словарное описание русских поговорок максимально дифференцированным. Ведь чуткий «потребитель» языка ощущает, что за любыми синонимическими оборотами обычно таится лишь мнимое «тождесловие».

Большинство поговорок в настоящем Словаре дифференцируются и по сфере употребления, и по частотности, и по стилистической принадлежности. Такая дифференциация осуществляется с помощью помет — *книжн.*, *народн.*, *прост.*, *жарг.*; *устар.*, *нов.*; *шутл.*, *ирон.*, *вульг.* и т. п., которые известны читателю по толковым и другим словарям.

В настоящем Словаре территориальная характеристика большинства поговорок даётся предельно детализированно. Система региональных помет (см. список сокращений) здесь выдержана в основном в русле диалектографической традиции, разработанной Ф. П. Сороколетовым и Ф. П. Филиным в «Словаре русских народных говоров» (СРНГ). Составители данного словаря понимают при этом, что многие из таких помет имеют самые разные масштабы. В СРНГ, напр., в одном ряду представлены как крупные («губернские», «областные», «республиканские» и т. п.) пометы, так и мелкие, узколокальные («уездные», «краевые», «деревенские»). Первоначально в наш замысел входило уточнение и «усреднение» локализации описываемых в многочисленных диалектных словарях и картотеках поговорок. Однако наш многолетний опыт составления словаря заставил от этой попытки отказаться. Во-первых, административное членение Российской империи, СССР и постперестроечной России постоянно менялось, существенно меняя и географическую карту диалектных помет. Во-вторых, далеко не все регионы диалектологически обследованы равномерно. В-третьих, достаточно большое число помет, употребляемых в диалектных словарях, представляют собой локализационные «матрешки». Так, в помету *сиб.* входят практически все регионы необъятной по территории и языковым характеристикам Сибири; помета *кар.* вбирает в себя (по замыслу главного редактора фундаментального «Словаря русских говоров Карелии и сопредельных областей» (СРГК) А. С. Герда и архангельские, и вологодские, и новгородские, и тверские и др. диалекты. Поэтому сохранение помет (или соответственной общесловарной паспортизации), предлагаемых самими составителями соответствующих диалектных словарей, стало ведущим принципом принятой нами локализации описываемых поговорок.

В случаях, когда выражение распространено на разных территориях России либо точно не локализируется соответствующими источниками, оно маркируется в словаре традиционной для русских академических словарей интеррегиональной пометой *обл.* — «областное». Составители не отказываются также и от традиционной пометы *народн.* («народное»), употребляя её в случаях, когда поговорка фиксируется в собраниях малого фольклора В. И. Даля, И. И. Иллюстрова, И. М. Снегирева и, как правило, не содержит в своем составе локально окрашенных компонентов. Хронологически большинство описываемых поговорок также маркируется: как указанием на время их фиксации, так и — что казалось особенно важным (в отличие от нашего словаря русских народных сравнений) — предельно точной паспортизацией источника каждого оборота.

Толкование поговорок — одна из наиболее трудных теоретических и практических проблем лексикографии. Авторы настоящего Словаря стремятся избежать упрощенных дефиниций поговорок, но в то же время отказываются и от излишне дробного и детализированного толкования. Главной задачей дефиниции является максимальное прояснение семантики оборота и его конкретная привязка к характеризуемому человеку, предмету, явлению или ситуации. Некоторые грамматические характеристики поговорок, отраженные в вокабульной части словарной статьи, при этом в дефиниции традиционно опускаются — как для краткости изложения, так и потому, что они понятны читателю. Так, для большой части глагольной фразеологии через косую линию характеризуются видовые пары глаголов. Дефиниция же при этом ориентируется лишь на ведущий несовершенный вид, напр.:

Доводи́ть/ довести́ до абсу́рда *что. Разг. Неодобр.* Делая что-л. неправильно, последовательно приходить к явной нелепости.

Чита́ть/ прочита́ть а́збучку *кому. Волг. Шутл.-ирон.* Ругать, бранить кого-л.

Экспрессивно-стилистическая градуировка поговорок и усложнённость их семантики, отразить которые пытались составители, уходят своими корнями в традиционную группировку их образов. Наблюдения за компонентами поговорок "по вертикали" показывают различные закономерности формирования образности для предметных лексем, поговорок, основанных на метафорике животного мира, и т. п. Не всегда описываемые в словаре поговорки (особенно устаревшие, народные, жаргонные) соответствуют современным бытовым представлениям о каком-л. предмете, веществе или явлении.

Именно поэтому кроме толкований переносного значения в Словаре в случае необходимости приводится и расшифровка образа толкуемого оборота. Нередко такая расшифровка представляет собой более или менее развернутую историко-этимологическую или лингвострановедческую справку, которая дается под знаком угла (<) после отсылки к источникам фиксации поговорки. Отсутствие ссылки на такой источник означает, что комментарий принадлежит составителям данного словаря. Если в самом источнике содержится такого рода справка, то он приводится в конце всей статьи. При вокабульном гнезде из нескольких поговорок с одним комментируемым компонентом комментарий следует в конце всего гнезда с абзаца. Напр.:

ВОЛК * Волк в ове́чьей шку́ре. *Разг. Неодобр.* О лицемере, прячущем под маской добродетели свои злые намерения. < Восходит к Евангелию. ФСРЯ, 76; ДП, 50; БМС, 94-95.

Волк в овчи́не (под овчиной). *Народн.* То же. ДП, 50, 660.

ДАВИ́ЛКА * Оказа́ться в дави́лках. *Пск.* Попасть в трудное, безвыходное положение. < **Дави́лка** — приспособление для ловли белых куропаток. Мокиенко 1986, 115.

ЖА́БА * На каку́ю жа́бу. *Перм.* Зачем, для чего? < *Жаба* в русской языческой мифологии — одно из «нечистых» животных, в которые может «оборачиваться» нечистая сила. Подюков 1989, 74.

КЕРЖА́К * Променя́ть кержако́в на лешако́в. *Алт.* Забыть старые традиции, обычаи, правила. СРГА 2, ч. 2, 32. **< Кержа́к** — старообрядец.

КОПЫ́Л * Копы́лья кве́рху. *Кар. Ирон.* Об очень пьяном человеке. СРГК 2, 420.

< **Копы́л** — 1. Деревянная колодка, используемая сапожниками. 2. Опора в виде бруска, соединяющая полозья саней с кузовом. 3. Нос. 4. Нога.

КУКУ́ШКА * От куку́шки [копе́ечки]. *Пск. Шутл.* Об очень малом количестве денег. СПП 2001, 48. **<** От поверья: если кукушка застанет своим кукованием человека без денег, он будет беден и голоден весь год.

КУСТ * Венча́ться вокру́г раки́това куста (ку́стика). *Прост. Устар. Ирон.* 1. Находиться с кем-л. в незаконной, внебрачной связи. 2. Вступать во внебрачное совокупление, жить половой жизнью до официального брака. < Иронический намёк на языческий обряд венчания. Мокиенко, Никитина 2003, 184.

На халя́ву (на халя́вку, на халя́винку). 1. *Жарг. угол.* О получении доли добычи без участия в деле. СРВС 3, 106; ТСУЖ, 115; УМК, 218. 2. *Жарг. угол., мол.* Бесплатно, за чужой счёт. УМК, 218. 3. *Жарг. угол., мол.* Наобум, как придётся, наудачу. Б., 107; Митрофанов, Никитина, 235. **< Халя́ва** — 1. Воровка. 2. Проститутка. 3. Получение чего-л. за чужой счёт; без труда, за счёт наглости, напора. 4. О чём-л. необременительном, не доставляющем трудностей. 5. Безответственность, небрежное отношение к делу.

КУПЫ́РЬ * Выгоня́ть купы́рь. *Дон.* То же, что **идти в купырь 1-2.** СДГ 2, 100.

Идти́ в купы́рь. *Дон.* 1. Быстро расти (о высоком стебле растения). 2. *Шутл.* Быстро расти, вырастать очень высоким (о человеке). СДГ 2, 100.

Лезть в купы́рь. *Дон.* Вести себя вызывающе, провоцировать драку, ссору. СДГ 2, 111.

< **Купырь** — длинный трубчатый стебель растения.

ЛА́ЖА * Гнать ла́жу. 1. *Жарг. угол.* Лгать, обманывать кого-л. Мильяненков, 152; ББИ, 124; Балдаев 1, 221. 2. *Жарг. мол.* Делать что-л. некачественно, непрофессионально. Никитина 1996, 102; Вахитов 2003, 38.

Ки́нуть (бро́сить) ла́жу *кому. Жарг. мол.* Навредить кому-л. Югановы, 120.

Лить (поро́ть, толка́ть) ла́жу. *Жарг. мол.* Обманывать кого-л., рассказывать небылицы. Никитина 1996, 102; Максимов, 217.

< **Лажа** — обман, фальшь.

Такого рода исторические, этнографические, мифологические или общекультурологические комментарии даются в конце словарной статьи. Цель таких комментариев — отразить по мере возможности национальную специфику образной системы русского языка и русского мировоззрения. Вот почему в какой-то мере Словарь можно рассматривать и как мозаическую языковую картину русского образного мира в его исторической перспективе. Образы описываемых поговорок при этом становятся камешками мозаики, из которых такая картина слагается.

В конце некоторых словарных статей иногда даются (посредством пометы Ср.) ссылки на фразеологические синонимы или различного рода варианты описываемых поговорок. Они имеют спорадический характер и предназначены в основном для ассоциативной «подсказки» Читателю при восприятии локального, малоизвестного материала путем отсылки к уже описанному или знакомому ему из разговорно-просторечного или литературного обихода. Напр.:

Быть на акко́рде. *Жарг. арм.* Выполнять последнее задание перед увольнением из армии. Елистратов 1994, 20. < Ср. **Дембельский аккорд.**

Без Б. *Жарг. мол.* Непременно, обязательно (утвердительный ответ). < Ср.: **без базара, без балды.**

Слепу́ю ба́бушку на бревно́ наводи́ть. *Кар. Шутл.-ирон.* Обманывать, лгать. СРГК 3, 302. Ср. **наводить слепого на брёвна (БРЕВНО).**

Бас на бас. *Забайк.* Без придачи (о равноценном обмене). СРГЗ, 61. < Ср. **баш на баш (БАШ).**

Нести́ колёса на туру́сах. *Народн. Неодобр.* Говорить ерунду, лгать. ДП, 205. Ср. **Нести турусы на колёсах (ТУРУСЫ).**

Жева́ть ушня́к. *Жарг. мол.* Обманываться, заблуждаться, верить заведомой лжи; быть доверчивым, наивным. Урал-98. < Ср. **вешать лапшу на уши.**

Червя́к в корсе́те. *Жарг. мол. Ирон. или Пренебр.* Об очень худой девушке. БСРЖ, 667; Максимов, 198. < Ср. диал. **селёдка в корсете.**

Порядок расположения поговорок алфавитный, причем центром описания являются стержневые слова, которые концентрируют в себе основной их образный смысл и экспрессивный потенциал. Как правило, таким словом оказывается первое имя существительное поговорки, под которым Читатель без труда её отыщет. Именно на многие из таких «стержней» и «наматываются» всё новые и новые образные выражения русского и других языков — достаточно открыть словарные гнёзда под такими словами, как «Голова», «Нога», «Рука», «Волк», «Собака», чтобы в этом убедиться.

Создание нашего Словаря было бы невозможно без помощи многих наших коллег, учителей и учеников, без многочисленных «доноров» живых русских поговорок на необъятном пространстве России: по оси «Север — Юг» от жителей поморской деревни Сумской Посад на Белом море до носителей курско-орловских (по происхождению) островных говоров в Одесской области, по оси «Запад — Восток» от Невельского района Псковской области и деревень Новгородчины до камчатских и сахалинских посёлков. Не менее активными генераторами поговорок, описанных в Словаре, были и жители многих городов: Москвы, Ленинграда-Петербурга, Пскова, Новгорода, Архангельска, Сыктывкара, Волгограда, Воронежа, Смоленска, Нижнего Новгорода, Иркутска, Новосибирска, Магнитогорска, Томска... Отовсюду приходили к нам материалы, но особую радость нам доставляли те, кто успел эти материалы опубликовать в своих диалектных, просторечных или жаргонных словарях, поскольку мы могли не только черпать нужное нам, но и точно ссылаться на эти бесценные источники. Мы благодарны всем, кто способствовал созданию «материальной базы» нашего Словаря, щедро делясь опубликованным и неопубликованным. Список наших «доноров» занял бы, пожалуй, десяток страниц предисловия, многие из них уже упомянуты нами с благодарностью в наших других фразеологических, синонимических и жаргонных словарях. Владимиру Степановичу Степанову (Оломоуц) и Елене Ивановне Рогалевой (Псков) мы признательны за неоценимую помощь в компьютерной обработке нашего материала. Хочется сердечно поблагодарить и нашего издательского редактора, известного диалектолога и лексикографа — профессора Людмилу Александровну Ивашко, давшую нам немало импульсов для улучшения текста Словаря. Особо низкий благодарственный поклон — трём нашим учителям, которые изначально поддержали саму идею создания сводного тезауруса русских поговорок и оставались нашими идейными вдохновителями постоянно: Борису Александровичу Ларину, Никите Ильичу Толстому и Галине Алексеевне Лилич.

Как бы ни полна была та коллекция русских поговорок, которую мы предлагаем Читателю, она, разумеется, не исчерпывает всего богатства образных выражений нашей речи. И не только потому, что каких-либо источников мы не смогли использовать, а из каких-либо диалектных, жаргонных, литературных словарей или паремиологических сборников не выбрали весь материал, относящийся к поговорочной теме. Не полна наша коллекция в первую очередь потому, что живая русская речь постоянно производит новые и новые поговорки и их оригинальные варианты. Как бы ни стремились составители словарей их зафиксировать, свободное Слово всегда опережает и будет опережать возможности его фиксации. Ведь, по словам А. С. Пушкина, «разум неистощим в соображении понятий, как неистощим язык в соединении слов». Эта неистощимость соединения слов и есть основа его образной энергетики, его вечной жизни. И если наш Словарь окажется востребованным и дождётся переиздания, мы будем корректировать, детализировать и расширять эту коллекцию поговорочной мозаики, которая делает русский язык «живым как жизнь». И будем безмерно признательны за каждую новую поговорочную «живинку», присланную нашим Читателем в адрес издательства:

sofia@id-neva.spb.ru

СПИСОК СОКРАЩЕНИЙ

аббр. — аббревиатура;
авиа — из речи авиаторов;
авто — из речи автомобилистов;
англ. — английское, из английского языка;
арест. — из жаргона осуждённых, отбывающих наказание в тюрьмах, ИТУ;
арм. — из молодёжного армейского жаргона;
архаичн. — архаичное;
археол. — из речи археологов;
асп. — из речи аспирантов;
афг. — из речи воинов-афганцев;
аэропорт. — из речи работников аэропорта;
байд. — из речи туристов-байдарочников;
байк. — из речи байкеров;
банк. — из речи работников банков;
башк. — башкирское, из башкирского языка;
безл.-предик. — безлично-предикативное слово; в безлично-предикативной функции;
бизн. — из речи бизнесменов, новых русских;
бил. — из речи бильярдистов;
бирж. — из речи биржевых маклеров;
букв. — буквально;
бран. — бранное;
бран.-шутл. — бранно-шутливое;
в знач. — в значении;
в т. ч. — в том числе;
вар. — вариант; вариантное;
венг. — венгерское, из венгерского языка;
воен. — из речи военных;
вопр. — вопросительный; вопрос;
воскл. — восклицательный; восклицание;
вульг.-прост. — вульгарно-просторечное;
высок. — высокий стиль;
глаг. — глагол;
гом. — из жаргона гомосексуалистов;
гост. — из речи работников гостиничного бизнеса;
греч. — греческое, из греческого языка;
гриб. — из жаргона наркоманов-грибников;
груб. — грубое;
деаббр. — деаббревиация — новая расшифровка аббревиатуры;
дигг. — из жаргона диггеров;
еврейск. — еврейское;
ед. ч. — единственное число;
ж. — женский род;
жарг. — жаргонизм, жаргонное;
ж/д — из речи железнодорожников;
журн. — из речи журналистов;
инд.-авт. — индивидуально-авторское;
инд.-торг. — из речи торговцев-индивидуалов;
инт. — из речи интеллигенции;
интенс. — интенсивное; интенсифицирующее;
ипподр. — из речи работников ипподромов;
ирон. — ироническое;
искаж. — искажённое;
итал. — итальянское, из итальянского языка;
ИТК — исправительно-трудовая колония;
ИТУ — исправительно-трудовое учреждение;
каз. — из речи игроков казино;
карт. — из речи игроков в карты;
кин. — из речи кинологов;
кино — из речи работников кино;
книжн. — книжное;
комм. — из речи представителей коммерческих структур;
комп. — из жаргона программистов и пользователей персональных компьютеров;
крим. — из речи криминальных структур;
кришн. — из речи кришнаитов;
КСП — клуб самодеятельной песни;
курс. — из речи курсантов военных училищ;
лаг. — из речи заключённых сталинских лагерей;
лат. — латинское;
латыш. — латышское;
лит. — литовское;
м.; м. р. — мужской род;
маж. — из речи “мажоров” — элитарной молодёжной группировки;
матем. — из речи студентов математико-механических факультетов университетов;
мед. — из речи медиков;
междом. — междометие;
металл. — из речи металлистов — поклонников металлического рока;
метео — из речи метеорологов;
мил. — из речи работников милиции, внутренних войск;
митьк. — из речи митьков;
мн.; мн. ч. — множественное число;
мод. слово — модальное слово;
мол. — из общемолодёжного жаргона;
морск. — из речи моряков;
муз. — из речи музыкантов;
музейн. — из речи музейных работников;
назв. — название;
нарк. — из речи наркоманов;
народн. — народное, из народной речи;
нар.-поэт. — народно-поэтическое;
нем. — немецкое, из немецкого языка;
неодобр. — неодобрительное; неодобрительно;
несов. — несовершенный вид;
нефт. — из речи нефтяников-бурильщиков;
неценз. — нецензурное;
обл. — областное;
обращ. — обращение;
общетюр. — общетюркское;
осуд. — осудительно;
охотн. — из речи охотников;
панк. — из речи панков;
парикм. — из речи парикмахеров;
патет. — патетическое;
первонач. — первоначально;
перен. — переносное; в переносном употреблении;
писат. — из речи писателей;

повел. накл. — повелительное наклонение;
пожарн. — из речи пожарных;
полигр. — из речи полиграфистов;
полит. — из сферы политики;
польск. — польское, из польского языка;
предосуд — предосудительно;
презр. — презрительное;
пренебр. — пренебрежительное; пренебрежительно;
преп. — из речи преподавателей вузов;
прил. — имя прилагательное;
произв. — из производственной сферы;
прост. — просторечное;
простит. — из речи проституток;
псих. — из речи пациентов психиатрических лечебниц;
радио — из жаргона радиолюбителей; из речи работников радиостанций;
разг. — разговорное, из разговорной речи;
ред.-изд. — из речи работников издательств;
редк. — редкое; редко употребляемое;
риэлт. — из речи риэлтеров;
русск. — русское; русский;
рыб. — из речи рыбаков;
СИЗО — следственный изолятор;
сист. — из жаргона хиппи и пост-хиппи, членов так называемой Системы;
совр. — современный;
спец. — специальное;
спорт. — из речи спортсменов и фанатов спортивных клубов:

- альп. — альпинизм;
- баск. — баскетбол;
- греб. — гребля;
- д/пл. — дельтапланеризм;
- конн. — конный;
- культ. — культуризм, бодибилдинг;
- л/атл. — легкая атлетика;
- плав. — плавание;
- план. — планерный спорт;
- с/гимн. — спортивная гимнастика;
- т/атл. — тяжелая атлетика;
- тур. — туризм;
- футб. — футбол;
- х/гимн. — художественная гимнастика;

ср. — средний род;
студ. — из студенческого жаргона:

- ист. — историки;
- мат. — математики;
- физ. — физики;
- филол. — филологи;
- хим. — химики;
- худ.-граф. — художники-графики;
- юр. — юристы;

сущ. — имя существительное;
с/х — из речи работников сельского хозяйства;
тамож. — из речи работников таможни;
тат. — татарское, из татарского языка;
ТВ — из речи работников телевидения;
театр. — из речи работников театра;
телеф. — из речи телефонистов;
техн. — из технической сферы;
токс. — из речи токсикоманов;
торг. — из речи работников торговли;
трансф. — трансформация; трансформированное;
туркм. — туркменское, из туркменского языка;
тюрк. — из тюркских языков;
уваж. — уважительно;
увел. — увеличительное;
угол. — из речи уголовников;
угрож. — угрожающе;
удм. — из удмуртского языка;
укр. — украинское, из украинского языка;
ум. — уменьшительное;
ум.-ласк. — уменьшительно-ласкательное;
устар. — уста́ревшее;
фам. — фамильярное;
фарц. — из жаргона фарцовщиков 80-х г.
фин. — финское, из финского языка;
флк. — фольклорное;
худ. — из речи художников;
церк. — церковное;
цыг. — цыганское, из цыганского языка;
чеш. — чешское;
шк. — из жаргона школьников;
шорн. — шорное (из речи шорников);
шутл. — шутливое;
шутл.-ирон. — шутливо-ироническое;
шутл.-одобр. — шутливо-одобрительное;
эвфем. — эвфемизм;
экон. — из сферы экономики;
эст. — эстонское, из эстонского языка;
южн. — южное;
DJ — из речи диджеев;
RPG — из лексикона игроков в ролевые игры (Role Playing Games).

Географические пометы:

Алт. — Алтайский край;
Арх. — Архангельская область;
Башк. — Республика Башкирия (ныне Башкортостан);
Беломор. — Беломорское;
Брян. — Брянская область;
Бурят. — Бурятия;
Ветл. Вят. — Ветлужский уезд Вятской губернии;
Влад. — Владимирская область;
Волг. — Волгоградская область;
Волго-Касп. — Нижняя Волга и Прикаспийский регион;
Волог. — Вологодская область;
Ворон. — Воронежская область;
Вост.-Закам. — Восточное Закамье;
Вят. — Вятская губерния (ныне Кировская область);
Горьк. — Горьковская (ныне Нижегородская область);
Груз. — Грузинская ССР;
Гурьев. — Гурьевская область Казахской ССР;
Дон. — Донское (по р. Дон);
Ейск. — Ейский уезд Кубанской области;
Забайк. — Забайкальское;
Заур. — Зауралье;
Иван. — Ивановско-Вознесенская губерния (область), Ивановская область;

Иркут. — Иркутская губерния (область);
Казан. — Казанская губерния;
Калин. — Калининская (ныне Тверская область);
Камч. — Камчатское;
Кар. — Республика Карелия;
Кем. — Кемский р-н Карелии;
Колым. — Колымское;
Кемер. — Кемеровская область;
Коми — Республика Коми;
Костром. — Костромская область;
Краснодар. — Краснодарский край;
Краснояр. — Красноярский край;
Кубан. — Кубанская область;
Куйбыш. — Куйбышевская область;
Курган. — Курганская область;
Курск. — Курская область;
Латв. — Республика Латвия;
Ленингр. — Ленинградская область;
Морд. — Республика Мордовия;
Моск. — Московская область;
Нижегор. — Нижегородская губерния (область);
Новг. — Новгородская область;
Одесск. — Одесская губерния (область);
Олон. — Олонецкая губерния (район Республики Карелия);
Онеж. — Онежский р-н Карелии;
Орл. — Орловская область;
Пенз. — Пензенская губерния (область);
Перм. — Пермская область;
Петерб. — Петербургская губерния;
Петрогр. — Петроградская губерния;
Петрозав. — Петрозаводский уезд Олонецкой губернии (или Петрозаводский уезд Карельской АССР);
Печор. — Низовья Печоры;
Помор. — Поморье;
Приамур. — Приамурье;
Прибайк. — Прибайкалье;
Прикам. — Прикамье;
Пск. — Псковская область;
Р. Урал — Река Урал;
Ряз. — Рязанская область;
Самар. — Самарская губерния;
Свердл. — Свердловская область;
Сиб. — Сибирское;
Симб. — Симбирская губерния;
Смол. — Смоленская область;
Ср.-Обск. — Средне-Обское (по среднему течению р. Оби);
Ср. Урал — Средний Урал;
Ставр. — Ставропольский край;
Сталингр. — Сталинградская область;
Тамб. — Тамбовская губерния (область);
Твер. — Тверская область;
Терск. — Терская область;
Тобол. — Тобольская губерния;
Том. — Томская область;
Тул. — Тульская область;
Урал. — Урал;
Урал. (Яицк.). — Урал (Яицкие казаки);
Хакас. — Хакасия;
Челяб. — Челябинская область;
Чкал. — Чкаловская область;
Южн. Урал. — Южноуральское;
Яросл. — Ярославская область.

ГРАФИЧЕСКИЕ ОБОЗНАЧЕНИЯ

// — оттенки значений фразеологизмов
< — этимологическая справка

А * А большое. *Жарг. студ. (с/х). Шутл.* Землемерный циркуль. (Запись 2003 г.).

А в жо́пе. *Жарг. студ. (матем.). Шутл.* Странное математическое выражение; неправильный ответ, неверное решение. (Запись 2003 г.). < Трансформация выражения **А в квадрате, А в кубе.**

А в квадра́те. *Жарг. шк. Шутл.* Учитель с инициалами А. А. (Запись 2003 г.).

А в ку́бе ($А^3$). 1. *Шк.* Учитель с инициалами А.А. и фамилией, начинающейся с буквы «А». (Запись 2003 г.). 2. *Жарг. студ. (филол.). Шутл.* Анна Андреевна Ахматова — А. А. А. БСРЖ, 29.

От а до я (до и́жицы). *Разг.* Полностью, от начала до конца, ничего не пропуская. БМС 1998, 18; БТС, 23, 1530; Ф 1, 12.

А-А́ * Де́лать/сде́лать (наде́лать, ходи́ть/ сходи́ть) а-а́. *Детск. Эвфем.* Испражняться (о ребёнке). Мокиенко, Никитина 2003, 71.

АБА́З * Ни [одного́] аба́за. *Прост.* О полном отсутствии денег у кого-л. РАФС, 1; Ф 1, 12.

АБЗА́Ц * Абза́ц котёнку [бо́льше срать не бу́дет]. 1. *Разг. Шутл.* Все кончено с кем-л., с чем-л. УМК, 47; Максимов, 11. 2. *Жарг. шк. Шутл.* Об ученике, отвечающем урок у доски. ВМН 2003, 17.

Взять абза́ц. *Жарг. мол.* Сделать три затяжки при курении. Никитина 2003, 15. < **Абзац** — три затяжки при курении.

По́лный абза́ц. *Жарг. мол. Одобр.* О чём-л. очень хорошем, высшего качества, вызывающем одобрение. УМК, 47; Югановы, 23. < **Абзац** — о чем-л. отличном, превосходном.

Начина́ть с абза́ца. *Жарг. мол. Неодобр.* Много раз повторять одно и то же. Максимов, 11.

АБОРДА́Ж * Брать/ взять на аборда́ж. 1. *кого, что. Разг.* Действовать решительно, напористо по отношению к кому-л., чему-л. ФСРЯ, 45; ЗС 1996, 70; Мокиенко 1990, 129; ШЗФ 2001, 23; ЗС 1996, 70; БМС 1998, 18. 2. *кого, что. Жарг. угол.* Грабить кого-л., что-л. УМК, 47; ББИ, 43. 3. *кого. Разг.* Насиловать кого-л. УМК, 47; ББИ, 43. < Полукалька с франц. *prendre à l'abordage* — 'приставать к кому-л., подступать к кому-л. вплотную'.

Идти́/ пойти́ на аборда́ж. *Жарг. мол. Шутл.* Делать аборт. Елистратов 1994, 17.

АБО́РТ * Або́рт сове́тской автомоби́льной промы́шленности. *Жарг. авто. Шутл.-ирон.* Автомобиль «Ока». Максимов, 11.

Делать/сде́лать або́рт. *Жарг. шк. Шутл.* Выполнять работу над ошибками. ВМН 2003, 17.

Козли́ный або́рт. *Жарг. мол. Пренебр.* Об очень глупом человеке. Максимов, 11.

Ожи́вший або́рт. *Жарг. мол. Пренебр.* О некрасивом человеке. Максимов, 11.

АБРА́М * У ка́ждого Абра́ма своя́ програ́мма. *Разг. Шутл.* О предприимчивости евреев. Елистратов 1994, 17.

АБСУ́РД * Доводи́ть/ довести́ до абсу́рда *что. Разг. Неодобр.* Делая что-л. неправильно, последовательно приходить к явной нелепости. БМС 1998, 18.

А́БЦУГ * С пе́рвого а́бцуга. *Устар.* Сразу же, немедленно; в самом начале, с самого начала. ФСРЯ, 29; БМС 1998, 18; Мокиенко 1986, 62, 128; Грачев, Мокиенко 2000, 17.

По пе́рвому а́бцугу. *Устар.* То же, что **с первого абцуга.** ФСРЯ, 29; Грачев, Мокиенко 2000, 17.

< Восходит к нем. *Abzug* — 'метание карт при игре в банк'.

АВДО́ТЬЯ * Авдо́тьи сеногно́йки (сеногно́тьи). *Сиб.* Дождливая погода во время сенокоса. ФСС, 7.

АВДО́Ш * Авдо́ш с сороково́го бо́ра. *Пск. Бран. Разбойник* (*из листовки 1910 г.*). ПОС 1, 49. < **Сороково́й бор** — название леса в районе с. Елизарова (Пск. р-н Пск. обл.).

АВА́НС * Ава́нсы пою́т рома́нсы. *Прост. Шутл.* О полном отсутствии денег и невозможности их одолжить где-л. Ф 1, 12; Мокиенко 2003, 1. < Трансформация выражения **финансы поют романсы.**

Де́лать ава́нсы *кому. Разг.* Давать понять, делать намеки на возможность ухаживания, сближения и т. п. ФСРЯ, 130.

А́ВЕ см. **А́ВЭ.**

АВИА́ЦИЯ * Тря́почная авиа́ция. *Жарг. авиа. Пренебр.* Дельтапланеризм. БСРЖ, 30.

А́ВИЯ * Городи́ть а́вию. *Кар. (Ленингр.). Неодобр.* Говорить вздор, глупости. СРГК 1, 16-17, 373.

АВО́СЬ * Аво́сь да небо́сь [да какнибу́дь]. *Прост.* Каким бы то ни было образом, само собой (будет так. как надо). ФСРЯ, 29.

На аво́сь. *Разг.* В расчете на счастливую случайность, на счастливый исход; наудачу. ДП, 117; ФСРЯ, 29; Ф 1, 12; БТС, 25; СПП 2001, 15.

На аво́сь Бо́жью. *Кар. (Ленингр.).* Приблизительно, на глаз. СРГК 1, 17.

АВО́СЬКА * Де́лать на аво́ську. *Яросл. Неодобр.* Делать что-л. быстро, небрежно. ЯОС 3, 127.

АВРА́Л * Объявля́ть/ объяви́ть авра́л. *Публ., Разг.* Призывать всех к спешной работе в случае чрезвычайных обстоятельств. БМС 1998, 19.

АВТО́БУС * Посла́ть авто́бус. *Жарг. комп. Шутл.* Ликвидировать, удалить процесс командой kill-bus. Mac.

АВТОГЕ́Н * Дыша́ть на автоге́н. *Разг. Шутл.-ирон.* Быть очень старым, изношенным, потрёпанным, ненадёжным в эксплуатации (об автомобиле). Мокиенко 2003, 1.

АВТО́ГРАФ * Поста́вить (дать) авто́граф *кому. Шутл.* 1. *Разг.* Ударить кого-л. Елистратов 1994, 18. 2. *Жарг. мол.* Оставить след от поцелуя. БСРЖ, 30.

АВТОМОБИ́ЛЬ * Береги́сь автомоби́ля. *Жарг. шк. Шутл.* О директоре школы. Максимов, 32.

АВТОПИЛО́Т * Включи́ть автопило́т. *Разг. Шутл.* Будучи в состоянии сильного алкогольного опьянения, двигаться в нужном направлении автоматически, доверившись чувству интуиции. Елистратов 1994, 18.

Идти́/ прийти́ (добира́ться/ добра́ться, доезжа́ть/ дое́хать) на автопило́те. *Шутл.* 1. *Жарг. спорт.* Завершать что-л. непроизвольно, машинально. 2. *Разг.* Автоматически двигаться в нужном направлении, добираться до нужного места, будучи в состоянии сильного алкогольного опьянения и доверившись чувству интуиции. БСРЖ, 30; Вахитов 2003, 145.

Лета́ть автопило́том. *Жарг. мол.* Действовать в бессознательном состоянии в результате опьянения. Вахитов 2003, 91

АВТОПРОБЕ́Г * Уда́рим автопробе́гом по бездоро́жью! *Разг. Шутл.-ирон.* О каком-л. почине, начинании, реализуемом с большим энтузиазмом. < Из повести И. Ильфа и Е. Петрова «Золотой телёнок». Fomenko 04-02.

А́ВТОР * От а́втора в реда́кцию. *Жарг. шк. Шутл.-ирон.* Сочинение. (Запись 2004 г.).

АВТОРИТЕ́Т * Зарабо́тать авторите́т. *Жарг. мол. Шутл.* Отрастить большой живот. Максимов, 11.

Сбить авторите́т *[кому]. Пск.* Испортить дело, помешать кому-л. в чём-л. ПОС 1, 50.

А́ВЭ (А́ВЕ) * А́вэ (а́ве) Мари́я. *Жарг. комп. Шутл.* Звуковая плата AWE (чаще об AWE-32). Садошенко, 1995; WMN, 5.

АГА́ША * Мели́, Ага́ша, изба́-то на́ша. *Разг. Шутл.* О болтуне, обманщике, которого некому унять, остановить. ДП, 204.

АГДА́М * Агда́м сухе́йн. *Жарг. мол. Шутл.* Дешёвое некачественное вино. Щуплов, 50. < Шутл. трансформация имени арабского лидера Саддама Хусейна.

АГЕ́НТ * Аге́нт глубо́кого внедре́ния. *Жарг. бизн.* Лицо, ведущее промышленный, экономический шпионаж, внедрившись в фирму в качестве сотрудника. БС, 4.

Аге́нт ЦРУ. *Жарг. шк. Шутл. или Презр.* Учитель. Максимов, 12.

Рекла́мный аге́нт. *Жарг. студ. Ирон.* Студент во время сессии. Максимов, 12.

Поговори́ть об аге́нте. *Жарг. мол. Шутл.* Покурить сигареты марки «Бонд». Максимов, 12.

АГИТА́ТОР * Спря́тать агита́тора, *чаще в форме повел. накл. Разг. Шутл.* Замолчать. Елистратов 1994, 19.

АГИТА́ЦИЯ * Агита́цию разводи́ть. *Пск. Неодобр.* Уговаривать, убеждать кого-л. в чём-л. ПОС 1, 51.

АГИ́ТКА * Чёрная аги́тка. *Разг. Пренебр. Устар.* Партийная литература и печать КПСС. Балдаев 2001, 165.

А́ГНЕЦ * А́гнец Бо́жий (непоро́чный). *Книжн. Устар. Ирон.* Кроткий, робкий, безобидный человек. Ф 1, 14. < Выражение связано с библейским преданием о заклании Авраамом "агнца (ягнёнка) Божия". БМС 1998, 19.

Заколо́ть а́гнца. *Книжн. Устар. Шутл.* Устроить пирушку, угощение. Ф 1, 197.

АГРОНО́М * На всё агроно́м. *Перм. Одобр.* О человеке, умеющем сноровисто выполнять любую работу. Сл. Акчим. 1, 39.

АД[1] * Ад кроме́шный. *Разг. Неодобр.* 1. Мучительно тяжелая жизнь; невыносимая обстановка, взаимоотношения между кем-л. ФСРЯ, 29; БТС, 472; БМС 1998, 19; ПОС 7, 48; Ф 1, 12; ДС, 250. 2. Невыносимый шум, суматоха, хаос. ФСРЯ, 29; БМС 1998, 19. 3. **[на се́рдце]** *у кого.* Кому-л. мучительно тяжело. ФСРЯ, 29. < **Кроме́шный** — от слова **крома** — 'граница, край' (ср. **кромка**).

Ад разори́ть. *Смол.* Сильно рассердившись, начать буйствовать, кричать. СРНГ 1, 204.

Ад тя остани́! *Костром. Бран.* Проклятие в чей-л. адрес. СРНГ 1, 204.

Добро́ пожа́ловать в ад! *Жарг. шк. Ирон.* О первом сентября, начале учебного года. ВМН 2003, 17.

Ма́ленький ад. *Жарг. студ. Шутл.-ирон.* Зачёт. (Запись 2003 г.).

Окроме́шный ад. 1. *Новг. Бран.* О непослушном ребёнке. НОС 6, 159. 2. *Яросл. Неодобр.* О жадном, алчном человеке. ЯОС 1, 20.

Хоть в ад, да в са́мой зад. *Новг. Шутл.-ирон.* Подальше от всего плохого. НОС 3, 23.

Бегу́щий из а́да. *Жарг. арм. Шутл.* Демобилизованный солдат. Максимов, 12.

Горе́ть в аду́. *Жарг. шк. Шутл.-ирон.* Отвечать у доски. ВМН 2003, 17.

Кипе́ть в аду́. *Волг.* Находиться в постоянных хлопотах, заботах. Глухов 1998, 74.

АД[2] * Ад бездённый. *Костром., Яросл. Неодобр. или Бран.-шутл.* О том, кто слишком много ест. СРНГ 1, 204; ЯОС 1, 20.

Ад несы́тный. *Яросл. Неодобр.* Об алчном человеке. ЯОС 1, 20.

Драть /рвать) ад. *Перм. Неодобр.* Очень громко кричать, орать. Сл. Акчим. 1, 40.

Откры́ть ад. *Перм.* Громко кричать. Сл. Акчим. 1, 40.

А́дом брать/ взять. *Перм.* Криком отстаивать свои интересы, добиваться чего-л. Сл. Акчим. 1, 39.

< **Ад** — рот, пасть, глотка.

АДА́М * Начина́ть/ нача́ть с Ада́ма. *Книжн. Устар. часто Шутл. или ирон.* Вести изложение с самого начала, с основополагающих фактов. БМС 1998, 19-20.

От (с) Ада́ма. *Разг. Устар. часто Ирон.* С древности, издавна. БТС, 29; ФСРЯ, 29; БМС 1998, 19.

С Ада́ма и Е́вы. *Книжн. Устар.* То же, что **от Адама.** БТС, 29; Ф 1, 13.

Совле́чь с себя́ ве́тхого Ада́ма. *Книжн. Устар.* Духовно обновиться, усвоить новые взгляды и привычки, освободившись от старых. Ф 2, 172. < Выражение восходит к Посланиям апостола Павла к Римлянам, Ефесянам, Колоссянам. БМС 1998, 20.

С-под Ада́ма. *Пск.* То же, что **от Адама.** ПОС 1, 51.

АДВОКА́Т * Адвока́т бо́жий. *Устар. Ирон.* О человеке, идеализирующем окружающих, видящем во всем лишь хорошие стороны. БМС 1998, 20.

Адвока́т дья́вола. 1. *Книжн. Ирон.* О человеке, любящем сквернословить в чей-л. адрес, старающемся и в хорошем найти недостатки. БМС 1998, 20. 2. *Жарг. бизн.* Человек, не являющийся знатоком, но умеющий критически относиться к чужим идеям при разработке новых проектов. БС, 6.

АДИДА́СЫ * Адида́сы отбро́сить (отки́нуть). *Жарг. мол. Шутл.* Умереть, скончаться. < **Адида́сы** — кроссовки фирмы "Адидас" (Adidas).

А́ДИК * Круто́й А́дик. *Жарг. мол.* Адольф Гитлер. Грачев 1997, 130.

А́ДРЕС * В а́дрес *кого, чей. Разг.* По отношению к кому-л., относительно кого-л., о ком-л. (говорить, высказываться и т. п.). ФСРЯ, 29.

Не по а́дресу. *Разг.* Не туда, куда следует; не о том, о ком или о чём следует. ЗС 1996, 338; ФСРЯ, 29.

По а́дресу *кого, чьему. Разг.* То же, что **в адрес.** ФСРЯ, 30; БТС, 30.

Прописа́ть по а́дресу *что. Жарг. комп.* Записать данные в память компьютера или на диск. Садошенко, 1995.

АДЪЮТА́НТ * Адъюта́нт его́ превосходи́тельства. *Разг. Шутл.-ирон.* О человеке на побегушках. < От названия приключенческого телефильма («Мосфильм», 1969 г.). Дядечко 1, 21.

АЖГА́ * Ажга́ берёт *[кого]. Пск.* О сильном желании чего-л., нетерпении. СПП 2001, 15. < Слово **ажга,** возможно, — метатеза **жгага,** в таком случае оно этимологически связано со **згага, изгага** — изжога (ПОС 12, 13). Прим. ред.

АЖУ́Р * В ажу́ре. *Прост. Одобр.* Так, как должно, как следует; хорошо, благополучно. ФСРЯ, 30; Мильяненков, 77; Мокиенко 1986, 62, 127-128; БТС, 30; ЗС 1996, 200; DL, 142. < Восходит к франц. *à jour* — вовремя, букв. «в данный день». БМС 1998, 20. **Всё в ажуре, а хуй на абажуре.** *Прост. Шутл.* То же. Мокиенко, Никитина 2003, 71-72.

АЗ * А́за не ви́деть. *Разг. Устар.* Быть неграмотным. Ф 1, 213.

Ни аза́ [в глаза́]. *Разг. Шутл.* Совершенно ничего (не знать, не понимать и т. п.). ФСРЯ, 30; БМС 1998, 20; ЗС 1996, 337; БТС, 30; АОС 9, 84.

Ни а́за ни бу́ки. *Волг. Неодобр.* О глупом, несообразительном человеке. Глухов 1998, 107.

От а́за до и́жицы. *Книжн. Устар.* От самого начала до самого конца. ФСРЯ, 30; БМС 1998, 20.

Азо́в не разбира́ет. *Разг. Устар. Неодобр.* О необразованном человеке. ЗС 1996, 33.

С азо́в. *Разг.* С самого начала, с простого, с элементарного, с самых основ (начинать делать что-л.). ФСРЯ, 30; Мокиенко 1986, 10; БМС 1998, 20.

А́зы да бу́ки. *Разг. Устар.* Первоначальная грамота, начальное школьное обучение. Ф 1, 13.

Тверди́ть азы́. *Разг. часто Неодобр.* Осваивать какое-л. дело, ремесло с самых простых, примитивных вещей, изучать элементарные истины. БМС 1998, 21.

< **Аз** — прежнее название первой буквы русского алфавита А.

АЗА́РТ * Входи́ть/ войти́ в азарт. *Разг.* Увлекаться чем-л. до страсти, до самозабвения. БМС 1998, 21; ШЗФ 2001, 41.

А́ЗБА * А́збы не знать. *Волог.* Абсолютно ничего не знать. СРНГ 1, 214.

А́ЗБУКА * С а́збуки. *Разг. Устар.* С самого начала, с самого простого, элементарного. Ф 1, 13; Мокиенко 1986, 10.

А́ЗБУЧКА * Чита́ть/ прочита́ть а́збучку *кому. Волг. Шутл.-ирон.* Ругать, бранить кого-л. Глухов 1988, 173.

АЙЗ * Айзы́ горя́т *у кого на что. Жарг. мол.* О сильном желании, увлечении чем-л. Рожанский, 14. < **Айз** — глаз (от англ. *eyes*).

Откры́ть айзы́ *кому. Жарг. мол.* Объяснить, помочь понять кому-л. что-л. БСРЖ, 32.

Разу́ть айзы́. *Жарг. мол.* Посмотреть внимательнее. Никитина 1996, 9.

А́ЙРЕН * А́йрен ме́йден. *Жарг. журн. Шутл.-ирон.* О Валентине Матвиенко, губернаторе Санкт-Петербурга МННС, 188. < По названию рок-группы, играющей тяжёлый металлический рок.

А́ЙСБЕРГ * Мой а́йсберг в океа́не. *Разг. Шутл.* О любимом человеке (обычно — сдержанно относящемся к женщине). < Из популярной песни, исполнявшейся А. Пугачевой в 80-е гг. Мокиенко 2003, 1-2.

А́йсберги, Ва́йсберги и вся́кие там Рабино́вичи. *Разг. Ирон.* О евреях. Елистратов 1994, 19.

АКАДЕ́МИЯ * Акаде́мия живописи и воня́ния. *Жарг. студ. Шутл.* Академия живописи и ваяния. БСРЖ, 32.

Акаде́мия крыла́тых. *Публ. Устар. Патет.* Высшее учебное заведение, в котором готовят лётчиков. Новиков, 18.

Акаде́мия убо́жеств. *Жарг. студ. Шутл.-ирон.* Академия художеств в Санкт-Петербурге. Синдаловский 2002, 15.

Вши́вая акаде́мия. *Жарг. шк., студ. Шутл.-ирон. или Презр.* Спецшкола гороно для трудновоспитуемых детей в Санкт-Петербурге. Синдаловский 2002, 42.

Буты́рская акаде́мия. *Жарг. угол.* Бутырская тюрьма. СРВС 1, 57.

Коро́вья акаде́мия. *Жарг. студ. Шутл.* Академия ветеринарной медицины в Санкт-Петербурге. Синдаловский 2002, 94.

Морко́вкина акаде́мия. *Жарг. студ. Шутл.-ирон.* Сельскохозяйственный техникум. БСРЖ, 32.

Па́лочная акаде́мия. *Жарг. угол. Устар.* Острог. СРВС 2, 15, 106.

Зако́нчить акаде́мию. *Жарг. угол.* Отбыть срок наказания в ИТУ. ББИ, 17; ТСУЖ, 62; Балдаев 1, 143.

< **Академия** — тюрьма, исправительно-трудовое учреждение.

АКА́КИЙ * Ака́кий Ака́киевич [Башма́чкин]. *Книжн.* О кротком, безобидном человеке. < Выражение связано с повестью Н. В. Гоголя "Шинель". БМС. 21.

АКА́ФИСТ * Ака́фист чита́ть (петь) *кому.* 1. *Устар. Ирон.* Не в меру превозносить, захваливать кого-л. БМС 1998, 21. 2. *Пск. Неодобр.* Поучать, отчитывать кого-л., читать нравоучения кому-л. СПП 2001, 15. Ср. **Чита́ть моле́бен с акафистом.**

АКА́ЦИЯ * Ака́ция зацвела́ (расцвела́). *Жарг. мол. Шутл.* О начале менструации. Вахитов 2003, 7; Максимов, 12.

АКВАЛА́НГ * Быть в аквала́нге. *Жарг. мол. Шутл.* Быть безразличным к происходящему. (Запись 2004 г.).

АКВА́РИУМ * Нырну́ть (попа́сть) в аква́риум. *Разг. Шутл.-ирон.* Уйти в запой. Елистратов 1994, 20.

АККО́РД * Брать/ взять акко́рд. *Жарг комп. Шутл.* Перегрузить компьютер при помощи клавиш Ctrl-Alt-Del. (Запись 2003 г.).

Де́мбельский акко́рд. *Жарг. арм.* Последнее крупное поручение, работа, которую солдат выполняет перед демобилизацией. Елистратов 1994, 108; ЖЭСТ-1, 233.

Заключи́тельный акко́рд. *Книжн.* Какое-либо событие, явление, действие и т. п., которым завершается что-л. ФСРЯ, 30.

На акко́рд. *Разг. Устар.* На условиях договора, соглашения (брать, захватывать, сдавать и т. п.). ФСРЯ, 30; БМС 1998, 22.

Посади́ть на акко́рд *кого. Жарг. арм.* Дать кому-л. последнее задание перед увольнением из армии. Елистратов 1994, 30. < Ср. **Дембельский аккорд.**

Быть на акко́рде. *Жарг. арм.* Выполнять последнее задание перед увольнением из армии. Елистратов 1994, 20. < Ср. **Дембельский аккорд.**

< **Аккорд** — соглашение, договор.

АККОРДЕО́Н * Аккордео́н му́зыки. *Жарг. угол. Устар. Шутл.* Плитка чая. СВЯ, 3.

Большо́й аккордео́н му́зыки с га́лстуком. *Жарг. угол. Устар. Шутл.* Большая плитка чая с привесом. СВЯ, 3.

Игра́ть на аккордео́не. *Жарг. угол., мил.* Дактилоскопироваться; снимать отпечатки пальцев. БСРЖ, 33.

АККУМУЛЯ́ТОР * Заряжа́ть аккумуля́торы. *Жарг. мол. Шутл.* Находиться у любовницы. Максимов, 12.

АККУРА́Т * В аккура́т. *Прост.* Точно, как раз. МАС 1, 29; Ф 1, 13; НОС 7, 103; СПСП, 14.

Наводи́ть аккура́т. *Прибайк.* Соблюдать чистоту и порядок. СНФП, 18.

В аккура́те. *Прост.* Как следует. МАС 1, 29; Ф 1, 13; ПОС, 1, 56.

С аккура́том. *Пск.* Бережно, аккуратно. ПОС 1, 56.

АКРИ́ДЫ * Пита́ться акри́дами и [ди́ким] мёдом. *Книжн. Устар.* Жить впроголодь, недоедать, не иметь достаточно пищи. ФСРЯ, 320; БТС, 32, 527; БМС 1998, 22. < **Акриды** — от греч. 'саранча'.

АКРОБА́Т * Акроба́ты благотвори́тельности. *Книжн. Ирон.* О тщеславных филантропах, ловко преувеличивающих размеры помощи и извлекающих из этого собственную выгоду.

БМС 1998, 22. < От названия популярной в XIX в. повести Д. В. Григоровича.

АКТИВИ́СТ * Активи́ст из су́чьего парла́мента. *Жарг. угол., лаг. Презр.* Заключённый, сотрудничающий с администрацией ИТУ. Балдаев 1, 15.

АКУЛИ́НА * Акули́на заеда́ла. *Забайк.* О летних днях, когда бывает много комаров. СРГЗ, 52. < От названия церковного праздника в честь святой Акулины (26 июля).

Акули́на задери́ хвосты́. *Сиб., Забайк.* То же, что **Акулина заедала.** СРГЗ, 52; ФСС, 7.

Акули́ны вздери́ хвосты́. *Народн.* Церковный праздник в честь святой Акулины (26 июня), когда скот особенно страдает от оводов. ДП, 885.

Акули́ны — кривы́е огурцы́. *Пск.* Церковный праздник в честь святой Акулины (26 июня) /считается, что огурцы, посаженные после этого дня вырастут мелкими, искривленными. ПОС 1, 57.

АКУ́ЛЯ * Аку́ля Ро́говна. *Яросл. Шутл.* Обращение к женщине. ЯОС 1, 21.

АКЦЕ́НТ * Де́лать/ сде́лать (ста́вить/ поста́вить) акце́нт *на чём. Книжн.* Подчёркивая, обращать внимание на что-л. < Калька с франц. *mettre l'accent sur qch.* Hau, 18.

А́КЦИЯ * А́кции па́дают *чьи, кого, чего. Публ.* Шансы на успех или роль, значение кого-л., чего-л. снижаются. ФСРЯ, 30; БМС 1998, 22.

А́кции повыша́ются (поднима́ются) *чьи, кого, чего. Публ.* Шансы на успех или роль, значение кого-л., чего-л. возрастают. ФСРЯ, 30; БМС 1998, 22.

АЛА́БЫШ * Дава́ть/ дать ала́быш *кому. Обл.* Наносить удар, бить кого-л. Мокиенко 1990, 109.

АЛА́ЛЛИУС * Поро́ть ала́ллиус. *Жарг. мол. Неодобр.* 1. Лгать, обманывать. 2. Говорить не по теме; пустословить. Максимов, 13.

АЛБА́НЕЦ * Бе́сов алба́нец. *Пск. Бран.* О человеке, вызывающем гнев, негодование, возмущение. ПОС 1, 58.

Наи́вный алба́нец. *Жарг. мол. Пренебр.* Глупый, несообразительный человек; дурак, идиот. h-98.

А́ЛГЕБРА * А́лгебра револю́ции. *Книжн., Публ.* Революционное диалектическое учение. < Перифрастическое определение философии Гегеля. БМС 1998, 22; ШЗФ 2001, 14.

Поверя́ть/ пове́рить а́лгеброй гармо́нию. *Книжн.* Проверять разумом, точным расчётом то, что выражено чувством. < Выражение из трагедии А. С. Пушкина "Моцарт и Сальери". БМС 1998, 22.

АЛДА́Н * Алда́н в плеча́х *у кого. Сиб., Забайк.* О широкоплечем человеке. СРГЗ, 53; ФСС, 7. < **Алда́н** — мера длины, равная расстоянию вытянутых в стороны рук.

АЛЕБА́СТР (АЛЕБА́СТРА) * Окуни́сь в алеба́стр (алеба́строчку)! *Жарг. мол.* 1. Восклицание, выражающее недоверие к собеседнику. 2. Требование замолчать. Максимов, 286.

АЛЕБА́СТРОЧКА * Окуни́сь в алеба́строчку. См. **Окунись в алебастр (АЛЕБАСТР).**

АЛЁНА * Алёна из пе́да. *Жарг. студ. Шутл.* Студентка пединститута. Максимов, 13.

АЛЕКСЕ́Й * Алексе́й Алексе́евич. *Жарг. угол.* 1. *Устар.* Лакей. СРВС 2, 15; ББИ, 17; ТСУЖ, 12; Балдаев 1, 15. 2. Швейцар. ББИ, 17. 3. Прислужник авторитетного вора. ББИ, 17.

Алексе́й с гор потеки́. *Калуж.* Церковный праздник в честь св. Алексея (17 марта по ст. ст.). СРНГ 30, 270.

Алексе́й с Бо́жьих гор пото́ки. *Сиб.* То же. ФСС, 7.

АЛЁХА * Алёха се́льский. 1. *Прост. Презр.* Глупый, невежественный человек. Мокиенко 1989, 167; Мокиенко 1990, 106; БМС 1998, 22. 2. *Сиб. Неодобр.* О хвастливом человеке. СФС, 16; ФСС, 7.

АЛЁША * Алёша бесконво́йный. 1. *Прост. Презр.* То же, что **Алёха сельский 1.** Мокиенко 1989, 167; БМС 1998, 22. 2. *Сиб. Шутл.-ирон.* О неуравновешенном человеке с причудами. СФС, 16; ФСС, 7.

Алёша с вальта́ми. *Горьк. Шутл.-ирон. или Неодобр.* Человек со странностями. БалСок, 21.

АЛЁШКА * Алёшки подпуска́ть. *Влад.* Шутить; хвастать; лгать. СРНГ 1, 234.

АЛИ-БАБА́ * Али-баба́ и со́рок разбо́йников. 1. *Жарг. арм. Шутл.* Армейский взвод. БСРЖ, 33. 2. *Жарг. шк. Шутл.* Директор школы и учителя; педколлектив. Никитина 1998, 12. 3. *Жарг. шк. Шутл.* Классный руководитель и ученики. Максимов, 13. 4. *Жарг. шк. Шутл.* Классный руководитель и родители учеников на родительском собрании. Максимов, 13; WM, 44. 5. *Жарг. шк.* Ученики на перемене. (Запись 2003 г.). 6. *Разг.* О нарушителях порядка, тех, кто причиняет вред кому-л. Дядечко, 1, 25.

АЛИЛЮ́ШКИ * Алилю́шки разводи́ть. *Волог. Шутл. или Неодобр.* Разговаривать о чём-л. несерьёзном, незначительном, болтать вздор, пустяки. СВГ 1, 15.

АЛИ́СА * Али́са в стране́ чуде́с. *Жарг. мол. Презр. или Шутл.-ирон.* 1. Очень глупая девушка. 2. Девушка с отклонениями в психике. Максимов, 13.

А́ЛЛА * А́лла Пугачё́ва. *Жарг. арм. Шутл.* Звуковещательная установка. Кор., 30.

АЛЛА́Х * Алла́х акба́р (акба́рыч). *Жарг. шк. Шутл.* Военрук, преподаватель начальной военной подготовки. ВМН 2003, 18.

Алла́х [его́] зна́ет (ве́дает). *Прост. Шутл.* Абсолютно ничего неизвестно, никто не знает о чём-л. ФСРЯ, 39; БТС, 35; БМС 1998, 23.

Одному́ алла́ху изве́стно. *Разг.* То же, что **аллах [его́] знает.** ФСРЯ, 183.

АЛЛЕРГЕ́Н * Наро́дный (всенаро́дный) аллерге́н. *Жарг. журн. Шутл.-ирон.* О политике и предпринимателе А. Чубайсе. МННС, 214.

А́ЛЛЕС * А́ллес ма́хен цуза́ммен. *Жарг. шк. Шутл.* Самостоятельная работа. < Имитация немецкой речи, букв.: «все делать вместе». (Запись 2003 г.)

А́ллес норма́лес. *Разг. Шутл.* 1. Всё в порядке, всё нормально. Белянин, Бутенко, 16. 2. < Имитация немецкой речи. Белянин, Бутенко, 16.

АЛЛЕ́Я * Продыря́вить (прошии́ть, почини́ть) алле́ю. 1. *Жарг. угол.* Сделать пролом, проход в заборе. ТСУЖ, 147; ББИ, 17. 2. *Жарг. мол.* Перелезть через забор, чтобы проникнуть куда-л. или убегая от кого-л. Никитина 1998, 13.

Алле́я любви́. 1. *Разг. Шутл.* Место в парке, в лесу с густой растительностью (где можно заниматься любовью). ББИ, 17; Балдаев 1, 15. 2. *Жарг. гом.* Участок тротуара от касс Большого театра до станции метро "Охотный ряд", излюбленное место прогулок гомосексуалистов. Кз., 39.

Алле́я парти́йных пахано́в. *Разг. Пренебр.* Аллея, ведущая к центральному входу в Смольный. Синдаловский, 2002, 16.

АЛЛИЛУ́ЙЯ * Петь/ запе́ть (нести́/ понести́, тяну́ть/ затяну́ть) Аллилу́йю *кому. Разг. Ирон.* Захваливать, превозносить кого-л. выше всякой меры. БМС 1998, 23.

Петь /пропе́ть аллилу́йю (моле́бен) *кому. Пск.* Ругать, отчитывать кого-л. СПП 2001, 15.

Затяну́ть аллилу́йю с ма́слом. *Ворон., Волг. Неодобр.* Начать говорить вздор. СРНГ 11, 122; Глухов 1998, 52.

Наокола́чивать аллилу́йю. *Кар.(Ленингр.). Неодобр.* Насобирать всякой всячины, чего-л. ненужного. СРГК 1, 18.

Понести́ аллилу́йю с ма́слом. *Народн. Неодобр.* То же, что **затянуть аллилуйю с маслом**. ДП, 411.

Поне́сть аллилу́йю. *Курск.* Разболтать, разгласить что-л., насплетничать. БотСан, 109.

АЛЛО́ * Не алло́. *Жарг. мол.* 1. *Шутл.-ирон.* О полном непонимании чего-л. БСРЖ, 34. 2. О ситуации, в которой чувствуется неловкость, напряжённость, что-то недосказанное. Никитина 1996, 9.

АЛЛЮ́Р * Аллю́р в два (три) креста́. 1. *Народн.* Очень быстро (о скорости движения). БМС 1998, 23. 2. *Жарг. угол. Шутл.* Быстрый уход с места преступления. ББИ, 18; Елистратов 1994, 21; Балдаев 1, 15. < Из речи казаков, где оборот обозначает быструю езду на коне. БСРЖ, 34.

АЛТА́РЬ * Вести́ к алтарю́ *кого. Книжн.* Жениться на ком-л.; венчаться с кем-л. БТС, 35.

Возложи́ть (принести́) на алта́рь оте́чества (иску́сства) *что. Книжн.* Пожертвовать чем-л. во имя отечества, искусства. БТС, 35; Ф 2, 92.

АЛТЫ́Н * Ни на алты́н. *Разг. Устар.* О самом малом числе, величине чего-л., о чём-л. нестоящем, незначительном. БМС 1998, 23.

Прода́ть за алты́н *что. Донск.* Продешевить. СДГ 1, 4.

Ни алты́на [за душо́й] *у кого. Разг. Устар.* О полном безденежье. ФСРЯ, 121; Ф 1, 13; БМС 1998, 23.

С алты́ну на алты́н перевести́ *кого. Кар.* Очернить, оговорить кого-л. СРГК 4, 433.

< **Алтын** — название старинной русской монеты.

А́ЛЧУЩИЙ * А́лчущие и жа́ждущие. *Книжн.* О людях, страстно желающих чего-л. < Выражение из Евангелия. БМС 1998, 23.

АЛЫ́С * Алы́са вре́мя. *Обл.* Очень давно. < **Алыс** — сорняк **алис.** Мокиенко 1989, 184.

А́ЛЬТЕР * А́льтер э́го. *Книжн.* Вторая натура человека, второе "я". < Из лат. *alter ego.* БМС 1998, 24.

А́ЛЬФА * А́льфа и оме́га *чего. Книжн.* 1. Начало и конец чего-л. ФСРЯ, 31. 2. Сущность, основа, самое главное. ФСРЯ, 31; Мокиенко 1990, 105; БТС, 36; ШЗФ 2001, 15; ЗС, 527; БМС 1998, 24.

От а́льфы до оме́ги. *Книжн.* С самого начала до самого конца. БТС, 36; ФСРЯ, 31.

< **Альфа** и **омега** — названия первой и последней букв греческого алфавита.

А́ЛЬЧИК * А́льчики на уме́ *у кого. Обл. Неодобр.* О лентяе, бездельнике. < **Альчик** — бита для игры в кости. Мокиенко 1990, 68.

АЛЯ́БЬЕВ * Петь Аля́бьева. *Разг. Неодобр. или Шутл.-ирон.* Обманывать, рассказывать небылицы. Никитина, 1996, 10.

АМБА́Л * Амба́л для отма́зки. *Жарг. угол.* 1. Человек из окружения авторитетного вора, берущий на себя его преступление или притесняющий по его приказу других осуждённых в местах лишения свободы. СВЯ, 3. 2. Вор, переносящий краденые вещи. СВЯ, 3. 3. Носильщик, которого использует вор. БСРЖ, 35.

АМБА́Р * Амба́р жи́ру, казёнка мя́са. *Прибайк.* О человеке, отличающемся значительной полнотой. СНФП, 18.

АМБИ́ЦИЯ * Вла́мываться/ вломи́ться в амби́цию. *Разг. Неодобр.* Проявлять ненужное самолюбие, самомнение, преувеличенное чувство собственного достоинства. БМС 1998, 24; БТС, 37.

Ударя́ться/ уда́риться в амби́цию. *Прост.* Бурно проявлять, выражать свою обиду, недовольство, когда задето самолюбие. БТС, 37; ФСРЯ, 490.

АМБРАЗУ́РА * Броса́ться на амбразу́ру. *Разг.* Совершать благородные рискованные поступки, не приносящие обычно реальной пользы. БТС, 37.

Закры́ть амбразу́ру. *Жарг. мол.* Замолчать. Максимов, 142.

Раскрыва́ть/ раскры́ть амбразу́ру. *Жарг. угол., Прост. Шутл.-ирон.* Зазеваться, стоять с открытым ртом. Быков, 19.

АМЕ́РИКА * Аме́рику не откро́ет. *Разг. Ирон.* О несообразительном, ограниченном, недалеком человеке. ЗС 1996, 151.

Залива́ть/ зали́ть Аме́рику ([вся́кой] Аме́рики). *Сиб., Приамур. Ирон.* Наговаривать много лишнего, привирая. ФСС, 78; СРГПриам., 95.

Открыва́ть/ откры́ть Аме́рику. *Разг. Шутл.-ирон.* 1. Изобретать что-л. или выдавать за открытие нечто всем давно известное, простое. 2. Изрекать всем известную, банальную истину. ЗС 1996, 114; БМС 1998, 25.

АМЕРИКА́НЕЦ * Ти́хий америка́нец. *Публ. Ирон.* Лицо, засылаемое ЦРУ США в какую-л. страну для подрывной деятельности. < По названию романа американского писателя Г. Грина. Мокиенко 2003, 2.

АМЖА́ * Амжа́ съе́ла *что. Арх.* О том, что ищут и не могут найти. АОС 8, 71.

АМИ́НЬ * Отдава́ть/ отда́ть ами́нь. 1. *кому. Кар.* Отвечать на приветствие словом, поклоном. СРГК 1, 19. 2. *Волг.* Откликаться, отзываться. Глухов 1988, 101. 3. *Волг.* Быть при смерти. Глухов 1988, 119.

Есть ли кому́ ами́нь отда́ть? *Разг.* Дома ли хозяин? ДП, 45.

АМНИСТИ́РОВАТЬ * Амнисти́ровать себя́. *Жарг. угол., лаг. Шутл.* Совершить побег из мест лишения свободы. СВЯ, 3; ББИ, 18; Мильяненков, 78; Балдаев 1, 17.

АМНИ́СТИЯ * Объяви́ть себе́ амни́стию. *Жарг. угол., лаг.* То же, что **амнистировать себя**. Балдаев 1, 287.

А́МОР * Будь он (ты) а́мором! *Дон.* Проклятие в чей-л. адрес. СДГ 1, 5.

Па́дать а́мором. *Дон.* Падать в обморок. СРНГ 25, 120.

А́МПУЛА * А́мпула многора́зового де́йствия. *Жарг. нарк. Шутл.-ирон.* Наркоман. Максимов, 14.

Шевели́ть а́мпулами. *Жарг. мол. Шутл.* Идти быстрее, ускорять ходьбу. Максимов, 486.

АМХА́Н * Отбива́ть амха́н. *Дон.* Отрезать мясо от позвоночника туши. СДГ 1, 8. < **Амхан** — метатеза татарск. (тюркск.) **махаун** — мясо.

АНАКО́НДА * Потрясти́ анако́ндой. *Жарг. мол. Шутл.* Об акте мочеиспускания (у мужчин). Щуплов, 369; ЖЭСТ 2, 72. < **Анаконда** — мужской половой орган.

АНАНА́С * Ешь анана́сы, ря́бчиков жуй. *Разг. Шутл.* 1. Приглашение к столу. 2. Совет наслаждаться последними мгновеньями безмятежной жизни накануне каких-л. перемен. < Первая строка двустишия В. Маяковского (1917 г.). Дядечко 2, 56.

АНА́С * Брать/ взять на ана́с (на ано́с) *кого. Жарг. угол.* Кричать на кого-л., оказывая давление; притеснять, угнетать кого-л. СВЯ, 15. // Притеснять сокамерника. ТСУЖ, 31.

АНА́ФЕМА * Будь ты́ (он, они) три́жды ана́фема! *Прост. бран.* Восклицание, выражающее крайнее возмущение, негодование, проклятье: Будь ты трижды проклят! Шевченко 2002, 95.

Предава́ть/ преда́ть ана́феме *кого, что. Книжн.* 1. Проклинать, отлучать от церкви кого-л. 2. Клеймить, подвергать резкому осуждению. БМС 1998, 25; БТС, 38; Ф 2, 85.

А́НГЕЛ (А́НДЕЛ) * А́нгел без крылы́шек. *Разг. Ирон.* Не в меру жалостливый человек. Ф 1, 13.

А́нгел (а́ндел) Бо́жий! *Кар.(Мурм.).* Выражение удивления, огорчения. СРГК 1, 19.

А́нгел во плоти́. 1. *Книжн.* Кроткий, чуткий, непорочный человек. 2. *Разг. Ирон.* Человек, маскирующий свои отрицательные качества. Ф 1, 13.

А́нгел в чертовой руба́шке. *Коми. Неодобр.* Свирепый, злой человек. Кобелева, 56.

А́нгел на теле́ге не сиде́л *у кого. Кар. Шутл.-ирон.* О женихе, соблюдавшем целомудрие до свадьбы. СРГК 1, 20.

А́нгел прилете́л! *Горьк.* Выражение радости. БалСок, 21.

Бе́лый а́нгел. *Жарг. мол.* Медицинский работник. Максимов, 14.

Земно́й а́нгел. *Книжн. Одобр. или шутл.* О человеке, отличающемся святостью, праведностью, духовностью, чистотой и кротостью. БМС 1998, 25.

Па́дший а́нгел. 1. *Книжн. Устар.* Ангел, изгнанный из рая. Ф 1, 14. 2. *Разг. Ирон.* О человеке, отвергнутом обществом. Ф 1, 14. 3. *Жарг. мол. Шутл.-ирон.* Мужской половой орган в невозбужденном состоянии. Щуплов, 53.

Ти́хий а́нгел пролете́л. *Шутл.* О внезапно наступившем общем молчании. ДП, 415, 515; Ф 1, 14.

А́нгелы запе́ли *у кого. Пск.* Об ощущении звона в голове после сильного удара. (Запись 1998 г.).

А́ндели над тобой. *Сиб. Устар.* Как можно, зачем? (При выражении желания предотвратить какую-нибудь опасность, беду.) ФСС, 7; СФС, 17.

А́ндели посла́ли! *Иркут. Ласк.* Особенно нежное приветствие ребёнку. СРНГ 30, 174; СФС, 17. // *Сиб.* Ласково-восторженное приветствие новорождённому. ФСС, 8.

АНГИДРИ́Д * Ангидри́д твою́ о́кисел! *Жарг. мол. Бран.-шутл.* То же, что **ангидрид твою перекись.** Максимов, 14.

Ангидри́д твою́ пе́рекись [водоро́да (ма́рганца)]! *Жарг. студ. (хим.), Разг. Бран.-шутл.* Выражение досады, раздражения, негодования. УМК, 48; Максимов, 14; ФЛ, 22.

А́НДЕЛ см. **А́НГЕЛ.**

АНДЖЕ́ЛА * Андже́ла Дэ́вис. *Жарг. угол., гом. Ирон.* Смуглый кудрявый пассивный гомосексуалист. ББИ, 18; УМК, 48; Балдаев 1, 17.

АНДРЕ́Й * Андре́й ротозе́й. *Разг. Шутл.* Прозвище Андрея. ДП, 312.

АНДРО́Н[1] * Андро́н па́мять отби́л *кому. Донск. Шутл.-ирон.* О потере памяти. СДГ 2, 210.

Андро́на подпуска́ть. *Ряз.* Лгать, хвастать. СРНГ 1, 258.

Андро́ны е́дут. 1. *Ряз., Влад., Курск., Тул., Сиб., Самар., Волог., Пск., Калуж.* Неправда, ложь (говорится в ответ тому, кто говорит неправду), СРНГ 1, 259. // *Разг. Устар.* Ерунда, чепуха, вздор, полная бессмыслица. ФСРЯ, 31; БМС 1998, 26. 2. О шутке, обычно неожиданной, сказанной кем-л., чтобы окружающие перестали молчать. БМС 1998, 26. 3. *Разг. Устар.* Неизвестно ещё, будет так или нет, удастся ли, осуществится ли что-л. ФСРЯ, 31. 4. *Тул. Неодобр.* Кто-л. важничает, зазнаётся или сердится. СРНГ 1, 259.

АНДРО́Н[2] * Андро́н сел *на кого. Морд.* У кого-л. плохое настроение. СРГМ 1978, 21.

АНДРО́НЫ * Пя́лить андро́ны. *Обл. Неодобр.* Внимательно смотреть на кого-л., на что-л. Мокиенко 1990, 25. < **Андроны** — глаза.

АНДРО́ПЫ * Вы́пятить андро́пы. *Пск. Неодобр.* Уставиться, внимательно смотреть на кого-либо. ПОС 1, 65. < **Андропы** — глаза.

АНЕКДО́Т * Анекдо́т на четырёх колёсах. *Жарг. авто. Шутл.-ирон.* Автомашина в аварийном состоянии. Максимов, 14.

Расска́зывать анекдо́т. *Жарг. мол. Шутл.-ирон.* Извергать рвоту. Максимов, 14.

АНЕСТЕЗЕ́Ц * По́лный анестезе́ц. *Жарг. мед. Шутл.* О чём-л. впечатляющем, шокирующем. Никитина 2003, 22-23. < **Анестезец** — анестезия (эвфем. от неценз.).

АНИКА * Ани́ка смотро́к. *Устар. Ирон.* Аника-воин, человек, бахвалящийся своей храбростью, находясь вдали от опасности. ДП, 346; БМС 1998, 26.

АНКЛ * Анкл Бенс. 1. *Жарг. мол. Шутл.* Негр. БСРЖ, 36. 2. *Жарг. арм. Шутл.-ирон.* Солдат, дежурящий на кухне. БСРЖ, 36. 3. *Жарг. мол. Шутл.-ирон.* Алкоголик, пьяница. СИ, 1998, № 4. < Восходит к рекламе кулинарных изделий и приправ фирмы *Uncle Ben's.*

А́ННА * А́нна Каре́нина. *Жарг. шк. Шутл.* Учительница русского языка и литературы. ВМН 2003, 19.

А́нна на ре́льсах. *Жарг. студ. (филол.). Шутл.* Роман Л. Н. Толстого «Анна Каренина». (Запись 2003 г.).

АННА́ЛЫ * В анна́лах исто́рии [быть записанным, теряться]. *Книжн.* О чём-л. значительном, героическом, что вошло в историю, сохранилось надолго. БТС, 40; ШЗФ 2001, 28; БМС 1998, 27. < **Анналы** — от лат. *annales* — погодовые записи истории, оставшиеся от прошлого.

АННЕ́КСИЯ * Пока́зать анне́ксию *кому. Пск.* Ответить ударом на удар; дать сдачи кому-л. ПОС 1, 65.

А́ННУШКА * А́ннушка пе́довская. *Жарг. шк. Шутл.-ирон.* Студентка пединститута. Максимов, 14.

А́ннушка уже́ купи́ла подсо́лнечное ма́сло. *Публ. Шутл.-ирон.* 1. О неожиданных событиях фатального характера. 2. Предупреждение об опасности. < На основе реминисценции из романа М. Булгакова «Мастер и Маргарита». Душенко 1997, 56.

Брать/ взять на а́ннушку *кого. Жарг. угол.* 1. Пугать кого-л. ТСУЖ, 13. 2. Добиваться своей цели угрозой, обманом. ББИ, 43; Балдаев 1, 62.

АНО́С см. **АНА́С.**

АНО́ХА * Ано́ху ано́шить. *Сиб.* Бездельничать; дурачиться. ФСС, 8.

Ано́ху стро́ить. *Прост.* Представляться простаком, глупцом. СФС, 17; СРНГ 1, 261; БМС 1998, 27.

АНСА́МБЛЬ * Анса́мбль сосу́лек. *Жарг. угол. Ирон.* Группа женщин, занимающихся орогенитальным сексом. СВЯ, 4; УМК, 48.

АНТАРКТИ́ДА * Отпра́вить в Антаркти́ду снег убира́ть *кого. Жарг. мол. Шутл.-ирон.* Наказать кого-л. Максимов, 15.

АНТЕ́ННА * Натя́гивать анте́нну. *Жарг. мол. Шутл.* Совершать половой акт с кем-л. Кор., 185. < **Антенна** — мужской половой орган.

АНТИ́К * Анти́к с гвозди́кой (с мармела́дом). *Книжн. Устар. Шутл.* О чём-л. прекрасном, прелестном, вызывающем восторг. ФСРЯ, 31.

АНТИМО́НИЯ * Разводи́ть антимо́нии. *Разг. Неодобр.* 1. Болтать, вести пустые разговоры. ФСРЯ, 378; ЗС 1996, 336; БМС 1998, 27. 2. *с кем.* Проявлять излишнюю мягкость, снисходительность в отношениях с кем-л. ФСРЯ, 378; Мокиенко 1989, 44-45; БМС 1998, 27. *3. с* кем. Соблюдать излишние условности в отношениях с кем-л. ФСРЯ, 378.

АНТИ́ПКА * Анти́пка беспя́тый. *Калуж.* Чёрт, нечистая сила. СРНГ 1, 261.

АНТИ́ХРИСТ * Анти́христ тебя́ (его́ и т. п.**) возьми́ (разбе́й)!** *Орл. Бран.* Восклицание, выражающее гнев, негодование, возмущение. СОГ 1989, 45.

АНТО́Н * На Анто́на и на Ону́фрия. *Разг. Устар. Ирон.* О человеке, который в корыстных целях дважды отмечает какое-л. событие, дважды получает плату за что-л. БМС 1998, 28-29.

АНТРАША́ * Выде́лывать (выки́дывать) антраша́. *Разг.* Совершать затейливые, замысловатые движения ногами (обычно — во время танца или в состоянии опьянения). БТС, 43.

АНТРО́П * Антро́п неве́рующий. *Пск. Неодобр. или Бран.-шутл.* О недобром, нечестном или недоверчивом человеке. ПОС 1, 66.

Неве́рящему Антро́пу — хуй в жо́пу! *Прост. Бран.* О человеке, сомневающемся в том, что достоверно. Мокиенко, Никитина 2003, 73.

А́НУС * По́лный а́нус. *Жарг. мол. Шутл.-ирон.* Крах, провал, неудача; безвыходное положение. Мокиенко, Никитина 2003, 73.

Рвать а́нус. *Жарг. угол., мол.* Очень стараться, прикладывать огромные усилия для достижения цели. БСРЖ, 37. < **Анус** — анальное отверстие.

АНЧУ́Т * Анчу́т тебя́ (его́ и т. п.**) возьми́!** *Смол. Бран.* То же, что **анчутка тебя забери! (АНЧУТКА).** Мокиенко 1986, 182.

АНЧУ́ТКА * Анчу́тка беспа́лый. *Тобол.* Чёрт, дьявол, бес. СРНГ 1, 262.

Анчу́тка беспя́тый. *Тул.* То же, что **анчу́тка беспа́лый.** СРНГ 1, 262.

Анчу́тка рога́тая (рога́стая). *Ряз. Бран.* О женщине, вызывающей негодование, возмущение. ДС, 46.

Анчу́тка тебя́ (его́ и т. п.**) забери́!** *Алт., Орл. Бран.* Выражение раздражения, досады, негодования. СРГА 1, 26; СОГ-1989, 46.

До анчу́тков. *Орл. Шутл.-ирон. или Пренебр.* О состоянии сильного алкогольного опьянения. СОГ 1989, 46.

< Анчутка — черт, нечистая сила.

АП * Ры́жий Ап. *Жарг. шк. Шутл.* 1. Учитель с рыжими волосами. 2. Учитель немецкого языка. (Запись 2003 г.). < От названия серии пищевых продуктов.

АПА́ЦИЯ * Апа́цию дать *кому. Сиб.* Ударить кого-л. ФСС, 53.

АПЕЛЬСИ́Н * Апельси́н тебе́ в гла́нды! *Жарг. мол. Бран.* Выражение раздражения, негодования. Щуплов, 84.

Грузи́те апельси́ны бо́чками. *Разг. Шутл.* 1. О погрузке чего-л. бочками. 2. О большом количестве чего-л. < Неточная цитата из романа И. Ильфа и Е. Петрова «Золотой телёнок» (1931 г.).

АПИЯ́К * Апия́к дать *кому. Жарг. угол.* Свалить вину на другого. ББИ, 19; Мильяненков, 78; Балдаев 1, 18.

АПОГЕ́Й * Апоге́й сла́вы. *Книжн.* Высшая степень чьей-л. популярности, расцвет чьей-л. деятельности. БМС 1998, 29.

Дости́гнуть (дости́чь) апоге́я *чего. Книжн.* Достигнуть высшей степени какого-л. состояния (славы, популярности, власти и т. п.). БМС 1998, 29.

АППАРА́Т * Самого́нный аппара́т. 1. *Жарг. угол. Шутл.* Унитаз. ББИ, 19; УМК, 48; Балдаев 2, 26. 2. *Жарг. угол. Шутл.* Умывальник. ББИ, 19; УМК, 48; Балдаев 2, 26. 3. *Жарг. муз. Шутл.* Валторна. БСРЖ, 37.

Си́кательный аппара́т. *Жарг. мол. Шутл.* Судно, утка для лежачих больных. Максимов, 15.

Соса́тельный аппара́т. *Жарг. угол., мол. Шутл.* Рот, губы. ББИ, 19; УМК, 48.

Болта́ться на аппара́те. *Жарг. мед. Шутл.* Быть в коме, на искусственной вентиляции легких. Максимов, 15.

АППЕТИ́Т * Аппети́т — нежёвано лети́т. *Сиб. Шутл.* О хорошем аппетите. ФСС, 8.

АПРА́К * Нет апра́ку *кому. Перм.* Нет сил, нет покоя, отдыха. Прокошева, 65.

АПРЫ́ * Во все́ апры́. См. **Во все попры (ПОПРЫ).**

АПТЕ́КА * Зелёная апте́ка. *Публ.* О лекарственных травах. БТС, 45.

Дружи́ть с апте́кой. *Жарг. нарк.* Использовать фармакологические средства как наркотики. БСРЖ, 37.

АРА́П * Ара́п Петра́ Вели́кого. *Жарг. мол. Шутл.* О загорелом или запачкавшемся человеке. Максимов, 16.

Брать/ взять на ара́па *кого.* 1. *Жарг. угол., Разг.* Действовать по отношению к кому-л. дерзко, нагло, грубо. БСРЖ, 38; Мокиенко 1989, 202; БТС, 45; Грачев, Мокиенко 2000, 19. 2. *Жарг., угол., Разг.* Обманывать кого-л.; обманом, хитростью добиваться своего. БСРЖ, 38; СПП 2001, 15. 3. *Жарг. карт.* Обыгрывать кого-л. при помощи шулерских приемов. СРВС 1, 102, 201. 4. *Жарг. мил.* Заставать допрашиваемого врасплох неожиданным вопросом. БСРЖ, 38.

Взойти́ на ара́па *куда. Жарг. угол.* Вступить в какую-л. организацию путем обмана, нагло. БМС 1998, 30; Грачев, Мокиенко 2000, 19.

Загиба́ть ара́па. *Пск. Неодобр.* То же, что **заправлять арапа 1, 2.** ПОС 1, 67.

Загна́ть ара́па *кому. Разг.* Совершить половой акт с кем-л. (о мужчине). БСРЖ, 38.

Заправля́ть ара́па. 1. *Жарг. угол., Разг.* Пустословить; говорить вздор. БСРЖ, 38; ПОС 1, 67. 2. *Жарг. угол., Разг.* Лгать, обманывать, вводить в заблуждение кого-л. ББИ, 87; ТСУЖ, 66; БСРЖ, 38; ФСРЯ, 169; БТС, 339; БМС 1998, 30; Грачев, Мокиенко 2000, 19; АОС 1, 73; СПП 2001, 15; Арбатский, 26; Максимов, 16. 3. *Жарг. карт.* Умышленным проигрышем разжигать азарт жертвы (действия шулера). 4. *Жарг. карт.* Уклоняться от уплаты проигранной в карты суммы. СРВС 1, 201; 2, 15; 4, 7. // *угол.* Уклоняться от уплаты долга. ББИ, 87; ТСУЖ, 66. 5. *Жарг. карт.* Уплачивать карточный долг. СРВС 3, 91. 6. *Жарг. угол.* Платить кому-л. фальшивыми деньгами. Галкина-Федорук 1954, 124. 7.

Запуска́ть/ запусти́ть арапа *кому. Жарг. угол.* Лгать, обманывать кого-л. СРВС 3, 212; ТСУЖ, 67.

На ара́па. 1. *Жарг. угол.* Наугад, наудачу. СРВС 3, 187; Грачев 1992, 46. 2. *Разг.* Нахрапом, нагло, напористо. ФСРЯ, 31. 3. *Прост.* Обманным путем. Мокиенко 1989, 204; БМС 1998, 30.

Поста́вить ара́па. *Пск.* Запачкать что-л., поставить грязное пятно. ПОС 1, 67.

Брать ара́пом. *Брян. Неодобр.* То же, что **брать на арапа 1-2.** СБГ 1, 19.

АРАРА́ * Полтора́ арара́. *Обл. Шутл.-ирон.* Абсолютно ничего. Мокиенко 1990, 30. < Ср. **полторы тарары; полторы татары.**

АРБА́ЙТЕН * Арба́йтен унд копа́йтен. *Разг. Шутл.-ирон.* Много работать. Елистратов 1994, 24. < Имитация немецкой речи. Ср. нем. *arbeiten* — работать.

АРБУ́З * Дать (поднести́) арбу́з *кому. Народн. Ирон.* Отказать жениху при сватовстве. СРНГ 28; 104; БМС 1998, 31.

Купи́ть арбу́з. *Жарг. мол. Шутл.* Быть в последней стадии беременности. Максимов, 16.

Покати́ть арбу́з. *Башк. Ирон.* То же, что **дать арбуз.** СРГБ 1, 22. < От обычая многих народов: при отказе жениху вручается символический предмет.

Получи́ть арбу́з. *Народн. Ирон.* Получить отказ при сватовстве. ДП, 241; БМС 1998, 31.

Потяну́ть арбу́з. *Башк. Ирон.* То же, что **получить арбуз.** СРГБ 1, 22.

Проглоти́ть арбу́з. *Жарг. мол. Шутл.* Забеременеть. Вахитов 2003, 149; Максимов, 16.

Расколо́ть арбу́з *кому. Жарг. угол.* Разбить кому-л. голову. СРВС 2, 15.

АРБУЗА́ * До арбузы́. *Морд. Пренебр.* О состоянии сильного алкогольного опьянения. СРГМ 1986, 89.

А́РГУС * А́ргус сто́кий. *Книжн. Неодобр.* О всевидящем, недоверчивом, подозрительном человеке, неусыпно следящем за кем-л. < Из древнегреческой мифологии. БМС 1998, 32.

А́РЕДНЫЙ * А́редный его́ зна́ет. *Орл.* Совсем ничего не известно о ком-л., о чём-л. СОГ-1989, 46.

А́редный тебя́ (его́ и т. п.**) возьми́.** *Орл.* СОГ-1989, 46.

< **Аредный** — дьявол, нечистая сила.

АРЕ́НА * Аре́на у́жасов. *Жарг. арм. Шутл.* Плац. БСРЖ, 38; Максимов, 16.

Выходи́ть/ вы́йти на аре́ну. *Книжн.* Вступать на общественное поприще. Ф 1, 103.

Поки́нь аре́ну, отзы́вчивый! *Жарг. мол.* Требование уйти, оставить в покое кого-л. Никитина 1998, 15.

Сходи́ть/ сойти́ с аре́ны. *Книжн.* Оставлять прежнюю деятельность. Ф 2, 196.

АРЕСТА́НТ * Никола́евский аре́ста́нт. *Волг. Неодобр.* Хулиган, преступник. Глухов 1988, 109.

Се́мьдесят aрестáнтов. *Прибайк.* Очень много; больше, чем следует; больше, чем нужно (наговорить, наболтать). СНФП, 18.

А́РЕХ * А́рехом взять *кого, что. Кар. (Волог.).* Устроить беспорядок, разгром где-л. СРГК 1, 22.

АРИ́НА * Бесполдённая Ари́на. *Курск. Неодобр.* Бестолковая, глупая, странная женщина. СРНГ 2, 273; БМС 1998, 32.

АРИСТОКРА́Т * Аристокра́ты ду́ха. *Книжн. Ирон.* То же, что **аристократия духа (АРИСТОКРАТИЯ).** БМС 1998, 32.

АРИСТОКРА́ТИЯ * Аристокра́тия ду́ха. *Книжн. Ирон.* О людях, считающих, что по своему культурному уровню они стоят выше всех. БМС 1998, 32.

А́РИЯ * Задава́ть/ зада́ть а́рию. *Жарг. угол.* 1. Кричать от боли. ББИ, 19. 2. Начинать скандалить. ББИ, 19; Балдаев 1, 18.

Испо́лнять/ испо́лнить а́рию Риголе́тто (рыгале́тто). *Жарг. мол. Шутл.-ирон.* О приступе рвоты в состоянии сильного алкогольного опьянения. МК, 20.03.92.

А́рия блевоти́но (деблюе́) из о́перы «Риголе́тто». *Жарг. мол. Шутл.-ирон.* То же что **ария Риголетто.** Максимов, 16.

А́рия Риголе́тто (рыгале́тто). *Жарг. мол. Шутл.-ирон.* Приступ рвоты при сильном опьянении. МК, 20.03.92.

АРКА́Н * Загна́ть в арка́н *кого. Новг.* Замучить кого-л. НОС 3, 19.

На арка́не не зата́щишь *кого куда. Прост.* Никакими силами, способами, убеждениями невозможно заставить кого-л. делать что-л., прийти куда-л. Ф 1, 204.

Тащи́ть (тяну́ть) на арка́не *кого. Прост.* Принуждать, заставлять кого-л. делать что-л., идти куда-л. БТС, 46; Ф 2, 202; Глухов 1988, 162.

АРКА́ШКА * Наки́нуть арка́шку *на кого. Жарг. угол.* Удавить, задушить кого-л. БСРЖ, 38.

АРМАТУ́РА * Греме́ть армату́рой. *Жарг. мол. Шутл.-ирон.* Об очень худом человеке. Никитина, 1998, 15.

А́РМИЯ * Тепе́рь ты в а́рмии. *Жарг. шк. Шутл.-ирон.* Об уроке физкультуры. < Строка из песни рок-группы «Статус-Кво». (Запись 2003 г.).

Здра́вствуй, а́рмия. *Жарг. студ. Шутл.-ирон.* Экзамен. (Запись 2003 г.).

Кра́сная а́рмия. *Жарг. мол. Шутл.* Менструация. Никитина 1998, 15.

Кра́сная а́рмия пришла́ (в го́сти пожа́ловала). *Жарг. мол. Шутл.* О начале менструации. Никитина 1998, 15.

АРМЯ́К * Армя́к скрои́ть *кому.* 1. *Волог. Шутл.-ирон.* Отказать кому-л. при сватовстве. СРНГ 1, 277. 2. *Волг.* Строго наказать, побить кого-л. Глухов 1988, 149.

АРНО́ЛЬД * Арно́льд в сушёном (засу́шенном) ви́де. *Жарг. мол. Шутл.-ирон.* Об очень худом, измождённом человеке. Максимов, 16.

АРОМА́Т * Все арома́ты Фра́нции в одно́м набо́ре. *Жарг. студ. Шутл.-ирон.* О туалете в студенческом общежитии. Максимов, 71.

АРСЕНА́Л * Арсена́л боеприпа́сов. *Жарг. шк. Шутл.* 1. Пенал. 2. Портфель. (Запись 2003 г.).

АРТЕ́ЛЬ * Арте́ль “Напра́сный труд”. *Разг. Шутл.-ирон.* 1. Недобросовестно, нерегулярно и некачественно работающее предприятие. ББИ, 17. 2. Несолидное, не вызывающее уважения предприятие, учреждение. ББИ, 17. 3. Бесполезная работа. ББИ, 17; БСРЖ, 39.

АРТЁМ * Поговори́ть с Артёмом. *Жарг. мол. Шутл.* Сходить в туалет, помочиться. Максимов, 16.

АРТЕ́РИЯ * Животво́рная арте́рия. *Публ. Патет. Устар.* Оросительный канал. Новиков, 21.

Стальна́я арте́рия. *Публ. Патет. Устар.* Железная дорога. Новиков, 21.

АРТИ́КЛЬ * Без арти́кля не употребля́ется. *Разг. Шутл.* О сексуально озабоченном мужчине. Елистратов 1994, 25. < **Артикль** — мужской половой орган.

АРТИ́КУЛ * Выки́дывать арти́кулы. 1. *Воен. Устар.* Тренироваться в выполнении ружейных приемов. Ф 1, 53. 2. *Прост. Устар.; Яросл.* Совершать неожиданные поступки, дурачиться с целью рассмешить кого-л. Ф 1, 53; ЯОС 1, 23.

АРТИЛЛЕ́РИЯ * Карма́нная артилле́рия. *Жарг. арм. Шутл.* Ручная граната. Кор., 126; Афг.-2000.

Тяжёлая артилле́рия. 1. *Разг. Ирон.* Неповоротливые, медлительные люди. ФСРЯ, 31; БТС, 47, 1359; БМС 1998,

32. 2. *Разг.* То, что придерживается на самый крайний случай как самое надёжное, действенное средство; нечто значительное, важное. ФСРЯ, 31. 3. *Жарг. мол. Ирон.* Глупость, косность. Максимов, 16.

АРТИ́СТ * Арти́ст вое́нный (вое́нный арти́ст). 1. *Жарг. угол. Ирон.* Аферист, жулик. СРВС 2, 164. // *Одобр.* Мошенник высокого класса. ТСУЖ, 14. 2. *Жарг. гом., лаг.* Пассивный лагерный гомосексуалист. Кз., 120.

Арти́ст [из] погоре́лого теа́тра. 1. *Разг. Ирон.* Человек-неудачник, не оправдавший надежд в каком-л. деле. Ф 1, 14; ЗС 1996, 381; БТС, 47, 856; Мокиенко 2003, 3. 2. *Волг. Неодобр.* О хитром человеке, пройдохе. Глухов 1988, 1.

Бродя́чий арти́ст. *Жарг. арм. Шутл.* Солдат в увольнении. Максимов, 16.

А́РФА* Э́олова а́рфа. *Книжн. Устар.* О чём-л., издающем нежные звуки при малейшем прикосновении. БТС, 47, 1523. < Из древнегреческой мифологии. БМС 1998, 32.

АРХИ́В * Сдава́ть/ сда́ть (спи́сывать/ списа́ть) в архи́в. *Разг.* 1. *что.* Предавать что-л. забвению как нечто устаревшее, негодное. ФСРЯ, 416. 2. *кого.* Отстранять кого-л. от какой-л. деятельности, признав непригодным к ней. ФСРЯ, 416; ЗС 1996, 314.

АРХИ́ЛО * В архи́ло на мы́ло *кого. Кар. (Ленингр.). Шутл. или Пренебр.* О чьей-л. ненужности, непригодности. СРГК 1, 23.

Архите́ктор перестро́йки. *Публ.* Об инициаторе и активном проводнике перестройки М. С. Горбачеве. Мокиенко 2003, 3.

Архите́ктор рефо́рм. *Публ.*Об инициаторе и активном проводнике постперестроечных реформ Б. Н. Ельцине. Мокиенко 2003, 3.

АРШИ́Н * Арши́н с ша́пкой. 1. *Прост. Шутл. или Пренебр.* О человеке невысокого роста. БМС 1998, 32; СРНГ 1, 282; СРНГ 28, 95; Ф 1, 15; СПП 2001, 15; ФСС, 8; Подюков 1989, 10; ЯОС 1, 23; 2. *Сиб.* Несовершеннолетний подросток. ФСС, 8.

Ви́деть на арши́н под землёй (под зе́млю). *Разг.* Отличаться большой проницательностью. ФСРЯ, 67. **Ви́деть на арши́н в зе́млю.** *Пск.* То же. СПП 2001, 15.

Вы́расти на арши́н (на два, на три арши́на). *Прост.* Стать в глазах окружающих выше в умственном, нравственном и т. п. отношениях. БМС 1998, 32.

Ме́рить на [свой] арши́н (свои́м арши́ном) *кого, что. Разг. Неодобр.* Судить о чём-л. односторонне, субъективно, согласно своим представлениям, требованиям. ФСРЯ, 242-243; БМС 1998, 33; БТС, 48; ЗС 1996, 309; ПОС 1, 72.

Ме́рить на оди́н арши́н *кого, что. Разг.* Подходить к оценке разных людей, явлений и т. п. одинаково, без учёта индивидуальных особенностей. БТС, 48; ЗС 1996, 26; ФСРЯ, 242.

Ме́рить обыкнове́нным (о́бщим) арши́ном *кого, что. Разг.* Рассматривать кого-л. как рядовое, обыкновенное явление. БТС, 48.

Ме́рить клеймённым арши́ном *кого, что. Разг. Устар.* То же, что **мерить на один аршин.** Ф 1, 295.

Облапо́шить на арши́н. *Волг. Неодобр.* Обмануть, провести кого-л. Глухов 1988, 114.

Сме́рить на арши́н *кого. Народн. Шутл.* Побить, поколотить кого-л. палкой. БМС 1998, 34.

Семь арши́н говя́дины и три фу́нта лент. *Прост. Устар. Шутл.-ирон.* О полной чепухе, бессмыслице. БМС 1998, 34.

Ви́деть на три (на два) арши́на под землёй (в зе́млю). *Разг.* То же, что **видеть на аршин под землёй.** ФСРЯ, 67; БМС 1998, 34; БТС, 130; АОС 4, 90. < **Аршин** — 1. Старинная русская мера длины, равная 0,71 м. 2. Измерительный инструмент — деревянная палка, линейка.

АСК * Жить на а́ске. *Жарг. мол.* Жить попрошайничеством, нигде не работая. Мазурова 1991, 127; Рожанский, 14; Югановы, 25; СМЖ, 89. < **Аск** — попрошайничество, сбор милостыни.

АСКОРБИ́НКА * Съесть (проглоти́ть, заглоти́ть) аскорби́нку. *Разг. Шутл.-ирон.* Снести обиду, оскорбление. Елистратов 1994, 25. < Каламбурное переосмысление слова **аскорбинка (аскорбиновая кислота** — витамин С) по аналогии с **оскорбить.** БСРЖ, 39.

АСМОДЕ́Й * Звать (призыва́ть) Асмоде́я. *Книжно-поэт. Устар.* Просить помощи у нечистой силы. БМС 1998, 34. < **Асмодей** — в древнееврейской мифологии — главный демон, злой дух.

АСПЕ́КТ * Аспе́кт мя́са. *Жарг. мол. Шутл.* Станция метро “Проспект Маркса” (ныне “Охотный ряд”). Щуплов, 319.

АСТРА́Л * Выходи́ть в астра́л. *Жарг. мол. Шутл.-ирон.* Находиться в изменённом состоянии сознания под воздействием наркотика, алкоголя. ФЛ, 45, 91.

В астра́ле зави́снуть (быть). *Жарг. мол. Шутл.-ирон.* То же, что **выходить в астрал.** Елистратов 1994, 26.

АСТРОЛЯ́БИЯ * Ста́рая астроля́бия. *Жарг. шк. Шутл.-ирон. или Пренебр.* Пожилая учительница. (Запись 2003 г.).

АСФА́ЛЬТ * Асфа́льт Тротуа́рович. *Жарг. угол., лаг. Презр.* Заключённый, не имеющий отношения к преступной среде, плохо приспособленный к тюремно-лагерной жизни. ББИ, 20; Росси, т.1, 19; ББ, 20; Балдаев, 1, 19.

Асфа́льт шеве́лится. *Жарг. мол. Шутл.* О походке пьяного человека. Максимов, 17.

АТА́КА * Штыкова́я ата́ка. *Жарг. мол. Шутл.* Половой акт. Елистратов 1994, 580.

АТАМА́Н * База́рный атама́н. *Дон.* Человек, ответственный за торговлю. СДГ 1, 7.

АТА́НДА́ * Стоя́ть на ата́нде. *Жарг. угол.* Стоять на страже, страхуя напарников, совершающих преступление. Росси 1, 19; Грачев 1997, 74; Грачев, Мокиенко 2000, 23. < **Атанда** — 1. Сигнал тревоги; 2. Наблюдательный пункт.

Мета́ть ата́нду. *Жарг. угол. Неодобр.* Отказываться от своих слов или обещаний, идти на попятную. Быков, 99; ББИ, 140; ТСУЖ, 106.

АТА́С * Ата́с цинку́ет. *Жарг. угол.* Наблюдатель сообщает об опасности. СВЯ, 4; Грачев, Мокиенко 2000, 24.

Идти́ на ата́с. *Жарг. угол.* Вставать на караул во время совершения преступления. Быков, 10.

Каза́чий ата́с. *Жарг. угол.* Грабеж. ББИ, 19; ТСУЖ, 80; Грачев, Мокиенко 2000, 24.

По́лный ата́с. *Жарг. мол.* 1. *Неодобр.* О чём-л. обладающем отрицательными качествами, вызывающем недоумение. Митрофанов, Никитина, 11. 2. *Одобр.* О чём-л. отличном, превосходном. Югановы, 25.

Сквози́ть ата́с. *Жарг. угол.* Скрываться, уходить, убегать (с шумом) с места преступления. ББИ, 20; Балдаев 1, 20; Мильяненков, 79.

Стоя́ть на ата́се. *Жарг. угол., мол.* Стоять на сторожевом посту, страхуя кого-л. ТСУЖ, 170; БТС, 50; Югановы, 25.

АТМОСФЕ́РА * Колеба́ть (колыха́ть) атмосфе́ру. *Жарг. мол.* 1. *Неодобр.* Неприятно пахнуть. 2. *Неодобр.* Издавать резкие звуки. 3. *Шутл.* Драться. Максимов, 17.

Накаля́ть/ накали́ть (раскаля́ть/ раскали́ть) атмосфе́ру. *Книжн.* Создавать напряжённую обстановку. ФСРЯ, 263; Ф 2, 118.

А́ТОМ * Двухкилограммо́вый а́том. *Жарг. шк. Шутл.-ирон.* Двойка по химии. (Запись 2003 г.).

Ми́рный атом. *Публ. Устар. Патет.* Ядерная энергия, используемая в мирных целях. Новиков, 23.

АТТРАКЦИО́Н * Бесплáтный аттракцио́н. *Жарг. шк. Шутл.* Лестничные перила. Bytic, 1991–2000.

АУДИТО́РИЯ * Сосе́дняя аудито́рия. *Жарг. студ. Шутл.* Туалет в учебном заведении. Максимов, 17.

А́УТ * Уйти́ в а́ут. *Жарг. мол.* Опьянеть. Максимов, 17.

Быть в а́уте. *Жарг. мол.* 1. Отсутствовать где-л. ФЛ, 91. 2. Очень удивиться чему-л. Югановы, 41.

АФАНА́С * Афана́с, Афана́с, лови́ ко́шек, да не нас. *Ворон. Шутл.-ирон.* О неудачной попытке сделать что-л. СРНГ 17, 101.

АФАНА́СИЙ * Афана́сий Ива́нович и Пульхе́рия Ива́новна. *Книжн. Шутл.* О простодушных, наивных обывателях-супругах. < По повести Н. В. Гоголя “Старосветские помещики”. БМС 1998, 35.

Афана́сия береги́ нос. *Народн.* Церковный праздник в честь святого Афанасия. ДП, 813.

Афана́сия ломоно́са. *Народн.* То же, что **Афанасия береги нос.** ДП, 813.

АФГАНИСТА́Н * Посыла́ть/ посла́ть пода́льше Афганиста́на *кого. Жарг. мол. Ирон.* Нецензурно высказываться в чей-л. адрес. БСРЖ, 41.

АФЁРА * На свою́ афёру. *Сиб.* Посвоему. ФСС, 8.

АФИ́ША * Жёваная афи́ша. *Мол. Пренебр.* О жалком, ничтожном человеке. Максимов, 18.

Кле́ить афи́ши. *Жарг. мол. Шутл.* Разглашать что-л. тайное. Максимов, 18.

Раскра́сить афи́шу *кому. Жарг. мол.* Избить кого-л. Митрофанов, Никитина, 11.

АФО́НЬКА * Афо́нька ока́зался *где. Пск. Шутл.* То же, что **Афоня лапти мочит (АФОНЯ).** ПОС 1, 75.

По Афо́ньке ша́пка, по Ерёмке колпа́к. *Обл.* О ситуации, когда каждый получает то, чего заслуживает. Мокиенко 1990, 120.

АФО́НЯ * Афо́ня лапти мо́чит. *Кар. (Ленингр.). Шутл.* О прокисшей еде. СРГК 1, 24.

Афо́ня малохо́льный. *Сиб. Неодобр.* Неудачник. СФС, 17; ФСС, 8.

А́ФРИКА * И в А́фрике. *Жарг. мол.* О постоянном качестве, стабильности чего-л. Елистратов 1994, 26; Югановы, 41.

АХ * А́хом да о́хом. *Сиб.* Очень тяжело, трудно. ФСС, 8.

АХА́ДА * Гнила́я аха́да. *Новг. Пренебр.* О человеке с плохим аппетитом. НОС 1, 15.

А́ХИД * А́хид некрещёный. *Вят. Бран.* Мариец. СРНГ 1, 296.

АХИНЕ́Я * Нести́/ понести́ ахине́ю. *Разг. Неодобр.* Говорить вздор, чепуху. ЗС 1996, 249, 333, 349; БМС 1998, 35.

АХТИ́ * Не ахти́. *Сиб.* Не очень, не особенно. Ф 1, 15; ФСС, 8.

Не ахти́ как. *Разг.* Не особенно хорошо. ФСРЯ, 31.

Не ахти́ како́й. *Разг. Неодобр.* Не очень хороший. ФСРЯ, 32; БМС 1998, 35.

Не ахти́ ско́лько. *Разг.* Не очень много. Ф 1, 16; ФСРЯ, 32.

Под ахти́. *Сиб.* Совсем, полностью. СФС, 16; ФСС, 8.

АХТИА́НДР. См. **ИХТИАНДР.**

АЦЕТО́НЧИК * Вы́пить ацето́нчика. *Жарг. мол. Шутл.* Успокоиться. Максимов, 76.

АЭРОДРО́М * Запасно́й аэродро́м. *Разг. Шутл.* 1. Квартира, снимаемая для каких-л. целей помимо основного жилья. Огонёк, 1992, № 7, 29. 2. Квартира любовницы. Елистратов 1994, 27. 3. Должность или престижное место, припасаемое официальным лицом на случай отставки. КП, 20.09.91.

А́ЯКС * Два а́якса. *Книжн. часто Шутл.-ирон.* О двух неразлучных верных друзьях (часто — иронически о двух глуповатых, похожих друг на друга приятелях). Ф 1, 16. < Из поэмы Гомера “Илиада”. БМС 1998, 35.

Б * Без Б. *Жарг. мол.* Непременно, обязательно (утвердительный ответ). < Ср.: **без базара, без балды.**

БА * Ни ба не понима́ть *в чем. Пск.* Абсолютно ничего не понимать, не разбираться в чём-л. СПП 2001, 15.

БА́БА * Ба́ба ворожи́ла, да на́двое положи́ла. *Народн.* О чём-л. неопределённом, гипотетическом. ДП, 293.

Ба́ба Кла́ва. *Жарг. мол. Шутл.* Гомосексуалист. Максимов, 18.

Ба́ба ряза́нская. *Прост. Ирон.* О неловкой, рассеянной, глупой женщине. СПП 2001, 15; ЗС 1996, 263, 353, 414; Глухов 1988, 1; Максимов, 18.

Ба́ба с брю́хом. *Перм.* Беременная женщина. СГПО, 26.

Ба́ба с я́йцами. 1. *Разг. Ирон.* Властная, мужеподобная женщина. Флг., 404. 2. *Разг. Шутл.-одобр.* Энергичная женщина. Флг., 25. 3. *Пск. Неодобр.* Злая, сварливая женщина. СПП 2001, 84. 4. *Жарг. угол. Шутл.-ирон.* Активная лесбиянка. ББИ, 21; УМК, 49; Балдаев 1, 23.

Ба́ба хима.ru. *Жарг. шк. Шутл.* Учительница химии. ВМН 2003, 20.

База́рная ба́ба. 1. *Прост. Неодобр.* Крикливый, грубый, вздорный человек, скандалист. ЗС 1996, 263, 353; БТС, 55; ФСРЯ, 32. 2. *Волг. Неодобр.* Неумелый, нерасторопный человек. Глухов 1988, 1.

Бе́лая ба́ба. *Волог.* По суеверным представлениям — водяной дух; русалка. СРНГ 2, 14.

Вспо́мнила ба́ба свой деви́чник. *Народн. Ирон.* О неактуальном упоминании давно прошедших событий. ДП, 300.

Давно, когда́ ещё ба́ба де́вкой была́. *Народн.* Очень давно. ДП, 205.

Ле́шая ба́ба *чего. Кар. (Ленингр.).* 1. О большом количестве чего-л. разнородного. СРГК 1, 24. 2. О чём-л. неопределённом, непонятном. СРГК 3, 121.

Не ба́ба, а конь с я́йцами. *Жарг. мол.* Об энергичной и сексуальной женщине. Максимов, 18.

Пристяжна́я ба́ба. *Сиб. Ирон.* Любовница. ФСС, 9.

Ри́жная ба́ба. *Кар. (Новг.).* По суеверным представлениям: сверхъестественное существо, хозяйка риги. СРГК-5, 529.

Серди́тая ба́ба клюко́й не доста́нет. *Пск.* О чём-л., расположенном высоко. ПОС 9, 178.

Ска́чет баба за́дом и передо́м, а де́ло идёт свои́м чередо́м. *Народн.* О неоправданном упрямстве. ДП, 209, 450.

Слепа́я ба́ба. *Кар. (Ленингр.).* Водящий при игре в жмурки. СРГК 1, 24.

Те́сная ба́ба. *Южн., Смол.* Игра мальчиков, пасущих лошадей. СРНГ 2, 14. < Ср. описание соответствующей украинской игры **тісна́ (кісна́) ба́ба:** «Преимущественно детская игра, в которой сидящие на краях скамьи начинают теснить внутри сидящих к средине её, так что те оказываются как бы в тисках». Грінченко 1909, 1, 12.

То́лстая ба́ба на то́нких нога́х. *Жарг. авто. Шутл.* Автомобиль «Жигули» модели 010. Максимов, 423.

Ягáя ба́ба. *Кар.* Снежная баба. СРГК 1, 24.

Ходи́ть по ба́бам. *Жарг. мол. Шутл.* Развлекаться, весело проводить время в компании мужчин (говорится женщинами). БСРЖ, 42.

В ба́бах. *Ряз.* Замужем. ДС, 47.

Кинь ба́бе лав. *Жарг. мол., муз. Шутл.* Расшифровка названия песни "Битлз" "Money can't buy my love". Белянин, Бутенко, 75. **Кинь ба́бе (в ба́бу) лом.** *Жарг. мол., муз. Шутл.* То же. Никитина, 1998, 19; ЖЭМТ, 25.

Ну тебя́ (его́ и т. п.**) к ле́шей ба́бе!** *Ленингр.* Выражение раздражения, гнева. СРНГ 17, 33.

Попра́вить ба́бе чепе́ц. *Смол. Ирон.* Побить, наказать кого-л. СРНГ 19, 339.

Ба́бу заре́зать. *Пск.* 1. Украсить последний сноп (в обряде окончания жатвы). ПОС, 1, 79; Ивашко, 1979. 2. Закончить жатву. ПОС, 1, 79.

Держа́ть ба́бу. *Колым.* Быть женатым на ком-л. СРНГ 8, 21.

Игра́ть в слепу́ю ба́бу. *Кар.* Играть в жмурки. СРГК 1, 24.

Го́лую ба́бу в крапи́ве не вида́л [не ви́дывал]. *Прибайк. Шутл.-ирон.* О том, кто ещё недостаточно опытен; кто неискушен, несведущ. СНФП, 19.

Подвести́ ба́бу под обу́х. *Новг.* Поставить кого-л. в неудобное, неприятное положение. НОС 8, 22.

Гуля́ть из-за ба́бы. *Сиб., Перм. Неодобр.* Изменять жене. ФСС, 50; Сл. Акчим. 1, 221.

До ле́шей ба́бы. *Кар. (Ленингр.).* Очень много. СРГК 1, 24; СРГК 3, 121.

Ни ле́шей ба́бы. *Кар. (Ленингр.).* Абсолютно ничего. СРГК 1, 24, 141; СРГК 3, 121.

БАБА́Й * Ёкорный (ёкерный) бабай! *Прост. Эвфем.* Выражение удивления, досады, раздражения. Вахитов 2003, 53; Максимов, 18.

Угоди́ть к баба́ю на блины́. *Жарг. угол., арест.* Попасть в тюрьму. < От имени татарина **Бабая**, известного в свое время тюремного ростовщика. СРВС 1, 30. По аналогии с общеупотребительным *к* **тёще на блины**. Ср. **Бабай** — *Жарг. угол.* 1. Старик. 2. Старый татарин. 3. Ростовщик. БСРЖ, 42.

Туркме́нский баба́й. *Жарг. кинол.* Туркменская овчарка. Максимов, 18.

БАБА́ЙКА * Три баба́йки в го́ру. *Дон. Шутл.* Об очень высоком человеке. СДГ 1, 9.

БАБА́ЙЧИК * Ёкорный баба́йчик. *Жарг. мол. Шутл.-ирон.* О небольшой неудаче. Максимов, 18.

БАБА́ЙКА * Поднима́ть на баба́йки *кого. Волг.* Подчинять кого-л. себе; заставлять кого-л. действовать определённым образом. Глухов 1988, 125.

БАБА́ХА * Дать баба́ху *кому. Обл.* То же, что **дать бабашку (БАБАШКА).** Мокиенко 1990, 159.

БАБА́ШКА * Дать баба́шку *кому. Яросл.* Ударить кого-л. ЯОС 3, 121; СРНГ 2, 17; СРНГ 7, 256. // *Волог.* Ударить кого-л. кулаком. СВГ 1, 17.

БА́БА-ЯГА́ * Ба́ба-яга́ в мо́лодости. *Жарг. шк. Шутл.-ирон.* Пионервожатая. Максимов, 18.

Ба́ба-яга́ — костяна́я нога́. *Фольк. Неодобр.* О злой, сварливой и безобразной старой женщине. БМС 1998, 36.

Чтоб тебя́ Ба́ба-яга́ в сту́пе прокати́ла! *Народн.* Выражение раздражения, гнева; недоброе пожелание кому-л. ДП, 750.

БАБЁЦ * Приколо́ться к бабцу́. *Жарг. мол.* Попытаться познакомиться, начать флиртовать с женщиной. Щуплов, 89. < **Бабец** — девушка, женщина.

*** Ночна́я бабе́ц.** *Жарг. мол. Шутл.* Проститутка. Максимов, 19.

БА́БКА * Ба́бка на́двое сказа́ла: ли́бо сын, ли́бо дочь. *Народн. Шутл.-ирон.* О чём-л. неопределённом. ДП, 703.

Ба́бка пу́повна. *Кар. (Новг.). Шутл.* Акушерка, повивальная бабка. СРГК 5, 349.

Лёгкая ба́бка. *Кар. (Твер.).* Знахарка. СРГК 3, 104.

Мы́шья ба́бка. *Арх.* Гриб дождевик. АОС 1, 82.

Пожина́льная ба́бка. *Кар. (Ленингр.).* Последний сноп в ритуале окончания жатвы. СРГК 5, 22.

Поско́нная ба́бка. *Горьк. Пренебр.* О толстом, неповоротливом человеке. СРНГ 30, 166. < **Бабка** — несколько снопов, связанных вместе.

Сиде́ть в ба́бках. *Орл.* Быть домашней няней. СОГ-1989, 52.

Скажи́ э́то ба́бке в кра́сных ке́дах. *Жарг. мол. Шутл.* Выражение недоверия в ответ на откровенную ложь. БСРЖ, 42.

Ба́бки на скаме́йке. *Жарг. шк. Шутл.-ирон. или Пренебр.* Учителя в учительской. (Запись 2003 г.).

Па́рить ба́бку в кра́сных ке́дах. *Жарг. мол. Шутл.* Обманывать, говорить ерунду. БСРЖ, 42.

БА́БКИ[1] * Ба́бки забива́ть (залива́ть, вкола́чивать, вкру́чивать, трави́ть). См. **БАКИ.**

Сбива́ть (сшиба́ть) ба́бки. *Обл. Неодобр.* Бездельничать. Мокиенко 1989, 84; Мокиенко 1990, 68; Глухов 1988, 144.

БА́БКИ[2] * Быть на ба́бках. *Жарг. мол.* Быть при деньгах; иметь при себе значительную сумму денег. БСРЖ, 42.

Ба́бки стоя́т ко́лом (столбо́м). *Жарг. угол.* 1. Деньги лежат у кого-л. в кармане пачками. ББИ, 21; Мильяненков, 79; Балдаев 1, 23. 2. У кого-л. очень много денег. Грачев, Мокиенко 2000, 28.

Горя́чие ба́бки. *Жарг. угол., простит.* Деньги, заработанные проституцией. Мильяненков, 79; Грачев, Мокиенко 2000, 28.

Загрузи́ть на ба́бки *кого. Жарг. мол.* Напомнить кому-л. о необходимости вернуть долг. Максимов, 19.

Зако́нные ба́бки. *Жарг. угол.* Деньги, хранящиеся в воровской кассе. Грачев, 1997, 133.

Ки́нуть на ба́бки *кого. Жарг. мол.* Отобрать у кого-л. деньги, ограбить кого-л. Максимов, 19.

Лепи́ть ба́бки. *Жарг. угол.* Обогащаться, наживаться. Грачев, Мокиенко 2000, 28.

Лома́ть ба́бки. 1. *Жарг. угол.* Обманывать кого-л. при размене крупных денежных купюр на мелкие либо утаивать часть сдачи при покупке дешёвой вещи, а затем отказываясь от неё. СВЯ,

4; Балдаев 1, 23. 2. *Жарг. угол.* Зарабатывать деньги. Максимов, 19.

Намыва́ть ба́бки. 1. *Жарг. мол.* Зарабатывать деньги. Вахитов 2003, 107.

Обира́ть ба́бки. *Яросл.* Получать что-л. в большом количестве. ЯОС 7, 10.

Подбива́ть/ подби́ть ба́бки. *Прост.* Подводить итоги, подытоживать что-л. БМС 1998, 37; БТС, 54; Ф 2, 55; НСЗ-84; Глухов 1988, 124; Грачев, Мокиенко 2000, 29; Вахитов 2003, 134.

Поднима́ть ба́бки. 1. *Жарг. мол.* Зарабатывать очень много. h-98. 2. *Жарг. карт.* Выигрывать деньги шулерским приемом. Максимов, 19.

Подре́зать ба́бки. *Жарг. мол.* Обмануть кого-л. при расчёте шулерским приемом. Максимов, 19.

Подсе́сть на ба́бки. *Жарг. мол.* Оказаться чьим-л. должником. Максимов, 19.

Попа́сть (попа́сться) на ба́бки. *Жарг. мол.* 1. О непредвиденных денежных расходах. Вахитов 2003, 140. 2. Заплатить штраф. Максимов, 19.

Посади́ть на ба́бки *кого. Жарг. мол.* Заставить кого-л. платить, выплачивать определённые суммы. Вахитов 2003, 141; Максимов, 19.

Руби́ть (сруба́ть) ба́бки. *Жарг. мол.* Зарабатывать деньги. Вахитов 2003, 168.

Слупи́ть ба́бки *с кого. Жарг. мол.* То же, что **ставить/ поставить на бабки.** Вахитов 2003, 168.

Ста́вить/ поста́вить (вста́вить) на ба́бки *кого. Жарг. бизн., крим.* Заставить кого-л. выплатить долг; вымогать крупную сумму денег у кого-л. БСРЖ, 42; Вахитов 2003, 32, 142.

Сшиба́ть ба́бки. *Прост.* Жить мелкими заработками, выполнять разную мелкую работу за деньги. БМС 1998, 37; Ф 2, 198; СФС, 18.

Ми́мо ба́бок! *Жарг. карт.* Восклицание, сопровождающее проигрыш в карточной игре. Хом. 2, 32.

< **Бабки** — деньги. По изображению Екатерины II на ассигнациях XVIII–XIX вв. Грачев, 1997, 42.

БАБМИНТО́Н * Поигра́ть в бабминто́н. *Жарг. мол.* Приятно провести время с женщиной. Митрофанов, Никитина, 12. < **Бабминтон** — трансформация слова **бадминтон**.

БА́БОЧКА* Лови́ть ба́бочек. *Жарг. спорт.* Падать с трамплина на большой скорости. НРЛ-78.

Дневна́я ба́бочка. *Жарг. мол. Шутл.* Замужняя женщина, подрабатывающая проституцией днём, пока муж на работе. Мокиенко, Никитина 2003, 75.

Ночна́я бабочка. *Разг.* Проститутка. БСРЖ, 43; БТС, 54; ТС XX в., 68; Максимов, 19.

Доби́ться до ба́бочки. *Дон.* Обнищать, жить на последние средства. СРНГ 8, 74.

Брать/ взять ба́бочку. *Жарг. угол.* Совершать кражу через открытую форточку. СВЯ, 15; Максимов, 19.

Крутануть ба́бочку. *Жарг. угол.* Оправдаться, отвести от себя обвинение. ББИ, 21; Балдаев 1, 24.

Лохма́тить ба́бочку. *Жарг. мол. Шутл.* 1. Ссориться, выяснять отношения. 2. Бездельничать. Максимов, 19.

Пусти́ть ба́бочку. *Жарг. спорт.* Бросить шайбу, придав ей вращение. Максимов, 19.

БАБО́ШКА * Ни бабо́шки не ви́дно. *Одесск.* Абсолютно ничего не видно. КСРГО. < **Бабошка** — мелкая рыбка.

БАБУ́ЛЬКИ * Струга́ть бабу́льки/ наструга́ть бабу́лек. *Жарг. мол.* Зарабатывать много денег. Митрофанов, Никитина, 13. < **Бабульки** — деньги.

БА́БУШКА * Ба́бушка в го́сти пришла́. *Жарг. мол. Шутл.* О начале менструации. Максимов, 19.

Ба́бушка ворожи́т *кому. Разг.* Всё удаётся, даётся легко. ФСРЯ, 32; Сергеева 2004, 208.

Ба́бушка Джо. *Жарг. шк. Шутл.* Женщина-библиотекарь. ВМН 2003, 20.

Ба́бушка [ещё] на́двое сказа́ла. *Разг.* Неизвестно, сбудется ли то, что предполагают, на что рассчитывают; неизвестно, как будет: так или по-иному. Жук. 1991, 35; ФСРЯ, 32; ШЗФ 2001, 16; БТС, 576; БМС 1998, 37. **Ба́бушка гада́ла да на́двое сказа́ла.** *Народн.* То же. ДП, 76.

Ба́бушка на фро́нте, де́душка в тылу́ *у кого. Арх. Шутл.-ирон.* Об умственно неполноценном человеке. АОС 10, 415.

Ба́бушка с сачко́м. *Жарг. шк. Шутл.* Учительница зоологии. (Запись 2003 г.)

Вот тебе́, ба́бушка, и Ю́рьев день. *Разг. Ирон или Шутл.-ирон.* О внезапных переменах к худшему, несбывшихся надеждах. ДП, 64, 569; БТС, 1530; Мокиенко 1989, 162; ШЗФ 2001, 44; Жук. 1991, 74; Жиг. 1969, 364. < Связано с отменой в 1581 г. Иваном IV перехода крестьян от одного хозяина к другому в Юрьев день.

Вот тебе́ раз, друго́й ба́бушка даст. *Народн.* Отрицательный ответ на просьбу дать что-л. ДП, 300.

Едрёна (ядрёна) ба́бушка. *Прост. Бран.* Выражение негодования, досады, возмущения. Мокиенко, Никитина 2003, 75.

Огоро́дная ба́бушка. *Урал.* По суеверным представлениям — мифическое существо, охраняющее огород. СРГСУ 3, 39.

Иди́ к едрёной ба́бушке! *Прост. Груб.* То же, что **иди к чёртовой бабушке!** Мокиенко, Никитина 2003, 75.

[Иди́] к свиня́чей ба́бушке! *Одесск. Бран.* То же, что **иди к чёртовой бабушке!** КСРГО.

Иди́ (кати́сь) к чёртовой ба́бушке! *Разг. Бран.* Уходи, убирайся прочь. ФСРЯ, 524; Мокиенко, Никитина 2003, 75.

К едрёной (ядрёной, чёртовой) ба́бушке! *Прост. Бран.* 1. Выражение пренебрежения к кому-л., чему-л., желания избавиться, отделаться от кого-, чего-л. 2. Выражение недовольства, несогласия с кем-л., чем-л. ФСРЯ, 524; БТС, 54, 1476; Ф 1, 16; Мокиенко, Никитина 2003, 75.

К чёртовой ба́бушке вниз по тече́нию! *Прост. Бран.-шутл. Редк.* То же. Мокиенко, Никитина 2003, 75.

Ну тебя́ (его, вас и пр.) к ба́бушке! *Прост. Бран.* То же, что **к едрёной бабушке!** Мокиенко, Никитина 2003, 75.

Позвонить ба́бушке. *Жарг. мол. Шутл.* Сходить в туалет. Елистратов 1994, 28.

Посыла́ть / посла́ть к едрёной (к тако́й-то, к чёртовой) ба́бушке *кого. Прост. Бран.* 1. Грубо, нецензурно ругать кого-л., выражая негодование, возмущение. 2. Грубо выгонять кого-л., избавляться от кого-л. Мокиенко, Никитина 2003, 75; Ф 2, 79.

Сходи́ть к ба́бушке. *Жарг. мол.* То же, что **позвонить бабушке.** Елистратов 1994, 28.

У ба́бушки в пизде́! *Прост. Бран.* Абсурдный ответ на вопрос: « Где?»; неизвестно где, нигде. Мокиенко, Никитина 2003, 75.

В ба́бушку и в Бо́га ду́шу мать! *Прост. бранно.* Восклицание, выражающее досаду, раздражение, негодование. Мокиенко, Никитина 2003, 75.

Едри́ твою в ба́бушку! *Прост. бранно.* Восклицание, выражающее гнев, негодование. Мокиенко, Никитина 2003, 75.

Лохма́тить ба́бушку. *Жарг. мол. Шутл.* Обманывать, лгать. Максимов, 19.

Прове́дать ба́бушку. *Жарг. мол. Шутл.* Сходить в туалет. Максимов, 19.

Слепу́ю ба́бушку на бревно́ наводи́ть. *Кар. Шутл.-ирон.* Обманывать, лгать. СРГК 3, 302. Ср. **наводить слепого на брёвна (БРЕВНО).**

БАБЫ́РКИ * Под но́сом бабы́рки ещё не утёр. *Пск. Ирон.* О молодом, неопытном человеке. СПП 2001, 15. < **Бабырки** — сопли.

БАГДА́Д * В Багда́де всё споко́йно. *Разг. Шутл.-ирон.* О кажущемся спокойствии. < Реплика ночного сторожа из кинофильма «Волшебная лампа Аладдина» (1966 г.). Дядечко 1, 69.

БАГРАЧЕ́Й * Баграче́я пойма́ть. *Р. Урал.* Родить мальчика. СРНГ 28, 355.

БА́ДИКИ * Бить (сбива́ть) ба́дики. См. **Бить байдики (БАЙДИКИ)**

БАДО́Г * За бадо́г води́ть *кого. Прикам.* Водить слепого или немощного человека. МФС, 19. < **Бадог** — палка.

БА́ЕНКА * Де́дкова ба́енка. *Арх.* Зрелый гриб дождевик. АОС 10, 143.

БА́ЗА * Ба́за да́нных. *Жарг. шк. Шутл.* Классный журнал. ВМН 2003, 20.

Кормова́я ба́за Ихтиа́ндра. *Жарг. студ. Шутл.* Туалет в учебном заведении, в общежитии. (Запись 2003 г.).

Дры́гать ба́зой. *Жарг. комп.* Выполнять обращение к диску. Садошенко, 1995.

Ша́рить ба́зу. *Жарг. комп.* Работать в режиме Share. Садошенко, 1995.

БАЗА́Р * А́нгельский база́р. *Жарг. шк. Шутл.* Английский язык. ВМН 2003, 20.

База́р жите́йской суеты́. *Книжн.* Суета повседневности, мелкие бытовые хлопоты. БМС 1998, 39.

База́р и я́рмарка. *Волг. Неодобр.* 1. Беспорядок, толчея, неразбериха. 2. Шум, крик, перебранка. Глухов 1988, 1.

База́р на сте́ну ма́зать. *Жарг. угол.* 1. Ссориться. ББИ, 22; Балдаев 1, 24. 2. Драться. ББИ, 22; Балдаев 1, 24.

База́р тебе́ ну́жен! *Жарг. мол.* Конечно, безусловно (утвердительный ответ). Вахитов 2003, 10.

База́р фуфломётов. *Разг. Шутл.-ирон.* Государственная дума. Балдаев 1, 24.

Гнать база́р. 1. *Жарг. мол.* Разговаривать. Максимов, 20. 2. *Жарг. шк.* Отвечать урок. ВМН 2003, 20.

Гнило́й база́р. *Жарг. мол. Неодобр.* 1. Разговор не по теме. Вахитов 2003, 39. 2. Ложь, обман, враньё. Вахитов 2003, 39. 3. Неприятный разговор. Максимов, 20.

Де́лать база́р. *Одесск.* Делать покупки на рынке. Смирнов 2002, 54.

Держа́ть база́р. *Жарг. угол.* 1. Вести разговор. БСРЖ, 44; Максимов, 20. 2. Кричать, шуметь, громко разговаривать, обсуждая что-л. СВЯ, 5.

Есть база́р. *Жарг. угол., мол.* Фраза, используемая как предложение вступить в переговоры. Максимов, 20.

Замя́ть (завяза́ть) база́р. *Жарг. угол., мол.* Прекратить разговор, остаться при своём мнении. ТСУЖ, 64; Максимов, 20.

Ката́ть база́р. *Жарг. мол.* То же, что **держать базар.** Максимов, 20.

Кле́ить база́р на сте́нки. *Жарг. мол.* Ссориться, выяснять отношения. Максимов, 20.

Конча́л база́р. *Астрах.* О выгодном, нужном, приятном завершении чего-л. СРНГ 14, 273.

Круто́й база́р. *Жарг. мол.* Жаргон, сленг. Максимов, 20.

Отвеча́ть за база́р. *Жарг. мол.* 1. Нести ответственность за свои слова. 2. Доказывать свою правоту. Максимов, 21.

Пойти́ на база́р. *Угол.* Совершить кражу продуктов питания. Балдаев 1, 133; Мильяненков, 199.

Разводи́ть база́р. *Жарг. мол.* То же, что **держать базар.** Максимов, 20.

Раскрути́ть на база́р *кого. Жарг. мол.* Вызвать кого-л. на откровенность, добиться признания в чём-л. Максимов, 21.

Ру́сский база́р. *Жарг. шк. Шутл.* Русский язык. ШС, 2001.

Сверну́ть база́р. *Жарг. мол.* Поговорить о чём-л. БСРЖ, 44.

Толка́ть база́р. *Жарг. мол.* То же, что **держать базар.** Максимов, 20.

Ту́хлый база́р. *Жарг. мол. Неодобр.* Обман, ложь. Вахитов 2003, 183.

Фильтрова́ть база́р (база́ры, бэ́зэр). *Жарг. мол.* Быть осторожным в выборе выражений (в разговоре, споре). Елистратов, 29; Митрофанов, Никитина, 13; СМЖ, 96; Вахитов 2003, 189.

База́ра (база́ров) нет (ноль). *Жарг. мол.* Нет вопросов, нет проблем, все понятно (говорится в знак согласия с кем-л.). Никитина, 1998, 20; VHF, 1999; Вахитов 2003, 10; Максимов, 21.

Без база́ра (база́ров). *Жарг. мол.* Конечно, обязательно (утвердительный ответ). Вахитов 2003, 14.

Съезжа́ть/ съе́хать с базара. *Жарг. мол.* Прекращать разговор на какую-л. тему, менять тему разговора. Никитина 2003, 31.

Хоте́ть база́ра. *Жарг. мол.* Напрашиваться на неприятности. Вахитов 2003, 196.

Следи́ть за база́ром. *Жарг. мол.* Не говорить лишнего, быть осторожным в высказываниях. Вахитов 2003, 167.

База́ры кле́ить *с кем. Жарг. угол., мол.* Выяснять отношения, устраивать разбирательство. СМЖ, 11.

Гоня́ть свои́ база́ры. *Жарг. мол.* Говорить о чём-л. своем, непонятном, неинтересном для окружающих. БСРЖ, 44.

< **Базар** — *Жарг. угол., мол.* 1. Беседа, разговор. 2. Речь, слова и выражения, употребляемые в речи. 3. Разбирательство, выяснение отношений.

БА́ЗЕР * Толка́ть ба́зер. *Жарг. шк.* Отвечать урок у доски. ВМН 2003, 21. < **Базер** — речь, разговор (трансф. *базар*).

БАЗЛЫ́ * Стро́ить (точи́ть) базлы́. *Кар. Неодобр.* Болтать, пустословить. Мокиенко 1990, 33; СРГК 1, 30.

Сиде́ть на базла́х. *Кар. Неодобр.* Бездельничать, лодырничать. Мокиенко 1990, 33; СРГК 1, 30.

БАЗУ́Н * Дать базуна́ *кому. Обл.* Избить кого-л. Мокиенко 1990, 49.

БА́ИНЬКИ * Де́лать/ сде́лать ба́иньки (бай-ба́й). *Жарг. мол. Шутл.* Спать. Максимов, 21.

БАЙ * Ба́я не́ту *у кого. Прибайк.* Об отсутствии умения, способности поддерживать разговор. СНФП, 19.

БАЙ-БА́Й * Де́лать/ сде́лать бай-ба́й. См. **Делать баиньки (БАИНЬКИ).**

БАЙ-БА́ЮШКИ * Разводи́ть бай-ба́юшки. *Одесск. Шутл.-ирон.* Вести пустые разговоры. КСРГО.

БАЙДА́ * Гнуть байду́. *Жарг. угол.* Обманывать кого-л. СВЯ, 5.

Разводи́ть байду́. *Жарг. мол. Неодобр.* Говорить ерунду. Елистратов 1994, 29.

Без байды́. *Жарг. мол.* 1. Достоверно; без обмана. Никитина 2003, 31. 2. Легко, без труда. h-98.

< **Байда** — ерунда, чушь.

БА́ЙДАК * Бить ба́йдаки. *Дон. Неодобр.* Бездельничать. СДГ 1, 29.

Гоня́ть ба́йдаки. *Одесск. Неодобр.* То же, что **бить байдаки.** КСРГО.

БА́ЙДИКИ * Бить (сбива́ть) ба́йдики (ба́дики). *Перм., Волг.* То же, что **бить байдаки. (БАЙДАК).** Мокиенко 1990, 36, 69; Подюков 1989, 181; Глухов 1988, 3, 144.

БАЙДЮ́К * Сбива́ть байдюки́. *Курск. Неодобр.* Бездельничать. БотСан, 82.

БА́ЙКА * Ба́йки из скле́па. *Жарг. шк. Шутл.-ирон.* Сочинение. (Запись 2003 г.).

Бить (забива́ть/ заби́ть, загна́ть) ба́йки (ба́йку). 1. *Прост.* Болтать, пустословить. Глухов 1988, 3. 2. *Жарг. мол. Шутл.-ирон.* Рассказывать что-л. интересное, необычное. Елистратов 1994, 148.

Болта́ть ба́йки. *Волг.* То же, что **бить байки 1.** Глухов 1988, 4.

Пра́вить ба́йки. *Обл.* То же, что **бить байки 1.** Мокиенко 1990, 36; БалСок, 21.

Трави́ть ба́йки. *Прост.* Рассказывать что-л. НОС 11, 55; Ф 2, 208; Максимов, 21.

Ба́ять ба́йку про балала́йку. *Пск. Неодобр.* Проводить время в пустых разговорах. СПП 2001, 15.

БАЙКА́Л * Спать в Байка́ле. *Прибайк. Шутл.* Рыбачить долго, без перерывов. СНФП, 19.

БА́ЙКИ * Ба́йки скружа́вые. *Жарг. угол.* Серебряные часы. ТСУЖ, 15.

Ба́йки пы́жие (фиксо́вые). *Жарг. угол.* Золотые часы. ТСУЖ, 15.

БА́ЙНИК * Положи́ть на ба́йник *что. Кар. (Арх.).* Преподнести кому-л. свадебный подарок. СРГК 5, 58.

Собира́ть ба́йник. *Кар. (Арх.).* В свадебном обряде — собирать на поднос подарки для молодых. СРГК 1, 32.

БАЙНА. см. **БАНЯ.**

БАЙНЯ. см. **БАНЯ.**

БАЙРА́М * На ру́сский байра́м. *Прост. Шутл.* Никогда. Мокиенко 1986, 209; БМС 1998, 39.

БАЙТ * Как два ба́йта пересла́ть. *Жарг. комп., мол.* Легко, без труда. Рус. радио, 1998. < Трансформация выражения **как два пальца обоссать.**

БАК * Взорва́ть бак. *Жарг. мол.* Подраться с кем-л. Максимов, 21.

Залива́ть/ зали́ть (запо́лнить/ заполня́ть) бак. *Жарг. мол.* Напиться пьяным. Максимов, 21.

Му́сорный бак. *Жарг. студ. Шутл. или Презр.* Общежитие Института усовершенствования следственных работников органов прокуратуры и МВД в Санкт-Петербурге. Синдаловский 2002, 121. < От жарг. **мусор** — милиционер.

БА́КЕН * Сиде́ть на бакена́х. *Том.* Работать бакенщиком. СБО-Д 1, 20; ФСС, 9.

БА́КИ[1] * Забива́ть (залива́ть, вкола́чивать, вкру́чивать, трави́ть) ба́ки (ба́бки). 1. *Жарг. угол.* Отвлекать чьё-л. внимание разговором. СРВС 1, 96; ТСУЖ, 15, 58; ББИ, 22; Елистратов 1994, 29-30; Мильяненков, 79. 2. *Волг.* Приводить в состояние растерянности, расстраивать кого-л. Глухов 1988, 44. 3. *Жарг. угол.; Разг.* Лгать, вводить в заблуждение кого-л. ТСУЖ, 32; Елистратов 1994, 29; СВЯ 5; БМС 1998, 39; Грачев, Мокиенко 2000, 29. 4. *Жарг. угол.; Прост.* Превосходить кого-л. в чём-л. Грачев, Мокиенко 2000, 29. < От диал. (*ворон. пск.*) **баки** — глаза.

Фармазо́нить ба́ки. *Жарг. мол. Шутл.* Пить спиртное. Максимов, 21.

БА́КИ[2] * Забива́ть ба́ки. *Жарг. комп. Шутл.* Удалять файлы back (backup). Садошенко, 1995.

БАКЛАЖА́Н * Баклажа́н Помидо́рович. *Лаг. Пренебр. или Ирон.* Заключённый, не имеющий отношения к преступному миру, как правило, уроженец Кавказа. ББИ, 22; Росси 1, 22; Балдаев 1, 25.

БАКЛА́Н[1] * Бакла́н необде́ланный. *Башк. Неодобр.* Ленивый, неповоротливый человек. СРГБ 1, 28.

Бакла́н соко́ревый. *Башк. Неодобр.* Глуповатый человек крупного телосложения. СРГБ 1, 28.

< **Баклан** — чурбак; **сокоревый** — из осокоря.

БАКЛА́Н[2] * Бакла́н поро́дистый. *Жарг. угол.* Человек, осуждённый за злостное хулиганство. ББИ, 22; Балдаев 1, 25.

Бакла́н хави́рный. *Жарг. угол.* Хулиган, осуждённый за квартирный дебош. ББИ, 22; Балдаев 1, 25. < **Хавирный** — квартирный.

Уцепи́ть бакла́на. *Жарг. арест.* Усмирить хулигана в зоне ИТК. Балдаев 2, 102.

< **Баклан** — хулиган; человек, осуждённый за хулиганство.

БАКЛУ́ХА * Баклу́хи окола́чивать (хло́пать). *Перм. Неодобр.* Рассказывать небылицы. Сл. Акчим. 1, 48. < **Баклуха** — обрубок дерева, обрезок бревна или доски.

БАКЛУ́ША * Наколоти́ть баклу́ш. *Кар. (Ленингр.). Неодобр.* Наговорить, рассказать много неправдоподобного. СРГК 3, 335.

Бить баклу́ши. *Разг. Неодобр.* Бездельничать, праздно проводить время; слоняться без дела. ДП, 501, 824; Жиг. 1969, 202; ФСРЯ, 36; Мокиенко 1989, 18, 66, 82; Мокиенко 1990 24, 62, 69, 74, 88, 107, 133, 136; БТС, 55; СБГ 1, 26; АОС 2, 27; ПОС 1, 96; ШЗФ 2001, 19; СФС, 153; ЯОС 1, 29. **Бить в баклу́ши.** *Обл.* То же. Мокиенко 1990, 67. **Гнуть баклу́ши.** *Арх.* То же. АОС 9, 166. **Игра́ть в баклу́ши.** *Обл.* То же. Мокиенко 1990, 67. **Колоти́ть баклу́ши.** *Прибайк.* То же. СНФП, 19. **Обива́ть баклу́ши.** *Кар. Ряз.* То же. ДС, 353; СПНГ 22, 57; Мокиенко 1990, 67; СРГК 4, 80. **Окола́чивать баклу́ши.** *Арх.* То же. АОС 1, 97; Мокиенко 1990, 67; СРНГ 23, 134. **Сбива́ть баклу́ши.** *Арх., Пск., Сиб.* То же. АОС 1, 97; Мокиенко 1990, 67; СПП 2001, 15; СФС, 18. **Сшиба́ть баклу́ши.** *Арх., Яросл.* То же. АОС 1, 97; ЯОС 1, 29.

Да́ть баклу́шу *кому. Обл.* Ударить кого-л.; избить поколотить кого-л. Мокиенко 1990, 49.

< **Баклуша** — чурка для игры в городки и подобные народные игры. БМС 1998, 39.

БАКТЕ́РИЯ * Безгре́шная бакте́рия. *Пск.* О тихом, смирном человеке. ПОС, 1, 96.

Ходя́чая бакте́рия. *Жарг. мол. шутл.-ирон.* О больном человеке. Максимов, 22.

БАКУ́ЛЫ * Разводи́ть баку́лы. *Ирк. Неодобр.* Болтать, пустословить. Мокиенко 1990, 36.

БАЛ[1] * Ко́нчен бал. *Разг.* Вот и всё, на этом конец. ФСРЯ, 36; БТС, 56; ЗС 1996, 537; БМС 1998, 40. < Восходит к поэзии Баратынского.

Пра́вить бал. *Разг. Ирон.* Управлять, распоряжаться чем-л. Ф 2, 85.

Собра́ть бал. *Горьк.* Праздно провести время. БалСок, 21.

Справля́ть балы́. *Яросл.* Праздновать, отмечать что-л. с выпивкой и весельем. ЯОС 1, 30.

БАЛ[2] * Поднима́ть бал. *Жарг. угол.* Начинать кричать, шуметь. ББИ, 23. < **Бал** — рынок, базар, толкучка.

БАЛАБА́Н * Балаба́н неотёсанный. *Новг. Пренебр.* Глупый, несообразительный человек. НОС 1, 26.

БАЛАБО́ЛКА * Ка́мерная балабо́лка. *Жарг. арест. Шутл.-ирон.* Репродуктор в тюремной камере. ТСУЖ, 80.

Кова́ть балабо́лки. *Новг. Неодобр.* Делать что-л. несущественное. НОС 4, 64.

БАЛАГА́Н * Устро́ить балага́н. 1. *Башк.* О шумных детских играх, увеселениях. СРГБ 1, 29. 2. *Разг.* О грубом, пошлом кривлянии, шутовстве. МАС 1, 56.

Чужо́й балага́н. *Волг.* Постороннее дело, не требующее вмешательства. Глухов 1988, 173.

БАЛАГУ́РКИ * Расска́зывать балагу́рки. *Кар. Шутл.-ирон.* Сочинять небылицы. СРГК 1, 34.

БАЛАГУ́РЫ * Вести́ балагу́ры. *Пск.* 1. Любезничать с подругой. Доп., 1858. 2. *Неодобр.* Болтать, пустословить. СПП 2001, 15.

Разводи́ть (расправля́ть) балагу́ры. *Обл. Неодобр.* 1. То же, что **вести балагуры 2.** 2. Бездельничать. Мокиенко 1990, 36, 65.

БАЛА́КИ * Бала́ков постро́ить. *Кар. Неодобр.* Наговорить много и попусту. СРГК 5, 101.

БАЛАЛА́ЙКА * Бесстру́нная балала́йка. *Разг., Кар., Пск. Неодобр. или Шутл.-ирон.* Очень болтливый человек, пустомеля. ФСРЯ, 36; БМС 1998, 40; СРГК 2, 28; СПП 2001, 15. **Балала́йка без струн.** *Волг. Неодобр.* То же. Глухов 1998, 1.

Кита́йская балала́йка. *Жарг. мол. Шутл.-ирон.* Дешёвый магнитофон китайского производства. Максимов, 22.

Пуста́я балала́йка. *Волг., Яросл. Неодобр.* То же, что **бесструнная балалайка**. Глухов, 1988, 33; ЯОС 8, 108.

Дойти́ до балала́йки. *Волг.* Попасть в безвыходное, бедственное положение. Глухов 1988, 36.

Распуска́ть балала́йку. *Яросл. Неодобр.* Начинать плакать (о ребенке). ЯОС 1, 30.

БАЛАМУ́ЧИНА * Баламу́чину нести́. *Кар. Неодобр.* Говорить вздор, рассказывать небылицы. СРГК 4, 491.

БАЛА́Н * Бала́н на хвосте́. *Жарг. угол.* Предупреждение о слежке. ББИ, 22; Мильяненков, 80; Балдаев 1, 26.

Ката́ть (шпи́лить) бала́ны. *Жарг. арест.* Работать в ИТУ на лесозаготовках. ББИ, 22.

< **Балан** — бревно.

БАЛА́НА * Крива́я бала́на. *Перм., Прикам.* 1. *Пренебр.* Одноглазый, слепой на один глаз человек. МФС, 10; СГПО, 30. 2. *Бран.* Негодяй, подлец. МФС, 10.

БАЛА́НДА * Закоси́ть бала́нду. *Жарг. мол.* Обмануть кого-л. Максимов, 23.

Мути́ть бала́нду. *Жарг. угол.* Вводить в заблуждение, обманывать кого-л. ББИ, 22; Балдаев 1, 26.

Нести́ бала́нду. *Разг., Яросл. Неодобр.* Говорить ерунду, нести чепуху. Елистратов 1994, 30; ЯОС 1, 31.

Пере́ть бала́нду. *Волг., Дон. Неодобр.* 1. Болтать, пустословить. СДГ 1, 14. 2. Обманывать, лгать. Глухов 1988, 122; СРНГ 26, 251.

Разводи́ть бала́нду. 1. *Разг. Неодобр.* Болтать, пустословить; говорить ерунду. ББИ, 22; СРГК 1, 34; ПОС, 1, 100; ЯОС 1, 31. 2. *Жарг. угол.* Лгать, вводить в заблуждение кого-л. ББИ, 22, Балдаев 1, 26.

Точи́ть бала́нду. *Башк.* Говорить попусту. СРГБ 1, 30.

Трави́ть бала́нду. 1. *Разг.* Болтать, пустословить. ББИ, 22; КСРГО; Глухов 1988, 122; Мокиенко 1990, 65; Ф 2, 208; ЗС 1996, 362. 2. *Жарг. угол.* Вести пустые разговоры, отвлекая внимание жертвы. ББИ, 22; Балдаев 1, 26. 3. *Жарг. угол.* Распространять ложные слухи; лгать, обманывать. ББИ, 22; Балдаев 1, 26; Бен, 24; СВЯ, 5. 4. *Перм.* Шутить. Сл. Акчим. 1, 49. 5. *Жарг. угол.* Курить. ББИ, 246; Балдаев 2, 83.

Точа́ть бала́нды. *Волг., Дон. Неодобр.* То же, что **травить баланду 1.** Глухов 1988, 158; Мокиенко 1990, 33.

< **Баланда** — 1. *Обл.* Ботвинья, кушание из свекольной и иной ботвы. 2. *Жарг. угол., арест.* Тюремная похлёбка. 3. *Жарг. угол.* Ложный слух, сплетня.

БАЛА́НЖА * Бить бала́нжу. *Новг.* Проявлять крайнее возбуждение. НОС 1, 59.

БАЛА́НС * Для бала́нса. *Яросл.* От скуки, от нечего делать. ЯОС 4, 6.

БАЛАНТРЯ́СЫ * Разводи́ть балантря́сы. *Ср. Урал. Неодобр.* Болтать, пустословить. СРГСУ 1, 32.

БАЛА́СЫ * Разводи́ть бала́сы. *Обл. Неодобр.* То же, что **травить баланду 1.** Мокиенко 1990, 35.

БАЛАХО́Н * Глупо́й балахо́н. *Арх. Пренебр.* Глупый, несообразительный человек. АОС 9, 120.

Бе́лые балахо́ны. *Публ. Неодобр.* О куклуксклановцах. Мокиенко 2003, 5.

БАЛА́Ч * Балача́ ра́бливать. *Одесск. Неодобр.* Бездельничать. КСРГО. < **Рабливать** — работать, делать что-л.

БАЛА́ЧКА * Тача́ть бала́чку. *Дон. Неодобр.* То же, что **травить баланду 1.** Мокиенко 1990, 33.

БАЛДА́ * Балда́ Ива́новна. *Прост. Шутл.-ирон.* О несообразительной, рассеянной женщине. Мокиенко 2003, 6.

Балда́ оси́новая. *Прост. Неодобр. или Бран.* Глупый, бестолковый человек. СФС, 18; Глухов 1988, 117; Мокиенко 1990, 106, 112; ФСС, 9.

Дать по балде́. *Жарг. мол.* Избить кого-л. Митрофанов, Никитина, 14.

Получи́ть по балде́. *Жарг. мол.* Подвергнуться избиению. БСРЖ, 46.

Под балдо́й. *Жарг. угол., мол.* 1. В состоянии наркотического опьянения. Никитина, 1996, 13. 2. В состоянии алкогольного опьянения. Балдаев 1, 52; Ф 1, 17.

Бить балду́. *Жарг. мол. Шутл.* То же, что **гонять балду 1.** Максимов, 23.

Брать/ взять на балду́. *Жарг. спорт. (футб.).* Принимать мяч головой. Максимов, 23.

Валя́ть балду́. *Жарг. мол. Шутл.* То же, что **гонять балду 1.** Максимов, 23.

Гоня́ть балду́. *Разг.* 1. *Ирон.* Бездельничать. УМК, 50; Быков, 23; Максимов, 23. 2. Онанировать. УМК, 50.

Крути́ть балду́. *Жарг. мол.* Обманывать начальника. Максимов, 23.

Лови́ть балду́. *Жарг. угол.* Наслаждаться чем-л. БСРЖ, 47.

Пина́ть балду́. *Жарг. мол. Шутл.* То же, что **гонять балду 1.** Максимов, 23.

Прогна́ть балду́. *Жарг. мол.* Рассказать какую-л. вымышленную историю. Митрофанов, Никитина, 14.

Без балды́. *Жарг. мол.* Всерьёз, не шутя; без обмана. Югановы, 31; Елистратов 1994, 30; Быков, 22; Вахитов 2003, 14.

Бить балды́. *Арх. Неодобр.* То же, что **бить баклуши (БАКЛУША).** АОС 1, 102; АОС 2, 27.

Брать/ взять от балды́ *что.* *Жарг. мол.* Делать что-л. произвольно, необоснованно. Елистратов 1994, 30.

Дать балды́ *кому.* *Новг.* Устроить скандал, повздорить с кем-л. Сергеева 2004, 174.

До балды́ *кому что.* *Жарг. мол.* Безразлично, всё равно. Никитина 1996,

13. < По модели выражения **до лампочки.**
< **Балда** — 1. *Разг.* Голова. 2. *Жарг. мол.* Мужской половой орган. 3. *Жарг. нарк.* Гашиш; любой наркотик. 4. *Жарг. мол.* Обман, враньё.

БА́ЛДЫ * Бить ба́лды. *Обл. Неодобр.* Бездельничать. Мокиенко 1989, 85; Мокиенко 1990, 68.

БАЛЕНДРА́СЫ * Бить балендра́сы. *Волг. Неодобр.* Болтать, пустословить. Глухов 1988, 3.

БАЛЕ́Т * Кури́ный бале́т. *Жарг. мол. Шутл.-ирон.* Танцы, в которых участвуют только девушки. Максимов, 23.

БА́ЛИКИ * Точи́ть ба́лики. *Волг. Неодобр.* То же, что **точать балки (БАЛКИ).** Глухов 1988, 160.

БА́ЛКИ * Точа́ть (точи́ть) ба́лки. *Дон. Неодобр.* Болтать, пустословить. Мокиенко 1990, 33.

Надава́ть/ дать ба́лок *кому. Обл.* Избить кого-л. Мокиенко 1990, 49.

БАЛЛ * Де́сять ба́ллов. *Жарг. мол. Одобр.* О чём-л. отличном, превосходном. Вахитов 2003, 46.

Набира́ть/ набра́ть ба́ллы. *Жарг. мол.* Привлекать внимание к себе хвастовством, высокомерным поведением. Максимов, 23.

БАЛЛА́ДА* Кури́тельная балла́да. *Жарг. Радио.* Длинная песня, во время которой ведущие программы могут отдохнуть, покурить. Pulse, 2000, № 9, 10.

БАЛЛА́СТ * Сбро́сить (ски́нуть) балла́ст. *Жарг. мол.* 1. Избавиться от лишнего в каком-л. деле человека. 2. Очистить желудок посредством рвоты. Максимов, 23.

БАЛЛО́Н * Кати́ть балло́н (балло́ны). *Жарг. угол.* 1. *на кого.* Критиковать кого-л. более авторитетного. Быков 23; ТСУЖ, 93. 2. *на кого, также Мол.* Наговаривать, клеветать на кого-л., оскорблять кого-л. Никитина 1998, 23; Вахитов 2003, 75. 3. *на кого.* Задираться, провоцировать драку. Мильяненков, 80. 4. *на кого.* Подвергать кого-л. несправедливым нападкам, придираться к кому-л. Грачев, Мокиенко 2000, 33. 5. Диктовать кому-л. свою волю. Грачев, Мокиенко 2000, 33. 6. *на кого, также Мол.* Доносить на кого-л. Балдаев 1, 181; НРЛ-78; ФЛ, 92. 7. Идти куда-л. Быков, 23. < Образовано по модели выражения **катить бочку** *на кого.* БМС 1998, 40.

БА́ЛОВЕНЬ * Ба́ловень судьбы́ (форту́ны). *Книжн.* Человек, пользующийся чрезвычайным успехом, удачей в жизни. ЗС 1996, 160; Ф 1, 17.

БАЛТИМО́Р * Балтимо́р Кэ́мэл. *Жарг. мол. Шутл.-ирон.* О дешёвых папиросах “Беломорканал” (произносится с английским акцентом). Белянин, Бутенко,18.

БАЛУ́Й * Бить балуи́ (балуёв). *Обл. Неодобр.* Бездельничать. Максимов 1990, 69.

БА́ЛЫ * Говорить ба́лы семигодова́лы. *Разг. Шутл.-ирон.* Рассказывать о былом. ДП, 300.

Гуто́рить ба́лы. *Обл. Неодобр.* То же, что **разводить балы 1.** Мокиенко 1990, 35.

Заводи́ть/завести́ ба́лы. *Новг.* Рассказывать о чём-л. НОС 1, 26.

Разводи́ть /развести́ ба́лы́. 1. *Прост. Неодобр.* Болтать, пустословить; говорить ерунду; проводить время в пустых разговорах. Мокиенко 1990, 35; СРГБ 1, 30; ПОС 1, 104; ЯОС 1, 93. 2. *Башк.* Шутить, балагурить. СРГБ 1, 30. 3. *Башк.* Подтрунивать, смеяться над кем-л. СРГБ 1, 30.

Распуска́ть/ распусти́ть ба́лы. *Калуж. Неодобр.* То же, что **разводить балы 1.** Мокиенко 1990, 35.

Собира́ть ба́лы. *Горьк. Неодобр.* То же, что **разводить балы 1.** Мокиенко 1990, 35.

Стро́ить ба́лы. *Калуж. Неодобр.* То же, что **разводить балы 1.** Мокиенко 1990, 35.

Точи́ть ба́лы. 1. *Прост. Неодобр.* То же, что **разводить балы 1.** ДП, 868; Мокиенко 1990, 33, 64; СРГБ 1, 30. 2. *Башк., Яросл.* Шутить, балагурить. СРГБ 1, 30; ЯОС 1, 33. 3. *Башк.* Подтрунивать, смеяться над кем-л. СРГБ 1, 30.

БАЛЫ́К * Вы́сохнуть на балы́к. *Дон.* Сильно похудеть. СДГ 1, 90.

БАЛЮ́БОЧКА * Ни балю́бочки. *Курск.* О полном отсутствии чего-л. СРНГ 21, 212.

БА́ЛЯ * Ди́кая ба́ля. *Перм. Бран.* О сумасбродном, неуравновешенном человеке. СГПО, 31; СРНГ 8, 56. < **Баля** — овца.

БАЛЯ́С * Для баля́су. 1. *Арх., Кар.* Для красоты, ради украшения. АОС 1, 106; СРГК 1, 37. 2. *Кар.* Для удобства. СРГК 1, 37. 3. *Арх.* Для забавы, ради удовольствия. АОС 1, 106.

Для како́го баля́су? *Арх.* Зачем, для чего? АОС 1, 106.

БАЛЯ́СЫ * Баля́сы баля́сить (стро́ить/ настроить). *Пск. Шутл.* Весело болтать, шутить. ПОС 1, 105; Мокиенко 1990, 35.

Болта́ть (води́ть, вози́ть) баля́сы. *Перм. Неодобр.* То же, что **разводить балясы.** Сл. Акчим. 1, 50.

Разводи́ть баля́сы. *Алт., Арх., Новг., Перм., Пск.* Вести пустые разговоры. Мокиенко 1990, 35; АОС 1, 106; СРГА 1, 39; НОС 1, 31; НОС 7, 140; Сл. Акчим. 1, 50; ПОС 1, 105.

Стро́ить баля́сы. *Печор. Неодобр.* То же, что **разводить балясы.** СРГНП 1, 18.

Точи́ть баля́сы. 1. *Прост. Неодобр.* То же, что **разводить балясы.** ФСРЯ, 479; БТС, 57; ДП, 868; БМС 1998, 40; Сл. Акчим. 1, 59; ПОС 1, 105. 2. *Сиб. Неодобр.* Бездельничать. СФС, 19.
< **Балясы** — выдумки, ерунда, чушь.

БАМ * Посла́ть на бам *кого. Жарг. мол.* Нецензурно выругать кого-л. Мокиенко, Никитина 1998, 1998, 42. < По аналогии с выражением **послать на три буквы** *кого.*

БАМ-БА́М * Ни бам-ба́м. *Брян.* О полном непонимании чего-л. СБГ 1, 28.

БАМБУ́К * Грызть бамбу́к. *Жарг. мол.* Не получить ожидаемого, остаться ни с чем. Максимов, 24.

Дава́ть бамбу́к *кому. Пск.* Бить палками, наказывать кого-л. ПОС 1, 105.

Кури́ть бамбу́к. *Жарг. мол.* 1. Расслабляться, отдыхать. Я — молодой, 1995, № 12; h-98. 2. *Неодобр.* Заниматься бесполезным делом или бездельничать. БСРЖ, 48; Вахитов 2003, 88; Максимов, 24. 3. *в форме повел. накл.* Требование прекратить разговор, уйти, оставить в покое кого-л. Вахитов 2003, 88.

Оку́чивать (па́рить, пина́ть) бамбу́к. *Жарг. мол.* Бездельничать. Вахитов 2003, 119, 131; Максимов, 24.

БА́МПЕР * Кида́ться / ки́нуться на ба́мпер. *Жарг. мол., авто.* Голосовать, останавливать автомашины на дороге. Никитина 1998, 23.

БАН * Держа́ть бан. *Жарг. угол.* Воровать на вокзале. СРВС 4, 44; ББИ, 67; Быков, 62.

Три ба́на́. *Жарг. мол.* Комсомольская площадь (Площадь трёх вокзалов) в Москве. Елистратов 1994, 32. < От нем. *Bahn* — дорога, путь; вокзал (усеч. от *Bahnhof* — вокзал).

БАНА́Н * Бана́н в кожуре́. *Жарг. авто. Шутл.* Человек в автомашине. Максимов, 24.

Бана́н (бана́ны) в у́хе (в уша́х) *у кого. Жарг. мол. Шутл.-ирон.* 1. О человеке, не расслышавшем чего-л. ФЛ, 92. 2. О человеке, лишённом музыкального слуха. Никитина 1996, 14. 3. О глухом человеке. Максимов, 24.

Бана́н и два коко́са. *Жарг. мол. Шутл.* Мужские гениталии. Максимов, 24.

Бана́н тебе́ в ру́ку! *Жарг. мол.* 1. Выражение отказа кому-л. в чём-л. 2. *Бран.* Выражение негодования в чей-л. адрес. Максимов, 24.

А бана́на не хо́чешь? *Жарг. мол.* Формула отказа кому-л. в чём-л. СИ, 1998, № 4. < **Банан** — мужской половой орган.

Како́го бана́на? *Жарг. мол.* Зачем, с какой целью? Никитина 2003б, 31.

Ката́ть бана́ны. *Жарг. мол. Шутл.-ирон.* Бездельничать. БСРЖ, 48.

БА́НДА * Ба́нда крыс. *Жарг. угол.* Владельцы и работники частных ларьков, палаток. Балдаев 1, 27.

Ба́нда лету́чая. *Жарг. угол.* Уголовники, принимающие участие в вооружённых конфликтах в качестве наёмников. Балдаев 1, 27.

Ба́нда фикса́тая (фи́косная). *Жарг. угол.* Ювелирный магазин. ББИ, 23; СВЯ, 5; Мильяненков, 80; Балдаев 1, 27.

Се́рая ба́нда. *Жарг. угол. Пренебр.* 1. Милиция. ББИ, 221. 2. Внутренние войска МВД по охране мест заключения. ББИ, 221. < По цвету милицейской формы в Советском Союзе.

БАНДА́ЛЫ * На все банда́лы. *Смол.* Очень громко (раскричаться). Мокиенко 1986, 48.

БАНДИ́Т * Банди́т с большо́й доро́ги. *Прост. Бран.* Негодяй, хулиган. Глухов 1988, 2; ПОС 1, 106.

Деревя́нный банди́т. *Жарг. угол.* Вор, совершающий кражи из подвалов. ББИ, 23.

Одноту́кий банди́т. *Публ. Шутл.-ирон.* Игровой автомат. БС, 20; ТС XX в., 72.

БАНДИ́СТКА * Банди́стка с большо́й доро́ги. *Пск. Бран.* Негодяйка (о человеке или животном). ПОС 1, 106.

БАНДУ́Р * Набива́ть/наби́ть банду́р. *Волг.* Есть до полного насыщения. Глухов 1988, 86.

БАНДУ́РА * Ё моё с банду́рою! *Пск. Эвфем.* Выражение удивления. ПОС 1, 106.

Разбива́ть/разби́ть банду́ру. *Жарг. угол.* 1. Раскрывать женскую сумочку с целью совершения кражи. ББИ, 23. 2. Совершать кражу из женской сумочки. ББИ, 23; Балдаев 1, 27. < **Бандура** — большой, громоздкий предмет.

БА́НДЫ * Ба́нды бить. *Прост.* 1. Бездельничать. Д 1, 44; Мокиенко 1990, 69; ПОС 2, 18. 2. Болтать, пустословить от безделья. СРНГ, 2, 93; ПОС 2, 18.

БАНЗА́Й * Идти́/ пойти́ на банза́й. *Жарг. угол.* Нападать на численно превосходящую группу, группировку. Балдаев 1, 169.

БАНК[1] * Брать/ взять банк. *Жарг. шк. Шутл.* Красть классный журнал из учительской. (Запись 2003 г.).

Сыгра́ть в банк *с кем. Разг.* Обмануть кого-л. Елистратов 1994, 32.

Быть на ба́нке. *Жарг. мол.* Расплачиваться за всю компанию. Урал-98.

БАНК[2] * Попа́сть на банк. *Жарг. угол.* Быть арестованным и изобличённым. Балдаев 1, 338.

БА́НКА[1] * Ба́нка с кра́ской. *Жарг. шк. Шутл.* Штрих-корректор. ВМН 2003, 21.

Консе́рвная ба́нка. 1. *Жарг. арм.* Танк Т-60. Лаз., 221. 2. *Жарг. мол. Шутл.* Спортивно-концертный комплекс в Санкт-Петербурге. Синдаловский 2002, 91.

Кра́шеная ба́нка. *Жарг. мол. Шутл.-ирон.* Панк с крашеной взбитой челкой, коком. ФЛ, 92.

До ба́нки *что кому. Жарг. мол.* Об отсутствии интереса, безразличии к чему-л. Никитина 1996, 14. < По модели выражения **до лампочки**.

Сдуть ба́нки. *Жарг. мол.* 1. Успокоиться. 2. Стать скромнее. Максимов, 380.

Ста́вить ба́нки *кому.* 1. *Жарг. угол.* Наносить удары ребром ладони по оттянутой коже на животе или на спине (способ истязания). СРВС 1, 211; СРВС 2, 16, 165; Грачев 1997, 62; ТСУЖ, 168. 2. *Жарг. угол., мол.* Бить, избивать кого-л. ББИ, 233; СВЖ, 2; Балдаев 1, 27; Максимов, 24.

Фармазо́нить ба́нки. *Жарг. мол.* Говорить невпопад, не по теме. Максимов, 25.

Дать ба́нок *кому. Калуж., Новг., Пск.* Избить, поколотить кого-л. Мокиенко 1990, 49, 61; СРНГ 20, 298; НОС 2, 75; ПОС, 1, 107.

Ки́нуть ба́нок *кому. Жарг. мол.* То же, что **дать банок**. ФЛ, 92.

Наве́шать (надава́ть) ба́нок *кому. Волг., Пск.* То же, что **дать банок**. Глухов 1988, 87; ПОС 1, 107.

Наста́вить (наши́ть) ба́нок *кому. Волг., Калуж.* То же, что **дать банок**. Мокиенко 1990, 45, 59; СРНГ 20, 187, 298.

Под ба́нкой. *Жарг. мол., Разг.* В состоянии алкогольного опьянения. Балдаев 1, 52; Никитина, 1998, 25.

Дать ба́нку (ба́нок) *кому. Пск., Яросл.* Ударить, избить кого-л. Мокиенко 1990, 49, 61; ПОС 1, 107; ЯОС 3, 321. // Ударить кулаком по голове кого-л. СРНГ 7, 256.

Кати́ть ба́нку *на кого. Жарг. мол.* Вести себя вызывающе, задиристо по отношению к кому-л. БСРЖ, 49. < По модели выражения **катить бочку**.

Раздави́ть ба́нку. *Разг. Шутл.* Выпить вина, водки. DL, 63.

< **Банка** — 1. Бутылка вина, водки. 2. Удар.

БА́НКА[2] * Заси́живаться/ засиде́ться на ба́нке. *Жарг. спорт.* Долго оставаться в запасе, в резерве (в спортивных играх). НРЛ-82. < **Банка** — скамейка запасных.

БА́НОЧКА * Ба́ночка днева́льного. *Жарг. морск. Шутл.* Небольшая ступенька. БСРЖ, 51. < **Баночка** — табуретка.

БАНТ[1] * Впереди́ бант, позади́ бант, а по бока́м вуа́льки. *Жарг. мол. Ирон.* О чьём-л. несуразном внешнем виде. Вахитов 2003, 31.

БАНТ[2] * Сби́ться с ба́нту. *Пск.* Перепутать что-л., ошибиться. СПП 2001, 16. < Образовано, вероятно, по модели выражения **сбиться с панталыку.** Прим. ред.

БА́НЯ (БА́ЙНЯ, БА́ЙНА) * В ба́не вы́парить *кого. Кар. (Ленингр.).* Отчитать, выругать кого-л. СРГК 2, 275.

Живёт в ба́не, а ка́шляет по-го́рничному. *Горьк. Ирон.* О человеке, который старается показать не то, что есть на самом деле. БалСок, 35.

Посса́ть в ба́не. *Жарг. арест., прост. Ирон.* О лёгкой работе (особенно — в лагере). Мокиенко, Никитина 2003, 76.

Рыба́чить в ба́не. *Прибайк.* Стирать бельё. СНФП, 19.

Жить три ба́ни оста́лось *кому. Яросл.* Жить осталось немного, недолго (букв. — три недели) — об очень старом или больном человеке. ЯОС 4, 48.

Обвенча́ться (оберте́ться) вокру́г ба́ни о́жегом. *Прост., Прикам. Шутл.* Жить в супружестве, не приняв церковного обряда венчания. МФС, 67; Подюков 1989, 10; Мокиенко, Никитина 2003, 76.

Бу́дешь [э́ту] ба́ню по́мнить до но́вых ве́ников! *Народн.* Выражение угрозы. ДП, 22.

Вкати́ть (влить) ба́ню (ба́ни) *кому. Пск.* То же, что **задать баню.** ПОС 1, 109.

Вы́топить суху́ю ба́ню *кому. Обл.* То же, что **задать баню.** Мокиенко 1990, 45, 59.

Дать ба́ню (ба́йну, ба́йню) *кому. Арх., Кар., Пск.* То же, что **задать баню.** АОС 1, 95; СРГК 1, 31, 258, 423; Мокиенко 1990, 49; ПОС, 1, 95.

Зада́ть ба́ню (ба́ни, ба́йню) *кому. Разг.* Выругать, выпороть, наказать кого-л. ДП, 219; ШЗФ 2001, 78; Мокиенко 1990, 49; СРГМ 1980, 13; БМС 1998, 41; Глухов 1988, 46; ЗС 1996, 211; ПОС 1, 95.

Иди́ [ты] в ба́ню! *Прост. шутл. бранно.* Выражение пожелания избавиться, отделаться от кого-л. БТС, 58. < Первонач. — эвфем. пожелание отправиться к **баеннику,** банному чёрту. Мокиенко, Никитина 2003, 76; Подюков 1989, 87; Глухов 1988, 56.

Иди́ ты в ба́ню та́зики пина́ть. *Жарг. мол. Бран.-шутл.* Требование уйти, оставить в покое кого-л. Никитина 2003, 37; Вахитов 2003, 70.

Ку́тать/ заку́тать ба́ню. *Сиб., Приамур., Яросл.* Истопить печь в бане и закрыть печную трубу. ФСС, 78, 101; СРГПриам., 95; ЯОС 5, 111.

Ни в ба́ню о́жег, ни в избе́ клю́ха. *Урал. Ирон. или Неодобр.* О человеке, ни к чему не приспособленном, ничего не умеющем делать. СРНГ 23, 74.

Рассы́пать ба́ню. *Арх.* В свадебном обряде: устроить мытье в бане для молодых. АОС 1, 109.

Руби́ть ба́ню. *Пск.* Платить фант в игре: целовать четверых. ПОС 1, 109; Ивашко, 1993.

Сде́лать (устро́ить) ба́ню *кому. Прост.* То же, что **задать баню.** Ф 2, 224; Мокиенко 1990, 61.

Соста́вить ба́ню *кому. Брян.* То же, что **задать баню.** СБГ 1, 29.

Стопи́ть ба́ню *кому. Пск.* То же, что **задать баню.** ПОС 1, 95.

Ба́ня лега́вая. *Жарг. угол.* Допрос. Максимов, 25.

Ба́ня сгоре́ла *у кого. Новг. Шутл.-ирон.* О человеке, которому изменили в любви. Сергеева 2004, 239.

Гря́зная ба́йна. *Арх.* Баня, топящаяся по-чёрному, без трубы. АОС 10, 117.

Суха́я ба́ня. *Жарг. угол.* Обыск. ББИ, 24; Грачев 1992, 47; Балдаев 1, 28.

Фи́нская ба́ня. *Жарг. арм. Шутл.* Общевойсковой защитный комплекс. Максимов, 25.

Чёрная ба́ня. *Жарг. метео.* Пыльная буря в песках. НРЛ-82.

БА́НЬКА * Сто́пить берёзовую ба́ньку *кому. Пск.* Выпороть, наказать кого-л. СПП 2001, 16.

БАР * Бар «Борьба́ за существова́ние». *Жарг. шк. Шутл.* Школьная столовая. ВМН 2003, 21.

БАРАБА́Н * Бараба́н на ше́ю, [ве́тер в спи́ну и электри́чку навстре́чу] *кому. Жарг. мол. Шутл.* Пожелание удачи кому-л. Максимов, 25.

Ве́рченый бараба́н. *Волг.* Опытный, много испытавший человек. Глухов 1988, 10.

Менто́вский бараба́н. *Жарг. угол. Пренебр.* Осведомитель органов МВД. Балдаев 1, 28.

Наду́ть бараба́н *кому. Прост. Шутл.-ирон.* 1. Зачать кому-л. ребёнка (обычно вне брака). 2. Совершить с кем-л. половой акт. Мокиенко, Никитина 2003, 77.

Отда́ть под бараба́н *кого. Народн.* Отправить на военную службу кого-л. ДП, 250.

Пе́рвый бараба́н. *Жарг. мол. Шутл.-ирон.* Человек, играющий главную роль в каком-л. деле, предприятии, организации чего-л. НРЛ-82. < Шутливое варьирование оборота **первая скрипка**.

По́лный бараба́н. *Жарг. мол. Шутл.-ирон.* О пьяном человеке. Максимов, 25.

Проби́ть бараба́н. *Жарг. угол.* 1. Совершить ночную кражу. СРВС 2, 17, 204; ТСУЖ, 146; ББИ, 24; Мильяненков, 80. 2. *кому.* Ударить жертву ножом в живот. Балдаев 1, 355; ББИ, 195.

Пусто́й бараба́н. *Кар.(Арх.). Неодобр.* 1. Болтун, пустомеля. 2. Человек, делающий что-л. неправильно, неверно. СРГК 1, 38.

Разби́тый бараба́н. *Жарг. мол. Неодобр.* О человеке, который не умеет хранить тайны. Максимов, 25.

Дать бараба́на *кому. Обл.* Избить кого-л. Мокиенко 1990, 49.

До бараба́на *кому что. Жарг. мол.* Абсолютно безразлично, всё равно. Елистратов 1994, 33; Никитина 1996, 15; Стрела, 1998, № 20.

От бараба́на. *Жарг. мол.* Приблизительно; наугад. Елистратов 1994, 33.

По бараба́ну *кому что. Жарг. мол.* То же, что **до барабана.** Елистратов 1994, 33; Никитина 1996, 15; Стрела, 1998, № 20.

Бить во все бараба́ны. *Публ.* Широко оповещать о грозящей опасности. НРЛ-81.

Наводи́ть бараба́ны. *Новг.* Устраивать, организовывать, изготовлять что-л. НОС 5, 130.

Хоть в бараба́ны бей. *Брян. Шутл.* О крепко спящем человеке. СБГ 1, 54.

БАРАБА́НЩИК * Бараба́нщик револю́ций. *Жарг. курс. (морск.). Шутл.-ирон.* Активный, примерный курсант. БСРЖ, 50.

БАРАБО́РА * Нести́ барабо́ру. *Сиб. Неодобр.* Говорить вздор, чепуху. СФС, 126.

БАРАБО́ШКА * Барабо́шку нести́. *Волог. Шутл. или Неодобр.* Разговаривать о чём-л. несерьёзном, незначительном, болтать вздор, пустяки. СВГ 1, 21.

БАРА́К * Бара́к зна́ет *кого, что. Арх.* Неясно, неизвестно что-л. СРНГ 11, 312.

Дурно́й бара́к. *Перм., Прикам.* Психиатрическая больница. МФС, 10; СГПО, 32.

Хиля́ть до бара́ка. *Жарг. мол.* Идти домой. БСРЖ, 51.

БАРА́Н * Бара́н педа́льный. *Жарг. мол. Бран.* О человеке, вызывающем раздражение, негодование. Максимов, 26.

Бо́жий (бо́женькин) бара́н (бара́нчик). *Пск.* Бекас. ПОС 1, 112, 114.

Лесно́й (лесово́й, ле́ший) бара́н. *Пск.* То же, что **божий баран.** ПОС 1, 112.

Не бара́н начиха́л. *Прост. Шутл.* О чём-л. важном, серьёзном. Ф 1, 17; БТС, 59.

Се́рый бара́н. *Жарг. угол. Пренебр.* Участковый инспектор. ТСУЖ, 160; Балдаев 2, 36.

Цага́йский бара́н. *Жарг. угол. Пренебр.* Представитель какой-л. из народностей Дагестана. Балдаев 2, 133.

Бара́на ма́ма. *Жарг. мол. Шутл.* Название рок-группы "Бананарама" (Bananarama). Я — молодой, 1997, № 45.

Проси́л бы ты се́рого бара́на. *Кар.* Форма резкого отказа кому-л. СРГК 5, 295.

Вернёмся к на́шим бара́нам. *Публ., Разг.* Призыв к говорящему не отвлекаться от основной темы, констатация говорящим того, что его отступление от темы разговора окончилось и он возвращается к сути. ЗС 1996, 339;

ШЗФ 2001, 34. < Калька с франц. *revenons à nos moutons*. БМС 1998, 42.
БАРА́НКА * Бра́ться/ взя́ться за бара́нку. *Разг.* Начинать работать шофёром. Ф 1, 62; Мокиенко 2003, 6.
Держа́ть бара́нку. *Разг.* 1. Управлять автомашиной или самолётом. 2. Удерживать власть в своих руках. Мокиенко 2003, 7.
Крути́ть бара́нку. *Разг.* Работать шофёром. Ф 1, 266; БСРЖ, 51.
Нести́ по бара́нки *кого. Брян. Шутл.* Нести ребёнка на плечах. СБГ 1, 30.
БАРА́НЧИК * Бо́женькин бара́нчик. См. **Божий баран (БАРАII).**
БАРАХЛЯ́ * Барахли́ть (забарахли́ть) барахлю́. *Пск. Неодобр.* Пустословить, говорить ерунду, вздор. ПОС 1, 116.
БАРА́ШЕК * Бара́шек в бума́жке. *Разг. Устар.* Взятка. ФСРЯ, 33; БТС, 103; Мокиенко 1990, 15; Янин 2003, 19; БМС 1998, 42.
Бо́жий бара́шек. *Арх.* Жаворонок. АОС 2, 75.
Лесно́й бара́шек. *Арх.* 1. Заяц. СРНГ 16, 374. 2. Бекас. СРНГ 16, 376.
Дать (поднести́) бара́шка в бума́жке *кому. Разг.* Дать взятку кому-л. БТС, 59. **Подсу́нуть бара́шка в бума́жке** *кому. Разг. Устар.* То же. ДП, 174.
БА́РДА * Вверх ба́рдами. *Горьк.* Наоборот. БалСок, 26.
БАРДА́К * Барда́к на колёсах. *Разг. Ирон или Неодобр.* О большом беспорядке где-л. Флг., 30; УМК, 51.
Разводи́ть/развести́ барда́к *где. Прост. Неодобр.* 1. Развратничать, вести себя распутно где-л. 2. Устраивать большой беспорядок, хаос. Мокиенко, Никитина 2003, 77.
БА́РЕ * Ма́лые ба́ре. *Сиб.* В свадебном обряде — свита жениха. СФС, 103; ФСС, 9.
БА́РЖА * Эй, на ба́рже! Лом не проплыва́л? *Жарг. мол.* Шутливое обращение к кому-л. Максимов, 26.
БА́РИ * Ба́ри Алеба́стров. *Жарг. мол. Шутл.-ирон.* Шоумен Бари Алибасов. Я — молодой, 1998, № 8; Щуплов, 76.
Ба́ри Алиба́сов. *Жарг. мол. Шутл.-ирон.* Делец шоу-бизнеса. Я — молодой, 1998, № 6.
БА́РИН * Большо́й ба́рин. *Яросл.* Один из участников свадебного обряда. ЯОС 1, 37.
Второй ба́рин. *Яросл.* В свадебном обряде — брат жениха. ЯОС 1, 37.
Лесно́й ба́рин. *Яросл.* Медведь. СРНГ 16, 374.
Ма́лый ба́рин. *Яросл.* Один из участников свадебного обряда. ЯОС 1, 37.
Не вели́к ба́рин. *Разг. Пренебр.* О незначительном, ничего собой не представляющем человеке. Ф 1, 17; БТС, 116.
Почто́вый ба́рин. *Кар. Устар.* Почтальон. СРКГ 5, 129.
Се́рый ба́рин. *Жарг. угол. Устар.* Околоточный надзиратель. СРВС 2, 85, 133.
Игра́ть ба́рина. *Кар.* Вести себя привередливо, капризничать. СРГК 1, 41.
Ба́рину ду́шно. *Жарг. арест. Ирон.* Об изгнании осуждённого из камеры его сокамерниками. СВЯ, 6.
БАРМА́ШКИ * Кве́рху барма́шками. *Алт. Шутл.* Вверх ногами, вверх тормашками. СРГА 2-II, 32.
БАРМЕ́Н * Барме́н пя́того разря́да. *Жарг. мол. Шутл.-ирон.* О человеке, льющем спиртное мимо стакана. Максимов, 26.
БАРО́Н * Баро́н Мюнхга́узен. *Жарг. шк. Шутл.* Ученик у доски. ШП, 2002.
Баро́н фон Мы́льников. *Книжн. Пренебр.* Человек, производивший самое положительное впечатление и оказавшийся ничтожным, ничего собой не представляющим. БМС 1998, 42.
Баро́н фон Три́ппен-бах. *Жарг. угол. Устар. Шутл.-ирон.* О хронически больном гонореей человеке. < Образовано каламбурным обыгрыванием вульг.-прост. слова **триппер** (гонорея). Мокиенко, Никитина 2003, 77.
Баро́н фон Трахенбе́рг. *Жарг. мол. Шутл.-ирон.* О чрезмерно активном в сексуальном отношении мужчине, развратнике, ловеласе. < Каламбур, обыгрывающий глагол **трахать** — совершать половой акт с кем-л. Мокиенко, Никитина 2003, 77.
Чёрный баро́н. *Разг. Устар.* П. Н. Врангель, один из руководителей контреволюционных вооружённых формирований в период Гражданской войны. Немировская, 354.
БАРКО́ВКА * Барко́вкой убьёшь *кого. Народн. Ирон.* О слабом, тщедушном человеке. ДП, 398.
БАРС * Желе́зный барс. *Жарг. угол.* Вор-рецидивист — уроженец Кавказа. ББИ, 77.
Сне́жный барс. *Жарг. спорт. Одобр.* Опытный скалолаз, альпинист высшего класса. НРЛ-78.
Чёрный барс. *Жарг. угол., арм.* Кавказский боевик, вооруженный автоматическим оружием. Балдаев 2, 143.
БА́РЩИНА * Рот на ба́рщине *у кого. Кар. (Ленингр.).* О занятом, несвободном человеке. СРГК 1, 42.
БА́РЫНЬКА * Игра́ть ба́рыньку. *Костром. Неодобр.* Праздно проводить время. СРНГ 12, 69.
БА́РЫНЯ * Ждать ба́рыню. *Брян. Шутл.-ирон.* Быть близким к смерти. СБГ 1, 33.
Игра́ть ба́рыню. *Пск. Неодобр.* Лгать, обманывать, рассказывать небылицы. ПОС 13, 160.
Ба́рская ба́рыня. *Яросл. Устар.* Любовница барина из прислуги. ЯОС 1, 38.
Одна́ ба́рыня *кому. Кар. (Ленингр., Новг.).* Безразлично, всё равно. СРГК 1, 42; СРГК 4, 151..
Роско́шная ба́рыня. *Дон.* Растение бегония. СДГ 1, 18.
БАРЫ́Ш * Барыш с накла́дом получи́ть. *Курск. Ирон.* Ничего не получить. БотСан, 82.
Взять барыша́. *Яросл.* Выгодно продать, сбыть с рук что-л. ЯОС 3, 18.
Ни барыша́ ни карыша́. *Сиб., Колым.* Никакого толку. СФС, 126; СРНГ 2, 125.
Дёргать барыши́. 1. *Калуж.* Расчёсывая шерсть овчин после выделки, выдёргивать ее для последующей продажи. СРНГ 2, 125. 2. *Волг.* Вести дела успешно, получать прибыль. Глухов 1988, 34.
БА́РЫШНЯ * Занята́я ба́рышня. *Жарг. угол. Шутл.* Пишущая машинка. СРВС 3, 91.
Кисе́йная ба́рышня. *Разг. Ирон.* Об изнеженном, не приспособленном к жизни человеке. ФСРЯ, 33; БМС 1998, 42; Ф 1, 17; Мокиенко 1990, 145; СПП 2001, 16. < Восходит к повести Н. Г. Помяловского “Мещанское счастье”.
БАРЬЕ́Р * Брать/ взять барье́р. *Книжн.* Преодолевать какое-л. препятствие. Мокиенко 1990, 129.
Ста́вить / поста́вить на барье́р *кого. Разг. Устар.* Вызывать на дуэль кого-л. Ф 2, 182.
К барье́ру! 1. *Книжн. Устар.* Вызов на дуэль. Ф 1, 17. 2. *Жарг. шк. Шутл.* К доске (выходить, вызывать). ВМН 2003, 22.
БАС[1] * Бас на бас. *Забайк.* Без придачи (о равноценном обмене). СРГЗ, 61. < Ср. **баш на баш (БАШ).**
БАС[2] * Брать/ взять на бас. 1. *Брян.* Исполнить партию баса. СБГ 1, 33. 2. *кого. Жарг. угол.* Пугать, шантажировать кого-л., выпытывая что-л. нуж-

ное. СВЯ, 10. 3. *кого. Жарг. угол.* Обвинять кого-л., не имея достаточных оснований (о поведении следователя, прокурора). СРВС 3, 80; ББИ, 32; ТСУЖ, 24; Балдаев 1, 45.

БА́СА * Для ба́сы. 1. *Арх., Кар. (Ленингр.), Печор.* Для красоты, ради украшения. АОС 1, 116; СРГК 1, 43; СРГНП 1, 19. 2. *Арх.* Для забавы, ради удовольствия. АОС 1, 116.

БА́СЕНКА * Ба́сенки петь. *Горьк.* Болтать, пустословить. БалСок, 22.

БА́СИК * То́птаный ба́сик. *Жарг. мол.* Окурок, поднятый с земли, с пола. Урал-98.

БА́СКО́ * Ба́ско́ ходи́ть. *Яросл.* Модно, вычурно одеваться, наряжаться. ЯОС 1, 40.

БА́СНЯ * Ба́сни перево́дятся *о ком, о чём. Кар. (Мурм.).* Ходят слухи, идут пересуды о ком-л., о чём-л. СРГК 4, 434.

Ба́ять ба́сни. *Белом.* Болтать, пустословить. Мокиенко 1990, 36.

Де́душкины ба́сни. *Пск.* Сказания, притчи. ПОС 8, 181.

Переводи́ть ба́сни. *Волог.* Говорить о чём-л. несерьёзном, незначительном, болтать. СВГ 1, 19.

Разводи́ть ба́сни. *Арх.* Рассказывать небылицы. АОС 1, 121.

Раскла́сть ба́сни. *Прикам.* Заняться пустыми разговорами. МФС, 85.

Распуска́ть/ распусти́ть ба́сни. 1. *Кар. (Волог.).* Увлекаться пустыми разговорами. СРГК 5, 463. 2. *Томск.* Лгать, говорить неправду. СОВС, 29.

Ба́ить ба́сню. *Волог.* Рассказывать сказку. СРНГ 2, 135.

Сба́ять доку́чную басню. *Дон.* Рассказать что-л., повторяя одно и то же. СДГ 3, 105.

Доку́чная ба́сня. *Волг., Дон. Неодобр.* О надоедливом человеке. Глухов 1988, 36; СДГ 1, 18.

До́лгая ба́сня. *Сиб. Ирон.* Невыполненное обещание. ФСС, 9.

БАСО́К * Брать на басо́к *кого. Жарг. угол.* Добиваться чего-л. криком, наглостью. Росси 1, 26.

БАСОТА́ * Для басоты́. *Печор.* То же, что **для басы 1. (БАСА).** СРГНП 1, 22.

БАСТРЫ́К * Под бастры́к. *Сиб.* До предела, с верхом (наполнить что-л.). ФСС, 9. < **Бастры́к** — жердь, придавливающая сено, солому на возу.

БАТА́Й * Дава́ть бата́й *кому. Одесск.* Бить, избивать кого-л. < **Батай** — от румын. *bate* — бить. КСРГО.

БАТА́ЛКА * Подня́ть на бата́лки *кого. Влад.* 1. Заставить кого-л. действовать, побудить приняться за что-л. 2. Встревожить кого-л. СРНГ 2, 140.

БАТАЛЬО́Н * Клисти́рный батальо́н. *Жарг. арм. Шутл.-ирон.* Санчасть. Флг., 149; Мокиенко 1995, 5.

Седьмо́й батальо́н. *Жарг. мол. Шутл.* Статья 7-6 (шифр диагноза психопатии), освобождающая от службы в армии. Мазурова, 135.

БАТАРЕ́ЙКА * Батаре́йки се́ли *у кого. Жарг. мол. Неодобр.* О недогадливом человеке, не понявшем чего-л. Максимов, 27.

БАТЛ * Батл оф вайн. *Жарг. мол. Шутл.* Бутылка вина. < Из англ.: *bottle of wine.* БСРЖ, 53-54.

Изобрази́ть (изобрести́, нарисова́ть) батл. *Жарг. мол. Шутл.* Найти денег на выпивку. Вахитов 2003, 71, 108.

Жить на батла́х. *Жарг. мол.* Жить на деньги, полученные от сдачи стеклотары. СМЖ, 89.

< **Батл** — *жарг. мол.* бутылка (из англ. яз.).

БАТО́Г * Идти́ под бато́г. *Волог.* Заходить в дом, когда хозяев нет дома и дверь подперта палкой. СВГ 3, 5.

Петро́в бато́г. 1. *Дон.* Цикорий дикий или обыкновенный. СДГ 1, 18. 2. *Одесск.* Высокое растение. КСРГО.

С батога́. *Жарг. мол. Шутл.* В состоянии абстинентного синдрома; с похмелья. Урал-98.

Поста́вить под батоги́ *кого. Р.Урал.* Подвести, поставить в затруднительное положение кого-л. СРНГ 30, 209.

Надава́ть батого́в *кому. Яросл.* Побить, поколотить кого-л. ЯОС 6, 90.

Хоть батого́м меша́й. *Волг.* Об изобилии, большом количестве чего-л. Глухов, 1988, 167.

< **Батог** — палка.

БАТО́Н[1] * Едрён (ядрён) бато́н! *Прост.* 1. Восклицание удивления, восторга, восхищения и т. п. 2. *Одобр.* О красивой, аппетитной девушке. Мокиенко, Никитина 2003, 78.

Кроши́ть бато́н *на кого. Жарг. мол.* 1. Вести себя агрессивно по отношению к кому-л. Вахитов 2003, 86; h-98. 2. Незаслуженно обвинять кого-л. в чём-л. Югановы, 116.

Кроши́ть бато́н на пя́тки. *Жарг. арм. Шутл.* Спать. Кор., 146; Лаз., 244.

Кроши́ть бато́н на́ уши *кому, чьи.* Обманывать, дезинформировать, дурачить кого-л. Никитина 2003, 41.

Све́жий бато́н. *Жарг. мол. Шутл.-одобр.* Симпатичная девушка. Елистратов 1994, 35.

Шевели́ть бато́нами. *Жарг. мол. Шутл.* Быстро идти, шагать. Вахитов 2003, 103; Максимов, 486.

БАТО́Н[2] * Волше́бный бато́н. *Жарг. комп.* Кнопка *magic button* (компьютера ZX). Садошенко, 1995.

Жать (топта́ть) бато́ны. *Жарг. комп.* 1. Работать с клавиатурой. 2. Работать с “мышью”. Садошенко, 1995; Лихолитов, 1997, 48; Максимов, 28.

БАТЫ́Г * Петро́в баты́г (баты́ш). *Дон.* Цикорий дикий или обыкновенный. СДГ 1, 18.

БАТЫ́Ш * Петро́в баты́ш. См. **Петров батыг (БАТЫГ).**

БА́ТЬКА (БА́ТЬКО) * Ба́тьки мои́! *Астрах.* Выражение удивления. СРНГ 2, 148.

Лезть попере́д ба́тьки. *Прост.* Стараться, стремиться сделать что-л. раньше того, кто больше заслуживает, имеет больше оснований. Ф 1, 277.

Ба́тько бесе́дный. *Яросл.* Участник свадебного обряда — дальний родственник жениха или его отца. ЯОС 1, 42.

Брать ба́тьку за бо́роду. *Волг.* Настойчиво, безосновательно требовать от кого-л. чего-л. Глухов 1988, 5.

БА́ТЮШКА (БА́ТЮШКО) * Ба́тюшки мои́! *Прост.* Выражение удивления, испуга, радости. БМС 1998, 43, ШЗФ 2001, 17.

Ба́тюшки роди́мые! *Ряз.* Выражение удивления, возмущения. ДС, 49.

Не ба́тюшки. *Твер.* Не очень. СРНГ 2, 150.

Богода́нный ба́тюшка. 1. *Забайк., Сиб., Яросл.* Тесть, свекор. СРГЗ, 65; СФС, 26; ФСС, 9; ЯОС 2, 6. 2. *Яросл.* Отчим. ЯОС 2, 6.

Дворово́й ба́тюшко. *Кар. (Ленингр.).* Домовой, который живет в хлеву. СРГК 1, 45.

БА́ТЯ * Ба́тя мой! *Перм.* Выражение удивления, испуга. МФСМ, 10; СГПО, 35.

Ба́тя ста́ренький. *Яросл.* Дед. ЯОС 1, 42.

БАХ, -а, м.

[Ига́нн Себастья́н] Бах. *Жарг. шк. Шутл.* Учитель музыки. (Запись 2003 г.).

БАХВАЛА́ * На бахвалу́ (ехать). *Олон.* Наудачу. СРНГ 2, 152.

Собира́ть бахвалу́. *Перм. Неодобр.* Проводить время в пустых разговорах. Сл. Акчим. 1, 55.

БАХИ́ЛА * Наби́ть бахи́лу. *Горьк. Неодобр.* Обогатиться нечестным путем. БалСок, 43.

Бахи́лы «Проща́й, свобо́да». *Жарг. лаг. Ирон.* Хлопчатобумажные чулки с веревочными подвязками и ботинками из кирзы с подошвой из старой автопокрышки, изготовленные для заключённых вместо валенок в мастерских ГУЛАГа; в качестве летней обуви служили лапти, которые плелись из пеньковой верёвки. Балдаев 2001, 157.

БАХМА́К * Бахма́к зателе́пистой. *Прикам. Шутл.-ирон. или Пренебр.* О толстом, неуклюжем, неопрятном человеке. МФС, 10.

БАХТАРМА́ * Бахтармо́й кве́рху. *Приамур.* Кверху тормашками. СРНГ 2, 158.

БА́ХУС * Быть под Ба́хусом. *Разг. Шутл.* Быть навеселе, пьяным. БМС 1998, 43. < **Бахус** — бог вина и веселья у древних греков, римлян.

БАЦ * С ба́цу. *Сиб.* Сразу. СФС, 161.

БАЦИ́ЛЛА * Баци́лла с ни́ппелем (с прице́пом). *Жарг. мол. Шутл.* Сигарета с фильтром. Елистратов 1994, 35; Максимов, 28.

Нае́сть баци́ллу. *Жарг. мол. Шутл.* Отрастить большой живот. Максимов, 28.

БА́ЧА * Ба́ча мило́й. *Сиб.* Товарищ, друг. ФСС, 9.

БА́ЧКА * Не у́мер ба́чка, удави́ла боля́чка. *Курск.* Всё равно, не всё ли равно. СРНГ 2, 162.

БАЧО́К * Бачо́к с му́сором. *Жарг. авто. Пренебр.* Милицейская автомашина. Максимов, 28.

Сливно́й бачо́к. *Жарг. журн. Пренебр.* О непорядочном журналисте, специализирующемся на публикации компромата, дезинформации, заказных материалов. МНHC, 130.

БАШ * Баш на баш. 1. *Разг.* В равном количестве, без придачи (менять, обменять и т. п.). ДП, 528, 535; СДГ 1, 19; ПОС 1, 135; Ф 1, 18; ШЗФ 2001, 17; СФС, 20, 104; СРНГ 2, 162. 2. *Разг. Устар.* Ровно столько же, сколько затрачено; рубль на рубль (получать — о прибыли).ФСРЯ, 33. 3. *Яросл.* Вдвое больше, чем затрачено; два рубля на рубль (получать — о прибыли). ЯОС 1, 44. 4. *Дон.* Один на один (драться). СРНГ 2, 162. 5. *Сев. Двин.* Один другого стоит (при сопоставлении двух незначительных предметов). СРНГ 2, 162. 6. *Арх.* Будь что будет, так и быть. АОС 1, 135. < Из арго оптовых торговцев скотом, букв. «голову на голову» (тюрк. **баш** — голова). БМС 1998, 43.

Отмочи́ть баш. *Жарг. мол.* Совершить экстравагантный поступок. БСРЖ, 55.

БАШКА́ * Башка́ ва́рит. См. **Голова варит (ГОЛОВА).**

Башка́ в коле́ни покати́лась *у кого. Арх.* О сильном испуге. ОАС 1, 135.

Башка́ из таба́чного горшка́ *у кого. Народн. Шутл.-ирон.* О глупом, несообразительном человеке. ДП, 436.

Башка́ не ва́рит. См. **Голова не варит (ГОЛОВА).**

Башка́ ове́чья, по́па челове́чья *у кого. Жарг. мол. Шутл.* О кудрявом человеке. Максимов, 28.

Башка́ с заты́лком. *Прост. Пренебр.* Растяпа, простофиля. Ф 1, 18; ФСС, 10.

Дубо́вая башка́. См. **Дубовая голова (ГОЛОВА).**

Ду́рья башка́. См. **Дурья голова (ГОЛОВА).**

Дыря́вая башка́. См. **Дырявая голова (ГОЛОВА).**

Задо́хлая башка́. *Пск. Бран.* О человеке, поступающем неправильно. ПОС 1, 136.

Мяки́нная башка́ (голова́). См. **Мякинная голова (ГОЛОВА).**

Не запла́тана башка́. *Народн. Шутл.-ирон.* Глупый, бестолковый человек. ДП, 437.

Не сломя́ башка́ (башку́). *Сиб.* Стремительно, очень быстро. ФСС, 10.

Пуста́я башка́ (голова́). См. **Пустая голова (ГОЛОВА).**

Секи́р башка́ (голова́) *кому. Пск.* О неизбежном наказании, расправе с кем-л. СПП 2001, 16.

В башке́ не ва́рит *у кого. Перм. Неодобр.* То же, что **голова не варит (ГОЛОВА).** Сл. Акчим. 1, 56.

В башке́ опи́л *у кого. Перм. Презр.* О глупом, недалёком и легкомысленном человеке. Сл. Акчим. 3, 116. < **Опи́л** — опилки.

Выкла́дывать из свое́й башки́. *Башк.* Вымышлять, выдумывать что-л. СРГБ 1, 79.

Повали́ться без башки́. *Кар. Шутл.* Сильно устав, крепко заснуть. СРГК 4, 577.

Башку́ на башку́ (меняться). *Арх.* В равном количестве, без придачи. СРНГ 2, 164.

Вбива́ть/ вбить в башку́. См. **Вбивать в голову (ГОЛОВА).**

Вбива́ть/ вбить себе́ в башку́. См. **Вбивать себе в голову (ГОЛОВА).**

Взбреда́ть/ взбрести́ в башку́. См. **Взбредать в голову (ГОЛОВА).**

Впада́ть/ впасть в башку́ *кому. Кар.* Вспоминаться, возникать в сознании. СРГК 1, 237.

Всвети́ть в башку́. *Морд.* Укрепиться в сознании (о какой-л. мысли). СРГМ 1978, 89.

Завора́чивать башку́. 1. *Ряз.* Напряжённо думать над чем-л. ДС, 50. 2. *кому. Волг.* Строго наказывать, бить кого-л. Глухов 1988, 45.

Нажу́чить башку́ *кому. Перм.* Надавать подзатыльников, побить кого-л. Сл. Акчим. 1, 56.

Накова́ть башку́ *кому. Морд.* Избить, поколотить кого-л. СРГМ 86, 77.

Оторва́ть башку́ *кому. Прост.* Жестоко расправиться с кем-л. Ф 2, 29.

Почини́ть башку́. *Перм. Шутл.* Опохмелиться, снять головную боль дозой спиртного. Подюков 1989, 125.

Отверну́ть (сверну́ть, снести́) башку́ (го́лову) *кому. Прост.* Убить, уничтожить кого-л. ФСРЯ, 411; Ф 2, 23; Глухов 1988, 151.

Сверну́ть себе́ башку́ (го́лову). *Прост.* Искалечиться; погибнуть. ФСРЯ, 411.

Свороти́ть башку́ на рукомо́йник *кому. Костром.* Жестоко расправиться с кем-л. СРНГ 36, 325.

Слома́ть башку́ *кому. Прост.* Сильно покалечить; убить кого-л. Ф 2, 165.

БАШКИ́Р * Башки́р в лаптя́х провали́лся. *Жарг. мол. Шутл.* Об отрыжке, икоте. Максимов, 29.

БАШЛО́ВКА * Получа́ть /получи́ть башло́вку. *Пск.* Подвергаться побоям. СПП 2001, 16.

Сшить башло́вку (башло́вочку) *кому. Пск.* Сильно ударить, избить кого-л. ПОС 1, 136.

БАШЛО́ВОЧКА * Сшить башло́вочку. См. **Сшить башло́вку (БАШЛО́ВКА).**

БАШМА́К * Башма́к всмя́тку. *Орл. Шутл.-ирон.* Ерунда, вздор. СОГ 1989, 66.

Башма́к с ноги́ не сопнёшь. *Арх.* Выражение согласия, смирения: ничего не поделаешь. АОС 1, 135.

Попада́ть/ попа́сть под башма́к. *Разг.* Попадать в зависимость от жены (о муже). ФСРЯ, 33.

Лома́ть башмаки́ (башмачки́). *Вят.* В свадебном обряде — выходить из экипажа (о госте) прежде, чем его встретят хозяева. СРНГ 17, 118.

Башмако́в ещё не износи́ла. *Разг. Шутл.-ирон.* О женском непостоянстве, быстрой смене привязанностей. БМС 1998, 43. < Цитата из монолога Гамлета в одноименной трагедии У. Шекспира.

Ободра́ть его, так и башмако́в не вы́йдет. *Народн. Ирон.* Об очень худом человеке. ДП, 398.

Под башмако́м (быть, находиться). *Разг.* В полной зависимости, беспрекословном подчинении (обычно — о зависимости мужа от жены). ФСРЯ, 33; ШЗФ 2001, 28; Ф 1, 18; БМС 1998, 43.

БАШМАЧО́К * Вене́рины башмачки́. *Разг.* Народное название некоторых растений семейства орхидных с большими цветками, имеющими форму башмачка. Ф 1, 18.

Куку́шкины башмачки́. *Сиб.* Растение, применяемое в народной медицине при лечении желудка. ФСС, 10.

Лома́ть башмачки́. См. **Ломать башмаки (БАШМАК).**

БАШМО́ЛКА * Сшить башмо́лку *кому. Обл.* Избить кого-л. Мокиенко 1990, 59.

БА́ШНЯ * Дать в ба́шню *кому. Жарг. мол. Шутл.* Совершить половой акт с кем-л. оральным способом. Максимов, 29.

Накры́ть ба́шню. *Жарг. мол. Шутл.* Надеть головной убор. Максимов, 267.

Отверну́ть ба́шню *кому. Жарг. спорт.* Победить кого-л. Максимов, 29.

Снесло́ (отверну́ло, сверну́ло, сорва́ло) ба́шню *кому. Жарг. мол.* 1. Кто-л. потерял контроль над собой, начал вести себя подобно сумасшедшему. Я — молодой, 1996, № 22; 1997, № 27; Никитина 1998, 29; Максимов, 29; Вахитов 2003, 168. 2. Кто-л. опьянел, испытал состояние наркотической эйфории. БСРЖ, 55. < **Башня** — голова.

Снести́ (сверну́ть) ба́шню *кому. Жарг. мол.* Увлечь кого-л. до фанатизма, свести с ума кого-л. МК, 14.01.98; БСРЖ, 55.

Ба́шня из слоно́вой кости. *Книжн.* Символ мира мечты; о предмете мечтаний, оторванных от жизни. ШЗФ 2001, 17; БТС, 63. < Выражение принадлежит франц. поэту и критику Ш. О. Сент-Бёву. БМС 1998, 43.

Ба́шня не ва́рит *у кого. Жарг. мол. Неодобр.* О несообразительном человеке. Максимов, 29.

Ба́шня скрипи́т *у кого. Жарг. мол.* О головной боли. Урал-98.

Ба́шня пое́хала *у кого. Жарг. мол. Неодобр.* То же, что **башню снесло.** Максимов, 29.

Вавило́нская ба́шня. *Разг. Шутл.* Об очень высоком здании, строении. БТС, 109; Ф 1, 18.

Пиза́нская ба́шня. 1. *Жарг. шк. Шутл.* Груда падающих учебников, книг. (Запись 2003 г.). 2. *Жарг. мол. Шутл.* О человеке в состоянии сильного алкогольного опьянения. Максимов, 29.

Э́йфелева ба́шня. *Жарг. мол. Шутл.* 1. Человек высокого роста. Максимов, 499. 2. Мужской половой орган. Щуплов, 54.

БАЯ́Н * Антиква́рный бая́н. *Жарг. мол. Шутл.-ирон.* Полная бессмыслица, чушь. Елистратов 1994, 36.

Бая́н Бая́ныч. *Жарг. шк. Шутл.* Учитель пения. Никитина 1998, 29.

Бая́н игра́льный. *Жарг. угол., мил.* Станок для дактилоскопирования. Хом. 1, 74.

Бая́н самоде́льный. *Жарг. угол., мол.* Литр домашнего вина. Хом. 1, 74.

Игра́ть на бая́не (на пиани́но, на роя́ле). *Жарг. угол., мил.* Подвергаться дактилоскопированию. ТСУЖ, 75; Грачев 1992, 48.

БГ * БГ пришёл к кому. *Жарг. мол. Шутл.* У кого-л. началась белая горячка. Никитина 2003, 43. < **БГ** — 1. Борис Гребенщиков, лидер рок-группы "Аквариум". 2. Белая горячка.

БГИ * Ни бги (не сказать). *Яросл.* Ни слова. ЯОС, 6, 123.

БДИТЕЛЬНОСТЬ * Усыпля́ть/ усыпи́ть бди́тельность *чью. Разг. Ирон.* Обманом, притворством заставлять кого-л. забыть осторожность. Ф 2, 224.

БЕ * Ни бе (бэ) ни ме (мэ) [ни кукаре́ку]. *Прост.* Совсем ничего (не знать, не понимать и т. п.). ФСРЯ, 33; БТС, 63; Мокиенко 1990, 100; Глухов 1988, 108; ЗС 1996, 243; Ф 1, 47.

БЕ́БЕКИ * [Все] бе́беки (би́бики, пе́беки, пе́пеки) отби́ть (откла́сть, оттрясти́). *Пск., Новг.* 1. *кому.* Избить, поколотить кого-л. Мокиенко 1990, 59; НОС 7, 109; ПОС 1, 138. 2. Повредить при падении внутренние органы, отбить зад. СРНГ 25, 348. < **Бебеки, бибики, пебеки, пепеки** — внутренности, расположенные в брюшной полости.

БЕ́БИКИ * Потуши́ть бе́бики *кому. Жарг. угол.* Выколоть глаза кому-л. ББИ, 25; ТСУЖ, 18; Балдаев 1, 344. < **Бебики** — глаза.

БЕ́БУХИ * [Все] бе́бухи (бе́нбухи, бе́льбухи) отби́ть. *Дон.* То же, что **[Все] бебеки отбить 2.** СДГ 1, 20. < **Бебухи, бельбухи, бенбухи** — внутренности, расположенные в брюшной полости.

БЕГ * Бег на дли́нную диста́нцию. 1. *Разг. Ирон.* Уклонение от уплаты алиментов. ББИ, 26. 2. *Жарг. угол. Ирон.* Побег из ссылки или из ИТУ. ББИ, 26; БСРЖ, 56.

Бег на ме́сте. *Разг. Ирон.* О деятельности, не приносящей результатов. БТС, 63.

Дать бег. *Сиб.* Быстро побежать. СФС, 59; ФСС, 53.

Де́лать бег. *Кар.* Ездить на лошади. СРГК 1, 443.

Тяжёл на бег. *Брян. Неодобр.* О неповоротливом, медлительном человеке. СБГ 1, 36.

Убежа́ть в бег. *Онеж.* Совершить побег (с воинской службы). СРНГ 2, 169.

Бе́гать в бега́. *Сиб.* Соревноваться на скаковых лошадях на денежный заклад. ФСС, 10.

Бе́гать в бега́х. *Прикам.* Быстро бегать. МФС, 10.

Ко́нные бега́. *Жарг. студ. Шутл.-ирон.* Физическое воспитание (учебный предмет). (Запись 2003 г.).

Пуска́ться/ пусти́ться (уда́риться) в бега́. *Разг.* Надолго уезжать, скрываясь от кого-л. Ф 2, 107, 216.

Бежа́ть в бега́х. *Забайк.* Скрываться, быть в розыске. СРГЗ, 62.

Быть в бе́ге (в бега́х). 1. *Жарг. угол.* Находиться в розыске после побега из мест лишения свободы. Быков, 124. 2. *Жарг. мол.* Скрываться, прятаться. Максимов, 29

Бе́ги бегова́ть. *Перм.* Бежать наперегонки. СРНГ 2, 170.

Бежа́ть/ убежа́ть в бе́ги. *Яросл.* Убегать откуда-л. ЯОС 2, 37; СРНГ 2, 168.

Пусти́ться в бе́ги. *Новг.* То же. НОС 9, 64.

Лёгкий на бегу́. *Брян.* Быстрый, подвижный (о человеке). СБГ 1, 36.

БЕГМА́ * Бе́гать (бежа́ть) бегма́. *Ряз.* Очень быстро бежать. ДС, 50.

БЕГОВИ́НА * Бежа́ть (бе́гать) бегови́ной (в бегови́ну). *Новг.* Быстро двигаться, спешить. НОС 1, 43; Сергеева 2004, 232.

БЕ́ГОМ * Бежа́ть бе́гом да ско́ком. *Арх.* Очень быстро делать что-л. АОС 1, 145.

Бечь бе́гом. *Орл.* Быстро идти, шагать. СОГ 1989, 67.

Уйти́ бего́м. *Новг.* выйти замуж без согласия родителей, тайно. НОС 1, 42.

БЁГОМ * Уйти́ бёгом. *Алт., Сиб.* То же, что **уйти бегом (БЕГОМ).** СРГА 1, 129; СФС, 20.

БЕГО́МА * Бе́гать бего́ма. *Кар.* Очень быстро ходить, носиться. СРГК 1, 48.

БЕ́ГСТВО * Парфя́нское бе́гство. *Книжн.* Притворное отступление, обманный манёвр. БМС 1998, 44.

Ударя́ться/ уда́риться в бе́гство. *Разг.* Панически отступать, убегать от опасности. БМС 1998, 44. < Восходит к одному из походов римлян на Восток.

БЕГУ́Н * Задава́ть/ зада́ть бегуна́. *Прост. Устар.* Поспешно убегать откуда-л. Ф 1, 194.

БЕГУШО́М * Бе́гать бегушо́м. *Прикам.* Бегать очень быстро. МФС, 11.

БЕДА́ * Претерпе́ть семь бед. *Прибайк.* Пережить много испытаний, трудностей. СНФП, 20.

Семь бед — оди́н отве́т. *Жарг. шк. Шутл.* О школьном туалете, посещении туалета. (Запись 2002 г.).

Беда́ бе́дная. *Олон.* 1. *также Волог.* Выражение отчаяния. СРНГ 2, 173; СВГ 1, 26. 2. *О большом количестве чего-л.* СРНГ 2, 174.

Беда́ беду́щая. *Перм.* Большое огорчение. Сл. Акчим. 1, 58.

Беда́ в дом. *Сиб. Неодобр.* Зять, который переселяется в дом родителей жены. ФСС, 10; СРНГ 2, 173.

Беда́ — вы́росла лебеда́! *Прибайк.* Восклицание, выражающее огорчение, досаду, сожаление и т. п. СНФП, 19.

Беда́ и вы́ручка. *Волг., Сиб. Одобр.* Человек, готовый помочь другому в любых тяжелых ситуациях. Глухов 1988, 2; СФС, 20; ФСС, 10.

Беда́ ненаста́ха. *Кар.* Беда, несчастье. СРГК 1, 49.

Беда́ притворе́нная. *Кар. (Мурм.). Ирон.* О том, кто любит дурачиться, прикидываться кем-л. СРГК 5, 212.

Больша́я беда́. *Новг.* 1. О чём-л. очень большом, крупном. 2. О большом количестве чего-л. СРНГ 2, 173.

Дарова́ ль беда́? *Новг.* Не случилось ли что-нибудь плохое? НОС 2, 75.

[И] не доступи́ — беда́, [и] переступи́ — беда́. *Одесск.* О безвыходной ситуации. КСРГО.

Кака́я (така́я) беда́. *Ряз.* 1. Выражение удивления, недоумения. 2. О большом количестве чего-л. ДС, 51.

Лёгкая беда́. *Перм., Пск., Твер.* Выражение безразличия, равнодушия; пренебрежения. СРНГ 16, 311; СРНГ 17, 78.

Лиха́я беда́. 1. *с глаголом в неопр. форме. Разг.* Стоит только (сделать что-л.). ФСРЯ, 34; СРНГ 17, 78. 2. *Разг.* Трудно только (начать что-л.). ФСРЯ, 34. 3. *Пск., Твер.* То же, что **лёгкая беда.** СРНГ 17, 78.

Нажи́вная беда́. *Волог.* О пропаже денег. СВГ 5, 38.

Не беда́, что в по́ле лебеда́. *Прикам. Шутл.* Не важно, не имеет значения. МФС, 11.

Не велика́ беда́. 1. *Разг.* Неважно, не имеет значения. ФСРЯ, 34. 2. *Перм.* Не составляет труда. Сл. Акчим. 1, 58.

Не лиха́ беда́. *Разг.* Нетрудно, немудрено. ФСРЯ, 34.

Невы́лазная беда́. *Петерб.* Очень грязно. СРНГ 2, 173.

Неубо́рная беда́. *Петерб.* Очень много (о большом урожае). СРНГ 2, 173.

Соба́чья беда́. *Коми. Бран.* О непорядочном, подлом человеке. Кобелева, 78.

Бе́дами колы́шит. *Курск.* О том, кто часто творит беды, несчастья. СРНГ 14, 209.

Вороши́ть бедо́й. *Брян.* Поступать неосмотрительно, неосторожно. СБГ 1, 37.

Лихо́й бедо́й. *Пск.* Ненароком, вдруг, случайно. СПП 2001, 16.

Трясти́ бедо́й. 1. *Волг.* Испытывать крайнюю нужду. Глухов 1988, 161. 2. *Дон.* Проказничать. СДГ 3, 164.

Беду́ бе́дствовать. *Перм.* Страдать, мучиться. Подюков 1989, 11.

Беду́ забедова́ть. *Печор.* Навлечь на себя беду каким-л. поступком. СРГНП 1, 215.

За беду́ *кому что.* 1. *Перм., Прикам.* Тяжело, трудно (делать что-л.). СГПО, 38; МФС, 11. 2. *Сиб.* Обидно. ФСС, 10.

Залива́ть вся́кую беду́. *Прибайк.* Откровенно, чистосердечно рассказывать о своих заветных мыслях, чувствах, переживаниях. СНФП, 20.

Каку́ беду́. 1. *Сиб.* Очень сильно, интенсивно. СФС, 87; СБО-Д1, 25. 2. *Сиб.* Очень много. ФСС, 10.

Купи́ть беду́. *Брян.* Накликать горе, несчастье. СБГ 1, 37.

На беду́ *чью. Разг.* К несчастью. ФСРЯ, 34.

Наверну́ться на беду́. *Арх.* Испытать неудачу. СРНГ 19, 156.

Накача́ть беду́ *кому. Яросл.* Причинить горе, несчастье кому-л. ЯОС 6, 96.

Накупи́ться на беду́. *Кар. Ирон.* Купив что-л., попасть в беду. СРГК 3, 341.

На свою беду́. *Прост.* Себе во вред. Глухов 1988, 92.

Сбеди́ть беду́. *Горьк.* Разбить зеркало (что предвещает несчастье). БалСок, 52.

Су́нуть беду́ в зу́бы *кому. Кар.* Переложить свою заботу на чужие плечи. СРГК 1, 48; СРГК 2, 259.

Таку́ беду́. 1. *Перм., Сиб.* То же, что **каку беду 1.** СФС, 87; СБО-Д1, 25. 2. *Сиб.* То же, что **каку беду 2.** ФСС, 10. 3. *Забайк.* Выражение иронии, насмешки, пренебрежения. СРНГ 2, 173.

Беды́ как. *Яросл.* Очень. ЯОС 1, 46.

Беды́ натвори́л — щу́ку с яи́ц согна́л. *Народн. Шутл.-ирон.* О небольшой оплошности. ДП, 461.

Беды́ не обере́шься *с кем, с чем. Разг.* Кому-л. угрожает опасность из-за кого-л., из-за чего-л. Ф 2, 6.

Быть на беды́. *Кар.* Попасть в беду, испытать какое-л. несчастье. СРГК 1, 48.

Выбыва́ть с беды́. *Кар.(Волог., Ленингр.).* Избегать несчастья. СРГК 1, 252.

До беды́. *Брян., Кар.* О большом количестве чего-л. СБГ 1, 37; СРГК 1, 49.

До́лго ли до беды́. *Разг.* Легко и быстро может случиться что-л. неприятное, тяжёлое, непоправимое. ФСРЯ, 142.

Ни беды́. *Брян.* Допустимо, возможно, не влечёт за собой отрицательных последствий. СБГ 1, 37.

Ма́лые бе́ды. *Сиб.* Заболевания мочевого пузыря, сопровождающиеся недержанием мочи. ФСС, 10.

Сказа́ть беды́ *кому. Дон.* Наговорить плохого кому-л. СДГ 3, 120.

БЕ́ДНОСТЬ * Быть в бе́дности. *Жарг. угол., нарк.* Страдать из-за отсутствия наркотиков. ТСУЖ, 27; ББИ, 37; Максимов, 30.

Накла́сть на бе́дность *кому. Перм.* Избить, отколотить кого-л. СРНГ 2, 176.

БЕДНОТА́ * Записа́ться в бедноту́. *Жарг. угол.* 1. Быть осуждённым к лишению свободы. 2. Бездельничать. 3. Грабить кого-л., воровать что-л. Балдаев 1, 148.

БЕ́ДНЫЙ * Сде́лать бе́дным *кого. Жарг. угол. Шутл.-ирон.* Обмануть кого-л. Балдаев 2, 32.

До́лго ли бе́дному подпоя́саться. *Сиб. Ирон.* О крайней бедности, нужде. ФСС, 62.

БЕДРО́ * Дрожи́т Бедро́. *Жарг. мол. Шутл.* Актриса Брижит Бардо. Я — молодой, 1998, № 8; ЖЭСТ-2, 33.

Ядрёны бёдра! *Прост. обл. Бран.* Восклицание, выражающее раздражение, досаду, негодование. Подюков 1989, 46; Мокиенко, Никитина 2003, 79.

БЕ́ДУШКА * То́шная бе́душка! *Пск.* Выражение горя, печали. СПП 2001, 16.

БЕЖАКА́ * Дать бежака́. *Орл.* То же, что **дать бежка (БЕЖОК).** СОГ-1990, 78.

БЕЖА́ТЬ * Бегу́ и па́даю. *Жарг. мол. Ирон.* Выражение отказа кому-л. в чём-л. Максимов, 29.

БЕ́ЖКА * Бе́жать (побе́жать) в бе́жку (в пробе́жку, в просо́вку). *Пск.* Очень быстро идти, бежать; спешить. ПОС 1, 146; СПП 2001, 16.

БЕЖКО́М * Бежко́м бежа́ть. *Курск., Пск.* Очень быстро бежать, идти. БотСан, 82; ПОС 1, 146; СПП 2001, 16.

БЕЖМА́ * Бежма́ бежа́ть. *Народн.* То же, что **бежком бежать.** ДП, 514; Мокиенко 1986, 105..

БЕЖМЯ́ * Бежмя́ бежа́ть. 1. *Перм.* Очень быстро бежать, нестись. Подюков 1989, 11. 2. *Арх.* О чём-л., льющемся не переставая. АОС 1, 146.

БЕЖО́К * Дава́ть/дать бежка́. *Пск.* Убегать, побежать куда-л. СНРГ 7, 256; Мокиенко 1990, 110, 146.

БЕЖО́М * Бежо́м бежа́ть. 1. *Очень быстро бежать, идти.* ПОС 1, 146. 2. *Приамур.* Выходить замуж без согласия родителей. СРГПриам., 21.

БЕЗАНДЕСТЕ́НД * По́лный безандесте́нд. *Жарг. мол. Шутл.-ирон.* О ситуации непонимания кем-л. чего-л. Елистратов 1994, 36. < От англ. *to understand* — понимать.

БЕЗГОЛО́ВЬЕ * Довести́ до безголо́вья *кого. Сиб.* Лишить ума, рассудка кого-л. ФСС, 61.

БЕЗДЕ́ЛЬНИК * Делово́й безде́льник. *Разг.* Человек, создающий видимость активной занятости делом. БМС 1998, 44.

БЕ́ЗДНА * Бездна (кла́дезь) прему́дрости. *Разг. Шутл.-ирон.* Обширные и неглубокие знания, сведения. ФСС, 34; ЗС 2001, 242.

Чёртова бе́здна. *Кар.* О большом количестве чего-л. СРГК 1, 52.

Убоя́ся бе́здны прему́дрости. *Книжн. Ирон.* О человеке, бросившем учёбу, не выдержавшем её трудностей. БМС 1998, 44. < Выражение из комедии Д. И. Фонвизина “Недоросль”.

БЕЗДОРО́ЖЬЕ * Гнать по бездоро́жью. *Жарг. мол.* То же, что **чесать по бездорожью.** Максимов, 30.

Рвану́ть по бездоро́жью. *Жарг. мол. Шутл.* Выпить чужую рюмку спиртного. Максимов, 30.

Чеса́ть по бездоро́жью. *Жарг. угол.* 1. Лгать, обманывать кого-л. 2. Терять надежду на что-л. ТСУЖ, 195; Балдаев 2, 144.

БЕЗЕ́ * Влепи́ть безе́ *кому. Прост. Устар.* Поцеловать кого-л. Шевченко 2002, 120. < **Безе** (из фр. *baiser*) — поцелуй.

БЕЗЛЯ́Д * Безля́д напа́л *на кого. Урал.* Кого-л. постигла неудача, кому-л. не повезло. СРНГ 20, 59.

БЕЗМЕ́Н * Ве́шать на свой безме́н *кого, что. Пск.* Судить о чём-л. односторонне, субъективно, согласно своим представлениям, требованиям. ПОС 3, 138.

Взве́сить на костяно́й (на ремённый) безме́н *кого. Народн.* Расправиться с кем-л., наказать кого-л. (угроза). ДП, 222.

Ты на безме́н, а он с арши́ном. *Народн. Ирон.* О глупом, бестолковом человеке. ДП, 449.

БЕЗНАДЁГА * Безнадёга.ru. *Жарг. шк. Шутл.* Информатика (учебный предмет). < Из одноименной песни поп-группы «Иванушки International». (Запись 2003 г.).

БЕЗНАДЁЖНОСТЬ * О́бщая безнадёжность жи́зни. *Жарг. шк. Шутл.-ирон.* Учебный предмет ОБЖ — основы безопасности жизнедеятельности. ВМН 2003, 23.

БЕЗО́ТЧИНА * В безо́тчине жить. *Кар.* Жить без отца. СРГК 1, 53.

БЕЗРУ́КИЙ * Безру́кой взял *кого, что. Арх.* О чём-л. исчезнувшем, о ком-л. ушедшем в неизвестном направлении. АОС 4, 83.

БЕЗУ́МИЕ * До безу́мия. *Разг.* Очень сильно, беспредельно, безгранично (любить, ненавидеть и т. п.) ФСРЯ, 34.

БЕ́ЙЦАЛЫ * Крути́ть бе́йца́лы *кому. Жарг. угол., Разг. Неодобр.* Дезинформировать, обманывать кого-л. ТСУЖ, 93; БСРЖ, 57. < **Бейцалы** — мошонка.

БЕКА́Р * Дать бека́р *кому. Жарг. муз.* Отказать кому-л. в чём-л. БСРЖ, 57.

Сесть на бека́р. *Жарг. муз. Шутл.* Попасть в полосу неудач. Максимов, 30. < **Бекар** — нотный знак, отменяющий действие предшествующего диеза или бемоля.

БЕКА́С * Охо́титься на бека́сов (за бека́сами). *Жарг. угол.* Собирать окурки. СРВС 1, 179; Балдаев 1, 301. < **Бекас** — окурок.

БЕ́ЛАЯ * Хоть она и бе́лая, а что-то прибалде́ла я. *Разг. Шутл.* О водке и её воздействии. Елистратов 1994, 38.

На бе́лую. *Ленингр.* Окончательно, совершенно (очиститься). СРНГ 2, 233.

Уколо́ть бе́лую. *Жарг. нарк.* Ввести наркотик внутривенно. Slang-2000.

БЕЛЕНА́ * Белены́ объе́лся. *Прост. Груб.* Кто-л. потерял рассудок, начал вести себя подобно сумасшедшему. ДП, 443; ФСРЯ, 293; БТС, 693; ЗС 1996, 59; ШЗФ 2001, 18; БМС 1998, 45; Арбатский, 382; Глухов 1988, 115; СБГ 1, 42. **Белено́й объе́лся.** *Пск. Неодобр.* То же. ПОС 1, 159.

БЕЛЕНДРО́СЫ * Точа́ть белендро́сы. *Ставр.* Болтать, пустословить. Мокиенко 1990, 33.

БЕЛЕНДРЯ́СЫ (БЕЛЕНТРЯ́СЫ) * Бить белендря́сы. 1. *Моск., Нижегор.* Шутить, балагурить. 2. *Смол. Неодобр.* Праздно проводить время. СРНГ 2, 209; Мокиенко 1990, 69.

Белентря́сы точи́ть. *Народн. Неодобр.* Болтать, пустословить. ДП, 868.

БЕ́ЛЕНЬКО * [На] бе́ленько тебе́ (вам и т. п.**)!** *Пск., Сиб., Яросл.* Приветственное пожелание при стирке или полоскании белья. ПОС 1, 160; ФСС, 11; ЯОС 1, 49; ЯОС 6, 76.

БЕЛИ́НА * Под бели́ну. *Новг.* Беловатый. НОС 1, 46.

БЕ́ЛКА * Бе́лки и стре́лки. *Жарг. шк. Шутл.-ирон.* Ученики экспериментального класса. (Запись 2003 г.).

Гнать бе́лку. *Кар.* Изменять жене. СРГК 1, 363.

Дуй бе́лку в хвост. *Разг. Устар.* О неудаче, неумене. < В основе оборота — насмешка над неопытными охотниками, которые выбирают целью пушистый хвост белки. БМС 1998, 45.

За чи́стую бе́лку. 1. **[пойдёт].** 1. *Сиб. Одобр.* О качественной, хорошей вещи. СФС, 79; ФСС, 191; СРНГ 28, 361. 2. *Арх., Коми. Одобр.* С удовольствием, охотно. АОС 1, 156; Кобелева,

2*

82. 3. *Печор.* Подчистую, без остатка. СРГНП 1, 27.

Рвёт на бе́лую бе́лку *кого. Пск.* О сильной рвоте. СПП 2001, 16.

БЕЛКИ́ * Белка́ми хло́пать да ширинкой трясти́. *Перм. Шутл.* Вести себя излишне возбуждённо, беспокойно. Подюков 1989, 206.

Метуси́тся в белка́х *у кого. Пск.* Рябит в глазах у кого-л. СРНГ 18, 142.

Вы́лупить белки́. *Обл. Неодобр.* Вытаращить глаза, уставиться на кого-л. Мокиенко 1990, 25.

< **Белки** — глаза.

БЕЛО́ * Бело́ мыть (стира́ть) тебе́ (вам и т. п.)**!** *Волог., Яросл.* Приветственное пожелание стирающим белье. СВГ 2, 3; ЯОС 1, 49.

Дава́й бело́! *Волог.* Ответ на приветствие "Бело мыть!". СВГ 2, 3.

Не мыто бело́. *Орл.* О чём-л., о ком-л. чистом без стирки, без купания. СОГ 1994, 162.

Ни бе́ло ни се́ро. *Арх. Неодобр.* Посредственно, кое-как. АОС 1, 156.

БЕ́ЛОЕ * Из бе́лого сде́лает чёрное. *Народн. Неодобр.* Об обманщике. ДП, 204.

Бе́лое — несме́лое. *Разг. Шутл.* О сухом белом вине. БСРЖ, 58.

Тащи́ться (торча́ть) в (на) бе́лом. *Жарг. нарк.* Употреблять фенамин. Югановы, 31. < **Белое** — фенамин.

БЕЛО́К * Белки́ завя́зывать. *Жарг. мол. Шутл.* Курить после приёма пищи. Максимов, 31.

БЕЛОСНЕ́ЖКА * Белосне́жка и семь гно́мов. *Жарг. шк. Шутл.* Воспитательница и младшие школьники в группе продлённого дня. (Запись 2003 г.).

БЕЛОТА́ * Наблюда́ть белоту́. *Арх.* Мыть пол в доме. СРНГ 2, 224.

БЕ́ЛОЧКА * Бе́лочка больна́я (дурна́я, лесна́я). *Жарг. мол. Неодобр.* Суетливая, крикливая женщина. Елистратов 1994, 38; Югановы, 31.

Лови́ть бе́лочку. *Жарг. мол. Шутл.* Напиваться пьяным до белой горячки. НВ, 1997, № 38, 48; Смирнов 2002, 103.

БЕЛУДЫ́ * Белуды́ вы́голить. см. **Белутки́ вы́валить (БЕЛУТКИ́).**

Белуды́ выка́чивать. см. **Белутки́ вывалить (БЕЛУТКИ́).**

БЕЛУТКИ́ * Белутки́ бессты́жие. *Новг. Бран.* О наглом, бессовестном человеке. НОС 6, 16.

Вы́валить (вы́воротить, выголя́ть/ вы́голить, выка́чивать, вы́лупить) белу́тки (белуды́) *на кого, на что. Пск. Неодобр.* Смотреть с удивлением, вызовом, угрозой; таращить глаза; уставиться на кого-л., на что-л. ПОС 1, 165-166.

Набели́ть белу́тки. *Пск. Твер. Неодобр.* То же, что **налить белутки**. СРНГ 19; 111.

Нали́ть белу́тки. *Пск. Неодобр.* Напиться пьяным. ПОС 1, 166.

< **Белуды, белутки** — глаза.

БЕ́ЛЫЙ * Взять бе́лого. *Жарг. нарк.* Понюхать кокаина. Максимов, 31.

С бе́лого до бе́лого. *Пск.* С заката до рассвета. СПП 2001, 16.

Замара́ть бе́лый. *Жарг. мол. Шутл.* Сходить в туалет. Максимов, 31.

На́бело бе́лый. *Перм.* Очень белый. СГПО, 323.

БЕЛЫШИ́ * Вы́воротить белыши́. *Кар.* Пристально посмотреть, уставиться на кого-л. СРГК 1, 59. < **Белыши** — глаза.

БЕЛЬ * Бель беле́ть. *Башк.* Интенсивно цвести (о яблонях). СРГБ 1. 41.

Бель пробила. *Жарг. рыб.* Начался клёв белорыбицы. Fish-2000.

БЕЛЬЁ *На бельё. *Приамур.* О менструации. СРГПриам., 22.

Быть на бельё. *Перм.* Менструировать. СГПО, 61.

Ры́ться (копа́ться) в ста́ром бельё *чьем, кого. Разг.* Проявлять излишний интерес к теневым сторонам чьей-л. личной, интимной жизни, к скандальным подробностям чьего-л. прошлого. Ф 1, 241.

Ры́ться (копа́ться) в [чужо́м] гря́зном бельё *чьем, кого. Разг.* Проявлять излишний интерес к теневым сторонам чьей-л. личной, интимной жизни, к скандальным подробностям чьих-л. взаимоотношений, чьей-л. деятельности. ФСРЯ, 404; ЗС 1996, 366; Ф 1, 253.

Стира́ть публи́чно гря́зное бельё. *Разг. Неодобр.* Говорить открыто, во всеуслышание о своих семейных или личных неурядицах. БМС 1998, 45.

Мо́жет, тебе́ ещё кое-что из ни́жнего белья́? *Жарг. мол. Шутл.-ирон.* Ответ на чью-л. наглую, нелепую просьбу. Максимов, 250.

БЕ́ЛЬМА. См. **БЕЛЬМЫ.**

БЕЛЬМЕ́С * Ни бельме́са 1. *Прост.* Абсолютно ничего (не знать, не понимать и т. п.). ДП, 455; ФСРЯ, 35; БТС, 71; СПП 2001, 16. 2. *Сарат.* О полном отсутствии чего-л. СРНГ 21, 212. < **Бельмес** — татарск. 'не знаю'. БМС 1998, 46.

БЕ́ЛЬМУШКИ * Непозо́рные бе́льмушки. *Калуж. Неодобр.* О человеке, не стыдящемся своих предосудительных поступков. СРНГ 21, 115. < **Бельмушки** — глаза.

БЕЛЬМО́ * Бельмо́ в (на) глазу́. *Прост.* Помеха, нечто раздражающее своим присутствием.Ф 1, 20.

Бельмо́ наби́ло *кому. Кар. Шутл.* О состоянии лёгкого опьянения. СРГК 3, 292.

Наки́нуть бельмо́ на котлы́. *Жарг. мол.* Посмотреть, который час. < **Бельмо** — глаз; **котлы** — часы.

Чёрное бельмо́. *Жарг. угол.* Судимость, мешающая поступить на престижную, высокооплачиваемую работу. Балдаев 1, 33; Балдаев 2, 142.

Быть бельмо́м в (на) глазу́ *для кого. Разг.* Раздражать кого-л. своим присутствием. ФСРЯ, 35.

БЕ́ЛЬМЫ (БЕ́ЛЬМА) * Булды́жные бе́льмы. *Пск., Твер. Бран.* О бессовестном, иногда неблагодарном человеке. Доп., 1858; ПОС 2, 208; СРНГ 3, 270.

Взять бе́льмы в зу́бы. См. **Взять глаза в зубы (ГЛАЗА).**

Вы́вернуть бе́льмы. *Волг. Неодобр.* Неожиданно рассердиться, разгневаться. Глухов 1988, 17.

Вы́голить (вы́лупить) бе́льмы. *Арх., Брян., Пск.* Внимательно, изумлённо посмотреть на кого-л., что-л. АОС 7, 295; СБГ 3, 73; СПП 2001, 16.

Вы́лить бе́льмы *кому. Пск. Груб.* Расправиться с кем-л. (чаще — как угроза расправы). ПОС 6, 9.

Вы́рачить (вы́сорочить) бе́льмы (бе́льма). *Яросл.* О тупом, непонятливо-удивлённом, упорном взгляде. ЯОС 1, 51; СРНГ 6, 26; Мокиенко, 1990, 25.

Вы́царапать бе́льмы *кому. Пск. Груб.* То же, что **вылить бельмы.** СПП 2001, 16.

Закати́ть бе́льмы. *Жарг. мол. Шутл.* Сильно удивиться. Максимов, 31.

Зали́ть бе́льмы. *Яросл. Неодобр.* Напиться пьяным. ЯОС 1, 51.

Нали́ть бе́льмы. *Пск. Неодобр.* То же, что **залить бельмы**. СПП 2001, 16.

Пога́ные бе́льмы. *Ворон.* Брань, обращённая к близорукому человеку. СРНГ 2, 237.

Пролупи́ть бе́льмы. *Волг.* 1. Проснуться. 2. Опомниться, прийти в себя. Глухов 1988, 135.

Простуживать (простужа́ть) бе́льмы. 1. *Смол.* Прогуливаться. СРНГ 2, 237. 2. *Волг. Неодобр.* бездельничать, бродить без дела. Глухов 1988, 135.

Пу́чить бе́льмы. *Яросл.* То же, что **уставить бельмы.** ЯОС 1, 51.

Распуска́ть бе́льмы. *Прост. Неодобр.* Глазеть на что-л., ротозейничать. Ф 2, 119.

Уста́вить (вста́вить) бе́льмы (бе́льма). *Народн., Пск., Яросл. Неодобр.* Уставиться, внимательно, упорно смотреть на кого-л., на что-л. ДП, 494; СППП,16; ЯОС 1, 51.

БЕЛЬТЮКИ́ * Залива́ть/ зали́ть бельтюки́. *Волг., Дон.* Напиваться пьяным. Глухов 1988, 49; СДГ 2, 8. < **Бельтюки** — глаза.

БЕЛЮКИ́ * Вы́лупить белюки́. *Дон.* Уставиться, внимательно, упорно смотреть на кого-л., на что-л. СДГ 1, 88. < **Белюки** — глаза.

БЕ́ЛЬБУХИ * [Все] бе́льбухи отби́ть. См. **[Все] бе́бухи отби́ть (БЕБУХИ).**

БЕМО́ЛЬ * Же́нщина с бемо́лем. *Жарг. муз. Шутл.-ирон.* Беременная. Никитина 1998, 31; WMN, 12. < От названия нотного знака, по форме напоминающего большой живот.

Проглоти́ть бемо́ль. *Жарг. муз. Шутл.* Забеременеть. Максимов, 31.

БЕ́МОМ * За каки́м бе́мом? *Сиб. Неодобр.* Неизвестно зачем. ФСС, 11.

БЕН * Биг Бен. *Жарг. мол. Шутл.* Мужской половой орган (обычно — в состоянии эрекции). БСРЖ, 58.

БЕ́НДАРЬ * Подда́ть бе́ндаря *кому. Перм.* Ударить кого-л. СРНГ 2, 241. < **Бендарь** — удар ногой.

БЕНЗИ́Н * Бензи́н — ваш, иде́и — на́ши. *Разг.* Об объединении инициаторов какого-л. дела с теми, кто способен обеспечить его материальную базу. < Название 3-ей главы романа И. Ильфа и Е. Петрова «Золотой телёнок» (1931 г.). Дядечко 1, 49.

БЕ́НЬКИ * Бить бе́ньки. *Дон. Неодобр.* Бездельничать. Мокиенко 1990, 68; СРНГ 2, 242.

БЁРДА * Во все бёрда ткать. *Костром.* Многое узнавать, переживать, испытывать в жизни. Громов 1992, 61.

БЕ́РЕГ * Бе́рег ди́ссика. *Разг. Ирон.* Зарубежные страны. Балдаев 1, 33. < **Диссик** — диссидент.

Бе́рег хрясте́л (захря́с). *Дон.* О большом количестве чего-л., кого-л. СДГ 3, 183.

Ма́ткин бе́рег (за́берег)! *Кар. (Ленингр.), Перм., Пск.* Выражение досады, удивления, раздражения. СРГК 3, 203; ПОС 1, 173; Подюков 1989, 11; СПП 2001, 16.

Отня́ть бе́рег *у кого. Сиб.* Перегнать противника на лодке, соревнуясь в скорости пересечения реки. СФС, 134.

Сходи́ть/ сойти́ на бе́рег. 1. *Жарг. ж/д.* Выйти из поезда. 2. *Разг. Ирон.* Выйти на пенсию. Степанов, 82.

Таска́ть бе́рег. *Кар. (Волог.).* О способе ловли рыбы, при котором развернутый полукругом невод тянется вдоль берега несколькими людьми. СРГК 1, 61.

Тот бе́рег. *Перм. Шутл.* Загробная жизнь. Подюков 1989, 11.

Войти́ в свои́ берега́. *Книжн.* Вернуться в привычное состояние, положение. БТС, 145.

Едва́ бе́рега хвати́ться. *Арх.* С трудом уцелеть, остаться в живых. АОС 1, 169.

От одного́ бе́рега отста́л, к друго́му не приста́л. *Народн.* О человеке, который решил что-л. изменить в своей жизни, но не реализовал до конца свой план. ДП, 473.

От одного́ бе́рега отъе́хать, к друго́му приста́ть. *Арх.* Начать жить подругому. СРНГ 31, 402.

Попа́сть на берега́ Вели́кой Жёлтой реки́. *Жарг. мол. Шутл.* Умереть. Максимов, 32.

Попу́тать берега́. *Жарг. мол.* Вмешаться в чью-л. ссору. Максимов, 32.

Приста́ть до бе́рега. *Волг.* Обосноваться где-л. Глухов 1988, 133.

Сесть в берега́. *Сиб.* Вернуться в прежнее русло (о воде в половодье). СОСВ, 173.

С того́ бе́рега. *Кар. (Ленингр.).* О ловком, изворотливом человеке. СРГК 1, 61.

Вы́йти из берего́в. *Разг.* 1. Разлиться (о реке). 2. Потерять самообладание, равновесие (о человеке). БТС, 172.

Не ощуща́ть берего́в. *Жарг. мол. Неодобр.* Вести себя нагло, дерзко. Максимов, 298.

Ни к тому́ бе́регу, ни к друго́му (ни к тому́). *Дон.* О чём-л. неопределённом. СДГ 1, 25.

Приби́ться (приста́ть) к бе́регу. *Прост.* Выбрать определённую позицию, чью-л. сторону. Подюков 1989, 162.

Уговори́ться на сухо́м берегу́. *Перм.* Заранее договориться о чём-л. Подюков 1989, 211.

БЕРЕ́ЖА * Лежа́ть в бере́жи. *Том.* Быть, находиться в сохранности. СРНГ 16, 330.

БЕРЁЗА * Бе́лая берёза. *Жарг. карт.* Карточная игра, в которой один из игроков должен на все вопросы отвечать "белая берёза". СВЯ, 6.

Берёза нау́чит *кого. Горьк.* Угроза тому, кто не реагирует на высказанные просьбы, требования. БалСок, 22.

Са́харная берёза. *Сиб.* Растение бальзамин султанский. ФСРЯ, 11.

Хоть бе́лая берёза расти́. *Перм., Прикам.* О крайней необходимости исполнения чего-л. МФС, 85; Подюков 1989, 12.

Иска́ть на берёзе калачи́. *Сиб. Шутл.-ирон.* Стремиться к лёгкой жизни. СОСВ, 83.

Брать/ взять берёзу. *Жарг. студ.* Уходить, убегать откуда-л. (как правило — с занятий). Никитина 1998, 31.

Завива́ть берёзу. *Сиб. Устар.* Водить хороводы в Петров день. ФСС, 74. 2. *Горьк.* Обряд в праздник Троицы. БалСок, 22.

Пляса́ть берёзу. *Вят.* Ходить парами. СРНГ 2, 251.

Под го́лую берёзу. *Яросл.* До того времени, пока не распустятся почки берёз. ЯОС 8, 20.

Свинти́ться в берёзу. *Жарг. хиппи.* Быть задержанным, арестованным. Мазурова 1991, 127. < **Берёза** — отделение милиции, где обычно базировался оперотряд (70-е гг.).

Ста́вить берёзу. *Морд. Шутл.* Делать стойку на руках в воде, высунув из воды ноги. СРГМ 2002, 131.

БЕРЁЗКА * Са́харная берёзка. *Сиб.* Комнатный цветок бальзамин султанский. СОСВ, 168.

До берёзки. *Перм.* До самой смерти. Подюков 1989, 12.

Кра́сить берёзки. *Жарг. мол. Шутл.-ирон.* Рисовать дешёвые картины на продажу. Максимов, 32.

Люби́ть до са́мой берёзки *кого. Разг.* Любить до самой смерти. < Берёзы обычно сажают у могил. БМС 1998, 46.

Лечь под берёзки. *Пск.* Умереть. СПП 2001, 16.

Положи́ть под берёзки *кого. Пск.* Похоронить кого-л. СПП 2001, 16.

Пошёл по широ́кой, где берёзки поса́жены. *Народн. Устар.* Сослан в Сибирь. ДП, 220.

Три берёзки. *Жарг. гом.* Комсомольская площадь (Площадь трех вокзалов) в Москве. Кз., 69.

У́слать берёзки счита́ть *кого. Народн. Устар.* Сослать кого-л. в Сибирь. ДП, 220; БМС 1998, 46.

Справля́ть берёзку. *Морд.* Отмечать угощением закладку фундамента дома. СРГМ 2002, 123.

БЕРЕ́ЗНИК * Бере́зник на го́ли *у кого. Сиб.* О смеющемся человеке. ФСС, 11.

Выставля́ть бере́зник. *Перм.* Смеяться, показывая зубы. СРНГ 2, 252.

БЕРЁЗОВИЦА * Берёзовицу точи́ть. *Новг.* Плакать, проливать слезы. СРНГ 2, 253.

БЕРЕ́МЕННАЯ * Бере́менная, но че́стная. *Жарг. мол. Шутл.-ирон.* О глупой девушке. Максимов, 32.

БЕРЕ́МЕННОСТЬ * Хрони́ческая бере́менность. *Жарг. мол. Шутл.-ирон.* О большом животе. Максимов, 32.

БЕРЕ́МЕЧКО * Подержать в бере́мечке *кого. Киров.* Обнять, подержать в объятиях кого-л. СРНГ 2, 254.

Схвати́ться бере́мечком. *Олон.* Крепко обняться. СРНГ 2, 254.

БЕРЕ́МЯ * В бере́ме. *Перм., Прикам.* В охапке. СГПО, 41; МФС, 11.

Держа́ть в бере́ме *кого, что. Вологю.* Беречь, удерживать кого-л., что-л., прилагая к этому усилия. СВГ 2, 22.

Носи́ть в бере́ме *кого. Коми.* Проявлять особую заботу о ком-л., баловать кого-л., исполняя все желания, прихоти. Кобелева, 69.

Бере́мя пустяко́в. *Народн.* О незначительном, малоинтересном человеке. ДП, 436.

Бере́мя с плеч *у кого. Новг.* О полном избавлении от каких-л. забот. Сергеева 2004, 21.

Брать бере́мя. *Волог.* Часто и без умолку говорить. СРНГ 2, 255.

В бере́мя. *Приамур., Сиб.* В охапку (взять, схватить и т. п.). СРГПриам., 30; СФС, 33; ФСС, 11.

Во всё бере́мя. *Сиб.* Очень полный, упитанный. СФС, 41; ФСС, 11.

Зави́ть в бере́мя *что. Приамур.* Обвязать охапку колосьев, соломы, хвороста. СРГПриам., 90.

Не захвати́ть в бере́мя *чего. Коми.* О большом количестве чего-л. Кобелева, 64.

Полно́ (по́лное) бере́мя *чего. Кар., Сиб., Ср. Урал.* О большом количестве чего-л. СРГК 1, 66; СРНГ 2, 255; СФС, 145; СРГСУ 1, 42-43.

Положи́ть бере́мя *кому. Яросл.* Сделать женщину беременной. СРНГ 2, 255; ЯОС 1, 53.

БЕРЕНДЕ́ЙКИ * Строга́ть беренде́йки. *Народн. Неодобр.* Заниматься пустяками. СРНГ 2, 255.

БЕРЕ́Т * Голубы́е бере́ты. *Публ.* Вооружённые части и подразделения, предоставляемые Совету Безопасности ООН странами — членами этой организации, десантники. < Выражение заимствовано из англ. яз. Решетникова 2001, 161.

Зелёные бере́ты. *Публ.* Специальные части и подразделения в вооружённых силах США, предназначенные для проведения диверсионных операций в других странах. Решетникова 2001, 161.

Чёрные бере́ты. *Жарг. арм.* Морские пехотинцы. Лаз., 86.

БЕС * Бес бла́гой. *Пск. Бран.* О человеке, совершившем оплошность. СПП 2001, 16.

Бес бла́гучий. *Пск. Бран.* Негодяй, непорядочный человек. СПП 2001, 16.

Бес ве́дает (знает). 1. *кого, что. Разг., Пск.* О чём-л. неизвестном, непонятном. ФСРЯ, 39; ПОС 1, 186. 2. *Пск.* Выражение досады, раздражения. ПОС 3, 57.

Бес во́дит *кого. Прост.* По суеверным представлениям: кто-л. блуждает, сбившись с пути по вине злой силы. Ф 1, 21.

Бес в рукомо́йнику. *Кар. Бран.-шутл.* Об озорном ребёнке, сорванце. СРГК 5, 581.

Бес всели́лся *в кого.* 1. *Разг.* О человеке, проявляющем излишнее упрямство, упорство, нежелание считаться с кем-л., с чем-л. БМС 1998, 46; Ф 1, 21. 2. *Пск.* О человеке, начавшем вести себя буйно, шумно. ПОС 5, 56.

Бес горла́стый. *Одесск. Бран.* О человеке с громким голосом. КСРГО.

Бес дёрнул *кого. Прост.* То же, что **бес попутал.** Мокиенко 1990, 26.

Бес его́ зна́ет. *Прост.* Абсолютно ничего неизвестно о ком-л., о чём-л. Мокиенко 1986, 181.

Бес занёс *кого куда. Пск.* Кто-л. оказался в каком-л. отдалённом месте. СПП 2001, 16.

Бес за́шлый! *Пск. Бран.-шутл.* О человеке, поступившем неправильно, допустившем оплошность. ПОС 12, 267.

Бес козли́ный. *Пск. Бран.* То же, что **бес зашлый**. ПОС 1, 185; Мокиенко 1986, 186.

Бес косо́й. *Пск. Бран.* То же, что **бес зашлой**. ПОС 1, 185.

Бес лука́ньский. *Пск. Неодобр.* О хитром, нечестном человеке. СПП 2001, 17.

Бес лы́сый. *Пск. Бран.* То же, что **бес зашлый.** ПОС 1, 185.

Бес на пе́чку не ски́нет *чего у кого. Пск.* О большом количестве чего-л. СПП 2001, 17.

Бес надавал *кого. Сиб.* То же, что **бес попутал.** ФСС, 11.

Бес немо́й. *Пск. Бран.* То же, что **бес зашлой.** ПОС 1, 185.

Бес непровожённый. *Пск. Бран.* То же, что **бес зашлой.** ПОС 1, 185.

Бес несёт *кого, что. Неодобр.* 1. *Прост.* Кто-л. приходит некстати, не вовремя. ФСРЯ, 521. 2. *Пск.* О быстрой ходьбе, беге, передвижении кого л., чего л. СПП 2001, 17.

Бес но́сит *кого где. Прост.* Кто-л. не вовремя, некстати ходит, бродит где-л. ФСРЯ, 521; Мокиенко 1990, 27.

Бес поднесёт *что. Коми.* Что-л. вспомнится. Кобелева, 56.

Бес пое́хал *на ком. Перм. Неодобр.* О пришедшем в крайнее возбуждение, беспричинно рассердившемся человеке. Подюков 1989, 12.

Бес помяни́ *кого. Том.* Недоброе пожелание кому-л. СПСП, 17.

Бес попу́тал *кого. Прост.* Кто-л. поддался соблазну сделать что-л. предосудительное. ФСРЯ, 521-522; Мокиенко 1986, 182; Ф 1, 21.

Бес прикачну́лся *кому. Прикам.* Кому-л. померещилось, привиделось что-л. МФС, 11.

Бес рога́тый. *Пск.* Выражение досады. СПП 2001, 17.

Бес сва́лился с небе́с. *Пск. Шутл.-ирон.* О быстро совершившемся действии. СПП 2001, 17.

Бес сиди́т *в ком. Прост.* Кто-л. испытывает постоянное, непреодолимое желание сделать что-л. предосудительное, опасное. Ф 1, 21.

Бес таска́ет *кого где. Сиб. Неодобр.* То же, что **бес водит.** ФСС, 11.

Бес хвосто́м покры́л *что. Народн. Шутл.-ирон.* О вещи, которую ищут, тогда как она находится рядом. ДП, 456.

Бес чулпа́нный. *Пск. Бран.* То же, что **бес зашлой.** СПП 2001, 17.

Бес шелуди́вый. *Пск. Бран.* То же, что **бес зашлый.** СПП 2001, 17.

Бе́сов бес. *Пск. Бран.* То же, что **бес зашлой.** СПП 2001, 17.

Встре́шный бес тебя́ расшиби́! *Обл. Бран.* Восклицание, выражающее досаду, раздражение, негодование. Мокиенко 1990, 27.

На кой бес? *Прост.* Зачем, для чего? БТС, 72; ФСРЯ, 519.
Ни бес ни хоху́ля. *Дон. Пренебр.* О ком-л., имеющем непристойный вид. СДГ 1, 26.
Пе́рвой бес. *Прикам.* О живом, бойком, задорном человеке. МФС, 11.
Побира́й бес *кого! Пск. Бран.* Восклицание, выражающее досаду, раздражение. (Запись 1991 г.).
Бе́са в сту́ле нет *у кого. Пск.* О наличии большого количества самых разнообразных вещей у кого-л. СПП 2001, 17.
Бе́са два. *Пск.* Категорическое отрицание чего-л. ПОС 8, 139.
Бе́са доста́нет. *Пск.* Справится с любым делом, преодолеет любые трудности. ПОС 9, 178.
Бе́са лы́сого. *Прост. Груб.* Абсолютно ничего (не получить, не дать, не понять и т. п.). ФСРЯ, 523; Мокиенко 1986, 185.
Гнать (гоня́ть) бе́са. 1. *Жарг. угол., арест.* Симулировать психическое заболевание. ББИ, 56; Балдаев 1, 89. 2. *Жарг. угол., мол.* Лгать, обманывать. ББИ, 56; Балдаев 1, 89. 3. *Жарг. мол. Неодобр.* Совершать странные поступки, удивляющие или огорчающие окружающих. БСРЖ, 59.
Гнать бе́са в по́ле. *Жарг. мол. Неодобр.* Усугублять сложную ситуацию. Никитина 1998, 32.
До бе́са (до бе́сов). *Коми, Прибайк., Пск.* Очень много. Кобелева, 56; Мокиенко 1986, 170; СНФП, 21; СПП 2001, 17.
До бе́са бесо́вского. *Сиб.* То же. ФСС, 11.
Ка́кого (ко́его) бе́са. *Неодобр. Прост.* Зачем, с какой целью? ФСРЯ, 522; СПП 2001, 17.
Кача́ть бе́са. *Сиб.* Баловаться, проказничать. ФСС, 92.
Лома́ть бе́са. *Пск.* Скоморошничать. Доп., 1858; СРНГ 2, 261.
Моро́чить бе́са. *Пск.* Обманывать, колдовать. Доп., 1858; СРНГ, 2, 261.
Наговори́ть бе́са в сту́ле. *Пск.* То же, что **наговорить беса в ступе.** СПП 2001, 17.
Накрути́ть бе́са в сту́ле. *Пск. Неодобр.* Сделать что-л. неверно, неправильно, запутать что-л. СПП 2001, 17.
Наговори́ть бе́са в сту́пе. *Новг. Неодобр.* Рассказать много неправдоподобного. НОС 1, 53.
Ни бе́са. *Пск.* Абсолютно ничего, нисколько. Мокиенко 1986, 170; ПОС 1, 186.
Ни лы́сого бе́са *кому. Народн.* Формула отказа кому-л. ДП, 240; Ф 1, 22.
Посади́ть бе́са *в кого. Арх.* То же, что **на беса посадить 2.** СРНГ 30, 134.
Посади́ть на бе́са *кого. Сиб.* 1. Настроить, подбить кого-л. на что-л. предосудительное. 2. Спровоцировать скандал, рассердив, разозлив кого-л. 3. Обмануть кого-л. 4. *также Перм.* Поссорить кого-л. СРНГ 2, 261; СРНГ 30, 134; ФСС, 147.
Съе́сть бе́са. *Пск. Шутл.* Приобрести опыт в чём-л. СПП 2001, 17.
Те́шить бе́са. 1. *Прост. Неодобр.* Совершать безнравственные, предосудительные поступки. Ф 2, 204. 2. *Волог. Неодобр.* Много смеяться не вовремя, особенно во время еды. СРНГ 2, 261.
Толо́чь бе́са в сту́пе *Новг. Шутл.-ирон.* Топтаться на месте во время танца. НОС 1, 53.
У бе́са из зубо́в за́втрак (кусо́к) вы́рвет. *Пск. Одобр.* Об энергичном, предприимчивом человеке. СПП 2001, 17.
Бе́си (бе́сы) бы задра́ли *кого. Пск.* Выражение негодования, гнева, недоброжелательства. СПП 2001, 17.
Бе́си ве́дают ско́лько. *Пск.* Очень много; о большом количестве чего-л. ПОС 11, 192.
Бе́си (бе́сы) гоня́ют (лома́ют) *кого. Пск. Неодобр.* Кто-л. (чаще — ребёнок) балуется, вертится; ведёт себя неспокойно, ненормально. СПП 2001, 17.
Бе́си проигра́ли *кого. Новг. Ирон.* О человеке, которого преследуют неудачи, невезение. Сергеева 2004, 216.
Бе́си с глаз нака́тятся [*у кого*]. *Пск.* О состоянии человека после сильного удара. СПП 2001, 17.
Бе́си сидя́т *в ком. Пск. Неодобр.* Об озорном, непослушном ребёнке. СПП 2001, 17.
Бе́си укра́ли *кого, что. Пск.* О ком-л., чём-л, пропавшем, исчезнувшем. СПП 2001, 17.
Бе́си унесли́ *кого куда. Пск. Неодобр.* Кто-л. надолго ушёл, скрылся. СПП 2001, 17.
Где бе́си но́сят *кого. Пск. Неодобр.* Вопрос опоздавшему или долго отсутствовавшему человеку. ПОС 1, 186.
И [все] бе́си в во́ду. *Разг. Устар.* Об окончательной развязке чего-л. Ф 1, 22.
На бе́си посади́ть *кого. Сиб.* Осудить, наказать, проучить кого-л. ФСС, 147; СРНГ 30, 134.
Пуща́й бе́си опа́шут *кого. Пск. Бран.* Выражение проклятия, гнева, негодования. СПП 2001, 17.
До бе́сов. См. **До беса.**
За каки́м бе́сом? *Прост.* Зачем, для чего? БТС, 72.
Ли́пким бе́сом. *Пск., Твер.* Льстиво, навязчиво, унижаясь (вести себя для достижения каких-л. целей). СРНГ 17, 56.
Ме́лким бе́сом рассыпа́ться *перед кем. Разг. Неодобр.* Всячески угождать, льстить кому-л. ФСРЯ, 386. **< Мелкие бесы** — угодливые, услужливые чертенята, относящиеся к низшей категории в славянской мифологической иерархии. БМС 1998, 46.
Бе́су суму́ шить. *Пск.* Напрасно, зря копить деньги. Ивашко 1981, 73.
К бе́су. *Прост.* 1. Прочь, вон, долой. 2. Выражение безразличия, уступки; раздражения. ПОС 1, 186; БТС, 72; СПП 2001, 17.
Бе́сы голову́ шесто́м не доста́нут. *Пск. Ирон.* О высокомерном, заносчивом человеке. ПОС 7, 51.
Бе́сы лома́ют. См. **Беси гоняют.**
БЕСЕ́ДА * Ходи́ть по бесе́дам. *Прикам.* Собираться где-л. для общего разговора. МФС, 107.
Ни по одну́ бесе́ду. *Кар. (Арх.).* Никогда. СРГК 4, 559.
Гуля́ть бесе́ды. *Брян.* Ходить в гости друг к другу. СБГ 1, 49.
Ми́рной бесе́ды! *Яросл. Приветственное пожелание беседующим.* СРНГ 18, 171.
БЕ́СИВО * Бе́сива нае́лся. *Орл. Неодобр.* О человеке, который начал вести себя подобно сумасшедшему. СОГ-1989, 72. **< Бе́сиво** — белена.
БЕСИ́ЛА * Соба́чья беси́ла. *Дон.* Растение дурман обыкновенный. СДГ 1, 26.
Объе́сться беси́лой. *Дон.* Обезуметь, начать вести себя подобно сумасшедшему. СДГ 1, 196; СРНГ 22, 275.
БЕСКОНЕ́ЧНОСТЬ * До бесконе́чности. *Разг.* 1. Очень долго. 2. Очень сильно, до крайней степени. ФСРЯ, 35.
БЕСКУРА́ЖИЦА * Бескура́жица забра́ла *кому. Печор.* О наступлении голода. СРГНП 1, 31.
БЕСПЛА́ТНЫЙ * Дорва́ться до беспла́тного. *Жарг. мол.* Употреблять что-л. в большом количестве за чужой счет. Вахитов 2003, 50.
БЕ́СПОНТ * Бе́спонт ходя́чий. *Жарг. мол. Пренебр.* или *Шутл.-ирон.*

1. О странном, смешном человеке. 2. О глупом, несообразительном человеке. Максимов, 33. < **Беспонт** — от **беспонто́вый** — безнадёжный, бесполезный.

БЕСПОРЯ́ДОК * Академи́ческий (романти́ческий) беспоря́док. *Жарг. студ., шк. Шутл.* Вид женской причёски. Максимов, 12, 33.

БЕСПРЕДЕ́Л * Беспреде́л тебе́ в рот! *Жарг. мол. Бран.* Выражение негодования. Щуплов, 85.

Залете́ть за беспреде́л (по беспреде́лу). *Жарг. угол. Неодобр.* Нарушить законы воровского мира. Максимов, 33.

БЕСПУ́ТНЫЙ * Беспу́тного гоня́ть. *Пск.* Бредить в пьяном состоянии. Доп., 1858; СРНГ 2, 276; ПОС 1, 192; ПОС 7, 86.

БЕСТ * Сиде́ть в бе́сте. *Жарг. угол.* Надежно укрыться от ареста, спрятаться в надёжном месте. Максимов, 33.

БЕ́СТИЯ * Продувна́я бе́стия. *Разг. Неодобр.* Хитрый, ловкий человек; плут, пройдоха. ФСРЯ, 35-36.

БЕСТОЛКО́ВКА * Тра́хнуться бестолко́вкой. *Жарг. угол.* 1. Сойти с ума. 2. Совершить большую ошибку. Балдаев 2, 84.

Отремонти́ровать бестолко́вку *кому. Жарг. угол.* Разбить кому-л. голову. ББИ, 27; Быков, 26. < **Бестолковка** — голова.

БЕСТОЛКО́ВЬ * С бестолко́вью. *Орл.* О глупом, несообразительном человеке. СОГ-1989, 73.

БЕ́СТОЛОЧЬ * Бе́столочь вошла́ *в кого. Башк.* Кто-л. сделал что-л. неправильно. СРГБ 1, 43.

Бе́столочью обтяну́ло *кого. Кар.* Кто-л. поглупел, начал плохо соображать. СРГК 1, 71.

БЕСХО́З * Большо́й бесхо́з. *Разг. Шутл.-ирон.* Ленинградский карбюраторный завод (ул. Самойловой, 5). Синдаловский, 2002, 28.

БЕСЧУ́ВСТВИЕ * В бесчу́вствии. *Коми.* Без сознания (лежать, быть и т. п.). Кобелева, 56.

БЕСЧУ́Р * До бесчу́ру. *Сиб.* Слишком много, без меры. ФСС, 12.

БЕЧЕВА́ * На бечеве́ не затащи́ть. *Прибайк.* Никакими средствами не заставить поступить каким-л. образом. СНФП, 22.

БЕЧЁВОЧКА * Зану́здывать бечёвочкой. *Обл.* Бить, пороть кого-л. Мокиенко 1990, 56.

БЕ́ШЕНСТВО * Бе́шенство ма́тки. *Прост. Неодобр.* Нимфомания, постоянное стремление женщины к половому сношению. < Первонач. — медицинский термин. Мокиенко, Никитина 2003, 90.

БЗДЕТЬ * Не бздит не гори́т. *Волг. Неодобр.* О том, что совершается медленно, не спеша. Глухов 1988, 94.

БЗДИ́НКА * Ка́ждую бзди́нку — всё на гвозди́нку. *Пск. Шутл.* О бережливом человеке. (Запись 2004 г.).

БЗДНУТЬ * Ни бзднуть, ни пёрднуть. *Прост. Ирон.* Об очень трудном, безвыходном положении. Мокиенко, Никитина 2003, 90.

БЗДЮМ * На бздюм. *Жарг. угол.* Вдвоем. ТСУЖ, 111.

БЗДЮ́ХА * Брать/взять на бздю́ху *кого. Жарг. угол.* Запугивать, шантажировать кого-л. Мокиенко, Никитина 2003, 91.

БЗИК (БЗЫК) * С бзи́ком. *Разг. Неодобр.* О странном, чудаковатом человеке. БСРЖ, 60.

Бзык напа́л (нашёл) *на кого. Сиб.* 1. О беспокойном поведении домашних животных, когда они бегут, спасаясь от оводов, гнуса. ФСС, 12. 2. *также Новг. Шутл.-ирон.* О человеке, который внезапно рассердился. НОС 1, 57; СФС, 121; ФСС, 12. 3. *Прост.* О человеке, который ведёт себя странно, сумасбродно. БМС 1998, 46. < Первонач. **бзик, бзык** — (укр., польск., рус. диал.) — овод, кусающий животных и людей и вызывающий их сумасшествие.

БЗЁЛ * На бзёл ду́шу тя́нет. *Курск.* О тошноте. БотСан, 102.

БЗЫК. См. **БЗИК.**

БИБ * Попада́ть/ попа́сть в биб. *Жарг. спорт.* Удачно стартовать, как бы угадывая стартовый выстрел. БСРЖ, 61.

БИ́БИКИ * Би́бики [в голове́] не рабо́тают *у кого. Прост.* Об отсутствии сообразительности, смекалки у кого-л. Глухов 1988, 3; ПОС 1, 198.

[Все] би́бики отби́ть. см. **[Все] бебеки отби́ть (БЕБЕКИ).**

БИ́БЛИЯ * Жите́йская би́блия. *Кар.* Биография. СРГК 1, 71.

Чёрная би́блия. *Жарг. шк. Шутл.-ирон. или Презр. Учебник.* ВМН 2003, 24.

По бесо́вой би́блии. *Сиб. Неодобр.* Бесчестно (жить). ФСС, 12.

Составля́ть би́блию. 1. *Сиб.* Наговаривать на кого-л. СФС, 24. 2. *Волг.* Ругать, бранить кого-л. Глухов 1988, 152.

БИ́ВЕНЬ * Ремонти́ровать (чи́стить) би́вни. *Жарг. мол.* Лечить зубы. Юганова, 33; СИ, 1998, № 10; Максимов, 33.

Сушить би́вни. *Жарг. арм. Шутл.* Улыбаться, смеяться. БСРЖ, 61.

Щёлкать би́внями. *Жарг. мол.* Есть, принимать пищу. Максимов, 33. < **Бивень** — зуб.

БИДО́Н * Попа́сть в бидо́н. *Жарг. мол.* Оказаться в сложной, неприятной ситуации, попасть в беду. Никитина 1998, 33.

БИ́ЗИКИ * Бить би́зики (би́зы). *Обл. Неодобр.* Бездельничать. Мокиенко 1990, 69.

БИ́ЗНЕС * Би́знес по-ру́сски: укра́ли я́щик во́дки, прода́ли, а де́ньги пропи́ли. *Жарг. мол. Шутл.-ирон.* 1. О неудачном, неприбыльном деле. 2. О нелепости. БСРЖ, 61.

Лажо́вый би́знес. *Жарг. мол. Неодобр.* Неудачная покупка. Максимов, 34.

БИЗУ́Н * Дать бизуна́ *кому. Обл.* Избить кого-л. Мокиенко 1990, 49.

БИ́ЗЫ * Бить би́зы. См. **Бить бизики (БИЗИКИ).**

БИ́КСА́ * Бано́вая би́кса́. *Жарг. угол., простит.* Вокзальная проститутка. Мокиенко 1995, 6; ББИ, 28; Балдаев 1, 36.

Майда́нная би́кса. *Жарг. угол., простит.* Вокзальная, поездная проститутка. ББИ, 132.

Шофёрская бикса́. *Жарг. мол., простит.* Проститутка, работающая с помощником-таксистом. ББИ, 292.

БИЛ-БО́М * Ни бил-бо́м не понима́ть. *Пск.* Абсолютно ничего не понимать, не разбираться в чём-л. СПП 2001, 17.

БИЛЕ́Т * Бе́лый биле́т. *Разг.* Освобождение от воинской службы. БТС, 70; Ф 1, 22; СБГ 1, 45.

Биле́т в коммуни́зм. *Разг. Ирон.* Продовольственный талон. ББИ, 28; Балдаев 1, 36.

Биле́т на тот свет. *Жарг. шк. Шутл.* Дневник. (Запись 2003 г.).

Во́лчий биле́т. *Разг.* В дореволюционной России: документ с отметкой о неблагонадёжности, препятствующий поступлению на государственную службу, в учебные заведения и т. п. БТС, 147.

Вы́тащить золото́й биле́т. *Обл.* Удачно устроиться в жизни. Ф 1, 100.

Жёлтый биле́т. *Разг. Устар.* Паспорт, выдававшийся проституткам. БМС 1998, 47; Ф 1, 22.

За́ячий биле́т. *Жарг. мол. Шутл.* Проездной билет, как правило — фальшивый. Максимов, 34.

Стекля́нный биле́т. *Жарг. авиа. Шутл.* Бутылка спиртного как плата лётчикам за перевозку в самолёте. Максимов, 404.

БИЛЛ * Билл Гейц. *Жарг. шк. Шутл.* Преподаватель информатики. ВМН 2003, 24.

Билл Кли́тор. *Жарг. мол. Шутл.* Бывший президент США Билл Клинтон. WMN, 12.

БИ́ЛО * Заби́ть в би́ло. *Дон.* Начать осуждать кого-л. СДГ 1, 28.

БИЛЬДЮ́ГА * Гнуть бильдю́гу. *Обл. Неодобр.* Бездельничать. Мокиенко 1990, 65.

Согну́ть бильдю́гу. *Яросл. Шутл.-ирон.* Сказать нелепость. ЯОС 1, 59.

БИЛЬЯ́РД * Игра́ть в [карма́нный] билья́рд. *Разг. Шутл.-ирон.* 1. Заниматься онанизмом, держа руки в карманах брюк. Флг., 136; УМК, 54; Вахитов 2003, 70. 2. Держать руки в карманах. Быков, 71.

Карма́нный билья́рд. *Разг. Шутл.* Прикосновение к половым органам рукой, находящейся в кармане брюк, с целью достижения полового возбуждения. Югановы, 102.

БИ́МБОР * Взять на би́мбор *кого. Жарг. угол.* Обмануть кого-л. Грачев 1992, 49.

БИНДЕ́ЙКА * Бинде́йка с пе́тель слета́ет *у кого. Жарг. мол. Неодобр.* 1. О человеке в состоянии сильного алкогольного опьянения. 2. О психически ненормальном человеке. Максимов, 34.

БИНО́М * Бино́м Ньюто́на. *Разг. Шутл.* О чём-л. сложном, запутанном. Елистратов, 41.

БИОГРА́ФИЯ * Строчи́ть биогра́фию. *Жарг. мол. Шутл.-ирон.* Врать, рассказывая о себе. Максимов, 34.

Биогра́фия пси́ха. *Жарг. шк. Шутл.-ирон.* Дневник. (Запись 2004 г.).

Биогра́фия учи́теля. *Жарг. шк. Ирон.* Классный журнал. Максимов, 34.

БИ́РКА * Чи́стая би́рка. *Жарг. угол.* Настоящий, неподдельный паспорт. Мильяненков, 85; ТСУЖ, 196.

Сре́зать с би́рки *что. Народн.* Ликвидировать долг. ДП, 537.

Освободи́ться с би́ркой на ле́вой (пра́вой) ноге́. *Жарг. угол.* Умереть в заключении. Р-87.

Засе́чь (заруби́ть) на би́рку. *Народн.* Запомнить и иметь в виду что-л. ДП, 447.

Наре́зать на би́рку *кому что. Народн.* Припомнить кому-л. какую-л. оплошность. ДП, 133.

Попа́сть в би́рку. *Новг.* Оказаться в трудном положении. НОС 1, 57; НОС 8, 115; Сергеева 2004, 215.

Сде́лать би́рку. *Брян. Ирон.* Умереть. СБГ 1, 53.

БИРЮ́ЛЬКА * Игра́ть в бирю́льки. *Разг. Неодобр.* Заниматься пустяками, попусту тратить время. Жиг. 1969, 201; ФСРЯ, 179; ЗС 1996, 88, 144; Мокиенко 1989, 80, 83; Мокиенко 1990, 65, 153; БМС 1998, 47; Янин 2003, 126; ПОС 2, 13. **Игра́ть в бюрю́льки.** *Волг.* То же. Глухов, 1988, 55. < **Бирюльки** — детская игра.

БИ́СЕР * Мета́ть би́сер. *Жарг. мол.* Бояться, испытывать чувство страха. Максимов, 34.

Мета́ть (рассыпа́ть) би́сер перед сви́ньями. *Книжн.* Напрасно говорить о чём-л., доказывать что-л. тому, кто не способен или не хочет понять это. ДП, 638; ФСРЯ, 246; БТС, 80, 537; БМС 1998, 47. < Восходит к Евангелию.

Свой би́сер *у кого. Влад. Шутл.* О человеке со странностями. (Запись 2004 г.).

БИ́ТА * Дать би́ту *кому. Кар.* Наказать, стукнув, ударив кого-л. Мокиенко 1990, 110, 113; СРГК 1, 72.

БИ́ТВА * Би́тва в пути́. *Жарг. шк. Шутл.* О дороге в столовую, в гардероб. ВМН 2003, 24. < По названию кинофильма, экранизации одноимённого романа Г. Николаевой.

Би́тва на Во́лге. *Жарг. шк. Шутл.* О ситуации в школьном гардеробе, раздевалке. Максимов, 34.

Би́тва наро́дов. *Книжн.* Об историческом движении, в которое вовлечены широкие народные массы. < Название исторической битвы под Лейпцигом войск коалиции с Наполеоном в 1813 г. БМС 1998, 48.

Би́тва ру́сских с кабарди́нцами. *Разг. Шутл.* О какой-л. ссоре, шуме. < По названию лубочного романа Н. Зряхова (1829 г.). БМС 1998, 48.

Кулико́вская (Сталингра́дская) би́тва. *Жарг. шк. Шутл.* 1. То же, что **битва на Волге.** Максимов, 34. 2. Урок физкультуры. (Запись 2003 г.).

Бить би́тву. *Печор.* Хлопотать, беспокоиться о чём-л., суетиться. СРГНП 1, 33.

БИ́ТКИ * Отбро́сить (отки́нуть) би́тки. *Волг.* Умереть. Глухов 1988, 119.

БИТКО́М * Битко́м бить *кого. Сиб.* Избивать кого-л. ФСС, 12.

Би́тком наби́ть *что. Разг.* Наполнить до предела что-л. БТС, 569; ШЗФ 2001, 19.

Битко́м наби́ться. *Разг.* Набиться до предела (обычно — о скоплении людей в помещении, транспорте). БТС, 570; БМС 1998, 48.

БИТЛОТЕ́КА* Битлоте́ка им. Ле́нона. *Жарг. мол. Шутл.* 1. Российская государственная библиотека им. В. И. Ленина в Москве. 2. Станция метро “Библиотека Ленина”. Щуплов, 319.

БИ́ТОМ * Би́том наби́ть. *Курск., Орл.* То же, что **битком набить (БИТКОМ).** БотСан, 83.

БИ́ТЫЙ * Не би́тый не ру́ганный. *Сиб. Одобр.* Имеющий незапятнанную репутацию, находящийся на хорошем счету. СФС, 122; ФСС, 12; СБО-Д1, 32.

БИТЬ * Не би́мши уби́ть *кого. Брян.* Нанести тяжёлую душевную травму кому-л. СБГ 1, 53.

БИ́ТЬЮ * Би́тью наби́ть *что. Орл.* То же, что **битком набить (БИТКОМ).** СОГ-1989, 75.

БИФШТЕ́КС * Бифштекс с кро́вью. *Жарг. мол.* Крупные неприятности. БСРЖ, 63.

Запусти́ть (сбро́сить) на бифште́кс *кого. Жарг. спорт.* Отправить дельтапланериста на разведку погоды. БСРЖ, 63.

БИХЕР * Япо́нда би́хер! *Прост. Бран.* 1. *Неодобр.* Выражение недовольства, раздражения, негодования. 2. *Одобр.* Восклицание удивления, восхищения, восторга. Мокиенко, Никитина 2003, 91.

БИ́ЦА * Приня́ть на би́цу. *Жарг. спорт.* Сделать упражнение, развивающее бицепсы. Елистратов 1994, 42.

БИЧ[1] * Жить (сиде́ть) на биче́ (бичике). *Прост. Устар.* Заниматься ямским промыслом; быть ямщиком. ФСС, 72; Ф 1, 189.

На биче́. *Сиб. Устар.* Во времена ямщины. СФС, 109; ФСС, 12; СБО-Д1, 32.

Приезжа́ть/ прие́хать на биче́. *Прибайк., Сиб. Устар.* Возвращаться (с ямщины) ничего не зарабо́тав, а, наоборот, потерпев убытки. СНФП, 22; СРНГ 31, 199; ФСС, 12, СОСВ, 149.

Оста́ться то́лько с бичо́м. *Сиб.* Потерять весь рабочий скот. ФСС, 128.

С одни́м бичо́м верну́ться. *Сиб.* То же, что **приехать на биче.** СФС, 174; СРНГ 31, 235.

БИЧ[2] * **Плечево́й бич.** *Жарг. мол.* Бродяга-путешественник. Максимов, 35.

БИЧЕВА́ * Попа́сть под бичеву́. *Сиб. Фольк.* Стать бурлаком. ФСС, 146.

БИЧЁВКА * Бичёвка тра́ссовская. *Жарг. авто.* То же, что **бичиха трассовая (БИЧИХА).** Максимов, 35.

БИ́ЧИК * Жить с би́чика. *Сиб. Устар.* То же, что **на биче жить (БИЧ).** ФСС, 12; 72.

Жить (сиде́ть) на би́чике. См. **Жить на биче (БИЧ).**

БИЧИ́ХА * Бичи́ха тра́ссовая. *Жарг. угол., авто.* Проститутка, обслуживающая шоферов на трассе. УМК, 53.

БИШКЕ́Т * Взять на бишке́т *кого, что. Жарг. угол.* Совершить кражу. ТСУЖ, 23. < **Бишкет** — кража продуктов, подвешенных между окнами.

БЛА́ГО * На свя́тых благ. См. **За бла́го святы́х.**

ЗЕМНЫ́Е БЛА́ГА. *Книжн.* Все, что служит для удовлетворения материальных потребностей человека. Ф 1, 25.

Ни за каки́е бла́га. *Разг.* Ни при каких обстоятельствах (выражение категорического отрицания, отказа). ДП, 241; ЗС 2001, 96; ФСРЯ, 37-38.

Бла́го воровско́е. *Жарг. угол., арест.* Собранные у честно работающих в колонии деньги, вещи, продукты, идущие на оказание помощи нуждающимся авторитетным ворам. ТСУЖ, 20.

За бла́го свя́тых; на свя́тых благ. *Пск.* Без присмотра. ПОС 2, 24.

Крича́ть не свои́м бла́гом. *Брян.* О громком, отчаянном крике голосом, не свойственным данному человеку. СБГ 1, 56.

О́бщим бла́гом. *Арх.* Все вместе, сообща. АОС 2, 29.

По бла́гу. *Яросл.* Мирно, по согласованию. ЯОС 8, 31.

БЛАГОДАРЕ́НЫ * Дава́ть благодаре́ны *кому. Кар. (Новг.).* Благодарить кого-л. СРГК 1, 419.

БЛАГОДА́РНОСТЬ * Отводи́ть (отдава́ть, относи́ть) благода́рность *кому. Кар.* Благодарить кого-л. СРГК 4, 281, 288, 310.

Отпусти́ть с большо́й благода́рностью *кого. Жарг. угол., арест.* Освободить кого-л. из заключения в большом подозрении. СРВС 2, 62, 196.

БЛАГОДА́ТЬ * Во всей благода́ти. *Арх. Одобр.* В полном достатке. АОС 2, 29.

Бо́жья благода́ть. 1. *Прост.* То, что, вызывает восхищение, восторг. Ф 1, 25. 2. *Брян. Одобр.* Полный достаток. СБГ 1, 64. 3. *Брян. Одобр.* Состояние блаженства. СБГ 1, 64.

Мужи́цкая благода́ть. *Яросл. Шутл.-ирон.* Водка. ЯОС 6, 66.

Одна́ (та же) благода́ть. *Арх.* Одно и то же. АОС 2, 29.

Рабо́тать за благода́ть. *Яросл. Устар.* В деревне — отрабатывать за взятые в долг деньги, хлеб, корм и пр. ЯОС 8, 111.

БЛАГО́Й * На благо́е. *Пск. То же, что* **во всю блажь (БЛАЖЬ).** СПП 2001, 17.

Благо́й попу́тал *кого. Пск.* Кто-л. необдуманно совершил какой-л. поступок, сожалеет о содеянном. СПП 2001, 17.

БЛАГОРАСТВОРЕ́НИЕ * Благорастворе́ние во́здуха (возду́хов). *Книжн.* О чистом, свежем, благоуханном воздухе; о тихой и теплой погоде. < Из молитвы «О благорастворении воздухов, об изобилии плодов земных и временах мирных». БТС, 82.

Благорастворе́ние души́. *Разг.* О состоянии умиротворённости, удовлетворённости чём-л. БТС, 82.

БЛАЖЕ́ННЫЙ * Блаже́н, кто ве́рует. *Книжн. Ирон.* О том, кто легковерно относится к различным теориям, сомнительным, но приятным на слух. ШЗФ 2001, 11. < Цитата из комедии А. С. Грибоедова “Горе от ума”. БМС 1998, 48.

Заблаже́ть во всю блаже́нную. *Пск.* Громко закричать. Мокиенко 1986, 48; ПОС 11, 22.

БЛАЖЬ * Во (на) всю блажь; на блажь. *Пск.* Очень громко; на полную громкость. ПОС 2, 35; Мокиенко 1986, 48.

Напусти́ть блажь. *Сиб.* Ввести в заблуждение кого-л. ФСС, 119.

БЛАЗНЬ * Блазнь нашла́ *на кого. Курск, Ср. Урал.* Кому-л. померещилось что-л. СРНГ 3, 15; СРГСУ 1, 46.

БЛАТ * Блат блато́ванный. *Жарг. угол.* 1. Полезный человек. 2. Неизвестный, оказавший содействие в совершении преступления. Мильяненков, 85; ББИ, 29.

Блат в до́ску. *Жарг. угол.* О верном сообщнике, человеке, на которого можно положиться. ТСУЖ, 20; Мильяненков, 85; Балдаев 1, 38.

Заби́ть блат. *Курск.* Установить связи с полезным человеком. БотСан, 83.

Прода́ть (сдать) на блат. *Жарг. угол.* Открыто продать краденое. СРВС 2, 192; СВЯ, 6; ТСУЖ, 111; Балдаев 2, 32.

Смыва́ть блат ка́ину. *Жарг. угол.* Продавать вещи скупщику краденого. Балдаев 2, 48.

По бла́ту. *Прост.* По знакомству, по связям, которые могут быть незаконно использованы в личных целях. БМС 1998, 48; МАС 1, 97; СПСП, 18. < Первонач. в воровском жаргоне, букв. «как у блатных». Грачев, Мокиенко 2000, 43.

Стуча́ть по бла́ту. *Жарг. угол.* Говорить на воровском жаргоне. Грачев, 1997, 137.

< **Блат** — первонач. в воровском арго — преступление, мошенничество.

БЛАТОТА́ * Блатота́ пуза́тая. *Жарг. шк. Шутл.-ирон.* Ученики младших классов, использующие в речи жаргонные слова. Максимов, 35.

БЛЁВ * До блёва (наесться, напиться). *Разг.* До полного пресыщения. БСРЖ, 65.

БЛЕВО́ТА * Кри́во блево́та с гриба́ми. *Жарг. мол. Шутл.* Рок-группа “Криденс” (Creedence Clearwater Revival). Митрофанов, Никитина, 98.

БЛЕВОТИ́Н * Изойти́ блевоти́ном. *Жарг. мол. Шутл.-ирон.* О сильной рвоте. Елистратов 1994, 42.

БЛЕВО́ТИНА * Коша́чья блево́тина. *Жарг. мол. Пренебр.* О бледнолицем человеке. Максимов, 35.

Рези́новая блево́тина. *Жарг. мол. Пренебр.* О некрасивом человеке, уроде. Максимов, 35.

Жева́ть блево́тину. *Жарг. мол. Неодобр.* Долго и нудно вести пустые разговоры. Вахитов 2003, 53.

БЛЕЗИ́Р см. также **БЛИЗИ́Р * Де́лать блези́р.** *Сиб.* Притворяться. ФСС, 56.

Для блези́ру. 1. *Прост.* Для виду, напоказ. БМС 1998, 49; СРГЗ, 65; БотСан, 92; ПОС 2, 37; СФС, 63; СПСП, 18; Ф 1, 25. 2. *Яросл.* К примеру, например. ЯОС 4, 6.

БЛЁМБА * Дать блёмбу *кому. Кар. (Ленингр.).* Ударить кого-л. по лицу. СРГК 1, 423. // *Олон.* Сильно ударить кого-л. по уху. СРНГ 3, 18.

БЛЕСК * Блеск и нищета́ куртиза́нок. *Разг.* 1. О жизни проституток. 2.Об антагонистических противоречиях, разных сторонах одного явления. 3. О помпезности при материальной или духовной бедности. < Название романа О. де Бальзака из цикла «Сцены парижской жизни» (1837–1848 гг.). Дядечко 1, 52.

Чуть (éле) блеск в глазáх [у кого]. *Пск.* Об очень слабом зрении. ПОС 2, 37.

Под блéском. *Брян.* В чистоте. СБГ 1, 58.

С блéском. *Разг. Одобр.* Во всем великолепии, совершенстве, блестяще. Ф 1, 25.

БЛЕСТÓМ * Блестóм блестéть. *Арх.* Быть идеально чистым (о жилище, помещении). АОС 2, 32.

БЛИ́ЖЕ * Ни бли́же ни дáльше. *Арх.* Именно так, ровно столько. АОС 10, 258.

БЛИЗИ́Р см. также **БЛЕЗИ́Р * Для близи́ру.** *Прибайк.* Для украшения, для забавы, а не для использования. СНФП, 22.

БЛИ́ЗКИЙ * И в бли́зких нé было. *Волг.* 1. Об отсутствии кого-л., чего-л. где-л. 2. О том, что не сделано, не случилось. Глухов 1988, 55, 94.

БЛИЗНЕЦЫ́ * Однояйцевые (однояйцóвые) близнецы́. *Жарг. мол. Шутл.* Об очень похожих по характеру людях. Максимов, 36.

Сиáмские близнецы́. *Разг. Шутл.* О неразлучных друзьях. Ф 1, 26; БМС 1998, 49.

БЛИН * Блин горéлый. 1. *Прибайк. Неодобр.* О неумелом, не приспособленном к работе человеке. СНФП, 22. 2. *Жарг. мол.* Выражение досады, раздражения, удивления. Митрофанов, Никитина, 22.

Блин Кли́нтон. *Жарг. мол. Шутл.* 1. Билл Клинтон, бывший президент США. 2. Выражение раздражения, досады. WMN, 13; Максимов, 36.

Блин с ушáми (ушáстый). *Жарг. мол. Шутл. или Пренебр.* О круглом лице; о круглолицем человеке. Максимов, 36.

Блин-трампли́н, жáреные гвóзди! *Жарг. мол. Бран.* То же, что **блин горелый.** Максимов, 36.

Дать блин *кому. Дон., Волг.* Ударить кого-л. Глухов 1988, 29; СДГ 3, 24; Мокиенко 1990, 160.

Как ни кинь, а всё блин. *Народн.* О неизменности сути чего-л. при изменении ракурса рассмотрения. ДП, 853.

Под блин. *Сиб.* О чём-л. круглом. ФСС, 13.

Получи́ть блин. *Новг. Шутл.* 1. Получить отказ при сватовстве. НОС 8, 99. 2. Испытать измену в любви. Сергеева 2004, 237.

Продолби́ть блин. *Кем.* Один из ритуалов свадебного обряда. СБО-Д1, 34.

Тот же блин, да подмáзан. *Народн.* О неизменности сути чего-л. при внесении небольших изменений. ДП, 300.

Это тебé (вам) не блин испéчь. *Народн.* Не пустяк, не шутка. ДП, 564.

Блины́ скачкáми! *Пск.* Приветствие пекущим блины, пожелание успеха. ПОС 2, 42.

Давáть (кидáть, класть) на блины́. *Сиб.* В свадебном обряде — дарить подарки молодым на следующий день после свадьбы. СФС, 58, 109; ФСС, 13, 51; СБО-Д1, 33-34; СКузб., 96.

Есть блины́. *Сиб.* Бросать плоские камни по поверхности воды так, чтобы они отскакивали. ФСС, 68.

Невéстины блины́. *Сиб.* В свадебном обряде — шуточная продажа блинов, напеченных невестой на второй день после свадьбы. ФСС, 13.

Печь блины́. 1. *Яросл.* То же, что **есть блины.** ЯОС 1, 63. 2. *Пск.* Щелкать клювом (об аисте). СПП 2001, 17. 3. *Жарг. мол. Шутл.* Шить шапки, головные уборы. Максимов, 36.

Печь берёзовые блины́ *кому. Волг., Пск. Шутл.* Бить, хлестать, пороть кого-л. ПОС 2, 42; Глухов 1988, 122; Мокиенко 1990, 160.

БЛИ́ННИК * Бли́нник с напы́льника. *Яросл.* Полено, которое использовалось для изготовления лучины. ЯОС 1, 63. < **Напыльник** — часть печи между дымоходом и стеной, где хранились поленья для лучины.

Бить (щёлкать) бли́нником. *Волг., Пск. Неодобр.* Болтать, пустословить. Глухов 1988, 3; ПОС 2, 17. < **Бли́нник** — язык.

Попóтчевать бли́нником с напы́льника. *Яросл.* Побить кого-л. поленом. ЯОС 8, 64. < См. **Блинник с напыльника.**

БЛИ́ННИЦА * Ки́слая бли́нница. *Народн. Шутл.-ирон.* Плаксивый ребёнок. (В. И. Даль). СРНГ 3, 25. // *Прибайк.* Склонный к слезам, часто плачущий человек. СНФП, 22.

БЛИНÓВ * Господи́н Блинóв. *Жарг. карт., угол.* Туз (игральная карта). СРВС 2, 172.

БЛИНÓК * Блинкáми корми́ть *кого. Вят.* Бить ногами, давать пинки кому-л. СРНГ 3, 25; Мокиенко 1990, 60, 160.

Накорми́ть блинкáми *кого. Народн. Шутл.* Задать порку кому-л. Мокиенко 1990, 45, 60, 109; БМС 1998, 49.

Засты́ть на блинóк. *Морд.* Покрыться тонким слоем льда. СРГМ 1980, 95.

БЛИ́НЧИК * Бли́нчики, лепёшки еди́м без перемёжки. *Кар. Шутл.-одобр.* О хорошей жизни. СРГК 4, 455.

Бли́нчиком бýду! *Жарг. угол.* Клятвенное заверение в истинности сказанного. БСРЖ, 66. < **Блинчик** — эвфем. от нецензю **блядь.**

БЛОК * Блок систéмный. *Жарг. шк.* О ситуации, когда родители дома. Максимов, 36.

Ломáть блок. *Жарг. арест.* Идти этапом. ББИ, 30; Балдаев 1, 39.

На блок. *Жарг. угол., арест.* Вид истязания при самосуде, когда человеку связывают ступни ног и кисти рук, продевают веревку через блок, периодически поднимают и резко опускают связанного. СРВС 2, 192; ТСУЖ, 77.

Систéмный блок на колёсах. *Жарг. мол. Шутл.* Родители уехали, квартира свободна. Максимов, 386.

БЛОКÁДА * Блокáда Ленингрáда. *Жарг. шк. Шутл.* Очередь в школьной столовой. Максимов, 36.

БЛОКНÓТ * Блокнóт тунея́дца. *Разг. Ирон.* Кодекс законов о труде. ББИ, 30; Балдаев 1, 39.

БЛОНДИ́НКА * Энерги́чная блонди́нка. *Жарг. шк.* Завхоз. (Запись 2003 г.).

Мне к блонди́нке б да сарди́нки. *Разг. Шутл.* Хорошо бы закусывать водку чем-л. Елистратов 1994, 43.

БЛОХÁ * Вы́гнать (повы́колотить) блох *из кого. Народн.* Расправиться с кем-л., наказать кого-л. (угроза). ДП, 221; Мокиенко 1990, 59.

Гоня́ть блох. *Волг. Неодобр.* Бездельничать, праздно проводить время. Глухов 1988, 25.

Дави́ть блох. *Жарг. мол. Неодобр.* Заниматься нудным, скучным делом. Я — молодой, 1998, № 6.

Лови́ть блох на стéнке. *Жарг. мол. Шутл.* Испытывать приступ белой горячки. Максимов, 36.

Мнóго блох *в ком. Народн. Неодобр.* О непорядочном человеке. ДП, 131, 471.

Хоть блох на животé (на пýзе) бей *у кого. Новг.* О здоровом, сытом человеке. НОС 12, 23.

Блохá в óбмороке. *Жарг. мол. Шутл.-ирон.* Об очень худом человеке. Максимов, 36.

Блоха́ на цепи́ *у кого. Волг. Ирон.* О крайне бедном человеке. Глухов, 1988, 4.

Блоха́ с ло́шадь, а вошь с коро́ву *у кого. Народн. Шутл.-ирон.* Об обманщике, выдумщике. ДП, 734.

Бло́хи строча́т *кого. Брян. Шутл.-ирон.* О человеке, проявляющем нетерпение. СБГ 1, 61.

Все бло́хи *чьи-л. Пск. Шутл.* О человеке, которого во всем незаслуженно обвиняют. СПП 2001, 17.

Из блохи́ голени́ще кроит. *Народн. Ирон.* О скупом человеке. ДП, 109.

Язви́ тебя́ (его́, вас) бло́хи! *Прост. обл. Бран.-шутл.* Выражение негодования, возмущения, недовольства. Мокиенко, Никитина 2003, 82.

Подкова́ть блоху́. *Разг.* Обнаружить удивительную изобретательность, выдумку в каком-л. деле. БТС, 85; ЗС 2001, 413. < Выражение возникло на основе рассказа Н. С. Лескова "Левша". БМС 1998, 49.

БЛО́ШКА * Посади́ть бло́шку в у́шко *кому. Народн.* Расправиться с кем-л., наказать кого-л. (угроза). ДП, 221.

БЛУД * Блуд во́дит *кого. Орл.* Кто-л. заблудился, потерял ориентировку. СОГ-1989, 78.

Блуд нашёл *на кого.* 1. *Сиб.* То же, что **блуд водит.** ФСС, 13. 2. *Волг. Неодобр.* О распутном, развратном человеке. Глухов 1988, 4.

Идти́/ пойти́ в блуд. *Волг., Дон., Брян., Смол. Неодобр.* Начать вести распутный образ жизни. Глухов 1988, 56; СДГ 1, 37; СБГ 1, 61; СРНГ 29, 328.

Ручной блуд. *Разг.* Онанизм. Мокиенко, Никитина 2003, 83.

Дать блу́да. *Жарг. авиа.* Заблудиться, сбиться с пути. Максимов, 36.

Блу́дом блуди́ть. *Сиб. Неодобр.* Вести разгульную жизнь. ФСС, 13.

БЛУ́ДЕНЬ * Блу́день блудя́щий. *Перм. Неодобр.* О человеке (обычно — ребёнке), который всюду заглядывает, самовольно берет и портит что-л. Сл. Акчим. 1, 73.

БЛУДНИ́ЦА * Вавило́нская блудни́ца. *Книжн. Неодобр.* Крайне развращённая, беспутная женщина. БТС, 109. < На основе библейской легенды о городе Вавилоне, полном соблазнов. БМС 1998, 49.

БЛУ́ДНЯ * Забира́ться в блу́дню. *Новг.* 1. Нарушать установленный порядок. 2. Изменять жене. НОС 3, 6.

БЛУ́ДНАЯ * Попа́сть в блу́дную. *Жарг. мол.* Стать жертвой интриг, попасть в сложную ситуацию. h-98.

БЛЫК * Идти́ в блык. *Пск. Неодобр.* Ходить, слоняться без дела. ПОС 13, 168.

Пусти́ться в блык. *Пск. Неодобр.* Начать вести разгульный образ жизни, пьянствовать. (Запись 1996 г.).

БЛЫ́НДЫ * Бить блы́нды. *Обл. Неодобр.* Бездельничать. Мокиенко 1990, 69.

БЛЭК * Блэк са́ббат. *Жарг. мол. Шутл.-ирон.* О субботнике. Елистратов 1994, 43. < Переосмысление названия популярной рок-группы *Black Sabbath* (букв. «черная суббота»).

БЛЮ́ДЕЧКО * Пода́ть (поднести́, принести́) на блю́дечке с голубо́й каёмочкой *кому что. Разг.* Предоставить кому-л. желаемое без малейших усилий с его стороны. НСЗ-84; БТС, 216; Ф 2, 58, 87. < Выражение, связанное с ритуальной символикой славян и других народов, активизировалось благодаря употреблению в романе И. Ильфа и Е. Петрова "Золотой телёнок". БМС 1998, 50.

Получа́ть/ получи́ть на блю́дечке с голубо́й каёмочкой *что. Разг.* Достигать желаемого без малейших усилий, труда, получать желаемое в готовом виде. НСЗ-70; Ф 1, 26.

БЛЮ́ДО * Дать на блю́до. *Кар.* В свадебном обряде — дать выкуп за невесту. СРГК 1, 79.

БЛЮЗ * Приколо́ться по блю́зу. *Жарг. мол. Шутл.* То же, что **петь блюзы.** Максимов, 37.

Петь блю́зы. *Жарг. мол. Шутл.* О приступе рвоты в состоянии сильного алкогольного опьянения. Максимов, 37.

БЛЯ * Бля бу́ду. См. **Блядь буду (БЛЯДЬ).**

Дать бля. *Жарг. мол.* Дать честное слово. Вахитов 2003, 17.

БЛЯ́БЛЯ * Сшиби́ть бля́блю. *Пск.* Получить сильный удар. ПОС 2, 52.

БЛЯДОЁБИНА * Блядоёбина хуеро́тая. *Прост. Бран.* 1. Проститутка; женщина лёгкого поведения. 2. Непорядочный, подлый человек. Мокиенко, Никитина 2003, 84.

БЛЯДОМУ́ДИНА * Блядому́дина пиздокры́лая (пиздоры́лая). *Прост. Бран.* То же, что **Блядоёбина хуеро́тая (БЛЯДОЁБИНА).** Мокиенко, Никитина 2003, 84.

БЛЯДОХО́Д * Ходи́ть/пойти́ на блядохо́д. *Жарг. мол. Шутл.-ирон.* Отправиться развратничать. Мокиенко, Никитина 2003, 85.

На блядохо́де. *Жарг. мол. Шутл.-ирон.* В погоне за доступными женщинами, сексом. Мокиенко, Никитина 2003, 85.

БЛЯДЬ * Ни одно́й бля́ди. *Жарг. мол. Груб.* Абсолютно никого. Мокиенко, Никитина 2003, 86.

Блядь (бля) бу́ду! *Жарг. угол., мол.* Честное слово, клятвенное подтверждение верности чего-л. Мильяненков, 86; ББИ, 30; Балдаев, 1, 39. < **Блядь** — агент, осведомитель (угол.).

Блядь, на кото́рой не просыха́ет. *Вульг.-прост. Презр.* О женщине, беспрерывно и беспорядочно вступающей в половые сношения, проститутке. Мокиенко, Никитина 2003, 85.

Блядь полоса́тая. *Фольк. Бран.* Развратная женщина. Мокиенко, Никитина 2003, 85.

БЛЯ́МБА * Дать (закати́ть, подве́сить, поднести́) бля́мбу *кому. Обл.* Ударить, избить кого-л. Мокиенко 1990, 51.

Шлёпнуть бля́мбу. *Разг. Шутл.* Поставить печать. Югановы, 35; Елистратов 1994, 44.

БЛЯ́ХА * Бля́ха ме́дная. 1. *Разг. Пренебр.* Девушка легкого поведения. УМК, 54. 2. *Прикам.* Выражение досады, разочарования, удивления. МФС, 12.

БОБ * Нарва́ться на боба́. *Жарг. мол.* Получить щелчок по лбу. Елистратов 1994, 44.

Пожева́ть желе́зного боба́. *Пск.* Испытать много горя, лишений. ПОС 10, 182.

Вы́ехать на боба́х. *Пск.* Выйти из трудного положения благодаря счастливой случайности. Шт., 1978.

Гада́ть на боба́х. *Разг.* Строить беспочвенные предположения, ни на чём не основанные догадки; мучиться в догадках, предположениях. БТС, 85, 191; БМС 1998, 51.

На боба́х провести́ *кого. Разг.* Обмануть кого-л.; поступить недобросовестно, нечестно по отношению к кому-л. БМС 1998, 51.

Оста́вить на боба́х *кого. Разг.* Обмануть, одурачить, оставить ни с чем кого-л. БТС, 86; НОС 7, 29.

Оста́ться (сиде́ть) на боба́х. *Разг.* Обмануться в расчётах, надеждах, остаться ни с чем. ЗС 2001, 105; БТС, 86; Ф 2, 155; ПОС 2, 53.

Провести́ на боба́х *кого. Разг. Устар.* Обмануть, одурачить кого-л. Ф 2, 214.

Стоя́ть на бобе́. *Жарг. арм.* Стоять на посту, быть часовым (о пограничнике). БСРЖ, 67.

Без бобо́в. *Сиб.* Легко, без затруднений; не гадая, наверняка (знать, узнать). ФСС, 13.

Нашелуши́ть бобо́в *кому. Жарг. мол. Шутл.* Избить кого-л. Елистратов 1994, 44.

Дава́ть/ дать бо́бу. *Пск.* Быстро бежать, убегать. ПОС 2, 53.

Разводи́ть /развести́ бобы́. 1. *Разг., Пск. Неодобр. или шутл.* Вести пустые разговоры. БМС 1998, 51; ШЗФ 2001, 21; ПОС 2, 53. 2. Медлить, затягивать дело, задерживая внимание на пустяках. БМС 1998, 51; ШЗФ 2001, 21; Глухов 1988, 138; БТС, 85; ПОС 2, 53. 3. *Пск. Неодобр.* Сплетничать. СПП 2001, 17.

Хо́дит да по́ходя бобы́ разво́дит. *Народн. Неодобр.* О болтуне и бездельнике. Жиг. 1969, 202.

Шелуши́ть бобы́. *Жарг. мол.* Несправедливо обвинять кого-л. в чём-л., придираться к кому-л. без причины. Вахитов 2003, 203.

БО́БА * Бо́бы надава́ть *кому. Одесск.* Избить кого-л. КСРГО.

БОБЁР * Уби́ть бобра́. *Разг.* Обмануться в расчётах, приобрести что-либо плохое вместо хорошего. Мокиенко 1989, 138; Мокиенко, 1990, 93-94; ЗС 1996, 93; БТС, 1363. < Из пословицы **Убить бобра — не видать добра**.

Пасти́ бобро́в. *Жарг. арм. Шутл.* Бездельничать. Максимов, 37.

БО́БИ * Бо́бей дава́ть/ дать *кому. Одесск.* Бить, избить кого-л. КСРГО.

БО́БИК * Бо́бик сдох. *Жарг. мол. Шутл.-ирон.* 1. О неудаче, крушении планов. Белянин, Бутенко, 36. 2. Констатация окончания чего-л. Югановы, 35. 3. Выражение восторга, одобрения, восхищения чем-л. БСРЖ, 67.

Лы́сый Бо́бик. *Жарг. шк. Шутл.* А. С. Пушкин. ВМН 2003, 25.

Ме́жду на́ми дохлый бо́бик. *Жарг. мол. Шутл.-ирон.* О разрыве отношений с кем-л. Елистратов 1994, 44; ЖЭСТ-2, 255.

БО́БИКИ * Отби́ть бо́бики. *Новг.* Отбить внутренние органы (напр., при падении). НОС 7, 39. Ср. **[Все] бебеки отбить (БЕБЕКИ)**.

БОБИ́НА * Раскуси́ть боби́ну. *Новг.* 1. Испытать горе. 2. Узнать что-л. о человеке. НОС 9, 103; СРНГ 34, 149; Сергеева 2004, 223.

БО́БКА * Бо́бки вено́чные. *Новг.* Цветы васильки. СРНГ 3, 36.

Игра́ть в бо́бки. *Кар.* Развлекаться, забавляться. СРГК 1, 80.

Бо́бку пойма́ть. *Кар. (Ленингр.). Шутл.* Набить шишку. СРГК 1, 80.

БОБР * Уби́ть бобра́. *Народн. Ирон.* Обмануться в расчётах при выборе, приобретении. ДП, 61; БМС 1998, 50.

БОБУ́ШКА * Бобу́шки клюю́т (клева́ли /склева́ли) [*кого*]. *Пск.* О следах оспы на лице у кого-л. ПОС 2, 57. < **Бобушка** — болячка, гнойник.

БОБЫ́ * При боба́х быть. *Жарг. мол.* Располагать определённой суммой, быть при деньгах. w-99. < **Бобы** — деньги.

БОБЫ́ЛЬ * Бить (валя́ть) бобыля́. *Орл. Неодобр.* Бездельничать. Орл-1989, 80, 133.

Оста́ться на бобыля́х. *Сиб.* Разориться, потерять всё. ФСС, 13.

БОБЫ́ЛЬСТВО * Выходи́ть на бобы́льство. *Кар.* Начинать жить без своего хозяйства. СРГК 1, 82.

БОГ * Бог благослови́л *кого чем. Народн.* У кого-л. всё благополучно складывается в какой-то области, сфере жизни. ДП, 36.

Бог [в, на] по́мочь (по́мощь)! *кому. Разг. Устар.; Башк., Пск.* Приветствие работающим, пожелание успеха в работе. ФСРЯ, 39; СРГБ 1, 47, ПОС, 2, 60; ТФ, 307.

Бог ве́дает. См. **Бог знает.**

Бок век дал. *Сиб.* Такова судьба, так уж суждено. ФСС, 13.

Бог ве́ком наста́вит [*кого*]. *Пск.* Чья-л. жизнь продлится. ПОС 3, 65.

Бог вели́т. *Курск., Прикам.* О необходимости, непреложности чего-л. МФС, 12.

Бог весть. *Книжн.* Неизвестно, никто не знает о ком-л., о чём-л. ФСРЯ, 38; БМС 1998, 51; ШЗФ 2001, 21; БТС, 86, 122; Мокиенко 1986, 132.

Бог весть как. См. **[Не] Бог веда́ет как.**

Бог (Госпо́дь) взял *кого. Арх., Пск.* Кто-л. умер. АОС 4, 38; ПОС, 7, 149.

Бог воды́, говна́ и па́ра. *Жарг. морск. Вульг.* Начальник трюмных. Кор., 45.

Бог во́йны. *Публ. Патет.* Об артиллерии. Ф 1, 26; Мокиенко 2003, 9.

Бог в по́мощь (по́мочь). *Разг. Устар.* Пожелание кому-л. успеха в труде. БТС, 86; ЗС 1996, 438; Ф 1, 26.

Бог глаза́ закры́л *кому. Арх.* 1. У кого-л. испортилось зрение. 2. Кто-л. умер. Арх. 9, 82.

Бог (Госпо́дь) даёт (принёс) *кого. Пск.* О подходящем к дому, пришедшем человеке. СПП 2001, 18.

Бог да Христо́с! *Арх. Одобр.* Выражение радости, успокоения, облегчения, удовлетворения по поводу чего-л. АОС 2, 42.

Бог дал. 1. *кого. Разг. Устар.* Пришлось, привелось встретиться, увидеться с кем-л. ФСРЯ, 38. 2. *что. Разг.* О свершении действия, события. СБГ 5, 7. 3. *Сиб.* О рождении ребёнка. СФС, 59. 4. *Сиб.* О рождении ребёнка вне брака. СФС, 59.

Бог дал, Бог и взял. *Народн.* Говорится как утешение или выражение смирения при чьей-л. смерти или утрате чего-л. Жук. 1991, 44.

Бог даст на кровь. *Пск.* Утешение при порезе пальца или другом ранении с кровью. СПП 2001, 18.

Бог доро́гу ве́ртит *кому. Кар. (Волог.).* О событиях, которые не ожидались. СРГК 1, 178.

Бог за па́зухой и на стене́, а в носу́ чёрт. *Одесск. Неодобр.* О двуличном, внешне благочестивом человеке. КСРГО.

Бог за това́ром. *Яросл. Устар.* Приветствие торговцу при входе в его лавку. ЯОС 2, 5.

Бог зами́ловал [*кого*]. *Пск.* Всё обошлось благополучно. ПОС, 11. 329.

Бог (Госпо́дь) зна́ет (ве́дает). 1. *кого, что. Разг.* Неизвестно, никто не знает о ком-л., о чём-л. ФСРЯ, 38; МФС, 12; БТС, 86; Мокиенко 1986, 161; Доп., 1858; ПОС, 3, 57; ТФ, 277; СФС, 26. 2. *Горьк.* Вероятно. БалСок, 23. 3. *Разг.* Выражение возмущения, недоумения, негодования. ФСРЯ, 38-39.

Бог зна́ет куда́. *Разг.* Очень далеко. Ф 1, 27.

Бог зна́ет что. *Разг.* 1. Нечто невообразимое. 2. Всё, что угодно. Мокиенко 1986, 132; Ф 1, 27; ФСРЯ, 39.

Бог кры́лья облома́л *кому. Кар.* Кто-л. стал менее дерзким, грубым, смягчился. СРГК 4, 89.

Бог ле́су не уравня́л. *Новг. Шутл.* О разных достоинствах детей одной семьи. НОС 1, 62.

Бог лю́бит *кого. Горьк.* О счастливом браке. БалСок, 23.

Бог ми́ловал. *Разг. Устар.* Ничего плохого не случилось. Ф 1, 27; ФСРЯ,

39. // *Сиб.* Что-л. прошло благополучно. СФС, 26.

Бог мой Яшка! *перм.* Возглас удивления, неожиданности. Подюков 1989, 13.

Бог на прива́ле! *Яросл.* Приветствие отдыхающим в пути. ЯОС 2, 5.

Бог навстре́чу! *Жарг. угол.* Пожелание удачно совершить кражу. ТСУЖ, 21.

Бог нас услы́шал. *Жарг. шк. Шутл.* О звонке с урока. Bytic, 1999–2000.

Бог не вы́даст. *Разг.* Ничего плохого не случится с кем-л. Ф 1, 27.

Бог не зна́ет. *Прикам.* То же, что **Бог знает 1.** МФС, 12.

Бог не оби́дел *кого чем. Разг.* Кто-л. с избытком наделён теми или иными способностями, талантами. Ф 1, 27; ФСРЯ, 39.

Бог не отпу́стит (не отпусти́л) *кого. Коми.* Кто-л. умрёт, умер после тяжёлой болезни. Кобелева, 56.

Бог не приста́л *кому. Народн.* Нет удачи в делах. СРНГ 31, 403.

Бог несёт *кого куда.* 1. *Разг. Устар.* Кто-л. идёт, едет, приходит куда-л. ФСРЯ, 39. 2. *Пск. Неодобр.* Кто-л. приходит некстати, не вовремя куда-л. СПП 2001, 18. 3. *Арх., Волог., Кар., Сиб.* Кого-л. бережёт, охраняет Бог. СВГ 5, 195; СРГК 4, 14; ФСС, 13.

Бог но́сит *кого. Прибайк.* У кого-л. ещё достаточно сил и здоровья. СНФП, 22.

Бог оби́дел *кого. Прост.* Об обездоленном или неполноценном в каком-л. отношении человеке. Ф 1, 27; Глухов 1988, 4; СПП 2001, 18.

Бог обнёс умо́м *кого. Дон.* О глупом, несообразительном человеке. СДГ 2, 193; СРНГ 22, 148.

Бог обра́л *кого. Кар. (Арх.).* Кто-л. умер, скончался. СРГК 1, 82; СРГК 4, 108.

Бог пасёт *кого. Пск.* Чьи-л. дела идут хорошо. СПП 2001, 18.

Бог пихну́л *кого. Сиб. Неодобр.* Кто-л. необдуманно совершил предосудительный поступок. ФСС, 13.

Бог по доро́ге, а чёрт стороно́й! *Прост.* Пожелание благополучной дороги, выражение надежды на благополучную дорогу, поездку. Ф 1, 28.

Бог по пути́! *Новг.* Приветствие путешествующим. СРНГ 3, 41.

Бог посмотре́л на её но́ги и изобрёл колесо́. *Жарг. мол. Шутл.* О девушке с кривыми ногами. Вахитов 2003, 17.

Бог (Господь) прибра́л *кого. Прост.* Кто-л. умер (обычно — после долгой болезни, тяжёлой жизни). ФСРЯ, 40; БотСан, 90; ЗС 1996, 180; СПП 2001, 18. // *Сиб.* О смерти бездомного, больного или крайне уродливого ребёнка. СФС, 26.

Бог привёл. 1. *кого. Пск.* Пришлось, привелось встретиться, увидеться с кем-л. СПП 2001, 18. // *Горьк.* О человеке, пришедшем неожиданно. БалСок, 23. 2. *Прост. Устар.* Случилось, удалось что-л. кому-л. Ф 1, 28.

Бог приста́нет (приста́л). 1. *Сиб.* О наступлении выздоровления. СФС, 26; ФСС, 13; СРНГ 31, 403. 2. *Прибайк., Яросл.* О благополучном завершении чего-л. СНФП, 22; ЯОС 2, 5.

Бог прости́л *кого. Сиб. Устар.* О женщине, благополучно родившей ребёнка. ФСС, 13.

Бог прости́т. *Разг.* Вежливый отказ на просьбу о прощении. Ф 1, 28.

Бог путь пра́вит *кому. Новг.* Пожелание удачи, успеха кому-л. Сергеева 2004, 23.

Бог свида́ние дал *кому. Волг. Шутл.* О человеке, который долго отсутствует где-л. Глухов 1988, 4.

Бог семеры́м нёс, [а] одному́ доста́лся. *Прост. Шутл.-ирон.* Об очень большом мужском половом органе. Мокиенко, Никитина 2003, 87.

Бог с рога́ми. *Кар. Шутл.-ирон.* О чём-л. невозможном, невероятном. СРГК 1, 82.

Бог (Госпо́дь) с тобо́й (с ним, с ва́ми и т. п.). *Разг. Устар.* 1. Пусть будет так (выражение согласия, примирения, прощения, уступки). 2. Как можно, зачем (выражение удивления, упрека, несогласия). 3. Пусть всё будет хорошо, удачно. БТС, 86; ФСРЯ, 40.

Бог стучи́т *к кому. Новг. Ирон.* О человеке, близком к смерти. Сергеева 2004, 199.

Бог тебе́ (ему и т. п.) **судья́.** *Народн.* То же, что **Бог с тобой 1-2.** ДП, 39, 129. СПП 2001, 18.

Бог (Боже) [ты] мой. *Разг.* Выражение радости, удивления, восторга, негодования. ФСРЯ, 40.

Бог [ты] мой Яшка! *Прост. обл. Шутл.* Возглас удивления, неожиданности. < Оборот — призывание «ненастоящего» бога: народн. **Яшка** — "хитрец", "равнодушный человек". Мокиенко, Никитина 2003, 87.

Бог уби́л *кого. Прост. Устар.* О глуповатом, несообразительном человеке. Ф 1, 28.

Бог убра́л *кого. Новг.* О чьей-л. смерти. НОС 2, 83.

Бог ча́су не даёт *кому.* 1. *на что. Пск., Яросл.* Кому-л. не хватает времени на какое-л. дело. СПП 2001, 18; ЯОС 2, 5. 2. *Яросл.* Говорится в ожидании конца какого-л. тяжёлого состояния человека, например при трудных родах, агонии. ЯОС 2, 5.

Бог языка́ не даёт *кому. Новг.* У кого-л. нет возможности сказать что-л. НОС 1, 62.

Боро́нь (обörони́) Бог. 1. *Разг.* Предостережение, предупреждение об опасности, о чём-л. нежелательном. ФСРЯ, 496; АОС 2, 84; СРНГ 3, 116; СФС, 130. 2. *Пск.* Выражение горя, досады. СПП 2001, 18.

Будь Бог. *Яросл.* Пожалуйста, будь добр. ЯОС 2, 35.

Вели́ Бог. *Сиб.* Желательно, хорошо бы. СФС, 34; ФСС, 13.

Ви́дит Бог. *Разг.* Заверение в истинности сказанного: это так, так точно. БТС, 86, 130.

Во что Бог поста́вит. *Новг.* Выражение готовности сделать что-л., не задумываясь о последствиях. НОС 8, 146.

Вот тебе́ Бог! *Арх.* Клятвенное заверение в чём-л. АОС 2, 42.

Вот [тебе́] Бог, а вот поро́г! *Народн.* Убирайся, уходи по-хорошему! ДП, 238, 788; Жук. 1991, 74; ФСРЯ, 40.

Где Бог пошлёт. *Разг. Устар.* Там, где придётся, где случится (жить, ночевать и т. п.). ФСРЯ, 40.

Дава́й Бог да Христо́с! *Арх.* Пожелание при чихании. АОС 10, 190.

Дава́й (дай) Бог но́ги *кому. Разг.* О чьём-л. поспешном бегстве откуда-л. ДП, 274; Глухов 1988, 27; ПОС 8, 129.

Дай Бог. 1. *кому чего. Разг.* Пожелание добра и успеха. ФСРЯ, 126; БТС, 86; Мокиенко 1986, 134; СБГ 1, 62. 2. *Арх.* Выражение чувства удовлетворения. АОС 10, 283.

Дай Бог па́мять (па́мяти). *Разг.* О желании, усилии вспомнить что-л. ФСРЯ, 126; ЗС 1996, 238; ПОС 8, 129; АОС 10, 283.

Дай Бог помере́ть. *Пск.* Клятвенное заверение в истинности сказанного. Копаневич. ПОС 8, 130.

Дай Бог провали́ться. *Ряз.* То же, что **Дай Бог помереть.** ДС, 59.

Дай Бог свято́й час. *Горьк.* Доброе напутствие, благословение. БалСок, 32.

Дай Бог ско́рости. *Жарг. шк. Шутл.* О списывании со шпаргалки у доски. Muravlenko, 2002.

Дай Бог хоть пе́чкой подави́ться. *Народн.* То же, что **Дай Бог помереть.** ДП, 654.

Дай Бог ча́су (све́тлый час). *Брян.* Пожелание счастливого пути. СБГ 5, 7.

Даст Бог. *Арх.* Выражение надежды на благополучный исход чего-л. АОС 10, 284.

Изба́ви Бог (Госпо́дь). *Разг.* 1. Выражение предупреждения, предостережения о нежелательности, недопустимости чего-л. 2. Выражение решительного отрицания чего-л. предполагаемого. ФСРЯ, 183; ФСРЯа, 170; БТС, 86.

Как Бог на́ душу (на се́рдце) поло́жит. 1. *Разг.* Как получится, произвольно, по собственному усмотрению. ДП, 494; Ф 1, 30; ЗС 1996, 127; БТС, 290; БМС 1998, 51. 2. *Пск.* Небрежно, кое-как. СПП 2001, 18.

Как Бог но́сит? *Перм.* Как поживаете? СРНГ 21, 288.

Как Бог свят. *Разг. Устар.* 1. Обязательно, вне всякого сомнения. 2. Клятвенное заверение в истинности сказанного. ФСРЯ, 40.

Крой Бог! *Пск.* То же, что **боро́нь Бог 1.** СПП 2001, 18.

Ку́речий (ку́ричий) Бог. *Яросл.* 1. Старый горшок, лапоть и т. п., подвешенный к куриному насесту (по суеверным представлениям, в нём селится дух, покровительствующий курам). 2. *Костром.* То же, что **куриный Бог 1.** ЖСК 2006, 179. 3. *Шутл.* Петух. 4. *Бран.* Восклицание, выражающее досаду, раздражение, негодование. ЯОС 5, 109.

Кури́ный Бог. 1. *Башк., Яросл.* Камешек с отверстием. СРГБ 1, 47; ЯОС 5, 109. 2. *Жарг. мол.* Камешек с дырочкой, используемый как амулет. Мазурова. Сленг, 101; БТС, 482.

На то Бог. *Курск.* Клятвенное заверение в истинности сказанного. СРНГ 3, 41.

Набело́ Бог по́мощь! *Волог.* Приветствие стирающим белье. СВГ 5, 19.

Не Бог весть (зна́ет) как. *Разг.* 1. Не очень хорошо, посредственно. 2. Не очень, не особенно. ФСРЯ, 40.

Не Бог весть (зна́ет) како́й. *Разг.* 1. Не очень, не особенно хороший. ФСРЯ, 40; БТС, 86, 122; Сл. Акчим. 1, 75; ПОС 3, 57. 2. Не очень, не особенно. ФСРЯ, 40–41.

Не Бог весть (зна́ет) сколько. *Разг.* Не очень, не особенно много. ФСРЯ, 41.

Не Бог весть что. *Разг.* О чём-л. не очень важном, не заслуживающем внимания. ФСРЯ, 41; БТС, 86, 122.

Не дай (не приве́ди) Бог (Госпо́дь, Го́споди). 1. *кому что. Разг.* О чём-л. нежелательном (выражение предупреждения, предостережения). ФСРЯ, 353; АОС 10, 284; БТС, 86; Мокиенко 1986, 132-134; СБГ 5, 7; СДГ 1, 122; СДГ 3, 54; СПП 2001, 18. 2. *Дон. Неодобр.* Очень плохо, очень плохой. СДГ 1, 122. 3. *Разг.* Сильно, интенсивно. ФСРЯ, 353; СДГ 1, 122; СДГ 3, 54; СПП 2001, 18. 4. *Пск.* О высшей степени проявления признака. СПП 2001, 32.

Не дай Бог лихо́му тата́рину (лихо́й тата́рке). *Морд.* О чём-л. трудновыполнимом, тяжёлом. СРГМ 1980, 14.

Не дай Бог свинье́ ро́ги. *Одесск.* О нежелательности доступа людей, склонных к неблаговидным действиям, к средствам осуществления этих действий. КСРГО.

Ни Бог по пути́. *Кар. (Арх.). Неодобр.* Не так, как следует, кое-как. СРГК 1, 82.

Ни мой Бог. *Сиб.* Совсем ничего, нисколько. ФСС, 13.

Обороня́ Бог. См. **Боро́нь Бог.**

Оборони́ Бог греха́. *Разг. Устар.* Предупреждение, предостережение о нежелательности, недопустимости чего-л. Ф 2, 10.

Оди́н Бог да поро́г *у кого. Курск.* О крайней бедности. БотСан, 107.

Поми́луй Бог. *Разг. Устар.* Действительно, в самом деле. Ф 2, 71.

Приба́вит Бог здоро́вья *кому. Орл. Шутл.-ирон.* Форма отказа кому-л. при просьбе о прибавке чего-л. СРНГ 31, 103.

Продли́ Бог ве́ку *кому. Пск.* Пожелание долголетия кому-л. СПП 2001, 18.

Продли́ Бог ве́ку на со́рок сороко́в. *Народн.* То же. ДП, 754.

Протяни́ Бог ве́ком *кого. Пск.* То же, что **продли́ Бог ве́ку.** СПП 2001, 18.

Пронеси́ Бог моро́кой. *Перм.* Пожелание благополучной, счастливой жизни; пусть несчастья, беды минуют кого-л. СРНГ 18, 273.

Сам Бог ни в копе́йку *кому. Сиб.* Об отчаянном человеке, когорому всё нипочём. СРНГ 36, 71: ФСС, 13.

Спаси́ Бог. 1. *Разг.* То же, что **избави Бог 1.** БТС, 1246. 2. *Разг.* То же, что **избави Бог 2.** БТС, 1246. 3. *Прикам.* Очень, сильно, в высшей степени. МФС, 94.

Схорони́ Бог. *Морд.* То же, что **избави Бог 1.** СРГМ 2002, 66.

Счастли́в твой Бог. *Народн. Одобр.* Об удаче, счастье. ДП, 72; Мокиенко 1986, 137.

Там и Бог, там и крест. *Сиб. Устар.* В жизни всё бывает. ФСС, 13.

Твой Бог в ду́ды игра́ет. *Смол. Одобр.* О везенье в делах, счастье в жизни. СРНГ 8, 246.

Убе́й меня́ Бог. *Разг.* Клятвенное заверение в чём-л. БТС, 86, 1363; Ф 2, 213.

Упаси́ (сохрани́) Бог (Боже, Госпо́дь). *Разг.* 1. Выражение предупреждения, предостережения, нежелательности, недопустимости осуществления чего-л. 2. Выражение решительного отрицания чего-л. предполагаемого. ФСРЯ, 496-497; БТС, 86; Верш. 7, 151.

Храни́ Бог. *Разг. Устар.* То же, что **упаси Бог 1.** Ф 2, 240.

Чем [Госпо́дь] Бог послал. *Разг.* Что есть, что удалось достать (о пище). ФСРЯ, 41; Ф 1, 30; Мокиенко 1986, 134; БМС 1998, 51.

Что Бог не знал. *Кар.* Очень сильно, интенсивно. СРГК 1, 82.

Япо́нский бог! *Жарг. мол.* 1. Выражение досады, раздражения, негодования. 2. Выражение восторга, восхищения. Мокиенко, Никитина 2003, 87; Максимов, 503; Подюков 1989, 14; Вахитов 2003, 201.

Бо́га ви́дишь, дверь зна́ешь. *Сиб.* Уходи, убирайся. ФСС, 27.

Бо́га одни́м гла́зом ви́деть. *Горьк.* Быть при смерти. БалСок, 23.

Бо́га под пяту́. *Пск. Неодобр.* Не верить в Бога, забыть Бога. СПП 2001, 18.

Брать Бо́га. *Нов.* Благословлять иконой жениха и невесту при вступлении в брак. НОС 1, 83.

Брать/ взять на Бо́га *кого.* 1. *Жарг. угол., Пск.* Получать необходимые сведения, добиться своего путём обмана. ТСУЖ, 31; Балдаев 1, 45; ПОС, 3, 173. 2. *Сиб.* Спровоцировать кого-л. ФСС, 13.

Брать на Бо́га и креста́. *Волг.* Сильно браниться, ругать, проклинать кого-л. Глухов 1988, 6.

Бра́ться за Бо́га. *Волог.* Обращаться к Богу. СВГ 1, 44.

[В] Бо́га ду́шу мать [твою́ (его́, ва́шу и пр.)]! *Прост. Бран.* Выражение негодования, возмущения, крайнего раздражения и недовольства. Мокиенко, Никитина 2003, 87.

В Бо́га и в Богоро́дицу! *Прост. Бранно.* То же, что **в Бога душу мать.** Мокиенко, Никитина 2003, 87.

Встава́ть пе́ред Бо́га. *Прибайк. Неодобр.* Быть высокомерным, чванливым, заносчивым. СНФП, 23.

Гневи́ть Бо́га. *Разг. Устар.* Без достаточных оснований жаловаться на судьбу. Ф 1, 113.

Ждать от Бо́га пове́терья. *Пск. Шутл.* Бездействовать; сидеть без дела. СПП 2001, 18.

Жить на два Бо́га. *Башк.* Служить и угождать и одним и другим. СРГБ 1, 47.

Забыва́ть Бо́га. *Разг. Устар.* Делать что-л. предосудительное. Ф 1, 191.

[И] в Бо́га и в ду́шу. *Прост. Неодобр.* Грубо, цинично (ругаться). Ф 1, 30.

И в Бо́га, и в Хри́ста! *Прост. Бран.* То же, что **в Бога душу мать!** Мокиенко, Никитина 2003, 87.

Име́ть Бо́га. *Яросл.* Быть честным, справедливым, совестливым. ЯОС 2, 5.

Моли́ть Бо́га *за кого. Разг. Устар.* Выражать свою глубокую благодарность кому-л., быть бесконечно благодарным кому-л. ФСРЯ, 252.

Наблюда́ть Бо́га. *Волог., Кар.* Быть верующим, жить праведно. СВГ 5, 20; СРГК 3, 292. // *Перм.* Соблюдать религиозные обряды. Сл. Акчим. 1, 75.

На Бо́га. *Прост.* Наудачу. Ф 1, 30.

На два Бо́га. *Ряз.* О человеке, который делает сразу два дела. СРНГ 17, 86.

Не боя́ться Бо́га. *Народн. Неодобр.* Поступать непорядочно, подло. ДП, 39; ЗС 1996, 96.

Не своего́ Бо́га. *Пск.* О человеке другой веры, иноверце. (Запись 2000.)

Ни за Бо́га, ни за царя́ (чёрта). *Сиб.* 1. Беспричинно, ни с того, ни с сего. 2. Зря, напрасно. ФСС, 13.

От Бо́га. *Разг.* 1. Очень способен, талантлив от природы. 2. Изначально установлено, определено. БТС, 86; Ф 1, 30.

От того́ Бо́га. *Кар. (Арх.).* О чём-л. коварном, сделанном со злым умыслом. СРГК 1, 82; СРГК 4, 270.

Отвлека́ться от Бо́га. *Волог.* Отходить от веры. СВГ 6, 86.

Отпада́ть от Бо́га. *Кар. (Мурм.).* То же, что **отвлекаться от Бога.** СРГК 4, 314.

Побо́йся Бо́га. *Разг.* 1. Имей совесть, постыдись (выражение желания усовестить, пристыдить кого-л. 2. Образумься (выражение желания предостеречь кого-л. от необдуманного поступка). БТС, 849; ФСС, 325.

По́мнить бо́га. ***Перм.*** Вести себя благопристойно. Подюков 1989, 157.

Поцелова́ть Бо́га. *Новг.* Получить согласие на благословение при сватовстве. НОС, 161.

Ра́ди Бо́га. *Разг.* Пожалуйста, очень прошу. ФСРЯ, 41; Мокиенко 1986, 132; БТС, 86; БМС 1998, 52.

Ругаться в Бога. *Прост.* Грубо ругаться, сквернословить, употребляя слово *Бог.* Мокиенко, Никитина 2003, 87.

Съесть (укра́сть) у Бо́га телёнка, (цыплёнка). *Волг. Шутл.* Слегка обидеть кого-л. Глухов 1988, 157.

У Бо́га воды́ не решето́ *Волог.* О сильном дожде. СРНГ 35, 90.

[У Бо́га] дней не решето́. *Пск.* Не стоит спешить, ещё есть время для чего-л. СПП 2001, 18.

У Бо́га зарабо́тано. *Кар.* О чём-л. честно заработанном, заслуженном. СРГК 1, 82.

У Бо́га не́бо копти́т. *Народн. Неодобр.* О тунеядце, бездельнике. ДП, 257.

У Бо́га Христо́ва в па́зушке. *Пск. Одобр.* В полном довольстве. Доп., 1858.

Что у Бо́га день. *Пск.* Каждый день, ежедневно. СПП 2001, 35.

Идти́ (ходи́ть) к бога́м. *Жарг. мол. Шутл.* Посещать туалет. (Запись 2004 г.).

Жить по Бо́ге. *Арх. Одобр.* Жить честно, быть добропорядочным, добросовестным. СРНГ 3, 71.

Всех бого́в перебра́ть. *Новг.* Отругать кого-л., проявить возмущение, негодование. Сергеева 2004, 42. **Всех бого́в собра́ть (съесть).** *Прибайк.* То же. СНФП, 23.

Сто бого́в тебе́ дать! *Дон. Бран.-шутл.* Угроза наказания ребёнку. СДГ 1, 22.

Бо́гом оби́женный. *Разг. Устар.* 1. Неудачливый, несчастливый; глуповатый, ограниченный. 2. *Пренебр.* Жалкий, убогий, неполноценный в каком-л. отношении (о человеке). ФСРЯ, 290; ЗС 1996, 246; Глухов 1988, 4, 114; СПП 2001, 18.

Бо́гом уби́тый. *Прост.* Глуповатый, малосообразительный, умственно неполноценный. ФСРЯ, 487.

Подели́ться с Бо́гом. 1. *Пск.* Потерять кого-л. из родных, близких. СПП 2001, 18. 2. *Жарг. угол.* Обокрасть церковь, монастырь. Балдаев 1, 325; Грачев 1997, 221.

С Бо́гом! *Разг. Устар.* 1. Счастливо, в добрый час! (пожелание в каком-л. деле, начинании). ФСПЯ, 41; ДП, 39; БТС, 86; Мокиенко 1986, 132. 2. Смягчённое приказание сделать что-л. Ф 1, 31.

Свои́м Бо́гом. *Пск.* По-своему, на свой лад. ПОС 2, 61.

Ходи́ть под Бо́гом. *Волг.* Жить, существовать. Глухов, 1988, 167.

Бо́гу в ру́ки. *Новг.* Без особого внимания и заботы, как придётся. НОС 9, 55.

Бо́гу зна́мо. *Яросл.* То же, что **Бог знает 1.** ЯОС 2, 5.

Бо́гу моли́ться, а в чёрта (бе́су) ве́ровать. *Пск. Неодобр.* Быть двуличным, лицемерным. СПП 2001, 18. **Бо́гу моли́ться, а с чёртом води́ться.** *Горьк.* То же. Бал.Сок, 23.

Бо́гу моли́ться, а с чертя́ми води́ться. *Одесск.* То же. КСРГО.

Бо́гу на бо́роду. *Кар. (Волог.).* О несжатой полоске, оставляемой, по традиции, в конце жатвы. СРГК 1, 98.

Бо́гу не пока́жешь. *Сиб.* Неизвестно, сколько, неизвестно, долго ли. ФСС, 143.

Бо́гу прети́ть. *Пск. Неодобр.* Говорить неправду, лгать. СПП 2001, 18.

Загреме́ть к Бо́гу в рай. *Прост. Ирон.* Погибнуть. Ф 1, 194.

И Богу све́чка и чёрту кочерга. *Обл. Одобр.* Об умелом, сноровистом человеке. Мокиенко 1990, 12.

Иди́ [ты] (пошёл [ты]) к Бо́гу [в рай]! *Прост. Шутл.* Выражение неудовольствия, желания избавиться от кого-л. Подюков 1989, 88; СПП 2001, 18; Мокиенко, Никитина 2003, 87.

Идти́ (ходи́ть) к ма́лому бо́гу. *Жарг. мол. Шутл.* О посещении туалета по малой нужде. (Запись 2004 г.).

Идти́ (ходи́ть) к большо́му бо́гу. *Жарг. мол. Шутл.* О посещении туалета по большой нужде. (Запись 2004 г.).

Идти́ (ходи́ть) к гла́вному бо́гу. *Жарг. мол. Шутл.* О посещении туалета с целью покурить там гашиш. (Запись 2004 г.).

К Бо́гу гоня́ть *кого. Волог.* Клясться, уверять кого-л. в своей невиновности. СВГ 1, 121.

Как (ко́ли) Бо́гу уго́дно. *Народн.* Выражение покорности судьбе. ДП, 37, 116, 487.

Моли́сь ты Бо́гу! *Олон.* Прекрати, перестань (требование прекратить лгать, говорить ерунду). СРНГ 18, 219.

Ни Бо́гу ни бе́су. *Пск. Неодобр.* Ни к чему не пригодный, никому не нужный. ПОС 2, 61.

Ни Бо́гу, ни лю́дям, ни нам, мужика́м. *Народн.* То же, что **ни Богу свечка ни чёрту кочерга.** ДП, 472.

Ни Бо́гу ни чёрту не ве́рить. *Пск.* Отчаяться, ни во что не верить. СПП 2001, 18.

Ни Бо́гу све́чка ни чёрту кий. *Пск.* То же, что **ни Богу свечка ни чёрту кочерга.** < **Кий** — ветвь или тонкий ствол дерева без листьев, палка. ПОС 14, 112.

Ни Бо́гу све́чка ни чёрту кочерга́. *Разг. Неодобр.* Ни на что не пригодный, никчёмный человек; ничем не выделяющийся, посредственный человек. Мокиенко 1986, 111; Мокиенко 1990, 10–13; ФМ 2002, 418; Глухов 1988, 107; ФСРЯ, 413. < **Кочерга** — обгоревшая палка, которую использовали как коптящую лучину для освещения избы. БМС 1998, 52.

Ни Бо́гу све́чка ни чёрту кочерга́ ни в печи́ ожёгу. *Пск.* То же, что **ни Богу свечка ни чёрту кочерга.** Шап. 1959, 332.

Ни Богу све́чка ни чёрту ога́рыш. *Обл.* То же, что **ни Богу свечка ни чёрту кочерга.** Мокиенко 1986, 111.

Ни Бо́гу свеча, ни чёрту о́жега. *Олон.* То же, что **ни Богу свечка ни чёрту кочерга.** СРНГ 23, 74.

Ни Бо́гу свеча́, ни чёрту о́жиг (ожёг). *Народн.* То же, что **ни Богу свечка ни чёрту кочерга.** ДП, 472; Мокиенко 1990, 10–14.

Ни к Бо́гу, ни к лю́дям [не приста́л]. *Народн.* То же, что **ни Богу свечка ни чёрту кочерга.** ДП, 472.

Одному́ Бо́гу моли́тся, а друго́му кла́няется. *Народн. Неодобр.* О подхалиме. Жиг. 1969, 221.

Одному́ Бо́гу (Го́споду) изве́стно. *Разг.* Никто не знает, никому не известно о чём-л. ФСРЯ, 183; ФСРЯа, 171.

Отдава́ть /отда́ть Бо́гу ду́шу. *Разг.* Умирать. ФСРЯ, 300; СБГ 5, 49; НОС 10, 101; ЗС 1996, 180; СПП 2001, 18.

Покла́няться Бо́гу. *Арх.* Помолиться Богу. СРНГ 28, 383.

Сла́ва Бо́гу. *Разг.* 1. Выражение радости, успокоения, облегчения, удовлетворения по поводу чего-л. 2. Хорошо, благополучно. 3. В хорошем состоянии, хороший. ФСРЯ, 430; СБГ 1, 62.

Служи́ть и Бо́гу и мамо́не. *Книжн. Устар.* служить двум господам. БМС 1998, 52.

Бо́же (Бо́женька) крэй. *Пск.* Предостережение, предупреждение об опасности, о чём-л. нежелательном. СПП 2001, 18.

Бо́же паси́! *Оренб.* То же, что **упаси Бог 2.** СРНГ 25, 263.

Бо́же упаси́. См. **Упаси Бог.**

Вот (на) тебе́, Бо́же, что нам него́же. *Народн.* О подаянии, дарении того, что не нужно самому. ДП, 110; Жук. 1991, 190; БМС 1998, 52.

Ни Бо́же мой. *Прост.* 1. Ничуть, нисколько. БотСан, 105; СПП 2001, 18; СБО-Д1, 34; Мокиенко 1986, 132; ФСС, 13. 2. Ни при каких условиях, обстоятельствах, ни в коем случае. Ф 1, 32.

Ни по Бо́же мой. *Арх.* Ни за что, ни в коем случае. АОС 2, 42.

О Бо́же. *Жарг. шк. Шутл.* Учебный предмет ОБЖ — основы безопасности жизни. БСРЖ, 67.

Почива́ть/ почи́ть в Бо́зе. *Разг. Устар.* Покоиться, быть погребённым. Ф 2, 82.

БОГАДЕ́ЛЬНЯ * Зе́ковская богаде́льня. *Жарг. угол., арест.* Инвалидное ИТУ. Балдаев 1, 157.

БОГА́ТСТВО * На живо́е бога́тство жить. *Прикам.* Жить небогато, своим трудом. МФС, 12.

БОГА́ТЫЙ * Бога́тые то́же пла́чут. *Разг. Шутл.* О равенстве всех перед ударами судьбы. < Название мексиканского телесериала, который демонстрировался на канале «Останкино» в 1991–1992 гг. Дядечко 1, 53.

БОГАТЫ́РЬ * Богаты́рь на распу́тье. *Разг. Шутл.* 1. О выборе направления движения. 2. О выборе решения проблемы. < От названия картины В. Васнецова «Витязь на распутье» (1882 г.). Дядечко 1, 54.

Го́рный богаты́рь. *Публ. Устар. Патет.* Экскаватор (в угольных разрезах). Новиков, 30.

Кра́сный богаты́рь. *Жарг. мол. Шутл.* Мужской половой орган. Я — молодой, 1995, № 15; Вахитов 2003, 86.

Ледо́вый богаты́рь. *Публ. Патет. Устар.* Ледокол (обычно атомный). Новиков, 30.

Стально́й богаты́рь. *Публ. Патет. Устар.* 1. Самосвал. 2. Трактор. Новиков, 31.

Степно́й богаты́рь. *Публ. Устар. Патет.* Трактор. Новиков, 31.

Три богатыря́. 1. *Жарг. арм. Шутл.* Военный патруль. БСРЖ, 67. 2. *Жарг. шк. Шутл.* Учителя физкультуры. ВМН 2003, 25.

БОГА́ЧЕСТВО * На бога́чество пойти́. *Кар.* Выйти замуж в богатую семью. СРГК 1, 83.

БОГДА́Н * Богда́н Мызами́р (Тридоды́р, Титькоми́р). *Жарг. мол. Шутл.-ирон.* Популярный в начале 90-х гг. певец Богдан Титомир. Я — молодой, 1998, № 8; АиФ 1998, № 25.

Богда́н притоми́л. *Жарг. мол. Шутл.-ирон.* То же. ЖЭСТ-1, 24.

БО́ГОВ * Ни Бо́гов ни бе́сов. *Пск.* Никому не принадлежащий, ни от кого не зависящий. СПП 2001, 18.

БОГОРО́ДИЦА * Жить за Богоро́дицей. *Волг., Дон. Одобр.* О беспечной, благополучной жизни. Мокиенко 1990, 29; Глухов 1988, 43.

Оста́вить на пресвяту́ю Богоро́дицу. *Кар.* Оставить без присмотра. СРГК 1, 84; СРГК 4, 253.

БОДА́Й * Забери́ тебя́ бода́й! *Волг. Бран.* Недоброе пожелание, проклятие в чей-л. адрес. Глухов 1988, 44.

БОДОЖО́К * Бо́говы бодожки́. *Томск.* Растение железняк клубненосный. СОСВ, 32.

БО́ДРОСТЬ * Излива́ть бо́дрость. *Жарг. мол.* Смеяться. ЧП, 11.03.91.

БОДРЯКИ́ * Быть на бодряка́х. *Жарг. мол.* Испытывать состояние наркотической эйфории. WMN, 13.

БОДУ́Н * С бодуна́. *Разг.* В состоянии похмелья, абстинентного синдрома. Грачев 1994, 8; Митрофанов, Никитина, 22; Максимов, 39.

С бодуна́ ду́мка одна́. *Разг. Шутл.-ирон.* С похмелья хочется только одного — опохмелиться. Елистратов 1994, 45.

С бодуно́м борю́сь вино́м. *Разг. Шутл.* О необходимости опохмелиться. Елистратов 1994, 45.

БОДЯ́ГА * Гнуть бодя́гу. *Жарг. угол.* Вести пустой разговор. СВЯ, 9.

Завари́ть бодя́гу. *Новг.* Затеять, начать что-л. сложное. НОС 3, 11.

Заводи́ть/ завести́ бодя́гу. *Жарг. угол. Неодобр.* 1. Говорить надоедливо, повторяя одно и то же. ББИ, 204; Грачев, Мокиенко 2000, 46. 2. Тянуть время, медлить. ББИ, 204. 3. Затевать скандал без причины. ТСУЖ, 59.

Разводи́ть/ развести́ бодя́гу. 1. *Разг. Неодобр.* Долго и нудно говорить об одном и том же. ББИ, 201. 2. *Жарг.*

угол. Сбивать кого-л. с толку долгими, нудными разговорами. ББИ, 204. 3. *Разг. Неодобр.* Тянуть время, медлить, занимаясь пустяками. ББИ, 204; БМС 1998, 52; Мокиенко 1990, 65; Грачев, Мокиенко 2000, 46. 4. *Разг.* Балагурить, шутить. БМС 1998, 52. 5. *Жарг. угол. Неодобр.* Говорить вздор, лгать. ББИ, 204. 6. *Жарг. угол.* Затевать ссору, драку. ББИ, 204.

Тяну́ть бодя́гу. *Прост.* То же, что **разводить бодягу 1, 3.** БТС, 1360.

< **Бодяга** — народное название пресноводной губки, которая использовалась для изготовления румян.

БОЕ́Ц * Бое́ц неви́димого фро́нта. 1. *Публ. Патет.* Советский разведчик. Мокиенко, Никитина, 1998, 59. 2. *Жарг. мол. Шутл.* Мужской половой орган. Елистратов 1994, 663; ЖЭСТ-1, 140. 3. *Жарг. мол. Шутл.* Психически ненормальный человек. Максимов, 38.

БО́ЖЕ. См. **БОГ.**

БО́ЖЕНЬКА * Бо́женька крэй. См. **Бо́же крэй (БОГ).**

Бо́женька у́шки отре́жет. *Пск., Твер.* Предупреждение о последствиях при нарушении какого-л. запрета (говорится ребёнку). СПП 2001, 18.

БОЖИ́ТЬСЯ * Божи́ться по-росто́вски. *Жарг. угол.* Давать воровскую клятву. ББИ, 31; Балдаев 1, 41.

БОЖНИ́ЧКА * Посади́ть на божни́чку *кого. Томск.* Оценить кого-л. по заслугам. СОСВ, 148.

БО́ЖЬЕ * Перемеша́ться Бо́жьему с гре́шным. *Сиб. Шутл.* Смешаться, нарушив прежний порядок. ФСС, 134; СРНГ 26, 163.

БОЙ[1] * **Бить сме́ртным бо́ем** *кого. Разг.* Сильно, жестоко бить, избивать кого-л. Мокиенко, 1989, 50; ШЗФ 2001, 20; БМС 1998, 53.

Ве́рхним бо́ем. *Кар. (Ленингр.).* Вертикально, сверху. СРГК 1, 84.

Пойти́ пи́ровым бо́ем. *Олон.* Начать рукопашную схватку. СРНГ 28, 359.

С бараба́нным бо́ем. *Волг.* Насильно, со скандалом, вопреки желанию. Глухов 1988, 144.

С бо́ем. *Кар. (Волог.).* В тяжёлых условиях; трудно, тяжело. СРГК 1, 84.

Бой без пра́вил. *Жарг. шк. Шутл.* Перемена. Golds, 2001.

Бой быко́в. *Жарг. шк. Шутл.* Перемена. ВМН 2003, 25.

Дава́ть/ дать бой *кому. Разг.* Открыто, в резкой форме критиковать, разоблачать кого-л. Ф 1, 131.

Да́льний бой. *Жарг. Жарг. простит., авто.* Проститутка, обслуживающая шофёров на маршрутах дальнего следования. Смена, 1990, № 2, 68.

Держа́ть бой. *Олон.* Биться с кем-л. СРНГ 8, 21.

Идти́/ пойти́ на бой. *Дон. рыб.* 1. Идти на нерест. 2. Метать икру. СДГ 1, 33.

Кле́ить бой. *Жарг. угол., карт.* Изготавливать самодельные игральные карты. Максимов, 38.

После́дний бой. *Жарг. студ.* Последняя пара занятий в вузе. Максимов, 334.

Рукопа́шный бой. *Жарг. арм.* Обед. БСРЖ, 68.

Бра́ть/ взять с бо́ю. *Разг.* Добиваться чего-л. энергичными действиями. ФСРЯ, 46.

На бою́. *Ряз.* На открытом месте. ДС, 61.

С большо́го бо́ю. *Арх.* С трудом, с большими затратами энергии. АОС 2, 50.

БОЙ[2] * **Бой с обло́жки.** *Жарг. мол. Одобр.* Неформальный лидер. Максимов, 38.

БО́ЙКА * Бить бо́йку. *Обл. Неодобр.* Бездельничать. Мокиенко 1990, 67.

Забива́ть бо́йку. *Пск.* Играть в чижика. ПОС 2, 78.

Загоня́ть бо́йку. *Пск.* Играть в свайку. ПОС 2, 78; СРНГ 3, 66.

< **Бойка** — бита, палка для игры в городки и т. п.

БО́ЙНЯ * На бо́йне за кишки́ драли́сь. *Сиб. Шутл.* О событии, которое произошло очень давно. ФСС, 64.

БОК * Бок кропи́ть. *Кар. (Ленингр.). Неодобр.* Бездельничать. СРГК 3, 25.

Бок напа́рить. *Волог.* Утомиться за работой. СРНГ 3, 68.

Бок не подло́мит. *Яросл. Шутл. или неодобр.* О ленивом человеке. ЯОС 2, 9.

Бок о́ бок. *Разг.* 1. Рядом, очень близко один от другого (идти, ехать, находиться). 2. Вместе (жить, работать). ФСРЯ, 41; БТС, 88.

Бок во́зле (по́дле) бо́ка. *Арх.* То же, что **бок о бок 1.** АОС 2, 52; СРНГ 28, 59.

Бок с бо́ком. *Горьк.* То же, что **бок о бок 1.** Бал. Сок., 23.

Во весь бок. *Урал.* Сильно. СРНГ 3, 68.

Дать бок. *Урал.* Свернуть в сторону. СРНГ 3, 68.

На свой бок. 1. *Волг.* К себе, на свою сторону. Глухов 1988, 92. 2. *Сиб. Неодобр.* Себе во вред, на свою беду. СФС, 119; ФСС, 14.

Ни в бок ни в сто́рону. *Народн.* Об упрямом человеке. ДП, 210.

Тере́ть бок о́ бок. *Обл. Неодобр.* Бездельничать. Мокиенко 1990, 61.

Ткнуть в бок *кого. Волг.* Грубо напомнить кому-л. о чём-л. Глухов 1988, 159.

Фик-фок на оди́н бок. *Народн. Шутл.-ирон.* О кривобоком человеке. ДП, 510.

Хвали́ли — на́ бок свали́ли *кого. Волг. Шутл.-ирон.* О человеке, который не оправдал надежд, ожиданий окружающих, опозорился. Глухов 1988, 165.

Хоть за бок укуси́ *кого. Волг. Шутл.* О полном, упитанном человеке. Глухов 1988, 168.

Бока́ завали́лись *у кого. Волг.* Об очень худом, измождённом человеке. Глухов 1988, 4.

Бока́ заворoти́лись *у кого. Сиб. Ирон.* О растолстевшем человеке. ФСС, 14.

Бока́ ло́паются *у кого. Сиб. Пренебр.* О безобразно толстом человеке. ФСС, 14.

Бока́ подвело́ *у кого. Волг. Ирон.* О крайней бедности, жизни впроголодь. Глухов, 1988, 124.

Бока́ сши́ло *кому. Морд.* О сильной боли в боках. СРГМ 2002, 183.

Брать/ взять за бока́ *кого. Прост.* 1. Привлекать к ответу, ответственности. ФСРЯ, 45; БТС, 88. // *Пск.* Наказывать кого-л. СПП 2001, 18. 2. Принуждать, заставлять кого-л. делать что-л. ФСРЯ, 45.

Бубни́ть бока́ *кому. Волг.* Бить, избивать, строго наказывать кого-л. Глухов 1988, 7.

Бути́ть бока́ *кому. Прикам.* То же, что **бубнить бока.** МФС, 15; Мокиенко 1990, 53-54.

Вы́сыпать под бока́ *кому. Орл.* Наказать побоями, побить кого-л. СОГ 1989, 100.

Вы́вихать бока́ *кому. Пск.* То же, что **намять бока.** ПОС 8, 129.

Вылудить бока́ *кому. Народн.* Наказать кого-л., устроить нагоняй кому-л. ДП, 220; Мокиенко 1990, 53-54.

Вы́ровнять (поровня́ть) бока́ *кому. Волг., Дон.* То же, что **намять бока.** СДГ 1, 90; СДГ 3, 44; Глухов 1988, 19; СРНГ 30, 65.

Вы́тереть бока́ *кому. Обл.* То же, что **намять бока.** Мокиенко 1990, 52, 54.

Есть на два бо́ка. *Вол. Шутл.* Жадно и много есть. Глухов 1988, 41.

Заскреба́ть за бока́. *Волог. Ирон.* Жить тяжёлой, трудной жизнью. СВГ 2, 149.
Лома́ть бока́ *кому. Горьк.* Бить, избивать кого-л. БалСок, 42.
Мыть бока́ *кому. Башк.* Говорить о ком-л., обсуждать кого-л. СРБГ 1, 48.
Набо́чкать бока́ *кому. Коми.* То же, что **намять бока.** Кобелева, 68.
Набузова́ть бока́ *кому. Сиб.* То же, что **намять бока.** СФС, 109; Мокиенко 1990, 53-54
Набузы́ривать бока́. *Морд.* Бить, избивать кого-л. СРГМ 1986, 55.
Наве́трить бока́ *кому. Волг., Дон.* То же, что **намять бока.** СДГ 2, 153; Глухов 1988, 87.
Надава́ть под бока́ *кому. Орл., Прикам.* То же, что **намять бока.** СОГ-1989, 141; МФС, 62.
На два бо́ка. *Брян.* Много, вдоволь, сколько хочешь. СБГ 1, 65.
Надсади́ть бока́. *Народн.* Долго, много смеяться, хохотать (до боли в боках). ДП, 868.
Накла́сть в бока́ *кому. Морд.* То же, что **намять бока.** СРГМ 1986, 76.
Накомя́чить (нахомя́чить) бока́ *кому. Морд.* То же, что **намять бока.** СРГМ 1986, 78.
Налома́ть (облома́ть) бока *кому. Разг.* То же, что **намять бока.** ФСРЯ, 265; БМС 1998, 53; Мокиенко 1990, 53-54; СОСВ, 32.
Наломи́ть бока́ *кому. Волог., Томск.* То же. СВГ 5, 51.
Нами́чкать бока *кому. Ср. Урал.* То же, что **намять бока.** СРГСУ 2, 175.
Намолоти́ть (намоло́ть) бока́ *кому. Перм., Прикам., Сиб.* То же, что **намять бока.** СГПО, 337; МФС, 63; Мокиенко 1990, 53-64; ФСС, 119.
Намы́лить бока́ *кому. Яросл.* То же, что **намять бока.** ЯОС 6, 103.
Намя́ть (отмя́ть, помя́ть) бока́ *кому. Разг.* Побить, избить кого-л. ФСРЯ, 265; Мокиенко 1990, 53-54; Ф 2, 28; Подюков 1989, 121; Глухов 1988, 91; БТС, 88; БМС 1998, 53.
Напа́рить бока́ *кому. Волг.* То же, что **намять бока.** Глухов 1988, 91.
Наутю́жить бока́ *кому. Яросл.* То же, что **намять бока.** ЯОС 6, 119.
Нахря́пать бока́ *кому. Свердл.* То же, что **намять бока.** СРНГ 20, 273.
Начеса́ть бока́ *кому. Перм., Р. Урал.* То же, что **намять бока.** Сл. Акчим. 1, 77; СРНГ 20, 284.
Нашко́кать (нащекота́ть) бока́ *кому. Оренб.* То же, что **намять бока.** СРНГ 20, 305.
Обката́ть бока́ *кому. Перм.* Подвергнуть наказанию, избить кого-л. Подюков 1989, 134.
Облежа́ть бока́. *Волог. Неодобр.* Облениться. СВГ 5, 122.
Отваля́ть бока́. *Народн.* То же, что **намять бока.** ДП, 260.
Отгуля́ть бока́ *кому. Пск.* Избить, поколотить кого-л. (палкой). СПП 2001, 18.
Отира́ть бока́. *Волг. Неодобр.* Бездельничать. Глухов 1988, 119.
Отла́мывать бока́ *кому. Прост.* Бить, колотить кого-л. Ф 2, 27.
Отлёживать бока́. *Прост. Шутл.* Спать. Максимов, 38.
Отмолоти́ть (отпе́кать) бока́ (ко́сти) *кому. Пск.* То же, что **намять бока.** СРНГ 24, 243; СРНГ, 24, 269.
Отмоча́лить бока́. *Народн.* То же, что **намять бока.** ДП, 260.
Па́рить бока́. *Прост. Неодобр.* Бездельничать, лодырничать. Ф 2, 35.
Перелома́ть бока́ *кому. Прост.* Избить, покалечить кого-л. (обычно — как угроза расправы). Ф 2, 40.
Попа́сть с о́бщего бо́ка. *Волог.* Оказаться в неприятном, сложном положении из-за кого-то. СРНГ 36, 8.
Поправля́ть бока́ *кому. Прост.* Бить, колотить кого-л. Ф 2, 76.
Поровня́ть бока́ *кому. Волг.* То же, что **намять бока.** Глухов 1988, 130.
Пра́вить бока́. *Перм. Неодобр.* Лежать бездельничая. Подюков 1989, 160.
Руби́ть бока́. *Жарг. угол.* Ловким движением пальцев снимать карманные часы с цепочки. Трахтенберг, 52.
Сботете́нить бока́ *кому. Морд.* То же, что **намять бока.** СРГМ 2002, 21.
Хвата́ться/ схвати́ться за бока́. *Разг.* Сильно смеяться, хохотать. Ф 2, 231.
Отдува́ться свои́ми (со́бственными) бока́ми. *Прост.* Расплачиваться, нести ответственность за чужую вину, промахи, ошибки. ФСРЯ, 302; ЗС 2001, 106; БТС, 744; Гдухов 1988, 119.
Отдува́ться чужи́ми бока́ми. *Народн.* Перекладывать на кого-л. свою работу, свою вину. ДП, 664; ЗС 1996, 206.
Плати́ть свои́ми бока́ми. *Волг.* То же, что **отдуваться своими боками.** Глухов 1988, 123.
Бу́ткать бо́ки *кому. Обл.* Бить, избивать кого-л. Мокиенко, 1990, 53.
Во (на) все бо́ки. *Волг.* Сильно, интенсивно, во всю мощь. Глухов 1988, 13.
Все бо́ки проскубёт. *Пск. Неодобр.* О назойливом, надоедливом человеке. ПОС 2, 80.
На все бо́ки. *Дон.* 1. Зажиточно, богато. СДГ 1, 34. 2. *также Курск.* Сильно, интенсивно. СДГ 1, 34; БотСан, 102.
С боко́в вон. *Кар. (Ленингр.), Пск.* До пресыщения, до отвала (наесться). СРГК 1, 226; ПОС 2, 80.
Выла́зить бо́ком *кому. Волг.* То же, что **вылезать боком.** Глухов 1988, 18.
Вылеза́ть/ вы́лезти (выходи́ть/ вы́йти) бо́ком *кому. Разг.* Плохо кончаться для кого-л. ФСРЯ, 42; ЗС 2001, 163; БТС, 88, 172; БМС 1998, 53; Ф 1, 94.
Е́хать бо́ком. *Волг.* Сторониться, избегать кого-л. Глухов 1988, 41.
Никаки́м бо́ком. *Прост.* Ни с какой стороны, совершенно (не подходить, не соответствовать чему-л.) Ф 1, 32.
Одни́м бо́ком запиха́ться, други́м вы́пихаться. *Кар. (Арх.).* Пережить какие-л. затруднения. СРГК 1, 278.
Под бо́ком. *Разг.* Очень близко, совсем рядом. ФСРЯ, 42; БТС, 88; ПОС 2, 80.
То бо́ком, то ско́ком. *Волг. Неодобр.* Небрежно, кое-как. Глухов 1989, 159.
Ходи́ть бо́ком. *Перм.* То же, что **ехать боком.** Подюков 1989, 222.
Хоть бо́ком кати́сь. *Пск. Шутл.* О просторной, без грязи дороге. ПОС 14, 45.
Быть на боку́. *Кар. (Ленингр.).* Приходить к концу, кончаться. СРГК 1, 86.
Возле бо́ку. *Кар. (Новг.).* 1. Рядом, недалеко. 2. На обочине. СРГК 1, 86, 218.
Ко́ло бо́ку. *Пск.* То же, что **бок о бок.** ПОС 2, 80.
Лежа́ть на боку́. *Разг. Неодобр.* Бездельничать, совсем ничего не делать. ФСРЯ, 42; Сл. Акчим. 1, 77; Мокиенко 1990, 64; СФС, 99. **Лежи́т на боку́ да гляди́т за реку́.** *Народн. Неодобр.* О бездельнике. ДП, 501. **Лежи́т на боку́ да гляди́т за Оку́.** *Народн. Неодобр.* То же. Мокиенко 1990, 64; Жиг. 1969, 214.
Лежа́ть с бо́ку на́ бок. *Волг. Неодобр.* То же, что **лежать на боку.** Глухов 1988, 80.
На боку́ дыру́ ве́ртит. 1. *Народн.* О хитром человеке, плуте, пройдохе. ДП, 650. 2. *Волог.* О непоседливом человеке. СВГ 2, 29.
На боку́ ды́рку прове́ртит. *Новг.* О бойком, умелом человеке. НОС 9, 38.
С бо́ку два (два с бо́ку). *Жарг. угол.* Тюремный надзиратель. СРВС 3, 118.

С бо́ку три (три с бо́ку). *Жарг. угол.* Старший тюремный надзиратель (имеющий на плечах три пломбочки). Трахтенберг, 60; СРВС 3, 118.

Сиде́ть у ма́ткиного бо́ку. *Новг.* Быть дома. НОС 1, 65.

БОКА́ * Бока́ с прице́пом. *Жарг. угол.* Часы с цепочкой. СВЯ, 9.

Руби́ть/ сруби́ть бока́. *Жарг. угол.* Срезать карманные часы. СРВС 3, 175; ТСУЖ, 154.

БОКА́Л * Поднима́ть/ подня́ть бока́л. 1. *за кого, за что. Книжн.* Произносить тост, здравицу в честь кого-л., чего-л. Ф 2, 57. 2. *Жарг. угол.* Обворовывать бакалейную лавку. Ларин, 120.

БОКОВА́Я * Отправля́ться/ отпра́виться на бокову́ю. *Разг. Шутл.* Ложиться спать. ФСРЯ, 42; БМС 1998, 53; Мокиенко, 1990, 79, 82-83; СФС, 109.

БОКОВИ́НА * Идти́ на боковину. *Сиб.* Собираться спать. ФСС, 86.

БО́КОМ * Вали́ бо́ком! *Жарг. мол. Груб.* Уходи, убирайся отсюда! Вахитов 2003, 25; Максимов, 54.

БОКС * Кита́йский бокс. *Жарг. мол. Шутл.* Настольный теннис. Максимов, 38.

БОКСЁР * Ку́хонный боксёр. *Жарг. мол. Шутл.* 1. Мелкий хулиган. 2. Домашний скандалист. Максимов, 38.

БОЛА́Н * Бола́н на хвосте́ *у кого. Жарг. угол.* За кем-л. следит работник милиции (обычно — как предупреждение). СВЯ, 9.

БОЛБА́Н * Болба́н неотёсанный. *Перм. Бран.* О мужчине (чаще — мальчике), поступающем неразумно, бестолково. Сл. Акчим. 1, 77.

Болба́на води́ть. *Кар.* Водить хоровод. СРГК 1, 87.

БОЛВА́Н* Игра́ть/сыгра́ть в болва́на. *Жарг. угол., мол.* Притворяться недалёким, не понимающим чего-л. человеком. СВЯ, 14; Максимов, 38.

БОЛВА́НКА * Вы́жечь болва́нку. *Жарг. комп.* Сделать запись на компакт-диск. Никитина 2003, 56.

БОЛВА́НУШКА * Болва́нушки Интерне́йшенал. *Жарг. мол. Шутл.-ирон.* Поп-группа "Иванушки International". Я — молодой, 1998, № 8.

БО́ЛЕЕ (БО́ЛЕ). См. **БОЛЬШЕ.**

БОЛЕ́ЗНЬ * Двена́дцать боле́зней. *Брян.* Травянистое растение цикорий обыкновенный. СБГ 5, 8.

Без боле́зни. *Кар. (Волог.).* Легко, без труда. СРГК 1, 88.

О́гненная боле́знь. *Разг. Устар.* Лихорадка. Ф 1, 32.

Отби́ться от боле́зни. *Волог.* Поправиться, выздороветь. СВГ 6, 84.

Асфа́льтовая боле́знь. *Разг. Шутл.-ирон.* Синяки, ссадины от падения (как правило — в состоянии опьянения). DL, 57; Максимов, 17; Вахитов 2003, 9.

Базе́дова боле́знь. *Жарг. мол. Шутл.* О состоянии удивления (когда у человека широко раскрыты глаза). Максимов, 21.

Боле́знь Андре́я Чеснoко́ва. *Жарг. мол. Шутл.* О запахе чеснока, исходящем от кого-л. Вахитов 2003, 17. < Андрей Чесноков — известный российский теннисист.

Боле́знь Бо́ткина. *Жарг. шк. Шутл.*- Учительница биологии. ВМН 2003, 25.

Боле́знь локи́зм. *Жарг. мол. Шутл.* Лень, отсутствие желания что-л. делать. Максимов, 38.

Боле́знь перепи́л. *Жарг. мол. Шутл.-ирон.* Утреннее похмелье. Максимов, 38.

Боле́знь шаммо́ра. *Жарг. мол. Шутл.* Простуда после употребления холодного шампанского и мороженого. < **Шаммо́р** — аббревиатура: **шампанское — мороженое**. ФЛ, 95.

Верхова́я боле́знь. *Кар. (Новг.).* Кожное заболевание. СРГК 1, 88.

Весёлая боле́знь. *Жарг. мол. Шутл.* Венерическое заболевание. Максимов, 38.

Вы́чехать боле́знь. *Яросл.* Выздороветь. ЯОС 3, 60. <**Вычехать** — вырвать, стошнить.

Дрянна́я (нехоро́шая) боле́знь. *Яросл.* То же, что **дурная болезнь.** ЯОС 4, 23; ЯОС 6, 144.

Дурна́я боле́знь (боль). *Брян., Сиб., Яросл.* Венерическое заболевание, сифилис. СФС, 68; СБГ 5, 6; ЯОС 4, 26.

Завенча́ть родову́ю боле́знь. *Яросл.* Сделать посредством колдовства так, чтобы при родах мучилась не жена, а муж (для этого при венчании невеста произносит соответствующие слова). ЯОС 4, 57.

Заводи́ть боле́знь. *Морд.* Обременять себя какими-л. заботами. СРГМ 1980, 89.

Звёздная боле́знь. *Публ. Неодобр.* Высокомерное, чванливое поведение лица, пользующегося популярностью, известностью. БМС 1998, 53.

Зерка́льная боле́знь *у кого. Жарг. мол. Шутл.* О человеке с большим животом. Вахитов 2003, 69.

Испа́нская боле́знь. *Жарг. мол.* Понос. < По созвучию. Максимов, 38.

Кра́сная боле́знь. *Волог.* Острый колит. СВГ 3, 120.

Медве́жья болезнь. *Разг. Шутл.-ирон.* Расстройство желудка, понос (обычно от испуга, большого страха). Флг., 193.

Налётная боле́знь. *Новг.* Эпидемия. НОС 5, 152.

Отпиха́ть боле́знь. *Кар.* Выздороветь. СРГК 4, 317.

Очко́вая боле́знь. *Жарг. спорт.* Погоня за очками в ущерб качеству игры. НРЛ-77.

Пасть в боле́знь. *Кар.* Заболеть. СРКГ 4, 404.

Перепели́ная боле́знь. *Разг. Шутл.* Болезненное состояние похмелья. < Игра слов **перепел** и **перепил**. Елистратов 1994, 323.

Полова́я боле́знь. *Жарг. мол. Шутл.* Состояние сильного алкогольного опьянения. Вахитов 2003, 138.

Пти́чья боле́знь. 1. *Разг. Шутл.-ирон.* Триппер. < Вторичная семантизация каламбура *три пера.* УМК, 54. 2. *Жарг. мол.* Похмельный синдром. Вахитов 2003, 152.

У́тренняя боле́знь. *Жарг. мол. Шутл.* Похмелье. Максимов, 38.

Францу́зская боле́знь. 1. *Прост.* Сифилис. Ф 1, 32. 2. *Жарг. мол. Шутл.* Венерическое заболевание. Максимов, 38.

Чёрная боле́знь. *Дон.* Эпилепсия. СДГ 5, 191.

Шатро́вая боле́знь. *Жарг. арм. Шутл.* Состояние утренней эрекции, когда человек лежит под одеялом. Елистратов 1994, 564.

Боле́ть асфа́льтовой боле́знью. *Разг. Шутл.-ирон.* Падать, передвигаться на четвереньках (о пьяном человеке). Митрофанов, Никитина, 11.

БОЛЁМ * Болём боле́ть. *Дон.* Сильно болеть. СДГ 1, 34.

БО́ЛЕСТЬ * До бо́лести. *Арх.* Очень много. АОС 2, 56.

Ни бо́лести (бо́лестей). *Арх., Прибайк.* Совсем ничего, абсолютно ничего. АОС 2, 56; СНФП, 23.

Сгоре́ть в бо́лести. *Орл.* Умереть. СОГ 1989, 85.

С огнево́й бо́лести говори́ть (плести́, моло́ть). *Арх. Неодобр.* Говорить вздор, глупости, нечто бессмысленное. АОС 2, 56.

А́глицкая боле́сть. *Калуж.* Рахит. СРНГ 1, 202.

Боле́сть тебе в руки! *Перм.* Дурное пожелание человеку, доставившему неприятность. СГПО, 45. // *Прикам.* Выражение возмущения, негодования по поводу чего-л. МФС, 12.

Бо́лесть тебя́ возьми́! *Башк.* Недоброе пожелание, выражение негодования, досады. СРГБ 1, 48.

Ве́шняя боле́сть. *Забайк., Сиб.* Лихорадка. СРГЗ, 76; ФСС, 14.

На каку́ю (кой) бо́лесть? *Арх.* Зачем, для чего? АОС 2, 56.

Посте́льная боле́сть. *Сиб.* Венерическое заболевание. ФСС, 14.

Чтоб тебя́ лиха́я бо́лесть взяла́! *Народн.* То же, что **болесть тебя возьми!** ДП, 749.

БОЛО́НИ * Боло́ни надрыва́ть/ надорва́ть. *Приамур., Сиб.* 1. Надорваться от тяжёлой работы. СРГПриам., 163; СФС, 27; ФСС, 14; СРНГ 3, 78. 2. *также Забайк.* Смеяться до изнеможения. СРГЗ, 66; СРГПриам., 163; СФС, 27; ФСС, 14.

БОЛО́НЬЯ * Ката́ть боло́нья. *Сиб.* Выполнять тяжелую физическую работу. ФСС, 91.

БОЛО́ТО * В боло́те живёт, по лягу́шечьи орёт. *Сиб. Шутл.* О манерах, привычках человека, обусловленных средой, в которой он живёт. ФСС, 71.

В боло́те по коле́но. *Жарг. мол. Неодобр.* О глупом человеке. Максимов, 38.

Вя́знуть/ увя́знуть в боло́те *чего. Нов. Неодобр.* Застревать, не получать развития, оставаться без последствий. НРЛ-89, 68.

Боло́то с ни́ми (с ним и т. п.**)!** *Пск. Бран.* Выражение злобы, досады, негодования. ПОС 2, 89.

В ви́рово боло́то. *Пск.* Очень далеко; неизвестно куда. СПП 2001, 18.

Слезли́вое боло́то. *Коми. Шутл.-ирон.* О чувствительном, плаксивом человеке. Кобелева, 77.

Хоть в боло́то него́дный. *Пск. Пренебр.* Очень плохой, низкого качества. СПП 2001, 18.

БОЛТ * Болт заби́ть (завинти́ть, положи́ть) *на кого, на что. Жарг. мол.* 1. Отнестись к чему-л. равнодушно, наплевательски. СМЖ, 89; Балдаев 1, 135. 2. Решительно покончить с чем-л., перестать заниматься чем-л. Мокиенко 1995, 8; Югановы, 35.

Взять (натяну́ть, сажа́ть/ посади́ть) на болт *кого. Прост.* Совершить половой акт с кем-л. Югановы, 35; ББИ, 188; Балдаев 1, 359.

Пролета́рский (рабо́че-крестья́нский) болт. *Жарг. угол. Шутл.-ирон.* 1. Мужской половой орган большого размера. 2. Мастер на производстве. 3. Инженер — выходец из рабочих. ББИ, 203–204.

Сесть на чёрный болт. *Жарг. мол. Шутл.* Сожительствовать с негром. Балдаев 2, 37.

Чёрный болт. 1. *Жарг. мол. Шутл.* Негр. ББИ, 279. 2. *Прост. Презр.* Бригадир на производстве. ББИ, 279. 3. *Жарг. мол. Шутл.* Милицейская дубинка. Мокиенко, 1995, 8; Балдаев 2, 143.

Я́сен болт. *Жарг. мол.* О чём-л. вполне очевидном, понятном. Я — молодой, 1997, № 27. < **Болт** — Мужской половой орган.

Болты́ болта́ть. *Перм. Неодобр.* Болтать, пустословить. Подюков, 1989, 14.

Перетяну́ть болты́. *Кар. (Ленингр.).* Пересмотреть и привести в порядок что-л. СРГК 1, 89; СРГК 4, 475.

Болты́ сре́зало *у кого. Жарг. мол. Неодобр.* Кто-л. сошел с ума, начал вести себя подобно сумасшедшему. Никитина 2003б, 48.

Болты́ прилете́ли. *Жарг. мол. Шутл.* 1. О глупом человеке. 2. О психически ненормальном человеке. Максимов, 39. < Трансформация выражения **вальты прилетели**.

Гоня́ть болты́. *Жарг. мол. Неодобр. или Шутл.* Хвастаться, выставлять себя напоказ. Максимов, 39.

Завора́чивать болты́. *Жарг. мол.* Лгать, обманывать кого-л. Вахитов 2003, 18.

Продава́ть болты́. *Калуж. Шутл.* Болтать, пустословить; говорить вздор. Мокиенко 1990, 156.

БОЛТА́ТЬСЯ * Болта́ться по-поро́жнему. *Сиб. Неодобр.* Делать что-л. без существенных результатов. ФСС, 14.

БО́ЛТИКИ * Ската́ть в бо́лтики. *Жарг. угол.* Сыграть в карты. < **Болтики** — игральные карты. Грачев 1997, 109.

БОЛТКИ́ * Болтки́ (болту́шки) болта́ть. *Сиб.* Пустословить, говорить о пустяках. СФС, 27; ФСС, 14; Мокиенко 1990, 156.

БОЛТУ́ХА * Дать (наши́ть, поднести́) болту́ху *кому. Обл.* Избить кого-л. Мокиенко 1990, 46, 51, 59, 160.

БОЛТУ́ШКИ * Болту́шки болта́ть. См. **Болтки болтать (БОЛТКИ).**

БОЛЬ * Гоня́ть бо́ли. *Прибайк.* Безуспешно, безрезультатно применять какие-л. средства для излечения кого-л. СНФП, 23.

Подь ты весь к бо́ли! *Сиб. Бран.* Отстань, отвяжись. ФСС, 191.

Боль больна́я. *Дон.* Сильная физическая или душевная боль. СДГ 1, 35.

Боль опа́сная! *Сиб. Бран.* Выражение досады, обиды. ФСС, 14.

Боль падучая. *Сиб.* Эпилепсия. ФСС, 14.

Головна́я боль. *Разг.* Сложная проблема, предмет переживаний, забот, волнений. Вахитов 2003, 209.

Дурна́я боль. См. **Дурная болезнь (БОЛЕЗНЬ).**

Ли́пкая боль. *Сиб.* Дифтерит. СРНГ 17, 55.

На те боль! *Сиб.* Выражение сильного раздражения, недовольства. ФСС, 14; СРНГ 19, 102.

Отнима́ть боль. *Кар.* Обезболивать. СРГК 4, 309.

Попа́сть в боль. *Кар. (Арх., Волог., Ленингр., Новг.).* Заболеть. СРГК 1, 91.

Смёртна боль. *Сиб.* Водянка. ФСС, 14.

Хвати́ лётна боль *кого*! *Сиб. Бран.* Выражение недовольства, лёгкого раздражения. ФСС, 14.

Чтоб тебя́ (его́ и т. п.**). лётна боль!** *Сиб. Бран.* Пожелание беды, несчастья кому-л. ФСС, 14.

Быть в боля́х. *Урал.* Много болеть. СРНГ 5, 85.

БОЛЬНИ́ЦА * Быть в больни́це. *Жарг. угол.* Отбывать срок наказания в ИТУ. ББИ, 37; Балдаев 1, 51.

БО́ЛЬНО * Бо́льно и ла́дно. *Кар. (Волог.). Одобр.* Хорошо. СРГК 1, 92.

БОЛЬНО́Й * Спра́шивай у больно́го здоро́вья. *Волг. Ирон.* Не нужно задавать лишних вопросов. Глухов 1988, 153.

Толку́й больно́й с подле́карем. *Народн. Шутл.-ирон. Устар.* О непонимании кем-л. предмета разговора; о непонимании спорящими друг друга. Жук. 1991, 326.

БО́ЛЬШАНЬ * На бо́льшани. *Печор.* Среди взрослых, среди старших, главных где-л. СРГНП 1, 37.

БОЛЬША́Я * По большо́й. *Разг.* С крупной ставки (играть, ходить и т. п.). ФСРЯ, 42.

БО́ЛЬШЕ * Бо́льше не́куда. *Башк.* Очень много. СРГБ 1, 49.

Ни бо́льше ни ме́ньше. *Разг.* 1. Ровно столько, сколько названо, указано. 2. Как раз так, именно так (действовать, поступать). ФСРЯ, 42.

Носи́ — бо́льше (бо́ле) не проси́. *Прост.* Больше ничего не получишь. Глухов, 1988, 113.

Хлеба́й бо́льше — ме́ньше плыть придётся. *Жарг. мол. Шутл.-ирон.* Совет плохому пловцу. Максимов, 461.

Доходи́ть до большо́го. *Орл.* Получать образование, авторитет, значимость. СОГ 1989, 86.

Сам большо́й, сам ма́ленький. *Перм.* О самостоятельном, ни от кого не зависящем человеке. Подюков 1989, 14.

БОЛЬШЕВИ́К * Идти́ по большевика́м. *Кар. (Арх.).* Поддерживать кого-л., быть на чьей-л. стороне. СРГК 2, 268.

БО́ЛЬШЕЕ * Извини́ть за бо́льшее. *Дон.* Сделать все возможное. СРНГ 12, 107.

Са́мое бо́льшее. *Разг.* Не больше, чем названо, указано. ФСРЯ, 42.

БО́ЛЬШИ́НА * На бо́льши́не быть. *Яросл.* Быть главой семьи. ЯОС 6, 76.

Бо́льши́ну взять. *Сиб., Ср. Урал., Яросл.* Добиться первенства, одержать верх. СФС, 28; ФСС, 26; СРГСУ 1, 51.

Бо́льшину забра́ть. *Яросл.* То же. ЯОС 2, 12.

Бо́льши́ну отня́ть. *Яросл.* Лишить управления хозяйством, главенства. ЯОС 2, 12.

БОЛЬШИНСТВО́ * По большинству́. *Печор.* Главным образом. СРГНП 1, 38.

БОЛЬШО́ * Большо́ бы так. *Сиб.* Хорошо бы знать о чём-л. ФСС, 14.

Кабы большо́. *Сиб.* То же, что **большо бы так.** ФСС, 14.

Мно́го большо́. *Сиб.* Знать очень много. ФСС, 14.

БОЛЬШОЕ * Ходи́ть/сходи́ть по большо́му. *Разг. Эвфем.* Испражняться. < Из эвфем. сочететаний **большое дело, большая нужда**. Мокиенко, Никитина 2003, 88.

БОЛЬШО́Й * Бо́льше большо́го. *Арх.* Очень много. АОС 2, 65.

На большо́й. 1. *Прост. Одобр.* Очень хорошо, превосходно; очень хороший, превосходный. Ф 1, 33; БотСан, 102; ДС, 63. 2. **[:жить].** *Арх. Одобр.* В достатке, зажиточно. АОС 2, 70.

БОЛЬШУ́ХА * Большу́ха навали́лась *на кого. Яросл. Шутл.-ирон.* Кто-л. разленился, предался лени. ЯОС 2, 14.

БОЛЯ́ТКА. См. **БОЛЯТОК.**

БОЛЯ́ТОК (БОЛЯ́ТКА) * Встал боля́ток *у кого. Яросл.* У кого-л. что-л. заболело. ЯОС 3, 45.

До боля́тки (боля́тку). *Дон., Орл.* 1. До боли, больно. 2. Сильно, интенсивно. СДГ 1, 36; СОГ 1989, 87.

До боля́тки дойти́. *Ряз.* Причинить боль кому-л. ДС, 63.

БОЛЯ́ЧКА * Сма́зывать боля́чки сусли́ным жи́ром *кому. Волг.* Утешать, успокаивать кого-л. Глухов 1988, 150.

БО́МБА * Бо́мба заме́дленного де́йствия. 1. *Жарг. авто.* Женщина за рулем автомобиля. Максимов, 40. 2. *Жарг. шк. Шутл.* Точка в классном журнале напротив фамилии какого-л. ученика. ВМН 2003, 26.

Стоя́ть на бо́мбе. *Жарг. угол.* 1. Выпрашивать деньги на выпивку у входа в пивную, ликёро-водочный магазин. 2. *также Арест.* Стоять на страже у двери камеры во время игры в карты, истязаний сокамерников и других запрещённых действий. Балдаев 2, 62.

Бо́мбу подыма́ть *на кого. Прикам.* Пытаться разрушить что-л., уничтожить кого-л. МФС, 77.

Броса́ть/ сбро́сить бо́мбу. *Жарг. мол. Шутл.* Испражняться. Я — молодой, 1995, № 15.

Кида́ть бо́мбы. *Жарг. мол.* Выполнять несложные рисунки в технике граффити. < **Бомба** — от англ. *bomb* — несложный рисунок в технике граффити. SPR, 1999, № 5, 61.

БОМБОМЕТА́НИЕ * Ковро́вое бомбомета́ние. *Жарг. шк. Шутл.-ирон.* Выставление оценок за контрольную работу. (Запись 2003 г.).

Произвести́ бомбомета́ние. *Жарг. арм. Шутл.* О семяизвержении при половом акте. Кор., 232.

БОМЖ * О бомже́. *Жарг. шк. Шутл.* Учебный предмет ОБЖ — основы безопасности жизнедеятельности. (Запись 2003 г.).

БОН * Бон Жёваный. *Жарг. мол. Шутл.* Американская рок-группа "Бон Джови" (Bon Jovi); лидер этой группы Джон Бон Джови. Я — молодой, 1995, № 6.

БО́НДИВ * Дать бо́ндив *кому. Брян.* Избить палками кого-л. СБГ 1, 71.

БОР * Гляде́ть на бор. *Арх.* Быть близким к смерти. АОС 9, 139.

Сыр бор загоре́лся. *Народн.* О беде, шуме из-за пустяков. ДП, 517. См. также **СЫР-БОР.**

На бору́ хлеба́ доста́нет. *Пск. Одобр.* О ловком, умелом работнике. ПОС 2, 113.

Не на́шего бо́ру ягода. См. **Не нашего поля ягода (ПОЛЕ).**

С бо́ру (с борку́) да с со́сенки; с бо́ру по со́сенке. *Разг.* Случайно, без разбору; отовсюду понемногу (обычно — о подборе, составе людей). ФСРЯ, 43; БМС 1998, 54; БТС, 91; ДП, 471. < Первонач. — о сборе грибов и ягод в хвойном лесу. **И с бо́ру и с со́сенки.** *Разг.* То же. ФСРЯ, 43.

БОРДЕ́ЛЬ * Борде́ль па́ни Кру́пской. *Жарг. студ. Шутл.-ирон.* Институт культуры им. Н. К. Крупской в Санкт-Петербурге. Ныне Санкт-Петербургский государственный университет культуры и искусств. Синдаловский 2002, 29.

БОРДЮ́Р * Дви́нуть бордю́ром. *Жарг. мол.* Подвинуться. Елистратов 1994, 44.

БОРЕ́Ц * Боре́ц за иде́ю. *Публ. Патет. или Разг. Ирон.* Агитатор, идеологический работник. Мокиенко, Никитина 1998, 62.

БОРЖО́МИ * По́здно пить Боржо́ми. *Жарг. мол. Шутл.-ирон.* О невозможности что-л. изменить, исправить. Максимов, 40.

БОРЗА́Я * Борзу́ю (борзы́х) пуска́ть. *Разг.* Делать ход фишкой с пятью очками (при игре в домино). ТВ-6, 05.03.01. < **Борза́я** — фишка домино с пятью очками.

БОРЗО́МЕТР * Борзо́метр зашка́ливает *у кого. Жарг. мол. Неодобр.* О наглом человеке. Вахитов 2003, 19; Максимов, 40.

БОРЗОТА́ * Борзота́ вши́вая. *Жарг. угол. Презр.* О наглом, нахальном человеке. УМК, 58.

БОРЗЯ́НКА * Борзя́нки нае́сться (нажра́ться, накури́ться, обкури́ться, наку́шаться, наглота́ться). *Разг. Неодобр.* Стать наглым, агрессивным. Елистратов 1994, 47; Максимов, 40.

БОРИ́НА * Три бори́ны — ха-на-на́. *Пск. Шутл. или Пренебр.* О цыганке. (Запись 2004 г.).

БОРИ́С * Бори́с Бодуно́в. 1. *Жарг. студ. (ист). Шутл.* Русский царь Борис Годунов. (Запись 2003 г.) 2. *Жарг. шк. Шутл.* Драма А. С. Пушкина «Борис Годунов». БСПЯ, 2000. < **Бодун** — похмелье.

Бори́с коту́ я́йца отгры́з. *Детск. Шутл.* Прозвище, дразнилка человека по имени Борис. (Запись 2001 г.).

Бори́с Петро́вич. *Жарг. арм. Устар. Шутл.* Бронепоезд. < От аббревиатуры БП. Кор., 48.; Лаз., 15.

Бори́с, ты не прав! *Разг. Шутл.* 1. Выражение несогласия с действиями, предложениями собеседника. 2. О неправильных действиях мужчины по имени Борис. < Реплика Е. Лигачева во время обсуждения критического выступления Бориса Ельцина на Пленуме ЦК КПСС 21 октября 1987 г. Дядечко 1, 54.

Бори́с Фёдорович. *Жарг. мол., нарк. Шутл.* Клей "БФ", используемый наркоманами. ФЛ, 95; Максимов, 40; Щуплов, 160.

Ме́ряли Бори́с да Тара́с и бечева́ порвала́сь. *Сиб.* Очень далеко (о расстоянии). СФС, 104; ФСС, 32.

БОРМОТУ́ХА * Безалкого́льная бормоту́ха. *Жарг. журн., полит. Ирон. или Пренебр.* Бывший президент СССР М. С. Горбачев (проводивший антиалкогольную кампанию). МННС, 162.

БО́РОВ * Бо́ров неко́ромный. *Пск. Бран.* О человеке, поступающем неправильно, глупо. СПП 2001, 18.

БОРОВО́К * Боровки́ гоня́ть. *Яросл.* Приготовлять борозды для посадки картофеля. ЯОС 2, 15.

БОРОДА́ * Бо́гова борода́. *Башк.* Полоска несжатого хлеба, оставляемая по традиции в конце жатвы. СРГБ 1, 47.

Борода́ болта́ется *у кого. Жарг. мол. Шутл.* О человеке, которому в чём-л. отказали. Максимов, 39.

Борода́ длинна́, а ум ко́роток. *Народн. Неодобр. или Шутл.-ирон.* О взрослом, пожилом, но глупом, несообразительном человеке. Жиг. 1969, 231.

Борода́ по коле́но, а дров ни поле́на. *Народн. Неодобр. или Шутл.-ирон.* О взрослом, пожилом, но непрактичном, бесхозяйственном человеке. Жиг. 1969, 231.

Борода́ пообкида́ла *кого. Одесск.* О сыпи, выступившей на лице. КСРГО.

Борода́ росла́, да ра́зума не принесла. *Народн. Шутл.-ирон.* О человеке, не поумневшем до старости. Жиг. 1969, 231.

Борода́ с воро́та, а ума́ с перекали́ток. *Новг. Неодобр.* О легкомысленном, глупом немолодом человеке. НОС 7, 121.

Борода́ с помело́, а брю́хо голо́ *у кого. Народн. Шутл.-ирон. или Неодобр.* О взрослом, пожилом, но непрактичном, бесхозяйственном человеке. Жук. 1991, 50.

Де́дова борода́. *Пск.* Название вьющегося комнатного цветка. СПП 2001, 18.

Дыря́вая борода́. *Волг. Пренебр.* Об очень неаккуратном человеке. Глухов 1988, 40.

Евре́йская борода́. *Пск.* Название декоративного вьющегося растения. ПОС 10, 106.

Мико́лина борода́. *Сиб.* 1. Небольшой несжатый участок оставленный в углу полосы во время жатвы. СФС, 105. 2. Небольшой суслон снопов, поставленный в углу сжатой полосы в знак завершения жатвы. ФСС, 14.

Си́няя борода́. 1. *Книжн. Неодобр.* О ревнивом муже, зверски обращающемся с женой. < Выражение возникло на основе одноимённой сказки Ш. Перро. БМС 1998, 54. 2. *Жарг. мол. Шутл.* Алкоголик, пьяница. Урал-98.

Я́сная борода́. *Брян.* Растение лапчатка серебристая. СБГ 1, 72.

Дать по бороде́ *кому. Яросл.* Побить, избить кого-л. ЯОС 3, 121.

Настуча́ть по бороде́ *кому. Жарг. мол.* Избить, нанося удары по лицу кого-л. СИ, 1998, № 8; Максимов, 41.

По бороде́. *Жарг. мол. Неодобр.* О неудаче, крушении планов. h-98.

По бороде́ Авраа́м, а по делам Хам. *Народн. Неодобр.* О благопристойно выглядящем, но непорядочном, подлом человеке. ДП, 316.

По бороде́ апо́стол, а по зуба́м соба́ка. *Народн. Неодобр.* О благопристойно выглядящем, но злом, грубом человеке. ДП, 698.

По бороде́ хоть в рай, а по дела́м — ай-а́й. *Народн. Неодобр.* О благопристойно выглядящем, но непорядочно, скверно поступающем человеке. ДП, 698.

Пусти́ть по бороде́ *кого. Жарг. мол.* 1. Отказать кому-л. в чём-л. 2. Увести, отбить у парня девушку. Максимов, 41.

Бородо́й по ве́тру. *Жарг. мол. Шутл.-ирон.* О человеке, который лишился всего, остался ни с чем. Максимов, 41.

Вали́ть бородо́й. *Кар. (Волог.).* Уходить откуда-л. (чаще — в форме требования уйти, удалиться). СРГК 1, 159.

Под бородо́й я́ма *у кого. Пск. Неодобр.* О пьянице. СПП 2001, 18.

Обрасти́ бородо́й. *Разг. Ирон.* Устареть, стать банальным. НРЛ-79.

С бородо́й. 1. *Жарг. угол.* О богатом человеке. ТСУЖ, 157. 2. *Разг.* О старом, давно известном, банальном анекдоте, истории. Ф 1, 33; БСРЖ, 72. 3. *Разг.* Об устаревших сведениях, немодных предметах. Мокиенко 2003, 10.

Трясти́ бородо́й. *Жарг. угол.* Возмущаться. ББИ, 32; Балдаев 1, 43.

Бо́роду вы́растил, а ум вы́пустил. *Народн. Неодобр.* О глупом, несообразительном немолодом человеке. Жиг. 1969, 231.

Брать/ взять бо́роду в зу́бы. *Волг. Шутл.* Спешно собираться, отправляться куда-л. Глухов 1988, 5.

В бо́роду наплева́ть *кому. Яросл.* Обесчестить кого-л. СРНГ 20, 79.

Вить бо́роду. *Арх.* То же, что **завивать бороду 2.** АОС 4, 110.

Влепи́ть в бо́роду репе́й *кому. Народн.* Расправиться с кем-л. (угроза). ДП, 221.

Гла́дить/ погла́дить (погла́живать) бо́роду. *Разг.* Выражать поглаживанием бороды хорошее настроение, доброе расположение духа. БМС 1998, 54. < От соответствующего мусульманского жеста во время молитвы.

Дать под бо́роду *кому. Волг.* Ударить, избить кого-л. Глухов 1988, 30.

Завива́ть/ зави́ть бо́роду. 1. *Сиб., Яросл.* Старинный обычай окончания жатвы, когда оставляют несжатым небольшой участок, завязывая колосья узлом. СФС, 74; ЯОС 4, 58. 2. *Арх., Сиб.* Заканчивать полевые работы. СРНГ 3, 109; СФС, 74. **Завива́ть/ зави́ть бо́роду Ису́су (Илье́, Христу́).** *Курск., Яросл.* То же, что **завивать бороду 1.** БотСан, 97; ЯОС, 58. **Завяза́ть бо́роду Илье́.** *Ворон., Курск.* То же, что **завивать бороду 1.** ДП, 888; БотСан, 83. **Заплести́ бо́роду Илье.** *Башк.* То же, что **завивать бороду 2.** СРГБ 1, 145.

Заложи́ть под бо́роду. *Разг. Шутл.* Напиться пьяным. ТСУЖ, 63; Балдаев 1, 144.

На *чью* **бо́роду.** *Сиб.* Вид брани в чей-л. адрес. ФСС, 14.

На бо́роду Ива́ну. *Ср. Урал.* То же, что **завивать бороду 1.** СРГСУ 2, 132.

Накле́ить бо́роду *кому.* 1. *Жарг. мол. Шутл.* Соврать, обмануть кого-л. 2. *Жарг. мол.* Изменить сексуальному партнеру. 3. *Жарг. угол.* Перерезать кому-л. горло. Максимов, 41.

Наплева́ть в бо́роду. *Новг.* Выразить равнодушие к чему-л. НОС 5, 161.

Наплю́й ему в бо́роду. *Народн.* О человеке, который лжёт. ДП, 203.

Подве́сить (приши́ть, прикле́ить, припеча́тать) бо́роду *кому. Жарг.*

угол. 1. *также Мол. Неодобр.* Обмануть, подвести кого-л. СРВС 2, 166; СРВС 3, 22; Росси 1, 37; ТСУЖ, 22. 2. *Неодобр.* Предать, выдать кого-л. СРВС 3, 22. 3. Скрыться с краденым. ТСУЖ, 146.

Подре́зать бо́роду *кому. Жарг. карт.* Играть в карты без ставок. Балдаев 1, 330.

Посме́иваться (смея́ться) в бо́роду. *Разг.* Смеяться тихо и незаметно, стараясь скрыть свой смех. ФСРЯ, 42; РБФС, 152; БМС 1998, 54.

Прицепи́ть бо́роду *кому. Жарг. мол. Шутл.* Отказать кому-л. в чём-л. Максимов, 41.

Расчеса́ть бо́роду *кому. Перм.* Избить, сурово наказать кого-л. Подюков 1989, 171.

Утере́ть бо́роду *кому. Обл. Ирон.* Показать, доказать свое превосходство над кем-л. Ф 2, 224.

Вы́ше бороды́. *Орл.* Очень много, сверх меры. СОГ 1989, 126.

До си́вой бороды́. *Пск.* До старости. ПОС 2, 119.

Ещё и бороды́ не брил. *Пск. Ирон.* О молодом, неопытном человеке. СПП 2001, 18.

Не вида́ть мне свое́й бороды́! *Устар.* Клятвенное заверение в том, что обещание будет обязательно исполнено. БМС 1998, 54.

БОРО́ДКА * Зави́ть [Ильину́] боро́дку. *Ср. Урал.* То же, что **завивать бороду 1.** СРГСУ 1, 166.

Оста́вить на боро́дку (на бо́роду) Илье́ (Иису́су, Нико́ле). *Башк., Кар., (Ленингр.), Яросл.* То же, что **завивать бороду 1.** СРГБ 1, 164; СРГК 4, 253; ЯОС 7, 58.

Оста́ться боро́дку в пя́стку. *Пск. Шутл.-ирон.* Остаться ни с чем. СПП 2001, 64.

БОРОЗДА́ * По гото́вой борозде́ прое́хать. *Арх.* Жениться на девушке, имевшей добрачную связь. АОС 9, 400.

Пра́здновать в борозде́. *Яросл.* Работать в праздник. ЯОС 8, 80.

Ходи́ть в борозде́. *Сиб.* Уметь выполнять хозяйственные работы. Верш. 7, 204.

Научи́ть ходи́ть бороздо́й *кого. Арх.* Заставить, приучить подчиняться. СРНГ 20, 252.

Поле́зть (залезть) за борозду́. *Дон.* Перейти, переступить границу. СДГ 1, 37.

Проведу́ и я свою́ борозду́. *Народн.* Выражение надежды. ДП, 117.

Гоня́ть бо́розды. 1. *Яросл.* Приготовлять борозды для посадки картофеля. ЯОС 2, 16. 2. *Яросл.* Пропахивать борозды, удаляя сорняки. ЯОС 2, 16. 3. *Яросл.* Окучивать картофель. ЯОС 2, 16. 4. *Арх.* Во время пахоты проезжать в одном направлении. АОС 9, 316.

Три борозды́. *Кар. (Арх.).* О большом количестве чего-л. СРГК 1, 99.

БОРО́К * Оди́н с борка́, друго́й с вере́тьи. *Арх.* Об очень похожих друг на друга людях. АОС 3, 115.

С борка́ да с веретёшки. *Перм., Прикам.* Из разных мест, отовсюду. СГПО, 67; МФС, 13. < **Веретёшка** — сухой возвышенный участок среди болота.

Кто с борку́, кто с долку́. *Народн.* То же, что **с борка да с веретёшки.** ДП, 720.

С борку́ да с со́шки. *Народн.* То же, что **с бору да с сосенки (БОР).** ДП, 471.

Боро́к на си́ней ни́тке. *Перм. Шутл.-ирон.* О человеке, который говорит о предмете, мало известном ему. Сл. Акчим., 84.

Гляде́ть на боро́к. *Кар. (Волог.). Ирон.* Быть близким к смерти. СРГК 1, 344.

БОРОНА́ * Больша́я борона́. *Кар. (Ленингр.).* Влиятельное лицо, оказывающее поддержку кому-л. СРГК 1, 100.

Пе́рвая борона́. *Яросл.* Трехлетняя лошадь. ЯОС 7, 90.

Прокати́ть на бороне́ *кого. Кар. (Волог.).* Отказать кому-л. при сватовстве. СРГК 5, 264.

Бороно́й воро́та подпира́ет. *Народн. Ирон.* О бедняке. ДП, 88.

С бороно́й по́ воду пое́хал, а це́пом ры́бу у́дит. *Народн. Шутл.-ирон.* О человеке со странностями. ДП, 459.

Бить бо́рону. *Волг., Новг.* Сердиться, ругать кого-л., ссориться с кем-л. Глухов 1988, 3; Сергеева 2004, 226.

Борони́ть борону́. *Коми., Печор. Неодобр.* Говорить вздор, ерунду. Кобелева, 57; СРГНП 1, 39.

Бо́рону в пе́чку. *Волг.* О примирении враждующих сторон. Глухов 1988, 4.

Затащи́ть бо́рону на кры́шу. *Новг. Шутл.* Изменить кому-л. в любви, нарушить супружескую верность. Сергеева 2004, 236.

Притяну́ть бо́рону. *Кар. (Арх.) Ирон.* Подшутить над неудачно посватавшимся парнем. СРГК 5, 218.

Ху́до в бо́рону [*кому*]. *Пск.* Очень плохо, невыносимо тяжело кому-л. где-л. СПП 2001, 18–19.

БОРО́НКА * В боро́нку. *Яросл.* Лошадь в возрасте от 2 до 3 лет, на которой уже можно боронить. ЯОС 2, 39. // *Новг.* Лошадь в возрасте 3–4 лет. НОС 1, 78.

БОРОНО́ВКА * Дать бороно́вку (бороно́вки) *кому. Волг., Пск.* Избить, поколотить, наказать кого-л. Глухов 1988, 29; ПОС 2, 125.

БОРО́ТЬСЯ * Боро́ться и иска́ть, найти́ и перепря́тать. *Разг. Шутл.* 1. Говорится при поисках чего-л. (обычно долгих и безуспешных). 2. О необходимости бороться. 3. О девизах и лозунгах. < От советского лозунга **Бороться и искать, найти и не сдаваться** (из романа В. Каверина "Два капитана"). Вальтер, Мокиенко 2006, 48; Вальтер, Мокиенко 2006, 29.

БОРТ * Подня́ть борт. *Сиб.* 1. Начать жить хорошо, лучше прежнего. СФС, 28, 99; ФСС, 140; СКузб., 158. 2. Почувствовать облегчение, воспрянуть духом. ФСС, 140.

Выбра́сывать/ вы́бросить за борт *кого, что. Разг.* Отвергать кого-л. или что-л. как ненужное, неподходящее. ФСРЯ, 43; Мокиенко 1990, 129; БМС 1998, 54.

Пить через борт. *Жарг. арест.* Пить суп или жидкую кашу через край миски. Росси 1, 37; Быков, 30; Балдаев 2, 141.

Через борта́. *Кар. (Ленингр.).* Чрезмерно, слишком. СРГК 1, 101.

Остава́ться/ оста́ться за борто́м *чего. Разг.* Отбиваться от коллектива, сходить с правильного пути, оказываться вне дела, игры, какого-л. предприятия. БМС 1998, 55; Ф 1, 33.

Пройти́ борто́м. *Жарг. угол.* Не состояться, не оправдать надежд, завершиться неудачно. Росси 1, 37.

БОРЩ * Ки́сло в борщ *кому. Одесск.* Безразлично, все равно кому-л. Смирнов 2002, 91.

Насра́ть в борщ *кому. Одесск. Вульг.* Поступить непорядочно по отношению к кому-л. Смирнов 2002, 126.

Не кана́ет ни в борщ, ни в кра́сную а́рмию. *Жарг. мол. Неодобр.* Никуда не годится. Югановы, 298.

Тры́нды-ры́нды — го́лый борщ. *Одесск. Неодобр. или Шутл.-ирон.* О вранье или пустой болтовне. КСРГО.

БОРЩЕХЛЁБ * Закро́й борщехлёб [и не греми́ кры́шкой]! *Разг. Груб.* Требование замолчать. Елистратов 1994, 48.

БОРЬБА́ * Борьба́ за выжива́ние (за жизнь). *Жарг. мол.* То же, что **борьба за существование 2.** Максимов, 41.

Борьба́ за существова́ние. 1. *Публ.* Об упорном стремлении выжить (или отстоять личные интересы) в жёстких естественных условиях; о конкурентной борьбе. < Из заглавия одного из трудов Ч. Дарвина. БМС 1998, 55; ШЗФ 2001, 22. 2. *Жарг. арм., шк. Шутл.* О ситуации в солдатской или школьной столовой. БСРЖ, 73.

Нана́йская борьба́. *Жарг. мол. Шутл.* Половой акт. Максимов, 41.

БО́РЬКА * Звать/ позва́ть (вызыва́ть/ вы́звать) бо́рьку. *Жарг. мол. Шутл.* Провоцировать рвоту. Максимов, 41.

БО́РЯ * Бо́рю звать. *Жарг. мол. Шутл.-ирон.* О рвоте. БСРЖ, 73.

БОСИКО́М * Ходи́ть босико́м. *Волг.* 1. Быть бедным, неимущим. 2. Быть смелым, решительным. Глухов 1988, 166.

БОСОНО́ЖКА * На босоно́жку. *Жарг. угол.* На предохранителе (об огнестрельном оружии). Балдаев 1, 265.

БОСЯ́ВКА * Ссу́ченная босяќвка. *Жарг. угол. Презр.* Девушка — осведомительница органов милиции. Балдаев 2, 58.

На бося́вку. *Сиб.* Босиком. СФС, 109; ФСС, 15.

БОСЯ́К * Ссу́ченный босяк. *Жарг. угол. Презр.* Лицо, сотрудничающее или подозреваемое в сотрудничестве с оперативными органами. ТСУЖ, 23; УМК, 58; ББИ, 32.

БО́ТАЛО * Бо́тало база́рное. *Сиб. Презр.* Болтун, пустомеля, врун. ФСС, 15.

Бо́тало дереве́нское. *Сиб. Презр.* То же, что **ботало базарное.** ФСС, 15.

Бо́тало деревя́нное. *Прост. Презр.* То же, что **ботало базарное.** Ф 1, 33.

Бо́тало ко́нское (коро́вье). 1. *Прост. Неодобр.* То же, что **ботало базарное.** ФСС, 15; СРГЗ, 68; Ф 1, 33; Подюков 1989, 16; Мокиенко, Никитина 2003, 89. 2. *Сиб.* Громкий, звонкий голос. ФСС, 15.

Бо́тало оси́новое. *Сиб.* То же, что **ботало базарное.** СФС, 28; ФСС, 15.

Закры́ть бо́тало. *Жарг. угол.* Замолчать. Росси 1, 37; ББИ, 32; Балдаев 1, 44.

Распуска́ть/ распусти́ть бо́тало. *Жарг. угол., Разг. Неодобр.* Разглашать тайну. Бен, 28; БСРЖ, 73.

Худо́е бо́тало. *Сиб.* То же, что **ботало базарное.** СФС, 28; ФСС, 15.

< **Ботало** — язык, рот (из диал. речи, где *ботало* — колокольчик на шее у коровы).

БО́ТАНЕЦ * Надава́ть бо́танцев *кому. Курск.* Избить кого-л. Мокиенко 1990, 48, 159.

БОТА́НИК * Включи́ть бота́ника. *Жарг. мол. Шутл.* Сделать серьезный вид. Елистратов 1994, 67.

Бота́нику ата́с. *Жарг. мол.* Название произведения Грибоедова "Горе от ума". КП, 04.12.98.

< **Ботаник** — отличник, прилежный ученик.

БОТА́НИКА * Чита́ть бота́нику *кому.* 1. *Жарг. мол. Неодобр.* Делать выговор, читать нравоучения кому-л. БСРЖ, 74. 2. *Жарг. угол., мол. Неодобр.* Говорить об общеизвестном, убеждать кого-л. в прописных истинах. Балдаев 2, 146; Белоус, 47; Максимов, 42.

БОТВА́ * Ботва́ дро́том *у кого. Жарг. мол.* Волосы встают дыбом от испуга. h-98.

Ботва́ завя́ла. *Жарг. нарк.* О начале действия наркотика. Максимов, 42.

Карто́фельная ботва́. *Жарг. мол. Шутл.-ирон.* Ноги. Максимов, 42.

Ту́хлая ботва́. *Жарг. мол.* Вздор, ерунда. Никитина 2003, 62.

Гнать (заряжа́ть, лепи́ть, поро́ть) ботву́. *Жарг. мол. Неодобр.* Говорить ерунду, вздор, рассказывать нечто вымышленное. Урал-98; БСРЖ, 74.

< **Ботва** — 1. Волосы. 2. Ерунда, чушь.

БОТВИ́НЬЯ * Выходи́ть на ботви́нью. *Брян.* Вступать в брак с неимущим. СБГ 3, 87.

БОТИ́НОК * Ортопеди́ческие боти́нки. *Жарг. мол. Шутл.-ирон.* Тесная обувь. Максимов, 42.

Ревмати́ческие боти́нки. *Жарг. мол. Шутл.-ирон.* Обувь отечественного производства. Максимов, 42.

БО́ТЫ * Бо́ты привели́ *кого, куда. Жарг. мол. Шутл.* О человеке, пришедшем куда-л. в состоянии сильного опьянения. Вахитов 2003, 20.

БОХЛО́НКИ * Бить бохло́нки. *Обл. Неодобр.* Бездельничать. Мокиенко 1990, 69.

БОЧА́РА * Кати́ть бочару. *Жарг. мол.* Возмущаться чем-л. Максимов, 42.

БОЧЕЛЯ́ГА * Хрома́я бочеля́га. *Прикам. Пренебр.* О хромом человеке. МФС, 13.

БОЧИ́НА * С бочи́ной. *Арх.* О беременной женщине. АОС 2, 96.

БО́ЧКА * Наговори́ть (насказа́ть) со́рок бо́чекареста́нтов. *Прост. Ирон.* Очень много наговорить чего-л. неправдоподобного. БТС, 46, 93; Жиг. 1969, 112; Подюков 1989, 16; Мокиенко 1986, 110; Мокиенко 1990, 140; БМС 1998, 57.

Напланова́ть семь бо́чек арестантов. *Новосиб.* То же, что **Наговори́ть со́рок бо́чекареста́нтов.** СРНГ 20, 28.

< **Арестант** — мелкая сушёная рыба.

От бо́чек есть. *Арх.* Есть досыта, вдоволь. АОС 2, 97.

Со́рок бо́чекареста́нтов [и все пусты́е]. 1. *Волг.* О чём-л. необычном, невероятном. Глухов 1988, 152. 2. *Кар. (Новг.).* О чём-л. незначительном, пустяковом. СРГК 5, 355.

Бездённая бо́чка. *Яросл. Неодобр.* О жадном, ненасытном человеке. ЯОС 1, 46.

Бездо́нная бо́чка. *Разг. Шутл.* 1. О жадном, алчном, неблагодарном человеке. БМС 1998, 56; ШЗФ 2001, 18; БТС, 66. 2. О человеке, который может выпить много спиртного, не пьянея. ФСРЯ, 43. 3. Об объекте нескончаемых и нерезультативных материальных затрат. ШЗФ 2001, 18; БМС 1998, 56. 4. О бесплодном, утомительном труде. БМС 1998, 56.

Бо́чкаареста́нтов. *Волг.* Хулиганы, преступники, сомнительная компания; люди, достойные осуждения, порицания. Глухов 1988, 5.

Бо́чка Данаи́д. *Книжн.* Бесцельная, нескончаемая работа; бесплодный труд. < Из древнегреческой мифологии. ФСРЯ, 43; БМС 1998, 56.

Бо́чка дёгтю, ло́жка мёду. *Ворон. Ирон.* О неудаче, крушении планов. СРНГ 17, 109.

Бо́чка Диоге́на. *Книжн.* О чём-л., символизирующем оторванность от жизни, от общества. БТС, 93; Ф 1, 33. < Восходит к одному из преданий о древнегреческом философе Диогене. БМС 1998, 56-57.

Ви́нная бо́чка. 1. *Жарг. морск. Шутл.* Судно для транспортировки жидких грузов. БСРЖ, 74. 2. *Волг., Сиб. Презр.* Пьяница. Глухов 1988, 5, 11; СФС, 39; ФСС, 15.

Порохова́я бо́чка. 1. *Разг.* Взрывоопасная ситуация, обстановка. Ф 1, 33.

2. *Жарг. авто. Шутл.* Автомобиль-бензовоз. Максимов, 42.

Пустáя бóчка. *Волг. Пренебр.* О неумелом, бесполезном человеке. Глухов 1988, 137.

Сороковáя бóчка. *Волг. Неодобр.* 1. Алкоголик, пьяница. 2. Ненасытный человек, обжора. Глухов 1988, 5, 152.

Пойти́ по бóчкам. *Яросл.* Начать пить спиртное в большом количестве. ЯОС 8, 45.

[В] кáждой бóчке гвоздём (гвоздь). *Башк., Орл., Пск. Неодобр.* То же, что **в каждой бочке затычка.** СРГБ 1, 150; СОГ, 1992, 5; ПОС 6, 151.

В кáждой бóчке зaты́чка. *Прост. Неодобр.* О любопытном, назойливом человеке, который непрошенно вмешивается во все дела. СРГМ 1980, 98; СОГ 1992, 5; ПОС 6, 151; БТС, 93; Ф 1, 206.

К кáждой бóчке чепкóм быть. *Курск. Неодобр.* Вмешиваться не в свое дело. БотСан, 119. < **Чепóк** — затычка.

На бóчке плáвал (океáн переплы́л). *Жарг. мол. Шутл.* О кривоногом человеке. Максимов, 43.

Сидéть (стоя́ть) на пороховóй бóчке. *Разг.* О потенциальной угрозе войны или другой неожиданной беды. БТС, 93; Ф 2, 155; ЗС 1996, 111.

В кáждую бóчку втáркиваться. *Пск. Неодобр.* Непрошенно вмешиваться в чужие дела. СПП 2001, 19.

Гнать бóчку *на кого. Жарг. мол. Неодобр.* То же, что **катить бочку 2-3.** Вахитов 2003, 36; Максимов, 43.

Кати́ть бóчку *на кого.* 1. *Прост.* Ругать, бранить кого-л., обвиняя в чём-л. БМС 1998, 57; БТС, 93. 2. *Прост.* Наговаривать напрасно, клеветать на кого-л. НСЗ-84; Глухов 1988, 73; Ф 1, 234; ПОС 2, 136; Максимов, 43; Вахитов 2003, 75. 3. *Жарг. угол., мол.* Придираться к кому-л., провоцируя драку. БСРЖ, 74. 4. *Жарг. угол.* Доносить на кого-л. ББИ, 102; Грачев, Мокиенко, 2000, 52.

Нагнáть бóчку арестáнтов. *Волг.* Собрать большое количество народа где-л. Глухов 1988, 88.

Наговори́ть (рассказáть) бóчку арестáнтов. *Арх., Башк., Кар. (Ленингр.).* То же, что **наговорить сорок бочек арестантов.** АОС 2, 97; СРГБ 1, 51; СРГК 1, 22. **Наговори́ть (наболтáть) бóчку (кýчу, мéрку) арестáнтов** *кому. Волг., Пск. Шутл.* То же. ПОС 2, 136; Мокиенко 1990, 140; СПП 2001, 19, 48; Глухов 1988, 88.

Намолóть бóчку (шáйку) арестáнтов. *Кар. (Арх.).* То же, что **наговорить сорок бочек арестантов.** СРГК 1, 22.

Перекáтывать бóчку взад-вперёд. *Обл. Неодобр.* Тратить время на бессмысленные, пустые разговоры. Ф 2, 39.

БОЧКÓМ * Глядéть бочкóм. *Перм. Неодобр.* Уклоняться от работы. Сл. Акчим. 1, 85.

БОЧÓНОК * Бочóнок с мёдом. *Жарг. мол. Шутл.-ирон.* Об очень полном человеке. Максимов, 43.

БОШЛЯ́ * Без бошля́. *Кар.* Не просыпаясь. СРГК 1, 103.

БОЯ́РИН * Жени́ть боя́р. *Прикам. Устар.* Название молодёжной игры. МФС, 36.

Больши́е боя́ре (бояры). *Сиб.* Свидетели, почётные гости на свадьбе со стороны жениха. СФС, 27; ФСС, 15.

Мáлые боя́ре. *Сиб.* Свидетели со стороны невесты. СФС, 27; ФСС, 15.

Большóй боя́рин. *Сиб.* В свадебном обряде — один из главных распорядителей на свадьбе, выбранный из родственников жениха. ФСС, 15.

Мáлый (срéдний) боя́рин. *Сиб.* В свадебном обряде — младший (средний) распорядитель на свадьбе. ФСС, 15.

Стáрший боя́рин. *Дон.* 1. *Устар.* Окружной атаман. 2. *также Сиб.* В свадебном обряде — дружка, старший распорядитель на свадьбе. СДГ 1, 38; ФСС, 15.

Жени́ть боя́рина. *Кар. (Арх.).* Старинный обычай наряжать двух девушек женихом и невестой и ехать в дом жениха накануне свадьбы. СРГК 2, 49.

БОЯ́РЫНЯ * Боя́рыня Морóзова. *Жарг. арм.* 1. *Устар.* Реактивный миномет "Катюша". < Расшифровка аббревиатуры **БМ (боевая машина)**. Кор., 48. 2. Зенитная установка БМ-13. Лаз., 239.

Не вели́ка боя́рыня. *Разг. Неодобр.* О женщине, которая, по мнению говорящего, могла бы вести себя попроще, поступиться некоторыми своими привычками. БТС, 116.

БРÁГА * Волосянáя брáга. *Народн. Ирон.* Таскание за волосы. СРНГ 5, 64; Мокиенко 1990, 48.

Ходи́ть на брáгу. *Прикам.* Ходить на званый вечер, в гости. МФС, 107.

БРАЗДЫ́ * Бразды́ правлéния. *Книжн. иногда Шутл.-ирон.* О государственной или административной власти. БМС 1998, 57; ШЗФ 2001, 23; Ф 1, 36.

Держáть бразды́ правлéния. *Книжн.* Править чем-л., властвовать над кем-л. Ф 1, 157.

БРАК * Третьесóртный брак. *Жарг. мол. Неодобр.* 1. Вещь низкого качества. 2. Ерунда, чушь. Максимов, 43.

БРАНЬ * На брань слóво купи́ть. *Перм.* Использовать в ссоре наиболее обидные, резкие слова. Сл. Акчим. 1, 87.

Поливáть брáнью *кого. Разг.* Раздражённо, гневно ругать, бранить кого-л. Ф 2, 68.

БРАТ * Бéлый брат (брáтец). *Жарг. мол. Шутл.* Унитаз. Вахитов 2003, 14.

Большóй брат. *Волог.* В свадебном обряде — родной или названый брат невесты, который перед согласием на выдачу невесты "продает и пропивает" её. СВГ 1, 38.

Брат брáта на ви́лки подня́л. *Одесск.* Об ущербном месяце. КСРГО.

Брат брáту (продать). *Олон.* Без прибыли. СРНГ 3, 151.

Брат двухколёсный (трехколёсный). *Жарг. байк.* Обращение байкеров друг к другу. Мото, 1998, № 4, 82.

Брат Знáменский. *Жарг. мол. Шутл.-одобр.* Хороший бегун. Максимов, 43.

Брат и сват. *Пск.* Каждый, всякий, любой (о человеке). СПП 2001, 19.

Брат меньшóй. *Жарг. мол. Шутл.* Мужской половой орган. Елистратов 1994, 663; ЖЭСТ-1, 140.

Брат по колесý. *Жарг. байк.* Член группировки байкеров. Мото, 1998, № 4, 30.

Брат по рáзуму. *Жарг. мол. Шутл.* 1. Алкоголик. 2. Вьетнамец. Максимов, 43.

Брат с сестрóй. 1. *Курск.* Название полевого цветка, синего с одной стороны, розового — с другой. БотСан, 83. // *Сиб.* Название лесного растения, цветущего синими и розовыми цветами. СФС, 29. 2. *Пск.* Полная луна; месяц в фазе полнолуния. ПОС 2, 144.

Ваш брат. *Разг.* Вы (ты) и вам (тебе) подобные. ФСРЯ, 43; Ф 1, 34; ШЗФ 2001, 32; ЗС 1996, 368; БМС 1998, 57.

Желéзный брат. *Жарг. мол. Шутл.* Киоск, ларёк, где продается спиртное. Максимов, 43.

Змéев брат. *Пск.* 1. Рыба вьюн. ПОС 2, 144. 2. *Неодобр.* О хитром, изворотливом человеке. СПП 2001, 19.

Леснóй брат. *Жарг. мол. Шутл.* Башкир (г. Магнитогорск). Максимов, 43.

Лу́кин брат. *Жарг. мол. Шутл.* Чеснок. Вахитов 2003, 93.

Мла́дший брат. *Публ. Ирон.* О народе, государстве, занимающем зависимое положение по отношению к более крупной державе. Мокиенко 2003, 10.

Наш брат. *Разг.* Мы и нам подобные. ФСРЯ, 43.

Наш брат Иса́йка — без струн балала́йка. *Народн. Шутл.-ирон.* Болтун, пустомеля. Жиг. 1969, 212.

Наш (свой) брат Исаа́кий. *Разг. Устар. Шутл.* То же, что **свой брат.** БМС 1998, 57.

Не свой брат. *Народн.* 1. Человек, не равный кому-л. по социальному положению. ДП, 779. 2. *Неодобр.* О чём-л. неприятном, враждебном, неприемлемом. Ф 1, 35; ДП, 830.

Свой брат. *Разг.* Человек, похожий на говорящего, близкий ему по социальному положению, мировоззрению и т. п. ФСРЯ, 43; ЗС 1996, 30.

Ста́рший брат. *Публ.* 1. *Устар. Патет. или Ирон.* О русском народе по отношению к другим народам СССР. Мокиенко, Никитина 1998, 63. 2. *Ирон.* О народе, государстве, занимающем главенствующее положение по отношению к менее крупному, зависимому. Мокиенко 2003, 10.

Тёплый брат. *Разг. Шутл.-ирон.* Гомосексуалист. Флг., 398; УМК, 58.

Цыбу́лькин брат. *Сиб. Шутл.* Чеснок. ФСС, 15.

Чёртов брат. *Волг. Неодобр.* Хулиган, озорник. Глухов 1988, 172.

Два бра́та. *Жарг. арест.* Заключённые, имеющие татуировки, свидетельствующие о братании — "Бр" и "ат" на кистях рук. ББИ, 64-65; Балдаев 1, 104.

Два бра́та акроба́та. *Разг. Шутл.-ирон.* О паре гомосексуалистов. Елистратов 1994, 20.

Два бра́та с Арба́та, о́ба горба́ты. *Народн. Шутл.-ирон.* О похожих друг на друга людях, не лишённых каких-л. недостатков. ДП, 856.

На бра́та. *Прост.* Каждому, на каждого. ФСРЯ, 43.

У бра́та. *Разг. Шутл.* Название пивной на ул. Дм. Ульянова в Москве. Елистратов 1994, 50.

Бра́тья Караха́новы. *Жарг. шк. Шутл.* Роман Ф. М. Достоевского «Братья Карамазовы». < **Карахан** — опий. (Запись 2002 г.).

Бра́тья [на́ши] ме́ньшие. 1. *Публ.* Представители животного мира, животные. БМС 1998, 58. 2. *Жарг. шк. Шутл.* Ученики младших классов. ВМН 2003, 27. 3. *Жарг. мол. Шутл.-ирон.* Рыночные торговцы из Китая и Вьетнама (г. Магнитогорск). Максимов, 44.

Бра́тья по кла́ссу, *чаще мн. Публ. Патет. Устар.* О пролетариате или коммунистах иностранных государств. Мокиенко, Никитина 1998, 64.

Бра́тья по несча́стью. *Жарг. студ. Шутл.-ирон.* Студенты. Максимов, 44.

Бра́тья по ра́зуму. *Разг. Шутл.* 1. Голоса, вклинивающиеся в телефонный разговор, неожиданные помехи в телефонной сети. Елистратов 1994, 50. 2. Алкоголики. Максимов, 43.

Бра́тья разбо́йники (Бра́тья-разбо́йники). 1. *Разг. Шутл.* О людях, ведущих себя нарочито шумно, развязно, дерзко. БМС 1998, 58. 2. *Жарг. шк. Шутл.-ирон.* Заместители директора. ВМН 2003, 27. < По названию поэмы А. С. Пушкина.

Мла́дшие бра́тья коммуни́стов, *чаще мн. Публ. Патет. Устар.* О пионерах. Мокиенко, Никитина 1998, 63.

Моло́чные бра́тья. 1. *Разг. Шутл.-ирон.* Сожители одной женщины. ББИ, 143; УМК, 58. 2. *Жарг. студ., асп. Шутл.* Аспиранты одного научного руководителя. Максимов, 43.

БРА́ТЕЦ * Бе́лый бра́тец. См. **Белый брат (БРАТ).**

Солда́тский бра́тец. *Народн. Устар. Шутл.* Ранец. ДП, 710.

Шуми́м, бра́тец (бра́тцы), шуми́м. *Разг. Ирон.* О людях, которые не идут дальше пустой болтовни, не способны к действию. < Из комедии А. С. Грибоедова "Горе от ума", БМС 1998, 58.

Рва́ться к бе́лому бра́тцу. *Жарг. мол. Шутл.* Идти в туалет. Вахитов 2003, 157.

БРА́ТИЯ * Ходи́ть по ни́щей бра́тии. *Смол.* Просить милостыню, побираться. ССГ 11, 64.

На́ша бра́тия. *Перм.* То же, что **наш брат.** Сл. Акчим.1, 87.

Подзабо́рная бра́тия. *Волог.* Бездомные люди. СРНГ 28, 12.

БРА́ТСТВО * Си́нее бра́тство. *Жарг. мол. Шутл.-ирон.* Алкоголики, пьяницы. Максимов, 43. < Трансформация сочетания **Белое братство** (название секты).

БРАТЫ́НЯ. * Пить браты́ню. *Кар. (Арх.).* Пить по очереди из одного сосуда. СРГК 1, 108.

БРАТЬ * Брать где пло́хо валя́ется. *Сиб. Ирон.* То же, что **брать что плохо лежит.** ФСС, 16.

Брать что пло́хо лежи́т. *Разг. Ирон.* Воровать. БСРЖ, 76.

БРЕВНО́ * Бего́м-бего́м проме́ж брёвен. *Перм.* Очень быстро. СГПО, 514.

Бревно́ нетёсанное. *Прост. Бран.* О тупоголовом, невежественном человеке. Ф 1, 42; Мокиенко, Никитина 2003, 90.

Выси́кивать (уси́кивать) на девя́тое бревно́. *Арх.* Сильно ругать, бранить кого-л. АОС 10, 402.

Кантова́ть бревно́. *Жарг. угол.* Оказывать помощь вору-карманнику, поворачивая жертву так, чтобы её легче было обворовать. ТСУЖ, 81.

Води́ть/ навести́ слепо́го (слепы́х) на брёвна. 1. *Морд. Шутл.-ирон.* Обманывать кого-л. СРГМ 1986, 59. Ср. **Слепую бабушку на бревно наводить (БАБУШКА).** 2. *Перм. Шутл.-ирон.* Обманув, подставлять под удар кого-л. Подюков 1989, 122.

Бревно́ с уша́ми. *Прост. Пренебр.* О глупом человеке. Максимов, 44.

На девя́тое бревно́ ска́чет. *Арх.* О подвижном, энергичном человеке. АОС 10, 403.

Пья́ное бревно́. *Кар. (Арх.).* Последнее бревно при строительстве дома, укладку которого празднуют. СРГК 5, 373.

Бревно́м не ушиби́ть *кого. Сиб. Шутл.* Здоровый, крепкий (о человеке). ФСС, 207.

Хоть бревно́м кати́. *Арх.* О большом количестве чего-л. АОС 2, 113.

БРЕД * Бред в та́почках. *Жарг. студ. Презр.* Преподаватель психологии. (Запись 2003 г.).

Бред си́вой кобы́лы. *Прост. Презр.* О вздорных, глупых мыслях или высказываниях. Ф 1, 42; ЗС 1996, 335; ШЗФ 2001, 24; БМС 1998, 59.

Бред соба́чий. *Прост. Презр.* То же, **что бред сивой кобылы.** Ф 1, 42.

Бред сумасше́дшего. 1. *Прост. Пренебр.* То же, что **бред сивой кобылы.** ЗС 1996, 335. 2. *Жарг. шк.* Сочинение. Максимов, 44. 3. *Жарг. арм.* Объяснительная записка. Максимов, 44.

Бред усну́вшего генсе́ка. *Жарг. мол. Пренебр.* 1. Нечто странное, абсурдное. 2. Что-л. вызывающее раздражение, несогласие. Максимов, 44.

БРЕДО́К * Не в свой бредо́к попа́сть (попа́сться). *Орл.* Заблудиться, потерять ориентировку. СОГ 1989, 93.

БРЕ́ЖНЕВ * Бре́жнев плюс оди́н. *Жарг. мол. Шутл.* Пятизвездочный коньяк. Максимов, 44.

БРЕЗГ * На брезгу́. *Сиб.* 1. На рассвете. 2. В детстве. ФСС, 17.

БРЕЗЕ́Ц (БРИЗЕ́Ц) * Снять брезе́ц. *Жарг. угол.* Наметить объект для совершения кражи. СРВС 3, 80; Балдаев 1, 101; ТСУЖ, 24, 165. < **Брезец, бризец** — адрес.

БРЕ́МЯ * Разреши́ться от бре́мени. 1. *Книжн.* Родить (ребёнка, детёныша). 2. *Разг. Шутл.* Создать что-л. после долгих приготовлений и усилий. ФСРЯ, 382.

Сложи́ть бре́мя [с плеч]. *Книжн.* Избавиться, освободиться от чего-л. обременительного, неприятного. Ф 2, 165.

БРЕНДЮ́ШКИ * Стро́ить брендю́шки. *Арх. Неодобр.* 1. Бездельничать. 2. Болтать, пустословить. АОС 2, 117.

БРЕХА́ТЬ * Бре́шет и не сплёвывает. *Волг. Неодобр.* Об обманщике, лжеце. Глухов 1988, 7.

БРЕХЛО́ * Брехло́ нару́жу выхо́дит *у кого. Сиб. Шутл.-ирон.* О болтливом человеке, которому трудно молчать. ФСС, 17.

БРЕХНЯ́ * Бре́хни бреха́ть. *Алт. Шутл.-ирон.* Болтать, разговаривать обо всем. СРГА 1, 96.

Расточа́ть (тача́ть) брехни́. *Волг., Дон. Шутл.-ирон.* Говорить чушь, ерунду; рассказывать небылицы. СДГ 1, 40; СДГ 3, 68; СРНГ 34, 270; Глухов 1988, 158.

Бреха́ть брехню́. *Сиб. Неодобр.* Говорить неправду. ФСС, 17.

Слить брехню́. *Яросл. Шутл.-ирон. или неодобр.* Рассказать нечто неправдоподобное. ЯОС 2, 23.

БРЕШЬ * Пробива́ть/ проби́ть брешь *в чём. Книжн. или Публ.* 1. Расчищать путь для каких-л. действий, уничтожать препятствия на пути новых идей, культуры и т. п. 2. Существенно подрывать что-л. 3. С усилием преодолевать что-л. БМС 1998, 59; Ф 2, 95.

БРЕЯ́ * Брея́ подошла́. *Кар. (Новг.). Неодобр.* Кто-л. внезапно рассердился, разозлился, разбушевался. СРГК 1, 114.

БРИГА́ДА * Восьма́я брига́да. *Жарг. мол. Пренебр.* Алкоголики, пьяницы. Максимов, 70.

Три́дцать тре́тья брига́да. *Прост. Пренебр.* Алкоголики, пьяницы. < По номеру статьи гражданского кодекса, по которой увольняли нарушителей трудовой дисциплины. Максимов, 429.

Шата́лкина брига́да. *Волг. Пренебр.* Бездельники, бродяги. Глухов 1988, 175.

Быть в Шата́ловой брига́де. *Прибайк. Неодобр.* то же, что **работать в бригаде Ваньки Шаталова.** СНФП, 25.

Рабо́тать в брига́де Ва́ньки Шата́лова. *Разг. Ирон.* Бездельничать, не принимать участия в общественно-полезном труде. Мокиенко 1989, 81; БМС 1998, 59.

Ки́нуть брига́дой *кого. Жарг. угол., арест.* Совершить групповое изнасилование. УМК, 58; Мильяненков, 88.

Пропусти́ть сквозь брига́ду *кого. Жарг. угол.* 1. Избить группой кого-л. 2. То же, что **кинуть бригадой.** Балдаев 1, 359.

БРИЗ * Лёгкий бриз. *Жарг. простит.* Легкий массаж. БСРЖ, 76.

БРИЗЕ́Ц. См. **БРЕЗЕ́Ц.**

БРИЛЕ́. См. **БРЫ́ЛЫ́.**

БРИ́ЛЫ́. См. **БРЫ́ЛЫ́.**

БРИ́ТВА * Кана́ть (ходи́ть) по бри́тве. *Жарг. угол.* Быть чрезмерно осторожным, недоверчивым. Балдаев 1, 177; Балдаев 2, 126.

БРИ́ТНИ * Бри́тни Спирс. *Жарг. студ. Шутл.* Преподавательница английского языка. (Запись 2003 г.).

БРИ́ТО * Ни бри́то ни стри́жено. *Народн.* О чём-л. неопределённом, посредственном. ДП, 473.

БРО * Кана́ть по бро. *Жарг. угол.* Бесцельно бродить. Балдаев 1, 177.

БРОА́ * Де́лать броа́. *Жарг. мол.* Прогуливаться. Щуплов, 138; БСРЖ, 77.

БРОВЕНО́СЕЦ * Бровено́сец в потёмках. *Разг. Шутл.-ирон.* Л. И. Брежнев, бывший Генеральный секретарь КПСС, имевший очень густые брови. < Трансф. названия известного фильма “Броненосец Потёмкин”. ЖЭСТ-2, 112; БСРЖ, 77.

БРОВЬ * Бро́ви набу́хли *у кого. Сиб.* Кто-л. сильно рассердился. ФСС, 17.

Ки́нуть бро́ви на лоб. *Одесск.* Удивиться, поразиться чему-л. Смирнов 2002, 90.

Насу́по́рить (насупу́рить, натяну́ть) бро́ви. *Дон.* То же, что **хму́рить бро́ви.** СДГ 1, 10; СДГ 2, 175.

Ре́зать в бро́ви. *Ряз.* Говорить что-л. кому-л. прямо, открыто. ДС, 488.

Хму́рить/ нахму́рить бро́ви. *Разг.* Выражать недовольство или озабоченность, сдвигая брови. БСМ, 59.

В бро́ву говори́ть. *Кар. (Ленингр.).* То же, что **в бро́ви ре́зать.** СРГК 1, 114.

Бровь в бровь, глаз в глаз. *Народн.* Об очень похожих друг на друга людях. ДП, 856.

Не в бровь, а [пря́мо] в глаз (в глаза́). *Разг. Одобр.* О чьём-л. метком, правильном высказывании или точном, безукоризненном исполнении чего-л. ДП, 683; Жиг. 1969, 108; Ф 1, 42; Мокиенко 1990, 107; БТС, 97; БМС 1998, 59.

Не в бровь, а в глаз метить (сказать). *Пск. Одобр.* Метко, точно выразиться, высказываться. СПП 2001, 19.

Не в бровь, а в глаз попа́сть [*кому*]. *Пск.* Сильно обидеть, огорчить, расстроить кого-л. СПП 2001, 19.

И бро́вью не ведёт (не повёл, не шевельну́л). *Разг.* О хладнокровном человеке, который не обращает внимания, не реагирует на что-л., ничем внешне не проявляет своего отношения к чему-л. ФСРЯ, 58, 533; БМС 1998, 60.

Прийти́ на бровя́х. 1. *Разг.* Вернуться откуда-л. сильно пьяным. Ф 1, 43; СРГА 3-II, 155; БТС, 97. 2. *Жарг. угол., мил.* Явиться с повинной. ТСУЖ, 145.

Стоя́ть на бровя́х. *Жарг. мол. Шутл.-одобр.* Испытывать наслаждение. Максимов, 44.

БРОД * Отбрести́ брод. *Кар. (Волог.).* Прокосить полосу, служащую границей для покоса. СРГК 1, 115.

Погада́ть в брод. *Кар. (Новг.).* Разузнать, разведать о чём-л. СРГК 4, 603.

До бро́да напи́ться. *Арх. Пренебр.* Напиться пьяным (о сильной степени опьянения). АОС 2, 123.

Не спрося́ бро́ду попа́сть в во́ду. *Сиб.* О результате необдуманного поступка. Верш. 6, 356.

БРО́ДЕНЬ * До́лгая бро́день. *Пск. Бран.* О женщине, вызывающей раздражение. ПОС 2, 174.

БРОДКО́М * Бродко́м брести́. *Приамур.* Идти по лужам, по снегу, не разбирая дороги. СРГПриам., 30.

БРОДЫНЯ́ * Брести́ бродыню́. *Кар. (Ленингр.).* Косить по росе. СРГК 1, 117.

БРОДЬ * Вся́кая бродь. *Кар. (Волог.).* Всё, что попало; всё подряд. СРГК 1, 117.

БРО́ЙЛЕР * Черно́быльский бро́йлер. *Разг. Ирон.* Один из проектов герба России — царский двуглавый орел без короны. Елистратов 1994, 52; Юганова, 118.

БРОНДЕБО́БЕР * Ходи́ть с бронде-бо́бером. *Орл. Неодобр.* Зазнаваться, держаться высокомерно. СОГ 1989, 96.

БРОНЕВИ́К * Евре́йский броневи́к. 1. *Разг. Шутл.-ирон.* Автомобиль "Запорожец". Югановы, 75. 2. *Жарг. авто. Шутл.-ирон.* Автомобиль «Ока». Максимов, 44.

БРОНЕВИЧО́К * Цыга́нский броневичо́к. *Разг. Шутл.-ирон.* То же, что **еврейский броневик (БРОНЕВИК).** Балдаев 2, 136.

Трёкать с броневичка́. *Жарг. арест. Пренебр.* Произносить патриотические лозунги в ИТК на общем собрании с трибуны. Балдаев 2001, 165.

БРОНЕЖИЛЕ́ТКА * Пла́кать в бронежиле́тку. *Жарг. мол.* Жаловаться кому-л. на что-л. ЖЭСТ-1, 241.

БРОНЕПО́ЕЗД * Армя́нский бронепо́езд. *Разг. Шутл.* Железнодорожный состав, состоящий из канистр с вином. ББИ, 18.

Для тех, кто на бронепо́езде. *Жарг. мол. Ирон.* Для непонятливых (о повторном или чрезмерно подробном объяснении чего-л.). Максимов, 420.

Е́хать на бронепо́езде. *Жарг. мол. Неодобр.* Быть глупым, несообразительным. Максимов, 45.

БРО́НЗА * Идти́ на бро́нзу. *Разг. Шутл.-ирон.* Легко соглашаться на половое сношение. Флг., 47; УМК, 58.

БРОНЬ * Вставать/ встать на бронь. *Алт.* Начинать колоситься. СРГА 1, 177. **Выходи́ть на бронь.** *Кар. (Ленингр.).* То же. СРГК 1, 118. **Кида́ться на бронь.** *Вят.* То же. СРНГ 13, 199.

БРОНЯ́ * Включи́ть броню́. *Жарг. мол.* 1. Заупрямиться. Урал-98. 2. Перестать здраво рассуждать, мыслить. Максимов, 45.

Броня́ вы́росла *у кого. Жарг. мол. Неодобр.* То же, что **включить броню 2.** Максимов, 45.

Броня́ крепка́ и та́нки на́ши бы́стры. *Публ.* 1. О мощи армии. 2. О чьей-л. силе, несгибаемости. < Цитата из «Марша танкистов» (сл. Б. Ласкина, муз. Дан. и Дм. Покрасс) к кинофильму «Трактористы» (1939 г.). Дядечко 1, 58-59.

БРОС * Бро́сом па́хнет. *Яросл.* О чём-л. ненужном, пришедшем в негодность. ЯОС 2, 24.

БРО́СИТЬ * Хоть брось. *Прост.* Никуда не годится. ФСРЯ, 50.

БРОСКО́М * Броско́м броса́ть/ бро́сить. 1. *что. Прикам.* Выбрасывать что-л. МФС, 14. 2. *кого, что. Сиб.* Оставлять без присмотра кого-л., что-л. СФС, 29; ФСС, 17; СБО-Д1, 44.

БРОСМА́ * Броса́ть бросма́. *Сиб.* То же, что **броском бросать.** СФС, 29; ФСС, 17.

БРУДЕРША́ФТ * Пить на брудерша́фт. *Разг.* Выпивать спиртной напиток, скрестив свою руку с рукой другого человека, — шутливый акт установления дружеских отношений с переходом на "ты". БТС, 99, 835; Мокиенко 1986, 62-63; Ф 2, 47. < Полукалька с нем. *Bruderschaft trinken.* БМС 1998, 60.

БРУНТ * Сбива́ть /сбить с бру́нту. См. **Сбива́ть с гру́нту (ГРУНТ).**

БРУС * Брус ляга́вый. *Жарг. угол. Пренебр.* Осведомитель из числа осуждённых. СРВС 2, 167; ТСУЖ, 24; ББИ, 33; Балдаев 1, 47.

Брус шпано́вый. *Жарг. угол. Одобр.* Начинающий, подающий надежды вор. СРВС 2, 99; ТСУЖ, 24; Мильяненков, 88; ББИ, 33; Балдаев 1, 47.

Бру́сом не износи́ть *кого. Кар. (Новг.). Шутл.-одобр.* О сильном, здоровом человеке. СРГК 2, 284. Ср. **Бревном не ушибить (БРЕВНО).**

БРУСНИ́КА * Мыть брусни́ку на на́рах. *Жарг. мол. Шутл.-ирон.* Отбывать наказание в местах лишения свободы. h-98.

БРУТ * И ты, Брут! *Книжн. Ирон.* Восклицание при неожиданной измене, несогласии с чем-л. или непостоянстве друга. < Цитата из трагедии У. Шекспира "Юлий Цезарь". БМС 1998, 60.

БРУ́ХТА * Бру́хта отснясла́сь. *Одесск.* Умерли все старики. КСРГО.

БРЫ́ЖИ * Посби́ть [все] бры́жи *кому. Смол.* Сделать кого-л. менее спесивым, надменным, высокомерным. СРНГ 30, 139.

БРЫЗГ * Пе́рвый брызг. *Горьк. Одобр.* Здоровый, статный человек. БалСок, 49.

С бры́згу. 1. *Урал.* Об очень новой, красивой одежде. СРНГ 3, 213. 2. *Прост.* Очень быстро, оперативно и чётко. Мокиенко 2003, 11.

С бры́згу вон. 1. *Пск.* Модно, изящно, нарядно (одеться). СПП 2001, 19. 2. *Новг.* О статном, видном человеке. НОС 1, 93.

БРЫ́ЗГИ * Бры́зги трапе́ции. *Жарг. спорт. Шутл.-ирон.* Посадка с крупными повреждениями дельтаплана. БСРЖ, 78. < Трансформация сочетания **брызги шампанского.**

Бры́зги шампа́нского. 1. *Разг.* О роскошной жизни. Дядечко 1, 59. 2. *Жарг. арм.* О зенитно-ракетном комплексе. Дядечко 1, 59. 3. *Жарг. авто.* Перламутрово-коричневый цвет в окраске автомобиля. Максимов, 45. < Название танго на музыку неизвестного автора (нач. 20 в.).

То́лько бры́зги (грязь) врозь. *Пск.* О действии, совершаемом энергично, азартно. ПОС 5, 48.

БРЫ́ЛИ. См. **БРЫЛЫ.**

БРЫ́ЛЫ́ (БРЫ́ЛИ, БРИ́ЛЫ́, БРИЛЕ́). * Наду́ть бриле́ (брылы́, бри́лы). *Дон. Твер., Яросл.* Обидеться, рассердиться, надув губы. СДГ 1, 40; СДГ 2, 159; СРНГ 3, 216; ЯОС 2, 23, 25.

Трясти́ бры́лами. *Перм. Неодобр.* Болтать попусту. Подюков 1989, 206.

Начи́стить бры́ли *кому. Пск.* Отругать, сделать внушение, устроить нагоняй кому-л. СПП 2001, 19.

Брылы́ — хоть сту́день вари́. *Народн. Шутл.* О больших толстых губах. ДП, 312.

Разве́сить бры́лы. *Сиб. Неодобр.* Перестать себя контролировать в состоянии сильного опьянения. СОСВ, 159.

Распусти́ть (разве́сить) брылы́ (бриле́, бри́лы). 1. *Перм., Яросл.* То же, что **надуть бриле.** ДП, 312; Сл. Акчим. 1, 95; ЯОС 2, 23, 25. 2. *Сиб., Яросл.* Заплакать. СФС, 30; Мокиенко 1990, 43; ЯОС 2, 23, 25. 3. *Дон.* Расслабиться. СДГ 1, 40. 4. *Дон.* Впасть в задумчивость. СДГ 1, 40; СРНГ 34, 188.

< **Брылы, брыли, брилы, бриле —** губы.

БРЫ́ЛКИ * Распусти́ть бры́лки. *Перм.* То же, что **надуть брылы (БРЫЛЫ).** Сл. Акчим. 1, 95.

БРЫ́НДЫ * Бры́нды бить. *Волг., Новг., Пск. Неодобр.* Бездельничать, праздно проводить время, уклоняясь от работы. Глухов 1988, 3; Мокиенко 1990, 69; НОС 1, 58; ПОС 2, 18.

Разве́сить бры́нды. *Обл.* То же, что **распустить брылы 2.** Мокиенко 1989, 199.

БРЫНДЫКА́ЛЫ * На вся́кие брындыка́лы. *Пск.* По-разному, всевозможными способами. ПОС 2, 187.

БРЫ́НКИ * Бить бры́нки. *Обл. Неодобр.* Бездельничать. Мокиенко 1990, 69.

БРЫНЦ * Ма́ленький Брынц. *Жарг. мол. Шутл.* В. Брынцалов, председатель социалистической партии. ЖЭСТ-2, 158.

БРЫСЬ * Ни брысь ни высь. *Пск. Ирон.* О молодом, неопытном человеке. СПП 2001, 19.

БРЮ́ЛИК * Ви́деть брю́лики. *Жарг. нарк.* Галлюцинировать. Югановы, 38.

БРЮ́НДИ * Разве́сить брю́нди (брю́ни). *Волг., Дон.* 1. Обидеться; расплакаться. 2. Прийти в уныние. Глухов 1988, 138; СДГ 1, 42.

БРЮ́НИ * Разве́сить брю́ни. См. Развесить брюнди (БРЮНДИ).

БРЮ́ХО * Без брю́ха [хохота́ть, быть]. *Пск. Шутл.* Сильно, заразительно смеяться, хохотать. ПОС 2, 189.

С брю́ха спасть. *Пск.* Похудеть. СПП 2001, 19.

Съесть бо́льше (бо́ле) брю́ха. *Сиб.* Получить чего-л. выше своих потребностей, возможностей, выше нормы. СФС, 183; ФСС, 17; СБО-Д2, 217.

В брю́хе игра́ют че́рти в рю́хи *у кого. Пск. Шутл.* О сильном чувстве голода. СПП 2001, 19.

На брю́хе шёлк, а в брю́хе щёлк *у кого. Народн. Шутл.* О человеке, живущем впроголодь, но стремящемся модно, красиво одеваться. Жук. 1991, 181; ДП, 585.

По́лзать на брю́хе *перед кем. Прост.* Заискивать, угодничать, пресмыкаться перед кем-л. ЗС 1996, 40; ФСРЯ, 337; Ф 2, 68.

Брю́хо боли́т *у кого.* 1. *за кого, о ком, по кому. Кар. (Арх.).* Тревожиться, беспокоиться, заботиться о ком-л. СРГК 1, 125. // *Новг.* Беспокоиться о чужих делах. НОС 1, 93. 2. *на что.* Хочется взять, получить что-л. ФСС, 18.

Брю́хо из семи́ овчи́н *у кого. Перм. Шутл.* О чрезмерно полном, любящем поесть, жадном человеке. Подюков 1989, 17.

Брю́хо не из семи́ овчи́н *у кого. Кар. Шутл.* Кто-л. не может съесть большое количество пищи. СРГК 4, 133.

Брю́хо прильну́ло *к кому. Перм., Прикам.* О начале беременности. СГПО, 54; МФС, 14.

Брю́хо тонкова́то *у кого. Курск., Прикам.* У кого-л. не хватает сил, способностей, чтобы сделать что-л. БотСан, 84; МФС, 14.

В брю́хо хоть ла́поть вбей. *Народн.* О чувстве голода. ДП, 806.

Гла́дить брю́хо. *Перм. Неодобр.* Бездельничать, бездействовать. Подюков 1989, 40.

Греть/ согре́ть брю́хо. *Кар.* Пить чай. СРГК 1, 125.

Двойничко́вое брю́хо. *Сиб.* Двойня; близнецы. ФСС, 18.

Жить за брю́хо. *Прибайк. Устар.* Работать по найму, только за питание, без оплаты. СНФП, 25.

Замастери́ть брю́хо *кому. Кар. (Арх.).* То же, что **сделать брюхо.** СРГК 1, 125; СРГК 2, 155.

Име́ть (ходи́ть) брю́хо. *Сиб.* Быть беременной. ФСС, 88.

Карто́фельное брю́хо (брюши́на). *Пск. Шутл.* О любителе картофеля, любителе поесть. СРНГ, 13, 104.

Ложи́ться спать на пусто́е брю́хо. *Волг.* Жить в бедности, голодать. Глухов 1988, 82.

Майо́рское брю́хо. *Народн. Шутл.-ирон.* Об очень полном человеке. ДП, 309.

Мяки́нное брю́хо. *Волг., Сиб. Презр.* О жадном человеке. СФС, 108; ФСС, 18; Глухов 1988, 86.

Набе́гать брю́хо. *Курск., Прикам.* Забеременеть вне брака. БотСан, 102; МФС, 61.

Набива́ть брю́хо. *Прост.* 1. Наедаться досыта. Сл. Акчим. 1, 95; Подюков 1989, 121; СПСП, 69. 2. *кому.* Сделать женщину беременной. Мокиенко, Никитина 2003, 90.

Наверте́ть (намя́ть, натере́ть) брю́хо *кому. Прост. обл. Неодобр.* То же, что **сделать брюхо.** Мокиенко, Никитина 2003, 90.

Навздыма́ть брю́хо. *Кар.* Забеременеть. СРГК 3, 301.

Нагу́ливать/нагуля́ть (нажива́ть/ нажи́ть) брю́хо (брю́шко). *Прост. обл. Неодобр.* Становиться беременной, не состоя в законном браке, до замужества. Мокиенко, Никитина 2003, 90; Кобелева, 68; Подюков 1989, 123.

Надорва́ть брю́хо. *Морд.* 1. Повредить внутренние органы, поднимая тяжести. 2. Нахохотаться до изнеможения. СРГМ 1986, 66.

Нае́сть брю́хо. *Прост. Неодобр.* Чрезмерно располнеть. Подюков 1989, 124.

Наспа́ть (приспа́ть) брю́хо. *Перм.* Забеременеть вне брака. Подюков 1989, 123.

Носи́ть/ вы́носить брю́хо. *Кар. (Ленингр.), Печор.* То же, что **иметь брюхо.** СРГК 1, 125; СРГНП 1, 46.

Пасти́ брю́хо вперёд. *Перм.* Есть мало или совсем не есть накануне какого-л. большого пира, угощения. СРНГ 25, 263.

Понести́ брю́хо. *Новг., Сиб.* Забеременеть. СРНГ 29, 257; СФС, 30, 146; ФСС, 145.

Приноси́ть брю́хо. *Печор., Сиб.* Рожать. СРГНП 1, 46; СФС, 30; СБО-Д1, 45. // *Прибайк.* Рожать ребенка вне брака. СНФП, 25.

Пусто́е брю́хо. 1. *Волг. Ирон.* О бедном, живущем впроголодь человеке. Глухов 1988, 137. 2. *Перм., Прикам.* Преждевременное прекращение беременности; выкидыш. СГПО, 55; МФС, 11, 14.

Рабо́тать на брю́хо. *Сиб.* Работать мало, недобросовестно, зарабатывая только на питание. СПСП, 20.

Распусти́ть брю́хо. *Пск. Неодобр.* Располнеть. СПП 2001, 19.

Расти́ть/ отрасти́ть брю́хо. *Прост. Неодобр.* Становиться толстым, упитанным, полнеть. Ф 2, 122.

Сде́лать брюхо *кому. Пск.* Сделать женщину беременной. СПП 2001, 19.

Стеря́ть брю́хо. *Пск.* То же, что **с брю́ха спасть.** СПП 2001, 19.

То́лстое брюхо. *Неодобр. или Бран.-шутл.* Бездельник, дармоед. СПП 2001, 19.

Чеса́ть брю́хо. *Перм. Шутл.* Высказывать озабоченность, досаду, растерянность. Подюков 1989, 227.

Где су́хо, там брю́хом, где мо́кро, там на коле́ночках. *Народн. Ирон.* О подхалиме. Жиг. 1969, 220.

Кре́пкая брю́хом. *Сиб.* О женщине, хорошо переносящей беременность и роды. ФСС, 19.

Па́дать брю́хом на чужо́е. *Р. Урал. Неодобр.* Стремиться получить что-л. за чужой счёт. СРНГ 25, 124.

[Ходи́ть] с брю́хом. *Коми, Костром., Перм., Печор. , Прикам., Сиб.* О беременной женщине. Кобелева, 57; СРНГ 3, 224; Сл. Акчим. 1, 95; СРГНП 1, 46; МФС, 14; Подюков 1989, 223; СФС, 197.

Ходи́ть пе́рвым (вторы́м) брю́хом. *Коми.* О первой (второй) беременности. Кобелева, 81.

К брю́ху припа́сть. *Кар. (Арх.).* О чувстве сытости. СРГК 1, 125.

БРЮШИ́НА * Капу́стная брюши́на. *Волог. Шутл.* О любителе картофеля. СРНГ 19, 61.

Карто́фельная брюши́на. См. Картофельное брюхо (БРЮХО).

С брюши́ной. *Арх., Кар., Печор.* То же, что **[ходить] с брюхом (БРЮХО).** АОС 2, 148; СРГК 1, 126; СРГНП 1, 46.

Заказа́ть брюши́ну. *Кар. (Арх.).* То же, что **сделать брюхо (БРЮХО).** СРГК 1, 126.

Обмакну́ть брюши́ну. *Волог.* Немного поесть, перекусить, притупить чувство голода. СВГ 5, 123.

Распусти́ть брюши́ну. *Кар.* Привыкнуть много есть. СРГК 1, 126.

Ворова́ть от свое́й брюши́ны. *Кар.* Экономить, урезать себя в пище. (1933). СРНГ 5, 106.

БРЮШИ́НКА * Брюши́нка боли́т *у кого. Кар. (Новг.).* О чувстве голода. СРГК 1, 126.

БРЮШИ́ЩЕ * С брюши́щем. *Арх.* То же, что **с брюхом (БРЮХО).** АОС 2, 148.

БРЮ́ШКО * Нажи́ть брю́шко. См. **Нагуливать/ нагулять брюхо (БРЮХО).**

БРЮШО́НКО * Брюшо́нко вя́жется /привя́жется *к кому. Пск.* О беременной, забеременевшей женщине; о женщине, которая часто беременеет. ПОС, 2, 190; ПОС, 6, 114; СПП 2001, 19.

БУ́БЕН * Бить в бу́бен *кого. Жарг. муз.* Бить кого-л. по голове. Елистратов 1994, 52.

Дать в бу́бен. *Жарг. мол.* 1. *кому.* Ударить кого-л. по лицу, по голове. h-98; WMN, 15. 2. *Шутл.* Напиться пьяным. Максимов, 46.

Наби́ть (настуча́ть) [в] бу́бен *кому. Жарг. муз.* То же, что **давать/ дать бубна.** Никитина, 1998, 46; Максимов, 46.

Дава́ть/ дать бу́бна *кому. Брян., Одесск.* Сильно бить, избивать кого-л. СБГ 5, 7; КСРГО. Ср. **дать бубну (БУБНА).**

Надава́ть бу́бнов. *Дон.* То же, что **давать/ дать бубна.** СДГ 1, 43.

Бить бу́бны *кому. Жарг. угол.* То же, что **давать/ дать бубна.** ТСУЖ, 25.

Зво́нки (сла́вны) бу́бны за гора́ми. *Народн. Шутл.-ирон.* О чём-л. заманчивом, привлекательном, находящемся где-то далеко и известном только по рассказам. ДП, 277; БТС, 217.

Сма́зать бу́бны *кому. Жарг. угол.* То же, что **давать/ дать бубна.** ТСУЖ, 25; Мильяненков, 88.

БУБЕНЦЫ * Звене́ть/ прозвене́ть бубенца́ми. *Жарг. угол. Шутл.-ирон.* 1. Убегать, скрываться. 2. Скрываться от уплаты алиментов. 3. Быть осуждённым к лишению свободы. 4. Остаться голым, проиграв одежду. ББИ, 197.

БУБЕ́НЧИКИ * Вы́йти на бубе́нчики. *Кар.* Набрать цвет, пойти в бутон (о картофеле). СРГК 1, 129.

БУ́БИ * Оста́ться на бубя́х. *Перм.* Не получить ожидаемого, остаться ни с чем. Подюков 1989, 18.

БУ́БЛИК * Биг бу́блик. *Жарг. комп.* Винчестер фирмы "Макстор" (Maxtor). Садошенко, 1995.

Кроши́ть бу́блик. 1. *на кого. Жарг. мол.* Незаслуженно обвинять кого-л. в чём-л.; вести себя агрессивно по отношению к кому-л. Вахитов 2003, 86. 2. Лгать, обманывать. Максимов, 46. 3. Тянуть время, медлить. Максимов, 46.

Доста́лось на бу́блики *кому. Волг.* О человеке, которого строго наказали, побили. Глухов 1988, 37.

БУ́БНА * Вы́бить бу́бну *кому.* 1. *Дон., Курск.* Побить, избить кого-л. СДГ 1, 43; БотСан, 84. 2. *Дон.* Наказать ударами по спине уступившего в игре соперника. СДГ 1, 43.

Дать (надава́ть) бу́бну (бу́бны) *кому.* То же, что **давать/ дать бубна (БУБЕН).** СДГ 1, 43.

БУБНИ́ЛКА * Подбери́ бубни́лки! *Пск.* Замолчи, хватит болтать чепуху! Д 1, 135; ПОС 2, 194.

БУ́БНЫ * Дать бу́бны *кому. Обл.* Избить кого-л. Мокиенко 1990, 46.

БУ-БУ́ * Ни бу-бу́. *Пск.* Абсолютно ничего (не знать). СПП 2001, 19.

БУГА́Й * Брать на буга́й (на буга́я). *Жарг. угол.* Красть на подкидку — при помощи подброшенного бумажника. СРВС 2, 166; ТСУЖ, 23, 31; СВЯ, 15. < **Бугай** — кошелёк, бумажник.

Водяно́й буга́й. *Дон.* 1. Птица выпь. 2. *Шутл.-ирон.* Ворчун. СДГ 1, 43.

Буга́я укра́ли. *Дон. Шутл.* Прозвище казаков станицы Ермаковской. СДГ 1, 43.

Пере́ть (рабо́тать) на буга́я. 1. *Дон. Ирон.* Работать бесплатно, даром. СРНГ 3, 236. 2. *Волг.* Выполнять много тяжёлой физической работы. Глухов 1988, 10, 138.

Пойма́ть буга́я. *Дельта Дуная. Рыб.* Ничего не поймать. СРНГ 28, 355.

БУГО́Р * Буго́р в я́ме. *Жарг. шк. Шутл.* Директор в кабинете. Максимов, 46. < **Бугор** — директор школы.

Выходи́ть на буго́р. *Сиб.* Умирать. ФСС, 40.

Держа́ть буго́р. *Жарг. мол.* Быть лидером, хозяином. Максимов, 46.

За буго́р. *Разг.* За границу. БСРЖ, 79; Грачев, Мокиенко 2000, 74.

Смотре́ть на буго́р. *Волг.* Быть близким к смерти. Глухов 1988, 150.

Уйти́ на попо́в буго́р. *Волг.* Умереть. Глухов 1988, 163.

За бугро́м. *Разг.* За границей, за рубежом. Югановы, 38; Грачев, Мокиенко 2000, 74.

С бугро́м. *Кар. (Волог.).* Полный доверху. СРГК 1, 130.

За бугры́. *Жарг. угол.* В ссылку, в Сибирь. СРВС 1, 34.

< **Бугор** — *Жарг. арест.* Граница лагеря, зоны.

БУГОРО́К * Пойти́ на бугоро́к. *Волг., Сиб.* То же, что **выходить на бугор.** Глухов 1988, 213; ФСС, 143.

БУГРО́ВКА * Дать бугро́вки [*кому*]. *Пск.* Избить, поколотить кого-л. СПП 2001, 19.

БУДИ́ЛЬНИК * Биологи́ческий буди́льник. *Публ. Шутл.* О механизмах живого организма, обеспечивающих его приспособление к ритмическим процессам, происходящим в живой природе. НСЗ-70.

Буди́льник звони́т. *Жарг. мол. Шутл.* О желании сходить в туалет. Максимов, 47.

Буди́льник слома́лся *у кого. Жарг. мол. Шутл.-ирон.* О человеке, страдающем ночным недержанием мочи. Максимов, 47.

БУ́ДКА * Бу́дка про́сит кирпича́ *у кого, чья. Прост. Шутл.-ирон.* О грубом, толстом, некрасивом лице. Быков, 35; Максимов, 47.

Су́чья бу́дка. *Жарг. арест.* Одиночная камера для бывшего осведомителя, которому грозит расправа. СРВС 2, 167; ТСУЖ, 25, 172; Мильяненков, 88.

Телефо́нная бу́дка. *Жарг. мол. Шутл.* Туалет. Вахитов 2003, 178.

Сба́вить с бу́дки *кого, что. Ряз.* Избавиться от кого-л., чего-л. ДС, 68.

С бу́дки доло́й. *Ряз.* То же, что **с будки сбавить.** ДС, 68.

За бу́дку и коры́то игра́ть. *Жарг. муз.* Получать в качестве оплаты жильё и питание (о музыкантах, временно работающих в курортных городах). БСРЖ, 79.

Отожра́ть бу́дку. *Прост.* Располнеть, растолстеть. БСРЖ, 79.

Отожра́ть бу́дку в придúрках. *Жарг. арест. Неодобр.* Хорошо устроиться в хозобслуге мест заключения, избежав общих работ. Балдаев 1, 298.

Поля́л — и в бу́дку. *Жарг. мол.* Требование замолчать, перестать говорить. Максимов, 325.

БУ́ДНИ * В бу́дни изна́нкой, а в пра́здник лицо́м. *Народн. Неодобр.* О подхалиме. Жиг. 1969, 220.

БУ́ДНИК * На бу́дник. *Кар. (Ленингр.).* О чём-л., предназначенном для повседневного использования, не праздничном. СРГК 1, 131.

БУ́ДУЩЕЕ * Наза́д в бу́дущее. *Жарг. шк. Шутл.-ирон.* История (учебный предмет). (Запись 2003 г.).

БУЁК * Игра́ть/ поигра́ть в буёк *с кем. Жарг. угол. Шутл.* Совершать половой акт с кем-л. УМК, 58; Быков, 35.

БУЕРА́ГА * Буера́га чёртова. *Пск. Бран.* Драчун, буян. ПОС 2, 200.

БУЗА́ * Зава́ривать/ завари́ть бузу́. *Прост.* Затевать сложное, хлопотное, неприятное дело. Ф 1, 191.

Наво́дить /навести́ бузу́ (бузы́, бузни́). *Пск. Неодобр.* То же, что **тереть бузу.** ПОС 2, 202.

Поро́ть (отпусти́ть) бузу́. *Сиб. Пренебр.* Говорить ерунду, чепуху. ФСС, 147.

Тере́ть/ затере́ть бузу́. *Жарг. угол.; Прост.* Затевать скандал, ссору; скандалить, буянить. СРВС 2, 158; ТСУЖ, 25, 68; ББИ, 35; Балдаев 1, 47; Грачев, Мокиенко, 2000, 53; Глухов 1988, 158.

БУЗА́Н * Заби́ть за буза́н *кого. Волг.* Решительно подчинить, покорить кого-л. Глухов 1988, 44.

БУЗНЯ́ * Навести́ бузни́. См. **Наводить бузу (БУЗА).**

БУЙ * Хоть буём покати́. *Кар. (Новг.).* О бедном хозяйстве. СРГК 1, 134.

На бую́ (жить). *Кар. (Новг.).* В людном, оживлённом месте. СРГК 1, 134.

БУЙЛО́ * Буйло́ воева́л *где. Омск. Шутл.-ирон.* О беспорядке где-л. Мокиенко 1986, 34.

БУК * Пошёл [ты] в бук! *Калуж. Бран.* Убирайся, уходи прочь. СРНГ 3, 262.

БУ́КА * Бесте́нный бу́ка. *Яросл.* Домовой в виде старца с бородой, не имеющий тени. ЯОС 1, 57.

БУКА́ШКА * Бо́жья бука́шка. *Арх.* Божья коровка. АОС 2, 170.

Бука́шка с бума́жкой. *Разг. Шутл.-ирон.* 1. Человек, закончивший ПТУ. 2. Рядовой работник с дипломом. ББИ, 35; Балдаев 1, 47.

Нае́сться блатны́х бука́шек. *Жарг. мол. Шутл.-ирон. или Неодобр.* Выдавать себя за «блатного» — человека, принадлежащего к криминальным структурам. Максимов, 35.

БУ́КВА * Бу́ква в бу́кву. *Разг.* Очень точно, ничего не изменяя, буквально (передавать, повторять, запоминать). ФСРЯ, 51; БМС 1998, 60; Мокиенко 1986, 101; ЗС 1996, 519.

Бу́ква зю. *Жарг. шк. Шутл.* Учитель математики. (Запись 2003 г.).

Мёртвая бу́ква. *Книжн. Неодобр.* О формальной, внешней стороне какого-л. дела. БТС, 101; ЗС 1996, 377. < Восходит к библейскому источнику. БМС 1998, 61.

Обстрема́ть по бу́квам *кого. Жарг. мол.* Сильно унизить, опозорить кого-л. Максимов, 47.

Остава́ться/ оста́ться мёртвой бу́квой. *Разг.* Остаться без практического применения (о законе, постановлении). ФСРЯ, 51.

Забива́ть/ заби́ть бу́квы *кому. Дон.* То же, что **забивать буки 1-2 (БУКИ).** СДГ 1, 46.

Класть бу́квы. *Пск.* Писать. ПОС 14, 174.

Моро́зить бу́квы. *Жарг. мол. Шутл.* Разговаривать на морозе. Максимов, 47.

Отступа́ть от бу́квы и ду́ха зако́на. *Публ.* Нарушать закон. Hau, 73.

Посла́ть на три бу́квы *кого. Разг.* 1. Выругать кого-л. матом. БТС, 101. 2. *Устар. Шутл.-ирон.* Отправить на строительство Байкало-Амурской магистрали (БАМ). Мокиенко, Никитина 1998, 70.

С большо́й бу́квы. *Книжн. Одобр.* Настоящий, лучший, достойный. ФСРЯ, 51; БТС, 90, 101; БМС 1998, 61.

Свои́ бу́квы. *Прибайк.* Инициалы. СНФП, 26.

Тра́тить бу́квы. *Жарг. мол. Шутл.* Говорить впустую. Максимов, 47.

БУКВА́РЬ * Буква́рь терза́ть. *Жарг. студ. Шутл.* Усиленно, упорно изучать что-л. Никитина 1998, 47; КТ, 164.

Склада́ть буква́рь. *Пск.* Учиться читать по складам. ПОС 2, 206.

БУКЕ́Т * Бо́жий буке́т. *Дон.* Растение из семейства мят. СДГ 1, 46.

Буке́т мое́й ба́бушки. *Жарг. мол. шутл.-ирон.* 1. О чём-л. очень редком. 2. О чём-л. старомодном. 3. О наборе разнородных вещей. Максимов, 47.

Схвати́ть (подхвати́ть) буке́т-дупле́т. *Жарг. угол., мол. Ирон.* Заразиться сифилисом и гонореей. Мокиенко, Никитина 2003, 90.

БУ́КИ * Забива́ть/ заби́ть [все] бу́ки. 1. *кому. Дон., Курск.* Сбивать с толку, намеренно запутывать кого-л. СДГ 1, 46; БотСан, 94; СРНГ 3, 265. 2. *кому. Дон.* Побоями доводить кого-л. до отупения. СДГ 1, 46. 3. *Орл.* Обременять память какой-л. информацией. СОГ 1989, 106.

БУ́КОВКА * Бу́ковка в бу́ковку. *Разг.* То же, что **буква в букву (БУКВА).** ЗС 1996, 519.

БУКС * Пойма́ть букс. *Жарг. мол. Шутл.* Замешкаться, промедлить с чем-л. Максимов, 47.

БУКСИ́Р * Брать /взять на букси́р *кого, что. Разг.* Оказывать помощь отстающим в чём-л.; способствовать какому-л. движению, кампании за что-л. ФСРЯ, 51; БМС 1998, 61; ПОС 2, 207; ЗС 1996, 122; ССРЛЯ 1, 810.

Ору́щий букси́р. *Жарг. комп. Шутл.* Музыкальный редактор Scream Tracker. Садошенко, 1996.

Тащи́ть на букси́ре *кого. Разг. Неодобр.* Заставлять кого-л. (не проявляющего со своей стороны ни активности, ни сопротивления) жить или действовать по чужой воле, указке. БМС 1998, 61.

БУ́КСЫ * Бу́ксы горя́т. 1. *Жарг. угол.* Сигнал тревоги, предупреждение об опасности. ББИ, 59. 2. *Жарг. угол.* Сообщение о безнадёжности ситуации. ББИ, 59. 3. *Жарг. мол.* О болезненном состоянии похмелья. Урал-98.

Бу́ксы кли́нит. *Жарг. мол.* О головной боли. Урал-98.

БУЛА́ВКА * Була́вка в голове́ бро́дит *у кого. Прост. Устар.* О пьяном человеке. Ф 1, 46.

Пое́хать за була́вками. *Сиб.* Пойти, поехать делать аборт. СРНГ 28, 286; ФСС, 141.

На була́вки. *Разг. Устар.* На мелкие расходы (давать, получать). ФСРЯ, 51; БТС, 102.

Тебе́ була́вку подари́ть? *Жарг. мол.* Выражение отказа кому-л. в чём-л. Вахитов 2003, 177.

БУЛДА́ * Ковыря́ться в булде́. *Жарг. угол. Неодобр.* 1. Слушать сплетни. 2. Заниматься бесполезным делом. Балдаев 1, 191.

Торчать в булде́. *Жарг. арест. Пренебр.* Слушать лекцию в ИТУ. Балдаев 2, 82.

Без булды́. 1. *Сиб.* Серьезно, без шуток. ФСС, 18. 2. *Сиб., Яросл.* Честно, без обмана. СФС, 20; ФСС, 18; ЯОС 1, 46. 3. *Сиб.* Спокойно, не горячась. СРНГ 6, 256; СФС, 55; ФСС, 44.

< **Булда** — вздор, чушь, ложный слух.
БУ́ЛКА * Бу́лка с пи́ськой. *Жарг. шк. Шутл.* Булочка с сосиской. (Запись 2003 г.).
Бу́лка (бу́лочка) с тарака́нами. *Жарг. шк. Шутл. или Пренебр.* Булочка с изюмом. (Запись 2003 г.).
Бу́лка (бу́лочка) с те́стом. *Жарг. шк. Шутл.-ирон.* Булочка без начинки, как правило, непропечённая. (Запись 2003 г.).
Тере́ть бу́лки. *Жарг. мол. Шутл.* Танцевать. (Запись 2004 г.).
Дать (испе́чь) бу́лку *кому. Волг., Калуж.* Ударить кого-л. Глухов 1988, 29; Мокиенко 1990, 48, 60, 160; СРНГ 3, 271.
Кроши́ть бу́лку. *Жарг. мол.* 1. *на кого.* Неодобрительно высказываться в чей-л. адрес, выступать против кого-л. авторитетного, вести себя агрессивно по отношению к кому-л. БСРЖ, 80; Вахитов 2003, 86. 2. *на кого-л.* Перекладывать свою вину на кого-л. Максимов, 48. 3. Медлить, тянуть время. Максимов, 48. < Ср. **Крошить батон (БАТОН[1]).**
БУ́ЛКИ* Дёргать (трясти́, шевели́ть) бу́лками. *Жарг. мол. Шутл.* 1. Быстро идти, передвигаться. 2. Танцевать. Вахитов 2003, 203; Максимов, 47, 486.
Броса́ть/ бро́сить (вали́ть) бу́лки *куда. Жарг. мол. Шутл.* Садиться куда-л. Максимов, 45.
Держа́ть за бу́лки *кого. Жарг. мол.* 1. Контролировать кого-л. 2. Ругать, отчитывать кого-л. Максимов, 48.
Две бу́лки и компо́т. *Жарг. шк. Шутл.* Десять рублей. (Запись 2003 г.).
Кида́ть/ ки́нуть (заки́нуть) бу́лки *куда. Жарг. мол.* Заходить куда-л. Максимов, 47.
Мять бу́лки. *Жарг. мол.* Болтать, пустословить. Максимов, 47.
Па́рить бу́лки. *Жарг. мол. Шутл.* 1. Бездельничать. 2. Получать удовольствие от отдыха. Максимов, 47.
Рвать бу́лки. *Жарг. мол. Шутл.-ирон.* Очень стараться, выполняя какую-л. работу. Никитина 2003, 68.
Смо́рщить бу́лки. *Жарг. мол. Шутл.* Подвинуться (на сиденье). Максимов, 393.
Тусова́ть (тасова́ть, тосова́ть) бу́лки. *Жарг. мол.* 1. Уходить откуда-л. Я — молодой, 1996, № 18. 2. Суетиться, возиться с чем-л. Я — молодой, 1997, № 27.
Тусова́ть бу́лками. *Жарг. мол. Шутл.* Идти быстрее, ускорять шаг. Максимов, 433.
Чеса́ть (шо́ркать) бу́лками. *Жарг. мол.* Быстро уходить откуда-л. Максимов, 474, 494.
< **Булки** — ягодицы.
БУ́ЛОЧКА * Бу́лочка с тарака́нами. См. **БУЛКА.**
Бу́лочка с тестом. См. **БУЛКА.**
БУЛЫ́ЖНИК * Булы́жник — ору́жие пролетариа́та. 1. *Публ.* О средстве борьбы пролетариата за свои права. Дядечко 1, 63. 2. *Разг. Шутл.* О последнем аргументе в споре. Дядечко 1, 63. 3. *Жарг. гом. Шутл.* Мужской половой орган. Шах.-2000. < Название скульптуры И. Шадра (1927 г.).
БУЛЫ́НДЫШИ * Вы́лупить булы́ндыши. *Новг. Неодобр.* Внимательно, пристально смотреть на кого-л., что-л. НОС 1, 99.
БУ́ЛЬБИКИ * Пуска́ть бу́льбики. *Одесск.* Спать. КСРГО.
БУ́ЛЬБУШКИ * Ходи́ть (уходи́ть) на бу́льбушках. *Кар.* Быстро, торопливо уходить откуда-л. СРГК 1, 137.
Пуска́ть бу́льбушки. *Волг. Неодобр.* Бездельничать. Глухов 1988, 136.
БУЛЬВА́Р * Бульва́р молоды́х дарова́ний. *Жарг. гом. Шутл.* Сквер у Большого театра в Москве, место встреч гомосексуалистов. Кз., 41.
Шко́льный бульва́р. *Жарг. шк. Шутл.* Школьный коридор. Максимов, 48.
Лощи́ть бульва́ры. *Разг. Устар. Неодобр.* Праздно проводить время, гуляя, расхаживая без дела. Ф 1, 286.
БУЛЬДО́Г * Сде́лать бульдо́га *кому.* 1. *Жарг. угол.* Ударить кого-л. в лицо. ББИ, 219; Балдаев 2, 32. 2. *Жарг. мол.* Избить кого-л. Максимов, 48.
БУЛЬК * Разлива́ть по бу́лькам. *Разг. Шутл.* Разливать спиртное по стаканам равными порциями с закрытыми глазами на слух по количеству бульканий. Елистратов 1994, 54.
БУМ * На бум (наобу́м) святы́х. См. **Наобум святых (СВЯТОЙ).**
БУМА́ГА * Бума́га всё те́рпит. *Разг. Ирон.* Письменно можно высказать такие мысли, которые высказать устно стесняются (напр., ложь, выдумку, нелепость). < Высказывание приписывается римскому писателю и оратору Цицерону. БМС 1998, 61.
Бума́га не красне́ет. *Разг. Ирон.* То же, что **бумага все терпит.** БМС 1998, 61; ШЗФ 2001, 26.
Бума́га по вы́бору. *Жарг. студ. Шутл.-ирон.* Диплом. (Запись 2003 г.).
Ла́кмусовая бума́га. См. **Лакмусовая бумажка (БУМАЖКА).**
Туале́тная бума́га. *Жарг. шк. Шутл.-ирон. или Пренебр.* Учебники. ВМН 2003, 28.
Гла́дко бы́ло на бума́ге. *Разг. Ирон.* Все было хорошо и просто на словах, в замыслах, но на деле ничего не удалось. БМС 1998, 61-62.
На бума́ге. *Разг.* Только в письменном виде, только по документам, но не на деле, не в действительности. ФСРЯ, 51.
За бума́гой к косы́м. *Жарг. торг.* О поездке в Китай за дешевыми кроссовками. Максимов, 48.
Жева́ть бума́гу. *Жарг. студ. Шутл.-ирон.* Записывать лекцию. Вахитов 2003, 53.
Класть/ положи́ть на бума́гу *что. Разг. Устар.* Записывать, писать. ФСРЯ, 198.
Мара́ть бума́гу. *Разг. Пренебр. или Шутл.-ирон.* Писать что-л., не заслуживающее внимания, бездарное. ФСРЯ, 51; ЗС 1996, 379; БМС 1998, 61.
БУМА́ЖКА * Ла́кмусовая бума́жка (бума́га). *Публ.* Критерий, показатель чего-л. БМС 1998, 62; БТС, 486.
Ли́повые бума́жки. *Жарг. угол.* Фальшивые деньги. СРВС 3, 181.
Двена́дцать бума́жек. *Жарг. угол., карт.* Игральные карты. СВЯ, 26.
Поню́хать бума́жку. *Жарг. угол.* Рассмотреть, проверить денежную купюру. Балдаев 1, 338.
БУМ-БУ́М * Бум-бу́м никому́. *Кар. (Ленингр.).* Никому не говорить ни слова. СРГК 1, 138.
Ни бум-бу́м. *Прост.* Совершенно ничего (не понимать, не разбираться в чём-л.). БТС, 102; ФСРЯ, 51.
БУ́НКЕР * Закры́ть бу́нкер. *Жарг. мол. Шутл.-ирон.* Замолчать. Елистратов 1994, 54.
БУНТ * Навести́ бунто́в. *Пск. Неодобр.* Поссорить кого-л. с кем-л. (Запись 1997 г.).
БУРА́К * Зали́ться ки́слыми бурака́ми. *Брян.* Беззаботно, от всей души засмеяться. СРНГ 13, 235.
БУРАТИ́НО * Бога́тенький (бога́тый) Бурати́но. *Разг. Шутл.-ирон.* 1. О богатом человеке. 2. О человеке, который располагает деньгами в данный момент. Белянин, Бутенко, 21. < Реплика Лисы Алисы о Буратино в

телефильме «Приключения Буратино» («Беларусьфильм», 1975 г.). Дядечко 1, 53.

БУРАЧО́К * Три бурачка́. *Жарг. угол. Шутл.* Самогон из сахарной свеклы. Балдаев 2, 85.

БУРЕВЕ́СТНИК * Буреве́стник [революции]. *Публ. Патет.* 1. О писателе М. Горьком. Мокиенко, Никитина 1998, 70. 2. О революционере, пламенном борце за что-л. Зайнульдинов, 27.

БУРЖУ́Й * Сарапи́нчатый буржу́й. *Приамур. Устар. Ирон.* О бедном, неимущем человеке. СРГПриам., 32. < **Сарапи́нка** — дешевая хлопчатобумажная ткань.

БУ́РКА (БУ́РКО)* Облома́ли бу́рка круты́е го́рки. *Новг.* То же, что **умыкали бурку крутые горки.** НОС 6, 92.

За бу́ркой. *Прибайк.* Под надёжной защитой, в полной безопасности (жить, быть). СНФП, 26.

Подла́диться под бу́рку *чью. Яросл. Неодобр.* Переложить свою вину на кого-л. ЯОС 8, 21.

Пореши́ли (уката́ли, ходи́ли) бу́рку круты́е го́рки. *Народн. Ирон.* О чьей-л. смерти. ДП, 287.

Умы́кали (укача́ли) бу́рку круты́е го́рки. *Народн. Ирон.* О человеке, уставшем, обессилевшем в тяжёлых жизненных условиях. ДП, 506.

Умя́ли бу́рку круты́е го́ры. *Сиб.* То же. ФСС, 48.

БУ́РКАЛЫ * Выва́ливать/ вы́валить (пя́лить/ вы́пялить) бу́рклы. *Прост. Неодобр.* Вытаращив глаза, внимательно смотреть на кого-л., на что-л. Мокиенко 1990, 25, 74; Максимов, 49. < **Буркалы** — глаза.

БУ́РКИ * Пуска́ть бу́рки. *Астрах., Орл., Тул. Шутл.-ирон.* Тонуть. СРНГ 3, 280.

БУРЛА́К * Бурлаки́ на Во́лге. *Жарг. мол. Шутл.* О людях, едущих в автомобиле «Волга». Максимов, 49.

БУРМИ́Н * Дока́тываться на бурми́н. *Сиб.* Приближаться к смерти. ФСС, 62.

БУРО́ВЛЯ * Буро́вить буро́влю. *Орл. Неодобр.* Говорить ерунду, чушь. СОГ 1989, 111.

БУРО́К * Хвата́ть бурка́. *Волог.* То же, что **бурки пускать.** СРНГ 3, 288.

БУ́РСА * Бу́рса зе́ка. *Жарг. мол., угол. Ирон.* Общеобразовательная школа для осуждённых в ИТК. ББИ, 36; Балдаев 1, 48.

БУРУ́Н * Создава́ть буруны́. *Жарг. мол.* Скандалить, выяснять отношения. Никитина 2003, 70.

БУ́РЫ * Де́лать бу́ры. *Кар.* Говорить, бурчать во сне. СРГК 1, 143, 444.

БУ́РЯ * Бу́рей тебя́ поднима́й! *Ворон. Бран.-шутл.* Выражение лёгкого раздражения, досады. СРНГ 28, 99.

Бу́ря в лоха́нке. *Народн.* То же, что **буря в стакане воды.** ДП, 516.

Бу́ря в стака́не воды́. *Разг. Ирон.* Спор, шум, сильное волнение по незначительному поводу, по пустякам. ФСРЯ, 51-52; ЗС 1996, 354; БТС, 105, 139, 1259; ШЗФ 2001, 26; БМС 1998, 62.

Бу́ря зна́ет. *Сарат.* Абсолютно ничего неизвестно, никто не знает о чём-л. СРНГ 3, 301; Мокиенко 1990, 27.

Несёт тебя́ бу́ря! *Курск. Бран.* Выражение крайнего раздражения, негодования. БотСан, 105.

БУС * Отби́ть бус. *Приамур.* Отделить первосортную муку при помоле. СРГПриам., 187.

То́лько (аж) бус идёт. *Сиб.* Очень быстро. ФСС, 18.

БУСОРИ́НА * С бусори́ною. *Орл. Неодобр.* То же, что **с бусырью 1. (БУСЫРЬ).** СОГ 1989, 112.

БУ́СОРЬ. См. **БУСЫ́РЬ.**

БУ́СЫ * Стро́ить бу́сы *на кого. Волг.* Сердиться на кого-л., стремиться отомстить кому-л. Глухов 1988, 155.

БУСЫ́РЬ * С бусы́рью (бу́сорью). 1. *Волг., Сиб. Неодобр. или Шутл.-ирон.* О глуповатом, несообразительном человеке. Глухов 1988, 144; СФС, 162; ФСС, 18. 2. *Сиб. Неодобр.* О сердитом человеке. СФС, 162; ФСС, 18. 3. *Дон., Сиб. Неодобр.* О высокомерном человеке. СДГ 1, 50.

БУТ * Дать бу́ту *кому. Пск., Сев.-Двин.* Избить, поколотить кого-л. ПОС 2, 222; СРНГ 7, 256.

БУТЕРБРО́Д * Шве́дский бутербро́д. *Жарг. мол. Шутл.* Групповое половое сношение. Максимов, 50.

БУ́ТОР * Определи́ть с бу́тором *кого. Жарг. угол., мил.* Задержать кого-л. с краденым. СРВС 4, 143; Балдаев 1, 292.

БУ́ТСЫ * Скрести́ть бу́тсы *с кем. Жарг. спорт. Шутл.* Встретиться с кем-л. в футбольном матче. < Образовано по модели выражения **скрестить шпаги.** НРЛ-81.

БУТЫ́ЛКА * Буты́лка поро́зная. *Печор. Бран.* О бестолковой женщине. СРНГП 2, 114.

Тёмная буты́лка. *Арх., Пск. Ирон.* О необразованном человеке. АОС, 2, 189; ПОС 2, 223.

Сиде́ть в буты́лке. *Жарг. угол.* Быть арестованным, задержанным; отбывать наказание в тюрьме. СРВС 1, 213; ТСУЖ, 161.

Без буты́лки не разберёшься. *Прост. Шутл.* О чём-л. сложном, непонятном. Вахитов 2003, 14.

Из тёмной бутылки. *Кар. (Волог.). Ирон.* По глупости, сдуру. СРГК 1, 145.

То́лько буты́лки бря́кают. *Сиб. Шутл.-одобр.* О наличии достатка в доме. ФСС, 18.

Бе́гать на буты́лку. *Сиб. Шутл.* Заключать пари, биться об заклад. ФСС, 10.

В буты́лку без мы́ла зале́зет. *Горьк. Неодобр.* О хитром человеке, пройдохе. БалСок, 25.

Гляде́ть (загля́дывать/загляну́ть) в буты́лку. *Прост. Шутл.* 1. Иметь пристрастие к алкоголю. 2. Выпивать спиртного. ФСРЯ, 160; Сл. Акчим 1, 103; СОГ 1989, 113; СОСВ, 35, 71. 3. *Жарг. мол.* Доводить до нервного срыва кого-л. Максимов, 50.

Держа́ться за буты́лку. *Пск.* То же, что **ловить бутылку.** (Запись 1991 г.).

Загоня́ть/ загна́ть в буты́лку *кого.* 1. *Жарг. угол.* Уличать во лжи кого-л. СРВС 1, 103; ТСУЖ, 28, 60. 2. *Прост.* Успокаивать, призывать к порядку, заставлять смиряться кого-л. БМС 1998, 63. 3. *Жарг. мол.* Доводить до нервного срыва кого-л. Максимов, 50.

Зале́зть в буты́лку. 1. *Перм.* Стать алкоголиком. Подюков 1989, 80. 2. *Жарг. мол.* Начать запой. Максимов, 50.

Лезть/ поле́зть в буты́лку. 1. *Прост.* Раздражаться, сердиться, возмущаться, как правило, без каких-либо серьёзных оснований для этого. ФСРЯ. 223; БТС, 105, 431; БМС 1998, 63; ЗС 1996, 59; Глухов 1988, 80; ЗС 1996, 298, 352; Вахитов 2003, 90. 2. *Жарг. мол.* Спиваться. Максимов, 50.

Лови́ть буты́лку. *Пск. Шутл.* Пить спиртное, пьянствовать. (Запись 1998 г.).

Ню́хать буты́лку. *Волг.* Пить спиртное. Глухов 1988, 113.

Потеря́ть буты́лку. *Жарг. угол. Неодобр.* Стать бессовестным, обнаглеть. Балдаев 1, 344.

Прожи́ть за тёмную буты́лку. *Кар. (Арх.). Ирон.* Прожить жизнь неграмотной. СРГК 1, 145.

Раздави́ть буты́лку. *Прост.* Выпить спиртного. Ф 2, 115.
Скласть в буты́лку (деньги). *Перм. Ирон.* Пропить. СПСП, 123.
Съесть буты́лку. *Жарг. угол.* Принять ложь за правду. Хом., 1, 135.
БУТЫ́ЛОЧКА * Буты́лочка водяна́я. *Арх.* Растение кувшинка (белая). АОС 2, 189.
Нае́хать на буты́лочку. *Жарг. мол. Шутл.* Выпить спиртного. Щуплов, 63.
Поста́вить буты́лочку на уголо́к. *Кар. (Ленингр.).* Угостить плотников, после того как они сделали первый венец сруба. СРГК 5, 45.
БУТЫ́ЛЬ * Загля́дывать в буты́ль. *Горьк. Неодобр.* Вмешиваться не в свое дело. БалСок, 36.
Распеча́тать буты́ль. *Разг. Шутл.-ирон.* Лишить девушку невинности. Кор., 242.
БУТЫЛЬБО́Л * Игра́ть в бутыльбо́л. *Жарг. мол. Шутл.* Пить спиртное. Максимов, 50.
БУ́ФЕР * Бу́фер обме́на (обма́на). *Жарг. шк. Шутл.-ирон.* Буфетчица. (Запись 2003 г.).
БУФЕ́Т * Загуля́ть по буфе́ту. *Жарг. угол.* Запить, удариться в распутство. ББИ, 83; Балдаев 1, 138.
БУХ * Бу́ха са́ппиенс. *Жарг. мол. Шутл.-ирон.* Любитель выпить. Никитина 2003, 71.
Под бу́хом. *Жарг. мол.* В состоянии алкогольного опьянения. Митрофанов, Никитина, 27.
БУХА́ЛО * Буха́ть буха́ло. *Жарг. мол. Шутл.* Пить спиртное. Максимов, 50.
БУХА́ЛОВКА * По буха́ловке. *Разг.* Будучи в нетрезвом состоянии. СВЯ, 33.
БУ́ХАНЕЦ * Дать бу́ханца (бу́ханцев, бу́ханцы) *кому. Орл.* Побить, поколотить кого-л. СОГ 1989, 113; Мокиенко 1990, 48, 159.
Получи́ть бу́ханцев. *Волг.* Подвергнуться избиению. Глухов 1988, 129.
БУ́ХАНИЦА * Дава́ть /дать бу́ханицы. *Пск.* 1. *кому.* Избивать, колотить кого-л. 2. Громко кашлять. СПП 2001, 19.
БУХА́НКА * Кроши́ть буха́нку *на кого.* 1. Вести себя агрессивно по отношению к кому-л. h-98. 2. Незаслуженно обвинять кого-л. в чём-л. БСРЖ, 84.
БУХАРА́ * Съе́здить в Бухару́. *Жарг. мол. Шутл.* Напиться пьяным. Я — молодой, 1997, № 22. < Каламбурное переосмысление топонима **Бухара** по ассоциации с глаголом **бухать** — пить спиртное.
БУХА́РКУ * Съе́здить в Буха́рку. *Жарг. мол. Шутл.* То же, что **съездить в Бухару (БУХАРА). Максимов, 50.**
БУХА́РЬ * Взять бухаря́. *Жарг. угол.* Обокрасть пьяного. Росси 1, 44; ТСУЖ, 27.
БУХГАЛТЕ́РИЯ * Двойна́я бухгалте́рия. 1. *Спец.* Метод учета по приходу и расходу предприятия, при котором учетные операции записываются два раза в разных книгах. 2. *Разг. Шутл.-ирон.* О лицемерных, двурушнических действиях кого-л. БТС, 106.
БУХЛЯ́НКА * Бухля́нка с мешо́чком. *Жарг. угол.* Бутылка спиртного с закуской. ТСУЖ, 25; СВЯ, 11. < **Бухлянка** — бутылка спиртного.
БУ́ХОВИНА * Дать бу́ховину *кому. Новг.* Дать подзатыльник, ударить кого-л. НОС 1, 101.
БУХТИ́НА * Бухти́ну сказа́ть. *Олон.* Соврать, солгать. СРНГ 3, 326.
Сморо́зить бухти́ну. 1. *Арх.* Сделать глупость. СРНГ 3, 326. 2. *Волг.* Сказать что-л. неуместное. Глухов 1988, 150. Глухов 1988, 150. 3. *Волг.* Соврать, солгать. Глухов 1988, 150. **< Бухтина** — вымысел, нелепость, вздор.
Согну́ть бухти́ну. 1. *Олон.* Пошутить. СРНГ 3, 326. 2. *Волг.* То же, что **сморозить бухтину 2.** Глухов 1998, 150. 3. *Волг.* То же, что **сморозить бухтину 3.** Глухов 1998, 150.
БУ́ХТЫ * Ни с бу́хты ни с бара́хты. *Пск. Неодобр.* То же, что **с бухты-барахты**. СПП 2001, 19.
С бу́хты-бара́хты. *Разг. Неодобр.* Без видимой причины, без всяких оснований, необдуманно (поступать, делать что-л.). ФСРЯ, 52; ЗС 1996, 108, 334; 520; БТС, 106; СРНГ 36, 9; БМС 1998, 63.
БУ́ЦЕВО * Дава́ть/ дать бу́цево *кому. Орл.* Бить, колотить кого-л. СОГ 1989, 113.
БУ́ЧА * Наводи́ть/ навести́ бу́чу. *Дон.* То же, что **поднимать бучу.** СДГ 2., 153.
Поднима́ть/ подня́ть бу́чу. *Волг.* Затевать, устраивать скандал. Глухов 1988, 125.
БУ́ЧКА * Задава́ть/ зада́ть бу́чку *кому. Обл.* Бить, наказывать кого-л. Мокиенко 1990, 46.
Получи́ть бу́чку. *Пск.* Подвергнуться избиению, побоям; быть битым. СПП 2001, 19.
БУ́ШКИ * Пойти́ бу́шки. *Ворон.* Начать бодаться (о животном). СРНГ 3, 332.
БУШЛА́Т * Деревя́нный бушла́т. *Жарг. угол., мол. Ирон.* Гроб. СВЯ, 12; ББИ, 67; Максимов, 50.
Наде́ть деревя́нный бушла́т. *Жарг. угол. Ирон.* Умереть. Балдаев 1, 267.
Одеть в деревя́нный бушла́т *кого. Жарг. угол. Ирон.* Заставить кого-л. умереть, умертвить кого-л.; похоронить кого-л. Р-87, 45.
Оде́ться в ци́нковый бушла́т. *Жарг. арм.* Погибнуть. Максимов, 285.
Закры́ться (накры́ться) бушла́том. 1. *Жарг. угол., мол.* Умереть. Быков, 37; ББИ, 36; Балдаев 1, 50; СВЯ, 35; Максимов, 51. 2. *Жарг. арест.* Симулировать заболевание с целью получить освобождение от работы. ББИ, 36; Балдаев, 1, 50, 143.
БЫВА́Й * Де́лать быва́й. *Яросл.* Приглашать в гости. ЯОС 2, 34; СРНГ 3, 337.
БЫВА́ЛЬЦЫ * Быва́ть в быва́льцах. *Волг.* Быть опытным, много испытать в жизни. Глухов 1988, 7.
БЫВА́ЛЬЩИНА * В быва́льщину. *Симб.* О чём-л., многократно повторявшемся. СРНГ 3, 336.
БЫВА́НЬЕ * В ча́стом быва́нье. *Арх.* О часто приходящем госте. АОС 2, 200.
Не в ча́сто быва́нье. *Новг.* Редко, не часто бывать у кого-л. НОС 1, 103. **Не в ча́стом быва́нье (быва́ньице).** *Арх., Прибайк., Яросл.* То же. АОС 2, 200; СНФП, 26; ЯОС 6, 123.
Не в чи́стом быва́нье. *Прикам.* Не в чистоте (быть, жить). МФС, 15.
БЫВА́НЬИЦЕ * Не в ча́стом быва́ньице. См. **Не в ча́стом бываньe (БЫВАНЬЕ).**
БЫВА́ТЬ * Как не быва́ло *кого, чего. Разг.* О ком-л., чём-л., бесследно исчезнувшем. ФСРЯ, 52.
Как ни в чем не быва́ло. *Разг.* Словно ничего не случилось, не произошло. ФСРЯ, 52; БМС 1998, 63.
Ничу́ть не быва́ло. *Разг.* Совсем нет, вовсе нет. ФСРЯ, 52; БМС 1998, 63.
БЫЗЫ́ * Подыма́ть на бызы́ *кого. Казан.* 1. Поддакивать, льстить кому-л. Казан. 2. Одобрять, поддерживать кого-л. СРНГ 3, 341.
БЫК * Бык в заго́не. *Жарг. мол.* Отец дома. Максимов, 51.
Бык в я́ме. *Жарг. мол.* Начальник в кабинете. Максимов, 51.

Бык рогомёт. *Жарг. угол., арест. Пренебр.* Заключённый, хорошо работающий на производстве. ТСУЖ, 27; Мильяненков, 91; ББИ, 37; Балдаев 1, 51.

Бык фанéрный (фестивáльный). *Жарг. мол. Пренебр.* 1. Глупый молодой человек. 2. Психически ненормальный человек. 3. Упрямый человек. 4. Человек, выдающий себя за представителя крупного бизнеса, криминальных структур. h-98; Максимов, 51. Ср. **комолый бык.**

Водянóй бык. 1. *Прост.* Выпь, птица семейства цапель. Ф 1, 47. 2. *Дон. Шутл.* Жук-плавунец. СДГ 1, 151.

Дóеный (дóйный) бык. 1. *Жарг. угол., карт.* Жертва шулера, у которого обманом или с помощью картёжной игры отобрали все ценные вещи. ББИ, 69; Грачев, 1997, 14. 2. *Жарг. мол.* Богатый мужчина. Максимов, 51.

Комóлый бык. *Жарг. мол. Неодобр.* 1. Упрямый человек. 2. Глупый, несообразительный человек. Максимов, 51.

Озёрный бык. *Сиб.* Птица выпь. ФСС, 19.

Резúновый (фанéрный, фестивальный) бык; бык резúновый (фанéрный, фестивáльный) *Жарг. мол. Неодобр.*

Цветнóй бык. *Жарг. угол. Презр.* 1. Милиционер. 2. Контролёр в ИТУ, СВЯ, 12.

Брать/ взять быкá за рогá. *Разг. Одобр.* Начинать действовать энергично, решительно и сразу с самого главного, основного. ФСС, 52; Ф 1, 47; Мокиенко 1986, 19, 27; Мокиенко 1990, 24; БТС, 107; ЗС 1996, 211, 226; ШЗФ 2001, 23; БМС 1998, 63.

Менять/ променять быкá на индюкá. *Волг., Пск., Смол. Шутл.-ирон.* Не получать выгоды при обмене; совершать невыгодную сделку. Глухов 1988, 84; Мокиенко 1990, 29.

С быкá на индюкá. *Волг.* О переходе на режим экономии. Глухов 1988, 144.

У быкá молокá вы́просит. *Сиб.* О настойчивом, дерзком человеке. СРНГ 18, 236; СФС, 190; ФСС, 38.

Быкáм хвосты́ крутúть. 1. *Прост. Шутл.-ирон.* Выполнять работу пастуха, скотника. Ф 1, 266. 2. *Волг.* Выполнять тяжёлую, неблагодарную работу. Глухов 1988, 78. 3. *Орл. Неодобр.* Бездельничать. СОГ 1989, 116.

На быкáх. *Жарг. мол. Шутл.* На троллейбусе (ехать). Я — молодой, 1995, № 15.

Гонять быкóв. *Жарг. угол., арест.* Играть в кости или в карты на кусочки мяса. СРВС 1, 104, 168; СРВС 2, 29, 172; ТСУЖ, 27; СВЯ, 23.

Быкý лоб сшибёт *Морд. Шутл.* О здоровом, сильном, крепком человеке. СРГМ 2002, 183.

БЫЛÚНКА * Ни былúнки, ни пылúнки. *Волг. Ирон.* О крайней бедности. Глухов 1988, 108.

Пáдает чéрез былúнку. *Волг. Ирон.* О слабом, больном, старом человеке. Глухов 1988, 120.

БЫ́ЛОЧКА * Ни бы́лочки. *Ряз.* Нисколько, ничуть. ДС, 71; СРНГ 21, 212. < **Былочка** — былинка, травинка.

БЫЛЬ * В быль (вбыль). *Кар. (Ленингр.).* Действительно, в самом деле. СРГК 1, 153.

Бы́лью поросло́. См. **Бы́льём поросло (БЫЛЬЁ).**

БЫЛЬЁ * Быльём (бы́лью) поросло́ *что. Разг.* Давно забылось, стерлось в памяти (о том, что безвозвратно прошло). ФСРЯ, 344; Мокиенко 1986, 246; ШЗФ 2001, 26; ЗС 1996, 483; БМС 1998, 64.

БЫ́СТРОТА * С быстротóй мóлнии. *Разг.* Очень быстро, мгновенно. БТС, 552.

БЫСТРУ́ХА * По быстру́хе. *Жарг. мол.* Наспех, второпях. Вахитов 2003, 131.

БЫТ * В зúмний быт. *Дон.* Зимой. СДГ 1, 52.

В лéтний быт. *Дон.* Летом. СОГ 1, 52.

Остáвить на стáрый быт *кого, что. Сиб.* Вернуть в прежнее состояние. ФСС, 127.

При бы́те. См. **При быту.**

Какúм бы́том? *Забайк.* Каким образом? СРГЗ, 72.

Такúм бы́том. *Забайк., Сиб.* Таким образом. СРГЗ, 405; СФС, 185.

Умирáть/ умерéть своúм бы́том. *Прикам.* Умирать естественной смертью. МФС, 105.

При *чьём.* **быту́ (бы́те)** *Дон., Приамур., Сиб.* В период чьей-л. жизни. СДГ 1, 52; СРГПриам., 33; СРНГ 31, 100.

БЫ́ТНОСТЬ * По бы́тности. *Кар. (Арх.).* Как было принято прежде, в старину. СРГК 4, 574.

При *чьей* **бы́тности.** *Влад., Печор., Свердл.* То же, что **при** *чьём* **быту́ (БЫТ).** СРГНП 1, 52.

Всю бы́тность. *Печор.* Всё время, постоянно. СРГНП 1, 52.

Всю (во всю) бы́тность. *Арх.* Всё время, всегда. АОС 2, 210.

БЫ́ТОВ * При бытову́ *чьём. Приамур.* То же, что **при быту (БЫТ).**

БЫТЬ[1] *** Был, да весь вы́шел.** *Прост. Шутл.-ирон.* О человеке, который ушёл, скрылся, долго не появляется где-л. Ф 1, 47; Мокиенко 2003, 12.

Былá не былá! *Разг.* Надо рискнуть, попытаюсь рискнуть (сделать что-л.). ЗС 1996, 112; ФСРЯ, 52. **Былá не былá, катáй сплечá.** *Народн.* То же. ДП, 76.

Бы́ло, да сплы́ло. *Разг. Ирон.* О том, что было и быстро прошло, безвозвратно исчезло. БМС 1998, 64; Глухов 1988, 8; ЗС 1996, 157; Ф 1, 47.

Не ту́т-то бы́ло. *Разг.* 1. О чьих-л. напрасных усилиях, попытках. БМС 1998, 64. 2. Ничего подобного, ничего похожего. ФСРЯ, 53.

Быть говорúть! *Ирон. Новг., Волог.* Выражение несогласия: как бы не так. СРНГ 3, 353.

Быть или не быть [вот в чем вопрóс]. 1. *Разг. Шутл.* Выражение колебания при принятии какого-л. решения. ШЗФ 2001, 27; БТС, 109. 2. *Жарг. студ. Шутл.* Философия, учебный предмет. (Запись 2003 г.).

БЫТЬ[2] *** В** *чью* **быть.** *Кар.* То же, что **при чьём быту́ (БЫТ).**

БЫ́ЧКА * Бы́чки в глазáх шумя́т. *Жарг. мол.* О состоянии раздражения, готовности к ссоре. Максимов, 52.

БЫЧÓК * Взять бычкá, а отдáть ремешкá. *Пск. Шутл.-ирон.* О невыгодном обмене. Шап. 1959, 312.

ДОЙТЬ БЫЧКÁ. *Жарг. мол. Шутл.* Мастурбировать. Декамерон 2001, № 3.

Бычкú в глазáх шипя́т *у кого. Жарг. мол.* О состоянии раздражения, готовности к ссоре. Максимов, 52.

Быть бычкý на верёвочке. *Народн.* Придется расплачиваться за что-л., не избежать наказания. БТС, 119; Жук. 1991, 55.

Дóйный бычóк. 1. *Разг. Шутл.-ирон.* Половой партнер минетчицы. УМК, 95. 2. *Жарг. угол. Шутл.* Самогонный аппарат. Мильяненков, 91; ББИ, 38; Балдаев 1, 52.

Жúрный бычóк. *Жарг. мол. Шутл.* Длинный окурок. Вахитов 2003, 54.

Ма́менькин бычо́к. *Разг. Ирон.* Человек, живущий половой жизнью со своей матерью. УМК, 59; ББИ, 38; Балдаев 1, 52.

Утону́вший бычо́к. *Жарг. шк. Шутл.-ирон.* Школьный туалет, в котором курят. ВМН 2003, 29.

БЭ * Без бэ. *Жарг. мол.* Конечно, разумеется; обязательно. (Запись 2004 г.). < От жарг. оборота **без базара.**

На бэ начина́ется, мя́гким зна́ком конча́ется. *Прост.. Шутл.-ирон.* О женщине лёгкого поведения, проститутке. < Сокращённая форма от **блядь.** Мокиенко, Никитина 2003, 92.

Не бэ. *Жарг. угол.* Не стоит беспокоиться, бояться чего-л. < Сокращенно от **Не бзди!** — Не бойся! Мокиенко, Никитина 2003, 92.

Ни бэ ни мэ. См. **Ни бе ни ме (БЕ).**

БЭК * В бэк. *Жарг. мол.* Очень сильно, в высшей степени. УМК 59; Никольский, 20; Елистратов 1994, 57. < От англ. *backside* — зад, ягодицы.

БЭКСА́ЙД * Иди́ в бэкса́йд! *Жарг. мол. Груб.* Требование оставить в покое, отстать от кого-л. Митрофанов, Никитина, 28; Никольский, 20.

БЭН * Большо́й Бэн. *Жарг. мол. Шутл.* Дедушка. < По названию часов на здании парламента в Лондоне. Максимов, 39.

БЭП * Де́лать бэп. *Жарг. мол.* Исполнять чьи-л. указания, делать то, что говорят. LD-2000.

БЭ́ТМЕН * Бэ́тмен с мячо́м. *Разг. Шутл.* Памятнику Ю. Гагарину в Москве. МК, 14.03.98.

БЮРО́ * Бюро́ до́брых услу́т. 1. *Жарг. арм.* О молодом солдате в суточном наряде. 2. *Жарг. шк.* О сидящих за первой партой. Максимов, 53.

Спра́вочное бюро́. *Жарг. гом. Шутл.-ирон.* Зад, ягодицы пассивного партнера. УМК, 59; ББИ, 38; Балдаев 1, 52.

БЮРЮ́ЛЬКИ * Игра́ть в бюрю́льки. См. **Играть в бирюльки.**

БЮСТГА́ЛТЕР * Наде́ть бюстга́лтер. *Жарг. авто. Шутл.* Пристегнуться ремнём безопасности. Никитина 1998, 52.

БЯ * Ни бя ни мя. *Новг. Шутл.* Об отсутствии домашнего скота: ни овцы, ни коровы. НОС 1, 104.

БЯ́КА * Вся́кая бяка. *Прибайк.* Всё подряд, без разбору. СНФП, 26.

В * В в кубе (В^3). *Жарг. студ. (филол.). Шутл.* Виктор Владимирович Виноградов (В.В.В.), известный русский лингвист. ВМН 2003, 30.

ВАА́Л * Служи́ть Ваалу. *Книжн. Устар.* Стремиться к наживе, быть алчным. < **Ваал** — божество почв и плодородия у древних семитов; многочисленные служители его культа известны как стяжатели. Ф 2, 165.

ВА-БА́НК * Игра́ть (идти́/ пойти́) ва-ба́нк. *Книжн.* Идти на большой риск, действовать с отчаянной смелостью, ничего не боясь. ЗС 1996, 360; БТС, 109; Ф 1, 216; Ф 2, 237. < Из речи игроков в карты, полукалька с франц. *va banque.* БМС 1998, 65.

ВАВИ́ЛА * Вави́ла — кра́сное ры́ло. *Народн. Пренебр.* Прозвище человека по имени Вавила. ДП, 312.

Не смы́слит Вави́ла ни у́ха ни ры́ла. *Народн. Неодобр.* О глупом, несообразительном человеке. ДП, 455.

ВАВИЛО́Н * Но́вый Вавило́н. *Публ. Неодобр.* О гигантском, многолюдном индустриальном городе. БМС 1998, 65.

Выводи́ть (писа́ть) вавило́ны. *Разг.* Идти шатаясь, заплетающейся походкой (о пьяном). ФСРЯ, 90; БТС, 167.

Стро́ить вавило́ны. *Прост. Устар. Неодобр.* Вести себя эксцентрично, чудаковато. БМС 1998, 65.

ВА́ГА * Ва́гой не сдви́нешь *кого. Орл. Неодобр.* О ленивом, малоподвижном человеке. СОГ 1989, 122.

Поднима́ть ва́гой *кого. Орл. Шутл.* С трудом будить кого-л. СОГ 1989, 122.

Тяну́ть ва́гой *кого. Орл.* С трудом заставлять кого-л. делать что-л. СОГ 1989, 122.

Дать ва́гу *кому. Орл.* Предоставить кому-л. свободу действий, поведения. СОГ 1989, 122.

Хоть ва́гу подводи́. *Орл. Неодобр.* То же, что **вагой не сдвинешь.** СОГ 1989, 122.

< **Вага** — ведущая оглобля в парной упряжи.

ВАГИ́НА * Ваги́на Кли́торовна. *Жарг. гом. Шутл.* Обращение к женщине. Кз., 41.

ВАГО́Н * Ваго́н без прице́па. *Жарг. мол. Шутл.* Сигарета без фильтра. Максимов, 53.

Ваго́н ду́ри. *Жарг. нарк.* Большое количество наркотиков. ТСУЖ, 27; ББИ, 39; Балдаев 1, 55.

Ваго́н и ма́ленькая теле́жка (та́чка) *чего. Разг. Шутл.* О большом количестве чего-л. БМС 1998, 65; Мокиенко 1990, 112; Глухов 1988, 8; СОВРЯ, 309-310; Максимов, 53; Вахитов 2003, 25.

Ваго́н с прице́пом. *Жарг. мол. Шутл.* Сигарета с фильтром. Максимов, 53.

Попа́сть в ваго́н для некурящих. *Жарг. мол. Шутл.-ирон.* Иметь большие неприятности. Максимов, 53.

ВА́ЖНОСТЬ * Для ра́ди ва́жности. *Разг. Ирон.* Для создания видимости чего-л. значительного, импозантного. < Из романа И. С. Тургенева "Отцы и дети". БМС 1998, 66.

Велика́ (э́ка, что за) важность! *Разг.* О том, чему не стоит придавать значения. ФСРЯ, 53.

Не велика́ ва́жность. *Разг.* О чём-л. несложном, пустяковом. БТС, 116; ФСРЯ, 53.

ВА́ЗА * Ночна́я ва́за. *Жарг. мол. Шутл.* 1. Унитаз. 2. Шляпа с широкими полями. 3. Сбербанк. Максимов, 53.

ВАЗЕЛИ́Н * Дави́ть вазели́н. *Жарг. мол. Шутл.* Испражняться. Максимов, 53.

Даёт без вазели́на. *Жарг. гом. Шутл.* О легкодоступном пассивном гомосексуалисте. Кз., 42.

ВАЙВА́ШКИ * Закрича́ть вайва́шки. *Орл.* Громко вскрикнуть, закричать от боли. СОГ 1989, 125.

ВАКА́НСИЯ * Лёгкая вака́нсия. *Сиб.* Работа в должности служащего (в отличие от физической). ФСС, 22.

ВАКА́НЦИЯ * Сде́лать вака́нцию *кому-л. Орл.* Подыскать кому-л. хорошее место работы, подходящую должность. СОГ 1989, 125.

ВА́КУУМ * Ва́куум в голове́ *у кого. Разг. Неодобр. или Шутл.-ирон.* О крайне глупом человеке. ЗС 1996, 245.

ВАКЦИНА́ЦИЯ * Провести́ вакцина́цию *кому. Жарг. мол.* 1. Наказать, отчитать кого-л. 2. Проверить кого-л. на надёжность. Елистратов 1994, 58.

ВАЛ * Вал упа́л. *Приамур.* О быстро прибывшей воде в реке. СРГПриам., 35.

Девя́тый вал. 1. *чего. Книжн.* Наиболее бурное, сильное проявление чего-л. грозного. ФСРЯ, 54; БМС 1998, 66;

БТС, 109, 245. 2. [*чего, кого*]. *Книжн.* О вершине каких-л. достижений творческой мысли или деятельности человека. БМС 1998, 66. 3. *Пск. Ирон.* О больном, слабом человеке. СПП 2001, 19.

Девя́тый вал по брю́ху пошёл [*у кого*]. *Волг., Пск. Шутл.* О появлении сильного чувства голода у кого-л. ПОС 3, 19; Глухов 1988, 32.

Комари́ный вал. *Пск. Шутл.-ирон.* Лёгкая зыбь на поверхности воды. ПОС 3, 19.

Чёрный вал. *Одесск.* Горе, несчастье. КСРГО.

ВАЛ-ВА́ЛОМ * Вал-ва́лом вали́ть. 1. *Забайк., Сиб.* То же, что **валом валить 1. (ВАЛОМ).** 2. *Сиб.* О больших доходах. ФСС, 22.

ВА́ЛЕ́ЖИ́ * Вали́ть ва́ле́жи́. *Прикам.* Корчевать лес, освобождая землю под пашню. МФС, 15.

ВАЛЁК * Вальки́ валя́ть да к сте́нкам приставля́ть. *Новг. Неодобр.* Бездельничать; работать недобросовестно, плохо. НОС 1, 107.

Пока́зывать вальки́. *Новг.* 1. Драться. НОС 1, 107. 2. Проявлять враждебность по отношению к кому-л. НОС 8, 76.

ВА́ЛЕНОК * Сейча́с, то́лько ва́ленки зашнуру́ю. *Жарг. мол. Шутл.-ирон.* Реплика, выражающая нежелание, отказ выполнить чью-л. просьбу, требование. Елистратов 1994, 58.

Ва́ленок с завя́зками. *Жарг. мол. Шутл.-ирон.* О глуповатом человеке. Максимов, 53.

Поменя́ть ва́ленок на гало́шу. *Курск. Ирон.* О неравноценном обмене. Мокиенко 1990, 29.

Сиби́рский ва́ленок. *Прост. Ирон. или Пренебр.* 1. О глупом, недалёком человеке. 2. О наивном, простодушном человеке. Мокиенко, Никитина 2003, 92; БТС, 110.

ВАЛЕ́Т * Черво́нный (черво́вый) вале́т. 1. *Жарг. угол., карт. Одобр.* Мошенник высшего класса; опытный шулер. СРВС 2, 23, 95; ТСУЖ, 28; Мильяненков, 91; ББИ, 39; Балдаев 1, 55. 2. *Разг. Устар.* Плут, пройдоха. Ф 1, 50. 3. *Разг. Неодобр.* Подлец, вор, обладающий изящными манерами. БМС 1998, 66. 4. *Разг. Неодобр.* О беспринципном, продажном человеке. БМС 1998, 66.

Прики́нуться вале́том. *Жарг. угол.* Притвориться глупым, не понимающим чего-л. БСРЖ, 87.

Четы́ре вале́та и все козырны́е *у кого. Жарг. мол. Пренебр.* О глупом, бестолковом человеке. СИ, 1998, № 5.

Гоня́ть вальта́. *Жарг. мол.* Бездельничать. Кор., 76.

Задви́нуться на вальта́. *Жарг. арест.* Постоянно думать о мести, находясь в заключении. Балдаев 1, 139.

Пойма́ть вальта́. *Жарг. мол.* Сойти с ума. Максимов, 94.

Сваля́ть вальта́. *Жарг. мол. Неодобр.* Сделать глупость, поступить опрометчиво. Вахитов 2003, 163.

Четы́ре вальта́ и все козы́рные *у кого. Жарг. мол. Шутл.-ирон.* О глупом человеке. Максимов, 474.

Лови́ть вальто́в. *Жарг. мол. Неодобр.* Говорить невпопад, не по теме. Максимов, 54.

Вальты́ прилете́ли (ка́тят, гуля́ют) *у кого. Жарг. мол., нарк.* 1. Кто-л. испытывает галлюцинации. Митрофанов, Никитина, 30. 2. Кто-л. ведёт себя подобно сумасшедшему. БСРЖ, 87.

Вальты́ стебу́т *кого. Жарг. мол. Неодобр.* О чьём-л. странном поведении. БСРЖ, 87.

Не все вальты́ в коло́де *у кого. Жарг. мол. Шутл.-ирон.* 1. О глупом человеке. 2. О психически ненормальном человеке. Максимов, 71.

Придуркова́тые вальты́. *Жарг. арест.* Камера, где содержатся осуждённые уголовники, признанные медкомиссией психически больными и имеющие различные льготы. Балдаев 1, 349.

Растеря́ть вальты́. *Жарг. мол.* То же, что **поймать вальта.** Максимов, 54.

ВА́ЛКА * Дать (зада́ть) ва́лку *кому. Пск.* Избить, поколотить кого-л. ПОС 3, 26; Мокиенко 1990, 46.

ВА́ЛОМ * Ва́лом вали́ть. 1. *Разг.* Идти, ехать, двигаться толпой, сплошной массой. АОС 3, 36; Глухов 1988, 8; БТС, 110. 2. *Разг.* Появляться беспрерывно одно за другим в большом количестве. ФСРЯ, 54. 3. *Яросл.* Делать что-л. безостановочно, с усердием. ЯОС 1, 46. 4. *Волг. Неодобр.* Делать что-л. неаккуратно, не соблюдая порядок. Глухов, 1988, 8.

Ва́лом вали́ться. *Арх., Орл.* То же, что **валом валить 1.** АОС 3, 38; СОГ 1989, 129.

Ва́лом валя́ться. *Арх.* Постоянно лежать. АОС 3, 39.

ВА́ЛЬКА * Ва́лька — ги́бкая спи́нка. *Жарг. мол. Шутл.-ирон.* Проститутка. Максимов, 54.

Гнать ва́льку. *Жарг. мол. Неодобр. или Шутл.-ирон.* Бездельничать. Максимов, 54.

Пока́зывать ва́льки *кому. Новг.* Драться с кем-л. Сергеева 2004, 177.

ВАЛЬМА́ * Вальма́ валить. *Яросл.* То же, что **валом валить 1. (ВАЛОМ).** ЯОС 2, 47.

ВАЛЬС * Большо́й вальс. *Жарг. угол.* Обыск. Балдаев 1, 42; ББИ, 39.

Да́мен (да́мский) вальс. *Жарг. арест.* Разрешённый администрацией ИТУ в качестве поощрения (за трудовую деятельность) половой акт между заключённым и заключённой. Мокиенко, Никитина 2003, 93.

ВАЛЮ́ТА * Жи́дкая валю́та. *Разг. Шутл.* Угощение спиртным как расплата за что-л. НРЛ-82.

ВА́ЛЯ * Со всей ва́ли. *Кар.* Сильно, интенсивно, изо всей силы. СРГК 1, 160.

Ва́лю валя́ть. *Жарг. мол. Шутл.-ирон.* Бездельничать. Максимов, 54.

ВАЛЯ́ЧКА * До валя́чки. *Яросл.* До сильного опьянения. ЯОС 4, 6.

ВА́НЕЧКА * За Ва́нечку (Га́нечку, Та́ню) пойти́. *Сиб. Ирон.* Умереть. СРНГ 28, 361; ФСС, 142.

ВА́НЬКА * Ва́нька из Криворо́жья. *Разг. Шутл.-ирон.* О глуповатом, несообразительном человеке из провинции. Елистратов 1994, 214.

Ва́нька кра́сный. *Кем.* Лекарственное растение горячуха. СБО-Д1, 52.

Ва́нька кучеря́вый (курча́вый). *Сиб.* Комнатное растение. ФСС, 22.

Ва́нька мо́крый. *Арх., Перм., Прикам., Пск., Ср. Урал, Сиб., Яросл.* Бальзамин (садовое и комнатное растение). АОС 3, 43; ПОС 3, 32; СГПО, 63; СРГСУ 1, 66; МФС, 16; СКузб., 40; СБО-Д1, 52; СФС, 32; ФСС, 22; ЯОС 2, 47.

Ва́нька плаку́н (пла́кса). *Арх., Пск., Ср. Урал.* То же, что **Ванька мокрый.** АОС 3, 43; ПОС 3, 32; СРГСУ 1, 66.

Ва́нька пья́ный. *Арх., Пск., Ср. Урал.* То же, что **Ванька мокрый.** АОС 3, 43; ПОС 3, 32; СРГСУ 1, 66.

Ва́нька прял. *Кар. (Ленингр.). Ирон.* О внезапном исчезновении чего-л. СРГК 1, 161.

Ва́нька [ры́жий] не чеши́сь. См. **Ва́ська ры́жий не чеши́сь (ВА́СЬКА).**

Ва́нька с го́рки. *Горьк. Шутл.-ирон.* О человеке со странностями, причудами. БотСан, 25.

Ва́нька с Ма́нькой да колупа́й с бра́том. *Сиб. Презр.* О никчёмных, не пользующихся уважением людях. ФСС, 22.

Ва́нька с трудодня́ми. 1. *Пск. Шутл.* О трудолюбивом колхознике с хорошим заработком. ПОС 3, 32. 2. *Волг. Пренебр.* Ничем не выдающийся, незначительный человек. Глухов 1988, 8.

Боло́тный Ва́нька. *Сиб.* 1. Растение лабазник. 2. Растение кипрей. СФС, 27; ФСС, 22; СБО-Д1, 52.

Умри́ ж, мой Ва́нька! *Пск.* Клятвенное заверение в чём-л. ПОС 3, 32.

Валя́ть /сва́лять Ва́ньку. *Прост. неодобр.* 1. Поступать не так, как следует, делать глупости. 2. Шутить, дурачиться, притворяться глупым. 3. Обманывать кого-л., хитрить. 4. Оттягивать, тянуть время. 5. Праздно проводить время, бездельничать. ФСРЯ, 55; БСРЖ, 88; БМС 1998, 66; ЗС 1996, 243; Мокиенко 1990, 142; БТС, 110.

Лома́ть Ва́ньку. 1. *Прост.* То же, что **валять Ваньку 1.** Ф 1, 284. 2. *Прост.* То же, что **валять Ваньку 2.** Ф 1, 284. 3. *Жарг. угол.* Симулировать психическое заболевание. СРВС 2, 23; ТСУЖ, 28; Балдаев 1, 56.

ВАНЮ́ХА * На́шему Ванюхе и на пе́чке уха́б. *Народн. Неодобр.* О невезучем лентяе. Жиг. 1969, 221.

ВАНЮ́ША * Ваню́ша кудря́вый. См. **Ваня кудрявый (ВАНЯ).**

ВА́НЮШКА * У бе́дного Ва́нюшки всё в жо́пе ка́мушки. *Пск. Шутл.* О невезучем человеке. СПП 2001, 19.

ВА́НЯ * Позвони́ть Ва́не. *Жарг. мол. Шутл.* Сходить в туалет. Максимов, 54.

Ва́ня алюми́ниевый. *Жарг. мол. Шутл.-ирон. или Пренебр.* Несообразительный, глуповатый милиционер. БСРЖ, 88.

Ва́ня дуб. *Жарг. мол. Пренебр.* То же, что **Ваня алюминиевый.** БСРЖ, 88.

Ва́ня (Ваню́ша) кучеря́вый (кудря́вый). *Дон.* Декоративное растение мыльнянка с пушистыми листьями и махровыми розовыми или белыми цветами. СДГ 1, 54.

ВАР * Обдава́ть/ обда́ть ва́ром *кого.* 1. *Разг.* Приводить кого-л. в замешательство, смятение; сильно пугать кого-л. БМС 1998, 67. 2. *Волг.* Доставлять большие неприятности кому-л. Глухов 1988, 114. 3. *Волг.* Давать решительный отпор кому-л. Глухов 1988, 114.

На вару́ на жару́. *Кар.* О только что приготовленной пище. СРГК 1, 161.

Подлива́ть ва́ру. *Волг.* Заставлять кого-л. действовать. Глухов 1988, 124.

Хоть ва́ру лей *под кого. Волг. Неодобр.* О крайне ленивом человеке. Глухов 1988, 169.

ВАРВА́РА * Великая Варва́ра. *Жарг. карт.* Дама (игральная карта). СВЯ, 14; Грачев 1997, 70.

Любопы́тная Варва́ра. *Прост. Шутл.-ирон.* Об очень любопытном человеке. Глухов, 1988.

К Варва́ре на распра́ву [идти́/ пойти́]. *Народн. Устар.* Привлекаться к ответственности за содеянное. ДП, 219; БМС 1998, 67.

Тяну́ть/ потяну́ть к Варва́ре на распра́ву *кого. Народн. Устар.* Привлекать кого-л. к ответу за содеянное. БМС 1998, 67.

< **Варвара, у Варвары** — просторечное название тюрьмы у церкви Св. Варвары в Москве, где к заключённым применялись особенно жестокие пытки.

ВАРА́ГВА * Вара́гва тягу́щая. *Пск. Бран.* О человеке, поступившем неправильно. ПОС 3, 33.

ВАРГАН * Наби́ть варган. *Орл.* Наесться досыта. СОГ 1989, 135.

ВАРГА́НКА * Варга́нку крути́ть. *Жарг. угол., мил.* Выдавать себя за человека, близкого к криминальным структурам. Смирнов 1993, 179.

ВА́РЕГА * Пя́лить ва́регу. *Обл.* Плакать. Мокиенко 1990, 87.

ВА́РЕЖКА * Ва́режка наде́та на язы́к *у кого. Волг. Неодобр.* О косноязычном, молчаливом человеке. Глухов 1988, 8.

Ти́тькины ва́режки. *Жарг. мол. Шутл.* Бюстгалтер. Максимов, 54.

Хло́пать ва́режкой. *Жарг. мол.* Быть в недоумении. Максимов, 54.

Во всю ва́режку. *Волг.* очень гро́мко. Глухов 1988, 13.

Завали́ть ва́режку. *Жарг. мол.* То же, что **закрывать/ закрыть варежку.** (Запись 2004 г.).

Закрыва́ть/ закры́ть ва́режку. *Прост. Груб.* Замолкать. БСРЖ, 89; БМС 1998, 67; Вахитов 2003, 61.

Открывать/ открыть (раскрыва́ть/ раскры́ть, разева́ть/ рази́нуть) ва́режку. *Прост. Груб.* 1. Начинать говорить, кричать. 2. Становиться невнимательным, рассеянным. БСРЖ, 89; БТС, 111; БМС 1998, 67; Ф 2, 115.

Посвисте́ть в худу́ю ва́режку. *Волг. Шутл.-ирон.* Ничего не получить, не добиться. Глухов 1988, 131.

ВАРЕ́НИК * Почи́стить шерстяно́й варе́ник. *Жарг. мол. Шутл.* Подмыться. h-98.

Счастли́вый варе́ник. *Жарг. мол. Шутл.-ирон.* Простак, растяпа. Максимов, 54.

Шерстяно́й варе́ник. *Жарг. мол. Шутл.* Женские гениталии. h-98.

ВАРЕ́НЬЕ * Профсоюзное ва́ренье. *Жарг. мол. Шутл.* Бесплатная горчица в общественной столовой. Максимов, 54.

ВАРЗУ́ХА * Приподня́ть варзу́ху. *Жарг. угол., мол. Шутл.-ирон.* Начать делать что-л., приняться за дело. СРВС 1, 104; УМК, 60; Мильяненков, 92; ББИ, 40.

ВАРИА́НТ * Нулево́й вариа́нт. *Разг. Ирон.* 1. Безденежье. 2. Отсутствие перспективы, тупик. 3. Бесполезное занятие. ББИ, 155; Балдаев 1, 57.

Отвисно́й вариа́нт. *Жарг. мол. Шутл.* Сон. Максимов, 55.

ВАРКО́М * Варко́м вари́ть *что. Арх.* Сильно нагревать, жарить что-л. АОС 3, 50.

ВА́РОМ * Ва́ром вари́т. 1. *Яросл.* О высокой температуре при болезни. ЯОС 2, 48. 2. *что. Кар.* О закисающем молоке. СРГК 1, 163.

ВА́РТА * Быть на ва́рте. *Смол.* Стоять на страже, стеречь, караулить что-л. Мокиенко 1986, 89. < **Варта** — караул (от польск. *warta*, нем. *Warte*).

ВАРША́ВА * Сде́лать Варша́ву. *Жарг. мол.* Уничтожить что-л. Максимов, 55.

ВАРЬМА́ * Варьма́ вари́ть *что. Волог.* Долго варить что-л. на сильном огне. СВГ, 57.

ВА́РЬГА * Пя́лить ва́рьгу. *Башк.* Громко кричать. СРГБ 1, 63. < **Варьга** — 1. Варежка. 2. Рот.

ВАСИ́ЛИЙ * Васи́лий Алибаба́евич. *Жарг. мол.* Мужской половой орган. Елистратов 1994, 60.

ВАСИ́ЛЬ * Васи́ль Васи́лич. *Жарг. мол. Шутл.* Окончание работы. < По звуковой ассоциации со словом **всё**. БСРЖ, 89.

ВА́ССЕР * Го́лый ва́ссер. 1. *Угол.* Неудача. ТСУЖ, 41; ББИ, 40; СВЯ, 23. 2. *у кого, где. Жарг. мол. Шутл.-ирон.* Полное отсутствие чего-л. где-л. Митрофанов, Никитина, 30; Грачев, Мокиенко 2000, 56.

Стоя́ть (быть) на ва́ссере. *Жарг. угол.* Стоять на страже при совершении преступления и при грозящей опасности подавать сигнал сообщникам. Грачев 1992, 56; Грачев, Мокиенко 2000, 56. < **Вассер** — 1. *Морск.* Сигнал о появлении течи (от нем. *Wasser* — вода). 2. *Жарг. угол.* Сигнал об опасности. БСРЖ, 89; Мокиенко 1986, 89.

ВАСЬ-ВА́СЬ * Быть на вась-ва́сь *с кем. Жарг. лаг.* Быть в приятельских отношениях с кем-л. Росси 1, 48.

ВА́СЬКА * А Ва́ська слу́шает да ест. *Разг. Ирон.* О ситуации, когда один говорит, убеждает, а другой не слушает его, не считается с говорящим, продолжая делать своё (обычно предосудительное) дело. БМС 1998, 68; ШЗФ 2001, 13. < Цитата из басни И. А. Крылова «Кот и повар». Янин 2003, 7.

Ва́ська с Пе́ткой. *Жарг. мол. Шутл.* Мошонка. Максимов, 55.

ВАСЮКИ́ * Но́вые Васюки́. *Разг. Ирон.* О каком-л. малозначительном городе или селении, претендующем на роль грандиозного центра чего-л. < **Васюки** — название заброшенной деревни на берегу Волги, в которой оказались герои романа И. Ильфа и Е. Петрова "Двенадцать стульев" (1928 г.), трансформированное Остапом Бендером в Нью-Васюки. Мокиенко, Никитина 1998, 75.

ВА́СЯ * Стоя́ть на Ва́се. *Жарг. мол.* Быть наблюдателем, предупреждающем об опасности. Вахитов 2003, 172. < **Вася** — по созвучию с *вассер.*

Абстра́ктный Ва́ся. *Разг. Ирон.* О неинтересном, посредственном человеке. Елистратов 1994, 17.

Ва́ся зять бу́дет соса́ть. *Пск. Шутл.* О появлении чувства голода у кого-л. СПП 2001, 19.

Ва́ся из ба́ни. *Жарг. мол. Шутл.* Грузинское вино «Вазисубани». Никитина 1996, 26.

Ва́ся по жи́зни. *Жарг. мол. Ирон.* То же, что **абстрактный Вася.** Я — молодой, 1997, № 45.

Ва́ся (Ва́нька) [ры́жий] не чеши́сь. *Сиб.* 1. *Презр.* Безразлично, все равно кому-л., не интересует кого-л. что-л. 2. *Шутл.* Ничего не поделаешь; так уж получилось. ФСС, 22.

Ва́ся с парашю́том. *Жарг. угол., Разг. Ирон.* Ротозей, зевака. СВЯ, 14.

Го́лый Ва́ся. *Жарг. мол. Шутл.* 1. О полном отсутствии чего-л. где-л. Елистратов 1994, 60; Белянин, Бутенко, 41; Никитина 1996, 26; Вахитов 2003, 40. 2. О неосуществленной мечте. Максимов, 55. 3. Мужской половой орган. Максимов, 55.< По созвучию с **голый вассер**.

Гуля́й, Ва́ся [жуй опи́лки]. 1. *Разг. Бран.-шутл.* Иди отсюда. Елистратов 1994, 60. 2. *Разг. Ирон.* О неоправдавшихся ожиданиях, неудачах. Югановы, 63. 3. *Арх. Шутл.-ирон.* О возможности не работать. АОС 10, 147.

То Ва́ся, то не Ва́ся. *Жарг. мол. Неодобр.* О человеке, который проявляет нерешительность. Максимов, 55.

ВА́ТА * Ва́та ка́таная. *Жарг. мол. Неодобр.* О чём-л. скверном, поддельном, фальсифицированном. Максимов, 55.

Валя́ть ва́ту. *Жарг. мол.* Бездельничать. Максимов, 54.

Заката́ть ва́ту. 1. *Жарг. мол.* Удалиться, уйти откуда-л. h-98. 2. *Жарг. угол., мол.* Прикурить. Максимов, 55. 3. *Жарг. шк.* Не выполнить домашнее задание. (Запись 2004 г.).

Ката́ть ва́ту. *Жарг. мол. Шутл.-ирон. или Неодобр.* 1. Выполнять однообразную, нудную работу. Вахитов 2003, 74. 2. Говорить вздор, обманывать кого-л. h-98. 3. Бездельничать. Максимов, 55. 4. Вести себя агрессивно, провоцировать драку. Максимов, 55.

ВАТРУ́ШКА * Коро́вья ватру́шка. *Жарг. мол. Бран.* О непорядочном человеке. Максимов, 55.

ВАТРЫ́ГА * Ватры́га безобль́жный. *Башк. Пренебр.* Пьяница. СРГБ 1, 64.

ВА́ТСОН * Вызыва́ть (звать) [до́ктора] Ва́тсона. *Жарг. мол. Шутл.-ирон.* О рвоте. Никитина 1998, 55.

Говори́ть/ поговори́ть с Ва́тсоном. *Жарг. мол. Шутл.-ирон.* То же, что **вызывать Ватсона.** WMN, 19.

ВА́УЧЕР * Вы́дать ва́учер. *Жарг. угол. Шутл.-ирон.* 1. Громко при людях испортить воздух. 2. Испражниться. Балдаев 1, 57.

Господи́н Ва́учер. *Жарг. полит., журн.* Анатолий Чубайс, председатель правления РАО ЕЭС России. МННС, 213.

Получи́ть ва́учер. *Жарг. мол. Шутл.* Очистить желудок посредством рвоты. Максимов, 56.

Сдать ва́учер. *Жарг. угол.* Испражниться поносом. Балдаев 2, 32.

ВА́ФЕЛЬНИК * Откры́ть ва́фельник. *Жарг. мол.* 1. Заговорить. 2. Запеть. Максимов, 56.

ВА́ФЕЛЬНИЦА * Захло́пнуть ва́фельницу. *Жарг. мол. Груб.* Замолчать. Елистратов 1994, 60; Никитина 1998, 55.

ВАФЛЕНТИ́НА * Вафленти́на Защёчкина. *Жарг. мол. Шутл.* Женщина, участвующая в орогенитальном половом акте. h-98.

ВА́ФЛЯ * Брать ва́фли [на зуб]. *Жарг. угол.* Совершать орогенитальный половой акт. ТСУЖ, 28; УМК, 60; Балдаев 1, 44.

Глота́ть ва́фли. *Жарг. мол. Шутл.-ирон.* Быть рассеянным, непредприимчивым. Елистратов 1994, 89.

Жева́ть (лови́ть) ва́фли. *Жарг. мол. Шутл.-ирон.* Упускать благоприятные моменты. Югановы, 41.

А ва́флю в гры́зло не хо́чешь? *Жарг. угол.* Грубый ответ на просьбу о чём-л. Мокиенко, Никитина 2003, 93.

Пойма́ть (слови́ть) ва́флю. *Жарг. мол. Шутл.-ирон.* 1. Попасть в сложную ситуацию, оказаться в глупом положении. Елистратов 1994, 89. 2. Не успеть что-л. сделать. Максимов, 56.

ВА́ХТА * Ва́хта бережли́вости. *Публ. Патет.* Кампания за экономию энергии, топлива, сырья. БМС 1998, 68.

Соба́чья ва́хта. *Жарг. арм.* Ночной караул. Кор., 266.

Трудова́я ва́хта. *Публ. Патет.* Интенсивная непрерывная работа какого-л. коллектива в честь какого-л. события, праздника. БМС 1998, 68.

Стоя́ть на ва́хте. *Публ. Патет.* Интенсивно, непрерывно и самоотверженно трудиться (обычно — о коллективе, работающем в честь какого-л. события, праздника). БМС 1998, 68.

Нести́ трудову́ю ва́хту. *Публ. Патет.* То же, что **стоять на вахте.** БМС 1998, 68.

ВАШ (ВА́ША) * Ва́ша взяла́. *Разг.* Вы правы, побеждаете, одерживаете верх. БТС, 112.

То ва́шему то на́шему. *Волг.* То же, что **и вашим и нашим.** Глухов 1988, 159.

Ва́ши (ва́ша) не пля́шут (не пля́шет). *Жарг. угол., карт.* Вы проиграли; вы не правы. ТСУЖ, 28; Мильяненков, 92; ЗС 1996, 351; Быков, 39; Ф 1, 50.

И ва́шим и на́шим. *Разг.* О непостоянстве, желании угодить конфликтующим сторонам. Глухов, 1988, 54.

[И] ва́ших нет. 1. *Жарг. угол., карт.* Ваша карта бита. ТСУЖ, 28. 2. *Жарг. угол., карт.* Вы проиграли. ТСУЖ, 28. 3. *Волг., Прибайк.* О быстром завершении дела. Глухов 1988, 54; СНФП, 28. 4. *Волг.* О быстром исчезновении, побеге откуда-л. Глухов 1988, 54.

ВБЕЖКИ́ * Вбежки́ бежа́ть. *Ряз.* Быстро бежать, нестись куда-л. ДС, 75.

ВВЕРХ * Взять вверх *кого. Яросл. Устар.* Взять кого-л. из деревни (из низов) в услужение, в прислуги, в горничные. ЯОС, 38.

Поднима́ться/ подня́ться вверх. *Разг.* Выбиваться из нищеты, занимать более высокое общественное положение. Ф 2, 58.

Чу́хнуть вверх. *Жарг. мол. Шутл.* Обрадоваться. Вахитов 2003, 201.

ВГИ́БЫ * Вги́бы не вги́бать *кого. Пск.* Кого-л. невозможно уговорить, убедить в чём-л., подчинить, образумить. ПОС 3, 48.

ВГЛУБЬ * Зайти́ вглу́бь. *Кар.* Углубиться в воспоминания. СРГК 1, 167; СРГК 2, 126.

ВГЛУ́ПЫ * Вдёрнуть вглу́пы *кого. Арх.* Выставить кого-л. в глупом виде. АОС 3, 67.

ВДВОЁМ * Ходи́ть вдвоём. *Сиб. Шутл.-ирон.* Ходить сильно согнувшись, согнувшись вдвое. СФС, 34.

ВДВОЙНИ́К * Вы́ткан вдвойни́к. *Новг. Ирон.* О худощавом человеке. НОС 1, 153.

ВДОВА́ * Весёлая вдова́. *Дон. Шутл.* Растение бегония клубневая гибридная. СДГ 1, 57.

Ночна́я вдова́. *Разг. Шутл.-ирон.* Замужняя женщина, занимающаяся по ночам проституцией. Прокопенко, 187.

Соло́менная вдова́. *Разг. Шутл.* Жена, временно оставшаяся без мужа (например, уехавшего в командировку, в отпуск) или не живущая с ним. БМС 1998, 69; БТС, 144; ФСРЯ, 57; Верш 6, 332. < Калька с нем. *Strohwitwe.*

У вдовы́. *Жарг. мол. Шутл.* Дворец культуры им. Н. К. Крупской в Ленинграде — Санкт-Петербурге. Синдаловский, 2002, 185.

ВДОВЕ́Ц * Соло́менный вдове́ц. *Разг. Шутл.* Мужчина, временно оставшийся без жены или не живущий с ней. ФСРЯ, 57; БМС 1998, 69. < Калька с нем. *Strohwitwer.*

ВДОВИ́ЦА * Соло́менная вдови́ца. *Арх. Шутл.-ирон.* Разведённая женщина. АОС 3, 68.

ВДОВО́Й * Соло́менный вдово́й. *Сиб.* То же, что **соломенный вдовец.** Верш 6, 332.

ВДО́ВОЛЬ * Не вдо́воль *кому. Кар. (Ленингр.).* Не доволен. СРГК 1, 168.

ВДОВУ́ХА * Соло́менная вдову́ха. *Перм., Прикам. Шутл.* То же, что **соломенная вдова (ВДОВА).** СГПО, 65; МФС, 16.

ВДО́ЛГИ * Не вдо́лги. *Сиб.* Вскоре. ФСС, 23.

Не вдо́лги-вко́ротки. *Сиб.* Рано или поздно. ФСС, 23.

ВДОЛЬ * Вдоль и поперёк. *Разг.* 1. Во всех направлениях; повсюду, везде. 2. До мельчайших подробностей. ФСРЯ, 57-58; БТС, 114.

Гляди́т вдоль, а живёт поперёк. *Народн.* О везучем, удачливом человеке. ДП, 59.

Как вдоль, так и поперёк. *Горьк., Пск. Шутл.* Об очень полном человеке. БалСок, 56; ПОС 3, 55.

Ты ему́ вдоль, а он поперёк. *Народн. Неодобр.* Об упрямом, бестолковом человеке. ДП, 449; Жиг. 1969, 152.

Что вдоль, что поперёк. *Волг., Кар. Шутл.* То же, что **как вдоль, так и поперёк.** Глухов 1988, 173; СРГК 3, 45.

ВДОХ * Запира́ет вдох (вздох) *у кого. Кар. (Ленингр.).* Об одышке. СРГК 2, 175.

ВДРЕ́БЕЗГИ * Разбива́ть/ разби́ть вдре́безги. *Разг.* 1. Разбивать что-л. на мелкие части, кусочки. 2. *кого.* Сокрушительно победить, поразить кого-л. Мокиенко 1990, 143; БМС 1998, 69.

ВДРЫЗГ * Напива́ться/ напи́ться вдрызг. *Прост. Неодобр.* Напиваться до состояния полного бесчувствия. БМС 1998, 69.

ВЕ́ДАТЬ * Не ве́дают, что творя́т. *Книжн.* Не знают, что совершают зло, делают глупости. < Восходит к Библии. БМС 1998, 70.

ВЕ́ДЕНИЕ * При ве́дении *чьем. Печор.* То же, что **при быту (БЫТ).** СРГНП 1, 57.

ВЕДЁРОК * Ведёрок слез пролить. см. **Ведро слёз вылить (ВЕДРО).**

ВЕ́ДОМ * Ве́дом дать *кому. Кар.* Дать знать о чём-л. кому-л. СРГК 1, 169.

ВЕ́ДОМСТВО * Ве́домство [ры́царей] плаща́ и кинжа́ла. *Публ. Устар. Ирон.* Центральное разведывательное управление США. Новиков, 33-34.

ВЕДРО́ * Ведро́ без дна. *Жарг. мол. Шутл.* Баскетбольное кольцо. Максимов, 56.

Ведро́ молока́! *Яросл.* Приветственное пожелание доящим корову. ЯОС 2, 51.

Ведро́ с болта́ми. *Жарг. авто. Шутл.-ирон.* 1. Автомобиль в плохом состоянии. БСРЖ, 92. 2. Автомобиль «Волга». Максимов, 59.

Ведро́ (ведёрок) слёз вы́лить (проли́ть). *Пск.* Сильно огорчиться, пролить много слез. ПОС 3, 59, 61.

Ведро́ со сви́стом. *Жарг. мол. Шутл.* Женщина, у которой много любовников. Максимов, 56.

Лохма́тое ведро́. *Жарг. арм.* 1. Папаха полковника. 2. Командир бригады. Максимов, 56.

Помо́йное ведро́. *Жарг. мол. Шутл.-ирон.* Депрессия. Вахитов 2003, 139.

Самока́тное вёдро. *Новг.* Солнечная жаркая погода. НОС 10, 7, 110.

Звене́ть ведро́м. *Разг. Шутл.-ирон.* Говорить глупости. Елистратов 1994, 61.

Не стуча́ли вёдры *у кого. Новг. Шутл.-ирон. или Неодобр.* Ничего не сделано, не готово у кого-л., где-л. Сергеева 2004, 247.

ВЁДРО * Ка́менное вёдро. *Волог.* Сухая, ясная погода, установившаяся надолго. СВГ 3, 35.

ВЕДЬМА * Охо́титься на ведьм. *Публ. Неодобр.* Преследовать кого-л. за прогрессивные убеждения, по идеологическим, политическим причинам. Мокиенко 2003, 13.

Ве́дьма ки́евская. *Пск.* 1. *Бран.* О женщине. СПП 2001, 19. 2. Выражение гнева, досады, огорчения. ПОС 3, 63.

Ве́дьмы ме́сяц скра́ли. *Народн.* О лунном затмении. ДП, 922.

Желе́зная ве́дьма. *Жарг. полит., журн. Шутл.-ирон.* Валентина Матвиенко, губернатор Санкт-Петербурга. МННС, 188.

Мо́края ве́дьма. *Дон.* Название карточной игры. СДГ 1, 57.

Пу́таться с ве́дьмами. *Волг. Неодобр.* Совершать странные, предосудительные попытки. Глухов 1988, 137.

ВЕЗТИ́ * Ни везёт ни е́дет. *Народн. Неодобр.* О бестолковом несообразительном человеке. ДП, 449, 472.

ВЕЙ-ВЕ́ТЕР * На вей-ве́тер ска́зано. *Народн.* О пустой болтовне. ДП, 410.

ВЕК * А́томный век. *Публ.* Современная эпоха, время научно-технической революции. Мокиенко 2003, 13.

Большо́й век. *Сиб.* Очень долго. ФСС, 23.

В век по́ веки *(с отрицанием). Сиб.* Никогда. ФСС, 23.

Век Астре́и. *Книжн. Устар.* 1. О счастливой, радостной поре. 2. О времени расцвета искусства, науки, подъёма в истории какого-л. народа. < **Астрея** — в греч. мифологии богиня справедливости. БМС 1998, 70.

Век в век. *Арх.* То же, что **век веков.** АОС, 3, 85.
Век веко́в. *Новг.* Исстари, с давних пор. НОС 1, 110.
Век (ве́ки) векова́ть. *Разг. Устар.* Жить долго, до глубокой старости. Ф 1, 53. // *Арх., Одесск., Пск.* Жить, проживать какие-л. отрезки времени. АОС 3, 86; КСРГО; ПОС 3, 67.
Век веку́ется. *Ряз.* Ведется исстари. ДС, 77.
Век веку́шной (веку́щий). 1. *Арх.* То же, что **век вечный.** АОС 3, 85. 2. *Прибайк.* Очень долго, длительное время. СНФП, 28.
Век ве́чный (ве́чный век). *Арх., Пск., Сиб.* Всегда; с давних пор. АОС, 3, 86; ПОС 3, 65; ФСС, 23.
Век в лес не е́здить! *Жарг. тур. Шутл.* Клятва в нерушимости данного слова. Максимов, 57.
Век вы́шел *[кому, чему]. Арх.* Окончился обычный, положенный срок существования. АОС 3, 84.
Век изошёл *чему. Коми.* То же, что **век вышел.** Кобелева, 57.
Век кукова́ть. *Новг.* Жить одиноко, без семьи. НОС 4, 174.
Век на век. *Арх.* 1. То же, что **век по век.** 2. Навсегда, на долгое время. АОС 3, 86.
Век на во́ле не рыба́чить! *Жарг. угол.* То же, что **век воли не видать!** Максимов, 57.
Век от ве́ку. *Арх.* То же, что **век по век.** АОС 3, 85.
Век по век. *Кар. (Ленингр.).* Всегда, постоянно. СРГК 1, 170. **Век по века́.** *Арх.* То же. АОС 3, 85. **Век по́ ве́ки.** *Кар. (Ленингр.), Сиб.* То же. СРГК 1, 170; СФС, 34; ФСС, 23. **Век века́м.** *Пск.* То же. ПОС 3, 65. **Век по́ ве́ку.** *Арх., Сиб.* То же. АОС 3, 86; СФС, 34; ФСС, 23.
Век свекова́ть. *Курск.* То же, что **век провести.** БотСан, 85.
Век во́ли (свобо́ды, свобо́дки) не вида́ть! *Жарг. угол.* Клятвенное заверение в чём-л. ТСУЖ, 29; СВЖ, 3; Росси 1, 49; Мильяненков, 93; ББИ, 40; СВЯ, 9; Балдаев 1, 58.
Век свой. *Новг., Прикам.* Всегда; всю жизнь. НОС 1, 110; МФС, 16.
Ве́чный век. См. **Век вечный.**
Во век веко́в *(с отрицанием). Сиб.* Никогда. СФС, 41; ФСС, 23.
Вы́жить век. 1. *Дон.* Отжить своё, отслужить свой срок (о вещи). СДГ 1, 86. 2. *Волг.* Состариться, стать ненужным (о человеке). Глухов 1988, 17.
Ада́мов век. *Арх.* Долгие годы жизни. АОС 10, 259. < Ср. **Адамовы веки.**
Ещё век не жил. *Пск. Ирон.* О молодом, неопытном, не испытавшем трудностей человеке. СПП 2001, 20.
Желе́зный век. *Книжн.* Об очень жестоком и суровом времени. БМС 1998, 70.
Жить век на му́ке. *Орл.* Испытывать физические и нравственные страдания. СОГ 1990, 124.
Жить второ́й (соба́чий) век. *Арх., Пск.* Жить, существовать очень долго, дольше обычного. АОС 3, 82; ПОС 3, 65.
Жить не свой век. *Арх., Перм.* То же, что **жить второй век.** АОС 3, 82; Подюков 1989, 76.
Жить/ прожить Мафусаи́лов век (век Мафусаи́ла). *Книжн. Устар.* О чьём-л. исключительном долголетии. < Восходит к библейскому источнику. ФСРЯ, 58; Ф 1, 52; БТС, 116, 526; ЗС 1996, 312; БМС 1998, 70.
Жить (дожива́ть, зажива́ть) чужо́й век. *Народн.* 1. Жить очень долго, излишне долго. ДП, 355; АОС 3, 82; БалСок, 57; Ф 1, 52; Глухов 1988, 44; Подюков 1989, 76; ПОС 3, 65. 2. Быть близким к смерти. ДП, 289.
Заве́шивать/ заве́сить век. 1. *кому, чей. Новг., Прикам., Ср. Урал.* Ухудшать, портить чью-л. жизнь, вредить, мешать кому-л. Сергеева 2004, 175; МФС, 38; СРГСУ 1, 165. 2. *Перм.* Навсегда лишаться радости, счастья. Подюков 1989, 77.
Завяза́ть век *чей. Пск.* Измучить; погубить, сжить со света кого-л. ПОС 11, 115.
Завя́зывать век. *Одесск.* 1. Доживать свою жизнь, быть в преклонном возрасте. 2. Вдовствовать. КСРГО.
Заеда́ть/ зае́сть век *чей, кого.* 1. *Прост.* Всячески вредя, притесняя кого-л., создавать кому-л. невыносимые условия жизни. ФСРЯ, 164; БТС, 116; Глухов 1988, 48. 2. *Пск.* То же, что **завязать век.** ПОС, 3, 65.
Заеда́ть чужо́й век. *Народн. Неодобр.* Жить излишне долго, переживать своих сверстников. БМС 1998, 70.
За́ячий век. *Кар. (Ленингр.).* Период детства. СРГК 2, 244.
Золото́й век. *Книжн. Одобр.* 1. О времени наивысшего расцвета науки и культуры в истории какого-л. народа. 2. О самом лучшем времени, периоде жизни. Ф 1, 52-53; ШЗФ 2001, 85; БМС 1998, 70.
Из век [в век]. *Арх.* С давних пор, издавна. АОС 3, 85.
Изжи́ть век. *Башк., Яросл.* Прожить жизнь. СРГБ 1, 162; ЯОС 4, 138.
Изжи́ть век за холцо́вый мех. *Яросл.* Прожить жизнь напрасно. ЯОС 4, 138.
Измота́ть век. *Курск., Прикам.* То же, что **изжить век.** БотСан, 97; МФС, 43.
Иско́н (иско́нь) век. См. **Искон века.**
И́скони век. См. **Искони веков.**
Испоко́н (испоко́нь) век. См. **Испокон века.**
Ка́менный век. *Публ. Неодобр.* 1. О времени, в котором царят примитивизм, отсталые и догматические традиции. 2. О явлениях, характеризующихся отсталостью, примитивизмом. < Переносное употребление термина. Мокиенко 2003, 13.
Конча́ть/ сконча́ть свой век. *Книжн.* Умирать, погибать. Ф 1, 252; Ф 2, 160.
Корота́ть свой век. *Прост.* Жить однообразно, скучая, тоскуя и не желая при этом изменить свой образ жизни. Ф 1, 257.
Мы́кать век. *Народн.* Жить мучительно тяжело, бедствуя и терпя большие лишения. БМС 1998, 71; БТС, 116; Ф 1, 305-306.
Мафусаи́лов век. *Разг.* Долгая жизнь; преклонный возраст. ЗС 1996, 312.
На этом век стои́т. *Арх.* Так принято, заведено издавна. АОС 3, 82.
Не свой век жить. См. **Второ́й век жить.**
Ни в век. *Сиб.* Никогда. СФС, 126; ФСС, 23. **Ни в век веко́в.** *Горьк.* То же. БалСок, 47.
Отболта́ться век. *Новг. Шутл.-ирон.* Прожить жизнь. НОС 7, 40.
Отжива́ть/ отжи́ть свой век. *Разг.* 1. Стареть, приближаться к концу жизни. 2. Устаревать, терять популярность, выходить из употребления. Ф 2, 26.
Отказа́ть до́лгий век *кому. Новг.* То же, что **отказать долгие веки 1.** Сергеева 2004, 198.
По век. *Дон.* Всегда. СДГ 1, 58.
Показа́ть до́лгий век. *Кар.* Умереть. СРГК 5, 38.
Похо́ж на век. *Кар. Шутл.-ирон.* О человеке, который прожил долгую жизнь. СРГК 5, 320.
Провести́ век. *Новг.* Прожить жизнь. НОС 9. 38.
Прожи́ть век за холцо́вый мех. *Кем., Коми, Приамур., Прикам.* Прожить жизнь в нужде, лишениях. МФС, 82;

СКузб., 174; Кобелева, 81; СРГПриам., 87. **Прожи́ть век [не] за гуси́ный (кури́ный) мех.** *Волг., Дон.* То же. Глухов 1988, 134; Мокиенко 1990, 30.

Пройти́ весь век круго́м. *Пск.* Прожить долгую жизнь. СПП 2001, 20.

Сжить [свой] век не за посконный мех. *Смол.* Бессмысленно, бестолково прожить свою жизнь. СРНГ 30, 166.

Скони́ век (ве́ку). См. **Искони веков.**

Сызве́ку век. *Прибайк.* то же, что **искон века.** СНФП, 28.

Тот век. *Арх.* Загробная жизнь. АОС 3, 82.

Ума́ять век *чей, кому. Курск.* Лишить жизни кого-л. БотСан, 85.

Унести́ век *чей. Перм.* Обречь кого-л. на страдания, мучения. Подюков 1989, 215.

Хоть век. *Печор.* Не имеет значения, не важно, пусть. СРГНП 1, 58.

Хоть век бы. *Печор. Флк.* В том случае, если бы. СРГНП 1, 58.

Выско́н ве́ка. *Арх.* Издавна, исстари. АОС 8, 201.

До ве́ка. *Пск.* До конца жизни. СПП 2001, 20.

До сконча́ния ве́ка. *Книжн.* Навсегда, до конца жизни. БТС, 116; БМС 1998, 71.

Иско́н ве́ка (веко́в, ве́ку, век). *Волог., Кар.(Арх., Ленингр., Мурм.).* Издавна, с незапамятных времен. СВГ 3, 20; СРГК 1, 170. **Иско́нь ве́ку (век).** *Кар.* То же. СРГК 2, 295. Ср. **С искон века (ИСКОН).**

От (с) ве́ка (ве́ку) [веко́в, ве́чного]. *Разг.* С давних пор, издавна. БТС, 116; БотСан, 113; ПОС 3, 65; ФСРЯ, 58.

Отны́не (с ны́не) [и] до ве́ка (ве́ку). *Пск.* С давних пор, всегда. СРНГ 24, 251; ПОС 3, 66.

С ве́ка. *Новг.* С рождения. НОС 1, 110.

Сканибе́ль ве́ка. *Одесск.* То же, что **искони веков.** КСРГО.

На (при) мои́х века́х. *Арх., Печор., Яросл.* То же, что **на моём веку.** АОС 3, 85; СРГНП 1, 58; ЯОС 6, 78.

В ве́ке (века́х). *Арх.* 1. Когда-то в прошлом, в старину. 2. Всегда, постоянно. АОС 3, 83.

Ада́мовы ве́ки. 1. *Книжн. Устар., Сиб.* Давняя старина, незапамятные времена. БМС 1998, 71; Мокиенко 1989, 156; Ф 1, 53; СФС, 16. 2. *Пск.* В течение долгого времени, с давних пор. ПОС 3, 65.

Ввек по́ веки *(с отрицанием). Сиб.* Никогда. СФС, 33.

Ве́ки века́м (века́ми, веко́в). Арх., *Пск.* То же, что **веки вечные.** АОС 3, 86; ПОС 3, 65.

Ве́ки веку́шные (веку́щие). *Арх.* То же, что **веки вечные.** АОС 3, 85.

Ве́ки ве́чные. *Разг.* Всегда, постоянно. ФСРЯ, 59; Ф 1, 53; ШЗФ 2001, 33; БТС, 116; БМС 1998, 72.

Ве́ки в ми́ре *(с отрицанием). Одесск.* Ни за что на свете. КСРГО.

Ве́ки на́ веки. *Печор.* То же, что **веки вечные.** СРГНП 1, 57.

Ве́ки неруши́мые. *Олон.* То же, что **веки вечные.** СРНГ 21, 147.

Ве́ки по́ веки. 1. *Арх., Новг., Печор.* То же, что **веки вечные.** АОС 3, 85; НОС 1, 110; СРГНП 1, 57. 2. *(с отрицанием). Волог.* Никогда. СВГ 1, 60.

В ко́и-то ве́ки. *Разг.* Очень редко, с большими перерывами; после длительного промежутка (делать что-л.). БТС, 116; ФСРЯ, 59; ЗС 1996, 484.

Во ве́ки веко́в. *Разг.* 1. Всегда, вечно. 2. Навсегда, навечно. ФСРЯ, 59; Ф 1, 53; Глухов 1988, 12.

Жить/ прожи́ть А́редовы (Мафуса́иловы) ве́ки. *Книжн. Устар.; Народн.* О чьём-л. исключительном долголетии. ДП, 356; ФСРЯ, 58; Ф 1, 53; ЗС 1996, 312; БТС, 116; Мокиенко 1989, 157; ШЗФ 2001, 15; БМС 1998, 71. **Жить А́реды ве́ки.** *Сиб.* То же. ФСС, 23.

Из ве́ки веко́в. *Кар. (Арх., Ленингр.), Пск.* Издавна, с давних пор. СРГК 1, 170; ПОС, 3, 65.

И ны́не, и при́сно, и во ве́ки веко́в. *Книжн. Устар.* Сейчас и всегда; вечно. < Выражение церковно-славянское; **присно** — всегда. БМС 1998, 72.

На ве́ки веко́в (ве́чные). *Разг.* Навсегда; навечно. ФСРЯ, 59; БТС, 116; ПОС 3, 65. **На ве́ки векущие.** *Обл.* То же. Мокиенко 1990, 24.

Ни [в] ко́и ве́ки. *Пск.* Никогда. ПОС 3, 66.

Отказа́ть до́лгие ве́ки *кому. Пск.* 1. Умереть. 2. Сломаться, разбиться. ПОС 3, 65.

Пре́же ве́ки. *Печор.* Раньше, в прежние времена. СРГНП 1, 58.

До веко́в. *Арх.* Очень давно. АОС 3, 86.

Из веко́в [век, в век, ве́ки, в ве́ки, веко́в]. *Арх.* Издавна; всегда; постоянно, все время. АОС 3, 84-85.

Иско́ли веко́в. *Кар.* То же, что **искони веков.** СРГК 2, 295.

И́скони́ веко́в (век, ве́ку). *Пск., Сиб.* Издавна, с давних пор. ПОС 3, 65; ФСС, 88. **Скони́ век (ве́ку).** *Сиб.* То же. ФСС, 88; Верш 6, 259; СБО-Д1, 54-55.

Испоко́н веко́в (ве́ка, ве́ку). *Книжн.* Издавна, с давних пор. ФСРЯ, 58; БТС, 116, 1250; БМС 1998, 71. **Испоко́н (споко́н) веко́в (ве́ку).** *Народн.* То же. ДП, 300; ДС, 535; СФС, 168; СПСП, 128; ПОС, 3, 65. **И́споко́ни веко́в (век).** *Сиб.* То же. СБО-Д 1, 54-55. **Испоко́нь веко́в (век).** *Сиб.* То же. ФСС, 88. **Споко́н ве́ку ве́чного.** *Орл.* То же. СОГ 1989, 152.

И́сстари веко́в. *Кар. (Ленингр.), Прикам., Пск. Сиб.* Издавна, с давних пор. СРГК 2, 302; МФС, 44; ПОС 3, 115; ФСС, 89.

По́веку веко́в *(с отрицанием). Курск.* Никогда. БотСан, 108.

С веко́в [веко́в]. *Арх., Пск.* То же, что **спредку веков.** АРХ 3, 85; ПОС 3, 66.

Спред веко́в (ве́ку веко́в). *Дон.* То же, что **спредку веков.** СДГ 1, 58.

Спре́дку веко́в. *Курск.* Издавна. БотСан, 115.

С ве́ком наравне́. *Книжн.* На уровне требований своего времени. БСМ, 72. < Из стихотворения А. С. Пушкина «К Чаадаеву».

Свои́м ве́ком. *Арх.* 1. Издавна, в прошлом, всегда. 2. *с отриц.* Никогда. 3. В течение жизни. АОС 3, 84.

Ада́мова ве́ку. *Арх.* Очень древний, давний. АОС 1, 63.

В молодо́м веку́. *Пск.* В молодости. (Запись 1993 г.).

В своём веку́. *Дон.* При своей жизни. СДГ 1, 58.

Вперёд ве́ку. *Арх.* Раньше времени, преждевременно. АОС 5, 141.

Вы́йти из ве́ку. *Арх.* Достичь пенсионного возраста. АОС 3, 82.

До ве́ку. *Арх., Сиб.* Всегда, постоянно; навсегда, навечно. АОС 3, 86; СФС, 63; Ф 1, 53; ФСС, 23.

Из ве́ку [век, в век, веко́в]. 1. *Арх.* В течение жизни. АОС 3, 83. 2. *Волг., Арх.* В прошлом, когда-то давно. Глухов 1988, 57; АОС 3, 83. 3. *Волг.* Очень долго. Глухов 1988, 57.

И́скони́ ве́ку. См. **Искони веков.**

Испоко́н ве́ку. См. **Испокон веков.**

На веку́. *Кар. (Мурм.), Новг., Печор., Сиб.* В жизни, при жизни кого-л. СРГК 1, 170; НОС 1, 110; СРГНП 1, 57; ФСС, 23.

На моём (твоём, своём) веку́. *Арх., Сиб.* В продолжение моей (твоей и т. п.) жизни. АОС 3, 83; ФСС, 23; СКузб., 127, 170.

Не до ве́ку. *Разг.* Не вечно, не всегда. Ф 1, 53.

Не доживя́ ве́ку. *Алт., Волг., Ряз.* Преждевременно (умереть). СРГА 1, 126; Глухов 1988, 97; ДС, 77. **Не дожи́мши ве́ку.** *Морд.* То же. СРГМ 1980, 25. **Не жи́вши ве́ку.** *Орл.* То же. СОГ 1990, 118.

Не знать ве́ку. *Прост.* Быть прочным, крепким. Ф 1, 213.

Нет ве́ку. 1. *чему. Арх., Сиб.* О чём-л. непортящемся, долго находящемся в употреблении. АОС 3, 84; СФС, 34; СБО-Д1, 54; ФСС, 20. 2. *кому, чему. Перм.* Об очень старом, дряхлом человеке, предмете. Подюков 1989, 21. 3. *у кого. Перм., Сиб.* Кому-л. не судьба жить. ФСС, 23; СПСП, 172.

От ве́ку [ве́ков, ве́чного]. См. **От века.**

Покорота́ть ве́ку до́лгого *кому. Арх.* Убить кого-л. СРНГ 28, 39.

С ве́ку [веко́в]. См. **От века.**

С ве́ку веко́в. См. **От века.**

От ве́ку [и] до ве́ка (ве́ку). *Волг., Сиб.* Вечно, постоянно, всегда. Глухов 1988, 119; СФС, 133; ФСС, 23.

Отны́не и до ве́ку. *Прост.* Всегда, постоянно. Глухов 1988, 120.

Отны́не ве́ку. *Кар.* С давних пор, много лет подряд. СРГК 4, 310.

Пересня́ть ве́ку. *Олон.* Долго пожить на свете (о человеке). СРНГ 26, 224.

По́ веку веко́в. *Сиб.* Всегда, постоянно. СФС, 141; ФСС, 23.

Полиши́ть ве́ку до́лгого *кого. Народн.* Сократить чью-л. жизнь. СРНГ 29, 78.

При моём (твоём) веку́ (ве́ке). *Арх., Дон., Пск., Сиб.* То же, что **на моём веку.** СРНГ 31, 100; СДГ 1, 58; СБО-Д1, 55.

Пропа́сть середи́ ве́ку. *Кар. (Арх.).* Умереть преждевременно. СРГК 5, 284.

С ве́ку доло́й. *Пск.* Кто-л. умер, издох. ПОС, 3, 65.

Скони́ ве́ку. См. **Искони веков.**

Спред веку [веко́в]. См. **Спред веков.**

ВЕКОВУ́ША * **Оста́ться векову́шею.** *Дон.* Не выйти замуж, остаться старой девой. СДГ 1, 58.

ВЕ́КСЕЛЬ * **Лома́ть ве́ксель.** *Жарг. угол.* Проверять документы. ТСУЖ, 29.

ВЕ́КША * **Змеи́ная ве́кша.** *Пск. Бран.* О непоседливом ребёнке. ПОС 3, 68.

Набегна́я ве́кша. *Перм. Неодобр.* О женщине, пренебрегающей обязанностями матери и хозяйки дома. Сл. Акчим. 1, 114.

< **Ве́кша** — белка.

ВЕЛЕ́НИЕ * **По щу́чьему веле́нию, [по моему́ хоте́нию].** *Народн. Шутл.* Чудесным образом, само собой, без вмешательства или поддержки кого-л. ДП, 849. < Восходит к сюжету и названию русской народной сказки. БМС 1998, 72.

ВЕЛИ́КИЙ * **Вели́кие ми́ра сего́.** *Книжн. часто Ирон.* Люди, занимающие высокое общественное положение. Ф 1, 53.

ВЕЛИ́ЧИЕ * **Олимпи́йское вели́чие.** *Книжн.* 1. О чьей-л. полной невозмутимости, исключительном самообладании. 2. О чьей-л. манере держаться с подчеркнутым сознанием своего превосходства над другими. < Восходит к древнегреческой мифологии. БМС 1998, 72.

ВЕЛОСИПЕ́Д * **Изобрета́ть велосипе́д.** *Разг. Ирон.* Обнаруживать, создавать заново что-л. давно открытое, общеизвестное. Мелерович, Мокиенко, 1997, 94.

Купи́ть велосипе́д (самока́т). *Жарг. мол. Шутл.-ирон.* Зазнаться. БСРЖ, 92.

ВЕ́ЛЬЦЫ * **Завива́ть ве́льцы.** *Волг. Неодобр.* Вести себя беспечно, неосмотрительно. Глухов 1988, 45.

ВЕ́НА * **Замыка́ние вен.** *Кар. (Арх.).* Закупорка вен. СРГК 2, 161.

Ту́хлая ве́на. *Жарг. мол. Шутл.-ирон.* Анальное отверстие, задний проход. h-98; Вахитов 2003, 183.

Центра́льная ве́на. *Жарг. гом. Шутл.-ирон.* То же, что **тухлая вена.** Кз., 144.

Гнать (дви́гать/ дви́нуть, пусти́ть, пройти́сь) по ве́не. *Жарг. нарк.* Вводить наркотик внутривенно. Росек, 12; Я — молодой, 1993, № 20; DL, 69; Вахитов 2003, 152; Максимов, 57.

ВЕНЕ́Ц * **Вене́ц не берёт** *кого. Коми.* О невозможности вступления в брак до определённого возраста. Кобелева, 57.

Вести́ под вене́ц *кого. Жарг. угол.* Вести расследование чьего-л. дела, готовить его к суду. Грачев 1992, 56.

Идти́ под вене́ц (к венцу́). 1. *Прост. Устар.* Выходить замуж, жениться. БМС 1998, 73; Ф 1, 219. 2. *Жарг. угол.* Подвергаться судебному разбирательству. БСРЖ, 92.

Излома́ть (полома́ть) вене́ц. *Орл., Сиб.* Развестись с мужем, разрушить супружеские отношения. СОГ 1989, 156; ФСС, 87.

Принимать/ приня́ть вене́ц. *Орл., Сиб.* Вступать в брак, венчаться. СОГ 1989, 156; Ф 2, 91; СБО-Д1, 55.

Стряхну́ть (стрясти́) вене́ц [с головы́]. *Арх.* Уйти от мужа. АОС 3, 100.

Терно́вый вене́ц (вено́к). *Книжн. Устар.* Мученичество, страдания. Ф 1, 53.< Восходит к Евангелию. БМС 1998, 73.

Прия́ть му́ченический вене́ц. *Книжн. Устар.* Пострадать, умереть в тяжёлых мучениях. Ф 2, 95.

Оде́рживать/ одержа́ть венцы́. *Арх.* Обвенчаться. СРНГ 23, 17.

ВЕНЕ́ЦИЯ * **Се́верная Вене́ция.** 1. *Публ., Поэт.* О Ленинграде — Санкт-Петербурге. 2. *Жарг. студ. Шутл.-ирон.* Туалет в студенческом общежитии (где, как правило, протекают трубы и на полу много воды (Запись 2003 г.).

ВЕ́НЗЕЛЬ * **Выводи́ть (выде́лывать, выпи́сывать, писа́ть) [нога́ми] вензеля́.** *Разг. Шутл.-ирон.* Идти нетвердой походкой, шатаясь из стороны в сторону (обычно — о пьяном). ФСРЯ, 59; БТС, 118, 167; Ф 2, 46; БМС 1998, 73; Ф 1, 96.

ВЕ́НИК * **Боево́й ве́ник.** *RPG. Шутл.-ирон.* Любое оружие участника ролевой игры. ТК-2000.

Ве́ник ката́ть. *Сиб.* В свадебном обряде — устраивать катание невесты и её подруг по деревне на санях с прикреплённым к ним украшенным веником. СРНГ 13, 124; ФСС, 91.

Грузи́нский ве́ник. *Разг. Шутл.-ирон.* Чай низкого сорта. ББИ, 60.

Кремлёвский ве́ник. *Жарг. журн., полит. Шутл.* Борис Грызлов, глава МВД РФ. МННС, 165.

Придержа́ть ве́ник. *Жарг. мол.* Замолчать, перестать рассказывать что-л. Елистратов 1994, 61.

Пу́тный ве́ник. *Жарг. мол. Шутл.-одобр.* Хороший парень. (Запись 2004 г.).

Мести́ в два ве́ника. *Народн.* Ссориться (о супругах). ДП, 263; Подюков 1989, 113.

Прокати́ть на ве́нике *кого. Новг. Шутл.* 1. Наказать, образумить кого-л. Сергеева 2004, 47. 2. Изменить кому-л. в любви, нарушить супружескую верность. Сергеева 2004, 237.

Вяза́ть ве́ники. *Жарг. мол. Шутл.* 1. Быть чем-л занятым, выполнять какую-л. работу. 2. Лгать, обманывать. Максимов, 57.

Мочи́ть/ замочи́ть ве́ники. *Жарг. мол. Шутл.* Готовиться к выпивке. Максимов, 57.

По ве́ники е́здить. *Ср. Урал.* То же, что **веник катать.** СРГСУ 4, 40.
Попадёт на ве́ники *кому. Сиб. Шутл.* Кто-л. будет наказан. ФСС, 146.
Пора́ на ве́ники *кому. Яросл. Ирон.* Пора умирать. < Веники кладут в гроб под умершего. ЯОС 8, 65.
До но́вых (све́жих) ве́ников. *Разг. Устар.; Волг., Новг.* Очень долго (помнить обиду, не забыть угрозу, наказание); надолго, на долгий срок. Ф 1, 53; Глухов 1988, 37; Сергеева 2004, 158.
Навяза́ть ве́ников *кому. Новг. Шутл.* Изменить кому-л. в любви, нарушить супружескую верность. Сергеева 2004, 236.
ВЕ́НИЧЕК * Лёгким ве́ничком [**подмести́**]. *Одесск.* 1. Быстро, наспех произвести уборку. 2. Быстро, наспех сделать что-л. КСРГО.
ВЕНО́К * Наложи́ть венки́. *Пск.* Обвенчать кого-л. СРНГ 20, 21.
Золото́й вено́к. *Пск.* Венок из живых цветов. СРНГ 11, 332.
Лавровый венок. *Книжн.* Символ славы, победы, награды. Ф 1, 53.
Терно́вый вено́к. См. **Терновый венец (ВЕНЕЦ).**
ВЕ́НТИЛЬ * Закрыть ве́нтиль. *Жарг. мол.* Замолчать. Елистратов 1994, 61.
ВЕ́НЬГАТЬ * Ни ве́ньгать, ни ба́ньгать. *Кар. (Арх.).* Не кричать и не плакать. СРГК 1, 172.
ВЕ́НЯ * Ве́ня Ве́ников. *Жарг. мол. Пренебр.* Глупый человек, простак, растяпа. Максимов, 57.
ВЕ́РА * Ве́ра Миха́йловна. 1. *Жарг. мол. Шутл.* Вермут. ФЛ, 98; Грачев 1997, 40. 2. *Жарг. крим. Шутл.-ирон.* Высшая мера наказания. Лаз., 182.
Ду́нькина ве́ра. *Забайк. Устар.* Семейский религиозный толк, известный в литературе под названием "самочинцы", которым управляла Авдотья Тюрюканова. СРГЗ, 105.
Оку́лькина ве́ра. *Забайк.* 1. *Устар.* Небольшая раскольническая секта забайкальских староверов, которая отвергала брак (вторая половина XIX в.). СРГЗ, 263. 2. *Неодобр.* Супружеская неверность. СРГЗ, 263.
По свое́й ве́ре. *Печор.* По своим возможностям, способностям. РГНП 1, 58.
Служи́ть ве́рой (ве́рою) и пра́вдой (пра́вдою) *кому, чему. Народн.* О чьем-л. честном, преданном служении кому-л., чему-л. ФСРЯ, 60; БМС 1998, 74.
Принима́ть на ве́ру *что. Разг.* Относиться с доверием, верить чему-л. Ф 2, 91.
Выходи́ть/ вы́йти из ве́ры. 1. *Арх., Сиб.* Терять чье-л. доверие. АОС 7, 240; ФСС, 35; Ф 1, 102. 2. *Кар. (Волог.).* Расторгать помолвку. СРГК 1, 172.
ВЕ́РБА * Ве́рба — хлёст, бей до слёз. *Алт. Шутл.* О пруте вербы, которым шутя били детей в Вербное воскресенье. СРГА 1, 130.
Ска́зывать (наговори́ть) на ве́рбе грушу. *Народн. Шутл.* Рассказывать небылицы, говорить вздор. ДП, 206, 734; Жиг. 1969, 212.
ВЕ́РБИК * Ве́рбик заве́рбил. *Горьк.* О холодном ветре на Вербной неделе. БалСок, 26.
ВЕРБЛЮ́Д * Говоря́щий верблюд. *Жарг. мол.* В ролевых играх — человек, способный исполнять примитивные роли с текстом. БСРЖ, 93.
Дока́зывать, что ты не верблю́д. *Разг. Шутл.* Доказывать очевидное. < Из репризы «Кабачка 13 стульев», популярной телепередачи 1960-1970-х гг. Дядечко 2, 26.
Оседла́ть верблю́да. *Жарг. шк.* Не подготовиться к экзамену. Максимов, 58.
От верблю́да. *Разг. Шутл.* Ответ на вопрос «Откуда?», в котором отражается нежелание сказать правду. Ф 1, 54.
Не кури́ — верблю́дом ста́нешь. *Жарг. мол. Шутл.* О сигаретах марки «Кэмел». Максимов, 214.
Ле́гче верблю́ду пройти́ сквозь иго́льное ушко́. *Книжн. Шутл.* О полной невозможности постижения или совершения чего-л. Мокиенко 1989, 113-115; БМС 1998, 74.
ВЕ́РГОЙ * Ве́ргой тя но́сит! *Кар. Бран.* Выражение досады, раздражения, гнева. СРГК 1, 173. **Неси́ тя ве́ргой!** *Кар. Бран.* То же. СРГК 1 173.
ВЕРЁВКА * Верёвка пла́чет *по ком. Прост. Шутл.-ирон.* 1. Кто-л. должен быть повешен, заслуживает смертной казни. ФСРЯ, 59; ШЗФ 2001, 34; ЗС 1996, 203; БМС 1998, 74. 2. Кто-л. заслуживает наказания, порки. Глухов 1988, 10; ФСРЯ, 59.
И верёвками не утяну́ть *кого. Горьк.* Никакими силами не заставить кого-л. сделать что-л. БалСок, 37.
На гнило́й верёвке увести́ можно *кого. Яросл. Ирон.* О безвольном человеке. ЯОС 6, 76.
Верёвки вить мо́жно *из кого. Пск. Шутл.* О покладистом, тихом, скромном человеке. СПП 2001, 20.
Верёвки горя́т *у кого. Жарг. нарк.* Об абстинентном синдроме. Максимов, 58.
Вить верёвки. 1. *Жарг. мол. Шутл.* Испражняться. БСРЖ, 93. 2. *Сиб. Неодобр.* Говорить вздор, оговаривать кого-л. ФСС, 28. 3. *Сиб. Неодобр.* Пустословить; говорить запутанно. ФСС, 28. 4. *Волг. Неодобр.* Бездельничать. Глухов 1988, 12. 5. *из кого. Разг.* Полностью подчинять кого-л. своей воле, вынуждать поступать по своему желанию. ДП, 146, 219; ФСРЯ, 69; БТС, 118; БМС 1998, 74-75. 6. *Волг.* Мучить кого-л.; эксплуатировать кого-л. Глухов 1988, 12.
Вить верёвки из песка́. *Вол.* Быть ловким, умелым, изворотливым. Глухов 1988, 12.
Живы́е верёвки. *Сиб. Ирон.* О возможности скорого ареста. ФСС, 24.
Наплести́ верёвки. *Жарг. угол.* Наговорить лишнего на допросе. ТСУЖ, 114; ББИ, 41; Балдаев 1, 59, 271.
Хоть верёвки вей. 1. *Новг. Шутл.* О чём-л. длинном. НОС 10, 42. 2. *из кого. Прост. Пренебр.* О безвольном, неспособном постоять за себя человеке. Ф 1, 52. 3. *из кого Волг. Одобр.* О мягком, добром, покладистом человеке. Глухов 1988, 167.
Не верёвкой ме́рен. *Кар.* О чём-л. неопределённом, не установленном точно. СРГК 3, 25.
Повя́заны одно́й верёвкой. *Разг.* О совместной ответственности за что-л. БТС, 855.
Глота́ть верёвку. 1. *Жарг. нарк.* Принимать наркотические таблетки и запивать их водкой. 2. *Жарг. угол.* Быть подвергнутым принудительному кормлению. Максимов, 58.
Загороди́ть верёвку. *Горьк.* В свадебном обряде: не пропускать сватов без выкупа. БалСок, 26.
Изви́ть верёвку. *Сиб. Неодобр.* Наговорить много запутанного и невразумительного. ФСС, 87.
ВЕРЁВОЧКА * Не вей верёвочка. *Волг. Неодобр. или Шутл.-ирон.* О беспечном, безразличном ко всему человеке. Глухов 1988, 94.
На верёвочке держа́ть *кого. Пск.* Ограничивать свободу действий, не давать воли кому-л. ПОС 11, 41.
Вить верёвочки. *Волг. Неодобр.* Бездельничать. Глухов 1988, 12; Мокиенко 1990, 65.
Связа́ть одно́й верёвочкой *кого. Разг.* Соединить кого-л. крепко и неразрыв-

но (общим делом, судьбой, прошлым и т. п.). Ф 2, 146.

Свя́заны одно́й верёвочкой. *Разг.* То же, что **повязаны одной верёвкой (ВЕРЕВКА).** ЗС 1996, 31, 285.

Не совьёт верёвочки. *Волг. Неодобр.* О глупом, несообразительном человеке. Глухов 1988, 104.

Ве́сить на одну́ верёвочку *кого, что. Арх.* Судить о чём-л. односторонне. АОС 3, 154.

Вить верёвочку с песо́чку. *Новг. Неодобр.* Бездельничать; пустословить; сплетничать. СРНГ 26, 306.

Наложи́ть верёвочку *на кого. Арх.* Казнить повешением кого-л. АОС 3, 105.

ВЕРЕСИ́НА * Прокати́ть на вереси́не *кого. Новг. Шутл.-ирон.* 1. Изменить девушке, покинуть её ради другой. НОС 1, 113. 2. Нарушить супружескую верность. Сергеева 2004, 237.

Вереси́ну обже́чь. *Пск.* Вспылить, разнервничаться, начать браниться. ПОС 3, 85.

ВЕРЕТЕ́ЛЬ * Без веретля́ дыру́ прове́ртит. *Пск. Неодобр.* Об очень бойком, непоседливом человеке. ПОС, 3, 87-88; ПОС, 10, 82.

ВЕРЕТЕНО́ * Прокатить на веретене́ *кого. Новг. Ирон.* Изменить кому-л., нарушить верность в любви. НОС 9, 43.

Знать своё криво́е веретено́, *чаще в форме повел. накл. Народн. Ирон.* Не вмешиваться в чужие дела, заниматься своим делом. БМС 1998, 75.

Косо́е веретено́. 1. *Волг. Неодобр.* О недобросовестно выполненной работе. Глухов 1988, 77. 2. *Перм., Яросл. Неодобр.* Об очень подвижном, непоседливом человеке (обычно — ребёнке). Подюков 1989, 22; ЯОС 2, 55.

Криво́е веретено́. 1. Вертлявая, непоседливая девочка. 2. Небылица, враньё. Пск. СРНГ, 15, 245.

Мота́ть на косо́ веретено́. *Арх.* Сердиться, косо смотреть на кого-л. СРНГ 15, 65.

Наверте́ть на криво́е веретено́. *Волг., Курск.* Наговорить лишнего. Глухов 1988, 91; БотСан, 102.

Напе́ть на криво́е веретено́ *кому.* 1. *Народн.* Наказать, выругать кого-л. (чаще — угроза). ДП, 220; СРНГ 20, 73; ЯОС 6, 106. 2. *Волг.* То же, что **навертеть на кривое веретено.** Глухов 1988, 91.

Напря́сть на криво́е веретено́ *кому.* 1. *Народн. Неодобр.* То же, что **напеть на кривое веретено 1.** ДП, 220. 2. *Костром., Перм. Неодобр.* Обмануть, ввести в заблуждение кого-л. Громов 1992, 28; Подюков 1989, 126. 3. *Арх., Курск.* Отомстить, отплатить кому-л. обидой за обиду. СРНГ 20, 108.

Плести́/наплести́ на косо́е веретено́. *Перм.* Обманывать, говорить ерунду. МФС, 75; Сл. Акчим. 1, 116.

Веретено́м тряхну́ть (встряхну́ть). 1. **[и рассы́плется].** *Пск., Перм. Ирон.* О слабом, больном, чаще — старом человеке. ПОС 3, 89; Подюков 1989, 207. 2. *Кар.* Об очень худом человеке. СРГК 1, 249. 3. *Перм.* О крайне малом количестве чего-л. Подюков 1989, 208.

Одева́ться свои́м веретено́м. *Яросл.* Носить одежду, изготовленную своими руками. ЯОС 7, 34.

Трясти́ веретено́м. *Перм. Шутл.* Прясть. Подюков 1989, 207.

ВЕРЕТЁШКО * Понужа́ть на веретёшке. *Сиб.* Прясть. ФСС, 145.

Стрясти́ на веретёшко *что. Прикам. Ирон.* О ветхой, старой одежде. МФС, 37.

ВЕ́РКА * Ве́рка Сердю́чка *Жарг. шк. Презр. или Шутл.* Злобная, придирчивая учительница. (Запись 2003 г.). < По имени персонажа популярных телепередач.

ВЕРНУ́ТЬ * Верни́ и заверни́ *[кого]. Коми.* Об опытном, бывалом человеке. Кобелева, 20.

ВЕ́РНЫЙ * Идти́/пойти́ на ве́рную. *Прост.* Делать что-л. с верным расчётом, без риска ошибиться. БМС 1998, 75.

Ве́рный в ма́лом. *Книжн. Устар.* О человеке, последовательном в своих нравственных принципах, убеждениях. < Восходит к Библии. БМС 1998, 75.

Из ве́рных ве́рно. *Кар. (Новг.).* Точно, без сомнения. СРГК 1, 177.

ВЕРОЯ́ТИЕ * Дать вероя́тие *кому чему. Жарг. угол.* Проверить кого-л., что-л. Мильяненков, 93; ББИ, 41; Балдаев 1, 59.

ВЕРС * На верс. *Новг.* На десерт. НОС 1, 116.

ВЕРСА́К * На верса́к. *Новг.* То же, что **на верс (ВЕРС).** НОС 1, 116.

ВЕРСТА́ * За семь вёрст киселя́ хлеба́ть. *Прост. Шутл.-ирон.* 1. Поехать (пойти) очень далеко и вернуться ни с чем. ДП, 452; Жиг. 1969, 300; СРГМ 1986, 24; БТС, 1444; ФСРЯ, 507; БМС 1998, 75. 2. Напрасно и необдуманно стремиться куда-л., имея возможность достичь желаемого на месте. БМС 1998, 75.

Семь вёрст в го́ру. *Прибайк. Шутл.* Очень много лишнего, неправдоподобного (наговорить, рассказать). СНФП, 29.

Семь (сто) вёрст до небе́с, да всё ле́сом. *Народн.* 1. Очень много (наговорить, наобещать). Жиг. 1969, 212; ФСРЯ, 60; ФСС, 14; Мокиенко 1990, 140. 2. О большом и трудно преодолимом расстоянии. ПОС 3, 95; Ф 1, 55.

Коло́менская верста́. *Народн. Шутл.* О человеке чрезмерно высокого роста. ДП, 309; ФСРЯ, 60; Мокиенко 1986, 35; БТС, 120; Янин 2003, 54; БМС 1998, 76.

Крива́я верста́. *Жарг. шк. Шутл.-ирон.* Дорога в школу. (Запись 2003 г.).

Не нам верста́. *Кар. (Мурм.).* Не ровня, не чета нам. СРГК 1, 178.

На одной версте́. *Прикам.* О чём-л., расположенном близко друг к другу. МФС, 17.

За версто́й. *Печор.* Очень далеко. СРГНП 1, 61.

В версту́ *кому. Сиб.* Равный по росту кому-л. СФС, 33; ФСС, 24.

За версту́. 1. *Прост.* Далеко, на значительном расстоянии. Ф 1, 55. 2. *Пск.* В далекое место, на большое расстояние. ПОС, 3, 95.

За седьму́ю версту́. *Перм.* То же, что **за версту 2.** Подюков 1989, 22.

Напра́вить (отправить) на сто пе́рвую (сто пя́тую) версту́ *кого. Пск.* 1. Арестовать, осудить кого-л. 2. Выселить, отправить на выселку кого-л. 3. Наказать, отправить в ад кого-л. СПП 2001, 20.

Оббега́ть за версту́ *кого. Пск.* Избегать встречи с кем-л. СПП 2001, 20.

Отправля́ть/ отпра́вить на седьму́ю (тринадцатую) версту́ *кого. Народн.* Направлять кого-л. в психиатрическую лечебницу, признавать кого-л. сумасшедшим. ДП, 443; БМС 1998, 76.

Поверста́ть в одну́ версту́ *кого. Разг. Устар.* Уравнять кого-л. в чём-л. Ф 2, 51.

С [в] коло́менскую версту́. *Разг.* То же, что **коломенская верста.** ФСРЯ, 60; БТС, 120.

Стать в версту́. *Народн. Устар.* Сравняться; встать рядом с кем-л. по одной линии. БМС 1998, 76.

Ви́деть за три версты́. *Горьк.* Предсказывать, предугадывать что-л. БалСок, 26.

Ме́рить вёрсты. *Прост.* Ходить пешком на большое расстояние. ФСРЯ, 242; ЗС 1996, 496.

О́гненные вёрсты. *Жарг. шк. Шутл.-ирон.* Дорога в школу. < По названию кинофильма. Максимов, 284.

ВЕРСУ́ТКА * На версу́тку. *Печор.* На закуску после еды. СРГНП 1, 61.

ВЕРСЫ́ТЬ *На версы́ть. *Новг.* На десерт. НОС 1, 117.

ВЕРТА́ * Дать верта́ *кому. Сев.-Двин.* Повалив на землю, отколотить кого-л. СРНГ 7, 257; Мокиенко 1990, 46.

ВЕРТЕ́ТЬ * Верте́ть как хоте́ть *кем. Прост. Неодобр.* Неограниченно командовать безвольным, сильно зависимым человеком. БМС 1998, 76.

Как ни верти́ (ни верти́сь). *Разг.* Несмотря ни на что, вопреки всему. ФСРЯ, 61.

ВЕРТЕ́ТЬСЯ * Как ни верти́сь. См. **Как ни верти (ВЕРТЕТЬ).**

ВЕРТИКА́ЛЬ * По вертика́ли. *Разг.* От вышестоящего предприятия, организации к нижестоящему и наоборот. НСЗ-84.

ВЕРТКА́ * Дать вертка́. *Арх.* Резко развернуться, повернуться, отклониться в сторону. АОС 10, 280; Мокиенко 1990, 110.

ВЕРТО́ВКА * Дать верто́вку *кому. Волг., Пск.* Наказать, избить кого-л. Глухов 1988, 29; ПОС, 3, 98.

ВЕРТОЛЁТ * Купи́ть вертолёт. *Жарг. мол. Неодобр.* Зазнаться, перестать здороваться с кем-л. БСРЖ, 94.

Посмотре́ть вертолёты. *Жарг. мол. Шутл.* Сходить в туалет. Вахитов 2003, 142.

ВЕРТОПРА́ХОМ * Пойти́ вертопра́хом. *Дон.* Прийти в хаотическое состояние. СДГ 1, 59.

ВЕРТУ́Н * Игра́ть вертуна́. *Волг.* Заниматься бесполезным, но хлопотным делом. Глухов 1988, 55.

ВЕРТУ́Х * Дать вертуха́ *кому. Волг.* 1. Быстро исчезнуть, убежать откуда-л. 2. Совершить неожиданный, странный поступок. Глухов 1988, 29.

ВЕРТУ́ХА * На верту́хах. *Орл.* В состоянии волнения, возбуждения. СОГ 1989, 11.

Дать верту́ху *кому. Сев.-Двин.* То же, что **дать верта (ВЕРТА)**. Мокиенко 1990, 46; СРНГ 7, 257.

ВЕРТУ́ШКА * Э́то вам не рыда́ть в верту́шку. *Жарг. мол.* О чём-л. важном, значимом. (Запись 2001 г.).

ВЕРТУШО́К * Дать вертушка́. *Волг.* 1. То же, что **дать вертуха 1 (ВЕРТУХ).** 2. То же, что **дать вертуха 2 (ВЕРТУХ).** 3. *кому.* Строго наказать, побить кого-л. Глухов 1988, 29.

ВЕРХ * Брать/ взять верх *над кем. Разг.* 1. Главенствовать, верховодить; иметь преимущество в чём-л. 2. Одолевать, осиливать, побеждать кого-л. ФСРЯ, 43; ЗС 277; АОС 2, 110.

Брать/ взять за верх *кого. Волг.* То же, что **брать верх 1.** Глухов 1988, 5.

Верх ве́рхом; Верхи́ верха́м. *Пск.* Доверху, до краёв (наполнить, наложить и т. п.). СПП 2001, 20.

Верх на дне оста́лся. *Волг. Ирон.* Всё истрачено, израсходовано; ничего не осталось. Глухов 1988, 10.

Верх сто́гом. *Кар. (Арх.).* Очень много, чрезмерно. СРГК 1, 180.

Держа́ть верх *над кем, где. Разг.* То же, что **брать верх 1.** ФСРЯ, 135.

Оде́рживать/ одержа́ть верх *над кем. Книжн. или публ.* То же, что **брать верх 2.** БМС 1998, 77; Мокиенко 1989, 47.

Снять верх *с кого. Пск.* Подчинить себе кого-л. СПП 2001, 20.

Бить верха́ (по верха́м). *Жарг. угол.* Совершать кражи из верхних карманов. Балдаев 1, 37; ТСУЖ, 18, 20.

Одержа́ть верха́. *Сиб.* То же, что **брать верх.** ФСС, 125.

Помы́ть (раско́цать) верха́. *Жарг. угол.* То же, что **бить верха.** ББИ, 41; Балдаев 1, 60.

Спу́лить (спусти́ть) верха́. *Жарг. угол.* В случае опасности незаметно положить краденый кошелёк в наружный карман постороннего человека, с тем чтобы потом изъять его. ББИ, 232; Балдаев 1, 60.

По верха́м. *Разг.* Поверхностно, неглубоко. Ф 1, 56; Глухов 1988, 123.

Ходи́ть по верха́м. *Жарг. угол.* То же, что **бить верха.** ТСУЖ, 18, 20; Балдаев 1, 37.

Служи́ть верха́ми. *Приамур.* Служить в кавалерии. СРГПриам., 277.

В верха́х. *Публ.* В вышестоящих органах, в руководстве. Мокиенко 2003, 13.

Верхи́ лома́ть. *Одесск.* Брать себе самое лучшее, самое выгодное, обычно опережая других. КСРГО.

Верхи́ не мо́гут, а низы́ не хотя́т. 1. *Публ.* О неспособности властей руководить государством. 2. *Разг.* О неспособности руководителей управлять и нежелании подчиненных выполнять их указания. Дядечко 1, 79.

Схва́тывать верхи́ (верху́шки). *Разг. Неодобр.* Усваивать только первичные, поверхностные знания. Ф 2, 195.

Сшиба́ть верхи́. *Морд.* Жить легко, беззаботно. СРГМ 2002, 182.

Взять с верхо́в *что. Жарг. угол.* Украсть что-л. из верхнего кармана. СРВС 1, 201.

Бить ве́рхом. *Кар. (Ленингр.).* Сильно бурлить. СРГК 1, 181.

Ве́рхом и сто́гом. *Пск.* То же, что **Верх верхом.** ПОС 3, 107.

Сы́пать/ насы́пать с ве́рхом *кому. Волг., Дон.* Строго наказывать, бить кого-л. Мокиенко 1990, 60; Глухов 1988, 93.

С ве́рхом. *Прост.* С избытком, больше обещанного. Ф 1, 56.

Стоя́ть над ве́рхом. *Кар. (Арх.).* Просить, умолять о чём-л. СРГК 1, 180.

Класть по ве́рху. *Жарг. арест.* Бить арестованного. СРВС 2, 42.

Быть на верху́ блаже́нства. *Разг.* Быть безгранично счастливым, глубоко удовлетворённым. ФСРЯ, 61 Ф 1, 57.

Пойти́ по ве́рху. *Пск.* Разориться. СПП 2001, 20.

ВЕРХО́М * Где верхо́м, где пешко́м, а где и на кара́чках. *Народн. Шутл.-ирон.* Самыми разными способами, используя все имеющиеся возможности. ДП, 426.

Е́здить/ пое́хать верхо́м. 1. *Жарг. мол. Шутл.* О езде на мотоцикле. БСРЖ, 94. 2. *на ком. Народн. Неодобр.* Жить за чужой счёт. ДП, 220; СПП 2001, 20.

Е́хать верхо́м на па́лочке. *Волг. Шутл.* Идти пешком. Глухов 1988, 41.

Сесть (усе́сться) верхо́м *на кого. Прост.* Покорить, подчинить себе кого-л., начать эксплуатировать кого-л. Глухов 1988, 163.

ВЕРХНЯ́К * Чуть верхня́к голово́й не вы́шибет. *Орл. Шутл.* О человеке очень высокого роста. СОГ 1989, 14.

ВЕРХО́НКА * Брать/ взять верхо́нку. *Кар. (Ленингр.).* То же, что **брать верх (ВЕРХ).** СРГК 1, 108, 181.

ВЕРХОСЫ́ТКА * На верхосы́тку. *Кар. (Арх., Волог.)., Новг., Сиб., Яросл.* На десерт, на третье блюдо (после обеда или ужина). СРГК 1, 182; НОС 1, 118; СФС, 109; ФСС, 24; ЯОС 6, 76.

ВЕРХОСЫ́ТОЧКА * На верхосы́точку. *Кар. (Арх.), Сиб.* То же, что **на верхосытку (ВЕРХОСЫТКА).** СРГК 1, 182; ФСС, 24.

ВЕРХОСЫ́ТЬ * На верхосы́ть. *Кар. (Ленингр.).* То же, что **на верхосытку (ВЕРХОСЫТКА).**

ВЕРХУ́ШКА * Верху́шка а́йсберга. *Публ.* Явная, видная всем часть какого-л. явления, основная часть которого неизвестна. НРЛ-80. < Калька с нем. *es ist nur die Spitze des Eisbergs.* Мокиенко 2003, 13.

Запусти́ть по верху́шке *кому. Сиб.* Ударить кого-л. по голове. ФСС, 80.

Схва́тывать верху́шки. См. **Схватывать верхи (ВЕРХ).**

Держа́ть верху́шку. *Жарг. мол.* Главенствовать, первенствовать в чем-либо. Урал-98.

Заморо́зить верху́шку. *Башк.* Получить согласие при сватовстве. СРГБ 1, 67.

Скуси́ть верху́шку. *Жарг. угол.* Совершить кражу из верхней одежды. ТСУЖ, 163.

ВЕРЧЕ́НЬЕ * Зада́ть верче́нья *кому. Кар.* Наказать кого-л., заставить вертеться от боли. СРГК 2, 113.

ВЕРШ (ВЕ́РША) * Ввести́ в верш (в ве́ршу) *кого. Пск.* 1. Вовлечь кого-л. в нехорошее дело, втянуть в беду, в неприятности, хлопоты. ПОС 3, 108. 2. Расстроить, рассердить кого-л. СПП 2001, 20.

Влезть (попа́сть) в верш (в ве́ршу). *Новг., Пск., Сиб.* Попасть в беду, в неловкое положение, навлечь на себя неприятности. НОС 1, 128; Сергеева 2004, 212; ПОС 3, 108; СФС, 33; Мокиенко 1986, 115; Мокиенко 1990, 137; ФСС, 146.

Зале́зть на ве́ршу. *Сиб.* Сесть верхом на коня. СФС, 77.

Найти́ себе́ ве́ршу. *То же, что* **влезть в верш.** ПОС 3, 108.

< **Верш, ве́рша** — 1. Рыболовная снасть в виде конуса. 2. Яма, воронка на дне водоёма.

ВЕРШИ́НА * Лезть на верши́ну. *Арх.* Провоцировать конфликт, усиливать напряжённость ситуации. АОС 3, 145; СРНГ 16, 340.

Посади́ть на верши́ну *кого. Алт.* Посадить кого-л. верхом на лошадь. СРГА 1, 137.

До верши́ны. *Арх.* Всё до конца, абсолютно всё. АОС 3, 145.

ВЕРШО́К * Предста́виться на три вершка́. *Р. Урал.* Умело притвориться. СРНГ 31, 95.

Собира́ть (хвата́ть) вершки́. *Волг.* Захватывать лучшую долю чего-л. Глухов 1988, 144, 165.

ВЕС * Бара́ний вес *у кого. Прост. Шутл.-ирон.* О худом, тощем человеке. Сергеева 2004, 136.

Взять вес. 1. *Кар. (Ленингр.).* Поправиться, располнеть. СРГК 1, 198. 2. *Жарг. мол. Шутл.* Совершить половой акт с кем-л. Максимов, 59.

Иметь вес. *Разг.* Пользоваться авторитетом. МАС 1, 155; СОСВ, 37; БалСок, 38; Ф 1, 222.

На вес зо́лота. *Разг.* О чём-л. очень ценном, редком. ФСРЯ, 61; БМС 1998, 77; Ф 1, 56.

Уде́льный вес *кого, чего. Разг.* Относительное значение, роль. ФСРЯ, 77; БТС, 1373.

Два ве́са ду́ри. *Жарг. нарк.* Два грамма гашиша. ТСУЖ, 45.

С ве́су брать *что. Сиб.* Покупать что-л. в магазине. ФСС, 16.

ВЕСЕ́ЛИЕ (ВЕСЕ́ЛЬЕ) * Весе́лие на Руси́ есть пи́ти. *Книжн. Устар.* О взгляде русских на хмельные напитки как на нечто веселящее душу. < Слова князя Владимира по Начальной летописи Нестора. БМС 1998, 77.

ВЕСЁЛКА * Бо́гова весёлка. *Пск.* Радуга. ПОС 3, 111; СРНГ 3, 48.

Вы́пить на весёлку. *Пск.* Выпить небольшое количество алкоголя, так, чтобы быть навеселе. ПОС 3, 112.

ВЕСЁЛОЧКА * Под весёлочку. *Пск.* То же, что **на весёлку (ВЕСЁЛКА).** ПОС 3, 112.

ВЕСЕЛУ́ХА * Гнать веселу́ху. *Жарг. мол.* Веселить окружающих. Никитина 1996, 27.

Под веселу́ху. *Пск.* То же, что **на весёлку (ВЕСЁЛКА).** ПОС 3, 112.

ВЕСЁЛЫЙ * Скирида́хнуть весёлого. *Пск.* Выпить. СПП 2001, 20.

[Вы́пить] под весёлую. *Арх., Пск.* То же, что **выпить на весёлку (ВЕСЁЛКА).** АОС 3, 152; ПОС 3, 112-113.

ВЕ́СЛИНА * На всю ве́слину. *Прикам.* Очень громко. МФС, 17; Мокиенко 1986, 48-49.

ВЕСЛО́ * Вёсла на́ воду. *Жарг. арм. Шутл.* Команда в столовой начать есть. СЛК 2000, № 1.

Разве́сить вёсла. *Жарг. угол., мол. Неодобр.* Бездельничать. Мильяненков, 93; ББИ, 42; Елистратов 1994, 63.

Суши́ть вёсла. 1. *Жарг. морск., спорт.* Переставать грести. Флг., 195; Ф 2, 195. 2. *Жарг. мол.* Прекращать движение, останавливаться. БСРЖ, 95. 3. *Жарг. мол., разг.* Прекращать какую-л. деятельность, прерывать работу. БСРЖ, 95. Максимов, 412. 4. *Жарг. мол., разг. Ирон.* Отказываться от борьбы. ОРТ, 08.01.98. 5. *Жарг. мол.* Убегать, скрываться. Максимов, 61.

Рабо́тать вёслами. *Жарг. мол. Шутл.* Есть, принимать пищу. Вахитов 2003, 154.

Сиде́ть в весле́. *Печор.* Работать веслами, грести. СРГНП 1, 65.

Проглоти́ть весло́. *Жарг. мол.* Неожиданно замолчать. Максимов, 59.

Рабо́тать весло́м. *Жарг. мол.* Много говорить. Максимов, 59.

ВЕСНА́ * Весна́ в но́су *у кого. Жарг. мол. Шутл.* О насморке. Максимов, 59.

Весна́, зна́ете ли! *Жарг. шк.* Ответ класса учителю по поводу невыученного урока. Максимов, 59.

Весну́ весне́нскую. *Курск.* Всю весну. БотСан, 85.

Загада́ть с весны́, что будет о́сенью. *Сиб. Ирон.* О нереальных, неудачных предсказаниях. ФСС, 75.

ВЕСНУ́ХА * Весну́ха с си́вой горы́. *Пск. Бран.* О непорядочном человеке. ПОС 3, 116. < **Весну́ха.** *Зд.* — фантастическое злое существо.

ВЕСТЬ * Ни весте́й ни косте́й. *Народн.* То же, что **ни вести ни павести.** ЗС 1996, 502.

Без ве́сти. 1. *Печор.* Не зная о чём-л. СРГНП 1, 66. 2. *Кар.* Очень далеко. СРГК 1, 185.

Бе́з вести пропа́вший. 1. *Жарг. арм.* Посыльный. БСРЖ, 95. 2. *Жарг. шк. Шутл.* Ученик, ушедший за мелом, за родителями. Bytic, 1991–2000; Максимов, 59.

Ве́сти запа́ли *о ком. Яросл.* О без вести пропавшем человеке. ЯОС 3, 9.

Забе́чь без ве́сти. *Курск.* То же, что **пропасть без вести.** БотСан, 94.

Ни ве́сти ни па́вести *о ком. Арх., Волг., Волог., Кар., Перм., Помор., Свердл., Сиб., Ср. Урал.* Об отсутствии известий, сведений о ком-л. СРНГ 21, 213; СРНГ 25, 108; СВГ 6, 116; Глухов 1988, 108; СРГК 1, 185; СРГК 4, 587; Сл. Акчим. 1, 123; СГПО, 418; МФС, 17; ЖРКП, 107; СФС, 126; ФСС, 25; СРГСУ 2, 208.

Переноси́ть ве́сти. *Прост. Неодобр.* Сплетничать. ФСС, 134; Ф 2, 40.

Пропа́сть без вести. *Разг.* Не давать о себе знать, находиться неизвестно где. Ф 2, 100.

Быть на веста́х. *Яросл.* Подавать вести о себе. ЯОС 6, 76.

Нет на веста́х *чего. Прибайк.* Не известно, не выяснено что-л. СНФП, 29.

Ссыла́ть ве́сти. *Прикам.* Распространять слухи. МФС, 95.

ВЕСЫ́ * Весы́ Феми́ды. *Книжн. Ирон.* О правосудии. < В греч. мифологии **Фемида** — богиня правосудия, изображавшаяся с повязкой на глазах, мечом в одной руке и весами в другой. БМС 1998, 77.

Покриви́ть весы́ правосу́дия. *Книжн. Устар.* Поступить против совести, против справедливости, скрыв правду. Ф 2, 67.

ВЕСЬ (ВСЯ, ВСЁ, ВСЕ) * Был да весь вы́шел. *Прост.* О чём-л. испортившемся, не удавшемся. Глухов 1988, 7.

Весь из себя́. *Разг. Неодобр.* О человеке с завышенной самооценкой. Максимов, 59.

Весь не свой. 1. *Ряз.* О расстроенном, потерявшем душевное спокойствие человеке. ДС, 80. 2. *Курск. Неодобр.* О непорядочном человеке. БотСан, 85.

Весь со всем. *Перм. Одобр.* То же, что **все при нем.** Подюков 1989, 23.

Не весь до́ма. *Арх. Неодобр.* То же, что **не все дома.** АОС 4, 16.

Не весь с собо́й. *Арх. Неодобр.* То же, что **не все дома.** АОС 4, 16.

Быть при всём. *Разг. Одобр.* Хорошо устроиться в жизни, не иметь недостатков. БСРЖ, 95.

Всё в одно́. *Кар. (Ленингр.).* Одинаково. СРГК 1, 242.

Всё и́ли ничего́. О стремлении получить максимум, не боясь потерять всё. БМС 1998, 103.

Всё кучко́м (пучко́м). *Жарг. мол. Одобр.* Дела идут хорошо, ситуация складывается удачно. Вахитов 2003, 32.

Всё моё! *Пск.* Восклицание, выражающее досаду, разочарование. СПП 2001, 20.

Всё при нём. *Разг. Одобр.* Кто-л. хорош во всех отношениях, не имеет физических и других недостатков. НРЛ-79; ЗС 1996, 77.

Всё схва́чено. *Жарг. мол. Одобр.* О полном контроле над ситуацией, когда всё предусмотрено, рассчитано. Вахитов 2003, 32.

Всё то́лько начина́ется. *Жарг. студ. Шутл.-ирон.* О молодом преподавателе. (Запись 2003 г.).

Всё укры́то, всё умы́то. *Волг. Одобр.* О чистоте, образцовом порядке. Глухов 1988, 15.

Всё хокке́й. *Жарг. мол. Одобр.* Всё в порядке, всё хорошо, отлично. Вахитов 2003, 32. < **Хоккей** — трансформация слова **О'кей**.

Вспо́мнить всё. *Жарг. студ. Шутл.* О сдаче экзаменов. < По названию кинофильма. Максимов, 71.

Выходи́ть на всё. 1. *Влад. Одобр.* Быть ловким, умелым, способным. СРНГ 6, 53. 2. *Волг.* Рисковать, решаться на любое дело. Глухов 1998, 20.

Не все до́ма *у кого. Разг. Неодобр. или Шутл.-ирон.* О человеке со странностями, глупом, придурковатом. БМС 1998, 164; АОС 4, 16; Мокиенко 1990, 120; БТС, 158, 272; ЗС 1996, 244; НОС 6, 40.

Всего́ ничего́. *Разг.* Очень мало. СПП 2001, 20; Верш 4, 156; СРГМ 1986, 124.

Бо́льше всех на́до *кому. Разг.* Об излишне инициативном, неудержимом в каком-л. деле человеке. Ф 1, 311.

Свиста́ть всех наве́рх! *Спец. морск.* Команда, по которой экипаж судна собирается на верхней палубе. Ф 2, 144.

Во всю. *Разг.* С предельной силой. Ф 1, 87.

ВЕТВЬ * Масли́чная (оли́вковая) ветвь. *Книжн. Высок.* Ветвь маслины как символ мира. < Восходит к Библии (легенда о всемирном потопе). БМС 1998, 77; ЗС 1996, 509; Ф 1, 57.

ВЕ́ТЕР * Боково́й ве́тер. *Жарг. Угол.* Шулерский прием — боковая поддержка. СРВС 2, 27; ТСУЖ, 22; Балдаев 1, 41.

Броса́ть/ бро́сить (кида́ть/ ки́нуть, пуска́ть/ пусти́ть, швыря́ть/ швырну́ть) на ве́тер. *Разг. Неодобр.* 1. *что.* Тратить, расходовать зря, безрассудно (деньги, состояние, имущество и т. п.). ФСРЯ, 94; ШЗФ 2001, 25. 2. **[слова́].** Говорить впустую, безответственно, не подумав. БМС 1998, 78; ФСРЯ, 49; СОГ 1989, 93.

Вей ве́тер. *Волг. Неодобр.* О непостоянном, ненадёжном человеке. Глухов 1988, 9.

Ве́тер в голове́ [свисти́т, гуля́ет, хо́дит] *у кого. Разг. Неодобр.* О легкомысленном, несерьезном человеке. ФСРЯ, 62; БТС, 122, 234; ПОС 3, 124; Ф 1, 57.

Ве́тер в зад (в спи́ну) *кому. Прост. Одобр.* О безбедной, беззаботной жизни. Сергеева 2004, 480; Глухов 1988, 10; Подюков 1989, 23; СПП 2001, 20; СОГ 1989, 22.

Ве́тер в карма́нах гуля́ет (свисти́т) *у кого. Прост. Ирон.* О полном безденежье. Ф 1, 57; ФСРЯ, 62; Глухов 1988, 10; БТС, 122.

Ве́тер в нос не ду́ет *кому. Яросл.* Об упрямом человеке. ЯОС 3, 10.

Ве́тер в пе́ред *кому. Орл.* О трудностях, лишениях. СОГ 1989, 22.

Ве́тер в ха́те. *Жарг. угол.* О доме, квартире, где нечего взять. Максимов, 59.

Ве́тер в ю́бке. *Вол. Шутл.-одобр.* Об энергичной, подвижной женщине. Глухов 1988, 10.

Ве́тер заду́л лампа́дку *чью. Перм.* Кто-л. умер. Подюков 1989, 213.

Ве́тер наду́л. *Прост.* То же, что **ветром надуло 1.** Максимов, 59.

Ве́тер на уме́ *у кого. Разг. Устар. Неодобр.* О легкомысленном поведении, несерьёзном отношении к делу. Ф 1, 57.

Ве́тер переме́н. 1. *Публ., Разг.* О переменах к лучшему. Дядечко 1, 85; БТС, 122. *Жарг. комп. Шутл.* Смена операционной системы на компьютере. Садошенко, 1995. < Оборот из речи Г. Макмиллана в Кейптауне (3 февр. 1960 г.), получил известность благодаря песне группы Scorpions. Дядечко 1, 84.

Ве́тер пина́ть. *Печор.* Бездельничать, ничего не делать. СРНГП 2, 37.

Ве́тер под подо́л попа́л *кому. Прост. обл. Шутл.-ирон.* О забеременевшей и родившей ребёнка вне брака женщине. Мокиенко, Никитина 2003, 94.

Ве́тер свисти́т в уша́х *у кого. Разг.* О быстром беге, езде на лошади, велосипеде и т. п.). Ф 1, 58.

Ве́тер с гор. *Новг.* Ветер, дующий с берега, с суши. НОС 2, 36.

Ве́тер с ка́мня. *Сиб.* Ветер с запада, с Урала. СРНГ 13, 23.

Ве́тер с лягу́шечьего рта. *Новг.* О ветре, приносящем дождь. НОС 9, 152.

Ве́тер с (из) мужико́в. *Дон.* То же, что **мужичий ветер.** СДГ 1, 61.

Ве́тер с но́чи. *Прикам.* Западный ветер. МФС, 17.

Ве́тер с по́лдня. *Дон.* Южный ветер. СДГ 1, 61.

Ве́тер у́ши развева́ет. *Жарг. мол.* О быстро идущем, быстро делающем что-л. человеке. Максимов, 60.

Во́льный ве́тер. *Жарг. шк. Шутл.* Прогульщик. Bytic, 1991-2000.

Глота́ть ве́тер. *Урал. Неодобр.* Бездельничать. СРНГ 6, 202.

Говори́ть/ сказа́ть на ве́тер *что.* 1. *Разг. Неодобр.* Говорить впустую. ФСРЯ, 62; БМС 1998, 78; ШЗФ 2001, 54. 2. *Разг. Неодобр.* Обманывать, лгать. ДП, 204; Мокиенко 1986, 28. 3. *Волг.* Говорить тихо, невнятно, с опаской. Глухов 1988, 24.

Голо́дный ве́тер. *Новг.* Западный ветер. НОС 2, 28.

Ершо́вый ве́тер. *Яросл.* Северный ветер. ЯОС 4, 37.

Жить на ве́тер. 1. *Прост.* Жить легкомысленно, расточительно. Ф 1, 189. 2. *Прибайк.* О тяжёлом, трудном существовании. СНФП, 29.

Знать, отку́да (куда́) ве́тер ду́ет. *Разг. Ирон.* Иметь исключительное чутье на изменение обстановки, обстоятельств и быстро (часто — угодливо и лицемерно) к ним приспосабливаться. БМС 1998, 79; ШЗФ 2001, 84; ЗС 1996, 67; Глухов 1988, 78.

Куда́ ве́тер ду́ет, [туда́ и его́ несёт]. *Народн. Неодобр.* О легкомысленном, непостоянном человеке. Жиг. 1969, 212; ФСРЯ, 62; Ф 1, 58.

Куда́ ве́тер веет, туда́ я и хину́ся. *Смол. Неодобр.* То же, что **Куда ветер дует, [туда и его несёт].** < **Хину́ться** — клониться. ССГ 11, 42.

Ла́ять на ве́тер. *Сиб. Неодобр.* Ругать кого-л. в его отсутствие, заочно. ФСС, 103.

Мужи́чий ве́тер. *Дон.* Холодный северо-западный ветер со стороны Воронежской области. СДГ 1, 62. Ср. **Ветер с (из) мужиков.**

На ве́тер. *Прост.* Впустую, зря, напрасно. Ф 1, 58.

Отку́да ве́тер ду́ет, туда́ и он кло́нится. *Народн. Неодобр.* То же, что **куда ветер дует, [туда и его несет].** Жиг. 1969, 202.

Пина́ть ве́тер. *Жарг. мол. Шутл.* Бездельничать. Вахитов 2003, 131.

Пойти́ на ве́тер. 1. *Народн.* Быть растраченным (о деньгах, имуществе и т. п.). ДП, 112. 2. *Пск.* Пропасть, погибнуть. СПП 2001, 21.

Пойти́ под ве́тер. *Курск., Ворон. Неодобр.* Предаться разврату, начать вести разгульный образ жизни. СРНГ 28, 360; БотСан, 109.

Рисова́ть ве́тер. *Жарг. мол.* Уходить, убегать откуда-л. Максимов, 59.

Ры́ться на ве́тер. *Кар. (Волог.). Неодобр.* Растрачивать деньги впустую. СРГК 5, 597.

Смотре́ть, куда́ ве́тер ду́ет. *Пск. Неодобр.* Приспосабливаться к кому-л., к чему-л. СПП 2001, 21.

Стрелять на ве́тер. *Народн.* Стрелять холостыми зарядами. ДП, 456.

Хоть на ве́тер броса́й. *Новг.* О чём-л. очень легком. НОС 12, 24.

Без ве́тра кача́ет *кого. Разг. Шутл.-ирон.* Об очень слабом, обессилевшем человеке. Ф 1, 235.

Выходи́ть/ вы́йти из ве́тра [вон]. *Арх.* Проявлять нетерпение. АОС 7, 240; АОС 8, 370.

До ве́тра. См. **До ветру.**

Догна́ть ве́тра в по́ле. *Разг. Ирон.* О невозможности вернуть, найти что-л. утраченное. БТС, 266.

Дуть про́тив ве́тра. *Кар.* Противиться чему-л., возражать, не подчиняться кому-л. СРГК 2, 12.

Гнёт от ве́тра *кого. Новг. Шутл.-ирон.* О слабом, немощном человеке. Сергеева 2004, 189.

Ищи́ (лови́) ве́тра в по́ле. *Разг.* О чём-л. потерянном, безвозвратно исчезнувшем. Жук. 1991, 135; ФСРЯ, 187; Глухов 1988, 60; ЗС 1996, 501.

Кача́ться от ве́тра. *Разг. Шутл.-ирон.* Быть слабым, обессилевшим. Ф 1, 235.

На все четы́ре ве́тра. *Разг. Устар.* Куда угодно, куда захочется, в любом направлении. ФСРЯ, 62; Глухов 1998, 88, 93.

Попу́тного ве́тра! *Разг.* 1. Пожелание морякам счастливого плавания. ЗС 1996, 429. 2. *также Ирон.* Пожелание удачи кому-л. Ф 1, 58.

С ве́тра. См. **С ветру.**

С ве́тра верёвку сплетёт. *Волг. Одобр.* Об умелом, ловком человеке. Глухов 1988, 153.

Ссать про́тив ве́тра. *Вульг.-прост. Неодобр.* Предпринимать что-л. заведомо рискованное, обреченное на неудачу против кого-л., имеющего власть, влияние. Мокиенко, Никитина 2003, 94.

На семи́ ветра́х. 1. *Книжн.-поэт.* На пересечении всех дорог, на открытом, оживленном месте. НРЛ-79. < Из речи моряков. 2. *Разг.* В отдаленном районе новостроек. Мокиенко 2003, 14.

Ве́тром кача́ет (шата́ет) *кого. Прост. Шутл.-ирон. или Пренебр.* О слабом, худом человеке. ЗС 1996, 75; Глухов 1988, 73.

Ве́тром наду́ло. 1. *Прост. Ирон.* О девушке, женщине, забеременевшей вне брака. СФС, 37; ФСС, 117; Мокиенко, Никитина 2003, 94; Ф 1, 312; Сергеева 2004, 205; Глухов 1988, 89. 2. *Забайк. Неодобр.* О чём-л., нажитом нечестным способом. СРГЗ, 225. 3. *Перм. Шутл.* О ком-л., о чём-л. появившемся неожиданно, неизвестно откуда. Подюков 1989, 123.

Ветром подби́то, [моро́зом подши́то]. *Народн. Ирон.* Об одежде бедняка. Жиг. 1969, 353; БТС, 122.

Гнать с ве́тром. *Жарг. нарк.* Быстро готовить раствор наркотика для инъекции. Максимов, 60.

Каки́м ве́тром *кого* **занесло?** *Прост.* Восклицание радости и удивления при появлении неожиданного гостя, давно не встречавшегося знакомого. БМС 1998, 79; Ф 1, 58, 200.

Под кото́рым ве́тром. *Печор.* Где, в какой стороне. СРГНП 1, 66.

Унесённая ве́тром. *Жарг. мол. Шутл.* О пьяной девушке на дискотеке. Максимов, 60.

Унесённый ве́тром. *Жарг. мол. Ирон.* 1. О человеке, выпавшем или выброшенном из окна. БСРЖ, 95. 2. Об очень худом человеке, дистрофике. Максимов, 60. 3. О человеке, страдающем поносом. Максимов, 60. 4. О человеке, находящемся под воздействием наркотика. Максимов, 60.

Хоть за ве́тром пуска́й. *Волг.* 1. О чём-л. очень легком, невесомом. 2. *Шутл.-ирон.* О хлопотах, занятости, когда человек не справляется с делами. Глухов 1988, 169.

Хоть по-за ве́тром пусти́. *Курск. Неодобр. или шутл.-ирон.* Об очень худом человеке. БотСан, 117.

Хоть ве́тром шата́й. *Прикам. Неодобр. или шутл.-ирон.* О худом, бледном, болезненного вида человеке. МФС, 112.

Дать ве́тру *кому. Дон., Волг.* Строго наказать, побить, избить кого-л. СДГ 1, 61; Глухов 1988, 29.

До ве́тру (до ве́тра). *Сиб., Перм., Пск. Эвфем.* Для отправления естественной надобности (быть, идти, заходить и т. п.). Ф 1, 58; СФС, 63; ПОС 3, 125; СГПО, 70; Подюков, 1989, 200.

Жить на ветру́ (на сту́же). *Пск.* Об отсутствии сердечности, теплоты. ПОС 10, 254.

Найти́ по ве́тру. *Перм.* Родить ребенка вне брака. 123.

Не дава́ть (не дать) ве́тру ду́нуть (вя́нуть). *Волг., Прибайк., Сиб.* Нежить, холить, растить в неге (детей). Глухов 1988, 96; СНФП, 30; СФС, 123; ФСС, 52; СОСВ, 59; СБО-Д1, 110.

Посла́ть по ве́тру *на кого. Народн.* Навести на кого-л. сглаз, порчу. ДП, 930.

Приводи́ть к ве́тру *что. Спец. морск.* Брать курс в соответствии с направлением ветра (о судне). Ф 2, 88.

Пропусти́ть ве́тру в за́дницу. *Кар. (Арх.). Шутл.* Погулять, прогуляться. СРГК 5, 288.

Пуска́ть/ пусти́ть по ве́тру. 1. *Волг., Новг.* То же, что **бросать на ветер 1.** Ф 2, 106; Глухов 1988, 140; НОС 9, 63. 2. *Кар. (Ленингр.). Фольк.* Колдовать, обращаться к ветру с просьбой. СРГК 1, 186; СРГК 5, 353.

Разве́ивать по ве́тру *что. Разг. Неодобр.* То же, что **бросать на ветер 1.** Ф 2, 113.

С ве́тру (с ве́тра). 1. *Перм., Прикам., Сиб.* С улицы, после долгого пребывания на свежем воздухе. СГПО, 70; МФС, 17; ФСС, 25. 2. *Пск., Сиб.* Неизвестно откуда. СПП 2001, 21; СФС, 162. 3. *Прост.* Нездешний, посторонний, чужой. Ф 1, 58; СРГК 1, 186; СРГНП 1, 66; ПОС 3, 124; СФС, 162; ФСС, 25. 4. *Жарг. угол.* Вор-одиночка. Флг., 52; ТСУЖ, 157. 5. *Пск.* Неожиданно, случайно. СПП 2001, 21. 6. *Перм., Пск.* Без причины; необдуманно, сразу; вдруг. ПОС, 3, 124–125; Подюков 1989, 23. 7. **[сказать].** *Народн. Неодобр.* Обмануть кого-л., солгать. ДП, 204. 8. *Кар.* Без приданого (выдать замуж). СРГК 1, 186. 9. **[попало].** *Яросл.* О болезни, порче, которую причиняют посредством колдовства. ЯОС 6, 76. 10. **[брызгать].** *Твер.* Обрызгивать больного водой изо рта (о действиях знахаря, входящего с улицы). СРНГ 3, 214.

Ве́тры ду́ют. *Жарг. мол. Шутл.-ирон.* Об отсутствии чего-л. где-л., у кого-л. Елистратов 1994, 263.

Пуска́ть/пусти́ть ве́тры. *Прост. Шутл.* Испускать воздух из заднего прохода, портить воздух. Мокиенко, Никитина 2003, 95.

ВЕТЕРА́Н * Ветера́н труда́. *Жарг. шк. Ирон.* Ученик выпускного класса. (Запись 2004 г.).

ВЕТЕРО́К * Насла́ть ветерка́ *на кого. Жарг. мол., крим.* Заказать чьё-л. убийство. h-98.

С ветерко́м. 1. *Прост.* С бешеной скоростью. Ф 1, 58. 2. *Жарг. угол.* О проникновении в помещение через пролом в стене. ТСУЖ, 157.

С ветерко́м в голове́. *Разг. Ирон.* О несерьёзном, легкомысленном человеке. Ф 1, 58.

ВЕ́ТКА * Залома́ть ве́тку (ве́точку). 1. *Сиб.* Поклясться не ходить к кому-л., не общаться с кем-л. ФСС, 79. 2. *Арх.* Отказаться от чего-л., отказать кому-л. в чём-л. АОС 4, 18.

Подсе́сть на ве́тку. *Жарг. нарк.* Оказаться в наркотической зависимости. Максимов, 60.

Присе́сть на ве́тку. *Жарг. мол.* Сильно захотеть чего-л. Максимов, 60.

ВЕ́ТОЧКА * Залома́ть ве́точку. См. **Ветку заломать (ВЕТКА).**

ВЕ́ТОЧКИН * Обломи́сь, Ве́точкин. *Жарг. мол. Шутл.-ирон.* Форма выражения отказа. Вахитов 2003, 117.

Твоя́ фами́лия Ве́точкин. *Жарг. мол. Шутл.-ирон.* То же, что **обломись, Веточкин.** Вахитов 2003, 117.

ВЕ́ТОШЬ * Ве́тошь неучтённая. *Жарг. арм. Пренебр.* Солдат срочной службы. БСРЖ, 96.

Прики́нуться ве́тошью. *Разг. Шутл.* 1. Прикинуться простаком. Елистратов 1994, 62. 2. Притаиться, стать незаметным. Елистратов 1994, 62. 3. Уйти откуда-л. Максимов, 340.

ВЕ́ТРЕНА * Иди́ ты к ве́трене! *Сиб. Бран.-шутл.* Выражение досады, раздражения. ФСС, 85.

ВЕТРЯ́НКА * Бить ветря́нку. *Жарг. угол.* Совершать кражи из квартир, проникая в них через форточки. Мильяненков, 94; ББИ, 42; Балдаев 1, 61.

ВЕ́ХА * Ве́ха озёрная. *Новг. Шутл.-ирон.* О высоком, худом человеке. НОС 1, 121.

Голи́нская ве́ха. *Новг. Шутл.-ирон.* То же, что **веха озёрная.** НОС 2, 24.

Подвали́ла ве́ха *кому. Кар. (Ленингр.).* Кому-л. повезло, пришла удача. СРГК 1, 187.

Дать ве́хи *кому. Сиб.* Дать знать, сообщить кому-л. что-л. СФС, 59; ФСС, 53.

ВЕ́ХОТКА * Ве́хотка во рту *у кого. Народн. Неодобр.* О болтуне, пустослове. ДП, 416.

ВЕ́ХОТЬ * Ве́хоть на душе́ *у кого. Арх.* Об ощущении тяжести, дискомфорта. АОС 4, 28.

ВЕ́ЧЕ * Шко́льное ве́че. *Жарг. шк. Шутл.* Педсовет. (Запись 2003 г.).

ВЕ́ЧЕР * Бога́тый ве́чер. *Одесск.* То же, что **щедрый вечер.** КСРГО.

Ве́чер вечеру́щий. *Арх.* В течение всего вечера, целый вечер. АОС 4, 28.

Ве́чер доспе́ет. *Сиб.* Всему своё время. ФСС, 25.

Гуля́щий ве́чер. *Дон.* Молодёжное гулянье. СДГ 1, 62.

До́брый ве́чер. 1. Приветствие при встрече вечером. < Калька соответствующих выражений: фр. *Bon soir!*, нем. *Guten Abend!* БМС 1998, 79. 2. *Одесск.* Название цветка, который распускается по вечерам (маттиола). КСРГО.

Ещё не ве́чер. *Разг.* 1. Расходиться по домам ещё рано. 2. Ещё есть время, чтобы успеть сделать что-л. 3. Старость ещё не наступила. НСЗ-84; Ф 1, 59. < Реплика героя пьесы И. Бабеля «Закат» (1928 г.); название и начало каждого куплета песни (сл. И. Резника, муз. Р. Паулса в исп. А. Пугачевой и Л. Вайкуле (1988 г.). Дядечко 2, 58; Шулежкова 2003, 103.

Зло́бный ве́чер. *Яросл.* Праздничный ве́чер на святки. ЯОС 4, 123.

Моло́децкий ве́чер. *Дон.* Вечер у жениха накануне свадьбы. СДГ 1, 62.

Све́тлый ве́чер. *Кар. (Волог., Новг.).* Собрание молодёжи с играми и танцами. СРКГ 5, 658.

Сиде́н (си́ден, си́день) ве́чер. *Сиб.* Поздняя вечерняя пора. ФСС, 25.

Ще́дрый ве́чер. *Дон.* Вечер накануне Нового года. СДГ 1, 62.

Афи́нские вечера́ (но́чи). *Книжн. Неодобр.* Об оргиях пресыщенных светских людей. < Связано с религиозными культами Деметры и Диониса в Древней Греции. БМС 1998, 79.

Весёлые вечера́. *Новг.* Молодёжные гуляния. НОС 1, 121.

Кра́сные вечера́. *Новг.* Гуляния молодёжи в мясоед. НОС 1, 137.

Отдава́ть/ отда́ть ве́чер (вечера́). *Волог., Кар. (Ленингр.).* Предоставлять свой дом в порядке очереди для гуляний молодёжи. СВГ 6, 88; СРГК 4, 286, 288.

Стра́шные (чу́дные) вечера́. *Прикам.* Последняя неделя святок. МФС, 18.

ВЕЧЕРИ́НА * Выжина́ть вечери́ну. *Волог.* Отрабатывать на жатве в качестве оплаты за аренду помещения для молодёжного гуляния. СВГ 1, 66.

ВЕЧЕРИ́НКА * Держа́ть вечери́нку. *Кар. (Арх.).* Сдавать помещение для проведения вечеринки, гуляния молодёжи. СРГК 1, 188.

ВЕЧЁРКА (ВЕЧО́РКА) * По вечо́ркам вечо́ровать. *Сиб.* Ходить на вечерние гулянья. ФСС, 25.

Игра́ть вечёрку. *Сиб.* 1. Устраивать предсвадебную вечеринку в доме невесты. 2. Справлять свадьбу. ФСС, 85.

Сиде́ть вечёрку. *Кем.* Заниматься рукоделием на посиделках, вечеринке. СКузб., 44.

ВЕ́ЧНОСТЬ * Ка́нуть в ве́чность. 1. Полностью, навсегда, бесследно исчезнуть. ФСРЯ, 193. 2. Подвергнуться полному, абсолютному забвению. БМС 1998, 79.

Отойти́ в ве́чность. *Книжн.* 1. Умереть. 2. То же, что **кануть в вечность.** ФСРЯ, 305; Ф 2, 28.

Перейти́ в ве́чность. *Груз.* То же, что **отойти в вечность 1.** СРНГ 26, 114.

Пересели́ться в ве́чность. *Книжн.* То же, что **отойти в вечность 1.** Ф 2, 41.

ВЕ́ШАЛКА * Ста́рая ве́шалка. 1. *Прост. Бран.* О немолодой женщине. ПОС 3, 137; Вахитов 2003, 171. 2. *Жарг. шк. Шутл.-ирон. или Презр.* Пожилой, престарелый учитель, учительница. Максимов, 60.

Хоть на ве́шалку иди́. *Сиб.* О тяжёлом безвыходном положении. ФСС, 85.

ВЕ́ШАЛО * Горо́ховое ве́шало. *Кар. (Волог.). Пренебр.* Неуклюжий, неловкий человек. СРГК 1, 190.

Пора́ на ве́шало. *Перм. Шутл.* Время отправляться спать. Подюков 1989, 158.

ВЕ́ШКА * Ве́шки залома́ть. *Пск.* Прекратить делать что-л. ПОС, 3, 139.

ВЕЩЕСТВО́ * Радиоакти́вное вещество́. *Жарг. шк. Шутл.* Учительница химии. ВМН 2003, 31.

Се́рое вещество́. *Разг. Шутл.* Ум, мозг. Мокиенко 2003, 14.

Шевели́ть/ пошевели́ть се́рым веществом́. *Разг. Шутл.* Думать, размышлять о чём-л. ЗС 1996, 113.

ВЕЩИ́ЦА * Антиква́рная вещи́ца. *Жарг. мол. Шутл.* Пенис. Максимов, 15.

ВЕЩМЕШО́К * Прики́нуться вещмешко́м. *Жарг. мол.* Прикинуться простаком, не понимающим чего-л. БСРЖ, 96.

ВЕЩЬ * Де́лать ве́щи. *Жарг. мол. Шутл.* 1. Ходить в туалет, испражняться. 2. Суетиться. Максимов, 61.

Называ́ть ве́щи свои́ми имена́ми. *Разг.* Говорить прямо, резко, откровенно, без этикетной любезности. < Калька с фр. *appeler les choses par leurs noms.* БМС 1998, 79; ФСРЯ, 263; ЗС 1996, 360; Ф 1, 313.

Смота́ть ве́щи (шмо́тки). *Новг.* Поспешно уйти откуда-л., скрыться. НОС 10, 98.

Вещь в себе́. 1. *Книжн.* Нечто непостижимое, загадочное, не раскрывшее своей истинной сущности. 2. *Шутл. или Ирон.* О скрытном, непонятном для окружающих человеке. < Калька с нем. *das Ding an sich*, термин философии И. Канта. БМС 1998, 79-80; БТС, 124; ШЗФ 2001, 35.

ВЗА́БОЛЬ * Дойти́ до вза́боли (довза́боли). *Волог.* Принять серьёзный оборот (о деле, ситуации). СВГ 2, 33.

ВЗАД * Взад и вперёд. *Разг.* Из одной стороны в другую, туда и сюда. ФСРЯ, 63.

Взад и (да) наза́д. *Арх., Яросл.* Взад и вперёд, туда и обратно. АОС 4, 52; ЯОС 3, 14.

Ни взад ни вперёд. 1. *Разг.* Ни в одном из возможных направлений. ФСРЯ, 64; АОС 4, 52. 2. *Народн.* О бестолковом человеке. ДП, 449.

ВЗАД-ВПЕРЁД * Ни взад-вперёд. *Сиб.* То же, что **ни взад ни вперёд 1.** ФСС, 25.

ВЗА́ДИ * Вза́ди бы забежа́лся, а впереди́ поцелова́лся *[с кем]. Арх. Одобр.* Об очень приятном на вид человеке. АОС 4, 50.

ВЗАДКИ́ * Взадки́ да впередки́. *Морд.* Прочь, вон (выгонять и т. п.). СРГМ 1978, 73.

ВЗАДПЯ́ТКИ * Идти́ взадпя́тки. *Сиб.* Отступать от принятого решения, не сдерживать обещания. ФСС, 85.

Взадпя́тки попя́титься. *Том.* Податься назад. СРНГ 30, 28.

ВЗАДЫ́ * Взады́ и впереды́. *Морд. Неодобр.* О поведении человека, стремящегося угодить двум противоположным сторонам. СРГМ 1978, 73.

ВЗА́КУП * Сдава́ть вза́куп (детей). *Башк.* Делать аборт. СРГБ 1, 70.

ВЗАСВО́Й * Взять взасво́й *кого. Перм.* Усыновить чужого ребёнка. СГПО, 73.

ВЗА́СЫР * Лезть вза́сыр. *Морд.* Ругаться, браниться. СРГМ 1982, 120.

ВЗАХО́ДЫ * Ката́ться взахо́ды. *Яросл.* Громко и долго смеяться. ЯОС 3, 15.

ВЗБУ́ДА * Дать взбу́ду *кому. Морд., Яросл.* То же, что **дать взбучку ВЗБУ́ЧКА).** СРГМ 1978, 73; ЯОС 3, 121; Мокиенко 1990, 46.

ВЗБУ́ТКА * Дава́ть /дать (зада́ть) взбу́тку *кому. Пск.* То же, что **давать взбучку (ВЗБУЧКА).** ПОС 3, 150.

ВЗБУ́ЧКА * Дава́ть/дать (зада́ть) взбу́чку *кому. Прост.* Сильно избить кого-л. БМС 1998, 80; ПОС, 3, 150; Мокиенко 1990, 109, 145.

ВЗВОД * Быть на взво́де. *Разг. Ирон. или Шутл.* 1. **[пе́рвом, второ́м, тре́тьем, седьмо́м].** Быть пьяным. Ф 1, 59; ФСРЯ, 64; БМС 1998, 80; ПОС 3, 151; Глухов 1988, 88. 2. Быть в состоянии крайнего раздражения, возбуждения. ФСРЯ, 64; БМС 1998, 80; ШЗФ 2001, 27; БТС, 125.

По второ́му взво́ду. *Пск.* То же, что **на взводе 1.** ПОС 3, 151.

ВЗГЛЯ́Д * Броса́ть/ бро́сить (ки́нуть) взгляд *на что-л. Разг.* Мысленно останавливаться на чём-л. (очень кратко и недолго). ФСРЯ, 48; БТС, 98.

Взгля́д и не́что. *Разг. Ирон.* О чём-л. очень поверхностном, малосодержательном, не содержащем серьёзного анализа темы (обычно — о книге, лекции, докладе). < Из комедии А. С. Грибоедова «Горе от ума». БМС 1998, 80; ШЗФ 2001, 35.

Взгля́д Меду́зы. *Книжн. Неодобр.* Тяжёлый ненавидящий взгляд злобного человека. < Из греческой мифологии. БМС 1998, 80.

Взгляд на мир бо́льши́ми глаза́ми. *Жарг. арм. Шутл.* О лице в противогазе. Максимов, 39.

Взгля́д чугу́нный *у кого. Жарг. нарк.* О взгляде человека, испытывающего сильное воздействие наркотика. ССВ-2000.

Ла́сковый взгляд, да се́рдце яд. *Народн. Неодобр.* О подхалиме. Жиг. 1969, 220.

На взгля́д. 1. *Разг.* Судя по внешнему виду. ФСРЯ, 64. 2. *чей. Разг.* По мнению, убеждению кого-л. ФСРЯ, 64. 3. *чей. Арх.* Подражая кому-л. (делать что-л.). АОС 10, 435.

На пе́рвый взгляд. *Разг.* По первому впечатлению. ФСРЯ, 64; БМС 1998, 80.

С пе́рвого взгля́да. *Разг.* 1. Сразу, успев только посмотреть, взглянуть. ФСРЯ, 64. 2. То же, что **на первый взгляд.** ФСРЯ, 65.

При пе́рвом взгля́де. *Разг.* То же, что **на первый взгляд.** ФСРЯ, 65.

Ме́рить взгля́дом *кого. Разг.* Пристально, оценивающе смотреть на кого-л. ФСРЯ, 242.

Облива́ть взгля́дом *кого. Разг. Устар.* Пристально, в упор рассматривать кого-л. Ф 2, 7.

Обме́ривать/ обме́рить взгля́дом *кого, что. Разг.* Пристально оглядывать кого-л., что-л. Ф 2, 9.

Окати́ть ледяны́м взгля́дом *кого. Разг.* Холодно, с безразличием оглядеть кого-л. Ф 2, 17.

Поглоща́ть взгля́дом *кого. Книжн.* Пристально, с напряжённым вниманием смотреть на кого-л. Ф 2, 53.

Погляде́ть худы́м взгля́дом *на кого. Кар.* Причинить вред кому-л. магическим взглядом, сглазить кого-л. СРГК 4, 606.

Полосну́ть взгля́дом *кого. Разг.* Резко, пронзительно взглянуть на кого-л. Ф 2, 70.

По пе́рвому взгля́ду. *Разг.* То же, что **на первый взгляд.** ФСРЯ, 65.

ВЗДА́ВКА * Дава́ть/ дать взда́вку *кому. Обл. Сиб.* То же, что **давать взбучку (ВЗБУЧКА).** Мокиенко 1990, 47, 51.

ВЗДЕРЖКА * Брать/ взять на взде́ржку *кого. Жарг. угол.* 1. Утаить часть денег при покупке чего-л. ТСУЖ, 24. 2. Ограбить кого-л. с помощью обмана. СВЯ, 15.

ВЗДЁРКА * Дава́ть/ дать вздёрку *кому. Обл. Сиб.* То же, что **давать взбучку (ВЗБУЧКА).** Мокиенко 1990, 110.

ВЗДОР * Городи́ть (моло́ть, нести́, поро́ть) вздор. *Прост. Неодобр.* Пустословить, говорить что-л. глупое, невразумительное. ДП, 456; ФСРЯ, 65; БМС 1998, 80; Ф 2, 78; ЗС 1996, 333.

Жева́ть вздор. *Горьк. Неодобр.* То же, что **городить вздор.** БалСок, 35.

ВЗДОХ * Вздох облегче́ния. *Жарг. шк. Шутл.* 1. Звонок с урока. 2. Последний звонок — традиционный праздник выпускников. (Запись 2003 г.).

Запира́ет вздох. См. **Запирает вдох (ВДОХ).**

Испуска́ть/ испусти́ть после́дний вздох. *Книжн.* Умирать. ФСРЯ, 186; БТС, 126.

До после́днего вздо́ха. *Книжн.* До конца жизни, до самой смерти. Ф 1, 60; ФСРЯ, 154.

Дать (уда́рить) под вздо́х *кому. Прост.* Ударить кого-л. в солнечное сплетение. БТС, 126. // **Дать (уда́рить) под вздо́хи** *кому. Дон.* То же. СДГ 1, 65.

Закры́ло вздо́хи *чьи. Кар. (Ленингр.).* О чьём-л. затруднённом дыхании. СРГК 2, 143.

ВЗДОХНУ́ТЬ * Вздохну́ть свобо́дно. *Разг.* Почувствовать облегчение, освободившись от забот, обязанностей. ФСРЯ, 65.

Ни вздохнуть ни вы́дохнуть *кому.* 1. *где. Горьк.* Тесно, неудобно. БалСок, 47. 2. *Волг.* О крайне сложной ситуации, безвыходном положении. Глухов 1988, 108.

Ни вздохну́ть ни пёрднуть. *Жарг. мол. Шутл.* То же, что **ни вздохнуть ни выдохнуть.** Вахитов 2003, 113.

ВЗДУ́ВКА * Дава́ть/ дать взду́вку *кому. Сиб.* То же, что **давать взбучку (ВЗБУЧКА).** ФСС, 51; Мокиенко 1990, 46.

ВЗДЫМ * Идти́ на вздым. *Кар. (Ленингр.).* Подниматься вверх. СРГК 1, 194.

Лезть на вздым. *Арх. Неодобр.* Провоцировать конфликт, навлекать на себя неприятности. АОС 4, 67.

ВЗДЫХ * Перевести́ вздых. *Забайк.* Вздохнуть. СРГЗ, 77.

Вздыху нет *кому. Кар. (Арх.).* О затруднённом дыхании. СРГК 1, 196.

ВЗЛОМ * Взлом лохма́того се́йфа. *Жарг. угол. Шутл.* Изнасилование женщины. УМК, 61; ББИ, 42; Балдаев 1, 61.

ВЗЛО́МЩИК * Взло́мщик лохма́того се́йфа. *Жарг. угол. Шутл.* Подследственный или осуждённый за изнасилование. УМК, 61.

ВЗМАХ * Со всего́ взма́ху. *Сиб.* Размахнувшись с большой силой. ФСС, 26.

ВЗМЁТКА * Дава́ть/ дать взмётку *кому. Обл. Сиб.* То же, что **давать взбучку (ВЗБУЧКА).** Мокиенко 1990, 46.

ВЗНИК * Не дава́ть взни́ку *кому.* 1. *Сиб.* Навязчиво приставать к кому-л. с какими-л. требованиями. СФС, 38. 2. *Яросл.* Тревожить, беспокоить кого-л. ЯОС 3, 17.

ВЗНОС * Взнос в КПСС. *Разг. Шутл.-ирон.* Отправление естественных потребностей. УМК, 61; ББИ, 42; Балдаев 1, 61.

Комсомо́льские взно́сы. *Жарг. мол. Шутл.-ирон.* Суммы, выплачиваемые коммерсантами-торговцами рэкетирам. Максимов, 61.

ВЗОР * Поко́ить взор *на ком, на чем. Разг. Устар.* С любовью, удовольствием, грустью смотреть на кого-л., на что-л. Ф 2, 66.

Пред мы́сленным взо́ром *чьим. Книжн.* В чьём-л. воображении, представлении. БМС 1998, 81.

ВЗРОСТ * Быть на взро́сте. *Прибайк.* Становиться взрослым.СНФП, 30.

ВЗРЫВ * Взрыв на макаро́нной фа́брике. *Жарг. мол.* Вид женской прически. Максимов, 61. // О торчащих в разные стороны волосах. Вахитов 2003, 27.

ВЗЪЁБКА * Дава́ть/дать (задава́ть/ задать) взъёбку *кому. Вульг.-прост.* 1. Очень сильно избивать, наказывать побоями кого-л. 2. Грубо ругать кого-л., устраивать разнос кому-л. Мокиенко, Никитина 2003, 95.

ВЗЯ́ТИЕ * Взя́тие Измаи́ла (Берли́на). *Жарг. шк. Шутл.* Толпа учеников перед гардеробом после окончания занятий или в школьной столовой. ВМН 2003, 31; Максимов, 61.

ВЗЯ́ТКА * Взя́тки гла́дки (гла́дки взя́тки) *с кого.* 1. *Разг. Шутл.* От кого-л. невозможно добиться чего-л., получить что-л. ДП, 631, 838; БТС, 128, 206; ФСРЯ, 65; Мокиенко 1990, 129; Глухов 1988, 11; БМС 1998, 81. 2. *Пск.* О бедном, неимущем человеке. ПОС 6, 168.

Дать/ взять взя́тку. *Жарг. угол. Шутл.* Совершить половой акт орогенитальным способом. ТСУЖ, 30.

ВЗЯТЬ * Гла́дко взять *с кого. Сиб.* То же, что **взятки гладки 1.** ФСС, 26.

Ни взять ни отнять. *Волг., Дон. Пренебр.* 1. О никчемном человеке. 2. О бесполезной вещи. Глухов 1988, 108; СДГ 1, 66.

ВИГВА́М Стро́ить вигва́м (пала́тку). *Жарг. мол. Шутл.* Испытывать эрекцию. БСРЖ, 97.

ВИД * Бле́дный вид и ти́хая похо́дка. *Волг.* 1. О больном, слабом человеке. 2. О наказанном, приведённом в покорность человеке. Глухов 1988, 4.

В вид. *Сиб.* Недалеко, в непосредственной близости от кого-л. ФСС, 27.

Взять вид. *Забайк.* Выбрать удобное место для наблюдения. СРГЗ, 78.

Взять на себя́ вид. *Устар.* Представиться, прикинуться кем-л. или каким-л. ФСРЯ, 66.

Дава́ть/ дать вид (ви́ду). *Дон.* 1. Выглядеть каким-л. образом. 2. *Неодобр.* То же, что **взять на себя вид.** СДГ 1, 66.

Де́лать вид. *Разг.* Создавать видимость чего-л. ФСРЯ, 66; БМС 1998, 81.

Забира́ть вид. *Волг.* Представлять себя определённым образом. Глухов 1988, 44.

Затрапе́зный вид. *Разг. Неодобр.* О внешнем виде неказистого, неопрятного, неряшливого человека. БМС 1998, 81; ЗС 1996, 77.

Име́ть бле́дный вид. *Разг.* Выглядеть жалким, растерянным. БТС, 83.

Не дава́ться на вид. *Брян.* Быть невидимым. СБГ 5, 5.

Потеря́ть вид. *Новг.* Ослепнуть. НОС 1, 126.

Приводи́ть в бо́жеский (христиа́нский) вид *что. Разг.* Приводить в надлежащее состояние, упорядочивать что-л. Глухов 1988, 132; БТС, 1454.

Принима́ть вид. *Разг.* То же, что **делать вид.** БМС 1998, 82.

С вид на лицо́. *Сиб.* Наедине, без свидетелей, без посторонних. ФСС, 27.

Ста́вить/ поста́вить на вид *кому что. Офиц.* Делать кому-л. устный выговор, высказывать замечание. БМС 1998, 82; БТС, 129.

Ви́да нет. *Орл.* 1. *чего.* О чём-л., отсутствующем на привычном месте. 2. *кому, чему, чьего.* Абсолютно ничего неизвестно о ком-л., о чём-л. 3. *у кого. Неодобр.* О человеке, не производящем хорошего впечатления своим внешним видом. СОГ 1989, 43.

Выпуска́ть/ вы́пустить из ви́да *что. разг.* Не принимать во внимание, не учитывать чего-л. Ф 1, 97.

Для ви́да. *Разг.* Для создания определённого впечатления. ФСРЯ, 66.

Не ви́деть ви́да. *Новг.* Испытывать сильную тревогу, волнение. Сергеева 2004, 56.

С вида́ до вида́. *Ряз.* От захода солнца до рассвета. ДС, 84.

По вида́м. *Ряз.* По-видимому, наверное. ДС, 84.

По всем вида́м. *Сиб.* Очевидно. ФСС, 27.

В вида́х. *Новг.* В присутствии кого-л. НОС 1, 126.

В хоро́ших вида́х. *Новг.* На хорошем счету. НОС 1, 126.

В весёлом ви́де. *Печор.* То же, что **в вы́питом ви́де.** СРГНП 1, 64.

В вы́питом ви́де. *Дон.* В нетрезвом состоянии. СДГ 1, 89.

В живо́м ви́де. *Брян.* В действительности, наяву. СБГ 1, 27.

В ма́лом ви́де. *Сиб.* В детском возрасте. СФС, 40; СБО-Д1, 64.

В мёртвом ви́де. *Пск.* Без пользы, без употребления. СПП 2001, 21.

В молодом виде. *Прибайк.* 1. Молодой. 2. В молодости. СНФП, 30.

На моём ви́де (при мои́х ви́дах). *Ряз., Сиб., Твер.* При моей жизни. ДС, 84; СБО-Д1, 64; СРНГ 31, 101.

При моём ви́де. *Морд.* 1. В моём присутствии. 2. При моей жизни, на моей памяти. СРГМ 1978, 75.

Видо́в нет. *Яросл.* Нет надежды на что-л., возможности сделать что-л. ЯОС 3, 19.

Ви́дом вида́ть. *Арх.* Видеть собственными глазами. АОС 4, 93.

Ви́дом не вида́ть, слы́хом не слыха́ть. *Народн.* Не иметь никаких сведений, не знать о чём-л., о ком-л. ДП, 241; Ф 1, 62.

Видо́м ненави́деть *кого, что. Арх.* Испытывать сильную ненависть к кому-л., чему-л. АОС 4, 93.

Видо́м прода́й (прода́ть) *что. Арх.* О ком-л., о чём-л. очень красивом. АОС 4, 93.

Ни под каки́м ви́дом. *разг.* Ни за что, ни при каких обстоятельствах. БТС, 129.

С учёным ви́дом знатока́. *Книжн. Ирон. или Шутл.* О ком-л., напускающем на себя вид знающего, хорошо разбирающегося в чём-л. человека. < Из романа А. С. Пушкина «Евгений Онегин». БМС 1998, 82.

Быть без ви́ду. *Орл.* Не иметь понятия, представления о чём-л. СОГ 1989, 43.

Ви́ду нет *у кого. Яросл.* О человеке с плохим зрением. ЯОС 3, 19.

Держа́ть в виду́ *что. Кар. (Ленингр.).* То же, что **иметь в виду 1.** СРГК 1, 454.

Для ви́ду. *Разг.* С целью ввести в заблуждение, дезинформировать кого-л. Глухов 1988, 35.

За ви́ду кого, чего. *Прибайк.* По какой-л. причине; из-за кого-л., из-за чего-л. СНФП, 31.

Иметь в виду́. 1. *что. Разг.* Подразумевать что-л.; учитывать, предполагать что-л. ФСРЯ, 68; БМС 1998, 82. 2. *кого. Жарг. угол. Ирон.* Игнорировать кого-л. БСРЖ, 97. 3. *Жарг. угол.* Мстить кому-л. за оскорбление. ТСУЖ, 78.

На виду́. *Разг.* Доступен обозрению, наблюдению, контролю. ФСРЯ, 68.

Не в виду́. *Орл.* Незаметно, неощутимо. СОГ 1989, 43.

Не дава́ть ви́ду. 1. *Прикам.* То же, что **не подава́ть ви́ду.** МФС, 29. 2. *Сиб.* Не показываться на людях. ФСС, 52.

Не подава́ть ви́ду. *Разг.* Ничем не обнаруживать своих мыслей, чувств, намерений. Ф 2, 54.

Ни ви́ду ни ли́ку. *Орл. Пренебр.* О некрасивом человеке. СРНГ 17, 45.

Ни ви́ду ни ля́ду. *Пск. Неодобр.* О чём-л. некрасивом, без внешних достоинств. ПОС 4, 6.

Опуска́ть/ опусти́ть из ви́ду *что. Разг. Устар.* Не принимать во внимание, не учитывать что-л. Ф 2, 18.

С ви́ду. *Разг.* Внешне. ФСРЯ, 68.

С ви́ду гла́док, да на зуб не сла́док. *Народн.* О внешне приятном человеке со сложным характером. ДП, 698.

С ви́ду тих, да обы́чаем лих. *Народн. Шутл.* О ловком, способном, но внешне скромном человеке. БМС 1998, 82.

Скры́ться из ви́ду. *Разг.* Перестать быть видимым, исчезнуть из поля зрения. БТС, 129.

Упусти́ть из ви́ду *что. Разг.* Не учесть чего-л., забыть о чём-л. БТС, 129.

Вида́л (ви́дывал) ви́ды. *Народн.* О много испытавшем, побывавшем в разных переделках, опытном человеке. ДП, 490; БМС 1998, 82; БТС, 129; Ф 2, 52.

Ви́ды дава́ть. *Арх.* Давать знать о чём-л. АОС 4, 87.

Все ви́ды на у́лицу *у кого. Разг. Шутл.-ирон.* Об обнажённых половых органах. Флг., 53.

Иметь ви́ды *на кого, на что. Разг.* Рассчитывать на кого-л., на что-л. в каком-л. отношении, с какой-л. целью. ФСРЯ, 184.

ВИ́ДЕО * Армя́нское ви́део. *Жарг. комп. Шутл.* АРВИД — стриммер на видеокассетах. Садошенко, 1995.

ВИ́ДЕТЬ. * Мно́го ви́дя. *Сиб.* Между делом, легко и быстро (сделать что-л.). ФСС, 28.

ВИ́ДКО * Не ви́дко *чего. Ср. Урал.* О большом количестве чего-л. СРГСУ 2, 193.

ВИ́ДНЫЙ * От (с) ви́дного до ви́дного. *Волг., Пск.* С утра до вечера, весь день. Глухов 1988, 119; ПОС 4, 12.

С ви́дна до тёмна. *Пск.* То же, что **с видного до видного (ВИДНЫЙ).** ПОС 4, 12.

ВИ́ДНЫШКЕ * На ви́днышке. *Морд.* Так, чтобы все видели; не таясь. СРГМ 1978, 76.

ВИДО́К * Ходи́ть в видки́. *Орл.* Выступать на суде в качестве свидетеля. СОГ 1989, 44. < **Видок** — очевидец.

На видо́к. *Арх.* Воочию, наглядно. АОС 4, 93.

На видо́к вида́ть *что. Арх.*То же, что **видом видать (ВИД).** АОС 4, 93.

ВИ́ДЮШКА * Выходи́ть на ви́дюшку. *Сиб. Неодобр.* Вести себя непристойно. ФСС, 40.

ВИ́ЗА * Оста́вить ви́зу. *Жарг. мол.* Ударить по лицу кого-л. Максимов, 62.

ВИЗГ * Бежа́ть впереди́ порося́чьего ви́зга. *Жарг. мол. Шутл.* Очень быстро бежать, убегать откуда-л. Никитина 1998, 60.

Набра́ться (нажра́ться) до порося́чьего ви́зга. *Волг., Пск., Сиб.* Напиться до состояния сильного опьянения. Глухов 1988, 87; СПП 2001, 21; ФСС, 119.

Ви́згом визжа́ть. *Ряз.* Очень громко визжать. ДС, 88.

ВИКТО́РИЯ * Оде́рживать/ одержа́ть викто́рию. *Книжн. Устар.* Побеждать. Шевченко 2002, 347.

ВИ́ЛКА * Ада́мова ви́лка (ло́жка). *Народн. Шутл.* Пальцы, кисть руки. ДП, 314; СРНГ 1, 206.

Пятипёрстная ви́лка. *Кар. (Мурм.). Шутл.* Пальцы, кисть руки. СРГК 5, 380.

Гнуть ви́лки. *Жарг. мол.* 1. Повышать цену. 2. Лгать, обманывать. 3. Хвастаться. Максимов, 63.

До ви́лки (до ви́лок) напи́ться. *Арх., Прикам.* Напиться до состояния сильного опьянения. АОС 4, 90; МФС, 18.

Запуска́ть/ запусти́ть ви́лки в шки́рки. *Жарг. угол.* Засунуть руки в карманы. < **Вилка** — рука. СВЯ, 16.

Ви́лками пить барыши́. *Пск.* Пить спиртное, разливая так, чтобы всем досталось. ПОС 4, 16.

Ви́лками пи́сано *что. Пск.* То же, что **ви́лами по воде́ пи́сано (ВИ́ЛЫ).** СПП 2001, 21.

Взять в ви́лку *кого. Сиб.* Окружить с двух сторон кого-л. ФСС, 26.

Взять ви́лку. *Жарг. мол.* Не поверить, усомниться в чём-л. Вахитов 2003, 27.

ВИЛО́М * Вило́м вить. 1. *Ряз.* Быстро выполнять какую-л. работу, делать что-л. ДС, 85. 2. *Сиб. Неодобр.* Вести себя беспринципно, часто менять свои решения. ФСС, 28.

Вило́м ви́ться. *Ряз.* То же, что **вилом вить.** ДС, 85.

ВИ́ЛЫ * Ви́лами на (по) воде́ пи́сано *что. Народн. Ирон. или Неодобр.* Что-л. очень сомнительно, неясно, не вызывает доверия. ДП, 293, 419, 703; БТС, 139; ШЗФ 2001, 36; Жук. 1991, 367; ФСРЯ, 68; БМС 1998, 82-83.

Сиде́ть на ви́лах. *Жарг. крим.* 1. Подсматривать. 2. Подслушивать. Хом. 2, 338.

В ви́лы. *Разг. Устар.* Крайне враждебно, с явной неприязнью. Ф 1, 65.

Ви́лы в бок. 1. *Жарг. угол.* Сложная, безвыходная ситуация. Мильяненков, 94; ББИ, 44; Балдаев 1, 64. 2. *Жарг. мол.* Выражение крайнего удивления. Максимов, 63.

Подня́ть на ви́лы *кого. Орл.* Создать кому-л. высокое общественное положение, возвысить кого-л. СОГ 1989, 46.

Распе́лить ви́лы. *Обл.* Громко закричать. Мокиенко 1990, 87.

Сесть на ви́лы. *Жарг. угол.* Попасться с поличным, подвергнуться аресту. Балдаев 2, 37; ТСУЖ, 160.

Ста́вить/ поста́вить ви́лы *кому. Жарг. угол.* 1. Нанести кому-л. колотое ранение. СВЯ, 16. 2. Запутать следователя (о подследственном). Балдаев 2, 58.

ВИЛЮ́ШКА * Вилю́шка вертя́чий. *Ряз. Бран.* О беспокойном, непоседливом ребёнке. ДС, 78.

ВИНА* Деся́тая вина́ винова́та. *Народн. Устар.* О ситуации, когда трудно найти виновника чего-л., но приходится кого-то наказывать. < От обычая (XIX в.) наказывать каждого десятого из потенциальных виновных. БМС 1998, 83.

Дать вину́ *кому. Народн. Обл. Устар.* Обвинить кого-л. Мокиенко 1990, 110; БМС 1998, 83.

Положи́ть вину́ *на кого. Прибайк.* Обвинить, возложить вину на кого-л. СНФП, 31.

Без вины́ без пе́ни. *Волг.* О несправедливом обвинении, незаслуженной обиде. Глухов 1988, 2.

Без вины́, без причи́ны. *Сиб.* 1. Безвинно (терпеть что-л., страдать). 2. Напрасно, зря. ФСС, 28.

Без вины́ винова́тый. 1. *Разг.* О ком-л., несправедливо обвиненном. Дядечко 1, 43. 2. *Жарг. шк. Ирон.* Пострадавший за подсказку. Максимов, 63. 3. *Жарг. курс. Ирон.* Курсант первого курса военного училища. Максимов, 63. < От названия комедии А. Островского «Без вины виноватые» (1884 г.).

ВИНДА́ (ВИНДЫ́) * Рабо́тать из-под винды́ (под винда́ми). *Жарг. комп.* О программе, работающей в операционной системе Windows. Садошенко, 1995. < Операционная система **Windows**.

ВИНИ́Л * Игра́ть на вини́ле. *Жарг. мол.* Работать диджеем в дискотеке. РТР, 26.09.98. < **Винил** — грампластинка.

ВИНО́ * Наню́хаться вина́. *Волог. Шутл.-ирон.* Напиться пьяным. СВГ 5, 55.

Пьяне́е вина́. *Народн.* Ирон. О человеке в крайней степени опьянения. ДП, 792; МФС, 83; СПП 2001, 21.

Быть в вине́ (при вину́). *Ряз.* Быть пьяным. ДС, 85.

Быть на вине́. *Прибайк.* Быть алкоголиком, пьяницей. СНФП, 31.

Бе́лое вино́. *Арх., Печор., Сиб.* Водка. АОС 1, 159; СРГНП 1, 73; ФСС, 11.

Влива́ть молодо́е вино́ в ста́рые мехи́. *Книжн.* Создавать что-л. новое, не порвав со старым. БМС 1998, 84; БТС, 538.

Во́дочное вино́. *Жарг. мол. Шутл.* Водка. Югановы, 44.

Глуши́ть ви́но. *Разг.* Пьянствовать. РАФС, 52.

Го́рькое вино. *Арх.* Водка; спиртное. АОС 9, 379.

Запива́ть вино́ во́дкой. *Жарг. мол. Шутл.-ирон.* 1. О последней стадии алкоголизма. 2. О неумеренной выпивке. Максимов, 63.

Зе́лено (зелено́е, зелёное) вино́. 1. *Народн.* Об алкогольных напитках. БМС 1998, 83. 2. *Прост.* Водка. Ф 1, 65; СФС, 80. // *Пск.* Хлебная водка. ПОС 4, 19; ПОС 12, 313.

Конья́чное вино́. *Жарг. мол. Шутл.* Коньяк. Югановы, 44.

Пе́рвое вино́. *Пск.* В свадебном обряде: сватовство. СРНГ 26, 15.

Портве́йное вино́. *Жарг. мол. Шутл.* Портвейн. Югановы, 44.

Пусти́ться в вино́. *Кар. (Арх.).* Начать пьянствовать. СРГК 5, 354.

Сда́ться в вино́. *Прибайк.* Стать пьяницей, начать страдать алкоголизмом. СНФП, 31.

Задави́ться вино́м. *Горьк. Неодобр.* Умереть от алкоголизма. БалСок, 36.

Зарази́ться вино́м. *Яросл.* Пристраститься к спиртному, стать алкоголиком. ЯОС 4, 97.

При вину́ быть. См. **В вине быть.**

ВИНО́ВНИК * Вино́вник торже́ства. *Разг. Шутл.* Человек, в честь которого устроен праздник. Ф 1, 65.

ВИНОГРА́Д * Зе́лен виногра́д. *Книжн. Ирон.* Оборот, подчёркивающий мнимое презрение к тому, чего нет возможности достигнуть. < Связано с сюжетом Эзопа, использованным И. С. Крыловым в басне «Лисица и виноград». БМС 1998, 84; ЗС 1996, 313.

ВИНТ[1] * Дать (наре́зать) винт (винта́, винто́в). *Жарг., угол., мол., Пск.* Сбежать, убежать откуда-л. ТСУЖ, 32, 114; СРВС 1, 169; БСРЖ, 99; ПОС 4, 21.

На винт намота́ть. *Жарг. угол., мол.* 1. Заразиться венерическим заболеванием. 2. *что.* Проигнорировать что-л., отнестись к чему-л. с пренебрежением. Югановы, 44. < **Винт** — мужской половой орган.

Без винта́ в сте́ну влёзет. *Морд.* О ловком, предприимчивом человеке. СРГМ 1978, 79.

Дать винта́. *Волг.* Быстро убежать откуда-л., скрыться. Глухов 1988, 29.

Два винта́, два киля́ и поко́йник у руля́. *Жарг. авиа. Шутл.-ирон.* Вертолет «К-26». БСРЖ, 99.

Нет девя́того винта́ *у кого. Морд. Неодобр.* О глуповатом, чудаковатом человеке. СРГМ 1978, 77.

От винта́. 1. *Разг.* Требование убрать руки, отойти от чего-л. БСРЖ, 99. 2. *Жарг. угол.* Неожиданно, внезапно, ни с того ни с сего. Быков, 135. 3. *кому что. Жарг. угол., мол.* Безразлично кому-л. что-л. БСРЖ, 99.

На винта́х. *Прикам.* В состоянии бдительности, напряжения. МФС, 18; Мокиенко 1986, 89.

Винто́в нет *у кого. Орл.* О глупом, ограниченном человеке. СОГ 1989, 49.

Винто́в не хвата́ет. См. **Ви́нтиков не хвата́ет (ВИ́НТИК).**

Крути́ть винто́м. *Жарг. мол. Шутл.* Уходить откуда-л. Максимов, 208.

В винту́ винти́ться. *Сиб.* Быть очень занятым, суетиться, хлопотать. ФСС, 28.

Винты́ завинти́лись [*у кого*]. *Пск.* Кто-л. стал вспыльчивым, раздражительным. ПОС 11, 79.

ВИНТ[2] * **Сиде́ть на винте́.** *Жарг. нарк.* Регулярно делать себе инъекции первитина. DL, 68. < **Винт** — первитин.

ВИНТА́Ч * Дать винтача́. *Пск.* То же, что **дать винта́ (ВИНТ).** ПОС 4, 21.

ВИ́НТИК * Ви́нтик за ви́нтик *у кого. Перм.* О человеке, потерявшем способность здраво рассуждать, соображать. Подюков 1989, 26.

Ви́нтиков (винто́в) не хвата́ет (нет) *у кого. Пск. Шутл.-ирон.* О слабоумном, глупом человеке; о человеке со странностями. ПОС 4, 21.

Ви́нтики кру́тятся *у кого. Жарг. мол. Шутл.* Идет мыслительный процесс. Югановы, 45.

Ви́нтики не рабо́тают *у кого. Пск. Ирон.* О несообразительном, недогадливом человеке. ПОС 4, 21.

ВИНТО́ВОЧКА * Дать винто́вочку *кому. Пск.* Призвать в армию кого-л. ПОС 8, 129.

ВИНТО́К * Винто́к не дови́нчен *у кого. Новг. Ирон.* То же, что **винтиков не хватает (ВИНТИК).** НОС 1, 127.

ВИНТУ́Х * На винтуха́х. *Орл.* О подвижном, вертлявом человеке. СОГ 1989, 50.

ВИР (ВИ́РА) * Вир (ви́ра) зна́ет *кого, что. Пск.* Что-л. неизвестно о ком-л., о чём-л. СПП 2001, 21.

В вир голо́вушкой. *Пск.* Очень быстро, опрометью. ПОС 4, 23.

[Ни в мир], ни в вир, [ни в до́брые лю́ди]. *Пск.* О ком-л., о чём-л. очень плохом, никуда не годном. ПОС 4, 23.

Со всех виро́в. *Пск.* Отовсюду. ПОС 4, 23.

В ви́ру. 1. *Брян.* В очень отдаленное место. СБГ 3, 30. 2. *Пск.* Категорическое отрицание чего-л. ПОС 4, 23.

Ни с ви́ру, ни с боло́та. *Сиб.* Неизвестно откуда (приехал, появился и т. п.). ФСС, 28; СФС, 127.

Ни с ви́ру ни со дна. *Пск. Неодобр.* То же, что **ни с ви́ру, ни с боло́та.** Шт., 1978.

С ви́ру с боло́та. *Неодобр.* То же, что **ни с ви́ру, ни с боло́та.** ПОС 4, 23.

С то́пкого ви́ру. *Брян. Ирон.* Неизвестно откуда. БСГ 3, 30.

< **Вир, вира** — 1. Водоворот. 2. Глубокое место, яма в реке, озере. 3. Вировик, чёрт, живущий в омуте, водяной.

ВИ́РА. См. **ВИР**

ВИРО́К * С вирку́ да с боло́та. *Пск.* То же, что **со всех виро́в (ВИР).** ПОС 4, 25.

ВИ́СЕЛИЦА * Сорва́лся с ви́селицы. *Народн. Неодобр.* О человеке, который начал вести бурную, разгульную жизнь. ДП, 258.

ВИСЕ́ТЬ* Виси́т, да не све́тит. *Арх. Неодобр.* О чём-л. бесполезном. АОС 4, 105.

ВИ́СКИ * Ви́ски из-под пи́ски. *Жарг. мол. Шутл.* Моча. Максимов, 63.

ВИСКО́М * Виско́м нави́снуть. *Сиб.* 1. Повиснуть на чём-л. СФС, 39; СБО-Д1, 66. 2. Ухватившись, лечь на что-л. ничком, свесив ноги. ФСС, 116.

ВИСЛЯ́ *До́лгая висля́. *Пренебр. или Шутл.-ирон.* Слишком высокий человек. СРНГ 8, 106.

ВИСО́К * На виска́х. *Арх.* О том, что скоро должно наступить. АОС 4, 105.

На виска́х ве́снуться. *Арх.* Предстоять в скором времени. АОС 4, 105.

За (на) виски́ да в тиски́ *кого. Народн. Устар. Ирон.* О решительном и строгом воздействии на кого-л., наказании кого-л. ДП, 145, 262; ЗС 1996, 211; БМС 1998, 84.

Надёргать виски́ *кому. Морд.* Наказать, побить кого-л. СРГМ 1978, 77; СРГМ 1986, 65. **< Виски́** — волосы.

Расчёсывать виски́ *кому. Волг.* Строго наказывать, бить кого-л. Глухов 1988, 140.

ВИСЬМА (ВИСЬМЯ) * Висьма́ (висьмя́) висе́ть (ве́ситься). *Арх., Перм., Прикам.* Висеть в большом количестве. АОС 4, 107; МФС, 19; СГПО, 76.

Висьма́ ви́снуть. *Башк.* Нависать (о тучах, облаках). СРГБ 1, 72.

ВИСЯ́ЧИЙ * Нюхну́ть вися́чего. *Жарг. мол.* Быть наказанным, избитым, обруганным. Елистратов 1994, 66. < **Висячий** — мужской половой орган.

ВИСЯ́ЧКА * Хру́мать вися́чку. *Жарг. мол. Шутл.-ирон.* Подвергаться побоям, наказаниям. Елистратов 1994, 66.

Хря́пнуть вися́чку. *Жарг. мол.* Об оральном сексе. h-98.

< **Висячка** — мужской половой орган.

ВИТА́ЛИК * Позвони́ть (сходи́ть к) Вита́лику. *Жарг. мол. Шутл.* Сходить в туалет. Елистратов 1994, 66.

ВИТАМИ́Н * Витами́н "Б". *Разг. Шутл.* Знакомство, связи ("блат"). БСРЖ, 100.

Витами́н "В". *Жарг. бизн. Шутл.* Взятка. БС, 31.

Витами́н "Г". *Жарг. арм. Пренебр.* Гарнир из кислой капусты (с неприятным запахом, тёмного цвета). Лаз., 242.

Витами́н "Д". *Жарг. угол. Шутл.* Деньги. Быков, 43.

Витамин «Е». *Жарг. мол. Шутл.* 1. Наркотик «Экстази». HW, 17. 2. То же, что **витамин «Х».** (Запись 2004 г.).

Витами́н "П". *Жарг. арм. Шутл.-ирон.* Пшенная каша. Лаз., 65.

Витами́н "Ц". 1. *Разг. Шутл.-ирон.* О девственнице ("Ц" — сокр. "целка"). Мокиенко, 1995, 12. 2. *Жарг. угол.* Название некоторых продуктов или напитков. **Витамин-це: сальце, пивце, винце.** Быков, 43; ББИ, 44; Балдаев, I, 64.

Витами́н "Х". *Жарг. мол. Шутл.-ирон.* О половом акте с мужчиной. Никитина, 1998, 61.

Вы́писать витами́н «Р». *Жарг. мол. Шутл.* Наказать кого-л. ремнем. Максимов, 63.

Приня́ть витами́ны. *Жарг. мол. Шутл.* Покурить. Максимов, 63.

ВИТАМИ́НЧИК * Дать витами́нчик *кому. Разг. Шутл.* Дать закурить. СВЯ, 16.

ВИТРИ́НА * Разби́ть (попо́ртить, помя́ть) витри́ну *кому. Жарг. мол., угол.* Изуродовать кому-л. лицо побоями. ТСУЖ, 141; Митрофанов, Никитина, 33; Елистратов 1994, 66; Мильяненков, 95; ББИ, 44; Балдаев 1, 64; Максимов, 63. < **Витрина** — лицо.

ВИ́ТЯЗЬ * Ви́тязь на распу́тье. *Книжн. Ирон.* О человеке, стоящем перед каким-л. серьёзным выбором. БТС, 133. < По названию и сюжету картины В. М. Васнецова. БМС 1998, 84.

ВИХО́Р[1] * Два вихра́ *у кого. Пск. Одобр.* Об умном, одарённом человеке. ПОС 4, 30.

Надра́ть вихры́ *кому. Прост.* Наказать, побить, отругать кого-л. РАФС, 517;

ВИХО́Р[2] * Вихо́р [его́] зна́ет. 1. *Яросл.* Ничего не известно о ком-л., о чём-л. ЯОС 3, 22; Мокиенко 1986, 181. 2. *Курск., Ряз., Смол.* Восклицание, выражающее удивление, возмущение, негодование. БотСан, 86; ДС, 86; СРНГ 11, 312.

Вихо́р подыми́ (излома́й) *кого*! *Ряз. Бран.* Восклицание, выражающее досаду, негодование, возмущение. ДС, 87; СРНГ 28, 272.

Вихо́р полево́й. *Пск. Одобр.* О быстрой, проворной женщине, девушке. ПОС 4, 31.

На вихо́р. *Пск.* Без должного внимания, на произвол судьбы (оставить и т. п.). ПОС 4, 31.

Чтоб тебя́ вихо́р взял! *Орл. Бран.* То же, что **вихор подыми.** СОГ 1989, 54.

До ви́хора. *Кар.* О большом количестве чего-л. Мокиенко 1986, 170.

Како́го вихо́ра? *Ряз.* Зачем, для чего? ДС, 87; Мокиенко 1986, 179.

Ни вихо́ра. *Ряз.* Абсолютно ничего. СРНГ 21, 213; Мокиенко 1986, 170.

К вихо́ру! *Орл., Ряз. Бран.* Восклицание, выражающее досаду, раздражение. ДС, 87; СОГ 1989, 54.

< **Вихор** — 1. Вихрь, ураган. 2. Нечистая сила, черт.

ВИХРЬ * Ви́хри вражде́бные. 1. *Публ.* О революционной борьбе. 2. *Разг.* О житейских невзгодах. 3. *Разг. Шутл.* О дождливой, ветреной погоде. < Начало песни «Варшавянка» (сл. В. Свенцицкого, пер. В. Кржижановского — 1897 г., муз. В. Вольского). Дядечко 1. 90.

Вихрь бы взял *кого, что*! *Пск.* Восклицание, выражающее досаду, раздражение, негодование, недоброжелательство. ПОС 3, 170.

До ви́хря. *Сиб.* О большом количестве чего-л. ФСС, 28; СФС, 63.

ВИХРИ́НА * Надра́ть вихри́ну *кому. Обл.* Мокиенко 1990, 53, 59.

ВИ́ШНЯ * Ви́шни рвать. *Пск.* Платить фант в игре поцелуем. ПОС 4, 34.

ВКАТКИ́ * Вкатки́ ката́ться. *Арх.* Долго и громко смеяться. АОС 4, 117.

ВКАТУ́ХУ * Пья́ный вкату́ху. *Пск.* Очень, сильно пьяный. ПОС, 4 37.

ВКЛА́Д * Вкла́ды вкла́дывать. *Сиб. Неодобр.* Держаться вызывающе, нагло. ФСС, 28.

ВКЛА́ДЫШ * Вкла́дыш сдви́нулся *у кого. Жарг. мол. Шутл.* О психически ненормальном человеке. Максимов, 64.

ВКОСЬ * Вкось да перекó́сь. *Арх. Неодобр.* Кое-как, в беспорядке. АОС 4, 120.

Вкось и впрямь. *Разг. Устар.* 1. Поразному, на разные лады. 2. Превратно, искажая смысл. ФСРЯ, 70.

ВКРИВЬ * Вкривь и вкось. *Разг.* 1. В разных направлениях. 2. *Неодобр.* Плохо, не так, как следует, как положено. 3. *Неодобр.* Превратно, искажая смысл. ФСРЯ, 70.

ВКУ́ПЕ * Вку́пе и (да) влю́бе. *Разг. Устар. Шутл.-ирон.* 1. Все вместе, сообща, единодушно. 2. *Ирон.* В сговоре, в союзе. БМС 1998, 85; Ф 1, 66.

ВКРЕСТ (ВКРЁСТ) * Вкрест (вкрёст) и поперёк. *Арх.* Во всех направлениях; повсюду, везде. АОС 4, 120.

ВКУС * Бра́ться за вкус. *Новг.* Ручаться за что-л. НОС 1, 84.

Вкус специфи́ческий. *Разг.* 1. *Шутл.-одобр.* Об очень вкусное пище. 2. *Шутл.-ирон.* Об очень дорогой, недоступной большинству еде. Дядечко 1, 91-92.

Входи́ть/ войти́ во вкус. *Разг.* Начинать получать удовольствие от чего-л.; постепенно проявлять всё больше интереса, любви к чему-л. ФСРЯ, 88; ЗС 1996, 117; БТС, 145.

Гла́док, мя́гок, да на вкус га́док. *Народн. Неодобр.* О внешне приятном человеке, обладающем скверным характером. ДП, 698.

Узна́ть вкус берёзовой ка́ши. *Обл.* Подвергнуться наказанию, порке. Мокиенко 1990, 51.

Прийти́сь не по вку́су *кому. Разг.* Не понравиться кому-л. СРГК 1, 244.

ВЛАГА́ЛИЩЕ * Вложи́ть бы тебя во влагалище, да начать переделывать вновь! *Разг. Вульг. Шутл.-ирон.* Возглас недовольства действиями кого-л. неловкого, трудно исправимого. < Приписывается В. Маяковскому. Мокиенко, Никитина 2003, 96.

Наполня́ть влага́лище. *Жарг. гом., мол. Шутл.* Есть, принимать пищу. Кз., 42; ЖЭСТ 2, 261. < **Влагалище** — рот.

ВЛАДИ́МИР * Влади́мир Адо́льфович (Юри́стович). *Жарг. журн., полит. Шутл.-ирон.* Глава ЛДПР Владимир Вольфович Жириновский, подчеркивающий, что его отец был юристом. МННС, 169.

ВЛАСТЕЛИ́Н * Властелин дум. См. **Властитель дум (ВЛАСТИТЕЛЬ).**

Властели́н коле́ц. *Жарг. шк. Шутл.* Унитаз в школьном туалете. (Запись 2003 г.) < По названию романа Дж. Р. Р. Толкиена.

ВЛАСТИ́ТЕЛЬ * Властитель (властели́н) дум. *Книжн. Высок.* Выдающийся человек, оказывающий огромное духовное, интеллектуальное влияние на своих современников. < Из стихотворения А. С. Пушкина «К морю». БМС 1998, 85 ФСРЯ, 71.

ВЛАСТЬ * Вла́сти предержа́щие. *Книжн. Устар.* Представители высшей власти. БМС 1998, 85; ШЗФ 2001, 38; Янин 2003, 58.

Жить во вла́сти. *Горьк.* Жить беззаботно. БалСок, 36.

Как бу́дто не́ было сове́тской вла́сти. *Жарг. мол. Шутл.-ирон.* Выражение разочарования, удивления. Вахитов 2003, 73.

Ва́ша власть. *Книжн. Устар.* Как вам будет удобно. ФСРЯ, 71.

Власть на боку́. *Жарг. угол.* Пистолет, висящий на боку. ТСУЖ, 32; Мильяненков, 95; ББИ, 45.

Власть реша́ть и вяза́ть. *Книжн. Устар.* О чьей-л. абсолютной, непререкаемой власти. < Выражение библейского происхождения. БМС 1998, 85.

Власть тьмы. *Книжн. Неодобр.* О засилье невежества, разгуле мракобесия, власти реакции, фашизма. ШЗФ 2001, 38. < Восходит к Евангелию. БМС 1998, 85.

Тре́тья власть. *Публ.* О правах и полномочиях судебных органов. Мокиенко 2003, 15.

Четвёртая власть. *Публ.* О прессе, средствах массовой информации. СП, 243. < Первоначально — о буржуазной прессе. СП, 218; Мокиенко 2003, 15.

ВЛЕЖА́ЧКУ * Влежа́чку лежа́ть. *Кар. (Арх.).* Лежать не вставая. СРГК 1, 205.

ВЛЕЗА́ТЬ * Не влеза́й — убьёт. *Жарг. студ. Шутл.* О деканате. (Запись 2003 г.).

Ско́лько вле́зет. *Разг.* Вволю, вдоволь, без каких-л. ограничений. ФСРЯ, 72.

ВЛИВА́НИЕ * Иноро́дное влива́ние. *Жарг. мол. Шутл.* Клизма. Максимов, 64.

Сде́лать влива́ние *кому. Разг.* Наказать, отругать, отчитать кого-л. Елистратов 1994, 67.

Получа́ть/ получи́ть влива́ние. *Разг. Ирон.* Подвергаться наказанию. Мокиенко 2003, 15.

Соверши́ть влива́ние. *Разг. Шутл.* Выпить спиртного. Елистратов 1994, 67.

ВЛИЯ́НИЕ * Влия́ние мозго́в. *Кар.* Кровоизлияние в мозг. СРГК 1, 205.

Ока́зывать/ оказа́ть влия́ние *на кого. Книжн. или Публ.* Воздействовать на кого-л. каким-л. образом. < Контаминация франц. *avoir influence* и русск. **оказывать внимание**. БМС 1998, 85-86.

ВЛУ́ПКА * Дава́ть/ дать влу́пки *кому. Пск.* Наказать, избить кого-л. ПОС 4, 55; Мокиенко 1990, 46.

ВМЕРТВЕ́ * Лежа́ть вмертве́. *Морд.* Умирать, быть при смерти. СРГМ 1978, 80.

ВМЯ́ТКА * Дава́ть/ дать вмя́тку *кому. Пск.* То же, что **давать влупки (ВЛУПКА).** ПОС 4, 59.

ВНЕЗА́П * С внеза́пу. *Сиб.* Неожиданно; от неожиданности. ФСС, 28.

ВНИМА́НИЕ * Брать/ взять внима́ние. *Волог., Кар. (Ленингр., Мурм.), Новг., Приамур., Ряз., Сиб.* Обращать внимание на что-л. СВГ 1, 44; СРГК 1, 109, 198; НОС 1, 83; СРГПриам., 30; ДС, 65; ФСС, 15.

Брать/ взять во внимание *что. Прибайк.* Учитывать, понимать, запоминать что-л. СНФП, 31.

Класть внима́ние. *Кар.* То же, что **брать внимание.** СРГК 2, 359.

Без (бе́зо) внима́ния. *Печор.* 1. Без сознания, в обморочном состоянии. 2. Крепко, без снов (спать). СРГНП 1, 77.

Брать без внима́ния. *Орл.* То же, что **не брать внимания.** СОГ 1989, 92.

Не брать внима́ния. *Дон., Кар. (Ленингр.), Сиб., Яросл.* Не обращать внимания на что-л. СДГ 1, 69; СРГК 1, 109; ФСС, 15; ЯОС 3, 24.

Па́дать безо внима́ния. *Свердл.* Терять сознание. СРНГ 25, 120.

ВНИЧЬ * Па́дать внИчь. *Печор.* Прилагать большие усилия для достижения чего-л. СРГНП 1, 77.

ВНУК * Внук за де́дом пришёл. *Кар.* О снеге, выпавшем на старый снег. СРГК 1, 440.

Вну́ки Ильича́. *Публ. Патет. Устар.* Пионеры. Мокиенко, Никитина 1998, 1998, 85.

Внук Каще́я. *Жарг. мол. Шутл.-ирон.* Об очень худом человеке. Максимов, 65.

Внук по де́душку (за де́душкой) пришёл. *Сиб. Шутл.* О снеге, выпавшем в конце зимы. СОСВ, 60.

Ста́линские вну́ки. *Арест. Устар.* Дети заключённых-женщин, родившиеся в ИТУ. Балдаев 2, 59.

ВНУ́ЧКА * Вну́чка Мака́ренко. *Жарг. студ. Шутл.* Преподавательница педагогики. ВМН 2003, 32.

Вну́чка Пифаго́ра. *Жарг. шк. Шутл.-одобр.* Ученица, хорошо разбирающаяся в математике. ВМН 2003, 32.

Е́вина вну́чка (до́чка). *Разг. Устар. Ирон.* О женщине, в характере, поведении которой особенно ярко проявляются качества, считающиеся чисто женскими. БМС 1998, 86.

ВНУЧО́К * Внуча́та Ильича́. *Публ. Патет. Устар.* Октябрята. Мокиенко, Никитина 1998, 1998, 85.

Ста́линские внучки́. *Разг. Ирон.* Дом малютки в Ленинграде на ул. Петра Лаврова, ныне Фурштатская, 58 (1970-е гг.). Синдаловский, 2002, 174.

ВО́БЛА * Вя́леная во́бла. *Разг. Ирон. или Презр.* Об апатичном, бездеятельном, не имеющем собственного мнения и твёрдых убеждений человеке. < По названию сатирической сказки М. Е. Салтыкова-Щедрина. БМС 1998, 86.

ВО́ВА * Во́ва алюми́ниевый. *Жарг. мол. Презр.* Глупый, несообразительный человек. СИ, 1998, № 5.

Во́ва чёрный. *Жарг. мол. Шутл.-ирон.* Памятник Ленину в Гатчине, выкрашенный в чёрный цвет. Синдаловский, 2002, 38.

До́хлый Во́ва. *Жарг. мол. Шутл.-ирон.* О мумии В. И. Ленина в Мавзолее. Елистратов 1994, 117.

ВОДА́ * По-за вод. *Арх.* В отсутствие кого-л. АОС 4, 153.

Бе́шеная вода́. *Алт.* Весеннее половодье. СРГА 1, 65.

Больша́я вода́. 1. *Арх., Сиб.* Половодье. АОС 4, 147; СБО-Д1, 38. 2. *Арх.* Морской прилив. АОС 4, 147.

Взло́мная вода́. *Дон.* Начало ледохода. СДГ 2, 31.

Вода́ взяла́ *кого. Перм.* Об утонувшем, погибшем на воде (в реке, в море) человеке. Подюков 1989, 26.

Вода́ в по́пке не уде́ржится *у кого. Волг. Шутл.* То же, что **вода в роте не удержится.** Глухов 1988, 13.

Вода́ в ро́те не уде́ржится *у кого. Курск. Неодобр.* О человеке, не умеющем хранить секреты. БотСан, 86.

Вода́ кипи́т. *Приамур.* О выходе родниковой воды на поверхность льда в сильные морозы. СРГПриам., 43.

Вода́ льётся! *Жарг. угол.* Сигнал опасности. ТСУЖ, 33. < От нем. *Wasser.* БСРЖ, 102.

Вода́ не освяти́тся (обсвяти́тся) *без кого. Волг., Дон. Шутл.-ирон.* О человеке, который во всем принимает участие. Глухов 1988, 2; СДГ 2, 195.

Вода́ подмыва́ет *кого. Морд.* Кому-л. не терпится что-л. сделать. СРГМ 1978, 80.

Воро́нежская вода́. *Дон.* Холодное половодье с верховьев Дона. СДГ 1, 69.

Втора́я вода́. *Кар. (Арх.).* Вечерний прилив. СРГК 1, 210.

Го́рькая вода́. *Арх., Кар.* Водка, спиртное. АОС 9, 373; СРГК 1, 210.

Густа́я вода́. *Кар. (Ленингр.).* Вода со снегом. СРГК 1, 210.

Девя́тая (деся́тая, седьма́я) вода́ на киселе́. *Народн. Ирон.* Об очень дальнем родственнике, отдалённом родстве. Ф 1, 68; ДП, 389; БТС, 139; ЗС 1996, 281; Жиг. 1969, 173; ФСРЯ, 73; БМС 1998, 86; СПП 2001, 21.

До́хлая вода́. 1. *Алт.* Застойное, непроточное русло или заболоченное озеро. СРГА 2-I, 44. 2. *Сиб.* Вода в водоёмах, бедных кислородом. СОСВ, 64.

Дурна́я вода. *Приамур.* То же, что **большая вода 1.** СРГПриам., 43.

Жа́реная вода́. 1. *Кар. (Ленингр.).* Чай. СРГК 1, 210. 2. *Перм.* Кипяток. Подюков 1988, 27.

Жёлтая вода́. *Прост.* Болезнь глаз, при которой зрачок приобретает желтоватый оттенок. Ф 1, 68.

Жива́я вода́. 1. *Фольк.* Эликсир жизни; всё, что дает человеку энергию, бодрость, силы. БМС 1998, 86; Мокиенко 1986, 225; ШЗФ 2001, 75Ф 1, 68; СОСВ, 69; БТС, 139. 2. *Пск.* Родник, ключ. СПП 2001, 21. 3. *Алт.* Проточный водоём. СРГА 2-I, 81. 4. *Сиб.* Вода в реках и озёрах, богатая кислородом.

СОСВ, 40. 5. *Кар.* Первое весеннее половодье. СРГК 1, 210. 6. *Орл.* Вода, которой обмывают покойников. СОГ 1990, 117. 7. *Жарг. мол. Шутл.* Алкогольный напиток; водка, самогон. Никитина 2003, 92; Максимов, 65.

Землянáя водá. *Сиб.* Второе весеннее половодье от воды, стекающей с гор. ФСС, 28.

Злóбная водá. *Дон.* То же, что **взломная вода.** СДГ 1, 65.

Казáчья водá. *Дон.* Первое весеннее половодье на Дону. СДГ 2, 44.

Казáцкая водá. *Арх.* Половодье после таяния снега. СРНГ 12, 314.

Казённая водá. *Твер.* Водка. СРНГ 12, 318.

Кипýчая водá. *Одесск.* Перекись водорода. КСРГО.

Ки́слая водá. *Сиб.* Болото; трясина с затхлым запахом. ФСС, 28.

Краснощёковская водá. *Дон.* Половодье на Дону в 1786 г. СДГ 1, 69.

Крóткая водá. *Арх., Кар. (Мурм.).* Отлив. АОС 4, 150; СРГК 1, 210.

Кудá водá не бежи́т. *Новг.* Очень далеко, неизвестно куда. Сергеева 2004, 161.

Кудá (где) водá прилелéет. *Нижегор.* без определенной цели, плана, направления. СРНГ 31, 272.

Лягýшья водá. *Кар.* Отмель. СРГК 1, 210.

Мáлая (мáленькая) водá. *Арх.* 1. Небольшой разлив реки во время половодья. 2. Сильное обмеление реки летом. 3. Морской отлив. АОС 4, 149-150.

Матёрая водá. *Приамур.* Место в речном русле с наибольшей скоростью течения. СРГПриам., 43.

Мёртвая вода. 1. *Фольк.* Целительная вода. БМС 1998, 86; Мокиенко 1986, 225. 2. *Фольк.* Нечто, делающее человека вялым, безжизненным, унылым. Ф 1, 68; БМС 1998, 86. 3. *Жарг. мол.* Водка, самогон. Максимов, 65.

Москóвская водá. *Дон.* Холодное половодье с верховьев Дона. СДГ 1, 69.

Не замути́ водá. *Пск.* О скромном, спокойном человеке. ПОС 11, 342.

Не разлéй водá. *Разг.* О неразлучных друзьях. Ф 1, 69; Ф 2, 116.

Óгненная водá. *Жарг. мол. Шутл.* То же, что **трудная вода.** Ф 1, 69; Максимов, 65.

Падýчая (пáлая) водá. *Арх.* Морской отлив. АОС 4, 150.

Пей водá, ешь водá [срать (ебáть) не бýдешь никогдá]. *Вульг.-прост. Шутл.-ирон.* О некалорийном, скудном питании. Сл. Акчим. 1, 137; Мокиенко, Никитина 2003, 96.

Поворóтная водá. *Кар. (Мурм.).* То же, что **полая вода.** СРГК 4, 598.

Пóлая водá. *Арх., Кар.* Отлив. АОС 4, 151; СРГК 1, 210.

Пóлная водá. *Арх., Кар. (Мурм.).* Прилив. АОС 4, 148; СРГК 1, 210.

Помути́лась водá с пескóм. *Народн.* О ссоре супругов. ДП, 372.

Пустáя вода. *Арх. Ирон.* Бедность. АОС 4, 152.

Седьмáя водá на гýще (на гýщенке). *Перм. Ирон.* То же, что **девятая вода на киселе.** Сл. Акчим. 1, 138.

Седьмáя водá на киселé. См. **Девятая вода на киселе.**

Сумасшéдшая водá. *Жарг. угол.* 1. Самогон. ТСУЖ, 33; ББИ, 45; Балдаев 1, 66. 2. Водка. СРВС 2, 85.

Сухáя водá. *Арх.* 1. Сильное обмеление реки в летнее время. 2. Морской отлив. АОС 4, 149; ЖРКП, 28.

Темнá водá во облацéх. *Книжн. Шутл.-ирон.* О чём-л. непонятном, мудрёном, неясном (высказывании, тексте, идее и т. п.). Ф 1, 69; БТС, 139. < Оборот библейского происхождения. БМС 1998, 87; ФСРЯ, 73; ДП, 849.

Тёмная вода [в глазáх разлилáсь]. 1. *Кар.* Болезнь глаз. СРГК 1, 211. 2. *Арх., Пск., Сиб.* Слепота. АОС 4, 152; ПОС 4, 71; СФС, 33; ФСС, 29.

Тёплая водá. *Дон.* Третье половодье на Дону. СДГ 1, 76.

Тóлстая водá. *Арх., Кар. (Мурм.).* Прилив. СРГК 1, 211.

Трýдная водá. *Жарг. Мол. Шутл.* Водка. БСРЖ, 102.

Убылáя водá. *Кар. (Мурм.).* Отлив. СРГК 1, 211.

Холóдная водá. *Дон.* Второе весеннее половодье на Дону. СДГ 1, 70.

Хомутóвская водá. *Дон.* Половодье на Дону в 1849 г. СДГ 1, 76.

Чёрная водá. *Арх.* То же, что **тёмная вода.** АОС 4, 152.

Чи́стая водá. *Пск.* О чём-л. очень хорошем, высшего качества. СПП 2001, 21.

По водáм, по делáм. *Кар. (Ленингр.).* 1. На разные нужды. 2. В разных направлениях. СРГК 1, 446.

Купáлся в семи́ водáх. *Волг.* Об опытном, бывалом человеке. Глухов 1988, 79.

Кýпаный во всех (в семи́) водáх (в горя́чей водé). *Волг.* То же, что **купался в семи водах.** Глухов 1988, 79.

На водáх. *Арх.* В течение жизни. АОС 4, 153.

Белó на водé! *Яросл.* Приветственное пожелание стирающим белье. ЯОС 1, 49.

Лежáть на водé. *Дон. Шутл.-ирон.* Соблюдать диету. СДГ 1, 69.

На водé плáвать. *Пск.* Тонуть. ПОС 4, 71.

На восьмóй водé. *Прост. Шутл.-ирон.* О дальнем родственнике. Ф 1, 68.

Не на водé несёт *кого. Арх.* Об излишней торопливости кого-л. АОС 4, 152.

По водé пошлó. *Народн.* О чём-л. утраченном, растраченном, не сохранённом. ДП, 577.

По однóй водé ведённые. *Арх.* Об очень похожих людях. АОС 4, 153.

По чи́стой водé. *Горьк.* По собственному желанию, без нажима. БалСок, 50.

Приколóться по си́ней водé. *Жарг. мол. Шутл.* Выпить спиртного. Я — молодой, 1997, № 45.

Сидéть на водé. *Пск.* Мало есть, пить в основном чай. СПП 2001, 21.

Болéть водóй. *Перм.* Страдать водянкой. Сл. Акчим. 1, 138.

Брести́ мýтной водóй. *Горьк.* Жить в бедности. БалСок, 24.

Вмéсте с водóй выплеснуть ребёнка. *Книжн. или Публ. Неодобр.* Отвергая, отбрасывая детали, потерять суть чего-л. БМС 1998, 87; БТС, 178; Ф 1, 96.

Водóй не помочи́ть (не смочи́ть). 1. *что. Волг. Неодобр.* Сделать что-л. кое-как, наспех. Глухов 1988, 102. 2. *чего. Пск., Твер.* О большом количестве чего-л. ПОС, 4, 71; Мокиенко 1986, 49

Водóй не размóешь *чего. Арх.* То же, что **водой не помочить 2.** АОС 4, 153.

Водóй не разольёшь (не разли́ть) *кого. Разг.* О неразлучных, верных друзьях. БМС 1998, 87; ФСРЯ, 74; Верш 6, 43; БТС, 139; ШЗФ 2001, 41.

Жáреной водóй кишки́ ошпáривать. *Кар. (Ленингр.). Шутл.* Пить чай. СРГК 4, 360.

Обливáть/ обли́ть гря́зной водóй *кого. Разг. Устар.* Незаслуженно оскорблять, порочить кого-л. Ф 2, 7.

Обли́ть водóй *кого. Новг.* Изменить кому-л. в любви. НОС 6, 90.

Однóй водóй проéхать. *Кар.* Проделать путь по морю за время одного прилива. СРГК 4, 151.

Окати́ть (обли́ть) холóдной водóй *кого.* 1. *Разг.* Охладить чей-л. пыл, рвение. ФСРЯ, 296; Ф 2, 8. 2. Привести в замешательство кого-л. ФСРЯ, 296; ЗС 1996, 325; БТС, 139, 707, 1450. 3. *Сиб.* Сообщить кому-л. о внезапном несчастье. ФСС, 126.

Попа́сться с водо́й. *Жарг. угол.* Стать доносчиком. СРВС 3, 188.

Породни́ться с водо́й. *Жарг. угол.* 1. Попасть в спецмедвытрезвитель. 2. Познакомиться, сблизиться с работниками милиции. Балдаев 1, 340.

Уйти́ с ве́шней водо́й. *Перм.* Умереть весной. Подюков 1989, 214.

Утечь с колому́тной водо́й. *Волг., Дон.* Уйти; исчезнуть безвозвратно. Глухов 1988, 164; СДГ 3, 174.

Хоть водо́й вы́пей. *Алт. Одобр.* Об очень красивом лице. СРГА 1, 161.

Хоть водо́й понеси́. *Кар. (Арх.).* Зря, без пользы. СРГК 1, 211.

Хоть водо́й разлива́й. *Волг.* О людях, которые постоянно ссорятся, бранятся. Глухов 1988, 168.

Баламу́тить во́ду. *Пск. Неодобр.* Лгать, говорить вздор. СПП 2001, 22.

Бреха́ть на во́ду. *Волг. Неодобр.* 1. Ругаться, бранить, проклинать кого-л. 2. То же, что **баламутить воду.** Глухов 1988, 7.

В во́ду ка́нул. *Народн.* О чём-л. пропавшем, исчезнувшем. ЗС 1996, 205.

Вида́ть во́ду. *Курск. Шутл.-ирон. или Неодобр.* Быть небрежно выстиранным (о белье). БотСан, 86.

Во́ду вози́ть мо́жно *на ком. Новг., Пск. Шутл.* О сильном, здоровом человеке. НОС 3, 92; СПП 2001, 22.

Во́ду в око́шко вы́лить. *Арх. Шутл.-ирон.* О доме с низко расположенными окнами. АОС 4, 153.

Во́ду в решете́ унесёт. *Новг.* О хитром, ловком, проворном человеке. НОС 2, 92.

Во́ду не загрязни́т. *Горьк.* То же, что **воды не замутит.** БалСок, 27.

Во́зит во́ду и воево́ду. *Прост. Устар. Шутл.* О человеке, пригодном для любого дела. Ф 1, 70.

Вози́ть во́ду *на ком. Разг.* Обременять кого-л. крайне тяжёлой и унизительной работой, беспощадно эксплуатировать кого-л., пользуясь его добрым, покладистым характером. ФСРЯ, 75; БМС 1998, 87.

В тёплую во́ду рук не мочи́ть. *Арх.* Не заниматься домашним хозяйством, не выполнять работу по дому. АОС 4, 153.

В ту́ю во́ду. *Новг.* В прошлом, прежде, раньше. НОС 1, 130.

Вы́вести на холо́дную во́ду *кого. Арх.* Разорить, измучить, довести до плачевного состояния кого-л. АОС 4, 153.

Выводи́ть/ вы́вести на чи́стую во́ду *кого.* 1. *Разг.* Уличать кого-л. в чём-л., разоблачать кого-л. ФСРЯ, 74; БМС 1998, 88; БТС, 139; Глухов 1988, 17; СРНГ 36, 228; ШЗФ 2001, 49; ЗС 1996, 208, 231; Ф 1, 69. 2. *Арх.* Указывать правильный путь, спасать кого-л. АОС 4, 153.

Гнать во́ду. *Жарг. угол.* Лгать, обманывать кого-л. СВЯ, 22.

Гоня́ть во́ду. *Смол.* В свадебном обряде: посылать невесту во время вечеринки у жениха за водой. СРНГ 7, 15.

Де́лать во́ду. *Пск.* Заговаривать от сглаза, используя воду. (Запись 1999 г.).

Добу́дет во́ду на ка́мне. *Волг. Шутл.-одобр.* О находчивом, предприимчивом человеке. Глухов 1988, 35.

Каламу́тить во́ду. *Волг.* То же, что **мутить воду 2.** Глухов 1988, 73.

Кача́ть во́ду. 1. *Прост. Неодобр.* Заниматься чем-л. бесполезным, попусту тратить время. Ф 1, 235. 2. *Жарг. угол.* Идти, уходить куда-л. ТСУЖ, 83. 3. *Жарг. угол.* Идти, куда посылают. ТСУЖ, 83.

Лить во́ду. *Разг. Неодобр.* Вести пустой разговор; лгать. Глухов 1988, 81; Мокиенко 1990, 65, 113-115; ЗС 1996, 333; Максимов, 65; Ф 1, 280.

Лить во́ду на чью **ме́льницу.** *Разг.* Высказывать доводы, положения, подкрепляющие чьё-л. мнение, позицию. БТС, 139; Мокиенко 1990, 153.

Мути́ть во́ду́. *Неодобр.* 1. *Разг.* Умышленно запутывать дело, создавать неразбериху. ФСРЯ, 74; БМС 1998, 89; ЗС 1996, 208, 231, 357; БТС, 139. 2. *Разг.* Вносить смуту, провоцировать ссору. Глухов 1988, 86. 3. *кому. Пск.* Мешать; докучать кому-л. СПП 2001, 22. 4. *Перм.* Ловить, удить рыбу. Сл. Акчим. 1, 138.

Нала́живать на во́ду *кого. Сиб.* Лечить заговором кого-л. ФСС, 118.

На по́лу во́ду. *Прикам.* Впустую, напрасно, даром. МФС, 19.

Не бра́ться за холо́дную во́ду. *Волг. Неодобр.* Бездельничать, отлынивать от работы. Глухов, 1988, 94.

Не за одну́ во́ду. *Кар. (Арх.).* Далеко. СРГК 4, 150.

Носи́ть во́ду в решете́ (решето́м). *Разг. Шутл.-ирон.* Выполнять крайне непроизводительную, ненужную, напрасную работу. ФСРЯ, 74; ДП, 455; БМС 1998, 89; БТС, 139; Мокиенко 1990, 43, 65.

Переводи́ть на во́ду *что. Горьк.* Портить что-л. БалСок, 49.

Перелива́ть во́ду [из пусто́го в поро́жнее]. *Сиб. Неодобр.* Пустословить. ФСС, 134; СРНГ 26, 144; СРНГ 30, 71.

Пина́ть во́ду. *Жарг. мол. Шутл.-ирон.* Бездельничать. Максимов, 66.

Пода́ть во́ду со льдо́м *кому. Волг., Прикам.* Принять кого-л. очень холодно, негостеприимно. Глухов 1988, 124; МФС, 76.

Поменя́ть во́ду в аква́риуме. *Жарг. мол. Шутл.* Сходить в туалет. Максимов, 12.

Попа́сть в во́ду. *Кар. (Ленингр.).* Оказаться в сложной ситуации, неприятном положении. СРГК 5, 76.

Разъе́хаться на во́ду. *Кар. (Волог.).* Вспотеть. СРГК 1, 211; СРГК 5, 438.

Слить во́ду. *Одесск.* Прекратить ненужный разговор. Смирнов 2002, 197.

Смени́ть во́ду в аква́риуме (ры́бам). *Жарг. мол. Шутл.* Сходить в туалет. Мокиенко, 1995, 12; Югановы, 47.

Толо́чь во́ду. *Народн. Неодобр.* Выполнять крайне непроизводительную, ненужную, напрасную работу. ДП, 455.

Толо́чь во́ду в сту́пе. *Разг. Неодобр.* Бессмысленно повторять какие-л. бесполезные действия, заниматься ненужным и бессмысленным делом. ФСРЯ, 74; БТС, 139, 1328; ЗС 1996, 333, 482; Мокиенко 1990, 43, 65-66; БМС 1998, 89.

Толо́чь во́ду до ме́лкой пы́ли. *Обл. Шутл.* То же, что **толочь воду в ступе.** Мокиенко 1990, 117.

Унесёт во́ду в решете́. *Новг.* О хитром, изворотливом человеке. Сергеева 2004, 132.

Хоть в во́ду. *Прибайк.* О готовности помочь, об ответственности. СНФП, 32.

Без воды́. *Горьк.* Честно, без обмана. БалСок, 22.

Воды́ в рот набра́л. *Разг.* О молчащем, не раскрывающем рта человеке. БМС 1998, 90.

Воды́ (водо́й) не замути́т. *Разг.* Об очень скромном, безобидном, тихом, спокойном человеке. БМС 1998, 90; БТС, 139; СОСВ, 40; Ф 1, 200.

Воды́ не замути́ть *[кому].* 1. *Пск.* Не мешать кому-л., не беспокоить кого-л. ПОС 11, 342. 2. *Сиб.* Не сделать никому ничего хорошего. СФС, 124.

Воды́ не прольёт. *Перм.* То же, что **воды не замутит.** Подюков 1989, 164.

Вывора́чиваться сухи́м из воды́. *Горьк.* То же, что **выходить сухим из воды.** БалСок, 29.

Выходи́ть/ вы́йти сухи́м из воды́. *Разг. Неодобр.* Избегать заслуженного наказания, оставаться незапятнанным, нескомпрометированным в трудных и неприятных ситуациях. ДП, 426, 661; БМС 1998, 90; СПП 2001, 22; СЕРГЕЕВА 2004, 205; БТС, 139, 172; Верш 6, 432.

Из воды́ дно доста́нет. *Сиб. Одобр.* О находчивом, сообразительном человеке. ФСС, 64.

Каста́льские во́ды. *Книжн. Устар.* Источник вдохновения. < Из древнегреческой мифологии. БМС 1998, 90.

Мно́го воды́ утекло́ [с тех пор, как]. *Разг.* Прошло длительное время с каких-л. пор. ДП, 299, 561; БМС 1998, 90; БТС, 139, 547, 1405; СРГК 2, 302; Сл. Акчим. 1, 138.

На воды́ да быть сухо́му. *Новг.* То же, что **выходить сухим из воды.** НОС 1, 104.

Нет одно́й живо́й воды́ *у кого. Перм. Шутл.* О богатом человеке. Подюков 1989, 28.

Одно́й живо́й воды́ нет *у кого. Прикам.* О человеке, живущем в достатке, зажиточно. МФС, 65.

От воды́ до воды́. *Печор.* От ледостава до вскрытия рек. СРГНП 1, 78.

От воды́ не в ого́нь. *Народн.* Из одной неприятной ситуации в другую. ДП, 453.

Перебива́ться с воды́ на во́ду. *Волг.* Бедствовать, голодать. Глухов 1988, 121.

Пое́хать на тёплые во́ды [лечи́ться]. *Народн. Ирон.* Отправиться в ссылку. ДП, 220.

Пожи́же воды́. *Народн. Шутл.* О водке. ДП, 793.

С воды́ на во́ду перебива́ться. *Горьк.* Жить в нужде. БалСок, 52.

Сиде́ть у воды́ без хле́ба. *Новг.* Голодать, бедствовать. Сергеева 2004, 224.

Соста́вить из воды́ *что. Дон.* Сделать из подручных средств, из самых элементарных материалов что-л СДГ 1, 69.

Тёплые во́ды. *Печор.* Курорт с минеральными источниками. СРГНП 1, 78.

Ти́ше воды́, ни́же травы́. *Разг.* 1. О робком, застенчивом, скромном, послушном человеке. 2. *Неодобр.* О человеке, который ведёт себя незаметно, приниженно. 3. О чьём-л. очень робком, застенчивом, скромном поведении. 4. *Неодобр.* О чьём-л. притворно скромном поведении. ДП, 217, 547; ФСРЯ, 476; БМС 1998, 91; БТС, 1325; ЗС 1996, 27; Мокиенко 1986, 244.

У воды́ без хле́ба жить. *Новг.* Жить бедно, испытывать нужду. НОС 1, 130.

У воды́ без хле́ба посиде́ть. *Новг.* Не поймать рыбы. НОС 8, 140.

Ча́ющие движе́ния воды́. *Книжн. Устар. Ирон.* О людях, ожидающих каких-л. благ, чудес. < Восходит к Евангелию. БМС 1998, 92; ФСРЯ, 517.

Чи́стой (чисте́йшей) воды́. *Разг. Одобр.* Самого высокого качества, без изъянов, недостатков. ФСРЯ, 74; БМС 1998, 92; Ф 1, 69; БТС, 139, 1481.

С водо́ю уплы́ло. *Народн.* О чём-л. потерянном, растраченном, не сохранённом. ДП, 577.

ВОДИ́НА * Девя́тая води́на на кваси́не. *Пск. Неодобр.* О некачественном квасе. ПОС 4, 73.

Деся́тая (седьма́я) води́на на кваси́не (на кисели́не). *Пск. Шутл.-ирон.* То же, что **девятая вода на киселе (ВОДА).** ПОС 4, 73; ПОС 14, 138.

ВОДИ́ЧКА * Пти́чья води́чка. *Жарг. угол. Шутл.* Водка. Балдаев 1, 362; ТСУЖ, 149.

Сумасше́дшая води́чка. *Жарг. угол.* Крепкий самогон. ТСУЖ, 171.

Тёпленькая води́чка не де́ржится *у кого. Прибайк. Шутл.* О болтливом, не умеющем хранить тайны человеке. СНФП, 32.

Паха́ть солёную води́чку. *Жарг. морск.* Ходить в длинные рейсы. Кор., 206.

ВО́ДКА * Во́дка сту́кнула (уда́рила) в го́лову *кому. Разг.* Кто-л. быстро опьянел от выпитого алкоголя. РАФС, 52.

Во́дка сты́нет! *Жарг. мол. Шутл.* Призыв быстрее садиться за стол, на котором стоит спиртное. Белянин, Бутенко, 32.

Кра́сная во́дка. *Кар.* Вино. СРГК 1, 213.

Коша́чья во́дка. *Новг.* Растение валериана. НОС 4, 132.

О́страя во́дка. *Дон.* Азотная кислота. СДГ 2, 209.

Ца́рская во́дка. *Разг.* Смесь азотной и соляной кислоты. БТС, 139.

Во́дки найду́. *Жарг. мол. Шутл.* Название песни «What can I do?» группы «Смоуки». Митрофанов, Никитина, 34; Белянин, Бутенко, 114.

Во́дку пья́нствовать. *Разг. Шутл.* Пить водку или другие спиртные напитки. VSEA, 164.

Глуши́ть во́дку. *Разг.* Пьянствовать. РАФС, 52.

Закла́дывать (зашиба́ть) во́дку. *Сиб.* Пить спиртное, пьянствовать. ФСС, 77, 61; СПСП, 48.

ВОДОКА́ЧКА * На́ши взя́ли водока́чку. *Жарг. мол. Шутл.-ирон.* О небольшой удаче, победе. Максимов, 272.

ВОДОЛА́З * Водола́з, уви́девший чу́до. *Жарг. шк. Шутл.* Учитель, смотрящий поверх очков. (Запись 2003 г.).

Ворча́щий водола́з. *Жарг. шк. Шутл.-ирон. или Презр.* Классный руководитель. ВМН 2003, 32.

ВОДОТО́ЛЧА * Стро́ить водото́лчу. *Народн. Шутл.-ирон.* Выполнять крайне непроизводительную, ненужную, напрасную работу. ДП, 455.

ВОДЯНО́Й * Ни водяно́го нет. *Волог.* О полном отсутствии чего-л. СВГ 5, 105.

Неси́ (понеси́) водяно́й *кого! Арх. Бран.* Восклицание, выражающее гнев, негодование, возмущение. АОС 5, 13.

К водяно́му *кого*! *Арх. Бран.* То же, что **неси водяной!** АОС 5, 13.

ВОЕ́ННЫЙ * Вое́нный с гармо́шкой. *Жарг. арест.* Пассивный лагерный гомосексуалист, вступающий в оральные сношения. Кз., 120; УМК, 62.

ВОЖДЬ * Вождь всех времён и наро́дов. *Публ. Устар. Патет.* И. В. Сталин. Дядечко 1, 96. **Вождь наро́дов [и племён].** *Публ.Устар. Патет.* То же. Клушина, 38.

Вождь мирово́го пролетариа́та. *Публ. Устар. Патет.* В. И. Ленин. Новиков, 37-38.

ВОЖЖА́ (ВО́ЖЖИ) * Вожжа́ под хвост попа́ла *кому. Прост. Неодобр.* Кто-л. находится в состоянии раздражения, проявляет взбалмошность, сумасбродство. ФСРЯ, 74; Верш. 7, 191; БТС, 141, 1441; СПП 2001, 22.

Вожжа́ попа́ла *кому. Влад.* О пьяном человеке. СРНГ 5, 13.

Вожжа́ порва́лась *в чем. Костром., Яросл.* Об отсутствии, нехватке чего-л. ЯОС 3, 27.

Держа́ть на вожжа́х *кого. Волг.* Строго обращаться с кем-л., держать в подчинении кого-л. Глухов 1988, 33.

Держа́ть себя́ в вожжа́х. *Прост.* Сохранять самообладание. Ф 1, 160.

На вожжа́х не затя́нешь *кого, куда. Народн.* Об упрямом человеке, отказывающемся прийти куда-л. ДП, 209; 190.

Вы́брать во́жжи. *Арх.* Выйти из повиновения, перестать подчиняться кому-л. АОС 3, 113; АОС 5, 16.

Выпуска́ть (отпуска́ть, попуска́ть) во́жжи. *Прост.* 1. Ослаблять, снижать требования к кому-л. Ф 2, 30. 2. Терять власть над кем-л. Глухов 1988, 19, 120, 130.

Дать во́жжи [*кому*]. *Пск.* Избрать на руководящую должность, наделить властью кого-л. ПОС 4, 84.

Держа́ть во́жжи в свои́х рука́х. *Пск.* Распоряжаться, управлять чем-л., кем-л. СПП 2001, 22.

Держа́ть кре́пкие во́жжи. *Волг., Горьк.* Строго обращаться с кем-л. Глухов 1988, 33; БалСок, 32.

Натяну́ть во́жжи. *Разг. Устар.* Заставить кого-л. повиноваться, подчинить кого-л. себе. Ф 1, 320.

Отпусти́ть на до́лгие во́жжи *кого. Печор.* Предоставить кому-л. свободу в действиях, поступках. СРГНП 1, 183.

Подобра́ть во́жжи. 1. *Сиб. Ирон.* Вытереть сопли. ФСС, 140. 2. *Волг., Сиб.* Призвать кого-л. к порядку, к повиновению; подчинить кого-л. Глухов 1988, 125; ФСС, 140.

Распусти́ть во́жжи. *Сиб. Неодобр.* Избаловать кого-л. СРНГ 34, 188.

ВОЗ * А (да то́лько) воз и ны́не там. *Разг.* Дело не делается, стоит на месте. Жук. 1991, 33; ШЗФ 2001, 59; Янин 2003, 7.

Вести́ свой воз. *Прост.* Единолично, без помощи других выполнять очень тяжёлую работу. Ф 1, 52.

Воз и ма́ленькая теле́жка (та́чка) *чего. Разг., Пск. Шутл.* О большом количестве чего-л. СОВРЯ, 309; СПП 2001, 22.

Глухо́й воз. *Перм., Сиб.* Приданое невесты, привозимое в дом жениха. СРНГ 6, 216; ФСС, 29.

Наобеща́ть воз до небе́с. *Новг.* Много наобещать, но не сдержать своих обещаний. НОС 1, 26; НОС 5, 158.

Не покладёшь на воз. *Волг.* О большом количестве чего-л. Глухов 1988, 102.

Тяну́ть воз. *Прост.* Выполнять тяжёлую работу. Ф 2, 212.

Хоть под воз, хоть на воз. *Волг. Шутл.-одобр.* То же, что **хоть воза возить.** Глухов 1988, 169.

По два во́за тяну́ть. *Арх.* Выполнять большой объём работы. АОС 5, 17.

Хоть воза́ вози́ть *на ком. Волг.* О крепком, сильном, здоровом человеке. Глухов 1988, 169.

Воза́ми (во́зом) вози́ть *что. Перм.* Доставлять что-л. в большом количестве. Сл. Акчим. 1, 141.

Во́зом не объе́дешь. *Волг.* Об изобилии, большом количестве чего-л. Глухов 1988, 100.

Зацепи́ть во́зом. *Волг. Неодобр.* Сделать что-л. неаккуратно, грубо. Глухов 1988, 52.

Не с во́зом завора́чивать *что. Волг., Прикам.* О несложном деле. Глухов 1988, 104; МФС, 58.

Быть на возу́ и под во́зом. *Волг.* Многое испытать в жизни. Глухов 1988, 8.

Е́здить на возу́. *Орл.* Безжалостно эксплуатировать кого-л. СОГ 1990, 100.

На возу́ не свезёшь. *Пск. Шутл.* О большом количестве чего-л. СПП 2001, 22.

ВОЗВРАЩЕ́НЕЦ * Возвраще́нец самоамнисти́рованный. *Жарг. угол. Ирон.* Пойманный беглый заключённый. Балдаев 1, 46.

ВОЗГРЯ́ * Возгрёй (возгрём) уби́ть мо́жно *кого. Орл. Пренебр.* О худом, тщедушном человеке. СОГ 1989, 67.

Бить во́згри. *Обл. Неодобр.* То же, что **вить возгри на клубок.** Мокиенко 1990, 65, 69.

Вить во́згри на клубо́к. *Пск. Неодобр.* Бездельничать, праздно проводить время. ПОС 4, 29.

Ещё во́згри под но́сом *у кого. Пск. Ирон. или Бран.-шутл.* О детях, подростках, которые ведут себя, как взрослые. СПП 2001, 22.

Распусти́ть во́згри. 1. *Пск.* Заплакать, плакать. СПП 2001, 22. 2. *Дон.* Приуныть, пасть духом. СДГ 1, 72. < **Возгри — сопли.**

Бе́сова возгря́! *Бран.* О непорядочном человеке. ПОС 4, 89.

ВОЗДУСЯ́ * Носи́ть на воздуся́х *кого. Ряз.* Проявлять особое внимание к кому-л., баловать кого-л. ДС, 91; СРНГ 21, 288.

Пари́ть на воздуся́х. *Разг. Устар. Ирон.* Предаваться бесплодным мечтаниям. Ф 2, 35.

ВО́ЗДУХ * Броса́ть в во́здух ша́пки (че́пчики). *Разг.* Выражать крайнюю радость, ликовать. БМС 1998, 92.

Взлете́ть (полете́ть) на во́здух. *Разг.* 1. Взорваться, подорваться. 2. Бесследно исчезнуть. ФСРЯ, 65; БТС, 127; Ф 2, 68.

Глота́й во́здух! *Жарг. мол.* Угроза расправы. Максимов, 85.

Говори́ть/ сказа́ть на во́здух. *Орл. Неодобр.* Говорить впустую. СОГ 1989, 67.

Загора́живать во́здух. *Жарг. мол. Неодобр.* Мешать кому-л. увидеть что-л. Вахитов 2003, 58.

Лови́ть во́здух. *Жарг. мол.* Убегать откуда-л. Максимов, 66.

На во́здух. *Брян.* О разрушении чего-л., гибели кого-л. СБГ 3, 39.

Ню́хать/ поню́хать во́здух (во́здуха). *Жарг. угол., мол.* 1. Проводить воровскую разведку, слежку за потенциальной жертвой преступления. 2. Узнавать, разузнавать что-л. ББИ, 46; Мильяненков, 96; ББИ, 46.

Перевози́ть во́здух. *Спец. (ж/д, авто), Публ.* Не полностью использовать грузоподъёмность транспортного средства при перевозке грузов. НРЛ-78.

Пиха́ть во́здух. *Волг. Неодобр.* 1. Делать бесполезную работу. 2. Бездельничать. Глухов 1988, 122.

Поднима́ть/ подня́ть на во́здух. 1. *что. Разг.* Взрывать, разрушать что-л. БТС, 973; Ф 2, 57. 2. *что. Яросл.* Сжигать что-л. ЯОС 8, 31; СРНГ 28, 99. 3. *кого. Волг.* Заставлять кого-л. действовать энергично; требовать решительных действий от кого-л. Глухов 1988, 125.

Подня́ться на во́здух. *Дон., Ряз.* Умереть. СДГ 3, 26; СРНГ 28, 100.

Покупа́ть/ купи́ть во́здух. *Жарг. угол.* Становиться жертвой обмана (купив у кого-л. некачественный или не существующий товар). СВЯ, 17; ББИ, 46.

По́ртить/испо́ртить во́здух. *Разг.* Выпускать газы из кишечника через задний проход. Мокиенко, Никитина 2003, 96.

Посади́ть на во́здух *кого. Жарг. угол.* Дать взятку кому-л. Балдаев 1, 341.

Продава́ть во́здух. *Разг. Неодобр.* Торговать чем-л. подозрительного качества, заниматься торговыми махинациями. Мокиенко 2003, 15.

Разы́грывать во́здух. *Жарг. карт.* 1. Играть в карты, не имея возможности расплатиться. 2. Играть в карты без ставок. ББИ, 46; Мильяненков, 96; Балдаев 1, 67.

Рвать (ре́зать) во́здух. *Разг.* Очень громко звучать, раздаваться. Ф 2, 123, 125.

Рисова́ть во́здух. *Жарг. мол.* Убегать откуда-л. Максимов, 66.

Сотряса́ть во́здух. *Разг. Ирон.* Громко, высокопарно говорить что-л. (негодуя, обличая кого-л., призывая к чему-л.). Ф 2, 176.

Утю́жить во́здух. *Жарг. авиа.* Долго летать по кругу, ожидая посадки. Флг., 225; Ф 2, 225.

Хвата́ть во́здух. *Жарг. мол.* Пытаться раздобыть денег. Вахитов 2003, 194.

Чуть во́здух. *Кар. (Арх.).* Очень рано утром. СРГК 1, 218.

Висе́ть (повиса́ть/ пови́снуть) в во́здухе. *Разг. Неодобр.* Оказываться без окончательного решения ввиду сложности и противоречивых мнений (о вопросе, проблеме, деле). БМС 1998, 92; ШЗФ 2001, 36; ЗС 1996, 488; БТС, 853.

На во́льном во́здухе. *Брян.* Вне помещения. СБГ 3, 47.

Носи́ться в во́здухе. *Разг.* Об идее, событии, которые заранее чувствуются, предугадываются. ФСРЯ, 68; БМС 1998, 92-93.

Отби́ть во́здухи. *Сиб.* 1. Повредить легкие при падении с высоты. 2. *кому.* Повредить кому-л. легкие ударами. СФС, 38.

Дыша́ть одни́м во́здухом *с кем. Разг.* 1. Жить вместе, сообща. 2. Быть в обществе кого-л. Ф 1, 181.

Дыша́ть све́жим (тёплым) во́здухом. 1. *Жарг. тур.* Курить. Максимов, 66. 2. *Жарг. нарк.* Курить наркотик. ССВ-2000.

Подыша́ть во́здухом *чего.* 1. *Разг.* Побыть где-л., общаясь с окружающими, знакомясь с их настроениями и мыслями. Ф 2, 61. 2. *Жарг. мол. Шутл.* Покурить. Максимов, 66.

С во́здухом. *Спец. (ж/д, авто).* Порожняком; с неполной загрузкой. НРЛ-81.

ВО́ЗКА * Во́зками вози́ть *что. Арх.* То же, что **возма возить (ВОЗМА).** АОС 5, 24.

Во́зку вози́ть. *Печор.* Заниматься извозом. СРГНП 1, 79.

ВОЗЛА́ * Разори́ть возла́ *кого. Новг.* Испортить жизнь кому-л. окончательно. НОС 9, 95.

ВОЗЛИЯ́НИЕ * Возлия́ние (поклоне́ние) Ба́хусу (Ва́кху). *Книжн. Устар. Шутл.* Попойка, выпивка. < Восходит в древнегреческому обряду возлияния богам. БМС 1998, 93.

ВОЗМА́ *Возма́ вози́ть *что. Яросл.* Возить, перевозить что-л. в большом количестве. ЯОС 3, 28.

ВОЗМУТИ́ТЕЛЬ * Возмути́тель споко́йствия. *Книжн.* О человеке, восставшем против различных проявлений социальной несправедливости, равнодушия, бюрократизма. < Восходит к названию романа Л. В. Соловьёва о Ходже Насреддине. БМС 1998, 93.

ВОЗНЕСЕ́НЬЕ *В Вознесе́нье, когда́ бу́дет оно́ в воскресе́нье. *Народн. Шутл.-ирон.* Никогда. ДП, 293.

ВОЗНЯ́ * Мыши́ная возня́ (су́толока). *Разг. Ирон.* Мелочные хлопоты, заботы, занятия. ФСРЯ, 75, 463; БТС, 567; ЗС 1996, 230.

ВО́ЗРАСТ * Бальза́ковский во́зраст. *Разг. Шутл.* О возрасте женщины от 30 до 40 лет. БМС 1998, 93; Ф 1, 71; БТС, 57; ШЗФ 2001, 16. По имени французского писателя О. де Бальзака (1799–1850) после выхода в свет его романа «Тридцатилетняя женщина» (1831).

Во́зраст вы́шел *чей. Сиб.* Кто-л. достиг зрелого возраста. ФСС, 29.

Вы́йти на во́зраст. *Печор.* Повзрослеть. СРГНП 1, 105.

Дать [свой] во́зраст. *Сиб.* Достичь зрелого возраста. ФСС, 53.

Дойти́ в во́зраст. *Сиб.* Стать совершеннолетним. ФСС, 62.

Опа́сный во́зраст. *Разг.Шутл.* О возрасте женщины от 40 до 50 лет. < По названию романа датской писательницы К. Михаэлис. БМС 1998, 93.

Пойти́ на во́зраст. *Свердл.* То же, что **дойти в возраст.** СРНГ 28, 358.

Поднима́ться на во́зраст. *Сиб.* Расти, взрослеть. ФСС, 140; СРНГ 28, 99.

По́лный во́зраст. *Кар.* Совершеннолетие. СРГК 1, 219.

Превзойти́ в во́зраст. *Дон.* То же, что **дойти в возраст.** СДГ 1, 73.

Приходи́ть на во́зраст. *Перм.* То же, что **подниматься на возраст.** Подюков 1989, 162.

Вы́расти из во́зраста. *Арх.* Стать старше какой-л. возрастной нормы. АОС 8, 61.

До во́зраста лет. *Вят., Орл., Ряз.* До зрелого возраста. СРНГ 5, 29.

Дожи́ть до во́зраста. *Прикам.* Повзрослеть. МФС, 37.

Быть (стать) на во́зрасте. *Кар. (Ленингр.), Коми, Прикам., Сиб.* Быть совершеннолетним; быть взрослым. СРГК 1, 219; Кобелева, 58; МФС, 95; СФС, 31.

Подходи́ть к во́зрасту. *Кар. (Арх.).* Становиться пожилым, старым. СРГК 5, 8.

ВО́ЗЮ * Дать во́зю *кому. Морд.* Наказать кого-л., оттрепав за волосы. СРГМ 1978, 83.

ВО́ИН * Говня́ный во́ин. *Пск.* Народное название навозного жука. СПП 2001, 22.

ВО́ИНСТВО * Небе́сное во́инство. *Книжн. Устар.* 1. О звездах и планетах. 2. Об ангелах и архангелах. < Оборот библейского происхождения. БМС 1998, 93.

ВОЙ * Выть вой. *Арх.* Быть очень недовольным, выражать решительное неудовлетворение чем-л. АОС 8, 317–318.

Выть (воя́ть, крича́ть) во́ем. 1. *Пск., Сиб.* Очень громко плакать. ПОС 4, 101; ФСС, 39. 2. *Новг.* Жаловаться на своё бедственное положение. НОС 1, 140.

ВОЙМИ́ * Войми́ выть. *Сиб.* То же, что **выть воем (ВОЙ).** ФСС, 39.

ВОЙМЯ́ * Войми́ выть. *Перм.* То же, что **выть воем (ВОЙ).** Подюков 1989, 38.

ВОЙНА́ * Война́ всех про́тив всех. *Книжн. Шутл.* О недружном коллективе, обществе, раздираемом склоками и распрями. ШЗФ 2001, 41. < Калька с лат. *bellum omnium contra omnes.* БМС 1998, 93.

Война́ и мир. *Жарг. шк. Шутл.-ирон.* 1. Школьная жизнь. Bytic, 1991-2000; ШП, 2002. 2. Шум в классе. Максимов, 67. 3. Поведение учеников на перемене. Максимов, 67.

Война́ не всех дурны́х уби́ла. *Жарг. мол. Шутл.-ирон.* О крайне глупом человеке. Максимов, 67.

Война́ не́рвов. *Публ.* Психологическое противостояние соперников с целью нервно истощить, подорвать готовность к сопротивлению. Мокиенко 2003, 15.

Звёздная война́. *Жарг. арм. Шутл.* Выпивка по поводу присвоения первого или очередного офицерского звания. Максимов, 67.

Прохла́дная война́. *Публ., Полит.* Состояние напряжённости в международных отношениях, близкое к «холодной войне». НРЛ-78.

Троя́нская война́. *Жарг. шк. Шутл.* Ситуация в школьном гардеробе после окончания уроков. (Запись 2003 г.).

Холо́дная война́. *Полит.* Военно-политическая конфронтация социалистических и капиталистических государств после 2-й мировой войны. БТС, 1450; Мокиенко, Никитина 1998, 90.

[Я́дерная] война́ и́ксов. *Жарг. шк. Шутл.* Алгебра (учебный предмет; урок). (Запись 2004 г.).

Оста́ться на войне́. *Сиб.* Погибнуть в бою. ФСС, 128.

Ходи́ть по войне́. *Сиб.* Воевать. СКузб., 155.

Без войны́ война́. *Прибайк.* О постоянных драках и ссорах (как правило — из-за пьянства). СНФП, 33.

Подняться войной *на кого. Прибайк.* Начать враждовать с кем-л. СНФП, 33.

Звёздные во́йны. *Жарг. шк. Шутл.* Астрономия, учебный предмет. (Запись 2003 г.).

Отводи́ть во́йны. *Приамур.* То же, что **по войне ходить.** СРГПриам., 188.

Страшне́е а́томной войны́. *Прост. Презр.* О некрасивой девушке, женщине. Максимов, 17; Мокиенко, Никитина 2003, 96.

ВО́ЙСКО * Дыря́вое во́йско. *Жарг. угол. Шутл.* Женщины. ББИ, 46; Балдаев 1, 67.

ВОКА́Л * Поднима́ть вока́л *на кого. Мол. Шутл.* Повышать голос, выражая недовольство чём-л. Елистратов 1994, 70.

ВОКЗА́Л * Вокза́л Буты́рский. *Жарг. угол.* Комендатура Бутырской тюрьмы в Москве. ББИ, 46; Балдаев 1, 67.

Ку́рский вокза́л. *Жарг. угол., арест.* Барак, общежитие. Балдаев 1, 217.

ВОКРУ́Г * Кружи́ть (ходи́ть, петля́ть) вокру́г да о́коло. *Разг. Неодобр.* Говорить не по существу, не касаясь сути дела. БМС 1998, 94; Ф 1, 72, 262; ЗС 1996, 499; БТС, 1448; Ф 2, 43.

ВОЛ * Верте́ть вола́. *Прост. Неодобр.* 1. Говорить вздор, ерунду, утверждать заведомые нелепости. ФСРЯ, 76; БМС 1998, 94; БТС, 145; Мокиенко 1989, 138; Мокиенко 1990, 65. 2. Бездельничать, праздно проводить время. ПОС 3, 97; Максимов, 58.

Води́ть вола́. 1. *Одесск. Неодобр.* Делать что-л. медленно, неуверенно. КСРГО. 2. *Жарг. угол., мол.* Лгать, обманывать кого-л. ТСУЖ, 33; ББИ, 46; Максимов, 65.

Води́ть вола́. *Жарг. угол. Неодобр.* Говорить вздор, пустословить. СРВС 2, 110.

Дои́ть вола́. *Пск. Неодобр.* То же, что **вертеть вола 2.** СПП 2001, 22.

Еба́ть вола́. *Прост. Неодобр.* То же, что **вертеть вола 2.** Мокиенко, Никитина 2003, 97.

Ест за вола́, а рабо́тает за комара́. *Народн. Неодобр.* О лентяе, бездельнике, дармоеде. Жиг. 1969, 226.

Крути́ть (пасти́) вола́. *Жарг. угол.* 1. Обманывать, рассказывать небылицы. ТСУЖ, 33, 93. // Лгать на допросе. ББИ, 46. 2. Запутывать, дезориентировать кого-л. СРВС 3, 189; Мильяненков, 96; ББИ, 46; Балдаев 1, 67.

Му́чать (му́чить) вола́. *Жарг. мол. Шутл.-ирон.* Тянуть время, медлить с чем-л. ФЛ, 99.

Пасти́ (пина́ть) вола́. *Жарг. мол.* Лгать, обманывать. Максимов, 67.

С одного́ вола́ две шку́ры дерёт. *Народн. Неодобр.* О человеке, жестоко эксплуатирующем других. ДП, 132.

Помчался на вола́х по по́чте. *Народн. Шутл.-ирон.* О человеке, выбравшем неэффективные средства достижения какой-л. цели; о человеке, делающем что-л. нелепое, несуразное. ДП, 566.

ВОЛА́НДЫШ * Продава́ть вола́ндыши. *Кар. (Арх.). Неодобр.* Бездельничать. СРГК 5, 250.

ВОЛВЕ́НЯ * Дать волве́ни *кому. Обл.* Избить кого-л. Мокиенко 1990, 51.

Посади́ть волве́ню на лы́сину *кому. Обл.* Ударить, избить кого-л. Мокиенко 1990, 51.

ВО́ЛГА * Во́лга впада́ет в Каспи́йское мо́ре. *Разг. Ирон.* О банальной истине. ШЗФ 2001, 41.

Из Во́лги прие́хать. *Арест., Угол.* Самовольно вернуться из колонии. ТСУЖ, 77.

От Во́лги до Ко́мы все знакомы. *Прибайк. Шутл.* Здесь все друг друга знают. СНФП, 33.

ВОЛК * Волк в ове́чьей шку́ре. *Разг. Неодобр.* О лицемере, прячущем под маской добродетели свои злые намерения. БТС, 146, 1500; ШЗФ 2001, 42. < Восходит к Евангелию. ФСРЯ, 76; Ф 1, 73; ДП, 50; БМС 1998, 94-95. **Волк в овчи́не (под овчи́ной).** *Народн.* То же. ДП, 50, 660.

Волк ел *что. Пск. Неодобр.* О некачественном продукте. (Запись 2000 г.).

Волк и овца́ (и ягнёнок). *Жарг. студ., шк.* Учитель и ученик, преподаватель и студент. Максимов, 67. < По названию басни И. А. Крылова.

Волк и се́меро козля́т. *Жарг., арм. Шутл.* Отделение. БСРЖ, 104.

Волк на пса́рне. *Жарг. шк. Ирон.* Учитель на уроке. Максимов, 67. < По названию басни И. А. Крылова.

Волк (волча́ра) позо́рный. 1. *Жарг. угол. Бран.* Работник правоохранительных органов. Грачев 1997, 65. 2. *Жарг. шк. Шутл.* Ученик класса «В». (Запись 2003 г.). 3. *Жарг. мол. Пренебр.* Пьяный человек. Максимов, 67.

Волк те дёргай! *Смол.* Восклицание досады, раздражения (по отношению к лошади). СРНГ 8, 9.

Волк тебя́ (его́, вас и т. п.**) зае́шь.** *Прост. Устар. Бран.-шутл.* Выражение лёгкой досады, раздражения. Ф 1, 73.

Двоено́гий волк. *Арх. Неодобр.* О вороватом или жадном человеке. АОС 10, 314.

И (хоть) волк не воя́л [и му́ха не бруя́ла] *о ком, о чём; про кого, про что. Пск.* Никто не заметил чего-л., не отреагировал на что-л., не вспомнил о ком-л., о чём-л. ПОС 5, 9.

Когда́ волк бу́дет овцо́й, медведь стадово́дником, свинья́ огоро́дником. *Народн. Шутл.-ирон.* Никогда. ДП, 293.

Лесно́й волк. *Орл. Шутл.* Человек, который любит гулять по лесу. СОГ 1989, 79.

Морско́й волк. 1. *Разг.* Опытный моряк. ФСРЯ, 76; БТС, 557. 2. *Иркут.* Рыба острокрыл (род макрели). СРНГ 18, 277.

Ни волк ни пёс. *Народн.* О чём-л., не имеющем определённых признаков, качеств. ДП, 473.

Ни (то ли) волк ни (то ли) соба́ка. *Пск.* 1. То же, что **ни волк ни пёс.** ПОС 4, 111. 2. Лохматый (о льне). СПП 2001, 22.

Пожале́л волк кобы́лу. *Народн. Ирон.* О человеке, не способном пожалеть кого-л., сжалиться над кем-л. БМС 1998, 95.

Пчели́ный волк. *Пск.* Вид шершня. ПОС 4, 110.

Се́рый волк. 1. *Жарг. угол., арест.* Независимый, физически сильный заключённый-одиночка, не связанный ни с какой группировкой в тюрьме, лагере. Росси 1, 57; Балдаев 2, 36. 2. *Жарг. угол., курс.* Курсант школы или училища МВД. Балдаев 2, 36.

Ста́рый (тра́вленый) волк. *Разг.* Человек, испытавший в жизни многие лишения, невзгоды и приобретший опыт, знания. ФСРЯ, 77; Глухов 1988, 154.

Стре́ляный (обстре́лянный) волк. *Прост.* То же, что **старый волк.** Ф 1, 73; СПП 2001, 22.

Тамбо́вский волк (волк в бря́нском лесу́) тебе́ това́рищ! *Жарг. лаг.* Обычный ответ вольнонаёмного, которого заключённый осмелился бы назвать «товарищем». Мокиенко, Никитина 2003, 97.

Тря́почный волк. 1. *Жарг. арм. Шутл.-ирон.* Прапорщик. Лаз., 233. 2. *Жарг. арм. Пренебр.* Солдат, не следящий за своим внешним видом. Максимов, 67. 3. *Жарг. угол. Презр.* Милиционер. Максимов, 67.

Чи во́лк, чи лиси́ца, чи в глаза́х мету́сится. *Одесск.* О чём-л. непонятном, неясно видимом. КСРГО.

Одна́ у во́лка пе́сня, и ту переня́л. *Сиб. Неодобр. или Шутл.-ирон.* О плохом однообразном пении. СФС, 131; СРНГ 26, 173.

От во́лка бежа́л (ушёл), на медве́дя попа́л. *Народн. Ирон.* О человеке, пытавшемся избежать неприятностей, но попавшем в ещё более сложное, неприятное положение. ДП, 159; Жиг. 1969, 314.

Переде́лывать ста́рого во́лка на медве́дя. *Сиб. Шутл.-ирон.* О бесполезных попытках перевоспитать кого-л. ФСС, 133.

Пуска́ть во́лка в овча́рник. *Волг.* То же, что **ставить волка в пастухи.** Глухов 1988, 136.

Ста́вить/ поста́вить во́лка в пастухи́. *Народн. Ирон.* Допускать кого-л. туда, где он может навредить и поживиться. ДП, 644.

Хвата́ть во́лка за хвост. *Волг.* Затевать опасное, рискованное дело. Глухов 1988, 155.

Пойти́ по волка́м. *Сиб.* Начать нищенствовать, побираться. СФС, 144; ФСС, 143; СРНГ 28, 362.

Во́лки в го́роде. *Жарг. арм. Шутл.* Солдаты в увольнении. Максимов, 67.

Во́лки завели́сь в огоро́де. *Волг. Шутл.-ирон.* О запущенном, заросшем травой подворье. Глухов 1988, 14.

Во́лки и о́вцы. 1. *Разг.* О тиранах, убийцах и их жертвах. Дядечко 1, 102. 2. *Жарг. арм.* Об учителях и учениках. (Запись 2003 г.). < Название комедии А. Н. Островского (1875 г.).

Во́лки мёрзнут *[где]. Прикам.* То же, что **хоть волков морозь.** МФС, 20.

Во́лки съе́ли *что. Перм., Пск.* О чём-л. пропавшем, исчезнувшем. Подюков 1989, 192; ПОС 4, 111.

Во́лки тебя́ ешь! *Перм. Бран.-шутл.* Выражение легкого раздражения. досады. Подюков 1989, 29.

И во́лки сыты, и о́вцы це́лы. *Народн.* Удобно, выгодно для обеих сторон (о положении, которое создается в результате стремления угодить людям с различными взглядами, интересами и т. п.). Жук. 1991, 129; ДП, 665.

Ночны́е во́лки. *Жарг. мол.* 1. Члены молодёжной группировки поклонников хард-рока, следящие за порядком на ночных рок-концертах. КП, 02.10.91; Я — молодой, 1993, № 20. 2. Члены мотоклуба в Москве. Я — молодой, 1995, № 8.

Чтоб тебя́ (его́ и т. п.) **во́лки разорва́ли!** *Сиб. Бран.* Выражение досады, раздражения, осуждения. СОСВ, 40; Верш 6, 51.

Бре́хать на волко́в. *Волг., Пск. Ирон.* Быть очень старым, ветхим. Глухов 1988, 7; ПОС 2, 167; ПОС 3, 64.

Хоть волко́в гоня́й. 1. *Сиб.* О просторном помещении, где много свободного места. ФСС, 46. 2. *Курск.* То же, что **хоть волков морозь.** БотСан, 117.

Хоть волко́в мори́. *Пск.* 1. *где. Шутл.* То же, что **хоть волков морозь.** 2. *Ирон.* О голодном времени, годе. СПП 2001, 22.

Хоть волко́в моро́зь. *Народн.* О холодном помещении. ДП, 914; Жиг. 1969, 338; Глухов 1988, 168; Подюков 1989, 116; ЗС 1996, 450.

Пора́ меж во́лком и соба́кой. *Книжн. Устар.* О сумерках (с очень плохой видимостью). Мокиенко 1989, 136.< Калька с франц. *entre chien et loup.* БМС 1998, 95.

Хоть во́лком вой. *Разг. Неодобр.* О чьём-л. крайне трудном, невыносимом состоянии. БМС 1998, 95; ЗС 1996, 164.

На фига́ (нафига́) волку́ жиле́тка. *Жарг. мол. Шутл.* О каком-л. явном несоответствии, абсурде; о чём-л. ненужном, неуместном. Белянин, Бутенко, 100; Елистратов 1994, 274.

ВОЛНА́ * Волна́ бьёт ло́жку *чью. Пск.* Кто-л. чувствует себя лишним, подвергается притеснениям в семье. СПП 2001, 22.

(Золота́я) волна́ из-под угла́ (под у́гол) бьёт *у кого, где. Волг. Одобр.* О богатой, благополучной жизни. Глухов 1988, 14, 53.

Зелёная волна́. *Публ.* Свободный проезд (на зеленый сигнал светофора) на всем протяжении пути. БМС 1998, 95.

Но́вая волна́. *Публ.* О новом интенсивном потоке какого-л. массового движения, кампании. Мокиенко 2003, 15.

Отка́тная волна́. *Публ.* Возвращение назад, движение вспять. СП, 141.

Си́няя волна́. *Жарг. мол. Шутл.* Запой. Максимов, 67.

Быть на свое́й волне́. *Жарг. морск., курс.* Думать о своём. БСРЖ, 105.

На зелёной волне́. *Жарг. нарк.* Под воздействием гашиша. Максимов, 67.

На одно́й волне́ *с кем, с чем. Разг.* Одинаково, так же, как кто-л. другой, что-л. другое. НРЛ-81.

Пере́ться (пройти́сь) по голубо́й (си́ней) волне́. *Жарг. мол. Шутл.* Пить спиртное. Максимов, 67, 91.

Гнать (поднима́ть) волну́. 1. *на кого. Жарг. угол., мол. Неодобр.* Выражать негативное отношение к кому-л., осуждать кого-л. Югановы, 58; Вахитов 2003, 30. 2. *Жарг. угол., мол. Неодобр.* Проявлять волнение, возбуждение (обычно — необоснованное). Гвоздарев 1988, 188; Митрофанов, Никитина, 44; Грачев, Мокиенко 2000, 62. 3. *Прост.* Вызывать беспорядок, поднимать шум. СРНГ 5, 43. 4. *Одесск.* Обманывать, лгать. Смирнов 2002, 32.

Лови́ть волну́. *Жарг. мол.* Заниматься сёрфингом. Молоток 2002, № 26.

Настра́иваться/ настро́иться на волну́ *чего, какую. Книжн.* Вызывать в своем сознании такие чувства, мысли, которые соответствуют содержанию того, что воспринято или предстоит воспринять. Ф 1, 319.

Подсе́сть на волну́ *чью. Жарг. мол.* Перенять чьё-л. настроение, манеру поведения, разговора. Максимов, 67.

Аму́рские во́лны. *Жарг. нарк. Шутл.* Ощущение качки после приёма наркотика. Максимов, 14.

Де́лать во́лны. *Жарг. мол. Шутл.* Волноваться, беспокоиться о чём-л. Максимов, 67.

ВОЛНИ́СТО * Волни́сто заплета́ть. *Жарг. угол.* Ругаться матом. ББИ, 46; Балдаев, 1, 67.

ВОЛНУ́ХА * Соли́ть волну́хи. *Арх. Шутл.* Целоваться во время катания с гор на Масленицу. АОС 5, 39.

ВОЛОВО́ДЬ * Разводи́ть/ развести́ воловодь. *Морд.* Пространно говорить о чём-л. незначительном. СРГМ 1978, 84.

ВОЛО́ДЯ * Вроде Воло́ди. *Прост. Шутл.-ирон.* О незначительном человеке, не играющем какой-л. серьёзной роли в чём-л. Сл. Акчим. 1, 142; Мокиенко 2003, 16.

Воло́дя ка́менный. См. **Вовчик каменный (ВОВЧИК).**

ВО́ЛОК * Пойти́ на во́лок. *Кар.* Отправиться в дальнюю дорогу. СРГК 1, 222.

Прошла́ во́лок — семь ёлок. *Прикам. Шутл.* О преодолении незначительного расстояния. МФС, 82.

Ме́рить волока́. *Кар. Шутл.* Идти пешком. СРГК 3, 200.

Во́локом волочи́ть *что. Яросл.* Нести, тащить что-л. большое, в большом количестве. ЯОС 3, 31; СРНГ 5, 51.

Где во́локом, где перено́сом. *Народн.* Всеми возможными способами. ДП, 483.

Одни́м во́локом. *Яросл.* За один раз, за один приём. СРНГ 5, 51.

ВОЛОКНО́ * Не засну́ть на волокно́. *Орл.* О бессоннице. СОГ 1989, 74.

ВОЛОКО́НУШКА * Остаться на волоко́нушке. *Брян.* Оказаться в ненадёжном, шатком положении, состоянии. СБГ 3, 84.

ВОЛОКУ́ША * Быть в (на) волоку́ше. *Жарг. нарк.* Быть в состоянии наркотического опьянения. Грачев 1994, 9; Грачев 1996, 17; ТСУЖ, 33; Мильяненков, 96; ББИ, 46; Балдаев, I, 67. < **Волокуша** — состояние наркотической эйфории.

Драть волоку́шу. 1. *Урал.* Брать взятки. СРНГ 5, 56. 2. *Волг.* Строго наказывать, бить кого-л. Глухов 1988, 37.

ВО́ЛОС * Во́лос в во́лос. *Прост.* О полном сходстве, совпадении, соответствии. ФСРЯ, 76; Мокиенко 1986, 100; Подюков 1989, 29.

Во́лос до́лог, да ум ко́роток. *Народн. Ирон. или Неодобр.* Об умственных способностях женщины. Жук. 1991, 329; СБГ 3, 44.

Во́лос до пят, а ум отня́т. *Брян.* То же, что **волос долог, да ум короток.** СБГ 1, 44.

Воло́с на одну́ трёпку *у кого. Народн. Шутл.-ирон.* О лысеющем человеке. Жиг. 1969, 232.

Во́лос с головы́ не пал *у кого. Перм.* О спокойной жизни в достатке, без трудностей и волнений. Сл. Акчим. 1, 143.

До седы́х воло́с. *Разг.* До самой старости. БМС 1998, 95.

Здра́вствуй, плеши́вый, не припали́ во́лос! *Народн.* Шутливое приветствие при встрече. ДП, 454.

Из-под воло́с. *Жарг. муз. Шутл.* Об исполнении музыкального произведения не по нотам, когда мелодия воссоздаётся по памяти, иногда — с элементами импровизации. БСРЖ, 105.

Ка́ждый во́лос в долгу́ *у кого. Народн. Шутл.-ирон. или Неодобр.* О человеке, очень много задолжавшем кому-л. ДП, 537.

Не ве́ет (не вя́нет, не тя́нет) во́лос (во́лосом, волосо́чек). *Арх.* О безветренной погоде. АОС 5, 16, 51; АОС 9, 15-16.

Непе́тый во́лос (во́лосы, воло́сья). *Яросл.* Незамужняя женщина, девушка. ЯОС 4, 136; СРНГ 5, 57.

На во́лос. *Народн.* 1. Немного, чуть-чуть. 2. То же, что **ни на волос.** ФСРЯ, 76; СРГНП 1, 85.

Ни на [оди́н (еди́ный)] во́лос. *Народн.* Нисколько, ничуть. ДП, 517; ФСРЯ, 76; ПОС 4, 120; БТС, 147.

Пе́тый (опе́тый) во́лос. *Яросл.* Замужняя женщина. ЯОС 7, 49, 103; СРНГ 5, 57; СРНГ 26, 336.

По како́й (кото́рый) во́лос? *Арх.* Зачем, с какой целью? АОС 5, 51.

Волоса́ моль съе́ла. *Народн. Шутл.* О притворной болезни. ДП, 397.

Волоса́ распу́хли. *Народн. Шутл.* То же, что **волоса моль съела.** ДП, 397.

До седо́го во́лоса. *Разг.* До преклонных лет, до старости. Ф 1, 73.

До синь во́лоса. *Яросл.* Без остатка, полностью. ЯОС 4, 7.

За волоса́ да под небеса́ *кого. Народн.* О расправе с кем-л. ДП, 262.

Ни во́лоса. *Арх.* То же, что **ни на волос.** АОС 5, 51.

Волоса́ми вяза́ться. *Кар.* Драться, хватая друг друга за волосы. СРГК 1, 319.

Волоса́ми перевяза́ться. *Пск.* Перессориться из-за чего-л. СПП 2001, 22.

Волоса́ми связа́ться. *Пск.* Надолго связать свои жизни в браке. СПП 2001, 22.

Связа́ть волоса́ми *кого с кем. Пск.* Насильно соединить кого-л., посеяв вражду. ПОС 4, 120.

В волоса́х. *Яросл.* Без головного убора. ЯОС 2, 37.

В одни́х волоса́х. *Арх.* То же, что **в волосах.** АОС 5, 51.

Во́лосом не кря́нет. *Кар.* То же, что **не веет волос.** СРНГ 15, 368.

Не дава́ть во́лосу с головы́ упа́сть *у кого. Прост.* Чрезмерно опекать кого-л. Глухов 1988, 97.

Бира́ть за во́лосы *кого. Арх.* Бить, наказывать побоями кого-л. АОС 2, 24.

Во́лосы болят *у кого. Перм. Шутл.-ирон.* О головной боли с похмелья. Подюков 1989, 30.

Во́лосы воро́чаются *у кого. Перм.* О сильном возбуждении, страхе, беспокойстве. Подюков 1989, 30.

Во́лосы вя́нут *у кого. Волог.* О чувстве радостного удивления. СВГ 1, 107.

Волосы ду́бом (ду́бью) ста́ли. *Пск.* То же, что **волосы дыбом встали.** СПП 2001, 22.

Во́лосы ды́бом вста́ли (встают, стано́вятся). *Разг.* О состоянии сильного страха, ужаса. ДП, 316; ФСРЯ, 77; БМС 1998, 94; Ф 1, 74; ШЗФ 2001, 42; БТС, 147, 873; ЗС 1996, 73; СОГ 1989, 77; ПОС, 4, 120.

Во́лосы ды́бью подня́лись. *Пск.* То же, что **волосы дыбом встали.** ПОС, 10, 77.

Во́лосы на ветру́. *Жарг. студ. (худ.-граф.). Шутл.-ирон.* Неаккуратная штриховка. БСРЖ, 105.

Во́лосы не вошли́ в плато́к *у кого. Арх.* О сильном испуге. АОС 5, 52.

Во́лосы́ поднима́ются *у кого. Пск. То же, что* **волосы дыбом встали.** ПОС 4, 120.

Во́лосы со́лнца. *Олон.* Лучи солнца при восходе или закате. СРНГ 5, 57.

Во́лосы ша́пку сды́нули *у кого. Новг. То же, что* **волосы дыбом встали.** Сергеева 2004, 61.

Во́лосы шевеля́тся (зашевели́лись) *у кого. Прост. То же, что* **волосы дыбом встали.** Ф 1, 74.

Драть во́лосы. *Жарг. мол.* Раскаиваться в чём-л. Максимов, 68.

Дра́ться волосы́ за во́лосы *Пск.* Отчаянно, жестоко избивать друг друга. ПОС 4, 120.

Наве́ять на во́лосы *кому. Сиб.* Наказать кого-л., оттаскав за волосы. ФСС, 116; СРНГ 19, 163.

Непе́тые во́лосы. См. **Непетый волос.**

Притя́гивать/ притяну́ть за во́лосы *что. Разг. Неодобр.* Привести в качестве аргумента что-л. надуманное, искусственное, не подходящее к случаю. ФСРЯ, 77; БТС, 147; ЗС 1996, 221; БМС 1998, 96.

Рвать во́лосы на голове́. *Разг.* То же, что **рвать на себе волосы.** Ф 2, 124.

Рвать во́лосы на за́днице. *Жарг. мол. Шутл.* Сожалеть об упущенной возможности. Вахитов 2003, 157.

Рвать на себе́ во́лосы (воло́сья). *Разг., Кар.* О внешнем выражении крайней степени горя, отчаяния. ДП, 122, 145; БМС 1998, 96; СБГ 3, 84; СРГК 2, 239.

Свести́ за во́лосы *кого. Пск.* Поссорить кого-л. с кем-л. СПП 2001, 22.

Тащи́ть за во́лосы *кого. Перм.* Заставлять кого-л. делать что-л. против его воли, желания. Сл. Акчим. 1, 144.

Три волосы́. *Орл. Шутл.-ирон.* 1. О редких волосах на голове. 2. О редких всходах сельскохозяйственных культур. СОГ 1989, 77.

Хвата́ться/ схвати́ться за во́лосы. *Разг.* Приходить в ужас, в отчаяние. Ф 2, 231- 232.

Вести́ за воло́сья *кого. Брян.* То же, что **тащить за волосы.** СБГ 3, 84.

Непе́тые воло́сья. См. **Непетый волос.**

ВОЛОСА́ТИК * Волоса́тик бы тебя́ взял! *Обл. Бран.* То же, что **волосатик тебе в глотку!** Мокиенко 1986, 160.

Волоса́тик тебе́ в гло́тку! *Орл. Бран.* Восклицание, выражающее досаду, раздражение, негодование. СОГ 1989, 75.

Волоса́тик тебе́ сядь! *Орл.* То же, что **волосатик тебе в глотку!** СОГ 1989, 75.

Чтоб тебе́ волоса́тик уклю́кнулся! *Орл.* То же, что **волосатик тебе в глотку!** СОГ 1989, 75.

ВОЛОСИ́НА * [Ни одна́] волоси́на не сдро́гнет (сдры́гнет, содрого́нется) *у кого. Пск.* О проявлении спокойствия, безразличия к чему-л. ПОС 4, 122.

ВОЛОСИ́НКА * Волоси́нка за волоси́нкой бе́гает с дуби́нкой. *Прост. Шутл.* О редких, плохо растущих волосах. Ф 1, 73.

На одну́ волоси́нку. *Арх.* Чуть-чуть, немного. АОС 5, 54.

ВОЛОСИ́НОЧКА * На волоси́ночку. *Брян.* На мгновение, на минуточку. СБГ 3, 44.

ВОЛОСО́К * Ни волоска́. *Сиб.* Абсолютно ничего. ФСС, 30.

Висе́ть/ пови́снуть на волоске́. *Разг.* Быть в крайне опасном положении, без какой-л. гарантии на благополучный исход дела. ДП, 282; Ф 1, 74; БМС 1998, 96; ШЗФ 2001, 37; БТС, 853.

Воловки́ вспы́хнут. *Сиб.* О глубокой воде в водоёме, когда человека скрывает с головой. ФСС, 30.

Волоско́м не кря́нет. *Кар.* О тихой, безветренной погоде. СРГК 3, 43.

Волосо́к не слиня́л *у кого.* 1. *Прикам.* О человеке, прожившем жизнь легко, без нужды и лишений. МФС, 20. 2. *Волг.* О человеке, которого чрезмерно опекают, оберегают. Глухов 1988, 14.

На воло́сок. 1. *от чего. Разг.* Очень близко. ДП, 282; ФСРЯ, 77; ЗС 1996, 179. 2. *Пск., Перм.* Чуть-чуть, немного. Сл. Акчим. 1, 144; ПОС 4, 122.

На волосо́к висе́ть. *Пск.* Быть близким к смерти, быть при смерти. СПП 2001, 22.

Ни на волосо́к. *Арх., Кар. (Волог., Ленингр.).* Нисколько, ничуть. АОС 5, 54; СРГК 1, 224.

ВОЛОСО́ЧЕК * Не вя́нет волосо́чек. См. **Не веет волос.**

ВОЛО́СЬЕ (ВОЛОСЬЁ) * Непе́тое (неотпе́тое) волосьё. *Арх., Яросл.* То же, что **непетый волос.** АОС 5, 56; ЯОС 6, 136.

В одно́м воло́сье. *Арх.* Без головного убора. АОС 5, 56.

ВОЛОСЯ́НКА * Игра́ть/ сыгра́ть волося́нку *кому. Волг.* Строго наказывать, бить кого-л. Глухов 1988, 55.

Пусти́ть волося́нку *кому. Волог.* Наказать кого-л., оттаскав за волосы. СВГ 1, 80.

Петь/ спеть волося́нку. 1. *Сиб.* Кричать от боли. ФСС, 135; СФС, 43; СРНГ 26, 337. 2. *кому. Пск.* Наказывать кого-л., таская за волосы. ПОС 4, 125.

Стрясти́ волося́нку. *Пск.* То же, что **спеть волосянку 2.** Мокиенко 1990, 59; СПП 2001, 22.

Сыгра́ть волося́нку *кому. Прибайк.* То же, что **спеть волосянку 2.** СНФП, 33.

Тяну́ть волося́нку. 1. *Калуж.* Очень медленно выполнять какую-л. работу. СРНГ 5, 64. 2. *Волг.* То же, что **играть волосянку.** Глухов 1988, 161.

ВОЛЧА́РА * Волча́ра позо́рный. 1. *Жарг. арест. Презр.* Оскорбление осуждённого. Быков, 44. 2. *Жарг. мол.* О подлом, непорядочном человеке. Вахитов 2003, 30.

ВОЛЧО́К * Дать волчка́ *кому. Волг., Дон.* Избить кого-л. Глухов 1988, 29; Мокиенко 1990, 49.

Пусти́ть волчка́ в го́лову *кому. Разг. Устар.* Вызвать тревогу, беспокойство у кого-л. Ф 2, 107.

Пойти́ на волчо́к. *Пск.* Заняться чем-л. ради побочного заработка. ПОС 4, 134.

ВОЛЫ́НКА * Заводи́ть/ завести́ (зате́ять) волы́нку. 1. *Разг. Неодобр.* То же, что **тянуть волынку.** БМС 1998, 96. 2. *Жарг. угол., арест.* Затеять ссору. СРВС 2, 37; СРВС 3, 84; ТСУЖ, 33. 3. *Жарг. угол., арест.* Устроить саботаж, беспорядки в колонии. ТСУЖ, 59. 4. *Жарг. угол.* Затеять игру, развлечение. СРВС 2, 35.

Затере́ть волы́нку. *Жарг. угол., арест.* То же, что **заводить волынку 2-3.** ТСУЖ, 33, 59.

Наводи́ть волы́нку. *Пск.* 1. *Неодобр.* Наговаривать, клеветать на кого-л. ПОС 4, 135. 2. Нагонять тоску, печалить кого-л. СПП 2001, 22.

Разводи́ть волы́нку. *Пск. Неодобр.* 1. То же, что **тянуть волынку.** СПП 2001, 22. 2. Уклоняться от работы, бездельничать. ПОС 4, 135.

Тере́ть волы́нку. 1. *Забайк. Неодобр.* То же, что **тянуть волынку.** СРГЗ, 410. 2. *Сиб.* Лгать, обманывать с какой-л. целью. СФС, 186.

Тяну́ть/ затяну́ть/ затя́гивать волы́нку. *Разг. Неодобр.* Медлить, затягивать что-л. БМС 1998, 96; ЗС 1996, 342, 476; Мокиенко 1990, 81; БТС, 1360; Ф 2, 212; СОГ 1989, 20.

ВО́ЛЬКА * Во́лька не своя́ *у кого. Арх.* О человеке, который вынужден подчиняться кому-л. АОС 5, 70.

Те́шить во́льку. *Волог.* Наслаждаться чем-л. СРНГ 5, 84.

ВО́ЛЬНИЦА * Дать во́льницу *кому. Прибайк.* Разрешить перерыв в работе, объявить выходной. СНФП, 33.

Пойти́ в во́льницу. *Кар.* Выйти изпод опеки родителей. СРГК 1, 225.

ВО́ЛЬНОСТЬ * Поэти́ческая во́льность. *Книжн. Шутл.* 1. Отступление от речевых норм, стандартов в поэзии. 2. Неточная, произвольная передача чьих-л. слов. БМС 1998, 96.

ВО́ЛЬНЫЙ * Загиба́ться от во́льного. 1. *Жарг. нарк.* Нюхать кокаин за чужой счёт. Грачев 1994, 12; Грачев 1996, 26. 2. *Жарг. нарк.* Находиться в состоянии наркотического опьянения. Балдаев 1, 137. 3. *Жарг. нарк.* Испытывать удовольствие от приёма наркотика, полученного бесплатно. Максимов, 68. 4. *Жарг. угол.* Плохо себя чувствовать. Балдаев 1, 137.

Во́льному во́ля [спасённому рай]. *Народн.* Говорится тому, кто поступает по-своему, не слушая советов, чьих-л. доводов. Жук. 1991, 72.

Во́льную вози́ть (гоня́ть). *Сиб. Устар.* Заниматься ямским промыслом. ФСС, 29.

Во́льный во́дит *кого. Яросл.* О человеке, необдуманно совершающем неблаговидные поступки. ЯОС 3, 34. < **Вольный** — чёрт, нечистая сила.

ВОЛЬТ * Вольт в разбе́ге. *Жарг. мол. Шутл.* Путаница в мыслях. Максимов, 68.

Вольт залете́л (пролете́л). *Жарг. мол. Шутл.* О долгом и весёлом смехе. Максимов, 68.

Две́сти два́дцать во́льт. *Жарг. шк. Шутл.* Учитель физики. (Запись 2003 г.).

ВО́ЛЮШКА * Во́льная во́ля. *Арх.* Полная свобода действий. АОС 5, 75.

Отдава́ть во́люшку. *Кар.* В свадебном обряде: расплетать косу невесте, как символ её прощания с девичьей жизнью. СРГК 1, 225.

Снять во́люшку *у кого. Арх.* Лишить кого-л. возможности поступать по своему желанию. АОС 5, 75.

ВО́ЛЯ * В во́ле да в хо́ле. *Волг., Орл. Одобр.* О безбедной, благополучной жизни. Глухов 1988, 9; СОГ 1989, 82.

На Бо́жьей во́ле. *Арх.* Как попало, как придётся. АОС 5, 77.

На во́ле. *Прост.* Вне закрытого помещения. СРГНП 1, 87.

На до́брой во́ле. *Сиб.* О скоте, который пасется без пастуха. ФСС, 30.

Плыть по во́ле волн. *Книжн.* Отдаваться течению событий, не противодействовать им. БТС, 146.

По во́ле. *Ряз.* Свободно, без надзора. ДС, 93.

Ходи́ть/ пойти́ за во́лей. *Сиб.* 1. Уходить из семьи, нарушив супружескую верность. СФС, 74. 2. То же, что **идти на свою волю.** СРНГ 28, 360.

Брать мно́го во́ли. *Волг.* То же, что **выйти из воли.** Глухов 1988, 2.

Выходи́ть/ вы́йти из во́ли. 1. *Прост.* Становиться своевольным. Ф 1, 102. 2. *Арх.* Начать жить по своему усмотрению, приобрести полную свободу действий. АОС 5, 77.

До Бо́жьей во́ли. *Пск.* Вдоволь; очень много. ПОС 4, 140.

Из до́брой во́ли. *Печор.* Без принуждения, добровольно. СРГНП 1, 87.

Не снима́ть во́ли *с кого. Курск.* Не ограничивать кого-л. в действиях, поступках. БотСан, 105.

С во́ли. *Кар. (Арх., Волг.)., Сиб.* Снаружи, извне. СРГК 1, 226; СПСП, 23.

С до́брой во́ли. 1. *Прикам.* Добровольно. МФС, 20. 2. *Новг.* Внезапно, ни с того ни с сего. СРНГ 5, 88.

Сня́тие во́ли. *Олон.* Замужество. СРНГ 5, 88.

Умере́ть с до́брой во́ли. *Олон.* Умереть естественной смертью. СРНГ 5, 88; 36, 6.

Занима́ться во́лью. *Кемер.* Вести безнравственный образ жизни, распутничать. СРНГ 5, 83.

Брать/ забрать (взять) [за] во́лю. 1. *Арх., Волог., Сиб., Яросл.* Приобрести полную свободу действий, начать жить по своему усмотрению. АОС 5, 76; СВГ 2, 96; СФС, 38; ЯОС 3, 19. 2. *Разг.* Избаловаться, перестать слушаться старших. БМС 1998, 97; ШЗФ 2001, 36; СОГ 1989, 92; ЗС 1996, 258.

Взя́ться за во́лю. *Сиб.* То же, что **брать волю.** ФСС, 26; СБО-Д1, 64.

Во́лю нево́лю [воль нево́ль]. *Прибайк.* Вопреки желанию, независимо от желания кого-л. СНФП, 34.

В (во) свою́ во́лю. *Арх.* Свободно, по своему усмотрению, без давления извне. АОС 5, 76.

Дава́ть/ дать во́лю (во́ли) *кому. Разг.* Разрешать или не препятствовать кому-л. поступать по собственному усмотрению. БМС 1998, 97; ШЗФ 2001, 60; БТС, 240; СРГНП 1, 87; СНФП, 43; АОС 5, 76.

Дава́ть /дать во́лю рука́м (кулака́м). *Разг.* Драться, бить кого-л. ДП, 172; БТС, 240; Жиг. 1969, 229; ПОС 8, 106; Сергеева 2004, 223.

Дава́ть/ дать во́лю слеза́м. *Разг.* Не сдерживать рыданий, долго, много плакать. Ф 1, 131.

Дава́ть/ дать во́лю языку́. *Разг.* Позволять себе говорить лишнее. Ф 1, 132; ЗС 1996, 223.

Дава́ть/ дать себе́ во́лю. *Арх. Неодобр.* То же, что **брать [за] волю.** АОС 5,77.

Идти́/ пойти́ на свою́ во́лю. 1. *Арх.* Начинать жить независимо. СРНГ 28, 362. 2. *Дон.* Выходить из повиновения, начинать вести разгульную, порочную жизнь. СДГ 2, 37; СРНГ 28, 362.

Litera ignore

Лома́ть во́лю *чью. Кар.* Идти против чьей-л. воли. СРГК 3, 142.

На свою́ во́лю. *Перм.* Самостоятельно. СРНГ 5, 88.

Отдава́ть/ отда́ть во́лю. *Кар. (Волог.).* В свадебном обряде: отдавать кому-л. из участников свадьбы ленту из косы невесты в знак её прощания с девичеством. СРГК 4, 286.

Отнима́ть во́лю. 1. *кому. Арх.* Мешать кому-л. поступать по собственному усмотрению. АОС 5, 77. 2. *Кар.* В свадебном обряде: расплетать косу невесте, как символ её прощания с девичьей жизнью. СРГК 1, 226.

Отре́зать во́лю *кому. Сиб.* Усмирить, подчинить кого-л. себе. ФСС, 130.

Пойти́ в во́лю (за во́лей). *Арх., Сиб.* То же, что **идти на свою волю 2.** АОС 5, 77; ФСС, 192, СРНГ 28, 360.

Снима́ть/ снять во́лю *с кого.* 1. *Арх.* То же, что **брать [за] во́лю.** АОС 5, 77; СРНГ 5, 88. 2. *Арх., Перм.* Поступать вопреки желанию, против чьей-л. воли. АОС 5, 77; СРНГ 5, 88; Подюков 1989, 190.

Твори́ть во́лю посла́вшего. *Книжн. Устар.* Выполнять распоряжения отправившего кого-л. куда-л. < Выражение из Евангелия. БМС 1998, 97.

Твори́ть/ сотвори́ть свою́ во́лю. *Арх.* То же, что **брать [за] волю.** АОС 5, 77.

Тяну́ть во́лю. *Новг.* Петь песню перед венцом. НОС 11, 81.

Ба́нченая во́ля. *Яросл.* Украшенное бантами деревце, которое несут во время свадебного обряда. ЯОС 1, 34.

Бо́жья во́ля. 1. *Новг., Пск., Сиб.* Ненастье, сильный дождь, гроза; стихийное бедствие. СРНГ 5, 88; ФСС, 30; ПОС, 4, 140; СФС, 26. 2. *Яросл.* Молния. ЯОС 2, 8.

Во́ля берёт *кого. Арх.* Не хочется, лень кому-л. делать что-л. АОС 5, 77.

Во́ля ва́ша (твоя́). *Устар.* Как хотите, как вам угодно. ШЗФ 2001, 42; ЗС 1996, 349. < Выражение из Евангелия с последующим переосмыслением. БМС 1998, 97.

Во́ля и до́ля *кому. Морд. Одобр.* О свободе действий, удачно складывающейся жизни. СРГМ 1978, 85.

Де́ви́чья во́ля. *Яросл.* Жизнь девушки до замужества. ЯОС 3, 125.

Дро́чная во́ля. *Волог.* Возможность, право поступать по собственной воле. СВГ 2, 59.

На то во́ля Бо́жия (Бо́жья, Госпо́дня). *Книжн. Устар.* О чём-л. произошедшем независимо от чьих-л. пожеланий, планов, расчётов. БМС 1998, 97.

После́дняя во́ля. *Книжн.* Желание, распоряжение, выраженное перед смертью. Ф 1, 75; БТС, 148.

Своя́ во́ля во щах *у кого. Сиб. Ирон.* О чьём-л. своевольном поведении. ФСС, 30.

В свои́х воля́х. *Печор.* О свободном в своих решениях, в своём выборе человеке. СРНГ 1, 587.

ВОН * С во́ном уйти́. *Арх.* Уйти ни с чем. АОС 5, 79.

ВО́НТА́РАТЫ́ * На во́нта́раты́. 1. *Башк., Перм., Сиб. Неодобр.* Небрежно, кое-как. СРГБ 1, 75; ФСС, 30; Подюков 1989, 202. 2. *Арх.* Бессвязно, непонятно (говорить). СРНГ 5, 90.

ВО́НТАРЬ * На во́нтарь. *Пермь.* То же, что **на вонтарары (ВОНТАРАРЫ).** Подюков 1989, 202.

ВОНЬ * Вонь толчёная. *Сиб. Презр.* Жалкий, ничтожный человек. ФСС, 30.

ВООРУЖЕ́НИЕ * Брать/ взять на вооруже́ние *что. Разг.* Активно использовать какие-л. средства, приёмы в своей деятельности. БТС, 149; Ф 1, 38.

ВО́ПЛАСТЬ * Лежа́ть во́пласть. *Сиб.* Лежать не вставая (о тяжело больном человеке). ФСС, 104; СРНГ 16, 329.

ВОПРО́С * Агра́рный вопро́с. *Жарг. мол. Шутл.* Мужской половой орган. Елистратов 1994, 663; ЖЭСТ-1, 141.

Больно́й вопро́с. *Разг.* Назревшая, но трудноразрешимая проблема. ФСРЯ, 78; БМС 1998, 96 СБГ 1, 69.

Вопро́с жи́зни или сме́рти. *Разг.* Дело, имеющее для кого-л. чрезвычайно важное значение. Ф 1, 75; ШЗФ 2001, 42. < Калька с франц. *une question de vie et de mort.* БМС 1998, 97.

Вопро́с на всплы́тие. *Жарг. курс. Шутл.-ирон.* Дополнительный вопрос на экзамене, позволяющий курсанту выйти из сложного положения. Кор., 64.

Вопро́с на засы́пку. *Разг. Шутл.* Трудный вопрос, поставленный с целью застать собеседника врасплох, поставить его в сложное положение. < Первонач в шк. и студ. жаргоне; ср. **засыпаться** — получить неудовлетворительную оценку на экзамене. Мокиенко 2003, 16.

Животрепе́щущий вопро́с. *Публ.* Актуальный вопрос, представляющий жизненно важный, огромный интерес. БМС 1998, 97.

Не вопро́с. *Разг.* 1. Не составляет труда, довольно легко. НРЛ-82. 2. Конечно, безусловно (утвердительный ответ). Вахитов 2003, 43.

Ста́вить/ поста́вить вопро́с. Изложить проблему прямо и строго, настоятельно требуя её чёткого, принципиального и незамедлительного решения. БМС 1998, 97.

Под больши́м вопро́сом. *Разг.* О чём-л. невыясненном, нерешённом, неизвестном. ФСРЯ, 78.

По процеду́рному вопро́су. *Жарг. нарк.* По поводу покупки наркотиков. ССВ-2000.

ВОР * Багда́дский вор. 1. *Жарг. морск., курс. Шутл.-ирон.* Начальник столовой. 2. *Жарг. арм.* Каптёрщик, работник армейского склада. *Шутл.-ирон.* 3. *Жарг. арм. Шутл.* Солдат, находящийся в наряде по кухне. БСРЖ, 106. < По названию кинофильма. Максимов, 20.

Вор в зако́не. 1. *Жарг. угол.* Рецидивист, соблюдающий воровские законы. ТСУЖ, 33; Грачев 1992, 59; Мильяненков, 97; ББИ, 47; ЕЗР, 27; СВЯ, 34; Балдаев 1, 69. 2. *Жарг. арм. Шутл.* Дежурный по столовой. Максимов, 69. 3. *Жарг. шк.* Учитель правоведения. Максимов, 69.

Вор и двор. *Пск.* О хитром, предприимчивом человеке. СПП 2001, 23.

Вор у во́ра дуби́нку укра́л. *Народн.* Мошенник мошенника перехитрил. Жук. 1991, 73.

По́льский вор. *Жарг. угол.* Лицо, приближающееся к воровскому миру, но ещё им не принятое, чаще всего одиночка. Р-87, 298.

Шерстяно́й вор. *Жарг. угол.* Насильник. ББИ, 287; Балдаев 2, 158.

На воре́ ша́пка гори́т. *Разг.* О человеке, совершившем что-л. дурное, который себя чем-то выдаёт. БМС 1998, 98.

Во́ру всё в по́ру. *Пск. Шутл.* О человеке, которому всё годится, всё подходит. ПОС 5, 25.

ВОРОБЕ́Й * Ирку́тский воробе́й. *Прибайк. Шутл.* О человеке, сильно испачканном чем-л. СНФП, 34.

Си́ний воробе́й. *Сиб.* Снегирь. ФСС, 30.

Стре́ляный (ста́рый) воробе́й. *Разг. Шутл.* Об опытном, бывалом человеке, которого трудно обмануть или перехитрить. ФСРЯ, 78; БМС 1998, 98; Мокиенко 1990, 93; Глухов 1988, 154.

Лови́ть воробьёв хохота́льником. *Жарг. мол. Неодобр.* Быть рассеянным, невнимательным. Максимов, 69.

Сшиба́ть воробьёв. *Жарг. угол.* Взламывать замки. ББИ, 47; Балдаев 1, 69; Балдаев 2, 69; ТСУЖ, 172.

То́лько воробьёв пуга́ть. *Народн. Шутл.-ирон. или пренебр.* О некрасивом человеке. ДП, 309.

Воробьи́ бу́дут смея́ться. *Шутл.-ирон. или Неодобр.* О чьём-л. глупом поступке. СПП 2001, 23.

Воробьи́ на кры́шу да́вят. *Жарг. мол. Шутл.* О состоянии похмелья. Максимов, 69.

Воробью́ по коле́но (по щи́колотку), [журавлю́ по лоды́жку]. *Народн. Шутл.-ирон.* О небольшой глубине водоёма. ДП, 827; Ф 1, 75; Глухов 1988, 14. **Воробью́ по ко́сточку.** *Новг. Шутл.-ирон.* То же. Сергеева 2004, 155.

Насказа́ть воробья́ на сосне́. *Прикам. Шутл.-ирон.* Наговорить, рассказать очень много. МФС, 64; Мокиенко 1990, 140.

Обману́ть ста́рого воробья́ на мяки́не. *Разг. Устар. Шутл.* Провести, перехитрить кого-л. Ф 2, 9.

Спугну́ть воробья́. *Жарг. угол.* Сломать, сорвать замок. ТСУЖ, 33, 167; ББИ, 47; Балдаев 1, 69; Балдаев 2, 56.

Пока́зывать воробья́м ду́ли. *Волг. Неодобр.* Бездельничать. Глухов 1988, 127.

Стреля́ть по воробья́м. *Жарг. спорт. (футб.). Ирон. или Неодобр.* Бить намного выше ворот. (Запись 2001 г.).

ВОРО́БУШЕК * Налови́ть воро́бушков. *Жарг. мол. Шутл.* Добыть много денег. Елистратов 1994, 71.

ВОРО́БЫШЕК * Де́лать/ сде́лать воро́бышка *кому. Жарг. мол. Шутл.* Оплодотворять, сделать кого-л. беременной. БСРЖ, 107.

Пойма́ть воро́бышка. *Жарг. мол. Шутл.* Забеременеть. Прокопенко, 214.

ВОРОГУ́ША * Ворогу́ша несёт (принесла́) *кого. Новг. Неодобр.* О нежелательном приходе кого-л. НОС 1, 137.

Ворогу́ша но́сит *кого. Новг. Неодобр.* О проказнике, хулигане. Сергеева 2004, 37.

ВО́РОН * Во́рон косте́й не но́сит *куда. Новг.* Об отдалённом, глухом месте. НОС 1, 137.

Злове́щий во́рон. *Разг. Неодобр.* О человеке, предвещающем беду. БМС 1998, 98.

Когда́ во́рон побеле́ет. *Печор. Шутл.* Неизвестно когда, в неопределённом будущем. СРГНП 1, 88.

Куда́ и во́рон не лета́л. *Новг.* То же, что **куда ворон костей не заносил.** Сергеева 2004, 161.

Куда́ во́рон косте́й не заноси́л (не таска́л). *Народн.* Очень далеко, в самые отдалённые места. ДП, 222; Жиг. 1969, 304; ФСРЯ, 78; Ф 1, 75; БТС, 478БМС 1998, 98.

Чёрный во́рон. 1. *Разг.* Закрытая автомашина для перевозки арестованных. Росси 1, 60; СРВС 4, 119; Балдаев 2, 143; ТСУЖ, 195; БТС, 150; Грачев, Мокиенко 2000, 57; ПОС 4, 155. 2. *Жарг. мол. Шутл.-ирон.* Боец ОМОНа. Максимов, 474.

Променя́ть во́рона на я́стреба. *Горьк. Шутл.-ирон.* О неравноценном обмене. БалСок, 51.

ВОРО́НА * Лови́ть воро́н. *Прост. Неодобр.* Быть невнимательным, ротозейничать. ПОС 4, 155; Глухов 1988, 82; Ф 1, 282.

Пуга́ть воро́н. *Разг. Шутл.-ирон.* Вызывать насмешки нелепой, вычурной одеждой, внешним видом. БТС, 150.

Стреля́ть воро́н. *Волг. Неодобр.* То же, что **считать ворон 1.** Глухов 1988, 155.

Счита́ть воро́н (га́лок). *Прост. Неодобр.* 1. Ротозейничать, глазеть по сторонам. ФСРЯ, 467; БТС, 192, 1298; Мокиенко 1990, 65-66; Ф 2, 197; ЗС 1996, 88. 2. Бездельничать. ФСРЯ, 467; СПП 2001, 23.

Бе́лая воро́на. *Разг.* Редкий, необычный по своим качествам человек, резко выделяющийся среди других людей. ФСРЯ, 79; Мокиенко 1989, 110; БТС, 70, 150; ЗС 1996, 26; ШЗФ 2001, 18; БМС 1998, 98-99.

Воро́на влети́т. *Разг. Шутл.-ирон.* О человеке с раскрытым ртом (от удивления, напряжения и т. п.). ДП, 681.

Воро́на в павли́ньих пе́рьях. *Разг. Ирон.* О человеке, который присваивает себе чужие достоинства, чтобы казаться более значительным, и поэтому выглядит смешным и жалким. ДП, 738; Жиг. 1969, 270; ФСРЯ, 79; ЗС 1996, 27, 517; Мокиенко 1990, 92; БТС, 150; Янин 2003, 68; ШЗФ 2001, 43; БМС 1998, 99.

Воро́на в пузыре́ занесла́. *Народн. Шутл.* Ответ на вопрос «Как ты сюда попал?». ДП, 555.

Воро́на дристи́нская! *Пск. Бран.* О нерасторопном, неловком человеке. (Запись 2000 г.).

Воро́на загумённая. *Волг. Пренебр.* О бездомном человеке, бродяге. Глухов 1988, 14.

Воро́на ла́пу (сапоги́) дала́ *кому. Арх., Кар. Шутл.* О растрескавшихся ступнях ног. АОС 10, 284; СРНГ 5, 111.

Воро́на лете́ла, соба́ка на хвосте́ сиде́ла. *Народн. Шутл.-ирон.* О явной лжи, небылицах. ДП. 206.

Воро́на на когтя́х унесёт *что. Новг. Шутл.-ирон.* 1. О малом количестве чего-л. НОС 1, 137. 1. О чём-л. легком, невесомом. Сергеева 2004, 202.

Воро́на на кусту́ кема́рит. *Пск.* О вечернем времени суток. СПП 2001, 23.

Воро́на на хвосте́ принесла́ *что. Новг. Ирон.* О сомнительной, недостоверной новости. Сергеева 2004, 229.

Воро́на твоя́ фами́лия. *Жарг. мол. Шутл.-ирон.* О забывчивой девушке. Максимов, 69.

Залете́ла воро́на в высо́кие (боя́рские) хоро́мы. *Народн. Шутл.-ирон.* О человеке, который попал в чуждое ему, более высокое общество, среду. Жук. 1991, 124.

Мо́края воро́на. *Брян. Пренебр.* Нерасторопный, вялый человек. СБГ 3, 49.

Не кыш воро́на. *Волг. Шутл.-одобр.* О чём-л., о ком-л. важном, значительном. Глухов 1988, 99.

Не то́кмо воро́на влети́т, но и каре́та четвернёй въе́дет. *Народн.* О человеке с широко раскрытым ртом. ДП, 681.

Пу́таная воро́на. *Разг. Пренебр.* О крайне боязливом, трусливом человеке. Ф 1, 76; БМС 1998, 99.

Воро́ну [в рот] пойма́ть. *Пск. Шутл.* Прозевать, пропустить что-л. из-за невнимательности. ПОС 4, 155-156.

Ме́тил в воро́ну, а попа́л в коро́ву. *народн. Шутл.-ирон.* О неудачной стрельбе в цель. Жук. 1991, 170.

Воро́ны долба́й. *Пск. Пренебр.* О чём-л. грязном, ветхом. ПОС 4, 155.

Где (куда́, туда́, что) воро́ны (пти́чки) [на́ши] не лета́ют. *Пск. Шутл.-ирон.* Очень далеко, в неизвестные места. ПОС 4, 155.

ВОРО́НКА * Кверх воро́нками. *Горьк., Сиб.* Вверх тормашками; кубарем. БалСок, 26; СФС, 88; СБО-Д1, 193.

Валя́ться кве́рху воро́нкой. *Перм.* Лежать без сознания. Подюков 1989, 31.

Вверх воро́нкой. 1. *Прибайк. Шутл.* То же, что **кверх воронками.** СНФП, 43. 2. *Жарг. мол. Шутл.* В наклонном положении (о человеке). Максимов, 56.

ВОРОНО́Й * На кривы́х вороны́х не объе́дешь *кого. Обл. Шутл.* О хитром, опытном человеке. Мокиенко 1990, 83.

Прокати́ть на вороны́х *кого. Разг. Ирон. или Шутл.* Забаллотировать, провалить кандидата на каких-л. выборах. ФСРЯ, 363; ЗС, 346; Мокиенко 1990, 79, 84; БМС 1998, 99.

ВО́РОП * Брать/ взять на во́роп *кого. Жарг. угол.* Действовать смело, решительно; добиваться чего-л. за счёт грубости, нахальства. СРВС 1, 52; СРВС 2, 20, 25, 58; СВЯ, 10. < **Вороп** — грабеж, разбойное нападение.

ВО́РОТ * Зали́ть за во́рот. *Народн.* Напиться пьяным. ДП, 792.

По́ ворот *чего. Пск.* Очень много. СПП 2001, 23.

Спихну́ть на во́рот *чей что. Пск.* Переложить свои заботы, дела на кого-л. ПОС 4, 158.

Тяну́ть за во́рот *кого. Прост.* Принуждать, заставлять кого-л. делать что-л. Ф 2, 213.

На вороту́. *Новг.* Близко к чему-л. НОС 5, 119; Сергеева 2004, 163.

ВОРО́ТА * Из воро́т в воро́та. *Арх.* Напротив. АОС 5, 104.

Ми́лости про́сим ми́мо воро́т щей хлебать. *Народн. Ирон.* Отказ на просьбу пригласить в гости кого-л. ДП. 750.

От воро́т поворо́т. *Разг.* Решительный отказ кому-л. в чём-л. ФСРЯ, 327; БТС, 853; ЗС 1996, 286; БМС 1998, 100.

От воро́т поворо́т дать *кому. Арх.* Решительно отказать кому-л. в чём-л. АОС 10, 285.

Вон воро́та. *Волог.* Предложение, приказ уйти, покинуть чей-л. дом. СРНГ 5, 90.

Воро́та в воро́та. *Дон.* Рядом, близко. СДГ 1, 77; Мокиенко 1986, 101.

Воро́та из-под соба́ки ла́ют. *Народн. Шутл.-ирон.* О чём-л. нелепом, несуразном. ДП, 692.

Восто́чные воро́та. *Жарг. RPG. Шутл.* Туалет. СИД, 1994.

Вывести за воро́та *кого. Арх.* Предложить кому-л. уйти, покинуть дом. АОС 6, 135.

Выкупа́ть воро́та. *Сиб.* В свадебном обряде: расплачиваться деньгами, вином, подарками за то, чтобы въехать во двор невесты. ФСС, 36.

За́дние воро́та. *Разг. Шутл.* Анальное отверстие. Флг., 123.

Зае́хать не в те воро́та. *Волг. Неодобр.* Сделать что-л. не так, как следует. Глухов 1988, 48.

Закла́дывать/ заложи́ть (зава́ливать/ завали́ть, зала́мывать/ заломи́ть) воро́та. 1. *Сиб.* В свадебном обряде: закрывать ворота в дом невесты с целью получения выкупа от жениха. ФСРГС 17; СФС, 76; СКузб., 78. // *Новг.* Преграждать путь невесте к жениху. НОС 1, 138. 2. *кому. Сиб.* Запрещать кому-л. делать что-л. ФСС, 78.

Запира́ть воро́та бороно́й. *Волг. Ирон.* Жить в крайней бедности. Глухов 1988, 50.

Запира́ть воро́та пирога́ми. *Волг. Шутл.* Жить в достатке, быть богатым. Глухов 1988, 50.

Игра́ть в одни́ воро́та. *Разг.* Действовать, поступать в интересах лишь одной стороны. Мокиенко 2003, 16.

Ни в каки́е воро́та [не ле́зет]. *Разг. Неодобр.* Очень плохо, возмутительно, никуда не годится. ФСРЯ, 223; Ф 1, 76; БТС, 150, 491; СРГМ 1978, 79; СПП 2001, 23.

Обосра́ть все воро́та. *Арх. Вульг. Неодобр.* Надоесть частыми посещениями кому-л. АОС 5, 104.

Перешагну́ть воро́та. *Разг.* Войти, попасть куда-л. Ф 2, 42.

Пойти́ за Пы́рькины воро́та. *Курск. Ирон.* Умереть. БотСан, 96.

Промы́ть воро́та. *Жарг. мол. Шутл.* Совершить половой акт с кем-л. Максимов, 69.

Распеча́тать воро́та. *Жарг. спорт.* Забить первый гол. НСЗ-84.

Угостить чем воро́та запира́ют *кого. Народн. Шутл.-ирон.* Ударить палкой, избить кого-л. ДП, 260.

Чёртовы ворота́. *Коми.* Водоворот в реке при половодье. Коми. Кобелева, 82.

Стоя́ть на воро́тах. *Жарг. шк. Шутл.* Дежурить на входе в школу. ВМН 2003, 33.

Хоть на воро́тах стреля́й. *Арх.* О безвыходной ситуации, невозможности что-л. изменить. АОС 5, 104.

ВОРОТНИ́К * Брать/ взять за воротни́к *кого. Волг.* 1. Подчинять себе кого-л. 2. Настойчиво требовать чего-л. от кого-л. Глухов 1988, 5.

Закла́дывать/ заложи́ть (лить, залива́ть/ зали́ть) за воротни́к. *Прост.* Пить спиртное. БТС, 150; Максимов, 69; Глухов 1988, 81; ЗС 1996, 193.

Начи́стить воротни́к *кому. Разг.* Избить кого-л. Елистратов 1994, 71.

Попра́вь воротни́к, свисте́ть меша́ет. *Разг.* Не лги. Елистратов 1994, 71.

Сде́лать шотла́ндский воротни́к *кому. Жарг. муз., мол. Шутл.-ирон.* Разбить гитару об голову. Никитина 1998, 66.

Воротники́ ме́рять. *Курск.* Обряд знакомства с семьей жениха. БотСан, 86.

ВОРОТНИЧО́К * Бе́лые воротнички́. *Публ.* О лицах наемного труда, занятых умственной деятельностью. НСЗ-70; БТС, 150. < Из англ. *white collar worker.* Мокиенко 2003, 16.

Золоты́е воротнички́. *Жарг. бизн.* Персонал фирмы, обладающий высокой компьютерной грамотностью. БС, 77.

Разгла́дить воротнички́. *Жарг. мол. Шутл.* Заняться сексом. Максимов, 69.

Си́ние воротнички́. *Публ.* О лицах наёмного труда, занимающихся физической работой. НСЗ-70. < Из англ. *blue-collar* — рабочий. Мокиенко 2003, 16.

Испа́нский воротничо́к. *Спец. мед.* Болезнь мужского полового органа, при которой происходит сужение крайней плоти головки. Мокиенко, Никитина 2003, 97.

ВОРОТОВА́Я * Брать за воротову́ю *кого. Арх.* Настойчиво требовать чего-л. от кого-л. АОС 5, 109.

ВОРОТО́К * Брать/ взять за вороткú *кого. Сиб.* Решительно выгонять кого-л. откуда-л. ФСС, 16.

Бра́ться/ взя́ться за воротки́. *Сиб.* Начинать драку, ссориться, скандалить. ФСС, 16; СФС, 74.

За воротки́. *Оренб.* Вид борьбы, единоборства. СРГН 5, 121.

ВОРОШО́К * В ворошо́к. *Кар. (Ленингр.).* Все вместе, в кружок. СРГК 1, 232.

ВОРС (ВО́РСА) * Выставля́ть /вы́ставить (вставля́ть/ вста́вить) во́рсу (во́рсы). *Пск.* Проявлять строптивость, непокорность; спорить; задираться. ПОС 4, 168.

ВО́РСА. См. **ВОРС.**

ВОСВОЯ́СИ * Уходи́ть/ уйти́ (убира́ться/ убра́ться) восвоя́си. *Разг.* Уходить к себе домой, возвращаться обратно. БМС 1998, 100.

ВОСК * Лить воск. *Разг. Устар.* Гадать по застывшему в воде воску, узнавая прошлое и будущее. Ф 1, 290.

Вылива́ть/ вы́лить на во́ске *кого. Сиб.* Лечить заговором над растопленным воском. ФСС, 37.

ВОСКРЕСЕ́НИЕ (ВОСКРЕСЕ́НЬЕ) * Воскресе́ние (воскреше́ние) свято́го Ла́заря. *Книжн. Устар. Шутл.* 1. Выздоровление после тяжелой и длительной болезни. 2. Возобновление, восстановление чего-л. старого, давно забытого. < Восходит к Евангельской легенде о воскрешении Лазаря Иисусом. БМС 1998, 100.

Завива́льное воскресе́нье. *Яросл. Устар.* Третье воскресенье между Пасхой и Троицей, в которое совершается обряд завивания березок. ЯОС 4, 58.

Кобы́лье воскресе́нье. *Влад. Ирон.* О худощавом, тщедушном, некрасивом человеке. СРНГ 14, 19.

Когда́ воскресе́нье бу́дет в суббо́ту. *Народн. Шутл.-ирон.* Никогда (формула отказа). ДП, 240.

Ко́шечье воскресе́нье. *Курск. Ирон.* О худом, болезненном человеке. СРНГ 15, 140.

С воскресе́нья до поднесе́нья [не бу́ду пить]. *Народн.* Шутливое обещание не пить спиртного. ДП, 655.

ВОСКРЕШЕ́НИЕ* Воскреше́ние свято́го Ла́заря. См. **Воскресение святого Лазаря (ВОСКРЕСЕНИЕ).**

ВО́СПА * Во́спа Во́сповна. *Сиб. Шутл.* Болезнь оспа. ФСС, 31.

ВОСПАЛЕ́НИЕ * Воспале́ние хи́трости. *Разг. Шутл.-ирон.* О симуляции болезни. Глухов 1988, 14.

ВОСПИТА́НИЕ * Воспита́ние чувств. *Книжн. Высок.* О воздействии, влиянии окружающей среды на эмоции, чувства молодежи. < По названию романа Г. Флобера. БМС 1998, 100.

ВОСПОМИНА́НИЕ * Воспомина́ния о бу́дущем. *Разг.* 1. О планах на будущее. 2. О том, что желательно или возможно, учитывая прошлый опыт, современное состояние дел. Дядечко 1, 107.

ВОСПРЕ́Т * Дать воспре́т *кому. Яросл.* Запретить кому-л. что-л. ЯОС 3, 121.

ВОССА́ * Восса́ в рука́х *у кого. Морд.* О привычке постоянно перебирать, теребить что-л. СРГМ 1978, 87.

ВОССТА́НИЕ * Восста́ние декабри́стов. *Жарг. шк.* Забастовка педколлектива. Максимов, 70.

ВОСТО́К * Когда́ восто́к с за́падом сойду́тся. *Народн.* Никогда (формула отказа). ДП, 140.

ВОСТО́РГ * Администрати́вный восто́рг. *Книжн. Ирон.* Упоение собственной властью, склонность к администрированию, чрезмерное усердие в выполнении бюрократической работы. БМС 1998, 100; БТС, 29; ШЗФ 2001, 14.

ВО́СТРА * Не на во́стру. *Арх. Шутл.-ирон.* О психически нездоровом человеке. АОС 5, 127.

ВОСЬМЕРИ́К * Тащи́ть восьмери́к. *Жарг. угол., арест.* Притворяться простаком, непонимающим. Балдаев 2, 75; ТСУЖ, 173.

ВОСЬМЁРКА * Восьмёрка на пятёрку. *Жарг. угол., Разг. Шутл.* О женственной походке. ББИ, 48. Мильяненков, 97; Балдаев 1, 70.

Лени́вая восьмёрка. *Жарг. студ. (матем.). Шутл.* Знак бесконечности. ТВ-6, 04.03.01.

Дава́ть/ дать восьмёрку [кому]. *Жарг. угол.* Грабить кого-л. Мильяненков, 98; ББИ, 48; Балдаев 1, 71.

Крути́ть/ закрути́ть (кружи́ть) восьмёрку (восьмёрки) *кому. Жарг. угол.* 1. Вводить в заблуждение, намеренно обманывать кого-л. СВЯ, 18; Мильяненков, 98; ББИ, 48; Балдаев 1, 71, 209. 2. Воровать что-л., грабить кого-л. Балдаев 1, 210. 3. Вести преступный образ жизни. Балдаев 1, 210. 4. Отбывать наказание в местах лишения свободы. ТСУЖ, 93.

ВОСЬМИХУ́Й * Семиголо́вый восьмиху́й [с четырьмя́ пиздопроёбинами]. *Прост. Бран.* О непорядочном, подлом человеке. Мокиенко, Никитина 2003, 97.

ВО́ТЧИНА * Во́тчина в косу́ю саже́нь. *Народн. Ирон.* Гроб. ДП, 284.

ВО́ХА * Едрёна (ядрёна) воха! *Прост. Бран.* То же, что **едрёна вошь!** Мокиенко, Никитина 2003, 97.

ВО́ШЕРОК * Во́шерок берёт. См. **Во́шерап берёт (ВО́ШЕРОП).**

ВО́ШЕРОП * Во́шерап (во́шерок, во́шерох, о́шерок) берёт (забирает) *кого. Пск.* Об ощущении озноба, дрожи. ПОС 5, 7-8.

ВО́ШЕРОХ * Во́шерох берёт. См. **Во́шерап берёт (ВО́ШЕРОП).**

ВО́ШКА * Лобко́вая во́шка. *Жарг. крим.* Человек, выполняющий мелкие поручения, прислуживающий главарю преступной группировки. < От **лобо́к** — помощник главаря. БСРЖ, 108.

ВОШЬ (ВША) * Во́шей накорми́ться. *Пск. Неодобр.* Стать грязным, жить в грязи. ПОС 5, 7.

Вошь в дыбо́шь. *Волг. Неодобр.* О непомерно гордом, строптивом человеке. Глухов 1988, 14.

Вошь в коро́сте. *Сиб. Презр.* О ничтожном, презренном человеке. СФС, 45; ФСС, 31; СРНГ 14, 366.

Вошь да коро́сты *у кого. Горьк. Ирон.* О неимущем человеке. БалСок, 28.

Вошь на арка́не [блоха́ на цепи́]. *Волг. Ирон.* О крайней бедности. Глухов 1988, 14.

Вошь платёная. *Пск. Бран.* О женщине. ПОС, 5, 7.

Вошь цветна́я. *Жарг. мол. Пренебр.* Милиционер. h-98.

Золота́я вошь. *Жарг. угол. Ирон.* 1. Скупщик краденого. 2. Валютная проститутка. Балдаев I, 159.

Ещё вошь не куса́ла *кого. Новг.* То же, что **не укусывала своя вошь.** НОС 1, 140.

Коку́шья (куку́шья) вошь. *Волог.* Клещ. СВГ 3, 81; СВЗ 4, 15.

Красная вошь. *Прост. Бран.* О большевиках, красногвардейцах. Мокиенко, Никитина 2003, 98.

Лосёвая вошь. *Клещ.* (Запись 1984 г.).

Медве́жья вошь. *Арх.* Жук (какой?). АОС 5, 137.

Не уку́сывала своя́ вошь *кого. Народн.* О неопытном, не знающем жизни человеке. ДП, 155.

Показа́ть вошь в го́лову *кому. Перм.* Расправиться с кем-л., отомстить кому-л. СРНГ 5, 168.

[Своя́] вошь (вша) ку́сит *кого. Пск.* Кому-л. что-л. потребуется, понадобится для себя. ПОС 5, 7.

Хоть вошь на брю́хе бей *у кого. Новг. Шутл.* Об очень полном человеке. Сергеева 2004, 202.

Ядрёна (едрёна) вошь! *Прост. Бран.* Восклицание, выражающее раздражение, досаду. УМК, 63; Ф 1, 80.

Вшей на брю́хе мо́жно бить *у кого. Перм. Шутл.* О плохо поевшем человеке. Подюков 1989, 15.

Вшей не хва́тит *у кого. Горьк.* Не хватит сил, умения, средств у кого-л. для достижения чего-л. БалСок, 29.

Корми́ть вшей [да клопо́в]. *Разг. Устар.* Вынужденно пребывать в антисанитарных условиях. Ф 1, 256.

Вши-бло́хи пое́ли. *Кар. (Ленингр.).* О том, что давно забыто. СРГК 5, 20.

Вши га́шник перее́ли *кому.* 1. *Сиб. Пренебр.* О пустом, никчёмном человеке. ФСС, 33. 2. *Волг. Ирон.* О бедном, нищем, голодающем человеке. Глухов 1988, 17.

Вши не куса́ют [*кого*]. *Пск. Одобр.* Хорошо живётся кому-л. где-л. ПОС 5, 7.

ВО́ЮШКА * Во́юшкой выть. *Сиб.* Долго и громко плакать. ФСС, 39.

ВПЕРЕВЁРТ *Вперевёрт идти́. *Арх.* О головокружении. АОС 5, 140.

ВПЕРЁД * Ви́деть вперёд. *Арх.* Предвидеть что-л. АОС 4, 90.

Жить вперёд. *Арх. Ирон.* Жить до глубокой старости, больше положенного срока. АОС 5, 141.

Забега́ть вперёд. 1. *Разг.* Опережать события, делать что-л. преждевременно. 2. *Волг.* Заискивать, угождать кому-л. Глухов 1988, 44.

ВПЛОТНУ́Ю * Лежа́ть вплотну́ю. *Морд.* Тяжело болеть. СРГМ 1982, 119.

ВПОПЯ́ТКИ * Пойти́ впопя́тки (впопя́тно). *Сиб.* Отказаться от принятого решения, данного слова. СРНГ 5, 174.

ВПОПЯ́ТНО * Пойти впопя́тно. См. **Пойти впопя́тки (ВПОПЯ́ТКИ).**

ВПРОВА́Л * Попа́сться впрова́л. *Пск.* То же, что **попадать впросак (ВПРОСАК).** ПОС 5, 28.

ВПРОЕ́Д * Не впрое́д. *Сиб. Шутл.* О большом количестве пищи. ФСС, 31.

ВПРОК * Идти́/ пойти́ впрок. *Быть полезным.* Ф 1, 219.

ВПРОРО́К * Попада́ть впроро́к. *Пск.* То же, что **попадать впросак (ВПРОСАК).** СПП 2001, 23.

ВПРОСА́Д * Попа́сть впроса́д. *Перм.* То же, что **попадать впросак (ВПРОСАК).** Сл. Акчим. 1, 153.

ВПРОСА́К * Вводи́ть/ ввести́ впроса́к *кого. Разг. Устар.* Ставить кого-л. в неловкое положение. Ф 1, 51.

Попада́ть/ попа́сть (попа́сться) впроса́к. *Разг.* Попадать в затруднительное, неловкое или смешное положение. ДП, 144, 484; ФСРЯ, 341; ЗС 1996, 42; БТС, 156; Мокиенко 1989, 36; Мокиенко 1990, 130; БМС 1998, 101.

ВПРОСО́Н *Спать впросо́н. *Сиб.* Много, вдоволь. СФС, 176.

ВПРОТЬ * Идти́/ пойти́ впроть *кому. Ряз.* Перечить кому-л., поступать вопреки чьему-л. желанию. СРНГ 12, 77; СРНГ 28, 352.

ВПРОХО́ДКУ * Впрохо́дку ходи́ть. *Одесск.* Гулять, прогуливаться. КСРГО.

ВПУСК * Держа́ть впуск. *Жарг. угол.* Лезть в карман с целью совершить кражу при большом скоплении людей. БСРЖ, 109.

ВРАГ * Бе́лый враг. *Публ.* 1. Соль. 2. Сахар. НРЛ-78.

Враг буты́лки. *Разг. Шутл.-ирон.* Трезвенник. Ф 1, 80.

Враг дёрнул за язы́к *кого. Прост. Неодобр.* О чём-л. сказанном необдуманно, некстати. Ф 1, 81.

Враг дете́й. *Жарг. мол. Шутл.* Презерватив. Щуплов, 229; ЖЭСТ-1, 141.

Враг заму́тный. *Морд. Бран.* О человеке, вызывающем раздражение, гнев, негодование. СРГМ 1980, 86.

Враг зна́ет *что, кого. Сиб.* Ничего не известно о чём-л., о ком-л. ФСС, 31; Мокиенко 1986, 181.

Враг наро́да. 1. *Полит., Разг.* Политический преступник в годы сталинских репрессий, в т. ч. — незаконно обвиненный. СП, 37. 2. *Жарг. мол. Шутл.* То же, что **враг детей.** Щуплов, 229; ЖЭСТ-1, 141.

Враг перестро́йки. *Публ. Неодобр.* Противник радикальных изменений в обществе. СП, 37. < Образовано по модели **враг народа**. Мокиенко 2003, 17.

Враг попу́тал (смуща́ет) *кого. Прост. Устар.* Об оплошности, совершённой, по суеверным представлениям, при вмешательстве нечистой силы. Ф 1, 80.

Враг тебя́ (его́ и т. п.**) расшиби́!** *Прост. Бран.* Выражение лёгкой досады, раздражения. Ф 1, 81.

Враг солда́та. *Жарг. арм. Шутл.* Водка. < От пословицы *Водка — враг солдата, а солдат врагов не боится.* Кор., 66.

До врага́. *Орл.* О большом количестве чего-л. СОГ 1989, 93.

Разжига́ть врага́. *Морд.* Затевать ссору, скандал. СРГМ 1978, 88.

Враги́ зе́млю кача́ют. *Жарг. мол. Шутл.* О походке пьяного человека. Максимов, 71.

< **Враг** — чёрт, нечистая сила.

ВРАЖДА́ * Оста́вить вражду́. *Арх.* Оставить недопитым стакан спиртного. АОС 6, 14.

ВРАЗ * Ни враз. *Яросл.* Ни за что, ни в коем случае. ЯОС 6, 145.

ВРАЗНО́С * Идти́ вразно́с. *Разг.* Терять самоконтроль. Максимов, 71.

ВРАЗРЕ́З * Идти́/ пойти́ вразре́з. 1. *с кем.* Не соглашаться с кем-л. 2. *с чем.* Не соответствовать чему-л. Ф 1, 219.

ВРА́НИЦА * Вра́ница идёт (пошла́) *о ком, о чем. Алт.* Распространяется ложный слух о ком-л., о чём-л. СРГА 1, 174.

Носи́ть (пуска́ть, таска́ть) вра́ницу. *Алт.* Распространять ложный слух. СРГА 1, 175.

ВРА́НКА* Вра́нку крути́ть. *Жарг. угол.* 1. Выдавать себя за авторитетного вора. 2. Нарушать воровской закон. Мильяненков, 98; ББИ, 48; Балдаев 1, 72.

ВРАЧ * Пи́ськин (пи́син) врач. *Жарг. мол. Шутл.* Гинеколог. (Запись 2001 г.).

Пригласи́ть врача́ *кому. Жарг. угол.* Избить кого-л. ТСУЖ, 35, 144; Балдаев 1, 349.

ВРАСПЛО́Х * Войти́ врасплю́х. *Новг.* Растеряться. НОС 1, 132.

Застава́ть/ заста́ть (застига́ть/ засти́гнуть) врасплох *кого. Разг.* Заставать кого-л. где-л. неожиданно, когда он к этому не готов. БМС 1998, 101; ШЗФ 2001, 82.

Напада́ть врасплю́х *на кого. Разг.* То же, что **заставать врасплох.** БМС 1998, 101.

ВРАСПЯ́ТЬ * Идти́ вразпя́ть. *Сиб.* Отказываться от прежних решений, обещаний. ФСС, 86.

ВРАЩЕ́НИЕ * Враще́ние кро́ви. *Пск.* Кровообращение. ПОС 5, 37.

ВРЕ́МЕЧКО * Вре́мечко большо́е. *Арх.* Позднее время (о позднем вечере). АОС 2, 70.

Вре́мечко далёко. *Арх.* Давно, в давние времена. АОС 6, 27.

ВРЕ́МЯ * Времён оча́ковских и покоре́ния Кры́ма. *Книжн. Ирон.* О чём-л. очень давнем, давно минувшем. ШЗФ 2001, 45. < Из комедии А. С. Грибоедова «Горе от ума». БМС 1998, 101.

С незапа́мятных времён. *Разг.* Очень давно. БМС 1998, 101.

Со времён царя́ Горо́ха. *Разг. Шутл.* Издавна. Ф 1, 81.

Во времена́ о́ны. См. **Во время оно.**

Времена́ меня́ются. *Книжн.* Об изменчивости обстоятельств. < Калька с лат. *Tempora mutantur.* БМС 1998, 101.

Ма́лым вре́менем. *Печор.* За короткий срок. СРГНП 1, 94.

Быть на вре́мени. 1. *Кар.* В определённом возрасте. СРГК 1, 242. 2. *Яросл.* О последнем периоде перед отёлом. ЯОС 6, 76. 3. *Арх.* Иметь подходящий для чего-л. случай, благоприятное стечение обстоятельств. АОС 6, 15.

Во вре́мени. 1. *Кар.* В благоприятных условиях. СРГК 1, 242. // *Яросл.* В благополучии, в чести, на хорошей должности. ЯОС 2, 37. 2. *Прикам.* В зрелом возрасте. МФС, 20.

Впереди́ вре́мени. *Арх.* Преждевременно. АОС 5, 142.

До вре́мени. *Арх.* 1. Заранее, заблаговременно. 2. Своевременно, когда необходимо. АОС 6, 24.

Нет вре́мени. *Разг. Шутл.* О безденежье. Хом. 2, 86. < Образовано от крылатого выражения **Время — деньги**.

Без (безо) вре́мя (вре́мени). *Арх., Кар.(Волог., Ленингр.), Курск., Ряз., Пск., Яросл.* 1. Раньше обычного, преждевременно. АОС 6, 24; БотСан, 82; ДС, 96; ПОС 5, 43. 2. Не вовремя. АОС 6, 24; СРГК 1, 242; БотСан, 82; ДС, 96; ПОС 5, 43; ЯОС 1, 47.

Беспу́тнее вре́мя. *Пск.* Холодный период года. ПОС 5, 43.

Бы́тное вре́мя. *Арх.* Пора, пришло время для чего-л. СРНГ 3, 352.

Ва́дить вре́мя. *Новг.* Медлить, затягивать какое-л. дело. НОС 1, 105.

Во вре́мя (во времена́) о́но (о́ны). *Книжн.* Когда-то очень давно. < Выражение старославянского происхождения. Ф 1, 81; ШЗФ 2001, 39; БМС 1998, 102.

Волочи́ть вре́мя. *Сиб., Забайк.* Бездельничать, бесцельно проводить время. СРГЗ, 80; ФСС, 30.

Вре́мя в дуб. *Дон.* Десять — одиннадцать часов утра. СДГ 1, 140.

Время́ — де́ньги. *Разг.* Напоминание в ситуации, когда промедление невыгодно (с финансовой или другой стороны). БМС 1998, 102.

Вре́мя заподбира́лось. *Кар. (Мурм.).* О наступлении определенного времени. СРГК 2, 178.

Вре́мя истекло́ *чьё. Разг.* Время, отпущенное на что-л. закончилось. БМС 1998, 102.

Вре́мя не ждёт (не те́рпит). *Разг.* О необходимости делать что-л. срочно. БМС 1998, 102. **Вре́мя не ме́длится.** *Новг.* То же. СРНГ 18, 70.

Вре́мя не ука́зывает *кому чего. Дон.* Время не позволяет кому-л. сделать что-л. СДГ 1, 80.

Вре́мя опозда́ло. *Арх.* О ситуации, когда поздно делать что-л. АОС 6, 25.

Вре́мя от вре́мени. *Разг.* Иногда. Ф 1, 82; БТС, 157.

Вре́мя *чего, чье* **перехо́дит.** *Новг.* Об изменчивости чего-л. НОС 1, 142.

Вре́мя пить «Хе́рши». *Жарг. мол. Шутл.* О желании сходить в туалет, помочиться. Максимов, 71.

Вре́мя собира́ть ка́мни. *Публ.* О периоде восстановления, созидания после разрухи, запустения. СП, 38. < Из Библии.

Глухо́е вре́мя. 1. *Колым.* Время, когда нельзя заниматься промыслом. СРНГ 6, 216. 2. *Помор.* Время с декабря по февраль. ЖРКП, 33.

Де́тское вре́мя. *Разг. Шутл.* Ещё рано (о вечернем времени). ЗС 1996, 480; Глухов 1988, 34.

За́днее вре́мя. *Забайк.* Прошлое; прошедшее время. СРГЗ, 119.

Замани́ть вре́мя *у кого. Печор.* Помешать кому-л. заниматься делами, отвлекая чем-л. СРГНП 1, 247.

Ино́ вре́мя. *Кар. (Арх.).* Иногда. СРГК 2, 293.

Ме́рить вре́мя на ско́бку. *Кар.* Определять время по тени. СРГК 3, 225.

Міну́чее вре́мя. *Самар.* То же, что **заднее время.** СРНГ 18, 170.

Наводи́ть вре́мя. *Яросл.* Медлить в ожидании чего-л., откладывать какое-л. дело. ЯОС 6, 85.

На ма́ленькое вре́мя. *Печор.* Ненадолго. СРГНП 1, 94.

Не в ко́е вре́мя. *Прикам.* Очень быстро. МФС, 20.

Не пережи́ть вре́мя. *Пск.* Не дождаться, когда пройдёт определённое время. СРНГ 26, 104.

Провожа́ть (спровожа́ть) вре́мя. *Арх.* То же, что **убивать время.** АОС 6, 25.

Просто́е вре́мя. *Кар. (Волог.).* Будни. СРГК 1, 242.

Све́тлое вре́мя. *Арх.* Белые ночи. АОС 6, 24.

Сму́тное вре́мя. *Разг.* Неопределённый, нестабильный период, чреватый катаклизмами в жизни общества, страны. БМС 1998, 103.

Теля́чье вре́мя. *Дон.* 1. Раннее вечернее время. 2. Утреннее прохладное время. СДГ 3, 196.

Тёмное вре́мя. *Арх.* Период года с наиболее короткими днями и длинными ночами. АОС 6, 24.

Убива́ть/ убить вре́мя. *Разг. Неодобр.* Проводить время, отвлекаясь чем-л. от скуки, тратить время бесполезно и бесцельно. БМС 1998, 103; Ф 2, 213.

Ува́дить (увести́) вре́мя. *Новг.* То же, что **убивать время.** НОС 11, 84.

ВРО́ДУ * Вро́ду (вро́ды) пойти́. *Арх.* Занять правильное положение при родах. АОС 6, 29.

ВРО́ДЫ * Вро́ды пойти́. См. **Вро́ду пойти́ (ВРОДУ).**

ВРОЗЬ * Врозь да вкось. *Орл. Неодобр.* О неслаженности в действиях. СОГ 1989, 95.

Поговори́ть врозь. *Арх.* Поссориться, поскандалить с кем-л. АОС 6, 31.

Пошло́ врозь да вкось — хоть брось. *Народн. Неодобр.* О раздорах, распрях. ДП, 241.

ВРОСКА́Т * Пойти́ вроска́т. *Арх.* Предаться веселью. АОС 6, 31.

ВСА́ДНИК * Вса́дник без головы́. 1. *Разг. Шутл.-ирон.* О том, кто не может принимать разумные решения. Дядечко 1, 114. 2. *Жарг. шк., студ. Шутл.-ирон.* Студент или школьник на экзамене без шпаргалки. Максимов, 71. 3. *Жарг. шк. Шутл.* Ученик на перемене. Golds, 2001. 4. *Жарг шк. Шутл.* Ученик на уроке физкультуры. (Запись 2003 г.). < По названию романа Майн Рида (1866 г.). и фильма по сюжету романа. Дядечко 1, 114.

ВСЕ. См. **ВЕСЬ.**

ВСЁ. См. **ВЕСЬ.**

ВСЕРЬЁЗ * Всерьёз и надо́лго. *Публ.* О каком-л. важном действии, рассчитанном на длительный срок. БМС 1998, 103; ШЗФ 2001, 47.

ВСКРЁС * Не дава́ть вскрёсу *кому. Перм.* Не давать кому-л. отдохнуть, загружая работой. СРНГ 5, 294.

Быть на вскрёсах. *Народн.* Едва оправиться от болезни, страха, бедности. СРНГ 5, 204.

ВСМАК * Ни всмак ни взнак. *Курск.* Не испытывая удовлетворения. БотСан, 105.

ВСМЯ́ТКУ * Расшиба́ться/ расшиби́ться всмя́тку. *Прост.* Делать что-л. со всей готовностью, с полной отдачей сил. Ф 2, 123.

ВСОЧЬ * Е́хать всочь. *Волог.* Ехать первым по снегу, прокладывая дорогу. СРНГ 5, 207.

Звать всочь. *Волог.* Называть кого-л. как-л. в его присутствии. СВГ, 1, 87.

ВСПА́ШКА* Вспа́шка ози́мых. *Жарг. студ. (худ.-граф.). Шутл.-ирон.* Неаккуратная штриховка. БСРЖ, 110.

ВСПОЛО́Х * Бить всполо́х. *Новг.* Поднимать тревогу для сбора народа при пожаре. НОС 1, 58.

Морски́е всполо́хи. *Сиб.* Северное сияние. ФСС, 32.

ВСПОМИ́Н * Идти́ на вспоми́н. *Дон.* Вспоминаться, приходить на память. СДГ 2, 37.

ВСПО́МНИТЬ* Как вспо́мню, так вздро́гну. *Разг. Шутл.-ирон.* О каких-л. неприятных, страшных воспоминаниях. БСРЖ, 110.

ВСПЫХ * Не дава́ть вспы́ху. *Кар. (Ленингр.).* Не прощать кому-л. чего-л., быть строгим, требовательным. СРГК 1, 245.

ВСПЫ́ШКА * Дать вспы́шку. *Сиб.* 1. Вспылив, совершить необдуманный поступок. ФСС, 53. 2. Совершить что-л. неожиданное. Мокиенко 1990, 110.

ВСТРЁПКА * Дава́ть встрёпку (встрёпки) *кому. Сиб.* Наказывать кого-л. ФСС, 51.

ВСТРЕ́ТА * Встре́та встре́ту. *Печор.* Навстречу друг другу. СРГНП 1, 94.

Встре́ты навстре́чу. *Арх.* То же, что **встреча навстречу.** АОС 6, 60.

ВСТРЕ́ЧА * Встре́ча без га́лстуков. *Публ.* Встреча политиков или бизнесменов в неформальной обстановке, без соблюдения большинства полагающихся норм протокола. < Калька с англ. *no tie session.* МННС, 32.

Встре́ча навстре́чу. *Арх., Прикам.* Лицом к лицу, друг против друга; навстречу друг другу АОС 6, 60; МФС, 21.

Встре́ча на Э́льбе. *Жарг. гом. Шутл.* Встреча старых знакомых гомосексуалистов. Кз., 43. < От названия популярного кинофильма 50-х гг.

Встре́ча с про́шлым. *Жарг. арм. Шутл.* Распитие спиртного. Максимов, 73.

ВСТРЕ́ЧНЫЙ * Встре́чный и попере́чный. *Прост.* Каждый, всякий (о человеке). БТС, 162; ПОС 5, 75.

Пе́рвый встре́чный. *Разг.* Случайный человек, первый попавшийся прохожий. ЗС 1996, 525; БТС, 162; БМС 1998, 103.

ВСТРЯ́СКА * Дава́ть/ дать встря́ску *кому. Кар. (Волог.).* Ругать, отчитывать кого-л. СРГК 1, 419.

ВСУПО́Р * Говори́ть всупо́р. *Арх.* Перечить, говорить наперекор кому-л. СРНГ 6, 256.

ВСУ́ХЕ * Остава́ться всу́хе. *Арх.* Не обращать внимания на кого-л., что-л. АОС 6, 63.

ВСУХУ́Ю * Кури́ть всуху́ю. *Жарг. мол.* Втягивать воздух в незажжённую папиросу. ФЛ, 101.

ВСХОД * Чтоб тебе́ ни всхо́ду ни умоло́ту! *Народн.* Восклицание, выражающее возмущение, гнев. ДП, 750.

ВСЯ. См. **ВЕСЬ.**

ВСЯ́КИЙ * Без вся́ких я́ких. *Прост.* То же, что **безо всяких 1.** Глухов 1988, 2.

Без вся́кого всего́. *Пск.* Безоговорочно, без возражений, обязательно. ПОС 3, 122.

Безо вся́ких. 1. *Прост.* Без задержки, без проволочки, без промедлений. АОС 6, 70; ФСС, 33; Мокиенко 1990, 96. 2. *Арх.* Просто так, всего лишь. АОС 6, 70.

Безо вся́ких вся́ких. *Арх.* То же, что **безо всяких 2.** АОС 6, 70.

ВСЯ́КО * Вся́ко за́просто. *Сиб.* Без церемоний, по-простому. ФСС, 33.

Вы́ставить вся́ко *кого. Сиб.* Осрамить, опозорить кого-л. ФСС, 38.

ВСЯКОТА́ * Вся́кая всякота́. *Пск., Прибайк., Сиб.* То же, что **всякая вся-**

чина (ВСЯЧИНА). ПОС 5, 84; СНФП, 43; СФС, 48; ФСС, 33.

ВСЯ́ЧИНА * Вся́кая вся́чина. *Разг.* Мешанина, набор разнородных мелочей. ФСРЯ, 86; БМС 1998, 103; ЗС 1996, 515; БТС, 163; ШЗФ 2001, 48; АОС 4, 14; СБГ 3, 60; Ф 1, 87; ФСС, 33.

На вся́чину. *Перм.* На разный манер; в разное время. Сл. Акчим. 1, 156.

Де́лать вся́чины. *Сиб.* Вредить кому-л. ФСС, 56.

Хвати́ть вся́чины. *Новг.* Испытать много горя, лишений. НОС 12, 9.

ВСЯ́ЧИНКА * Вся́кая вся́чинка. *Арх.* То же, что **всякая всячина.** АОС 6, 70.

Со вся́чинкой. *Прост.* 1. О человеке с различными отрицательными чертами характера. ДС, 97; ПОС 5, 85. 2. Поразному (обычно о чём-л., имеющем недостатки). Ф 1, 87.

ВСЯ́ЧИНУШКА *Вся́кая вся́чинушка. *Кар.* Все, что угодно. СРГК 1, 251.

ВТО́РИК * Уби́ться на вто́риках. *Жарг. нарк.* Получить удовольствие от вдыхания наркотического дыма. Максимов, 73.

ВТО́РНИК * По пусты́м вто́рникам. *Новг.* О чём-л. неважном, ненужном. НОС 1, 144.

ВТО́РНИЧЕК * На чужи́х вто́рничках. *Пск. Неодобр.* За чужой счёт, не своим трудом. СПП 2001, 23.

ВТОРО*Й * Ве́чно второ́й. *Жарг. кино, ТВ. Ирон.* Второй оператор, который, как правило, всегда остается в этой должности. БСРЖ, 111.

ВТРУНКИ́ * Бе́гать втрунки́. *Новг.* Бегать рысью, трусцой. НОС 1, 144.

ВТУ́НЕ * Остава́ться/ оста́ться вту́не. *Устар.* Не приносить никакой пользы, не находить применения. < **Втуне** — напрасно, даром. БМС 1998, 103.

ВУА́ЛЬ * Накла́дывать вуа́ль *на что. Книжн.* Скрывать истинное положение вещей. Ф 1, 314.

ВУЛКА́Н * Де́йствующий вулка́н. *Публ.* О центре, источнике какого-л. массового волнения, недовольства. СП, 150.

Жить (стоя́ть, танцева́ть) на вулка́не. *Публ.* Жить в постоянном беспокойстве, страхе; ожидать каких-л. бедствий. БМС 1998, 103.

ВХОД * Добро́ пожа́ловать или посторо́нним вход воспрещён. *Разг. Шутл.-ирон.* О нерадушном приеме гостей, посетителей. < Название кинокомедии («Мосфильм», 1964 г.). Дядечко 2, 24.

ВЧЕРА́ * Приходи́ вчера́. *Разг. Ирон.* Насмешливая фраза, употребляемая с целью отделаться от просителя. БМС 1998, 104; ЗС 1996, 295, 343.

Хоть вчера́ со двора́. *Сиб.* Совершенно безразлично кому-л., все нипочем кому-л. ФСС, 33.

ВЧИСТЕ́ * Ходи́ть вчисте́. *Морд. Одобр.* Быть модно одетым. СРГМ 1978, 93.

ВЧУРЕ́ЛЬ * Сбить вчуре́ль. *Пск.* Сильно, жестоко избить кого-л. ПОС 5, 105.

ВША См. **ВОШЬ.**

ВШИ́ВИЦА * Наколоти́ть вши́вицу *кому. Обл.* Избить кого-л. Мокиенко 1990, 53.

ВШИ́ВОСТЬ * Проверя́ть/ прове́рить на вши́вость *кого. Разг. Шутл.-ирон.* 1. Испытывать кого-л. на честность, порядочность, надежность. 2. Проверять, не сотрудничает ли кто-л. с правоохранительными органами. Мокиенко 2003, 17.

ВШИРЬ * Расти́те вширь! *Пск. Шутл.* Ответ на выражение благодарности за обед. СПП 2001, 23.

Что вширь что вдоль. *Пск. Шутл., ирон.* Об очень полном человеке. ПОС 3, 55.

ВЫ * Не к вам бу́дет ска́зано. *Прикаж.* Выражение, предостерегающее от несчастья. МФС, 91.

Пришло́ не до вас. *Олон.* Нет времени заниматься чем-л. СРНГ 31, 235.

Быть на «вы» *с кем. Разг.* 1. Быть с кем-л. в официальных, формальных, не дружеских отношениях. БМС 1998, 104; ШЗФ 2001, 27; Мокиенко 1986, 63; НСЗ-84. 2. Относиться к чему-л. серьезно, по-деловому. НСЗ-70; Мокиенко 2003, 17.

Вы нам писа́ли. *Жарг. шк. Шутл.-ирон.* О замечании в дневнике ученика. < По названию газетно-журнальной рубрики, восходящей к тексту «Евгения Онегина» А. С. Пушкина. Максимов, 74.

Иду́ на вы. *Книжн. иногда Шутл.* Объявляю вам войну, буду с вами спорить, бороться (вызов, предупреждение о начале поединка, дискуссии, критики и т. п.). < Слова принадлежат князю Святославу Игоревичу (X в.), который никогда не начинал войну без предупреждения. БМС 1998, 228; Ф 1, 220.

ВЫ́БЕР * Вы́бером выбира́ть *кого, что. Прибайк.* То же, что **выбором выбирать (ВЫБОР).** СНФП, 36.

ВЫ́БОР * Вы́бором выбира́ть *что, кого. Арх.* Отбирать что-л., кого-л. очень тщательно. АОС 6, 103.

ВЫ́ВАЛ * На вы́вал. *Кар. (Арх.).* В отходы. СРГК 1, 252.

До вы́валу глаз. *Кар.* До изнеможения, из последних сил. СРГК 1, 252.

ВЫ́ВЕСКА* Начи́стить (попо́ртить) вы́веску *кому. Жарг. мол.* Избить (обычно — до синяков) кого-л. Елистратов 1994, 78; Енджеевский, 39; Быков, 46.

Почи́стить (помы́ть) вы́веску. *Жарг. мол. Шутл.* Умыться. Елистратов 1994, 78.

ВЫ́ВИХ * С вы́вихом. *Прост. Неодобр.* О человеке со странностями, с отклонениями в психике. Мокиенко 1986, 64.

ВЫ́ВОД * Дать вы́вод. *Сиб.* Ответить кому-л. ФСС, 53; СРНГ 7, 257.

Сде́лать вы́вод. *Кар. (Арх.).* Обменяться подарками (о родственниках жениха и невесты). СРГК 1, 254.

ВЫ́ВОЛОК * До вы́волоку глаз. *Кар.* До крайней степени усталости. СРГК 1, 255.

ВЫ́ВОЛОЧКА * Дать вы́волочку. 1. *кому. Прост.* Строго наказать, побить кого-л. Глухов 1988, 29. 2. *чему. Арх.* Потрепать новую одежду, обувь. СРНГ 7, 257. 3. *кому.* Утомить кого-л. проволочкой в деле. СРНГ 7, 257.

ВЫ́ГАДКА * Ба́бьи вы́гадки. *Дон. Ирон.* Выдумки, небылицы. < **Выгадка** — сказка. СДГ 1, 9.

ВЫ́ГАЛ * Продава́ть вы́галы. *Курск.* Праздно смотреть, глазеть на что-л. Мокиенко 1990, 154.

ВЫ́ГОВОР * Выгова́ривать вы́говор. *Сиб.* В свадебном обряде: дарить подарке невесте (о женихе). ФСС, 34.

ВЫ́ГОДА * Крестья́нская вы́года. *Яросл. Устар.* Кустарник, неудобное для выпаса место, где крестьяне пасли свой скот. ЯОС 5, 89.

ВЫ́ГОНКА * Гоня́ть вы́гонку. *Сиб.* Сплавлять лес. ФСС, 46.

ВЫ́ГРЕБ * Под вы́греб. *Яросл.* Абсолютно всё. ЯОС 8, 20.

Без вы́греба. *Прост.* В изобилии. Ф 1, 91.

ВЫ́ДАНЬЕ * На вы́данье. *Разг.* В возрасте, когда пора выходить замуж. БТС, 169.

ВЫ́ДАЧА * С вы́дачи. *Прикам.* Скупо, экономно. МФС, 12.

ВЫ́ДЕЛ * Вы́дел следя́чий. *Жарг. угол.* Уголовный розыск. СРВС 2, 81, 111; ТСУЖ, 36, 164; Балдаев 2, 45. < Из польск. *wydział śledczy* (Б. А. Ларин). Грачев 1997, 77.

ВЫ́ДЕР * Дава́ть/ дать вы́дер (вы́дерку) *кому. Волг., Волог.* Пороть, сечь кого-л. СРНГ 7, 257; Мокиенко 1990, 46; Глухов 1988, 29.

ВЫ́ДРА * Вы́дра коши́ная. *Морд. Бран.* О худой, тощей женщине. СРГМ 1982, 82.

ВЫ́ДУМКА * Со свое́й вы́думки. *Сиб.* Самостоятельно, без посторонней помощи. ФСС, 35.

Свое́й вы́думкой. *Сиб.* Своевольно. ФСС, 35.

На свою́ вы́думку. *Сиб.* По-своему. ФСС, 35.

ВЫ́ЕЗД * С молоде́цким вы́ездом! *Народн.* Взаимное приветствие участников свадебного «поезда». СРНГ 5, 277.

Ни вы́езду ни вы́ходу. *Дон.* Трудно пройти, проехать где-л. СДГ 1, 86.

ВЫ́ЕМКА* Сде́лать вы́емку. *Жарг. угол. Шутл.-ирон.* Украсть что-л. Балдаев 2, 32.

ВЫ́ЖАТЬ * Хоть вы́жми. *Разг.* О чём-л. промокшем насквозь. ДП, 792.

ВЫ́ЖИГА * На вы́жигу [пора́] *кому, чему. Пск.* О ком-л., о чём-л. старом, дряхлом, никому не нужном. ПОС 5, 161. < **Вы́жига** — выжженный, выгоревший участок леса.

ВЫ́ЖИМОЧКА * С вы́жимочкой. *Пск.* С трудом, выманивая, выпрашивая что-л. ПОС 5, 162.

ВЫ́ЖИМОЧКА * С вы́жимочкой. *Пск.* С трудом, выманивая, выпрашивая что-л. ПОС 5, 162.

ВЫ́ЖМОЧКА * Ста́рая вы́жмочка. *Сиб. Презр.* Злая, сварливая старуха. ФСС, 35.

ВЫ́ЗВЕЗДКА * Дать вы́звездку *кому. Брян.* Наказать кого-л. СБГ 5, 7.

ВЫ́ЗЛУНЬ* Вы́злунь косогла́зый. *Жарг. угол. Пренебр.* Лицо азиатского происхождения. ББИ, 50; Балдаев 1, 76. < **Вызлунь** — умственно отсталый человек.

ВЫ́ЗОВ * Броса́ть/ бро́сить вы́зов *кому, чему.* Резко выступать против кого-л., чего-л., делать что-л., вызывающее чьё-л. возмущение. БМС 1998, 104; ШЗФ 2001, 24.

ВЫ́ЙТИ * Ни вы́йти ни вы́ехать *на ком. Перм. Шутл.-ирон.* О слабом, тщедушном человеке. Сл. Акчим. 1, 170.

ВЫ́КАТ * На вы́кате. *Кар. (Ленингр.).* На восходе солнца. СРГК 1, 267.

ВЫ́КИДЫШ * Автомоби́льный (кама́зовский) вы́кидыш. *Жарг. авто. Шутл.-ирон.* Автомобиль «Запорожец». Максимов, 11.

Вы́кидыш «Ни́вы». *Жарг. авто. Шутл.-ирон.* То же, что **автомоби́льный вы́кидыш.** Максимов, 75.

ВЫ́КИНУТЬ * Хоть вы́кинь *что.* О чём-л. негодном, некачественном, изношенном. *Смол.* ССГ 11, 16.

ВЫ́КЛАДКА * На вы́кладке. *Печор.* В процессе строительства. СРГНП 1, 106.

На вы́кладку. *Кар. (Новг.).* По договорённости. СРГК 1, 268.

ВЫ́КРАСИТЬ * Вы́красить да вы́бросить *что. Арх., Волг., Пск. Ирон.* О чём-л. бесполезном, ни к чему не пригодном, никому не нужном. АОС 6, 118; Глухов 2001, 18; СПП 2001, 23.

ВЫ́КРОЙКА * Коша́чья вы́кройка. *Жарг. мол. Пренебр.* О худом мужчине маленького роста. Максимов, 76.

На одну́ вы́кройку. *Пск. Шутл.* О людях, очень похожих друг на друга. СПП 2001, 23.

Потеря́ть вы́кройку. *Новг., Пск.* Забыть последовательность действий, утратить какие-л. навыки. НОС 8, 153; СПП 2001, 23.

ВЫКРУ́ЧИВАНИЕ * Выкру́чивание рук. *Публ.* О методах грубого нажима, давления на кого-л. С целью добиться выгодного для себя решения вопроса. НСЗ-84.

ВЫ́ЛАЗ * С вы́лазу вон. *Пск. Неодобр.* О ком-л., о чём-л. очень плохом. ПОС 6, 4.

ВЫ́ЛИТЬ * Вы́лить не вы́лить *кого, что. Арх.* О большом внешнем сходстве. АОС 7, 290.

ВЫ́ЛЮДЬЕ * На вы́людье. *Новг., Печор., Сиб., Яросл.* Для праздника, для выхода в общество, в люди. НОС 1, 149; СРГНП 1, 109; ФСС, 37; ЯОС 2, 37; ЯОС 6, 76.

ВЫ́МЕЧКО * Коро́вье вы́мечко. *Арх.* Растение ятрышник семейства орхидных. СРНГ 14, 351.

ВЫ́МПЕЛ * Вы́бросить вы́мпел. *Жарг. угол.* Подать условный знак — предупреждение об опасности. ББИ, 51.

ВЫ́МЯ * Брать за вы́мя *кого. Жарг арм.* Начинать строго, настойчиво добиваться чего-л. от кого-л. Кор., 49.

Соба́чье (су́чье) вы́мя. 1. *Брян., Сиб.* Крупный нарыв, фурункул под мышкой. ФСС, 37; СБО-Д1, 190; СОВС, 179; СБГ 3, 74. 2. *Жарг. мол. Бран.* О подлом, непорядочном человеке. Максимов, 76.

Ту́фелькино вы́мя. *Жарг. гом. Шутл.* Сквер возле Большого театра в Москве с известным фонтаном — место сбора гомосексуалистов. Шах.-2000.

ВЫ́НОС * Вы́нос те́ла. 1. *Жарг. арм. Шутл.-ирон.* Прощальная выпивка перед убытием на новое место службы или увольнением из вооружённых сил. Кор., 69; Лаз., 130. 2. *Жарг. шк. Шутл.-ирон.* О выходе ученика для ответа к доске. Максимов, 76.

На вы́нос. 1. *Яросл.* Быстро, без остановки (ездить). ЯОС 6, 76. 2. *Нижегор.* Протяжно (петь). СРНГ 5, 318.

Уда́чный вы́нос. *Жарг. RPG.* Победоносный штурм, захват неприятеля в ролевой игре. БСРЖ, 115.

ВЫ́НУТЬ * Вынь да поло́жь. *Народн.* О необходимости, требовании немедленно сделать, дать что-л. ДП, 837; СРНГ 5, 305; ПОС, 6, 24. **Вынь да вы́ложь.** *Обл.* То же. Мокиенко 1990, 24; БТС, 177.

Вынь девяно́сто пять. *Жарг. комп. Шутл.* Операционная система Windows-95. Садошенко, 1996.

ВЫ́ПАР * С лёгким вы́паром! *кого. Пск.* Приветствие пришедшему из бани. ПОС 6, 27.

ВЫ́ПИТЬ * Как вы́пить дать. *Жарг. мол. Шутл.* Наверняка. < От поговорки **как пить дать.** Белянин, Бутенко, 70.

ВЫ́ПОЛЗОК * Зме́йный вы́ползок. *Сиб. Презр.* Злой человек. ФСС, 38.

ВЫ́ПЛЮНУТЬ * Вы́плюнь не жева́вши. *Народн.* Призыв, требование без промедления сказать что-л., рассказать о чём-л. ДП, 415.

ВЫ́ПОРОК * Вы́порок коро́вий! *Пск. Бран.* О человеке, поступившем неправильно. СПП 2001, 23.
< **Вы́порок** — недоношенный плод (у животных).

ВЫ́ПУЛЬ * Вы́пуль с ке́пкой. *Жарг. угол.* Предписание покинуть данный пункт в течение суток. ТСУЖ, 37. < **Выпуль** — подписка, предписание о выезде откуда-л.

ВЫ́ПУСК * Вы́пуску нет *кому. Печор.* О человеке, которому не дают поблажек, не потворствуют. СРГНП 1, 117.

ВЫ́ПУЧ * До вы́пуча глаз. *Новг. Шутл.-ирон.* Вдоволь, досыта, до пресыщения (есть). СРНГ 5, 336.

ВЫРАЖÉНИЕ * Минда́льное выраже́ние. *Книжн. Неодобр.* О сладком, неискреннем выражении лица. БМС 1998, 104.

Парла́ментские выраже́ния. *Жарг. мол. Шутл.* Ругательства, бранные выражения. Максимов, 76.

ВЫ́РАСТИ * Где вы́росла, тут и вы́кисла. *Кар. (Арх.).* О женщине, прожившей жизнь в одном месте. СРГК 1, 268.

ВЫ́РЕЗ * На вы́резе. *Кар.* На виду. СРГК 1, 286.

ВЫ́СИДКА * Отпра́вить на вы́сидку *кого. Кар.* Посадить в тюрьму, отправить в заключение кого-л. СРГК 1, 291.

Сде́лать вы́сидку. *Кар. (Мурм.). Ирон.* Долго просидеть в ожидании чего-л. СРГК 1, 291.

ВЫ́СКОЧКА * С вы́скочкой. *Кар.* Вприпрыжку. СРГК 1, 292.

ВЫСОКÓ * Высоко́ лета́ть. *Разг.* Добиться больших успехов в жизни. Глухов 1988, 81.

Высоко́ (хорошо́) лета́ет, да где-то ся́дет. *Народн. Ирон.* О гордом, заносчивом человеке. Жиг. 1969, 207; ДП, 452.

Высоко́ нести́сь. *Волг. Неодобр.* О гордом, заносчивом человеке. Глухов 1988, 105.

Высоко́ скла́дывать. *Жарг. угол.* Ловко, профессионально совершать убийства. ТСУЖ, 37; Мильяненков, 100.

ВЫСОТÁ * Кома́ндная высота́. *Книжн.* 1. Господствующая возвышенная местность, дающая войскам преимущество. 2. Важнейшие, определяющие участки какой-л. деятельности. БТС, 183.

Быть на высоте́ положе́ния. *Разг. Одобр.* Удовлетворять самым строгим требованиям. БТС, 183.

Держа́ть на высоте́ *кого. Кар. (Волог.).* Ценить, уважать кого-л. СРГК 1, 295.

Держа́ться/ удержа́ться на высоте́. *Разг. Одобр.* Сохранять качества, необходимые для чего-л., соответствующие каким-л. требованиям. Ф 2, 217.

Плева́ть с высоты́ высо́т *на кого, на что. Волг.* О полном безразличии к кому-л., к чему-л. Глухов 1988, 123.

Поднима́ть/ подня́ть на высоту́ *что. Разг.* Увеличивать, усиливать что-л. Ф 2, 57.

Поднима́ться/ подня́ться на высоту́. *Книжн.* Совершенствоваться, развиваться, получая признание. Ф 2, 58.

С высоты́ пти́чьего полёта. *Книжн.* 1. С высоты, откуда хорошо видно (видеть, обозревать что-л., любоваться чем-л.). БМС 1998, 105, 459. 2. *Ирон.* Поверхностно, не вдаваясь в подробности. ФСРЯ, 337.

Смотре́ть с высоты́ *на кого. Кар. Неодобр.* Смотреть свысока, проявлять заносчивость, зазнаваться. СРГК 1, 295.

ВЫ́СТАВКА * Дава́ть/ дать (задава́ть/ зада́ть, де́лать/ сде́лать) вы́ставку *кому. Арх., Волог., Калуж., Кар. (Ленингр.), Пск., Яросл.* 1. Прогнать кого-л. откуда-л. АОС 8, 240; СВГ 2, 8; СРНГ 7, 257; СРГК 1, 296; ПОС 6, 68; ЯОС 3, 121; ЯОС 4, 68; Ф 1, 144. 2. *Пск.* Выругать кого-л., устроить скандал. ПОС 6, 68. 3. *Морд.* Выпороть, избить кого-л. СРГМ 1978, 101; Мокиенко 1990, 46.

Преста́вить на вы́ставку *кого. Омск.* Выставить кого-л. на позор, для всеобщего посрамления. СРНГ 31, 95.

ВЫ́СТИЛКА * Дать вы́стилку *кому. Морд., Пск., Яросл.* Избить, выпороть кого-л. СРГМ 1978, 101; ПОС 6, 70; ЯОС 3, 121.

ВЫ́СТРАСТКА * Дать вы́страстку *кому. Обл.* То же, что **дать вы́стилку (ВЫСТИЛКА).** Мокиенко 1990, 47.

ВЫ́СТРЕЛ * Вы́стрел в спи́ну. *Жарг. шк. Ирон. или Неодобр.* Дополнительный вопрос. Bytic, 1991–2000; Golds, 2001.

Вы́стрел в тума́не. *Жарг. шк. Шутл.-ирон.* Об ответе ученика у доски. Максимов, 77.

На вы́стрел. *Разг.* Очень близко (подъехать, приблизиться). ФСРЯ, 97.

На оди́н вы́стрел. *Кар. (Волог.).* Без отдыха, без перерыва. СРГК 1, 300.

На пу́шечный вы́стрел не подпуска́ть/ не подпусти́ть *кого куда, к кому, к чему. Разг.* Держать кого-л. на значительном удалении откуда-л., от кого-л., от чего-л. БМС 1998, 105; БТС, 183; ЗС 1996, 201; Ф 1, 99.

ВЫ́СТУП * Де́лать/ сде́лать вы́ступ. *Печор.* Переступать, перешагивать через что-л. СРГНП 1, 124.

ВЫ́СШИЙ * Вы́сший зна́ет *кого, что. Пск.* То же, что **Бог знает 1 (БОГ).** СПП 2001, 24.

ВЫ́СЫП * Ходить (быть) на вы́сыпе. *Олон.* О последних днях беременности перед родами. СРНГ 6, 37.

ВЫ́СЫПКА * Дать (задать, сде́лать) вы́сыпку. *Кар. (Арх.), Яросл.* Долго и крепко спать, выспаться. СРГК 1, 302, 423, 444; ЯОС 3, 58.

ВЫ́ТАРАСКА * На вы́тараску. *Яросл.* Напоказ. ЯОС 6, 76.

ВЫ́ТАСКА * Дать (зада́ть) вы́таску *кому. Орл., Яросл.* Избить, побить кого-л. ЯОС 4, 68; СОГ 1989, 121; Мокиенко 1990, 46.

ВЫ́ТЕК * Пойти́ на вы́тек. *Кар. (Волог.).* Стать убыточным. СРГК 1, 302.

ВЫ́ТЕРКА * Вы́терка от хозя́ина. *Жарг. угол., арест.* Справка об освобождении из мест лишения свободы. ББИ, 52; Балдаев 1, 79.

Понто́вая вы́терка. *Жарг. арест.* Положительная характеристика, необходимая для условно-досрочного освобождения, приобретенная за взятку у администрации ИТУ. Балдаев 1, 337.

Лома́ть вы́терку. *Жарг. угол.* Проверять документы или билеты. Балдаев 1, 230.

< **Вы́терка** — документ, удостоверение; билет.

ВЫ́ТРЕПКА * Зада́ть вы́трепку. *Кар. (Арх.).* Наказать кого-л. СРГК 1, 305.

ВЫ́ТРЕШКИ * Дава́ть/дать вы́трешков *кому. Волг., Дон.* Избивать кого-л., расправляться с кем-л. Глухов 1988, 29; СДГ 1, 91.

ВЫ́ТРИШКИ * Продава́ть вы́тришки. *Курск.* 1. Долго и пристально смотреть на кого-л., что-л. СРНГ 6, 42. 2. *Неодобр.* Бездельничать. Мокиенко 154.

ВЫ́ТРЯСКА * Дава́ть/дать вы́тряску *кому. Волог.* Ударами причинять боль кому-л., избивать кого-л. СВГ 2, 8.

ВЫТЬ * Выходи́ть из вы́ти. *Арх.* Чувствовать голод; истощаться от голода. СРНГ 6, 45.

Вы́ше вы́ти. *Сиб.* Безмерно, сверх меры. ФСС, 40.

Ни вы́ти ни уёму *у кого, кому. Обл. Неодобр.* О человеке, не знающем меры ни в чем. Ф 1, 100.

От вы́ти до вы́ти. *Ср. Урал.* С завтрака до обеда. СРГСУ 1, 106.

Больша́я выть. *Яросл. Шутл.* Человек с хорошим аппетитом. ЯОС 2, 13.

Держа́ть выть. *Том.* Соблюдать определенные промежутки времени между едой. СРНГ 6, 44.

Забра́ть выть. *Сиб.* Насытиться. ФСС, 74.

Замори́ть выть. *Арх., Сиб. Шутл.* Перекусить, слегка утолить голод. ФСС, 79; Мокиенко 1986, 27.

Перевести́ выть. *Приамур.* То же, что **замори́ть выть.** СРГПриам., 198.

Позолоти́ть выть. *Арх.* Полакомиться чем-л. СРНГ 6, 45.

Распусти́ть выть. *Кар. (Ленингр.). Неодобр.* Принять слишком много пищи за один раз. СРГК 1, 306.

< **Выть** — 1. Время приема пищи. 2. Аппетит. 3. Количество пищи, съедаемое за один раз. 4. Промежуток времени от одного приёма пищи до другого.

ВЫ́ТЯЖКА * Лежа́ть в вы́тяжку. *Ворон.* Быть при смерти. СРНГ 16, 330.

На одну́ вы́тяжку. *Новг.* Не отдыхая, за один раз. СРГК 1, 307.

ВЫ́ХВАЛА * Вы́йти на вы́хвалу. *Сиб.* Получить повышение в должности. ФСС, 38.

ВЫ́ХОД * Выход в астра́л. *Жарг. мол. Шутл.* Временное удаление от действительности (как правило — с помощью наркотика, алкоголя). Мокиенко 2003, 17.

Вы́ход не выхо́дит. *Сиб.* не выгодно, бесполезно. ФСС, 39.

Пара́дный вы́ход заключённых. *Жарг. шк. Шутл.-ирон.* Общешкольное построение, линейка. (Запись 2003 г.).

Пойти́ на вы́ход. *Кар. (Арх.).* Перестать участвовать в чём-л. СРГК 1, 310.

Без вы́ходу. *Сиб.* Постоянно, непрерывно (быть, находиться, жить, работать где-л.). СБО-Д1, 86.

Не дава́ть вы́ходу *кому. Кар. (Новг.).* Мешать, докучать кому-л. СРГК 1, 310.

ВЫ́ХОДКА * Дава́ть/ дать вы́ходку. 1. *Волог.* Исполнять танец, плясать. СВГ 1, 103; СВГ 2, 8. 2. *кому. Брян.* Делать внушение, отчитывать кого-л. СБГ 3, 87.

Дава́ть вы́ходки. *Волог.* Капризничать, вести себя своевольно, своенравно. СВГ 1, 103.

ВЫХОДНО́Й * Ни выходны́х, ни проходны́х. *Сиб. Ирон.* О тяжелой работе без отдыха. ФСС, 40.

Задава́ть/ зада́ть вы́храпку. *Прост.* Крепко спать, уснуть. Ф 1, 194.

ВЫ́ХУХОЛЬ * Вы́хухоль зелёная (мохна́тая, рога́тая). *Жарг. мол.* 1. *Пренебр.* Алкоголик, пьяница. 2. *Бран.* О человеке, вызывающем досаду, раздражение. Максимов, 77.

ВЫ́ЧЕСКА * Дать вы́чески (вы́ческу) *кому. Пск.* Отругать, отчитать кого-л. ПОС 6, 100; Мокиенко 1990, 46.

ВЫ́ЧЕТ * Де́лать вы́чет. *Брян.* Заговаривать болезни. СРНГ 6, 56.

ВЫ́ЧИНКА * Вы́чинку де́лать *кому. Волог.* Глумиться, издеваться над кем-л. СВГ 1, 104.

ВЫША́К * Выша́к ло́мится *кому. Жарг. угол.* Вероятна высшая мера наказания кому-л. Быков, 48; Грачев 1992, 60.

Дать вышака́ *кому. Кар.* Приговорить кого-л. к высшей мере наказания. СРГК 1, 423.

< **Вышак** — высшая мера наказания.

ВЫ́ШЕ * Бери́ вы́ше. *Разг.* О ком-л. или о чём-л. значительном. Глухов 1988, 2.

Брать вы́ше и вы́ше. *Орл. Неодобр.* Проявлять своеволие. СОГ 1989, 92.

ВЫШИБА́ЛОВКА * Де́лать/ сде́лать вышиба́ловку *кому. Кар.* Выгонять кого-л. откуда-л. СРГК 1, 315.

ВЫ́ШКА * На вы́шке обстои́т неблагополу́чно *у кого. Народн. Шутл.-ирон.* О глупом человеке. ДП, 436.

Быть под вы́шкой. *Жарг. угол.* Ожидать исполнения смертного приговора. Росси 1, 77.

Взять вы́шку *над кем. Орл.* Подчинить кого-л. себе. СОГ 1989, 42.

Забро́сить на вы́шку *что. Перм. Шутл.* Перестать использовать что-л. ненужное. Подюков 1989, 77.

ВЫ́ШПОРКА * Дать вы́шпорку *кому. Кар. (Волог.).* Выбранить, отругать кого-л. СРГК 1, 316, 423.

ВЫ́Я * Гнуть вы́ю. *Книжн. Устар.* Унижаться, заискивать, раболепствовать. Ф 1, 114.

Клони́ть (склоня́ть/ склони́ть) вы́ю *перед кем. Книжн. Устар.* 1. Относиться с почтением, преклоняться перед кем-л. Ф 1, 241. 2. Подчиняться, покоряться кому-л., признавая себя побежденным, зависимым. Ф 2, 159.

ВЬЮР * Сде́лать вьюра́. *Олон.* Сильно ударить хвостом по воде (о рыбе). СРНГ 6, 69. < **Вьюр** — водоворот.

ВЬЮ́ШКИ * Прохло́пать вьюшками. *Яросл.* Слушая, не понять, не воспринять чего-л. ЯОС 8, 102.

Распусти́ть вьюшки. *Яросл.* Стать рассеянным, невнимательным. ЯОС 8, 123.

ВЯЗ * До вя́зу. *Кар. (Ленингр.).* О большом количестве чего-л. СРГК 1, 319.

Сверну́ть (скрути́ть) вя́зы. *Кубан.* 1. *кому.* Искалечить кого-л. 2. **[себе́].** Искалечиться. Борисова 2005, 73.

ВЯ́ЗКА * В вя́зки вяза́ть *что. Арх.* Очень крепко связывать что-л. АОС 9, 9.

ВЯ́ЗЬЕ (ВЯЗЬЁ) * Ни прясть, ни ткать, ни вя́зье (вязьё) вяза́ть. *Волг., Перм., Прикам. Ирон.* О неумелом, неловком человеке. Глухов 1988, 110; МФС, 82; СГПО, 102.

ВЯ́ЗЫ * Сверну́ть вя́зы *кому* **(с вязо́в** *кого). Волг., Дон.* Сильно избить кого-л. Глухов 1988, 145; СДГ 1, 93. < **Вязы** — шея.

ВЯ́ЛЫЙ * Гоня́ть вя́лого. *Жарг. мол. Шутл.* Совершать половой акт при ослабленной эрекции. h-98.

ВЯ́ТКИ * Прожи́ть вся́ких вя́ток. *Сиб.* Многое испытать, пережить в жизни. СФС, 153.

ВЯ́ХА * Отвороти́ть вя́ху. *Пск. Неодобр.* Сказать глупость. Доп. 1858; СПП 2001, 23.

ГАВ * И гав не брехал *о ком, о чем. Волг. Шутл.-ирон. или Пренебр.* О чём-л., о ком-л. незначительном, ненужном, никогда не вспоминаемом. Глухов 1988, 115.

Лови́ть га́вов. *Жарг. мол. Шутл. или Неодобр.* Бездельничать, ротозейничать. НВ, 1997, № 38; Смирнов 2002, 104. < **Гав** — от укр. **гава** — ворона.

ГА́ВАНЬ * Ти́хая га́вань. *Разг. Ирон.* Спокойное для жизни, работы и т. п. место. Ф 1, 105.

ГАГА́РА * Гага́ра дли́нный. *Башк. Шутл.-ирон.* О высоком человеке. СРГБ 1, 81.

ГА́ГРЫ * Га́гры до́лгие распусти́ть. *Арх. Неодобр.* Подраться. АОС 9, 21.

ГАД * Гад возьми́ *кого*! *Пск.* Восклицание, выражающее безразличие, равнодушие, пренебрежение. ПОС 6, 122.

Гад вши́вый (гриба́тый, красногла́зый, невиди́мский, опо́лзлый, парха́тый, паса́цкий, рога́тый, рябо́й, тёмный). *Пск. Бран.* О непорядочном, подлом человеке; о человеке, поступившем неправильно. СПП 2001, 24. < **Опо́лзлый** — облезлый; **парха́тый** — шелудивый, грязный, плохо пахнущий.

Гад зна́ет. *Пск.* 1. Ничего не известно о ком-л., о чём-л. 2. *Неодобр.* О чём-л. скверном, очень плохом. СПП 2001, 24.

Гад ляга́вый (лега́вый). *Жарг. угол. Презр.* 1. Милиционер, сотрудник милиции. 2. Сотрудник уголовного розыска. 3. Сотрудник ИТУ. 4. Осведомитель, доносчик. УМК, 65; Росси 1, 78; Мильяненков, 101; ББИ, 53; Балдаев 1, 83.

Гад печёный. *Волг. Бран.* То же, что **гад ползучий.** Глухов 1988, 29.

Гад ползу́чий. *Прост. Бран.* О злом, скверном человеке. Ф 1, 105; Мокиенко, Никитина 2003, 101.

Гад разъя́сный. *Пск. Бран.* Восклицание, выражающее досаду, раздражение. СПП 2001, 24.

Гад (змей) ухвати́ (покуса́й) *кого*! *Пск. Бран.* Восклицание, выражающее негодование, недоброжелательство. СПП 2001, 24.

Гад я́сный. *Пск.* 1. *Бран.* О непорядочном человеке. 2. *Одобр.* Восклицание, выражающее удовлетворение, восхищение. СПП 2001, 24.

Лету́чий гад. *Латв.* Насекомое. СРНГ 17, 26.

Ле́шев гад. *Костром. Бран.* То же, что **леший гад.** СРНГ 17, 31.

Ле́ший гад. *Горьк. Бран.* О непорядочном, подлом человеке. БалСок, 41.

И га́да в сту́лья. *Пск.* Всё нипочем кому-л. ПОС 6, 122. **Хоть га́да в сту́лья.** *Перм.* То же. Подюков 1989, 106.

Ни га́да. *Пск.* Совсем ничего, нисколько. ПОС 6, 122.

Га́дом буду! *Жарг. угол., Разг.* Клятвенное заверение в чём-л. УМК, 65; Елистратов 1994, 84; Грачев, Мокиенко 2000, 58.

ГАДА́НИЕ * Гада́ние на кофе́йной гу́ще. *Разг. Ирон. или Неодобр.* Беспочвенные, ни на чём не основанные предположения, догадки, домыслы. БМС. 106; БТС, 190.

ГА́ДИНА * Га́дина еду́чая. *Ср. Урал. Бран.* О злобном, коварном человеке. СРГСУ 1, 151.

Га́дина ползу́чая. *Прост. Бран.* То же, что **гад ползучий (ГАД).** Мокиенко, Никитина 2003, 101.

ГАДИ́ХА * Пройти́ все гади́хи. *Волог.* Обругать кого-л. СРНГ 6, 91.

ГА́ДОСТЬ * Ни в га́дости ни в ра́дости. *Пск.* О тяжёлой, безрадостной жизни. ПОС 6, 125.

Кака́я га́дость э́та ва́ша заливна́я ры́ба. *Разг.* 1. О чьих-л. кулинарных способностях. 2. О неприятии чего-л. < Реплика из кинофильма «Ирония судьбы». Дядечко 2, 124.

ГА́ДОЧКА * Га́дочки не гада́ть *о чем. Сиб.* Не задумываться о чём-л. СФС, 53.

ГАДЮ́КА * Гадю́ка ры́жая. *Пск. Бран.* О злобной, сварливой женщине. СПП 2001, 24.

ГАЗ * Большо́й газ. *Жарг. арм., Разг.* Застолье с большим количеством выпивки. Кор., 46.

Ме́дленный газ. *Жарг. мол. Пренебр.* О крайне глупом, несообразительном человеке. (Запись 2004 г.).

Сба́вить газ. *Разг.* Уменьшить скорость движения. БТС, 191.

На всех газа́х. *Пск. Шутл.* То же, что **на полном газу.** ПОС 6, 127.

Быть под га́зом. *Разг.* Находиться в состоянии алкогольного опьянения. Елистратов 1994, 85; Ф 1, 105; БТС, 191.

На по́лном газу́. *Прост.* Очень быстро, с большой скоростью (ехать, мчаться и т. п.). ФСРЯ, 101; БТС, 191.

Га́зы па́ли *на что. Р. Урал.* О появлении неприятного запаха у портящегося продукта. СРНГ 25, 120.

ГАЗЕ́ТА * Жива́я газе́та. *Народн. Неодобр.* О человеке, распространяющем слухи. ДП, 204; ЗС 1996, 354.

Ходя́чая газе́та. *Разг. Ирон.* О человеке, который знает и распространяет новости, слухи. Ф 1, 105.

Шко́льная газе́та. *Жарг. шк. Шутл.* Парта. (Запись 2003 г.).

Ты воспари́л... и хлоп тебя газе́той. *Жарг. мол. Шутл.* О несбывшихся надеждах, внезапно сорвавшихся планах, сильном разочаровании. Никитина 2003, 111.

Почита́ть газе́ту. *Жарг. мол. Шутл.* 1. Сходить в туалет. 2. Выпить спиртного. Максимов, 79.

ГАЗО́К * Приба́вить газку́. *Жарг. мол.* Ускорить движение пешком. Максимов, 79.

ГАЗО́Н * Стричь газо́н. *Жарг. мол. Шутл.* Получать зарплату в долларах. Максимов, 79.

ГАЙ * Аж гай шуми́т. *Сиб. Одобр.* О чём-л. отличном, превосходном, качественном. ФСС, 41.

Взять на гай *кого. Новг.* Высмеять кого-л. НОС 1, 125.

Гай да мага́й. *Волг., Сиб. Пренебр.* О чём-л. бесполезном, никчемном; о чём-л. посредственном, невыразительном. Глухов 1988, 21; СФС, 53; ФСС, 41

Гай да май. *Самар.* Крик, шум; брань, ссора. СРНГ 6, 96.

На весь гай. *Пск.* Очень громко, изо всех сил (кричать, выть и т. п.). ПОС 6, 128; Мокиенко 1986, 48.

ГАЙДИКИ * Бить га́йдики. *Волг. Неодобр.* Бездельничать, слоняться без дела. Глухов 1988, 3.

ГА́ЙДУКИ * Бить (сби́вать) га́йдуки (га́йды). *Краснодар. Неодобр.* Бегать по двору без определенной цели. СРНГ 6, 97; Мокиенко 1990, 69.

ГА́ЙДЫ * Бить га́йды. См. **Бить гайдуки (ГАЙДУКИ).**

ГА́ЙКА * Больша́я га́йка. *Жарг. мол. Шутл.-ирон.* Государство. Максимов, 39.

Га́йка засла́била *у кого.* 1. *Прост.* Кто-л. сильно струсил, испугался. ФСРЯ, 101; Шевченко 2002, 154. 2. *Жарг. мол. Шутл.* О поносе. Никольский, 32.

Га́йка слаба́ *у кого. Прост.* У кого-л. не хватает сил, способностей, чтобы сделать что-л. ФСРЯ, 101; БТС, 192; Шевченко 2002, 153.

Закру́чивать/ закрути́ть (затя́гивать/ затяну́ть) га́йки. *Прост.* Наводить жесткий порядок и дисциплину где-л. ФСРЯ, 101; БТС, 328; БМС 1998, 106; Мокиенко 1990, 129; Ф 1, 206.

Навинти́ть га́йку. *Жарг. мол. Шутл.* Жениться. БСРЖ, 120.

ГАЙНО́ * Во всё гайно́. *Арх.* Очень громко (кричать, реветь). АОС 9, 28.

Гайно́ запере́ть. *Арх.* Замолчать. АОС 9, 28.

Отвори́ть (откры́ть) гайно́. *Арх.* Громко закричать. АОС 9, 28.

ГАЙТА́Н * Ткать гайта́ны. *Пск.* Суетиться. СПП 2001, 24.

ГАК * С га́ком. *Прост.* 1. О значительном превышении какого-л. расстояния. ФСРЯ, 101; БМС 1998, 106; СДГ 1, 94. 2. О значительном превышении какого-л. количества. ФСРЯ, 101; БТС, 192; ЗС 1996, 312; БМС 1998, 106; СРГЗ, 86; ПОС, 6, 131.

Взять с га́ку. *Ряз.* Добиться чего-л. криком. СРНГ 6, 102.

ГАЛ * На гал. *Кар. (Волог.).* В насмешку, ради смеха. СРГК 1, 324.

Дать га́лу [*кому*]. *Пск.* Отругать кого-л. ПОС 6, 131.

ГАЛАНТИ́НА * Насыпна́я галанти́на. *Жарг. угол., карт.* Карта, несколько очков которой скрыто под налетом клейкого белого порошка (в случае надобности он снимается пальцем). Трахтенберг, 41.

На галанти́нах. *Жарг. угол.* О чём-л., о ком-л. подвижном, вертлявом, непоседливом. Балдаев 1, 266.

< **Галантина** — карта, используемая шулерами для понтирования при игре в штос.

ГАЛДА́ * Набива́ть/ наби́ть га́лду. *Волг. Неодобр.* Надоедать кому-л. болтовней, пустыми разговорами, повторением одного и того же. Глухов 1988, 86.

Нагоня́ть/ нагна́ть галду́. 1. *Ряз. Неодобр.* То же, что **набивать галду**. ДС, 106. 2. *Морд.* Бестолково хлопотать, беспорядочно двигаться, суетиться. СРГМ 1978, 107.

Нагна́ть галды́. *Курск.* Оговорить, очернить кого-л. БотСан, 88.

< **Галда** — шум от множества голосов, крик.

ГАЛЕРЕ́Я * Карти́нная галере́я. *Жарг. шк. Шутл.* Кабинет рисования. Максимов, 172.

ГАЛИМАТЬЯ́ * Нести́ галиматью́. *Разг. Неодобр.* Говорить вздор, чепуху, ерунду. ФСРЯ, 276; ЗС 1996, 333; БМС 1998, 106.

ГАЛИ́НА * Гали́на Бла́нка. *Жарг. шк. Шутл.* Учительница по имени Галина. (Запись 2003 г.) < От рекламы бульона в кубиках.

Гали́на Бори́совна. *Жарг. лаг. Шутл.-ирон.* Госбезопасность, Комитет госбезопасности. < Шутливая «расшифровка» сокращения ГБ. Флг., 61.

ГА́ЛКА * Га́лка в рот влете́ла *кому. Волг. Шутл.-ирон.* О невнимательном человеке, ротозее. Глухов 1988, 21.

Га́лки в рот влете́ли *кому. Ворон.* Кто-л. остался обманутым. СРНГ 6, 114.

Га́лки на лицо́ накла́ли *кому. Башк.* О веснушчатом человеке; о человеке со следами оспы на лице. СРГБ 1, 82.

Накида́ть (наброса́ть) га́лок *кому. Волг., Дон.* 1. Обрызгать грязью кого-л. 2. Солгать, дезинформировать кого-л. Глухов 1988, 90; СДГ 1, 94.

Счита́ть галок. См. **Считать воро́н (ВОРО́НА).**

ГАЛО́П * На гало́п. *Морд.* Интенсивно, мощно. СРГМ 1978, 108.

Гало́пом по Евро́пам. *Разг. Шутл. или Ирон.* О крайне поверхностном, спешном ознакомлении с чём-л. МАС, 299; Ф 1, 105-106; БТС, 193; ШЗФ 2001, 53; БМС 1998, 106.

ГА́ЛОЧКА * Для га́лочки. *Разг. Неодобр.* Чисто формально, для проформы. БСРЖ, 121; ССРЛЯ 3, 30.

Отмеча́ться/ отме́титься га́лочкой. *Разг.* Объявлять о своем присутствии где-л., о своей явке куда-л. Мокиенко 2003, 18.

Ста́вить/ поста́вить га́лочку. *Разг.* 1. Делать отметку о выполнении, наличии чего-л. Мокиенко 2003, 18. 2. *Неодобр.* Делать что-л. только для отчёта, ради проформы. Мокиенко, Никитина 1998, 111.

ГАЛО́ША * С гало́шами. *Арх.* До краев сосуда. АОС 9, 34.

В гало́шах. *Пск. Шутл.* О чём-л., стоящем очень дорого, дороже обычного. ПОС 6, 133.

Гало́ши в холоди́льнике. *Жарг. мол. Шутл.* Родители дома. Максимов, 80.

Залива́ть/ зали́ть гало́ши *кому. Жарг. угол.* Обманывать кого-л. СРВС 3, 91; ТСУЖ, 62; Балдаев 1, 144.

Взять гало́шу. *Жарг. угол. Ирон.* Выпить спиртного, напиться пьяным. ББИ, 54; Балдаев 1, 84.

Сади́ться/ сесть (попа́сть) в гало́шу. *Разг.* Ставить себя в неловкое, глупое, смешное положение. ФСРЯ, 405; Мокиенко 1990, 117; БТС, 193; Ф 2, 136.

Сажа́ть/ посади́ть в гало́шу *кого. Разг.* Ставить кого-л. в неловкое, глупое, смешное положение. ФСРЯ, 406; БТС, 193; Ф 2, 137.

ГАЛО́ШКА * То́лько гало́шки сверка́ют *у кого. Урал.* О быстром беге. СРНГ 36, 233.

ГА́ЛСТУК * Брать/взять за галстук *кого.* 1. *Разг.* Ставить в безвыходное положение. 2. *Жарг. журн.* Интервьюировать кого-л. Максимов, 62.

Взять на (под) кра́сный га́лстук *кого. Жарг. угол.* Зарезать кого-л.; убить ударом ножа в шею. СРВС 1, 46, 205; СВЯ, 16; ТСУЖ, 31; Балдаев 1, 63.

Га́лстук кру́тится *у кого. Жарг. мол. Шутл.-ирон.* О человеке, занимающем ответственный пост, у которого вот-вот могут начаться неприятности. Югановы, 56.

Завяза́ть га́лстук *кому. Жарг. мол.* Жестоко расправиться с кем-л. Максимов, 80.

Закла́дывать/ заложи́ть (заки́нуть) за га́лстук. *Прост. Шутл.* Выпивать спиртное. ДП, 792; ФСРЯ, 101; БТС, 193, 331; БМС 1998, 107; ЗС 1996, 193; Максимов, 80; Ф 1, 196; Глухов 1988, 90; Мокиенко 1986, 28.

Залива́ть/ зали́ть (налива́ть/ нали́ть) за га́лстук. *Прост. Шутл.* То же, что **закладывать за галстук**. ДП, 792; ФСРЯ, 101; БТС, 193, 331; БМС 1998, 107; Максимов, 80; Глухов 1988, 90; Мокиенко 1986, 28.

Муравьёвский га́лстук. *Публ. Неодобр.* Удавная петля, виселица. < По фамилии графа Муравьева, жестоко расправившегося с повстанцами в Польше (1863 г.). БМС 1998, 107.

Наде́ть га́лстук *кому. Жарг. мол.* 1. Задушить кого-л. 2. Перерезать горло кому-л. Максимов, 80.

Наде́ть пенько́вый га́лстук *на кого. Народн.* Убить кого-л. ДП, 278.

Пенько́вый га́лстук. *Жарг. угол.* 1. Петля, удавка. СРВС 1, 137; СРВС 2, 27, 65, 115, 198; ТСУЖ, 130. 2. Виселица. Трахтенберг, 45; Ф 1, 106.

Пове́сить (наде́ть) га́лстук *на кого. Жарг. угол.* Задушить, удавить кого-л. СРВС 4, 144; СВЯ, 21; Мильяненков, 102; ББИ, 54; Балдаев 1, 84, 267; ТСУЖ, 134.

Столы́пинский га́лстук. *Публ. Устар. Неодобр.* То же, что **пеньковый галстук.** < По фамилии П. А. Столыпина, председателя Совета министров России, прославившегося кровавыми расправами в период 1-й русской революции (1905–1907 гг.). БМС 1998, 107.

Шить га́лстук. *Жарг. мол.* Переставать мучить, терроризировать кого-л., оставлять в покое кого-л. (Запись 2003 г.).

Повяза́ть кра́сным га́лстуком *кого. Пск. Зарезать кого-л.* СПП 2001, 24.

ГАЛТЕ́ЛКА * Под галте́лку. *Орл.* Полностью, без остатка. СОГ 1989, 135.

ГАЛУ́ХА * В галу́хе. *Арх.* В смешном, нелепом виде. АОС 9, 35.

Поста́вить на галу́ху (на нагалу́ху) *кого. Яросл.* Опозорить кого-л. ЯОС 8, 72. < Выведенная составителями словаря ярославских говоров форма **нагалуха** ошибочна: слово образовано от глагола **га́лить** — смеяться, шутить, осмеивать кого-л. (ЯОС 3, 68). Ср. **галу́ха** — 1. Смех, веселье. 2. Насмешка. *Прим. редактора.*

ГАЛУ́ШИ * Бить галу́ши. *Перм.* Весело говорить о пустяках; шутить. СРНГ 6, 119.

ГАЛЬ * Галь на гале́. 1. *Волг., Сиб.* Голо, пусто. Глухов 1988, 21; СФС, 54; СРНГ 6, 121. 2. *Сиб.* О нужде, бедности. ФСС, 41. 3. *Волг.* О большом количестве чего-л. Глухов 1988, 21.

Га́лить га́лью. 1. *Арх.* Ярко, интенсивно гореть. АОС 9, 32. 2. *Кар.* Говорить ерунду, вздор. СРГК 1, 325.

ГА́ЛЬКА * На га́льку. *Прикам.* Наголо. МФС, 24.

ГА́ЛЯ * Встре́тить [тётю] Га́лю. *Жарг. нарк. Шутл.* Испытать галлюцинацию. Максимов, 72.

Пойма́ть Га́лю. *Жарг. нарк. Шутл.* То же, что **встретить Галю.** Максимов, 72.

Га́ля пришла́. *Жарг. нарк. Шутл.* О начале галлюцинации. Максимов, 80.

ГАЛЯГА́Н * Галяга́н босоно́гий. *Яросл.* Голенастый, с длинными ногами подросток. ЯОС 3, 69.

ГАМ * Гам коромы́слом стои́т. *Морд.* О шуме, суматохе. СРГМ 1978, 108.

Всем га́мом. *Волг.* Сообща, все вместе. Глухов 1988, 15.

ГАМА́ША * Туды́ть её в гама́шу! *Жарг. мол. Бран.* Восклицание, выражающее досаду, раздражение, негодование. Максимов, 432.

ГАМА́ШИ * Шевели́ть (шо́ркать, шурша́ть) гама́шами. *Жарг. мол. Шутл.* Быстро идти, передвигаться. Вахитов 2003, 203; Максимов, 80, 494, 497.

Гама́ши на двои́х. *Жарг. мол. Шутл.* Просторный комбинезон. Максимов, 80.

ГА́МБУЗ (ГА́МБУС) * На га́мбуз (на га́мбус). *Жарг. угол.* Оптом (о продаже краденого). СРВС 2, 55, 192; ТСУЖ, 111.

Всем га́мбузом. *Обл.* Все вместе, дружно. Мокиенко 1990, 136.

ГА́МЗОМ * Га́мзом гамзи́ть. *Алт.* О множестве беспорядочно движущихся насекомых, рыб, людей. СРГА 1, 209.

ГА́ММА * Гнать га́мму. *Жарг. угол., мол.* 1. Лгать. 2. Рассказывать небылицы. Быков, 51; ТСУЖ, 40; Елистратов 1994, 85; ББИ, 54; СВЯ, 22; Балдаев 1, 84.

ГА́НКИ * Вложи́ть га́нков *кому. Морд.* Побить, наказать кого-л. СРГМ 1978, 109.

ГАННИБА́Л * Ганниба́л у воро́т. *Книжн. Устар.* О близкой и грозной опасности. < Выражение древнеримского оратора Цицерона. БМС 1998, 107.

ГАНС * Ганс сопли́вый. *Жарг. арм. Устар.* Немецкий реактивный миномет. Кор., 71; Лаз., 22.

ГАНТЕ́ЛЯ * Деревя́нные ганте́ли. *Жарг. мол. Шутл.-ирон.* Озябшие ноги, ступни. Максимов, 81.

ГАОЛЯ́НКА * Гаоля́нка косоры́лая. *Жарг. угол. Пренебр.* Китаянка. Мильяненков, 102; ББИ, 54; Балдаев 1, 85.

ГАРА́Ж * Сходи́ть в гара́ж. *Жарг. мол. Шутл.* Побывать в туалете. Максимов, 81.

ГАРА́НТ * Гара́нт Конститу́ции. *Публ.* Президент РФ. МННС, 34-35.

Гара́нт Никола́евич. *Жарг. журн., полит. Шутл.* Первый президент РФ Б. Н. Ельцин. МННС, 168.

ГА́РБУЗ * Поднести́ га́рбуз *кому. Дон.* Отказать при сватовстве. СДГ 1, 95.

Получи́ть гарбу́з [*от кого*]. *Пск.* Получить отказ при сватовстве от кого-л. ПОС 6, 138.

< **Гарбу́з** — тыква.

ГАРМО́НИЯ * Гармо́ния со смы́ком. *Жарг. угол.* Красивая молодая любовница. Балдаев 1, 85; ББИ, 54.

ГАРМО́НЬ * Взять на гармо́нь *кого. Жарг. угол.* Совершить убийство, воспользовавшись шумом в толпе, в поезде. Хом. 1, 168.

Гармо́нь игра́ет. *Жарг. угол.* Собака лает. ББИ, 54; Балдаев 1, 85; ТСУЖ, 75.

< **Гармонь** — собака.

Большо́й, а без гармо́ньи. *Яросл. Шутл.-ирон.* О бестолковом человеке. ЯОС 2, 13.

ГАРМО́ШКА * Игра́ть на гармо́шке. *Жарг. нарк.* Курить гашиш. Максимов, 81.

Лепи́ть гармо́шку. 1. *Жарг. мол.* Лгать, обманывать. 2. *Жарг. мол.* Шутить. 3. *кому. Жарг. угол.* Обвинять кого-л. по статье уголовного кодекса. Максимов, 81, 221.

Лови́ться на гармо́шку. *Сиб. Одобр.* Хорошо играть на баяне. ФСС, 107.

Подобра́ть гармо́шку. *Жарг. муз. Шутл.* Написать аккомпанемент к мелодии. Максимов, 81.

Раздёрнуть гармо́шку. *Кар.* Начать играть на гармони. СРГК 5, 41.

Растя́гивать гармо́шку. *Кар. (Мурм.).* Играть на гармони. СРГК 5, 485.

ГА́РОМ * Горе́ть га́ром. *Кар.* Сильно подгорать, пригорать. СРГК 1, 370.

Прогреми́ (сгори́) ты га́ром! *Морд., Пск. Бран.* Восклицание, выражающее возмущение, негодование. ПОС 6, 138; СРГМ 1978, 109.

ГА́РРИ * Га́рри По́ттер. *Жарг. шк. Шутл.-одобр.* Отличник; эрудированный, способный ученик. (Запись 2003 г.) < По имени персонажа романов писательницы Дж. К. Роулинг.

ГАРЦО́ВКА * Дава́ть гарцо́вки [*кому*]. *Пск.* Наказывать кого-л. ПОС 6, 142.

ГА́РЦЫ * Заби́ть га́рцы. *Жарг. мол.* Обидеться на кого-л. Максимов, 81.

ГАРЬ * Вы́дать га́ри. *Жарг. авиа.* Увеличить скорость полета, включив форсаж. Максимов, 75.

Дава́ть/ дать га́ри. *Орл.* Сильно ругаться, браниться. СОГ 1990, 41.

Гарь га́рью. *Арх. Неодобр.* О большом беспорядке. АОС 9, 49.

ГАСТРО́ЛИ. См. **ГАСТРО́ЛЬ**

ГАСТРО́ЛИК * Дава́ть гастро́лика. *Пск.* Капризничать (о ребёнке). ПОС 6, 144.

ГАСТРО́ЛЬ (ГАСТРО́ЛИ) * Дава́ть гастро́ли. *Пск. Неодобр.* Скандалить, ссориться с кем-л. СПП 2001, 24.

Опа́сные гастро́ли. *Жарг. арм. Шутл.* 1. Солдатский отпуск. 2. Самовольная отлучка из воинской части. Максимов, 81. < По названию кинофильма.

Дава́ть гастро́ль. *Пск.* Часто переезжать с места на место, менять место жительства. ПОС 6, 144.

ГАТЬ * Едрёна гать! *Прост. обл. Бран.* Выражение неудовольствия, досады, раздражения. Мокиенко, Никитина 2003, 102.

Хоть гать гати́. *Волг.* О большом количестве чего-л. Глухов 1988, 168.

ГА́ЧА * Без за́дних гач. 1. **(спать).** *Сиб.* Глубоким, крепким сном. СФС, 20; ФСС, 41; Мокиенко 1990, 26. 2. **(быть).** *Прикам., Перм.* Без сознания. МФС, 24; Подюков 1989, 39. 3. *Прикам.* Очень сильно, интенсивно. МФС, 24.

Га́чи волочи́ть (таска́ть, тащи́ть). *Арх.* Медленно идти (в состоянии большой усталости).

Побежа́ть (убежа́ть) без за́дней га́чи. *Сиб.* Очень быстро побежать, убежать откуда-л. ФСС, 41.

Подре́зать га́чи *кому. Волг., Дон.* 1. Помешать кому-л., ограничить чью-л. свободу действий. 2. Подчинить кого-л. себе. Глухов 1988, 126; СДГ 1, 97.

Опусти́ть га́чу. *Кар.* Сильно похудеть, отощать. СРГК 1, 331.

< **Гача** — нога.

ГА́ЧИ * Поспусти́ть га́чи. *Арх. Неодобр.* Сделать что-л. небрежно, коекак. АОС 9, 49.

Распусти́ть га́чи. *Перм. Неодобр.* Неряшливо одеться, оставив незавязанными или незастегнутыми какие-л. детали одежды. Сл. Акчим. 1, 202.

< **Гачи** — 1. Брюки. 2. Болтающиеся концы или лохмотья изорванной одежды.

ГАШЕ́ТКА * Дави́ть гаше́тку. *Жарг. авто. Шутл.* Ехать на автомобиле. Максимов, 82.

ГА́ШНИК * Вши́вый га́шник. *Сиб., Забайк. Пренебр.* О крайне бедном, неимущем человеке. ФСС, 41; СРГЗ, 89.

Заткну́ть под га́шник *кого. Ряз.* Превзойти кого-л. в чём-л. СРНГ 11, 117.

Холщёвый га́шник. *Сиб. Пренебр.* То же, что **вшивый гашник.** ФСС, 41.

< **Га́шник** — пришитый пояс штанов.

ГВАЛТ (ГВА́ЛТА) * В (во весь, на) гвалт (на всю гва́лту) (кричать, вопить и т. п.). *Пск.* Очень громко. ПОС 6, 147; Мокиенко 1986, 48.

Вздыма́ть (дава́ть) гвалт. *Волг.* Поднимать шум, скандал. Глухов 1988, 10, 32.

Дать гва́лту. *Пск.* Громко закричать. ПОС 6, 147.

На гва́лты. *Пск.* Очень сильно, в высшей степени. ПОС 6, 147.

ГВА́ЛТА см. **ГВАЛТ**

ГВА́РДИЯ * Бе́лая гва́рдия. *Жарг. угол., арест. Ирон.* Злостные отказчики от работы в ИТУ. Балдаев 1, 33.

Ле́нинская гва́рдия. *Публ. Патет. Устар.* О старых коммунистах, в т. ч. соратниках Ленина. Мокиенко, Никитина 1998, 112.

Молода́я гва́рдия. *Публ. Патет. Устар.* 1. О передовой, революционно настроенной молодежи. БАС 1, 541. 2. О новом поколении, смене старших. БМС 1998, 107.

Ста́рая гва́рдия. 1. *Публ. Патет. Устар.* То же, что **ленинская гвардия.** Мокиенко, Никитина 1998, 112. 2. *Жарг., RPG. Одобр.* Группа опытных фехтовальщиков, высококлассных участников ролевых игр, которым доверено обучение начинающих. БСРЖ, 123. 3. *Жарг. мол.* Пожилые, опытные болельщики какой-л. футбольной команды. Максимов, 82.

Трудова́я гва́рдия. *Публ. Патет. Устар.* О сознательных, передовых рабочих. Мокиенко, Никитина 1998, 112.

Чёрная гва́рдия. 1. *Книжн. или Публ. Одобр.* Испытанные, опытные деятели в какой-л. области. БМС 1998, 107. 2. *Жарг. угол.* Чеченские боевые формирования. 3. *Жарг. угол.* Наёмники из уголовников. Балдаев 1, 142.

ГВО́ЗДИК * Обсоси́ гво́здик. *Жарг. угол., Разг. Одобр.* О чём-л. красивом, превосходном, высокого качества. БСРЖ, 124.

ГВОЗДИ́КА * Красная гвоздика. 1. *Полит. Устар.* Название студенческих строительных отрядов, перечисляющих все заработанные деньги в Фонд мира. < От названия революционного символа. Мокиенко, Никитина 1998, 113. 2. *Жарг. мол., Разг. Шутл.* Менструация. УМК, 65.

ГВОЗДЬ * Жа́реных гвозде́й тебе́ под за́дницу. *Жарг. мол.* Отказ выполнить чью-л. просьбу. Максимов, 82.

[И] никаки́х гвозде́й. *Разг.* Без всяких возражений; несмотря ни на что. ФСРЯ, 101; БМС 1998, 108; ЗС 1996, 128, 223; СОСВ, 48; БТС, 196; Смирнов 2002, 12; СПСП, 27.

Хоть гвозде́й поджа́рь *кому.* 1. *Горьк. Шутл.* О неприхотливом человеке. БалСок, 35. 2. *Волг. Шутл.* О человеке с хорошим аппетитом. Глухов 1988, 168.

С гвоздём. *Перм. Одобр.* О незаурядном, обладающем какими-л. достоинствами человеке. Подюков 1989, 39.

Броса́ть гво́зди [*в кого*]. *Жарг. мол.* Неодобрительно отзываться о ком-л. Максимов, 45.

Варёные гво́зди (гво́здички). *Дон. Шутл.-ирон.* Об отсутствии съестного. СДГ 1, 98.

Гво́зди жо́пой дёргать. *Вульг.-прост.* Действовать уверенно и умело в трудных ситуациях. Мокиенко, Никитина 2003, 102.

Гво́зди и́щет. *Пск. Шутл.* О горбатом человеке. ПОС 6, 150.

Жа́рить гво́зди. *Дон. Шутл.-ирон.* Голодать. СДГ 1, 98.

Забива́ть/ заби́ть гво́зди. *Жарг. мол.* Лгать, обманывать кого-л. Максимов, 82.

Пету́шьи гво́зди. *Сиб., Приамур.* Шпоры (болезнь ног). ФСС, 41; СПСП, 200.

Брать на гвоздь *что. Арх.* Приколачивать гвоздями что-л. АОС 9, 53.

Вбить гвоздь. *Жарг. мол.* Договориться о чём-л. Максимов, 56.

Гвоздь без шля́пки. *Жарг. мол. (брейк.).* Вращение на голове, выполняемое без головного убора. (Запись 2000 г.).

Гвоздь бере́менный. *Жарг. мол. Шутл.* О чём-л. бессмысленном, абсурдном. (Запись 2000 г.).

Гвоздь програ́ммы. 1. *Разг.* Наилучший номер, наилучший артист концерта, производящий сенсацию. БМС 1998, 108; ЗС 1996, 381. 2. *Разг.* Наиболее эффектный элемент, составная часть чего-л. БМС 1998, 108; ШЗФ 2001, 53. 3. *Жарг. мол. Шутл.-ирон.* Глупый, несообразительный человек. Максимов, 82. 4. *Жарг. мол. Шутл.* Мужской половой орган. Мокиенко, Никитина 2003, 102.

Гвоздь со шля́пкой. *Жарг. мол. (брейк.).* Вращение на голове, выполняемое в шапке. Никитина 2003, 115.

Забива́ть/ заби́ть гвоздь (гвоздя́). 1. [*кому*]. *Жарг. угол.* Вводить кого-л. в заблуждение, обманывать. СРВС 4, 77, 137; СВЯ, 21, 32; ТСУЖ, 58. 2. *на кого, на что. Жарг. мол.* Переставать обращать внимание на кого-л., на что-л. БСРЖ, 124. 3. *Дон.* В свадебном обряде: собирать деньги на выпивку вскладчину после свадьбы. СДГ 1, 98. 4. *Жарг. мол.* Познакомиться с кем-л. Максимов, 82. 5. *Жарг. мол.* Добиться успеха. Максимов, 82. 6. *Жарг. журн.* Поместить центральную статью в номере газеты. Максимов, 82.

Ка́менный гвоздь. *Разг. Шутл.* Обелиск на площади Восстания в Санкт-Петербурге. Синдаловский, 2002, 83.

После́дний гвоздь в подбо́рнике (под пя́ткой). *Горьк. Пренебр.* О незначительном человеке. СРНГ 20, 176.

Дать гвоздя́. *Жарг. мол. (брейк.).* Выполнить вращение на голове. Н-НI, 2000, № 3, 42.

Ни гвоздя́ ни же́зла *кому*! *Жарг. авто. Шутл.* Пожелание счастливого пути шофёру. ДР, 11.11.04.

От гвоздя́ до иглы́. *Арх.* Всё необходимое в быту. АОС 9, 53.

Приби́ть гвоздя́ми *кого. Жарг. спорт.* Обыграть соперника с крупным счетом. Максимов, 338.

ГВО́ЗДИЧЕК * Варёные гво́здички. См. **Варёные гвозди (ГВОЗДЬ).**

ГДЕ * Вот где сиди́т *у кого что. Разг. Неодобр.* Кому-л. надоело что-л. БТС, 196; СПП 2001, 24.

Где ни бери́, да пода́й. *Сиб.* Непременно, неотложно (о необходимости сделать что-л.). ФСС, 139.

ГЕЕ́ННА * Гее́нна о́гненная. *Книжн. Устар.* 1. Одно из названий ада. 2.Место больших страданий, невыносимых мучений. ШЗФ 2001, 53; Янин 2003, 82. < **Геенна** — от названия Генномской долины возле Иерусалима, где язычниками совершались человеческие жертвоприношения. БМС 1998, 108.

В гее́нну о́гненную! *Разг. Устар.* Проклятие в чей-л. адрес. Ф 1, 106.

ГЕ́ЙЗЕР * Пойти́ на ге́йзер. *Жарг. арм., морск. Шутл.-ирон.* Выпить пива. БСРЖ, 124.

ГЕКТА́Р * На одно́м гекта́ре [срать] не ся́ду *с кем. Прост.* О человеке, с которым не хочется иметь никакого дела, никаких контактов. Мокиенко, Никитина 2003, 102; Подюков 1989, 186.

ГЕЛИ́КОН * Взлета́ть/ взлете́ть на Гелико́н. *Книжно-поэт.* Становиться поэтом. < Восходит к древнегреческой мифологии. БМС 1998, 108.

ГЕМОРРО́Й * Нажи́ть себе́ геморро́й. *Разг. Неодобр.* Столкнуться с проблемами, которых можно было избежать. Югановы, 56.

Получи́ть геморро́й на свою́ за́дницу. *Жарг. мол. Шутл.-ирон.* Пострадать из-за своей излишней активности. Вахитов 2003, 139.

ГЕ́НА * Гена пла́стиковый. *Жарг. мол. Презр.* Глупый, несообразительный человек. Максимов, 82.

Крутой Ге́на. *Жарг. мол.* Генрих Гиммлер. Грачев 1997, 130.

ГЕ́НДЕЛЬ * Ге́ндель-Будённый поскака́ли. *Жарг. муз. Шутл.* Название произведения "Пассакалия" (Гендель-Буззони). БСРЖ, 124.

ГЕНЕРА́Л * Генера́л Забугря́нский. *Прост. Ирон. Устар.* Каторжник. < От **за буграми** — в ссылке.

Генера́л Куку́шкин. *Жарг. угол. Шутл.* Свобода. Грачев 1995, 14; Грачев 1997, 65; СРВС 1, 124-125; СРВС 2, 47, 115.

Генера́л Моро́з. *Разг. Ирон. Редк.* О сильном, жестоком морозе, зиме. БМС 1998, 108.

Генера́л от оборо́ны. *Публ.* О директоре крупного оборонного предприятия. Мокиенко 2003, 18.

Генера́л Тру́сов пришёл. *Дон. Шутл.-ирон.* 1. О наступлении холодов. 2. Об испуге, проявлении трусости. СДГ 1, 98; СРНГ 31, 234.

Ночно́й генера́л. *Жарг. арм. Шутл.-ирон.* Прапорщик. Максимов, 82.

Сва́дебный (конди́терский — *Редк.*) **генера́л.** *Разг.* Подставное лицо (приглашённое лишь для представительства), обладающее мнимым авторитетом и не играющее никакой роли в каком-л. деле. БМС 1998, 108-109; Ф 1, 106-107.

ГЕНЕРА́Л * Держа́ться в три генера́ла. *Прибайк. Шутл.-ирон.* Важничать, зазнаваться. СНФП, 38.

ГЕ́НИЙ * Ге́нии и злоде́и. *Жарг. студ. Шутл.-ирон.* Студенты и преподаватели. (Запись 2003 г.).

Ге́ний простоты́. *Жарг. мол. Шутл.-ирон.* О заурядном, неинтересном человеке. Максимов, 82.

До́брый ге́ний *чей. Книжн. Одобр.* Человек, выручающий кого-л. из беды, чей-л. постоянный покровитель. ШЗФ 2001, 69. < Калька с франц. *bon génie.* БМС 1998, 109.

ГЕНСЕ́К * На фига́ (нафига́) генсе́ку чи́рик. *Жарг. мол. Шутл.* О каком-л. явном несоответствии, абсурде; о чём-л. ненужном, неуместном. Белянин, Бутенко, 100; Елистратов 1994, 274.

ГЕНУ́Г * Гену́т трепа́ться. *Жарг. мол.* Хватит болтать, незачем вести пустые разговоры. < Нем. *genug* — "довольно, достаточно". БСРЖ, 125.

ГЕНШТА́Б * Геншта́б оборо́ны. *Жарг. шк. Шутл.* Учительская. (Запись 2003 г.).

ГЕРА́КЛ * Гера́кл на распу́тье. См. **Геркулес на распутье (ГЕРКУЛЕС).**

Гера́кл сушёный (засу́шенный, в засу́шенном ви́де). *Разг. Ирон.* О человеке, необоснованно считающем себя физически сильным. Зайковская, 40; Елистратов 1994, 87; Максимов, 83.

ГЕРА́СИМ * Гера́сим и Муму́. *Жарг. шк. Шутл.-ирон.* 1. Ученик, не знающий правильного ответа на вопрос, и неумелый подсказчик. (Запись 2003 г.). 2. Директор и завуч. (Запись 2003 г.).

Тра́хать Гера́сима. *Жарг. мол., гом. Шутл.-ирон.* О долгом, но не законченном половом акте. h-98.

ГЕРКУЛЕ́С * Геркуле́с (Гера́кл) на распу́тье. *Книжн. Ирон.* О человеке, стоящем перед необходимостью решительного выбора. БМС 1998, 109.

ГЕРМА́К * Герма́к на колёсах (на педа́лях). *Жарг. авто. Шутл.-ирон.* Автомобиль «Запорожец». Максимов, 83. < **Гермак** — гермошлем.

ГЕРОИ́ЗМ * Бума́жный герои́зм. *Неодобр.* Бессмысленный, неоправданный, показной героизм. Шевченко 2002, 95.

ГЕРОИ́Н * Герои́н на́шего вре́мени. *Жарг. шк. Шутл.* Повесть М. В. Лермонтова «Герой нашего времени». БСПЯ, 2000.

ГЕРО́Й * Геро́и и толпа́. *Публ. или Книжн. Неодобр.* О противопоставленности отдельных интеллектуально одаренных личностей массе заурядных и покорных людей. < Заглавие статьи (1882) публициста, социолога и критика Н. К. Михайловского.

Норма́льные геро́и. *Жарг. шк. Шутл.* Ученики, регулярно списывающие задания у других. < Из кинофильма «Айболит-66».

Норма́льные геро́и всегда́ иду́т в обхо́д. *Разг. Шутл.-ирон.* О чьём-л. трусливом поступке. < Распространилось под влиянием песни из фильма "Айболит-66". Елистратов 1994, 87.

Геро́й двена́дцатого го́да. *Жарг. шк. Шутл.-ирон.* Пожилой учитель. Максимов, 83.

Геро́й на́шего вре́мени. 1. *Разг. Ирон.* О типичном представителе какого-л. поколения. БМС 1998, 109. 2. *Жарг. шк. Шутл.* Тот, кто подсказывает товарищу. ВМН 2003, 36. 3. *Жарг. шк. Шутл.-ирон.* Отстающий ученик; второгодник. Никитина 1998, 81; Максимов, 83. 4. *Жарг. шк. Шутл.-одобр.* Отличник. Максимов, 83. 5. *Шутл.* Ученик на уроке литературы. (Запись 2003 г.) < По названию романа М. Ю. Лермонтова.

Геро́й не моего́ рома́на. *Разг. Шутл. или Ирон.* О мужчине, который не нравится женщине. ШЗФ 2001, 53; Ф 1, 107. < Выражение из комедии А. С. Грибоедова «Горе от ума». БМС 1998, 109.

Положи́тельный геро́й. *Жарг. угол. Ирон.* Больной сифилисом. Балдаев 1, 334.

После́дний геро́й. *Жарг. шк. Ирон.* Ученик у доски. ВМН 2003, 36. < По названию популярной телепередачи.

ГЕ́РЦОГ * Горо́ховый ге́рцог. *Жарг. мол. Шутл.-ирон. или Бран.* О человеке, вызывающем раздражение, гнев, негодование. < Шутл. переосмысление слова **пиздюк**: англ. *peas* — горох, *duke* — герцог. Ср. **Мирный герцог.** Мокиенко, Никитина 2003, 103.

Ми́рный ге́рцог. *Жарг. мол. Ирон.* То же, что **гороховый герцог.** < Шутл. переосмысление слова **пиздюк**: англ. *peace* — мир, *duke* — герцог. Каламбурно — в анекдоте конца 80-х гг. о М. С. Горбачеве, где жена разъясняет ему «английский смысл» его титула «мирный герцог». Мокиенко, Никитина 2003, 103.

ГЕЦИ́ЛЛО * Брать/ взять на геци́лло *кого, что. Угол.* 1. Взять на прицел кого-, что-л. ББИ, 43. 2. Подозревать кого-л. в обмане. СВЯ, 15. < От угол. **гец** — обман, мошенничество. БСРЖ, 125.

ГЗМ [гэзээм] *** Возьми́ (купи) ГЗМ!** *Жарг. мол., Разг. Шутл.-ирон.* Не нацеливайся на что-л., не рассчитывай получить что-л. (говорится тому, кто “раскатал губу”, нацелился на что-л). Вахитов 2003, 88. < **ГЗМ** (аббр., шутл.) — губозакатывающая машина. БСРЖ, 125.

ГИ́БЕЛЬ * До [чёртовой] ги́бели *чего. Волг., Пск., Сиб.* Очень много. Глухов 1988, 37; РЩН, 1976; ФСС, 41; Мокиенко 1986, 170; СОГ 1989, 142.

Жить на ги́бели. *Морд.* Бедствовать, нищенствовать. СРГМ 1980, 60.

Ги́бель ги́бельская *чего. Смол.* О большом количестве чего-л. СРНГ 6, 168.

Чёртова ги́бель *чего. Прост.* То же, что **гибель гибельская.** ФСРЯ, 364; ФСС, 41; СРГПриам., 324; Глухов 1988, 172; СНФП, 38.

ГИГА́НТ * Гига́нт мы́сли. *Разг. Ирон.* О (псевдо)незаурядном человеке, (псевдо)мыслителе. < Выражение из романа И. Ильфа и Е. Петрова «Двенадцать стульев». БМС 1998, 110.

ГИ́ГИ * Продава́ть ги́ги. *Смол. Шутл.* Смеяться. Мокиенко 1990, 155.

ГИ́ДРА * Лерне́йская ги́дра. *Книжн. Редк.* О коварном и изворотливом человеке (обычно женщине). < Восходит к легенде о подвигах Геракла. БМС 1998, 110.

ГИЛЬ * Гнать гиль *на кого. Курск.* Доставлять кому-л. неприятности в отместку за что-л. СРНГ 6, 172.

Гнуть гиль. *Орл.* Говорить вздор, ерунду. СОГ 1989, 143.

ГИ́ЛЬДИЯ * Пе́рвой ги́льдии. *Разг.* О высшей степени проявления какого-л. признака. СДГ 3, 122.

ГИ́ЛЬЗА * Две ги́льзы. *Жарг. шк.* Двойка по физике. (Запись 2003 г.).

ГИ́ЛЬКА * Брать/ взять на ги́льку *кого. Жарг. угол.* Сдавить при грабеже шею жертвы. ТСУЖ, 111. < **Гилька** — особый прием, когда преступник берёт жертву за горло.

ГИМ * Гим гимзи́т. *Вят., Курган., Свердл.* О беспорядочном движении большого количества насекомых, рыб, людей и т. п. СРНГ 6, 172.

ГИМН * От ги́мна до ги́мна. *Разг.* С раннего утра до поздней ночи. НРЛ-82. < В советское время радиотрансляции начинались и заканчивались Гимном Советского Союза. Мокиенко 2003, 19.

ГИМНЮ́К * Гла́вный гимню́к страны́. *Жарг. студ. (филол.). Шутл.-ирон.* Детский писатель С. Михалков. (Запись 2003 г.).

ГИРЯ * Прика́лываться по ги́ре. *Жарг. мол.* Веселиться. Максимов, 84.

Пили́ть ги́ри. *Жарг. мол. Неодобр. или Шутл.* Бездельничать. Максимов, 84.

Ги́ря с гармо́шкой. *Жарг. арм. Шутл.-ирон.* Сапог. Кор., 73.

ГИТА́РА * Играть/ сыграть на гитаре. 1. *Жарг. крим.* Взломать сейф. VSEA, 82. 2. *Жарг. мол., Разг.* Взорвать что-л. Елистратов 1994, 88. 3. *с кем. Жарг. мол.* Совершить половой акт с кем-л. Мокиенко, 1995, 37.

Огуля́ть под гита́ру *кого. Жарг. угол.* Коллективно изнасиловать кого-л. Мокиенко, Никитина 2003, 103.

ГИ́ТЛЕР * Ги́тлер хитрожо́пый. *Прост. Устар. Презр.* О военнопленном немце. Мокиенко, Никитина 2003, 103.

Спаси́бо Ги́тлеру. *Жарг. мол. Шутл.* Магазин для ветеранов Великой Отечественной войны. Вахитов 2003, 170.

ГИЦ * До ги́цу. *Одесск.* В высшей степени, очень сильно. КСРГО.

ГЛАВА́ * Ада́мова глава́. См. **Адамова голова (ГОЛОВА).**

Во главе́ *с кем. Книжн.* Имея кого-л. руководителем. ФСРЯ, 101.

Во всю главу́. *Пск.* То же, что **во всю го́лову 2 (ГОЛОВА).** СПП 2001, 29.

Посыпа́ть главу́ пе́плом. См. **Посыпа́ть го́лову пе́плом (ГОЛОВА).**

Ста́вить/ поста́вить во главу́ угла́ *что. Книжн. или Публ.* Признавать что-л. главным, особо важным. БТС, 206; 1258. < Восходит к Евангельской притче о строительстве здания. БМС 1998, 110.

Не име́ть, где главу́ приклони́ть. См. **Не иметь где голову приклонить (ГОЛОВА).**

ГЛАГО́Л * Глаго́л времён. *Книжн. Устар.* Напоминание о фатальной быстротечности жизни. < Цитата из стихотворения Г. Р. Державина. БМС 1998, 111.

Фильтрова́ть глаго́л (глаго́лы). *Жарг. мол.* Следить за своей речью, быть осторожным в выражениях; не употреблять грубых, матерных слов. Максимов, 450.

Глаго́лы пошли́ *о ком, о чем. Дон.* Начали распространяться слухи о ком-л. о чём-л. СДГ 1, 99; СРНГ 28, 361.

ГЛАГО́ЛЬ * Не минова́ть глаго́ля. *Книжн. Устар.* О неизбежности сурового наказания за плохие дела, поступки. < Буква «Г» («**глаголь**») очертаниями напоминает виселицу. БМС 1998, 111.

ГЛА́ДЕВО * Дава́ть/ дать гла́дева *кому. Брян.* Мучить, тискать кого-л. СБГ 5, 7.

ГЛА́ДКО * Гла́дко взять. 1. *Волог., Новг., Кар., Перм., Тамб.* Ничего не получить от кого-л. СРГК 1, 199; СРНГ 6, 180. 2. *Волг.* Об удачном начале дела. Глухов 1988, 11.

Гла́дко сте́лет, да кочкова́то спать. *Народн. Неодобр.* О подхалиме. Жиг. 1969, 220.

Гла́дко, ши́то и кры́то. *Народн.* Как полагается, без нарушений, без отклонений от нормы. ДП, 426.

Ни гла́дко, ни ва́лко. *Тобол.* Очень мало. СРНГ 21, 213.

ГЛАДЬ * В гладь. *Костром.* Спокойно, без споров и ссор. СРНГ 6, 183.

Ходи́ть в гладь. *Орл.* Одеваться нарядно. СОГ 1989, 145.

Гладь гла́дью *где. Пск.* Абсолютно ничего нет, пустота. ПОС 6, 169.

ГЛАЗ * Аню́тин глаз. *Арх.* То же, что **анютины глазки (ГЛАЗОК).** АОС 9, 79.

Без глаз. 1 *Ряз.* В отсутствие кого-л. ДС, 110. 2. **(ходи́ть).** *Жарг. угол.* Не иметь паспорта. СРВС 1, 35.

Бере́чь глаз на глаз *кого. Прибайк.* О же, что **бере́чь пуще глаз.** СНФП, 40.

Бере́чь пу́ще глаз (гла́за) *кого, что. Народн.* Относиться исключительно бережно, заботиться о ком-л., о чём-л. БМС 1998, 112; СПП 2001, 24.

Бирю́чий глаз. *Дон.* Растение волчья ягода. СДГ 1, 28.

Бро́сить глаз (глаза́, глаза́ми) *на кого, на что. Сиб.* Взглянуть, посмотреть на кого-л., на что-л. ФСС, 17.

Бы́чий глаз. 1. *Дон.* Садовый цветок гайллярдия. СДГ 1, 53, 100. 2. *Дон.* Крупный черный виноград. СДГ 1, 53, 100. 3. *Жарг. авиа.* Спиртовой компас. Максимов, 52.

Бычи́ный (воло́вий) глаз. *Дон.* То же, что **бычий глаз 1-2.** СДГ 1, 53, 100.

В глаз. 1. *Сиб., Яросл.* Абсолютно точно. СФС, 33; ФСС, 41; СРНГ 6, 184.

В глаз коли́. *Сиб.* Очень темно. СФС, 33; СОСВ, 48.

В глаз не ви́деть *что, чего. Яросл.* Не знать, не иметь представления о чём-л. ЯОС 2, 37.

В глаз попа́ло *кому. Новг.* О человеке, заболевшем от сглаза. Сергеева 2004, 194.

Взять на глаз *кого, что. Арх.* Обратить внимание на кого-л., на что-л., заметить кого-л., что-л. АОС 9, 79.

В оди́н глаз тычь, другóй подставля́ет. *Горьк.* Об упрямом человеке. БалСок, 27.

Волóвий глаз. См. **Бычий глаз.**

Ворóний глаз. *Арх., Горьк.* Растение паслен черный. АОС 5, 96; БалСок, 28.

Востри́ть глаз. *Перм.* Проявлять внимание к чему-л., заинтересованность чем-л. Подюков 1989, 32.

Вы́бить глаз. 1. *Жарг. авто. Шутл.-ирон.* Разбить автомобильную фару. 2. *Жарг. угол.* Разбить фонарь. Максимов, 74.

Вы́вернет глаз. *Арх.* То же, что **вырви глаз.** АОС 6, 128.

Вы́воротить глаз. *Сиб.* Прийти в состояние гнева, негодования. СОСВ, 48.

Вы́катиться из глаз. *Волг.* Забыться, стереться из памяти. Глухов 1988, 18.

Вы́рви глаз. 1. *Разг. Шутл.* О воздействии чего-л. очень кислого на вкус. БСРЖ, 127; БТС, 180. 2. *Прост.* О крепком напитке, табаке. Ф 1, 98; Подюков 1989, 37. 3. *Пск. Неодобр.* О хитром, предприимчивом человеке, пройдохе. СПП 2001, 24. 4. *Прост.* О бойком, расторопном человеке. Ф 1, 98; СБГ 3, 79.

Вы́рви глаз, отсóхни лы́тка. *Пск.* Об отчаянном, решительном человеке. (Запись 1998 г.).

Вы́ше глаз. *Арх., Сиб.* Очень много, с избытком. АОС 9, 82; ФСС, 40.

Глаз в глаз. 1. *Сиб.* Один на один. ФСС, 41. 2. *Обл.* О большой степени сходства. Мокиенко 1986, 101.

Глаз во лбу́ не ворóтится *у кого. Кар. (Арх.).* Очень хочется спать кому-л. СРГК 1, 229.

Глаз [вон] ворóтит (вывора́чивает). *Кар. (Ленингр.), Нов., Перм., Сиб.* То же, что **вырви глаз 1.** СРГК 1, 226; НОС 1, 138; Подюков 1989, 31; Ф 1, 76; ФСС, 30.

Глаз вы́пал *у кого. Жарг. угол., мол.* Кто-л. очень удивился чему-л. Быков, 50.

Глаз гори́т *у кого на что. Кар.* О желании иметь что-л. СРГК 1, 370.

Глаз да глаз [ну́жен]. *Разг.* О необходимости особого внимания, наблюдения за чем-л. Ф 1, 107; ПОС 6, 174. **Глаз да глазéниц на́до.** *Арх.* То же. АОС 9, 98. **Глаз да глазынёк на́до.** *Перм.* То же. Сл. Акчим. 1, 203.

Глаз за глаз. *Арх.* Интенсивно, сильно. АОС 9, 82.

Глаз кóлет. *Сиб.* Очень темно, абсолютно ничего не видно. СФС, 54; ФСС, 41. **Глаз уколи́.** *Ряз.* То же.ДС, 110.

Глаз наби́т (намётан) *у кого в чем, на чем. Разг.* Об опытном, сведущем в чём-л. человеке. Ф 1, 107; ЗС 1996, 77; ФСРЯ, 102.

Глаз на глаз (глаза́ на глаза́). 1. *Волг., Орл., Сиб., Разг. Устар.* Наедине, с глазу на глаз. Глухов 1988, 22; СОГ 1989, 146; ФСС, 41; ФСРЯ, 102. 2. *Разг. Устар.* Без союзников, помощников, единомышленников. ФСРЯ, 102.

Глаз на жóпу (на за́дницу) натяну́ть *кому. Вульг.-прост.* Сильно избить, наказать кого-л. СПП 2001, 24; Вахитов 2003, 109; Подюков 1989, 128; Мокиенко, Никитина 2003, 103.

Глаз наки́нуть *на что. Одесск.* Заметить, приметить что-л. КСРГО.

Глаз на ни́тку намота́ть *кому. Горьк.* Избить кого-л. (угроза). БалСок, 30.

Глаз не берёт *чего. Сиб.* О большом количестве чего-л. ФСС, 42.

Глаз нé было (не бу́дет) *чьих где. Пск.* Кто-л. не приходил, не придёт куда-л. (Запись 2003 г.).

Глаз не ви́дно. *Арх.* Об абсолютной темноте. АОС 9, 84.

Глаз не вынима́ть. *Перм.* Неотрывно, постоянно смотреть на кого-л., на что-л. Подюков 1989, 36.

Глаз не гляди́т *на кого, на что. Морд.* Кому-л. тяжело, неприятно смотреть на кого-л., на что-л. СРГМ 1978, 112.

Глаз не закрыва́ть. *Арх.* Беспокоиться, волноваться по какому-л. поводу. АОС 9, 82.

Глаз (гла́зу) не каза́ть (не пока́зывать /не показа́ть) *кому, куда. Разг.* Не появляться, не показываться где-л., не приходить куда-л. ДП, 781; ПОС 6, 171; СНФП, 40.

Глаз не ки́нешь. *Коми.* О чём-л. большом, просторном. Кобелева, 60.

Глаз не прогля́дывается *у кого. Кар.* О плачущем человеке. СРГК 5, 247.

Глаз не протолка́ть (не пропéхать). *Прикам.* О невозможности увидеть, рассмотреть что-л. МФС, 82.

Глаз не показывать /не показа́ть. См. **Глаз не каза́ть.**

Глаз (глаза́) не рази́нуть. *Приамур.* О большом количестве гнуса. СРГПриам., 232.

Глаз не расши́рить *кому. Кар. (Ленингр.).* О состоянии сильного испуга, страха. СРГК 5, 496.

Глаз не сечёт *чего. Печор.* О большом количестве чего-л. СРГНП 1, 135.

Глаз не сноси́ть. *Сиб.* Внимательно, пристально смотреть на что-л. СФС, 54.

Глаз не спуска́ть *с кого, с чего. Разг.* Не отрывать взгляда от кого-л., чего-л., долго, внимательно смотреть на кого-л., на что-л. СПП 2001, 24.

Глаз не успéть обогрéть. *Перм.* Прийти куда-л. ненадолго; прийти и быстро уйти откуда-л. Подюков 1989, 135.

Глаз никтó не вы́колет (не укóлет) *кому. Арх.* О человеке с безупречной репутацией. АОС 9, 82.

Глаз о глаз уда́рить. *Пск.* Ненадолго заснуть. РЩН, 1976.

Глаз отдыха́ет (ра́дуется). *Разг. Одобр.* О приятном зрительном впечатлении. Ф 1, 107; БТС, 744.

Глаз повали́л *кого. Кар. (Новг.).* Кто-л. заболел в результате сглаза, порчи. СРГК 4, 577.

Глаз прóтив гла́зу. *Коми.* Напротив; друг против друга. Кобелева, 60.

Глаз рвёт. *Кар. (Мурм.).* То же, что **вырви глаз 1.** СРГК 5, 502.

Глаз с гла́зом не свести́. *Морд.* Не заснуть (как правило — о состоянии бессонницы). СРГМ 2002, 25.

Глаз с гла́зом не сошёлся *у кого. Прибайк., Сиб.* О бессоннице. СНФП, 40; ФСС, 41.

Глаз с навéсом *у кого. Перм.* О человеке, способном причинить вред взглядом. Подюков 1989, 40.

Глаз ткнуть. *Арх.* О полной темноте. АОС 9, 84.

Глаз уколи́. См. **Глаз кóлет.**

Глаз фальси́т *у кого. Башк.* О плохом зрении. СРГБ 1, 84.

Глаз хвати́л *что. Арх.* Что-л. было замечено, попало в поле зрения кому-л. АОС 9, 79.

Глядéть в пóлный глаз. *Перм.* Быть внимательным. Подюков 1989, 43.

Давать/дать глаз *на кого, кому. Прост.* Ухаживать за девушкой. Мокиенко, Никитина 2003, 103.

Дать мéжду глаз на метр ни́же. *Жарг. мол. Шутл.* Избить кого-л. (угроза). Вахитов 2003, 209.

Держа́ть глаз. *Перм.* 1. Присматриваться к кому-л. 2. Завидовать кому-л. Подюков 1989, 61.

До глаз. 1. *чего. Ряз., Сиб.* О большом количестве чего-л. ДС, 111; ФСС, 42. 2. *Прибайк.* Очень долго и много (работать и т. п.). СНФП, 40.

До слепы́х глаз. *Арх.* Дотемна. АОС 9, 86.

Дурнóй (недóбрый) глаз *у кого. Народн.* О магическом взгляде, приносящем, по суеверным представлениям, болезни, несчастья. БМС 1998, 111; ЗС 1996, 318; ДП, 317; ПОС, 6, 174.

Жать (нажима́ть) на глаз *кому. Пск. Шутл.* Подмигивать кому-л. ПОС 6, 173.

Из глаз. *Арх.* Неизвестно куда, в неизвестном направлении. АОС 9, 81.

Из глаз нос унести́. *Новг.* Ловко обмануть, провести, перехитрить кого-л. СРНГ 21, 286.

Из глаз свет теря́ется *у кого. Арх.* О наступающей слепоте. АОС 9, 81.

Из-под глаз. *Арх.* Украдкой. АОС 9, 81.

Име́ть глаз *на кого-л. Волг.* Таить злобу, сердиться на кого-л. Глухов 1988, 58.

Ка́рий глаз. См. **Копчёный глаз.**

Ки́нуть глаз *на кого, на что. Перм.; Жарг. мол.* Посмотреть на кого-л., на что-л. Подюков 1989, 90; Максимов, 84.

Кита́йский глаз. *Жарг. авиа. Шутл.* Остывающее после полёта сопло двигателя реактивного самолета. Максимов, 84.

Коли́ глаз. *Пск.* То же, что **хоть [в] глаз коли́.** (Запись 2000 г.).

Копчёный (ка́рий, тигри́ный) глаз. *Жарг. мол. Шутл.* Анальное отверстие. h-98; Вахитов 2003, 74; Максимов, 84.

Коро́вий глаз. 1. *Жарг. мол. Шутл.* О человеке с большими глазами. Максимов, 84. 2. *Влад.* Растение бересклет бородавчатый. СРНГ 14, 351.

Коша́чий глаз. *Жарг. мол.* Солнцезащитные очки с круглыми или узкими стеклами. СМЖ, 91.

Кра́сный глаз. *Жарг. мол. Шутл.* Инфракрасный порт (в системе сотовой связи). Костин, 245.

Лихо́й (худо́й) глаз. *Пск., Сиб.* То же, что **дурной глаз**. ПОС, 6, 174; СПП 2001, 24; ФСС, 42; СФС, 199.

Ли́хостный глаз. *Орл.* То же, что **дурной глаз.** СОГ 1994, 54.

Лягу́ший глаз (глазо́к). *Пск.* Сухая болезненная мозоль, нарост на ступне. ПОС, 6, 172, 176. **Лягуша́чий глаз.** *Дон.* То же. СДГ 2, 126.

Меж глаз дере́вня сгоре́ла (нос пропа́л) *у кого. Народн. Шутл.-ирон.* О потерянной или пропавшей вещи. ДП, 456; СРНГ 18, 78.

Ме́жду глаз *у кого. Прост.* Незаметно для кого-л., хотя и в непосредственной близости от него. ФСРЯ, 102.

Ме́жду глаз нос утрёт. *Новг.* О ловком, хитром человеке. НОС 11, 93.

Ме́жду четырёх глаз. *Разг. Устар.* Наедине, без свидетелей. ФСРЯ, 102.

Му́тный глаз. 1. *Жарг. угол. Неодобр.* Осведомитель, доносчик. ББИ, 55; Балдаев 1, 87, 260. 2. *Разг. Ирон.* Ресторан, кафе, пивная. Елистратов 1994, 88; ББИ, 55; Балдаев 1, 87, 260.

Набива́ть/ наби́ть глаз *в чем, на чем. Разг.* Приобрести умение, опыт в чём-л. ФСРЯ, 258-259; Глухов 1988, 86; Ф 1, 308.

Навести́ глаз *на кого, на что. Горьк.* Остановить взгляд на ком-л., на чём-л. БалСок, 43.

На весь глаз. *Перм.* Очень внимательно (смотреть). Сл. Акчим. 1, 203.

На глаз (на глазо́к). 1. *Разг.* Приблизительно, примерно. ФСРЯ, 102; ПОС, 6, 172. 2. *Пск.* Совсем ненадолго, на короткое время (заснуть). ПОС, 12, 128; ПОС, 6, 172.

Нако́ванный глаз *у кого. Сиб.* То же, что **дурной глаз.** ФСС, 42.

Наложи́ть глаз *на кого, на что. Коми.* Заметить, приметить кого-л., что-л. Кобелева, 68.

Наско́лько (ско́лько) хвата́ет (достаёт) глаз. *Разг.* В какой степени доступно зрению, насколько далеко можно видеть. ФСРЯ, 103; БТС, 1440.

Наступи́ть на глаз. *Жарг. арест. Шутл.* Заглянуть в глазок тюремной камеры. Максимов, 84.

Не без глаз. *Перм. Одобр.* О внимательном человеке. Подюков 1989, 41.

Недо́брый глаз. См. **Дурной глаз.**

Не заходи́ть с глаз [*кому*]. *То же, что* **глаз не каза́ть.** ПОС 6, 171.

Не идти́ из глаз. *Одесск., Ряз.* Постоянно вспоминаться, представляться кому-л. КСРГО. СРНГ 12, 77.

Не име́ть глаз. *Волг.* Плохо разбираться в чём-л. Глухов 1988, 99.

Не каза́ть глаз (глаза́). *Разг.* Не появляться где-л., у кого-л. ЗС 1996, 288, 502; Ф 2, 48.

Нена́спанный глаз. *Пск.* О любимом, единственном ребёнке. СПП 2001, 25.

Не находи́ть на глаз (на гла́зы) [*кому*]. *Пск.* То же, что **глаз не казать.** ПОС, 6, 171.

Не отвести́ (оторва́ть) глаз *от кого, от чего. Разг. Одобр.* О ком-л., о чём-л. очень привлекательном. Ф 2, 23, 29.

Не принима́ть на глаз *кого, что. Ряз.* Не переносить, не хотеть видеть кого-л., что-л. ДС, 111; СРНГ 31, 314.

Не своди́ть (спуска́ть) глаз *с кого, с чего. Разг.* Пристально, внимательно смотреть на кого-л., что-л. наблюдать, следить за кем-л., чем-л. ФСРЯ, 413-414; Глухов 1988, 104; БТС, 1253; Ф 2, 145, 179.

Не своди́ть глаз с гла́зом. *Ряз.* Не спать, не засыпать ночью. ДС, 111.

Не смыка́ть глаз. *Разг.* Не засыпать, не спать даже короткое время. ФСРЯ, 440-441.

Ни глаз ни ро́жи *у кого. Сиб. Пренебр.* О некрасивом человеке. ФСС, 42.

Овчий глаз. *Волог. Бран.* О непорядочном, подлом человеке. СВГ 6, 16.

Оди́н глаз в поли́цу, друго́й в солони́цу. *Народн. Ирон.* То же, что **один глаз на нас, другой на Арзамас.** ДП, 316.

Оди́н глаз на нас, друго́й на Арзама́с. *Народн. Ирон.* О человеке, страдающем косоглазием. ДП, 316.

Оди́н глаз на ме́льницу, друго́й на ку́зницу. *Народн. Ирон.* То же, что **один глаз на нас, другой на Арзамас.** ДП, 316.

Оди́н глаз на се́вер, друго́й на юг. *Жарг. шк. Шутл.* О ситуации во время диктанта. ВМН 2003, 37.

Оди́н глаз наспа́ть (поспа́ть). *Пск. Шутл.* Немного, недолго поспать, ненадолго заснуть. ПОС 6, 172.

Оди́н глаз поперёк *у кого. Обл. Шутл.-ирон.* О пьяном человеке. Мокиенко 1990, 17.

Одни́х глаз не́ту *где, у кого. Печор. Шутл.* О достатке, изобилии. СРГНП 1, 135.

Оловя́нный глаз. *Пск.* 1. Глаз с бельмом. 2. Недобрый, лукавый взгляд. СРНГ 23, 189.

Орли́ный глаз. *Жарг. мол. Шутл.* Крановщик. Максимов, 84.

Отста́ть от глаз. *Арх, Волог.* Ослепнуть. СВГ 6, 100; АОС 9, 86.

Оття́гивать/оттяну́ть глаз на жо́пу *кому. Прост. Вульг. Ирон.* Грубо обманывать кого-л. Мокиенко, Никитина 2003, 103.

Пасть в глаз *кому. Разг.* Привлечь чье-л. внимание. Ф 2, 35.

Плохо́й глаз. *Кар. (Новг.), Орл., Прибайк.* То же, что **дурной глаз.** СРГК 4, 551; СОГ 1989, 146; СНФП, 41.

Повы́катиться из глаз. *Дон.* Позабыться, стереться из памяти. СДГ, 3, 18.

По глаз. *Сиб.* То же, что **до глаз.** ФСС, 42.

Погре́ть глаз. *Сиб.* Посмотреть на что-л. с удовольствием. ФСС, 68, 139.

По-за глаз (позагла́з). 1. *Арх., Пск.* То же, что **за глаза 1.** АОС 9, 81; ПОС, 6, 171; СРГК 1, 264; СПП 2001, 24. 2. *Сиб.* Далеко от себя. ФСС, 42.

Поза́ди глаз *у кого. Кар. (Мурм.).* То же, что **за глаза 1.** СРГК 5, 27; Мокиенко 1990, 26.

Показа́ть глаз *кому, куда. Прибайк.* То же, что **показывать/ показать глаза.** СНФП, 40.

Положи́ть глаз *на кого. Разг.* Обратить внимание на кого-л., заинтересоваться кем-л., начать испытывать симпатию к кому-л. НСЗ-84; Подюков 1989, 155; СПП 2001, 24.

Потеря́ть из глаз *кого. Новг.* Лишиться кого-л. СРНГ 30, 277.

При глаз *чьих. Дон., Курск., Орл., Пск.* В чьем-л. присутствии. СДГ 1 100; БотСан, 110; СОГ 1989, 147; СПП 2001, 25.

Пригоди́ться на глаз. *Кар. (Ленингр.).* Понравиться кому-л. СРГК 5, 152.

Прийти́ в глаз *кому. Арх.* Понравиться кому-л., вызвать симпатию. АОС 9, 86.

Проки́нуть ме́жду глаз [*что*]. *Пск. Неодобр.* Прозевать, не заметить чего-л. ПОС 6, 173.

Пролета́ть ме́жду глаз. *Пск.* Не беспокоить, не волновать кого-л. СПП 2001, 24.

Пропуска́ть/ пропусти́ть ми́мо глаз. *Разг.* Не замечать чего-л., не обращать внимания на что-л. Ф 2, 101.

Про́тив глаз *у кого. Кар. (Арх.).* То же, что **за глаза 1.** СРГК 5, 307.

Пусти́ть глаз. *Арх.* Обратить внимание на что-л., заметить что-л. АОС 9, 79.

Пу́чить глаз на чужо́й квас. *Кар. (Волог.). Шутл.-ирон.* завидовать кому-л. СРГК 5, 363.

Ра́ди прекра́сных глаз. *Книжн.* Только из симпатии к кому-л., даром. ФСРЯ, 103; БМС 1998, 111; ЗС 1966, 317.

Ра́довать глаз. *Разг. Одобр.* Быть приятным на вид, доставлять удовольствие смотрящему. Ф 2, 111.

Роково́й глаз. *Горьк.* То же, что **дурной глаз.** БалСок, 52.

Ры́бий глаз. 1. *Жарг. угол. Неодобр.* Осведомитель, доносчик. ББИ, 55; Балдаев 1, 87, 260. 2. *Разг. Ирон.* Ресторан, кафе, пивная. Елистратов 1994, 88; ББИ, 55; Балдаев 1, 87, 260. 3. *Сиб.* Крупа саго. СОСВ, 166. 4. *Жарг. мол. Шутл.-ирон.* Пьяный рыбак. Максимов, 84.

С безу́мных глаз. *Прост.* В состоянии крайнего возбуждения, утраты самообладания. ФСРЯ, 103.

Сбыва́ть/ сбыть с глаз *кого. Прост. Устар.* Избавляться от чьего-л. присутствия, отсылая, прогоняя кого-л. Ф 2, 140.

С глаз *чьих. Арх.* 1. В чьём-л. присутствии. 2. На виду у кого-л. АОС 9, 81.

С глаз да в рот. *Пск. Ирон.* О тяжелой жизни, когда человеку приходится много плакать. (Запись 1994 г.).

С глаз доло́й [уйти́]. *Разг.* Прочь, вон, долой (уйти и т. п.). БТС, 272; ФСРЯ, 103; СПП 2001, 25; АОС 9, 84.

Ско́лько хвата́ет глаз. См. **Насколько хватает глаз.**

Скры́ться с глаз *чьих. Пск.* Уйти, уехать от кого-л. СПП 2001, 25.

Слаб (сла́бый) на пра́вый глаз. *Публ. Ирон.* О необъективности, предвзятости представителя правосудия. Мокиенко 2003, 19.

Спускать/ спусти́ть с глаз *кого, что.* 1. *Пск.* Терять из виду кого-л., что-л. СПП 2001, 25. 2. *Арх., Коми.* Оставлять без присмотра кого-л., что-л. АОС 9, 78; Кобелева, 78.

С пья́ных глаз. *Разг.* Будучи в нетрезвом состоянии. ЗС 1996, 194, 317; Глухов 1988, 153; ФСРЯ, 103.

Тёмный (яма́нный) глаз. *Жарг. угол.* Поддельный документ. СРВС 1, 206; СРВС 2, 115, 216; Елистратов 1994, 88; ББИ, 55; Грачев 1997, 143; Балдаев 1, 87. < **Глаз** — из польск. арго: *glaza* — паспорт (Б. А. Ларин). Грачев 1997, 77.

Тигри́ный глаз. См. **Копчёный глаз.**

Тычь в глаз — он друго́й подста́вит. *Сиб. Неодобр.* О бессовестном, бесчестном человеке. СФС, 188.

Увойди́ с мои́х гла́з! *Смол.* Требование уходить: Уходи! Убирайся! < **Увойди́ть** — уйти. ССГ 11,

У́точий глаз. *Арх.* То же, что **вороний глаз.** АОС 9, 79.

Хозя́йский глаз *у кого. Разг. Одобр.* О заботливом, рачительном отношении к своему имуществу, хозяйству. БМС 1998, 112.

Хоть в глаз вто́рни (то́рни). *Новг., Пск.* То же, что **хоть глаз вы́коли.** НОС 11, 51; ПОС, 6, 173.

Хоть [в] глаз коли́ (ткни). *Арх., Дон., Пск., Сиб.* То же, что **хоть глаз вы́коли.** АОС 9, 84; СДГ 1, 100; СПП 2001, 25; СФС, 198; ФСС, 94.

Хоть в глаз па́лец. *Пск.* То же, что **хоть глаз выколи.** СПП 2001, 25.

Хоть в глаз ткни. *Морд.* То же, что **хоть глаз выколи.** СРГМ 1978, 75.

Хоть глаз вы́коли. *Разг.* Об абсолютной темноте. ДП, 923; БТС, 173; Верш. 4, 360; ФСРЯ, 94; СДГ 1, 100; ЗС 1996, 485.

Хоть глаз вы́рви. *Новг.* То же, что **вырви глаз 1.** Сергеева 2004, 203.

Хоть глаз жикни́. *Кар.* То же, что **хоть глаз вы́коли.** СРГК 2, 61.

Худо́й глаз. См. **Лихо́й глаз.**

Чёрный глаз. 1. *Народн.* То же, что **дурной глаз.** АОС 9, 78; БМС 1998, 111; ЗС 1996, 318. 2. *Жарг. угол. Неодобр.* Работник таможни. ББИ, 55; Балдаев 1, 87; Балдаев 2, 143. 3. *Жарг. угол. Неодобр.* Провокатор; доносчик. ББИ, 55; Балдаев 1, 87; Балдаев 2, 143.

Чёртов глаз. *Пск.* То же, что **дурной глаз.** ПОС, 6, 174; СПП 2001, 25.

Аж глаза́ ест *кому. Сиб.* О чувстве стыда. ФСС, 68.

А́шные глаза́. *Перм. Неодобр.* О жадном человеке. Сл. Акчим. 1, 203. < **Ашный** — жадный.

Бере́чь пу́ще гла́за. См. **Беречь пуще глаз.**

Бессты́жие глаза́. *Яросл. Бран.* О бессовестном, наглом человеке. ЯОС 1, 57. **Бесту́жие глаза́.** *Коми. Бран.* То же. Кобелева, 56.

Бить в глаза́ [*кому*]. *Разг.* Резко выделяться, быть особенно заметным, ярким, броским. ФСРЯ, 36; БМС 1998, 113; ШЗФ 2001, 19; Глухов 1988, 3. 2. *кому. Волг., Сиб.* Упрекать кого-л. в чём-л. Глухов 1988, 3; ФСС, 12.

Брать/ взять в глаза́ *что. Волг.* Обратить внимание на что-л., запомнить что-л. Глухов 1988, 11.

Брать/ взять глаза́ в зу́бы (в ру́ки). *Народн.* Посмотреть внимательно. ДП, 316; АОС 4, 83; НОС 1, 125; Глухов 1988, 5; ЯОС 3, 19.

Броса́ться в глаза́ *кому. Разг.* Привлекать к себе чье-л. внимание, быть особенно заметным. ФСРЯ, 49.

Броса́ть/ бро́сить глаза́ *на кого, на что.* 1. *Арх., Кар., Сиб.* Смотреть на кого-л., на что-л., останавливать взгляд на ком-л., на чём-л. АОС 2, 135; СРГК 1, 119; СФС, 30. 2. *Сиб.* Широко раскрывать глаза от удивления. СФС, 54; ФСС, 17.

Вбира́ть глаза́ *чьи. Одесск.* Привлекать чье-л. внимание, поражать, удивлять кого-л. КСРГО.

В глаза́ *кому.* 1. *Народн.* Открыто, в присутствии кого-л., обращаясь непосредственно к тому, о ком идет речь. ДП, 662; Жиг. 1969, 207; ФСРЯ, 103; БМС 1998, 112; АОС 9, 86; БалСок, 25; ПОС, 2, 172; ПОС, 6, 171; СНФП, 38; СРГК 2, 359. 2. *Арх.* Навстречу кому-л. АОС 9, 80.

В глаза́ без ма́сла вле́зет. *Сиб. Неодобр.* О хитром человеке. ФСС, 28.

В глаза́ взду́мало *кому. Сиб.* Вспомнилось, подумалось. ФСС, 28.

В глаза́ ви́деть *что. Арх.* Видеть собственными глазами. АОС 9, 84.

В глаза́ ласка́ет, а за глаза́ (по загла́зью) ла́ет. *Народн. Неодобр.* О двуличном человеке. ДП, 662; Жиг. 1969, 207.

В глаза́ льстит, а за глаза́ кости́т. *Горьк. Неодобр.* То же. БалСок, 25.

В глаза́ лю́бит, а за глаза́ гу́бит. *Народн. Неодобр.* То же. Жиг. 1969, 307.

В глаза́ не ви́деть (не вида́ть) *кого, что. Разг.* Совсем, никогда не видеть кого-л., что-л. ФСРЯ, 103; ПОС, 4, 8; ПОС, 6, 171.

В глаза́ не плю́нуть *кому. Новг.* Не поблагодарить кого-л. за оказанную услугу. НОС 7, 159.

Верту́чие глаза́. *Яросл. Неодобр.* О легкомысленном, ветреном человеке. ЯОС 2, 57.

Взбро́сить глаза́ (глаза́ми). *Сиб., Прибайк.* Взглянуть на кого-л., на что-л. ФСС, 25; СНФП, 39.

Взять в (на) глаза́ *что, кого. Арх.* Увидеть что-л., кого-л. АОС 4, 83.

Влеза́ть/ влезть в глаза́ *кому.* 1. *Дон., Пск.* Запоминаться кому-л. СДГ 1, 68; СПП 2001, 25. 2. *Орл., Сиб.* Нравиться, вызывать чувство сильной привязанности. СОГ 1989, 147; ФСС, 28. 3. *Волг. Неодобр.* Втираться в доверие к кому-л. Глухов 1988, 12.

В о́ба (два, три) гла́за. *Прост.* Очень внимательно (смотреть). Ф 1, 108; НОС 2, 13.

Во́лчьи глаза́. *Сиб. Неодобр.* О злом человеке с сердитым взглядом. ФСС, 42.

Вороти́ть глаза́ [вон]. *Кар., Сиб.* Проявлять неприязнь, не желать видеть кого-л. СРГК 1, 229; ФСС, 30.

Воро́чать глаза́. *Арх.* Испытывать чувство стыда. АОС 5, 114.

Впя́лить глаза́. *Яросл.* Устремить взгляд, засмотреться на кого-л., на что-л. ЯОС 3, 43.

Вста́вить сере́бряные глаза́ *кому. Народн.* Дать кому-л. взятку. ДП, 174.

Вста́виться в глаза́ *кому. Орл.* Показаться, померещиться кому-л. СОГ 1989, 147.

Встре́лить в глаза́ *кому. Башк.* Быть замеченным, запомниться, произвести впечатление на кого-л. СРГБ 1, 78.

Встроми́ть глаза́ *на кого, на что. Дон.* То же, что **впялить глаза.** СДГ 1, 82.

Вступи́ло в глаза́ *кому. Перм.* О действии спиртного. Подюков 1989, 34.

Вте́мить глаза́ *в кого, во что. Яросл.* То же, что **впялить глаза.** ЯОС 3, 46.

Втира́ть глаза́ *кому. Сиб.* Обманывать кого-л. БФ,49; ФСРГС,33; СРНГ 5, 229.

Втопи́ть глаза́. *Кар.* 1. То же, что **впялить глаза.** 2. Потупить, опустить глаза. СРГК 1, 251.

Вто́рнуться в глаза́ (в гла́зы) *кому. Пск.* Привлечь чьё-л. внимание, стать заметным, запомниться. ПОС 6, 173.

Вы́бить (обби́ть) все глаза́ *кому. Сиб. Неодобр.* Предельно надоесть кому-л. своими советами, замечаниями, упреками, просьбами. ФСС, 33, 124.

Вы́бурить глаза́ *на кого, на что.* 1. *Ср. Урал. Неодобр.* То же, что **впялить глаза.** СРГСУ 1, 99. 2. *Сиб.* Сердито, исподлобья посмотреть на кого-л. ФСС, 34.

Вы́бучить глаза́. *Пск.* То же, что **выложить глаза.** СПП 2001, 25.

Выва́ливать/ вы́валить глаза́ *на что-л.* 1. *Кар.* Пристально, с любопытством рассматривать что-л. СРГК 1, 252; Мокиенко 1990, 74. 2. *Кар., Новг.* Широко раскрывать глаза от удивления, страха. СРГК 1, 252.

Вы́валить глаза́ на ле́вую сто́рону. *Кар.* Сильно опьянеть. СРГК 1, 253; СРГК 3, 103-104.

Вы́вернуть глаза́. 1. *Арх.* Сильно удивиться. АОС 6, 128. 2. *Кар.* То же, что **впялить глаза.** СРГК 1, 253.

Вывора́чивать/ вы́воротить глаза́. 1. *Перм.* Вызывающе, нагло смотреть на кого-л. Подюков 1989, 35. 2. *Арх.* Умирать. АОС 9, 82.

Вы́воротить (вы́волочь) глаза́. *Кар. (Мурм.).* 1. То же, что **вылуплять/ вылупить глаза.** 2. *(Арх., Мурм.).* Направить взор в одну точку, уставиться на кого-л., что-л. СРГК 1, 255.

Выгаля́ть/ вы́галить (вы́голить /выголя́ть) глаза́ *на кого, на что.* 1. *Новг., Пск.* То же, что **вылуплять глаза.** НОС 1, 146; СПП 2001, 25. 2. *Пск. Неодобр.* Зло, недоброжелательно смотреть на кого-л. СПП 2001, 25. 3. *Пск.* Смотреть на кого-л., на что-л. с удивлением. СПП 2001, 25.

Выгрыза́ть (выцара́пывать) глаза́ *кому. Сиб. Неодобр.* Вести себя агрессивно, добиваясь чего-л. от кого-л. ФСС, 35.

Вы́зздануть (вы́здонуть) глаза́. *Арх.* То же, что **взбросить глаза.** АОС 7, 217.

Вы́лепить глаза́. *Пск.* То же, что **выложить глаза.** СПП 2001, 25.

Вы́ложить (вы́ломить) глаза́. *Арх.* Широко раскрыть глаза от удивления, страха. АОС 7, 294.

Вылупа́ть глаза. *Орл.* То же, что **вылуплять глаза.** СОГ 1989, 116.

Вылупля́ть(вылу́пливать)/ вы́лупить глаза́. *Арх., Пск. Сиб.* Смотреть на кого-л., на что-л., не отрываясь, широко раскрыв глаза. АОС 7, 295; СПП 2001, 25; СПСП, 26; Мокиенко 1990, 25.

Вы́нет глаза́ *кому. Арх.* 1. У кого-л. испортится зрение. 2. Кто-л. умрет. АОС 9, 82.

Вы́нуть глаза́ с но́жней (из но́жен). *Народн.* Посмотреть внимательно. ДП, 317.

Вы́пихать глаза́ *на кого, на что. Кар. (Ленингр.).* То же, что **вылуплять/ вылупить глаза.** СРГК 1, 278.

Вы́плакать все глаза́. *Разг.* Долго и безутешно оплакивать кого-л., что-л. БТС, 178.

Вы́плеснуть глаза́ *кому. Яросл.* Сильно избить кого-л. в гневе. ЯОС 3, 75.

Вы́пнуть глаза́. *Кар. (Ленингр.).* То же, что **выложить глаза.** СРГК 1, 279.

Вы́путать глаза́ *кому. Прикам.* Открыто сказать кому-л. правду. МФС, 23.

Вы́пучить глаза́. *Том.* То же, что **выложить глаза.** СПСП, 26.

Вы́пятить глаза́. 1. *на кого, на что. Яросл.* То же, что **вылуплять/ вылупить глаза.** ЯОС 3, 56. 2. *Пск.* То же, что **выложить глаза.** СПП 2001, 25.

Вы́рачить глаза́ *на кого, на что. Кар. (Волог.).* То же, что **вылуплять/ вылупить глаза.** СРГК 1, 285.

Вы́реветь все глаза́. *Арх.* Испортить глаза, сильно и долго плача. АОС 9, 86.

Выре́вливать глаза́. *Ср. Урал.* Часто плакать. СРГСУ 1, 104.

Вы́рубить глаза́ *на кого, на что. Ср. Урал.* То же, что **вылуплять/ вылупить глаза.** СРНГ 5, 250.

Вы́садить глаза́ на лоб *кому. Арх.* Сильным ударом нанести травму кому-л. АОС 8, 175.

Вы́ставить (вы́тулить) глаза́. 1. *Перм.* То же, что **выложить глаза.** 2. *Кар. (Ленингр.). на кого, на что.* То же, что **выпялить глаза.** СРГК 1, 296, 305; Подюков 1989, 37.

Вы́стручить глаза́, *на кого, на что. Волог.* То же, что **вылуплять/ вылупить глаза.** СВГ 1, 101.

Вытара́щивать (**вытá́ркивать/ вы́торкнуть**) **глаза́.** *Пск.* То же, что **вылуплять глаза.** СПП 2001, 25.

Вы́трещить глаза́ *на кого, на что. Дон.* То же, что **вылуплять/ вылупить глаза.** СДГ 1, 91.

Где глаза́ бы́ли *чьи*? *Разг. Неодобр.* Почему не замечено что-л., почему не обращено должного внимания на что-л? ФСС, 42.

Глаза́ А́ргуса *у кого. Книжн.* О чьих-л. зорких, подозрительных, следящих за чём-л. глазах. < Восходит к древнегреческой мифологии. БМС 1998, 112.

Глаза́ б завяза́ть и уйти́. *Сиб.* То же, что **глаза бы мои не глядели.** ФСС, 75.

Глаза́ больно́й соба́ки. *Жарг. мол.* 1. О преданном взгляде. 2. О растерянном взгляде. Максимов, 84.

Глаза́ (гла́зоньки) бы [мои́] не гляде́ли *на кого, на что* (**не вида́ли** *кого, что*). *Разг.* Совсем не хочется видеть кого-л., что-л. ФСРЯ, 104; Ф 1, 108; ПОС, 6, 172; Глухов 1988, 82; ПОС, 7, 10.

Глаза́ в глаза́. 1. *Разг.* С очень близкого расстояния (видеть кого-л.). ФСРЯ, 104. 2. *Арх.* Друг против друга, лицом друг к другу. АОС 9, 82.

Глаза́ в ку́че *у кого.* 1. *Помор.* О закрытых глазах. ЖРКП, 78. 2. *Жарг. мол.* О сильно уставшем человеке. Вахитов 2003, 37. 3. *Жарг. мол.* То же, что **глаза в кучу 2.** Вахитов 2003, 37.

Глаза́ в ку́чу (в ку́чку) [*у кого*]. 1. *Разг.* О состоянии испуга, усталости. СПП 2001, 25. 2. *Разг.* О состоянии алкогольного опьянения; о взгляде пьяного человека. СПП 2001, 25; Вахитов 2003, 37; Максимов, 84. 3. *Жарг. мол.* О проявлении сильного удивления. Максимов, 84.

Глаза́ вместя́х *у кого. Арх.* О спящем человеке. АОС 4, 132.

Глаза́ в пучо́к (в пучке́) *у кого. Жарг. мол.* 1. Кто-л. очень удивлён, поражён чем-л. 2. То же, что **глаза в кучу 2.** Мазурова. 1991, 135; Никольский, 33; Вахитов 2003, 37.

Глаза́ в пя́тках *у кого. Арх.* О состоянии испуга, страха. АОС 9, 82.

Глаза́ вразбе́жку и мозги́ набекре́нь *у кого. Прост. Неодобр.* О бестолковом, чудаковатом человеке. Мокиенко 1986, 64.

Глаза́ вы́вернувши на лоб. *Пск.* Быстро, поспешно; изо всех сил (бежать, убегать и т. п.). ПОС 6, 173.

Гла́за вы́голивши. *Пск.* То же, что **глаза́ вы́вернувши на лоб.** СПП 2001, 25.

Глаза́ выка́лываются *у кого. Арх.* Кому-л. становится дурно, нехорошо. АОС 7, 266.

Глаза́ вы́капали *у кого. Печор.* Об ухудшении зрения. СРГНП 1, 105.

Глаза́ вы́колов. *Пск.* То же, что **глаза́ вы́вернувши на лоб.** СПП 2001, 25.

Глаза́ вы́ронишь. *Перм. Шутл.-ирон.* Замечание человеку, пристально разглядывающему что-л. Подюков 1989, 188.

Глаза́ вы́скочили *у кого. Горьк.* Кто-л. сильно удивился. БалСок, 30.

Глаза́ вы́текли *у кого. Кар. (Ленингр.).* У кого-л. пропало зрение. СРГК 1, 303.

Глаза́ глядя́т, живо́т соба́ки едя́т. *Прибайк.* О голоде. СНФП, 39.

Глаза́ да глаза́ (глази́ща, гла́зки, гла́зоньки) на́до (нужны́) *[за кем, за чем]. Арх., Волг., Сиб.* Необходим усиленный присмотр за кем-л., бдительность, внимание к чему-л. АОС 9, 82-83; Глухов 1988, 22; СФС, 54; ФСС, 42.

Глаза́ е́дут спать *у кого. Арх.* Кому-л. очень хочется спать. АОС 9, 83.

Глаза́ забреда́ют *у кого. Морд.* Зрачки заходят за верхние веки. СРГМ 1980, 65.

Глаза́ зава́ливаются *у кого. Волг.* О сильно похудевшем, больном человеке. Глухов 1996, 22.

Глаза́ завиду́щие [ру́ки загребу́щие] *у кого. Народн. Неодобр.* О жадном, скупом человеке. ДП, 675; ЗС 1996, 319; СНФП, 39; СПП 2001, 25.

Глаза́ закры́лись *у кого, чьи. Разг.* Кто-л. умер. СРГБ 1, 84; Подюков 1989, 40.

Глаза́ зя́бнут *у кого. Морд.* О чувстве стыда. СРГМ 1978, 112.

Глаза́ игра́ют *у кого. Прибайк.* Кому-л. становится радостно, приятно при виде чего-л. СНФП, 39.

Глаза́ ка́мнем повы́копать. *Сиб. Неодобр.* Вести себя грубо по отношению к кому-л. ФСС, 138.

Глаза́ ле́зут рога́ми *у кого. Кубан.* О головной боли. СРНГ 16, 339.

Глаза́ ло́мятся *от чего. Прибайк.* О чрезмерной утомляемости от непосильной, не по годам работы. СНФП, 39.

Глаза́ ло́паются *у кого.* 1. *Дон.* О чувстве сильного стыда. СДГ 1, 100. 2. *Волг.* О состоянии сильной усталости. Глухов 1988, 22.

Глаза́ лучи́стые, да мы́сли нечи́стые. *Народн. Неодобр.* О двуличном человеке. Жиг. 1969, 232.

Глаза́ метуся́тся *у кого. Калин.* О бегающем взгляде. СРНГ 18, 178.

Глаза́ на ба́ню (на водока́чку) *у кого. Жарг. мол. Шутл.* О быстро бегущем человеке. Максимов, 25, 65.

Глаза́ наве́рх повыла́зили. *Сиб. Неодобр.* О полном равнодушии к делу. ФСС, 42.

Глаза́ на заты́лке *у кого.* 1. *Разг. Неодобр.* О крайне невнимательном человеке, который ничего не замечает. ДП, 485; БМС 1998, 112. 2. *Пск.* Об очень внимательном человеке. СПП 2001, 25.

Глаза́ на ле́вую сто́рону вылеза́ют *у кого. Арх.* О большой усталости. АОС 9, 83.

Глаза́ на лоб ле́зут (поле́зли) *у кого. Разг.* Кто-л. приходит в состояние крайнего удивления, недоумения, испытывает сильную боль, потрясение. ФСРЯ, 104; БТС, 491; ПОС 6, 173.

Глаза́ налома́лись *у кого. Смол.* Об отражении во взгляде человека зависти, скрытности. СРНГ 8, 20.

Глаза́ на мо́кром месте *у кого. Разг. Шутл.* Об очень чувствительном человеке, который часто плачет. ФСРЯ, 104; ЗС 1996, 168; ШЗФ 2001, 53; БТС, 551; БМС 1998, 112.

Глаза́ на одно́й то́чке *у кого. Прикам.* О бессознательном состоянии. МФС, 24.

Глаза́ на полвторо́го (полдвена́дцатого, полдевя́того). *Жарг. мол. Шутл.* 1. О больших глазах. 2. О взгляде, выражающем удивление. 3. О взгляде пьяного человека. Максимов, 85.

Глаза́ на про́волоке пови́сли *у кого. Жарг. мол. Неодобр.* О появлении неудовольствия у кого-л. Максимов, 85.

Глаза́ на распо́рках *у кого. Жарг. мол. Шутл.* О состоянии сонливости. Вахитов 2003, 37.

Глаза́ на се́дале (на се́далах) *у кого. Сиб.* Кому-л. очень хочется спать. СФС, 54; ФСС, 42.

Глаза́ на я́йцах *у кого. Жарг. мол. Шутл.* О сильном сексуальном влечении к женщине. Максимов, 85.

Гла́за не ви́деть. *Арх.* Совершенно, абсолютно не хотеть чего-л. АОС 9, 85.

Глаза́ не встаю́т (не хвата́ют). *Арх., Волог.* О невозможности охватить взглядом что-л. огромное, необъятное. АОС 9, 83; СВГ 1, 111.

Глаза́ не гляди́ *у кого на что. Орл. Пренебр.* О чём-л., о ком-л., производящем отталкивающее впечатление. СОГ 1989, 146.

Глаза́ не глядя́т *у кого на что. Разг.* Кому-л. надоело, не нравится, неприятно что-л. Глухов 1988, 22.

Глаза́ не осуша́ются *чьи. Разг.* Кто-л. не перестает плакать. ФСРЯ, 104.

Глаза́ не отпуска́ть. *Яросл.* Пристально, неотрывно смотреть на кого-л., на что-л. ЯОС 3, 75.

Глаза не отрыва́ются *у кого от кого, от чего. Разг.* Кто-л. очень внимательно, пристально, неотрывно смотрит на кого-л., на что-л. ФСРЯ, 104.

Глаза́ не просыха́ют *у кого. Разг.* 1. То же, что **глаза не осушаются.** 2. Кто-л. постоянно пьянствует. Глухов 1988, 22.

Глаза́ не сы́ты *у кого. Морд.* 1. О человеке, который не наелся. 2. О жадном человеке. СРГМ 1978, 112.

Глаза́ не хвата́ют. См. **Глаза не встают.**

Глаза́ [ни] соба́чьи. См. **Собачьи глаза.**

Глаза́ обробе́ли *у кого. Влад.* О сильном испуге. СРНГ 22, 206.

Глаза́ обу́ты *у кого. Арх.* О сильном чувстве стыда. АОС 9, 84.

Глаза́ окровяне́ли *у кого. Горьк.* Кто-л. сильно рассердился, разозлился. БалСок, 30.

Глаза́ опроки́нуть. *Сиб.* Очень быстро, мгновенно. ФСС, 127.

Глаза́ оста́вишь. *Перм. Одобр.* О чём-л. красивом. Подюков 1989, 139.

Глаза́ открываются *у кого. Разг.* Кто-л. освобождается от заблуждений, начинает понимать истинный смысл чего-л. ФСРЯ, 104.

Глаза́ (гла́зы) [песко́м] засыпать *кому. Перм., Пск.* Похоронить кого-л. Подюков 1989, 82; ПОС 6, 173.

Глаза́ песко́м засы́плются *чьи. Пск.* Кто-л. умрёт. ПОС 6, 173.

Глаза́ пло́хо све́тят *у кого. Прибайк.* О плохом зрении. СНФП, 40.

Глаза́ под лоб *у кого.* 1. *Новг., Прикам.* О состоянии сильной усталости. НОС 5, 31-32; МФС, 24; Подюков 1989, 41. 2. *Сиб.* О состоянии алкогольного опьянения. ФСС, 202. 3. *Пск.* О чём-л. очень кислом. СПП 2001, 26.

Глаза́ показа́лись *у кого. Прикам.* У кого-л. появилась способность видеть. МФС, 24.

Глаза́ по ло́жке, да не ви́дят ни кро́шки. *Народн. Шутл.-ирон.* О малонаблюдательном, непроницательном человеке. Жук. 1991, 84; Глухов 1988, 22; ЯОС 3, 75.

Глаза́ по́лые *у кого. Арх. Неодобр.* О жадном человеке. АОС 9, 85.

Глаза́ по пе́тлям ста́вятся *у кого. Кар.* О состоянии страха, ужаса. СРГК 4, 491.

Глаза́ попо́нкой завёрнуты *у кого. Новг.* 1. Об ослепшем человеке. 2. *Неодобр.* О бессовестном человеке. 3. *Неодобр.* О непонятливом, не воспринимающем чего-л. человеке. НОС 3, 12.

Глаза́ потё́ряны *у кого. Башк.* О слепом человеке. СРГБ 1, 84.

Глаза́ по семь копе́ек *у кого. Разг. Шутл.* О сильном волнении, удивлении. Югановы, 57.

Глаза́ разбе́гаются *у кого.* 1. *Разг.* Кому-л. трудно сосредоточиться на чём-л., выбрать что-л. ФСРЯ, 104; Глухов 1988, 22; ЗС 1996, 113; ПОС, 6, 172. 2. *Башк.* О человеке, страдающем косоглазием. СРГБ 1, 84. 3. *Перм.* О желании присвоить что-л. Подюков 1989, 41.

Глаза́ разбега́ются в ра́зные сто́роны *у кого. Пск.* 1. О человеке, страдающем косоглазием. 2. О чувстве удивления, зависти, восторга от большого количества чего-л. увиденного. СПП 2001, 25.

Глаза́ разгоре́лись *у кого на что. Разг.* О сильном желании обладать чем-л. ФСРЯ, 104.

Глаза́ разыгра́лись *у кого. Морд., Сиб.* То же, что **глаза разбегаются 1.** СРГМ 1978, 112; ФСС, 42.

Глаза́ си́нус на ко́синус. *Жарг. мол. Шутл.-ирон.* О глупом, несообразительном человеке. Максимов, 85.

Глаза́ слипа́ются (закрыва́ются) *у кого. Разг.* О человеке, которого клонит ко сну, которому мучительно хочется спать. ФСРЯ, 104; Глухов 1988, 22.

Глаза́ слома́ешь. *Перм.; Жарг. мол. Шутл.* Совет не смотреть внимательно, пристально на что-л. Вахитов 2003, 37.

Глаза́ смо́трят внутрь *у кого. Сиб. Ирон.* О слепом человеке. ФСС, 42.

Глаза́ сплю́щиваются *у кого. Сиб.* То же, что **глаза слипаются.** ФСС, 42.

Глаза́ троя́тся *у кого. Ряз.* У кого-л. двоится в глазах. ДС, 110.

Глаза́ тупы́е *у кого. Башк., Сиб.* О плохом зрении. СРГБ 1, 84; ФСС, 42.

Глаза́ ту́ском затя́нуло *кому. Алт.* Кто-л. ослеп. СРГА 2-1, 149.

Глаза́ ху́до несу́т *у кого. Арх.* О плохом зрении. АОС 9, 86.

Грызть глаза́ *кому. Сиб. Неодобр.* Упрекать кого-л. в чём-л. ФСС, 49.

Де́лать/ сде́лать больши́е (круглые, квадра́тные) глаза. *Разг.* Выражать удивление, недоумение. ФСРЯ, 104; БМС 1998, 113; ШЗФ 2001, 62; ЗС 1996, 49; Вахитов 2003, 45; Ф 1, 144; Мокиенко 2003, 19.

До́лгие глаза́. *Кар. (Ленингр.). Неодобр.* О жадном, завистливом человеке. СРГК 1, 336.

Драть гла́за́. 1. *на кого, на что. Волг., Пск.* Смотреть на кого-л., что-л. внимательно, пристально, с интересом. СРНГ, 8, 176; Глухов 1988, 37; ПОС, 9, 197. 2. *Пск. Неодобр.* Бездельничать, праздно разглядывая что-л. (Запись 2003 г.). 3. *Волог.* Завидовать кому-л. СВГ 2, 55. 4. *кому. Перм.* Грубо ругать, отчитывать кого-л. Подюков 1989, 65.

Едва́ глаза́ смо́трят. *Пск. Неодобр.* Об очень пьяном человеке. СПП 2001, 25.

Ему́ ссы (нассы́) в глаза́, [а] он [ска́жет] — «Бо́жья роса́». *Вульг.-прост. Шутл.-ирон. или Презр.* О наивном, покорном, готовом на унижения человеке. Мокиенко, Никитина 2003, 103.

Есть глаза́ во лбу *у кого. Перм. Одобр.* О предусмотрительном, расторопном человеке. Подюков 1989, 40.

Жать глаза́. *Сиб.* Прищуриваться. ФСС, 70.

Жёлтые глаза́. *Жарг. мол. Шутл.* Слабо заваренный чай. ФЛ, 102.

Живо́му и мёртвому глаза́ выколупает. *Прибайк. Неодобр.* Об избалованном ребенке. СНФП, 41.

Завести́ глаза́. 1. *Перм.* заснуть. Подюков 1989, 77. 2. *Волг.* Прийти в состояние крайнего возбуждения, расстройства. Глухов 1988, 45.

Заве́шивать / заве́сить глаза́ *кому.* 1. *Пск. Неодобр.* Подавать плохой пример кому-л. СПП 2001, 25. // Подав плохой пример, ухудшить, испортить чью-л. жизнь. ПОС 11, 67. 2. *Волог. Неодобр.* Надоедать, докучать кому-л. СВГ 2, 101.

Заворoти́ть глаза́. *Перм.* Намеренно не обращать внимания на что-л., на кого-л. Подюков 1989, 77.

Завя́зывать глаза́. *Сиб.* 1. Намеренно не замечать кого-л., что-л. 2. Не желать слушать кого-л., общаться с кем-л. ФСС, 75.

За глаза́ (за гла́зы). 1. (говорить, ругать и т. п.). *Разг.* Заочно, в отсутствие кого-л. ФСРЯ, 104; БМС 1998, 113; БТС, 207; ЗС 1996, 466; ПОС, 6, 171. 2. (сделать что-л.). *Пск.* Без чьего-л. согласия. ПОС, 6, 171. 3. (хватит) *чего, кому. Арх., Волг., Пск.* О большом, достаточном, избыточном количестве чего-л. АОС 9, 82; Глухов 1988, 46; СПП 2001, 25.

За глаза́ и за у́ши *кому чего. Пск.* То же, что **за глаза 3.** ПОС, 6, 172.

Загля́дывать в глаза́ сме́рти. *Книжн.* Находиться в смертельной опасности. Ф 1, 193.

Загляда́щие глаза́. *Кар. (Мурм.). Неодобр.* О завистливом человеке. СРГК 2, 105.

Заглянýло в глаза́ *кому. Прикам.* Вспомнилось кому-л. что-л. МФС, 38.

Загнýть глаза́. *Прикам.* Высоко вскинуть голову. МФС, 38.

Загова́ривать глаза́ *кому. Сиб.* Вводить в заблуждение кого-л. ФСС, 76.

Загреба́стые глаза́. *Сиб. Неодобр.* О скупом, жадном человеке. СФС, 75; ФСС, 42.

Зажа́ть глаза́. *Орл.* Умереть, скончаться. СОГ 1989, 146.

Заки́нуть глаза́. *Кар.* Закрыть, сомкнуть глаза. СРГК 2, 129.

За краси́вые (прекра́сные) глаза. *Разг. Ирон.* Только из симпатии к кому-л., незаслуженно. ФСРЯ, 105; ЗС 1996, 122; БМС 1998, 113.

Закрыва́ть/ закры́ть глаза́. 1. *Волг., Пск.* Умирать. Глухов 1988, 48; ПОС 11, 275; Ф 1, 198. 2. *кому. Разг.* Быть рядом с умирающим в последние минуты его жизни. ФСРЯ, 166; ШЗФ 2001, 80; БМС 1998, 113. 3. *на что. Разг.* Намеренно не обращать внимания на что-л., не замечать чего-л. ФСРЯ, 166; БТС, 329. 4. *кому на что. Разг.* Скрывать от кого-л. что-л., умалчивать о чём-л. ФСРЯ, 166.

Закры́ть (зары́ть) глаза́ землёй *кому. Кар.* Похоронить кого-л. СРГК 2, 194; 248.

Залива́ть/ зали́ть глаза́. 1. *Разг.* Пить спиртное; напиваться пьяным. ФСРЯ, 167; Мокиенко 1990, 117; ДС, 110; Ф 1, 198; СОСВ, 48. 2. *кому.* Угощая спиртным, задабривать кого-л. ЯОС 4, 81. 3. *кому. Прост.* Вводить в заблуждение кого-л. Ф 1, 198; Глухов 1988, 49; БалСок, 36.

Зама́зывать глаза́ *кому. Разг.* Обманывать, вводить в заблуждение кого-л. ФСРЯ, 167; БТС, 331; Глухов 1988, 49; АОС 9, 83.

Заморо́зить глаза́. *Сиб. Неодобр.* Стать бессовестным, наглым. ФСС, 79.

Заморо́чить глаза́ *кому. Кар.* Сбить с толку, запутать кого-л. СРГК 2, 159.

Запира́ть/ запере́ть глаза́. 1. *Кар. (Арх., Ленингр.), Помор.* Зажмуриваться, закрывать глаза. СРГК 2, 172, 175; ЖРКП, 52. 2. *Волг.* Молчать, скрывать что-л. Глухов 1988, 50. 3. *Печор.* Умирать. СРГНП 1, 135.

Запороши́ть глаза́ *кому.* 1. *Народн. Неодобр.* Ввести в заблуждение кого-л. СРНГ 28, 316; ЗС 1996, 202. 2. *Ряз.* Опозорить, обесславить кого-л. 3. *Ряз.* О малом количестве чего-л. ДС, 110.

За прекра́сные глаза́. См. **За красивые глаза.**

Запуска́ть/запусти́ть глаза́ за па́зуху *кому. Прост. Ирон.* С похотью смотреть на женскую грудь. Мокиенко, Никитина 2003, 103.

Застила́ть (затума́нивать) глаза́ *кому. Сиб. Неодобр.* Обманывать, вводить в заблуждение кого-л. ФСС, 81.

Затемня́ть глаза́ *кому. Волг., Сиб. Неодобр.* Давать путаное объяснение, запутывать, обманывать кого-л. Глухов 1988, 51; СФС, 54; СОСВ, 48; ФСС, 81.

Затере́ть глаза́ *кому. Прибайк. Неодобр.* Обмануть, перехитрить кого-л. СНФП, 41.

Затума́нивать глаза́. См. **Застилать глаза.**

За́ячьи глаза́ вида́ть. *Сиб. Шутл.* О слабо заваренном чае. ФСС, 27.

Идти́ на косы́ глаза́ *куда. Кар. (Ленингр.). Неодобр.* Идти куда-л. без приглашения; идти туда, где не ждут. СРГК 2, 267.

Квадра́тные глаза́ *у кого. Разг.* Выражение на лице крайнего удивления или непонимания. НРЛ-81; Мокиенко 2003, 19.

Кида́ться/ ки́нуться в глаза́ *кому.* 1. *Арх.* Привлекать чье-л. внимание. АОС 9, 86. 2. *Кар. (Ленингр.).* Вспоминаться кому-л. СРГК 2, 346.

Ки́нуть глаза́ *куда, на что, на кого. Кар. (Волог.).* Взглянуть на кого-л., на что-л. СРГК 2, 346.

Класть глаза́. 1. *на кого, на что. Кар.* Смотреть на что-л., на кого-л. СРГК 2, 360. 2. *Арх.* Испытывать сильное чувство стыда, прятать глаза от стыда. АОС 9, 84.

Коло́ть [в] глаза́ *кому.* 1. *Разг. Неодобр.* Упрекать, укорять, порицать кого-л. ЗС 1996, 318; БМС 1998, 113. 2. *Волг.* Резко выделяться, быть особенно заметным. Глухов 1988, 76. 3. *Сиб.* Вызывать досаду, раздражение у кого-л. СОСВ, 90.

Кора́чить глаза́ *на кого, на что. Кар. (Волог.).* Завидовать кому-л. СРГК 2, 420.

Коро́вьи глаза́. *Приамур.* Растение дальневосточный пион. СРГПриам., 126.

Круго́м глаза́ *у кого. Прикам.* Об очень бойком, подвижном человеке. МФС, 24.

Куда́ глаза́ (глазы́) глядя́т (веду́т, несу́т). *Разг.* Без определенного направления, куда попало (идти, ехать, бежать и т. п.); наудачу. ДП, 76; ФСРЯ, 105; Жиг. 1969, 349; ЗС 1996, 497; СРГК 4, 587; АОС 4, 10; АОС 9, 82; ПОС 6, 173; СРНГ 29, 257.

Лезть /влезть (поле́зть) в глаза́ *кому.* 1. *Разг.* Стараться быть замеченным, привлекать к себе чьё-л. внимание. ФСРЯ, 223; БТС, 491; СОСВ, 103. 2. *Волг., Орл., Пск., Ряз. Неодобр.* Докучать, надоедать кому-л., назойливо вмешиваться во что-л., просить о чём-л. Глухов 1988, 81; СОГ 1989, 147; СПП 2001, 25; ДС, 110; СРНГ 16, 339. 3. *Ряз.* Настойчиво, навязчиво появляться в сознании. ДС, 110. 4. *Волг.* Упрекать, стыдить кого-л. Глухов 1988, 80.

Лепи́ть глаза́ *кому. Волг. Сиб.* Открыто говорить правду кому-л.; упрекать кого-л. в чём-л. Глухов 1988, 81; ФСС, 105.

Лить глаза́ *чем. Печор.* Пить спиртное. СРГНП 1, 388.

Лома́ть глаза́. 1. *Морд.* Смотреть на кого-л., на что-л. неприятное, нежелательное. СРГМ 1982, 129. 2. *Жарг. шк. Шутл.* Списывать у соседа. Максимов, 84.

Ло́пни мои́ глаза́! *Разг.* Клятвенное заверение в чём-л. ДП, 654; ФСРЯ, 233; СПП 2001, 25; БТС, 505.

Лубо́шные (лубяны́е) глаза́. *Морд. Неодобр.* О наглом человеке, лишённом чувства стыда. СРГМ 1978, 112.

Лупи́ть глаза́ *на кого, на что. Прост. Неодобр.* Пристально, упорно, напряженно смотреть на кого-л., на что-л. Глухов 1988, 81; СРГНП 1, 39; Ф 1, 287; ФСС, 108.

Лягу́шкам глаза́ коло́ть (выбива́ть). *Орл. Неодобр.* Бездельничать. СОГ 1994, 93.

Ма́зать глаза́ *кому. Арх.* Задабривать кого-л. АОС 9, 83.

Мета́ться в глаза́ *кому. Печор.* Привлекать чьё-л. внимание яркой расцветкой. СРГНП 1, 419.

Мешо́чные глаза́. *Помор. Бран.* Прозвище жителей деревни Варгуза Мурманской области. ЖРКП, 86.

Ми́мо гла́за ничего́ не упу́стит. *Коми. Одобр.* О внимательном, наблюдательном человеке. Кобелева, 80.

Мозо́лить глаза́ *кому. Разг. Неодобр.* Надоедать, досаждать, не давать покоя кому-л. ФСРЯ, 251; Глухов 1988, 85.

Моро́женые глаза́. *Сиб. Презр.* О бессовестном, наглом человеке. ФСС, 42.

Моро́чить глаза́ *кому. Кар., Перм. Неодобр.* Вводить в заблуждение кого-л. СРГК 3, 259; Сл. Акчим. 1, 203.

Мочи́ть глаза́. *Перм.* Плакать. Подюков 1989, 117.

Наби́ть (насгиба́ть) глаза́ *кому. Курск., Прикам.* Избить, поколотить кого-л. БотСан, 102; МФС, 61; Мокиенко 1990, 54.

Навостри́ть глаза́. *Волг.* Начать внимательно слушать кого-л. Глухов 1988, 88.

На глаза́ *кого, чьи.* 1. *Разг. Устар.* По мнению, по убеждению кого-л. ФСРЯ, 105. 2. *Арх.* Приблизительно, примерно. АОС 9, 86.

На глаза́ не на́до *кому чего. Арх., Сиб.* Совершенно, абсолютно не хочется кому-л. чего-л. АОС 9, 85; ФСС, 42.

Нагляде́ть глаза́. *Кар. (Арх.).* Натрудить глаза в результате напряжённого вглядывания куда-л., во что-л. СРГК 3, 307.

Налива́ть/ нали́ть глаза́. *Прост. Неодобр.* Напиваться пьяным. ФСРЯ, 265; ЗС 1996, 193, 317; Верш. 4, 68; СОСВ, 118; АОС 9, 83; ПОС, 6, 173; ФСС, 118; СПСП, 73; СФС, 54.

Налома́ть глаза́. *Смол.* 1. Безуспешно пытаться заснуть. 2. Замигать глазами от зависти, стараясь скрыть это. СРНГ 20, 8.

Напласта́ть глаза́ *кому. Обл.* Избить кого-л. Мокиенко 1990, 53.

Наплева́ть в глаза́ *кому. Народн.* Не поверить кому-л.; разоблачить кого-л. ДП, 203; Глухов 1988, 91.

Напусти́ть бессты́жие глаза́. *Орл.* 1. Действовать нагло, бессовестно. 2. Действовать смело. СРНГ 20, 111.

Натяну́ть глаза́ на жо́пу *кому. Жарг. мол.* Смирнов 2002, 126.

Не брать на глаза́ *кого, что. Арх.* Не хотеть видеть кого-л., что-л. АОС 2, 110.

Не достава́ть глаза́ *из чего. Сиб.* Долго, внимательно, с интересом смотреть на что-л., наблюдать за чем-л. ФСС, 64.

Не знать, куда́ глаза́ дева́ть. *Разг.* О чувстве стыда, неловкости. ФСРЯ, 130; АОС 10, 363.

Не на глаза́ быть *кому.* 1. *Перм.* Не встречаться, не видеться с кем-л. СГПО, 107. 2. *Арх.* Не нравиться кому-л. АОС 9, 80.

Не принима́ть на глаза́ *кого, что. Прикам.* Испытывать сильную неприязнь к кому-л., отвращение к чему-л. МФС, 81.

Не с Бо́жьи глаза́ *у кого чего. Арх.* То же, что **за глаза 3.** АОС 9, 82.

Не снима́ть глаза́ *с кого, с чего. Перм.* Внимательно, пристально смотреть на кого-л., на что-л. Подюков 1989, 189.

Ни в глаза́, ни по загла́зью. *Сиб.* Ни в присутствие, ни в отсутствие кого-л. ФСС, 42.

Облиза́л бы глаза́. *Сиб.* О чувстве стыда. ФСС, 124.

Обмозо́ливать/ обмозо́лить [все] глаза́ *об кого, обо что. Прост.* Неотрывно смотреть на кого-л., на что-л. Ф 2, 9.

Обогре́ть глаза́. 1. *Сиб.* Согреться, находясь в помещении. СФС, 54; СБО-Д 1, 93. 2. *Сиб.* Недолго побыть где-л. ФСС, 124. 3. *Курск.* осмотреться. БотСан, 89.

Ободра́ть глаза́. *Кар. (Арх.).* То же, что **вылуплять/ вылупить глаза.** СРГК 4, 97.

Обора́чивать/ обороти́ть глаза́ *на кого, на что. Разг. Устар.* Переводить взгляд на кого-л., на что-л. Ф 2, 10.

Обпе́ть все глаза́ *кому. Сиб. Неодобр.* Очень надоесть кому-л. советами, замечаниями, упреками. ФСС, 33.

Обува́ть/ обу́ть глаза́. 1. *Арх.* Испытывать сильное чувство стыда, прятать глаза от стыда. АОС 9, 84. 2. *Кар., Новг.* Напиваться пьяным. СРГК 4, 123; НОС 6, 117.

Обулы́ндить глаза́. *Новг.* Смотреть на кого-л., на что-л. с удивлением. НОС 6, 116.

Обулы́чить глаза́. *Влад.* Смотреть без стыда и смущения, не сознаваясь в своем поступке. СРНГ 22, 251.

Обу́ть глаза́. *Новг. Шутл.-ирон.* Напиться пьяным. Сергеева 2004, 146.

Оде́ть глаза́ на мо́рду. *Жарг. мол. Шутл.* Внимательно посмотреть на что-л., внимательно отнестись к чему-л. Смирнов 2002, 148.

Оки́нуть глаза́. *Кар. (Волог.).* Проснуться. СРГК 4, 173.

Опе́тлить глаза́. *Кар.* Широко раскрыть глаза от испуга, волнения и т. п. СРГК 4, 210.

Осалы́чить глаза́. *Волг.* Прийти в состояние крайнего возбуждения, потерять контроль над собой. Глухов 1988, 117.

Оста́вить все глаза́ *где.* 1. *Арх.* Испортить зрение. АОС 9, 85. 2. *Арх.* Очень долго ждать кого-л., глядя на дорогу. АОС 9, 85. 3. *Кар.* Засмотреться на кого-л., на что-л.; залюбоваться кем-л., чем-л. СРГК 4, 253.

Оста́вить глаза́ *кому. Волг.* Разорить кого-л. Глухов 1988, 117.

Остака́нить глаза́. 1. *Ср. Урал.* Смотреть остекленевшими глазами. СРГСУ 3, 72. 2. *Кар.* Удивлённо посмотреть на кого-л., на что-л. СРГК 4, 254.

Оста́лись одни́ глаза́ *у кого. Прост.* О сильно похудевшем, больном человеке. Глухов 1988, 22.

Отбира́ть (отнима́ть глаза́) *[у кого]. Дон.* Привлекать чьё-л. внимание. СДГ 2, 210; СРНГ 25, 16.

Отбро́сить глаза́. 1. *Сиб.* Проснуться. СОСВ, 48. 2. *Прибайк.* Посмотреть в сторону, отвести глаза. СНФП, 39.

Отводи́ть/отвести́ глаза́ *кому. Разг. Неодобр.* Намеренно отвлекать чьё-л. внимание от чего-л. ФСРЯ, 300; БМС 1998, 113; Подюков 1989, 140; ЗС 1996, 368.

Отворя́ть/ отвори́ть глаза́. 1. *Кар.* Открыв глаза, направлять взгляд на что-л. СРГК 4, 283. 2. *Кар.* Улучшить свое материальное положение, начать жить в достатке. СРГК 4, 283. 3. *Прост. Устар.* Вникать в суть чего-л., понимать что-л. Ф 2, 23.

Отки́нуть глаза́. *Кар. (Волог.).* Взглянуть, посмотреть на кого-л., на что-л. СРГК 4, 298.

Открыва́ть глаза́. 1. *Кар.* Взрослеть, набираться жизненного опыта. СРГК 4, 301. 2. *кому на что. Разг.* Объяснять кому-л. что-л., раскрывать смысл, значение чего-л. ЗС 1996, 319; Верш. 4, 296.

Отморо́зить глаза́. *Жарг. угол. Неодобр.* 1. Обнаглеть. 2. Завраться. 3. Зазнаться. ББИ, 55; Балдаев 1, 87.

Ошоло́пить глаза́. *Кар. (Арх.).* Пристально, удивлённо посмотреть на кого-л. СРГК 4, 359.

Пасть на глаза́. *Сиб.* Причинить вред глазам, вызвать частичную или полную слепоту. ФСС, 132.

Перека́тывать глаза́. *Разг. Устар.* Переводить взгляд. Ф 2, 39.

Перекрести́ть глаза́. *Арх.* Обрадоваться чему-л. АОС 9, 85.

Печь глаза́ *кому. Волг.* Упрекать, стыдить кого-л. Глухов 1988, 122.

Плева́ть /плю́нуть в глаза́ *кому. Разг.* В резкой форме осуждать кого-л., выражать свое презрение, пренебрежение к кому-л. ФСРЯ, 322; СОСВ, 140; БТС, 846; СПП 2001, 25.

Поверну́ть глаза́ к воде́ *кому. Кар. (Мурм.).* Довести кого-л. до плача. СРГК 4, 583.

Пове́сить глаза́. *Прибайк.* Опечалиться, загрустить. СНФП, 40.

Повывора́чивать глаза́ *кому. Кар. (Мурм.).* Наказать кого-л., расправиться с кем-л. СРГК 4, 600.

По глаза́. *Курск.* Досыта. БотСан, 108.

Подвёртываться/ подверну́ться на (под) глаза́ *кому. Прост.* Случайно привлекать чьё-л. внимание, быть замеченным кем-л. Ф 2, 55.

Под глаза́. *Арх.* Перед глазами, в поле зрения. АОС 9, 79.

Подклева́ть глаза́ *кому. Обл.* Ударить, избить кого-л. Мокиенко 1990, 53.

Поднима́ть/ подня́ть глаза́ *на кого. Разг.* Обращать, устремлять взгляд на кого-л. Ф 2, 57.

По-за глаза́. *Пск., Арх.* В отсутствие кого-л. АОС 9, 81; СПП 2001, 25.

Пока́зывать/ показа́ть глаза́ *кому, где. Разг.* Встречаться с кем-л., появляться где-л. Ф 2, 64; СНФП, 40. Ср. **показать глаз** *кому, куда.*

Покопа́ть глаза́ *кому. Кар.* Упрекнуть, укорить кого-л. СРГК 5, 44.

Полны́ глаза́ *чего у кого. Арх.* То же, что **за глаза 3.** АОС 9, 82.

Положи́ть на глаза́ песку́. *Арх.* Умереть. АОС 9, 82.

Полома́ть глаза́. *Смол.* Долго, пристально смотреть куда-л. СРНГ 29, 110.

Полтора́ гла́за. *Жарг. нарк.* Таблетки циклодол, использующиеся как наркотическое средство. Никитина, 1996, 38.

Попада́ться на глаза́ *кому. Разг.* 1. Случайно привлекать к себе чьё-л. внимание. 2. Встречаться с кем-л. ФСРЯ, 343; Ф 2, 74.

Попо́вы (попо́вские) глаза́. *Народн. Неодобр.* О жадном, завистливом человеке. ДП, 674; СРНГ 29, 324.

Потеря́ть глаза́. 1. *Арх.* Испортить зрение. АОС 9, 85. 2. *Новг., Пск.* Ослепнуть. НОС 8, 153; СПП 2001, 26. 3. *Волг.* Стать бессовестным, наглым. Глухов 1988, 131.

Потуши́ть глаза́. *Жарг. авто. Шутл.* Выключить фары. Максимов, 85.

Приба́вить глаза́. *Омск. Шутл.* Широко раскрыть глаза от удивления. СРНГ 31, 103.

Принести́ одни́ глаза́. *Кар. (Арх.).* Сильно похудеть. СРГК 5, 183.

Прогляде́ть все глаза́. *Разг.* 1. Пристально всматриваться куда-л., ожидая появления кого-л. 2. Долго, неотрывно смотреть на кого-л., что-л. ФСРЯ, 362; Глухов 1988, 134; ЗС 1996, 476.

Продава́ть глаза́. *Народн. Шутл. или Неодобр.* Праздно наблюдать за чем-л., глазеть на кого-л., на что-л., бездельничая. БМС 1998, 113; Глухов 1988, 139; Подюков 1989, 163; СОГ 1989, 146; Мокиенко 1990, 154; БотСан, 89; ПОС 6, 172.

Продира́ть/ продра́ть глаза́. *Прост.* Просыпаться. ФСРЯ, 362; СПСП, 108; СОСВ, 152.

Прожо́рливые глаза́. *Арх. Неодобр.* О прожорливом человеке. АОС 9, 85.

Прока́пать (проширя́ть) все глаза́ *кому. Кар.* Замучить кого-л. упрёками, придирками. СРГК 5, 263.

Проколо́ть все глаза́ *кому. Сиб.* То же, что **обпеть все глаза.** ФСС, 33.

Промыва́ть/ промы́ть глаза́. 1. *Разг.* Освобождаться от предрассудков, предубеждений, догм. Мокиенко 2003, 19. 2. *кому. Волг.* Обманывать, вводить в заблуждение кого-л. Глухов 1988, 135.

Протере́ть глаза́ де́нежкам. *Прост. Устар. Ирон.* Потратить, растранжирить деньги впустую. ФСРЯ, 366; БМС 1998, 113.

Протира́ть/ протере́ть глаза́. 1. *Разг.* То же, что **продирать глаза.** ФСРЯ, 366. 2. *Разг.* Смотреть внимательно. ДП, 484. 3. *кому. Устар.* Доказать своё превосходство над кем-л. ФСРЯ, 366.

Прочища́ть/ прочи́стить глаза́ *кому. Разг. Устар.* Выводить кого-л. из заблуждения, помогать кому-л. правильно понять истинное положение вещей. Ф 2, 103.

Пусть глаза́ (гла́зы) вы́вернет *кому. Пск.* Восклицание, выражающее гнев, негодование, недоброжелательство. СПП 2001, 25.

Пя́лить (пу́чить, тара́щить) глаза́ *на кого, на что. Прост. Неодобр.* Пристально, напряжённо смотреть на кого-л., на что-л., рассматривать кого-л. в упор. ФСРЯ, 373; БМС 1998, 114; Мокиенко 1990, 74; СПП 2001, 25.

Рабо́тать до уби́того гла́за. *Волг.* Выполнять много тяжелой физической работы. Глухов 1988, 138.

Рази́нуть глаза́. *Прибайк.* Удивиться, изумиться. СНФП, 40.

Разу́ть глаза́. *Прост.* Посмотреть внимательно. ФСРЯ, 383; ЗС 1996, 321; Глухов 1989, 139; Вахитов 2003, 155.

Раски́нуть глаза́. *Кар. (Арх.).* Открыть глаза. СРГК 5, 445.

Расколу́пывать/ расколупа́ть глаза́. *Перм., Прикам.* Просыпаться. СГПО, 532; МФС, 85.

Распуска́ть/ распусти́ть глаза́ *на кчто. Прост.* Изумляться, удивляться чему-л. Ф 2, 119.

Растеря́ть глаза́. *Разг. Устар.* Не знать, куда или на что смотреть при обилии чего-л. ФСРЯ, 386; СОГ 1989, 146.

Растопы́рить глаза́. 1. *Перм.* Широко раскрыть глаза от удивления. Подюков 1989, 171. 2. *Кар.* Засмотреться на кого-л., на что-л. СРГК 5, 480.

Расши́рить глаза́. *Арх., Кар. (Ленингр.).* Сильно удивиться. АОС 9, 85; СРГК 5, 496.

Ре́зать глаза́. 1. *Разг.* Вызывать неприятные зрительные ощущения (о ярком свете, пестрой расцветке и т. п.). БМС 1998, 114. 2. *кому. Разг.* Резко выделяться, быть особенно заметным, вызывая отрицательное отношение к себе. ФСРЯ, 389; Глухов 1988, 141. 3. *кому. Волг.* Упрекать, стыдить кого-л. Глухов 1988, 141.

Розня́ть глаза́. *Разг. Устар.* Начать смотреть на вещи реально, здраво оценивать окружающее. Ф 2, 128.

Сбро́сить глаза́. *Прибайк., Сиб.* Взглянуть на кого-л. СНФП, 41; Верш. 6, 170.

Сбы́чивать глаза́. *Сиб.* Сердито смотреть на кого-л. СФС, 162.

Свести́ глаза́. *Пск.* Задремать. СПП 2001, 25.

Светли́ть глаза́ *кому. Влад.* Обманывать, вводить в заблуждение кого-л. СРНГ 36, 264.

С гла́за пропада́ющий. *Смол., Сиб.* О человеке, заболевшем от наведенной на него порчи, сглаза. СРНГ 6, 184.

Скрыть глаза́. *Морд., Ряз.* Удалиться, уехать откуда-л. (как правило — от позора). СРГМ 2002, 71; ДС, 110.

Слепо́й в глаза́ пое́хал *кому. Кар. (Мурм.). Шутл.* Кого-л. клонит в сон. СРГК 5, 20.

Смотре́ть в (на) глаза́ *чьи. Арх.* Завидовать кому-л. АОС 9, 85.

Смотре́ть (гляде́ть) во все глаза́. *Разг.* Внимательно смотреть, наблюдать за кем-л., за чем-л. БТС, 207; Ф 2, 167; АОС 9, 85.

Соба́чьи гла́зы (глаза́ [ни] соба́чьи). *Пск. Бран.* О бессовестном, наглом человеке. ПОС 6, 172.

Собра́ть глаза́ в ку́чу. *Жарг. мол.* Сосредоточиться на чём-л. Максимов, 84.

Сова́ться/ су́нуться на глаза́ *кому. Прост.* Стараться быть замеченным, обратить на себя внимание. Ф 2, 171.

С просто́го гла́за. *Пск.* Не приглядываясь специально. ПОС 6, 172.

Ста́вить глаза́ стойми́шки. *Морд.* Смотреть в упор на кого-л. СРГМ 2002, 144.

Стро́ить глаза́. *Волг.* Бросать выразительные взгляды на кого-л. Глухов 1988, 155.

Тере́ть глаза́ на кула́к. *Курск.* Плакать. БотСан, 89.

То́лько глаза́ не сыты *у кого. Сиб.* О пресыщенном человеке. ФСС, 42.

Ты́кать в глаза́ *кому. Прост.* Постоянно напоминать кому-л. о чём-л., упрекать, укорять в чём-л. ФСРЯ, 484; ЗС 1996, 318; ПОС, 6, 173.

Унести́ глаза́ *чьи. Прикам.* Лишить кого-л. зрения. МФС, 105.

Хоть глаза́ вы́коли. 1. *Перм.* О непокорном, непослушном человеке. Подюков 1989, 42. 2. *Волг.* Об абсолютной темноте. Глухов 1988, 168.

Хоть глаза́ завяжи́, да в о́мут бежи́. *Сиб. Ирон.* О безвыходном, тяжелом положении. ФСС, 75.

Хоть глаза́ завя́зывай. *Волг.* О крайне тяжелом, безвыходном положении. Глухов 1988, 168.

Хоть глаза́ заше́й. *Прибайк.* То же, что **хоть глаза сшивай.** СНФП, 41.

Хоть глаза́ сшива́й. *Перм.* О бессоннице, невозможности заснуть. Подюков 1989, 42.

[Хоть] коли́ (плюй/ наплюй, ссы/ нассы́) в глаза́ — [он говорит — бо́жья роса́] *кому. Народн. Неодобр.* О бессовестном, наглом человеке. ДП, 307; ПОС 6, 173; СФС, 198; Подюков 1989, 42, 170; ФСС, 131.

Хоть куда́ глаза́ клади́. *Кар. (Арх.).* О смущении, стыде от поведения кого-л. СРГК 2, 360.

Че́рез глаза́. 1. *Кар. (Волог.), Сиб.* О большом количестве чего-л. СРГК 1, 337; ФСС, 42, 123. 2. *кому чего. Арх., Волг.* То же, что **за глаза 3.** АОС 9, 82; Глухов 1988, 171.

Чтоб тебе́ глаза́ высадило. *Волг. Бран.* Выражение досады, раздражения, возмущения кем-л. Глухов 1988, 173.

Брить (стеба́ть) по глаза́м *кого. Волг., Пск.* Осуждать, упрекать кого-л. в чём-л. Глухов 1988, 154; СПП 2001, 26.

Глаза́м на удивле́ние. *Волг., Горьк.* О чём-л. красивом, приятном. Глухов 1988, 22; БалСок, 30.

Не вери́ть /не пове́рить[свои́м] глаза́м. *Разг.* Удивляться, поражаться чему-л. СПП 2001, 26.

По глаза́м. *Пск.* О желании что-л. сделать, глядя на что-л., видя что-л. ПОС 6, 172.

Ре́зать по глаза́м. *Ряз.* Открыто говорить правду кому-л. ДС, 111.

Быть за глаза́ми. 1. *Ряз., Сиб.* Оставаться без присмотра. ДС, 111; ФСС, 42. 2. *Сиб.* Страдать слепотой, иметь очень плохое зрение. ФСС, 21; СФС, 75.

Валя́ть глаза́ми. *Кар.* Праздно рассматривать что-л., глазеть на что-л. СРГК 1, 160.

Верте́ть глаза́ми. *Печор. Неодобр.* Обманывать кого-л. СРГНП 1, 62.

Верте́ться перед глаза́ми *у кого.* 1. *Разг.* Своим присутствием назойливо напоминать о себе, надоедать кому-л. ФСРЯ, 60. 2. *Пск.* Постоянно вспоминаться, зрительно представляться кому-л. ПОС 6, 171.

Взбро́сить глаза́ми. *Сиб.* Быстро взглянуть на кого-л. СФС, 38.

Вперёд (наперёд) глаза́ми. *Арх.* Неизвестно куда, без определённого направления. АОС 5, 141; АОС 9, 82.

Глаза́ми не загляде́ть (не сгляде́ть) *чего. Пск.* 1. О большом количестве чего-л. ПОС 6, 172. 2. О чём-л. очень высоком, находящемся очень высоко. СПП 2001, 26.

Глаза́ми не обойдёшь. *Прикам.* О чём-л., занимающем большую площадь. МФС, 67.

Даёт глаза́ми. *Прост. Ирон.* О податливой на сексуальную связь, похотливой женщине. Мокиенко, Никитина 2003, 103.

Есть глаза́ми *кого. Прост.* Пристально, неотрывно и подобострастно смотреть на кого-л. ФСРЯ, 154; БТС, 297.

За глаза́ми. *Прост.* Там, где никто не видит; тогда, когда никто не видит. ФСРЯ, 106; ПОС 6, 172; СНФП, 41.

Лу́пать глаза́ми. *Кар. Неодобр.* Молчать, не понимая чего-л., не зная чего-л. СРГК 3, 158.

Ме́рить глаза́ми *кого. Разг.* Оценивающе смотреть на кого-л. ФСРЯ, 242; БТС, 534.

Мига́ть глаза́ми. *Кар. (Новг.).* Стыдиться. СРГК 3, 239.

Морга́ть глаза́ми. *Разг.* 1. Пребывать в состоянии рассеянности, удивления. 2. Бездействовать. БМС 1998, 114; ЗС 1996, 318; Мокиенко 1990, 98.

Недово́лен глаза́ми. *Сиб.* О человеке со слабым зрением; о человеке, страдающем косоглазием. СФС, 123; ФСС, 121.

Обнища́ть глаза́ми. *Дон.* Частично потерять зрение. СДГ 2, 193.

Оже́чь глаза́ми *кого. Башк.* Приворожить кого-л. СРГБ 2, 122.

Отдыха́ть глаза́ми. *Жарг. мол. Шутл.* Смотреть на красивого мужчину (в речи девушек). Максимов, 85.

Переговори́ть глаза́ми. *Волог.* Переглянуться. СРНГ 26, 67.

Пе́ред глаза́ми. *Разг.* В непосредственной близости, рядом. ФСРЯ, 106; АОС 9, 81.

Пе́ред глаза́ми му́хи хо́дят *у кого. Обл.* Об ощущении ряби в глазах. Мокиенко 1990, 17.

Петля́ть глаза́ми. *Кар.* Оглядываться по сторонам, озираться. СРГК 4, 491.

Пили́кать глаза́ми. *Сиб.* Ничего не видеть в состоянии сильного опьянения. СФС, 138; ФСС, 136; СБО-Д1, 78.

Пи́лькать глаза́ми. *Яросл.* 1. Отвлекаться, смотреть по сторонам. 2. Долго и внимательно смотреть на кого-л., на что-л. ЯОС 7, 106.

Поволы́нить глаза́ми. *Кар. (Арх.).*- Посмотреть на что-л., на кого-л.; увидеть что-л., кого-л. СРГК 4, 596.

Поки́нуть глаза́ми. *Новг.* Посмотреть на кого-л., на что-л. СРНГ 28, 378.

По́рскать глаза́ми. *Прост.* Быстро менять направление взгляда, отыскивая кого-л., что-л. Ф 2, 78.

Пробега́ть/ пробежа́ть глаза́ми *что. Разг.* Быстро и невнимательно читать что-л. Ф 2, 95.

Пья́ными глаза́ми. *Арх.* В нетрезвом состоянии. АОС 9, 84.

Размахну́ть глаза́ми. *Кар.* Посмотреть, взглянуть на кого-л., на что-л. СРГК 5, 422.

Сверка́ть глаза́ми. *Волг.* Сердиться, испытывать злобу. Глухов 1988, 145.

С глаза́ми. *Сиб.* 1. О человеке с хорошим зрением. 2. Об умном, дальновидном человеке. СФС, 164; ФСС, 42.
С закры́тыми глаза́ми. *Разг.* Не размышляя, неосмотрительно (делать что-л.). ФСРЯ, 106; ЗС 1996, 319; БТС, 207.
С откры́тыми глаза́ми. *Разг.* Поразмыслив, осмотрительно (делать что-л.). ФСРЯ, 106.
С те́ми же глаза́ми. 1. *Арх., Пск., Сиб.* Без отдыха, без передышки. АОС 9, 84; ПОС 6, 173; ФСС, 42. 2. Не сожалея о содеянном, не испытывая стыда (делать что-л.). СПП 2001, 26.
Стоя́ть пе́ред глаза́ми *у кого. Разг.* Постоянно зрительно представляться кому-л. ФСРЯ, 460.
Стреля́ть глаза́ми. *Разг.* Бросать взгляды в разные стороны. БТС, 1279; Глухов 1988, 155.
Тупо́й глаза́ми. *Сиб.* О человеке со слабым зрением. ФСС, 199; СФС, 188.
Уви́деть свои́ми глаза́ми. *Разг.* Удостовериться в чём-л. лично. Ф 2, 214.
Ударя́ть глаза́ми *по кому. Пск.* Направлять взгляд на кого-л., заинтересованно посматривать на кого-л. ПОС 6, 173.
Хло́пать глаза́ми. *Разг. Неодобр.* 1. Проявлять растерянность, смущение. 2. Бездействовать, молчать. ДП, 273; 503; БТС, 1445; ЗС 1996, 318; ФСРЯ, 508; Верш. 7, 198.
Хлу́пать гла́зами. *Пск.* Испытывать чувство стыда, растерянности. СПП 2001, 26.
Ходи́ть за глаза́ми. *Арх.* Испытывать чувство стыда. АОС 9, 84.
Хоть глаза́ми съесть *что. Арх.* О желании хотя бы увидеть что-л. АОС 9, 86.
В глаза́х *чьих.* 1. *Разг.* В чьём-л. представлении, по мнению кого-л. ФСРЯ, 106. 2. *Разг. Устар.; Арх., Орл., Печор.* В поле зрения, поблизости, рядом. ФСРЯ, 106; АОС 9, 80; СОГ 1989, 147; СРГНП 1, 135. 3. *Морд., Ряз., Сиб., Яросл.* Открыто, в присутствии кого-л. СРГМ 1978, 112; ДС, 110; ФСС, 41; ЯОС 2, 37. 4. *Арх.* Про себя, внутренне, в душе. АОС 9, 80.
В глаза́х замра́чилось *у кого. Волог.* Кому-л. стало дурно, плохо. СВГ 2, 132.
В глаза́х зелено́ *у кого. Сиб.* О сильном утомлении. ФСС, 82; Мокиенко 1990, 17.
В глаза́х ка́жется *кому что. Арх., Кар.* Мерещится кому-л., что-л. АОС 9, 84; СРГК 2, 313.
В глаза́х не ну́жен (не на́до) *кому. Арх., Волг., Ряз.* О нежелании видеть кого-л. АОС 9, 85; Глухов 1988, 100; ДС, 110.
В глаза́х нет *чего у кого. Арх.* О полном отсутствии чего-л. у кого-л. АОС 9, 85.
В глаза́х све́та нет *у кого. Прибайк.* О плохом зрении. СНФП, 39.
Весь в глаза́х. *Арх.* Полон внимания, сосредоточен. АОС 4, 16; АОС 9, 82.
Вида́ть в глаза́х *что. Печор.* Видеть собственными глазами, быть свидетелем чего-л. СРГНП 1, 135.
Встава́ть в тех же глаза́х. *Сиб., Приамур.* Просыпаться очень рано, не выспавшись. ФСС, 32; СРГПриам., 47.
Держа́ть в глаза́х *кого, что. Перм.* Постоянно думать о ком-л., о чём-л. Сл. Акчим. 1, 203.
Забре́дило в глаза́х *у кого. Алт.* О полуобморочном состоянии. СРГА 2-1, 97.
Мелькоси́тся в глаза́х *у кого. Печор.* Об ощущении ряби, мелькания в глазах. СРГНП 1, 415.
Милига́ться в глаза́х *у кого. Кар. (Новг.).* Назойливо приставать к кому-л., надоедливо мелькать перед глазами. СРГК 3, 239.
На глаза́х *чьих, у кого. Разг.* 1. В непосредственной близости, рядом с кем-л. ФСРЯ, 106; ДС, 111; СГПО, 105; МФС, 25; СФС, 111; ФСС, 42. 2. При чьей-л. жизни. ФСРЯ, 107; МФС, 25.
Напоро́щи́ть в глаза́х *кому. Иркут.* Стать близким для кого-л., подружиться с кем-л. СРНГ 20, 90.
Настря́ть в глаза́х *кому. Ряз.* Очень надоесть кому-л. ДС, 110; СРНГ 20, 201.
При глаза́х (при глаз). 1. *Ряз., Прибайк., Пск., Сиб.* В присутствии кого-л. ДС, 111; СФС, 151; СНФП, 41; ПОС, 6, 171. 2. *Сиб.* Под чьей-л. опекой, под чьим-л. контролем. ФСС, 42.
Тёпнуть по глаза́х *кого. Курск.* Упрекнуть кого-л. в чём-л. БотСан, 115.
Урони́ть себя́ в со́бственных глаза́х. *Разг.* Потерять уважение к себе, допустив оплошность, сделав ложный шаг и т. п. Ф 2, 221.
В гла́зе нет *у кого. Арх.* О незначительной степени опьянения. АОС 9, 79.
Брать/ взять гла́зом *что. Перм., Помор.* Охватывать взглядом что-л., смотреть на что-л. Подюков 1989, 24; ЖРКП, 23.
Гла́зом догляде́ть *кого, что. Арх.* Увидеть собственными глазами. АОС 9, 78.
Гла́зом не доста́ть. *Прост.* О чём-л., находящемся очень далеко. Ф 1, 171.
Гла́зом не мелькну́ть. *Сиб.* Об очень быстром, мгновенном совершении действия. СФС, 54; ФСС, 110.
Гла́зом не угляди́шь. *Смол.* Об очень быстром, незаметном течении времени. ССГ 11, 10.
[И] гла́зом не моргнёт. *Разг.* О поведении спокойного, хладнокровного человека. ДП, 205; БТС, 556; СРГБ 1, 84.
Ме́тить гла́зом. *Кар.* Внимательно наблюдать за кем-л., высматривать что-л. СРГК 3, 234.
Насмотре́ть свои́м гла́зом *что. Смол.* Полюбоваться чем-л., засмотреться на что-л. СРНГ 20, 174.
Не моргну́в гла́зом. *Разг.* Не испытывая волнения, долго не раздумывая. БТС, 556.
Не обойдёшь гла́зом *что. Волг.* Об изобилии, большом количестве чего-л. Глухов 1988, 100.
Не успе́л и гла́зом моргну́ть. *Разг.* Очень быстро, молниеносно (о чём-л. случившемся, произошедшем). БМС 1998, 114; БТС, 540; Сергеева 2004, 484; Ф 2, 222; Мокиенко 1986, 78; БалСок, 47.
Обойти́ гла́зом *кого, что. Кар. (Волог.).* Не заметить чего-л., не оказать внимания кому-л. СРГК 4, 98.
Одни́м гла́зом. *Волг.* Очень невнимательно, рассеянно. Глухов 1988, 116.
Оки́нуть дурны́м гла́зом *кого. Кар. (Волог.).* Причинить кому-л. вред магическим взглядом. СРГК 4, 173.
Прики́нуть гла́зом. *Арх.* Обратить внимание на что-л., заметить что-л. АОС 9, 79.
Пусты́м гла́зом. *Сиб.* Без помощи оптических приборов. СОСВ, 156.
Быть на глазу́. 1. Находиться поблизости, рядом, на виду. АОС 9, 79. 2. *у кого. Пск.* Нравиться кому-л., быть на примете у кого-л. ПОС 6, 173.
В чужо́м глазу́ соло́минку ви́деть, [а в своём бревна́ не замеча́ть]. *Народн. Неодобр.* Замечать мелкие недостатки у других людей, не видя своих собственных. Жиг. 1969, 223. < Восходит к Евангелию. БМС 1998, 114. **В чужо́м глазу́ пороши́нку ви́дишь, а в своём пенька́ не ви́дишь.** *Народн.* То же. ДП, 465.
Не показа́ть глазу. См. **Не каза́ть глаз.**
Ни (хоть бы) в одно́м глазу́ *[у кого].* 1. *Разг.* Ничуть, нисколько не пьян, не

устал и т. п. ФСРЯ, 107; ЗС 1996, 240, 318. 2. *Волг.* О бессоннице. Глухов 1988, 108.

Ни в одно́м глазу́ не затума́нило *у кого. Сиб.* О спокойной, хладнокровной реакции на что-л. ФСС, 81.

Отпусти́ть с гла́зу *кого. Коми.* Оставить без присмотра кого-л. Кобелева, 70.

По гла́зу прийти́сь (найти́сь) *кому. Пск.* Понравиться кому-л. ПОС 6, 172.

Поперёк гла́зу па́льца не ви́дит. *Народн.* О невнимательном человеке. ДП, 792.

С гла́зу. 1. *Арх.* Своим опытом, на основе своих наблюдений. АОС 9, 79. 2. *Пск.* Наедине, без посторонних. ПОС 6, 171. 3. (быть). *Сиб.* О человеке, которого сглазили. СФС, 164.

С гла́зу на глаз. *Разг.* Наедине, без свидетелей, без посторонних. ФСРЯ, 107.

Съесть (сожра́ть) с гла́зу. *Дон.* Сглазить кого-л. СДГ 1, 100.

Упусти́ть с гла́зу *кого. Волг., Пск.* Потерять из виду, выпустить из поля зрения кого-л., что-л. Глухов 1988, 163; СПП 2001, 26.

Хоть бы в одно́м глазу́. См. **Ни в одном глазу.**

Бессты́дные (бессты́жие) гла́зы *чьи. Пск. Бран.* О бессовестном, наглом человеке. ПОС 6, 171.

Вколо́ть в гла́зы *кому. Пск.* Сказать кому-л. что-л. прямо, открыто. (Запись 1995 г.).

Во́лчьи гла́зы. *Пск. Бран.* Бесстыдник, бесстыдница. СПП 2001, 26.

Вста́вить гла́зы. *Пск.* Начать правильно понимать происходящее, разобраться в чём-л. ПОС 6, 173.

Вторы́е (двойны́е) гла́зы. *Брян., Пск.* Очки. СБГ 5, 9; ПОС 6, 174.

Вто́рнуть в гла́зы *кому что. Пск.* Упрекнуть кого-л. в чём-л. (Запись 1993 г.).

Вы́глянуть гла́зы. *Новг.* Долго ждать, высматривать кого-л. НОС 1, 147.

Вы́копать гла́зы *кому. Пск.* Донять настойчивыми просьбами, требованиями кого-л. ПОС 7, 183.

Вы́черябать гла́зы *кому. Пск.* Расправиться с кем-л. (угроза). ПОС 6, 100.

Гла́зы в заве́йке *у кого. Пск. Неодобр.* О человеке, который ничего не замечает, невнимателен к чему-л. < **Заве́ек** — затылок. СПП 2001, 26.

Гла́зы вон. *Пск.* О чём-л. очень кислом на вкус. СПП 2001, 26.

Гла́зы за гла́зы. *Пск.* Как в присутствии кого-л., так и в его отсутствие. ПОС 6, 171.

Гла́зы заве́шаны *у кого. Пск. Неодобр.* 1. О невнимательном, ничего не замечающем вокруг человеке. 2. О человеке, не испытывающем стыда, наглом, дерзком. СПП 2001, 26.

Гла́зы ката́ются *у кого. Пск.* О беспокойном, бегающем взгляде. ПОС 6, 172.

Гла́зы клюко́й не доста́ть. *Пск.* О худом, осунувшемся, больном человеке. СПП 2001, 26.

Гла́зы ма́зать (пома́зать). *Пск. Ирон.* О крайне малом количестве чего-л. ПОС 6, 173.

Гла́зы не пе́рвые *у кого. Пск. Одобр.* Об опытном, мудром человеке. ПОС 6, 173.

Гла́зы опроки́нулись *у кого. Пск.* Кто-л. потерял зрение. СПП 2001, 26.

Гла́зы хоть зашива́й; хоть гла́зы шей. *Пск. Ирон.* О состоянии бессонницы. СПП 2001, 26.

Гла́зы — хоть спи́чки вставля́й. *Пск. Шутл.* То же, что **глазы хоть зашивай.** СПП 2001, 26.

Гляде́ть (смотре́ть) в гла́зы *кому. Пск.* 1. Считаться с кем-л.; деликатничать, церемониться с кем-л. СРНГ 6, 186; ПОС 6, 173. 2. Доверять, верить кому-л. СПП 2001, 26.

Двойны́е гла́зы. см. **Вторы́е гла́зы.**

Заплевать гла́зы *кому. Пск.* Грубо выругать, отчитать кого-л. ПОС 12, 43.

Зати́скать гла́зы колдуна́м. *Пск.* Отвести порчу от дома, семьи. ПОС 12, 182.

Коло́ть гла́зы *кому чем. Пск.* Упрекать кого-л. в чём-л. СПП 2001, 26.

Кра́чить гла́зы. *Новг.* Долго, пристально смотреть на кого-л., на что-л. НОС 4, 139.

Лезть вперёд гла́зы [*куда*]. *Пск. Неодобр.* Проявлять излишнее любопытство, стремиться всё увидеть собственными глазами. ПОС 5, 14.

Мета́ться в гла́зы *кому. Пск.* Быть заметным, привлекать чьё-л. внимание. СПП 2001, 26.

Мочи́ть гла́зы. *Пск.* Плакать, проливать слёзы. СПП 2001, 26.

Ни́зкий на гла́зы. *Пск.* О человеке со слабым зрением. СРНГ, 6, 186.

Одни́ гла́зы (гла́зоньки) [оста́лись] *у кого. Пск.* Об очень худом, осунувшемся человеке. СПП, 27.

Пока́зывать / показа́ть гла́зы. *Пск.* 1. *куда.* Появляться где-л., приходить куда-л. ПОС 6, 171. 2. *чему.* Некоторое время позаниматься чем-л. СПП 2001, 26.

Рази́нуть гла́зы. *Пск.* Посмотреть внимательно. ПОС 6, 172.

Сови́ные гла́зы. *Пск. Презр.* Жадный человек. СПП 2001, 27.

Ты́чить в гла́зы *кому. Пск.* Стыдить кого-л. (Запись 1999 г.).

Хму́рить гла́зы. *Пск.* Быть невеселым. СПП 2001, 26.

Хоть гла́зы завя́зывай. *Пск.* Об ощущении стыда, неловкости. СПП 2001, 27.

Хоть гла́зы колупа́й. *Пск.* 1. О состоянии человека, который не может заснуть. 2. Об абсолютной темноте. СПП 2001, 27.

Хоть гла́зы шей. См. **Глазы хоть зашива́й.**

ГЛАЗЕ́ЛЬНИК (ГЛАЗИ́ЛЬНИК) * Делово́й глазе́льник (глази́льник). *Жарг. угол.* Тепловоз, электровоз. СВЯ, 21; ТСУЖ, 39; Мильяненков, 104.

ГЛАЗЕНА́П * Продира́ть/ продра́ть глазена́па. *Прост.* Просыпаться, вставать после сна. ФСРЯ, 362.

Запуска́ть глазена́пы. *Прост.* 1. *куда.* Заглядывать, смотреть украдкой куда-л. 2. *на что.* Проявлять корыстный интерес к чему-л. ФСРЯ, 169.

Пя́лить глазена́пы. *Обл.* Внимательно смотреть на кого-л., на что-л. Мокиенко 1990, 74.

ГЛА́ЗИЧКИ * Призва́ть на гла́зички *кого. Онеж.* Вызвать к себе кого-л. СРНГ 6, 188.

ГЛАЗИ́ЩА * Вста́вить (уста́вить) глази́ща. *Арх.* 1. Пристально, внимательно посмотреть на кого-л. 2. Сильно удивиться. АОС 9, 87.

Окра́чить глази́ща. *Новг.* Пристально смотреть на кого-л., на что-л. в недоумении. НОС 6, 157.

Растопыря́ть глази́щи. *Пск. Неодобр.* Быть невнимательным, нерасторопным. ПОС 6, 175.

ГЛА́ЗКА * Анютина гла́зка. *Жарг. гом. Шутл.-ирон.* Мужской половой орган небольшого размера. ЖЭСТ-2, 258.

ГЛА́ЗКО * Гла́зко в гла́зко. *Арх.* Друг против друга, лицом друг к другу. АОС 9, 90.

Гла́зко уставля́ть. *Арх.* Кокетничать. АОС 9, 90.

ГЛАЗО́К * Стреля́ть гла́зками. *Разг.* Кокетничать, заигрывать с кем-л. БТС, 207.

А́нины гла́зки. *Арх.* То же, что **анютины глазки 2.** АОС 1, 72.

А́ннушкины гла́зки. *Горьк.* То же, что **анютины глазки 1.** БалСок, 21.
Аню́тины гла́зки. 1. *Разг.* Растение фиалка трёхцветная. МАС 1, 41; БТС, 43, 207; Ф 1, 110; СБГ 1, 19. 2. *Арх.* Незабудка. АОС 1, 73. 3. *Сиб.* Гвоздика полевая. ФСС, 43; СБО-Д1, 17.
Аню́ткины гла́зки. 1. *Брян.* То же, что **анютины глазки 1.** СБГ 1, 19. 2. *Яросл.* Лесной кустарник с ягодами, похожими на глаза. ЯОС 1, 23.
Весёлые гла́зки. *Орл.* То же, что **анютины глазки 1.** СОГ 1898, 18.
Воро́ньи гла́зки. *Брян.* Сорное полевое растение василёк. СБГ 3, 50.
Гла́зки на свет не глядя́т *чьи. Пск. Флк.* Кому-л. очень грустно, тоскливо. ПОС 7, 11.
Голубы́е гла́зки. *Арх.* То же, что **анютины глазки 2.** АОС 9, 90.
Закры́ть гла́зки [да лечь на сала́зки]. *Народн. Ирон.* Умереть. ДП, 282; Сергеева 2004, 197.
Ка́рие гла́зки. *Жарг. лаг. Ирон.* Уха из рыбьих голов, в которой плавают только глаза и кости. Росси 2, 343.
Ко́шечьи гла́зки. *Кар.* То же, что **анютины глазки 2.** СРНГ 15, 140.
Позапороши́ть гла́зки. *Костром. Шутл.-ирон.* Выпить немного спиртного. СРНГ 28, 316.
Скоси́ть гла́зки. *Жарг. мол. Шутл.-ирон.* Напиться пьяным. Максимов, 85.
Сови́ные гла́зки. *Жарг. арм. Шутл.* Прибор ночного видения. Максимов, 85.
Соро́чьи гла́зки. *Перм., Прикам.* То же, что **анютины глазки 3.** СГПО, 106; МФС, 25.
Стро́ить/ состро́ить (де́лать/ сде́лать) гла́зки *кому. Разг.* Кокетничать, заигрывать с кем-л. ФСРЯ, 107; БТС, 207; ЗС 1996, 267; БМС 1998, 114-115; ПОС, 6, 176.
Аню́тин глазо́к. *Башк.* То же, что **анютины глазки 3.** СРГБ 1, 21.
Воро́ний глазок. *Арх.* Ягодное растение костяника. АОС 5, 95.
Лягу́ший глазо́к. См. **Лягу́ший глаз.**
На глазо́к. См. **На глаз.**
На глазо́к плато́к-носово́к [дать]. *Арх. Шутл.* Заплакать. АОС 9, 93.
ГЛАЗОМЕ́Р * На глазоме́р. *Арх.* Приблизительно, примерно. АОС 9, 93.
ГЛАЗОМЕ́Т * На глазоме́т. *Сиб.* То же, что **на глазомер.** ФСС, 43.
ГЛА́ЗОНЬКИ * Гла́зоньки бы не гляде́ли. См. **Глаза́ бы [мои́] не гляде́ли. (ГЛАЗ).**
Вложи́ть гла́зоньки *на кого, на что. Пск.* Пристально посмотреть на кого-л, на что-л. ПОС 4, 54.
За гла́зоньки. *Пск. То же, что* **за гла́за 3 (ГЛАЗ).** ПОС, 6, 177.
Закрыва́ть гла́зоньки. *Пск.* То же, что **закрывать глаза 1.** ПОС 11, 275.
ГЛАЗУ́ХА * Есть (ло́пать, хлеба́ть) глазу́ху; пое́сть глазу́хи. *Пск. Шутл.* Праздно, с любопытством смотреть на кого-л., на что-л. (обычно — о неприглашенных гостях на свадьбе). ПОС 6, 177; Мокиенко 1990, 154.
Покупа́ть глазу́ху. *Пск. Шутл.* Рассматривать товары в магазине, ничего не покупая. ПОС 6, 177; Мокиенко 1990, 154.
ГЛА́ЗУШКИ * Все гла́зушки проглядеть. *Орл.* Длительно, нетерпеливо ожидать кого-л. СОГ 1989, 96.
ГЛА́ЗЫНЬКИ * Гла́зыньки ло́пни! *Морд.* Клятвенное заверение в правдивости сказанного. СРГМ 1978, 113.
ГЛА́НДЫ * Гла́нды горя́т *у кого. Жарг. мол.* О похмельном синдроме. Максимов, 85.
ГЛАС * Глас бо́жий. *Книжн.* 1. Учение Христа. 2. Церковные песнопения. Ф 1, 110.
Глас вопию́щего (вопию́щий) в пусты́не. 1. *Книжн.* Призыв, остающийся без всякого ответа. ФСРЯ, 107; БМС 1998, 115; ШЗФ 2001, 53; Мокиенко 1989, 189. 2. *Жарг. шк. Шутл.-ирон.* О выступлении учителя перед учениками, не желающими его слушать. Максимов, 85.
Петь/ запе́ть на девя́тый глас. *Разг. Устар.* Петь нестройно, недружно, неточно. < В церкви поют на восемь голосов, девятого голоса не существует. БМС 1998, 115.
Ни гла́са ни воздыха́ния. *Книжн. Устар.* Ни звука, полная тишина, молчание. ФСРЯ, 108.
Ни гла́су, ни послу́ханья *о ком, о чём. Кар. (Мурм.).* Абсолютно ничего не известно о ком-л., о чём-л. СРГК 1, 338; СРГК 5, 92.
ГЛА́СНОСТЬ * Предава́ть/ преда́ть гла́сности *что. Книжн.* Делать что-л. известным всем, разглашать что-л. Мокиенко 2003, 19; Ф 2, 86.
ГЛЕ́ДОМ * Гле́дом не гляде́ть *на кого, на что. Орл.* Не хотеть видеть кого-л., что-л. СОГ 1989, 148.
ГЛИ́НА * Вали́ть гли́ну. *Жарг. муз. Неодобр.* Петь фальшиво. Максимов, 54.
Вы́сыпать из себя́ гли́ну. *Моск. Шутл.* Притвориться простоватым, недалеким человеком. СРНГ 6, 36.
Дави́ть (меси́ть, откла́дывать, ски́дывать) гли́ну. *Жарг. мол. Шутл.* Испражняться. Максимов, 85.
Метну́ть гли́ну. *Жарг. мол. Шутл.* Испражниться. h-98.
Па́дать в гли́ну. *Жарг. мол.* Садиться, присаживаться где-л. Максимов, 298.
Одно́й гли́ны горшки́. *Прост. Шутл.* Об очень похожих по характеру, интересам людях. ЗС 1996, 31.
ГЛИ́НСКО * Пойти́ в гли́нско. *Сиб. Ирон.* Умереть. ФСС, 142.
ГЛИСТА́ * Глиста́ в корсе́те (в сарафа́не). *Разг. Пренебр.* О худощавой девушке. Сок., 30; Вахитов 2003, 37.
Глиста́ в скафа́ндре. 1. *Жарг. мол. Шутл.-ирон. или Пренебр.* Высокая, худая, некрасивая девушка. Платонова, 2; Максимов, 85. 2. *Жарг. шк. Пренебр.* Высокий худой учитель, учительница. (Запись 2003 г.).
Глиста́ канцеля́рская. *Прост. Презр. или Бран.* Бюрократ, формалист. Мокиенко, Никитина 2003, 104.
Глисты́ оссялись (остя́лись). *Новг. Шутл.* Об изжоге, тошноте. СРНГ 6, 1999.
ГЛИСТОФО́Н * Глистофо́н Колу́мб. *Жарг. шк. Шутл.* Христофор Колумб. (Запись 2003 г.).
ГЛО́БУС * Гло́бус на подтя́жках (в очка́х). 1. *Жарг. шк. Шутл.-ирон.* Учитель географии. Bytic, 1991-2000. 2. *Жарг. мол. Шутл.* Лысый человек. Максимов, 85.
Дать в гло́бус *кому. Жарг. мол. Шутл.* Ударить кого-л. по голове. Максимов, 85.
Ходя́чий гло́бус. *Жарг. шк. Шутл.* То же, что **глобус на подтяжках**. ВМН 2003, 37.
ГЛО́ТЕНЬ * По ба́бьему (ба́бьиному) гло́тню (глотку́). *Пск.* 1. Крупными хлопьями (о снеге). ПОС 6, 182; ПОС 10, 177. 2. Крупными каплями (о дожде). ПОС 10, 193.
По мужи́цким глотня́м. *Пск.* То же, что **по ба́бьему глотню́.** ПОС 6, 182.
ГЛО́ТКА * Больша́я гло́тка. *Пск. Неодобр.* О пьянице, любителе выпить. СПП, 27.
Гло́тка берёт *кого. Арх.* О чьём-л. громком крике. АОС 9, 108.
Гло́тка ревёт *у кого. Орл., Пск.* У кого-л. урчит в горле (по народной примете — к выпивке). СОГ 1989, 149; ПОС 6, 183.

Лужёная гло́тка *[у кого]. Прост.* 1. О человеке, способном много и часто пить, не пьянея. 2. О человеке, способном громко петь, кричать, ругаться и т. п. ФСРЯ, 108; Ф 1, 110; ЗС 1996, 353; БТС, 507.

Ме́дная гло́тка. *Прост.* То же, что **лужёная глотка 2.** ФСРЯ, 108.

Пока́тная гло́тка. *Ср. Урал. Неодобр.* То же, что **большая глотка.** СРНГ 28, 374.

В три гло́тки. *Прост. Неодобр.* С предельной жадностью и в большом количестве (есть, пить). Ф 1, 111.

До гло́тки *чего. Новг., Сиб.* Много; чрезмерно. НОС 2, 15; ФСС, 43.

Из гло́тки ле́зет *у кого. Курск.* О богатом человеке. БотСан, 97.

Ско́лько гло́тки *у кого. Арх.* О чьём-л. очень громком голосе. АОС 9, 109.

Брать гло́ткой. *Арх.* Громко кричать, требуя чего-л. АОС 9, 108.

Брать/ взять за гло́тку *кого. Прост.* Притеснять, подчинять кого-л., принуждать кого-л. к чему-л. ФСРЯ, 108; Глухов 1988, 5.

Брать/ взять на гло́тку *кого. Волг.* Сильно браниться, ругать, проклинать кого-л. Глухов 1988, 6.

Взя́ться за гло́тку. *Сиб.* Начать пить спиртное. ФСС, 27.

Во (на) всю гло́тку. *Прост.* Очень громко. ФСРЯ, 108; АОС 9, 108; Мокиенко 1986, 48; БотСан, 102.

Дави́ть гло́тку *кому. Арх.* Притеснять кого-л., оказывать грубое воздействие на кого-л. АОС 10, 212.

Драть гло́тку. *Прост.* Очень громко кричать, петь, ругаться. ФСРЯ, 146; АОС 9, 108; ЗС 1996, 353; ДС, 112.

Завали́ло гло́тку *кому. Новг.* О состоянии сильного страха. Сергеева 2004, 62.

Залива́ть/ зали́ть (налива́ть/ нали́ть) [в] гло́тку. 1. *Арх., Влад., Прибайк., Пск. Неодобр.* Много пить, пить запоем; напиваться пьяным. АОС 9, 108; СРНГ 6, 203; СРГНП 1, 41; ПОС 11, 294; ПОС, 6, 183; СРГМ 1986, 82. 2. *кому. Яросл.* Напоить кого-л. допьяна. ЯОС 4, 81.

Зату́пать гло́тку *кому. Кар.* Заставить замолчать кого-л. СРГК 2, 221.

Затыка́ть/ заткну́ть гло́тку. *Прост. Груб.* 1. Замолчать. 2. *кому.* Заставить замолчать кого-л. ФСРЯ, 108; ПОС 6, 183; ЗС 1996, 325; Ф 1, 205; СПП 2001, 27.

На всю́ гло́тку. См. **Во всю глотку.**

На гло́тку де́льной. *Арх. Неодобр.* Об очень крикливом человеке. АОС 9, 108.

Наступа́ть на гло́тку *кому. Прост.* То же, что **брать за глотку.** ФСРЯ, 268.

Натяга́ть гло́тку. *Арх.* То же, что **драть глотку.** АОС 9, 108.

Не ле́зет в гло́тку *кому что. Прост.* Не хочется есть, нет никакого желания принимать пищу. ФСРЯ, 223.

Перегрыза́ть/ перегры́зть (перерва́ть, порва́ть) гло́тку *кому. Прост.* В порыве ярости, злобы жестоко расправляться с кем-л. Ф 2, 38, 41, 77.

По гло́тку *чего. Ряз.* То же, что **до глотки.** ДС, 112.

Поро́ть гло́тку. *Новг.* Громко кричать. СРНГ 30, 82.

Промочи́ть гло́тку. *Прост.* Выпить немного спиртного. ФСРЯ, 264.

Пя́лить гло́тку. *Новг. Неодобр.* То же, что **распускать глотку.** Сергеева 2004, 178.

Развяза́ть гло́тку. *Курск.* Начать громко кричать, грубо разговаривать. БотСан, 89.

Разева́ть гло́тку. *Прост.* 1. Начинать высказывать свое мнение. 2. Быть крайне рассеянным, неосмотрительным. ФСРЯ, 380.

Распуска́ть/ распусти́ть гло́тку. *Прост.* Кричать, громко ругаться. ФСРЯ, 385; Глухов 1988, 139.

Расстегну́ть гло́тку. *Прост.* 1. *кому.* Заставить кого-л. заговорить. 2. Начать говорить, петь, ругаться. ФСРЯ, 386.

Рвать гло́тку. *Прост.* Кричать, браниться. Максимов, 85; Глухов 1988, 140.

Сма́зать гло́тку. *Народн.* То же, что **промочить глотку.** ДП, 792.

Ухвати́ть за гло́тку *кого. Прибайк.* Вынудить, силой заставить кого-л. сделать что-л. СНФП, 41.

Чтоб тебе́ гло́тку закла́ло! *Сиб. Бран.* Восклицание, выражающее раздражение, негодование в адрес кричащего, ругающегося человека. СФС, 202.

Ши́рить/ расши́рить (поши́рить) гло́тку. *Арх.* То же, что **драть глотку.** АОС 9, 108.

ГЛОТО́К * По бабьему глотку. См. **По бабьему глотню (ГЛОТЕНЬ).**

По ба́быиному глотку́. См. **По бабьему глотню (ГЛОТЕНЬ).**

Глото́к свобо́ды. *Жарг. шк.* Каникулы. Максимов, 85.

Глото́к сча́стья. *Жарг. арм. Шутл.* Завтрак. Максимов, 85.

Колы́мский глото́к. *Жарг. нарк.* Последний большой глоток (обычно — чифира). ТВ-Ост., 13.04.92.

ГЛО́ТОМ * Гло́том глота́ть. *Обл.* Жадно есть. Мокиенко 1990, 147.

Гло́том сглоти́ть *что. Онеж.* Быстро проглотить что-л. СРНГ 6, 201.

ГЛУБИНА́ * В глуби́не души́. *Разг.* Внутренне; тайно; подсознательно. ФСРЯ, 108.

До глубины́ души́. *Разг.* Очень сильно (волновать, потрясать, поражать). ФСРЯ, 108.

[Приве́т] из глубины́ души́. *Разг. Шутл.* Об отрыжке. Митрофанов, Никитина, 38; Белянин, Бутенко, 129.

ГЛУБИ́НКА* Осе́сть на глуби́нке. *Жарг. угол.* Затаиться, временно прекратить преступную деятельность. Балдаев 1, 293; ТСУЖ, 122.

ГЛУБОКО́ * Глубоко́ ка́жется *кому что. Жарг. мол.* Кому-л. трудно, не хочется, лень делать что-л. БСРЖ, 128.

Глубоко́ пла́вать. *Волг.* Хорошо разбираться в чём-л. Глухов 1988, 123.

Глубоко́ сире́нево (фиоле́тово) *кому. Жарг. мол.* Абсолютно безразлично, все равно. Вахитов 2003, 37; Максимов, 86.

ГЛУДЬ * Ба́бья глудь. *Кар.* Скользкое место. СРГК 1, 340.

ГЛУЗД * Съезжа́ть (сходи́ть) с глу́зда. *Волг.* Терять рассудок. Глухов 1988, 156.

Глу́зду не свари́ть *кому*; **глузды́ не ва́рят** *у кого. Пск. Шутл.* Об утрате способности понимать, соображать. ПОС 6, 187.

Сбива́ть с глу́зду *кого. Волг.* Запутывать, дезинформировать кого-л. Глухов 1988, 144.

Глузды́ не ва́рят. См. **Глузду не свари́ть.**

Глузды́ отши́бло *у кого. Смол.* Кто-л. не может вспомнить что-л. СРНГ 6, 207.

Забива́ть/ заби́ть глузды́ *кому. Дон.* Запутать, сбить с толку кого-л. СДГ 1, 101.

ГЛУМ * Брать/ взять в глум *кого. Волг.* Смеяться, потешаться, издеваться над кем-л. Глухов 1988, 5, 11.

В глум. *Пск.* 1. В шутку, шутя (сказать). ПОС, 6, 187. 2. С целью запутать, сбить с толку кого-л. СПП 2001, 27.

Глум в го́лову́ зашёл (пошёл) *кому. Пск.* О помрачении ума, расстройстве умственных способностей у кого-л. ПОС 6, 187.

Глум вы́старился *у кого. Кар.* Об отсутствии памяти в преклонном возрасте. СРГК 1, 297.

Глум нашёл *на кого. Латв., Пск.* То же, что **глум в голову зашёл.** СРНГ 6, 209; ПОС, 6, 187.

Глум отши́бло (отби́ло) *[кому]. Пск.* Об утрате способности чувствовать, воспринимать что-л. ПОС 6, 187.

На глум. *Печор.* То же, что **в глум 1.** СРГНП 1, 136.

Поднима́ть (принима́ть) на глум *кого. Арх., Волг.* То же, что **брать в глум.** СРНГ 6, 209; Глухов 1988, 125.

ГЛУМИ́НКА * С глуми́нкой. *Пск. Шутл.-ирон.* То же, что **с глупиной (ГЛУПИНА).** СПП 2001, 27.

ГЛУПИ́НА * С глупи́ной. *Ряз. Неодобр.* Об умственно отсталом, глупом, придурковатом человеке. ДС, 112.

ГЛУ́ПОСТЬ * Пойти́ в глу́пость. *Арх. Неодобр.* Начать совершать неразумные поступки. АОС 9, 121.

ГЛУПЦА́ * С глупцо́й. *Морд. Неодобр.* То же, что **с глупиной (ГЛУПИНА).** СРГМ 1978, 114.

ГЛУПЬ * Глупь в го́лову заду́ла *кому. Кар. Неодобр.* О человеке, совершившем странный, неразумный поступок. СРГК 2, 119.

ГЛУХА́РЬ * Долби́ть на глухаря́. *Жарг. мол.* Не слышать чего-л.; притворяться не слышащим чего-л. Вахитов 2003, 49.

На глухаря́. *Жарг. угол.* 1. Основательно, полностью. 2. Насмерть. Балдаев 1, 266.

Пойма́ть глухаря́. *Жарг. мол.* Притвориться ничего не слышащим, не понимающим и не отвечать на вопросы. Урал-98.

ГЛУХО́Й * На́глухо глух. *Перм.* О полном отсутствии слуха у глухого человека. Сл. Акчим. 1, 204.

ГЛУШИ́НА * С глуши́ной. *Орл., Ряз.* То же, что **под глушину.** ДС, 113; СОГ 1989, 151.

Под глуши́ну. *Новг., Пск.* О плохо слышащем, глуховатом человеке. НОС 2, 16; СПП 2001, 27.

ГЛУШИ́НКА * С глуши́нки; с глуши́нкой. *Ряз., Пск. То же, что* **под глуши́ну (ГЛУШИНА).** ДС, 113; ПОС 6, 194.

ГЛУШНЯ́К * В глушня́к кому *что. Жарг. угол., мол.* О безнадёжной ситуации, неудаче. h-98.

Глушня́к да́вит *кого. Жарг. мол. Неодобр.* Кто-л. плохо слышит, не слышит чего-л. Геловани, Цветков, 12.

Глушня́к миока́рда. *Жарг. мол. Неодобр.* Душевная чёрствость, бессердечие. Максимов, 86.

ГЛЫ́ЗА * Чебура́хнуть в глы́зу. *Обл.* Попасть в сложное, безвыходное положение, в беду. Мокиенко 1990, 139.

ГЛЮК * Лови́ть/ пойма́ть (словить) глюк (глю́ки). 1. *Жарг., нарк.* Галлюцинировать под влиянием наркотика. Личко, Битенский, 290; Елистратов 1994, 90; ФЛ, 103; Вахитов 2003, 91, 137; Максимов, 86. 2. *Жарг. мол. Неодобр. или Шутл.-ирон.* Быть невнимательным, находиться в заторможенном состоянии. Никитина 1996, 39. 3. *Жарг. мед. Шутл.* Принимать глюкозу. БСРЖ, 129.

Полирова́ть глю́ки (глю́кало). *Комп.* Отлаживать внешний вид компьютерной программы. Садошенко, 1995; Лихолитов 1997, 48.

Смотре́ть глю́ки. *Жарг. нарк. Шутл.* То же, что **ловить глюки 1-2.** БСРЖ, 128.

ГЛЮ́КАЛО * Полирова́ть глю́кало. См. **Полировать глюки (ГЛЮК).**

ГЛЮКОЗА * Глюко́за в корсе́те. *Жарг. шк. Пренебр.* Высокий, худой учитель, учительница. (Запись 2003 г.).

ГЛЮКОНА́Т * Объе́сться глюкона́та. *Жарг. комп.* Допустить ошибку при работе на компьютере. Максимов, 87.

ГЛЯДЕ́ЛКИ * Хло́пать гляде́лками. *Морд.* Проявлять растерянность, удивление. СРГМ 1978, 115.

Выголя́ть/ выголить гляде́лки. *Пск.* То же, что **вылуплять глаза (ГЛАЗ).** СПП 2001, 25.

Вылупля́ть/ вы́лупить гляде́лки. *Кар. (Ленингр., Новг.)., Морд., Пск.* То же, что **вылупля́ть глаза́ (ГЛАЗ).** СРГК 1, 272; СРГМ 1978, 115; СПП 2001, 25.

Гляде́лки задёрнуло *кому. Пск. Неодобр.* Кто-л. ничего не замечает, не видит вокруг себя. СПП 2001, 25.

Гляде́ть во все гляде́лки. *Яросл.* То же, что **смотреть во все глаза (ГЛАЗ).** ЯОС 3, 80.

Завзбу́ривать гляде́лки. *Ср. Урал.* Долго и пристально разглядывать кого-л., что-л. СРГСУ 1, 165.

Продира́ть/ продра́ть гляде́лки. *Морд.* Просыпаться. СРГМ 1978, 115.

Протира́ть/ протере́ть гляде́лки. *Пск. Груб.* То же, что **протирать глаза 2 (ГЛАЗ).** СПП 2001, 25.

Разу́ть гляде́лки. *Влад., Дон.* То же, что **разуть глаза (ГЛАЗ).** СРНГ 34, 75; СДГ 1, 102.

ГЛЯДЕ́ЛЫ * Продава́ть гляде́лы. *Сиб. Неодобр.* То же, что **продавать глаза (ГЛАЗ).** СФС, 55; СРНГ 6, 227; Мокиенко 1990, 154.

ГЛЯДЁНЫЙ * Гляде́ть глядёного. *Урал. Ирон.* Напрасно ожидать чего-л., напрасно надеяться на что-л. СРНГ 6, 228.

ГЛЯДЕ́ТЬ * Гляде́ть хо́чется. *Волг., Орл.* О чём-л., о ком-л. очень красивом. Глухов 1988, 23; СОГ 1989, 152.

Глянь да погляди́ *на кого, на что. Одесск.* Посмотри внимательно на кого-л., на что-л. КСРГО.

ГлядКО́М * Глядко́м гляде́ть *на что. Пск.* С вожделением смотреть на что-л., не имея возможности получить, приобрести. ПОС 7, 13.

ГЛЯЖЁНЫЙ * Смотре́ть гляжёного. *Пск.* То же, что **глядко́м гляде́ть (ГЛЯДКО́М).** ПОС 7, 14.

ГЛЯ́НЕЦ * Наводи́ть/ навести́ гля́нец. *Разг.* Доводить до совершенства выполненную работу. БТС, 572.

Хрестомати́йный гля́нец. *Книжн. Неодобр.* 1. Приукрашенное изображение исторической личности, встречающееся в учебниках, официозных биографиях и хрестоматиях. 2. Приукрашенное изображение действительности. БМС 1998, 115.

ГНЕВ * Держа́ть гнев *на кого. Разг. Устар.; Арх.* Испытывать сильную неприязнь к кому-л. БМС 1998, 116; СРНГ 6, 235.

Нести́/ понести́ гнев. *Арх., Кар.(Арх.).* Испытать сильное раздражение, сердиться, гневаться. АОС 9, 144; СРГК 1, 345.

Пасть на гнев. *Олон.* Вызвать раздражение, гнев в ком-л. СРНГ 6, 235.

Пойти́ во гнев. *Волог.* Невзлюбить кого-л. СРНГ 6, 235.

Поста́вить в гнев. *Нос.* Рассердиться. НОС 8, 146.

Прийти́ во гнев. *Олон.* То же, что **пасть на гнев.** СРНГ 6, 235.

Без гне́ва и пристра́стия. *Книжн.* Не сердясь и стараясь быть объективным. БМС 1998, 116.

ГНЕДА́Я * Во что гнеда́я ни хлы́стнет. *Народн.* Об отчаянном, решительном поступке. ДП, 270.

ГНЕЗДО́ * Вить гнёзда. *Жарг. тур.* Долго сидеть на скале. Максимов, 63.

Вить/ свить гнездо́. *Разг.* 1. Устраивать свою семейную жизнь, заводить семью. 2. Селиться где-л. на длительное время. Ф 1, 65.

Одного́ гнезда́. *Сиб.* О собаках одного помета. ФСС, 43.

На гнезде́. *Пск. Шутл.* На своём обычном месте (для сна, отдыха и т. п.). ПОС 7, 21.

Воро́нье гнездо́. 1. *Арх.* Причёска замужней женщины — косы, уложенные под повойником. АОС 5, 96. 2. *Жарг. морск. Шутл.* Наблюдательный пункт на одной из мачт корабля. Кор., 65; Лаз., 81.

Воро́нье гнездо́ на голове́ *у кого. Пск. Шутл.-ирон.* О растрёпанном, взлохмаченном человеке. СПП 2001, 27.

Глухо́е гнездо́. *Сиб.* Приплод собаки, в котором либо одни самцы, либо одни самки. ФСС, 43.

Гнездо́ воню́чее! *Ряз. Бран.* О непослушном ребенке. ДС, 115.

Гнездо́ свило́сь *у кого. Дон.* О наступлении половой зрелости у девушки. СЛГ 1, 102.

Гнездо́ трясти́. *Костром. Шутл.-ирон.* Делать уборку в доме. ЖКС 2006, 83.

Дворя́нское гнездо́. 1. *Разг. Устар.* О дворянской семье, усадьбе. Ф 1, 113; Мокиенко 1990, 16. 2. *Жарг. шк. Шутл.* Учительская. Никитина 1996, 39. 3. *Жарг. морск. Шутл.-ирон.* Передняя надстройка на судне, где живет комсостав. БСРЖ, 129. 4. *Жарг. мол.* Элитное жилье (дом, микрорайон). Смирнов 2002, 52.

Ду́рье гнездо́. *Калуж. Неодобр.* О глупом, бестолковом человеке. СРНГ 8, 286.

Змеи́ное гнездо́, *Жарг. шк. Шутл.-ирон. или презр.* То же, что **осиное гнездо 2.** (Запись 2003 г.).

Ла́сточкино гнездо́. 1. *Жарг. арм. Устар.* Стрелковая ячейка, вырытая в склоне оврага или берега. Кор., 154; Лаз., 126. 2. *Жарг. гом. Шутл.* Сквер возле Большого театра в Москве с известным фонтаном — место сбора гомосексуалистов. Шах.-2000.

Мизгирёво гнездо́. *Сиб.* Паутина. ФСС, 43; СРНГ 18, 154.

Оси́ное гнездо́. 1. *Разг. Ирон.* О жилище, скопище общественно вредных, опасных людей. Ф 1, 113. 2. *Пск. Неодобр.* О жилище, доме, где нет покоя, порядка. ПОС 7, 21. 3. *Жарг. шк. Шутл.-ирон.* Учительская. Никитина 1998, 84. 4. *Жарг. студ. Шутл.-ирон.* Деканат. Максимов, 87.

Пти́чье гнездо́. *Сиб., Прикам., Перм., Приамур.* То же, что **Утиное гнездо.** ФСС, 43; МФС, 25; СГПО, 107; СРГПриам., 228.

Свить гнездо́. *Разг.* Создать семью. БТС, 212; Подюков 1989, 183; Глухов 1988, 145; СНФП, 42.

Соба́чье гнездо́. *Пск. Неодобр.* То же, что **осиное гнездо 1.** ПОС, 7, 21.

Ути́ное гнездо́. *Народн.* Созвездие Плеяды (Стожары). СРНГ 6, 237; Сл. Акчим. 1, 206; ФСС, 43; СФС, 192; СРГПриам., 311; СБО-Д2, 244. **У́тичье (У́точье) гнездо́.** *Арх., Перм., Приамур., Сиб.* То же. СРНГ 6, 237; Сл. Акчим. 1, 206; СГПО, 107; СРГПриам., 311; Подюков 1989, 44; СФС, 192; ФСС, 43. **Утя́чье гнездо́.** *Алт.* То же. СРГА 1, 218.

Шорши́ное гнездо́. *Сиб. Презр.* Сборище хулиганов, дебоширов. ФСС, 44.

ГНЁЗДЫШКО * Пти́чье гнёздышко. *Приамур.* То же, что **Утиное гнездо (ГНЕЗДО).** СРГПриам., 228.

ГНЁТ * Под гнёт [идти́]. *Урал. Шутл.* Ложиться спать. СРНГ 6, 240.

Одни́м гнётом хви́снуты. *Новг. Шутл.* Об очень похожих людях. Сергеева 2004, 152.

Под гнётом *чего. Книжн.* 1. В состоянии психической подавленности, угнетённости чем-л. 2. В полной зависимости от чего-л. Ф 1, 114.

ГНЁТКИ * Гнётки гнуть. *Кар.* Загибать безымянный палец, чтобы (по суеверным представлениям) отогнать нечистую силу. СРГК 1, 346.

ГНИ́ДА * Иска́ть гни́ду в портмоне́. *Жарг. угол. Шутл.-ирон.* Заниматься бесполезным делом. Балдаев 1, 171.

ГНИ́ЛА * Гни́лу меси́ть. *Пск. Неодобр.* Слоняться без дела. СПП 2001, 27. < **Гни́ла** — глина.

ГНИЛЬ * Гнать гниль. *Жарг. мол. Неодобр.* Говорить что-л. неприятное, сообщать плохие известия. Максимов, 87.

Дави́ть на гниль. *Жарг. мол.* То же, что **гнать гниль.** Максимов, 87.

ГНУСИ́НА * Под гнуси́ну [говори́ть]. *Новг.* О гнусавом, говорящем в нос человеке. НОС 2, 21.

ГНУ́ТКИ * Гну́тки гнуть. *Народн. Неодобр.* Распространять ложные слухи. СРНГ 6, 251; Глухов 1988, 24.

ГНУТЬ * Гнуть не па́ривши. *Волг., Р. Урал.* Лгать, рассказывать небылицы. Глухов 1988, 24; СРНГ 25, 226.

ГО́БЛИН * Счастли́вый го́блин. *Жарг. мол. Пренебр.* Глупый, несообразительный человек. Максимов, 88.

Лови́ть го́блинов. *Жарг. угол. Шутл.* Грабить пьяных. Максимов, 89.

ГОВЕ́НЬЕ * Ба́бье гове́нье. *Арх.* Бабье лето — теплые дни в начале осени. АОС 1, 78.

ГОВНЕЦО́ * С говнецо́м. *Прост. Пренебр.* О непорядочном, нечистоплотном, способном на подлые поступки человеке. Мокиенко, Никитина 2003, 104.

ГОВНО́ * Выта́скивать/ вы́тащить из говна́ *кого. Вульг.-прост.* Помогать кому-л. в беде, избавлять кого-л. от унизительных, тяжёлых условий существования, неприятной ситуации. Мокиенко, Никитина 2003, 103.

Вы́тянуть с говна́ *кого. Пск.* 1. Незаслуженно похвалить кого-л. ПОС 7, 32. 2. Помочь кому-л. выбраться из тяжёлого положения. СПП 2001, 28.

Говна́ не жа́лко. *Вульг.-прост.* 1. О доступном, дешёвом, некачественном материале, предмете, который не стоит жалеть. 2. *Шутл.-ирон.* Бери, пользуйся (при передаче чего-л. кому-л. в подарок, напрокат). Мокиенко, Никитина 2003, 105.

Говна́ своего́ не даст. *Вульг.-прост. Неодобр.* Об очень скупом человеке, скряге. Мокиенко, Никитина 2003, 105.

Сде́лать из говна́ конфе́тку (шокола́дку). *Жарг. мол. Шутл.* 1. Улучшить что-л.; сделать что-л. хорошее из некачественного материала. Вахитов 2003, 164.

Быть (жить, сиде́ть) в говне́ [по́ уши (по го́рло)]. *Прост. Неодобр.* Находиться в невыносимо трудных, унижающих человеческое достоинство условиях, преступно-застойной атмосфере. Мокиенко, Никитина 2003, 105.

Ковыря́ться (копа́ться) в говне́. *Вульг.-прост. Пренебр.* или *Презр.* 1. Работать с чем-л. грязным (напр., разгребать навоз). 2. Заниматься неприятным, малопривлекательным и незначительным, малополезным делом. 3. Работать в неприятной обстановке, среди ненужных, незначительных объектов. Мокиенко, Никитина 2003, 105.

Говно́ в жиле́те. *Жарг. мол. Презр.* То же, что **говно засраное.** Вахитов 2003, 39.

Говно́ вопро́с! *Жарг. мол. Вульг.* Конечно, обязательно, нет проблем, нет вопросов (говорится в знак согласия). Никитина 1998, 85.

Говно́ засра́ное (сра́ное). *Прост. Бран.* О подлом, непорядочном человеке. ПОС 7, 32; Мокиенко, Никитина 2003, 106.

Говно́ на па́лочке. *Жарг. мол. Презр.* То же, что **говно засраное.** Вахитов 2003, 39.

Говно́ на по́стном ма́сле. *Вульг.-прост. Пренебр.* 1. О чём-л. крайне ничтожном, никчёмном, дрянном, не имеющем никакой ценности. 2. О чём-л. абсурдном, ерундовом, пустяковом. Мокиенко, Никитина 2003, 105-106.

Говно́ соба́чье. *Вульг.-прост.* 1. *Неодобр.* О чём-л. плохого качества, ничего не стоящем. 2. *Бран.* О непорядочном человеке. Мокиенко, Никитина 2003, 106.

Говно́ с ру́чкой. *Пск. Бран.* О непослушном ребенке. ПОС 7, 32.

Замя́ть в говно́ *кого. Пск. Неодобр.* Очернить, опорочить кого-л. ПОС 7, 32.

Не попадёт в говно́ кулако́м. *Волг. Пренебр.* О неумелом, непригодном к делу человеке. Глухов 1988, 102.

Окуна́ть/окуну́ть в говно́ *кого. Вульг.-прост. Неодобр.* Незаслуженно оскорблять, порочить кого-л. Мокиенко, Никитина 2003, 105.

Отвали́сь говно́ от жо́пы! *Вульг.-прост.* Отстань, отойди! Мокиенко, Никитина 2003, 105.

После́днее (распосле́днее) говно́. *Вульг.-прост. Презр.* 1. О чём-л. дрянном, некачественном, малоценном. 2. О никчёмном, подлом человеке. Мокиенко, Никитина 2003, 106.

Пья́ный в говно́. *Пск. Неодобр.* О состоянии сильного опьянения. СПП 2001, 28.

То́лько тёплое говно́ ре́зать *чем. Пск. Неодобр.* О тупом режущем инструменте. СПП 2001, 28.

Хорошо́ говно́ есть *с кем. Вульг.-прост. Ирон. или Презр.* О человеке, который говорит так много, что не даёт никому рта раскрыть. Мокиенко, Никитина 2003, 106.

Сме́шивать/смеша́ть (сра́внивать/сравня́ть) с говно́м *кого. Вульг.-прост.* 1. Жестоко расправляться с кем-л., уничтожать кого-л. 2. Портить кому-л. репутацию, оскорблять, порочить кого-л. Мокиенко, Никитина 2003, 106.

Сожра́ть (сло́пать) с говно́м *кого. Вульг.-прост.* Полностью уничтожить кого-л. Мокиенко, Никитина 2003, 106.

Втопта́ть в го́вны. *Пск.* 1. *что. Неодобр.* Испортить, привести в негодность что-л. 2. *кого.* То же, что **замя́ть в говно́**. СПП 2001, 28.

ГО́ВОР * Го́вором говори́ть. *Прибайк.* Оживлённо обсуждать что-л. СНФП, 42.

Го́вором угова́ривать *кого. Арх.* Успокаивать, утешать, убеждать кого-л. в чём-л. СРНГ 6, 258.

ГОВОРИ́ТЬ * И не говори́. *Разг.* Безусловно так. ЗС 1996, 388; Глухов 1988, 58.

Говори́ть да отку́сывать. *Арх.* Говорить осторожно, остерегаясь, не договаривая чего-л. АОС 9, 177.

Говори́ть по говорёному. *Печор.* Повторять сказанное кем-л. СРГНП 1, 138.

ГОВО́РКА * Поло́ть гово́рки. *Пск.* Вести разговоры, беседовать о чём-л. ПОС 7, 36.

Держа́ть гово́рку. *Обл.* Говорить, разговаривать с кем-л. Ф 1, 158.

ГОВО́РЯ * Пуста́я гово́ря. *Перм., Прикам., Сиб.* Выдумки, ложь. СГПО, 109; МФС, 25; ФСС, 44.

Гово́рю говори́ть. *Арх., Печор.* Разговаривать, беседовать о чём-л. АОС 9, 183; СРГНП 1, 139.

ГОВЯ́ДИНА * Кроши́ть говя́дину. *Волог.* Быть самостоятельным хозяином. СРНГ 6, 261.

ГОГ * Гог и Маго́г. *Книжн. Устар.* 1. О человеке, внушающем ужас, наводящем страх. 2. О человеке, наделенном большой властью, всемогущем правителе. Янин 2003, 84. < Восходит к Библии. БМС 1998, 117.

ГОГОЛКИ́ * На гоголка́х. *Арх.* На четвереньках. АОС 9, 186.

ГО́ГОЛЬ * С го́голя вода́, с тебя́ худоба́! *Прибайк.* Пожелание здоровья кому-л. СНФП, 42.

ГОГОЛЮ́ШКИ * На гоголю́шках. *Арх., Кар. (Арх.).* То же, что **на гоголка́х (ГОГОЛКИ)**. АОС 9, 187; СРГК 1, 349.

ГОД * В год раз [по заве́ту (по обеща́нью)]. *Кар. (Ленингр.)., Орл., Пск., Сиб. Шутл.* Очень редко. СРГК 2, 95; СОГ 1989, 154; ПОС 7, 40; Верш. 4, 182.

Год в год. *Урал.* Об одногодках. СРНГ 6, 265.

Год го́де́нский. *Разг. Устар.; Твер.* Целый год, в течение года. Ф 1, 115; СРНГ 6, 265-266. **Год го́дский.** *Прибайк.* То же. СНФП, 42.

Год годова́ть. *Арх.* Жить, существовать какое-л. время. АОС 9, 204.

Год году́щий. *Сиб.* То же, что **год годенский.** ФСС, 44; СРНГ 6, 266.

Год за год захо́дит *чего. Перм., Сиб.* Хватает на целый год и остается на следующий. ФСС, 81; Подюков 1989, 45.

Год из го́да. *Сиб.* Постоянно. ФСС, 44.

Год по друго́й. *Сиб.* Два года подряд. ФСС, 44; СРНГ 6, 266.

Год со днём. *Арх.* Високосный год. АОС 9, 198.

Друго́й год. См. **Иной год.**

Зя́блой год. *Прикам.* Холодное лето. МФС, 25.

И́нный (ин) год. *Яросл.* Будущий год, в будущем году. ЯОС 4, 142.

Ино́й (друго́й) год. *Сиб.* В прошлом году. ФСС, 44. **Ино́го го́ду.** *Кар. (Арх.).* То же. СРГК 2, 293.

[Как] год, так [боб]. *Прибайк.* О семье, в которой ежегодно рождается по ребенку. СНФП, 43.

Кастья́нов год. *Кар.* То же, что **касьян год.** СРГК 1, 350.

Касья́н год. *Арх.* Високосный год. АОС 9, 198.

Кру́глый год. *Разг.* Целый год, на протяжении всего года. БМС 1998, 117.

Кру́глый год ма́сленица *у кого. Волг. Одобр.* О жизни в достатке, благополучии. Глухов 1988, 77.

На тот год, когда́ чёрт умрёт. *Обл. Шутл.-ирон.* Никогда. Мокиенко 1986, 210.

На тот год об э́ту по́ру. *Обл. Шутл.-ирон.* Неизвестно когда; никогда. Мокиенко 1986, 210.

Не [в] год. *Сиб. Неодобр.* О неурожайном лете. ФСС, 44.

Не пе́рвый год за́мужем. *разг. Шутл.* Об опытном, знающем своё дело человеке. БТС, 334; Глухов 1988, 101.

Не по оди́н год. *Кар. /Арх., Ленингр.).* Много раз, неоднократно. СРГК 4, 558.

Никако́й год. *Кар. (Мурм.).* Никогда. СРГК 4, 25.

Оди́н год поры́. *Арх.* В течение года. СРНГ 30, 31.

Отправля́ть год. *Кар. (Волог.).* Соблюдать траур в течение года. СРГК 4, 319.

Под год. *Прибайк.* В благоприятное, удачное для чего-л. время. СНФП, 43.

По оди́н год. *Кар. (Арх., Волог.).* Однажды, один раз. СРГК 4, 558.

По тот год. *Яросл.* В позапрошлом году. ЯОС 8, 11.

С год вы́йти. см. **С лет выходи́ть (ЛЕ́ТО²).**

То́пкий год. *Приамур., Сиб.* Дождливое лето. СРГПриам., 57; ФСС, 44.

Больши́е года́ (го́ды). *Волог., Прикам.* Преклонный возраст. СВГ 1, 38; МФС, 26.

Взойти́ (войти́, вступи́ть) в совершённые года́ (го́ды). *Кар., Ряз.* Достичь совершеннолетия. СРГК 1, 221, 249; ДС, 117.

Взять (отда́ть) в года́ *что. Олон.* Взять (сдать) в аренду что-л. СРНГ 6, 266.

Втя́гиваться в года́. *Волг.* То же, что **входить в года 1.** Глухов 1988, 16.

Входить/ войти́ в года́ (в го́ды). 1. *Горьк., Дон., Кем., Морд., Сиб.* Взрослеть. БалСок, 27; СДГ 1, 65; Скузб., 47; СРГМ 1978, 75; СОСВ, 50. 2. *Волог., Дон., Сиб.* Достигать совершеннолетия. СВГ 1, 77; СДГ 1, 65; ФСС, 29.

Высо́кие года́. *Одесск.* То же, что **большие года.** КСРГО.

Выходи́ть/ вы́йти в года́ (в го́ды). *Ряз., Пск., Сиб.* 1. Состариться. 2. Стать старше какого-л. определённого возраста. ДС, 117; СРНГ 6, 52; ФСС, 35.

Года́ вы́шли *у кого.* 1. *Орл., Перм.* О наступлении старости. СОГ 1989, 154; СГПО, 109. 2. *Дон., Морд., Ряз., Сиб.* О достижении какого-л. определённого возраста (чаще — пенсионного). ДС, 117; СРГМ 1978, 97; СДГ 1, 83; СПСП, 26.

Года́ отхо́дят. *Морд.* О приближающейся старости. СРГМ 1978, 117.

Года́ перерыва́ются. *Ворон.* Наступают перемены, все изменяется у кого-л. СРНГ 26, 210.

Года́ пошли́ в го́ру [*чьи*]. *Пск.* То же, что **года вышли 1.** СПП 2001, 28.

Года́ с горы́ пошли́. *Морд.* То же, что **года отходят.** СРГМ 1978, 117.

Года́ с капита́лом. *Орл. Шутл.-одобр.* О хорошем периоде жизни. СОГ 1989, 154.

Года́ ушли́ *у кого. Сиб.* То же, что **года вышли 1.** ФСС, 44.

Года́ хо́дят *у кого. Башк.* Об одинаковом возрасте двух людей. СРГБ 1, 87.

Далёкие года́. *Печор.* Преклонный возраст. СРГНП 1, 183.

Занести́ года́. *Пск.* Состариться, достичь преклонного возраста. ПОС 7, 40.

Изжива́ть года́. *Сиб.* Доживать жизнь. ФСС, 87.

Кра́сные года́ (го́ды). *Волог., Прикам., Ставроп., Яросл.* Годы юности; лучшие годы жизни. СВГ 3, 120; МФС, 26; СРНГ 6, 266; ЯОС 5, 86.

Мафусаи́ловы года́ жить/ прожи́ть. *Разг. Устар.* Жить очень долго. ФСРЯ, 110.

Не под года́ *кому что. Сиб., Яросл.* Не по возрасту. ФСС, 44; ЯОС 6, 124.

Подби́тые года́. *Волг.* О старости, немощи. Глухов 1988, 123.

Под года́. *Пск.* О человеке преклонного возраста. ПОС 7, 40.

Полевы́е года́. *Урал.* Годы военной службы. СРНГ 6, 266.

Потеря́ть года́. *Краснодар., Прибайк.* Состариться. СРНГ 30, 277; СНФП, 43.

Продава́ть/ прода́ть на года́ *кому что.* Сдавать в аренду кому-л. что-л. СДГ 3, 66.

Соверше́нные года́. *Сиб.* Совершеннолетие. ФСС, 44.

Тре́тьего го́да. *Прикам.* В позапрошлом году. МФС, 26.

Не по года́м *кому, что. Разг.* Не в соответствии с возрастом, не по возрасту. ФСРЯ, 110.

По года́м *кому что. Урал.* По возрасту. СРНГ 6, 266.

Не мудр года́ми. *Сиб. Ирон.* Слишком молодой для чего-л. ФСС, 115.

Под года́ми. 1. *Кар. (Арх.), Орл., Ряз., Сиб.* То же, что **под года.** СРГК 4, 615; СОГ 1989, 154; ДС, 117; СФС, 32; ФСС, 20, 44. 2. *Арх., Орл.* О девушке в период полового созревания. АОС 9, 191; СОГ 1989, 154.

С года́ми. *Разг.* С течением временем, впоследствии. ФСРЯ, 110.

В больши́х года́х. *Башк., Перм.* В пожилом, преклонном возрасте. СРГБ 1, 49, 87; Подюков 1989, 45.

В года́х. 1. *Разг.* Пожилой, немолодой. ФСРЯ, 110; ДС, 117. 2. *Перм.* Совершеннолетний. СРНГ 6, 266. 3. *Ряз.* О возрастной норме, необходимой для чего-л. ДС, 117. 4. *чьих. Орл., Ряз., Сиб.* При чьей-л. жизни. СОГ 94, 136; ДС, 117; ФСС, 44; СРНГ 6, 2866. 5. *чьих. Сиб.* В период чьей-л. молодости. ФСС, 44.

В года́х жить. *Влад.* Обучаться где-л. несколько лет. СРНГ 6, 266.

В коро́тких года́х. *Урал.* Короткое время, недолго. СРНГ 6, 266.

На года́х. 1. *Олон.* В прежнее время, какое-то время назад. СРНГ 6, 266. 2. *Арх.* Не очень давно. АОС 9, 190. // *Морд.* В ближайшие из прошлых лет. СРГМ 1978, 117.

На э́тих года́х. *Печор.* Недавно, несколько лет назад. СРГНП 1, 139.

При года́х. *Перм.* То же, что **в года́х 1.** Подюков 1989, 45.

В (на) тре́тьем го́де. *Печор.* Два года назад. СРГНП 1, 139.

Без годо́в. 1. *Костром.* Несовершеннолетний. СРНГ 6, 266. 2. *Костром., Яросл.* Такого возраста, который невозможно определить по зубам (о лошади). СРНГ 6, 266; ЯОС 1, 46. 3. *Арх.* Очень старый, преклонного возраста. АОС 9, 198.

Вы́житься из годо́в. *Кар. (Арх.).* Потерять от старости способность здраво мыслить. СРГК 1, 263.

Вы́йти из годо́в. 1. *Арх., Башк., Горьк., Дон., Кар. (Ленингр.), Морд., Новг., Перм., Сиб., Смол.* Состариться. АОС 8, 238; СРГБ 1, 78; БалСок, 29; СДГ 1, 86; СРГК 1, 350; СРГМ 1978, 97; НОС 1, 148; СГПО, 109; СФС, 51; СБО-Д1, 81; ФСС, 35; СРНГ 6, 52. 2. *Арх., Брян., Башк., Горьк., Кар., Курск., Новг., Перм., Сиб.* Достичь пенсионного возраста. АОС 5, 79; АОС 8, 238; СБГ 3, 70; СРГБ 1, 87; БалСок, 29; СРГК 1, 311; БотСан, 88; НОС 1, 148; Сл. Акчим. 1, 208. 3. *Дон., Яросл.* Достичь обычного для замужества возраста. СДГ 1, 86; ЯОС 3, 53. 4. *Дон.* То же, что **выжиться из годов.** СДГ 1, 86.

Годо́в-годо́в и лет *кому. Дон. Шутл.-ирон.* Об очень старом человеке. СДГ 1, 103.

Давно́ годо́в тому́ наза́д. *Арх.* Много лет тому назад. АОС 10, 219.

Дойти́ до го́дов. *Волог.* То же, что **входить в года 2.** СВГ 2, 37.

До́лго годо́в. *Печор.* В течение многих лет. СРГНП 1, 183.

Из годо́в в года́. *Арх.* Всегда, издавна. АОС 9, 198.

Отойти́ от годо́в. 1. *Приамур.* То же, что **выйти из годов 1.** СРГПриам., 189. 2. *Сиб.* То же, что **выйти из годов 2.** ФСС, 129.

Сто годо́в (лет) в [э́ту] суббо́ту *кому, чему. Арх., Кар. (Мурм.), Пск. Шутл.* Старый; давний. АОС 9, 198; СРГК 1, 350; ПОС 7, 40.

Го́дом да ро́дом. 1. *Сиб. Шутл.* Когда-нибудь; как-нибудь. ФСС, 45. 2. *Приамур., Прибайк.* Иногда, изредка. СРГПриам., 57; СНФП, 43.

Без го́ду год со днём. *Народн. Шутл.* То же, что **без году неделя.** ДП, 567.

Бе́з году неде́ля. *Разг. Ирон.* или *Шутл.* Очень недолго, короткое время; совсем недавно. Жиг. 1969, 334; БТС, 213; Сергеева 2004, 486; БМС 1998, 118; ПОС 7, 40. **Без го́ду без неде́ли.** *Сиб. Ирон.* То же. ФСС, 45.

В (на) одно́м году́ быть (поддерживаться). *Кар.* Быть ровесниками. СРГК 4, 150, 625.

В тре́тьем году́. *Сиб.* То же, что **третьего года.** ФСС, 45.

Два на году́, тре́тий на Покрову́. *Сиб. Шутл.* О женщине, которая часто рожает. ФСС, 55.

Для го́ду. *Народн.* Впрок, на будущее. СРНГ 6, 266.

Ино́го го́ду. См. **Иной год.**

Како́го го́ду. *Кар. (Мурм.).* На протяжении многих лет. СРГК 2, 316.

Ко́его го́ду. *Волог.* 1. В прошлом году. 2. Давно. СВГ 3, 78.

На дава́льном году́. *Арх.* В подходящем для замужества возрасте. АОС 10, 191.

Сбега́ться с одного́ го́ду. *Прикам.* Быть ровесниками. МФС, 88.

Того́-т-там го́ду. *Прикам. Шутл.* Когда-то. МФС, 26.

Бо́йкие го́ды. *Онеж.* Годы первой русской революции (1905-1907). СРНГ 3, 67.

Большие го́ды. См. **Большие года.**

В го́ды году́щие (годя́щие). *Арх.* Очень давно. АОС 9, 198.

[В] годы́ [да] в ляды́ (в ряды́). *Пск. Шутл.* Очень редко, иногда. ПОС, 7, 40; СРНГ 35, 340. **В годы́-ряды́.** *Дон., Пск. Шутл.* То же. СДГ 3, 101; СПП 2001, 28. **В годы́ в ряды́ раз.** *Волг. Шутл.* То же. Глухов 1988, 9.

Весе́льные го́ды. *Ворон.* Свадебное празднество. СРНГ 6, 267.

Взойти́ в го́ды. *Арх., Дон., Перм.* То же, что **входить в года 1-2.** АОС 4, 73; СДГ 1, 65; Подюков 1989, 28.

Взять го́ды. *Перм.* Вырасти, повзрослеть. Подюков 1989, 24.

Войти́ в соверше́нные го́ды. См. **Войти в совершенные года.**

Высо́кие го́ды. *Печор.* То же, что **далёкие года.** СРГНП 1, 122.

Вы́ходить в го́ды. См. **Выходить в года.**

Глубо́кие го́ды. *Кар. (Арх., Волог.).* То же, что **большие года.** СРГК 1, 349.

Го́ды в ро́ды. *Народн. Ирон.* очень редко. ДП, 552.

Го́ды выхо́дят (вы́йдены) *у кого. Коми, Перм.* О наступлении пенсионного возраста. Кобелева, 60; Сл. Акчим. 1, 208.

Годы далёки *у кого. Коми.* О человеке преклонного возраста. Кобелева, 60.

Го́ды далёко *у кого.* 1. *Арх.* О наступлении совершеннолетия. АОС 10, 249. 2. *Печор.* О старом человеке. СРГНП 1, 166.

Го́ды забра́ли *кого. Печор.* То же, что **года вышли 1.** СРГНП 1, 218.

Го́ды заподбира́лдись *у кого. Кар. (Мурм.).* То же, что **года вышли 1.** СРГК 2, 178.

Го́ды ушли́ *у кого. Новг.* То же, что **года́ вы́шли 1.** НОС 2, 22.

До́лгие го́ды. *Печор.* То же, что **далёкие года.** СРГНП 1, 183.

Жить чужи́е годы́. *Прикам. шутл.-ирон.* Жить очень долго, дожить до преклонного возраста. МФС, 38.

Забра́ть свои́ го́ды. *Печор.* Состариться. СРГНП 1, 218.

За́дние го́ды. *Печор.* В прежние времена, раньше. СРГНП 1, 232.

Зайти́ в го́ды. *Кар.* Повзрослеть. СРГК 2, 126.

Зайти́ в ста́ры го́ды. *Кар.* Состариться. СРГК 2, 126.

Зараба́тывать го́ды. *Арх.* Стремиться получить право на пенсию. АОС 9, 197.

Идти́/ выйти в го́ды. *Арх., Пск.* Достичь зрелого возраста, совершеннолетия. СРНГ 6, 52, 266.

Кра́сные го́ды. См. **Красные года.**

Носи́ть го́ды. *Прикам.* Жить. МФС, 66.

Пе́рвые го́ды. *Моск.* Юность, молодость. СРНГ 26, 15.

Под ста́ры го́ды. *Пск.* В старости. (Запись 1993 г.).

Поспе́ть в го́ды. *Кар. (Арх.).* Достичь совершеннолетия. СРГК 5, 94.

Протопта́ть го́ды. *Кар.* Прожить долгую жизнь. СРГК 5, 309.

Уйти́ за го́ды. *Арх.* Достичь пенсионного возраста. АОС 9, 197.

ГО́ДИК * Го́дик годова́ть. *Печор. Флк.* Жить в течение года где-л. СРГНП 1, 140.

ГОДИ́НА * Годи́на бе́дствий. *Книжн.* Период трудных, гибельных событий, жестоких испытаний. БМС 1998, 118.

Го́рькая (зла́я, лиха́я) годи́на. *Народн.* То же, что **година бедствий.** ДП, 58; БМС 1998, 118.

На полтре́тья годи́ны ба́рин. *Народн.* О человеке, получившем власть случайно, на короткое время. ДП, 246.

ГОДИ́ШКИ * Годи́шки далёко *у кого. Арх. Шутл.-ирон.* То же, что **годы далёки (ГОД).** АОС 9, 202.

ГО́ДНЫЙ * Никуда́ го́дный (го́жий, гожо́й). *Арх., Новг. Неодобр.* О чём-л. скверном, некачественном. АОС 9, 203; НОС 2, 23.

Вы́йти из го́дных. *Сиб.* Потерять трудоспособность. ФСС, 35.

ГОДО́К * Ба́рхатный годо́к. *Жарг. арм., морск.* Матрос срочной службы после опубликования приказа об увольнении из вооруженных сил. Кор., 37.

ГОЙ * Гой еси́! *Флк. Устар.* Приветственная былинная формула «Будь здоров!». БМС 1998, 118; Мокиенко 1986, 203, 233-235.

ГОЛ * Гол как соко́л. *Жарг. спорт. (футб.). Шутл.-одобр.* О красивом голе, забитом издалека. Никитина 2003, 125.

Голы́ как соколы́. *Жарг. спорт. (футб.). Шутл.* О крупном счёте в матче. Никитина 2003, 125.

ГОЛГО́ФА * Идти́/ пойти́ на Голго́фу. *Книжн. Высок.* Следовать путем мучений, страданий (обычно — за справедливое, правое дело). < Восходит к Евангелию. БМС 1998, 118; 2005, 144.

ГОЛЕНИ́ЩЕ * Форси́ть на голени́ща (на голени́щах). 1. *Кар. (Ленингр.).* Высоко ценить себя, не имея на то оснований. СРГК 1, 352. 2. *Новг.* Жить благополучно при малом достатке. НОС 12, 4.

Сучи́ть голени́щами. *Морд.* Ходить, бегать взад-вперед. СРГМ 2002, 177.

Кача́ться на голени́щах. *Дон. Шутл.* Плохо отвечать на экзамене. СРНГ 13, 143.

Большо́е голени́ще. *Жарг. мол. Шутл.* Широкое влагалище. Максимов, 39.

Голени́ще с уса́ми. *Жарг. журн., полит. Шутл.* Бывщий губернатор Курской области В. Руцкой. МННС, 200.

Залива́ть за голени́ще. *Перм.* Лгать, обманывать кого-л. Подюков, 1989, 80.

Бить по голени́щу [кому]. *Жарг. угол. Неодобр.* Подхалимничать, угождать кому-л. Балдаев 1, 37.

ГО́ЛЕНЬ * Ядрёна го́лень! *Перм. Бран.-шутл.* Восклицание, выражающее лёгкое раздражение, досаду. Подюков 1989, 45.

ГОЛИ́К * Вы́мести под голи́к *что. Обл.* Забрать откуда-л. абсолютно все. Ф 1, 95. < **Голик** — веник из прутьев без листьев.

ГОЛК * Дать (пода́ть) голк. *Свердл.* Издать звук, подать голос. СРНГ 6, 296; Мокиенко 1990, 110.

Дать голка *кому. Алт.* Избить, поколотить кого-л. СРГА 2-1, 11.

С го́лком. *Сиб.* 1. Вдруг, внезапно, сразу же. 2. Наповал. 3. Совсем, окончательно. СФС, 164; ФСС, 45.

С го́лку. *Сиб.* То же, что **с голком 1.** СФС, 164.

С го́лку доло́й. *Прибайк.* О ком-л., о чём-л. исчезнувшем бесследно. СНФП, 43.

ГО́ЛКА * Пусти́ть го́лку. *Народн.* Совершить поджог. ДП, 929.

ГОЛЛА́НДЕЦ * Лету́чий голла́ндец. 1. *Разг. Шутл.* О постоянно путешествующем, странствующем человеке, скитальце. БМС 1998, 119; Ф 1, 116. 2. *Разг. Шутл.* О непоседливом, беспокойном, постоянно суетящемся человеке. БМС 1998, 119. 3. *Жарг. шк. Шутл.* Дневник. (Запись 2003 г.). 4. *Жарг. арм.* Солдат-новобранец. Максимов, 89. 5. *Жарг. авто.* Милицейская автомашина. Максимов, 89. < Калька с нем. *Fliegende Holländer.* БМС 1998, 119.

ГОЛЛА́НДИЯ * Нести́ Голла́ндию (голла́ндию). *Жарг. мол. Шутл. или Неодобр.* Лгать, завираться; пустословить. Елистратов 1994, 90; Белянин, Бутенко, 110.

ГО́ЛО * Взять го́ло *с кого. Яросл.* Нечего взять; ничего не добешься от кого-л. СРНГ 6, 297.

Жить го́ло на го́ло. *Яросл.* Бедствовать, жить в нищете. СРНГ 6, 297; ЯОС 3, 87.

На го́ло хорошо́. *Яросл. Одобр.* Отлично, превосходно. ЯОС 6, 76.

Поста́вить на го́ло. *Новг. Неодобр.* Ждать результата, бездействуя. НОС 2, 25.

По го́лу. 1. *Костром.* Осенью до выпадения снега. СРНГ 6, 297. 2. *Сиб.* Весной, после таяния снега. СРНГ 6, 297.

ГО́ЛО * Взять го́ло *с кого. Яросл.* Нечего взять; ничего не добьёшься от кого-л. СРНГ 6, 297.

Жить го́ло на го́ло. *Яросл.* Бедствовать, жить в нищете. СРНГ 6, 297; ЯОС 3, 87.

На го́ло хорошо́. *Яросл. Одобр.* Отлично, превосходно. ЯОС 6, 76.

Поста́вить на го́ло. *Новг. Неодобр.* Ждать результата, бездействуя. НОС 2, 25.

По го́лу. 1. *Костром.* Осенью до выпадения снега. СРНГ 6, 297. 2. *Сиб.* Весной, после таяния снега. СРНГ 6, 297.

ГОЛОВА́ * Ада́мова голова́ (глава́). 1. *Жарг. угол., Алт. Шутл.-ирон.* Череп, изображение черепа. БСРЖ, 131; Ф 1, 116; БТС, 29; СРГА 1, 19. 2. *Костром. Шутл.* О человеке с большой головой. СРНГ 1, 206. 3. *Жарг. угол. Шутл.* О лысом человеке. ББИ, 17. 4. *Арх., Дон., Кар., Перм., Прикам.* Травянистое растение венерин башмачок. АОС 1, 63; СДГ 1, 2; СРГК 1, 333; СГПО, 112; МФС, 26. 5. *Ср. Урал.* Лечебное растение осот черный. СРГСУ 1, 25. 6. *Дон. Шутл.* Вид кактуса. СДГ 1, 2.

Архирее́ва голова́. *Дон. Шутл.* То же, что **адамова голова 6.** СДГ 1, 7.

Башкови́тая голова́ *у кого. Коми. Одобр.* Об умном, сообразительном человеке. Кобелева, 60.

Бедо́вая голова́ (голо́вушка). *Прост. Неодобр.* О рисковом, отчаянно смелом и озорном человеке. ФСРЯ, 111; БМС 1998, 119.

Безу́мная голова́. *Арх. Неодобр.* Забывчивый человек. АОС 9, 227.

Берещёная голова́. *Прикам. Ирон. или Неодобр.* О человеке, не проявившем в нужный момент находчивости. МФС, 26.

Беспу́тная голова́. *Арх. Неодобр.* 1. Легкомысленный, несерьезный человек. АОС 9, 227.

Беста́ла́нная голова́ (голо́вушка). *Яросл. Ирон. или Пренебр.* О глупом, бестолковом неудачнике. ЯОС 1, 57.

Би́тая голова́. *Одесск. Одобр.* Опытный, бывалый человек. КСРГО.

Больша́я голова́. 1. *Ворон., Костром., Сиб., Приамур., Яросл.* Глава семьи, хозяин. СРНГ 6, 298; СРГПриам., 58; СФС, 27; ЯОС 2, 13. 2. *Арх., Яросл.* Руководитель, начальник. АОС 9, 228; ЯОС 2, 13. 3. *Башк., Яросл. Одобр.* Умный, образованный человек. СРГБ 1, 49; ЯОС 2, 13.

Бу́йная голова́ (голо́вушка). *Прост.* Удалой, бесшабашный человек. ФСРЯ, 111; ДП, 313; ПОС 2, 205.

Весёлая голова́. *Перм.* 1. Комнатный цветок с мелкими розовыми цветами. 2. Хмель и его высушенные цветы, используемые для приготовления домашним способом напитков типа кваса, пива. Сл. Акчим. 1, 210.

Ве́треная голова́ (голо́вушка). *Разг. Неодобр.* Непостоянный, легкомысленный человек. ФСРЯ, 111; ЗС 1996, 244.

Воро́нья голова́. *Волг. Пренебр.* О крайне глупом человеке. Глухов 1988, 14.

Вы́шная голова́. *Волог.* То же, что **большая голова 1.** СВГ 1, 105.

Говоря́щая голова́. 1. *Жарг. журн. (ТВ). Шутл.* Телекомментатор, эксперт, снятый крупным планом. < Калька с англ. *Talking head.* МННС, 37. 2. *Публ. Шутл.-ирон.* Представитель государственных органов власти, уполномоченный озвучивать официальную точку зрения. МННС, 37. 3. *Жарг. студ. Шутл.* Преподавательница небольшого роста, которую почти не видно из-за кафедры. Никитина 2003, 125.

Говоря́щая голова́ Кремля́. *Жарг. журн. Шутл.* С. В. Ястржембский, помощник Президента РФ В. В. Путина, бывший пресс-секретарь Б. Н. Ельцина. МННС, 223.

Голова́ боли́т *у кого о чем. Прост.* Кто-л. беспокоится, постоянно думает о ком-л., о чём-л. БТС, 214; ДС, 118.

Голова́ бу́дет сза́ди *у кого. Перм.* Кто-л. будет избит, покалечен (угроза). Сл. Акчим. 1, 211.

Голова́ ва́лится *у кого. Перм.* О состоянии сильного утомления, болезненного состояния. Сл. Акчим. 1, 210.

Голова́ (башка) ва́рит *у кого. Разг. Одобр.* Кто-л. сообразителен, догадлив, понятлив. ФСРЯ, 111; Сл. Акчим. 1, 210; Глухов 1988, 25; БТС, 220; ПОС, 3, 34.

Голова́ вверху́ *у кого. Арх. Неодобр.* О гордом, заносчивом человеке. АОС 9, 233.

Голова́ в го́лову. *Полит.* Находясь в одинаковом положении, не опережая друг друга (о соперниках в предвыборной кампании). < Первонач. — о выборах в США. НСЗ-80; Мокиенко 2003, 19-20.

Го́лова́ в куста́х [*чья*]. *Пск.* О чьей-л. гибели (в бою). ПОС, 7, 50.

Голова́ вокру́т *у кого. Прибайк., Сиб.* О головокружении в состоянии сильной усталости. СНФП, 44; ФСС, 45.

Голова́ воро́чает *у кого. Пск.* То же, что **голова варит.** ПОС 4, 167.

Голова́ вскружи́лась *у кого. Разг. Неодобр.* Кто-л. слишком много возомнил о себе, о своих возможностях. ФСРЯ, 111.

Голова́ в штаны́ па́дает *у кого. Жарг. мол. Шутл.-ирон.* Кто-л. очень хочет спать. VSEA, 41.

Голова́ [гнило́й] мяки́ной наби́та *у кого. Прост. Пренебр.* То же, что **голова соломой набита.** Глухов 1988, 25.

Голова́ гори́т *у кого. Разг.* Кто-л. сильно взволнован, возбуждён. ФСРЯ, 111.

Голова́ гуля́ет *у кого. Пск.* 1. Кто-л. с трудом понимает что-л., напряжённо думает о чём-л. ПОС 7, 52. 2. Об умном, сообразительном человеке (в отрицательной конструкции). СПП 2001, 28.

Голова́ два у́ха. *Прост. Шутл.-ирон.* О простоватом, слишком доверчивом человеке. Ф 1, 117; Подюков 1989, 46; СРГПриам., 58.

Голова́ деревя́нная. См. **деревя́нная голова́.**

Голова́ ело́вая. См. **Еловая голова.**

Голова́ заби́та *у кого чем. Разг.* 1. Кто-л. полон забот, дум о ком-л., о чём-л. 2. Кто-л. обременен какими-л. знаниями, сведениями (как правило — ненужными). ФСРЯ, 111; Глухов 1988, 25.

Голова́ заглуми́лась *у кого. Пск.* То же, что **голова закруживши.** ПОС 11, 130.

Голова́ закружи́вши *у кого. Пск.* О потере способности чётко воспринимать окружающее, хорошо соображать. ПОС 7, 52.

Голова́ идёт кру́гом *у кого, чья. Разг.* 1. Кто-л. испытывает головокружение (от усталости, переутомления и т. п.). 2. Кто-л. теряет способность ясно соображать от множества дел, забот, переживаний. ФСРЯ, 111-112; БТС, 474, 892; ДП, 488; Ф 1, 117; СОСВ, 51; ЗС 1996, 164; СПП 2001, 28.

Голова́ наза́д заве́рнется *[у кого]. Пск.* Кто-л. искалечится, погибнет. ПОС, 11, 63.

Голова́ на плеча́х *у кого. Разг. Одобр.* Кто-л. умён, сообразителен. ФСРЯ, 112; ЗС 1996, 138; БТС, 842.

Голова́ на плеча́х пе́рвая *у кого. Перм.* Об относительно молодом человеке. Подюков 1989, 46.

Голова́ не боли́т *у кого. Разг.* 1. *о ком, о чём.* Нет никаких забот, волнений о ком-л., о чём-л. 2. Кому-л. абсолютно безразлично что-л. ПОС 7, 52; Подюков 1989, 46.

Голова́ (башка) не ва́рит *у кого. Разг. Неодобр.* О бестолковом, плохо соображающем человеке. СПСП, 17; СРНГ 35, 138; СОСВ, 51; БТС, 111; ПОС 3, 34.

Голова́ не для ша́пки *у кого. Яросл. Шутл.-одобр.* Об умном человеке. ЯОС 3, 88.

Голова́ не дро́гнула *у кого. Волг.* Кто-л. не испугался, не растерялся. Глухов 1988, 25.

Голова́ не на том конце́ (не с того́ конца́) приде́лана (зару́блена) *у кого. народн. Шутл.-ирон.* О глупом, несообразительном человеке. ДП, 436; БалСок, 31.

Голова́ не на том ме́сте зару́блена. *Яросл. Шутл.-ирон.* То же, что **голова не на том конце приделана.** ЯОС 3, 88.

Голова́ не так затёсана *у кого. Перм. Шутл.-ирон.* То же, что **голова не на том конце приделана.** Подюков 1989, 46.

Голова́ не туда́ приши́та *у кого. Коми. Неодобр.* Об умственно отсталом человеке. Кобелева, 60.

Голова́ не уве́рчена *у кого. Волог.* О незамужней женщине. СВГ 1, 118.

Голова́ обла́зит (отва́ливается) *у кого. Волг.* Кто-л. расстраивается, волнуется, беспокоится. Глухов 1988, 25.

Голова́ остаре́ла *у кого. Печор.* Об ослаблении умственных способностей у кого-л. СРГНП 1, 534.

Голова́ оторви́. См. **Оторви голова.**

Голова́ пела́ми наби́тая. *Пск. Ирон. или Неодобр.* То же, что **голова соломой набита.** СПП 2001, 28. < **Пелы** — мякина, отходы при обработке зерна, льна.

Голова́ переверну́лась *у кого. Пск.* Кому-л. стало трудно соображать, разумно рассуждать. ПОС 7, 53.

Голова́ перемётывается *у кого. Морд.* 1. Кто-л. испытывает головокружение. 2. Кто-л. не знает, как поступить, не может принять определённого решения. СРГМ 1978, 119.

Голова́ под поц зато́чена *у кого. Жарг. угол. Ирон.* О человеке, допустившем грубую оплошность. ВСЯ, 22. < **Поц** — 1. Дурак. 2. Глупый, начинающий воришка. БСРЖ, 131.

Голова́ просту́жена *у кого. Жарг. мол. Неодобр.* О человеке, чрезмерно увлечённом чем-л. Максимов, 89.

Голова́ пу́хнет *у кого. Разг.* Кто-л. утрачивает способность что-л. соображать от чрезмерной работы, забот, шума. ЗС 1996, 114; Глухов 1988, 25; ФСРЯ, 112.

Голова́ разоря́ется *у кого. Волг.* Кто-л. волнуется, расстраивается, переживает о чём-л. Глухов 1988, 25.

Голо́ва растрёпана *у кого. Пск. Шутл.-ирон.* О рассеянном, забывчивом человеке. СПП 2001, 28.

Голова́ садо́вая. *Прост. Неодобр.* 1. Несообразительный, неловкий, нерасторопный человек; разиня. ФСРЯ, 112; БТС, 214; ЗС 1996, 34; Мокиенко 1990, 106; СПП 2001, 28. 2. Простак. БМС 1998, 119.

Голова́ с запла́ткой. *Пск. Шутл.-ирон.* То же, что **голова деревянная.** СПП 2001, 28.

Голова́ ска́тывается *у кого. Морд.* О сильной головной боли. СРГМ 1978, 119.

Голова́ соло́мой наби́та *у кого. Прост. Неодобр.* О глупом, бестолковом человеке. ФСРЯ, 112.

Голова́ с плеч. *Арх.* О потере способности соображать, адекватно оценивать ситуацию. АОС 9, 233.

Голова́ с плеч ка́тится *у кого. Прибайк.* О головокружении, головной боли от переутомления или болезни. СНФП, 44.

Голова́ с покло́нцем [язы́к с пригово́ром, но́ги с подхо́дом, ру́ки с подно́сом]. *Народн. Ирон.* О подхалиме, угоднике, взяткодателе. ДП, 311.

Голова́ тёсом покры́та *у кого. Народн. Шутл.-ирон.* О небрежной стрижке. ДП, 586.

Голова́ стеря́лась *у кого. Пск.* О состоянии растерянности. ПОС 7, 53.

Голова́ трещи́т *у кого. Разг.* О сильной головной боли. ЗС 1996, 240; Глухов 1988, 25.

Голова́ тро́нется (тро́нулась) *у кого. Пск. Шутл. Неодобр.* О помрачнении рассудка у кого-л. ПОС 7, 53.

Голова́ чужа́я *у кого. Пск.* Об ощущении затруднений при вспоминании, припоминании чего-л. ПОС 7, 52.

Горя́чая голова́. *разг.* Пылкий, увлекающийся человек. Ф 1, 117.

Да́мова голова́. *Арх.* То же, что **адамова голова 4.** АОС 10, 259.

Деревя́нная (ело́вая, ольхо́вая) голова́ *Пск. Ирон.* То же, что **дубовая голова.** ПОС 7, 53.

Держи́ голова́. 1. *Волг.* О смелом, решительном, непокорном человеке. Глухов 1988, 34. 2. *Кар.* Выражение отрицания, несогласия с кем-л. СРНГ 8, 23.

Ди́кая голова́. *Волог. Пренебр.* То же, что **дубовая голова.** СВГ 2, 28.

Друга́я голова́. *Арх. Шутл.* Высокая причёска. АОС 9, 235.

Дубо́вая голова́ (башка); (голова́ дубо́вая). *Разг. Презр.* О глупом, несообразительном и невежественном человеке. ФСРЯ, 112; БМС 1998, 119; Мокиенко 1990, 106..

Ду́рья голова́ (башка́). *Прост. Презр.* Крайне глупый человек, дурак. ФСРЯ, 112.

Дыря́вая голова́ (башка́). *Прост. Шутл. или Пренебр.* О человеке с плохой памятью. Ф 1, 117; БТС, 214; ЗС 1996, 239; БМС 1998, 119; Мокиенко 1990, 106.

Ежо́вая голова́. 1. *Прост.* О глуповатом, недалёком человеке. Ф 1, 117. 2. *Пск. Бран.* О человеке, ведущем себя скандально, буйно. СПП 2001, 28.

Ело́вая голова́ (голова́ ело́вая). *Разг. Презр.* То же, что **дубовая голова.**

БМС 1998, 119; БТС, 296; ЗС 1996, 244; Мокиенко 1990, 106; Подюков 1989, 46.

Жёлтая голова́. 1. *Башк.* Уж. СРГБ 1, 89. 2. *Кар.* Гриб моховик. СРГК 1, 354. 3. *Кар.* Одуванчик. СРГК 1, 354.

Забубённая голова́ (голо́вушка). *Разг. Шутл.-ирон. или Пренебр.* О бесшабашном, разгульном, отчаянном человеке. ДП, 313; ФСРЯ, 112; ШЗФ 2001, 77; БМС 1998, 119; ПОС, 11, 46.

Зелёная голова́. *Разг. Устар. Неодобр.* О несообразительном, недалёком человеке. Ф 1, 118.

Змеи́ная голова́. *Сиб. Бран.* О непорядочном человеке. ФСС, 45.

Ива́нова голова́. *Пск.* Укреплённый на длинном шесте веник или сноп соломы, сжигаемый в Иванов день. ПОС 7, 51.

И не журь голова́. *Волг.* О беспечности, безразличии к чему-л. Глухов 1988, 58.

Каба́шная голова́. *Одесск. Презр.* То же, что **дурья голова.** КСРГО.

Кобы́лья голова́. *Народн. Пренебр.* О неудачнике. СРНГ 14, 19.

Кра́сная голова́. *Сиб.* Гриб подосиновик. СФС, 93; ФСС, 45.

Кремлёвская голова́. *Пск. Шутл.* Об очень умном, образованном человеке. ПОС 7, 53.

Куда́ (куды́) голова́ несёт (понесёт, глядит́). *Кар., Сиб.* Не выбирая пути, без определённого направления. СРГК 1, 354; ФСС, 45.

Ла́потная голова́ *[у кого]. Пск. Ирон.* О забывчивом, рассеянном человеке. СПП 2001, 28.

Ле́шая голова́. *Пск. Бран.* Непоседа, егоза. СПП 2001, 28.

Мала́хова голова́. *Смол.* Беда, большое несчастье. СРНГ 17, 319.

Мали́новая голова́. *Смол. Пренебр.* То же, что **дубовая голова.** СРНГ 17, 328.

Махова́я голова́. *Печор.* О человеке, который всё делает с налёта, не подумав. СРГНП 1, 141.

Медве́жья голова́. *Пск. Бран.-шутл.* О непослушном ребенке. СПП 2001, 28.

Мёртвая голова́. *Разг.* 1. Череп. 2. Ночная бабочка семейства бражников. Ф 1, 118.

Моя́ голова́. *Арх.* Я (сам). АОС 9, 227.

Мяки́нная голова́ (башка́). *Прост. Презр.* То же, что **дубовая голова.** ФСРЯ, 112; ФСС, 45; Мокиенко 1990, 106.

Нали́мья голова́. *Сиб. Бран.* То же, что **дубовая голова.** СРНГ 20, 17.

Не голова́ *кому. Арх. неодобр.* Не подходит, не годится. АОС 9, 233.

Не голова́, а дом сове́тов (сельсове́т) *у кого. Разг. Шутл.-одобр.* Об умном, авторитетном человеке. СПП 2001, 28; Мокиенко, Никитина 1998, 540.

Не голова́, а дом сове́тов — сове́т ушёл, а дом оста́лся. *Жарг. мол. Шутл.-ирон.* О глупом, несообразительном человеке. Максимов, 89.

Не голова́, а дом терпи́мости *у кого. Разг. Ирон.* О человеке, знающем много лишнего, ненужного и противоречивого. < Шутл. трансф. **не голова, а Дом Советов** *у кого.* БСРЖ, 131.

Непокло́нная голова́. *Разг. Устар.* О непокорном, непослушном человеке. Ф 1, 118.

Непокры́тая голова́. *Яросл.* 1. Незамужняя девушка, женщина. ЯОС 6, 137. 2. *Ирон.* Бездомный человек. ЯОС 6, 137. 3. *Неодобр.* О глупом, несообразительном человеке. Мокиенко 1990, 106.

Нетово́шная голова́. *Морд. Шутл.-ирон.* О глупом, бестолковом человеке. СРГМ 1986, 121.

Одна́ голова́ — два языка́. *Сиб.* 1. *Презр.* О двуличном человеке. 2. *Пренебр.* О глупом, болтливом человеке. ФСС, 45.

Одна́ голова́ на плеча́х, и та на ни́точке. *Народн.* О человеке, которому угрожает опасность. ДП, 78.

Одна́ голова́ не бедна́. *Арх.* О чьей-л. беззаботной жизни. АОС 9, 236.

Оторви́ голова́. *Коми., Сиб.* О бойком, отчаянном человеке. Кобелева, 70; СОСВ, 132. **Голова́ оторви́.** *Арх.* То же. АОС 9, 235.

Отпе́тая голова́. *Прост.* буйный, отчаянный человек. Ф 1, 118.

Пело́вая голова́. *Пск.* То же, что **дубо́вая голова́.** ПОС 7, 53. < **Пеловая** — мякинная.

Пёсья голова́. *Прост. Устар. Бран.* О человеке, вызывающем досаду, раздражение. Ф 1, 118.

Поко́йная голова́ (голо́вушка). *Арх., Кар., Прикам., Сиб. Уваж.* Покойник. АОС 9, 250, 274; СРГК 1, 358; МФС, 27; СФС, 144; ФСС, 46; СРНГ 28, 390.

Поско́нная голова́. *Прост. Пренебр.* То же, что **дубовая голова.** Ф 1, 118.

После́дняя голова́. *Пск. Неодобр.* О чём-л. очень плохом, низкого качества. СПП 2001, 28.

Пришивна́я голова́. *Кар., Коми, Пск. Неодобр.* То же, что **дубовая голова.** СРГК 1, 345; СРГК 5, 229-230; Кобелева, 73; ПОС, 7, 53.

Пролётная голова (голо́вушка). *Разг. Устар.* Обытный, бывалый человек. ФСРЯ, 113.

Пуста́я голова́ (башка́) *[у кого]. Прост. Пренебр.* То же, что **дубовая голова.** ФСРЯ, 113; Ф 1, 118; Мокиенко 1990, 133; СНФП, 46; АОС 1, 135.

Расколи́сь голова́. *Прибайк.* Как ни старайся, толку не будет. СНФП, 46.

Раскрути́лась голова́ *у кого. Пск. Шутл.* О человеке, который стал забывчивым, рассеянным. СПП 2001, 28.

Садо́вая голова́. См. **Голова садовая.**

Сам себе́ голова́. *Разг. Одобр. или Шутл.* Об абсолютно независимом, самостоятельном человеке. ФСРЯ, 113; БМС 1998, 119; Глухов 1988, 143; СПП 2001, 28.

Све́жая голова́. *Жарг. журн.* Дежурный редактор. Максимов, 89.

Све́тлая голова́. *Разг. Одобр.* Об умном, логически мыслящем, рассудительном человеке. ФСРЯ, 113; БТС, 242; БМС 1998, 120.

Секи́р голова́. см. **Секи́р башка́ (БАШКА́).**

Снять го́лову и разобра́ть по воло́синке. *Прибайк.* Дойти до сути, разобраться в чём-л. СНФП, 46.

Соло́менная голова́. *Горьк. Шутл.-ирон.* Слабоумный человек. БалСок, 52.

Сту́кнутая голова́. *Прибайк. Шутл.-ирон.* Рассеянный, забывчивый человек. СНФП, 47.

Стыда́ голова́. *Пск. Пренебр.* Об опустившемся, деградировавшем человеке. СПП 2001, 28.

Счастли́вая голова́ *у кого. Одесск. Одобр.* О чьей-л. благополучной жизни. КСРГО.

Удала́я голова́ (голо́вушка). *Прост. часто Шутл.-ирон.* О смелом, отважном, рисковом человеке. ДП, 313; БМС 1998, 120.

У́мная голова́. *Разг. Одобр.* Об очень умном, рассудительном человеке. БМС 1998, 120; БТС, 1387.

У́мная голова, да дураку́ доста́лась. *Народн. Ирон.* О человеке, совершающем необдуманные, безрассудные поступки (говорится в ответ на похвалы уму кого-л.). Жук. 1991, 336.

У́мная голова, золота́я маку́шка. *Сиб. Ирон.* О глуповатом человеке. ФСС, 45.

Худа́я голова́. *Сиб. Неодобр.* О человеке с плохой памятью. СОСВ, 51.

Чёртова голова́. *Пск. Бран.* О глупом, бестолковом, совершающем необдуманные поступки человеке. ПОС 7, 53.
Чугу́нная голова́. *Прост. Презр.* То же, что **дубовая голова.** Ф 1, 119; БТС, 1485.
Шальна́я голова́. *Прост. Неодобр.* О безрассудно смелом, рисковом человеке. ФСРЯ, 113; Ф 1, 119; БМС 1998, 120.
Щу́чья голова́. *Волг., Горьк. Неодобр.* То же, что **дубовая голова.** Глухов 1988, 177; БалСок, 57.
Яса́чная голова́. *Сиб. Ирон.* То же, что **дубовая голова.** ФСС, 45.
Пойти́ по голова́м. *Прибайк.* Обратиться к начальству с жалобами. СНФП, 46.
Ходи́ть по голова́м. *Волг.* Грубо, напористо покорять, подчинять себе людей. Глухов 1988, 167.
Хоть по голова́м кати́сь (ходи́). *Пск.* О большом скоплении народа где-л. СПП 2001, 29; ПОС 14, 45.
Держа́ть в голова́х *кого, что. Пск.* Не забывать, иметь в виду что-л., помнить кого-л. ПОС 7, 51.
О двух голова́х. 1. *Прост.* О ком-л. неосмотрительно смелом, рискующем жизнью. БТС, 214. 2. *Перм. Шутл.-одобр.* О человеке, имеющем поддержку, защищённом, не одиноком. Подюков 1989, 46.
Бу́бны в голове́ *у кого. Народн. Ирон.* То же, что **забубённая голова.** ДП, 258.
Буди́ть в голове́ *кого. Прибайк.* Вспоминать, перебирать в памяти родных и знакомых. СНФП, 44.
В голове́. *Арх.* В состоянии невменяемости, не отдавая отчёта в своих поступках. АОС 9, 233.
В голове́ ветеро́к сви́щет *у кого. Народн. Шутл.-ирон.* О легкомысленном человеке. Жиг. 1969, 212.
В голове́ забуни́ло *у кого. Ряз.* О шуме, тяжести в голове. ДС, 174.
В голове́ захо́дит *у кого. Кар.* О головной боли. СРГК 2, 232.
В голове́ зау́кало *у кого. Пск.* О головокружении. СРНГ 4, 200.
В голове́ клёпки не хвата́ет *у кого. Одесск. Неодобр. или Шутл.-ирон.* То же, что **не хватает в голове.** КСРГО.
В голове́ ку́зницу стро́ит. *Пск.* О сильной головной боли. СПП 2001, 28.
В голове́ мно́го ма́сла (са́ла). *Жарг. мол. Шутл.* Об умном человеке. Максимов, 90.
В голове́ не завари́ло *у кого. Пск. Неодобр.* Кто-л. не подумал, не рассудил здраво. ПОС 11, 58.
В голове́ не сва́ривает *у кого. Башк. Неодобр.* Кто-л. плохо соображает, не может адекватно оценить ситуацию. СРГБ 1, 89.
В голове́ не се́яно *у кого. Перм.* О крайне глупом человеке. Подюков 1989, 47.
В голове́ не то пи́шет. *Кар. Шутл.-ирон.* О человеке, у которого голова занята чем-то другим. СРГК 4, 518.
В голове́ ни ползолотника́ мо́згу *у кого. Народн. Шутл.-ирон.* То же, что **не хватает в голове.** ДП, 435.
В голове́ откры́лся люк *у кого. Жарг. мол. Шутл.* О начале галлюцинаций. Максимов, 90.
В голове́ переверну́ло *у кого. Прибайк.* Кто-л. догадался о чём-л., быстро нашёлся. СНФП, 44.
В голове́ петуны́ пою́т *у кого. Пск. Ирон.* О слабоумном, глуповатом человеке. СПП 2001, 28.
В голове́ потрёпки *у кого. Пск. Неодобр.* То же, что **не хватает в голове.** РЩН, 1976.
В голове́ ре́денько засе́яно *у кого. Народн. Шутл.-ирон.* То же, что **не хватает в голове.** ДП, 435.
В голове́ тарака́ны *у кого. Жарг. мол. Неодобр.* О глупом человеке, человеке со странностями. Максимов, 90.
В голове́ фуга́с *у кого. Жарг. мол. Неодобр. или Шутл.-ирон.* О человеке с непредсказуемым поведением. Максимов, 90.
Верте́ться в голове́ *у кого. Разг.* 1. Никак не вспоминаться (о тщетном усилии вспомнить что-л.). Жиг. 1969, 238; ФСРЯ, 61.
Держа́ть в голове́ *что. Разг.* Помнить что-л. Подюков 1989, 61.
Есть в голове́ *у кого. Народн. Одобр.* Об умном, сообразительном человеке. ДП, 792.
Заигра́ло в голове́ *у кого. Народн.* О шуме в голове. ДП, 792.
Засточерте́ло в голове́ *у кого. Разг. Устар.* Сильно зашумело в голове от выпитого вина, водки. БМС 1998, 120.
Как дам по голове́, позвоно́чник в трусы́ осы́плется. *Жарг. мол.* Угроза расправы с кем-л. (Запись 2001 г.).
К голове́. *Помор.* Не к добру, к смерти. СРНГ 6, 299.
На голове́ *у кого. Арх.* На чьём-л. попечении, в чьём-л. ведении. АОС 9, 228.
На голове́ педикю́р *у кого. Жарг. мол. Шутл.* Об очень короткой женской стрижке. Максимов, 90.
На голове́ та́нки *у кого. Жарг. мол. Шутл.* О растрёпанных волосах. Максимов, 90.
Не вмеща́ется в голове́ *у кого что. Волг.* То же, что **не укладывается в голове.** Глухов 1988, 95.
Не всё в голове́ *у кого. Коми. Неодобр.* О слабоумном, психически ненормальном человеке. Кобелева, 58.
Не помеща́ется в голове́ *у кого что. Сиб.* То же, что **не укладывается в голове.** СОСВ, 146.
Не укла́дывается в голове́ *у кого. Разг.* О том, чего нельзя принять, понять, осмыслить. ФСРЯ, 492.
Не хвата́ет в голове́ *у кого. Пск. Неодобр.* О глупом, несообразительном человеке. ПОС 7, 51.
Ни в голове́ ни в жо́пе. *Жарг. мол. Шутл.-ирон.* О недостаточном количестве выпитого алкоголя. Вахитов 2003, 113.
Носи́ть в голове́ *что. Сиб.* Помнить, держать в памяти что-л. СОСВ, 51.
Осежа́ть в голове́ *у кого. Кар.* Задерживаться в памяти. < **Осежа́ть** — оседать. СРГК 4, 238.
Покопа́ть в голове́. *Сиб. Шутл.* Попытаться вспомнить что-л. ФСС, 143.
Покопа́ться в голове́. *Волг., Пск.* То же. Глухов 1989, 128; ПОС 7, 53.
Пошеве́ливать в голове́. *Пск. Шутл.* Думать, соображать. ПОС 7, 51.
Се́ю-се́ю в голове́ *у кого. Волг., Дон. Шутл.-ирон.* О легкомысленном, ветреном человеке. Глухов 1988, 147; СДГ 3, 113.
Ходи́ть на голове́. *Прост. Неодобр.* Хулиганить, безобразничать. БТС, 1448; Глухов 1988, 166; Мокиенко 1990, 109; ЗС 1996, 226.
Беси́ться с голово́й. *Коми.* Терять рассудок. Кобелева, 56.
Би́ться голово́й об сте́нку. *Разг.* 1. Предаваться крайнему отчаянию, бурно выражать свое горе. БТС, 80; Мокиенко 1986, 28; БМС 1998, 120. 2. Делать всё возможное, отстаивая свои интересы, стараться всеми средствами добиться своего. Ф 1, 35.
Бутыска́ть голово́й в пень. *Кар. Ирон. или Неодобр.* О действиях глупого, непонятливого человека. СРГК 1, 146.
Верте́ть голово́й. *Жарг. угол.* 1. Играть в карты (в юлу, в “зори”). ТСУЖ, 41; СРВС 1, 168; СРВС 2, 110; СРВС 3,

86; СВЯ, 22. 2. Играть в кости. Трахтенберг, 18.

Висéть над головóй. *Разг.* 1. Ожидаться в ближайшее время. 2. *у кого.* Нуждаться в немедленном, неотложном исполнении, выполнении, решении. ФСРЯ, 69; СПП 2001, 28.

Ворóчать головóй. *Пск.* Думать, соображать, смекать. ПОС 4, 167.

Вперёд головóй. *Коми.* Очень быстро (бежать). Кобелева, 58.

Выдавáть/ вы́дать головóй *кого.* 1. Разглашать какую-л. тайну. 2. Предавать, отдавать кого-л. на расправу кому-л. ФСРЯ, 113; БМС 1998, 120.

Выдавáть/ вы́дать себя с головóй. *Разг.* Обнаруживать в чём-л. свой промах, ошибку, оплошность. ФСРЯ, 113; ШЗФ 2001, 50; ЗС 1996, 366; БМС 1998, 120.

Головóй к лéшему. *Арх. Шутл.-ирон.* Очень далеко, в далёкие края. АОС 9, 233.

Головóй нет (нéту). 1. *чего. Приамур.* О чём-л. исчезнувшем, пропавшем. СРГПриам., 172. 2. *Сиб.* Ничуть, нисколько. ФСС, 46.

Головóй не знать *кого. Прибайк.* Не знать кого-л., не быть знакомым с кем-л. СНФП, 45.

Головóй однóй. *Арх.* Самостоятельно, независимо. АОС 9, 233.

Дружи́ть с головóй. *Жарг. мол. Шутл.-одобр.* Быть сообразительным, разумным. (Запись 2004 г.).

Дýмать головóй, а не жопóй. *Вульг.-прост. Ирон.* Соображать, быть себе на уме. Мокиенко, Никитина 2003, 108.

Дýмать не головóй, а жóпой. *Вульг.-прост. Ирон.* Туго соображать, быть крайне тупым. Мокиенко, Никитина 2003, 108.

За дóброй головóй. *Волг. Одобр.* У хорошего хозяина. Глухов 1988, 47.

За мужикóвой головóй. *Орл.* Под защитой, опекой мужа. СОГ 94, 153.

За однóй головóй. *Пск.* Самостоятельно, независимо (жить). ПОС 7, 50.

За чужóй головóй. *Народн.* Под чьей-л. опекой, защитой. ДП, 313.

Качáть/ покачáть головóй. 1. *Разг.* Выражать несогласие, неодобрительное удивление чем-л. БМС 1998, 121; Ф 1, 235. 2. *Разг.* То же, что **кивать головой.** Ф 1, 235. 3. *Пск.* Думать, размышлять о чём-л. ПОС, 7, 51.

Кивáть/ покивáть головóй *на что. Разг.* Выражать согласие с чем-л. БМС 1998, 121.

Мечтáть/ помечтáть головóй *о чем. Арх.* Думать, подумать о чём-л. АОС 9, 235.

Молоти́ть головóй подсóлнухи. *Волг. Шутл.-ирон.* Совершать глупые, безрассудные поступки. Глухов 1988, 85.

Мороковáть головóй. *Волг., Дон.* То же, что **качать головой 2.** Глухов 1988, 85; СДГ 2, 142.

Над головóй. *Арх., Кар., Коми, Перм.* В ближайшем будущем; о том, что должно скоро произойти. АОС 9, 233; СРГК 1, 354; Кобелева, 60; Подюков 1989, 47.

Не дружи́ть с головóй. *Жарг. мол. Неодобр.* 1. Быть глупым. 2. Быть психически ненормальном. Максимов, 90.

Однóй головóй. *Кар.* В одиночку, без помощи. СРГК 4, 151.

Отвечáть/ отвéтить головóй *за кого, за что. Разг.* Нести полную ответственность за кого-л., за что-л. ФСРЯ, 113; БМС 1998, 121.

Пéрвой головóй. *Коми.* В первую очередь. Кобелева, 71.

Подви́нуться головóй. *Пск.* Сойти с ума, потерять рассудок. ПОС 7, 53.

Попáсть головóй в мешóк (в пéтлю). *Народн. Неодобр.* Попасть в сложную, неприятную ситуацию. ДП, 144; Мокиенко 1986, 115; ЗС 1996, 105.

Поссóриться с головóй. *Жарг. мол. Неодобр.* Начать вести себя странно, совершать глупые поступки. Максимов, 90.

Решáться [своéй] головóй. *Ряз.* Быть уверенным, ручаться за кого-л., за что-л. ДС, 119; СРНГ 35, 86.

Рисковáть головóй. *Разг.* Подвергать свою жизнь опасности. Ф 2, 126.

С головóй. *Разг.* 1. Очень глубоко (о глубине больше человеческого роста). СПП 2001, 29. 2. Об умном, сообразительном человеке. ФСРЯ, 113; ПОС 7, 52; АОС 9; 228; ФСС, 46. 3. Сознательно, обдуманно, со знанием дела. ФСРЯ, 113; 228; ФСС, 46. 4. *Арх.* Совсем, навсегда. АОС 9, 234. 5. *Арх.* О болезненном состоянии, связанном с неадекватным восприятием действительности. АОС 9, 234.

Смешáться головóй. *Коми., Сиб.* То же, что **чокнуться головой.** Кобелева, 187; СФС, 172; СОСВ, 177.

С пови́нной головóй. *Разг.* Признавая себя виновным в чём-л. ФСРЯ, 113.

Стоя́ть/ постоя́ть головóй. *Разг. Устар.* 1. Мужественно, не щадя своей жизни защищать кого-л., что-л. 2. С полной убеждённостью ручаться за кого-л., за что-л. Ф 2, 190.

Трóнутый головóй. *Коми. Неодобр.* Об умственно отсталом человеке. Кобелева, 80.

Трясти́ головóй. 1. *Арх. Неодобр.* Вести легкомысленнй образ жизни. АОС 9, 235. 2. *Перм.* Вести себя излишне возбуждённо. Подюков 1989, 208.

Удáться головóй. *Прибайк. Одобр.* Быть умным, сообразительным. СНФП, 45.

Уходи́ть/ уйти́ с головóй *во что. Разг.* Целиком сосредоточиться на каком-л. деле, занятии. БМС 1998, 121; Ф 2, 226.

Ходи́ть с головóй. *Сиб.* О головной боли. Верш. 7, 205.

Хоть головóй об стéнку [бéйся]. *Народн.* О состоянии отчаяния, бессилия, невозможности что-л. предпринять, выйти из сложного положения. ДП, 146; БТС, 80; ФСРЯ, 34.

Чóкнуться головóй. *Коми. Неодобр.* Сойти с ума. Кобелева, 82.

Больнóй на гóлову. *Жарг. мол. Неодобр.* О психически ненормальном человеке. Смирнов 2002, 24.

Брать/ взять в гóлову *что.* 1. *Арх., Кар., Курск., Орл., Пск., Перм., Ряз.* Думать о чём-л., принимать во внимание что-л. АОС 4, 82; СРГК 1, 108; СОГ 1989, 42; Подюков 1989, 16; БотСан, 83; ПОС 7, 52; ДС, 65. 2. *Пск.* Понимать, усваивать что-л. ПОС 7, 52. 3. *Прост.* Упрямо держаться какого-л. мнения, убеждения. Ф 1, 35.

Брáться в гóлову. *Пск.* Оставаться, откладываться в сознании. ПОС 7, 52.

Бросáть в гóлову *кому.* 1. *Арх.* Действовать опьяняюще. АОС 9, 236. 2. *Арх.* Вспоминаться. АОС 9, 236. 3. *что. Пск.* Усваивать, запоминать что-л. СПП 2001, 29.

Вбивáть/ вбить в гóлову (в башкý) *кому что. Разг.* Настоятельно внушать кому-л. что-л. ФСРЯ, 56, 113; БМС 1998, 121; ШЗФ 2001, 33; БТС, 113.

Вбивáть/ вбить себé в гóлову (башкý) *что. Разг.* Укрепляться в каком-л. мнении, убеждении, упорно держаться его. ФСРЯ, 56, 113; БТС, 113.

Вбирáть/ вобрáть в гóлову *что. Арх.* То же, что **брать в гóлову.** АОС 4, 141.

В гóлову. *Пск.* Совершенно, до конца, основательно. ПОС 7, 50.

Вдáрить в гóлову. *Пск.* То же, что **впадать/ впасть в гóлову.** СПП 2001, 29.

Вдолби́ться в го́лову *кому. Сиб.* Запомниться. ФСС, 23; Скузб., 41.

Ве́сить го́лову. 1. *Арх.* То же, что **вешать голову 1.** АОС 3, 154. 2. *Пск.* То же, что **вешать голову 3.** СПП 2001, 29.

Ве́шать/ пове́сить го́лову. 1. *Разг.* Печалиться, приходить в уныние, отчаяние. ФСРЯ, 63; ПОС 7, 51; БТС, 852; ЗС 1996, 168; СНФП, 44; Сл. Акчим. 1, 211. 2. *Кар. Неодобр.* Глазеть, невнимательно смотреть по сторонам, пропуская что-л. важное. СРГК 1, 354. 3. *Пск.* Вянуть(о цветке). СПП 2001, 29.

Взбреда́ть/ взбрести́ в го́лову (в башку́) *кому. Разг.* То же, что **приходить в голову.** ФСРЯ, 64; БТС, 125; Сл. Акчим. 1, 210.

Вздыма́ть го́лову [высоко́, до конька́]. *Арх. Неодобр.* Вести себя гордо, заносчиво. АОС 4, 68; АОС 7, 221.

В злу́ю го́лову. *Морд., Сиб.* Очень сильно, интенсивно, превосходя всякую меру. СРГМ 1978, 118; СРНГ 34, 257.

Взойти́ в го́лову. *Арх., Брян., Курск.* То же, что **приходить/ прийти в голову.** АОС 4, 73; СБГ 3, 25; БотСан., 85.

Взять в пусту́ю го́лову *что. Прибайк.* Принять ошибочное решение. СНФП, 44.

Взя́ться в го́лову. *Орл.* Стать благоразумнее, рассудительнее. СОГ 1989, 43.

В изве́стную го́лову. *Курск., Перм., Урал.* То же, что **во всю голову 2.** СРНГ 12, 104; Мокиенко 1986, 48.

Вкла́дывать в го́лову. *Прикам. Шутл.* Употреблять спиртное. МФС, 19.

Вкости́ть в го́лову *кому. Морд.* Укрепить что-л. в сознании у кого-л. СРГМ 1978, 89.

Вложи́ть в го́лову *что. Пск.* Освоить, изучить что-л. ПОС 7, 52.

В малу́ го́лову. *Пенз.* То же, что **во всю голову 2.** СРНГ 17, 342.

В мёртвую го́лову. *Морд.* Очень крепко (спать). СРГМ 1978, 118.

Вмете́лить в го́лову *что. Кар.* Убедить себя в чём-л., внушить себе что-л. СРГК 1, 206.

Вобра́ть го́лову в пле́чи. *Разг.* Подняв плечи, прижать подбородок к груди. БТС, 138.

Во всю го́лову (голо́вушку). 1. *Арх., Горьк., Приамур.* Очень быстро (бежать, нестись). АОС 9, 234; БалСок, 27; СРГПриам., 58. 2. *Прост.* Очень громко (кричать, петь). Ф 1, 119; СРГА 1, 161; АОС 4, 14; АОС 5, 83; АОС 9, 252, 234; СРГА 1, 222; СВГ 1, 118; СРГНП 1, 141; СРГК 1, 354, 357; СРГК 2, 219; СРГК 5, 504; Кобелева, 59; СРНГ 6, 312; СРНГ 11, 290; СРНГ 23, 330; СРНГ 35, 6; ПОС 3, 123; ПОС 7, 50; СНФП, 44; МФС, 27; СРГСУ 1, 84; СФС, 41; ФСС, 46. 3. *Перм.* Очень сильно. Подюков 1989, 48.

В одну́ го́лову. *Арх.* Одновременно, разом. АОС 9, 234.

Впада́ть/ впасть в го́лову *кому. Морд., Пск., Сиб.* Вспоминаться, припоминаться, появляться в сознании. СРГМ 1978, 87; СПП 2001, 29; ПОС 5, 10, 13; СОСВ, 50.

В пе́рвую го́лову. *Разг.* Прежде всего, в первую очередь; сначала, сперва; раньше всех. ФСРЯ, 113; АОС 9, 234; СРНГ 26, 17; Сл. Акчим. 1, 210; СФС, 45; ПОС 7, 53; ФСС, 46.

В по́лную го́лову. *Пск.* То же, что **во всю го́лову 2.** СПП 2001, 29.

Впя́ливать/ впя́лить в го́лову *что. Яросл.* То же, что **вбива́ть в го́лову.** ЯОС 3, 43.

В свою́ го́лову. *Разг. Устар.* По собственному усмотрению. ФСРЯ, 114.

Вскружи́ть го́лову *кому. Разг.* Понравиться кому-л., увлечь, соблазнить кого-л. ДП, 740; БТС, 160.

Вскрути́ть голову́ *кому. Пск.* То же, что **вскружить голову.** СПП 2001, 29.

Встрева́ть/ встря́ть в го́лову *кому. Том.* То же, что **приходить в голову.** СПСП, 25.

Вступи́ло в го́лову *кому. Сиб.* Об утрате способности соображать, понимать, здраво рассуждать. ФСС, 32.

Вте́мить в го́лову *кому. Яросл.* То же, что **приходить/ прийти в голову.** ЯОС 3, 46.

В тёмную го́лову. *Приамур.* 1. Безрассудно. 2. Чрезмерно. СРГПриам., 58.

Втемя́шиться в го́лову. См. **Втемя́шиться в башку́ (БАШКА́).**

Втолми́ть в го́лову *кому. Сиб.* То же, что **приходить/ прийти в голову.** ФСС, 33.

Вто́рнуло в голову́ *кому что. Пск.* Кому-л. показалось, почудилось что-л.; кто-л. поверил во что-л. СПП 2001, 29.

Втра́пить в го́лову *кому. Пск.* То же, что **приходить/ прийти в голову.** ПОС 7, 52.

Втрёщить в го́лову *кому что. Печор.* Заставить кого-л. запомнить, усвоить что-л. СРГНП 1, 96.

Входи́ть/ войти́ в го́лову *кому.* 1. *Арх.; Пск.* Запоминаться кому-л. АОС 5, 32; ПОС 7, 52. 2. *Арх.* Вспоминаться, припоминаться кому-л. АОС 5, 87.

Вы́вернуть го́лову *кому. Пск.* Жестоко наказать, избить кого-л. ПОС 5, 124.

Вы́мыть го́лову *кому. Народн.* То же, что **мы́лить/ намылить го́лову.** ДП, 220; Мокиенко 1990, 53.

Выпа́дывать из головы́. *Печор.* Забываться, не сохраняться в памяти. СРГНП 1, 112.

Высоко́ нести́ го́лову. *Волг., Перм.* Вести себя с гордостью, достоинством. Глухов 1988, 105; Подюков 1989, 129.

Вы́тянуть го́лову. *Арх. Шутл.* Лечь, улечься. АОС 8, 337.

Выхо́дит в го́лову *у кого. Курск.* Кто-л. теряет рассудок, сходит с ума. БотСан, 96.

Вяза́ть го́лову *кому. Арх. Неодобр.* Обременять чью-л. память, чьё-л. сознание чем-л. ненужным, неподходящим. АОС 8, 432.

Вя́знуть в голову́ *кому. Пск.* Запоминаться. СПП 2001, 29.

Глуми́ть /оглуми́ть (наглуми́ть) голову́ (голо́вушку) *кому, чью. Пск., Латв.* Утомлять кого-л., лишая способности здраво рассуждать. 2. Напрягать умственные способности, стараясь понять что-л., разобраться в чём-л. СПП 2001, 29; СРНГ 6, 210.

Гнуть го́лову *перед кем. Арх.* Здороваться с кем-л., кланяться кому-л. АОС 9, 166.

Го́лову бьёт *кому. Орл.* Кто-л. испытывает нервное возбуждение, беспокойство. СОГ 1989, 75.

Го́лову заво́дит (**зано́сит**) *у кого. Кар.* О головокружении. СРГК 1, 354; СРГК 2, 165.

Го́лову захлестну́ло *кому. Горьк.* Кто-л. забыл что-л. БалСок, 31.

Го́лову зао́кало *кому. Кар.* О головной боли, головокружении. СРГК 2, 243.

Го́лову на рукомо́йник. *Жарг. угол.* Об убийстве ножом. СРВС 4, 58, 115; СРВС 3, 86; ТСУЖ, 41.

Го́лову несёт (обно́сит) *у кого. Волог., Перм.* То же, что **голову заводит.** СВГ 5, 105; Подюков 1989, 134.

Дава́ть/ дать го́лову на отсече́ние. *Разг.* Выражать абсолютную уверенность в чём-л., полностью гарантировать достоверность чего-л. ФСРЯ, 114; БМС 1998, 121; ШЗФ 2001, 59; СПП 2001, 29.

Дава́ть/ дать (отдава́ть) го́лову под топо́р. *Курск., Ряз.* То же, что **давать**

голову на отсечение. БотСан, 107; ДС, 119.

Дава́ть/ дать го́лову на закла́д. *Горьк.* То же, что **давать голову на отсечение.** БалСок, 31.

Де́лать бере́менную го́лову *кому. Жарг. мол. Шутл.* Утомлять кого-л. своими претензиями, проблемами. Смирнов 2002, 54.

Держа́ть го́лову покло́нчиву. *Онеж.* Быть послушным. СРНГ 28, 386.

Жева́ть го́лову *кому. Пск.* Ругать кого-л., ворчать на кого-л. Д 1, 544. ПОС 10, 176.

Жечь Ива́нову го́лову. *Пск.* При праздновании Ивана Купалы: жечь соломенное чучело или сено на костре. ПОС 10, 218.

Заби́ть в го́лову *что.* 1. *Пск.* Запомнить что-л. ПОС 11, 19. 2. *кому. Сиб.* Убедить кого-л. в чём-л. СОСВ, 70.

Забива́ть/ заби́ть го́лову *чем. Разг.* 1. Перегружать, обременять память какими-л. сведениями, знаниями (как правило — ненужными). ФСРЯ, 159; БТС, 310; ПОС 11 19. 2. Перегружать, обременять себя заботами, обязанностями, думами о ком-л., о чём-л. ФСРЯ, 159.

Забира́ть/забра́ть себе́ в го́лову *что. Народн.* То же, что **брать в голову.** БТС, 310; БТС, 311; Жиг. 1969, 152.

Забри́ть го́лову *кому. Жарг. угол., мол. Ирон.* Призвать в армию кого-л. ТСУЖ, 59.

Забро́ситься в го́лову. *Кар.* То же, что **приходить/ прийти в голову.** СРГК 2, 87.

Заверну́ть го́лову. *Сиб. Неодобр.* Не послушаться кого-л., оставить чьи-л. советы без внимания. СФС, 74; СБО-Д1, 143.

Заве́сить го́лову *кому. Волг.* Обмануть, ввести в заблуждение кого-л. Глухов 1988, 45.

Завора́чивать го́лову. *Ряз.* Напряжённо думать над чем-л. ДС, 50.

Завя́зывать/ завяза́ть го́лову. 1. *Пск.* Выходить замуж. ПОС 11, 115. 2. *Кар.* Погружаться в мысли. СРГК 2, 101. 3. *Курск.* Связывать себя каким-л. обязательством. БотСан, 95. 4. *Сиб. Неодобр.* Поступать необдуманно. ФСС, 75.

Заглумля́ть/ заглуми́ть го́лову *кому. Пск. Неодобр.* Сбивать кого-л. с толку, лишать способности соображать. ПОС 11, 129.

Загну́ть го́лову. *Горьк. Неодобр.* То же, что **задрать голову.** БотСан, 36.

Загрымля́ть го́лову *кому. Пск.* То же, что **заглумля́ть го́лову.** ПОС 11, 160.

Го́лову задёрнуть *кому. Прибайк.* Запутать, сбить с правильного пути кого-л. СНФП, 45.

Задра́ть го́лову. 1. *Перм. Неодобр.* Зазнаться, начать важничать. Сл. Акчим. 1, 210. 2. *Прибайк.* Без оглядки, быстро пойти, побежать. СНФП, 45.

Заду́ть в го́лову *кому. Кар.* То же, что **приходить/ прийти в голову.** СРГК 2, 119.

Закру́жить го́лову *кому. Разг.* То же, что **вскружи́ть го́лову.** БТС, 328; СРГК 2, 141-142.

Закрути́ть го́лову *кому. Сиб.* То же, что **вскружи́ть го́лову.** СОСВ, 74.

Заложи́ть в го́лову *что. Новг.* Постоянно думать о чём-л. НОС 3, 44.

Заложи́ть го́лову. *Сиб.* Погибнуть. ФСС, 78.

Зама́тывать го́лову. 1. *Кар.* То же, что **завязывать голову 2.** СРГК 2, 155. 2. *Башк.* То же, что **заглумлять голову.** СРГБ 1, 89.

Заморо́чить го́лову *кому. Прост.* Сбить с толку, запутать кого-л. Ф 1, 200. **Заморокова́ть (замрачи́ть) го́лову** *кому. Волг., Дон. Неодобр.* То же. Глухов 1988, 49; СДГ 2, 9.

Заруби́ть себе́ в го́лову *что. Прост. Устар.* Запомнить что-л. навсегда. Ф 1, 203.

Засе́сть в го́лову *кому. Прост.* Запомниться, произвести сильное впечатление на кого-л. Ф 1, 203.

Затолка́ть себе́ в го́лову *что. Сиб.* Внушить себе что-л. ФСС, 81.

Затума́нивать/ затума́нить го́лову *кому. Разг.* Лишать кого-л. возможности ясно мыслить, запутывать кого-л. Ф 1, 205.

Зацара́пать го́лову. *Прибайк.* Спохватиться, одуматься. СНФП, 45.

Зачеса́ть го́лову. *Олон. Шутл.-ирон.* Призадуматься. СРНГ 11, 176.

За уби́тую го́лову. *Печор. Шутл.* Очень крепко (спать). СРГНП 1, 141.

Золоти́ть го́лову *[кому]. Пск.* Одаривать невесту деньгами. ПОС 13, 90.

Идти́/ пойти́ в го́лову. 1. *Арх., Кар.* Образовывать плоды (об огурцах). АОС 9, 229; СРГК 2, 267. 2. *Кар.* Становиться понятным, осмысленным. СРНГ 28, 362.

Излома́ть го́лову. *Сиб.* 1. Потерпеть неудачу. 2. Погубить себя из-за чего-л. ФСС, 87.

Име́ть го́лову на плеча́х. *Разг. Одобр.* Быть умным, рассудительным, сообразительным. ФСРЯ, 184.

Ка́нуть в го́лову *[кому]. Пск.* То же, что **приходить/ прийти в го́лову.** СПП 2001, 29.

Кида́ть го́лову. *Кар.* Приниматься то за одно, то за другое дело. СРГК 2, 346.

Класть/ положи́ть го́лову *за кого, за что.* 1. *Разг.* Погибать, жертвовать собой за кого-л., за что-л. ФСРЯ, 198; БМС 1998, 121; АОС 9, 252; СРГБ 1, 89; СОСВ, 52, 105. 2. *Кар.* Давать клятву. АОС 9, 235.

Класть/ положи́ть го́лову пору́кой *за кого, за что. Разг. Устар.* То же, что **класть голову 1.** Ф 1, 238-239.

Клони́ть го́лову *перед кем. Прост.* Раболепствовать, полностью подчиняться чьей-л. воле. Ф 1, 241.

Корми́ть [свою] го́лову *чем, с чем, на чём. Арх., Кар., Пск., Прикам.* Добывать средства существования, прокармливать себя. АОС 9, 235; СРГК 2, 431; СРНГ 14, 337; МФС, 49.

Кружи́ть го́лову́. 1. *кому. Разг.* Лишать кого-л. способности здраво рассуждать, адекватно воспринимать окружающее. ФСРЯ, 215; БТС, 474; Глухов 1988, 77. 2. *Пск. Неодобр.* Надоедать кому-л., утомлять кого-л. разговорами, расспросами, советами. ПОС 7, 52. 3. *Пск.* Беспокоиться, заботиться о ком-л, о чём-л. ПОС 7, 52. 4. *кому. Разг.* Увлекать, соблазнять кого-л. ФСРЯ, 215.

Крути́ть го́лову *кому. Разг.* То же, что **кружить голову 1,4.** ФСРЯ, 215.

Кути́ть в кня́жью го́лову. *Народн.* Делать что-л. напрасно, зря. СРНГ 13, 349.

Лежа́ть задра́вши го́лову. *Волг. Неодобр.* Бездельничать. Глухов 1988, 80.

Лезть/ поле́зть в го́лову *кому. Разг.* Постоянно возникать в сознании (о мысли, образе). ФСРЯ, 224; БТС, 491; Сл. Акчим. 1, 210.

Лете́ть в го́лову. *Пск.* То же, что **приходить в голову.** СПП 2001, 29.

Лома́ть го́лову́. 1. *Пск.* Погибать, попав в аварию. ПОС 7, 50. 2. *Разг.* Напряжённо размышлять, думать, искать решение проблемы. ФСРЯ, 232; ЗС 1996, 237; АОС 9, 252; Сл. Акчим. 1, 210; ДС, 119; Ф 1, 285; ПОС 7, 52. 3. *кому. Пск.* Заставлять кого-л. напряжённо думать, размышлять о чём-л. ПОС 7, 52. 4. *о ком, о чём. Ряз.* Беспокоиться, заботиться о ком-л., о чём-л.

ДС, 119. 5. *Пск.* Огорчаться по какому-л. поводу. ПОС 7, 52.

Мая́чить го́лову кому. *Прибайк.* То же, что **морочить голову 2.** СНФП, 45.

Мозо́лить го́лову *кому. Коми.* То же, что **морочить голову 1-2.** Кобелева, 67.

Морокова́ть го́лову. *кому. Волг., Дон.* То же, что **морочить голову1-2.** Глухов 1988, 85; СДГ 2, 142.

Моро́чить го́лову́ *кому. Разг. Неодобр.* 1. Вводить кого-л. в заблуждение, сбивать с толку кого-л. 2. Приставать к кому-л. с глупостями, пустяками. ФСРЯ, 254; ЗС 1996, 367; Сл. Акчим. 1, 210; ПОС, 7, 52.

Мути́ть го́лову *кому. Ворон.* 1. То же, что **морочить голову 1.** 2. То же, что **кружить голову 4.** СРНГ 19, 28.

Мы́лить/ намы́лить (мыть) го́лову *кому. Прост.* Сильно ругать, бранить, отчитывать кого-л. ФСРЯ, 257; БМС 1998, 122; ДП, 220; СРНГ 19, 54.

Мыта́рить го́лову *кому. Новг.* Доставлять кому-л. неприятности, хлопоты, заботы. Сергеева 2004, 165.

Набира́ть/ набра́ть в го́лову. *Волг.* Взрослеть, умнеть. Глухов 1988, 87.

Набрести́ в го́лову *кому. Приамур.* Неожиданно вспомниться. СРГПриам., 161.

На всю го́лову. См. **Во всю го́лову.**

Навяза́ться на го́лову *чью. Разг.* оказаться на чьём-л. попечении, на чьей-л. ответственности, принося тем самым дополнительные тревоги, волнения. Сл. Акчим. 1, 211; Ф 1, 309.

На го́лову. *Сиб., Яросл.* Не к добру, к смерти. ФСС, 46; ЯОС 6, 76.

На го́лову вста́ть. *Нов. Разг.* Сделать всё, что возможно, стараясь преуспеть в чём-л. НРЛ-90, 107.

На го́лову не пе́рвый снег. *Арх. Шутл.-ирон.* О том, что уже случалось в прошлом; о неприятностях, которые случались и ранее. АОС 9, 236.

На дурну́ю го́лову. *Арх. Неодобр.* Бестолково, глупо, не подумав. АОС 9, 235.

На злу́ю го́лову. 1. *Сиб.* С остервенением. СФС, 113; ФСС, 46. 2. *Перм., Прикам.* Очень сильно, в высшей степени. Подюков 1989, 48; МФС, 27. 3. *Сиб.* Очень громко. ФСС, 46; СРНГ 35, 6.

Найти́ го́лову у хле́ба. *Кар.* Перекреститься перед едой. СРГК 3, 327.

Накружи́ть голову́ *кому. Пск. Неодобр.* Запутать, сбить с толку, ввести в заблуждение кого-л. ПОС 7, 52.

На кудыкину го́лову [про́пасти иска́ть]. *Курск. Шутл.* Ответ на вопрос «Куда ты идешь?». СРНГ 16, 17.

Нала́дить го́лову. *Перм.* Снять головную боль. Подюков 1989, 125.

Намота́ть на бе́дную го́лову *кому. Горьк. Неодобр.* Оговорить, очернить кого-л. БалСок, 44.

Намы́лить го́лову *кому. Разг.* Избить, поколотить кого-л. Мокиенко 1990, 25, 45, 60; ЗС 1996, 211.

Направля́ть го́лову. *Сиб.* Опохмеляться. ФСС, 119.

Напу́дрить (понапу́дрить) го́лову *кому. Обл.* То же, что **намылить голову.** Мокиенко 1990, 53-54, 59.

На све́жую го́лову. *Разг.* Пока ещё не утомлён или после отдыха (делать что-л.). ФСРЯ, 114.

На свою́ го́лову́. *Разг. Неодобр.* Себе во вред, в ущерб. ФСРЯ, 114; БМС 1998, 122; ДП, 232; Мокиенко 1990, 131; ПОС 7, 50.

На тре́звую го́лову. *Разг. Шутл.* В трезвом состоянии. Ф 1, 119.

Нахлю́пить го́лову. *Волг., Дон.* Опечалиться, прийти в уныние. Подюков 1988, 93; СДГ 2, 175.

Не брать в го́лову *что. Разг.* Не придавать значения чему-л., не обращать внимание на что-л. НРЛ-83; СОГ 1989, 92; Мокиенко 2003, 20.

Не в го́лову *кому что.* 1. *Приамур.* Не нравится, не подходит кому-л. СРГПриам., 58. 2. *Морд.* Кто-л. не может догадаться о чём-л., сообразить что-л. СРГМ 1978, 119.

Не идёт в го́лову *кому что. Разг.* Не усваивается, не воспринимается кем-л. что-л. Ф 1, 217.

Не име́ть где го́лову (главу́) приклони́ть. *Книжн.* не иметь своего жилья, пристанища. БМС 1998, 110.

Не на (в) свою́ го́лову. *Арх. Неодобр.* Не так, как следовало бы, не в соответствии с общепринятыми нормами. АОС 9, 235.

Не наде́ть на го́лову *что. Сиб. Ирон. или Пренебр.* О чём-л. неправдоподобном, нелепом. ФСС, 117.

Нести́/ снесть го́лову на пла́ху. *Народн.* Идти на верную гибель. ДП, 145.

Ни в го́лову *кому. Сиб.* Невдомёк кому-л. СРНГ 21, 212; СФС, 126; ФСС, 46.

Обвя́зывать го́лову *кому. Неодобр. Пск.* Обременять, загружать кого-л. чем-л. ПОС 7, 52.

Обнажа́ть/ обнажи́ть го́лову *перед кем. Книжн.* Снимать головной убор в знак уважения, почтения или приветствия. Ф 2, 9.

Обно́сит/ обнесло́ го́лову *у кого. Волог., Прикам., Сиб.* О головокружении. СВГ 5, 124; МФС, 67; СФС, 129; ФСС, 124.

Обри́ть (отрубить) го́лову по [самы́е, по могу́чие] пле́чи *кому. Народн.* Обезглавить кого-л. ДП, 219; Шап. 1959, 322.

Одури́ть го́лову *кому. Курск. Неодобр.* Обмануть кого-л. БотСан, 106.

Окружи́ть го́лову. 1. *кому. Неодобр.* То же, что **одурить голову.** БотСан, 107. 2. *безл. кому, у кого. Новг., Перм., Прикам.* О головокружении. НОС 6, 159; МФС, 69; СГПО, 393.

Откружи́ть го́лову. *Сиб.* Устать, утомиться, разыскивая кого-л., что-л. ФСС, 129.

Открути́ть (скрути́ть) го́лову *кому. Прост.* То же, что **оторвать голову.** Глухов 1988, 119; Ф 2, 29.

Оторва́ть го́лову́ *кому. Прост.* Жестоко расправиться с кем-л., наказать побоями кого-л. Ф 2, 29; СПП 2001, 30.

Оторви́ (отсе́ки) го́лову [и (да) брось]. *Пск., Сиб. Неодобр.* Об озорном, своевольном ребёнке; бойком отчаянном человеке. ПОС 7, 50; Верш. 4, 306.

Отсади́ть го́лову. *Кар.* Погибнуть, умереть в результате несчастного случая. СРГК 4, 327.

Отсеки́ мне го́лову. *Курск.* Клятвенное заверение в чём-л. БотСан, 107.

Отсе́чь го́лову *кому. Кар.* Строго наказать за непослушание, проступок кого-л. СРГК 4, 328.

Очертя́ го́лову. *Разг.* Безрассудно, не думая о последствиях. ФСРЯ, 307; ДП, 76, 450, 482; ЗС 1996, 108, 480; БТС, 771.

Отъеда́ть/отъе́сть го́лову *у кого. Арх.* Часть свадебного обряда в доме невесты. АОС 9, 235.

Па́дать/ упа́сть (пасть) в го́лову *кому.* 1. *Перм., Сиб., Ср. Урал.* То же, что **приходить в голову.** Сл. Акчим. 1, 210; СРГСУ 3, 118; СФС, 136; ФСС, 131; СОСВ, 134. 2. *Сиб.* Вспоминаться кому-л. СФС, 136. 3. *Кар.* Запоминаться кому-л. СРГК 4, 366. 4. *Печор.* Находиться очень близко, под руками. СРГНП 1, 141.

Пасть на го́лову *чью. Разг. Устар.* Распространиться на кого-л., коснуться кого-л. (о подозрении, вине). Ф 2, 35.

Поверну́ть го́лову *кому. Разг. Устар.* Запутать, сбить с толку кого-л., лишить кого-л. возможности рассуждать здраво. Ф 2, 51.

Поверши́ть го́лову (голо́вушку). *Пск.* То же, что **положить голову 1.** (См. **класть голову).** ПОС, 7, 50.

Подбира́ть го́лову. *Кар.* Причёсываться. СРГК 4, 616.

Под го́лову. *Арх.* Близко, рядом. АОС 9, 233.

Под го́лову класть от лихора́дки кого. *Бран.* О скверном, непорядочном человеке. СНФП, 46.

Поднима́ть/ подня́ть го́лову. *Разг.* Начинать активно действовать, проявлять себя. БТС, 873.

Подкла́дывать (подла́живать) го́лову. *Волг., Дон.* 1. Погибать, жертвовать собой. 2. Рисковать жизнью. 3. Ручаться за кого-л. Глухов 1988, 124; СРНГ 28, 32.

Позолоти́ть го́лову *кому. Волг.* Одарить, наградить кого-л. Глухов 1988, 127.

Поклада́ть го́лову. *Пск.* То же, что **подкладывать голову 1.** (Запись 1996 г.).

Поконча́ть свою́ го́лову. *Курган.* Погибнуть. СРНГ 28, 395.

Покрыва́ть/ покрыть го́лову. *Смол.* Выходить замуж. СРНГ 29, 17.

Получи́ть го́лову. *Дон.* Быть битым. СДГ 3, 38.

Попа́ло в го́лову *кому. Перм.* Об опьяневшем человеке. Подюков 1989, 157.

Попра́вить го́лову. *Кар. Шутл.* Опохмелиться. СРГК 5, 78.

Посыпа́ть/ посы́пать го́лову (главу́) пе́плом. *Книжн.* 1. Предаваться скорби по поводу несчастья, тяжелой утраты. 2. Покаянно признавая свою вину, ошибки, обещать исправиться. ФСРЯ, 347. < Восходит к Библии. БМС 1998, 110.

Поту́пить го́лову. *Разг. Устар.* Опечалиться, прийти в уныние. Мокиенко 1990, 90.

Пошло́ по Мала́хову го́лову. *Смол.* О беспрерывном следовании несчастий, бед. СРНГ 28, 363.

Привезти́ го́лову (голо́вушку) [домо́й]. *Пск.* Вернуться здоровым, целым и невредимым. ПОС 7, 50-51.

Прикачну́ть го́лову. *Кар.* То же, что **приклонить голову 2.** СРКГ 5, 167.

Приклони́ть го́лову. 1. *Пск.* Прилечь отдохнуть. ПОС 7, 51. 2. *где, куда. Книжн.* Найти где-л. пристанище, приют. < Восходит к Евангелию. БМС 1998, 123; ПОС, 7, 51.

Прикры́ть го́лову. *Костром.* Выйти замуж. СРНГ 31, 263. **Прикры́ть го́лову волосником́.** *Р. Урал.* То же. СРНГ 31, 263.

Прилете́ло в го́лову *кому. Арх.* Кто-л. начал вести себя подобно сумасшедшему. АОС 9, 236.

Приложи́ть го́лову *к чему. Прост.* Основательно подумать, поразмыслить о чём-л. Ф 2, 91.

Прирасти́ть го́лову *кому. Прикам.* Вылечить кого-л. от тяжёлой болезни. МФС, 82.

Приставля́ть/ приста́вить го́лову *кому.* 1. *Волог.* Учить жить кого-л., передать житейский опыт кому-л. СРНГ 31, 405. 2. *Волг.* Чрезмерно опекать кого-л., лишая самостоятельности. Глухов 1988, 133.

Притули́ть го́лову. *Прост.* То же, что **приклонить голову 2.** Ф 2, 93; Глухов 1988, 133.

Прихиля́ть го́лову. *Волг.* То же, что **приклонить голову 2.** Глухов 1988, 93.

Приходи́ть/ прийти́ в го́лову *кому. Разг.* Появляться в сознании (о мысли, каком-л. решении). ФСРЯ, 359.

Проби́ть (прое́сть) го́лову *кому. Пск. Неодобр.* Измучить кого-л. частыми напоминаниями, просьбами, укорами. ПОС, 7, 51.

Прое́сть го́лову. См. **Пробить голову.**

Пря́тать го́лову под крыло́. *Разг. Ирон.* Стараться уйти от действительности, не замечать ее. Ф 2, 104.

Пу́дрить го́лову *кому. Разг. Устар.* Сильно ругать, бранить, отчитывать кого-л. Ф 2, 105.

Разбаза́рить го́лову. *Алт. Шутл.* Взлохматить волосы. СРГА 4, 4.

Расчеса́ть го́лову (голо́вку) *кому. Смол.* Доставить много хлопот, неприятностей кому-л., огорчить кого-л. СРНГ 34, 312.

Рыть на больну́ю го́лову со здоро́вой. *Кар.* Незаслуженно обвинять кого-л. в чём-л. СРГК 5, 597.

Сади́ться/ сесть на го́лову *кому. Разг., Перм.* Подчинять своей воле, заставлять исполнять свои желания. ФСРЯ, 405; Сл. Акчим. 1, 210; ЗС 1996, 228.

Свали́ться на го́лову *кому, чью. Разг.* Неожиданно, внезапно случиться. Ф 2, 140.

Сверну́ть го́лову. См. **Свернуть башку (БАШКА).**

Сверну́ть го́лову целко́вому. *Разг. Устар. Шутл.* Истратить, потратить лишний рубль на что-л. Ф 2, 141.

Сверну́ть себе́ го́лову. См. **Свернуть себе башку (БАШКА).**

Свихну́ть себе́ го́лову. *Прост.* Утратить способность мыслить, адекватно воспринимать происходящее. Ф 2, 144.

Связа́ть го́лову. *Пск.* То же, что **завязывать/ завязать голову 1.** СПП 2001, 29.

Сгиба́ть/ согну́ть го́лову *перед кем. Разг. Устар.* Угождать, льстить кому-л., заискивать перед кем-л. Ф 2, 146.

Склоня́ть/ склони́ть го́лову. 1. *Волг.* Смиряться, прекращать борьбу, покоряться кому-л. Глухов 1988, 149. 2. *где, куда. Разг. Устар.* Находить пристанище где-л. Ф 2, 159.

Скрути́ть го́лову *кому.* 1. *Пск. Шутл.* Утомить кого-л., надоесть кому-л. ПОС 7, 52. 2. *Пск.* Обмануть, одурачить кого-л. СПП 2001, 30. 32. *Волг.* Строго наказать, избить кого-л. Глухов 1988, 149.

Сложи́ть го́лову. *Разг.* То же, что **класть/ положить голову 1.** ДП, 287; БМС 1998, 123; ЗС 1996, 69.

Слома́ть [себе́] го́лову. *Разг.* 1. Сильно покалечиться, разбиться насмерть. 2. Потерпеть неудачу в чём-л. Ф 2, 165.

Сломи́ть го́лову. 1. *кому. Разг. Устар.* Расправиться с кем-л. Ф 2, 165. 2. *Сиб.* То же, что **сломать голову 1.** Верш. 6, 283. 3. *Сиб.* То же, что **сломать голову 2.** СОСВ, 51.

Сломя́ го́лову. *Разг.* Очень быстро, стремительно (бежать, мчаться и т. п.). ФСРЯ, 434; ДП, 568; БМС 1998, 124; Мокиенко 1990, 108; СОСВ, 176; ЗС 1996, 108, 496; БТС, 214. **Сломя́ головы́.** *Ряз., Сиб.* То же. СФС, 171; ДС, 119.

Снести́ голову́ *кому. Пск.* Выругать, наказать побоями кого-л. ПОС 7, 51.

Снима́ть/ снять го́лову *кому. Прост.* 1. Убивать кого-л. ПОС 7, 51; Ф 2, 169. 2. Жестоко расправляться с кем-л.; строго наказывать кого-л. ЗС 1996, 330, 351; Глухов 1988, 153; Ф 2, 169; СПП 2001, 30. 3. Доводить до большой беды, ставить в безвыходное положение кого-л. Ф 2, 169; Подюков 1988, 190. 3.

Сова́ть/ су́нуть го́лову в пе́тлю. *Разг.* Предпринимать что-л. рискованное, опасное для жизни, карьеры. БТС, 1225.

Соверши́ть го́лову. *Пск.* То же, что **класть/ положить голову 1.** СПП 2001, 30.

Сорви́ го́лову. *Прикам.* Об отчаянном, озорном, не боящемся опасностей и осуждения человеке. МФС, 94.

Срать/насра́ть на го́лову *кому. Вульг.-прост.* Абсолютно не считаться с кем-л., делать кому-л. гадости, пакости. Мокиенко, Никитина 2003, 108.

Сре́зать го́лову *кому. Волг.* То же, что **снять голову 1-3.** Глухов 1988, 151.

Срони́ть го́лову *кому. Перм.* То же, что **снять голову 2.** Подюков 1989, 190.

Ста́вить [свою́] го́лову в закла́д. *Разг. Устар.* 1. Рисковать жизнью. 2. Ручаться за кого-л. Ф 2, 183.

Стремя́ го́лову. *Арх.* То же, что **сломя голову.** АОС 9, 235.

Стряхну́ть го́лову. *Сиб.* Получить сотрясение мозга. Верш. 6, 416.

Су́нуть го́лову в чад. *Коми. Шутл.-ирон.* Добровольно попасть в сложную ситуацию. Кобелева, 79.

Теря́ть/ потеря́ть го́ло́ву. 1. *Пск., Сиб.* Погибать, умирать. СПП 2001, 30; СОСВ, 148. // *Перм.* Погибать в результате несчастного случая. Сл. Акчим. 1, 211. 3. *Пск.* Попасть в беду. СПП 2001, 30. 3. *Пск.* Спиться, стать алкоголиком. СПП 2001, 30. 4. *Разг.* Теряться, лишаться способности здраво рассуждать, попав в тяжёлое, затруднительное положение, будучи сильно взволнованным. ФСРЯ, 474; БМС 1998, 124; ЗС 1996, 501; Ф 2, 81; ПОС 7, 53; Глухов 1988, 131. 5. *от кого. Разг.* Безрассудно влюбляться в кого-л. Ф 2, 81. 6. *от чего. Разг.* Зазнаваться, переоценивать свои возможности, добившись каких-л. успехов, славы. ФСРЯ, 474.

То́рнуть в го́лову *кому. Прикам.* То же, что **тукнуть в голову.** МФС, 99.

Ту́кнуть в го́лову *кому. Прибайк.* Внезапно появиться (о мысли, идее). СНФП, 47.

Тума́нить го́лову *кому. Волг., Морд., Одесск.* То же, что **морочить голову 1-2.** Глухов 1988, 161; КСРГО; СРГМ 1978, 119.

Угу́нить го́лову. *Дон.* Приходить в уныние, печалиться. СДГ 3, 168.

Ударя́ть/ уда́рить в го́лову *кому.* 1. *Разг.* Оказывать опьяняющее действие (об алкоголе). ФСРЯ, 490. 2. *Разг.* Появляться, возникать в сознании (о мысли, намерении). Ф 2, 216; СПП 2001, 30. 3. *кому, безл. Коми.* О помрачении рассудка. Кобелева, 57. 4. *кому, безл. Сиб.* О внезапной головной боли. СОСВ, 51; Верш. 7, 127.

Хвата́ться/ схвати́ться за го́лову. *Разг.* Ужасаться, неприятно удивляться; запоздало раскаиваться в чём-л. ФСРЯ, 114; БМС 1998, 124; Ф 2, 231.

Ходи́ть голову́ загну́вши (задра́вши). *Пск. Неодобр.* Важничать, зазнаваться. ПОС 11, 192.

Хоть го́лову на пла́ху. *Народн.* Клятвенное заверение в чём-л. ДП, 654.

Хоть го́лову режь *кому. Новг.* О человеке, который не реагирует на что-л. Сергеева 2004, 53.

Че́рез го́лову *кого, чью. Разг.* Не ставя в известность, минуя того, к кому непосредственно следует обращаться, через кого следует действовать. ФСС, 114. 2. *Арх.* Минуя очередь, вне очереди. АОС 9, 234.

Через го́лову козыря́ть. *Пск.* Нервничать, выходить из себя. СПП 2001, 30.

Чёрту го́лову оторва́ть. *Сиб.* Сделать всё возможное. ФСС, 129.

Шально́й на го́лову. *Арх.* Смелый, отчаянный. АОС 9, 234.

Без головы́. 1. *Прост.* Без головного убора. ЯОС 1, 46. 2. *Прост. Презр.* О глупом, несообразительном человеке. Ф 1, 120. 3. *Прост.* Не обдумывая, безрассудно (делать что-л.). Ф 1, 120. 4. *Арх.* В бессознательном состоянии. АОС 9, 233.

Вали́ть/ свали́ть/ сва́ливать с больно́й головы́ на здоро́вую. *Разг.* Стараться переложить свою вину на другого. ФСРЯ, 114; БТС, 110; БМС 1998, 124-125; СРГК 1, 483.

Выбра́сывать/ вы́бросить из головы́ *что. Разг.* Стараться забыть кого-л., что-л. ФСРЯ, 90; АОС 6, 118; ЗС 1996, 238.

Выва́ливаться/ вы́валиться из головы́ *у кого. Арх., Пск.* То же, что **вылетать из головы.** АОС 9, 236; ПОС 5, 121.

Вы́летать/ вы́лететь (выска́кивать/ вы́скочить) из головы́ *у кого. Разг.* Совершенно, совсем забываться, не сохраняться в памяти. ФСРЯ, 94; ЗС 1996, 238; БТС, 174; ПОС 6, 7; АОС 8, 206; АОС 9, 236.

Выпада́ть (выпа́дывать)/ вы́пасть из головы́ *у кого. Арх., Курск., Новг.* То же, что **вылетать из головы.** АОС 8, 49, 51, 81; БотСан, 88; НОС 1, 150.

Выраба́тывать со сво́ей головы́ *что. Пск.* Самостоятельно решать, обдумывать что-л. ПОС 6, 45.

Вы́торнуть из головы́. *Пск.* То же, что **вылетать/ вылететь из головы.** ПОС 7, 52.

Вы́толкаться (вы́толкчи, вы́трястись) из головы́ *у кого. Арх.* То же, что **вылетать/ вылететь из головы.** АОС 8, 290, 306.

Головы́ не криви́ть. *Кар.* Не откликаться на чей-л. зов. СРГК 3, 20.

Головы́ не лома́ть *о ком, о чем. Морд., Сиб.* Не заботиться о ком-л., не беспокоиться о чём-л. СРГМ 1982, 129; СФС, 56; ФСС, 107; СБО-Д1, 96; СОСВ, 51.

До головы́. *Арх.* Целиком, полностью. АОС 9, 233.

Мале́нько головы́ *у кого. Коми. Шутл.-ирон.* О глупом, несообразительном человеке. Кобелева, 66.

Мо́лоти́ть (собира́ть) вокру́т головы́ да в па́зуху. *Волг., Горьк., Краснодар., Сиб. Шутл.-ирон.* Говорить ерунду, чепуху; болтать, пустословить. Глухов 1988, 85; БалСок, 43; СРНГ 18, 241; СФС, 173.

Нава́жьи го́ловы. *Кар. Шутл. или Пренебр.* О поморах, занимающихся рыбной ловлей. СРНГ 19, 145.

Не вздыма́ть головы́. *Арх.* Лежать, находясь в болезненном состоянии. АОС 4, 68.

Не вла́зить из головы́ *у кого. Сиб.* То же, что **не выходить из головы.** ФСС, 37; СРНГ 5, 301.

Не идти́ (не выходи́ть) из головы́ *у кого. Разг.* Постоянно присутствовать в сознании, не забываться. ФСРЯ, 98; ЗС 1996, 240; БТС, 187; Ф 1, 217.

Не́ к кому головы́ притули́ть *кому. Пск.* Об одиноком человеке, лишённом помощи, поддержки родственников. СПП 2001, 30.

Не́куда головы́ приклони́ть. *Народн. Ирон.* О бедняке. ДП, 105; Жиг. 1969, 170.

Не помома́ть головы́. *Дон.* Не догадаться о чём-л. СДГ 3, 36.

Не приложу́ головы́. *Пск.* Не знаю, не могу сообразить, придумать что-л. СПП 2001, 30.

Не сноси́ть головы́ *кому. Разг.* Не миновать наказания, расправы. ДП, 224, 273; ФСРЯ, 441.

Ни в головы́ ни подстели́ть. *Волг. Шутл.-ирон.* О крайней бедности. Глухов 1988, 108.

Ни постла́ть ни в го́ловы подмости́ть. *Народн. Неодобр.* О неумелом человеке. ДП, 427.

Остри́чь с головы́ до пя́ток (до ног) *кого. Морд.* Строго наказать кого-л. СРГМ 1978, 119.

Руби́ть го́ловы *кому. Прост.* Жестоко расправляться с кем-л. Ф 2, 129.
С больно́й головы́ на здоро́вую. *Прост. Неодобр.* Об обвинении невиновного человека. Ф 1, 120.
Сбыть с головы́ *что. Волг.* Избавиться от чего-л. ненужного, нежелаемого. Глухов 1988, 144.
С головы́ до ног. *Разг.* Полностью, целиком; во всём (в мыслях, поступках и т. п.). ФСРЯ, 115; Ф 1, 120; ПОС 7, 50.
С головы́ доло́й *чьей. Пск.* Кому-л. не нужно беспокоиться, заботиться о ком-л., о чём-л. ПОС 7, 50.
С головы́ на́ го́лову. *Арх., Прикам., Сиб.* Все без исключения, поголовно. АОС 9, 234; МФС, 27; ДС, 119; СФС, 164.
Сломя́ головы́. См. **Сломя голову.**
Сшиби́ться из головы́ *у кого. Новг.* То же, что **вылетать/ вылететь из головы.** НОС 11, 16.
Ходи́ть пове́рх головы́. *Пск. Неодобр.* Вести себя заносчиво, нагло. ПОС 7, 51.
Окати́ть голово́ю *что. Кар.* Посмотреть вокруг. СРНГ 23, 115.
ГОЛОВА́Н * Подня́ть на голова́н *кого. Кар.* Похвалить кого-л., хорошо отозваться о ком-л. СРГК 4, 650.
ГОЛОВА́ШКА * В голова́шки. *Калуж., Курск., Орл., Пск., Рост., Смол.* В изголовье. СРНГ 6, 302.
ГОЛОВЕ́ШКА * Нечи́стая голове́шка. *Пск. Бран.* О человеке, поступающем неправильно. СПП 2001, 30.
Собира́ть голове́шки. *Новг. Шутл.-ирон.* Терпеть измену в любви. Сергеева 2004, 241.
Е́хать с голове́шкой. *Пск. Шутл.-ирон.* Получить отказ при сватовстве. ПОС 10, 139.
Дать голове́шку *кому. Пск.* Отказать жениху при сватовстве. ПОС 7, 58.
Получи́ть голове́шку. *Новг.* Пережить измену в любви. Сергеева 2004, 237.
Съесть голове́шку. *Новг. Шутл.-ирон.* То же, что **ехать с головешкой.** НОС 11, 16.
ГОЛОВИ́ЦА * Голови́цу приклони́ть. *Пск.* То же, что **приклонить голову 1.** ПОС 7, 59.
ГОЛОВИ́ЩА * Окая́нная голови́ща. *Кар. Бран.* Сорванец, озорник. СРГК 1, 356.
ГОЛО́ВКА * Бе́лая голо́вка. 1. *Арх.* Белый клевер. АОС 9, 243. 2. *Разг. Шутл.* Бутылка водки. Балдаев 1, 33; ББИ, 26; АОС 9, 243.
Голо́вка ва́ва, во рту ка́ка. *Жарг. мол. Шутл.* О состоянии сильного похмелья. Максимов, 90.
Го́рькая голо́вка. *Ирон. Пск.* О невезучем человеке. ПОС 7, 59.
Кра́сная голо́вка. 1. *Арх.* Гриб подосиновик. АОС 9, 242. 2. *Арх.* Клевер. АОС 9, 243. 3. *Жарг. угол. Устар. Шутл.-ирон. Милиционер.* ББИ, 57; Балдаев 1, 90.
Кра́сненькая голо́вка. *Арх.* То же, что **красная головка 2.** АОС 9, 243.
Ку́кольная голо́вка. *Волог.* Коробочка льна с семечками. СВГ 4, 14.
Ку́ричья голо́вка. *Арх. Пренебр.* Глупый, несообразительный человек. АОС 9, 246.
Ма́сляная голо́вка. *Арх.* Гриб маслёнок. АОС 9, 242.
Побе́дная голо́вка. *Пск.* О несчастливом, испытавшем много лишений человеке. ПОС 7, 59.
Самонаводя́щаяся голо́вка. *Разг. Шутл.* Ловелас, бабник. Елистратов 1994, 95.
Гла́дить/ погла́дить по голо́вке *кого. Разг.* Хвалить кого-л., потакать кому-л. ФСРЯ, 101-102; БТС, 215; СНФП, 47; СПП 2001, 30.
Дрочи́ть по голо́вке. *Пск.* То же, что **гладить по головке.** ПОС 10, 9.
По голо́вке не погла́дят *кого за что. Разг.* Кто-л. может быть наказан, не избежит ответственности за что-л. ФСРЯ, 102.
Голо́вку положи́ть. *Пск.* То же, что **класть/ положить голову 1.** СПП 2001, 30.
На голо́вку. *Ряз.* Наголо. ДС, 119.
Расчеса́ть голо́вку. См. **Расчесать голову (ГОЛОВА).**
ГОЛОВОКРУЖЕ́НИЕ * Головокруже́ние от успе́хов. 1. *Разг. Шутл.-ирон.* Утрата способности правильно понимать и оценивать реальную действительность под влиянием достигнутых успехов в отсутствие самокритики. Ф 1, 119; БТС, 215. 2. *Жарг. мол. Шутл.* Оргазм. Максимов, 90.
ГОЛОВОМО́ЙКА * Дава́ть/ дать (задава́ть/ зада́ть) головомо́йку *кому. Разг.* 1. Сильно избивать кого-л. 2. Ругать, бранить кого-л. БМС 1998, 125; Мокиенко 1990, 49; ЗС 1996, 211, 230.
ГОЛО́ВОНЬКА * Во всю голо́воньку. *Пск.* То же, что **во всю го́лову (ГОЛОВА).** СПП 2001, 30.
Голо́воньку обошло́. *Горьк.* О головокружении. БалСок, 31.
ГОЛО́ВУШКА * Бедо́вая голо́вушка. См. **Бедная голова (ГОЛОВА).**
Беспала́нная голо́вушка. См. **Бесталанная голова (ГОЛОВА).**
Больша́я голо́вушка. *Брян.* То же, что **большая голова 1. (ГОЛОВА).** СБГ 1, 70.
Бу́йная голо́вушка. См. **Буйная голова (ГОЛОВА).**
Ве́треная голо́вушка. См. **Ветреная голова (ГОЛОВА).**
Голо́вушка вышиба́ет (покати́лась). *Арх.* О головокружении. АОС 8, 405; АОС 9, 252.
Забубённая голо́вушка. См. **Забубённая голова (ГОЛОВА).**
Заливна́я голо́вушка. *Прост. Пренебр.* Алкоголик, пьяница. Глухов 1988, 49.
Кручи́нная голо́вушка. *Фольк. Устар.* О человеке, переживающем глубокую тоску, печать. Ф 1, 119.
Ма́сляная голо́вушка. *Перм. Ласк.* О милом, дорогом человеке. Подюков 1989, 47.
Нетужи́мая голо́вушка. *Волг.* Крайне беспечный, безразличный ко всему человек. Глухов 1988, 106.
Побе́дная голо́вушка. *Кар.* Несчастный, обездоленный человек. СРГК 4, 564.
Поко́йная голо́вушка. См. **Покойная голова (ГОЛОВА).**
Пролётная голо́вушка. См. **Пролётная голова (ГОЛОВА).**
Тёмная голо́вушка! *Морд.* Восклицание, выражающее удивление, раздражение. СРГМ 1978, 119.
Уда́лая голо́вушка. См. **Удалая голова (ГОЛОВА).**
Пра́вить по голо́вушке. *Смол.* Владеть собой, сохранять душевное спокойствие. СРНГ 31, 57.
Не́куда приклони́ть бу́йной голо́вушки *кому. Народн.* О человеке, не имеющем дома, пристанища. ДП, 63.
С просто́й голо́вушки. *Кар.* По простоте своей, будучи простаком. СРГК 1, 358.
Во всю голо́вушку. см. **Во всю голову (ГОЛОВА).**
Вы́несть голо́вушку. *Олон.* Остаться в живых. СРНГ 5, 319.
Держа́ть голо́вушку покло́нную. *Тверск.* Слушаться кого-л., подчиняться кому-л. СРНГ 28, 386.
Завя́зывать бу́йную голо́вушку. *Волг.* Решаться на отчаянный поступок. Глухов 1988, 45.

Зала́мливать голо́вушку. *Арх. Неодобр.* Смотреть свысока, вести себя высокомерно. АОС 9, 252.

Зама́ривать голо́вушку. *Одесск.* Давать наркоз больному перед операцией. КСРГО.

Класть/ положи́ть голо́вушку. См. **Класть голову.**

Лома́ть голо́вушку. *Арх.* То же, что **ломать голову 2.** АОС 9, 252.

Обзабо́тить голо́вушку *кому. Кар.* Прибавить забот кому-л. СРГК 4, 78.

Оглу́мить голо́вушку. см. **Глумить голову (ГОЛОВА).**

Привезти́ голо́вушку. См. **Привезти голову [домой] (ГОЛОВА).**

Приклони́ть голо́вушку *куда, где. Арх.* То же, что **приклонить голову 2. (ГОЛОВА).** АОС 9, 252.

Среза́ть/ сре́зать голо́вушку *кому. Твер.* Ставить кого-л. в крайне неловкое положение, опозорить кого-л. СРНГ 6, 313.

Теря́ть/ потеря́ть голо́вушку. *Твер.* То же, что **терять голову 3. (ГОЛОВА).** СРНГ 6, 313.

ГОЛО́Д * Зама́нивать/ замани́ть го́лод. *Кар., Прикам. Шутл.* Утолять голод небольшим количеством пищи, ненадолго. СРГК 2, 154; МФС, 39.

Нести́ го́лод. *Дон.* Голодать. СДГ 1, 104.

Перемори́ть го́лод. *Новг.* То же, что **заманивать/ заманить голод.** НОС 7, 123.

Пережива́ть голода́. *Дон.* То же, что **нести голод.** СДГ 1, 104.

Жить на голодах. *Прибайк.* То же, что **нести голод.** СНФП, 47.

Бе́гать го́лодом. *Кар.* Испытывать чувство голода. СРГК 1, 359.

Корми́ть го́лодом *кого. Калуж. Неодобр.* Плохо, скудно кормить кого-л. СРНГ 6, 316.

Корми́ться го́лодом. *Сиб. Ирон.* Голодать. ФСС, 96.

Сиде́ть го́лодом. *Петерб.* То же, что **бегать голодом.** СРНГ 6, 316.

Стоя́ть го́лодом. *Печор.* Быть без корма (о домашних животных). СРГНП 1, 142.

Ухвати́ть го́лоду. *Новг.* Наголодаться. СДГ 1, 104.

Хвати́ть го́лоду. *Новг.* Пережить, перенести голод. НОС 2, 28.

ГОЛОДА́ЮЩИЙ * Голода́ющий Пово́лжья. *Разг. Ирон.* 1. О голодном человеке; о человеке, который ест жадно, с большим аппетитом. 2. О сильно похудевшем человеке. < Связано с реальным событием — голодом, начавшемся в Поволжье в 1921 г. Немировская, 350.

ГОЛОДЁЖКА * С голодёжки. *Кар.* На пустой желудок, натощак. СРГК 1, 358.

На голодёжку. *Кар.* Без еды. СРГК 1, 358.

ГОЛОДНО́ * На голодно́. *Печор.* На пустой желудок, натощак. СРГНП 1, 142.

ГОЛО́ДНЫЙ * На голо́дного (на голо́дную). *Арх.* То же, что **с голодёжки (ГОЛОДЁЖКА).** АОС 9, 256.

ГОЛОДО́ВКА * Хлебну́ть голодо́вки. *Сиб.* То же, что **ухватить голоду.** СФС, 196.

ГОЛОДО́К * Замани́ть голодо́к. *Волог.* То же, что **заманивать/ заманить голод.** СВГ 1, 119.

Хвати́ть голодка́. *Дон.* 1. То же, что **хватить голода.** 2. Испытать много горя, лишений. СДГ 1, 105.

ГОЛОДУ́ШКА * В голоду́шку игра́ть. *Народн. Шутл.-ирон.* Голодать. СРНГ 6, 317.

ГО́ЛОДЬ * Нести́ го́лодь. *Перм.* То же, что **нести голод (ГОЛОД).** Сл. Акчим. 1, 212.

ГОЛОДЯ́НКА *На голодя́нку. *Кар.* То же, сто **с голодёжки (ГОЛОДЁЖКА).** СРГК 1, 359.

ГОЛОДЯ́ШКА * Приня́ть голодя́шки. *Приамур. Ирон.* То же, что **хватить голода.** СРГПриам., 223.

ГОЛОПУ́ЗИК * Игра́ть в голопу́зики. *Волг. Шутл.* Совершать половой акт с кем-л. Глухов 1988, 55.

ГО́ЛОС * Аж го́лос вя́нет *у кого. Морд.* О громко кричащем, поющем человеке. СРГМ 1978, 120.

Брать на го́лос *что. Дон.* Петь, исполнять вокальное произведение. СЖГ 1, 39.

В го́лос. *Разг.* 1. То же, что **во весь голос 1.** 2. *Устар.* То же, что **в один голос 1.** 3. То же, что **в один голос 2.** ФСРЯ, 115; Подюков 1989, 49.

Вести́ (отводи́ть) го́лос. *Прикам.* Во время ручной молотьбы соблюдать ритмичность ударов. МФС, 17, 70.

Взять го́лос. *Дон.* Закричать. СДГ 1, 105.

Во весь (в по́лный) го́лос. *Разг.* 1. Очень громко. 2. Открыто, во всеуслышание. ФСРЯ, 115; БТС, 216; Мокиенко 1986, 48; БалСок, 28.

Возвыша́ть/ возвы́сить [свой] го́лос. См. **Поднимать голос.**

В оди́н го́лос. *Разг.* 1. Одновременно, все вместе. 2. Единодушно. ФСРЯ, 115; БМС 1998, 126; ШЗФ 1996, 30; БТС, 216; БалСок, 27.

Вра́жий го́лос. *Разг. Шутл.-ирон.* Буржуазная радиостанция, ведущая антисоветскую пропаганду. Елистратов 1994, 95; Мокиенко, Никитина 1998, 126; Ром-Миракян, 92.

В свин (свино́й) го́лос. 1. *Влад., Волог.* Очень рано. СРНГ 6, 326; СРНГ 36, 280. 2. *Волог.* В осеннее холодное время (когда свиньи с визгом бегут с поля домой). СРНГ 6, 326. 3. *Краснодар. Шутл.-ирон.* Слишком поздно, с опозданием. СРНГ 36, 285, 292.

Выть на го́лос. См. **Кричать в голос.**

Го́лос Аме́рики. *Жарг. шк. Шутл.* Выкрики с места во время урока. Максимов, 90.

Го́лос бе́жит. *Арх., Кар., Перм. Одобр.* О хорошем исполнении песни. СРНГ 2, 325-236; СРГК 1, 359; Подюков 1989, 49.

Го́лос в го́лос, [во́лос в во́лос (рост в рост)]. *Народн.* О чьём-л. полном сходстве. ДП, 856; МФС, 27; Ф 1, 120; Мокиенко 1986, 100; ФСРЯ, 115; СРНГ 6, 236.

Го́лос вопию́щего в пусты́не. *Жарг. шк. Ирон.* О вызове к директору. ВМН 2003, 38.

Го́лос Всевы́шнего. *Жарг. шк. Шутл.* Школьное радио. (Запись 2003 г.).

Го́лос из-за бугра́. *Разг. Шутл.-ирон.* То же, что **вражий голос.** Елистратов 1994, 95; Мокиенко, Никитина 1998, 126; Максимов, 90.

Го́лос из помо́йки. *Жарг. мол., муз. Неодобр.* Музыка, не соответствующая чьим-л. вкусам, эстетическим требованиям. Никитина 2003, 126.

Го́лос к го́лосу, во́лос к во́лосу. *Беломор.* Один к одному. СРНГ 6, 325.

Го́лос под го́лос. *Перм.* Ритмично. СГПО, 112.

Го́лос приро́ды. *Книжн.* Склонность, естественная потребность человека. Ф 1, 120.

Го́лос соловьи́ный, да ры́ло свино́е *у кого. Народн. Презр.* О двуличном человеке. ДП, 517.

Дава́ть/ дать го́лос. 1. *Пск., Сиб.* Кричать (о человеке или животном). ПОС, 7, 66; ФСС, 53. 2. *кому. Пск.* Окликать, звать кого-л. ПОС, 7, 66. 3. *Арх., Кар., Сиб., Пск.; Жарг. угол.* Отзываться, откликаться. СРНГ 7, 257; СРГК 1, 424; СФС, 141; ПОС, 7, 66; Мокиенко 1990,

110; Мильяненков, 195; ББИ, 57. 4. *кому. Пск.* Сообщать кому-л. что-л., уведомлять кого-л. о чём-л. ПОС, 7, 66. 5. *кому. Жарг. угол.* Предупреждать кого-л. о чём-л. ТСУЖ, 41.

Имéть гóлос. *Разг.* Пользоваться определенными правами, иметь право на что-л. Ф 1, 223.

Кричáть (выть, ревéть) в (на) гóлос. *Новг., Олон., Орл., Перм., Прикам., Ряз., Сиб., Яросл.* Громко, навзрыд плакать, рыдать. Ф 1, 121; НОС 7, 143; СРНГ 6, 326; СОГ 1994, 112; СГПО, 188; МФС, 39; ДС, 120; СФС, 157; Подюков 1989, 98; ЯОС, 59.

Кричáть не в гóлос. *Твер.* Издавать душераздирающие звуки (о кошке в марте). СРНГ 15, 262.

Моги́льный гóлос. *Разг. Неодобр.* О глухом, унылом, монотонно низком голосе. БМС 1998, 126.

На гóлос. *Разг. Устар.; Дон.* То же, что **в голос 1.** ФСРЯ, 115; СДГ 1, 105.

Навести́ гóлос. *Яросл.* То же, что **найти голос.** ЯОС 6, 85.

Найти́ гóлос. *Прикам.* Вспомнить мелодию песни. МФС, 63.

Награмáть гóлос. *Дон.* Научиться петь. СДГ 2, 164; СРНГ 20, 8.

Отдавáть/ отдáть гóлос. *Кар., Тобол.* То же, что **давать голос 3.** СРГК 4, 286, 288; СРНГ 6, 326.

Отсылáть гóлос. *Кар.* Причитать по умершему. СРГК 4, 334.

Перекрывáть/ перекры́ть (покрывать/ покрыть) голос. 1. *Дон.* Петь в хоре выше, громче и лучше всех. СДГ 3, 7, 34; СРНГ 26, 135; СРНГ 29, 17. 2. *Прибайк.* Говорить громче собеседника, повышать голос. СНФП, 47.

Перервáть гóлос. *Арх.* Сорвать голос. СРНГ 26, 205.

Повышáть/ повы́сить гóлос. 1. *на кого. Разг.* Громко, раздражéнно ругать, отчитывать кого-л. ФСРЯ, 327; БТС, 854. 2. *Дон.* Вести в хоре партию первого голоса. СДГ 3, 18.

Подавáть /подáть гóлос. 1. *Пск.* То же, что **давать голос 1.** ПОС 7, 66. 2. *Пск., Сиб.* То же, что **давать голос 3.** ПОС 7, 66; ФСС, 139. 3. *Разг.* Сообщать кому-л., давать знать о себе. Ф 2, 54. 4. *Разг.* Пытаться возразить, отстоять свое мнение. Ф 2, 54. 5. *за кого. Разг.* Принимать участие в выборах, голосовать за кого-л. Глухов 1988, 54. 5. *Сиб.* Будить кого-л. СФС, 141. 6. *Сиб.* Приглашать к столу кого-л. ФСС, 129.

Под гóлос. *Прикам.* Одновременно, стройно, слаженно. МФС, 27.

Поднимáть/ подня́ть (возвышáть/ возвы́сить) [свой] гóлос *против кого, чего. Книжн.* Решительно выступать против кого-л., чего-л., прямо высказывать свое отрицательное мнение о ком-л., о чём-л. ФСРЯ, 330; БМС 1998, 126; БТС, 873.

Под оди́н гóлос, под оди́н вóлос. *Самар.* То же, что **голос в голос, волос в волос.** СРНГ 6, 325.

Покáзывать/ показáть гóлос. 1. *Кар., Пск.* То же, что **давать голос 1.** ПОС, 7, 66; СРНГ 28, 365; СРГК 5, 30. 2. *Волг.* Командовать, распоряжаться. Глухов 1988, 128.

Покрывáть гóлос. См. **Перекрывать голос.**

Попусти́ть гóлос. *Олон.* Запеть громко, раскатисто. СРНГ 30, 16.

Ревéть в(на) гóлос. См. **Кричать в голос.**

Без гóлоса. *Народн. Пренебр.* Ничтожный, несамостоятельный, слабый человек. СРНГ 6, 326.

Отстáть от гóлоса. *Арх.* То же, что **перервать голос.** СРНГ 6, 326.

Пéть в три гóлоса вдвоём. *Сиб. Ирон.* О нестройном, плохом пении. ФСС, 79.

Поднимáть на голосá *что. Приамур., Сиб.* Исполнять песню на несколько голосов. СРГПриам., 212; ФСС, 141.

Петь с чужóго гóлоса. *Разг. Неодобр.* Не имея своего мнения, высказывать, повторять чужое; быть несамостоятельным в своих суждениях. ФСРЯ, 319; БТС, 216; ЗС 1996, 66; Ф 1, 121; Ф 2, 45.

Принимáть/ приня́ть голосá *у кого. Кар.* Делать магнитофонную запись. СРГК 5, 184.

Ревéть с гóлоса. *Новг.* Громко плакать. Сергеева 2004, 60.

С гóлоса. *Разг.* 1. На слух (учить, запоминать и т. п.). 2. *чьего.* В соответствии с чьим-л. мнением, следуя чьему-л. мнению. ФСРЯ, 115.

С гóлоса (с голосу) на гóлос. *Кар., Яросл.* То же, что **во весь голос 1.** СРГК 1, 360; ЯОС 5, 91.

Спадáть/ спасть с гóлоса. *Народн.* Срывать голос. ФСРЯ, 448; СРНГ 6, 326.

В гóлосе. *Разг.* В состоянии хорошо петь. ФСРЯ, 115.

Петь на гóлосе. *Онеж.* Петь былины. СРНГ 6, 326.

Надéлать голосóв. *Сиб.* Долго и громко причитать. СФС, 112; ФСС, 116.

Води́ть гóлосом. *Кар.* Вести мелодию песни. СРГК 1, 212.

Всем гóлосом. *Арх.* То же, что **во весь голос 1.** АОС 15, 4.

Гóлосом голоси́ть. *Волг.* Громко плакать. Глухов 1988, 25. **Гóлосом голосовáть.** *Кар.* То же. СРГК 1, 360.

Дурны́м гóлосом. *Прост.* Истерично, истошно (кричать, визжать и т. п.). ФСРЯ, 116; Глухов 1988, 117.

Заголáшивать гóлосом. *Новг.* Причитать, громко плакать. НОС 3, 20.

Не вя́нет гóлосом. *Арх.* О тихой, безветренной погоде. АОС 9, 15-16.

Не свои́м гóлосом. *Разг.* Исступленно, неистово (кричать, выть и т. п.). ДП, 145, 221, 517; ФСРЯ, 116.

Петь други́м гóлосом. *Разг.* Высказывать иное, чем раньше, мнение. Ф 2, 44.

Петь не свои́м гóлосом. *Разг.* Подражать кому-л. Ф 2, 844.

Плáкать гóлосом. *Новг., Сиб.* Громко плакать, рыдать, причитая. НОС 2, 30; ФСС, 137; СБО-Д1, 97. // *Новг.* В свадебном обряде: оплакивать невесту. НОС 7, 7, 143.

Повáживать гóлосом (голоскóм). *Олон.* То же, что **заголашивать голосом.** СРНГ 6, 326, 328.

Повести́ гóлосом. *Кар.* Затянуть песню. СРГК 4, 587.

Поводи́ть гóлосом. *Кар.* Голосить, причитать. СРГК 4, 593.

Пóлным гóлосом. *Разг.* То же, что **во весь голос 2.** ФСРЯ, 116.

Ревéть гóлосом. 1. *Перм.* Громко кричать. Подюков 1989, 49. 2. *Кар., Сиб.* Плакать, рыдать с причитаниями. СРНГ 35, 6-7; Верш. 6, 93.

Лить гóлосу. *Кар.* Плакать, голосить. СРГК 3, 131.

Подáть гóлосу. *Пск.* Нарушить тишину, зашуметь. СПП 2001, 30.

С голосу на гóлос. См. **С голоса на голос.**

С какóго гóлосу? *Онеж.* Почему, по какому праву? СРНГ 6, 326.

На голосáх. *Арх.* В несколько голосов (о многоголосом пении). АОС 9, 266.

На голосы́. *Сиб.* Очень громко, с причитаниями (плакать, рыдать). ФСС, 46.

ГОЛОСОВÁНИЕ * Голосовáние ногáми. *Публ., Полит. Ирон.* Отказ от участия в каком-л. мероприятии; выражение протеста, несогласия с чем-л. НСЗ-80; Мокиенко 2003, 20.

ГОЛОСО́К * Пова́живать голоско́м. См. **Поваживать голосом (ГОЛОС).**

В голосо́к. *Олон., Сиб.* То же, что **во весь голос 1. (ГОЛОС).** СРНГ 6, 328; ФСС, 46.

Голосо́к — не кишка́, а волосо́к *у кого. Народн. Шутл.* О высоком женском голосе. ДП, 517.

Голосо́к соловьи́ный, а жа́ло змеи́ное (а коготóк ястреби́ный) *у кого. Народн. Неодобр.* О двуличном человеке, подхалиме. Жиг. 1969, 208, 220.

ГОЛОСЯ́НКА * Во всю голося́нку. *Арх.* То же, что **во весь голос 1. (ГОЛОС).** АОС 4, 14.

Вытя́гивать голося́нку. *Сиб.* То же, что **тянуть голосянку 1.** ФСС, 39; Скузб., 57.

Петь в голося́нку. *Костром.* Петь в тон. СРНГ 6, 329.

Тяну́ть голося́нку. 1. *Сиб.* Говорить нараспев. СФС, 56; СРНГ 6, 329. 2. *Забайк.* Петь монотонно. СРГЗ, 92. // *Нижегор.* Тянуть одну ноту. СРГН 6, 329. 3. *Арх.* Исполнять песню на несколько голосов. АОС 9, 269.

ГОЛУБО́К * Води́ть голубко́в. *Пск.* Вид народной игры с поцелуями. Ивашко, 1993.

Пуска́ть/ пусти́ть голубко́в (голубе́й, го́лубя). *Жарг. мол. Шутл.* Выпускать газы из кишечника. Максимов, 90, 91.

Морско́й голубо́к. *Петерб.* Птица подорожник снежный, пуночка. СРНГ 6, 340.

Ночно́й голубо́к. *Новг.* Птица козодой. СРНГ 6, 340.

ГО́ЛУБЬ[1] * Гоня́ть голубе́й. *Разг. Неодобр. Устар.* Бездельничать, праздно проводить время. БМС 1998, 127.

Корми́ть голубе́й. *Яросл.* Вид народной игры с поцелуями. ЯОС 5, 67.

Пуска́ть голубе́й. См. **Пускать голубков (ГОЛУБОК).**

Подпусти́ть голубе́й. *Самар.* Осторожно повести речь о чём-л., намекнуть на что-л. СРНГ 28, 152.

Подпуща́ть голубе́й. *Ейск. Неодобр.* Зазнаваться. СРНГ 28, 153.

Спугну́ть голубе́й. *Жарг. угол.* Совершить кражу белья, вывешенного для просушки. СРВС 2, 213; СРВС 3, 123; Балдаев 2, 56; ТСУЖ, 167.

Го́луби из голубя́тни улете́ли *у кого. Народн. Ирон.* О глупом, несообразительном человеке. ДП, 436.

Го́лубь ми́ра. 1. *Публ.* Символ мира и социального благоденствия. < Восходит к Библии. БМС 1998, 127; Мокиенко, 1989, 46; ЗС 1996, 510. 2. *Жарг. мол. Шутл.-ирон.* Тушка курицы из продовольственного магазина. Максимов, 91.

Го́лубь сизокры́лый. *Жарг. авиа. Шутл.-ирон.* Самолет «Ан-2» (темно-серого цвета). БСРЖ, 132.

Де́лать/ сде́лать мёртвого го́лубя. *Урал.* Пробраться на полном скаку под шеей коня и сесть в седло с другой стороны. СРНГ 6, 342.

Пуска́ть го́лубя. См. **Пускать голубков (ГОЛУБОК).**

ГО́ЛУБЬ[2] * Лети́те, го́луби, лети́те! *Жарг. гом. Шутл.* Предупреждение о приближении облавы в местах скопления гомосексуалистов. Кз., 121. < Переосмысление начальных строк популярной одноименной советской песни; **голубь** — гомосексуалист. БСРЖ, 132.

ГОЛУБЯ́ТНЯ * Голубя́тня е́дет *у кого. Жарг. мол. Шутл.-ирон.* Кто-л. плохо соображает, заторможен. Елистратов 1994, 95. < Образовано по модели **крыша едет** *у кого.*

ГО́ЛЫЙ * Хоть го́лого полива́й. *Кар.* Об изобилии, большом количестве чего-л. СРГК 5, 53.

ГОЛЫ́М * Голы́м на́голо. *Арх.* Совсем, полностью. АОС 9, 262.

ГОЛЫ́Ш * Голы́ш го́лый. *Бран.* О человеке, совершившем что-л. предосудительное. ПОС 7, 74. < **Голыш** — бедняк, нищий.

Оста́ться на голыша́х. *Прибайк.* Лишиться всего, оказаться в убытке. СНФП, 47.

На голыше́. *Яросл.* На открытом месте. ЯОС 6, 76.

ГОЛЫ́ШКА * Сиде́ть на голы́шке. *Одесск. Неодобр.* Бездельничать, праздно проводить время. КСРГО.

ГОЛЬ * Го́ли хвати́ть. *Алт.* Испытать много горя, лишений. СРГА 4, 193.

Голь голи́мая. *Сиб.* Открытое место. ФСС, 46.

Голь да перету́ка *у кого, где. Обл. Ирон.* О бедности, нищете. Мокиенко 1990, 136.

Голь еги́петская. *Яросл. Шутл.-ирон.* Бедняк. ЯОС 3, 93; СРНГ 6, 347-348.

Голь каба́цкая. *Разг. Пренебр.* То же, что **голь перекатная 1.** ФСРЯ, 116.

Голь на го́ли (на го́ле) [да го́лью погоня́ет]. *Прост. Ирон. или Пренебр.* О группе людей, состоящей из бедняков, нищих. Ф 1, 121; БалСок, 30.

Голь на голь оста́ться. *Пск.* Стать нищим, потерять состояние, дом, хозяйство и т. п. СПП 2001, 30.

Голь непокры́тая. *Перм. Ирон.* 1. Бедняк. 2. Бедность, нищета. СРНГ 6, 347.

Голь перека́тная. 1. *Разг. Пренебр.* Опустившийся человек, живущий в нищете; босяк. ФСРЯ, 116; ЗС 1996, 142, 490; БТС, 804. 2. *Жарг. студ. Шутл.* Студент, переписывающий чужие конспекты. ПБС, 2002.

С го́лью. *Пск.* Ничем не заедая, не запивая; без хлеба. ПОС 7, 74.

Оста́ться на голя́х. *Кар.* Остаться в убытке; остаться ни с чем. СРГК 1, 362; СРГК 4, 256; СРНГ 6, 348.

Попа́сть ме́жду двух на голя́х. *Новг.* Оказаться в затруднительном положении. НОС 8, 115.

ГОЛЬЁ * Насу́нуть голье́. *Жарг. угол.* Украсть деньги. СРВС 4, 12, 142.

Оста́ться на голье́ без двух. *Жарг. угол.* Попасть в сложную ситуацию, попасть впросак. ТСУЖ, 122.

Покупа́ть/ купи́ть гольём *что. Жарг. угол.* Красть у кого-л. бумажник с деньгами, но без документов. Грачев 1997, 13; СРВС 2, 47.

Торгова́ть гольём. *Жарг. угол.* То же, что **покупать гольём.** Трахтенберг, 18; Бр., 10; СРВС 2, 216.

< **Гольё** — 1. Бумажные деньги; наличные деньги. 2. Отсутствие денег в украденном кошельке. БСРЖ, 132.

ГОЛЯ́ДКА * На голя́дки (на голя́дку). *Пск.* Голыми руками, без рукавиц. ПОС 7, 75.

ГОЛЯ́К * Сиде́ть голяка́. *Одесск. Неодобр.* Бездействовать; сидеть без дела. КСРГО.

Сиде́ть на голяке́. *Жарг. угол., арест.* Жить исключительно на тюремном пайке, без посылок и передач. Балдаев 2, 38.

ГОЛЯ́НКА * На голя́нку. *Кар.* Без хлеба. СРГК 1, 362.

ГОЛЯ́ШКА * Пока́ из голя́шек пар не пойдёт. *Арх. Шутл.* О большом количестве выпитого чая. АОС 9, 292.

Ядрёна голя́шка! *Перм. Бран.-шутл.* Восклицание, выражающее легкую досаду, раздражение. Подюков 1989, 45.

Быть на голя́шках. *Прибайк. Шутл.-ирон. или Пренебр.* находиться в состоянии сильного алкогольного опьянения. СНФП, 48.

Ходить на голя́шках. *Прибайк. Шутл.-ирон.* Форсить, модничать. СНФП, 48.
Сверка́ть голя́шками. *Прост.* Носить короткую одежду. СРГМ 2002, 25.
Голя́шки шумя́т *у кого. Сиб.* О боли в ногах в результате переутомления. ФСС, 56.
Осеря́ голя́шки. *Арх. Шутл.* Очень сильно, сверх меры, чересчур. АОС 9, 292.
Че́рез голя́шку. *Арх.* То же, что **осеря голяшки.** АОС 9, 292.
ГО́МО * Го́мо са́пиенс. *Жарг. шк. Шутл.* Сообразительный ученик. Максимов, 91.
ГОМО́Н * Садо́вый гомо́н. *Одесск.* О беспорядке, шуме, суматохе. КСРГО. < Трансформация выражения **Содом и Гоморра**.
ГОН * Гоня́ть на гон. *Арх., Башк.* Преследовать зверя на охоте. СРНГ 7, 15; СРГБ 1, 91.
Дава́ть/ дать гон (го́ну) *кому.* 1. *Смол.* Гнать кого-л. куда-л. СРНГ 7, 257; Мокиенко 1990, 110. 2. *Волг.* Строго взыскивать, наказывать кого-л. Глухов 1988, 27.
Идти́ в гон. *Приамур.* Начинать брачные игры (о диких парнокопытных животных). СРГПриам., 107.
Гнать го́ном. 1. *кого. Дон., Орл., Сиб.* Перегонять скот на большое расстояние. СДГ 1, 106; СОГ 1990, 13; ФСС, 43, 139. 2. *кого. Алт., Том.* Безостановочно преследовать кого-л. СРГА 1, 225; СРНГ 7, 15. // *Сиб.* Преследовать зверя во время охоты. ФСС, 43. 3. *кого. Волг., Дон., Сиб.* Выгонять, прогонять кого-л. откуда-л. Подюков 1988, 25; СДГ 1, 106; Мокиенко 1990, 156; ФСС, 43. 4. *кого. Башк., Забайк., Казан., Одесск., Ряз., Сиб.* Заставлять, принуждать кого-л. идти куда-л.; принудительно отправлять кого-л. куда-л. СРГБ 1, 91; СРГЗ, 93; КСРГО; ДС, 122; СРНГ 6, 356; СФС, 56; ФСС, 43. 5. *кого. Яросл.* Силой принуждать кого-л. к чему-л., заставлять делать что-л. ЯОС 3, 81. 6. *Костром., Яросл.* Очень быстро ехать. СРНГ 6, 356; ЯОС 3, 81.
Гна́ться/ погна́ться го́ном. *Сиб.* Быстро бежать, мчаться. ФСС, 43, 139; СФС, 141; СРНГ 6, 356.
Одни́м го́ном. *Яросл.* За один раз, за один приём. ЯОС 7, 35.
Бе́гаться в гоны́. *Народн.* Бегать наперегонки. СРНГ 6, 356.
ГОНДОЛЬЕ́Р (ГОНДОЛЬЕ́РА). * Заправля́ть/ запра́вить гондолье́ру (гондолье́ра). *Жарг. угол. Неодобр.* 1. Лгать, обманывать, изворачиваться. ББИ, 58; Балдаев 1, 91. 2. Мошенничать, жульничать. СРВС 2, 62; СРВС 3, 62.
ГОНДО́Н * Гондо́н што́паный [колю́чей про́волокой]. *Жарг. мол., угол. Презр.* Ничтожный, ни на что не годный человек. УМК, 69; Быков, 49; Елистратов 1994, 96; ББИ, 58; Балдаев 1, 92; Смирнов 2002, 45; Югановы, 60.
Де́тский гондо́н. *Жарг. мол. Шутл.* Жевательная резинка, которая надувается пузырем. Максимов, 91.
Дыря́вый (ло́пнутый) гондо́н. *Жарг. мол. Презр.* О человеке, вызывающем резко отрицательные эмоции. Максимов, 91.
ГОНЕ́Ц * Гонец икряный. *Жарг. нарк.* Торговец или вольнонаёмный работник ИТУ, имеющий при себе много наркотиков. Грачев 1994, 10; Грачев 1996, 19.
Гоне́ц из Пе́нзы. *Жарг. мол. Шутл.* Обманщик, лгун. Максимов, 92.
Гонца́ дава́ть. *Арх.* Очень быстро бежать, мчаться. АОС 9, 295.
ГО́НКА * Больши́е го́нки. *Жарг. арм. Шутл.-ирон.* О встрече патруля с солдатом, находящимся в самовольной отлучке. Максимов, 39. < По названию кинофильма.
Гнать го́нки. *Жарг. мол.* Лгать, обманывать. Максимов, 87.
Гони́ть го́нки. *Волог.* То же, что **гонять гонку 2.** СВГ 1, 121.
Гоня́ть го́нкой *кого. Печор.* Перегонять до определённого места (животных). СРГНП 1, 145.
Гоня́ть (гнать) го́нку. 1. *Башк.* Соревноваться в скачках на лошадях (на празднике сабантуй). СРГБ 1, 91. 2. *Яросл.* Сплавлять лес по реке. СРНГ 6, 234. 3. *Яросл.* Очень быстро делать что-л. (например, есть). ЯОС 3, 95. 4. *кого. Волг.* Торопить, подгонять кого-л. Глухов 1988, 24. 5. *кого. Дон.* Придираться к кому-л., подвергать гонениям кого-л. СДГ 1, 106.
Держа́ть го́нку. *Яросл.* То же, что **гонять гонку 2.** СРНГ 8, 21.
Задава́ть/ зада́ть го́нку *кому. Прост.* Строго выговаривать, отчитывать кого-л. ФСРЯ, 162.
Ходи́ть в го́нку (по го́нкам). *Новг.* Работать на сплаве леса. НОС 12, 19.
ГОНКО́М * Гони́ть гонко́м. *Арх.* Быстро передвигаться. АОС 9, 306.
Гнать (гоня́ть) гонко́м *кого.* 1. *Приамур., Сиб.* То же, что **гнать гоном 1. (ГОН).** СРГПриам., 56, 206; ФСС, 43, 139. 2. *Кар., Приамур., Сиб.* То же, что **гнать гоном 3. (ГОН).** СРГК 1, 363-364; СРГПриам., 56; ФСС, 43. 3. *Приамур., Сиб.* То же, что **гнать гоном 4. (ГОН).** СРГПриам., 56; ФСС, 43. 4. *Яросл.* То же, что **гнать гоном 5 (ГОН).** ЯОС 3, 81.
ГО́НОР * Зада́ть го́нор *кому. Пск.* Отчитать кого-л., устроить нагоняй кому-л. СПП 2001, 30.
Поста́вить го́нором. *Пск.* Проявить высокомерие; заупрямиться. ПОС 7, 81.
ГОНЬБА́ * Гнать гоньбо́й. *Печор.* Очень быстро отправляться куда-л. СРГНП 1, 145.
Гнать гоньбу́. *Горьк.* Торопиться. БалСок, 30.
Гони́ть (гоня́ть) гоньбу́. *Сиб.* 1. *Устар.* Отбывать волостную или сельскую подводную повинность. 2. Работать ямщиком. ФСС, 46; СФС, 56.
ГОП * На го́пе. *Жарг. угол.* В поле, в лесу. СРВС 2, 55, 123, 192; ТСУЖ, 112. < **Гоп** — ночлежка; место, где можно переночевать за небольшую плату. БСРЖ, 134.
ГО́ПКИ * Сига́ть го́пки. *Одесск.* То же, что **становиться гопки 1.** КСРГО.
Станови́ться го́пки. *Волг., Дон.* 1. Становиться на дыбы. 2. Резко проявлять несогласие, строптивость. Подюков 1988, 154; СДГ 1, 107.
ГОП-СТОП * Брать/ взять на гоп-сто́п *кого, что. Жарг. угол.* Грабить кого-л. СВЯ, 15; Балдаев 1, 45; ТСУЖ, 31; Росси 1, 84.
Вы́йти на гоп-сто́п. *Жарг. угол.* Подготовиться к грабежу, поджидая жертву в определенном месте. ТСУЖ, 36. < **Гоп-стоп** — ограбление.
ГОРА́ * С гор вода́, со ста́ну ры́ба. *Новг.* О времени таяния снега и льда, когда рыба начинает двигаться активно. НОС 9, 161.
Спусти́лись с гор за со́лью. *Жарг. мол. Презр.* 1. О грубых, невежественных людях. 2. О кавказцах. Максимов, 401.
Бе́лая гора́. 1. *Приамур.* Дымящаяся сопка. СРГПриам., 60. 2. *Арх.* Кладбище. АОС 1, 159.
Гора́ ведьм. *Жарг. шк. Презр.* Учительская. (Запись 2003 г.).
Гора́ Оли́мп. *Жарг. мол. Шутл.* Кабинет начальника. Максимов, 93.
Гора́ печа́ли. *Арх.* Скорбь; огорчение. СРНГ 7, 17.

Гора́ родила́ мышь. *Народн. Ирон.* О ситуации, когда огромные усилия дают ничтожные результаты. ДП, 516; ШЗФ 2001, 57; Жук. 1991, 88.

Гора́ с плеч [свали́лась] *у кого. Разг.* Рассеялись тревоги, сомнения; настало облегчение после избавления от волнений, забот. Ф 1, 122; ЗС 1996, 528; БТС, 218; ФСРЯ, 116.

Гора́ то́пится. *Сиб.* О дымящейся сопке. ФСС, 47.

Горю́чая гора́. *Приамур., Сиб.* То же, что **белая гора 1.** СРГПриам., 61; ФСС, 47.

Золота́я гора́. *Арх.* 1.*Одобр.* О чём-л. отличном, превосходном. 2. О большом количестве чего-л. АОС 9, 321.

Коша́чья гора́. 1. *Новг.* Русская печь. НОС 2, 36. 2. *Пск.* Настил для спанья под потолком избы, полати. ПОС 7, 90.

Пых по гора́м. *Пск.* О реакции вспыльчивого, несдержанного человека на то, что ему не нравится. СПП 2001, 30.

Верте́ть (воро́чать) гора́ми. *Разг. Устар.* Делать важное дело, требующее больших усилий. Ф 1, 55; ФСС, 79.

За гора́ми, за дола́ми. *Народно-поэт.* Очень далеко. Ф 1, 122.

Кача́ть гора́ми. *Жарг. мол.* Распоряжаться большими капиталами. Максимов, 93.

Не за гора́ми. *Разг.* 1. Неподалёку, очень близко (находиться, располагаться и т. п.). 2. Скоро, через короткий промежу́ток времени. ФСРЯ, 116; БТС, 218; СОСВ, 53; ПОС 7, 89.

Быть на горе́. *Иван. Одобр.* Достичь успеха, благополучия. СРНГ 7, 17.

Горо́й тебя́ положи́! *Орл. Бран.* То же, что **дуй тебя́ горо́й!** СРНГ 7, 17. **Горо́й тебя́ расстреля́й (расстрели́)!** *Дон. Бран.* То же. СРНГ 7, 17; СДГ 3, 86.

Дери́ (драть, одра́ть) горо́й *кого*! *Морд., Яросл. Бран.* То же, что **дуй тебя горой!** СРГМ 1980, 33; ЯОС 4, 19.

Дуй (разду́й, разду́ть, ду́ло) тебя́ горо́й! *Прост. Бран.* Восклицание, выражающее гнев, негодование. СРНГ 7, 17; ЯОС 4, 19; Ф 2, 115; Мокиенко, Никитина 2003, 109.

Нарвало́ горо́й *кого. Новг. Неодобр.* О человеке, который много съел или выпил. СРНГ 7, 17; СРНГ 20, 122.

Ни горо́й ни водо́й. *Сиб. Неодобр.* О бездорожье. СФС, 127; ФСС, 47.

Одерёт тебя горо́й! *Яросл. Бран.* То же, что **дуй тебя горой!** СРНГ 7, 18.

Оду́й горо́й. 1. *чего. Новг.* О большом количестве чего-л. СРНГ 23, 67. 2. **[тебя́]!** *Бран. Яросл.* То же, что **дуй тебя горой!** СРНГ 7, 18.

Покати́ться горо́й. *Волог.* Начать плясать. СРНГ 7, 17.

Пострели́ тебя (его, вас и пр.**) горо́й!** *Прост. Обл. Бран.* Выражение сильной досады, недовольства, гнева на кого-л. Мокиенко, Никитина 2003, 109; Ф 2, 80.

Разорви́ тебя́ горо́й! *Бран. Яросл.* То же, что **дуй тебя горой!** СРНГ 7, 18.

С горо́й. 1. *Кар.* О чём-л., наполненном до краев. СРГК 1, 365. 2. *Пск.* Слишком много, через край (налить). СПП 2001, 30.

Взрыть го́ру. *Горьк.* Испортить отношения с кем-л. БалСок, 31.

Вогна́ть в го́ру *кого. Пск. Неодобр.* Измучить, изнурить кого-л., довести до смерти. ПОС 7, 89.

Вы́стать на бе́лу го́ру. *Кар.* Забраться на печь. СРГК 1, 297.

Гляде́ть на го́ру. *Пск.* Готовиться к смерти. (Запись 1993 г.).

Е́хать (переселя́ться) на го́ру (на [весёлую] го́рку). *Прибайк.* Умирать. СНФП, 48.

Заезжа́ть (уйти́) на го́ру. *Арх.* То же, что **ехать на гору.** АОС 9, 320.

Идти́/ пойти́ в го́ру. *Разг.* 1. *Одобр.* Преуспевать, делать карьеру, добиваться стабильных успехов в чём-л. БМС 1998, 127; БТС, 218; ПОС 7, 89. 2. Повыситься (о цене). СРНГ 28, 352.

Идти́/ пойти́ под го́ру. 1. *Прост.* Лишаться житейского благополучия, терять значимость, авторитет. БТС, 218; СРНГ 12, 78.. 2. *Арх., Пск.* Достигнув преклонного возраста, начать дряхлеть, стареть, приближаться к смерти. АОС 9, 321; ПОС 7, 89.

Лить в го́ру. *Сиб. Ирон.* Лгать, обманывать кого-л. ФСС, 106.

Лома́ть го́ру. *Сиб.* Переходить перевал в горах. СФС, 101; ФСС, 107.

На куды́кину го́ру. *Прост. Шутл.* или *Ирон.* Ответ на вопрос «Куда ты идешь?» при нежелании отвечать. БМС 1998, 127; СРНГ 16, 17; Ф 1, 124; НОС 2, 36.

Не дава́ть и в го́ру гля́нуть. *Волг.* Чрезмерно опекать кого-л. Глухов 1988, 97.

Не вдруг на го́ру с понoро́вочкой. *Перм. Ирон.* Не спеша, не сразу. СГПО, 482.

Ни за золоту́ю го́ру. *Народн.* Ни за что, ни в коем случае. ДП, 241.

Ну его, на лы́сую го́ру к ве́дьмам! *Народн. Бран.* Восклицание, выражающее гнев, досаду, негодование. ДП, 750; Мокиенко 1986, 182.

Под го́ру не свезёшь *чего. Морд.* О большом количестве чего-л. СРГМ 2002, 24.

Поднима́ться в го́ру. *Разг.* То же, что **идти в гору 1.** БТС, 872.

Подниматься на гору. *Прибайк.* То же, что **ехать на гору.** СНФП, 48.

Понести́ на го́ру *кого. Пск.* Похоронить кого-л. СПП 2001, 30.

Пошёл го́ру на лы́ки драть. *Народн. Ирон.* О бесполезной деятельности. ДП, 792.

Пря́нуть в го́ру. *Волг., Дон.* То же, что **идти в гору 1.** Подюков 1988, 136; СДГ 1, 107.

Свора́чивать/ свороти́ть го́ру. *Разг.* То же, что **сдвигать горы.** БТС, 218; ЗС 1996, 26; Верш. 6, 192. **Свороти́ть го́ру с курга́ном.** *Чкал.* То же. СРНГ 36, 324.

Сложи́ть го́ру *на кого. Пск. Неодобр.* Оклеветать, очернить кого-л. ПОС 7, 89.

Смотре́ть на го́ру. *Волг.* То же, что **собираться на гору.** Глухов 1988, 150.

Снять го́ру с плеч *у кого. Прост.* Освободить кого-л. от тягостных забот, обязанностей. Ф 2, 170.

Собира́ться на го́ру. *Арх., Прибайк. Ирон.* Быть близким к смерти, готовиться к смерти. АОС 9, 320; СНФП, 48.

Сто в го́ру, и к ба́бке не ходи́! *Жарг. мол.* Клятва в истинности сказанного. Максимов, 405.

Уйти́ на го́ру. *Перм. Шутл.* Умереть. Подюков 1989, 213.

Америка́нские го́ры (го́рки). *Жарг. арм., морск. Шутл.* Сильная бортовая и килевая качка. Кор., 31; Лаз., 129.

В горы́ быть. *Пск. Одобр.* Жить в достатке. СПП 2001, 30.

Воро́чать (дви́гать, кача́ть) го́ры. *Прост.* Делать очень многое, напряжённо и успешно работать. БТС, 151, 218; ПОС 7, 89.

До горы́. *Пск.* До самого верха, до краёв. ПОС 7, 89.

Золоты́е (златы́е) го́ры. 1. *Прост.* Сказочное богатство, благополучие (обещать, сулить кому-л.). Ф 1, 124. 2. *Пск.* О большом количестве чего-л. ПОС 7, 89.

Копа́ть (рыть) го́ры. *Пск. Неодобр.* 1. *на кого.* Клеветать, наговаривать на кого-л. ПОС 7, 89. 2. Мешать кому-л., препятствовать чему-л. СПП 2001, 30.

Кача́ть го́ры. См. **Ворочать горы.**

Ко́шкины го́ры. *Пск.* То же, что **кошачья гора 1.** Шт., 1978.

Коша́чьи го́ры. *Орл.* верхняя часть русской печи, на которой спят. СОГ 1992, 102.

Ни с горы́ ни с воды́. *Коми. Неодобр.* О неумелой, ленивой женщине. Кобелева, 60.

Повороти́ть го́ры. *Прикам.* То же, что **сдвигать горы.** МФС, 76.

Понести́ го́ры *на кого. Прост.* Оклеветать кого-л. Ф 2, 73.

Пройти́ го́ры и во́ды. *Арх.* Приобрести жизненный опыт, многое испытать. АОС 9, 321. **Пройти́ го́ры и но́ры.** *Кар.* То же. СРГК 4, 40.

Рыть го́ры. См. **Копать горы.**

Сдвига́ть/ сдви́нуть (свора́чивать/ сверну́ть) го́ры. *Разг.* Совершать большие, масштабные дела. БМС 1998, 127; Ф 2, 146, 147; ЗС 1996, 26; ШЗФ 2001, 57; СОСВ, 53; МФС, 76.

С круто́й забы́вчивой горы́. *Прикам. Ирон.* О внебрачном ребенке. МФС, 28.

Сули́ть/ посули́ть золоты́е (златы́е) го́ры *кому. Разг. Неодобр.* Обещать кому-л. излишне много, давать невыполнимые обещания. ДП, 164, 652; ЗС 1996, 341; БТС, 218; БМС 1998, 128.

Я́сны го́ры. *Сиб.* Известное дело. ФСС, 48.

ГОРА́ЗД * Кто во сколь гора́зд. *Арх.* то же, что **кто во что горазд 1.** АОС 9, 323.

Кто во что гора́зд. 1. *Разг. Неодобр.* Каждый по-своему, на свой вкус; кто как может. ДП, 629; ФСРЯ, 116; БМС 1998, 128; Мокиенко 1990, 93; СОГ 1992, 128; ПОС, 7, 92. 2. *Пск. Неодобр.* Неслаженнно, недружно. СПП 2001, 31.

ГОРА́ЗДО * Подковы́ривай гора́здо! *Костром.* Пожелание счастливого пути. СРНГ 28, 39.

ГОРБ * Бе́лый горб. *Арх.* Кладбище. АОС 1, 159.

Гнуть горб. *Прост. Неодобр.* Трудиться до изнеможения; изнурять себя тяжёлой работой. ФСРЯ, 109; БТС, 217.

Горб спе́реду растёт *у кого. Волг. Шутл.* 1. О человеке, который быстро полнеет. 2. О беременной женщине. Глухов 1988, 26.

Лома́ть горб. *Прост. Неодобр.* То же, что **гнуть горб.** БТС, 217; ПОС 7, 92.

Горбы́ лома́ть. *Арх.* то же. АОС 9, 326.

Ломи́ть горб. *Перм.* То же, что **гнуть горб.** Подюков 1989, 108.

Накла́сть в горб *кому. Волг.* Строго наказать, побить кого-л. Глухов 1988, 90.

Наконопа́тить горб *кому. Кар.* Побить, поколотить кого-л. СРГК 3, 336.

Поста́вить горб. *Арх.* Выгнуть спину. АОС 9, 325.

На своём горбе́. См. **На своем горбу.**

Горбо́м рабо́тать. *Пск.* То же, что **гнуть горб.** ПОС 7, 92.

За ма́териным горбо́м. *Орл.* Под защитой, опекой матери. СОГ 1994, 114.

Свои́м горбо́м. *Прост.* Своими силами, собственным трудом. Ф 1, 122; СОСВ, 54; БТС, 217; АОС 9, 326.

С горбо́м. *Пск.* С лишним, с лишком. СПП 2001, 31.

Выезжа́ть на горбу́ *чьём. Волг. Неодобр.* То же, что **ездить на чужом горбу.** Глухов 1988, 17.

Е́здить на чужо́м горбу́. *Прост. Неодобр.* Эксплуатировать кого-л. ЗС 1996, 152; Глухов 1988, 40.

Не по горбу́ *кому что. Волг.* Кто-л. неспособен, не может сделать что-л. Глухов 1988, 101.

Сиде́ть на горбу́ *чьём, у кого. Разг. Неодобр.* Быть на иждивении, попечении, содержании, обременяя кого-л. ФСРЯ, 423; Ф 2, 155.

Со своего́ горбу́. *Перм., Прикам.* То же, что **своим горбом.** СГПО, 115; МФС, 28.

На своём горбу́ (горбе́). *Прост.* То же, что **своим горбом.** АОС 9, 325; ПОС 7, 92.

На чужо́м горбу́ в рай вы́ехать (въе́хать). *Новг., Пск. Неодобр.* Добиться чего-л. за чужой счёт, тунеядствуя. НОС 9, 97; СПП 2001, 31.

Лома́ть горбы́. См. **Ломать горб.**

ГОРБА́ТКА * Лома́ть горба́тку. *Пск. То же, что* **гнуть горб.** (Запись 2001 г.).

ГОРБА́ТЫЙ * Корми́ть горба́того. *Жарг. мол. Неодобр.* Говорить ерунду. Вахитов 2003, 84.

Лепи́ть (мочи́ть/ замочи́ть/ зама́чивать) горба́того. 1. *Жарг. мол. Шутл.* Рассказывать что-л. смешное, веселить публику. Митрофанов, Никитина, 46; Югановы, 61. 2. *Жарг. угол., мол.* Лгать. ТСУЖ, 42; Белянин, Бутенко, 85; Югановы, 61. // Лгать на допросе. СВЯ, 52. 3. *Жарг. угол.* Выдавать себя за другое лицо. ТСУЖ, 42. 4. *Разг. Неодобр.* Делать что-л. неправильно, совершать нелепые поступки. БСРЖ, 135; ПОС 7, 94.

Пойма́ть горба́того. *Жарг. угол., мол. Шутл.* Остановить такси. Балдаев 1, 332; Максимов, 93.

Сам горба́тый. *Жарг. митьк. Шутл.* Ответ на ласковое обращение, приветствие собеседника. ЧП, 18.02.91.

ГО́РБИК * С го́рбиком. *Пск.* То же, что **с горбом (ГОРБ).** ПОС 7, 95.

ГОРБИ́НА * За чужо́й горби́ной (быть, жить). *Пск.* Находиться под чьей-л. опекой, защитой. СПП 2001, 31.

Гнуть горби́ну. *Новг.* То же, что **гнуть горб.** НОС 2, 38.

Под горби́ну. *Новг.* Горбатый. НОС 8, 18.

ГРОБОВА́Я * В гробову́ю. *Орл.* Очень сильно, интенсивно (бить кого-л.). СОГ 1990, 14.

ГОРБО́К * Занатяга́ть горбо́к. *Кар. Ирон.* Много потрудиться в течение долгой жизни.СРГК 2, 163.

ГОРБУ́ХА * Горбу́ху лепи́ть/ залепи́ть (мочи́ть/ замочи́ть/ зама́чивать, отмочи́ть). *Жарг. мол. Шутл.* Совершать нелепые, смешные поступки. Елистратов 1994, 97.

ГОРБУ́ШКА * Кле́ить (лепи́ть, мочи́ть) горбу́шки (горбыли́). *Жарг. мол.* 1. Шутить. 2. Лгать, обманывать. 3. Делать что-л. необычное, странное. 4. Придираться к кому-л. 5. Ругать, отчитывать кого-л. 6. Обвинять кого-л. по статье уголовного кодекса. Максимов, 93.

Заезжа́ть за горбу́шку. *Сиб.* Обходиться очень дорого. ФСС, 77.

Гнуть (лома́ть) горбу́шку. *Прост.* То же, что **гнуть горб (ГОРБ).** Глухов 1988, 82; СБО-Д1, 99; СФС, 574 СРНГ 17, 118; Ф 1, 284; ФСС, 44.

ГОРБУШО́К * С горбушко́м. *Арх.* С горбинкой (о носе). АОС 9, 333.

ГОРБЫ́ЛЬ * Лепи́ть горбыли́. См. **Клеить горбушки (ГОРБУШКА).**

Горбы́ль лома́ть. *Пск.* То же, что **гнуть горб (ГОРБ).** ПОС 7, 92.

ГО́РБЫШЕК * Накла́сть за го́рбышек *кому. Арх.* Избить, поколотить кого-л. АОС 9, 335.

Свои́м го́рбышком. *Арх.* То же, что **своим горбом (ГОРБ).** АОС 9, 336.

С го́рбышком. *Арх.* Полный, наполненный до краев. АОС 9, 336.

ГОРБЫШИ́ * Надава́ть горбыше́й *кому. Пск.* Побить, избить кого-л. ПОС 7, 98.

ГО́РДОСТЬ * Брать/ взять (лезть) на го́рдость. *Волг., Дон. Неодобр.* Быть высокомерным, заносчивым; зазнаваться. Глухов 1988, 6; СДГ 1, 39, 107.

Дыша́ть го́рдостью. *Кар. Неодобр.* То же, что **брать на гордость.** СРГК 2, 17.

ГОРДЫ́НЯ * Возноси́ться/ вознести́сь в горды́не. *Разг. Устар.* Быть гордым, высокомерным, не считаться с окружающими. Ф 1, 71.

ГО́РЕ * В го́ре броса́ет *кого. Арх.* Становится горько, обидно кому-л. АОС 9, 339.

Ввести́ в го́ре *кого. Яросл.* Обидеть, оскорбить, рассердить кого-л. ЯОС 2, 37.

Весели́ть го́ре. *Сиб.* Терпеть горе, пытаться пережить, преодолеть его. ФСС, 25.

Води́ть го́ре. *Новг.* Жить в нищете, испытывать трудности, беды. НОС 2, 40.

Го́ре бежи́т вперёд *кого. Прибайк.* О чьих-л. бесконечных несчастьях. СНФП, 48.

Го́ре берёт/ взя́ло *кого.* 1. *Урал.* Кто-л. испытывает горе, несчастье, беды. СРНГ 7, 31. 2. *Арх., Кар.* Кому-л. становится обидно, горько. АОС 9, 339; СРГК 1, 368.

Го́ре горева́ть. 1. *Прост.* То же, что **горе мыкать.** АОС 9, 338; ФСС, 47; Ф 1, 122. 2. *Кар.* В игре: сидеть вдвоём в темноте. СРГК 1, 368.

Го́ре го́рькое. 1. *Народн.* Очень большая неприятность, беда. АОС 9, 338. 2. *Жарг. шк. Шутл.-ирон.* Дневник. (Запись 2003 г.).

Го́ре го́ренькое. *Арх.* То же, что **горе горькое 1.** АОС 9, 338.

Го́ре лу́ковое. *Разг. Шутл. или Ирон.* О нерасторопном, невезучем, неумелом человеке. ФСРЯ, 117; БМС 1998, 128; ШЗФ 2001, 57; ЗС 1996, 126; БТС, 219, 507; ПОС 7, 102.

Го́ре лы́ковое. *Народн. Шутл. или Ирон.* Об очень бедном, бедствующем, невезучем человеке. БМС 1998, 128.

Го́ре, лы́ком подпоя́санное. *Народн. Ирон.* То же, что **горе лыковое.** БМС 1998, 355.

Го́ре мак! *Пск.* Воклицание, выражающее досаду. ПОС 7, 101.

Го́ре ма́ять. *Кар.* То же, что **горе мыкать.** СРГК 3, 200.

Горе (го́ря, го́рюшко, го́рюшка) мы́кать (намы́каться, помы́кать). *Народн.* Терпеть бедствия, лишения, жить трудной жизнью. БМС 1998, 128; БТС, 219, 566; ПОС, 7, 143; СПП 2001, 31; НОС 7, 35; НОС 8, 106; МФС, 61; Ф 1, 306; СФС, 57; СРГБ 1, 91; СРГМ 1986, 20; Мокиенко 1990, 85; АОС 9, 381, 338. **Горе мы́чить.** *Сиб.* То же. ФСС, 115; СФС, 108; СБО-Д1, 277.

Го́ре не вя́жется *[к кому]. Сиб.* О человеке, которому не о чем горевать. ФСС, 47; СФС, 57.

Го́ре от ума́. 1. *Книжн.* О непонимании умной, самостоятельно мыслящей личности посредственными людьми и неприятностях, с этим связанных. БМС 1998, 128; ШЗФ 2001, 57. 2. *Жарг. арм. Шутл.-ирон.* Наряд вне очереди. Кор., 77. 3. *Жарг. шк. Ирон.* Неудовлетворительная оценка или другое наказание за подсказку. ШП, 2002. 4. *Жарг. шк.* Учёба, обучение в школе. (Запись 2004 г.) < Название комедии А. С. Грибоедова «Горе от ума».

Го́ре побеждённым! *Книжн.* Угроза ухудшить положение ропщущих людей, которые находятся в чьей-л. зависимости. < Калька с лат. *Vae victis!* БМС 1998, 129.

Го́ре по го́рю идёт. *Ряз.* Одна беда следует за другой, влечёт за собой другую. ДС, 123.

Го́ре се́рое. 1. *Кар.* Беда, несчастье. СРГК 1, 368. 2. *Сиб.* Несчастная доля, судьба. ФСС, 47.

Епи́шкино (Ёшкино) горе! *Прост. обл.* 1. *Неодобр.* Выражение легкого раздражения, недовольства, досады кем-, чём-л. 2. *Одобр.* Выражение некоторого удивления, восхищения кем-, чём-л. Подюков 1989, 201; Мокиенко, Никитина 2003, 109.

Есть чужо́е го́ре с хле́бом. *Волг.* О крайней бедности, безденежье. Глухов 1988, 41.

Завива́ть/ зави́ть (завяза́ть) го́ре верёвочкой. *Народн. Шутл.* Переставать горевать, заставлять себя отвлечься от переносимых бед, лишений, не обращать внимания на неудачи. ФСРЯ, 117; БТС, 119; 314; ШЗФ 2001, 77; БМС 1998, 129; Жук. 1991, 123; СФС, 74; ФСС, 75; СНФП, 49; СПП 2001, 31. **Зави́ть го́ре ремешко́м.** *Народн.* То же. ДП, 792.

Заводи́ть (разводи́ть) го́ре. *Кар.* То же, что **горе горевать 3.** СРГК 1, 368.

Залива́ть/ зали́ть го́ре. *разг.* То же, что **топить горе в вине.** БТС, 331.

Зали́ться в го́ре. 1. *Смол.* Испытать большое несчастье. СРНГ 7, 31. 2. *Волг.* Много плакать, переживая горе. Глухов 1988, 49.

И го́ре в во́ду. *Пск.* Об отсутствии трудностей, бед. ПОС 7, 101.

Извести́ го́ре. *Арх.* Выразить обиду, пожаловаться на кого-л., на что-л. АОС 9, 339.

Ковы́кать го́ре. *Костром.* То же, что **горе мыкать.** СРНГ 14, 35.

Ма́ткино го́ре! *Пск.* Восклицание, выражающее досаду, удивление. ПОС 7, 101.

Мо́рщить го́ре. *Арх. Ирон.* то же, что **горе мыкать.** АОС 9, 338.

Намота́ть го́ре на клубо́к. *Морд.* Много вынести, перестрадать. СРГМ 1986, 85.

Несть го́ре. *Курск.* Страдать. БотСан, 105.

Ошиби́ть го́ре. *Ср. Урал.* Отвлечься от неприятностей, переживаний, развеяться. СРГСУ 3, 103.

Пасть в го́ре. *Арх.* Начать переживать горе, несчастье. АОС 9, 239.

Переня́ть го́ре. См. **Принимать горе.**

Погреба́ть го́ре. *Новг.* То же, что **горе мыкать.** НОС 8, 17.

Прикро́й го́ре. *Киров. Пренебр.* О чём-л. плохом., отвратительном. СРНГ 31, 263.

Принима́ть /приня́ть (переня́ть, тя́пнуть, хвата́ть/ хвати́ть, нахвата́ться, схвати́ть) горе (го́ря, го́рюшко, го́рюшка). *Прост.* То же, что **горе мыкать.** БТС, 1361; Ф 2, 32; АОС 9, 331, 338; СВГ 1, 123; СВГ 5, 82; БотСан, 90; СРГПриам., 223; СНФП, 49; ПОС, 7, 101; СОГ 1990, 15; СБО-Д2, 125; СФС, 151; Верш 4, 86; СОСВ, 150; Мокиенко 1990, 84.

Развести́ го́ре *с кем. Прибайк.* Успокоиться, утешаться в общении с кем-л. СНФП, 49.

Разноси́ть горе. *Приамур., Прикам.* Делиться с кем-л. горем, несчастьем, находя утешение, успокоение. СРГПриам., 233; МФС, 84; СРНГ 34, 44.

Се́рое го́ре. *Перм. Ирон.* 1. О солдатской шинели. 2. О солдатской жизни, судьбе. Подюков 1989, 50.

Топи́ть/ утопи́ть го́ре в вине́. *Разг.* Пить спиртное в состоянии тоски, испытывая горе. БТС, 131; ЗС 1996, 153.

Трепа́ть го́ре. *Смол.* То же, что **горе мыкать.** СРНГ 7, 31.

Туды́ твою́ в го́ре! *Алт. Бран.* Восклицание, выражающее досаду, гнев, негодование. СРГА 1, 227.

Хвали́ть го́ре погреба́ючи. *Новг.* Радоваться, пережив горе, несчастье. НОС 12, 9.

Хлеба́ть /хлебну́ть (нахлеба́ться) го́ре (го́ря, го́рюшка) [ло́жкой, поварёшкой]. *Арх., Пск., Сиб.* То же, что **горе мыкать.** Ф 2, 235; АОС 9, 381; ПОС 7, 101; ПОС, 7, 143; СПП 2001, 31; СОСВ, 121; СПСП, 74; Мокиенко 1990, 84-85.

Чужо́е го́ре с хле́бом есть. *Горьк.* О безразличии к бедам, несчастьям других людей. БотСан, 57.

Ядрёно горе! *Перм.* 1. *Бран.* Выражение возмущения, негодования, досады кем-, чём-л. Подюков 1989, 51. 2. *Шутл.-одобр.* Выражение удивления, восхищения кем-, чём-л. Мокиенко, Никитина 2003, 109.

Вари́ть с го́рем. *Кар. Шутл.-ирон.* О малом количестве чего-л. СРГК 1, 163.

Горем взя́ться. *Арх.* Почувствовать обиду, огорчиться. АОС 9, 339.

Го́рем уби́ться. *Арх.* Начать переживать горе, несчастье. АОС 9, 339.

Быть за го́рем (на горя́х, по го́рю). *Арх.* Испытывать горе. АОС 9, 338.

С го́рем не вяза́ться. *Сиб.* Быть веселым, беззаботным. ФСС, 40.

С го́рем попола́м. *Разг.* С большим трудом, еле-еле, кое-как. ФСРЯ, 344; ПОС 7, 102.

По го́рю. См. **За горем.**

Ходи́ть к го́рю. *Кар.* В игре: вызывать из комнаты девушку или парня. СРГК 1, 368.

Без [како́го] го́ря. *Арх., Пск.* Без затруднений, без забот и неприятностей. АОС 9, 338; СПП 2001, 31.

Вдоль го́ря. *Кар.* Постоянно испытывая неприятности, несчастья, беды. СРГК 1, 368.

Доводи́ть до зла́ го́ря *кого. Морд.* Приводить кого-л. в состояние крайнего раздражения. СРГМ 1980, 24.

До го́ла го́ря. *Перм.* До предела, до крайней степени. Подюков 1989, 50.

Жить горя́ гля́дя. *Морд.* Испытывать сильную нужду, бедствовать. СРГМ 1978, 125.

И го́ря нет (мало) *кому. Разг.* Кому-л. безразлично что-л., всё равно, не важно что-л. СРНГ 17, 331; БТС, 515; ПОС 7, 102.

Из го́ря не выходи́ть. *Кубан.* Жить в постоянных страданиях. Борисова 2005, 72.

Нахвата́ться го́ря. См. **Принимать горе.**

Нахлеба́ться го́ря. См. **Хлебать горе.**

Не знать го́ря *с кем, с чем. Разг.* Не испытывать неудобств, беспокойства от кого-л., от чего-л. Ф 1, 213.

От большо́го го́ря. *Пск.* По крайней необходимости, от безысходности положения. ПОС 7, 101.

С го́ря на го́ре. *Арх.* То же, что **вдоль горя.** АОС 9, 338.

Схвати́ть го́ря. См. **Принимать горе.**

Три го́ря ку́ча *кому с кем, с чем. Одесск. Неодобр.* У кого-л. много забот, хлопот с кем-л., с чем-л.

Тя́пнуть го́ря. См. **Принимать горе.**

Хвати́ть го́ря. См. **Принимать горе.**

Черпну́ть (черпану́ть) го́ря. *Прост.* Испытать много трудностей, лишений, бед. Ф 2, 250; АОС 9, 338.

Пойти́ по горя́м. *Олон.* Начать испытывать горе, беды, напасти. СРНГ 28, 358.

С горя́ми попола́м. *Прикам.* То же, что **с горем пополам.** МФС, 28.

На горя́х. См. **За горем.**

ГО́РЕСТЬ * Го́рести дава́ть. *Забайк.* Горевать, печалиться. СРГЗ, 94.

Го́рести проглоти́ть. *Волог..* Намучиться, настрадаться. СВГ 1, 123.

ГО́РЕЦ * Кремлевский горец. *Публ. Патет.* И. В. Сталин. Новиков, 44; Горбаневский, 73.

ГО́РЕЧЬ * Го́рькая го́речь. *Урал.* Крайняя бедность. СРНГ 7, 36.

ГОРЕ́НИЕ * Горе́ние букс. *Жарг. угол.* 1. Неизбежная опасность. ТСУЖ, 42. 2. Сигнал тревоги, опасности. ББИ, 58. Скачинский, 29; Балдаев 1, 92.

ГОРИЗО́НТ * Исчеза́ть/ исче́знуть (пропада́ть/ пропа́сть) с горизо́нта *чьего. Разг.* Не появляться в определённом обществе, среди определённого круга людей. ФСРЯ, 117; БТС, 220.

Появля́ться на горизо́нте *чьем. Разг.* Появляться в определённом обществе, среди определенного круга людей. БТС, 220.

Открыва́ть/ откры́ть широ́кие горизо́нты *чему, чего. Публ.* Предоставлять возможность для роста, развития чего-л. НРЛ-81; Мокиенко 2003, 20.

ГОРИЗОНТА́ЛЬ * По горизонта́ли. *Разг.* Между равными по подчинённости предприятиями, организациями, учреждениями. НСЗ-84.

Отби́ться в горизонта́ль. *Жарг. мол. Шутл.* Лечь спать. Щуплов, 394.

ГОРИ́НА * Хвати́ть гори́ны. *Пск.* То же, что **принять горя.** См. **Принимать горе (ГО́РЕ).** ПОС 7, 109.

ГО́РКА * Вши́вая го́рка. *Жарг. мол. Шутл.* 1. Вид женской прически. 2. Лысина. Максимов, 74.

Ко́шкина го́рка. *Пск.* То же, что **Кошачья гора (ГОРА).** ПОС 7, 109.

Кра́сная го́рка. *Народн. Устар.* Церковный праздник Фомино воскресенье, первый день недели весенних поминок, свадеб перед посевной страдой. БМС 1998, 129.

На го́рке лежа́ть. *Сиб. Неодобр.* Бездельничать. ФСС, 104.

Америка́нские го́рки (горы). См. **ГОРА.**

Запаса́ть го́рки. *Орл.* Заготавливать сено. СОГ 1990, 16.

Вре́менем в го́рку, а вре́менем под го́рку. *Народн. Ирон.* О переменчивости жизни, необходимости терпеть и надеяться на лучшее. ДП, 117.

Е́хать (переселя́ться) на [весёлую] го́рку. См. **Ехать на гору (ГОРА).**

Ката́ть го́рку. *Сиб., Приамур.* Пасхальная игра: катание крашеных яиц. ФСС, 91; СРГПриам., 114.

Отпра́виться на го́рку. *Пск. Ирон.* Умереть. ПОС 7, 109.

Сбежа́ть на мёртвую го́рку. *Перм. Шутл.* То же, что **отправиться на горку.** Подюков 1989, 213.

Справля́ться на пого́сткину го́рку. *Пск.* Готовиться к смерти. (Запись 1998 г.).

ГО́РЛО * В три го́рла. *Прост. Презр.* Очень много, жадно (есть, пить). Ф 1, 123; БТС, 308; СРГК 2, 28; КСРГО; Глухов 1988, 137; СПП 2001, 31.

До го́рла́. 1. *Арх., Орл., Сиб.* Вдоволь, досыта (есть). АОС 9, 350; СБО-Д1, 100; СОГ 1989, 16; ФСС, 47; СФС, 63. 2. *Пск., Прикам.* В достаточном количестве. ПОС, 7, 112; МФС, 28. 3. *Арх., Прикам., Пск.* Очень много. АОС 9, 350; МФС, 28; ПОС, 7, 112. 4. *Прост.* Целиком, полностью. Ф 1, 123; АОС 9, 350.

Из го́рла кус вы́рвать *у кого. Народн.* Отнять у кого-л. что-л. жизненно необходимое. ДП, 148.

Из-под го́рла. *Арх.* С очень близкого расстояния, из непосредственной близости от кого-л. АОС 9, 351.

Пойти́ попере́к го́рла *кому. Прибайк.* Стать нестерпимым для кого-л. СНФП, 49.

Прёт (тя́нет) с го́рла. *Волг.* Кому-л. надоело, не нравится что-л. Глухов 1988, 132.

Рвать/ вы́рвать из го́рла *у кого что. Прост.* Захватывать что-л., завладевать чем-л. БТС, 220; Глухов 1988, 141.

Стоя́ть попере́к го́рла. *Разг. Неодобр.* 1. *кому.* Быть невыносимым для кого-л. 2. *у кого.* Надоедать, досаждать кому-л. Ф 2, 191.

Что есть го́рла. *Пск.* То же, что **во всё горло.** ПОС 7, 112.

Брать/ взять за го́рло *кого.* 1. *Разг.* Принуждать кого-л. к чему-л., заставлять поступать определённым образом. ФСРЯ, 45; ЗС 1996, 45, 230. // *Жарг. угол.* Добиться своей цели угрозами, криком. СВЯ, 15; Балдаев 1, 45; Росси 1, 84.

Брать/ взять на го́рло *кого. Разг.* То же, что **брать за горло 2.** ЗС 1996, 45; Максимов, 43.

Быть (сиде́ть) по го́рло в говне́. *Вульг.-прост.* Попадать в грязную историю. Мокиенко, Никитина 2003, 109.

В го́рло. *Пск.* В большом количестве, не зная меры (пить, есть и т. п.). ПОС 7, 112.

В го́рло йо́дом ма́заный! *Жарг. угол. Бран.* О человеке, вызывающем гнев, негодование, досаду. Мокиенко, Никитина 2003, 109.

Во всё го́рло. *Прост.* Очень громко (кричать, орать и т. п.). ФСРЯ, 117; БТС, 220; АОС 4, 15.

Встава́ть/ встать (станови́ться) поперёк го́рла *у кого. Разг. Неодобр.* Мешать, очень надоедать кому-л. ФСРЯ, 117; БМС 1998, 129.

Вы́рвать го́рло *кому. Пск. Груб.* Убить кого-л.; жестоко расправиться с кем-л. ПОС 6, 48; ПОС 7, 112.

Го́рло взошло́ *у кого. Морд.* О сильном испуге. СРГМ 1978, 123.

Го́рло запе́ло. См. **Горло кричит.**

Го́рло кричи́т (поёт/ запе́ло, ревёт) *у кого. Пск.* Урчит в горле у кого-л. (по народной примете — к выпивке). ПОС 7, 112.

Го́рло му́чает *кого. Пск. Ирон.* Кто-л. любит выпить спиртного, много пьёт. ПОС 7, 112.

Го́рло поёт. См. **Горло кричит.**

Го́рло ревёт. См. **Горло кричит.**

Драть го́рло. *Прост. Неодобр.* Громко, что есть сил кричать, петь. ФСРЯ, 146; БТС, 220; СОСВ, 56; ПОС 7, 112.

Дыми́ть го́рло. *Жарг. шк. (муз.).* Распеваться на уроке сольфеджио. БСРЖ, 136.

Залива́ть/ зали́ть [в] го́рло. *Прост.* Пить спиртное в большом количестве, пьянствовать. ФСС, 78; Ф 1, 198; ПОС 11, 294.

Заткну́ть го́рло *кому. Прост.* Заставить замолчать кого-л. Глухов 1989, 56.

Идти́ на го́рло. *Забайк., Сиб.* 1. То же, что **брать за горло.** СРГЗ, 143; ФСС, 89. 2. Действовать решительно, рискованно, необдуманно. СРНГ 7, 41; СФС, 83.

Лезть на го́рло. *Арх. Неодобр.* Вести себя нагло, нахально. АОС 9, 351.

Лошади́ное го́рло. *Орл.* О человеке, который способен громко кричать. СОГ 1990, 16.

Лужёное го́рло *у кого, чьё.* 1. *Прост.* Зычный голос. Ф 1, 123. 2. *Пск. Неодобр.* О человеке, имеющем привычку громко говорить, кричать. ПОС 7, 112.

Налива́ть го́рло. *Арх.* Напиваться допьяна,пьянствовать. АОС 9, 350.

Наступа́ть/ наступи́ть на го́рло *кому, чье. Разг.* 1. Принуждать кого-л. к чему-л. 2. Решительно подавлять, сдерживать кого-л. в чём-л. ДП, 833; ФСРЯ, 117; БМС 1998, 130; БТС, 220; СПП 2001, 31.

Наступа́ть/ наступи́ть на го́рло буты́лки. *Жарг. мол. Шутл.* Пить спиртное, пьянствовать. Максимов, 271.

Наступа́ть/ наступи́ть на го́рло со́бственной пе́сне. *Книжн., публ.* 1. Решительно и безжалостно заставлять себя умолкнуть; сдерживать свои творческие порывы. 2. Жертвовать собственными интересами во имя общего дела. < Выражение из поэмы В. В. Маяковского «Во весь голос». БМС 1998, 130.

Не в то го́рло [попа́ло]. *Пск.* О попадании пищи в начало гортани. ПОС 7, 112.

Не ле́зет в го́рло *кому что. Прост.* Об отсутствии желания съесть что-л. БТС, 491.

Оловя́нное го́рло. *Кар. Пренебр.* Пьяница, любитель спиртного. СРГК 1, 371.

Отвори́ть го́рло. 1. *Арх.* Громко запеть. АОС 9, 350. 2. *Кар.* Громко закричать, начать ругаться. СРГК 4, 283.

Откры́ть широ́кое го́рло. *Ср. Урал.* То же, что **ширить горло.** СРНГ 7, 41.

Очиня́ го́рло. *Печор.* Очень громко. СРГНП 1, 548.

Перегры́зть го́рло *кому. Прост.* В порыве ярости, злобы жестоко расправиться с кем-л. ФСРЯ, 315.

Переéсть го́рло *кому. Перм.* Крайне надоесть кому-л. Подюков 1989, 145.

По го́рло. *Разг.* 1. Очень сильно, чрезвычайно. ДП, 145; 537; ЗС 1996, 98; ФСРЯ, 117. 2. *чего [у кого].* Очень много. ФСРЯ, 117; СОСВ, 56; ПОС 7, 112.

Под го́рло. *Курск.* Сверх меры, слишком много (съесть). БотСан, 108.

Подня́ть го́рло. *Арх.* Высказаться против чего-л., возразить кому-л. АОС 2, 350.

Порва́ть го́рло. *Кар.* Сорвать голос. СРГК 5, 81.

Промочи́ть (прополосну́ть) го́рло. *Разг.* Выпить немного спиртного. ФСРЯ, 364; БМС 1998, 130; Глухов 1988, 135; Мокиенко 1986, 28.

Развяза́ть го́рло. *Прост.* Раскричаться. Ф 2, 114.

Рази́нуть го́рло. *Арх.* Сильно удивиться. АОС 9, 351.

Распина́ть го́рло. *Волг.* То же, что **распускать горло.** Глухов 1988, 139.

Распуска́ть /распусти́ть го́рло. *Разг.* Громко кричать, ругаться. ФСРЯ, 385; СРНГ 7, 41; ПОС, 7, 112.

Рвать го́рло. 1. *Кар.* Кричать, орать. СРГК 5, 502. 2. *кому. Прост.* Грубо добиваться чего-л., принуждать кого-л. к чему-л. Ф 2, 123.

Слома́ть го́рло. 1. *Арх.* Разбиться, покалечиться. АОС 9, 350. 2. *кому Пск.* Убить, победить кого-л. СПП 2001, 31.

Соба́чье го́рло. *Арх.* Опасное для судоходства место. АОС 9, 350.

Сыт по го́рло *[чем]. Разг.* Вполне, сверх всякой меры удовлетворён, пресыщен чем-л. ФСРЯ, 468; БТС, 220; ЗС 1996, 189; ПОС 7, 112.

Хвата́ть/ схвати́ть за го́рло *кого. Разг.* То же, что **брать за горло 1.** БТС, 220, 1295; Ф 2, 231.

То́лстое го́рло. *Арх. Неодобр.* О громкоголосом, крикливом человеке. АОС 9, 350.

Хоть встань мне на го́рло. *Пск.* Клятвенное заверение в чём-л. ПОС 7, 112.

Ши́рить го́рло. *Арх.* Кричать, ругаться. АОС 9, 350.

Широ́кое го́рло *у кого, чьё.* 1. *Волг., Пск. Неодобр.* О человеке, имеющем привычку громко говорить, кричать. Глухов 1988, 26; ПОС 7, 112. 2. *Волг., Кар. Пренебр.* О пьянице, алкоголике. Глухов 1988, 26; СРГК 1, 371-372. 3. *Сиб. Презр.* О жадном, скаредном человеке.

Брать/ взять го́рлой. *Сиб.* То же, что **брать горлом.** ФСС, 89.

Брать /взять го́рлом. *Прост. Неодобр.* Добиваться чего-л. криком, руганью. ФСРЯ, 45; ЗС 1996, 353; Глухов 1988, 5; АОС 9, 350; ПОС 7, 112.

Худы́м го́рлом. *Печор.* Очень громко (кричать). СРГНП 1, 148.

Во всю го́рлу́. *Арх.* То же, что **во всё горло.** АОС 4, 14; АОС 9, 347.

Отсе́чь по го́рлу *кому. Печор.* Резко и несправедливо сказать что-л. СРГНП 1, 546.

Подступа́ть к го́рлу. *Разг.* Неожиданно, внезапно захватывать, предельно волновать кого-л. (о сильных и тяжелых чувствах, переживаниях). Ф 2, 60.

По са́мому го́рлу. *Арх.* Очень, весьма. АОС 9, 351.

ГО́РЛЫШКО * Оловя́нное го́рлышко. *Кар. Ирон.* О пьянице. СРГК 4, 197.

Широ́кое го́рлышко. *Арх. Неодобр.* То же, что **широкое горло 1. (ГОРЛО).** АОС 9, 351.

ГОРЛЯ́НКА * Рази́нуть горля́нку. *Пск. Неодобр.* Нагрубить кому-л., обругать кого-л. ПОС 7, 115.

ГОРНИ́ЛО * Проходи́ть/ пройти́ сквозь (че́рез) горни́ло *чего. Книжн. Высок.* Проходить через различные испытания и благодаря этому становиться стойким, закалённым. БМС 1998, 130.

ГОРМА́ * Горма́ горе́ть. 1. *Дон., Ряз.* То же, что **горьмя гореть 1. (ГОРЬМЯ).** СДГ 1, 108; ДС, 123. 2. *Морд.* То же, что **горьмя гореть 2. (ГОРЬМЯ).** СРГМ 1972, 123. 3. *Морд. Сиб.* Выделяться ярким цветом. СРГМ 1972, 123. ФСС, 47; СРГПриам., 61. 4. *Морд.* То же, что **горьмя гореть 5. (ГОРЬМЯ).** 5. *Дон.* Быстро изнашиваться (об одежде). СДГ 1, 108.

ГОРНИ́СТ * Игра́ть горни́ста. *Жарг. мол., Разг. Шутл.* Пить спиртное из горлышка бутылки. Югановы, 95.

ГОРНОСТА́Й * Горноста́ю не набе́гать. *Кар.* Много, в большом количестве. СРГК 3, 290.

ГОРНОСТА́ЙКА * По горноста́йке с обла́вой. *Народн. Шутл.-ирон.* Предпринимать чрезвычайные усилия по ничтожному поводу. ДП, 452.

ГОРОВИ́К * Дава́ть/ дать горовика́. *Рост.* При игре в чижика бить вверх. СРНГ 7, 54.

ГО́РОД * Ве́чный го́род. *Книжн. Высок.* Город Рим (чаще — об античном Риме). ШЗФ 2001, 34. < Калька с лат. *Aeterna urbs.* БМС 1998, 131.

Го́род бе́лых ноче́й и чёрных суббо́т. *Разг. Устар. Ирон.* О Ленинграде в 1970-х гг., когда для сохранения баланса фонда рабочего времени при двух выходных днях в неделю одна суббота в месяц объявлялась рабочим днем и считалась в народе чёрной субботой. Синдаловский, 2002, 50.

Го́род Глу́пов. *Книжн., Публ. Ирон. или Пренебр.* О мещанском городе, живущем в рутине мелких дел и невежестве. < Название города, сатирически описанного М. Е. Салтыковом-Щедриным в «Истории одного города». БМС 1998, 130.

Город Катаев. *Жарг. угол. Шутл.-ирон.* Тюрьма. Грачев 1997, 65; СРВС 1, 120; СРВС 2, 172; СРВС 3, 86.

Го́род трёх револю́ций. *Публ. Патет. Устар.* Ленинград. Синдаловский, 2002, 50.

Могилёвский горо́д. *Кар. Ирон.* Кладбище. СРГК 1, 373.

С го́род на го́род достава́ть *кого. Сиб., Якут.* Стараться настигнуть кого-л., укрывающегося от преследования. СРНГ 7, 57; ФСС, 64.

Все города́ пройти́. *Пск.* Многое повидать, испытать, приобрести жизненный опыт. ПОС 7, 118.

Города́ и ве́си. *Книжн. Высок. или Публ.* Все вокруг. БМС 1998, 131.

Города́ не ля́гут (не зальгут) *за кем, по кому. Пск.* Ничего страшного не случится, если кто-то умрёт. ПОС 7, 118; ПОС 11, 292.

По города́м и ве́сям. *Книжн. Высок.* Повсюду, повсеместно. БМС 1998, 131.

Не за города́ми. *Пск.* 1. Не очень далёко, близко. 2. В скором времени, скоро. ПОС 7, 118.

Ни в го́роде Богда́н, ни в селе́ Селифа́н (Селива́н). *Народн. Ирон.* 1. О чём-л. неопределённом. 2. О заурядном, посредственном, ничем не выделяющемся человеке. ДП, 257, 472; Ф 1, 123; Мокиенко 1990, 11, 150; БМС 1998, 131.

Ни в го́роде пору́ка, ни в доро́ге това́рищ, ни в дере́вне сосе́д. *Обл. Ирон.* То же, что **ни в городе Богдан, ни в селе Селиван 2.** Мокиенко 1990, 11.

Па́хнуть го́родом. *Арх.* Выглядеть, казаться горожанином (горожанкой). СРНГ 25, 291.

Го́роду и ми́ру. *Книжн. часто Ирон.* Всем без исключения. БМС 1998, 131.

ГОРОДИ́НА * Городи́ть городи́ну. *Кар., Пск., Яросл. Шутл.* Говорить вздор, чепуху, рассказывать небылицы. СРГК 1, 373; СПП 2001, 31; ЯОС 3, 100.

ГОРОДИ́ЩА * Городи́ть/ загороди́ть городи́щу. *Пск. Шутл.* То же, что **городить городину (ГОРОДИНА).** ПОС 11, 149.

ГОРОДОВА́Я * Попере́ть на городо́вую. *Сиб.* Полезть в драку. ФСС, 146; СРНГ 29, 306.

ГОРОДОВО́Й * Япо́нский городово́й! *Жарг. мол. Бран. эвфем.* Восклицание, выражающее досаду, раздражение, негодование. Максимов, 503; Вахитов 2003, 209.

ГОРОДО́К * В городки́ (по городка́м) ходи́ть (игра́ть). *Арх.* Водить хоровод. АОС 9, 360.

Стро́ить городки́. *Обл. Неодобр.* Бездельничать. Мокиенко 1990, 68.

Наставля́ть городко́в. *Прибайк.* Нагромождать вещи где-л. СНФП, 50.

Звёздный городо́к. *Жарг. мол. Шутл.-ирон.* Кладбище. Максимов, 154.

Коша́чий городо́к. 1. *Кар. Шутл.* Русская печь. СРГК 1, 374. 2. *Жарг. угол. Шутл.-ирон.* Студенческий городок. ББИ, 59; Балдаев 1, 93. // Студенческое общежитие. Синдаловский 2002, 95. 2. *Жарг. угол. Шутл.-ирон.* Женское общежитие. ББИ, 59; Балдаев 1, 93. **Коша́чий** < От жарг. **кошка** — любовница.

Попа́сть в звёздный городо́к. *Жарг. мол. Шутл.-ирон.* Умереть. Максимов, 154.

ГОРОДУ́ШКИ * Городи́ть городу́шки. *Орл.* 1. Развлекаться озорными проказами. 2. *Неодобр.* Делать что-л. небрежно. СОГ 1990, 18.

ГОРОДЬБА́ * На городьбе́. *Сиб.* По соседству (жить). ФСС, 47.

На́шей городьбе́ двоюродная плете́нь. *Морд. Шутл.-ирон.* Об очень дальнем родственнике. СРГМ 1978, 125; СРГМ 1986, 108.

ГО́РОМ * Го́ром горе́ть. 1. *Сиб., Приамур., Прибайк.* Сильно гореть, пылать. ФСС, 47; СРГПриам., 61; СНФП, 49; Мокиенко 1990, 156. 2. *Сиб., Приамур., Прибайк.* Сохнуть, вянуть от жары, зноя. ФСС, 47; СРГПриам., 61; СНФП, 49. 3. *Волг., Прибайк.* Сильно болеть, испытывая жар. Глухов 1988, 26; СНФП, 49. 4. *Волг.* Быстро изнашиваться (об одежде, обуви). Глухов 1988, 26.

ГОРО́Х * Горо́х на спине́ молоти́ть. *Народн. Шутл.* Наносить кому-л. частые удары, напоминающие молотьбу. БМС 1998, 131.

Счита́ть горо́х. *Новг. Ирон.* Быть очень дряхлым, старым. НОС 11, 14.

Ши́лом горо́х хлеба́ет, да и то отря́хивает. *Народн. Неодобр.* О скупом человеке. ДП, 109.

Плести́ горо́хом. *Арх.* Фантазировать, рассказывать небылицы. АОС 9, 363.

Сы́пать горо́хом. *Прост.* Говорить очень быстро, скороговоркой. БТС, 221.

Горо́ху объе́сться. 1. *Сиб. Шутл.-ирон.* Забеременеть (о незамужней женщине). СРНГ 7, 66; ФСС, 125. 2. *Волг. Шутл.* Кто-л. возбужден, потерял способность здраво рассуждать, адекватно воспринимать происходящее. Глухов 1988, 115.

Попро́бовать кру́пного горо́ху. *Разг. Устар.* Быть наказанным. ШС, 2001.

ГОРОХВО́СТИНА * Кида́ть горохво́стину. *Арх. Шутл.* Говорить вздор, чепуху. АОС 9, 363.

ГОРО́ХОВАЯ * Дуй по горо́ховой. *Кар.* Говорится уходящему в знак того, что его не задерживают. СРГК 2, 11-12.

ГОРО́ШЕК * Горо́шек помоло́чен на лице́ *у кого. Пск. Шутл.* О следах оспы на лице у кого-л. СПП 2001, 32.

По два горо́шка (по две горошке) на ло́жку. *Сиб.* О двойной выгоде из чего-л. ФСС, 47.

ГО́РСТКА * Из го́рстки дава́ть (корми́ть) *кого. Ряз.* 1. Отдавать последнее кому-л. 2. Давать очень малое количество чего-л. ДС, 124.

На го́рстке корми́ть (носи́ть) *кого. Ряз.* Проявлять особое внимание, заботу о ком-л., баловать кого-л. СРНГ 21, 288; ДС, 124.

ГО́РСТОЧКА * Есть над го́рсточкой. *Народн.* Быть бережливым. ДП, 113.

ГОРСТЬ * В го́рсти. *Арх.* О небольшом количестве чего-л. АОС 9, 370.

Держа́ть себя́ в го́рсти. *Обл.* Сдерживать себя, сохранять самообладание. Ф 1, 160.

Не в го́рсти дыра́, а в гло́тке *у кого. Народн. Неодобр.* О живущем в нищете, в бедности пьянице. ДП, 254.

В го́лую горсть не сгребёшь *кого. Народн.* Об упрямом человеке. ДП, 210.

Ни в горсть ни в сноп. *Прост. Неодобр.* Без видимых результатов. СФС, 126; ФСС, 48; СРНГ 21, 213; Ф 1, 124.

Плакать (реве́ть) не в горсть, в пригоршню (во все при́го́ршни). *Калуж., Морд.* Громко плакать. СРНГ 31, 176; СРГМ 1978, 125.

Реве́ть не в горсть, а в при́го́ршню. *Горьк.* Бедствовать, испытывать горе, лишения. БалСок, 51.

Не с просто́й го́рстью. *Арх.* Не с пустыми руками, имея что-л. при себе. АОС 9, 371.

ГОРТА́НЬ * Ши́рить горта́нь. *Печор. Неодобр.* Кричать, ругаясь, бранясь. СРГНП 1, 150.

ГОРТО́П * Рабо́тать в горто́пе. *Жарг. мол. Шутл.* Бесцельно бродить по городу. Максимов, 94.

ГОРУ́ША * В гору́шу е́хать. *Кар.* Умирать. СРГК 2, 28.

ГОРУ́ШКА * С гору́шкой. *Народн.* Полный, наполненный до краев. АОС 9, 373.

Собира́ться (е́хать) на гору́шку. *Арх.* Умирать. АОС 9, 373.

Уходи́ть/ уйти́ на гору́шку. *Перм.* То же, что **собираться на горушку.** Подюков 1989, 213.

ГОРЧА́НКА * Хвати́ть (хлебну́ть) горча́нки. *Сиб.* Испытать большие трудности, горе. СФС, 194; СБО-Д2, 250-251; СОСВ, 194; Мокиенко 1990, 85.

Горча́нки беру́т *кого. Арх.* Кто-л. испытывает горе, сильное огорчение. АОС 9, 374.

ГОРЧИ́ЦА * Болга́рская горчи́ца. *Дон.* Перец. СДГ 1, 34.

ГОРЧИ́ЧНИК * Поста́вить горчи́чник *кому. Народн.* Досадить кому-л. ДП, 133.

Прописа́ть горчи́чники *кому. Разг.* Наказать, проучить кого-л. Мокиенко 2003, 20.

ГОРШО́К * Опри́чь горшка́ да чугу́нки. *Прибайк. Шутл.-ирон.* Почти всё, кроме мелочей. СНФП, 50.

От горшка́ два вершка́. 1. *Разг. Шутл. или Ирон.* О человеке (обычно — ребёнке или подростке) ничтожно малого роста, щуплом и слабом. Жиг. 1969, 239; БМС 1998, 132; Мокиенко 1990, 148ЗС 1996, 313. 2. *Пск.* О молодом, неопытном человеке. ПОС 7, 137.

С горшка́ в де́тстве па́дал (упа́л). *Жарг. мол. Пренебр.* О глупом человеке. Максимов, 94.

С горшка́ сду́ло *кого. Жарг. мол. Шутл.* О быстром уходе, бегстве откуда-л. Максимов, 94.

Мно́го горшко́в разби́лось об го́лову *чью. Иркут. Ирон.* О человеке, много испытавшем в жизни. СРНГ 7, 79.

На горшке́ сиде́ть. *Пск. Шутл.* Сидеть на корточках. СПП 2001, 32.

Бить горшки́. 1. *Арх., Яросл.* Часть свадебного обряда, когда бьют посуду, поднимая молодых после первой брачной ночи. АОС 9, 376; ЯОС 1, 60. 2. *Волг.* Сердиться на кого-л., ругать, бранить кого-л. Глухов 1988, 3. 3. *Перм.* Прекращать супружеские отношения. Подюков 1989, 15.

Го́ршки летя́т, черепу́шки ко́лются. *Волг.* О скандале, ссоре. Глухов 1988, 26.

На все горшки́ уполо́вник. *Неодобр.* 1. *Народн.* О сплетнике, человеке, распространяющем слухи. ДП, 665. 2. *Горьк.* О вездесущем человеке. БалСок, 44.

Скле́ивать/ скле́ить поби́тые горшки́. *Разг.* Восстанавливать что-л. разрушенное, нарушенное. НРЛ-82; Мокиенко 2003, 20.

Смени́ть горшки́ на гли́ну. *Пск.* Изменить что-л. в худшую сторону, вернуться к худшему. (Запись 1998 г.).

Горшо́к ма́сла. *Жарг. мол. Пренебр.* О полном, упитанном человеке. Максимов, 94.

Горшо́к об го́ршок [и врозь]. *Волг., Перм. Шутл.-ирон.* О семейной ссоре, скандале. Глухов 1988, 26; Подюков 1989, 51.

Горшо́к свисти́т *у кого. Жарг. Мол. Шутл.* О человеке, который спешит домой. Вахитов 2003, 41.

Горшо́к с горшко́м столкну́лся. *Арх.* О ссоре. АОС 9, 376.

Горшо́к с педа́лями. *Жарг. мол.* 1. *Шутл.* Голова с большими ушами. 2. *Пренебр.* О глупом, несообразительном человеке. 3. *Пренебр.* О невежде. Максимов, 94.

Горшо́к с ру́чками вовну́трь. *Жарг. мол. Шутл.-ирон.* О крайне глупом человеке. Максимов, 94.

Горшо́к с ру́чкой. *Жарг. арм., морск. Шутл.-ирон.* Воинский головной убор. Лаз., 55.

Дыря́вый горшо́к. *Новг. Пренебр.* О человеке с плохой памятью. НОС 2, 51.

Ло́маный горшо́к. *Кар. Ирон.* Жена солдата-новобранца. СРГК 1, 378.

Наки́нуть горшо́к. *Сиб.* В народной медицине: способ лечения болезней живота, когда на него ставят вверх дном горшок с горячим воздухом. ФСС, 118.

Персона́льный горшо́к. *Нов. Разг. Пренебр.* О персональном пенсионере. НРЛ-90, 367.

Под горшо́к. *Прост.* Ровной линией вокруг головы (стричь, подстричь). ФСРЯа, 110.

Разбива́ть/ разби́ть горшо́к. *Народн. Шутл.* Разрывать дружеские отношения с кем-л. БМС 1998, 132.

Сесть на горшо́к. *Пск. Шутл.* Присесть на корточки. ПОС 7, 137.

ГОРЫ́Н * Горы́н Горы́ныч. *Жарг. шк. Презр.* Злобный, придирчивый учитель. ВМН 2003, 38.

ГОРЬ * Горь гори́т. *Сиб.* О полыхающем огне. ФСС, 48.

ГО́РЬКИЙ (ГО́РЬКОЕ, ГО́РЬКАЯ) * Поглота́ть го́рького. *Кар.* Испытать нужду, несчастье. СРГК 4, 605.

Поку́хать (попро́бовать) го́рького и сла́дкого. *Пск.* Испытать много хорошего и плохого в жизни. ПОС 7, 138.

Хвати́ть го́рького. *Белом.* Испытать много горя, лишений, несчастий. Мокиенко 1990, 85. **Хвати́ть го́рького до слёз.** *Сиб., Забайк.* То же. СФС, 195; СРГЗ, 440; СБО-Д2, 251; СОСВ, 194.

Пить го́рькую. *Разг. Неодобр.* Систематически пьянствовать, пить запойно (как правило — пытаясь заглушить горе, тоску, уныние). БМС 1998, 132; ЗС 1996, 153; БТС, 222.

ГО́РЬКО * Де́лать «го́рько». *Кар.* Целоваться (о женихе и невесте на свадьбе). СРГК 1, 444.

ГОРЬМЯ́ * Горьмя́ горе́ть. 1. *Перм., Сиб.* Сильно гореть, полыхать (об огне, пламени). Подюков 1989, 51; СБО-Д1, 100. 2. *Кар. Сиб., Яросл.* Чувствовать сильный жар (во время болезни). СРГК 1, 370; ФСС, 47; ЯОС 3, 102. 3. *Арх., Кар.* Ощущать сильное жжение. АОС 9, 378; СРГК 1, 370. 4. *Сиб.* Засыхать от жары. ФСС, 47; СОСВ, 55. 5. *Кар.* Ярко блестеть, сверкать. СРГК 1, 360. 6. *Новг.* Выделяться красотой, нарядом. НОС 2, 41. 7. *Арх.* О сплошной массе, множестве беспорядочно движущихся насекомых, рыб, мелких животных, людей. АОС 9, 378.

ГОРЮ́НУШКА * Го́рькая горю́нушка (горю́шенька). *Пск.* О несчастной, горемычной женщине. ПОС 7, 139.

ГОРЮ́ХА * Се́ять горю́ху. *Народн. Шутл.* Скучать. СРНГ 7, 84; БМС 1998, 132.

ГОРЮ́ЧКА * Горю́чка номерна́я. *Жарг. мол., нарк.* Растворитель лакокрасочных изделий, имеющий цифровое обозначение. СМЖ, 21.

ГОРЮ́ШЕНЬКА * Го́рькая горю́шенька. См. **Горькая горюнушка (ГОРЮНУШКА).**

ГО́РЮШКО * Го́рюшко води́ть. *Новг.* Жить в нищете, испытывать лишения. НОС 2, 52.

Го́рюшко мы́кать. См. **Го́ре мыкать (ГОРЕ).**

Го́рюшка помы́кать. См. **Горе мыкать (ГОРЕ).**

Го́рюшка приня́ть. См. **Горе принимать (ГОРЕ).**

Го́рюшка тя́пнуть. См. **Горе принимать (ГОРЕ).**

Го́рюшка хвати́ть. См. **Горе принимать (ГОРЕ).**

Го́рюшка хлеба́ть /хлебну́ть. См. **Горе хлебать (ГОРЕ).**

ГОРЯ́К * Дать горяка́ *кому. Орл.* Выругать кого-л. СОГ 1990, 45.

Хвати́ть горяка́. *Морд., Пск.* Испытать много горя, лишений. СРГМ 1978, 125; ПОС 7, 143.

ГОРЯ́ЧИЙ (ГОРЯ́ЧЕЕ) * Довести́ до горя́чего *кого. Ряз.* Разозлить, вывести из себя кого-л. ДС, 124.

Хвати́ть горя́чего до слёз. *Прост.* То же, что **хватить горького (ГОРЬКИЙ).** Ф 2, 232; Подюков 1989, 221.

Прикосну́ться к горя́чему. *Жарг. муз.* Начать работать над стаккато. Максимов, 94.

Вссы́пать горя́чих *кому. Разг.* То же, что **давать/ дать горячих.** БТС, 222.

Засы́пать горя́чих *кому. Разг. Устар.* То же. Ф 1, 204.

Дава́ть/ дать горя́чих *кому. Разг.* Наказывать побоями кого-л. Ф 1, 132.

Таска́ть на горя́чую *кого. Орл.* Выводить, вытаскивать кого-л. на улицу и валять в снегу (в обряде проводов зимы). СОГ 1990, 20.

ГОРЯЧИ́ХА * Горячи́ху принести́ *кому. Арх.* Сделать строгий выговор кому-л. АОС 9, 385.

ГОРЯ́ЧКА * Горя́чка берёт (забра́ла, одолева́ет) *кого. Арх.* О разгневанном, рассердившемся человеке. АОС 9, 396.

В горя́чках. *Башк.* То же, что **в горячке.** СРГБ 1, 94.

В (по) горя́чке. *Арх.* Сгоряча. АОС 9, 386.

Из горя́чки. *Смол.* То же, что **в горячке.** СРНГ 7, 88.

С горя́чкой. *Печор.* В возбуждённом состоянии, в гневе. СРГНП 1, 150.

Войти́ в горя́чку. *Арх.* Рассердиться. АОС 9, 386.

Вы́пороть горя́чку. *Арх.* Вспылить, погорячиться. АОС 8, 103.

Горячи́ться в горя́чку. *Арх.* Очень сердиться, злиться. АОС 9, 385.

Нести́ горя́чку. *Разг. Устар.* Говорить что-л. сгоряча, необдуманно. Ф 1, 325.

Под горя́чку. *Кар., Ряз.* В состоянии раздражения, гнева, злобы. СРГК 4, 615; ДС, 125.

Пойти́ в горя́чку. *Кар.* Поссориться. СРГК 5, 38.

Поро́ть (тача́ть) горя́чку. *Разг. Неодобр.* Делать что-л. с крайней поспешностью, наспех. ФСРЯа, 321; ДП, 450, 561; ЗС 1996, 108, 212, 349; АОС 9, 386; СПП 2001, 32.

Тача́ть горя́чку. *Пск., Орл.* То же, что **пороть горячку.** СПП 2001, 32; СРНГ 7, 88.

ГОСПОДИ́Н * Господа́ во́лки (уда́вы)! *Жарг. угол.* Шутливое обращение к товарищам, приятелям. ББИ, 59; Балдаев 1, 93; Максимов, 94.

Господа́ Обма́новы. *Разг. Ирон. Устар.* Насмешливое прозвище последней царствовавшей в России династии Романовых. БМС 1998, 133.

Господа́ офице́ры. *Жарг. курс. Шутл.-уваж.* Курсанты V курса. Никитина 2003, 131.

Господа́ ташке́нтцы. *Публ. Презр.* Рвачи, хапуги, наживающиеся за счет государства. < Заголовок сатирической статьи М. Е. Салтыкова-Щедрина. БМС 1998, 133.

Служи́ть двум господа́м. *Книжн. Неодобр.* работать, действовать, угождая двум противостоящим сторонам. БТС, 222. < Восходит к Библии. БМС 1998, 133.

Быть под господа́ми. *Новг.* Находиться в крепостной зависимости (о крепостных крестьянах). НОС 8, 18.

Господи́н Блино́в. *Жарг. карт.* Туз (игральная карта). СРВС 2, 166; ТСУЖ, 42; ББИ, 59; Балдаев 1, 93.

Господи́н Ва́учер. *Разг. Шутл.-ирон.* Государственный деятель А. Чубайс, пытавшийся реализовать программу приватизации с использованием системы ваучеров. ЖЭСТ-2, 118; МННС, 214.

Господи́н своего́ сло́ва (своему́ сло́ву). *Разг. Одобр.* Человек, верный своему слову, сдерживающий свои обещания. ФСРЯа, 110.

Господи́н хоро́ший. *Жарг. мол. Шутл.* Мужской половой орган. Максимов, 94.

Сам себе́ господи́н. *Разг.* Самостоятельный, независимый человек, который волен поступать так, как ему хочется. ФСРЯа, 379.

ГОСПО́ДЬ * Го́споди бери́! *Пск.* Восклицание, выражающее пренебрежение, досаду. СПП 2001, 32.

Го́споди Бо́женьки! *Арх.* Восклицание, выражающее досаду, нетерпение и другие эмоции. АОС 9, 387.

Го́споди, помоги́! *Жарг. шк. Шутл.* О звонке на урок. (Запись 2003 г.).

Не дай Го́споди. См. **Не дай Бог (БОГ).**

Не приведи́ Го́споди. См. **Не дай Бог (БОГ).**

Ни Го́споди. *Пск.* Об очень малом количестве чего-л. СПП 2001, 32.

Борони́ Го́споди и поми́луй. *Прост. Устар.* Выражение решительного отрицания чего-л. предполагаемого. Ф 2, 10.

Прости́ Го́споди. 1. *Разг.* Выражение, сопровождающее резкое оценивающее высказывание. ФСРЯа, 340. 2. *Прост. Пренебр.* О проститутке. Вахитов 2003, 151.

Одному́ Го́споду изве́стно. См. **Одному Богу известно (БОГ).**

Пронеси́ (отнеси́) Го́споди ту́чу мо́роком. *Сиб.* 1. Пожелание, чтобы не было дождя. 2. Пожелание, чтобы беды, несчастья миновали кого-л. СРНГ 18, 273; ФСС, 48.

Со все Го́споди. *Сиб.* На всё воля Божья. СРНГ 36, 6.

Спаси́ те Го́споди. *Сиб.* Спасибо. ФСС, 48.

Госпо́дь благослови́т! *Разг. Устар.* Доброе пожелание кому-л. БМС 1998, 133.

Госпо́дь ве́дает. См. **Бог ведает (БОГ).**

Госпо́дь взял. См. **Бог взял (БОГ).**

Госпо́дь в ру́ки внесёт. *Брян.* Удастся убрать урожай. СРНГ 7, 90.

Госпо́дь даёт. см. **Бог даёт (БОГ).**

Госпо́дь занёс *кого, куда. Разг. Устар.* Неизвестно как и зачем кто-л. пришёл куда-л. Ф 1, 125.

Госпо́дь знает. см. **Бог ведает (БОГ).**

Госпо́дь концы́ связа́л *кому. Пск.* Кто-л. умер. СПП 2001, 32.

Госпо́дь льди́нку опусти́л. *Кар.* О похолодании воды после Ильина дня. СРГК 3, 165.

Госпо́дь нашёл *кого. Курск. Шутл.-ирон.* О чьей-л. смерти. БотСан, 90.

Госпо́дь не берёт *кого. Горьк.* Об очень старом, долго живущем человеке. БалСок, 31.

Госпо́дь по доро́жке *кому. Новг.* Пожелание удачи кому-л. Сергеева 2004, 23.

Госпо́дь по *чью* **ду́шу посыла́ет.** *Курск.* О человеке, близком к смерти. БотСан, 90.

Госпо́дь прибра́л. См. **Бог прибрал (БОГ).**

Госпо́дь принёс. См. **Бог принёс (БОГ).**

Госпо́дь ру́ку накла́дывает. *Пск.* Чьи-л. дела идут хорошо. СПП 2001, 32.

Госпо́дь сподо́бил *кого. Прост. Устар.* Кому-л. удалось что-л. Ф 1, 125.

Изба́ви Госпо́дь. См. **Избави Бог (БОГ).**

Не сотвори́ Госпо́дь. *Дон.* 1. О крайней нежелательности чего-л. 2. *Неодобр.* О чём-л. скверном, некачественном. СДГ 3, 54.

Отнеси́ Госпо́дь. *Арх.* Пусть этого не случится (заклинание против беды). АОС 9, 388.

Упаси́ Госпо́дь. См. **Упаси Бог (БОГ).**

ГОСПОЖА́ * Госпожа́ Богоро́дица! *Арх.* Восклицание, выражающее досаду, удивление, нетерпение. АОС 9, 388.

Госпожа́ полуно́чница. *Арх.* Обращение к Богородице. АОС 9, 388.

ГОСТА́К * За госта́к, по госта́ку (купить, продать). *Разг. Шутл.-ирон.* По государственной цене. Елистратов 1994, 97.

ГОСТИ́НЕЦ * Берёзин гости́нец. *Горьк.* Остатки съестного после дальней дороги, которые предлагаются детям. БалСок, 22.

За́ячий (ли́сий) гости́нец. *Перм. Шутл.* О хлебе или другой недоеденной пище, принесённой домой из леса, с поля. Подюков 1989, 52.

Лиси́чкин гости́нец. *Волг. Шутл.* Подарок, принесённый, привезённый издалека. Глухов 1988, 81.

Влепи́ть (поднести́) гости́нцу *кому. Разг. Шутл.* Ударить, сильно толкнуть кого-л. Шевченко 2002, 120.

За́юшкины гости́нцы. *Кар.* Растение заячья капуста. СРГК 2, 243.

ГОСТИ́НКА * В гости́нку. 1. *Кар.* В гости. СРГК 1, 381. 2. *Дон.* На положении гостя. СДГ 1, 111. 3. *Ворон.* Редко (появляться где-л.). СРНГ 7, 94. 4. *кому. Гурьев.* Представляется редким, диковинным. СРНГ 7, 94.

ГОСТИ́НОЧКИ * В гости́ночках. *Курск.* В гостях. СРНГ 7, 94.

ГОСТЬ * Замыва́ть (намыва́ть) госте́й. *Народн.* О кошке, умывающейся лапой (по народной примете — к приезду гостей). СРГК 3, 354; Глухов 1988, 49.

Варя́жские го́сти. *Жарг. мол. Шутл.* Иностранные туристы. Максимов, 55.

Вши́вые го́сти. *Кар. Шутл.* Гости, прибывшие в субботу, когда топят баню. СРГК 1, 382.

Га́рние го́сти. *Народн.* Родня жениха на девичнике. СРНГ 6, 146-147.

Го́сти в кра́сных «Жигуля́х». *Жарг. мол. Шутл.* Менструация. Вахитов 2003, 41.

Го́сти из "Кра́сной Башки́рии" [на кра́сных "Жигуля́х"]. *Разг. Шутл.* То же, что **гости пришли.** СИ, 1998, № 5.

Го́сти пришли́ *к кому. Разг. Шутл.* О начале менструации. Флг., 71; DL, 32; УМК, 69.

Гости́ть в го́сти. *Яросл.* Ездить, ходить в гости. ЯОС 3, 103.

На́ гости. *Печор.* В гости (пойти, поехать). СРГНП 1, 151.

Но́вые го́сти. *Волог.* Родственники невесты, приглашенные на 3-й день свадьбы в гости в дом жениха. СВГ 5, 110.

Ночны́е го́сти. *Кар.* Сваты. СРГК 1, 382.

Пойти́ в го́сти к немо́му (пе́шему). *Жарг. мол. Шутл.* Отправиться в туалет. Максимов, 94.

Гость с во́зки. *Волог.* Человек, приезжающий на праздник из другой местности. СВГ 1, 126.

Инопланéтный гость. *Жарг. шк. Шутл.* Учитель астрономии. (Запись 2003 г.).

Каменный гость. 1. *Книжн. Шутл.* О человеке (обычно пришедшем в гости), который всегда молчит. БМС 1998, 133. 2. *Разг. Шутл. или Неодобр.* О человеке, который слишком крепко пожимает руки при приветствии. БМС 1998, 133. 3. *Жарг. мол. Шутл.* Мужской половой орган. Елистратов 1994, 663; ЖЭСТ-1, 141. < По названию пьесы А. С. Пушкина из "Маленьких трагедий".

Косо́й гость. *Пск. Неодобр.* О незваном, нежелательном посетителе, постояльце. ПОС 7, 153.

В гостя́х. *Орл. Шутл.-одобр.* В хорошем настроении. СОГ 1990, 21.

В гостя́х гости́ть. *Волог.* Жить в достатке и благополучии. СВГ 1, 126.

В гостя́х у ска́зки. 1. *Жарг. арм. Шутл.-ирон.* Телевизионная передача "Служу России" ("Служу Советскому Союзу"). ЖЭСТ-1, 228. 2. *Жарг. шк. Шутл.* Классная доска со створками. (Запись 2003 г.).

ГОСТЬБА́ * На гостьбу́. *Печор.* В гости (пойти, поехать). СРГНП 1, 151.

Г

ГО́СТЬБИЩЕ * **На го́стьбище.** *Арх.* В гости. АОС 9, 395.

ГО́СТЬЯ * **Го́стья из подмо́стья.** *Волг., Горьк.* Незваная гостья. Глухов 1988, 26; БалСок, 31.

Нежда́нная го́стья. *Жарг. шк. Шутл.* Оценка «отлично», пятерка. Максимов, 94.

ГОСУДА́РСТВО * **Брать в госуда́рстве** *что. Сиб.* Покупать что-л. ФСС, 15.

Госуда́рство в госуда́рстве. *Книжн. Неодобр.* Группа людей, организация, которая ставит себя в исключительные условия, не подчиняется общему порядку, установленному в государстве. БМС 1998, 134; ШЗФ 2001, 58; БТС, 223.

ГОСУДА́РЬ * **Госуда́ри бра́тцы!** *Арх.* Восклицание, выражающее сильное удивление, изумление. СРНГ 7, 99.

Госуда́ри мои ба́тюшки! *Олон.* То же, что **государи братцы!** СРНГ 7, 99.

Вели́кий госуда́рь. *Жарг. шк. Шутл.-ирон.* Директор школы. Bytic, 1999-2000; Максимов, 57.

Госуда́ря вопи́ть (крича́ть). *Пск.* Криком взывать о помощи, защите. СРНГ, 7, 99; ПОС, 7, 157.

Хоть госуда́ря кричи́. *Пск.* О состоянии крайнего отчаяния. Пск. ПОС, 7, 157.

ГОТО́ВО * **На гото́во.** *Сиб.* Совсем, окончательно. ФСС, 48.

ГОТО́ВЫЙ * **С гото́вым.** *Перм.* В состоянии беременности (выйти замуж). СРНГ 7, 100.

ГРА́БКИ * **Гра́бки по бренча́лкам распуска́ть.** *Жарг. мол. Шутл.* Играть на музыкальном инструменте. БСРЖ, 137.

Греть гра́бки *[на чём]. Жарг. угол., Разг.* Наживаться на чём-л.; греть руки на чём-л. Бен, 36. < **Грабки** — руки (из польск. арго: *grabky.* Грачев 1997, 77.

Пойти́ на гра́бки. *Волг.* Вступать в драку, в борьбу с кем-л. Глухов 1988, 127.

ГРА́БЛИ * **Хоть грабля́ми греби́.** *Волг.* О большом количестве чего-л. Глухов 1988, 168.

ГРА́БОМ * **Гра́бом гра́бить.** *Арх.* Добывать, брать что-л. в очень большом количестве. АОС 10, 15.

ГРА́БУШКИ * **С гра́бушками.** *Волг. Одобр.* С большой охотой, с радостью. Глухов 1988, 146.

ГРА́БЬЮ * **Гра́бью гра́бить** *что. Сиб., Прибайк. Неодобр.* Присваивать чужое. ФСС, 48; СНФП, 50.

ГРАД[1] * **Град во́ду берёт.** *Курск.* О радуге. БотСан, 90.

Побе́й град по́ уху *кого*! *Бран.* Восклицание, выражающее гнев, негодование. СПП 2001, 32.

Гра́дом постёбанный. *Пск.* Со следами оспы на лице. (Запись 1998 г.).

Вали́сь ты ко гра́ду! *Прикам. Пренебр.* Выражение безразличия, утраты интереса к чему-л. МФС, 15.

ГРАД[2] * **Взыску́ющие гра́да.** *Книжн. Высок. Архаич.* Люди, ищущие лучших форм жизни, социальной справедливости. < Восходит к Библии. БМС 1998, 134.

Гра́ды и ве́си. *Книжн. Высок. Архаич.* Города и сёла, всё обитаемое пространство. < Из старославянского языка. БМС 1998, 134.

ГРА́ДУС * **Взойти́ в гра́дус.** *Ворон.* Опьянеть. СРНГ 7, 110.

Измеря́ть (штуди́ровать) гра́дус [на кре́пость]. *Жарг. мол. Шутл.* Пить спиртное. Щуплов, 62-63, 66.

Налови́ть (налови́ться) гра́дуса. *Жарг. мол. Шутл.* Выпить спиртного, напиться пьяным. Щуплов, 62-62.

В гра́дусе. *Разг. Устар.* В состоянии опьянения. ФСРЯа, 110.

Вы́йти из гра́дусов. *Сиб. Шутл.-ирон.* Погорячиться. ФСС, 36.

Подбавля́ть гра́дусов. *Пск.* Увеличивать скорость автомобиля, давать газ. ПОС 7, 174.

Под гра́дусом. 1. *Прост. Шутл.* В нетрезвом состоянии, навеселе. ФСРЯа, 110; БТС, 225; ЗС 1996, 193; ПОС 7, 174. 2. *Жарг. мол. Шутл.* Находиться в лихорадочном состоянии с высокой температурой. ПБС, 2002.

Хвати́ть гра́дусы. *Пск.* Выпить спиртного, напиться пьяным. ПОС 7, 174; Мокиенко 1990, 42.

ГРА́ДУСНИК * **Поставить градусник** *кому. Разг. Шутл.* Совершить половой акт с кем-л. (о мужчине). Мокиенко 1995, 17; Балдаев 1, 342; Щуплов, 238.

ГРАЖДАНИ́Н * **Гра́ждане и гражда́нки от Ку́пчина до Гражда́нки.** *Разг. Шутл.* О населении Ленинграда (Санкт-Петербурга). Синдаловский, 2002, 52.

ГРАЙ * **Гра́ем гра́ять.** *Арх.* Очень громко смеяться. АОС 10, 21.

ГРАК * **Ни гра́ку, ни шу́му, ни слу́ху.** *Дон.* О полной тишине. СДГ 1, 112.

ГРАММ * **Ни на грамм.** *Разг.* То же, что **ни грамма.** Ф 1, 126; Мокиенко 2003, 21.

Ни гра́мма. *Разг.* Нисколько, абсолютно ничего. БМС 1998, 134-135; НСЗ-84; Ф 1, 126; ПОС 7, 176; ДС, 125; АОС 10, 22; Верш. 4, 149; СБО-Д1, 103.

Приня́ть де́вять гра́ммов. *Жарг. угол.* Получить высшую меру наказания — расстрел. ТСУЖ, 145.

ГРАММИ́НА * **Ни грамми́ны.** *Пск.* То же, что **ни грамма (ГРАММ).** ПОС 7, 176.

Ни на одну́ грамми́ну. *Пск.* То же, что **ни грамма (ГРАММ).** ПОС 7, 176.

ГРАММО́К * **Ни граммка́.** *Пск.* То же, что **ни грамма (ГРАММ).** ПОС 7, 176.

ГРАММУ́ЛЕЧКА * **По грамму́лечке.** *Разг.* Совсем понемногу. Мокиенко 2003, 21.

Ни грамму́лечки. *Разг.* То же, что **ни грамма (ГРАММ).** Мокиенко 2003, 21.

ГРАММУ́ЛЬКА * **По грамму́льке.** *Разг.* То же, что **по граммулечке (ГРАММУЛЕЧКА).** Мокиенко 2003, 21.

Ни грамму́льки. *Разг.* То же, что **ни грамма (ГРАММ).** Мокиенко 2003, 21.

ГРАММУ́ШКА **Ни грамму́шки.** То же, что **ни грамма (ГРАММ).** ПОС 7, 177.

ГРАММОФО́Н * **Завести́ /заводи́ть свой граммофо́н.** *Пск. Неодобр.* Начать ругать, высмеивать кого-л. ПОС 7, 176.

Разби́тый граммофо́н. *Жарг. шк. Шутл.-ирон.* Учитель пения. Максимов, 95.

ГРА́МОТА * **Больша́я гра́мота.** *Прикам.* Образование. МФС, 28.

Дра́ная гра́мота. *Морд.* Распри, ссоры. СРГМ 1978, 126.

Кита́йская гра́мота. *Разг. Неодобр.* То же, что **тарабарская грамота 1.** ФСРЯа, 110; ЗС 1996, 376; БТС, 225.

Тараба́рская гра́мота. 1. *Разг. Неодобр.* Что-л. бессмысленное, непонятное (печатные сочинения, чьи-л. речи, выступления и т. п.). ДП, 572; БМС 1998, 135; ФСРЯа, 110; БТС, 225. 2. *Жарг. угол.* Воровская тайнопись. ТСУЖ, 173.

Фи́лькина гра́мота. 1. *Разг. Презр.* Пустая, ничего не значащая бумага, не имеющий никакой силы документа. ФСРЯа, 111; БМС 1998, 135; БТС, 225; Мокиенко 1989, 167. 2. *Арест.* Правила внутреннего распорядка ИТУ. Балдаев 2, 109. 3. *Жарг. шк. Шутл.* Иностранный язык. Bytic, 1999-2000. 4. *Жарг. шк. Шутл.* Дневник. (Запись 2003 г.). 5. *Жарг. шк. Шутл.* Классный журнал. (Запись 2003 г.).

Гра́моте писа́ть. *Кар.* Учиться в школе. СРГК 4, 518.

Идти́ по гра́моте. *Прикам., Сиб.* Получать образование, учиться. МФС, 42; ФСС, 86; СОСВ, 81.

Гра́мотой дово́лен. *Олон. Одобр.* О грамотном человеке. СРНГ 7, 111.

В гра́моту взя́ться. *Перм., Прикам.* Получить образование, приобрести знания в процессе обучения. СГПО, 74; МФС, 18.

В гра́моту ходи́ть. *Арх.* Учиться в школе. СРНГ 7, 111.

Дать гра́моту *кому. Приамур., Сиб.* Дать образование кому-л. СРГПриам., 69; ФСС, 53.

Достава́ть гра́моту. *Печор.* Учиться, получать образование. СРГНП 1, 189.

Большо́й гра́моты. *Прикам. Одобр.* О человеке, получившем образование. МФС, 28.

ГРАМОТЁШКА * Име́ть грамотёшку. *Сиб. Шутл.* Быть грамотным. ФСС, 88.

ГРА́МОТНЫЙ * Ши́бко гра́мотный. *Прост. Ирон.* О человеке, переоценивающем свои способности, знания. Глухов 1988, 176.

ГРА́МОЧКА * Ни гра́мочки. *Сиб.* То же, что **ни грамма (ГРАММ).** ФСС, 48.

ГРА́МУШЕК * Ни гра́мушка. *Перм.* То же, что **ни грамма (ГРАММ).** Сл. Акчим. 1, 217.

ГРАН * Ни за гран. *Разг.* Напрасно, зря (пропасть и т. п.). БТС, 230.

Ни на гран. *Книжн.* Нисколько, ни на самую малость. БТС, 225.

Ни [одного́] гра́на *чего. Книжн.* Нисколько, абсолютно ничего. ФСРЯа, 111; БМС 1998, 135; БТС, 225.

ГРАНА́ТА * Грана́та во рту разорвала́сь *у кого. Жарг. мол. Шутл.-ирон.* О беззубом человеке. Максимов, 95.

ГРАНД * Мо́крый гранд (грант). *Жарг. угол.* 1. Грабёж с убийством. Грачев 1992, 63; СРВС 1, 131; СРВС 2, 172; СРВС 3, 211; СРВС 4, 45, 142; СВЯ, 24; ТСУЖ, 43; Мильяненков, 107; ББИ, 59; Балдаев 1, 93. 2. Убийство с пролитием крови. Трахтенберг, 39. < **Гранд** — грабеж.

ГРАНИ́Т * Грызть грани́т нау́ки. *Книжн. Высок.* или *Шутл.* Учиться, получать образование. БТС, 226.

ГРАНИ́ЦА * Грани́ца не зна́ет поко́я. *Жарг. арм. Шутл.* О заборе вокруг воинской части. БСРЖ, 138.

Открыва́ть/ откры́ть грани́цы. *Публ.* 1. *кому.* Предоставлять кому-л. свободу выезда из страны, въезда в страну. СП, 145. 2. *чему.* Разрешать свободный доступ куда-л. чему-л. (идеям, обмену мнениями и т. п.) Мокиенко 2003, 21.

Переходи́ть вся́кие грани́цы. *Разг. Неодобр.* Нарушать своим поведением меру дозволенного, установленного, принятого в обществе. Ф 2, 42.

ГРАНТ * Брать/ взять на грант *кого. Жарг. угол.* Взять жертву за горло при грабеже. ТСУЖ, 112. < **Грант** — приём удушения.

ГРАНЬ * На гра́ни *чего. Разг.* В непосредственной близости к переходу в другое (обычно — худшее) состояние. БТС, 226.

На гра́ни фо́ла. *Разг.* Очень раскованно, свободно, подвергаясь опасности быть наказанным (действовать). < Первонач. в речи спортсменов. Мокиенко 2003, 21.

Стира́ть гра́ни *между чем, между кем. Разг.* Устранять какие-л. различия. ФСРЯа, 425.

Стоя́ть у гра́ни. *Дон.* Быть близким к смерти, гибели. СДГ 3, 145.

Перешагну́ть грань *между кем, чем. Книжн.* Нарушить правило, норму поведения, закон и т. п. Ф 2, 42.

Проводи́ть грань *между кем, чем. Разг.* Устанавливать различия между кем-л., между чем-л. ФСРЯа, 337.

ГРАФ * Вши́вый граф. *Сиб. Пренебр.* Неряха. ФСС, 48; СФС, 50.

Граф Вертибуты́лкин. *Жарг. лаг. Устар. Презр.-ирон.* Кличка неавторитетного, спившегося и опустившегося заключённого. ББИ, 60; Балдаев 1, 94.

Граф Карто́шкин. *Жарг. лаг. Устар. Шутл.-ирон.* Кладовщик овощехранилища ИТУ. ББИ, 60; Балдаев 1, 94.

Граф Мо́нте-Кри́сто. *Жарг. арм. Шутл.* Кладовщик. Максимов, 95.

Граф Обсериголя́шкин (Табуре́ткин). *Жарг. лаг. Устар. Презр.-ирон.* Кличка неавторитетного, трусоватого и опустившегося заключённого, прислуживающего другим. ББИ, 60; Мильяненков, 107; Балдаев 1, 94.

Служи́ть у гра́фа Ве́трова. *Разг. Устар. Шутл.-ирон.* Быть безработным, сидеть без работы. Ларин, 1997, 188.

Служи́ть у гра́фа Пане́льского. *Жарг. угол. Шутл.* О занятиях проституцией, нищенством. Балдаев 2, 96.

ГРАФФ * Графф Толсто́й. *Жарг. мол. Одобр.* Художник-граффитист высокого класса. Никитина 2003, 132.

ГРАЧ * Грач нелета́ющий. *Жарг. журн., полит. Шутл.-ирон.* Бывший министр обороны РФ П. Грачев. МННС, 163.

Грачи́ прилете́ли. 1. *Разг.* О приходе весны. Дядечко 1, 142. 2. *Разг. Шутл.* О чьём-л. прилёте. Дядечко 1, 142. 3. *Жарг. студ. Шутл.* Начались экзамены. (Запись 2003 г.) < Название картины А. Саврасова (1871 г.). 4. *Жарг. мол. Шутл.-ирон.* О глупом человеке. Максимов, 95. 5. *Жарг. мол. Шутл.-ирон.* О психически ненормальном человеке. Максимов, 95.

ГРЕБЁНКА * Жечь гребёнку. *Пск.* Делать известной измену одного из влюблённых, сжигая гребёнку, бумагу в присутствии всех. ПОС 10, 218.

Под гребёнку. 1. *Прост.* Очень коротко, низко и ровно (стричь, жать, косить). Ф 1, 127; СПП 2001, 32. 2. *Пск.* Вровень с краями (наливать, насыпать). ПОС 8, 8. 3. *Сиб.* Всё до конца, дочиста (убрать, вывезти). ФСС, 48. 4. *Сиб.* Из снопов соломы (о крыше). СФС, 95.

Подо всю гребёнку. *Пск.* Очень сильно, интенсивно. ПОС 8, 8; ПОС 3, 123.

Причёсывать под одну́ гребёнку *кого. Разг.* То же, что **стричь под одну гребёнку.** Ф 2, 94.

Стричь/ обстри́чь [всех] под одну́ гребёнку. *Разг. Неодобр.* Подгонять всех под один уровень. ФСРЯа, 111; ДП, 859; Ф 1, 127; Ф 2, 192; ЗС 1996, 26; БТС, 226; БМС 1998, 135.

Чеса́ть под одну́ гребёнку *кого. Волг.* То же, что **стричь под одну́ гребёнку.** Глухов 1988, 172.

ГРЕБЁНОЧКА * Продёрнуть гребёночку. *Кар.* Причесаться. СРГК 5, 251.

ГРЕ́БЕНЬ * На гре́бне *чего. Разг.* На вершине (славы, известности и т. п.). Мокиенко 2003, 21.

Сиде́ть на гре́бне. *Морд.* Прясть. СРГМ 2002, 47.

В гре́бень влезть *кому. Пск.* Ударить кого-л. ПОС 8, 9.

Гре́бень беспонто́вый. *Жарг. мол. Пренебр.* О глупом, несообразительном человеке. АиФ, 1992, № 25.

Брать/ взять за гре́бень [взять] *кого.* 1. *Сиб.* Брать, хватать кого-л. за шиворот. ФСС, 16. 2. *Кар.* Побить, наказать кого-л. СРГК 1, 390. 3. *Волог.* Принуждать, заставлять кого-л. поступать определённым образом. СВГ 1, 70. 4. *Арх., Пск.* Привлечь к ответственности кого-л. АОС 10, 34; СПП 2001, 32.

Наклéить грéбень *кому. Кар. Шутл.-ирон.* То же, что **брать за гребень 2.** СРГК 2, 333.

Петуши́ный (петýшечий) грéбень. *Сиб.* Комнатное растение с ярко красными цветами, похожими на гребень петуха. СКузб., 151; ФСС, 48. **Петухóв (петýний) грéбень.** *Новг.* То же. НОС 7, 135.

Попрáвить грéбень *кому. Жарг. мол.* Наказать кого-л. за проступок. Максимов, 95.

ГРÉБИ * Сесть в грéби. *Перм.* Сесть в лодку грести. СРНГ 7, 129.

Быть в гребя́х. *Перм.* Грести, быть гребцом. СРНГ 7, 129.

Идти́ на гребя́х. *Сиб., Прибайк.* Плыть в лодке на вёслах. СБО-Д1, 104; СНФП, 53.

ГРЕБКИ́ * На гребкáх. *Арх.* На вёслах, работая вёслами. АОС 10, 39.

ГРЕБЛÓ * Под греблó. 1. *Пск., Яросл.* То же, что **под гребёнку 2. (ГРЕБЁНКА).** ПОС 8, 11; ЯОС 8, 20. 2. *Волг., Дон., Яросл.* Полностью, без остатка. Глухов 2002 1988, 124; СДГ 1, 113; ЯОС, 20.

ГРÉБЛЯ * Грéбля по кармáнам. *Жарг. мол. Шутл.* То же, что **карманная гребля.** Максимов, 95.

Кармáнная грéбля. *Жарг. угол. Шутл.* Воровство (из карманов). МКЩ, 129.

ГРЕБÓК * Сидéть в гребкáх. *Печор.* Работать вёслами, грести. СРГНП 1, 154.

ГРЁБОМ * Грёбом грести́ *что. Кар.* Приобретать в большом количестве что-л. СРГК 1, 393.

Грёбом не отгрести́ *что, чего. Сиб.* О большом количестве чего-л. ФСС, 128.

ГРЕБÝХ * Наклáсть гребухóв *кому. Орл.* Грубо обругать кого-л. СОГ 1990, 25.

ГРЕБЬ * Отби́ть гребь. *Волог.* Затруднить уборку сена (о дожде). СВГ 1, 128.

На гребя́х. *Печор.* Гребя веслами. СРГНП 1, 154.

ГРЁЗА (ГРЁЗА) * Сóнная грёза бьёт *кого. Печор.* Кому-л. хочется спать, кого-л. одолевает сон. СРГНП 1, 154.

В грéзу влезть (вби́ться). *Пск.* Совершить что-л. предосудительное. ПОС 8, 13.

ГРÉЛКА * Грелка во весь рост. *Жарг. мол., угол. Шутл.-ирон.* Проститутка. Мокиенко 1995, 17; ТСУЖ, 43.

Грéлка во всё тéло. *Жарг. тур.* О человеке, лежащем в одном спальном мешке с другим. Максимов, 72.

В грéлки игрáть. *Дон.* Участвовать в игре со жгутом. СДГ 1, 113.

На грéлку сесть. *Жарг. мол. Шутл.-ирон.* Испугаться, струсить. Урал-98.

ГРÉНКА * Пригоня́ть грéнки до кýчи. *Смол.* Мстить кому-л., наказывать кого-л., припоминая все совершённые проступки. СРНГ 7, 133.

Гони́ть грéнку. *Смол.* Нападать на кого-л. без повода. СРНГ 7, 6.

Гнать грéнку. *Смол.* Тайно мстить кому-л. СРНГ 6, 235.

ГРЕТЬ * Грéет, но не свéтит. *Жарг. арм. Шутл.* Об отпуске. (Запись 2001 г.).

Ни грéло, ни горéло, да вдруг и осветúло. *Народн.* О приятной неожиданности. ДП, 569.

ГРЕХ * Брать/ взять грех нá душу. *Разг.* 1. Нести моральную ответственность за предосудительные поступки, совершаемые по принуждению или по своей воле. 2. Совершать какой-л. предосудительный поступок. ФСРЯа, 41; БТС, 290.

Вводи́ть/ ввести́ в грех *кого. Прост.* 1. Заставлять кого-л. совершить что-л. предосудительное. 2. Сердить, приводить в раздражение кого-л. Ф 1, 51; АОС 4, 142; АОС 10, 50.

Влезть в грех. *Брян.* Совершить предосудительный поступок. СБГ 3, 33.

Води́ть грех. *Разг. Устар. Неодобр.* Развратничать, распутничать.

Вступи́ть на грех. *Кар.* То же, что **влезть в грех.** СРГК 1, 249.

Добывáть грех (грехá, грехи́). *Арх.* Заводить ссору с кем-л. АОС 10, 50.

Заводи́ть/ завести́ (наводи́ть/ навести́, своди́ть/ свести́) грех. *Арх.* То же, что **добывать грех.** АОС 10, 50.

Грех во рту *у кого. Орл. Шутл.* О склонности к любовным приключениям. СОГ 1990, 26.

Грех знáет *кого, что.* 1. *Арх., Пск., Сиб.* Нет никаких сведений, ничего не известно о ком-л., о чём-л. АОС 10, 50; ПОС 8, 19; Мокиенко 1986, 181. 2. *Пск.* Восклицание, выражающее опасение, досаду и т. п. ПОС 8, 19.

< **Грех** — чёрт, дьявол.

Грех лизнýл *кого. Пск.* Кто-л. исчез, пропал. ПОС 8, 19.

Грех ломáет. *Пск.* 1. *кого, где. Неодобр.* Кто-л. долго отсутствует, находится неизвестно где. ПОС 8, 19. 2. *кого.* Кто-л. шалит, балуется. СПП 2001, 32.

Грех ломáй тебя́ (егó и т. п.)! *Ряз. Бран.* Восклицание, выражающее раздражение, гнев. ДС, 127.

Грех ни на ком. *Дон.* Никто не виноват. СДГ 1, 114.

Грех пополáм. 1. *Прост. Устар.* Поровну, каждому одинаково. БМС 1998, 135; ЗС 1996, 106, 350. 2. *Сиб., Яросл.* О возмещении половины убытка, причинённого случайно. СРНГ 29, 329; ЯОС 3, 107. 3. *Сиб., Яросл.* Половина разницы между запрашиваемой и предлагаемой ценой. СРНГ 29, 329; ЯОС 3, 107. 4. *Сиб.* Предложение поделить что-л. оспариваемое пополам. СРНГ 29, 329. 5. *Сиб., Яросл.* Предложение отвечать за начатое дело в равной мере. ФСС, 48; ЯОС 3, 107. 6. *Яросл.* О крепкой дружбе, когда люди делятся и горестями, и радостями. ЯОС 3, 107.

Грех попýтал *кого. Прост.* Кто-л. поддался соблазну сделать что-л. предосудительное. ДП, 61; Ф 1, 127; ФСРЯа, 486; ЗС 1996, 210.

Грех принёс *кого. Кар.* О неожиданном госте. СРГК 1, 393.

Как на грех. *Разг.* На беду, к несчастью. ФСРЯа, 111; ПОС 8, 19.

Какóй грех. *Арх.* О чём-л. несущественном, неважном, не имеющем значения. АОС 10, 51.

Класть грех нá душу *кому. Разг. Устар.* Вынуждать кого-л. поступать против совести. Ф 1, 239.

Лезть на грех. *Арх., Сиб.* Затевать ссору. АОС 10, 51; ФСС, 105.

Ломáть грех. *Костром.* Соглашаться на половинные уступки в деньгах и в приданом. СРНГ 17, 118.

Наводи́ть на грех *кого.* 1. *Волг., Сиб.* Искушать, провоцировать кого-л. на предосудительный поступок. Верш. 4, 34. 2. *Морд.* Сердить, раздражать, выводить кого-л. из терпения. СРГМ 1986, 59.

На котóрый грех? *Арх.* Зачем, для чего? АОС 10, 51.

Наступи́ть на грех. *Тул.* То же, что **влезть в грех.** СРНГ 20, 202.

Носи́ть грех на душé. *Разг. Устар.* Чувствовать вину за что-л. Ф 1, 335.

Перворóдный грех. *Книжн. Устар.* Основной, первоначальный грех, ошибка, от которой происходят все остальные. БТС, 792. < Восходит к Библии. БМС 1998, 136.

Пихáть в грех *кого. Кар.* Заставлять кого-л. делать что-л. СРГК 4, 523.

Подводи́ть под грех *кого. Кар.* Причинять вред кому-л. СРГК 4, 647.

Разводи́ть/ развести́ грех. 1. *Волог.* Ссориться с кем-л. СВГ 1, 129. 2. *При-*

байк. Сплетничать с целью внести раздор, рассорить кого-л. СНФП, 53.

Развяза́ть грех. 1. *Ряз.* Снять подозрения с кого-л. ДС, 127. 2. *Курск.* Помочь кому-л. выйти из затруднительного положения. БотСан, 90.

Свали́ть грех. *Арх.* Освободиться от чувства вины в ходе исповеди. АОС 10, 50; СРНГ 7, 135.

Свести́ грех *на кого. Кар.* Оговорить, очернить кого-л.; насплетничать. СРГК 5, 656.

Свива́ть/ свить грех. *Арх.* То же, что **добывать грех.** АОС 10, 50.

Сме́ртный грех. *Книжн.* Очень большой, ничем не искупаемый порок, непростительный поступок. ФСРЯа, 1114 БМС 1998, 136.

Садо́мский грех. *Книжн. Предосуд.* Мужеложество или скотоложество. Мокиенко, Никитина 2003, 110.

Соверша́ть/ соверши́ть грех над собо́й. *Прост. Устар.* Кончать жизнь самоубийством. Ф 2, 162.

Упа́сть в грех. *Арх.* Поссориться с кем-л. АОС 10, 50.

Без греха́. *Сиб.* Мирно, дружно. ФСС, 48.

Выходи́ть/ вы́йти из греха́. *Сиб.* Выходить замуж без согласия родителей. ФСС, 40, 48; СБО-Д1, 86.

Греха́ греши́ть (мота́ть). *Арх. Неодобр.* Нарушать религиозные предписания, правила. АОС 10, 50.

Греха́ ку́ча. 1. *Арх.* Ссора, скандал. АОС 10, 49. 2. *Орл.* Восклицание, выражающее легкую досаду (по отношению к детям). СОГ 1990, 26.

Положи́ть греха́. *Урал. Неодобр.* Грешить, ругая кого-л. СРНГ 29, 102.

Како́го (ко́его) греха́? *Арх.* Зачем, с какой целью? АОС 10, 51.

Ни греха́. *Пск., Сиб., Ср. Урал.* Нисколько. СРНГ 21, 213; СРГСУ 2, 208; ПОС 8, 19.

От греха́ пода́льше. *Разг.* Об отказе от какого-л. дела, поступка из-за нежелательных результатов, опасных последствий. Ф 1, 128; БТС, 227.

Хвати́ть греха́ на́ душу. *Прост. Неодобр.* Совершить какой-л. предосудительный поступок. БТС, 227, 1440.

Что (чего́, не́чего) греха́ таи́ть. *Разг.* Незачем скрывать, нужно признаться. ФСРЯа, 436; БМС 1998, 136; БТС, 227, 1302. **Что грехо́в таи́ть.** *Арх.* То же. АОС 10, 51.

Зача́яться в граха́х. *Челяб.* Запутаться. СРНГ 11, 172.

Обвиня́ть во всех сме́ртных граха́х *кого. Разг. Неодобр.* Огульно осуждать чьё-л. поведение, не находя в нем ничего хорошего. БМС 1998, 136.

Поги́нуть в граха́х. *Кар.* Совершить много предосудительных поступков, нагрешить. СРГК 4, 604.

Брать грехи́. *Кар.* Отпускать грехи, простить грехи кающемуся на исповеди. СРГК 1, 108.

Буди́ть грехи́. *Кар.* Стыдить кого-л. СРГК 1, 393.

Грехи́ мо́лодости. *Разг. Шутл.* Ошибки и заблуждения молодости, о которых не всегда приятно вспоминать в зрелом возрасте. БМС 1998, 136-137.

Грехи́ попу́тали *кого. Арх.* То же, что **грех попутал.** АОС 10, 51.

Грехи́ пуза́тые *с кем. Пск. Бран.* Восклицание, выражающее безразличие, отсутствие интереса к кому-л., к чему-л. СПП 2001, 32.

Носи́ть грехи́. *Арх.* То же, что **отдавать грехи.** АОС 10, 51.

Отдава́ть/ отда́ть (сдава́ть/ сдать) грехи́. *Арх.* Признаваться в своих грехах на исповеди. АОС 10, 51.

Своди́ть и разводи́ть грехи́. *Пск. Неодобр.* Сплетничать, клеветать. СПП 2001, 32.

Смыва́ть грехи́. *Жарг. арм. Шутл.* Мыться в бане. Максимов, 96.

Снима́ть/ снять грехи́ *с кого. Арх.* то же, что **брать грехи.** АОС 10, 51.

Навести грехо́в. *Новг. Неодобр.* Устроить беспорядок, неразбериху в чём-л. НОС 5, 128.

Семь сме́ртных грехо́в. *Книжн.* Очень большой порок. БМС 1998, 137.

Семь сме́ртных грехо́в чи́слится *за кем. Книжн.* О человеке, способном на всё дурное (часто — когда его дурные качества сильно преувеличены общественным мнением). БМС 1998, 137.

С грехо́м и содо́мом. *Прибайк.* С большим трудом, с руганью и не очень качественно (делать что-л.). СНФП, 53.

С грехо́м попола́м. *Разг.* 1. Кое-как, с большим усилием, с трудом. ДП, 473; ФСРЯа, 112; БМС 1998, 137; БТС, 227; СНФП, 53; ПОС, 8, 19. 2. *Устар.* Обманным путем, нечестно. ДП, 473.

ГРЕ́ЧКА * Гре́чка в уша́х вы́росла *у кого. Волг. Шутл.-ирон.* О неряшливом, нечистоплотном человеке. Глухов 1988, 27.

Скака́ть в гре́чку. *Прост. Ирон.* Изменять супругу или супруге. < Из укр. **скакати в гречку.** Мокиенко, Никитина 2003, 111.

ГРЕ́ШНИК * Чтоб тебя́ гре́шник побра́л! *Пск.* Восклицание, выражающее досаду, негодование, недоброжелательство. ПОС 8, 23.

ГРЕШО́К * Ма́тушкин грешо́к! *Пск.* Восклицание, выражающее досаду. ПОС 8, 23.

С грешко́м. *Пск.* О беременной женщине (незамужней). ПОС 8, 23.

ГРИБ * Бо́жий гриб. *Волог.* Белый гриб. СВГ 1, 129.

Гриб отсоси́новик. *Жарг. мол. Шутл.-ирон.* Полоса неудач. Югановы, 62.

Гриб съесть. *Разг. Устар., Пск. Шутл.* Не добиться своего, обмануться в расчётах. БМС 1998, 137; СРНГ, 16, 216. // *Самар.* Потерпеть неудачу в чём-л. СРНГ 7, 139.

Ива́ньский гриб. *Арх.* Летний гриб, вырастающий к Иванову дню. АОС 10, 58.

Оле́ний гриб. *Арх.* Гриб козляк. АОС 10, 51.

Петро́вский гриб. *Арх.* Летний трубчатый гриб, вырастающий к Петрову дню. АОС 10, 59.

Соба́чий гриб. *Сиб.* 1. Шампиньон. 2. Белая поганка. ФСС, 48.

Не меша́й гриба́м цвести́. *Народн. Шутл.-ирон.* Просьба прекратить делать что-л. несуразное, бестолковое, странное. ДП, 455.

Набра́ть (собра́ть) грибо́в. *Жарг. мол. Шутл.* Простудиться. Максимов, 96.

Нажа́рить (насоли́ть, свари́ть) грибо́в *кому. Новг.* Нарушить верность, изменить в любви кому-л. СРНГ 36, 213; Сергеева 2004, 238.

Грибы́ выросли *у кого. Новг.* Кто-л. получил отказ при сватовстве. Сергеева 2004, 235.

Пойти́ по грибы́. *Жарг. мол. Шутл.* Отправиться в туалет. Максимов, 96.

Собира́ть грибы́ на Не́вском. *Жарг. мол. Шутл.* Заниматься бесполезным делом, совершать заведомо бессмысленный поступок. Синдаловский 2002, 170.

ГРИ́БА * Сде́лать гри́бу солёную. *Пск.* То же, что **дуть грибы.** СПП 2001, 33.

Вы́пятить гри́бы. *Неодобр. Пск.* Принять гордый, надменный вид. ПОС 8, 24.

Ду́ть/ наду́ть (отпусти́ть, отста́вить, разве́сить, сгри́бить) гри́бы. *Новг., Пск. Неодобр.* Сильно обидевшись, нахмуриться, придать лицу сердитое или плаксивое выражение. НОС 2, 60; Мокиенко 1989, 198; ПОС 10, 56; ПОС 8, 24.

Натяну́ть (распусти́ть) гри́бы. *Пск.* Заплакать, расплакаться, сильно обидевшись. ПОС 8, 24; Мокиенко 1990, 2, 43..

Раската́ть гри́бы. *Жарг. мол. Шутл.-ирон.* 1. Начать необоснованно мечтать о чём-л., ждать чего-л. 2. Понадеяться на удачу, везение. Максимов, 96.

Сложи́ть гри́бы. *Новг.* Не поприветствовать кого-л., не поздороваться с кем-л. при встрече. НОС 10, 90.

< **Грибы** — губы.

ГРИБУНКИ́ * Грибунки́ сде́лать. *Пск.* То же, что **дуть грибы (ГРИБА)**. ПОС 8, 28.

ГРИ́ШКА * Умри́ ж, мой Гри́шка. См. **Умри ж, мой Ванька (ВА́НЬКА).**

ГРИ́ВА * Гри́ва на гри́ве оста́ться. *Дон.* О большом количестве огрехов в чём-л. СДГ 1, 114.

Натыкна́я гри́ва. *Вят. Бран.* О женщине, поступающей неправильно, совершающей что-л. предосудительное. СРНГ 20, 240.

Дать по гри́ве *кому. Жарг. мол.* Ударить кого-л. по шее. Максимов, 96.

Маха́ть (кива́ть) гри́вой. *Жарг. угол. Ирон.* Соглашаться; поддакивать; поддерживать чужое мнение. Балдаев 1, 245; ТСУЖ, 84, 105.

Забра́ть в гри́ву *кого. Волг.* Решительно подчинить себе, покорить кого-л. Глухов 1988, 45.

Опусти́ть гри́ву. *Жарг. арест. Ирон.* Смириться со своим положением. Балдаев 1, 292.

Расчеса́ть гри́ву *кому. Новг.* Подраться с кем-л. НОС 9, 115.

ГРИ́ВЕНКА * С гри́венки на гри́венку ступа́ет, полти́ною воро́та подпира́ет. *Народн.* О богатом человеке. ДП, 100.

ГРИГО́РИЙ * Григорий Борисович. *Жарг. угол., мол. Шутл.* Органы госбезопасности (ГБ). ББИ, 60; Балдаев 1, 95.

ГРИН * Грин пис. *Жарг. арм., мол. Шутл.* Военная форма. БСРЖ, 139.

ГРИПП * Венери́ческий грипп. *Жарг. мол. Шутл.* Трихомоноз. Максимов, 57.

ГРИ́ППЕР * Гри́ппер и простуди́филис. *Разг. Шутл.-ирон.* Сомнительная, надуманная болезнь. Елистратов 1994, 99.

ГРИ́ША * Гри́ша Ста́рый. *Жарг. муз. Шутл.* Ринго Стар, барабанщик группы «Битлз». Никитина 1998, 92.

ГРОБ * Вгоня́ть/ вогна́ть в гроб *кого. Разг. Неодобр.* Доводить до смерти кого-л. ФСРЯа, 112; БМС 1998, 138; БТС, 139; Мокиенко 1986, 28; СОСВ, 58.

В гроб! *Вульг.-прост. Бран.* Выражение крайнего недовольства, раздражения, досады. Подюков 1989, 52; Мокиенко, Никитина 2003, 111.

В гроб вплести́ *кого. Новг.* То же, что **вгонять в гроб.** НОС 1, 140.

В гроб смо́трит. *Пск.* О тяжело больном, очень старом человеке. СПП 2001, 33.

Вложи́ть в гроб *кого. Горьк.* Довести кого-л. до изнеможения. БалСок, 27.

Во гроб заеда́ть *кого. Прибайк.* Доводить до изнеможения постоянными упрёками, придирками; истязать кого-л., всячески притесняя. СНФП, 51.

Гляде́ть в гроб. *Сиб.* Быть близким к смерти. СОСВ, 49.

Гроб Бебенщико́в. *Жарг. мол., муз. Шутл.* Борис Гребенщиков. Щуплов, 106. < Трансформация имени и фамилии **Боб Гребенщиков.**

Гроб за за́дом волочи́тся *у кого. Сиб.* О состоянии глубокой старости. ФСС, 49.

Гроб зна́ет *кого, что. Волог.* Нет никаких известий о ком-л., о чём-л. СВГ 1, 130.

Гроб на колёсах. *Жарг. авто. Шутл.-ирон.* Автобус. Максимов, 96.

Гроб на колёсиках. *Жарг. авто. Шутл.-ирон.* Неисправная автомашина. Максимов, 96.

Гроб пова́пленный. *Книжн. Презр. Устар.* 1. Что-л. ничтожное, лицемерное, прикрытое наружным блеском. 2. Человек, внешность которого скрывает что-л., вызывающее отвращение. ФСРЯа, 112; БТС, 850. < Восходит к Евангелию. БМС 1998, 138.

Гроб с анте́нной. *Жарг. арм.* Переносная радиостанция ранцевого типа. Кор., 80.

Гроб с му́зыкой. 1. *Прост. Шутл.-ирон.* То, что связано с большими неприятностями, трудностями. Ф 1, 128. 2. *Жарг. байк. Шутл.* Мотоцикл "Хонда Голд Винг". Мото, 1998, № 4, 82.

Гроб унёс *кого. Волог.* Кто-л. ходит, пропадает неизвестно где. СВГ 1, 130.

Зага́нивать в гроб *кого. Сиб.* То же, что **вгонять в гроб.** ФСС, 75; СОСВ, 71.

Загоня́ть в гроб *кого. Волг.* Издеваться, истязать, мучить кого-л. Глухов 1988, 46.

Како́й гроб! *Волог.* Восклицание, выражающее неудовольствие, раздражение. СВГ 1, 130.

Кра́ше в гроб кладу́т. *Разг. Неодобр.* О некрасивом или плохо выглядящем человеке. ФСРЯа, 197; ДП, 309, 398; БТС, 229.

Лета́ющий гроб. *Жарг. авиа. Ирон.* Любой ненадёжный самолет, вертолет. Кор., 79; Лаз., 82.

Обмо́й да в гроб поло́жь. *Челяб. Ирон.* О сильно похудевшем, болезненного вида человеке. СРНГ 22, 138.

По гроб [жи́зни]. *Разг.* До смерти, до конца дней. Ф 1, 128; БТС, 306; ФСРЯа, 112; ПОС 8, 31.

Покади́ть да в гроб положи́ть. *Новг. Шутл.-ирон.* 1. О бесполезности лечения болезни. НОС 8, 76. 2. О близком к смерти человеке. Сергеева 2004, 193.

Пойти́ в гроб. *Разг. Устар.* Умереть. Ф 2, 64.

Получи́ть гроб. *Сиб.* Заболеть очень тяжело без надежды на выздоровление. ФСС, 145.

Смотре́ть в гроб. *Прост.* Быть близким к смерти. Ф 2, 167.

Хоть в гроб ложи́сь. *Разг.* Выражение отчаяния, бессилия, невозможности что-л. предпринять, выйти из затруднительного, безвыходного положения. ФСРЯа, 215; БТС, 229. // *Новг.* О невозможности что-л. вынести, пережить. НОС 5, 36. **Хоть в гроб полеза́й.** *Волг.* То же. Глухов 1988, 107.

В три гро́ба ду́шу мать! *Вульг.-прост. Бран.* Восклицание, выражающее гнев, негодование, возмущение. Мокиенко, Никитина 2003, 111.

Доводи́ть/ довести́ до гро́ба *кого.* 1. *Курск.* То же, что **вгонять в гроб.** БотСан, 92. 2. *Горьк., Прикам.* Изнурять, доводить кого-л. до болезненного состояния. БалСок, 33; МФС, 33.

До гро́ба. *Разг.* То же, что **по гроб жизни.** ФСРЯа, 112; ПОС 8, 31.

До гро́ба (до гро́бу) жи́зни. *Дон., Сиб.* То же, что **по гроб жизни.** СДГ 1, 114; ФСС, 49.

Како́го-то гро́ба. *Волог.* Неизвестно зачем, неизвестно что. СВГ 1, 130.

Ни гро́ба, ни са́вана *кому, чему! Прост. обл. Бран.* Пожелание неудачи, несчастья, всего самого плохого. Мокиенко, Никитина 2003, 111.

Сего́дня кла́няется до гро́ба, а за́втра гляди́ в о́ба. *Народн. Неодобр.* О двуличном человеке. Жиг. 1969, 208.

Стоя́ть на краю́ гро́ба. *Книжн. Устар.* Быть при смерти. Ф 2, 190.

За гро́бом. *Разг.* В потустороннем мире. ФСРЯа, 112.

Виде́ть в гробу́ [в бе́лых та́почках] *кого. Разг. Шутл. или Пренебр.* О полном отсутствии интереса, неуважении, пренебрежении к кому-л., чему-л. Максимов, 62; БТС, 129; Ф 1, 62. **Ви́деть в гробу́ в бе́лых адида́сах.** *Жарг. мол. Шутл.* То же. БСРЖ, 140.

Ни гро́бу ни моги́лы *кому. Прикам.* То же, что **ни гроба ни савана.** МФС, 28.

Переверну́лся бы в гробу́. *Разг.* Пришел бы в ужас, в негодование (если бы увидел, узнал что-л.). ФСРЯа, 112; ЗС 1996, 181; БТС, 795.

[Все] гробы́ сложи́ть [*на кого*]. *Пск. Шутл.* Выругать, отчитать кого-л. СПП 2001, 33.

ГРОБИ́НА * В гроби́ну! *Вульг.-прост. Бран.* То же, что **в гроб (ГРОБ)!** Подюков 1989, 52; Мокиенко, Никитина 2003, 111.

ГРО́БНАЯ * Лежа́ть в гро́бной. *Арх.* О состоянии смерти. АОС 10, 70.

Уйти́ в гро́бную (в гро́бные). *Арх.* Умереть. АОС 10, 70-71.

ГРОБО́К * Пойти́ (смотреть) на гробки́. *Дон.* Приблизиться к смерти. СДГ 1, 114; СРНГ 28, 362.

Лежа́ть в гробку́. *Арх.* О состоянии смерти. АОС 10, 72.

ГРОЗА́ * Дать грозу́ *кому.* 1. *Перм., Прикам.* Пригрозить кому-л. СГПО, 128; МФС, 30; Подюков 1989, 57. 2. *Пск.* Выругать, наказать, избить кого-л. ПОС 8, 32; СРНГ 7, 148; Мокиенко 1990, 47.

Иду́ на грозу́. 1. *Разг. Шутл.-ирон.* О скверном самочувствии в состоянии похмельного синдрома. Мокиенко, Никитина 1998, 139. 2. *Жарг. шк. Шутл.* О визите к директору школы по его вызову. ВМН 2003, 39. < От названия романа Д. Гранина.

Ни грозы́, ни оборо́ны *у кого. Новг.* Об отсутствии страха и защиты. НОС 6, 103.

ГРОЗДЬ * Гро́здья гне́ва. *Книжн. Высок.* О справедливом, накопившемся в душе гневе за испытанные унижения, притеснения и бесправие. < Восходит к Библии. БМС 1998, 138.

ГРОМ * Гром громя́щий. *Арх.* Шумное веселье, празднество. АОС 10, 75.

Гром гря́нул. 1. *Разг.* Пришла беда, случилось несчастье. БТС, 229; МФС, 29. 2. *Разг.* Последовало суровое наказание. Ф 1, 129. 3. *Жарг. шк. Шутл.* Прозвенел звонок. ВМН 2003, 39.

Гром с раска́том. *Жарг. угол.* Взлом с последующей кражей. Грачев 1992, 63.

Гром среди́ я́сного не́ба. *Шутл.-ирон.* 1. *Разг.* О неожиданной новости, несчастье. Ф 1, 129; БТС, 229. 2. *Жарг. шк.* Звонок на урок. ВМН 2003, 39. 3. *Жарг. шк.* Зачёт. ШП, 2002. 4. *Жарг. студ.* Экзаменационная сессия. Максимов, 97.

Побе́й гром в у́хо *кого*! *Пск. Бран.* Восклицание, выражающее негодование, гнев, недоброжелательство. СПП 2001, 32.

Разрази́ (порази́, расшиби́, убе́й) меня́ гром [на э́том ме́сте]! *Прост.* Клятвенное заверение в чём-л. ФСРЯа, 356; БТС, 229; Мокиенко, Никитина 2003, 111; СОСВ, 162; Ф 2, 213.

Разрази́ (порази́, расшиби́) тебя́ (его́ и т. п.) гром! *Прост.* Восклицание, выражающее негодование, гнев, удивление. ФСРЯа, 356; Мокиенко, Никитина 2003, 111.

То́лько гром греми́т (идёт, стои́т). *Арх.* Об интенсивном действии, сопровождаемом грохотом, шумом, криками, пением и т. п. АОС 10, 74-75.

Гро́му нет *на кого. Сиб. Устар.* О человеке, который много грешит. ФСС, 49.

Ни гро́му, ни шу́му, ни слу́ху *о ком. Волг.* Кто-л. исчез, пребывает неизвестно где. Глухов 1988, 108.

Мета́ть гро́мы и мо́лнии *в кого. Разг.* Бушевать, неистовствовать, громить кого-л. (обычно более слабого, подчиненного). ФСРЯа, 112; БМС 1998, 138; БТС, 229, 537; ЗС 1996, 353; Мокиенко 1986, 158.

ГРОМИ́ЩЕ * Разбе́й тебя́ громи́ще (громи́щем)! *Алт. Бран.* То же, что **разрази тебя гром (ГРОМ).** СРГА 1, 238.

ГРО́МКАЯ * Идти́ на гро́мкую. *Жарг. угол.* Идти на кражу, имея при себе огнестрельное оружие. ТСУЖ, 76.

ГРО́МКО * Гро́мко улыба́ться. *Жарг. мол. Шутл.* Смеяться, хохотать. Максимов, 97.

ГРОМОСТРЕ́Л * Громостре́л бы тебя́ расши́б! *Пенз. Бран.* Восклицание, выражающее гнев, негодование, досаду. Мокиенко 1986, 159.

ГРОХ * Ни гро́ха. *Кар.* Абсолютно ничего, нисколько. СРГК 1, 399.

ГРОШ * Грош напла́кал *чего. Новг. Шутл.-ирон.* Об очень малом количестве чего-л. Сергеева 2004, 164.

Грош цена́ [в база́рный день] *кому, чему. Разг. Презр.* Кто-л., что-л. никуда не годится, не имеет никакой ценности, никакого значения. ФСРЯа, 112; БМС 1998, 138; БТС, 230; Мокиенко 1990, 118; ЗС 1996, 33. **Грош цена́ и са́жень дрова́** *кому, чему. Сиб.* То же. ФСС, 49.

Грош цена́ и вон в сто́рону. *Сиб. Презр.* О человеке, не умеющем делать дело, за которое взялся. ФСС, 49.

Дрожа́ть за грош. *Горьк. Презр.* Быть скупым. БалСок, 36.

Ло́маный грош. *Пск.* Нисколько, абсолютно ничего. ПОС 8, 42.

Меня́ть грош на грош. *Орл.* Не получить выгоды при обмене. СОГ 1994, 125.

На грош. *Разг.* Ничтожно мало. ФСРЯа, 112.

На ко́лотый грош. *Арх.* Абсолютно ничего, нисколько. АОС 10, 83.

Не ста́вить в грош-копе́йку *кого. Новг.* То же, что **ни в грош не ставить.** Сергеева 2004, 31.

[Ни] в грош не ста́вить *кого, что. Разг.* Совсем не считаться с кем-л., с чем-л., относиться с пренебрежением, не придавать никакого значения кому-л., чему-л. ФСРЯа, 419; ДП, 217; ЗС 1996, 30; БТС, 1258.

Ни за грош [ни за копе́йку]. *Народн.* Совершенно зря, напрасно (пропасть, погибнуть, погубить кого-л.). ДП, 145, 577; Ф 1, 129; ФСРЯа, 112; СРГК 5, 284; Верш. 4, 149.

Ни за грош ни за де́нежку (ни за деньгу́). *Курск., Прикам., Пск.* То же, что **ни за грош.** БотСан, 105; ПОС, 8, 42; МФС, 29.

Оловя́нный грош не пропадёт *у кого. Ср. Урал. Шутл.-одобр.* Об экономном и хозяйственном человеке. СРГСУ 3, 56.

Гроша́ ме́дного (ло́маного, желе́зного) не сто́ит *что. Неодобр. или Шутл.-ирон.* Никуда не годится, не представляет никакой ценности. ДП, 123, 471; ФСРЯа, 113; БТС, 502, 1271; Ф 1, 130; ЗС 1996, 149; Янин 2003, 91; ПОС 8, 42.

Гроша́ нет за душо́й *у кого. Народн.* Об очень бедном человеке. ДП, 89; Жиг. 1969, 353; ФСРЯа, 113; АОС 10, 83.

Разру́бленного гроша́ в карма́не нет *у кого. Перм.* То же, что **гроша нет за душой.** СРНГ 28, 23.

Больны́е гроши́. *Разг. Ирон.* Сумма вычетов из зарплаты. Балдаев 1, 42.
Гроши́ коря́чатся у кого. *Жарг. угол.* У кого-л. имеются деньги. Мильяненков, 108; ББИ, 60; Балдаев 1, 95.
Класть гроши́ на про́волоку. *Жарг. угол.* Посылать деньги почтовым переводом. Быков, 55.
Ко́лотые гроши́. *Арх.* Мелкая монета. АОС 10, 83.
К ва́шему грошу́ со свои́м пятако́м. *Кар.* О том, что приносят с собой идя в гости. СРГК 5, 379.
ГРУ́ДА * Гру́да мала́. *Арх.* Возглас в детской игре, после которого начинается общая свалка. АОС 10, 88.
В гру́де. *Волог.* Вместе. СВГ 1, 131.
ГРУДИ́НКА * Идти́ груди́нкой. *Пск.* Идти впереди (о солдатах в бою). ПОС 8, 47.
Ходи́ть груди́нкой. *Пск.* То же, что **ходить гру́дью (ГРУДЬ).** ПОС 8, 47.
ГРУДКИ́ * Бра́ться/ взяться за грудки́. *Прост.* Ссориться, доходя до драки. Ф 1, 41.
В-на (на) грудки́. *Забайк., Сиб.* Лицом к лицу (драться). СРГЗ, 95; ФСС, 49.
Взять (схвати́ть, тряхну́ть) за грудки́ *кого. Прост.* Схватить кого-л. за переднюю часть рубашки в знак выражения гнева, негодования. БТС, 230; Ф 2, 231; СРГМ 1978, 129; Глухов 1988, 5; ПОС 8, 47; ДС, 128.
Идти́ на грудки́. *Забайк., Сиб.* Добиваться своей цели силой. ФСС, 89; СРНГ 16, 340.
Лезть на грудки́. 1. *Сиб.* Проталкиваться сквозь толпу. ФСС, 105. 2. *Волг., Забайк., Сиб.* Лезть в драку. Глухов 1988, 81; СРГЗ, 95; СРНГ, 16, 340; ФСС, 105. 3. *Орл., Сиб.* То же, что **идти на грудки.** СРНГ 16, 340; ФСС, 105.
ГРУДЬ * Гру́ди на блю́де *[у кого]. Жарг. мол.* 1. *Шутл.* О полногрудой женщине. 2. *Неодобр.* О манере поведения самоуверенной, напористой женщины. Белянин, Бутенко, 43.
Отогрева́ть на груди́ *кого. Разг.* Проявлять внимание, заботу, любовь к кому-л. Ф 2, 28.
Переноси́ть на свое́й груди́. *Волг.* Тайно страдать. Глухов 1988, 122.
Бить (колоти́ть) себя́ в грудь. *Разг. иногда Ирон.* Страстно уверять в истинности сказанного или сделанного, в своей честности. БМС 1998, 139; Ф 1, 23.
Брать/ взять за грудь *кого. Новг.* Заставлять, принуждать кого-л. делать что-л. Сергеева 2004, 179.
Брать/ взять на грудь. *Жарг. мол.* То же, что **принимать на грудь.** Максимов, 62.
Грудь в грудь. *Разг.* Вплотную. ФСРЯа, 113.
Грудь моряка́, жо́па старика́ [спина́ гру́зчика]. *Вульг.-прост. Шутл.-ирон.* О человеке здоровом, могучем на вид, но дрябловатом, рыхлом и старом (поговорка сопровождается обычно похлопыванием по груди собеседника). Мокиенко, Никитина 2003, 111.
Грудь нараспа́шку, язы́к на плечо́ *у кого. Народн. Неодобр.* О болтуне, не умеющем хранить тайну. ДП, 196, 479.
Грудь с гру́дью. *Разг.* То же, что **грудь в грудь.** ФСРЯа, 113; БТС, 231.
Зна́ет грудь да подоплёка. *Арх., Самар, Курск.* О скрытой тоске, переживаниях. СРНГ 28, 119.
Лезть на грудь. *Ряз.* Настойчиво добиваться чего-л. СРНГ 16, 340.
Надса́живать грудь. *Прост.* Кричать до изнеможения. ФСРЯа, 244; Ф 1, 312.
Наступа́ть / наступи́ть на грудь *кому-л. Разг. Устар.* Принуждать, заставлять кого-л. поступать определённым образом. Ф 1, 319.
Положи́ть ру́чки на грудь. *Умереть.* СРНГ 7, 164.
Принима́ть/ приня́ть на грудь [моржо́м]. *Прост.* Пить спиртное. Вахитов 2003, 148; Мокиенко 2003, 22.
Чеса́ть грудь табуре́ткой. *Жарг. мол. Шутл.* Напряжённо искать решение проблемы. Никитина 1998, 92.
Чеши́ грудь консе́рвной ба́нкой (пая́льной ла́мпой, ра́шпилем, совко́вой лопа́той)! *Жарг. мол. Шутл.* Уходи, убирайся вон. Максимов, 474; Вахитов 2003, 200.
Брать/ взять гру́дью *что. Разг.* Побеждать дружным, сильным напором. Ф 1, 57.
Носи́ть под гру́дью *кого. Пск.* Быть родной матерью кому-л. (Запись 2000 г.).
Ходи́ть гру́дью (груди́нкой). *Пск. Неодобр.* Важно, чинно шагать, важничать. ПОС 8, 48.
Прийти́ к грудя́м. *Смол.* Доставить сильную душевную боль кому-л. СРНГ 31, 234.
Пере́ть грудя́ми. *Жарг. мол.* 1. Приставать к кому-л., донимать кого-л. 2. Вести себя нагло. Максимов, 97.
С грудя́ми. *Ряз.* О кормящей матери. ДС, 129.
В грудя́х. *Орл.* 1. В младенческом возрасте. 2. За пазухой. СОГ 1989, 143.
ГРУЗ * Груз 100. *Жарг. арм.* Боеприпасы. (Запись 2000 г.).
Груз 200. *Жарг. арм.* Трупы убитых. Кор., 80; МННС, 39.
Груз 300. *Жарг. арм.* Раненые. МННС, 39.
Держа́ть груз. *Арх.* Выполнять тяжелую работу. АОС 10, 94.
Мёртвый груз. *Разг. Неодобр.* Что-л. бесполезное, не находящее себе применения, лежащее без движения. БМС 1998, 139.
Чужо́й груз. *Жарг. угол., арест.* Наказание за преступление, совершённое другими. Балдаев 1, 96. // Признание себя виновным в преступлении, которого не совершал. ТСУЖ, 197.
Лежа́ть мёртвым гру́зом. *Разг.* Не находить применения, не использоваться. БТС, 535.
С гру́зом. *Арх., Морд., Перм., Прибайк. Шутл.* О беременной женщине. АОС 10, 94; СРГМ 1978, 129; Подюков 1989, 53; СНФП, 51.
В грузу́. *Арх.* В состоянии беременности. АОС 10, 94.
Нести́ грузы́. *Кар.* Много работать. СРГК 4, 14.
ГРУЗДЬ * Соба́чий груздь. *Сиб.* Гриб волнушка. ФСС, 49.
ГРУ́ЗКИ * Ходи́ть на гру́зки. *Перм., Прикам.* Временно работать грузчиком. СГПО, 665; МФС, 107.
ГРУНТ * Ложи́ться/ лечь (зале́чь) на грунт. *Жарг. морск., Разг.* Не проявлять себя, скрывать свою подлинную сущность; затаиться на некоторое время. БСРЖ, 141.
Сбива́ть /сбить с гру́нту *кого. Пск.* 1. *Неодобр.* Ввести в заблуждение, запутать кого-л., помешать кому-л. в чём-л., заставить допустить ошибку. ПОС 8, 55. 2. Свести с ума кого-л. СПП 2001, 33.
Сби́ться с гру́нту. 1. *Пск., Олон., Новг.* Утратить способность правильно мыслить, рассуждать; сойти с ума. ПОС 8, 55; СРНГ 7, 169; СРНГ 36, 172. 2. *Пск., Твер.* Начать делать что-л. бестолково; попасть в неловкое положение. СРНГ 36, 172. 3. *Волг.* Запутаться, потерять ориентировку. Глухов 1988, 144.
ГРУ́ППА * Гру́ппа в полоса́тых купа́льниках. *Жарг. шк. Шутл.* Ученики на уроке физкультуры. (Запись 2002 г.) < Первоначально: о тиграх в кинофильме «Полосатый рейс».

Гру́ппа геморро́й. *Жарг. мол. Шутл.* Самодеятельная группа музыкантов, играющая в метро, на улице и собирающая за это деньги. Елистратов 1994, 87.

Гру́ппа захва́та. *Жарг. арм. Шутл.* Дежурные на контрольно-пропускном пункте. БСРЖ, 141.

Гру́ппа ри́ска. *Разг. Ирон.* О проститутках, девушках легкого поведения. Максимов, 97.

Гру́ппа «Ха-ха́». *Жарг. мол. Шутл.* Поп-группа «На-на». Максимов, 98.

ГРУППОВУ́ХА * Группову́ха под винды́. *Жарг. комп. Шутл.* Программное обеспечение MS Windows for Workgroups. Садошенко, 1995.

ГРУ́ША * Виси́т гру́ша — нельзя́ ску́шать. 1. *Разг.* О чём-л. недоступном. Дядечко 1, 90. 2. *Жарг. спорт. Шутл.* О боксёрской груше. (Запись 2001 г.). < От загадки **Висит груша — нельзя скушать** (лампочка). Дядечко 1, 90.

Гру́ша Ильича́. *Жарг. мол. Шутл.* Электрическая лампочка. (Запись 2002 г.). < От загадки **Висит груша — нельзя скушать** (лампочка).

Пое́хал с гру́шами на база́р. *Волг. Шутл.-ирон.* О человеке, который упустил нужный момент, с опозданием начал делать что-л. Глухов 1988, 127.

Вы́трусить гру́ши *[кому].* *Ворон.* Наказать кого-л. СРНГ 7, 171; Мокиенко 1990, 60.

Гру́ши на ве́рбе. *Прост. Ирон.* О чём-л. невероятном, неправдоподобном, абсурдном. Мокиенко 2003, 22.

До гру́ши *кому что. Жарг. мол.* Абсолютно всё равно, безразлично. (Запись 2001 г.). < Трансформация выражения **до лампочки**. Ср.: **Висит груша — нельзя скушать** (лампочка).

Окола́чива́ть гру́ши [за́дом, хе́ром, ху́ем]. *Прост. Неодобр. или Шутл.* Бездельничать. БТС, 232; Максимов, 98; Ф 2, 18; Подюков 1989, 137; Глухов 1988, 117; Мокиенко 2003, 22.

Упа́сть с гру́ши. *Волг. Шутл.* 1. Неожиданно появиться где-л. 2. Не понимать чего-л., быть в полном неведении. Глухов 1988, 121, 163.

Гру́шу натрясти́. *Пск. Шутл.* Наказать побоями кого-л. ПОС 8, 57.

ГРЫ́ЖА * Двена́дцать грыж. *Арх.* Травянистое растение пиретрум сибирский. АОС 10, 295.

Гры́жи загрыза́ть. *Кар.* Заговаривать грыжу. СРНГ 7, 175.

Успоко́ить гры́жу. *Жарг. мол.* Замолчать. Максимов, 441.

ГРЫЗЛ * Грызл нау́ки. *Жарш. шк. Шутл.* Карандаш. Максимов, 98.

ГРЫ́ЗЛО * Бара́л я тебя́ (вас, их и т. п.) **в гры́зло!** *Вульг.-прост. Бран.* Выражение полного презрения, неуважения или безразличия к кому-л. < **Грызло** — горло, глотка. Мокиенко, Никитина 2003, 112.

Вскры́ть гры́зло *кому. Жарг. мол.* Избить кого-л. Максимов, 72.

ГРЫЗО́М * Грызо́м грызть. См. **Грызьмя грызть (ГРЫЗЬМЯ).**

ГРЫЗУ́Н * Ровня́ть грызуно́в. *Арх.* Заниматься тяжелой, непосильной работой. СРНГ 7, 179.

ГРЫЗЬ * Ко́шкина грызь. *Пск. Бран.* О назойливом, надоедливом человеке. ПОС 8, 59. < **Грызь** — воспаление костных тканей, костоеда.

ГРЫЗЬМЯ́ * Грызьмя́ (грызо́м) грызть. *Сиб.* Истязать, угнетать кого-л. ФСС, 49.

ГРЯДЕ́ШИ* Ка́мо гряде́ши? *Книжн. Шутл. Архаич.* В каком направлении двигаешься, развиваешься? < Восходит к Библии. БМС 1998, 139; Дядечко 2, 137.

ГРЯ́ДКА * Сиде́ть на гря́дке. *Жарг. мол. Шутл.* Собираться компанией. Максимов, 98.

По гря́дкам, не замеча́я межу́. *Жарг. мол. Шутл.-одобр.* О совершении какого-л. действия, выполнении какой-л. работы, несмотря на помехи. Максимов, 98.

ГРЯДЬ * Гря́нуть гря́дью. *Кар.* Дружно запеть. СРГК 1, 409.

ГРЯЗЬ * В (с) гря́зи ломиться/ сломи́ться (сломи́вши). *Новг., Пск. Неодобр.* То же, что **лопаться от грязи.** НОС 10, 91; НОС 5, 39; ПОС 8, 67.

Вы́тащить из гря́зи *кого. Прост.* Помочь кому-л. избавиться от тяжких, унизительных условий существования. Ф 1, 100.

Зарасти́ в грязи́. *Арх. Неодобр.* О неряшливом, нечистоплотном человеке. АОС 10, 120.

Из гря́зи да в кня́зи. *Народн. Неодобр.* О человеке, внезапно разбогатевшем, выдвинувшемся (и, как правило, ведущем себя заносчиво, высокомерно). ДП, 71, 720; Ф 1, 130; БТС, 233; ЗС 1996, 216; ПОС 8, 67.

Лома́ться от гря́зи. *Волг. Неодобр.* О сильно запачканной одежде. Глухов 1988, 82.

Ло́паться от гря́зи. *Сиб.* О ком-л., о чём-л. грязном, сильно запачканном. СРНГ 17, 136; ФСС, 108; СФС, 134.

Нае́сться гря́зи. *Жарг. угол.* 1. Быть арестованным, задержанным. ББИ, 61; Балдаев 1, 96. 2. Попасть в заключение. СРВС 2, 115; ТСУЖ, 43.

Нализа́ться чёрной гря́зи. *Калуж.* Напиться очень пьяным. СРНГ 20, 17.

Нали́ть гря́зи *на кого. Кар.* Опорочить, оболгать кого-л. СРГК 3, 348.

Ши́ре гря́зи. *Прибайк. Неодобр.* О высокомерном, заносчивом человеке, ведущем себя, не соблюдая принятых норм поведения. СНФП, 52.

Броса́ть в грязь *кого.* 1. **[лицом]**. *Алт., Дон.* Оскорблять, унижать кого-л. СРГА 1, 100; СДГ 2, 117. 2. *Жарг. бизн. Неодобр.* Попытаться очернить фирму статьями в печати, выступлениями по телевидению. БС, 22.

Вазго́лить грязь. *Пск. Неодобр.* Выполнять тяжёлую, грязную работу. ПОС 8, 67.

В грязь напи́ться (пьян). *Жарг. мол. Шутл.-ирон.* О сильном алкогольном опьянении. Югановы, 42.

Вороти́ть грязь. *Новг. Неодобр.* Говорить плохое, клеветать. НОС 1, 138.

Вта́птывать/втопта́ть (зата́птывать/ затопта́ть) в грязь *кого. Разг.* 1. Оскорблять, унижать кого-л. 2. Порочить, чернить, дискредитировать кого-л. БТС, 352; ЗС 1996, 42, 230; ФСРЯа, 81; ДП, 315; Глухов 1988, 16.

Грязь гря́зная. *Арх. Неодобр.* О чём-л. очень грязном. АОС 10, 120.

Кида́ть в грязь *кого. Разг. Устар.* Порочить, чернить кого-л. Ф 1, 236.

Лить грязь на языке́. *Пск. Неодобр.* Клеветать, оговаривать кого-л. ПОС 8, 67.

Меси́ть грязь. 1. *Разг.* Идти по грязной дороге, по грязи. ФСРЯа, 226; ЗС 1996, 496. 2. *Волг. Неодобр.* Много и без пользы ходить. Глухов 1998, 85. 3. *Произв.* Готовить строительный раствор. БСРЖ, 142.

Мы́знуть в грязь лицо́м *кого. Морд.* Поставить в неловкое положение кого-л. СРГМ 1986, 45.

Не уда́рить (не уда́риться) в грязь лицо́м. *Разг.* Не оплошать, не опозориться, показать себя с лучшей стороны. ФСРЯа, 456-457; БМС 1998, 139-140; БТС, 233, 501, 1373; ЗС 1996, 42, 104; ДП, 427, 681. **Не хло́мнуть в грязь лицо́м.** *Пск.* То же. СПП 2001, 33.

Отбира́ть/ отобра́ть (отва́ливать/ отвали́ть) грязь. *Кар.* Наводить порядок в доме, делать уборку. СРГК 4, 272, 276.

Пусти́ть в грязь *что. Прикам. Неодобр.* Испортить что-л. МФС, 83.

Пуска́ть себя́ в грязь. *Пск. Неодобр.* Распутничать, вести аморальный образ жизни. ПОС 8, 67.

Разда́йся (ши́ре), грязь, наво́з ползёт. *Волг., Прибайк. Ирон.* О чрезмерно гордом, заносчивом человеке. Глухов 1988, 138, 176; СНФП, 52.

То́лько грязь врозь. См. **Только брызги врозь (БРЫЗГИ).**

Топта́ть в грязь. 1. *кого. Прост.* То же, что **втаптывать в грязь.** 2. *что.* Опошлять, принижать что-л. Ф 2, 206.

Чёрная грязь. *Новг.* Трудности, невзгоды. НОС 12, 52.

Закида́ть гря́зью *кого. Прост.* Оскорбить, унизить кого-л. БТС, 325; Глухов 1988, 48.

Обли́ть гря́зью *кого. Прост.* Оклеветать кого-л. ЗС 1996, 356.

ГУБА́ * Срыва́ться/ сорва́ться с губ *у кого. Книжн.* Произноситься невольно, неожиданно для самого говорящего. Ф 2, 180.

Губа́ до по́ла, игра́ет в по́ло. *Жарг. мол. Шутл.-ирон.* О некрасивом человеке с пухлыми губами. Максимов, 98.

Губа́ за губу́ захо́дит (задева́ет) *у кого. Перм. Неодобр.* О человеке, говорящем нехотя, небрежно. Подюков 1989, 54.

Губа́ засвисте́ла *у кого. Жарг. мол. Шутл.* О сильном желании выпить спиртного. Максимов, 98.

Губа́ на конфо́ре *у кого. Арх. Шутл.* О предчувствии чаепития. АОС 10, 123.

Губа́ не дро́гнет *у кого. Кар.* О человеке, не проявляющем волнения, беспокойства о чём-л. СРГК 1, 158.

Губа́ не ду́ра *у кого. Прост. Шутл.-ирон.* О человеке, умеющем выбрать для себя что-л. самое лучшее, выгодное, воспользоваться чем-л. ценным, полезным. ФСРЯа, 113; БМС 1998, 140; БТС, 233; ШЗФ 2001, 58; Мокиенко 1990, 93; ЗС 1996, 187; ПОС, 8, 69; АОС 10, 123. **Губа́ не ду́ра, язык не лопа́тка (лопа́та): зна́ет, что (где) го́рько, что (где) сла́дко.** ДП, 861; Жиг. 1969, 280.

Губа́ пове́рху хо́дит *у кого. Волог. Неодобр.* О человеке, любящем слизывать что-л. вкусное сверху (например, начинку с ватрушки, сливки с молока). СВГ 1, 133.

Губа́ толста́ *у кого. Перм. Неодобр.* О скупом, жадном человеке. Подюков 1989, 54.

Губа́ то́лще, дак брю́хо то́ньше. *Арх. Шутл.* О человеке, который, обидевшись, отказывается от еды. АОС 10, 123.

Губа́ трампли́ном *у кого. Жарг. мол. Шутл.-ирон.* О сильном невыполнимом желании чего-л. СИ, 1998, № 5.

Губа́ трясётся *у кого. Яросл. Шутл.* О сильном желании сделать что-л., получить что-л. ЯОС 3, 114.

Ки́слая губа́. *Арх. Ирон.* О невесёлом, загрустившем человеке. АОС 10, 123.

Мо́края губа́. *Арх., Перм. Неодобр.* О человеке, злоупотребляющем алкоголем. Подюков 1989, 55; АОС 10, 124.

Серди́тая губа́. *Арх. Неодобр.* О хмуром человеке. АОС 10, 124.

Дать по губа́м *кому. Жарг. рыб.* Упустить рыбу при подсечке. Fish-2000.

Ма́зать/ пома́зать по губа́м *кого. Прост. Неодобр.* 1. Дразнить кого-л. пустыми обещаниями, внушать напрасную надежду. ДП, 649; ФСРЯа, 219. 2. Скупо угощать кого-л. Глухов 1989, 84; ЗС 1996, 342.

Пома́зать (потрави́ть) по губа́м. *Курск. Ирон.* О малом количестве какой-л. пищи. СРНГ 30, 302.

Пообли́зываться губа́ми. *Прибайк.* Позавидовать кому-л. СНФП, 53.

Трясти́ губа́ми. *Перм. Неодобр.* Говорить попусту. Подюков 1989, 206.

Держа́ть на губа́х *что. Пск.* Повторяя, запоминать что-л. ПОС 9, 40.

Пома́зать по губа́х. *Курск.* Пригубить, отведать чего-л. БотСан, 109.

Не по губе́ *кому что. Арх., Волг., Сиб.* Не нравится. АОС 10, 123; Глухов 1988, 101; СФС, 125.

Поводи́ть по гу́бе *кому. Жарг. мол.* Обмануть кого-л. Максимов, 98.

По губе́ *кому что. Прост.* Нравится, подходит кому-л. что-л. ФСРЯа, 113.

Пусти́ть по губе́ *кому. Жарг. мол.* Морально унизить кого-л. Максимов, 98.

Бреха́ть соба́чьей губо́й. *Волг. Неодобр.* Лгать, обманывать кого-л. Глухов 1988, 7.

Губо́й доить. *Новг.* Обеспечивать удой за счет качества корма. НОС 2, 89.

Под губо́й. *Арх. Шутл.* Рядом, близко. АОС 10, 124.

С губо́й. *Перм. Неодобр.* О жадном, завистливом человеке. Подюков 1989, 55.

Шлёпнуть губо́й. *Жарг. мол.* Сказать что-л. Максимов, 99.

Брать/ забра́ть за губу́ *кого. Волг.* Решительно подчинять себе, покорять кого-л. Глухов 1988, 45.

Вороти́ть губу́. *Перм.* Высказывать отвращение, недовольство чем-л. Подюков 1989, 31.

Губу́ разъе́ло *у кого.* 1. *Жарг. мол. Шутл.* О сильном желании выпить спиртного. Максимов, 99. 2. *Перм.* О любом сильном желании. Подюков 1989, 170.

Дава́ть/ дать губу́ *кому. Сиб.* Целовать кого-л. СФС, 59; ФСС, 53; СРНГ 7, 257.

Драть губу кве́рху. *Перм.* Выказывать пренебрежение, недовольство чем-л. Подюков 1989, 65.

Заката́ть губу́. Ската́ть губу́. *Жарг. мол. Шутл.-ирон.* Перестать надеяться на что-л., ФЛ, 105; Максимов 99.

Закуси́ть губу́ (гу́бы). *Разг.* Заставить себя сдержаться; прервать высказывание, речь. Ф 1, 198.

Лгать во всю губу́. *Народн. Неодобр.* Много, без стеснения лгать, бессовестно обманывать кого-л. ДП, 204.

Лить за губу́. *Волг.* Пить спиртное, пьянствовать. Глухов 1988, 81.

Лома́ть губу́. *Курск. Неодобр.* Быть о себе слишком высокого мнения, зазнаваться. БотСан, 90.

Мазну́ть гу́бы *кому. Прост.* Пообещать кому-л. что-л., но не выполнить обещание. Ф 1, 289.

Наплю́й сам себе́ на губу́. *Народн.* Выражение недоверия к собеседнику. ДП, 203.

Напя́лить губу́. *Кар.* Обидеться, надуться. СРГК 3, 363.

Не в губу́ *кому что. Перм., Сиб.* Не нравится кому-л. что-л. Подюков 1989, 55; ФСС, 49.

Насра́ть на ки́слую губу́ *кому. Арх.* О крайнем пренебрежении к чему-л. АОС 10, 123.

Обква́сить губу́. *Коми.* То же, что **напялить губу.** Кобелева, 69.

Отве́сить губу́. *Пск.* То же, что **напялить губу.** ПОС 8, 69.

Поднима́ть губу́. *Волг.* Проявлять непокорность, несогласие с кем-л. Глухов 1988, 125.

Раска́тывать/ раската́ть губу́ [до гастроно́ма, до по́ла] *на что. Прост.* Предвкушать получение чего-л. СДГ 3, 82; Вахитов 2003, 155; Максимов, 99.

Тяну́ть губу́. *Перм.. Прибайк. Не-одобр.* Выказывать недовольство чем-л., капризничать. Подюков 1989, 209; СНФП, 53.

Через губу́ не переплю́нуть *[кому]. Пск. Неодобр.* О состоянии сильного алкогольного опьянения. ПОС 8, 69.

Через губу́ не плю́нет (не переплю́нет). 1. *Прост. Пренебр.* Об очень пьяном человеке. ДП, 793, 796; ЗС 1996, 36; ПОС 8, 69. 2. *Волг.* О сильно замерзшем человеке. Глухов 1988, 171. 3. *Курск., Сиб. Неодобр.* О заносчивом, надменном человеке. БотСан, 118; ФСС, 138. 4. *Волг., Перм. Неодобр.* О лентяе, бездельнике. Глухов 1988, 171; Подюков 1989, 101.

[Брать/ взять (закры́ть)] гу́бы на замо́к. *Прост.* Молчать, сдерживать себя от желания сказать что-л. ЗС 1996, 325, 365; АОС 10, 123; Глухов 1988, 11.

Выжима́ть гу́бы. *Морд.* 1. Кокетничать с кем-л. 2. Важничать, зазнаваться. СРГМ 1978, 96.

Гу́бы в поло́ску *у кого. Перм. Ирон.* О недовольном, обиженном человеке. Подюков 1989, 54.

Гу́бы и зу́бы говоря́т *у кого. Волг., Дон.* О бойком, подвижном, словоохотливом человеке. Глухов 1988, 27; СДГ 1, 117.

Гу́бы на ло́коть *[у кого]. Неодобр.* 1. *Арх.* О злом, недоброжелательном человеке. АОС 10, 123. 2. *Прикам.* О человеке, выражающем своим видом неудовольствие, обиду. Подюков 1989, 55; МФС, 29. 3. *Кар.* О человеке, не желающем делать что-л. СРГК 1, 409.

Дуть/ наду́ть/ надува́ть гу́бы. *Прост.* Сердиться, обижаться, делая недовольное лицо; выражать неудовольствие, досаду. ФСРЯа, 244; АОС 10, 123; Глухов 1988, 39

Жать гу́бы. *Кар. Неодобр.* Стараться вызвать интерес к себе манерой держать себя. СРГК 2, 40.

Копы́лить/ закопы́лить гу́бы. *Волг., Дон.* То же, что **дуть губы.** Глухов 1988, 48; СДГ 1, 117; СДГ 2, 6, 77.

Куса́ть гу́бы. *Разг.* Выражать досаду, сожаление. БМС 1998, 140.

Ма́зать/ пома́зать гу́бы. *Волг.* Много обещать кому-л. Глухов 1989, 129.

Мо́рдить гу́бы. *Дон. Неодобр.* Зазнаваться, вести себя заносчиво. СДГ 2, 142.

Мочи́ть гу́бы. *Перм.* Пить спиртное. Подюков 1989, 117.

Набуту́сить гу́бы. *Сиб.* Рассердиться, обидеться на кого-л. СФС, 109.

Намамы́ливать гу́бы. *Смол.* То же, что **дуть губы.** СРНГ 20, 29.

Натяну́ть гу́бы. 1. *Волг., Сиб.* То же, что **набутусить губы.** Глухов 1988, 93; СФС, 121; ФСС, 120. 2. *кому. Арх.* Превзойти кого-л. в чём-л. АОС 10, 123.

Не гу́бы ма́зать *кому чем. Ср. Урал.* Нет надобности в чём-л., не нужно кому-л. что-л. СРНГ 17, 294; СРГСУ 2, 195.

Отква́шивать/ отква́сить гу́бы. 1. *Ср. Урал.* Выражать неудовольствие. СРГСУ 3, 82. 2. *Сиб.* Сердиться на кого-л. СФС, 134; ФСС, 129. 3. *Волг.* Расстраиваться, огорчаться, плакать. Глухов 1988, 74. 4. *Сиб.* Смотреть из праздного любопытства. СФС, 134; ФСС, 129.

Под гу́бы. *Пск.* Подпевая (в танце) без сопровождения музыкальных инструментов. СПП 2001, 33.

Подтяну́ть гу́бы. *Народн.* Обидеться, рассердиться. ДП, 867.

Пойти́ гу́бы покра́сить. *Жарг. мол. Шутл.* Посетить туалет. (Запись 2004 г.).

Пока́мест гу́бы не пови́снут. *Кар. Шутл.* Очень долго (петь). СРГК 4, 592.

Разве́шивать гу́бы. 1. *Перм.* Выказывать желание, предвкушать что-л., надеяться на что-л. Подюков 1989, 168. 2. *Волг.* Унывать, расстраиваться; обижаться на кого-л. Глухов 1988, 138.

Раската́ть гу́бы. 1. *Волг.* Начать говорить. Глухов 1988, 139. 2. *Жарг. мол.* То же, что **раскатывать/ раската́ть/ губу.** Глухов 1988, 139.

Распуска́ть/ распусти́ть гу́бы. *Орл.* 1. Плакать. СОГ 1990, 31; Мокиенко 1990, 45, 74. 2. *Перм.* Говорить, болтать лишнее. Подюков 1989, 170. 3. *Орл.* Оскорблять кого-л. СОГ 1990, 31.

Растрепа́ть гу́бы. *Дон. Неодобр.* 1. Быть неряшливым. 2. Быть рассеянным, невнимательным. 3. Позволять себе говорить лишнее. СРНГ 34, 275; СДГ 3, 68.

Сложи́ть гу́бы пи́сой. *Жарг. арм. Ирон.* Выслужиться перед начальством. Кор., 262.

Стрю́чить гу́бы. *Морд.* Обидеться, рассердиться на кого-л. СРГМ 2002, 157.

ГУБЁНКА * Губёнки вы́ставить (дуть, тяга́ть). *Пск.* То же, что **дуть губы (ГУБА).** ПОС 8, 70.

ГУБЕ́РНИЯ * Съёздить Ха́рьковской губе́рнии, Морда́совского уе́зда, в го́род Рыльск, в Зубцо́в пого́ст (Рождественский прихо́д). *Обл. Шутл.* Ударить по лицу кого-л., дать по зубам кому-л. Мокиенко 1990, 55.

Зову́т в Могилёвскую губе́рнию *кого. Ирон.* Кто-л. близок к смерти. ПОС 8, 70.

Идти́ (перейти́, отпра́виться, пое́хать) в Могилёвскую губе́рнию. *Пск., Сиб. Ирон.* Умереть. ПОС 8, 70; БМС 1998, 140; Мокиенко 1989, 179; ФСС, 89.

Съёздить в Ха́рьковскую губе́рнию. *Народн. Шутл.-ирон.* О рвоте. ДП, 260.

Могилёвская губе́рния. *Прост. Ирон.* Кладбище. ФСС, 49; Максимов, 98.

Пошла́ писа́ть губе́рния. *Шутл.* О начале какого-л. интенсивного действия (чаще — письма). БМС 1998, 140; БТС, 233, 892; СПП 2001, 33.

Куда́ губе́рня пове́рня. *Волг.* Как распорядится судьба, случай. Глухов 1988, 78.

ГУБЁШКИ * Разве́сить губёшки. *Жарг. мол. Шутл.* Питать иллюзии, надеяться на чудо. Максимов, 98.

ГУ́БКА * Гу́бка с ды́ркой. *Яросл. Пренебр.* О пьянице. ЯОС 3, 114.

На гу́бках мёд, а на сердце лёд. *Сиб. Неодобр.* О притворно, неискренне ласковом человеке. ФСС, 110.

Надуды́рить гу́бки. *Кар.* То же, что **надуть губы.** См. **Дуть губы (ГУБА).** СРГК 3, 316.

Подласти́ть гу́бки. *Жарг. мол. Шутл.* Поцеловаться. Максимов, 99.

Шлёпнуть ве́рхней гу́бкой. *Жарг. угол. Неодобр.* Необдуманно высказаться, проговориться, сболтнуть что-л. ББИ, 289; Балдаев 2, 163.

Шлёпнуть ни́жней гу́бкой. *Жарг. угол.; Разг. Шутл.-ирон.* Совершить половой акт (о женщине). УМК, 71; ББИ, 289; Балдаев 2, 163.

ГУБОЗАКАТИ́Н * Купи́ губозакати́н. См. **Сходи в аптеку, попроси губоскатин (ГУБОСКАТИН).**

ГУБОСКАТИ́Н * [Сходи́ в апте́ку], купи́ (попроси́) губоскати́н. *Жарг. мол. Шутл.-ирон.* Сдерживай своё желание получить что-л.; не нацеливайся на получение чего-л. желаемого. **< Губоскатин (губозакатин)** — от **скатать (закатать) губу** — перестать нацеливаться на что-л., намереваться получить что-л. желаемое. ФЛ, 105.

ГУГУ́ (ГУ-ГУ́) * Ни гугу́ (гу-гу́). 1. *Прост. Шутл.* О молчании кого-л. БМС 1998, 141; Ф 1, 130; БТС, 234; СПП 2001, 33; НОС 1, 12. 2. *Волг.* О полном безразличии к чему-л., к кому-л. Глухов 1988, 108.

ГУГУ́ЛЬ * Оста́ться на гугуля́ (на гугуля́х). *Сиб.* Остаться ни с чем, разориться. < **Гугуль** — трансформация слова **бобыль.**

ГУД * Гуд бай. *Жарг. мол.* До свидания, пока. < Из англ.: *good-bye.* Дубровина, 79.

ГУ́ДЗЫ́КИ * Крути́ть гудзы́ки. *Жарг. угол.* Возбуждать уголовное дело. ТСУЖ, 93.

ГУДМА́ (ГУДЬМА́) * Гудма́ (гудьма́) гуде́ть. *Дон.* Долго ныть, плакать, кричать и т. п. СДГ 1, 117; Мокиенко 1986, 106.

ГУДО́К * Гудо́к ме́шаный. *Жарг. угол. Пренебр.* Пассивный гомосексуалист. ТСУЖ, 43; УМК, 71.

Уйти́/ уходи́ть в гудо́к. *Прост. Ирон.* Растрачиваться вхолостую, обращаясь в пустые фразы, слова. Мокиенко 2003, 22.

ГУ́ДОМ * Гу́дом гуде́ть. 1. *Ряз.* Сильно гудеть. ДС, 131; Мокиенко 1990, 156. 2. *Горьк.* Громко ругаться, ссориться. БалСок, 31. 3. *Обл.* О шумном веселье. Ф 1, 130; АОС 10, 134.

ГУДЬМА́ * Гудьма́ гуде́ть. См. **Гудма гудеть (ГУДМА).**

ГУЖ * Во весь гуж. *Волог.* Изо всех сил. СВГ 1, 134.

Войти́ в по́лный гуж. *Кар.* Испытать много трудностей. СРГК 1, 221.

В (на) по́лный гуж. *Арх., Кар.* В полную силу. АОС 10, 135; СРГК 5, 386.

Пойти́ в по́лный гуж. *Приамур., Сиб.* Стать полноценным работником. СРНГ 28, 362; ФСС, 142; СРГПриам., 213.

По́лный гуж. *Арх.* О большом количестве чего-л. АОС 10, 135.

Сорва́ть гуж. *Жарг. угол.* Украсть что-л. Балдаев 2, 52.

С гужа́. *Сиб.* Все вместе. СФС, 164.

Пристава́ть/ приста́ть с коро́ткими гужа́ми *к кому. Смол.* Заниматься вымогательством. СРНГ 31, 404.

Пристава́ть/ приста́ть с те́сными гужа́ми *к кому. Волг.* Надоедать кому-л. постоянными требованиями. Глухов 1988, 133.

В семь гуже́й. *Арх.* То же, что **в (на) полный гуж.** АОС 10, 135.

Во (на) все гужи́. *Волг., Сиб.* Громко, во всю силу (кричать). Глухов 1988, 88; СФС, 157.

Лёжа гужи́ рвёт. *Кар. Шутл.-одобр.* О сноровистом, умном, энергичном человеке. СРГК 5, 502.

По гужи́. *Ряз.* Очень много, сверх меры. ДС, 131.

Порва́ть все гужи́. *Ряз.* Нарушить общепринятые нормы поведения. ДС, 131; СРНГ 30, 119.

Утяну́ть гужи́. *Волг.* Навести порядок где-л., подчинить кого-л. себе. Глухов 1988, 164.

Быть в гужу́. *Кар.* Работать, трудиться. СРГК 1, 411.

В по́лном гужу́ (по́лным гужо́м). *Кар.* То же, что **в (на) полный гуж.** СРГК 1, 411; СРГК 5, 55.

ГУЗ * Дать гу́за (гу́зу) *кому. Перм.* Дать кому-л. пинка, грубо выгнать кого-л. Подюков 1989, 57. **< Гуз** — 1. Ягодицы. 2. Пинок под зад. Мокиенко, Никитина 2003, 112.

ГУ́ЗЕВО * Гу́зево мо́крое. *Яросл. Бран.* О пьяном человеке. ЯОС 3, 114.

ГУ́ЗКА * Цыпля́чья гу́зка. *Жарг. мол. Шутл.-ирон. или Пренебр.* 1. О человеке маленького роста. 2. О новичке в каком-л. деле. Максимов, 99.

Дави́ть гу́зку *кому. Волг.* Строго наказывать кого-л. Глухов 1988, 28.

ГУ́ЗНО * Прижа́ло (прижмёт) к гу́зну у́злом. 1. *Пск. Шутл.* Кому-л. срочно понадобилось, стало необходимым что-л. ПОС 8, 76. 2. *Новг.* О сложной жизненной ситуации, тяжёлом положении. НОС 9, 14.

Приспи́чить к гу́зну с у́злом. *Твер.* Настойчиво просить о чём-л. срочно понадобившемся. СРНГ 7, 209.

Упрёт в гу́зно у́злом. *Печор.* То же, что **Прижало (прижмёт) к гузну узлом.** СРНГП 2,
380.
< **Гу́зно** — 1. Зад (человека, животного). 2. *Устар.* Живот, желудок.

ГУ́ЗЯ * Мо́крый гу́зя. *Яросл. Бран.* О непорядочном человеке. ЯОС 3, 115.

ГУК * В оди́н гук. *Волг.* Вместе, сообща. Глухов 1988, 13.

ГУЛ * В гул. 1. *Яросл.* Вслух. ЯОС 2, 37. 2. *Обл.* Громко. Ф 1, 130. 3. *Сиб.* В один голос. ФСС, 49.

В гул не пуска́ть *о чём. Пск.* Не говорить о чём-л., молчать, скрывая что-л. ПОС 8, 78.

Во весь гул. *Новг.* Громко. НОС 2, 68.

Дава́ть /дать (подава́ть /пода́ть) гул (гу́лу). 1. *Пск.* Кричать, издавать громкие звуки (о человеке или животном). ПОС 8, 77. 2. *Кар.* Кричать, вызывая эхо. СРГК 1, 424. 3. *Кар., Новг., Пск.* Отзываться, откликаться. СРГК 1, 419; СРНГ 7, 212, 257; Мокиенко 1990, 110; НОС 2, 68; ПОС 8, 78.

Дать в гул. *Пск.* Поднять тревогу. ПОС 8, 78.

На весь гул. *Пск.* То же, что **во весь гул.** ПОС 8, 77.

Гу́лу (огу́лу) не дава́ть. *Пск.* То же, что **в гул не пуска́ть.** ПОС 8, 78.

Вы́йти с гу́лу вон. *Пск.* Перестать употребляться, выйти из употребления. ПОС 8, 78.

Ни гу́лу ни слу́ху *про кого. Пск.* Нет никаких известий о ком-л. СПП 2001, 33.

На все гулы́. *Пск.* То же, что **во весь гул.** ПОС 8, 77.

Уда́рить на гулы́. *Смол.* Сделать что-л. наверняка, рассчитывая на удачу, на успех. СРНГ 7, 216.

ГУ́ЛЕНЬКИ * Уда́риться в гу́леньки. *Арх.* Начать вести праздную, разгульную жизнь. АОС 10, 140.

ГУ́ЛИ (ГУ́ЛЫ) * Бить гу́лы. *Обл. Неодобр.* Бездельничать. Мокиенко 1990, 68-69.

Гу́ли (гу́лы) да погу́ли (погу́лы). *Курск., Сиб. Неодобр.* О безделье, действиях бездельника. БотСан, 90; ФСС, 49.

ГУЛЛИВЕ́Р * Гулливе́р и лиллипу́ты. *Книжн.* О чём-л. большом и чём-л. крошечно малом, противопоставленных друг другу по размерам или значимости. < По роману Дж. Свифта “Путешествия Гулливера”. БМС 1998, 142.

ГУ́ЛЫ. См. **ГУЛИ.**

ГУЛЬБА́ * Пойти́ за гульбо́й (во гульбу́). *Арх.* Начать веселиться, праздновать. АОС 10, 141.

Пойти́ в гульбу́. *Олон.* Начать вести разгульный образ жизни. СРНГ 28, 360.

ГУЛЬМА́ * Гульма́ гуля́ть. 1. *Пск.* Веселиться, праздновать что-л. ПОС 8, 84. 2. *Волг., Курск. Неодобр.* Бездельничать. Глухов 1988, 27; БотСан, 90.

ГУЛЬМО́М * Гульмо́м гуля́ть. *Пск.* То же, что **гульма́ гуля́ть 1. (ГУЛЬМА́).**

ГУЛЬНО́Й * Гульны́м под ло́жкой. *Кар.* Прогулявшие, опоздавшие лишаются еды. СРГК 3, 140.

ГУЛЬНЯ́ * Гульню́ гуля́ть. *Пск. Неодобр.* Бездельничать, праздно проводить время. ПОС 8, 82; Мокиенко 1990, 156.

Входи́ть (поступа́ть) в гульню́. *Пск.* Достигнув определённого возраста, начать ходить на гулянья, встречаться с молодыми людьми. ПОС 5, 102; ПОС 8, 82.

ГУ́ЛЬТИКИ * Справля́ть гу́льтики. *Волг., Смол.* Вести праздный образ жизни, бездельничать. Глухов 1988, 153; СРНГ 7, 220; Мокиенко 1990, 69.

ГУЛЬТЯ́Й * Гультя́я гоня́ть. *Пск. Неодобр.* Бездельничать, уклоняться от работы. РЩН, 1978

ГУ́ЛЮШКИ * Справля́ть гу́люшки. *Курск.* То же, что **справлять гультики (ГУЛЬТИКИ).** БотСан, 90.

ГУЛЯ́НКА * С гуля́нки. *Пск.* Без сватовства и согласия родителей (выйти замуж). СПП 2001, 34.

Вда́риться (пойти́, пусти́ться) в гуля́нку. *Арх.* Начать вести праздную, разгульную жизнь. АОС 10, 145.

Покати́ться (пойти́) за гуля́нкой. *Арх.* То же, что **вдариться в гулянку.** АОС 10, 145.

Держа́ть гуля́нку. *Пск.* Устраивать вечеринку. (Запись 2000 г.).

ГУЛЯ́Ш * Гуля́ш по коридо́ру. *Жарг. шк.* 1. *Шутл.-ирон.* О чьём-л. отсутствии на уроке, когда ученик ждет за дверью, гуляет по коридору, напр. в случае опоздания или удаления с урока. БСРЖ, 144. 2. *Шутл.* Перемена. (Запись 2003 г.).

Гуля́ш по по́чкам, отбивны́е по рёбрам. *Жарг. угол., арест. Шутл.* Избиение, побои. Быков, 56.

ГУМАНО́ИД * Рели́ктовый гума́ноид. *Жарг. мол. Шутл.-ирон.* Человек, резко выделяющийся среди окружающих. Вахитов 2003, 158.

ГУМЕНЦО́ * Попо́во гуменцо́. *Дон.* Одуванчик. СДГ 3, 41.

ГУМНО́ * Глядե́ть на попо́во гумно́. *Волг. Шутл.-ирон.* Быть близким к смерти. Глухов, 1988, 23.

Попо́во гумно́ (гумни́ще). *Волг., Дон. Ирон.* Кладбище. Глухов 1988, 130; СРНГ 29, 324; СДГ 3, 42.

Уйти́ на попо́во гумно́. *Волг. Ирон.* Умереть. Глухов 1988, 163.

ГУМНИ́ЩЕ * Попо́во гумни́ще. См. **Попово гумно (ГУМНО).**

ГУ́НЯ * Распусти́ть гу́ни. *Волг., Олон.* Заплакать, расплакаться. СРНГ 7, 238; Глухов 1988, 139.

Гу́ня и шушу́ня. *Волг.* О ветхой, оборванной, грязной одежде. Глухов 1988, 27.

Гу́ня мо́края. 1. *Пск. Бран.* О неопрятном пьяном человеке. ПОС 8, 90. 2. *Башк. Неодобр.* О нерасторопном человеке. СРГБ 1, 102.

Гу́ня мокрохво́стая. *Пск. Бран.* То же, что **гуня мокрая 1.** СПП 2001, 34.

Ли́заная гу́ня. *Перм. Шутл.* Женская одежда из мятого плюша. СГПО, 126.

Трясти́ гу́нями. *Волг. Пренебр.* Жить в крайней бедности, нищете. Глухов 1988, 161.

< **Гу́ня** — мокрая, грязная тряпка; пелёнка.

ГУ́НЬКА * Из гу́нек не вы́шел. *Пск. Пренебр.* Очень молод, мал по возрасту. ПОС 8, 90. < **Гу́нька** — пелёнка.

ГУ́РЬЁ * Верну́ться (вы́ехать) с гу́рьём. *Арх.* Нечего не поймать, вернуться без улова (о рыбаке). СРНГ 7, 238.

Просиде́ть с гу́рьём. *Олон.* Провести время на вечеринке без кавалера. СРНГ 7, 240.

Спро́бовать (спра́вить) гу́рья. *Арх.* То же, что **вернуться с гурьём.** СРНГ 7, 237.

< **Гурьё** — груды камней, сложенных по берегам рек и озёр.

ГУСА́К * Вы́тащить гуса́к *кому. Дон.* Вытащить потроха (угроза). СДГ 1, 120.

Гуса́к гуди́т *у кого. Пск. Шутл.* О чувстве голода. ПОС 8, 93.

Гусаки́ заклева́ли *кого. Пск. Шутл.* У кого-л. появились цыпки. ПОС 8, 92.

Гусаки́ слете́ли *у кого. Жарг. мол. Неодобр.* О потере самоконтроля. Максимов, 100.

Гусако́м склёван. *Пск. Шутл.* Покрыт цыпками. ПОС 8, 92.

ГУСА́Р * Доказа́ть гуса́ра. *Разг. Устар.* Проявить молодечество, удаль. Ф 1, 167.

Запусти́ть гуса́ра *кому. Народн.* Досадить кому-л. ДП, 133.

ГУСЁК * Вы́рвать гусёк *кому. Волг.* Строго наказать, побить кого-л. Глухов 1988, 19.

На гусёк. *Новг.* Способ запряжки лошадей друг за другом. НОС 2, 71.

ГУ́СЕНИЦА * Попа́сть под гу́сеницы *к кому. Сиб. Ирон.* Попасть в зависимость от кого-л. ФСС, 146.

ГУ́СИ-ЛЕ́БЕДИ. * Гу́си-ле́беди лете́ли, пёрышко оброни́ли. *Волог.* Приветствие тому, кто делает уборку в доме. СВГ 6, 6.

ГУСЛЯ́К * Гусля́к разгуля́лся в голове́ *у кого. Моск.* О сильном опьянении. СРНГ 7, 245; ДП, 793.

ГУСТА́Я * Е́хать/ пое́хать в густу́ю. *Волог.* 1. Раздражённо отвечать, возражать кому-л. 2. Осложняться, усугубляться (о ситуации). СРНГ 7, 247.

ГУСЬ * Гоня́ть/ гнать гусе́й. *Жарг. угол., Разг. Шутл.-ирон.* 1. Притворяться глупым, прикидываться дураком. СВЯ, 24; ТСУЖ, 40. 2. Изображать несведущего, прикидываться непонимающим. Быков, 37; Мильяненков, 109; ББИ, 61; Балдаев 1, 98. 3. Обманывать, лгать, выкручиваться. ББИ, 56; СВЯ, 22; Мильяненков, 109; Балдаев 1, 98. 4. Симулировать психическое заболевание, сумасшествие. ББИ, 56.

Гусе́й настеба́л. *Пск. Шутл.* То же, что **гусаки заклевали (ГУСАК).** ПОС 8, 98.

Дразни́ть гусе́й. 1. *Разг. Ирон.* Задевать, злить без нужды врагов, завистников. ФСРЯ, 145-146; БМС 1998, 142. 2. *Пск. Неодобр.* Преднамеренно раздражать, нервировать кого-л. СПП 2001, 34.

Загоня́ть гусе́й. *Жарг. мол. Шутл.* Заниматься каким-л. делом. Максимов, 100.

Корми́ть гусе́й. *Кар. Шутл.* Целоваться, держа в губах спичку (народная игра). СРГК 2, 430.

Гу́си загы́гали *где, у кого. Пск.* То же, что **гусаки заклевали (ГУСАК).** ПОС 8, 98.

Гу́си летя́т (полете́ли, стартану́ли, улете́ли) *у кого. Жарг. мол., нарк. Шутл.* 1. О состоянии наркотического опьянения. БСРЖ, 145; 2. О странном (на грани помешательства) поведении человека. БСРЖ, 145; Максимов, 100.3. Об утрате рассудка. БСРЖ, 145; Максимов, 100. 4. О сильной головной боли. (Запись 2004 г.).

Гусь ла́пистый. *Печор.* То же, что **гусь лапчатый 1.** СРГНП 1, 374.

Гусь ла́пчатый. 1. *Прост. Неодобр.* О плутоватом, изворотливом человеке, пройдохе. ФСРЯ, 122; БМС 1998, 142; ЗС 2001, 58; ДП, 661; СПП 2001, 33. 2. *Твер. Неодобр.* О подхалиме. СРНГ 16, 270. 3. *Ворон. Неодобр.* О нерасторопном, несообразительном человеке. СРНГ 16, 270.

Гусь оторва́лся *у кого. Жарг. мол., угол.* О психическом заболевании, когда всё окружающее воспринимается как нереальное. Балдаев 2, 99.

Гусь парализо́ванный. *Жарг. мол. Пренебр.* О неуклюжем человеке. Вахитов 2003, 43.

Гусь поплы́л *к кому, кому. Жарг. шк. Шутл.* Кому-л. ставят двойку. ВМН 2003, 40.

После́дний гусь улете́л. *Жарг. мол. Шутл.-ирон.* О человеке, потерявшем рассудок. Максимов, 100.

Хоро́ш гусь. *Прост. Неодобр.* О нечестном, ненадёжном человеке. ДП, 162, 471; Ф 1, 131; ПОС 8, 98.

Гоня́ть гу́ся. *Жарг. мол. Шутл.* То же, что **дёргать гуся.** Максимов, 92.

Дёргать гу́ся́. *Разг. Шутл.* Онанировать. УМК, 71; Быков, 48; ББИ, 67.

Дуть гу́ся́. *Горьк.* Делать важный вид, вести себя заносчиво. БотСан, 34.

Зажа́рить гу́ся. *Жарг. мол. Шутл.* Выпить спиртного. Вахитов 2003, 60.

Мочи́ть гу́ся́. *Жарг. угол.* Обворовывать пьяного. ББИ, 61; Балдаев 1, 98, 257.

Пощу́пать гу́ся́. *Жарг. угол.* 1. Собрать сведения о намеченной для ограбления жертве. ББИ, 61; Балдаев 1, 98, 345. 2. Проверить ощупыванием наличие денег в карманах у жертвы. ТСУЖ, 143.

С гу́ся вода́, с тебя́ худоба́. *Народн.* Формула заговора от болезни. ДП, 755.

Спроси́л у гу́ся, не зя́бнут ли но́ги. *Народн. Ирон.* О бестолковом человеке. ДП, 461.

Три гу́ся́. *Жарг. угол.* Условный сигнал воров, означающий, что кража совершена удачно. Балдаев 2, 85.

С гуся́ми. *Жарг. мол. Шутл. или Неодобр.* О человеке со странностями. Запесоцкий, Файн, 147.

Быть в гуся́х. *Пск. Шутл.* Ничего не понимать. ПОС 8, 98.

ГУ́ЩА * Гада́ть на кофе́йной гу́ще. *Разг. Ирон. или Неодобр.* Строить беспочвенные предположения, догадки, домыслы. Жиг. 1969, 342; БСРЖ, 143; БТС, 236; ШЗФ 2001, 53; Янин 2003, 80; ЗС 1996, 112, 344, 478; ФСРЯ, 101.

Налива́ть/ нали́ть гу́щи *кому. Арх.* Отказывать жениху в сватовстве. СРНГ 7, 251; АОС 10, 166. **Нали́ть гу́щи в голени́ща** *кому. Кар.* То же. СРГК 1, 352.

Толо́чь (затоло́чь) гу́щу (жи́то, мак). *Пск., Новг.* Виться столбом, облаком (о насекомых). ПОС 8, 100; НОС 2, 72.

ГЫ́ГАНЬКИ * Игра́ть в гы́ганьки. *Пск.* Смеяться. ПОС 8, 101.

ГЫГЫША́РЫ * По самые гыгыша́ры. *Разг. Шутл.* Очень сильно, интенсивно. Елистратов 1994, 102. < **Гыгыша́ры** — мошонка.

ГЮЛЬЧАТА́Й * Гюльчата́й, откро́й ли́чико! *Разг. Шутл.* 1. Просьба повернуться лицом к собеседнику. 2. Просьба открыть лицо. < Слова красноармейца Петрухи — героя кинофильма «Белое солнце пустыни» («Мосфильм»-«Ленфильм», 1969 г.).

ДА * Говори́ть/ сказа́ть своё да. *Публ.* 1. *кому.* Соглашаться с кем-л. 2. *чему.* Выражать одобрение, поддерживать что-л. НРЛ-79; Мокиенко 2003, 22.

Да чё да. *Прикам.* И тому подобное. МФС, 29.

Ни да ни ну. *Арх. Неодобр.* О чьём-л. бездействии; о ситуации, когда дело не сдвигается с мёртвой точки. АОС 10, 178.

Ни да ни пра. *Морд. Неодобр.* О неопределенном, уклончивом ответе. СРГМ 1980, 11.

ДАБЛОПОСЕЩЕ́НИЕ * Соверши́ть даблопосеще́ние. *Жарг. мол. Шутл.* Сходить в туалет. ФЛ, 105. < **Даблопосещение** — от **дабл** (туалет).

ДАВА́ЛКА * До́брая дава́лка. *Вульг.-прост. Шутл.-ирон.* О податливой на половые сношения женщине. Мокиенко, Никитина 2003, 114.

Че́стная дава́лка. *Вульг.-прост.* Женщина, не требующая денег за совокупление, легко соглашающаяся на совокупление для собственного удовольствия. Мокиенко, Никитина 2003, 114.

Дава́лки отсо́хли *у кого. Разг. Неодобр.* Кто-л. не в состоянии пошевелить руками. Елистратов 1994, 103. < **Давалка** — ладонь, рука.

ДАВА́ТЬСЯ * Не дава́ться погла́диться. *Ряз.* О человеке, к которому невозможно найти подход, не поддающемся на уговоры, просьбы. ДС, 414.

ДА́ВЕНЬ * Да́вень пришла́. *Кар.* Прошло много времени. СРГК 5, 165.

ДАВИ́ЛА * Дави́ла в я́ме. *Жарг. мол., Разг. Шутл.* Начальник в кабинете. Грачев 1997, 218. < **Давила** — начальник, шеф.

ДАВИ́ЛКА * Оказа́ться в дави́лках. *Пск.* Попасть в трудное, безвыходное положение. < **Давилка** — приспособление для ловли белых куропаток. Мокиенко 1986, 115.

ДА́ВКА * Дава́ть/ дать да́вку *кому. Обл.* Бить, колотить кого-л. Мокиенко 1990, 46.

ДАВЛЕ́НИЕ * Сбра́сывать/ сбро́сить давление. *Жарг. мол., угол. Шутл.* Совершать половой акт. ББИ, 217; ЖЭСТ-2, 77; Балдаев 2, 29. < **Давление** — эрекция.

ДАВНО́ * Давно́ на давно́. *Кар.* Очень давно. СРГК 1, 421.

ДА́ВНОСТЬ * Да́вностью покры́ться. *Арх.* Забыться, не сохраниться в памяти. АОС 10, 221.

ДАВО́К * Лови́ть на даво́к. *Приамур.* Ловить крупного зверя в ловушку с давящим механизмом. СРГПриам., 145.

ДАВО́М * Дави́ть даво́м. *Сиб.* О состоянии недомогания, чувстве тягости. ФСС, 53.

ДАВЯЖО́М * Дави́ть давяжо́м. 1. *Приамур.* Сильно сдавливать что-л. СРГПриам., 68. 2. *Сиб.* То же, что **давить давом (ДАВОМ).** ФСС, 53.

ДА́ЗА * Да́за ба́нных. *Жарг. комп. Шутл.* База данных. Садошенко, 1996.

ДА́ЛЕ * Да́ле не́куды. *Арх.* О крайнем пределе чего-л. АОС 10, 243.

ДАЛЁКИЙ * Далёкое и бли́зкое. *Книжн.* О безвозвратном, но незабываемом, постоянно вызываемом в памяти прошлом. < Заглавие книги И. Е. Репина, содержащей воспоминания и статьи об искусстве. БМС 1998, 144.

ДАЛЕКО́ (ДАЛЁКО) * Далёко гляди́т. *Кар.* О дальнозорком человеке. СРГУ 1, 344.

Далеко́ зае́хать. *Прост. Неодобр.* Сказать что-л. невпопад, не то, что следует. ФСРЯ, 164.

Далеко́ заходи́ть/ зайти́. *Разг. Неодобр.* Увлекаясь, забываясь, переступать принятые, привычные, допустимые границы чего-л.; выходить за пределы обычного, привычного. ФСРЯ, 171.

Далеко́ не уе́дешь. 1. *на ком Разг. Неодобр.* Многого не добьёшься, не получишь от кого-л. ФСРЯ, 491; Жиг. 1969, 216; Верш 7, 132; ПОС 8, 119–120. 2. *на чём. Пск.* Долго не проживёшь. ПОС 8, 119. **Далеко́ не уска́чешь.** *Прост.* То же. БТС, 1398.

Далеко́ пляса́ть *кому до кого. Кар.* О значительном отставании в чём-л. от кого-л. СРГК 1, 422.

Далеко́ пойти́ (уйти́). *Разг.* Добиться больших успехов в жизни, достичь больших результатов в чём-л. ФСРЯ, 334; ЗС 1996, 242, 313; Ф 2, 218; АОС 10, 250.

Далеко́ ходи́ть не ну́жно (не на́до). *Разг.* Легко назвать, указать, подтвердить что-л., привести пример чего-л. ФСРЯ, 288.

Не далеко́ сказа́ть. *Кар.* То же, что **далеко ходить не нужно.** СРГК 1, 422.

Из прекра́сного далёка. *Книжн. ирон.* 1. Из-за рубежа, не зная обстоятельств дела. 2. Из места, где можно спокойно проводить время вдали от жизненных невзгод. < Выражение из поэмы Н. В. Гоголя «Мёртвые души». БМС 1998, 144.

ДАЛЕ́ЧЕ * Дале́че ви́деть. *Пск.* Быть прозорливым. ПОС 8, 121.

ДАЛЬ * Голуба́я даль. *Жарг. мол. Шутл.* Унитаз. Максимов, 90.

ДАЛЬНЯ́К: Ломану́ться в дальня́к. *Жарг. мол.* Отправиться в дальнюю поездку. Вахитов 2003, 23.

ДА́ЛЬШЕ Да́льше [е́хать] не́куда. 1. *Разг. Неодобр.* О чём-л. крайне плохом. ФСРЯ, 275; ЗС 1996, 417; АОС 10, 258. 2. *Пск. Одобр.* Об очень высоком качестве чего-л. ПОС, 8, 119.

Да́льше свисте́ть, чем ви́деть. *Жарг. мол. Шутл.* Лгать, обманывать. Максимов, 101.

ДА́МА * Не [pour] для дам. *Разг. Шутл.-ирон.* О чём-л. неприличном, скабрезном, бесстыдном. Мокиенко, Никитина 2003, 114.

Да́ма из Амстерда́ма. *Прост. Устар. Шутл.-ирон.* Проститутка. < Оборот образован шутливой рифмовкой с аллюзией на то, что в портовом городе Амстердам находились известные публичные дома. Мокиенко, Никитина 2003, 114.

Да́ма полусве́та. *Книжн. Ирон.* Женщина легкого поведения, проститутка. БМС 1998, 144.

Да́ма, прия́тная во всех отноше́ниях. *Разг. Шутл. или Ирон.* Об очень любезной, обходительной, несколько слащавой женщине. < Из поэмы Н. В. Гоголя «Мёртвые души». БМС 1998, 144.

Да́ма с арбу́зом (с гло́бусом). *Жарг. мол. Шутл.* Беременная женщина. Максимов, 16, 85.

Да́ма се́рдца. *Книжн. Шутл.-ирон.* Возлюбленная. Ф 1, 138.

Да́ма с каме́лиями. *Книжн. Эвфем. Ирон.* Проститутка. < По одноименной пьесе А. Дюма-сына. БМС 1998, 144.

Да́ма с нога́ми футболи́стки. *Жарг. мол. Шутл.-ирон.* Женщина с некрасивыми ногами. Вахитов 2003, 43.

Да́ма с соба́чкой. *Жарг. шк. Шутл.-ирон.* 1. Директор и завуч. ВМН 2003, 41. 2. Учитель и староста. Bytic, 1991–2000. < По названию повести А. П. Чехова.

Да́ма с со́ской. *Жарг. мол. Шутл.* Женщина с грудным ребёнком. Максимов, 101.

Желе́зная да́ма. *Жарг. мол. Шутл.* Автоинформатор в системе сотовой связи. (Запись 2004 г.).

На́ша да́ма. *Жарг. шк. Шутл.* Классная руководительница. ВМН 2003, 41.

Пи́ковая да́ма. 1. *Жарг. спорт.* Альпинистка. 2. *Жарг. мол.* Медсестра, делающая уколы. Максимов, 312.

Сере́бряная да́ма. *Жарг. нарк.* Игла медицинского шприца. Урал-98; HW? 23.

ДА́МКА * В да́мках. *Прост. Шутл.* В полном порядке (о том, что заканчивается полным успехом). Ф 1, 138.

Игра́ть в да́мки. *Дон.* Играть в шашки. СДГ 1, 122.

Проходи́ть/ пройти́ в да́мки. *Разг.* Добиваться успеха. БМС 1998, 144.

ДАНЬ * Брать/ взять (собира́ть/ собра́ть) дань *с кого, с чего. Разг. Шутл.-ирон.* Заниматься взяточничеством, поборами с кого-л. Мокиенко 2003, 22.

Отдава́ть (плати́ть) дань. *Разг.* 1. *кому, чему.* Воздавать должное, оценивать в полной мере кого-л., что-л. ФСРЯ, 321; Ф 2, 23; АОС, 261. 2. *чему.* Следовать чему-л., поступать в соответствии с чём-л. ФСРЯ, 322. 3. *кому, чему.* Уделять внимание кому-л., чему-л. ФСРЯ, 322.

Отда́ть дань приро́де. *Жарг. мол. Шутл.* Сходить в туалет. Максимов, 101.

Облага́ть/ обкла́дывать да́нью *кого. Разг. Шутл.-ирон.* Заставлять кого-л. давать взятки. СП, 202.

ДАР * Дар Бо́жий. 1. *Книжн.* Талант, дарование, врожденные способности. ФСРЯ, 144. 2. *Разг. Устар.; Кар.* То, что даёт человеку природа. Ф 1, 138; СРГК 1, 423. 3. *Разг. Устар.* Что-л. очень ценное, необходимое. Ф 1, 138.

Дар ре́чи (сло́ва). *Разг.* 1. Способность говорить. 2. Способность говорить выразительно, красноречиво. ФСРЯ, 127; Ф 2, 12.

Меша́ть Бо́жий дар с я́ичницей. *Книжн. Шутл.* Соединять несовместимое. БТС, 88, 239.

Ни дар ни ку́пля. *Народн. Шутл.-ирон.* О чём-л. неопределенном. ДП, 473.

Ве́шать дары́. *Ряз.* Дарить подарки молодожёнам после свадьбы. ДС, 136.

Дары́ дана́йцев. *Книжн. Неодобр.* Коварные дары, приносимые с предательской целью. БТС, 239. < Восходит к древнегреческой мифологии. БМС 1998, 144-145.

Дары́ дари́ть. *Прикам. В день свадьбы одаривать родственников жениха.* МФС, 30.

Дары́ Помо́ны и Фло́ры. *Книжн. Устар.* Обилие цветов и плодов. < **Помона** — у древних римлян — богиня плодородия, Флора — богиня растений. БМС 1998, 145.

Дары́ про́тив даро́в. *Волог.* О подарках невесте и ее родственникам в ответ на подарки жениху и его родственникам. СВГ 2, 7.

Подойти́ под дары́. *Ряз.* Принять участие в церемонии одаривания жениха и невесты или их родственников. СРНГ 28, 113.

ДАРМА́ * Дарма́ не на́до *кому, что, чего. Пск. Неодобр.* О чём-л., о ком-л., не представляющем ценности, интереса для кого-л. ПОС 8, 125.

ДАРМИ́НА * На дарми́ну. *Пск. Неодобр.* За чужой счёт. ПОС 8, 126.

ДАРМОВА́Я * Куда́ вогна́ла дармова́я *кого. Пск. Бран.* О невовремя ушедшем, отсутствующем человеке. ПОС 8, 126.

ДАРМОВИ́НА * За дармови́ну. *Сиб.* Бесплатно, даром. ФСС, 53.

ДАРМОВЩИ́НА * На дармовщи́ну. *Прост.* За чужой счёт, даром. ЗС 1996, 306; СБГ 5, 6; Ф 1, 139; СРГМ 1980, 13; СПП 2001, 34.

ДАРМОВЩИ́НКА * На дармовщи́нку. *Прост.* То же, что **на дармовщину (ДАРМОВЩИ́НА).** ПОС 8, 126; Ф 1, 138.

ДАРОВА́ * Дарова́ Бо́жья. *Ладож., Петерб.* Недаром, не к добру. СРНГ 21, 9.

ДАРОВО́ * Не будь дарово́. *Казан.* Неспроста. СРНГ 7, 276.

ДАРОВЩИ́НКА * На даровщи́нке. *Перм.* То же, что **на дармовщину (ДАРМОВЩИ́НА).** Сл. Акчим. 1, 225.

ДА́РЬЯ * Да́рья (Да́рьи) засори́ про́руби. *Яросл.* Церковный праздник — День св. Дарьи (19 марта по ст.ст.), когда начинается таяние снега и в речные проруби стекает загрязненная талая вода. ЯОС 3, 121; СРНГ 11, 49. **Да́рьи — худы́е (наво́зные) про́руби.** *Пск.* То же. СПП 2001, 128.

Да́рьи говнопла́вки. *Волог.* День 19 марта, с которого на дорогах и улицах в лужах плавится конский кал. Мокиенко, Никитина 2003, 106.

Да́рьи — говнопрору́бки. *Арх.* То же, что **дарьи — говноплавки.** СРНГ 6, 255. **Да́рьи — говнопролу́бки.** *Сиб.* То же. ФСС, 53.

ДАТЬ * Ни (не) дай ни (не) вы́неси (не выноси́). 1. *Народн. Неодобр.* О чём-л. скверном, бесполезном. ДП, 189; СДГ 1, 122; ФСС, 53. 2. *Волг. Неодобр.* О незначительном, никчёмном человеке. Глухов 1988, 108. 3. *Арх. Бран.* Восклицание, выражающее негодование, раздражение. АОС 10, 285.

Дать нахлеста́ть *кому. Яросл.* Отчитать, выругать кого-л. СРНГ 20, 262.

Дать пить *кому. Морд.* Показать своё превосходство над кем-л. в чём-л. СРГМ 1980, 13.

Дать поня́ть *кому. Жарг. мол.* 1. Возразить кому-л. (Запись 2003 г.). 2. Дать взятку кому-л. ПБС, 2002.

Дать прикури́ть *кому.* 1. *Прост.* Проучить, наказать кого-л. ФСРЯ, 128; БМС 1998, 145; ЗС 1996, 30; ШЗФ 2001, 61; СРГМ 1980, 13. 2. *Разг.* Разбить мощным натиском (о военном противнике). БМС 1998, 145. 3. *Пск., Арх.* Подействовать на кого-л. с большой силой, интенсивно. АОС 10, 203; ПОС 8, 133. 4. *Арх.* Натворить много безобразий, бесчинств. АОС 10, 285. 5. *Жарг. авто.* Дать кому-л. аккумулятор для перезарядки. ЗР, 1998, № 5, 163.

Дать присра́ться (просра́ться) *кому. Прост. То же, что* **дать прикури́ть 1.** СПП 2001, 34; Вахитов 2003, 44.

Ни дать ни взять. *Разг.* 1. Совершенно, точно такой же, как кто-л., что-л. 2. Точно так же, как кто-л. (делать что-л.). ФСРЯ, 128; БТС, 128; ЗС 1996, 519; ДП, 856.

Ни дать ни отня́ть. *Волг.* О неизбежности чего-л. Глухов 1988, 108.

Дашь на дашь. *Жарг. угол.* Об обмене услугами. ТСУЖ, 45.

ДА́УН * Уйти́ в да́ун. 1. *Жарг. мол.* Погрузиться в депрессию. Елистратов 1994, 104; Никольский, 39. 2. *Жарг. комп.* Перестать отвечать на входящие звонки (о станции); дать сбой. Садошенко, 95.

Быть в да́уне. *О состоянии депрессии.* Рожанский, 20.

< **Даун** — депрессия.

ДАУНИ́ТО * Дауни́то хромосо́м. *Жарг. шк. Шутл.* Учитель биологии. (Запись 2004 г.).

ДА́ЧА * Дя́дина да́ча. *Жарг. угол.* Тюрьма. Быков, 69.

Царёва да́ча. *Жарг. угол., арест., Южн. Устар. Ирон.* То же, что **дядина дача.** СРВС 2, 31, 94, 116; СРВС 3, 169; ТСУЖ, 192.

Ста́линская да́ча. *Жарг. угол., лаг. Ирон.* Тюрьма, лагерь. Р-87, 97, 391.

Быть на да́че. *Жарг. угол.* Отбывать срок наказания. ББИ, 37; Балдаев 1, 51.

Быть на ста́линской да́че. *Жарг. угол., лаг. Шутл.-ирон.* Находиться в политзаключении, сидеть в тюрьме или карцере в сталинский период. Р-87, 356.

Ходи́ть на да́чу. *Влад.* Ходить на заработки к мелким кустарям. СРНГ 20, 265.

ДАЯН * Working Дая́н эба́н. *Вульг.-Прост. Шутл.-ирон.* Выражение, эвфемистически заменяющее **даёт ебать**, распространенное в 60-е годы. < Намёк (каламбурный) на **Моше Даяна**. Мокиенко, Никитина 2003, 115.

ДВА * Два (двена́дцать, два́дцать) на два (на три). *Жарг. угол.* 1. Требование беспрекословно выполнять поручения. ТСУЖ, 45. 2. Вор или заключённый, беспрекословно выполняющий волю сходки, авторитетных воров. Балдаев 1, 164; СВЖ, 4; СВЯ, 25. Мильяненков, 109; ББИ, 63. 3. *Пренебр.* О человеке, прислуживающем авторитетному вору. ТСУЖ, 46.

Два и ноль. *Жарг. угол.* 20 рублей. СВЯ, 25.

Два ничего́. 1. *Пск. Шутл.* Очень мало. ПОС 8, 139. 2. *Орл.* Абсолютно ничего. СОГ 1990, 46.

Два сбо́ку. 1. *Жарг. угол.* Тюремный надзиратель, милиционер. ТСУЖ, 45; Мильяненков, 109; ББИ, 63; Балдаев 1, 101. 2. *Жарг. угол.* Сигнал опасности, когда замечена слежка. ТСУЖ, 157. 3. *Волг. Шутл.* О надоедливом человеке. Глухов 1988, 56.

Два шестна́дцать (пятна́дцать). *Жарг. угол.* Сигнал опасности, когда сзади замечены два работника милиции. Брон.; ТСУЖ, 45; СВЖ, 4; СВЯ, 25.

Любо два. *Сиб. Одобр.* О чём-л. очень хорошем, отличном. ФСС, 55.

Ни два ни полтора́. *Прост.* О чём-л. посредственном, не очень хорошем, не подходящем кому-л. ДП, 498, 638; ФСРЯ, 128; ЗС 1996, 117; Глухов 1988, 108; Подюков 1989, 59; СДГ 1, 123; ПОС 8, 139.

Че́рез два на тре́тье. *Кар. Неодобр.* Кое-как, наспех. СРГК 1, 425.

[Двух] в двух. *Вдвоём.* ПОС, 8, 139.

Оста́ться меж (ме́жду) двух наголе́ (на́голо). 1. *Народн. Неодобр.* Угождая двоим, не угодить никому. ДП, 648. 2. *Новг.* Остаться ни с чем. НОС 5, 136. 3. *Жарг. угол.* Потерпеть неудачу, попасть в сложную ситуацию. ТСУЖ, 106.

Показа́ть проме́ж двух тре́тий *кому. Народн. Шутл.* Показать кукиш кому-л. ЗС 1996, 295.

ДВА́ДЦАТЬ * Два́дцать пять. *Жарг. угол.* Сыщик; инспектор уголовного розыска. ТСУЖ, 45; СРВС 2, 116; СРВС 3, 151; СВЯ, 25.

Два́дцать четы́ре на четы́ре. *Жарг. угол. Человек, беспрекословно исполняющий волю воровской сходки.* СВЖ, 4; СВЯ, 25.

Два́дцать шесть. *Жарг. угол.* 1. *Устар.* Тюремный надзиратель. Попов, 1912, 36; СРВС 2, 116. 2. Милиционер. СВЯ, 25. 3. Контролёр в ИТУ. СВЯ, 25. 4. (в повел. накл.) Опасность! Берегись! Лихачев 1992, 361.

Ёш твою́ два́дцать! *Пск. Бран.* Восклицание, выражающее гнев, негодование, досаду. ПОС 10, 140.

Опя́ть два́дцать пять. *Разг. Неодобр.* Снова то же самое. Жук. 1991, 237; БМС 1998, 145; ЗС 1996, 338; Мокиенко 1990, 149; АОС 10, 293.

ДВА́ЖДЫ * Два́жды вы́расти. *Горьк.* Испытать чувство радости, гордости. БС, 32.

Два́жды два. 1. *Пск., Перм.* Без труда, с лёгкостью. СПП 2001, 34; Сл. Акчим 1, 226. 2. *Сиб.* О чём-л. совершенно очевидном, бесспорном. ФСС, 55.

ДВЕНА́ДЦАТЬ * Двена́дцать попола́м. *Жарг. угол.* Человек, беспрекословно выполняющий волю авторитетных воров. СВЯ, 25.

ДВЕ́РКА * Две́рки в две́рки. *Арх.* То же, что **дверь в дверь (ДВЕРЬ).** АОС 10, 297.

ДВЕРЬ * Не иска́ть двере́й. *Арх.* Перестать посещать чей-л. дом. АОС 10, 301.

Не знать двере́й *куда. Алт.* Никогда не ходить куда-л., к кому-л. СРГА 2-1, 12.

Закрыва́ть две́ри до́ма *перед кем. Разг. Устар.* Отказывать в приёме, переставать принимать у себя кого-л. ФСРЯ, 166.

Жить две́ри в две́ри. *Волг.* Быть соседями. Глухов 1988, 43.

Закры́ть две́ри до́ма *перед кем, для кого. Книжн.* Прервать отношения, перестать общаться с кем-л., принимать кого-л. БТС, 329.

От две́ри до две́ри. *Произв.* От склада отправителя до склада получателя. НСЗ-84.
От две́ри к две́ри. 1. *Жарг. журн.* Социологический опрос по месту жительства. 2. *Жарг. журн.* Агитация по месту жительства в предвыборной кампании. 3. *Комм., торг.* Доставка товаров заказчикам; распространение рекламных материалов в жилых районах. МННС, 95.
Сквозь за́пертые две́ри пройдёт. *Народн. Шутл.-ирон.* О сильно похудевшем человеке. Жиг. 1969, 253.
Стуча́ться в две́ри. *Разг.* То же, что **стучаться в дверь 2.** Глухов 1988, 156.
Толка́ться во все две́ри. *Прост.* Обращаться во все инстанции. Ф 2, 205.
Угости́ть чем две́ри запира́ют (затворя́ют). *Волг.* Грубо отказать кому-л. в чём-л. ранее обещанном. Глухов 1988, 162.
В одну́ дверь [пойти́, вы́йти] *с кем. Сиб.* Одновременно с кем-л. ФСС, 55.
Дверь в дверь. *Разг.* В непосредственной близости друг от друга, непосредственно друг против друга (быть, находиться, располагаться). ФСРЯ, 129.
Держа́ть дверь откры́той. *Разг.* Быть гостеприимным. Ф 1, 158.
Ломи́ться в откры́тую дверь. *Разг. Неодобр.* Настойчиво утверждать, доказывать то, что и так очевидно, всем известно. БМС 1998, 146; ЗС 1996, 351; БТС, 241; Ф 1, 286; ФСРЯ, 129.
Открыва́ть дверь *кому куда. Разг.* Давать свободный доступ кому-л. куда-л. ФСРЯ, 303; Ф 2, 27.
Открыва́ть/ откры́ть дверь ного́й. *Разг. Неодобр.* Входить куда-л. совершенно свободно, не церемонясь; иметь свободный доступ куда-л. Мокиенко 2003, 23.
Пока́зывать/ показа́ть (ука́зывать/ указа́ть) на дверь *кому. Разг.* Просить кого-л. уйти, выгонять кого-л. ФСРЯ, 129; БТС, 241, 1379; Ф 2, 64; БМС 1998, 146.
Стуча́ться в дверь *кого, чью.* 1. Обращаться к кому-л. с просьбой, добиваясь чего-л. 2. Неуклонно приближаться, надвигаться, наступать. ФСРЯ, 462; БТС, 241.
За две́рью письмо́ проче́сть. *Яросл.* Угадать, определить характер человека по его лицу или по обращению с другими людьми. ЯОС 4, 52.
Хло́пнуть две́рью. *Разг.* Демонстративно, с возмущением удалиться откуда-л. БТС, 241.
Поверну́ться дверя́ми. *Кар.* Не состояться, расстроиться (о деле). СРГК 4, 583.
Быть на дверя́х. *Пск.* Сторожить, караулить что-л. Мокиенко 1986, 89.
При закры́тых дверя́х. *Публ.* Без допуска посторонних; в узком кругу. Ф 1, 141.
ДВЕ́СТИ * На все две́сти. *Перм. Одобр.* О чём-л. отличном, превосходном. Подюков 1989, 198.
ДВИ́ГАЛКА * Дви́гать дви́галки. *Орл. Шутл.* Совершать танцевальные движения, оставаясь на местах. СОГ 1990, 46.
ДВИ́ГАТЕЛЬ * Ве́чный дви́гатель. 1. *Жарг. угол. Шутл.* Спирт. Балдаев 1, 61. ББИ, 42. 2. *Жарг. шк. Шутл.* Учитель физкультуры. ВМН 2003, 41.
ДВИЖЕ́НИЕ * Отнима́ть движе́ние *у кого. Кар.* Лишать кого-л. возможности двигаться. СРГК 4, 309.
На движе́нии. *Жарг. мол.* Часто посещаемый (о каком-л. месте, объекте). Я — молодой, 1994, № 10.
Ча́ющие движе́ния воды́. *Книжн.* 1. Ожидающие исцеления. 2. *Ирон.* Ожидающие каких-л. благ. < От евангельской притчи о купели в Иерусалиме, возле которой больные и калеки ожидали, когда в неё войдет ангел и возмутит воду; после этого первый вошедший в воду человек выздоравливал. БТС, 241, 1469.
ДВИЖО́К * Заглуши́ть движо́к *кому, чей. Жарг. угол.* Ударить ножом в сердце. Мильяненков, 111.
Ко́жаный движо́к. *Жрг. угол. Шутл.* Мужской половой орган. Мокиенко, 1995, 19; УМК, 73; ББИ, 65; Балдаев 1, 104.
ДВИЖУ́ХА * Навести́ движу́ху. *Жарг. мол.* Организовать приятный отдых для друзей на вечеринке. МК, 20.01.96.
ДВО́Е * Дво́е на́двое. 1. *Прикам.* Вдвоём. МФС, 31. 2. *Ряз.* Один на один, без свидетелей. ДС, 136. 3. *Курск.* О чём-л. неизвестном, сомнительном. БотСан, 91.
В двоёх. *Пск.* Вдвоём. (Запись 2001 г.).
ДВО́ЙКА * Ходи́ть по дво́йке. *Сиб.* Дружить. СФС, 197.
Волочёт на дво́йку *кого. Новг.* О болезненном состоянии, при котором можно лежать только согнув ноги в коленях и прижав их к животу. СРНГ 5, 71.
ДВОЙЧА́ТКИ * Двойча́тки в глаза́х *у кого. Неодобр.* О человеке, не заметившем, не увидевшем чего-л. СПП 2001, 34.
ДВОР * Бе́гать/сбе́гать (ходи́ть/сходи́ть) на двор. *Прост.* Отправлять естественные потребности; мочиться или испражняться.
Выдава́ть/ вы́дать (отдава́ть/ отда́ть) за двор. *Дон.* Выдав замуж, поселять дочь в доме мужа. СДГ 1, 124.
Выходи́ть/ вы́йти за двор. *Дон.* Выйдя замуж, поселяться в доме мужа. СДГ 1, 124.
Двор к по́лю не подошёл. *Новг.* О людях, не имеющих общих интересов, не нашедших общего языка. Сергеева 2004, 151.
Двор ко двору́. *Брян.* Друг к другу. СБГ 5, 9.
Двор о двор. *Разг. Устар.* По соседству, совсем рядом (жить, проживать). ФСРЯ, 129.
На двор. *Прост.* За естественной надобностью (сходить, проситься). ФСРЯ, 129; АОС 10, 332.
Идти́ на попя́тный двор. *Прост. Ирон.* Отказываться от прежнего мнения, решения. БТС, 242; Мокиенко 1990, 82; ЗС 1996, 341; Ф 1, 139.
Не двор *кому где. Арх.* Не нравится, некомфортно. АОС 10, 332. // *Волог.* О невозможности приспособиться к существованию в каких-л. условиях. ВСГ 2, 12.
Пойти́ во двор. *Дон., Орл.* Женившись, поселиться в доме жены. СДГ 1, 124; СОГ 1990, 48.
Посто́ялый двор. *Жарг. угол. Устар.* Пересыльная тюрьма. СРВС 2, 116, 203; СРВС 3, 193; ТСУЖ, 46, 142; ББИ, 65; Балдаев 1, 105.
Принима́ть/ приня́ть во двор. *Дон.* Принимать в зятья. СДГ 1, 124. // *Орл.* Принимать мужа на постоянное жительство в дом жены. СОГ 1990, 48.
Проходно́й двор. *Жарг. шк. Пренебр.* Школа. (Запись 2003 г.).
Уйти́ на попя́тный двор. *Народн. Неодобр.* Отказаться от своих слов, обещаний, намерений. ДП, 240.
Га́вкать на два двора́. *Курск.* Жить в доме родителей после женитьбы, замужества. БотСан, 88.
Ни двора́, ни огра́ды *у кого. Сиб.* Об очень бедном человеке, не имеющем дома, хозяйства. ФСС, 55.

Ни со двора́, ни во двор. *Народн. Неодобр.* О чьём-л. бездействии, нерешительности. ДП, 493.

Сбива́ть/ сбить (сбыва́ть/ сбыть) с двора́ *кого. Разг. Устар.* Прогонять, увольнять кого-л. с места службы, работы. Ф 2, 139, 140.

Хоть вчера́ со двора́ *кому. Том.* Абсолютно безразлично, всё равно. СБО-Д2, 256; СФС, 198.

Отпусти́ть по двора́м *кого. Перм. Прикам.* Вынудить кого-л. нищенствовать, собирать милостыню. СГПО, 410; МФС, 71.

Ходи́ть/ пойти́ по двора́м. 1. *Брян., Морд., Перм., Прикам.* Нищенствовать, побираться. СБГ 5, 9; СРГМ 1980, 114; СГПО, 665; МФС, 77, 107. 2. *Сиб.* Работать по найму у кого-л. Верш. 7, 205.

Хоть по двора́м идти́. *Морд.* О крайней бедности, нищете. СРГМ 1980, 114.

Ходи́ть по двора́х. *Смол.* Наниматься на работу. ССГ 11, 64.

На дворе́. *Разг.* Вне жилья, вне дома, на открытом воздухе. ФСРЯ, 129.

Ни во дворе́ ни за́мужем. *Волг.* О неопределённом семейном положении. Глухов 1988, 108.

Останови́ться на посто́лом дворе́. *Жарг. угол. Устар.* Быть в пересыльной тюрьме. СРВС 3, 193.

Дворо́м стоя́ть *где. Онеж.* Жить, проживать где-л. СРНГ 7, 297.

Быть (прийти́сь) ко двору́. *Разг.* Подходить кому-л., соответствовать чьим-л. требованиям. БТС, 242.

Быть (прийти́сь) не ко дво́ру. *Разг.* Не подходить, не соответствовать каким-л. требованиям. ФСРЯ, 129; БТС, 242; Ф 2, 94; ЗС 1996, 132, 491; ПОС 8, 151; АОС 10, 332. **Быть (прийти́сь) не по двору́.** *Пск.* То же. ПОС 8, 151.

[Приходи́ться/ прийти́сь] не ко (по) двору́ *кому. Волог., Горьк., Кар., Прикам.* Не подходить кому-л., не соответствовать чьим-л. требованиям, приходиться некстати. БМС 1998, СВГ 2, 12; СРГК 4, 561; БалСок, 47; МФС, 31.

Обходи́ть дворы́. *Брян.* Бродить, слоняться без дела. СБГ 5, 9.

Счита́ть дворы́. 1. *Курск., Морд. Неодобр.* Бездельничать, ходить без дела из дома в дом. БотСан, 91. 2. *Волг.* Попрошайничать. Глухов 1988, 156.

ДВОРЕ́Ц * Дворе́ц болта́ и мохна́тки. *Разг., Жарг. угол. Вульг.* Дворец бракосочетания, загс. УМК, 73; ББИ, 65; Балдаев 1, 105.

Дворе́ц бракосочета́ния. *Жарг. гом., угол. Шутл.-ирон.* Общественный туалет, где встречаются гомосексуалисты. ТСУЖ, 46; УМК, 74. // Традиционное место встречи гомосексуалистов. Мильяненков, 111; ББИ, 65; Балдаев 1, 105.

Дворе́ц дармое́дов. *Разг. Пренебр. Устар.* Музей В. И. Ленина в Мраморном дворце (Ленинград, 1960–1970-е гг.). Синдаловский, 2002, 56.

Дворе́ц мудозво́нов. *Разг. Презр.* Смольный. < От жаргонного **мудозвон** — болтун, сплетник, недалекий, глупый. Синдаловский, 2002, 57.

Дворе́ц мухобо́ев. *Разг. Ирон.* Дом офицеров им. С. М. Кирова в Ленинграде — Санкт-Петербурге. Синдаловский, 2002, 57.

Дворе́ц нахле́бников. *Разг. Ирон. Устар.* Дворец Труда на пл. Труда, 4, в бывш. Ленинграде, где трудились главные профсоюзные руководители города. Синдаловский, 2002, 57.

Дворе́ц съе́здов. *Жарг. шк. Шутл.* Школьный туалет. БСРЖ, 149.

На дворе́ц. *Арх.* То же, что **на двор (ДВОР).** АОС 10, 332.

ДВО́РИК * Стро́ить дво́рики. *Книжн. Устар.* Флиртовать, ухаживать за женщиной. Ф 2, 192.

ДВОРИ́ЩЕ * Не по двори́щу *кому. Пск.* То же, что **не ко двору (ДВОР).** СПП 2001, 34.

ДВО́РНИК * Дво́рник младший. *Жарг. угол.* Помощник прокурора. СРВС 2, 116; ТСУЖ, 46; Елистратов 1994, 105; ББИ, 65; Балдаев 1, 105.

Дво́рник ста́рший. *Жарг. угол.* Старший прокурор. СВЯ, 26; СРВС 2, 116; СРВС 4, 185; Елистратов 1994, 105; ББИ, 65; Балдаев 1, 105; Балдаев 2, 59; ТСУЖ, 169.

Быть дво́рником. *Жарг. угол. Шутл.-ирон.* Ночевать на улице, не имея пристанища. Балдаев 1, 51.

ДВОРОВЫ́Е * Уходи́ть/ уйти́ в дворовы́е. *Перм., Прикам.* 1. Поселяться после женитьбы в доме жены. 2. Жить у кого-л. в качестве приёмных детей. СГПО, 129; МФС, 104.

ДВО́РЬЕ * На дво́рье. *Арх.* То же, что **на двор (ДВОР).** АОС 10, 332.

ДВОРЯНИ́Н * Колоко́льный дворяни́н. *Разг. Устар.; Сиб.* Представитель духовенства; выходец из духовенства. БМС 1998, 146; ДП, 708; ФСС, 55.

Лёгкий дворяни́н. *Вят. Бран.* О непорядочном человеке. СРНГ 16, 311.

Не новгоро́дский дворяни́н. *Народн. Неодобр.* О человеке, которому следует вести себя скромнее. ДП, 332.

Полево́й дворяни́н. *Сиб. Шутл.-ирон.* Цыган. ФСС, 55.

ДЕ * Де закры́тая (с проре́зом). *Жарг. угол., арест.* Отмычка. СВЯ, 26.

ДЕ́БЕТ * Запи́сывать/ записа́ть в де́бет *кому что. Разг. Устар.* Ставить в вину кому-л. что-л. БМС 1998, 146.

ДЕ́БРИ * Лезть в де́бри. *Разг.* Стараться глубоко понять, постичь что-л. Ф 1, 276.

В де́брях *чего. Разг. Ирон.* В беспорядке, хаосе. Ф 1, 142.

ДЕ́ВА * Де́ва с бе́лой косопле̋ткой. *Пск.* То же, что **старая дева.** СПП 2001, 34.

Домова́я де́ва (деви́ца). *Яросл.* То же, что **старая дева.** ЯОС 4, 13.

Микола́евская (Никола́евская) де́ва (де́вка, де́вушка). *Дон.* То же, что **старая дева.** СДГ 1, 125.

Пристаре́лая де́ва. *Арх. Ирон.* То же, что **старая дева.** АОС 10, 360.

Ста́рая де́ва. *Разг.* Немолодая женщина, не бывшая замужем. ФСРЯ, 130; Сл. Акчим. 1, 227; АОС 10, 360.

В де́вах. *Арх.* Не замужем. АОС 10, 360.

ДЕ́ВИЦА * Деви́ца в зе́лени. *Дон.* Растение чернушка Nigella. СДГ 1, 125.

Домова́я деви́ца. См. **Домовая дева (ДЕВА).**

Кра́сная де́вица. 1. *Разг. Шутл.-ирон.* О застенчивом, робком, нерешительном молодом человеке. ФСРЯ, 130; Ф 1, 142; БМС 1998, 146; Мокиенко 1986, 204. 2. *Дон.* Один из участников игры «в коршуна». СДГ 1, 125.

Ста́рая деви́ца. *Кар.* То же, что **старая дева (ДЕВА).** СРГК 1, 437.

ДЕ́ВКА * Барда́шная де́вка. *Сиб. Презр.* Женщина легкого поведения; проститутка. ФСС, 55.

Больша́я де́вка. *Волог.* Старшая сестра. СВГ 2, 15.

Векова́я де́вка. *Дон.* То же, что **старая дева (ДЕВА).** СДГ 1, 125.

Вокза́льная де́вка. *Жарг. гом. Шутл.-ирон.* Пассивный гомосексуалист, ищущий партнеров исключительно или преимущественно на железнодорожных вокзалах. Кз., 42.

Вы́гуль де́вка. *Сиб. Одобр.* Физически здоровая, крепкая девушка. ФСС, 55.

Вы́держанная (реко́рдная) де́вка. *Сиб.* Девственница. ФСС, 55.

Де́вка на де́вку наросла́. *Арх. Шутл.* О наличии в семье нескольких дочерей-невест. АОС 10, 379.

Де́вка от голо́дного го́ду. *Волг., Дон.* 1. То же, что **старая дева (ДЕВА).** 2. *Ирон.* О полной женщине. Глухов 1988, 31; СДГ 1, 105.

Заса́женная де́вка. *Кар.* То же, что **старая дева (ДЕВА).** СРГК 1, 437. // Девушка, не вышедшая замуж в результате колдовской порчи. СРГК 2, 197.

Засиде́лая (сиде́лая) де́вка. *Дон.* То же, что **старая дева (ДЕВА).** СДГ 1, 125.

Игри́мая де́вка. *Кар.* Девушка в возрасте до замужества. СРГК 1, 437.

Кра́сная де́вка. 1. *Арх.* Незамужняя девушка. АОС 10, 378. 2. *Прост.* То же, что **красная девица 1.** Ф 1, 142. 3. *Пск. Шутл.-ирон.* О молодом человеке, который часто смотрится в зеркало. СПП 2001, 34.

Лесна́я де́вка. *Смол.* Мифическое существо в образе девушки, скитающееся по лесам. СРНГ 16, 373.

Лю́дная де́вка. *Сиб. Презр.* Девушка легкого поведения. ФСС, 55.

Микола́евская (Никола́евская) де́вка. См. **Миколаевская дева (ДЕВА).**

Не успе́ет стри́женая де́вка косы́ заплести́. *Народн. Шутл.-ирон.* Нескоро, в отдалённом будущем. ДП, 567.

Пожи́лая де́вка. *Сиб.* 1. Девушка в возрасте от 20 до 30 лет. 2. То же, что **старая дева (ДЕВА).** ФСС, 55.

Публи́чная де́вка. *Прост. Презр. или Бран.* То же, что **уличная девка.** Мокиенко, Никитина 2003, 116.

Спра́вленная де́вка. *Дон.* Невеста с приданым. СДГ 3, 138.

Ста́рая де́вка. *Прост.* То же, что **старая дева (ДЕВА).** Ф 1, 142; АОС 10, 378; СДГ 1, 126; СБГ 5, 12; МФС, 31; ФСС, 56.

Тёплая де́вка. *Новг.* Смелая, отважная девушка. НОС 11, 32.

У́личная де́вка. *Прост. Презр. или Бран.* Проститутка. Мокиенко, Никитина 2003, 116.

Шта́тная де́вка. *Жарг. угол.* То же, что **уличная девка.** Флг., 396; Грачев 1992, 66; УМК, 74.

Бе́гать (ша́стать) по де́вкам. *Прост. Ирон. или Неодобр.* Вести распутный образ жизни, развратничать. Мокиенко, Никитина 2003, 116.

В де́вках. *Перм., Прикам.* До замужества. Сл. Акчим. 1, 228; МФС, 31; СГПО 130.

Жить в де́вках. 1. *Перм., Ср. Урал.* То же, что **остаться в девках.** СРГСУ 1, 133; Сл. Акчим. 1, 228. 2. *Сиб. Устар.* Быть домашней прислугой (о девушке). СФС, 34.

Задубе́ть в де́вках. *Кар. Ирон.* То же, что **остаться в девках.** СРГК 2, 118.

Кулю́кать в де́вках. *Волг., Дон. Ирон.* То же, что **остаться в девках.** Глухов 1988, 78; СДГ 1, 126.

Оста́ться (сиде́ть, засиде́ться) в де́вках. *Прост.* Не выйти замуж. ФСРЯ, 1304 Сл. Акчим. 1, 228; СГПО, 61; СРГСУ 1, 133; СДГ 1, 125; МФС, 70; СПСП, 30.

Брать/ взять де́вку. *Одесск.* Жениться на ком-л. КСРГО.

Выгоня́ть де́вку. *Орл.* Выдавать девушку замуж. СОГ 1989, 110.

По́ртить/ испо́ртить де́вку. *Прост.* Лишать девушку невинности. Мокиенко, Никитина 2003, 116.

Зага́дывать де́вок. *Одесск.* Сватать, просить согласия на брак. КСРГО.

Из де́вок. *Арх., Волог., Перм.* Со времен девичества. АОС 10, 374; СВГ 2, 15; Сл. Акчим. 1, 228.

ДЕ́ВОЧКА * Валю́тная де́вочка. *Разг.* Проститутка, работающая за валюту. Мокиенко, 1995, 20.

Де́вочка 96-й пробы. *Жарг. угол., Разг.* Опытная, высококлассная проститутка. ТСУЖ, 46; СВЯ, 26; УМК, 74; ББИ, 65; Балдаев 1, 105.

Де́вочка по вы́зову. *Жарг. шк. Шутл.* Гардеробщица. (Запись 2003 г.).

Лёгкая де́вочка. *Жарг. мол.* Проститутка. Миллионер 1994, № 20.

Наи́вная чуко́тская де́вочка. *Жарг. мол. Шутл.-ирон.* Простоватая девушка. Вахитов 2003, 106.

Ста́рая де́вочка. *Арх.* То же, что **старая дева (ДЕВА).** АОС 10, 384-385.

ДЕ́ВСТВЕННИЦА * Ве́чная де́вственница. *Жарг. шк. Шутл.-ирон.* 1. Уборщица. Максимов, 60. 2. Вахтёрша. Максимов, 60.

ДЕВУ́ЛЯ * Изобража́ть/ изобрази́ть деву́лю. *Жарг. угол.* Быть пассивным гомосексуалистом, сыграть роль пассивного гомосексуалиста. УМК, 74; ББИ, 65; ТСУЖ, 77; Балдаев 1, 105.

ДЕ́ВУШКА * Де́вушка деву́щая (пожила́я, престаре́лая). *Пск.* То же, что **старая дева (ДЕВА).** ПОС 8, 172.

Де́вушка лёгкого поведе́ния. *Книжн. или Публ. Неодобр.* Проститутка. Мокиенко, Никитина 2003, 116.

Де́вушка Петра́ Пе́рвого. *Дон.* 1. *Ирон.* То же, что **старая дева (ДЕВА).** 2. *Шутл.-одобр.* Порядочная, достойная девушка. СДГ 1, 126.

Де́вушка по вы́зову. *Жарг. шк., студ. (муз.).* Концертмейстер. (Запись 2003 г.).

Де́вушка по и́мени судьба́. *Жарг. шк. Шутл.* Второгодница. Максимов, 104.

Де́вушка с весло́м. *Разг. Шутл.-ирон.* Символ безвкусицы в искусстве. < Название декоративно-парковой скульптуры И. Шадра (1936 г.). Дядечко 2, 10.

Де́вушка с хара́ктером. *Жарг. шк. Шутл.* Уборщица. Максимов, 104. < По названию кинофильма («Мосфильм», 1939 г.). Дядечко 2, 10.

Кра́сная де́вушка. 1. *Прост.* То же, что **красная девица 1.** Ф 1, 142. 2. *Прикам.* Комнатный цветок. МФС, 31.

Микола́евская (Никола́евская) де́вушка. См. **Миколаевская дева (ДЕВА).**

Пожила́я де́вушка. См. **Девушка девущая.**

Престаре́лая де́вушка. см. **Девушка девущая.**

В де́вушках. *Разг.* Не замужем, до замужества. Ф 1, 142.

ДЕВЧО́НКА * О́бщая девчо́нка. *Жарг. мол.* Девушка, вступающая в половые контакты со многими членами своей компании, группировки. Отр. угол, 188.

Ста́рая девчо́нка. *Арх.* То же, что **старая дева (ДЕВА).** АОС 10, 384-385.

В девчо́нках. *Яросл.* То же, что **в девках (ДЕВКА).** ЯОС 2, 37.

С девчо́нок вы́шедши, до де́вки не дошёвши. *Пск. Шутл.* О ком-л., о чём-л. небольшого роста, размера. ПОС 8, 173.

ДЕВА́ТЬ * Дева́ть не́куда *что. Прост.* О большом количестве, изобилии чего-л. ФСРЯ, 274.

ДЕВА́ТЬСЯ * Куда́ дева́ться (дева́ешься)? *Арх.* Ничего нельзя изменить (риторический вопрос). АОС 10, 364.

ДЕ́ВКА * Усе́длая де́вка. *Смол.* Девушка, долго не выходящая или не вышедшая замуж. ССГ 11, 27.

Сиде́ть в де́вках. *Прост.* Быть, оставаться незамужней. Ф 2, 155.

ДЕВЯ́ТКА * Ры́жая девя́тка. *Жарг. гом. Шутл.* Анальное отверстие. Бен, 105; УМК, 74.

Попа́сть в девя́тку. 1. *Жарг. угол.* Оказаться в безвыходном положении. 2. *Жарг. угол.* Быть арестованным, задержанным. Балдаев 1, 338. 3. Спорт. (футб.). Забить гол в верхний угол ворот. БСРЖ, 150.

ДЕВЯ́ТЫЙ * Девя́того не хвата́ет *у кого. Новг.* Об умственно отсталом человеке. НОС 12, 9.

На девя́ту-на деся́ту. *Сиб. Ирон.* Бессвязно, не по порядку (говорить, пересказывать что-л.). СФС, 112; ФСС, 56.

ДЁГОТЬ * Ма́зать/ вы́мазать дёгтем *кого. Прост. Неодобр.* 1. Позорить девушку, обвинять её в бесчестии. 2. Очернять кого-л., клеветать на кого-л. БМС 1998, 147; Глухов 1988, 91.

Жилому́стинного дёгтю надо *кому. Пск. Неодобр.* О человеке, который, много имея, хочет ещё чего-л. исключительного. < **Жиломустинный** — из жимолости. СПП 2001, 34.

Не в дёготь *кому, что. Пск.* Кому-л. безразлично, неприятно, неясно что-л. СПП 2001, 34.

ДЕД * Го́лый дед. *Жарг. комп. Шутл.* Редактор почты Gold Edit. Шейгал, 207; Садошенко, 1996.

Дед и ба́бка. *Брян.* Одуванчик. СБГ 5, 13.

Дед Клим пришёл. *Разг. Шутл.-ирон.* О наступлении климакса. Никитина, 1998, 101.

Дед колю́чий (ко́лкий, колко́й). 1. *Брян.* Растение лопух обыкновенный. СБГ 5, 13. 2. *Брян., Новг., Сиб.* Растение чертополох. СРНГ 7, 328; НОС 4, 83; ФСС, 56.

Дед Маза́й и за́йцы. 1. *Разг. Шутл.* О защитнике животных. Дядечко 2, 11. 2. *Жарг. шк. Шутл.* Учитель на уроке. ВМН 2003, 42.

Дед Пихто́. *Прост. Шутл.* Говорится в ответ на вопрос *Кто?* при нежелании отвечать. Вахитов, 2003, 45.

Дед по́мер (вло́мит). *Жарг. мол. Шутл.* Название рок-группы "Death Vomit". Я — молодой, 1995, № 15.

На па́льме дед. *Жарг. мол. Шутл.* Название рок-группы "Napalm Death". Я — молодой, 1995, № 6. **Напа́л на де́да.** *Жарг. мол. Шутл.* То же. Я — молодой, 1997, № 24.

Подвести́ де́да под монасты́рь. 1. *Жарг. карт.* Поставить карту под убой. ДП, 825. 2. *Разг.* Досадить, причинить зло кому-л. ДП, 133.

От дедо́в сто годо́в *кому. Сиб. Шутл.-ирон.* О ком-л., о чём-л. очень старом. ФСС, 189.

Сле́дом за де́дом. *Волг. Ирон.* О чьей-л. смерти или состоянии близком к смерти. Глухов 1988, 150.

Де́ды и пра́деды. *Арх.* Родословная; все прошлые поколения. АОС 10, 405.

ДЕ́ДКО * Де́дко ба́енный. *Арх.* Мифическое существо, обитающее в бане. АОС 10, 413.

Де́дко водяно́й. *Кар.* Водяной, мифическое существо, обитающее в водоёмах. СРГК 1, 441.

Де́дко гумённый. *Кар.* Мифическое существо, дух, обитающий на гумне. СРГК 1, 441.

Де́дко лесно́й (ле́шов). *Арх.* Мифическое существо, обитающее в лесу. АОС 10, 412.

Де́дко прильну́л *к кому. Коми. Ирон.* Пришла старость. Кобелева, 61.

Ови́нный де́дко (де́душко). *Арх., Кар.* Мифическое существо, обитающее в овине. АОС 10, 413, 419; СРГК 4, 131.

ДЕ́ДУШКА * Де́душка безымя́нный (домово́й). *Яросл.* Домовой, мифическое существо, обитающее в доме. ЯОС 3, 126.

Де́душка (де́душко) дворово́й. 1. *Арх.* Мифическое существо, обитающее в помещениях для скота. АОС 10, 339. 2. *Яросл.* То же, что **дедушка безымянный.** ЯОС 3, 126.

Де́душка (де́душко) лесово́й (лесно́й). *Волог., Вят., Новг., Яросл.* Леший, мифическое существо, обитающее в лесу. СРНГ 16, 373; СРНГ, 17, 11; ЯОС 3, 126.

При де́душке Миро́шке, когда́ де́нег бы́ло тро́шки. *Народн. Шутл.* Очень давно. ДП, 300.

Сам себе́ де́душка. *Мол. Одобр.* О человеке, который уверен в себе и не нуждается ни в чьих рекомендациях. Никитина 1998, 101.

Не учи́ де́душку ка́шлять. *Прост. Ирон.* Незачем давать советы опытному человеку. Мокиенко 2003, 23.

ДЕ́ДУШКО * Де́душко ба́янной. *Арх.* То же, что **дедко баенный (ДЕДКО).** СРНГ 2, 167.

Де́душко бе́лый. *Кар.* То же, что **дедушка лесовой (ДЕДУШКА).** СРГК 1, 442.

Де́душко водяно́й. *Арх.* То же, что **дедко водяной (ДЕДКО).** АОС 10, 417.

Де́душко дворово́й. См. **Дедушка дворовой (ДЕДУШКА).**

Де́душко лесово́й (лесно́й). См. **Дедушка лесовой (ДЕДУШКА).**

Де́душко ручьево́й. *Арх.* Мифическое существо, обитающее в ручье. АОС 10, 412.

Ови́нный де́душко. См. **Овинный дедко (ДЕДКО).**

ДЕ́ЗА́ * Гнать (толка́ть/ толкну́ть, пуска́ть/ пусти́ть, подлоди́ть, подки́нуть) де́зу́ (дезу́ху). *Жарг. мол.* Дезинформировать кого-л. Югановы, 67; ЕЗР, 42; Елистратов 1994, 106. < **Деза, дезуха** — дезинформация.

ДЕЗОДОРА́НТ * Дезодора́нт с черёмухой. *Жарг. мол. Шутл.* Газовый баллончик. Кор., 86.

ДЕЗУ́ХА, * Гнать (подложи́ть, подки́нуть,) дезу́ху. См. **Гнать дезу.**

Пуска́ть/ пусти́ть дезу́ху. Распустить, распространить какие-л. ложные сведения, дезинформацию. БСРЖ, 151.

ДЕ́ЙСТВИЕ * Де́йствие со́лнечных луче́й на бара́ньи я́йца. *Разг. Ирон.* О теме псевдонаучной диссертации. Флг., 402.

ДЕ́ЙСТВОВАТЬ * Де́йствовать техни́чески. *Жарг. угол.* Использовать подставных лиц. ТСУЖ, 46.

ДЕКА́Н * Дека́н ён. *Офен.* Одиннадцать. Бондалетов, 88.

Дека́н здю. *Офен.* Двенадцать. Бондалетов, 89.

Дека́н стрём. *Офен.* Тринадцать. Бондалетов, 89. < **Декан** — десять. Из греч. яз. (В. И. Даль). Грачев 1997, 86.

ДЕКА́НКА * Деканка с хрустом. *Офен.* Одиннадцать, букв. "Десятка с рублем". Бондалетов, 89. < **Деканка** — десятка, десять рублей.

ДЕКОРА́ЦИЯ * Декора́ция витри́н. *Жарг. бизн.* Умышленное увеличение размера прибылей в балансе, чтобы скрыть плохое финансовое состояние предприятия. БС, 44.

ДЕКО́РУМ * Соблюдать/ соблюсти́ деко́рум прили́чия. *Книжн. часто Ирон.* Соблюдать внешнюю благопристойность, внешнее приличие. БМС 1998, 147. < Лат. *decorum* — ширма, за которой скрывается что-л.

ДЕКО́ФТ, а, м.; **ДЕКО́ХТ,** а, м.; **ДЕКО́ХТА * Декохт пришпи́ливает** *кого.* Кто-л. начинает испытывать голод, голодать. Грачев 1992, 66. < От франц. *decoction* — 'отвар из лекарственных трав'. Грачев 1997 74.

Быть на деко́хте (на деко́фте). *Жарг. угол.* Голодать. Балдаев 1, 51.

ДЕКРЕ́Т * Писа́ть декре́ты. *Разг. Шутл.* Находиться в декретном отпуске. Елистратов 1994, 106.

Исполня́ть декре́т. *Перм., Прикам.* То же, что **писать декреты.** МФС, 44; СГПО, 217.

ДЕЛ * Дел дели́ть. *Печор.* Делить добычу. СРГНП 1, 171.

ДЕ́ЛАТЕЛЬ * Де́латель ма́рок (рема́рок). *Жарг. угол.* Фальшивомонетчик. СРВС 1, 201; СРВС 2, 174; СВЯ, 26; ТСУЖ, 46.

ДЕЛЁЖ * Делёж пирога́. *Публ. Ирон.* Распределение территорий, материальных ценностей, сфер влияния и т. п. после распада, реорганизации чего-л. < Первоначально — в ситуации после распада СССР. Мокиенко 2003, 23.

ДЕЛИ́НКА * Ни (никако́й) дели́нки. *Кар.* Никакого дела (не сделать). СРГК 1, 445.

ДЕ́ЛО * Волочи́льных дел ма́стер. *Народн. Шутл.* Карманный вор. СРНГ 5, 69.

Гробовы́х дел ма́стер. *Жарг. шк. Шутл.-ирон.* Учитель труда. (Запись 2003 г.).

Жо́пных дел ма́стер. *Жарг. мол. Шутл.* Врач-проктолог. Вахитов 2003, 55.

Заплéчный дел ма́стер. *Разг. Устар.* Палач. БТС, 338; ФСРЯ, 130.

Не у дел. *Разг.* Без работы (по причине увольнения, отстранения). Ф 1, 143; ФСРЯ, 130.

Быть у де́ла. *Арх.* 1. Иметь постоянную работу, занятие. // *Волог.* Иметь хорошую должность. СВГ 2, 18. 2. В работе, в использовании. АОС 10, 453. 3. В удобном месте, там, где надо. АОС 10, 453.

Вы́йти из де́ла. *Арх.* Потерять способность здраво рассуждать. АОС 10, 464.

Выпа́дывать из де́ла. *Печор.* Терять трудоспособность в старости. СРГНП 1, 112.

Дава́ть/ дать (зада́ть) де́ла *кому. Сиб.* Ругать, бранить, наказывать побоями кого-л. ФСС, 51; СФС, 58; СБО-Д1, 109; Мокиенко 1990, 48.

Дела́ врозь *у кого с кем. Волг.* О поссорившихся, расставшихся людях. Глухов 1988, 32.

Дела́ давно́ мину́вших дней. *Разг., часто Шутл.* События далёкого прошлого. ШЗФ 2001, 62. < Выражение из поэмы А. С. Пушкина «Руслан и Людмила». БМС 1998, 147.

Дела́ иду́т, конто́ра пи́шет. *Разг. Шутл.* О чьей-л. бурной деятельности, неослабевающей активности. Жук. 1991, 97.

Де́ла не де́лать и от де́ла не бе́гать. *Арх. Неодобр.* Проводить время в пустых хлопотах. АОС 10, 464.

Деля́шные де́ла. *Кар.* Важные, неотложные дела. СРГК 1, 446.

Довести́ до де́ла. 1. *кого. Волг., Сиб., Перм.* Вырастить, воспитать ребенка, подготовить его к серьёзной жизни, трудовой деятельности. Глухов 1988, 35; ФСС, 61; Сл. Акчим. 1, 232. 2. *кого. Дон., Сиб.* Вырастив, воспитав, выдать замуж или женить (сына, дочь). СРНГ 7, 243; ФСС, 61. 3. *Брян., Волг., Кар.* Завершить, закончить какую-л. работу. СБГ 5, 14; Глухов 1988, 35; СРГК 1, 467.

Дойти́ до де́ла. 1. *Сиб.* Созреть, поспеть (о ягодах, фруктах). ФСС, 62. 2. *Пск.* Вырасти, повзрослеть, достигнуть рабочего возраста. ПОС 9, 12. 3. *Прост.* Стать самостоятельным, получить образование, приобрести хорошую специальность, овладеть мастерством. СОГ 1990, 64; ПОС 9, 12. 4. Начать жить зажиточно, в достатке. ПОС 9, 12.

До са́мого де́ла. *Арх.* 1. На самом деле, действительно. 2. До конца жизни, до смерти. АОС 10, 450.

Еба́льные дела́. *Жарг. мол. Шутл.* Любовные приключения, совокупление. Мокиенко, Никитина 2003, 116.

Же́нские дела́. *Разг. Эвфем.* Менструация. Мокиенко, Никитина 2003, 116.

И все дела́. *Разг.* Об окончательном завершении чего-л.: вот и всё, больше ничего не сделаешь, не скажешь. НРЛ-78; Ф 1, 143; Ф 1, 143.

И де́ла нет *кому до кого, до чего. Разг.* Кто-л. не обращает внимания на кого-л., на что-л., не интересуется кем-л., чём-л. АОС 10, 456.

Карма́нные дела́. *Разг. Устар.* Заботы о деньгах. Ф 1, 143.

Меж (ме́жду) дела́ми. См. **Между делом.**

Не де́ла и́щет, а от де́ла ры́щет. *Народн. Неодобр.* О бездельнике, лентяе. Жиг. 1969, 227.

Не у де́ла. *Разг.* Некстати, неудачно. АОС 10, 454.

Ни де́ла ни о́бмора. *Смол. Неодобр.* То же, что **ни дела ни полдела.** СРНГ 22, 134.

Ни де́ла ни полде́ла. *Пск. Неодобр.* О чьём-л. бездействии, безделье. ПОС 9, 12.

Ни де́ла ни путя́. 1. *Арх.* То же, что **ни дела ни полдела.** АОС 10, 455. 2. *от кого, от чего. Волг., Дон.* Никакой пользы, никакого толку от кого-л., от чего-л. Глухов 1988, 108; СДГ 1, 127.

О́коло де́ла. 1. *Арх., Волог., Кар. Одобр.* Правильно, верно, как следует. АОС 10, 452; СВГ 2, 18; СРГК 1, 446. 2. *Арх.* Точно, в точности. СРНГ 23, 141. 3. *Арх., Кар. Одобр.* Оцениваемый положительно, хороший, стоящий. АОС 10, 452. 4. *Арх.* Близкий по времени. АОС 10, 452. 5. *Арх. Неодобр.* Неправильно, неверно, не так, как следует. АОС 10, 452.

От нет де́ла. *Морд.* От безделья, от нечего делать. СРГМ 1980, 16.

Посте́льные дела́. *Разг. Эвфем.* Совокупление, половой акт. Мокиенко, Никитина 2003, 116.

Сби́ться с де́ла. 1. *Арх.* Отвлечься, запутаться, сбиться с толку. АОС 10, 465. 2. *Прибайк., Пск. Неодобр.* Измениться в худшую сторону; начать бездельничать, вести праздный образ жизни. СНФП, 54; СПП 2001, 35.

У де́ла. *Арх.* 1. Имея постоянную работу, постоянное занятие, будучи устроенным; находясь при деле, занимаясь чем-л. полезным. 2. В работе, в использовании. 3. В удобном, подходящем для чего-л. месте; там, где надо.

На дела́х. *Брян.* На работе. СБГ 5, 14.

В городско́м де́ле. *Кар.* В городской жизни. СРГК 1, 446.

В де́ле и не в де́ле. *Ряз.* К месту и не к месту (говорить, сказать). ДС, 139.

На де́ле. 1. *Разг.* В действительности, по существу, на практике. ФСРЯ, 148; АОС 10, 451. 2. *Арх., Прикам.* То же, что **у дела 1.** АОС 10, 451; МФС, 32. 3. *Арх., Кар.* В рабочем состоянии, в состоянии готовности к работе. АОС 10, 451; СРГК 1, 446. 4. *Арх., Кар.* То же, что **у дела 3.** АОС 10, 451; СРГК 1, 446. // *Волог.* Там, где полагается. СВГ 2, 18. 5. *Волог.* Правильно, нормально, как полагается. СВГ 2, 18.

При де́ле. *Арх.* При удобном случае. АОС 10, 453.

При моём (твоём, его и т. п.**) де́ле.** *Сиб.* Во время чьей-л. жизни. ФСС, 57.

Сиде́ть на де́ле. *Арх.* Выполнять какую-л. работу, заниматься чем-л., отвечать за что-л. АОС 10, 443.

Бедо́вое де́ло. *Арх.* 1. Неприятно, плохо, ужасно. 2. Очень, чрезвычайно; много. 3. Восклицание, выражающее сильную отрицательную эмоцию. АОС 1, 143; АОС 10, 457.

Бере́гчи де́ло вперёд. *Арх.* Откладывать работу на будущее. АОС 10, 464.

Бога́тое де́ло. *Арх.* Всё в порядке, дела идут хорошо. АОС 2, 42.

Бро́сить де́ло с ка́мнем в во́ду. *Народн.* Скрыть улики. ДП, 208.

Было́ де́ло [под Полта́вой]. *Разг.* 1. *Шутл.* Подтверждение того, что было в прошлом — при пояснении, ответе и т. п. 2. *Эвфем. ирон.* О совокуплении, которое действительно произошло. ШЗФ 2001, 26. < Выражение — первая строфа стихотворения И. Е. Молчанова, опубл. в 40–50-е гг. XIX в. и ставшего популярной песней. В битве под Полтавой (27 июня 1709 г.) русские войска Петра I одержали победу над шведским королем Карлом XII, что сыграло решающую роль в Северной войне 1700–1721 гг. Мокиенко, Никитина 2003, 116–117.

Ва́ше де́ло на другу́ю сто́рону. *Горьк.* Это вас не касается. БалСок, 25.

Вели́кое де́ло. 1. *Кар.* О чём-л. трудно выполнимом, сложном. СРГК 1, 446. 2. *Арх.* Восклицание, выражающее безразличие, пренебрежение. АОС 10, 457.

Вести́ де́ло *про что. Арх.* Рассуждать о чём-л. АОС 10, 464.

Вести́мое (вести́мо) де́ло. *Яросл.* О чём-л. известном; о том, с чем соглашаются. ЯОС 3, 9.

Ви́димое де́ло. *Народн.* Совершенно ясно, очевидно. ФСРЯ, 132; БМС 1998, 148; Мокиенко 1990, 112.

Вложи́ть в де́ло *[что]. Жарг. мол. Шутл.-ирон.* Пропить (о деньгах). БСРЖ, 152.

Возбужда́ть/ возбуди́ть де́ло. *Жарг. мол. Шутл.* Мастурбировать. ПБС, 2002.

Войти́ в де́ло. *Арх.* Понять суть чего-л. АОС 5, 32.

Всё де́ло в волше́бных пузырька́х. *Жарг. мол. Шутл.* О похмелье. Максимов, 68.

Вы́воротить де́ло наизна́нку. *Народн.* Солгать, обмануть кого-л. ДП, 205.

Ги́блое де́ло. *Разг.* О чём-л. безнадежном, очень плохом. ФСРЯ, 132; БМС 1998, 148; Глухов 1988, 21; Мокиенко 1990, 112; АОС 10, 457. **Ги́бельное де́ло.** *Арх.* То же. АОС 9, 63. **Ги́бшее де́ло.** *Арх., Кар.* То же. АОС 9, 63; СРГК 1, 333; СРГК 1, 446.

Гла́вное де́ло. *Арх.* 1. Самое важное. 2. Главным образом, преимущественно. АОС 10, 458.

Го́лое де́ло. *Кар.* Неоплачиваемая работа. СРГК 1, 446.

Гото́во де́ло. *Разг.* О быстром завершении дела. АОС 9, 400; АОС 10, 458.

Грехо́вое де́ло. *Морд.* Пожар. СРГМ 1978, 127.

Гробово́е де́ло. *Сиб.* То же, что **гиблое дело.** ФСС, 57.

Де́вье (деви́чье) де́ло. *Арх.* Как бывает (как принято) в девичестве. АОС 10, 449.

Де́лать де́ло. *Жарг. угол.* Воровать. ТСУЖ, 46.

Де́лать своё де́ло. *разг.* Сказываться, влиять на что-л. Ф 1, 145.

Де́лать/ сде́лать своё чёрное де́ло. *Разг. Неодобр.* Совершать что-л. непорядочное, причинять вред кому-л. БМС 1998, 148.

Де́ло борода́. *Яросл.* То же, что **гиблое дело.** ЯОС 3, 127.

Де́ло бро́совое *у кого. Сиб.* Кому-л. приходится очень тяжело. ФСС, 57.

Де́ло в горе́ *у кого. Арх.* Всё в порядке, дела идут хорошо. АОС 10, 454.

Де́ло ве́рное. 1. *Жарг. угол.* Хорошо подготовленное преступление. 2. *Жарг. карт.* Игра, в которой используются меченые карты. СРВС 2, 26, 33, 174; СВЯ, 14; ТСУЖ, 47.

Де́ло в затя́жку пошло́. *Волог.* О задержке, промедлении при выполнении чего-л. СРНГ 11, 123.

Де́ло вино́вное. *Кар.* О поступке, заслуживающем наказания. СРГК 1, 446.

Де́ло в ро́зницу. *Жарг. угол.* Всё, добытое преступным путём и отдаваемое одному преступнику, который нуждается в деньгах. СВЯ, 27.

Де́ло в рукави́чках. *Народн.* То же, что **дело в шляпе.** ДП, 568.

Де́ло в рука́х не быва́ло *у кого. Кар. Неодобр.* О человеке, не умеющем делать что-л. СРГК 5, 578.

Де́ло в сто́рону. *Арх.* То же, что **готово дело.** АОС 10, 454.

Де́ло в шля́пе. *Разг.* У кого-л. всё в порядке, что-л. завершилось удачно; о чём-л. улаженном, согласованном. ДП, 497; ФСРЯ, 132; БТС, 1501; Янин 2003, 95; ШЗФ 2001, 63; БМС 1998, 148.

Де́ло в ша́пке *чьё. Прост.* То же. Ф 1, 147; ПОС, 9, 14; СПП 2001, 81.

Де́ло вы́горело *у кого. Разг.* Кто-л. добился своего, все устроил. ЗС 1996, 122; БМС 1998, 148.

Де́ло деся́тое *чьё.* Кого-л. не беспокоит, не касается что-л. ФСРЯ, 132; БМС 1998, 149; Мокиенко 1990, 112; ШЗФ 2001, 63; ПОС, 8, 176.

Де́ло девя́тое *чье. Прост.* То же, что **дело десятое.** Ф 1, 147; СПП 2001, 34.

Де́ло доби́ло *до чего. Кар.* О начале какого-л. этапа чего-л. СРГК 1, 464.

Де́ло дрянь. *Прост. Неодобр.* То же, что **дело — табак.** БМС 1998, 149.

Де́ло — дыра. *Влад. Неодобр.* То же, что **дело — табак.** СРНГ 8, 296.

Де́ло жите́йское. *Разг.* О чём-л. обыкновенном, обыденном. БТС, 307; Ф 1, 147.

Де́ло замывно́е. *Яросл.* О том, что можно пережить. ЯОС 3, 127.

Де́ло из рук вы́бить *у кого. Пск.* Расстроить, огорчить, вывести кого-л. из душевного равновесия. СПП 2001, 34.

Де́ло из рук не вы́падет *у кого. Морд. Одобр.* О хорошем работнике, умелом, сноровистом человеке. СРГМ 1978, 99.

Де́ло из рук ва́лится *у кого. Разг.* Кому-л. не удается что-л., не выходит что-л. Ф 1, 147.

Де́ло коше́ль. *Ворон. Неодобр.* То же, что **дело — табак.** СРНГ 15, 146.

Де́ло к стороне́. *Морд.* О завершении какого-л. дела. СРГМ 1980, 16.

Де́ло — купоро́с. *Обл. Неодобр.* То же, что **дело — табак.** Мокиенко 1990, 41.

Де́ло ма́ленькое *чьё. Прост.* Кто-л. не может повлиять на ход событий. АОС 10, 459.

Де́ло на ве́ки. *Жарг. угол.* Хорошо организованное преступление. ТСУЖ, 47.

Де́ло на де́ло. *Кар.* **То же, что** дело в шляпе. СРГК 1, 446.

Де́ло на дела́х. *Новг.* Об интенсивной работе, деле, которое в полном разгаре. НОС 2, 82.

Де́ло на че́ке. *Народн.* То же, что **дело в шляпе.** ДП, 568.

Де́ло не бе́ло [*чьё*]; **дела́ не бела́** [*чьи*]. *Пск.* То же, что **дело табак.** ПОС 9, 14.

Де́ло не́ было на рука́х *у кого. Кар.* О том, чему говорящий не был свидетелем. СРГК 1, 446.

Де́ло не [в] де́ло. 1. *Алт., Сиб. Неодобр.* Некстати, невпопад. СРГА 2-1, 20; ФСС, 57. // *Морд.* Кстати и некстати. СРГМ 1980, 16. 2. *Орл.* О второстепенных делах. СОГ 1990, 52.

Де́ло не в перели́вках. *Сиб., Якут.* То же, что **дело табак.** ФСС, 57; СФС, 61; СРНГ 26, 144.

Де́ло не в ша́пке *чьё. Пск.* То же, что **дело не в шляпе.** СПП 2001, 34.

Де́ло не в шля́пе *чьё. Арх.* Работа не спорится, дела плохи, положение ненадежно у кого-л. АОС 10, 455.

Де́ло не клёк. *Башк., Колым., Сиб.* То же, что **дело табак.** СРГБ, 106; СФС, 61; СРНГ 13, 275.

Де́ло не пали́т. *Яросл.* О медленном развитии дела. ЯОС 3, 127.

Де́ло не перели́вки. *Сталингр.* О том, что не получается, не выходит. СРНГ 21, 108.

Де́ло не по де́лу. *Орл. Неодобр.* Безосновательно, без повода. СОГ 1990, 52.

Дéло не стáнет *за кем, за чем. Разг.* Кто-л. готов что-л. сделать, исполнить своевременно и четко; задержки не будет из-за кого-л., из-за чего-л. ШЗФ 2001, 64; ФСРЯ, 133; БМС 1998, 149.

Дéло пáхнет керосúном. *Прост. Шутл.* О приближении чего-л. опасного, неприятного, угрожающего. Ф 1, 149; ШЗФ 2001, 64; БМС 1998, 149.

Дéло пáхнет лáданом (пошлó на лáдан). *Сиб.* То же, что **дело пахнет керосином.** ФСС, 57; СРГЗ, 181.

Дéло по дéлу. *Яросл. Одобр.* То же, что **дело в шляпе.** ЯОС 3, 127.

Дéло прúшлое. *Жарг. угол.* 1. Незаконное обвинение. 2. Обвинение в ранее совершённом преступлении. Мильяненков, 112; ББИ, 66; Балдаев 1, 107; СВЯ, 26.

Дéло рук *кого, чьих.* Разг. Что-л. сделано, предпринято кем-л. или по указанию кого-л. Ф 1, 149.

Дéло рук одногó человéка. *Жарг. бизн. Шутл.* Котируемая на рынке цена в том случае, если обе стороны котировки объявлены одним и тем же лицом. БС, 45.

Дéло с концóм. *Разг.* Что-л. окончилось, завершилось. Ф 1, 149.

Дéло сухóе. *Жарг. угол.* Преступление без убийства. Мильяненков, 112; ББИ, 66; Балдаев 1, 107; ТСУЖ, 171.

Дéло табáк. *Прост. Ирон.* Об очень плохом состоянии дел, крайне сложном, опасном положении кого-л. ФСРЯ, 133; ШЗФ 2001, 64; БТС, 1301; ЗС 1996, 105; Мокиенко 1990, 41, 112; ФМ 2002, 505; БМС 1998, 150; СФС, 61.

Дéло творúть. *Брян.* Заниматься ворожбой, гадать. СБГ 5, 14.

Дéло тёмное. *Разг.* О чём-л. неизвестном, непонятном. СПП 2001, 35.

Дéло тéхники. *Разг.* Пустяк, обычное дело. Мокиенко 2003, 23.

Дéло трубá. *Прост.* То же, что **дело табак.** ФСРЯ, 133; Ф 1, 150; Мокиенко 1990, 41, 112; ФМ 2002, 535; БМС 1998, 150.

Дéло хозя́йское. *Разг.* О свободе действий, выбора: поступай, делай как хочешь. БМС 1998, 150; БТС, 1449; ШЗФ 2001, 64.

Дéло швах. *Прост. Ирон.* То же, что **дело табак.** Ф 1, 150; Мокиенко 1990, 41, 112. < Нем. *schwach* — слабый, плохой. БМС 1998, 150.

Дéло швáрки. *Пск.* То же, что **дело табак.** СПП 2001, 35.

Дéло шúбко. *Арх.* Дело зашло далеко, дошло до накала. АОС 10, 455.

Дóброе дéло. *Петрозав.* Сватовство. СРНГ 8, 80.

Есть такóе дéло! *Прост. часто Шутл.* 1. Возглас, выражающий признание какого-л. отрицательного факта: действительно, ты прав. 2. Возглас, выражающий готовность выполнить что-л.: ладно, хорошо, будет исполнено. БМС 1998, 150; ШЗФ 2001, 73; ФСРЯ, 133.

Жúдко дéло. *Кар.* То же, что **дело табак.** СРГК 1, 446.

Заварúть дéло. *Сиб.* Затеять что-л. хлопотное. СОСВ, 70.

Заéзжее дéло. *Волог.* О чём-л. связанном с временным пребыванием в определённой местности. СВГ 2, 18.

Заложúть дéло *под кого. Жарг. угол., лаг.* Начать собирать материал, компрометирующий кого-л. Р-87, 125.

Занóсное (захóдное) дéло. *Кар.* О чём-л., взятом, принесённом с собой. СРГК 1, 446.

Заплéчное дéло. *Разг. Устар.* Обязанности палача. БТС, 338; Ф 1, 150.

Затоптáть дéло. *Иркут.* Приостановить судебное разбирательство. СРНГ 11, 101.

Знáмо дéло. *Прост.* То же, что **известное дело.** Ф 1, 150; АОС 10, 459; СВГ 2, 173; СБО-Д1, 169; ФСС, 57; ЯОС 4, 124.

Знáтко дéло. *Кар.* То же. СРГК 2, 255.

Знáтное дéло. *Орл., Ворон.* То же, что **известное дело.** СРНГ 11, 310.

И дéло свя́то. *Пск. Одобр.* Всё хорошо, всё в порядке. ПОС 9, 15.

И дéло с концóм. *Разг.* Об окончательной развязке чего-л. ФСРЯ, 133; Глухов 1988, 56.

Идтú на дéло. *Жарг. угол.* Идти воровать. ТСУЖ, 76.

Извéстное дéло. *Прост.* Конечно, разумеется. ФСРЯ, 133; БМС 1998, 151.

Имéть дéло *с кем, с чем.* Быть связанным с кем-л., с чём-л. < Калька с франц. *avoir affaire avec qn.* БМС 1998, 151.

Какóе дéло *кому. Разг.* Совсем не касается кого-л. что-л. Ф 1, 151; ФСРЯ, 133; АОС 10, 459.

Какое твоё собачье дело? *Прост. Груб.* Не вмешивайся, ты к этому не имеешь отношения. Мокиенко, Никитина 2003, 117.

Клепáть/ наклепáть (крутúть/ накрутúть, навéсить/ навéшивать, мотáть/ намотáть, хомутáть/ нахомутать) дéло *кому. Жарг. угол.* Фабриковать ложное обвинение на кого-л. Мокиенко 1994, 65.

Конéчное дéло. *Волог., Кар.* То же, что **известное дело.** СВГ 3, 97; СРГК 1, 446.

Крáйнее дéло. *Волог.* Прежде всего, сначала. СВГ 3, 118.

Лёгко ли дéло! 1. *Олон.* Восклицание, выражающее удивление. СРНГ 16, 311. 2. *Влад.* Восклицание, выражающее пренебрежение, безразличие. СРНГ 16, 311.

Леснóе дéло. *Кар.* О жизни в лесу. СРГК 1, 446.

Лóвкое дéло. *Арх.* О чём-л. лёгком, не составляющем труда кому-л. АОС 10, 459.

Лéтнее дéло. *Тул.* Летом. СРНГ 17, 17.

Любо (любóвное) дéло. *Арх. Одобр.* О чём-л. превосходном, отличном. АОС 10, 459.

Малó дéло. 1. *Морд., Орл., Том.* Мало, немного. СРГМ 1980, 16; СОГ-1994, 105; СБО-Д1, 114. 2. *Морд.* Скоро, через некоторое время. СРГМ 1980, 16. 3. *Яросл.* О малолетнем, несмышлёном ребёнке. ЯОС 6, 31. 4. *Перм.* То же, что **ловкое дело.** Сл. Акчим. 1, 232. 5. *Орл.* Значит, стало быть. СОГ-1994, 105.

Мúлое дéло. *Разг.* 1. *Одобр.* Восклицание одобрения, удовлетворения. ФСРЯ, 134; СПСП, 66; АОС 10, 459. 2. *Неодобр.* Восклицание, выражающее возмущение, удивление. ФСРЯ, 134.

Молодóе дéло. *Прост.* О том, что свойственно человеку в молодости. ФСС, 57.

Мóкрое дéло. *Жарг. угол.* Убийство. БТС, 551; ЗС 1996, 208; Ф 1, 151; ТСУЖ, 47; Грачев, 1992, 67; Мильяненков, 112; ББИ, 66; Балдаев 1, 107.

Мýдрое дéло. *Арх. Ирон.* О чём-л. нетрудном, несложном, не доставляющем беспокойства. АОС 10, 459-460.

Надыбать на дéло. *Жарг. угол.* Выбрать объект кражи. ТСУЖ, 112.

Нажитóе дéло. *Арх.* О том, что можно исправить, изменить к лучшему. АОС 10, 460.

Не дéло. *Разг.* Не стоит, не следует (так делать, так поступать). ФСРЯ, 134; АОС 10, 454.

Неминýчее дело. *Прибайк.* Обязательно, непременно. СНФП, 54.

Не моё (твоё, егó и т. п.) дéло. *Разг.* О том, что не касается кого-л. ФСРЯ, 134.

Не нáше дело, попóво, не нáшего попá, чужóго. *Народн.* То же, что **не моё дело.** ДП, 621.

Не твоё собачье дело! *Прост. Груб.* Не вмешивайся, тебя это абсолютно не касается! Мокиенко, Никитина 2003, 117.

Не шу́товое де́ло. *Кар.* О чём-л. серьезном, сложном. СРГК 1, 446.

Ни одно́ де́ло с рук не ва́лится (не сва́лится) *у кого. Пск. Одобр.* Об умелом, ловком человеке. СПП 2001, 35.

Но́вое де́ло. *Неодобр.* О чём-л. неожиданном или неуместном. ФСРЯ, 134.

Ове́чье де́ло. *Кар. Шутл.-ирон.* О чём-л. неважном, несерьезном. СРГК 4, 129.

Отмени́то де́ло. *Кар.* То же, что **известное дело.** СРГК 1, 446.

Отопта́ть де́ло. *Прикам.* Настроить кого-л. соответствующим образом для восприятия чего-л. МФС, 71.

Пе́рвое де́ло. *Арх.* 1. О чём-л. первостепенном. 2. Сначала. АОС 10, 460.

Пойти́ на де́ло. *Арх., Волг.* Наладиться. АОС 10, 465; Глухов 1988, 121.

Покле́илось де́ло. *Пск.* Что-л. удалось, пошло на лад. ПОС 9, 15.

Попа́сть на де́ло. *Новг.* Выполнить что-л. правильно, как нужно. НОС 8, 115.

Поста́вить на де́ло *кого. Арх.* Поручить кому-л. какую-л. работу. АОС 10, 443.

Пра́здничное де́ло. *Кар.* Праздник. СРГК 1, 446.

Прийти́ на де́ло. *Арх.* Приступить к осуществлению чего-л. АОС 10, 453.

Произвести́ в де́ло *что. Орл.* С пользой употребить что-л. СОГ 1990, 52.

Пропа́щее де́ло. *Перм.* То же, что **пустое дело 1.** Сл. Акчим. 1, 232.

Пусто́е де́ло. 1. *Разг.* О чём-л., не приносящем ожидаемого результата. 2. *Арх.* О малом количестве чего-л. АОС 10, 461.

Раздува́ть/ разду́ть де́ло. *Разг. Неодобр.* Искусственно преувеличивая чей-л. проступок, превращать его в общественный скандал. БМС 1998, 151.

Свято́е де́ло. *Разг.* О чём-л. важном, почетном. Ф 1, 153.

Сде́лать в де́ло *что. Морд.* Выполнить какую-л. работу тщательно, аккуратно. СРГМ 2002, 32.

Сижа́лое де́ло. *Кар.* Сидячая работа. СРГК 1, 446.

Слы́ханное ли де́ло?! *Разг.* Невероятно, непостижимо! ФСРЯ, 134.

Сосе́днее де́ло. *Волог.* Соседские отношения. СВГ 2, 18.

Справля́ть своё де́ло. *Морд.* Поступать каким-л. образом, делать что-л., не обращая внимания на других. СРГМ 2001, 123.

Срабо́тать де́ло. *Жарг. угол.* Совершить преступление. ТСУЖ, 168.

Ста́рое де́ло. *Кар.* Старость. СРГК 1, 446.

Ста́точное ли де́ло!? *Прост.* Возможно ли такое? Мыслимо ли это? (О чём-л. необычном, неприятном и т. п.). ФСРЯ, 134; БМС 1998, 151; Глухов 1988, 154. **Ста́тки ли де́ло!** *Арх.* То же. АОС 10, 455.

Стра́шное де́ло. *Разг.* Очень сильно, очень много. ФСС, 57.

Стря́пать/ состря́пать де́ло *на кого. Прост. Неодобр.* То же, что **клепать дело.** БМС 1998, 151.

Твёрдое де́ло. *Арх. Устар.* Трудовая повинность. АОС 10, 463.

Твоё дело теля́чье — обосра́лся и жди (и молчи, и сто́й). *Вульг.-прост.* Не возражай и не рассуждай: всё равно своей правоты не докажешь; жди и делай что прикажут. Мокиенко, Никитина 2003, 117.

То и де́ло. *Разг.* Часто, постоянно. ФСРЯ, 134; БМС 1998, 151.

То́лько де́ло дава́й. *Кар.* О большой интенсивности действия. СРГК 1, 446.

Хожа́лое де́ло. *Кар.* Работа, требующая ходьбы. СРГК 1, 446.

Хуторно́е де́ло. *Кар.* Жизнь хуторами. СРГК 1, 446.

Хоро́шенькое (хоро́шее) де́ло! *Разг.* Восклицание, выражающее возмущение по поводу чего-л. ФСРЯ, 134; ЗС 1996, 392.

Чёрное де́ло. 1. *Разг.* Злостный, коварный поступок. Ф 1, 153. 2. *Кар.* Грязная, тяжёлая работа. СРГК 1, 446.

Что твоё де́ло! *Арх.* Восклицание, выражающее удивление. АОС 10, 455.

Шить/приши́ть де́ло. *Жарг. угол.* Незаслуженно обвинить в совершении преступления. Мильяненков, 111; ББИ, 65; Балдаев 1, 106; Ф 2, 94.

Э́кое де́ло! *Арх.* Восклицание, выражающее досаду. Сл. Акчим. 1, 232.

Я́сное де́ло. *Разг.* То же, что **известное дело.** ФСРЯ, 134.

Без дело́в. *Сиб.* Ни за что, зря, напрасно. СФС, 20; ФСС, 57.

Наклочи́ть дело́в. *Морд. Неодобр.* Наделать чего-л. нежелательного, предосудительного. СРГМ 1986, 77.

Воро́чать де́лом. *Волг.* Верховодить, командовать где-л. Глухов 1988, 14.

Гре́шным де́лом. *Прост.* К сожалению, следует признаться (выражение признания своей или чужой оплошности, ошибки, вины). ФСРЯ, 134.

Же́нским де́лом. *Кар.* По-женски. СРГК 2, 49.

За ма́лым де́лом. 1. *Сиб.* Из-за пустяка. ФСС, 58. 2. *Арх.* В детстве. АОС 10, 448.

Занима́ться де́лом. 1. *Жарг. угол.* Заниматься воровством. СРВС 3, 222. 2. *Жарг. комп. Шутл.* Удалять файлы командой delet. Садашенко, 1995.

Коне́чным де́лом. *Сиб.* Конечно, разумеется. ФСС, 58.

Ме́жду де́лом. *Разг.* В промежутком между основными занятиями, попутно. ФСРЯ, 134; БТС, 520; СРГК 5, 275.

Меж (ме́жду) дела́ми. *Арх.* То же. АОС 10, 450.

Молоды́м де́лом. *Свердл.* В молодые годы. СРНГ 18, 226.

Пе́рвым де́лом. *Разг.* Прежде всего, сначала, сперва. ФСРЯ, 134.

Под э́тим де́лом. *Разг.* В состоянии алкогольного опьянения. АОС 10, 457.

Ребя́чьим де́лом. *Арх., Кар., Сиб.* В детстве. АОС 10, 448; СРГК 1, 446; ФСС, 58.

Ско́рым де́лом. *Волог.* Быстро. СВГ 2, 18.

Бли́же к де́лу! *Разг.* Призыв говорить по существу, не отвлекаясь от темы, без излишних подробностей. ФСРЯ, 135.

Взять по де́лу *кого. Жарг. угол.* Умышленно оговорить кого-л. Балдаев 1, 63.

Всему́ де́лу голова́. *Приамур.* О чём-л. главном, определяющем. СРГПриам., 58.

Дава́ть по де́лу. *Жарг. угол.* Выдавать соучастников. ТСУЖ, 44.

Кана́ть по де́лу. *Жарг. арест., угол.* Привлекаться к ответственности за преступление, совершенное в ИТУ. ТСУЖ, 81.

К де́лу да к ме́сту го́жий. *Арх. Одобр.* О подходящем для чего-л. человеке, предмете. АОС 10, 450.

Не по де́лу. *Разг.* Напрасно, некстати. ЯОС 6, 124.

Ни к де́лу ни к путю́. *Ряз.* Не вовремя, некстати. СРНГ 21, 213; ДС, 139.

Ни к де́лу ни к числу́. *Кар.* То же. СРГК 1, 446.

По пья́ному (буxо́му) де́лу. *Прост. Шутл.-ирон.* В состоянии опьянения. Ф 1, 154; Елистратов 1994, 56.

По де́лу. 1. *Разг.* Правильно, справедливо. ЯОС 8, 11. 2. *Арх.* В действительности. АОС 10, 452-453. 3. *Арх.* С важной, нужной целью. АОС 10, 452-453.

Привести́ (приде́лать) к де́лу *что. Арх.* Довести до нужного состояния. АОС 10, 450.

Приста́вить к де́лу *кого. Прикам.* То же, что **довести до дела 1.** МФС, 82.

Ты — бли́же к де́лу, а он про козу́ бе́лу. *Народн. Шутл.-ирон.* О бестолковом человеке, говорящем не по существу, не по теме. ДП, 449, 457.

Жить на деля́нах. *Волог.* Работать на лесозаготовках. СВГ 2, 89.

ДЕЛЬТАПЛА́Н * Заде́лать дельтапла́н *кому. Жарг. угол. Шутл.-ирон.* Сбросить жертву с высоты. Балдаев 1, 107, 139; ББИ, 66.

ДЕЛЯ́ГА * Деля́га сушёный. *Жарг. угол.* Вор, живущий под чужим именем. Мильяненков, 112; ББИ, 66; Балдаев 1, 107. < **Деляга** — мелкий вор, часто — выдающий себя за авторитетного вора. БСРЖ, 152.

ДЕЛЯ́НА * Жить (стоя́ть) в деля́не (на деля́нах). *Волог.* Работать на лесозаготовках. СВГ 2, 19.

ДЕ́МБЕЛЬ * Бессро́чный де́мбель. *Жарг. арм. Ирон.* Смерть. Кор., 87; Лаз., 127.

Деревя́нный де́мбель. *Жарг. арм. Шутл.-ирон.* Выпуск из учебного подразделения, "учебки". Кор., 88.

Стекля́нный де́мбель. *Жарг. арм. Ирон.* Солдат срочной службы, убитый после приказа Министерства обороны о демобилизации его призыва. Кор., 273.

Точи́ть (кова́ть) де́мбель. *Жарг. арм.* Готовить парадную форму к увольнению из армии. Елистратов 1994, 108. < **Дембель** — 1. Демобилизация из вооружённых сил по завершении срочной службы; 2. Демобилизующийся солдат срочной службы.

ДЕМИ́ДОВ * Игра́ть на Деми́дов (на Шереме́тьев) счёт. *Нижегород.* Играть в карты шутя, не на деньги. СРНГ 12, 69.

ДЕМОКРА́Т * Полово́й демокра́т. *Жарг. мол. Шутл.-ирон.* 1. Импотент. 2. Гомосексуалист. Мокиенко 1995, 20; Балдаев 1, 334.

ДЕМОНСТРА́ЦИЯ * Демонстра́ция му́скулов. *Публ.* Показ своей военной мощи, запугивание военной силой. НРЛ-79; Мокиенко 2003, 23.

Демонстра́ция с кра́сным фла́гом. *Разг. Шутл.* Менструация. Мокиенко, Никитина 1998, 53.

ДЕ́НЕЖКА * Щерба́тая де́нежка. *Волг. Ирон.* О крайней бедности, отсутствии денег у кого-л. Глухов 1988, 177.

Де́нежки на ру́чку. *Кар.* О получении денег. СРГК 1, 448.

На прямы́е де́нежки. *Волг.* Открыто, прямо (сказать кому-л. что-л.). Глухов 1988, 92.

Пла́кали де́нежки *чьи. Разг. Ирон.* О неудачно истраченных, потерянных деньгах, не возвращённом кем-л. денежном долге. БМС 1998, 152; ЗС 1996, 105; Ф 1, 154; Жиг. 1969, 298.

В золоту́ю де́нежку вста́ло *кому что. Олон.* О слишком дорогой покупке. СРНГ 7, 349.

Закола́чивать/ заколоти́ть де́нежку. *Яросл.* Зарабатывать, получать в качестве оплаты. ЯОС 4, 75.

ДЕ́ННО * Де́нно и но́щно (но́чно). *Разг.* Постоянно, всё время; круглые сутки. ФСРЯ, 135; БМС 1998, 152; БТС, 250; ПОС 9, 23.

ДЕ́ННОЕ * [Всё] де́нное и но́щное. *Кар.* То же, что **денно и нощно (ДЕННО).** СРГК 1, 448.

ДЕНСИ́ТИНА * Хаёвая денси́тина. *Жарг. комп. Устар.* Высокая плотность записи на дискете. Садошенко, 1995; Шейгал, 207; Мас. < От англ. *high density* — высокая плотность.

ДЁНЫШКО * Показа́ть дёнышко. *Волог.* Поставить чашку или рюмку кверху дном, что означает «спасибо, больше не хочу». СВГ 2, 20.

ДЕНЬ * Ба́нный день. *Жарг. авиа. Шутл.* 1. Нелётная погода, когда нет полетов. 2. Пьянка летчиков в нелётную погоду. < От радостного восклицания: "Сегодня ж банный (жбанный) день!" БСРЖ, 153.

Бере́чь на чёрный день *что. Разг.* Запасать что-л. для трудного времени. БМС,152-153.

Будь про́клят тот день, когда́ я сел за бара́нку э́того пылесо́са. *Разг. Шутл.* О сломавшемся автомобиле. < Реплика шофёра — героя кинокомедии «Кавказская пленница, или Новые приключения Шурика» («Мосфильм», 1966 г.). Дядечко 1, 62.

В день. *Кар.* Днем. СРГК 1, 448.

[Весь] бе́лый день. *Народн.* 1. Целый, полный день. 2. Светлый период суток. БМС 1998, 153.

В и́дный день. *Ленингр.* Иногда. СРНГ 12, 77.

В мо́рошный день не пересчита́ть *кого, чего. Сиб.* Очень много. ФСС, 134.

Во вчера́шний день. *Кар.* Вчера. СРГК 1, 448.

В оди́н прекра́сный день. *Разг. часто Ирон.* Однажды, когда-нибудь. БМС 1998, 153; ШЗФ 2001, 30.

В Петро́в день на льди́не разорва́ло *кого, что. Пск. Шутл.-ирон.* О том, чего не было, не существовало, не существует. СПП 2001, 35.

Вчера́шний день. 1. *Разг.* Прошлое, прошедшее; то, что прошло, минуло, устарело. ФСРЯ, 135; БТС, 251. 2. *кому. Волог.* Безразлично, всё равно. СВГ 1, 88; СВГ 2, 19.

Годово́й день. *Кар.* Годовщина со дня смерти кого-л. СРГК 1, 449.

Гря́зный день. *Пск. Шутл.* День предпраздничной уборки дома. СПП 2001, 35.

Гуля́щий (гуля́льный) день. *Кар.* День праздника, народных гуляний. СРГК 1, 449.

День Авиа́ции. *Жарг. авиа. Шутл.* День получения зарплаты у лётчиков. БСРЖ, 153.

День Актёра. *Жарг. мол.* День зарплаты у актеров. СИ, 1998, № 6.

День бе́з году. *Кар.* Очень недолго. СРГК 1, 449.

День варе́нья. *Разг. Шутл.* День рождения; вечеринка по случаю дня рождения. МК, 16.12.99.

День в день. 1. *Брян., Дон., Одесск.* Ежедневно, постоянно. СБГ 5, 15; СДГ 1, 127; КСРГО. 2. Точно в назначенный день. ЗС 1996, 519; Глухов 1988, 33; Мокиенко 1986, 101

День в раю́. 1. *Жарг. студ. Шутл.* День выдачи стипендии. 2. *Жарг. шк. Шутл.* Воскресенье, день свободный от занятий. Максимов, 107.

День гранёного стака́на [отмеча́ть]. *Жарг. мол. Шутл.* О выпивке без повода. Митрофанов, Никитина, 199.

День деса́нтника. *Жарг. арм.* День зарплаты в десантных войсках. БСРЖ, 153.

День до ве́чера. *Кар.* В течение всего дня. СРГК 1, 449.

День за день захо́дит. 1. *Перм.* О движении времени. Подюков 1989, 60. 2. *у кого. Волг.* У кого-л. имеются какие-л. запасы, сбережения. Глухов 1988, 52.

День изо дня́. *Морд.* Ежедневно. СРГМ 1980, 17.

День и но́чно. *Печор.* То же, что **денно и нощно (ДЕННО).** СРГНП 1, 484.

День и ночь. *Прост.* То же, что **денно и нощно (ДЕННО).** Ф 1, 155; СБГ 5, 15; ПОС 9, 23.

День и но́щно. *Пск.* То же, что **денно и нощно (ДЕННО).** ПОС 9, 23.

День откры́тых двере́й. *Разг.* День, когда желающие могут прийти ознакомиться с каким-л. делом. БМС 1998, 153.

День ото дня́. *Разг.* С течением времени. Ф 1, 156; БТС, 251.

День по дню. *Перм., Прикам.* Ежедневно. СГПО, 132; МФС, 32.

День при дне (при день). *Волг., Дон., Курск.* То же, что **день по дню.** Глухов 1988, 33; СДГ 1, 127; БотСан, 92.

День семеро́м хо́дит. *Сиб.* 1. О непостоянстве сибирской погоды. 2. *Неодобр.* О чьём-л. непостоянстве. СФС, 61; ФСС, 58.

День тра́ура. *Жарг. шк. Ирон.* Первое сентября, начало учебного года. ВМН 2003, 42.

Де́ньский день. *Сиб.* В продолжении всего дня. ФСС, 58.

День фаза́на (фазаня́т). *Жарг. мол.* День выдачи стипендии в ПТУ, колледжах, техникумах. Урал-98.

До́брый день! *Разг.* Приветствие при встрече днём. БМС 1998, 153.

Ду́хов день. *Народн.* Пасха. ФСС, 58.

Еба́л я день твоего́ рожде́ния и гвоздь, на кото́ром ты ша́пку ве́шаешь! *Вульг.-прост. Бран.* Выражение безразличия, пренебрежения, презрения к кому-л. Мокиенко, Никитина 2003, 117.

За бе́лый день. *Сиб.* Бесплатно, даром (работать). ФСС, 58.

За́втрашний день. *Разг.* Будущее; ближайшее будущее. ФСРЯ, 135.

Закры́тый день. *Кар.* Нерабочий день. СРГК 1, 449.

Злой день (злы дни). *Кар.* Безрадостное время. СРГК 1, 449.

Иска́ть вчера́шний день (вчера́шнего дня). *Разг. Ирон.* Заниматься заведомо бесплодной деятельностью, пытаясь вернуть, найти то, что безвозвратно минуло, чего уже нет. ДП, 460, 578; ФСРЯ, 135; БТС, 165, 251; Мокиенко 1990, 65; БМС 1998, 153; Жиг. 1969, 329; ПОС 5, 104.

Иу́дин день. *Жарг. театр. Шутл.-ирон.* День сбора труппы. Pulse, 2000, № 9, 11.

Кра́йний день. *Волог., Кар.* Канун воскресного или праздничного дня. СВГ 3, 118; СРГК 1, 339.

Кра́сный день. *Кар.* 1. Ясный, солнечный день. 2. День отдыха; радостный, счастливый день. СРГК 1, 450.

Кра́сный день календаря́. 1. *Жарг. мол. Шутл.-ирон.* Менструация. УМК, 75. 2. *Жарг. шк.* О получении двойки, неудовлетворительной оценки. (Запись 2003 г.). < Шутливая реминисценция детского стихотворения о празднике Октября.

Красо́тный день. *Прикам.* День перед свадьбой, в который невеста отдаёт ленту, купленную ей женихом. МФС, 32.

Лу́ков день. *Сиб., Яросл.* Праздник Рождества Пресвятой Богородицы (8 сентября по ст. ст.) — время уборки лука. СФС, 101; ЯОС 6, 18.

Меже́нный (межённый) день. 1. *Кар., Прикам.* Самый длинный летний день. СРГК 1, 450; МФС, 32. 2. *Кар.* Самый короткий зимний день. СРГК 1, 450.

Ме́лет день до ве́чера, а послу́шать не́чего. *Народн. Неодобр.* О краснобае. Жиг. 1969, 211.

Мясно́й день. *Жарг. лаг.* День, а точнее ночь, когда в расстрельной тюрьме (специально оборудованной для расстрелов) исполняют смертные приговоры. Р-87, 225.

На кулико́в день. *Новг. Шутл.* Никогда. СРНГ 16, 67.

На чёрный день. *Разг.* В расчёте на самое трудное время. Ф 1, 156. **Про чёрный день.** *Волг.* То же. Глухов 1988, 136.

Сего́дня не день Бэ́кхема. *Жарг. мол. Шутл.* О чьей-л. неудаче, невезении. (Запись 2003 г.). < Из телерекламы.

Не́который день. *Кар.* Иногда. СРГК 1, 449.

Не мой (не его́, не ваш и т. п.) **день.** *Разг.* Время чьих-л. неудач. НРЛ-82; Мокиенко 2003, 23.

Ни день ни ночь. *Сиб.* Никогда. Верш. 4, 170.

Об оди́н день. *Кар.* Однажды. СРГК 4, 150.

По день. *Кар.* Один раз; один день. СРГК 1, 449.

По сту на день, по ты́сяче на неделю. *Народн.* Приветствие молотильщикам. ДП, 755.

По тот день. *Яросл.* Позавчера. ЯОС 8, 11.

Пиро́жный день. *Прикам.* Празднество, устраиваемое в доме жениха на 2–3-й день после свадьбы. МФС, 32.

Прошёл Са́вкин день, отъе́л мёду. *Забайк. Шутл.-ирон.* Радость, счастье прошло. СРНГ 36, 15.

Ры́бный день. *Жарг. мол.* О дне удачных знакомств, сексуальных контактов. Вахитов 2003, 160.

Сего́дня ры́бный день (день я́щерицы) — хвосты́ обруба́ем. *Жарг. мол. Шутл.* Выражение отказа кому-л. в чём-л. (как правило — в бесплатной выпивке и т. п.). Вахитов 2003, 164; Максимов, 380.

Та́бельный день. *Кар.* Предусмотренный церковным календарём день, когда нельзя работать. СРГК 1, 449.

Уме́рший день. *Кар.* 1. День смерти кого-л. 2. День годовщины смерти кого-л. СРГК 1, 449.

Холосто́й день. *Кар.* День гулянья молодежи. СРГК 1, 449.

Христо́в день. *Сиб. Устар.* Праздник Пасхи. Верш. 7, 226.

Тяжёлый (чёрный) день. 1. *Разг. Неодобр.* Неудачный, несчастливый день. ФСРЯ, 135; БМС 1998, 154. 2. *Сиб.* Понедельник и пятница. ФСРЯ, 58. 3. *Жарг. студ.* Экзамен. (Запись 2003 г.).

Чёрный день. *Разг.* Тяжёлое, трудное время. БТС, 139, 251.

Что день грядущий нам гото́вит? *Жарг. шк. Шутл.* Точка в журнале, которой учитель помечает потенциального отвечающего. (Запись 2003 г.).

Два́дцать дней без войны́. *Жарг. шк. Шутл.* Об отсутствии учителя на уроках из-за длительной болезни. < По названию кинофильма. Максимов, 103.

До конца́ дней [свои́х]. *Разг.* До конца жизни, до смерти. ФСРЯ, 141.

Де́сять дней, кото́рые потрясли́ мир. *Жарг. арм. Шутл.* Отпуск, предоставляемый солдату срочной службы, курсанту военного училища. ЖЭСТ-1, 233. < Шутливая реминисценция названия книги об Октябрьской революции Дж. Рида “Десять дней, которые потрясли мир” (1919 г.).

Семь дней в неде́лю да сон свой. *Кар. Шутл.-ирон.* Абсолютно ничего. СРГК 1, 449.

Сто дней. *Жарг. арм.* Неуставной традиционный праздник у солдат срочной службы за сто дней до приказа о демобилизации. Юность, 1987, № 11, 51.

Днём с огнём (с фонарём) не найти́ (не сыска́ть) *кого, что. Разг. часто Неодобр.* Очень трудно, практически невозможно найти, отыскать кого-л., что-л. ФСРЯ, 140; БМС 1998, 154; ДП 517.

Жить вчера́шним днем. *Разг.* Быть несовременным, отстать от времени. БТС, 165; ЗС 1996, 483.

Жить сего́днящним днём. *Разг.* Не отрываться от настоящего; ограничиваться заботами настоящего, не думать о будущем. Ф 1, 189.

С весёлым днём! *Сиб.* Утреннее приветствие, пожелание. ФСС, 60; СБО-Д1, 115.

Вида́вший лу́чшие дни. *Разг. часто Ирон.* 1. О попавшем в нужду или в худшее положение человеке. 2. О потрёпанной, изношенной вещи, старом предмете. БМС 1998, 154.

Ви́деть я́сные дни. *Сиб. Одобр.* Жить в достатке и благополучии. СОСВ, 207.

В о́ны дни. *Разг.Устар.* Когда-то, очень давно. ФСРЯ, 140; БТС, 251.

В ста́рые дни. *Кар.* В старости. СРГК 1, 449.

Дни захо́дят *чьи. Сиб.* Наступает старость. ФСС, 60.

Дни сочтены́ *чьи. Разг.* Кому-л. осталось жить очень недолго. ФСРЯ, 141; ЗС 1996, 486.

До́ дни (дню). *Кар.* До полудня. СРГК 1, 449.

Крити́ческие дни. 1. *Разг.* Менструация. 2. *Жарг. студ. Шутл.* Дни перед стипендией, когда особенно остро чувствуется нехватка денег. Максимов, 113.

Око́нчить дни свои́. *Книжн.* Умереть. ФСРЯ, 296; Мокиенко 1990, 134.

Потеря́ть дни. *Смол.* Прожить какое-л. время неизлечимо больным. СРНГ 30, 277.

Све́тлые дни. *Кар.* Счастливое, радостное время. СРГК 1, 450.

Три дни наме́дни и два дни наково́дни *у кого. Сиб. Ирон.* То же, что **на дню семь пятниц.** ФСС, 60.

На дню семь пого́д *у кого. Прост.* То же, что **на дню семь пятниц.** ЗС 1996, 449.

На дню семь пя́тниц *у кого. Разг. Неодобр.* О человеке, часто и легко меняющем свои решения, намерения. Жиг. 1969, 219; ЗС 1996, 67; СПП 2001, 35.

Дожида́ться Ю́рьева дня. *Народн. Ирон.* О беспочвенных надеждах на что-л. ДП, 239

До поднесе́ньева дня не пить. *Сиб., Тул. Шутл.* Не пить спиртного до тех пор, пока не угостят. ФСС, 136; СФС, 65; СРНГ, 28; 96.

До Спа́сова дня. *Волг.* На неопределённый срок. Глухов 1988, 37.

Изо дня в день. *Разг.* Постоянно, всегда, ежедневно. МФС, 32; БТС, 251.

Не ви́деть (вида́ть) просве́тлого (све́тлого) дня. *Сиб.* То же, что **ни дня ни ночи не знать.** ФСС, 27.

Не знать дня-но́чи. *Перм.* То же, что **ни дня ни ночи не знать.** Подюков 1989, 85.

Ни дня без бо́я. *Жарг. шк. Шутл.* Об отличнике. Максимов, 113.

[Ни] дня [ни] но́чи не знать. *Прост.* Быть постоянно занятым, напряжённо работать. Глухов 1988, 108; СПП 2001, 35.

Никако́го дня. *Кар.* Никогда. СРГК 1, 449.

Одного́ дня. *Кар.* 1. В течение одного дня. 2. Днем. 3. Однажды. СРГК 1, 449.

Одного́ дня, да и ра́но. *Волог.* Менее, чем за один день; быстро. СВГ 6, 30.

Пе́рвого дня. *Кар.* Вчера. СРГК 1, 449.

Про́тив дня. *Дон.* Днём. СДГ 1, 127.

Со дня на́ день. *Разг.* В один из ближайших дней. БТС, 251; Сергеева 2004, 476.

Средь бе́ла дня. *Разг.* Днём, когда совсем светло. БМС 1998, 155.

Тре́тьего дня. *Разг.* Позавчера. ФСРЯ, 141; СРГК 1, 449.

Убаю́кать, что до дня Стра́шного суда́ не вста́нет. *Народн. Ирон.* Убить кого-л. ДП, 278.

Не по дням, а по часа́м. *Разг.* Очень быстро (расти, развиваться, увеличиваться и т. п.). ФСРЯ, 141; БМС 1998, 155; ЗС 1996, 485; Глухов 1988, 101; БТС, 1467; Жиг. 1969, 239.

На днях *чьих, кого. Сиб.* В период чьей-л. жизни. СБО-Д1, 115.

ДЕНЬГА́ * Золота́я деньга́. *Перм.* О большом количестве денег. Сл. Акчим. 1, 233.

Зашиба́ть/ зашиби́ть деньгу́. См. **Зашибать деньги (ДЕНЬГИ).**

ДЕ́НЬГИ * Всех де́нег сто́ит. *Сиб. Одобр.* О чём-л. прекрасном, замечательном. СФС, 47.

Вы́биться из де́нег. *Орл.* Начать испытывать нехватку денег. СОГ 1989, 104.

Ми́мо де́нег. *Жарг. муз. Ирон.* Фальшиво, неточно (петь, играть). Максимов, 248.

Не счита́ть де́нег. *Разг.* Имея много денег, тратить их безрассудно, не задумываясь. Ф 2, 197.

Сби́ться с де́нег. *Кар.* То же, что **выбиться из денег.** СРГК 5, 642.

Бры́згаться деньгами. *Сиб.* То же, что **сорить деньгами.** СОСВ, 34.

Ры́ться деньга́ми. 1. *Пск.* Иметь много денег, быть богатым. СПП 2001, 35. 2. *Кар.* То же, что **сорить деньгами.** СРГК 5, 597.

Сби́ться деньга́ми. *Сиб.* Скопить денег. СБО-Д1, 170; СОСВ, 168.

Сори́ть (сы́пать) деньга́ми. *Разг. Неодобр.* Тратить деньги без надобности, нерационально. ЗС 1996, 56, 144; Ф 2, 175, 200; Глухов 1988, 152.

Жить в деньга́х. *Сиб.* Много зарабатывать. ФСС, 71.

Копа́ться в деньга́х. *Орл., Ряз.* То же, что **рыться деньгами.** СОГ 1990, 53; ДС, 140.

На бога́тых деньга́х [быть]. *Сиб.* То же, что **жить в деньгах.** ФСС, 58.

На деньга́х. *Брян., Сиб.* То же, что **при деньгах.** СБГ 5, 15; ФСС, 20, 58.

При деньга́х. *Разг.* С деньгами, имеющий деньги. ФСРЯ, 135; БТС, 251.

Сиде́ть на деньга́х. 1. *Ряз.* Иметь деньги, работать на высокооплачиваемой должности. ДС, 140. 2. *Жарг. банк. Разг.* Задерживать оплату долгов, используя деньги для других целей. ЛГ, 13.01.99. 3. *Одесск.* Быть скупым. КСРГО.

Бе́шеные де́ньги. *Разг.* Об очень крупных суммах денег (как правило — нажитых быстро и не своим трудом). БМС 1998, 155.

Броса́ть де́ньги в жар. *Волг. Неодобр.* То же, что **бросать деньги на ветер.** Глухов 1988, 7.

Броса́ть (выбра́сывать, кида́ть, пуска́ть, швыря́ть) де́ньги на ве́тер. *Разг. Неодобр.* Тратить без пользы, транжирить деньги. БМС 1998, 155; БТС, 122, 166, 251, 1493; ЗС 1996, 104.

В де́ньги брать/ взять *что. Яросл.* Покупать что-л. ЯОС 2, 37.

Выводны́е де́ньги. *Яросл.* Выкуп за невесту. СРНГ 5, 257.

Выкола́чивать/ вы́колотить де́ньги *из кого. Прост. Неодобр.* Нагло и настойчиво требовать с кого-л. деньги. БМС 1998, 155.

Вы́ставить на де́ньги *кого. Жарг. мол.* Обманом завладеть чьими-л. деньгами. Вахитов 2003, 35.

Горя́чие де́ньги. *Банк.* Ресурсы на рынке ссудных капиталов, которые имеются в суммах сверх необходимых для нормального функционирования процесса воспроизводства. БС, 38.

Гра́бить де́ньги оха́пками. *Пск. Шутл.* То же, что **грести деньги лопатой.** ПОС 7, 165.

Грести́ (огреба́ть) де́ньги лопа́той. *Разг.* Получать большие доходы, много зарабатывать. БТС, 505; Ф 2, 15; Глухов 1988, 26.

Гря́зные де́ньги. *Публ. Неодобр.* Деньги, заработанные нечестным путем, добытые обманом, мошенничеством. Мокиенко 2003, 24.

Де́лать де́ньги из во́здуха. *Разг. Ирон.* Зарабатывать деньги мошенническими махинациями. Мокиенко 2003, 24.

Де́ньги в карма́не шумя́т *у кого. Пск.* У кого-л. имеются, водятся деньги. ПОС 9, 29.

Де́ньги в това́ре. *Сиб.* О ещё не проданном товаре. ФСС, 58.

Де́ньги на бо́чку (на кон)! *Разг. Шутл.* Требование заплатить, отдать деньги сразу же, не откладывая. ЗС 1996, 144; Ф 1, 156; Вахитов 2003, 11.

Де́ньги на ла́пу. *Ряз.* О наличных деньгах. СРНГ 16, 259.

Де́ньги на ля́хе. *Кар.* Деньги в кармане. СРГК 1, 450.

Де́ньги не па́хнут. *Разг. Неодобр.* О неразборчивом отношении к тому, каким путём получены деньги. БМС 1998, 156; БТС, 788; ШЗФ 2001, 65.

Деревя́нны деньги! *Перм. Бран.-шутл.* Выражение легкого недовольства, досады, раздражения. Мокиенко, Никитина 2003, 117.

Дешёвые деньги. *Кар.* О небольшой сумме. СРГК 1, 450.

Дли́нные (до́лгие) де́ньги. *Сиб.* 1. *Неодобр.* О высоком и лёгком заработке. 2. О крупной сумме. СФС, 63-64; ФСС, 58; СОСВ, 61; СРНГ, 8, 106; СБО-Д1, 150.

Дороги́е де́ньги. *Кар.* О крупной сумме денег. СРГК 1, 450.

Жечь де́ньги. *Пск.* Тратить деньги впустую. (Запись 2000 г.).

Зашиба́ть/ зашиби́ть де́ньги (деньгу́). *Прост., часто Неодобр.* Много зарабатывать (не очень тяжёлой работой); гоняться за лёгким заработком. БМС 1998, 156; ЗС 1996, 93; ШЗФ 2001, 82.

Ка́дровые де́ньги. *Кар.* Заработная плата. СРГК 1, 450.

Кошелько́вые деньги. *Яросл.* Деньги на повседневные расходы семьи. ЯОС 5, 83.

Класть де́ньги в пе́чку. *Пск. Шутл.-ирон.* Тратить много средств на топливо. ПОС 9, 29.

Кро́вные де́ньги. *Разг.* Деньги, заработанные тяжёлым честным трудом. БМС 1998, 156.

Ме́рить де́ньги четверика́ми. *Народн. Устар.* Жить очень богато. БМС 1998, 156.

Мести́ де́ньги ве́ником. *Новг.* Жить в достатке, благополучии. Сергеева 2004, 217.

Лёгкие де́ньги. *Жарг. угол.* Деньги, добытые нечестным путем. Грачев, 1992, 67.

Налете́ть (попа́сть) на де́ньги. *Жарг. мол., комм* О ситуации, когда неожиданно приходится платить за что-л. крупную сумму. Космополитен, 1998, № 2, 108; БСРЖ, 154.

Ни за каки́е де́ньги. *Разг.* Ни за что, ни в коем случае.Ф 1, 156-157.

Отмыва́ть де́ньги. *Публ.* Придавать видимость законного происхождения преступно нажитым денежным суммам, легализовать их наличие. Мокиенко 2003, 24.

Попо́вские де́ньги. *Перм. Шутл.-ирон.* О сумме, представленной мелкими монетами. Сл. Акчим. 1, 233.

Принима́ть за чи́стые де́ньги *что. Разг. Устар.* Считать что-л. истиной, правдой, воспринимать что-л. всерьёз. Ф 2, 91.

Просви́стывать/ просвисте́ть де́ньги. *Прост. чаще Неодобр.* Тратиться, легко и беззаботно расходовать деньги. БМС 1998, 156.

Рыть де́ньги. *Кар. Неодобр.* Тратить деньги попусту, без надобности. СРГК 5, 596.

Ста́вить/ поста́вить на де́ньги *кого. Жарг. бизн., мол.* Назначать кому-л. размер и срок выплаты какой-л. суммы; заставить кого-л. регулярно выплачивать какие-л. суммы. БСРЖ, 154; Вахитов 2003, 142.

Счита́ть де́ньги в чужо́м карма́не. *Разг.* Интересоваться чужими (как правило — более высокими) доходами. Ф 2, 197-198.

Туги́е де́ньги. 1. *Сиб.* Небольшой, трудно добываемый заработок. ФСС, 59. 2. *Приамур.* О недостатке денежных средств. СРГПриам., 71.

Хозя́йские де́ньги. *Жарг. угол., карт.* Доля, получаемая владельцем квартиры, где ведётся шулерская игра. СРВС II, 94, 174.

Чи́стые де́ньги. *Жарг. угол.* Деньги, добытые честным путем. Грачев 1992, 67.

ДЕНЬЖА́ТА * Дли́нные деньжа́та. *Забайк.* То же, что **длинные деньги (ДЕНЬГИ).** СРГЗ, 101.

ДЕПУТА́Т * Депута́та ко́рчить. *Жарг. мол. Неодобр. или Ирон.* Стремиться выглядеть солидно, важно. Митрофанов, Никитина, 52.

ДЁР * Дёр дерёт. 1. *Сиб.* Об очень интенсивном проявлении чего-л. ФСС, 59; СРНГ 8, 5. 2. *Волг.* О чём-л. грубом, неприятном. Глухов 1988, 34.

Дать (зада́ть) дёру (дёра). 1. *Прост.* Убежать, быстро скрыться. БалСок, 33; БТС, 251; ПОС 9, 31; Максимов, 101. 2. *кому. Брян., Курск., Морд., Сиб.* Сильно побить, выпороть, наказать кого-л. СБГ 5, 17; БотСан, 91, 95; СРГМ 1980, 17; Мокиенко 1990, 46, 110; СФС, 60; ФСС, 76; СКузб., 63. 3. *Яросл.* Громко заплакать. СРНГ 8, 5.

До дёру *чего. Яросл.* Очень много. ЯОС 4, 6.

Наре́зать дёру. *Сиб.* То же, что **дать дёру 1.** ФСС, 119.

ДЕРА́К * Дать/ зада́ть дерака́. *Калуж., Влад., Морд., Тул., Сиб.* То же, что **дать дёру 1.** СРНГ 8, 6; ФСС, 53; СРГМ 1980, 17.

ДЕРГА́НКА * Че́рез дерга́нку. *Тамб.* Не по порядку, пропуская что-л. СРНГ 8, 8.

ДЕРЁБКА * Дать/ зада́ть дерёбку *кому. Волог.* Наказать кого-л. розгами, выпороть кого-л. СВГ 2, 112.

ДЕРЕВИ́НКА * Бо́жья дереви́нка. *Пск.* Верба. ПОС 2, 75.

ДЕРЕ́ВНЯ * Прясть на семь дереве́нь, на седьмо́е село́. *Костром.* Готовить приданое, холсты и повязки для семьи жениха и его родных из разных деревень. Громов 1992, 38.

Быть в большо́й дере́вне. *Пск. Шутл.* Спать. ПОС 9, 36.

Ходи́ть по дере́вне. *Сиб.* Работать по найму. Верш. 7, 205.

Из дере́вни Темни́лово [прие́хал]. *Жарг. мол. Шутл.-ирон.* О хитром, скрытном человеке. (Запись 2004 г.).

Из ело́вой дере́вни. *Смол.* Ответ на вопрос «Откуда ты, из какой деревни?», свидетельствующий о нежелании продолжать разговор. СРНГ 8, 345.

Потёмкинские дере́вни. *Книжн. Неодобр.* Показное, мнимое благополучие, показной блеск, очковтирательство. < Выражение связано с именем графа Г. А. Потёмкина, государственного деятеля времен Екатерины II, приказавшего построить по пути следования императрицы в Крыму бутафорские, показные селения с расписными избами. Ф 1, 157; Мокиенко 1989, 161; БМС 1998, 156-157.

Со всей дере́вни де́вка. *Пск. Одобр.* О смелой, решительной девушке, женщине. СПП 2001, 35.

Е́хать в крова́ткину дере́вню. *Пск. Шутл.* Ложиться спать. ПОС 9, 36; ПОС 10, 138.

На дере́вню де́душке. *Разг. Шутл.* Неизвестно куда, наобум (о ситуации, когда кто-л. указывает неправильный адрес на конверте или собирается писать письмо, не зная точного адреса получателя. БТС, 252. < Выражение из рассказа А. П. Чехова «Ванька» (1886). БМС 1998, 157.

Опря́сти дере́вню. *Новг.* Опоясать нитью в несколько рядов кого-л. (в святочных забавах молодежи). НОС 7, 13.

Уйти́ в кресто́вую (Могилёвскую, ти́хую) дере́вню. *Перм. Шутл.* Умереть. Подюков 1989, 213.

Дере́вня гори́т! *Пск.* Пожелание успеха работающим при изготовлении масла из семян. ПОС 7, 106.

Дере́вня переехала поперёк мужика́. *Народн. Ирон.* О бестолковом человеке. ДП, 461.

Кра́сная дере́вня. *Пск.* Деревня, в которой устраивалось очередное гулянье молодежи. (Запись 2001 г.).

Олимпи́йская дере́вня. *Жарг. мол. Шутл.-ирон.* О группе одинаково одетых людей. Максимов, 287.

Сгоре́ла дере́вня в глаза́х. *Волг.* О чём-л. необычном, неожиданном. Глухов 1988, 146.

Ча́лкина дере́вня. *Жарг. угол.* Тюрьма. ТСУЖ, 194.

Шати́лова дере́вня. *Перм. Пренебр.* О бродягах, бездельниках. Подюков 1989, 60.

ДЕ́РЕВО * Из всего́ де́рева. *Перм. Одобр.* О сильном, крепкого телосложения человеке. Подюков 1989, 61.

Плева́ть с высо́кого де́рева *на кого, на что. Волг.* Проявлять полное безразличие к кому-л., к чему-л. Глухов 1988, 123.

С де́рева сня́ли *кого.* 1. *Прост. Пренебр.* О грубом, некультурном и необразованном человеке. Мокиенко, Никитина 2003, 117. 2. *Перм.* О ребёнке, рожденном вне брака. Подюков 1989, 190.

Беспло́дное де́рево. *Пск.* 1. *Ирон. или Неодобр.* О женщине, которая не может иметь детей. 2. О бездетной семье. (Запись 1998 г.).

Бо́гово де́рево. *Дон.* Китайская вишня. СДГ 1, 32.

Глухо́е де́рево. *Кар.* Береза с шероховатыми листьями. СРГК 1, 451.

Де́рево полети́т. *Пск.* О чём-л. невозможном, невообразимом, производящем сильное впечатление. (Запись 2000 г.).

Здра́вствуй, де́рево. *Жарг. мол., Разг.* 1. *Шутл.* О столкновении с деревом. Никитина, 1998, 104. 2. *Шутл.* О дорожно-транспортном происшествии. Никитина, 1998, 104. 3. *Ирон. или Неодобр.* О глупом, бездарном человеке (часто — в роли обращения к человеку, сказавшему глупость). Белянин, Бутенко, 63; Вахитов 2003, 69.

Клони́ть де́рево не по себе́. *Прост.* Вступать в неравный брак. Ф 1, 241.

Низкоспи́ленное де́рево. *Жарг. мол. Пренебр.* О глупом, несообразительном человеке. Вахитов 2003, 113.

Петухо́во (пету́нье) де́рево. *Новг.* Шиповник. НОС 7, 135.

Поліро́ванное де́рево. *Жарг. угол., арест. Шутл.-ирон.* Скамья подсудимых. Балдаев 1, 334; Мильяненков, 112; ББИ, 67; СВЯ, 27.

Руби́ть де́рево не по себе́. *Сиб.* Выбирать лучшее, чем то, чего сам достоин. СФС, 125.

Сквозь де́рево желе́зо таска́ть. *Новг. Шутл.* Пилить дрова. НОС 11, 25.

Скрипу́чее де́рево. *Коми. Неодобр.* Сварливая женщина. Кобелева, 77.

Хоть стой де́рево, хоть па́дай. *Кар.* О человеке, которому всё нипочём. СРГК 4, 366.

Черни́льное де́рево. *Дон.* Крушина. СДГ 3, 191.

Чёрное де́рево. 1. *Разг.. Шутл.* Африканец, негр. 2. *Жарг. угол., арест.* Чай. ТСУЖ, 195. 3. *Жарг. мол. Шутл.-ирон.* Резиновая милицейская дубинка. Балдаев 2, 142.

Ада́мовы дере́вья. *Арх.* Ископаемые остатки деревьев. СРНГ 1, 205.

Дере́вья умира́ют сто́я. *Авиа. Шутл.* О дневальном, который обычно спит стоя. ЖЭСТ-1, 233. < Шутливая реминисценция названия пьесы Касона Алехандро "Деревья умирают стоя" (1949 г.).

За дере́вьями ле́са не ви́деть. *Разг. Ирон. или Неодобр.* Не видеть главного из-за множества деталей. БМС 1998, 157; Ф 1, 63-64; ШЗФ 2001, 76; БТС, 252, 493.

ДЕРЕВЯ́ННОСТЬ * Сре́дней деревя́нности. *Жарг. мол. Ирон.* О глуповатом человеке. Максимов, 401.

ДЁРГАНЦЫ * Через дёрганцы. *Волг.* Нехотя, лениво (делать что-л.). Глухов 1988, 32.

ДЕРЖА́ВА * Шеста́я держа́ва. *Публ.* О печати, прессе. БМС 1998, 157.

За держа́ву оби́дно. *Разг.* 1. О чувстве огорчения, досады при виде недостатков в стране. 2. Об ущемлении интересов государства. < Слова таможенника Верещагина, героя кинофильма «Белое солнце пустыни» (1969 г.). Дядечко 2, 74.

Держа́вы в рука́х нет *у кого. Пенз.* Кто-л. не может держать в руках что-л. СРНГ 35, 239.

ДЕРЖА́ТЬ * Так держа́ть! *Публ. Одобр.* 1. Призыв идти правильным курсом, держать верную линию, иметь точные ориентиры. 2. Призыв придерживаться прежней правильной линии поведения. БМС 1998, 158.

ДЁРКА * Дать дёрки (дёрку) *кому. Горьк., Твер. Пск.* Побить, выпороть, наказать кого-л. БалСок, 33; СРНГ 7, 257; Мокиенко 1990, 46, 101; ПОС 9, 48.

Драть дёркой. *Морд.* О сильной боли. СРГМ 1980, 18.

ДЕРКА́Ч * Дать деркача́. *Волог.* То же, что **дать дёру 1. (ДЁР).** СРНГ 8, 24.

ДЕРМА́ * Дерма́ драть. *Яросл.* 1. Драть, с большой силой рвать, отрывать, разрывать что-л. 2. То же, что **драть дёром 1. (ДЁРОМ).** ЯОС 3, 130.

ДЁРНИЦА * Через дёрницу. *Морд.* 1. Редко, на значительном расстоянии друг от друга. 2. Небрежно, кое-как. СРГМ 1980, 18.

ДЁРНУТЬ * Дёрнуть вглуху́ю *кого. Жарг. угол.* Убить, расстрелять кого-л. Мильяненков, 113; ББИ, 67; Балдаев 1, 109.

ДЕРО́К * Дать дерка́. *Пск., Твер.* То же, что **дать дёру 1. (ДЁР).** СРНГ 8, 24; Мокиенко 1990, 110.

ДЁРОМ * Дёром подёрнуть. *Ср. Урал.* Зарасти густой травой. СРНГ 8, 5; СРГСУ1, 134.

Драть дёром. 1. *Твер., Яросл.* Громко кричать, плакать, реветь. СРНГ 8, 26; ЯОС 3, 129. 2. *кого. Яросл.* Бить, наказывать кого-л. ЯОС 3, 129. 3. *Костром.* О сильной боли, жжении. СРНГ 8, 26. 4. *Влад.* Быстро, охотно делать что-л. СРНГ 8, 26; Мокиенко 1990, 147, 156.

ДЕРЬМА́ * Дерьма́ драть. *Пск.* 1. Быстро сшивать одежду (о неряшливом человеке). (Карпов). ПОС 9, 50; СРНГ 8, 27. 2. Сильно щипать (о морозе). (Карпов). ПОС 9, 50. 3. Быстро ехать (о лошади). (Карпов). ПОС 9, 50.

ДЕРЬМО́ * Вытаскивать/ вы́тащить из дерьма́ *кого. Вульг.-прост.* Помогать кому-л. в беде, избавлять кого-л. от унизительных, тяжёлых условий существования, неприятной ситуации. Мокиенко, Никитина 2003, 118.

Де́лать/ сде́лать из дерьма́ конфе́тку. *Вульг.-прост.* 1. *Шутл.-одобр.* Делать что-л. хорошее, качественное из плохого материала. 2. *Шутл.-ирон.* Рассказывать о ком-л., о чём-л. плохом, некачественном, выдавая его за хорошее, прекрасное. Мокиенко, Никитина 2003, 118.

Дерьма́ не жа́лко. *Вульг.-прост.* 1. Такого доступного, дешёвого, некачественного материала, предмета жалеть не стоит. 2. *Шутл.-ирон.* Бери, пользуйся (при передаче чего-л. кому-л. в подарок, напрокат). Мокиенко, Никитина 2003, 118.

Дерьма́ своего́ не даст *кто кому. Вульг.-прост. Неодобр.* Об очень скупом человеке, скряге. Мокиенко, Никитина 2003, 118.

Быть (жить, сиде́ть) в дерьме́ [по́ уши]. *Прост. Неодобр.* Находиться в невыносимо трудных, унижающих человеческое достоинство условиях, преступно-застойной атмосфере. Мокиенко 2003, 24.

Ковыря́ться (копа́ться) в дерьме́. *Вульг.-прост. Пренебр. или Презр.* 1. Работать с чём-л. грязным (напр., разгребать навоз). 2. Заниматься неприятным, малопривлекательным и незначительным, малополезным делом. 3. Работать в неприятной обстановке, среди ненужных, незначительных объектов. Мокиенко, Никитина 2003, 118.

На дерьме́ смета́ну собира́ть. *Вульг.-прост. Неодобр.* 1. Получать прибыль при малом усилии или неверным методом. 2. *с кого.* Интенсивно эксплуатировать кого-л. Мокиенко, Никитина 2003, 119.

Дерьмо́ на по́стном ма́сле. *Вульг.-прост. Пренебр.* 1. О чём-л. крайне ничтожном, никчемном, дрянном, не имеющем никакой ценности. 2. О чём-л. абсурдном, ерундовом, пустяковом. Мокиенко, Никитина 2003, 119.

Дерьмо́ пога́ное. *Яросл. Бран.* О подлом, непорядочном человеке. ЯОС, 3, 131.

Дерьмо́ соба́чье. *Вульг.-Прост.* 1. *Пренебр.* О чём-л. плохого качества, ничего не стоящем. 2. *Бран.* О плохом, дрянном человеке. Мокиенко, Никитина 2003, 119.

Исходи́ть/ изойти́ на дерьмо́ (кобыля́чий наво́з). *Сиб. Презр.* Терять рассудок от злобы. ФСС, 89.

Окуна́ть/ окуну́ть в дерьмо́ *кого. Груб.-прост. Неодобр.* То же, что **окунать в говно (ГОВНО).** Мокиенко, Никитина 2003, 119.

Погна́ть дерьмо́ по тру́бам. *Жарг. мол. Неодобр.* Начать интенсивно делать что-л. нежелательное, неправильное. Вахитов 2003, 134.

Хорошо́ дерьмо́ есть *с кем. Вульг.-Прост. Ирон. или Презр.* То же, что **хорошо говно есть (ГОВНО).** Мокиенко, Никитина 2003, 119.

Есть/ съесть с дерьмо́м *кого. Митьк. Неодобр.* Отрицательно высказаться в чей-л. адрес, выругать, оскорбить кого-л., упрекнуть кого-л. в чём-л. Аврора, 1991, № 4, 159.

Зарасти́ оно́ дерьмо́м! *Прост. Бран.* Восклицание досады, раздражения: пусть всё это пропадет. Мокиенко, Никитина 2003, 119.

Сме́шивать/ смеша́ть (сра́внивать/ сравня́ть) с дерьмо́м *кого. Вульг.-прост.* То же, что **смешивать с говном (ГОВНО).** Мокиенко, Никитина 2003, 119.

Сожра́ть (сло́пать, съесть) с дерьмо́м *кого. Вульг.-прост. Неодобр.* То же, что **сожрать с говном (ГОВНО).** Мокиенко, Никитина 2003, 119.

С со́бственным дерьмо́м не расста́нется (не расстаётся). *Вульг.-прост. Презр.* О скупом, крайне жадном человеке. Мокиенко, Никитина 2003, 119.

ДЕРУ́ЩИЙСЯ * Ве́чно деру́щиеся. *Жарг. мол. Шутл.* О двух вафлях «Твикс» в одной упаковке. Максимов, 60.

ДЕРЬМЯ́ * Дерьмя́ драть. *Волог.* 1. Об очень сильном ощущении зуда. 2. То же, что **драть дёром 2. (ДЁРОМ).** СВГ 2, 23.

Дерьмя́ рази́нуть. *Волог.* То же, что **драть дёром 2. (ДЁРОМ).** СВГ 2, 23.

ДЕСА́НТ * Карто́фельный деса́нт. *Публ. Устар.* О группах горожан, помогавших подшефному колхозу или совхозу собирать урожай овощей. НСЗ-80; Мокиенко 2003, 24.

Трудово́й деса́нт. *Публ.* О группах горожан, выполнявших дополнительную трудовую повинность на стройках, лесозаготовках, в сельском хозяйстве по призыву партии. Мокиенко 2003, 24.

ДЕСНА́ * Игра́ть дёснами. *Жарг. мол. Шутл.* Целоваться. Никитина 2003б, 136.

Хлеста́ться (шара́хаться) в десну́. *Жарг. мол. Шутл.* То же, что **играть дёснами.** h-98.

Би́ться (долби́ться) в дёсны. *Жарг. мол. Шутл.* То же, что **играть дёснами.** Никитина 2003б, 132; Максимов, 35.

Суши́ть дёсны. *Жарг. мол.* Улыбаться, смеяться. Максимов, 412.

Уда́рить (уда́риться) в дёсны. *Жарг. мол. Шутл.* Поцеловаться. Вахитов 2003, 135; Максимов, 56.

ДЕ́СПОТ * Вели́кий де́спот. *Жарг. шк.* Директор школы, техникума. ВМН 2003, 43.

ДЕСЯТИ́НА * Госуда́рева десяти́на. *Забайк.* Мера земли, равная 1,5 гектарам. СРГЗ, 94.

Калмы́цкая десяти́на. *Самар.* Мера земли — 100 саженей в длину и 40 в ширину. СРНГ 12, 363.

Проложи́ть десяти́ну. *Прибайк.* Произвести сложный арифметический расчёт. СНФП, 56.

ДЕСЯ́ТКА * Кача́лова деся́тка. *Пск.* 1. *Пренебр.* О пьянице, моте. 2. О смелом, отчаянном человеке. 3. Об озорнике. СРНГ, 13, 142; ПОС 14, 60.

Вы́бросить (вы́кинуть) из деся́тки. См. **Выбросить из десятка (ДЕСЯТОК).**

Попада́ть/ попа́сть в деся́тку. *Разг.* 1. Делать что-л. очень точно. 2. Подбирать очень точные, меткие слова, рассказывая о чём-л. 3. Очень точно угадывать, отгадывать что-л. < Из речи военных или стрелков-спортсменов, где **десятка** — центр мишени. Мокиенко 2003, 24.

ДЕСЯ́ТОК * Бо́йкого деся́тка. *Волг. Одобр.* О смелом, решительном человеке. Глухов 1988, 4.

Вы́бросить (вы́кинуть) из деся́тка (из деся́тки) *кого, что. Волг., Дон.* Отвергнуть кого-л., что-л. как ненужное. СДГ 1, 84.

Из деся́тка не вы́бросишь (не вы́кинуть) *кого, что. Разг. Устар.; Волг., Перм.* О ком-л., о чём-л. важном, ценном, значительном. Ф 1, 94; Глухов 1988, 96; Подюков 1989, 35.

Не из ро́бкого (трусли́вого) деся́тка. *Разг. Одобр.* О смелом, отважном, решительном человеке. ДП, 268; БМС 1998, 158; ФСРЯ, 139. **Не робли́вого деся́тка.** *Пск. Одобр.* То же. ПОС, 9, 55. **Нетру́сова деся́тка.** *Дон. Одобр.* То же. СДГ 2, 183; СДГ 3, 163.

Не [из] храброго десятка. *Разг. Неодобр.* Несмелый, боязливый. БТС. 1453; ФСРЯ, 139.

Из десятку не выбросишь. *Сиб. Одобр.* О человеке, ни в чём не уступающем другим. ФСС, 34; СФС, 84; СБО-Д1, 79.

Не барского десятку. *Сиб.* О человеке, не отличающемся знатным происхождением. ФСС, 60.

Косой десяток *чего. Волг., Морд. Шутл.* О большом количестве чего-л. Глухов 1988, 77; СРГМ 1980, 20.

Разменять десяток *какой. Разг.* Начать жить очередное десятилетие своей жизни (о преклонном возрасте). Ф 2, 116.

ДЕТИ * Детей не крестить *кому с кем. Разг.* Не предвидится или нет коротких, близких, приятельских отношений между кем-л. ДП, 261; ФСРЯ, 212.

Пойти на детей. *Том., Амур.* Выйти замуж или жениться на человеке, имеющем детей. СРНГ 28, 359.

Продавать своих детей. *Пск.* Делать аборт. ПОС 9, 58.

Топить детей в ванне. *Жарг. мол. Шутл.* Заниматься онанизмом. Максимов, 54.

Богоданные дети. *Яросл.* 1. Невестка и зять. 2. Приёмные дети. ЯОС 2, 6.

Брать/ взять в дети *кого. Сиб.* Усыновлять детей. ФСС, 15.

Вскормлённые дети. *Дон.* То же, что **богоданные дети 2.** СДГ 1, 80.

Двойные дети. *Кар.* Двойня. СРГК 1, 457.

Девьи (девкины) дети. *Сиб.* Внебрачные дети. ФСС, 60.

Дети Адама. *Книжн.* Люди. ЗС 1996, 25.

Дети вяжутся. *Кар.* 1. О наступлении беременности. СРГК 2, 101. 2. Дети рождаются один за другим, каждый год. СРГК 1, 319.

Дети XX съезда. *Публ. Патет.* Поколение конца 50-х — начала 60-х годов. Немировская, 460.

Дети капитана Гранта. *Жарг. студ. Шутл.* Кафедра географии; преподаватели географии. (Запись 2003 г.).

Дети лейтенанта Шмидта. *Разг. Ирон.* О мошенниках, аферистах, самозванцах, выдающих себя за потомков великих людей. Дядечко 2, 17. <Из романа И. Ильфа и Е. Петрова "Золотой теленок" (1931 г.): бродяги и аферисты выдавали себя за детей революционера лейтенанта Шмидта. Мокиенко, Никитина 1998, 161.

Дети партии. *Публ. Патет.* Комсомольцы, комсомол. Мокиенко, Никитина 1998, 161.

Дети подземелья. 1. *Разг.* О беспризорных, предоставленных самим себе детях. Дядечко 2, 18. 2. *Жарг. шк. Шутл.-ирон.* Ученики, школьники. (Запись 2003 г.). 3. *Жарг. студ. Шутл.-ирон.* Студенты в общежитии. (Запись 2003 г.). < Название рассказа В. Короленко.

Жизнерадостные дети совка. *Жарг. угол., арест. Шутл.-ирон.* Психически больные. Балдаев 1, 130. < **Совок** — Советский Союз.

Красные дети. 1. *Народн. Одобр.* Хорошие, послушные дети, добрые помощники в семье. БМС 1998, 158-159. 2. *Яросл.* Сын и дочь, когда они единственные у родителей. ЯОС 5, 86; СРНГ 8, 37.

Кухаркины дети. *Публ. Устар. Пренебр.* Дети малоимущих классов населения. ЗС 1996, 29, 256. < Из циркуляра министра просвещения И. Д. Делянова от 1887 г. БМС 1998, 159.

Не дети задавили *кого.* 1. *Сиб.* О небольшой семье. ФСС, 60. 2. *Волг.* Об одиноком, свободном человеке. Глухов 1988, 97.

Отдавать/ отдать в дети *кого. Прибайк.; Сиб. Устар.* Отдавать на усыновление, на воспитание в чужую семью. СНФП, 56; ФСС, 128.

Пускать/ пустить в дети *кого. Забайк.* То же, что **отдавать в дети.** СРГЗ, 341.

Сукины (сучьи) дети. *Прост. Бран.* Выражение презрения, резкого осуждения кого-л. за что-л. Ф 1, 162-163; Мокиенко, Никитина 2003, 120.

Титовы дети. *Книжн. Устар. Презр.* Идиоты, крайние тупицы. БМС 1998, 159; Мокиенко 1989, 171-172. < Оборот связан с именем римского императора Тита Ливия Веспасиана (9–79 г. н. э.), ставшего героем русской трагедии Я. Княжнина «Титово милосердие» (1778 г.). В XVIII–нач. XIX вв. это имя стало нарицательным обозначением правителя, императора и подверглось народному переосмыслению: "злой, несправедливый царь", "глупый и недальновидный правитель", "прожженный лоботряс и дармоед". Мокиенко, Никитина 2003, 120.

Тройные дети. *Одесск.* Совместные дети при наличии неродных = детей от второго брака. КСРГО.

Хамовы дети. *Прост. Бран.* О наглых, нахальных людях (особенно — низкого, «подлого» происхождения). Мокиенко, Никитина 2003, 120.

Обвешаться детьми. *Новг.* Иметь много детей. НОС 6, 81.

ДЕТИШКИ * Детишкам на молочишко. *Разг. Шутл.* Очень немного (получать, зарабатывать — о ничтожно малых доходах). БМС 1998, 159. Ср. **ребятишкам на молочишко.**

ДЕТКИ * Обселиться детками. *Смол.* Обзавестись детьми. СРНГ 22, 231.

Детки в клетке. 1. *Разг. Шутл.* О детях, ведущих себя слишком шумно. Дядечко 2, 19. 2. *Жарг. шк. Шутл.* Ученики в классе. (Запись 2003 г.). < По названию стихотворения С. Маршака (1923 г.).

ДЕТСТВО * В детстве мамка ушибла *кого. Прост. Ирон.* О слабоумном человеке. < Из комедии Н. В. Гоголя «Ревизор». БМС 1998, 159.

Впадать/ впасть в детство. *Разг.* 1. *Ирон.* Терять рассудок от старости. 2. *Неодобр.* Поступать неразумно, как дети. ФСРЯ, 81; ЗС 1996, 316.

Входить/ войти в детство. *Брян.* То же, что **впадать в детство 1.** СБГ 5, 19.

Детство в жопе играет *у кого. Вульг.-прост. Неодобр.* О ведущем себя несерьёзно, легкомысленно, по-детски человеке. Мокиенко, Никитина 2003, 121.

ДЕЦЕЛ * Приколоться по децелу. *Жарг. мол.* Выпить немного спиртного. Вахитов 2003, 147.

ДЕЦИБЕЛЫ * Сбавить децибелы. *Жарг. мол.* Перестать кричать, начать говорить тише. Максимов, 375.

ДЕШЁВКА * Дешёвка буду, (если не...). *Жарг. угол.* Клятвенное заверение в исполнении обещанного. Мокиенко, Никитина 2003, 121.

ДЁШЕВО * Дёшево называть *кого. Сиб.* Общаться с кем-л. запанибрата. ФСС, 118.

И дёшево и сердито. *Разг. часто Шутл.* О том, что вполне доступно по цене и имеет достоинства чего-л. добротного, дорогого. Жук. 1991, 102; ЗС 1966, 78; ШЗФ 2001, 67; ФСРЯ, 139; БМС 1998, 159-160.

ДЖА * Джа экспресс. *Жарг. нарк.* Вдувание гашишного дыма в рот другому лицу. DL, 70. < **Джа** — гашиш.

ДЖЕК * Окрестить Джека. *Жарг. угол.* Выгравировать номер, вензель, надпись на краденых часах. СРВС 1, 204; СРВС 2, 61, 195; ТСУЖ, 48. // Уничтожить фабричный номер или надпись на краденой вещи и поставить вымышленный. Балдаев 1, 290; ТСУЖ, 121.

Над Дже́ком прочита́ть моли́тву. *Жарг. угол.* Вынуть механизм из краденых часов. СРВС 1, 205; ТСУЖ, 112.

ДЖЕНТЛЬМЕ́Н * Джентльме́ны уда́чи. 1. *Разг. Ирон.* О пиратах. БМС 1998, 160. 2. *Разг. Ирон.* Об авантюристах, обманщиках, жуликах. 3. *Разг. Шутл.* Об удачливых людях. Ф 1, 163; Дядечко 2, 23. 4. *Жарг. арм. Шутл.* Дежурные на контрольно-пропускном пункте. БСРЖ, 157. 5. *Жарг. шк. Шутл.* Ученики, которых не вызвали отвечать. (Запись 2003 г.). < Выражение связано с романом Р. Л. Стивенсона «Остров сокровищ» (1883), популярности его в русском языке способствовала кинокомедия «Джентльмены удачи» по сценарию В. Токаревой и Г. Данелия (1971).

ДЖЕФ * Дойти́ (доползти́) до Дже́фа. *Жарг. Накр. Шутл.* Сходить в аптеку за эфедрином; сходить в аптеку за таблетками, которые могут использоваться как наркотики. БСРЖ, 157. < **Джеф** — эфедрин (капли от насморка).

Сходи́ть к Дже́фу. *Жарг. Нарк. Шутл.* То же, что **дойти до Джефа.** БСРЖ, 157.

ДЖИНН * Вы́пустить джи́нна [из буты́лки]. 1. *Разг.* Дать неограниченную свободу злым силам. БТС, 179. 2. *Жарг. мол. Шутл.* Выпустить газы из кишечника. Максимов, 76.

ДЖО * Джо ко́кнул. *Жарг. мол. Шутл.* Певец Джо Кукер (Joe Cocker). Я — молодой, 1997, № 24.

Одино́кий Джо (Бжо). *Жарг. шк. Шутл.* Учитель ОБЖ — основ безопасности жизнедеятельности. (Запись 2003 г.).

Одногла́зый Джо. *Жарг. студ. (ист.). Шутл.* Полководец М. И. Кутузов. (Запись 2003 г.).

ДЖОН * Волоса́тый Джон. *Жарг. мол. Шутл.* Пенис. Максимов, 98.

Джон Булль. *Книжн. Шутл.* 1. Прозвище англичанина. 2. Шутливое название Англии. БМС 1998, 160.

Позвони́ть Джо́ну. *Жарг. мол. Шутл.* Сходить в туалет. Никитина 1996, 49.

Сходи́ть к Джо́ну. *Жарг. мол. Шутл.* То же, что **позвонить Джону.** БСРЖ, 157.

ДЖО́НКА * Под джо́нкой. *Жарг. арест.* В головном уборе (о заключённом). Быков, 63. < **Джонка** — мужской головной убор; фуражка.

ДЖО́НСОН * Прове́дать Джо́нсона. *Жарг. мол. Шутл.* То же, что **позвонить Джону (ДЖОН).** Никитина 1998, 107.

Сходить к Джонсону. *Жарг. мол. Шутл.* То же, что **позвонить Джону (ДЖОН).** Никитина 1998, 107.

ДЖОХ * Дать джо́ху *кому. Курск.* Побить, избить кого-л. БотСан, 91.

ДЖУЗЕ́ППЕ * Джузе́ппе Да́ун. *Жарг. мол. Пренебр.* Об очень глупом человеке. h-98.

ДЖУ́НГЛИ * Джу́нгли КПСС. *Разг. Устар. Шутл.-ирон.* Музей Октябрьской революции по ул. Куйбышева, 2-4 в Ленинграде (1970–1980-е гг.), ныне Музей политической истории России. Синдаловский, 2002, 60.

ДИАФРАГМА * Вспоро́ть диафра́гму. *Жарг. крим.* Проломать проволочное заграждение. Хом. 1, 278.

ДИВА́Н * Лета́ющий дива́н. *Жарг. мол. Шутл.* Старый автомобиль. Никитина 1998, 108.

ДИВИ́ЗИЯ * Голуба́я диви́зия. *Жарг. мол. Шутл.-ирон.* 1. Милиция, внутренние войска. ФЛ, 103. 2. Компания гомосексуалистов. УМК, 78.

ДИ́ВО * Выходи́ть из див. 1. *Прибайк.* Удивляться, испытывать удивление. СНФП, 56. 2. *Яросл.* Бесследно исчезать. ЯОС 4, 133.

Из ди́ва вон вы́йти. *Кар.* То же, что **диву даваться.** СРГК 1, 226.

Пропа́сть с ди́ва. *Перм., Прикам., Тобол., Том.* То же, что **диву даваться.** МФС, 82; Подюков 1989, 165; СРНГ 8, 50.

Сда́ться с ди́ва. *Ряз.* То же, что **диву даваться.** ДС, 142.

Войти́ в ди́во. *Кар.* Удивиться. СРГК 1, 221.

Ди́во берёт *кого. Морд., Перм.* Кто-л. удивляется. СРГМ 1980, 21; Подюков 1989, 63.

Ди́во ди́вное. *Народн.* Что-л. удивительное. Горьк. БалСок, 33.

Ди́во дивова́ть. *Орл.* Смотреть на что-л. необычное, удивительное. СРНГ 8, 50.

Ди́во диву́щее *чего. Перм., Прикам.* О большом количестве чего-л. СГПО, 135; МФС, 33.

На ди́во. 1. *Разг. Одобр.* Очень хороший, отличный. ФСРЯ, 139. 2. *Разг. Одобр.* Очень хорошо, отлично. ФСРЯ, 139. 3. *Пск.* Очень редко. СПП 2001, 35.

На ди́во голове́. *Одесск.* О чём-л. удивительном, интересном. КСРГО.

Ди́вом подиви́ться. *Сиб.* То же, что **диву даваться.** ФСС, 140; СРНГ 28, 24.

Ди́ву дава́ть. *Кар.* То же, что **диву даваться.** СРГК 1, 419.

Ди́ву дава́ться. *Разг.* Сильно удивляться, изумляться, недоумевать. ФСРЯ, 140; БТС, 240; ШЗФ 2001, 67; БМС 1998, 160; ПОС 9, 66. **С ди́ву дава́ться.** *Орл.* То же. СОГ 1990, 57.

Ди́ву дивова́ться. *Пск.* То же, что **диву даваться.** СПП 2001, 35.

ДИВЬЁ * В дивьё *кому что. Пск.* Удивительно. СРНГ 8, 52.

Не дивьё *кому что. Кар.* Не удивительно. СРГК 1, 459.

ДИВОВЕ́Ц * В дивове́ц *кому что. Новг.* То же, что **в дивьё (ДИВЬЁ).** НОС 2, 86.

ДИ́ВОЧКА * В ди́вочку вда́ться (пасть, уда́риться, подиви́ться). *Сиб.* То же, что **диву даваться.** ФСС, 23.

ДИ́ВУШКА * Ди́вушкой диви́ться. *Алт.* То же, что **диву даваться.** СРГА, 2-1, 28.

ДИДЖЕ́Й * Про диджея́. *Жарг. мол. Шутл.* Панк-группа "Prodigy". Я — молодой, 1997, № 46. < **Диджей** — диск-жокей в дискотеке, на радио.

ДИЕ́З * Попа́сть за дие́зы. *Жарг. муз., угол.* Попасть в заключение. СВЯ, 33. < От названия нотного знака, напоминающего решётку.

ДИЕ́ТА * Быть на дие́те. *Жарг. мол. Шутл.* Временно прекратить употребление нецензурных выражений. БСРЖ, 158.

Сесть на дие́ту. *Жарг. угол., арест. Ирон.* 1. Попасть в карцер, штрафной изолятор. 2. Быть осуждённым к лишению свободы за хищение. Балдаев 2, 237.

ДИКА́РЬ * Оди́н среди́ дикаре́й. *Жарг. шк. Ирон.* Новый ученик в классе. ШП, 2002.

Дика́рь овся́ный. *Перм., Прикам. Ирон. или Пренебр.* Ненужный, бесполезный человек. МФС, 33; СГПО, 136.

Дика́рь тебя́ возьми́. *Обл. Бран.* Восклицание, выражающее досаду, раздражение. Мокиенко 1990, 27.

ДИКО́ВИНА * Э́ка дико́вина — ры́ба сиго́вина. *Народн.* О чём-л. обычном, общеизвестном. ДП, 571.

Вообража́ть таку́ю дико́вину. *Сиб. Неодобр.* То же, что **ставить из себя диковину.** ФСС, 30.

Ста́вить из себя́ дико́вину. *Волг. Неодобр.* Зазнаваться, вести себя высокомерно. Глухов 1988, 154.

ДИКО́ВИНКА * Ста́вить из себя́ дико́винку. *Горьк.* Важничать. БалСок, 54.

ДИКО́ВКА (ДИКО́ФКА) * Быть на дико́вке (на дико́фке). *Жарг. угол.* 1. Голодать; испытывать нужду в деньгах. 2. Бездельничать. ТСУЖ, 27, 112. < От **дикофт, дикофта** — нужда в деньгах; полуголодная жизнь.

ДИКО́ФТ (ДИКО́ФТА) * Быть на дико́фте. *Жарг. угол.* Голодать. Балдаев 1, 51.

Шпи́лить дико́фт. *Жарг. угол.* То же, что **быть на дикофте**. Балдаев 1, 110; Мильяненков, 113; ББИ, 68.

ДИКТАТУ́РА * Диктату́ра пролетариа́та. *Жарг. шк. Шутл.-ирон. Двойка за диктант.* ВМН 2003, 43.

ДИНА́МО (ДИНА́МА) * Де́лать/ сде́лать дина́мо. *Жарг. мол. Шутл.-ирон.* Бежать, убегать откуда-л. Я — молодой, 1998, № 2, № 8.

Крути́ть (дви́гать, заряжа́ть) дина́мо (дина́му) *[кому]*. 1. *Жарг. угол., мол.* Обманывать кого-л. ТСУЖ, 48; DL, 131; СРВС 4, 23; Быков, 63; Елистратов 1994, 112. 2. *Жарг. угол.* Не уплачивать проигранную сумму. СРВС 4, 7, 75, 104, 135; СВЖ, 4; Мильяненков, 114; ББИ, 68; Балдаев 1, 111. 3. *Жарг. угол.* Утаивать от соучастников часть краденого. Мильяненков, 114; ББИ, 68; Балдаев 1, 110; ТСУЖ, 67. 4. *Жарг. угол.* Проведя вечер с мужчиной в ресторане, исчезать, скрываться, не расплатившись и проигнорировав ухажера (действия мошенницы). Мильяненков, 114; ББИ, 68; Балдаев 1, 110. 5. *Жарг. мол.* Не выполнять своих обещаний. Никитина 1998, 109. < **Динамо** — обман.

Крутну́ть дина́мо. *Жарг. мол.* Достать денег у кого-л. СМЖ, 91.

Дви́гать/ дви́нуть дина́му. *Жарг. угол. Неодобр.* Украсть что-л. у своих товарищей. СРВС 3, 188, 227.

Засади́ть дина́му. *Жарг. угол.* Проиграть в карты на честное слово, без денежного обеспечения. СРВС 3, 88. < **Динама** — проигрыш, не обеспеченный деньгами.

ДИП * Дип пёрднул. *Жарг. мол. Шутл.* Рок-группа "Дип Пёпл" — Deep Purple. АиФ, 1999, № 5.

ДИПЛОМА́ТИЯ * Диплома́тия каноне́рок. *Публ. Неодобр.* Политика грубого нажима, угрозы применить военную силу (о действиях западных держав и особенно США). НРЛ-81; Мокиенко 2003, 24.

Челно́чная диплома́тия. *Публ., Полит.* Деятельность, направленная на организацию переговоров, происходящих поочередно в каждой из договаривающихся стран. Мокиенко 2003, 25.

ДИРА́. См. **ДЫРА́**

ДИРА́К * Дать дирака́. *Перм.* Убежать откуда-л., скрыться. Подюков 1989, 57; Мокиенко 1990, 110.

ДИРЕ́КТОР * Дире́ктор ки́слых щей. 1. *Горьк. Пренебр.* О мелком руководителе, не пользующемся авторитетом. БалСок, 33. 2. *Волг. Пренебр.* О глупом человеке, претендующем на признание. Глухов 1988, 136.

Дире́ктор Пле́шки. *Жарг. гом. Шутл.-ирон.* Памятник Карлу Марксу на проспекте Маркса в Москве, напротив сквера у Большого театра — места сбора гомосексуалистов, именуемого Плешкой. Кз., 46; ЖЭСТ-2, 234.

Дире́ктор по по́лу. *Жарг. шк. Шутл.-ирон.* Школьная уборщица. (Запись 2003 г.).

Дире́ктор Советского Сою́за. *Жарг. шк. Шутл.-ирон.* Всезнайка, эрудит. Максимов, 112.

Дире́ктор по земле́. *Пск.* Геолог. ПОС 9, 72.

ДИРКА́ * Дать (зада́ть) дирка́. *Перм., Прикам., Пск.* То же, что **дать дёру (ДЁР).** МФС, 30; СГПО, 128; СРНГ 8, 66.

ДИРКАША́ Дать (зада́ть) диркаша́. *перм., Урал.* То же, что **дать дёру (ДЁР).** СРНГ 8, 66.

ДИРЯ́. См. **ДЫРА́.**

ДИСК * Диск отформати́ровать *кому. Жарг. комп. Шутл.* Избить кого-л. (чаще — как угроза). КА, 1999.

Прокрути́ть диск. *Жарг. угол.* Разведать что-л. Балдаев 1, 358.

ДИСКОВО́Д * Заткни́ дисково́д! *Жарг. мол. Груб.* Требование замолчать. (Запись 2004 г.).

ДИСКРИМИНА́НТ * Дискримина́нт пе́рекись твою́ Нью́тона! *Жарг. студ. Бран.-шутл.* Выражение досады, раздражения. Вахитов 2003, 48.

ДИ́ССЕР * Мета́ть ди́ссер перед сви́ньями. *Жарг. асп. Шутл.-ирон.* Вкладывать слишком много сил в работу над диссертацией. Максимов, 247.

ДИСТА́НЦИЯ * Сходи́ть/ сойти́ с диста́нции. *Публ.* 1. Выбывать из числа участников конкурса, олимпиады и т. п. НСЗ-80. 2. Переставать участвовать в каком-л. деле, отходить от дел (из-за усталости, возраста и т. п.). Мокиенко 2003, 25; Ф 2, 196.

Диста́нция (диста́нции) огро́много разме́ра. *Разг. часто Шутл.* О больших различиях между явлениями, событиями, людьми. ШЗФ 2001, 67. < Фраза полковника Скалозуба из комедии А. С. Грибоедова «Горе от ума». БМС 1998, 160.

ДИСЦИПЛИ́НА * Дава́ть дисципли́ну *кому. Одесск.* Держать кого-л. в строгости, сурово обращаться с кем-л. КСРГО.

Дать дисципли́ну *кому. Приамур., Сиб.* Воспитать кого-л. в строгих правилах. ФСС, 53; СРГПриам., 69.

ДИТЯ́ (ДИТЁ) * Вдо́вье дитё. *Арх.* Сирота. АОС 3, 68.

Дитя́ затѐрянного ми́ра. *Жарг. шк. Шутл.-ирон.* Учительница литературы. (Запись 2003 г.).

Дитя́ приро́ды. 1. *Разг. часто Шутл.-ирон.* Естественный, непосредственный человек. Ф 1, 163. 2. *Жарг. шк. Шутл.* Учительница биологии. (Запись 2003 г.).

Запе́чное дитя́. *Яросл.* О старом, больном, слабом или ленивом человеке, проводящем большую часть времени на печке. ЯОС 4, 92.

Колыбе́льное дитя́. *Яросл.* Грудной ребёнок. ЯОС 5, 55.

Крова́тное дитя́. *Яросл. Фольк. Шутл.* муж, супруг. ЯОС 5, 91.

Лесова́я дитя́. *Кар. Неодобр.* Упрямый, непослушный, неконтактный ребёнок. СРГК 3, 117.

ДИ́ТЯТКА * Богода́нная ди́тятка. *Кар.* Невестка. СРГК 1, 161.

ДИ́ТЯТКО * Богода́нное ди́тятко. *Яросл.* Зять. ЯОС 2, 6.

Кро́вное ди́тятко. *Яросл. Ласк.* Обращение к ребёнку. ЯОС 5, 91.

ДИФИРА́МБЫ * Петь (распева́ть) дифира́мбы *кому, чему. Разг. Неодобр.* Чрезмерно восхвалять, превозносить кого-л., что-л. БТС, 829; БМС 1998, 160-161.

ДИЧО́К * Попо́вский дичо́к. *Дон.* Одуванчик. СДГ 3, 42.

ДИЧЬ * Дичь ла́герная. *Жарг. арест. Презр.* Притесняемые заключённые в ИТК. ББИ, 68; Балдаев 1, 111.

Нести́ (поро́ть) дичь. *Прост. Неодобр.* Говорить вздор, ерунду. ДП, 203; СРНГ 30, 82; ФСРЯ, 276.

Обрасти́ ди́чью. *Пск.* Зажить (о ране). (Запись 1999 г.).

Охо́титься за ди́чью. *Жарг. угол.* Воровать домашнюю птицу. СРВС 2, 35, 176; ТСУЖ, 126.

ДК * ДК и́мени о́тчества. *Разг. Шутл.* Дом культуры им. Ильича в Ленинграде — Санкт-Петербурге. (Московский пр., 152). Синдаловский, 2002, 61. < ДК — дом культуры.

ДНЕВА́ЛЬНЫЙ, * Днева́льный! Пода́й стано́к еба́льный! *Жарг. арм. Шутл.* Требование немедленно доставить что-л. < Из солдатского юмора. **Ебальный станок** — женщина.

ДНЕВА́ТЬ * Днева́ть и ночева́ть *где. Разг.* Постоянно находиться, часто бывать, проводить где-л. время. ФСРЯ, 140; Глухов 1988, 35; БМС 1998, 161.

ДНИ́ЩЕ * Дни́ще выхо́дит. *Кар.* О весенней распутице, бездорожье. СРГК 1, 311, 463.

ДНО * Без дна без покры́шки. *Алт. Шутл.* Бездонный, очень глубокий (об озере). СРГА 1, 51.

До дна. 1. *Разг.* Целиком, полностью (испытать, использовать). ФСРЯ, 140. // (сжечь). ПОС, 9, 78. 2. *Кар.* Досконально. СРГК 1, 463.

До дна ма́слян. *Народн. Одобр.* О человеке, хорошем во всех отношениях. ДП, 304. **До дна ма́сляный.** 1. *Вят. Неодобр.* О неприветливом человеке. СРНГ 8, 13. 2. *Арх., Печор. Неодобр.* Об ограниченном человеке. СРНГ 8, 13, 72.

Достава́ть/ доста́ть со дна мо́ря (морско́го) *что. Разг.* Добывать что-л. любыми средствами, любыми способами. БТС, 556, 558; Ф 1, 171.

И со дна не быва́ло. *Волг.* Об отсутствии чего-л. Глухов 1988, 60.

Не до дна ма́сляный. 1. *Волг.* Не идеальный, не без недостатков. Глухов 1988, 97. 2. *Печор.* О глупом, ограниченном человеке. СРГНП 1, 407.

Посла́ть со дна ры́бу лови́ть *кого. Народн. Шутл.-ирон.* Утопить кого-л. ДП, 278.

[Чтоб тебе́, ему́ и т. п.**] ни дна ни покры́шки**! *Прост. Бран.* Пожелание неудачи, несчастья. ДП, 750; ФСРЯ, 140; БТС, 897; БМС 1998, 161; ПОС 9, 79. **Ни дна ни покры́шки ни ве́рхней доски́!** *Новг.* То же. Сергеева 2004, 25. **Ни дна ни покры́шки, ни ды́ху, ни передышки!** *Народн. Бран.* То же. ДП, 267. **Ни дна ни покры́шки, ни от беды́ передышки!** *Народн. Бран.* То же. ДП, 140.

На дне. *Публ.* В деклассированной среде, в самом низу социальной лестницы. ФСРЯ, 140. < От названия пьесы М. Горького «На дне». БМС 1998, 161.

Вы́дуть дно из ду́дки. *Сиб. Ирон.* Добиться чего-л. назойливыми просьбами, требованиями. ФСС, 35.

Дно вида́ть. *Морд. Шутл.-ирон.* О жидком супе. СРГМ 1980, 23.

Загля́дывать на дно стака́на. *Волг.* Пить спиртное, пьянствовать. Глухов 1988, 46.

Золото́е дно. 1. *Разг.* О богатом, неисчерпаемом источнике дохода. ФСРЯ, 141; ЗС 1996, 92. 2. *Пск.* О богатом крае, районе. СПП 2001, 35.

Ложи́ться/ лечь (зале́чь) на дно. 1. *Разг.* Затаиваться, не появляться где-л., не проявлять себя некоторое время. Мокиенко 2003, 25; БТС, 330. 2. *Разг.* Скрывать свою подлинную сущность. Мокиенко 2003, 25. 3. *Жарг. шк. Шутл.* Пропускать урок без уважительной причины. ВМН 2003, 44.

Идти́/ пойти́ на дно. *Прост. Устар., Пск.* Беднеть, разоряться. Ф 1, 219; ПОС 9, 78.

Пойти́ на дно ра́ков лови́ть. *Народн. Шутл.-ирон.* Утонуть. ДП, 278.

Провали́ться сквозь дно. *Пск.* Надолго уйти куда-л. СПП 2001, 35.

Вверх дном. *Разг.* В беспорядке; не так, как надо. ДП, 517, 582; ФСРЯ, 56; Ф 2, 51, 180.

С двойны́м дном. 1. *Разг. Неодобр.* О двуличных, неискренних, утаивающих что-л. людях. 2. *Публ. Неодобр.* О политике, пропаганде и т. п., характеризующихся двойственностью, двуличностью, коварством. Мокиенко 2003, 25.

Клюк ко дну. *Брян. Шутл.-ирон.* О безвозвратной пропаже. СБГ 5, 22.

Пойти́ ко дну. *Разг.* 1. Утонуть. 2. Погибнуть. Ф 2, 64.

ДО * До ре ми́ до ре́ до. *Жарг. муз. Бран.-шутл.* Да пошел ты на ... < Ритмический намек на бранное выражение. Никитина 1998, 110.

ДО́БА * Твою́ до́бу! *Брян. Бран.* Восклицание, выражающее гнев, негодование. СБГ 5, 23.

ДОБА́ВКА * Идти́/ пойти́ на (в) доба́вки. *Дон.* Идти на военную службу по дополнительному призыву после основного набора. СДГ 1, 132.

ДО́БЛЕСТЬ * Подхвати́ тебя́ лиха́я до́блесть! *Курск. Бран.* Восклицание, выражающее гнев, раздражение. СРНГ 28, 236.

ДО́БРО * Ни до́бро ни ли́хо. *Коми.* Никаким способом, никакими средствами (о невозможности договориться с кем-л. о чём-л., уговорить кого-л.). Кобелева, 62.

ДОБРО́[1] * До́брого добра́ *кому*! *Яросл.* Приветствие гостю. ЯОС 4, 7.

Из добра́ дерьмо́м оказа́ться. *Прибайк.* Не оправдать надежд, проявить себя хуже, чем ожидалось. СНФП, 58.

Ми́лого добра́. *Сиб. Одобр.* Хороший, высокого качества. СФС, 105; ФСС, 61.

С добра́. *Сиб.* 1. *Олон., Приамур.* С согласия родителей (выходить замуж). СРНГ 28, 359; СРГПриам., 267; ФСС, 61. 2. По-хорошему. ФСС, 61.

Добре́ сказа́ть. *Ряз.* Пожалуй. ДС, 143.

Ни в добре́ ни в сла́ве. *Сиб. Ирон.* О жизни в нищете, в нужде, в бедах и горестях. ФСС, 61.

Бе́лое добро́. *Перм.* Сахар. СГПО, 138.

Войти́ в добро́. *Горьк.* Установить хорошие отношения с кем-л. БалСок, 25.

Дава́ть/ дать добро́. *Разг.* Давать согласие, разрешать, одобрять. БМС 1998, 162; Ф 1, 132.

Добро́ пожа́ловать! *Разг.* Вежливое приветствие и гостеприимное приглашение прийти, приехать, войти в дом и т. п. ФСРЯ, 141; БМС 1998, 161.

Не на добро́. *Кар.* К беде, к несчастью. СРГК 1, 465.

Одно́ [да] добро́. *Дон.* 1. Одно и то же. 2. Только и всего, ничего другого. СДГ 2, 199.

Получа́ть/ получи́ть добро́. *Разг.* Получать разрешение, согласие на что-л., одобрение. БМС 1998, 162.

Чужо́е добро́ подпира́ет ребро́ *кому. Смол. Неодобр.* О зависти человека к достатку другого. СРНГ 28, 137.

Брать / взять добро́м. *Крив., Приамур.* Сватать невесту, брать в жены с согласия родителей. СРГПриам., 30; СРНГ 8, 78.

Жить чужи́м добро́м. *Морд.* Жить за чужой счёт. СРГМ 1980, 60.

Идти́ добро́м. *Кем.* Выходить замуж с согласия родителей. СКузб., 88.

Куда́ с добро́м. 1. *Прост. Одобр.* О чём-л. отличном, превосходном. Ф 1, 164; СРГА 2-II, СРНГ 15, 395; 115; СНФП, 58; Верш. 4, 362; ФСС, 61. 2. *Перм., Сиб. Одобр.* Очень хорошо, прекрасно. СРНГ 15, 395; СРНГ 36, 8; Подюков 1989, 63; СФС, 96; ФСС, 61. 3. *Прикам.* Выражение сомнения. МФС, 33. 4. *Прибайк.* Выражение удивления. СНФП, 58.

Добро́м помина́ть *кого. Разг.* Испытывать благодарность к кому-л. и проявлять ее. Сл. Акчим. 1, 241.

Не перед добро́м. *Перм.* То же, что **не к добру.** Сл. Акчим. 1, 241.

Ни добро́м ни ли́хом. *Кар.* Ни уговорами, ни силой (о невозможности добиться чего-л. от кого-л.). СРГК 3, 132.

С добро́м. 1. *Башк., Ср. Урал.* То же, что **с добра 1.** СРГБ 1, 65; СРГСУ 1, 70. 2. *Сиб. Одобр.* Хороший, высокого качества. ФСС, 61.

Не к добру́. *Разг.* К беде, к несчастью. ФСРЯ, 141; Сл. Акчим. 1, 241.

ДО́БРЫЙ * Будь добр (бу́дьте добры́)! *Разг.* Этикетная формула вежливости, вежливое обращение к кому-л. с просьбой сделать что-л. ФСРЯ, 141; БМС 1998, 161.

Своё до́брое. *Ряз.* Нажитое своим трудом. ДС, 144.

Войти́ в (на) до́брые (до́бры). *Алт., Барнаул., Волг., Кар., Пинеж., Сиб., Ср. Урал* Заслужить чьё-л. расположение, симпатию, установить хорошие отношения с кем-л. СРГА 1, 165; СРНГ 5, 34; СРНГ 8, 80; Глухов 1988, 13; СРГК 1, 221; СФС, 34; ФСС, 30; СРГСУ 1, 68.

Не в до́брых. *Сиб.* На плохом счету. ФСС, 61.

ДОБРОВО́ЛЕЦ * Кита́йский доброво́лец. *Жарг. угол., Разг. Шутл.-ирон.* Трудолюбивый, исполнительный работник. Балдаев 1, 187.

ДОБРОВО́ЛЬЕ * По доброво́лью. *Яросл.* Без принуждения. ЯОС 8, 11.

ДОВЕ́РИЕ * Вти́снуться в дове́рие *к кому. Горьк.* Завоевать чьё-л. доверие. БалСок, 29.

Втира́ться (вкра́дываться, влеза́ть, входи́ть) в дове́рие *к кому. Разг.* Любыми средствами приобретать доверие, добиваться расположения кого-л. ФСРЯ, 87.

ДОВЗА́БОЛИ см. **ВЗА́БОЛЬ. * Дойти́ до вза́боли.** *Волог.* Принять серьёзный оборот (о деле, ситуации). СВГ 2, 33.

ДОВО́ЛЬСТВИЕ * Чо́повое дово́льствие. *Жарг. арм. Шутл.-ирон.* Наказание, взыскание, выговор. Кор., 327. < **Чоп** — выговор, взыскание.

ДОВО́ЛЯ * До дово́ли. *Сиб.* Вдоволь. СФС, 63; ФСС, 61.

ДОГА́Д * Догада́ться на дога́д. *Ряз.* Догадаться о чём-л. ДС, 145.

ДОГА́ДКА * Теря́ться в дога́дках. *Разг.* Тщетно стараться найти объяснение чему-л., ответ на что-л. при наличии самых разных предположений. ФСРЯ, 475; ЗС 1996, 240.

ДОГОЛА́ * Разде́ться догола́. *Прикам.* Обеднеть, обнищать. МФС, 84.

ДОГО́Н * Гоня́ть дого́ном. *Сиб.* Догонять, преследовать кого-л. ФСС, 46; СРНГ 7, 15.

ДОДЁР (ДОДО́Р, ДОДУ́Р) * Додёру (додо́ру, доду́ру) нет. *Костром., Морд., Яросл.* Тесно, нет свободного прохода, доступа куда-л. СРНГ 8, 90; СРГМ 1980, 25; ЯОС 4, 8.

ДОДО́Р. См. **ДОДЁР.**

ДОДУ́Р. См. **ДОДЁР.**

ДОЖДЕВА́Я * Де́лать дождеву́ю. *Орл.* Брызгать водой, чтобы вызвать дождь (обычай женщин). СРНГ 8, 91.

ДО́ЖДИК * До́ждик зацепи́лся за бело́к. *Сиб.* О туче, повисшей над горами. ФСС, 61.

Нахо́дит на до́ждик. *Кар.* Собирается дождь. СРГК 3, 397.

По́сле до́ждика в четве́рг. См. **После дождичка в четверг (ДОЖДИЧЕК).**

ДО́ЖДИЧЕК * По́сле до́ждичка (до́ждика) в четве́рг. *Разг. Шутл.* Неизвестно когда, никогда. ДП, 240, 293, 561; ФСРЯ, 142; БТС, 1477; Мокиенко 1986, 162; Мокиенко 1990, 108; ЗС 1996, 343, 478; БМС 1998, 162.

ДОЖДЬ * Дождём не смочи́ть *кого, чего. Новг., Пск.* О большом количестве чего-л.; о большом скоплении людей. НОС 10, 99; ПОС 9, 110.

Дождём ши́то, ве́тром подби́то. *Народн. Ирон.* О бедности, бедном, малоимущем человеке. Жиг. 1969, 353.

Дождь дождём. *Ряз.* Дружно, все сразу. ДС, 145.

Дождь но́ги све́сил. *Пск.* О полосах дождя, видимых в отдалении, на горизонте. ПОС 9, 110.

Дождь с рукава́ поли́л. *Кар.* О сильном дожде. СРГК 1, 471.

Золото́й дождь. 1. *Книжн.* О богатстве, больших денежных суммах (обычно — добытых без труда), изобилии, выгоде. ФСРЯ, 142; Ф 1, 166; БТС, 267; ШЗФ 2001, 85; БМС 1998, 162. 2. *Жарг. мол.* Сексуальные игры или половой акт с использованием мочи или мочеиспускания. Калейдоскоп, 1998, № 37. 3. *Прикам.* Зерно. МФС, 34. 4. *Сиб., Яросл.* Сорт овса. ФСС, 62; ЯОС 4, 126.

Кра́сный дождь. *Горьк.* Дождь при солнце. БалСок, 41.

Подпира́ть дождь. *Пск. Шутл.* Отдыхать на улице перед дождём. СПП 2001, 35.

Слепо́й дождь. *Прост.* Дождь, идущий при солнце. Верш. 6, 277.

Сухо́й дождь. *Забайк.* Непродолжительный дождь. СРГЗ, 401.

Цыга́нский дождь. *Перм.* То же, что **слепой дождь.** Подюков 1989, 63.

Ни дождя́ ни облю́ю не бои́тся. *Новг. Одобр.* О смелом человеке. НОС 6, 92.

Ни от дождя́ ухоро́ны, ни от сту́жи оборо́ны. *Обл. Неодобр.* Нет толку, пользы от кого-л., чего-л. Мокиенко 1990, 11.

От дождя́ да под капе́ль. *Народн.* То же, что **от дождя да в воду.** ДП, 159.

От дождя́ да (не) в во́ду. *Народн.* Из одной неприятной ситуации в другую. ДП, 453; ПОС, 9, 110.

ДО́ЗА[1] * Сиде́ть (быть) на до́зе (на дозняке́). *Жарг. нарк.* Постоянно употреблять наркотики. Левин, 85; Мазурова. Сленг, 129.

Встал в по́зу — получи́ до́зу. *Жарг. мол. Шутл.* Реплика, сопровождающая удар. Елистратов 1994, 114.

ДОЗА[2] * Под до́зой. *Жарг. комп.* В системе DOS. Ваулина, 43. < **Доза** — операционная система DOS.

ДОЗНА́НИЕ * Дать дозна́ние. *Самар.* Сделать известным что-л. СРНГ 7, 257.

ДОЗНЯ́К * Сиде́ть (быть) на дозняке́. См. **Сидеть на дозе (ДОЗА).**

ДОЗО́Р * Ночно́й дозо́р. *Жарг. мол. Шутл.* Мужской половой орган. Щуплов, 53.

ДОЗО́РНЫЙ * Дозо́рный грани́цы (рубеже́й). *Публ. Патет. Устар.* Пограничник. Новиков, 56.

Дозо́рный не́ба. *Публ. Патет. Устар.* Военнослужащий частей противовоздушной обороны. Мокиенко, Никитина 1998, 1998, 170.

Косми́ческий дозо́рный. *Публ. Устар. Патет.* Спутник, входящий в космическую систему спасения терпящих бедствие судов и самолетов. Новиков, 56.

ДОЗРЕ́НИЕ * Без дозре́ния со́вести. *Дон.* Не испытывая чувства стыда. СДГ 1, 134.

ДО́ЙНИК * До́йник молока́ *[кому]*! *Яросл.* Приветственное пожелание при дойке коров. ЯОС 4, 10.

Из до́йника в до́йник. *Яросл.* О корове, которая не перестаёт доиться. ЯОС 4, 133.

ДОКЛА́Д * Де́лать/ сде́лать докла́д. 1. *Новг.* Рассказывать кому-л. что-л. НОС 10, 32. 2. *Жарг. мол. Шутл.* Испражняться. Никитина 2003, 161.

Попа́сться с докла́дом. *Жарг. угол.* Быть изобличённым в совершении преступления. Балдаев 1, 339; ТСУЖ, 160.

ДО́КО́Н * Дать доко́н. *Дон.* 1. *чему.* Довести что-л. до конца. 2. *кому.* Дать возможность кому-л. разобраться в чём-л. СДГ 1, 134.

Дойти́ (прийти́) в доко́н (в до́кон). *Пск.* Разориться, обеднеть. СРНГ 8, 99.

ДО́КТОР (ДО́ХТОР) * До́ктор А́лбан. *Жарг. мол. Шутл.* Африканец, афроамериканец. < По имени известного рэп-исполнителя. Вахитов 2003, 49.

До́хтор без ножа́. *Брян.* Комнатное лекарственное растение алоэ. СБГ 5, 27.

До́ктор Ва́тсон. *Разг. Шутл.* О враче. < Герой романов А. Конан-Дойля о Шерлоке Холмсе (1887 г.). Дядечко 2, 27.

До́ктор До́лбан. *Жарг. мол. Шутл.* Исполнитель музыки рэп Doctor Alban. Я — молодой, 1997, № 45.

До́ктор рабо́чих нау́к. *Жарг. журн. Шутл.-ирон.* Бывший депутат Госдумы В. Шандыбин. МННС, 216.

Брать/ взять на до́ктора *кого. Жарг. угол., мол.* Успешно осуществить какую-л. аферу; обмануть кого-л., схитрить. СВЯ, 15; Елистратов 1994, 114.

Сде́лать до́ктора *кому. Жарг. угол., Разг.* Ограбить кого-л. Смирнов 1993, 179.

Говори́ть с до́ктором Ва́тсоном. *Жарг. мол. Шутл.* Извергать рвоту. Максимов, 89.

ДОКУ́ДА * Не доку́да (доку́дова) *кому. Сиб.* Достаточно, хватит, пора заканчивать что-л. ФСС, 62; СРНГ 8, 100.

ДОКУ́ДОВА * Не доку́дова. См. **Не докуда (ДОКУДА).**

ДОЛБИ́ЦА * Долби́ца умноже́ния. *Жарг. шк. Шутл.* Таблица умножения. (Запись 2003 г.).

ДОЛБУ́ШКА * Дать долбу́шку *кому. Ср. Урал, Прикам.* Ударить кого-л. МФС, 30; СРГСУ 1, 139; Мокиенко 1990, 46.

ДОЛГ * И в долг и взаймы́. *Новг., Пск. Шутл.* Очень много (наговорить, рассказать). НОС 5, 135; СПП 2001, 35.

Пла́каться в долг. *Пск.* Горевать заранее по поводу чего-л. ПОС 9, 128.

Ходи́ть в долг. *Пск.* Брать деньги в долг. (Запись 2001 г.).

Долга́ собира́ть. *Моск.* Нищенствовать. СРНГ 8, 105.

Пе́рвым до́лгом. *Прост.* Прежде всего, в первую очередь. ФСРЯ, 142.

Не остава́ться/ не оста́ться в долгу́ *у кого, перед кем. Разг.* 1. Отблагодарить, вознаградить кого-л. 2. Ответить кому-л. таким же отношением, поступком и т. п. ФСРЯ, 298; БТС, 271.

ДО́ЛГИ́ * [В] до́лги́ спусти́. *Перм., Прикам.* Спустя какое-л. время. МФС, 34; СГПО, 140. // *Сиб.* Спустя длительное время. ФСС, 62.

Не в долги́. *Сиб.* Спустя немного времени, вскоре. ФСС, 62.

ДО́ЛГИЙ * Е́хать на до́лгих. *Разг. Устар. Неодобр.* Делать что-л. очень медленно. БМС 1998, 163; Мокиенко 1990, 83.

Не в до́лгих. *Яросл.* Незадолго до момента речи, несколько раньше. ЯОС 6, 123.

ДО́ЛГО * До́лго ли ко́ротко ли. *Фольк.* Через некоторое время; неизвестно, сколько времени (длилось что-л.). БМС 1998, 163; БТС, 271.

Не че́рез до́лго. *Кар.* Через некоторое время. СРГК 1, 476.

ДО́ЛЖНОЕ * Воздава́ть/ возда́ть (отдава́ть/ отда́ть) до́лжное *кому, чему. Книжн.* Справедливо, по достоинству оценивать кого-л., что-л. ФСРЯ, 143; БМС 1998, 164; Мокиенко 1990, 83; Ф 2, 24.

ДО́ЛЖНОСТЬ * Золота́я до́лжность. *Разг. Шутл.-ирон.* Работа ассенизатора. Флг., 135.

ДОЛИ́НА * Доли́на сме́рти. *Шутл.-ирон.* 1. *Жарг. арм., курс.* Плац. БСРЖ, 162; Максимов, 115. 2. *Жарг. шк.* Школьный стадион. ВМН 2003, 44.

ДОЛИНА́ * Долина́ и ширина́. *Новг.* Всё, что есть у кого-л. НОС 2, 92.

ДОЛО́НКА * Вы́растить на доло́нке *кого. Кар.* Избаловать (ребенка). СРГК 1, 285.

ДОЛОТО́ * Гуля́ть долото́. *Яросл.* Ходить на посиделки, танцевать на посиделках. ЯОС 3, 115-116.

Жа́реное долото. *Дон. Шутл.* Об отсутствии съестного. СДГ 1, 135.

Завыду́ривать на долото́. *Кар.* Начать дурачиться, хулиганить. СРГК 2, 100.

Долото́м не вы́долбить *из кого что. Арх.* Нельзя заставить сказать, произнести что-л. АОС 7, 190.

ДО́ЛЬКА * Рабо́тать под до́льки. *Новг.* Делать что-л. периодически, иногда, непостоянно. НОС 9, 79.

Взять до́льку. *Жарг. мол., крим.* Совершить акт рэкета. h-98.

ДО́ЛЯ * Быть в до́ле. 1. *Жарг. угол.* Участвовать в дележе добычи; иметь свою часть краденого. Балдаев 1, 51. 2. *Жарг. нарк.* Быть уверенным, рассчитывать на получение доли наркотика. ТСУЖ, 27. 3. *Разг.* Принимать участие в деле на паях с кем-л. НОС 1, 104.

До ста́рой до́ли. *Прибайк.* До старости. СНФП, 58.

В до́лю. 1. *Жарг. муз.* В тональность (сыграть). 2. *Жарг. мол.* Кстати, к месту (сказать, сделать что-л.). Митрофанов, Никитина, 56.

Входи́ть/ войти́ в до́лю *с кем. Разг.* Становиться участником, компаньоном кого-л. в каком-л. деле, предприятии. ФСРЯ, 87.

Жить соба́чью до́лю. *Курск. Шутл.-ирон.* Очень долго жить. БотСан, 94.

Идти́ в до́лю *к кому. Жарг. угол.* 1. Получать часть краденого. 2. Быть на чьём-л. месте. ТСУЖ, 206.

Класть до́лю. *Пск.* Принимать участие в чём-л. ПОС 14, 175.

Льви́ная до́ля. *Книжн.* Большая и лучшая часть чего-л. Мокиенко 1989, 27-29. < В основе выражения — античный басенный сюжет, в русском языке — калька с франц. *la part du lion.* БМС 1998, 164.

Нечи́стая до́ля. *Пск. Эвфем.* Чёрт, дьявол. ПОС 9, 141.

Па́дать/ пасть (вы́пасть) на до́лю *чью. Разг.* Приходиться, доставаться кому-л. (о чём-л. нелёгком, сложном). Ф 2, 32.

Разнечи́стая до́ля. *Пск. Бран.* Восклицание, выражающее досаду, раздражение. ПОС 9, 141.

Сла́дкая до́ля. *Жарг. карт.* Вид участия в карточной игре, при котором напарнику причитается какая-то часть выигрыша, а при проигрыше он в оплате долга участия не принимает. Урал-98.

ДОМ * Безу́мный дом. *Ряз.* То же, что **сумасшедший дом.** ДС, 52.

Бе́лый дом. *Публ.* 1. Правительство, парламент США. 2. Здание правительства России в Москве. Мокиенко 2003, 25. 3. *Жарг. мол. Шутл.* Туалет. Урал-98.

Бóжий (Госпóдень) дом. 1. *Прост. Устар.* Церковь. Ф 1, 168. 2. *Яросл.* Богадельня, дом престарелых. ЯОС 2, 8.
Большóй дом у дорóги. *Жарг. шк. Шутл.* То же, что **дом знаний**. Максимов, 40.
Весёлый дом. *Прост. Устар. Ирон.* Публичный дом, бордель. Ф 1, 168; Мокиенко, Никитина 2003, 123.
Дóлбаный дом. *Жарг. шк. Презр.* То же, что **дом знаний**. (Запись 2003 г.).
Дом знáний. *Жарг. шк. Шутл.-ирон.* Школа. (Запись 2003 г.).
Дом свидáний. 1. *Разг. Устар.* Заведение для тайных любовных свиданий. 2. *Разг.* Публичный дом, бордель. 3. *Жарг. арест.* Барак с отдельными помещениями для длительного свидания. Мокиенко, Никитина 2003, 123.
Дом терпи́мости. *Разг.* Публичный дом. Мокиенко, Никитина 2003, 123.
Дом ýжасов. *Жарг. шк., студ. Шутл.-ирон.* Школа, техникум, колледж. (Запись 2003 г.).
Вековóй дом. *Новг. Ирон.* Могила. НОС 1, 111.
Весёлый дом. *Разг. Шутл.* Публичный дом. Флг., 52.
Вóльный дом. *Арх.* То же, что **весёлый дом.** АОС 5, 74.
Вторóй дом. 1. *Жарг. шк. Шутл.-ирон.* Школа. 2. *Жарг. мол. Шутл.-ирон.* Медвытрезвитель. Максимов, 73.
Входи́ть/ войти́ (взойти́) в дом. *Волог., Новг., Ряз., Яросл.* После женитьбы поселиться в доме жены. СВГ 1, 86; НОС 1, 132; ДС, 83; ЯОС 3, 29.
Выходи́ть/ вы́йти в дом. 1. *Новг., Сиб.* То же, что **входить в дом.** НОС 1, 148; ФСС, 35. 2. *Кар.* Жениться. СРГК 1, 267.
Глýпый дом. *Арх. Ирон.* То же, что **сумасшедший дом.** АОС 9, 121.
Глядéть дом. *Кар.* В свадебном обряде: гулять в доме жениха накануне венчанья. СРГК 1, 344.
Держáться за дом. *Сиб.* Жить на одном месте, не желая переезжать куда-л. ФСС, 60.
Дом балалáйки. *Разг. Шутл.* Дом композиторов. Синдаловский, 2002, 61.
Дом вампи́ров. *Жарг. шк. Презр.* Школа. (Запись 2004 г.).
Дом дипломáтов. *Разг. Шутл.-ирон. Устар.* Стол заказов по ул. Нахимова, 7, в Ленинграде (1960–1970-е гг.). Синдаловский, 2002, 62.
Дом доми́ть. 1. *Сиб.* Обзаводиться хозяйством. ФСС, 63. 2. *Волог., Казан.* Хозяйничать в доме. СВГ 2, 43; СРНГ 8, 118. 3. *Яросл. Одобр.* Хорошо вести хозяйство. ЯОС 4, 12.
Дом дуракóв. *Пск. Шутл.-ирон.* То же, что **сумасшедший дом.** ПОС 9, 142.
Дом éдет *у кого. Жарг. мол. Шутл.-ирон.* О чьём-л. странном поведении. Елистратов 1994, 115.
Дом инфéкции. *Разг. Пренебр. Устар.* Дом политпросвещения горкома КПСС по ул. Пролетарской Диктатуры, 6, в Ленинграде (1960–1970-е гг.). Синдаловский, 2002, 62.
Дом макулатýры. *Разг. Шутл.-ирон. Устар.* Ленинградское отделение Союза писателей, расположенное по ул. Воинова, ныне Шпалерная, 18 (1960–1970-е гг.). Синдаловский, 2002, 63.
Дом на Лубя́нке. *Публ. Эвфем.* Комитет государственной безопасности СССР. Новиков, 56-57.
Дом нарóдной терпи́мости. *Разг. Шутл.-ирон.* Ленинградский Дом народного творчества (ул. Рубинштейна, 13). < Деаббр. *ДНТ.* Синдаловский, 2002, 64.
Дом неизвéстного архитéктора. *Жарг. мол. Шутл.* Туалет. Урал-98.
Дом óтдыха. *Жарг. угол., арест. Шутл.-ирон.* 1. Тюрьма; исправительно-трудовое учреждение. ББИ, 69; Росси 1, 103; Балдаев 1, 113. 2. Штрафной изолятор в колонии (после того, как там ввели ежедневное питание). Мильяненков, 115. 3. *Жарг. шк. Шутл.-ирон.* Школа, техникум. (Запись 2003 г.).
Дом попугáев. *Разг. Устар. Ирон.* Ленинградский радиокомитет (1960–1970-е гг.). Синдаловский, 2002, 65.
Дом роднóй. 1. *Жарг. угол., арест. Шутл.* То же, что **дом отдыха 1.** ББИ, 69; Балдаев 1, 113; Росси 1, 103. 2. *Жарг. шк. Ирон.* Школа. (Запись 2001 г.). Никитина 2003а, 7.
Дом смычкá и дýдки. *Разг. Шутл.* Дом творчества композиторов «Репино» (Пос. Репино. Приморское шоссе, 471). Синдаловский, 2002, 66.
Дом сыроéжки (сыроéжкин дом). *Жарг. арест., угол. Шутл.-ирон.* 1. Отделение милиции. Грачев 1997, 65. 2. Штрафной изолятор в ИТУ. СВЯ, 29; ТСУЖ, 49, 172.
Дом твóрческой вьюжности. *Жарг. гом. Шутл.* Дом архитекторов, Дом композиторов, Дом художников и т. п. Кз., 43. < **Вьюжность** — 'гомосексуальность'.
Дом трепачéй. *Разг. Устар. Пренебр.* Лекторий общества «Знание» в бывш. Ленинграде (Литейный пр., 42). Синдаловский, 2002, 67.
Дом хихи́ (хи-хи́, ха-хá, жизнерáдостных). *Разг. Шутл.-ирон.* То же, что **дом дураков.** Елистратов 1994, 115; ББИ, 69; Балдаев 1, 113; Мильяненков, 115.
Дурнóй дом. *Сиб.* То же, что **сумасшедший дом.** ФСС, 62.
Дя́дин дом. *Жарг. угол. Шутл.* То же, что **дом отдыха 1.** СРВС 2, 116; СВЯ, 30; ТСУЖ, 52.
Жёлтый дом. *Разг.* То же, что **сумасшедший дом.** ФСРЯ, 143; БТС, 302; БМС 1998, 164.
Казённый дом. 1. *Жарг. угол.* То же, что **дом родной 1.** Ф 1, 168; ТСУЖ, 80. 2. *Жарг. нарк.* Анаша. Мильяненков, 115.
На дом кла́няться. *Вост.-Сиб.* Кланяться домашним, членам семьи. СРНГ 8, 116.
Непоря́дочный дом. *Пск.* Специнтернат для слаборазвитый детей. ПОС 9, 142.
Немшóный дом. *Перм. Ирон.* Гроб. Подюков 1989, 198.
Общеевропéйский дом. *Публ.* Сотрудничество всех европейских государств. СП, 138; Hau, 138. < Метафора впервые использована М. С. Горбачевым в октябре 1985 г. Мокиенко 2003, 26.
Откупáть дом. *Новг.* Нанимать дом, избу для вечерних посиделок, гуляний. НОС 7, 49.
Пострóить дом. *Пск.* 1. *кому, где.* Похоронить кого-л. где-л. ПОС 9, 141. 2. Очень долго отсутствовать. ПОС 9, 143.
Приноси́ть в дом. *Горьк.* Иметь доход. БалСок, 25.
Публи́чный дом. *Шутл.* 1. *Жарг. студ.* Общежитие. 2. *Жарг. шк.* Школа. Максимов, 115.
Распи́сывать дом. *Кар.* Размечать бревна сруба для его сборки. СРГК 5, 455.
Роди́льный дом. *Жарг. шк. Шутл.* Класс, учебный кабинет. (Запись 2003 г.).
Сéрый дом. См. **Хитрый дом.**
Сумасшéдший дом. *Разг.* Лечебница для душевнобольных. ФСРЯ, 143.
Тóлько дом не стоя́л *на ком. Морд. Шутл.-ирон.* О человеке, много испы-

тавшем, пережившем. СРГМ 2002, 150.
Уходи́ть/ уйти́ в дом. *Новг.* То же, что **входить в дом.** НОС 11, 90.
Учи́лищный дом. *Дон.* Школа. СДГ 1, 136.
Ушёл и дом постро́ил. *Новг. Шутл.-ирон.* О долгом отсутствии кого-л. Сергеева 2004, 40.
Хи́трый (се́рый) дом. *Жарг. угол. Шутл.* Милиция; здание ОВД, УВД. ТСУЖ, 190; СРВС 4, 119; Балдаев 2, 36; Б., 157.
Круг до́ма. *Кар.* По хозяйству (хлопотать и т. п.). СРГК 3, 30.
Не все до́ма *у кого. Шутл.-ирон. или Пренебр.* О человеке со странностями, глуповатом, придурковатом. ФСРЯ, 143; БМС 1998, 164-165; АОС 6, 36.
Ни до́ма ни ло́ма. См. **Ни дому ни лому.**
Ни до́ма ни на по́ле. *Сиб. Неодобр.* О неумелом, ленивом человеке. ФСС, 63; СРНГ 21, 213; СФС, 127.
Жить дома́ми. *Сиб.* Иметь семью. ФСС, 72.
Зва́ться дома́ми. *Орл.* Бывать друг у друга в гостях. СРНГ 14, 211.
На дома́х. *Дон.* В зимних стойлах. СДГ 3, 142.
Всё смеша́лось в до́ме Обло́нских. *Разг. Шутл.* О полной неразберихе, сумятице. < Цитата из романа Л. Н. Толстого «Анна Каренина». БМС 1998, 165; ШЗФ 2001, 46.
На трёх дома́х. *Жарг. мол.* На площади трех вокзалов (Комсомольская площадь в Москве). Елистратов 1994, 115.
Жить по́лным до́мом. *Разг.* Быть богатым, обладать достатком. Ф 1, 189.
Жить свои́м до́мом. *Брян., Прикам.* Иметь свое хозяйство, собственный дом; жить независимо от родителей. СБГ 5, 74; МФС, 37.
И в дому́ и в юру́. *Сиб.* Везде, повсюду (успевать). ФСС, 63.
Жени́ть на дому́ *кого. Прикам.* Выдав дочь замуж, ввести зятя в дом. МФС, 36.
Жени́ться на дому́. *Прикам.* Выйдя замуж, остаться в доме родителей. МФС, 36.
Ни до́му (до́ма) ни ло́му (ло́ма) *у кого. Кар., Перм., Прикам.* Об очень бедном человеке, не имеющем жилья, имущества. СРГК 3, 142; СРНГ 17, 115; СРНГ 21, 213; Подюков 1989, 64; Сл. Акчим. 1, 249; МФС, 34.
Ни до́му ни позе́му. *Киров.* То же, что **ни дому ни лому.** СРНГ 82, 331.
Ни до́му ни по́лу. *Сиб.* То же, что **ни дому ни лому.** ФСС, 63.
Ни до́му ни ста́ну. *Пск.* То же, что **ни дому ни лому.** ПОС 9, 141.
Подступи́ть к до́му. *Иркут.* Принять участие в дележе наследства. СРНГ 28, 204.
Посла́ть к худо́му до́му *кого. Пск. Неодобр.* Нецензурно выругаться в чей-л. адрес, обругать кого-л. ПОС 9, 143.
ДО́МА * Сказа́ться (оказа́ться) до́ма. *Жарг. угол.* Сдаться при аресте без сопротивления. СРВС 2, 116; ТСУЖ, 49, 121; Мильяненков, 115; ББИ, 69; Балдаев 1, 113; СВЯ, 29.
ДО́МИК * Вши́вый до́мик. *Разг. Пренебр.* Любая причёска (обычно — растреёпанная); причёска с пучком, заколотым шпильками. Елистратов 1994, 116. // *Жарг. мол.* Причёска с сильным начёсом. СИ, 1998, № 6.
До́мик е́дет/ пое́хал *у кого. Шутл.-ирон.* То же, что **дом едет (ДОМ).** Елистратов 1994, 116.
Ка́рточный до́мик. *Разг.* 1. *Шутл.-ирон.* Легкая, непрочная постройка. 2. *Ирон.* О предложениях, расчётах и т. п., не имеющих под собой прочного основания. Ф 1, 169; БТС, 273.
Соба́чий до́мик. *Жарг. угол. Презр.* Отделение милиции. Балдаев 2, 49.
Су́чий до́мик. *Презр.* 1. *Жарг. угол.* Женское общежитие. 2. *Жарг. арест.* Оперативная часть ИТУ. УМК, 78.
Хи́трый до́мик. *Жарг. лаг. Шутл.-ирон.* Контора оперуполномоченного в лагере. Р-87, 436.
ДОМОВИ́НА * Ело́вая домови́на. *Народн. Ирон.* Гроб. СРНГ 8, 345.
Положи́ть в домови́ну *кого. Пск.* Похоронить кого-л. (Запись 2003 г.).
ДОМОВО́Й * Домово́й тебя́ возьми́! *Алт. Бран.* Восклицание, выражающее возмущение. СРГА 2-1, 40. **Домово́й тебя́ замни́!** *Орл. Бран.* То же. СРНГ 11, 26.
ДОМО́Й * Верну́ться домо́й. *Жарг. спорт. (футб.).* Отойти к своим воротам, в защиту. ТВ-6, 26.12.98.
Домо́й пора́ [собира́ться] *кому. Пск.* Пора умирать кому-л. (об очень старом человеке). СПП 2001, 35.
Идти́/ пойти́ домо́й. 1. *Пск.* Таять (о снеге). СПП 2001, 35. 2. *Брян., Пск.* Умирать, скончаться. СБГ 5, 31; СПП 2001, 35.
Отойти́ домо́й. *Печор.* Уйти от мужа в дом родителей. СРГНП 1, 543.
ДОМО́К * Домо́к в шесть досо́к. *Народн. Ирон.* Гроб. ДП, 284.
ДО́МУШЕК * Не перехвати́ть до́мушка. *Новг. Неодобр.* О ленивом человеке. НОС 7, 128.
ДОН[1] * Нести́ и с До́на и с мо́ря. *Разг. Устар. Шутл.-ирон.* Говорить ерунду, вздор. Ф 1, 325.
ДОН[2] * Дон Пе́дро. *Жарг. мол., гом. Шутл.-ирон.* Гомосексуалист, педераст. Кз., 46; ЖЭСТ-2, 235.
ДО́ННАЯ * Провали́сь ты в (сквозь) до́нную! 1. *Латв. Бран.* Восклицание, выражающее гнев, негодование, недоброе пожелание кому-л. СРНГ 8, 125. 2. *Волг.* Требование удалиться, уйти откуда-л. Глухов 1988, 134.
ДОНО́С * Не в доно́с. *Сиб.* 1. Невнятно, неслышно. 2. По секрету. ФСС, 63; СФС, 122; СРНГ 8, 126.
ДОРО́ГА * А вдоль доро́г мёртвые с ко́сами стоя́т. *Разг. Шутл.* О чём-л. страшном, угрожающем. < Реплика суеверного солдата из кинофильма "Неуловимые мстители" (1967 г.). Дядечко 1, 14.
Показа́ть семь доро́г *кому. Смол.* Наказать, побить кого-л. СРНГ 28, 365.
Попа́сть ме́жду доро́г. *Пск.* Попасть в затруднительное, неловкое положение. ПОС 9, 163.
Баты́ева (Ба́тева, Боте́ева, Ботёва, Поте́ева) доро́га (доро́жка). *Дон.* 1. Млечный путь. 2. Длинная дорога, полоса. СДГ 1, 37; СДГ 1, 18; СРНГ 30, 270.
Больша́я доро́га. *Сиб. Устар.* Сибирский тракт. ФСС, 63.
Боте́ева доро́га. См. **Батыева дорога.**
Ботёва доро́га. См. **Батыева дорога.**
Гла́дкая доро́га. *Арх. Одобр.* Хорошо; благополучно; удобно. АОС 9, 72.
Гуси́ная доро́га. *Печор., Сиб.* Млечный путь. СРГНП 1, 163; ФСС, 63.
Доро́га в Иерусали́м. *Курск., Одесск.* Млечный путь. СРНГ 8, 132; КСРГО.
Доро́га в Ки́ев. *Одесск.* То же, что **Дорога в Иерусали́м.** КСРГО.
Доро́га в рай. *Жарг. арм. Шутл.* Отбой. БСРЖ, 165.
Доро́га для птиц. *Пск.* То же, что **гусиная дорога.** ПОС 9, 163.
Доро́га жи́зни. *Жарг. шк. Шутл.* Дорога в столовую. (Запись 2003 г.).
Доро́га к хра́му. *Книжн.* Путь к обновлению, нравственному очище-

нию. < Выражение широко распространилось после выхода фильма «Покаяние» (1984 г., реж. Т. Абуладзе). Мокиенко 2003, 26.

Доро́га ло́пает (ло́пается). *Волог., Кар.* О разрушении зимнего пути при наступлении распутицы. СВГ 2, 47; СРГК 3, 148.

Доро́га на эшафо́т. *Жарг. шк. Ирон.* Дорога в школу. ВМН 2003, 45.

Доро́га не несёт *[кого]. Кар.* О невозможности проехать по дороге во время весенней распутицы. СРГК 4, 14.

Доро́га не ровна́ *кому. Сиб. Ирон.* Об очень пьяном человеке. ФСС, 63.

Доро́га па́ла. *Челяб.* Установился зимний путь. СРНГ 8, 132.

Желе́зная доро́га. *Жарг. карт., угол.* Азартная игра в карты. ТСУЖ, 55.

Журавли́ная доро́га (доро́жка). *Сиб.* То же, что **гусиная дорога**. ФСС, 63.

Кресто́вая доро́га. *Волог.* Перекрёсток. СВГ 3, 124.

Мама́ева доро́га. *Сиб.* То же, что **Батыева дорога.** ФСС, 63.

Мама́йская доро́га. *Сарат.* Цепь курганов в степи. СРНГ 17, 349.

Поте́ева доро́га. См. **Батыева дорога.**

Столбова́я доро́га. *Книжн.* Основное направление в развитии чего-л. Ф 1, 170; БТС, 277.

То́рная доро́га. *Книжн. чаще Неодобр.* Наезженная дорога, известный путь. БМС 1998, 165.

Туда́ и доро́га. *Разг.* 1. *кому.* Того и заслуживает кто-л., не стоит жалеть кого-л. 2. *чему.* Так тому и быть, не стоит сокрушаться, думать о чём-л. БТС, 277; ФСРЯ, 144; ЗС 1996, 181; ПОС 9, 164.

В доро́ге. *Дон. Устар.* В отъезде на Кубань для обмена рыбы на хлеб. СРНГ 8, 131.

В доро́ге за огло́блей. *Забайк.* В извозе. СРГЗ, 103.

Идти́ (ходи́ть) по Баты́евой (Боте́евой, Поте́евой) доро́ге. *Дон.* Определять направление по Млечному пути. СДГ 2, 37.

Идти́ по тата́рской доро́ге. *Сиб. Ирон.* На кладбище (о покойнике, которого хоронят). ФСС, 63.

На доро́ге не валя́ется. *Разг.* Не достаётся даром, без усилий, без труда. ФСРЯ, 55; БТС, 277.

По доро́ге. 1. *Разг.* Попутно, мимоходом. ФСРЯ, 144. 2. *кому с кем.* В одном и том же направлении. ФСРЯ, 144. 3. *Пск.* Зря, напрасно, впустую. ПОС 9, 163.

Пойти́ по плохо́й доро́ге. *Сиб. Неодобр.* Начать вести предосудительный образ жизни. СОСВ, 143.

По прямо́й доро́ге. *Ряз.* Прямо, откровенно (сказать кому-л. что-л.). ДС, 149.

Прое́хать по гото́вой доро́ге. *Кар.* Отбить у кого-л. невесту, любимую девушку. СРГК 5, 257.

Стоя́ть на хоро́шей доро́ге. *Разг. Устар.* Занимать достойное положение в обществе, заниматься достойным делом, пользоваться уважением окружающих. Ф 2, 191.

Ходи́ть по зелёной доро́ге. *Пск.* Быть молодым, начинать жизненный путь. (Запись 1999 г.).

Ходи́ть по широ́кой доро́ге. *Коми.* Вести разгульный образ жизни. Кобелева, 81.

Голубы́е доро́ги. *Публ.* О водных путях, реках, морях. БМС 1998, 165.

Доро́ги разошли́сь *чьи. Разг.* О расхождении интересов, жизненных путей. БТС, 271.

Не найдёт доро́ги среди́ села́. *Волг.* О глупом, несообразительном человеке. Глухов 1989, 100.

Ни доро́ги ни воло́ги. *Ряз. Неодобр.* О невкусной, плохо приготовленной пище. ДС, 92.

Опетля́ть доро́ги. *Кар.* Побывать во многих местах, исходить много дорог. СРГК 4, 210.

Сби́ться с доро́ги. *Пск.* Начать вести безнравственную жизнь. ПОС 9, 164.

Сверну́ть с доро́ги. *Коми.* Начать изменять мужу. Кобелева, 76.

Станови́ться (стоя́ть) поперёк доро́ги *кому, у кого. Разг.* Мешать кому-л. в достижении цели, препятствовать в осуществлении чего-л. ФСРЯ, 144; БМС 1998, 165; СПП 2001, 35.

Сходи́ть/ сойти́ с доро́ги. *Книжн.* Отказываться от поставленной цели, изменять своим взглядам, убеждениям, принципам. Ф 2, 196.

Ве́рной доро́гой идёте, това́рищи. *Разг. Шутл.-одобр.* О правильном подходе к решению проблемы. < Текст плаката худ. Н. Терещенко (1961 г.). Восходит к выступлению В. И. Ленина на IX Всероссийском съезде Советов (1921 г.). Дядечко 1, 78.

Иди́ свое́й доро́гой! *Прост.* Требование не вмешиваться не в свое дело. Ф 1, 218.

Обходи́ть деся́той доро́гой *кого. Прост.* Избегать встречи с кем-л. Глухов 1988, 115.

Идти́ Боте́евой (Поте́евой) доро́гой. *Дон.* То же, что **идти по Батыевой дороге.** СДГ 2, 37.

Бе́гать всю доро́гу. *Жарг. угол.* Заниматься воровством профессионально. СРВС 4, 134; Балдаев 1, 31; СВЯ, 7.

Брать доро́гу. *Приамур.* Перевозить грузы на дальние расстояния по тракту. СРГПриам., 30.

В доро́гу за огло́блю. *Забайк.* В извоз. СРГЗ, 103.

Ворова́ть доро́гу. *Арх.* Пытаться возвратить проданное или пропавшее животное при помощи ворожбы. АОС 5, 92.

Всю доро́гу. *Прост.* Всё время, постоянно. БТС, 277; ПОС 4, 16; НСЗ-84; СОСВ, 63; СРГК 1, 488; Мокиенко 2003, 26.

Выводи́ть/ вы́вести на доро́гу *кого. Разг.* 1. Помогать кому-л. найти свое место в жизни, стать самостоятельным. 2. Помогать кому-л. найти правильную линию поведения, правильную точку зрения. ФСРЯ, 90.

Выводить/ вы́вести на бо́льшую доро́гу *кого. Новг.* Наказывать кого-л. НОС 1, 146.

Вы́вести срать на большу́ю доро́гу *кого. Неодобр. Пск.* Обмануть кого-л. СПП 2001, 35.

Дава́ть/ дать доро́гу *кому.* 1. *Том., Кем.* Ездить с обозом. СРНГ 8, 131; СРНГ 7, 257; СКузб., 63. 2. *Пск.* Разрешить кому-л. что-л., предоставить кому-л. свободу действий. СПП 2001, 36.

Де́лать доро́гу. *Новг.* Узнавать путём гадания, откуда приедут сваты. НОС 2, 82.

Де́лать Боте́еву (Поте́еву) доро́гу. *Дон.* Проливать, просыпать что-л. полосой, дорожкой. СДГ 1, 126; СРНГ 30, 270.

Держа́ть доро́гу. *Дон., Кар.* Двигаться в определённом направлении. СДГ 1, 128; СРНГ 1, 454.

Забы́ть доро́гу *куда, к кому. Разг.* Перестать ходить куда-л., посещать кого-л. БТС, 312.

Заклада́ть (закла́дывать/ закла́сть) доро́гу. *Кар., Новг.* Преграждать дорогу свадебному поезду, требуя выкупа. СРГК 2, 131; НОС 3, 31.

Закрести́ть доро́гу *куда, к кому. Волог.* То же, что **забыть дорогу.** СВГ 2, 47.

Зала́мывать/ замома́ть (заломи́ть) доро́гу. 1. *Новг.* То же, что **закладывать дорогу.** НОС 3, 31. 2. *Сиб. Устар.* Сделать какое-л. препятствие на дороге, чтобы не могли догнать злые духи или болезни. ФСС, 79.

Заслони́ть доро́гу *кому. Пск.* Не дать кому-л. возможности делать что-л., проявлять способности. ПОС 12, 125.

Застла́ть доро́гу *кому. Кар.* Препятствовать чьей-л. поездке куда-л. путём ворожбы, сглаза. СРГК 2, 208.

Заступа́ть доро́гу *кому. Прост.* Мешать, препятствовать кому-л. БТС, 348; Глухов 1988, 37.

Золоти́ть доро́гу. *Волг. Шутл.-ирон.* Беспечно тратить деньги. Глухов 1988, 53.

Мять доро́гу. 1. *Арх.* Прокладывать дорогу по снегу. СРНГ 8, 132. 2. *Кар.* Ходить, бродить без дела. СРГК 3, 287.

Найти́ доро́гу к се́рдцу *чьему. Разг.* Добиться чьего-л. расположения, симпатии. Мокиенко 1990, 26.

Настели́ть доро́гу *куда, к кому. Новг.* 1. Часто ходить куда-л., посещать кого-л. НОС 6, 16. 2. Обеспечить благоприятные условия для кого-л. Сергеева 2004, 210.

Открыва́ть/ откры́ть [широ́кую] доро́гу *чему. Публ.* Предоставлять возможность для роста, развития чего-л. НРЛ-81; Мокиенко 2003, 26; Ф 2, 27.

Перебега́ть /перебежа́ть (переходи́ть/ перейти́) доро́гу *кому. Разг. Неодобр.* То же, что **становиться поперёк дороги (ДОРОГА).** БМС 1998, 165, 166; БТС, 793, 804; ШЗФ 2001, 70; СПП 2001, 36.

Под доро́гу *кому. Яросл.* Навстречу кому-л. (идти и т. п.). ЯОС 8, 20.

Поста́вить на доро́гу *кого. Пск.* Вырастить, воспитать, помочь стать самостоятельным. СПП 2001, 36.

Починя́ть доро́гу. *Пск. Шутл.-ирон.* Ходить, ездить куда-л. впустую, напрасно. ПОС, 9, 163.

Преграждá́ть доро́гу *кому. Разг.* Мешать, препятствовать кому-л. в чём-л. Ф 2, 85.

Пробива́ть /проби́ть [себе] доро́гу *[куда]. Разг.* Хорошо устроить свою жизнь, многого добиться в жизни. ЗС 1996, 499; СОСВ, 151; Ф 2, 95; ПОС 9, 164.

Ста́вить/ поста́вить на дорогу *кого. Разг. Устар.* Помогать кому-л. найти своё дело, своё место в жизни, создавая необходимые условия. Ф 2, 182.

Топта́ть доро́гу. *Новг. Шутл.-ирон.* Жить, существовать. НОС 11, 50.

Укра́сть доро́гу *у кого. Прикам.* По суеверным представлениям: сбить кого-л. с пути злым наговором. МФС, 104.

Ходи́ть в доро́гу. *Сиб., Приамур.* Заниматься извозом. СФС, 34; СКузб., 220; СРНГ 8, 132; СРГПриам., 317.

Хоть об доро́гу бей. *Перм. Шутл.* О крепком, здоровом человеке. Подюков 1989, 13.

Че́рез доро́гу наврися́дку. *Одесск.* Кое-как, быстро, небрежно (сделать что-л.). КСРГО.

ДО́РОГО * До́рого не возьмёт. *Волг. Неодобр.* О лживом, ненадёжном человеке. Глухов 1988, 37, 95.

Не до́рого дава́но. *Перм.* О чём-л., о ком-л., легко доставшемся, не заслуживающем бережного отношения. Сл. Акчим. 1, 223.

В два дорога́. *Сиб.* Вдвое дороже. ФСС, 63.

ДОРО́ЖКА * Баты́ева (Боте́ева, Ботёва, Поте́ева) доро́жка. См. **Батыева дорога (ДОРОГА).**

Бегова́я доро́жка. *Жарг. шк. Шутл.* Школьный коридор. Максимов, 29.

Гуси́ная (журавли́ная) доро́жка. См. **Гусиная дорога (ДОРОГА)**

Доро́жка ту́жит. *Прикам. Шутл.* О необходимости отправиться в путь. МФС, 34.

Идти́/ пойти́ по нато́ренной (прото́ренной) доро́жке. *Разг.* Вести привычный образ жизни. Ф 1, 220.

Кати́ться по ско́льзкой доро́жке. *Разг. Неодобр.* Быстро опускаться в нравственном отношении. Ф 1, 234.

Пойти́ (прогуля́ться) по ело́вой доро́жке. *Народн.* Умереть. СРНГ 8, 345.

Пойти по косо́й доро́жке. *Курск.* Начать вести разгульный образ жизни. БотСан, 110.

Столкну́ться на у́зкой доро́жке *с кем. Разг.* О столкновении чьих-л. враждебных интересов. БТС, 1272.

Пройти́ все доро́жки и лужки́ и круты́е бережки́. *Волг., Прикам.* Много испытать в жизни, приобрести жизненный опыт. Глухов 1988, 136.МФС, 82.

Погла́дить доро́жку. *Волг.* Выпить спиртного перед дорогой. Глухов 1988, 123.

Послади́ть доро́жку *кому.* 1. *Дон.* Выпить за счастливую семейную жизнь новобрачных. СДГ 3, 46; СРНГ 30, 169. 2. *Волг.* То же, что **погладить дорожку.** Глухов 1988, 131.

Прокла́дывать/ проложи́ть (протори́ть) доро́жку *кому.* Разг. Создавать благоприятные условия для успеха, продвижения кого-л., для достижения чего-л. ДП, 180; ФСРЯ, 363.

ДО́РОМ* До́ром драть *кого. Орл.* Сильно бить, пороть кого-л. СОГ 1990, 73.

ДОРО́СТКИ * Не в доро́стках. *Вят., Сиб.* То же, что **не в дорости (ДОРОСТЬ).** СРНГ 8, 136; ФСС, 63.

ДО́РОСТЬ * Не в до́рости. *Кар.* О несовершеннолетнем, не достигшем зрелого возраста человеке. СРГК 1, 490; СРНГ 8, 137.

ДОС * Дос Нафигатор. *Жарг. комп. Шутл.* Операционная система Dos Navigator. Шейгал, 210.

ДОСВЕ́ТКА * В досве́тку. *Сиб.* Перед рассветом, до рассвета.ФСС, 63.

ДО СВИДА́НИЯ * По́лное до свида́ния. *Жарг. мол. Неодобр.* О крайне глупом человеке. (Запись 2004 г.).

Про́сто до свида́ния. *Жарг. мол. Неодобр.* О чём-л. скверном, очень плохом. Максимов, 348.

ДОСЕ́ЛЬКА * По досе́льке. *Сиб.* По старинному обычаю. ФСС, 63.

ДОСКА́ * Доска́ — два соска́. *Жарг. мол. Пренебр.* О худой плоскогрудой девушке. СИ, 1998, № 6; Никольский, 44; Вахитов 2003, 50.

Доска́ объявле́ний (открове́ний). *Жарг. шк. Шутл.* 1. Школьный туалет. 2. Школьная парта. ВМН 2003, 45; Никитина 2003а, 7.

Доска́ почёта. *Жарг. шк. Шутл.* То же, что **доска объявлений 1-2.** (Запись 2003 г.).

Доска́ с нога́ми. *Жарг. студ. Шутл.* Стол в учебной аудитории. (Запись 2003 г.).

Стира́льная доска. 1. *Разг. Презр.* О некрасивой, худой, плоскогрудой и высокой женщине. Флг., 337. 2. *Жарг. авто. Неодобр.* Дорога с рытвинами и ухабами. (Запись 2003 г.).

Па́хнет дубо́выми до́сками *от кого. Новг. Ирон.* О человеке, близком к смерти. Сергеева 2004, 193.

Запи́сан на чёрной доске́. *Разг. Устар. Неодобр.* О человеке, который находится на дурном счету, имеющем дурную репутацию. БМС 1998, 166.

Стоя́ть на одно́й доске *с кем, с чем. Разг.* Быть равным в каком-л. отношении, занимать одинаковое с кем-л., с чём-л. положение, иметь одинаковое значение. ФСРЯ, 459.

В [гробовы́е] до́ски сойти́ (уйти́). *Арх., Сиб.* Умереть. АОС 10, 71; СРНГ 8, 141.

В гробовы́е до́ски, че́рез надгро́бные рыда́ния, сквозь три па́лубы и чёрные котлы́, в крова́вые гла́зки, в святы́е прича́стия, в Бо́га, в присноде́ву богородицу, всех святы́х уго́дников! *Прост. Бран.* Выражение крайнего недовольства, раздражения, ярости. Мокиенко, Никитина 2003, 123.

До гробово́й доски́. *Разг.* До конца жизни, до самой смерти. ДП, 654; БТС, 278; ЖРКП, 36; ФСРЯ, 145; БМС 1998, 166; Мокиенко 1990, 24; АОС 10, 70. **До гро́бной доски́.** *Кар.* То же. СРГК 1, 493.

Гнуть до́ски. *Кар. Шутл.* Энергично, азартно плясать (так, что прогибается пол). СРГК 1, 348.

Не сойти́ с э́той доски́! *Волг.* Клятвенное заверение в истинности сказанного. Глухов 1988, 104.

От доски́ до доски́. *Разг.* От начала до конца (прочитать, выучить и т. п.). ФСРЯ, 145; БМС 1998, 166; ЗС 1996, 377; ДП, 419.

Пили́ть до́ски. *Жарг. угол. Ирон.* Готовиться к смерти; умирать. Балдаев 1, 318.

Сплавля́ть до́ски. *Жарг. угол.* Сбывать краденые или скупленные иконы. Балдаев 2, 55. < **Доска** — икона.

Теса́ть до́ски. *Перм.* Готовиться к смерти или большим неприятностям. Подюков 1989, 203.

Угна́ть в до́ски *кого. Прибайк.* Довести до смерти, замучить жестокостью кого-л. СНФП, 59.

Уйти́ в до́ски. *Перм., Прибайк.* Умереть. Подюков 1989, 212; СНФП, 60.

В до́ску. *Разг.* Очень, сильно (напиться, быть пьяным). ФСРЯ, 145; ЗС 1996, 193; ПОС, 9, 172; Вахитов 2003, 152. // *Кар.* (устать). СРГК 2, 80.

Выкла́дываться в до́ску. *Волг.* Стараться, проявлять усердие. Глухов 1988, 18.

Завести́ (согна́ть) в гробову́ю до́ску (в гробовы́е до́ски) *кого. Арх.* Довести до смерти кого-л. АОС 10, 71.

Загна́ть в до́ску *кого. Жарг. угол.* Предать кого-л. Потапов 1927, 23.

Заткну́ть в до́ску *кого.* 1. *Перм.* Превзойти, одолеть кого-л. СРНГ 8, 141. 2. *Волг.* Подчинить себе, покорить кого-л. Глухов 1988, 44.

Нарабо́таться в до́ску. *Перм.* Поработать до изнеможения. Сл. Акчим. 3, 43.

Приши́ть в до́ску *кого. Жарг. угол.* Убить кого-л. по решению самосуда. ТСУЖ, 146.

Разбива́ться/ разби́ться (расшиба́ться/ расшиби́ться) в до́ску. *Разг.* Прикладывать много стараний, усилий для достижения чего-л. Ф 2, 112, 125; Глухов 1988, 138; ПОС 9, 172.

Своди́ть/ свести́ на одну́ до́ску *кого с кем. Разг. Устар.* Приравнивать, уподоблять кого-л. кому-л. в каком-л. отношении. Ф 2, 145.

Свой в до́ску. *Жарг. угол.; Прост. Одобр.* Надёжный человек из уголовной среды. Грачев, 1992, 150; СРВС 3, 24, 60; СРВС 4, 147; БТС, 278; ЗС 1996, 31; Балдаев 2, 31; ББИ, 218; Мильяненков, 228; Грачев, Мокиенко 2000, 152.

Сказа́ть в до́ску. *Перм.* Донести на кого-л. СРНГ 8, 141.

Спусти́ть в до́ску *кого. Жарг. угол.* Убить кого-л. Балдаев 2, 57.

Ста́вить/ поста́вить на одну́ до́ску *кого с кем, что с чем. Разг.* Приравнивать, уподоблять кого-л. кому-л., что-л. чему-л. в каком-л. отношении. БТС, 278, 1258; ФСРЯ, 452; ДП, 859.

Станови́ться/ стать на одну́ до́ску *с кем. Разг.* Приравнивать себя к кому-л., уподоблять себя кому-л. в каком-л отношении. БТС, 278; ФСРЯ, 453.

Хоть в до́ску заби́ться. *Алт.* О бесполезных усилиях. СРГА 2-1, 93.

Шесть досо́к. *Перм.* 1. Гроб. 2. Смерть. Подюков 1989, 64.

ДОСКОНА́Л * В доскона́л. *Сиб.* Наверное, наверняка. ФСС, 63.

ДО́СТАЛЬ * В до́сталь. *Кар.* В достаточном количестве. СРГК 1, 496.

На до́сталях. *Нижегор.* На исходе, кончается, подходит к концу. СРНГ 8, 146.

ДОСТА́ЛЬНЫЙ * В доста́льные (в доста́льных). *Костром.* В последний раз. СРНГ 8, 147.

ДОСТА́ТОК * На доста́тках. *Кар.* В конце концов. СРГК 1, 496.

Ни в доста́тках ни в дохва́тках. *Пск.* О голодном времени, когда нигде невозможно достать продуктов. ПОС 9, 177.

Доста́тки хвата́ют. *Перм., Прикам.* Позволяет материальное положение. МФС, 34; СГПО, 144.

ДОСТА́ЧА * В доста́че. *Морд.* О достаточном количестве чего-л. СРГМ 1980, 31.

ДОСТКА́ * В до́стку. *Брян.* То же, что **в доску (ДОСКА).** СБГ 5, 34.

ДОСТО́Й * В досто́й (по досто́ю). *Арх.* Как следует, как должно. СРНГ 8, 148.

ДОСТОЯ́НИЕ * Де́лать/ сде́лать достоя́нием гла́сности *что. Книжн.* Делать что-л. известным всем, широко разглашать что-л. Мокиенко 2003, 26.

ДОСУ́Г * Не в досу́г (не в досу́ге). *Курск., Новг.* Некогда, нет времени. СРНГ 8, 151; НОС 2, 98.

ДО́СУЛЬ * С досуле́й до́суль. *Новг.* Очень давно. НОС 2, 98.

ДОХ * Дава́ть/ дать дох *кому. Арх.* Давать отдохнуть оленям во время езды. СРНГ 7, 257; СРНГ 8, 158.

Дох напа́л (нашёл) *на кого. Дон.* Начался мор (о падеже скота, птицы). СДГ 1, 138.

Ложи́ться на дох. *Арх.* Выходить из моря и располагаться на берегу (о морских животных). СРНГ 8, 159.

Сего́дня ох, за́втра дох. *Кар. Ирон.* О быстрой, неожиданной смерти. СРГК 1, 501.

ДОХВА́Т * В дохва́т. *Сиб.* Достаточно, вдоволь. СРНГ 8, 159; ФСС, 64.

Не в дохва́т. *Сиб.* Мало, недостаточно. СРНГ 8, 159; ФСС, 64.

ДОХНУ́ТЬ * Ни дохну́ть ни глотну́ть. *Прост. Устар.* О сложной, безвыходной ситуации. Ф 1, 171.

ДОХО́Д * Земляно́й дохо́д. *Смол. Ирон.* Доход священника от погребения. СРНГ 11, 259.

Довести́ до дохо́да *кого. Орл.* Причинить вред, неприятности кому-л. СРНГ 8, 161.

В дохо́де. *Калуж.* На исходе. СРНГ 8, 160.

Дохо́ду час. *Кар.* Очень быстро. СРГК 1, 502.

Безгре́шные дохо́ды. *Книжн. Ирон.* Взятки, принимаемые в виде добровольных приношений. БМС 1998, 166.

ДО́ХТОР. См. **ДО́КТОР.**

ДОЦЕ́НТ * Доце́нт тупо́й. *разг. Ирон. или Пренебр.* О человеке, не понимающем простых вещей (обычно — о преподавателе). < Реплика героя юмористического диалога М. Жванецкого (1964 г.). Дядечко 2, 32.

ДО́ЧКА * Ма́менькина до́чка. *Разг. Неодобр.* Избалованная, изнеженная девочка, девушка. ФСРЯ, 145.

Су́кина до́чка. *Прост. Устар. Бран.* О женщине, вызывающей гнев, негодование. Арбатский, 292.

Причасти́ться у до́чки Бо́га. *Жарг. угол.* Изнасиловать и ограбить монахиню. Балдаев 1, 354.

ДОЧЬ * Де́вья дочь. *Сиб.* Внебрачная дочь. ФСС, 64.

Дочь Архиме́да. *Жарг. шк.* Учительница математики. ВМН 2003, 45.

Соба́чья (су́чья) дочь. *Прост. Бран.* Оскорбительная характеристика женщины. Ф 1, 172; Мокиенко, Никитина 2003, 123.

ДОЩЕ́ЧКА * Скака́ть на (по) одно́й доще́чке. *Волг.* Вести себя осторожно. Глухов 1988, 748.

Ходи́ть по одно́й доще́чке. *Волг.* Находиться в зависимом положении. Глухов 1988, 167.

ДОЯ́РКА * Подме́нная доя́рка. *Сиб. Шутл.-ирон.* Безотказный, послушный человек. ФСС, 64.

ДРАГАЛЬ* Дава́ть / дать драгаля́. *Кар.* Убегать откуда-л. СРГК 1, 419. < **Драга́ль** — сущ., образованное от глагола **дра́гать, дры́гать** — быстро бежать. *Прим. ред.*

ДРАГОЦЕ́ННОСТИ * Перебира́ть семе́йные драгоце́нности. *Жарг. мол. Шутл.* Мастурбировать. Декамерон 2001, № 1.

ДРАЖНИ́ЛО * Соба́чье дражни́ло. *Волг. Неодобр.* Насмешник, зубоскал. Глухов 1988, 151.

ДРАЙВ * Тяжёлый драйв. *Жарг. комп.* Жесткий диск. Садошенко, 1996; Шейгал, 209; Вахитов 2003, 184.

ДРАЙК * Дать дра́йка *кому. Волг.* Строго наказать, побить кого-л. Глухов 1988, 30.

ДРА́КА * Ба́бья дра́ка. *Кар.* Растение лилия. СРГК 1, 504.

Дра́ка с унита́зом. *Жарг. мол. Шутл.-ирон.* Рвота. Елистратов 1994, 118.

Раздира́ть (ко́рчить) дра́ки. *Волог.* Расчищать для пашни место среди леса. СВГ 2, 54.

В дра́ку соба́ку. *Морд.* Нарасхват, стараясь перехватить друг у друга что-л. СРГМ 2002, 95.

На дра́ку. *Брян.* Нарасхват (о чём-л., пользующемся большим спросом). СБГ 5, 36.

Собра́ть дра́ку. *Одесск. Шутл.* Подраться. КСРГО.

ДРАКО́Н * Чёрный драко́н. *Разг.* О селевом потоке. Мокиенко 2003, 26.

Выпуска́ть/ выпустить драко́на. *Жарг. мол. Шутл.-ирон.* О рвоте. ФЛ, 101.

ДРАЛ * Дава́ть/ дать (зада́ть) дра́ла. *Прост.* Быстро убежать, сбежать откуда-л. ФСРЯ, 146; ПОС, 9, 31; СФС, 60, 165; Мокиенко 1990, 110, 146; ФСС, 51; Шевченко 2002, 168.

ДРАНГ * Дранг нах о́стен. *Публ. Неодобр.* 1. Призыв к захвату Восточной Европы (милитаристский лозунг фашистской Германии). 2. О политике идеологического и экономического проникновения западных держав в страны бывшего социалистического лагеря. ШЗФ 2001, 70. < Из нем. *Drang nach Osten.* Мокиенко 2003, 26.

ДРАНИ́НА * Дава́ть /дать драни́ны (дра́ницы) *кому. Пск.* Бить, наказывать кого-л. поркой. СПП 2001, 36; Мокиенко 1990, 46, 110.

ДРА́НИЦА * Дава́ть/ дать дра́ницы См. **Давать дранины (ДРАНИНА).**

ДРА́НКА * Дава́ть/ дать дра́нки (дра́нку). 1. *Сиб.* Рвать старую одежду, ткань на узкие ленты, которые идут для тканья половиков. ФСС, 64. 2. *Сиб.* Колоть, расщеплять бревна на дощечки, употребляемые при строительных работах. ФСС, 64. 3. *Дон., Перм., Пск.* То же, что **дать дранины (ДРАНИНА).** СДГ 1, 138; Подюков 1989, 57; ПОС 9, 195; Мокиенко 1990, 46, 110.

Перебива́ться с дра́нки на перепира́нку. *Волг.* Постоянно ссориться, драться. Глухов 1988, 121.

ДРАНЬ * Дава́ть/ дать дрань (дра́ни) *кому. Кар., Яросл.* То же, что **дать дранины (ДРАНИНА).** СРГК 1, 505; ЯОС 3, 121; Мокиенко 1990, 110.

ДРАНЬЁ * Драть драньё. *Прикам., Приамур., Сиб.* То же, что **давать дранки 2. (ДРАНКА).** МФС, 34; СРГПриам., 77; ФСС, 64.

ДРАП * Дава́ть/дать (задава́ть/ зада́ть) дра́па. *Прост. часто Ирон. или Шутл.* То же, что **давать драла (ДРАЛ).** ФСРЯ, 146; БМС 1998, 167; СПП 2001, 36.

ДРАПА́КА * Дава́ть/ дать (задава́ть/ зада́ть) драпака́. *Прост.* То же, что **давать драла (ДРАЛ).** БМС 1998, 167; СПП 2001, 36; СОГ 1990, 78; СВГ 2, 8, 54.

ДРЕБАДА́Н * Пья́ный в дребада́н. *Разг. Шутл.-ирон.* Сильно пьяный. Елистратов 1994, 119; Подюков 1989, 66.

Быть в по́лном дребада́не. *Разг. Шутл.-ирон.* Быть сильно пьяным. Елистратов 1994, 119.

ДРЕБЕДИ́НА * Пья́ный в дребеди́ну (в дребеде́нь). *Пск.* То же, что **пьяный в дребадан (ДРЕБАДАН).** СПП 2001, 36.

ДРЕБЕДЕ́НЬ * Пья́ный в дребеде́нь. См. **Пья́ный в дребеди́ну (ДРЕБЕДИ́НА).**

ДРЕ́БЕЗГ * Пьян до дре́безгу. *Горьк.* То же, что **пьяный в дребадан (ДРЕБАДАН).** БалСок, 33.

ДРЕБЕЗИ́НА * Пья́ный в дребези́ну. *Курск., Перм.* То же, что **пьяный в дребадан (ДРЕБАДАН).** БалСок, 85; Подюков 1989, 66.

ДРЕ́ВО * Вкуша́ть/ вкуси́ть от дре́ва познания добра́ и зла. *Книжн.* 1. Приобретать знания, постигать смысл разнообразных явлений. 2. Узнавать что-л. важное и запретное, учиться чему-л., прежде утаивавшемуся. БТС, 891; ШЗФ 2001, 37; Янин 2003, 100. < Выражение возникло на базе библейского мифа. БМС 1998, 167.

ДРЕДНО́УТ * Дредно́ут Ленина. *Разг. Шутл.-ирон.* Крейсер «Аврора». Синдаловский, 2002.

ДРЕЗИ́НА * Уехать на ручно́й дрези́не. *Жарг. мол. Шутл.* Достичь оргазма в акте онанизма. Вахитов 2003, 185.

Пья́ный в дрези́ну. *Прост.* То же, что **пьяный в дребадан (ДРЕБАДАН).** ЗС 1996, 193; Глухов 1988, 91; БалСок, 85; МФС, 34; СПП 2001, 36; ФСС, 64.

Насопе́ться в дрези́ну. *Волог.* Напиться пьяным. СВГ 2, 55.

ДРЕЗИ́НУШКА * Пья́ный в дрези́нушку. *Том.* То же, что **пьяный в дребадан (ДРЕБАДАН).** СПСП, 35.

ДРЕЙФ * Лечь в дрейф. *Жарг. угол.* Временно прекратить преступную деятельность. ТСУЖ, 98.

ДРИ́ЖЖА * В дри́жжу сбить. *Калуж.* 1. *что.* Сделать что-л. мягким и тёплым. СРНГ 8, 186. 2. *кого.* Сильно избить кого-л. СРНГ 8, 186.

ДРИНК * Приколо́ться к дри́нку. *Жарг. мол.* Выпить спиртного. < **Дринк** — алкогольный напиток, из англ.: *drink.* БСРЖ, 167.

ДРИНЧ * Сидеть на дринче. *Жарг. мол.* Постоянно пить спиртные напитки. Запесоцкий, Файн, 170. < **Дринч** — спиртное, алкогольные напитки, из англ.: *drink.* БСРЖ, 167.

ДРО́БИ * Зава́ливать/ завали́ть на дробя́х *кого. Жарг. студ.* Отвергать, отклонять кого-л. (при голосовании, конкурентной борьбе и т. п.) по несущественной причине. НРЛ-82; Мокиенко 2003, 26.

ДРОБИ́НА * В дробину мать! *Перм. Бран.* Выражение крайнего недовольства, раздражения, гнева. Подюков 1989, 66; Мокиенко, Никитина 2003, 124.

ДРОБЬ * Бить дро́би. 1. *Арх., Орл., Сиб.* Плясать, прерывисто пристукивая ногами о землю. СРНГ 8, 189; СОГ 1989, 75; ФСС, 12. 2. *Волг.* Пристукивать ногами от холода. Глухов 1988, 3.

Дава́ть/ дать дро́би. *Сиб.* То же, что **бить дроби 1**. ФСС, 53.

Дробь шестна́дцать. *Жарг., арм. Шутл.-ирон.* Пшённая каша. Кор., 94; Лаз., 65; Афг.-2000.

Отбива́ть дробь. 1. *Разг.* Плясать, ритмично постукивая ногами об пол. Ф 2, 22. 2. *Сиб.* Дрожать от холода. СФС, 68; СБО-Д1, 125; СОСВ, 64.

Ду́нуть дро́бью. *Жарг. угол.* Выстрелить. СВЯ, 29.

Пробра́ть [с] дро́бью *кого. Прост.* Сильно поругать, отчитать, наказать, выпороть кого-л. ДП, 221; Мокиенко 1990, 56; ПОС 9, 210.

ДРОБАКА́ * Дава́ть (задава́ть) дробака́. *Морд.* То же, что **бить дроби 1 (дробь).** СРГМ 1980, 35.

ДРОВА́ * Дров бы съел. *Пск. Шутл.* О сильном чувстве голода. ПОС 9, 210.

Дров наколо́ть да в рот натолка́ть *кому. Прикам.* накормить кого-л. чем попало. МФС, 63.

Наколо́ть сухи́х дров. *Яросл.* Побить, поколотить кого-л. ЯОС 6, 98.

Нанома́ть дров. *Разг. Неодобр. или Ирон.* Наделать глупостей, больших ошибок. ФСРЯ, 265; БМС 1998, 167; Мокиенко 1990, 129; ЗС 1996, 108, 126; СПП 2001, 36.

Одни́х дров не ест. *Волог.* О неприхотливом в еде человеке. СВГ 6, 30.

Горе́лые дрова́. *Жарг. комп. Шутл.* Графический редактор Corell Draw. Садошенко, 1995; Шейгал, 207.

Дрова́ летя́т. *Жарг. шк. Шутл.* О метании копья на уроке физкультуры. (Запись 2003 г.).

Кто по дрова́, кто по се́но. *Коми. Неодобр.* О неслаженном пении. Кобелева, 65.

Руби́ть дрова́. *Разг. Шутл.-ирон.* Совершать половой акт с кем-л. Флг., 94; УМК, 79.

В дрова́х. *Ряз.* Ни за что, ни в коем случае (выражение решительного отказа на какую-л. просьбу, приглашение и т. п. СРНГ 8, 190.

ДРОВИ́НА * Ни дрови́ны ни трави́ны *где. Пск. Шутл.* Об отсутствии зелени (обычно в городе). СПП 2001, 36.

ДРО́ВНИ * Кто с дровне́й, кто с сене́й. *Новг.* О людях, приехавших из разных мест куда-л. СРНГ 36, 119.

Дро́вни лы́чить. *Сиб.* Ездить свататься. СФС, 68; ФСС, 108.

Бить (ло́пать, хло́мать) дро́вня́ми. *Пск. Неодобр.* Болтать, пустословить, много говорить. ПОС 9, 212.

Стеба́ть дровня́ми по потолку́. *Пск. Неодобр.* Лгать, обманывать. СПП 2001, 36.

ДРОВОСЕ́К * Желе́зный дровосе́к. 1. *Жарг. шк. Шутл.* Учитель труда. ВМН 2003, 46. 2. *Жарг. мол. Шутл.-ирон.* Очень глупый, несообразительный человек. Максимов, 129. 3. *Жарг. мол. Шутл.* Точно, наверняка (от "железно" — точно; по имени персонажа сказки А. Волкова "Волшебник Изумрудного города"). Белянин, Бутенко, 57. 4. *Жарг. мол. Шутл.* Мужской половой орган. Елистратов 1994, 663; ЖЭСТ-1, 141. 5. *Жарг. мол. Шутл.* Памятник Ю. Гагарину в Москве. МК, 14.03.98.

ДРОГ * Дава́ть дро́гу. *Волг., Сиб.* Дрожать (как правило — от холода). Глухов 1988, 27; СФС, 58; ФСС, 51; Мокиенко 1990, 154; СРНГ 7, 257; СРНГ 8, 195.

ДРОГА́Н * Дрога́н пробира́ет *кого. Сиб.* 1. Кому-л. холодно. 2. Кого-л. знобит. ФСС, 64.

ДРО́ГАНЦЫ * Пойма́ть дро́ганцы. *Сиб. Шутл.-ирон.* Умереть. СФС, 144; ФСС, 141.

Продава́ть дро́ганцы. *Волг., Курск., Сиб.* То же, что **продавать дрожжи (ДРОЖЖИ).** Глухов 1988, 134; Мокиенко 1990, 154; БотСан, 92; СФС, 68; СРНГ 8, 195.

ДРОГОТУ́Н * Дроготуна́ состро́ить. *Пск. Шутл.* Замёрзнуть, продрогнуть. ПОС 10, 4.

ДРОГУ́Н * Пойма́ть дрогуна́ (дрожа́нку). *Волг., Пск.* Дрожать от холода; начать дрожать, замёрзнув. Глухов 1988, 127; СРНГ, 8, 196; Мокиенко 1990, 154; ПОС 10, 4-5.

ДРОГУНКИ́ * Дава́ть/ дать (принимать) дрогунков (дрогунки́). *Ряз.* То же, что **продавать дрожжи (ДРОЖЖИ).** Мокиенко 1990, 154.

ДРОЖА́НКА * Пойма́ть дрожа́нку. См. **Поймать дрогуна (ДРОГУН).**

ДРОЖЖА́ * Дать дрожжа́. *Кар.* Сильно замёрзнуть. СРГК 1, 424.

ДРОЖЖА́К * Задава́ть (хвата́ть) дрожжака́. *Волг.* То же, что **продавать дрожжи (ДРОЖЖИ).** Глухов 1988, 47.

ДРО́ЖЖИ * Торгова́ть дрожжа́ми. *Разг. Шутл.* То же, что **продавать дрожжи.** ЗС 1996, 450.

Быть в дрожжа́х. *Кар.* Испытывать волнение, волноваться. СРГК 2, 3.

Дать дро́жжи. *Жарг. угол. Шутл.-ирон.* Испугаться, струсить. Балдаев 1, 102.

Покупа́ть дро́жжи. *Сиб. Ирон.* То же, что **продавать дрожжи.** ФСС, 144.

Продава́ть дро́жжи. *Прост.* Дрожать от холода, страха. ЗС 1996, 176; СФС, 68, 153; Вахитов 2003, 150; СРГК 5, 250; Ф 2, 97; Мокиенко 1990, 154; Подюков 1988, 164.

Разби́ться в дро́жжи. *Кар.* Разбиться насмерть при падении. СРГК 5, 395.

ДРО́ЖКА * Дро́жкой дрожа́ть. *Кар.* То же, что **продавать дрожжи (ДРОЖЖИ).** Мокиенко 1990, 154; СРГК 1, 505.

ДРОЖМА́ (ДРОЖМЯ́) * Дрожма́ (дрожмя́) дрожа́ть. *Прост.* То же, что **продавать дрожжи (ДРОЖЖИ).** БМС 1998, 168; Мокиенко 1990, 147; СРГНП 1, 191.

ДРОЖЬ * Броса́ет в дрожь *кого. Разг.* Кто-л. испытывает сильное чувство страха. Ф 1, 43.

ДРОЗД * Дава́ть /дать дрозда́. 1. *Пск. Шутл.* Громко и много петь. СПП 2001, 36. 2. *Перм., Сиб. Одобр.* Интенсивно, плодотворно работать. Подюков 1989, 57; ФСС, 51. 3. *Пск.* Срывать голос. СПП 2001, 36. 3. *кому. Прост.* Избивать кого-л., расправляться с кем-л. СРГК 1, 419; Мокиенко 1990, 46, 49; Максимов, 101. 4. *кому. Жарг. мол.* Ругать, отчитывать кого-л. Максимов, 101.

Пригре́ть дрозда́. *Жарг. мол. Шутл.* Об акте онанизма. Декамерон 2001, № 3.

Дава́ть/ дать дроздо́в *кому. Пск.* То же, что **давать дрозда 4.** СПП 2001, 36.

Охо́титься на дроздо́в. *Публ.* Вывозить жителей одной страны для использования на подневольных работах в другой. < От **охота на дроздов.** Мокиенко 2003, 27.

Хвати́ть дроздо́в. *Народн.* Сильно озябнуть, промёрзнуть. ДП, 914; СРНГ 8, 197; Мокиенко 1989, 21.

ДРУГ * Ба́бий друг. *Разг. Шутл.* Мужской половой орган. Елистратов 1994, 663; ЖЭСТ-1, 141.

Бе́лый друг. *Жарг. мол. Шутл.* 1. Унитаз. Елистратов 1994, 121; h-98. 2. Холодильник. Максимов, 31.

Друг до́ма. *Книжн.* 1. Человек, пользующийся в чьей-л. семье сердечным расположением. 2. *Шутл.* Любовник хозяйки дома. БТС, 285; ЗС, 279.

Друг наро́да. *Книжн.* О популярном в народе человеке. БМС 1998, 169.

Друг си́тный. *Прост. Шутл. или Ирон.* Фамильярное обращение к собеседнику. Ф 1, 172; БМС 1998, 169; СОГ 1990, 78; Глухов 1988, 38.

Друг си́тцевый. *Пск.* То же, что **друг ситный.** ПОС 10, 10.

Друг Толя́н. *Жарг. шк. Шутл.* Школьный туалет. (Запись 2003 г.).

Закады́чный друг. *Прост. иногда Ирон. или Шутл.* Близкий, задушевный друг, приятель. БМС 1998, 169.

Зелёный друг. *Публ. Патет. Устар.* Лес, зелёные насаждения, растительный покров. Мокиенко, Никитина 1998, 181.

[Лу́чший] друг артиллери́стов (бушме́нского наро́да и кру́пного рога́того скота́, дете́й, заключённых, угнетённых наро́дов, колхо́зников, писа́телей, чеки́стов, танки́стов, горняко́в, шахтёров, физкульту́рников). *Публ., Разг. Патет. или Ирон.* В. И. Сталин. Росси 1, 105; Росси 2, 390; Шарифуллин, 161; Сарнов, 197.

[Лу́чший] четвероногий друг солда́та. *Жарг. арм. Шутл.* Кровать. Максимов, 231.

Ми́лый друг. *Жарг. шк. Шутл.* Звонок с урока. (Запись 2003 г.).

Наш о́бщий друг. *Жарг. шк. Шутл.* 1. Шпаргалка. Максимов, 119. 2. Оценка «хорошо», четверка. Bytic, 1991–2000.

Перна́тый друг. *Жарг. мол. Шутл.* То же, что **бабий друг.** Щуплов, 53.

Рези́новый друг. *Жарг. мол. Шутл.* Презерватив. *РТР*, 20.02.99.

Крича́ть на бе́лого дру́га. *Жарг. мол. Шутл.-ирон.* То же, что **пугать белого друга.** Елистратов 1994, 121.

Пуга́ть бе́лого дру́га. *Жарг. мол. Шутл.-ирон.* О рвоте. Белянин, Бутенко, 131; Елистратов 1994, 121.

Обнима́ться (дружи́ть) с бе́лым дру́гом. *Жарг. мол. Шутл.-ирон.* То же, что **пугать белого друга.** Елистратов 1994, 121.

Не дади́м друг дру́гу поги́бнуть. *Жарг. шк. Шутл.* О списывании у кого-л. выполненного задания, работы. (Запись 2002 г.).

ДРУГО́ЗЬБА * В друго́зьбу. *Волог.* 1. Из дружеского расположения. 2. В гости. СВГ 2, 60.

В друго́зьбах. *Волог.* 1. В гостях. 2. Среди чужих людей. СВГ 2, 60.

ДРУГОЛЯ́ * В друголя́. *Сиб., Забайк.* В другой раз. СРГЗ, 105; ФСС, 64.

ДРУ́ЖБА * Дру́жба наро́дов. *Жарг. арм. Ирон.* Каша из риса и гороха. ЖЭСТ-1, 235.

Победи́ла дру́жба. *Разг. Шутл.-ирон.* О соревнованиях, соперничестве, дискуссии, не завершившихся чьей-л. победой. Мокиенко 2003, 27.

Дели́ть дру́жбу *с кем. Дон.* 1. Собираться вместе для выпивки. 2. Делить все с друзьями. СДГ 1, 126.

Доказа́ть дру́жбу *кому. Ворон.* Расправиться с кем-л., наказать кого-л. СРНГ 6, 96.

Колоти́ть дру́жбу. *Курск.* Устанавливать дружеские отношения с кем-л. БотСан, 98.

ДРУЖО́К * Оседла́ть дружка́. *Жарг. угол. Шутл.-ирон.* Завести знакомство с сотрудником милиции. Балдаев 1, 293.

ДРУЗЬЯ́-ОДНОПОЛЧА́НЕ * Где же вы тепе́рь, друзья́-однополча́не? *Жарг. шк. Ирон.* Об ученике, отвечающем у доски. < Слова из популярной песни. Максимов, 82.

ДРЫГ * Дава́ть дрыг. *Обл.* Сильно дрожать (от холода, страха). Мокиенко 1990, 110.

ДРЫ́ГАЛЫ * Задира́ть/ задра́ть дры́галы. 1. *Смол. Шутл.-ирон.* Умирать. СРНГ 8, 221. 2. *Волг. Шутл.-ирон.* Бездельничать. Глухов 1988, 47.

ДРЫ́ЖИКИ * Продава́ть дры́жики. *Обл. Шутл.* То же, что **продавать дрожжи (ДРОЖЖИ).** Мокиенко 1990, 154, 156.

ДРЫ́ЗГ * Дры́зги вон. *Пск.* О смерти кого-л. СРНГ 8, 221; ПОС 10, 21.

До дры́згу. *Пск.* Очень много. ПОС 10, 21.

ДРЫ́КИ * Дры́ки задира́ть. *Орл.* Спать. СРНГ 8, 222.

ДРЫМ * Дрым одоле́л *кого. Кар.* Кто-л. хочет спать, придремывает. СРГК 2, 7.

ДРЫН * Дать (зада́ть) дры́на *кому. Горьк., Кар.* Избить, наказать побоями кого-л. БалСок, 32; СРГК 2, 113.

ДРЫ́НКИ * Дры́нки бить. *Смол. Неодобр.* Бездельничать. СРНГ 8, 222.

ДРЫХУ́НЧИКИ * Лови́ть дрыху́нчиков. *Жарг. мол. Шутл.* Спать. Вахитов 2003, 92.

ДРЮ́ЧКИ * То́лько в дрю́чки игра́ть *с кем. Новг. Ирон.* О человеке, одетом во что-л. очень рваное. СРНГ 8, 225.

ДРЯ́ГА * Не в дря́гу. *Сиб.* Насильно, вынужденно, по необходимости. ФСС, 65.

ДРЯ́ГЕЛЬ * Дря́геля зада́ть. *Яросл.* Убежать, скрыться откуда-л. ЯОС 4, 22.

ДРЯ́ЗГИ * Разбира́ть дря́зги. *Разг. Неодобр.* Сплетничать, обсуждать чью-л. личную жизнь, чьи-л. распри. БМС 1998, 169.

ДРЯНЬ * Больна́я дрянь. *Жарг. нарк.* Гашиш низкого качества. ТСУЖ, 22; Грачев 1994, 12; Грачев 1996, 24; ББИ, 71; Балдаев 1, 116.

Промо́кнуть с дря́нью. *Жарг. угол., нарк.* Быть задержанным с партией наркотика. ТСУЖ, 147. < **Дрянь** — наркотик; наркотик для курения.

ДУБ[1] * Вво́дить в дуб *кого. Пск.* Заставлять кого-л сердиться, нервничать. ПОС 3, 46.

Дуб ду́ба да́вит. *Прибайк. Одобр.* Об очень здоровых, крепких людях. СНФП, 62.

Вре́зать (секану́ть) ду́ба (ду́баря). *Жарг. угол.* То же, что **дать дуба 1.** СРВС 4, 136; Б., 32; Довлатов 1, 46; Брон.; Росси 1, 106; СВЖ, 5; Мильяненков, 116; ББИ, 71; Балдаев 1, 116.

Втыка́ть ду́ба. *Пск.* Мерзнуть. (Запись 2001 г.).

Дать ду́ба. 1. *Прост.* Умереть. ФСРЯ, 146; БМС 1998, 169; ЗС 1996, 151, 180; БТС, 240, 286; ШЗФ 2001, 60; Мокиенко 1990, 25; СПП 2001, 36. 2. *кому. Орл.* Избить кого-л. СОГ 1990, 45.

За три ду́ба. *Жарг. мол. Шутл.* Очень далеко. ВМН 2003, 46.

На дуба́. *Пск.* 1. На задние ноги, лапы (встать, ставить). 2. В вертикальное положение. ПОС, 10, 27.

Попере́ть в дуб. *Ряз.* Заупрямиться, заартачиться. ДС, 154; СРНГ 29, 306.

Поста́вить на ду́ба *кого. Кар.* Сделать кого-л. предметом обсуждения. СРГК 5, 95.

Ру́хнуть с ду́ба. *Жарг. мол. Неодобр.* Сойти с ума, начать вести себя подобно сумасшедшему. СИ, 1998, № 6; Вахитов 2003, 160.

Сорва́ться с ду́ба. *Морд. Неодобр.* Потерять выдержку, самообладание. СРГМ 2002, 108.

На дуба́х ходи́ть. *Пск.* Сердиться, злиться на кого-л. СПП 2001, 36.

Одного́ ду́бу. *с кем.* 1. *Ворон.* О сверстнике. СРНГ 8, 232. 2. *Волг. Неодобр.* Одинаково плохи. Глухов 1988, 116.

ДУБ[2] * **Дуба́ стоя́ть.** *Ряз.* Стоять на ножках (о ребёнке, начинающем ходить). ДС, 154.

Встава́ть/ встать на дуба́. *Ряз.* Подниматься на дыбы (о лошади). ДС, 154.

ДУБА́К * **Дава́ть/ дать дубака́. 1.** *Разг.* Мёрзнуть, замерзать. Елистратов 1994, 122; Вахитов 2003, 44. 2. *кому. Обл.* Бить кого-л. Мокиенко 1990, 46.

ДУ́БАРЬ * **Краси́вый дуба́рь.** *Жарг. угол.* Расчленённый труп. Балдаев 1, 205.

Вре́зать (секану́ть) ду́баря. См. **Врезать (секануть) дуба (ДУБ).**

Дава́ть/ дать ду́баря. *Прост.* 1. *Шутл.* Сильно мёрзнуть. 2. Умирать. ПОС 10, 27; ФСС, 53; ЯОС 3, 121; БТС, 240.

Загиба́ть ду́баря. *Горьк.* То же, что **давать дубаря 1.** БалСок, 34.

ДУБА́С * **Дать дуба́са** *кому. Народн.* Побить, поколотить кого-л. СРНГ 8, 233.

ДУБА́ШКИ * **На дуба́шки встава́ть/ встать (станови́ться).** 1. *Волог., Пск.* То же, что **встава́ть на дуба́.** СПП 2001, 36. 2. *Пск.* Опускаться на колени. ПОС 10, 28. 3. *Новг.* Проявлять упрямство. НОС 1, 143.

ДУБЁШКИ * **На дубёшках.** *Пск.* То же, что **на дубях.** ПОС 10, 28.

ДУ́БИ * **На дубя́х.** *Пск.* На задних ногах, лапах. ПОС 10, 28.

ДУ́БИКИ * **Бежа́ть в ду́бики.** *Ряз.* Очень быстро бежать, нестись. ДС, 154.

Дуби́на * **Дуби́на двадца́того ве́ка.** *Жарг. шк. Шутл.-ирон.* Bytic, 1991–2000.

Дуби́на стоеро́совая. *Прост. Бран.* О крайне глупом, несообразительном человеке. ФСРЯ, 146; БМС 1998, 170; БТС, 1271; ЗС 1996, 246; Мокиенко 1990, 106, 112; Арбатский, 105; СПП 2001, 364; СРГА 2-1, 50.

Гла́дить/ погла́дить дуби́ной *кого. Прост. Шутл.-ирон.* Бить, избивать кого-л. Мокиенко 1990, 55.

Жени́ть дуби́ной *кого. Волг. Шутл.* То же, что **гладить дубиной.** Глухов 1988, 42.

И дуби́ной и граби́ной. *Пск.* По-всякому, всеми возможными способами. ПОС 7, 165.

Нельзя́ почеса́ть коря́вой дуби́ной *кого. Волг. Шутл.-ирон.* О гордом, неприступном человеке. Глухов 1988, 99.

Обиха́живать дуби́ной *кого. Волг.* Наказывать побоями кого-л. Глухов 1988, 114.

Подпоя́хавши дуби́ной, подпира́ется ремнём. *Пск. Шутл.* О человеке, странно, несуразно одетом. СПП 2001, 36.

Чеса́ть/ почеса́ть [коря́вой] дуби́ной *кого. Волг. Шутл.-ирон.* То же, что **гладить дубиной.** Глухов 1988, 132.

Вкла́дывать/ вложи́ть дуби́ны *кому. Волг.* То же, что **гладить дубиной.** Глухов 1988, 12.

ДУБИ́НКА * **Дуби́нка да корзи́нка** *у кого. Новг. Шутл.-ирон.* О крайней бедности. Сергеева 2004, 220.

Дуби́нка квит *[кому]*. *Пск. Ирон.* О гибели, смерти. ПОС 10, 30.

ДУБИ́НУШКА * **Дуби́нушки International.** *Жарг. мол. Шутл.* Поп-группа "Иванушки International". Я — молодой, 1998, № 8.

ДУ́БКИ́ * **Встава́ть/ встать (станови́ться) в ду́бки́.** 1. *Дон., Ряз.* То же, что **вставать на дуба (ДУБ**[2]**).** СДГ 1, 141; ДС, 154. 2. *Пск.* Принимать воинственную позу, приготовиться драться. ПОС 10, 31. 3. *Дон., Морд., Пск., Ряз., Твер.* Выражать несогласие, упрямство, сопротивляться чему-л. СДГ 1, 141; СРНГ 8, 236; СРГМ 1980, 38; ПОС 10, 31; ДС, 154.

Вста́вить ду́бки *[кому]. Пск.* Подраться с кем-л. СПП 2001, 36.

Де́лать ду́бки. *Пск.* Становиться на ноги (о ребенке). ПОС 10, 33.

Схвати́ться в ду́бки. *Пск.* Подраться, избить друг друга. ПОС 10, 31.

ДУБНИ́К * **Дубни́к взять** *у кого. Брян.* Лишить кого-л. права и возможности распоряжаться, управлять кем-л., чем-л. СБГ 5, 43.

ДУБО́К * **Дубо́к стоя́ть.** *Сиб.* То же, что **дуба стоять (ДУБ**[2]**).**

ДУ́БО́М * **Встать дубо́м.** *Пск.* Стоя замереть, застыть от испуга. ПОС 10, 33.

Ходи́ть ду́бом. *Пск.* Быть недовольным чем-л., сердиться. ПОС 10, 33.

ДУБО́ЧКИ * **Стоя́ть дубо́чки.** *Ряз.* То же, что **дуба стоять (ДУБ**[2]**).** ДС, 154.

ДУБО́ШКИ * **На дубо́шках.** *Дон.* 1. На корточках. 2. На четвереньках. СДГ 1, 141.

Встава́ть/ встать на дубо́шки. 1. *Ряз.* То же, что **вставать на дуба (ДУБ**[2]**).** ДС, 155. 2. *Дон.* Вставать вертикально. СДГ 1, 141. 3. *Ряз.* То же, что **вставать на дубки 3. (ДУБКИ).** ДС, 155.

Сесть на дубо́шки. *Дон.* Опуститься на корточки. СДГ 1, 141.

ДУБРА́ВА * **Дубра́ва ко́лется.** *Сиб. Шутл.-ирон.* О слишком громком пении. СРНГ 14, 190; ФСС, 65.

ДУБРА́ВУШКА * **Дубра́вушка раздаётся.** *Коми. Шутл.-одобр.* Об азартной, весёлой пляске. Кобелева, 59.

ДУ́БЫ́ * **Встава́ть /встать в дубы́.** *Пск.* 1. Задираться, провоцировать драку. 2. Упрямиться, не соглашаться с кем-л. ПОС 10, 35.

Лезть на дубы́. *Пск.* То же, что **вставать в дубы 1.** ПОС 10, 35.

ДУБЫ́ШКИ * **Встава́ть/встать на дубы́шки.** Пск. То же, что **вставать в дубы 1.** ПОС 10, 35.

ДУБЬЁ * **Встать в дубьё.** *Пск.* Начать ссору, драку. ПОС 10, 35; Мокиенко 1990, 24.

ДУВА́Н * **Дува́н дува́нить.** *Жарг. угол.* Делить награбленное. Ф 1, 173; Грачев 1997, 28. **< Дуван —** делёж добычи.

ДУГ * **Дуг и тряс.** *Сиб. Шутл.-ирон.* О состоянии замёрзшего человека. ФСС, 65.

ДУГА́ * **Бо́жья дуга́.** *Забайк., Сиб.* Радуга. СРГЗ, 66; ФСС, 65; СФС, 26.

Дождева́я дуга́. *Арх.* То же, что **божья дуга.** СРНГ 8, 92.

В три дуги́. *Прост.* Очень низко (согнуться). Ф 1, 173; Ф 2, 146.

Вы́прячься из-под дуги́. *Волг., Сиб. Неодобр.* Выйти из повиновения, перестать подчиняться кому-л. Глухов 1988, 19; ФСС, 38.

Гнуть в три дуги́ *кого. Волг.* Добиваться от кого-л. полного подчинения, покорности. Глухов 1988, 24.

Ду́ги гнуть. *Сиб. Шутл.-ирон.* Мёрзнуть, зябнуть. СФС, 68; ФСС, 44.

Напи́ться до дуги́ (в дугу́). *Башк., Перм., Сиб.* Выпив много спиртного, сильно опьянеть. СРГБ 2, 95; СРНГ 20, 76; ФСС, 119.

Дуго́й запря́жен. *Пск.* О человеке, находящемся в подчинении у кого-л. ПОС 10, 36.

Гнать дугу́. *Жарг. угол.* 1. Сообщать ложные сведения о месте предполагаемого преступления. СРВС 3, 86. 2. Давать ложные показания. ТСУЖ, 40–41.

Гнуть/ согну́ть в дугу́ (в три дуги́) *кого. Разг.* 1. Принуждать, заставлять кого-л. подчиняться, повиноваться. ФСРЯ, 146; ДП, 146, 223; БТС, 212; Жиг. 1969, 248; БМС 1998, 170. 2. Причинить зло кому-л. ДП, 133.

Гнуть дугу́. *Сиб.* Клеветать, рассказывать что-л. неправдоподобное. ФСС, 44.

Гнуть дугу́ не по себе́. *Прост.* Браться за непосильное дело. Ф 1, 114.

Коси́ть дуго́й. *Сиб. Шутл.* Красть сено у кого-л., когда оно скошено и ещё не сметано в стога. ФСС, 97.

Мать тебя́ в дугу́! *Пск. Бран.* Восклицание, выражающее гнев, раздражение. ПОС, 10, 37.

Под дугу́. 1. *Морд., Ряз.* Без остатка, до конца, целиком и полностью. ДС, 155; СРГМ 1980, 38. 2. *Морд.* Подряд, без разбора. СРГМ 1980, 38. 3. *Морд.* Успешно, удачно (о ходе работы). СРГМ 1980, 113.

Пройти́ дугу́. *Жарг. угол.* Быть изгнанным из воровской группировки. Балдаев 1, 357.

Пья́ный в дугу́. *Разг., Перм. Неодобр.* О человеке, находящемся в состоянии сильного опьянения. БТС, 287; Сл. Акчим. 4, 163; СПП 2001, 36.

Согну́ться в дугу́. *Пск. Неодобр.* Напиться пьяным. СПП 2001, 36; ЗС 1996, 227.

ДУДА́ * Вот тебе́ и дуда́! *Сиб.* Восклицание, выражающее разочарование. ФСС, 65.

Дуда́ разби́та *у кого. Пск.* О рыбаке, поймавшем только одну рыбу. СРНГ 8, 246; ПОС 10, 37.

На́ша дуда́ и туда́ и сюда́. *Народн. Неодобр.* О двуличном человеке. ДП, 462.

С дудо́й прие́хать. Не поймать рыбы, вернуться без улова (о рыбаке). СРНГ 8, 246; ПОС 10, 37.

Дуде́ть в одну́ дуду́ (ду́дку). *Разг.* 1. Поступать одинаково, действовать в одном направлении. 2. Говорить, повторять одно и то же, обычно настойчиво и часто. Ф 1, 173; ФСРЯ, 146; БТС, 287.

Петь в дуду́ *чью. Обл. Неодобр.* Угодливо соглашаться с кем-л., повторять чьи-л. мысли, слова. Ф 2, 44.

Тяну́ть в одну́ дуду́. *Пск.* Об одноголосом, лишённом красок пении. ПОС 10, 37.

ДУ́ДКА * Бо́жья ду́дка. *Пск. Бран.* О богомольной женщине. ПОС 2, 76.

Медве́жья ду́дка. *Перм., Прикам.* Разновидность борщевика (несъедобное растение). СГПО, 149; МФС, 35.

Пика́нная ду́дка. *Перм. Бран.* О непорядочном человеке. Сл. Акчим. 1, 261.

Игра́ть на ду́дке. *Жарг. угол., гом.* Совершать орогенитальный половой акт. Балдаев 1, 168.

В ду́дки дуде́ть. *Жарг. нарк.* Курить марихуану. Никитина, 1998, 118.

Бить ду́дку под свою́. *Ворон.* Поступать эгоистично. СРНГ 8, 249.

Выдува́ть ду́дку. *Башк.* Образовывать колос (о злаках). СРГБ 1, 78.

Вы́йти (пойти́, вы́ткнуться) в ду́дку. *Дон.* Образовать трубчатый стебель при росте (о растениях). СДГ 1, 86.

Говори́ть в одну́ ду́дку. *Курск.* Быть заодно с кем-л. БотСан, 89.

Дуде́ть в одну́ ду́дку. См. **Дудеть в одну дуду (ДУДА).**

Дури́ть в ду́дку. *Сиб.* Быстро расти в ствол. ФСС, 65.

Зева́ть в одну́ ду́дку. *Башк.* То же, что **дудеть в одну дуду 2. (ДУДА).** СРГБ 1, 154.

Ни в ду́дку ни попляса́ть. *Пск. Неодобр.* О неумелом, нерасторопном человеке. СПП 2001, 37.

Петь под ду́дку *чью. Прост. Неодобр.* Вторить кому-л., твердить что-л. вслед за кем-л. Ф 2, 44.

Пляса́ть под ду́дку *чью. Разг. Неодобр.* Беспрекословно подчиняться во всём кому-л., поступать согласно чьим-л. желаниям, прихотям. ФСРЯ, 147; БМС 1998, 170; ДП, 220, 238, 834; ЗС 1996, 66, 22; БТС, 287, 847.

Под пья́ную ду́дку. *Кар.* В состоянии алкогольного опьянения. СРГК 5, 374.

Пойти́ в ду́дку. *Приамур.* Начать расти преимущественно в стебель. СРГПриам., 213.

Посу́нуть ду́дку. *Жарг. угол.* Украсть огнестрельное оружие. СРВС 4, 145; Балдаев 1, 343.

Свисте́ть в ду́дку. *Пск.* Лгать, обманывать. (Запись 1994 г.).

ДУ́ДОРГА * Ходи́ть под ду́доргой. *Жарг. лаг.* Быть подконвойным. Росси 1, 106. < **Дудорга** — огнестрельное оружие.

ДУ́ДОЧКА* Пляса́ть по ду́дочке *чьей. Перм.* То же, что **плясать под дудку (ДУДКА).** Сл. Акчим. 1, 261.

Входи́ть в ду́дочки. *Брян.* Обрастать перьями (о гусях). СБГ 5, 44.

Не дуть в ду́дочку. *Новг.* Не обращать внимания, не реагировать на что-л. Сергеева 2004, 52.

Ни в ду́дочку ни в сопе́лочку. *Разг. Устар.* О несообразительном, нескладном, ни на что не годном человеке. Ф 1, 173.

Петь в одну́ ду́дочку. *Сиб.* То же, что **дудеть в одну дуду 1. (ДУДА).** ФСС, 135.

ДУЗА́ * Дуза́ каракчи́. *Жарг. угол.* Кража, совершённая у вора. СВЯ, 30.

ДУКА́Т * Дука́т фи́рменный. *Жарг. угол.* Девушка (обычно — девственница), в отношении которой заключается пари о совращении. ТСУЖ, 51; СВЯ, 30; УМК, 79.

ДУ́ЛО * Залепи́ть ду́ло. *Жарг. мол.* Закрыть рот, замолчать. Я — молодой, 1998, № 2; Максимов, 143.

Свине́чье ду́ло. *Перм. Бран.* О непорядочном человеке. Сл. Акчим. 1, 262. < **Дуло** — рыло.

ДУ́ЛЯ * Дать (закати́ть) ду́лю. 1. *Сиб.* Нанести удар (в игре с мячом). СРНГ 8, 255; ФСС, 54; Мокиенко 1990, 51. // *кому. Обл.* Ударить кого-л. Мокиенко 1990, 49. 2. *Прост.* То же, что **показывать дулю.** Мокиенко, Никитина 2003, 125.

Поднести́ ду́лю *кому. Прост.* Отказать кому-л. в чём-л. ДП, 238.

Пока́зывать/показа́ть ду́лю *кому. Прост.* Выражать (обычно с помощью соответствующего жеста) презрительный отказ, издёвку и т. п. кому-л. Глухов 1988, 128; Ф 2, 64; Мокиенко, Никитина 2003, 126.

Съесть ду́лю. *Волг. Ирон.* Потерпеть неудачу, получить отказ. Глухов 1988, 157.

Ду́ля под нос [ко́лет]. *Прост. Ирон.* Абсолютно ничего. Ф 1, 173; Мокиенко, Никитина 2003, 125.

Ду́ля с ма́ком. *Прост. Шутл.-ирон.* Абсолютно ничего. БТС, 287.

ДУ́МА * Ду́ма ду́му побива́ет. *Перм., Пск.* О какой-л. постоянно мучающей человека мысли. Подюков 1988, 67; ПОС 10, 40.

Кури́льная ду́ма. *Жарг. шк. Шутл.* Школьный туалет. ВМН 2003, 46; Никитина 2003а, 7.

[Быть] на ду́мах. *Пск.* Сомневаться в чём-л., раздумывать над чем-л., затрудняться в принятии решения. ПОС 10, 40.

Держа́ть на ду́ме *что. Курск., Прикам.* Сохранять в памяти, помнить что-л. БотСан, 92; МФС, 33.

Ду́мать свое́й ду́мой. *Печор.* Размышлять, не выражая своих мыслей вслух. СРГНП 1, 193.

Вводи́ть (вести́) в ду́му (в ду́мы) *кого. Пск.* 1. Уговорить кого-л., склонить кого-л. к чему-л., внушить кому-л. что-л. ПОС 10, 40. 2. Заставлять задуматься о чём-л. СПП 2001, 37.

Глупе́ть на ду́му. *Печор.* Переставать разумно рассуждать, действовать. СРГНП 1, 193.

Гоня́ть ду́му. *Пск.* Часто, постоянно, долго думать, размышлять о чём-л. СПП 2001, 37.

Ду́му (ду́мушку) ду́мать. *Народно-поэт.* Размышлять, предаваться раздумьям. БМС 1998, 171; СРНГ 28, 228; Мокиенко 1990, 147.
Идти́ на ду́му. *Печор.* Возникать, появляться в сознании, вспоминаться. СРГНП 1, 193.
Пасть на ду́му *кому. Перм., Прикам.* Вспомниться, возникнуть в мыслях. Сл. Акчим. 1, 262; МФС, 70.
От ду́мы голова́ не боли́т *у кого. Народн. Ирон.* О глупом, несообразительном человеке. ДП, 435.
ДУ́МАЛКА * Ду́малка не рабо́тает *у кого. Пск.* Кто-л. бестолков, плохо соображает. ПОС 10, 41.
ДУ́МАТЬ * Не ду́мано, не жи́дано. *Пск.* Внезапно, неожиданно, вдруг. (Запись 1998 г.).
Не ду́мать, не гада́ть. *Разг.* Совершенно не предполагать чего-л. БМС 1998, 171; ПОС, 6, 123; Глухов 1988, 58.
ДУМ-ДУ́М * Де́лать дум-ду́м. *Жарг. мол. Шутл.-ирон.* 1. Думать, размышлять. Елистратов 1994, 123. 2. Не совершать неосмотрительных поступков. Елистратов 1994, 123.
ДУ́МКА * Ду́мка берёт *кого. Сиб.* Кто-л. сомневается в чём-л., подозрительно относится к чему-л. ФСС, 65; СФС, 68.
Быть в ду́мках. *Жарг. мол.* Думать, размышлять о чём-л. Максимов, 51.
Держа́ть в (на) ду́мках *что. Прост.* То же, что **держать на думе (ДУМА).** Ф 1, 157; БотСан, 92.
Впада́ть/ впасть (вда́рить) в ду́мки. *Жарг. мол. Шутл.* Задумываться о чём-л. Вахитов 2003, 31; Максимов, 56, 70.
Ду́мки за ду́мки зашли́ *у кого. Перм.* Об одолевающих кого-л. сомнениях. Подюков 1989, 67.
Пасть на ду́мку. *Ср. Урал.* То же, что **пасть на думу (ДУМА).** СРГСУ 3, 118.
Пробива́ет на ду́мку *кого.* 1. *Жарг. нарк.* О состоянии психики человека, находящегося под воздействием наркотика, когда возникает желание пофилософствовать, поразмышлять. ССВ-2000. 2. *Жарг. мол. Шутл.* О задумавшемся человеке. Вахитов 2003, 149.
ДУ́МУШКА * Ду́мушки не ду́мать. *Кем.* Не предполагать чего-л. СБО-Д1, 127.
Позабы́ть ду́мушкой *кого, что. Кар.* Перестать думать о ком-л., о чём-л. СРГК 5, 25.
Поду́мать ду́мушкой. *Беломор.* Задуматься о чём-л., представить что-л. СРНГ 28, 228.
Ду́мушку ду́мать. См. **Думу думать (ДУМА).**
ДУНА́Й * Посыла́ть в Дуна́й *кого. Башк.* Посылать кого-л. рубить лес. СРГБ 1, 118.
ДУНДЫРИ́ * Накла́сть дундыре́й *кому. Обл.* Избить, поколотить кого-л. Мокиенко 1990, 51.
ДУНЬ * Дунь трещи́т. *Сиб.* О сильном морозе. ФСС, 65.
ДУ́НЬКА * Ду́нька Кулако́ва. *Жарг. угол., мол. Шутл.-ирон.* Об онанизме. Елистратов 1994, 123; ТСУЖ, 51; УМК, 80; ББИ, 72; Росси 1, 106; Балдаев 1, 117.
Ду́нька Кулако́ва прихо́дит *к кому. Жарг. мол. Шутл.-ирон.* О человеке, занимающемся онанизмом. Никитина 1998, 119.
Ду́нька с трудодня́ми. *Прост.* 1. *Пренебр.* Простоватая, грубая и глуповатая женщина. 2. *Ирон.* Массивная, грубоватая женщина с большим бюстом. Мокиенко, Никитина 2003, 126.
Жить (игра́ть, спать) с Ду́нькой (Ду́ней) Кулако́вой. *Жарг. арест., мол., Разг. Шутл.-ирон.* Заниматься онанизмом. Флг., 96; УМК, 80; DL, 33; Росси 1, 106; Балдаев 1, 168; УМК, 80; Декамерон 2001, № 3.
Гоня́ть Ду́ньку Кулако́ву. *Жарг. угол. Шутл.-ирон.* То же, что **жить с Дунькой Кулаковой.** ТСУЖ, 51; СВЯ, 23; УМК, 80.
Ду́нуть Ду́ньку [Кулако́ву]. *Жарг. угол. Шутл.-ирон.* Совершить акт онанизма. Балдаев 1, 117; УМК, 80; Мильяненков, 117.
ДУ́НЯ * Спать с Ду́ней Кулако́вой. См. **Жить с Дунькой Кулаковой (ДУ́НЬКА).**
ДУ́ПЕЛЬ[1] * В ду́пель (в дупло́) [пья́ный, напи́ться, упи́ться, уку́шаться и т. п.]. *Прост. Груб.* О крайней степени опьянения. УМК, 80; ПОС 10, 44; Митрофанов, Никитина, 60; СРГМ 1986, 106; Вахитов 2003, 153. < **Дупель** — анальное отверстие; влагалище.
ДУ́ПЕЛЬ[2] * Ду́пель сплю́снутый. *Жарг. комп. Шутл.* Диск, сжатый Double Space. Садошенко, 1995.
ДУПЛО́ * Дупло́ упа́ло *у кого. Жарг. мол.* 1. О состоянии испуга. 2. О проявлении глупости. 3. О проявлении психической ненормальности. Максимов, 122.
Заби́ть (задви́нуть, завали́ть) дупло́. *Жарг. мол.* Замолчать. Максимов, 122, 136, 139.
Зае́хать в дупло́ *кому. Жарг. угол.* Изнасиловать мужчину. Максимов, 122.
Сесть в дупло́. *Жарг. нарк., мол.* Затянуться сигаретой с наркотиком. БСРЖ, 171.
Стоя́ть дупло́м кве́рху. *Жарг. мол. Ирон.* Много работать, выполнять тяжёлую работу. h-98.
< **Дупло** — 1. Анальное отверстие; влагалище. 2. Рот.
ДУР * Дур его (её и т. п.) **зна́ет.** *Сиб.* Ничего не известно о ком-л., о чём-л. ФСС, 65; СБО-Д1, 127; Мокиенко 1986, 181; .
Дур игра́ет *в ком. Прибайк. Неодобр.* О сумасбродстве, взбалмошности, неуравновешенности характера. СНФП, 62.
Дур напа́л *на кого. Сиб.* Кем-л. овладело какое-л. настроение, душевное состояние. Ф 1, 174; ФСС, 65.
Наволо́чь на себя́ дур. *Смол.* Притвориться глупым, не понимающим чего-л. человеком. СРНГ 19, 178.
С ду́ра да с бу́ра. *Сиб.* Без причины, без каких-л. оснований. ФСС, 65; СРНГ 8, 263; СФС, 165.
Ду́ром дуре́ть. *Прибайк.* 1. Терять способность здраво мыслить, сходить с ума (от болезни, страха и т. п.). 2. *Неодобр.* Безобразничать, хулиганить. СНФП, 62.
Соба́чьим ду́ром дуре́ть. *Прибайк. Неодобр.* То же, что **дуром дуреть 2.** СНФП, 62.
До ду́ру. См. **До ду́ры (ДУ́РА).**
ДУ́РА * Ба́нная ду́ра. *Волг. Пренебр.* То же, что **круглая дура.** Глухов 1988, 2.
Векова́я ду́ра. *Курск. Бран.* То же, что **круглая дура.** БотСан, 85.
Гранёная ду́ра. *Пск. Бран.* То же, что **круглая дура.** СПП 2001, 37.
Ду́ра бара́ньская. *Пск. Бран.* То же, что **круглая дура.** ПОС 10, 46.
Ду́ра ло́шадь. *Прост. Пренебр.* О глупой, несообразительной женщине. Вахитов 2003, 51.
Ду́ра поню́хала *кого.* 1. *Смол. Шутл.-ирон.* О чьём-л. неудачном высказывании, поступке. СРНГ 8, 263. 2. *Волг. Шутл.-ирон.* О крайне глупом человеке. Глухов 1988, 38.
Кру́глая ду́ра. *Прост. Бран.* О крайне глупой, бестолковой женщине. СПП 2001, 37.

Не будь ду́рой. *Прост.* О женщине, которая не растерялась, вовремя сообразила, как поступить. БТС, 288.

Рождённые ду́рой. *Жарг. шк. Шутл.* Роман Н. Островского «Рожденные бурей». ВМН 2003, 46.

Бить ду́ру. *Жарг. угол.* Раскрывать женскую сумочку (действия карманного вора); совершать кражи из женских сумочек. ББИ, 28.

Валя́ть (воро́чать, лепи́ть, стро́ить) ду́ру. *Ряз.* То же, что **валять дурака (ДУРАК).** СРНГ 16, 364.

В ду́ру. *Кар.* Очень большой, громоздкий. СРГК 2, 11.

Включа́ть/ включи́ть ду́ру (ду́рочку). *Жарг. мол.* То же, что **гнать дуру.** Вахитов 2003, 28.

Гоня́ть (гнать) ду́ру. *Жарг. угол., мил., мол. Шутл.-ирон.* 1. Притворяться глупым, не понимающим чего-л., умалишённым. ТСУЖ, 40; Быков, 51; СВЯ, 22; Вахитов, 2003, 38, 40. 2. Лгать, обманывать; болтать пустое. Максимов, 87. 3. *Разг. Неодобр.* Бездельничать. Никитина 2003, 174.

Городи́ть ду́ру (ду́рочку). *Прибайк. Неодобр.* Говорить или делать что-то нелепое, странное. СНФП, 62.

Заруби́ть под ду́ру. *Жарг. мол.* Прикинуться простаком. Елистратов 1994, 161.

Ко́рчить (стро́ить) ду́ду. *Прост.* Притворяться глупой, не понимающей чего-л. БТС, 288.

Лепи́ть ду́ру. 1. *Жарг. мол. Шутл.-ирон.* То же, что **гонять дуру 2.** 2. *Жарг. мол. Шутл.* Шутить. 3. *Жарг. угол. Неодобр.* Обвинять кого-л. по статье уголовного кодекса. Максимов, 123.

Нашёл (нашла́, нашли́) ду́ру. *Прост.* О женщине, которая не настолько глупа, чтобы дать перехитрить себя. БТС, 288.

Пина́ть ду́ру. *Жарг. мол. Шутл.-ирон.* То же, что **гонять дуру 3.** Максимов, 123.

Поро́ть ду́ру. *Сиб. Неодобр.* Говорить вздор, что-л. нелепое, несуразное. СОСВ, 147.

До ду́ры (до ду́ру). *Прост.* О большом количестве чего-л. СРГК 2, 11; НОС 2, 110; ПОС 10, 46; Подюков 1989, 67; СРГНП 1, 193; Мокиенко 1986, 170; ЯОС 4, 6.

Ду́ры в фа́ртуках, *Жарг. шк. Пренебр. или Шутл.-ирон. Шк.* Последний звонок — традиционный праздник выпускников. (Запись 2003 г.).

Ду́ры да кау́ры. *Прибайк. Шутл.-ирон.* О модно, нарядно одетых женщинах. СНФП, 62.

ДУРА́К * Бе́лый дура́к. *Дон. Шутл.* Крупная белая тыква. СРНГ 8, 264.

Гранёный дура́к. *Пск. Презр.* То же, что **круглый дурак.** ПОС 8, 4.

Дура́к без подме́су. *Сиб. Неодобр.* То же, что **кру́глый дурак.** СФС, 68; СРНГ 28, 79; Мокиенко 1990, 106. **Дура́к без приме́су.** *Волг. Неодобр.* То же. Глухов 1988, 38.

Дура́к бли́нский. *Жарг. мол. Презр. или Шутл.-ирон.* То же, что **круглый дурак.** Вахитов 2003, 51.

Дура́к в кра́пинку. *Прост. Неодобр.* То же, что **круглый дурак.** ЗС 1996, 246.

Дура́к в портупе́е. *Жарг. мол. Пренебр.* Милиционер. Максимов, 122.

Дура́к дура́ком. *Прост. Презр.* То же, что **круглый дурак.** БМС 1998, 172.

Дура́к дура́ком и у́ши колпако́м (но́ги холо́дные). *Пск. Шутл.-ирон.* То же. ПОС 10, 47.

Дура́к на отде́лку. *Орл. Шутл.-ирон.* То же, что **круглый дурак.** СОГ 1990, 91.

Дура́к понюхал *кого. Новг. Презр.* То же, что **круглый дурак.** НОС 2, 110.

Дура́к по са́мую по́пку. *Волг. Шутл.-ирон.* То же, что **круглый дурак.** Глухов 1988, 38.

Дура́к роди́лся. *Прост. Шутл.* О затянувшейся паузе в разговоре. Ф 1, 174.

Дура́к стоеро́совый. *Прост. Пренебр.* То же, что **круглый дурак.** БТС, 1271.

Капу́стный дура́к. *Яросл. Шутл.-ирон.* Растение капусты, не образующее кочана, не дающее семян, а идущее в ствол и листья. ЯОС 5, 19.

Кру́глый (наби́тый) дура́к. *Прост. Презр.* О крайне глупом человеке. ФСРЯ, 147; БМС 1998, 172; Мокиенко 1990, 106; ЗС 1996, 246.

Набелосве́тный (ненасветный) дура́к. *Морд. Пренебр.* То же, что **круглый дурак.** СРГМ 1986, 64; Мокиенко 1990, 106.

Наби́тый дура́к. *Прост. Пренебр.* То же, что **круглый дурак.** ЗС 1996, 246; Мокиенко 1990, 106.

Наголя́щий (наго́льный) дура́к. *Ряз. Пренебр.* То же, что **круглый дурак.** ДС, 312.

Не будь дура́к. *Прост.* О человеке, который не растерялся, вовремя сообразил, как поступить. БТС, 288.

Несмазно́й дура́к. *Пск. Пренебр.* То же, что **круглый дурак.** ПОС 10, 47.

Полови́нный дура́к. *Пск. Презр.* То же, что **круглый дурак.** ПОС 10, 47.

Прирождённый (самоșо́дковый) дура́к. *Народн. Презр.* То же, что **круглый дурак.** ДП, 437.

Ру́сский дура́к. *Дон. Шутл.* Небольшая красная тыква. СРНГ 8, 264.

Шире́нный дура́к. *Пск.* То же, что **круглый дурак.** ПОС 10, 47.

Валя́ть дурака́. *Разг. Неодобр.* 1. Притворяться не понимающим чего-л. 2. Бездельничать, заниматься пустяками. ФСРЯ, 147; ШЗФ 2001, 32; ЗС 1996, 88, 114, 243; БТС, 110, 288; БМС 1998, 172; Мокиенко 1989, 65-66; СБГ 5, 46; ПОС, 10, 47.

Включа́ть/ включи́ть дурака́. *Жарг. мол.* То же, что **валять дурака 1.** VSEA, 26; Максимов, 64.

Выключа́ть/ вы́ключить дурака́. *Жарг. мол.* Переставать притворяться не понимающим чего-л. Максимов, 76.

Гоня́ть дурака́. *Пск. Неодобр.* То же, что **валять дурака 2.** ПОС 7, 86.

Дурака́, но с база́ра. *Морд. Шутл.* О предпочтении кого-л. неизвестного, находящегося далеко, кому-л. находящемуся близко. СРГМ 1980, 40.

Загоня́ть/ загна́ть дурака́ под ко́жу (под шку́ру) *кому. Жарг. угол., мол.* Совершать половой акт, совокупляться с кем-л. ТСУЖ, 51, 60; Балдаев 1, 138; УМК, 80; Югановы, 74; Елистратов 1994, 123.

Ищи́ (поищи́, нашёл) дурака́! *Разг.* Формула отказа кому-л. в чём-л. ДП, 162, 431; ЗС 1996, 96; Глухов 1988, 60.

Поищи́ дурако́в подеше́вле! *Прост. Устар.* То же, что **Ищи дурака**! Ф 2, 63.

Ко́рчить (стро́ить) из себя́ дурака́. *Прост. Неодобр.* То же, что **валять дурака 1-2.** БТС, 288; ПОС, 10, 47.

Лома́ть дурака́. *Прост. Неодобр.* То же, что **валять дурака 1-2.** БТС, 504; БотСан, 42; Ф 1, 284

Наговори́ть дурака́. *Кар. Неодобр.* Рассказать много небылиц, наговорить ерунды, глупостей. СРГК 2, 11.

На дурака́. *Прибайк. Ирон.* Очень много, усердно (работать). СНФП, 62.

Не спугнёт дурака́. *Волг. Ирон.* О крайне глупом человеке. Глухов 1988, 104.

Окола́чивать дурака́. *Яросл. Шутл.-ирон.* То же, что **валять дурака 2.** ЯОС 7, 40.

От дурака́. *Прост. ирон.* 1. В надежде на случайную и глупую удачу, не продумав своих действий (делать что-л.). 2. Непонятно почему, неожиданно, нерегулярно и неуправляемо (функционировать, срабатывать). Мокиенко, Никитина 2003, 126.

Поиме́ть дурака́. *Пск. Неодобр. или Шутл.-ирон.* Сделать глупость, допустить оплошность. ПОС 10, 47.

Полови́на дурака́. *Пск. Презр.* То же, что **круглый дурак.** ПОС 10, 47.

Представля́ть дурака́. *Омск.* То же, что **валять дурака 2.** СРНГ 31, 80.

Пропусти́ть дурака́. *Волг. Неодобр.* То же, что **поиметь дурака.** Глухов 1988, 135.

Разы́грывать дурака́. *Прост.* То же, что **валять дурака 1.** Ф 2, 117.

Сде́лать дурака́. *Ленингр.* Совершить глупый поступок. СРНГ 8, 263.

Слома́ть дурака́. *Прост. Устар.* Сглупить, совершить какой-л. неразумный поступок. Ф 2, 165.

Снять с дурака́ шля́пу. *Жарг. карт.* Переложить верхнюю часть тасованной колоды вниз перед раздачей карт игрокам. Максимов, 394.

Съесть дурака́. *Народн.* Подвергнуться ругани, получить выговор, нагоняй. ДП, 439.

Треть дурака́. *Новг. Шутл.-ирон.* Глуповатый человек. НОС 11, 60.

Че́рез дурака́ переро́с, до у́мницы не доро́с. *Народн. Неодобр.* О недостаточно умном человеке. ДП, 436.

Остава́ться/ оста́ться в дурака́х. *Разг.* Оказаться в глупом, смешном положении. СБГ 5, 46.

Оставля́ть/ оста́вить в дурака́х *кого. Разг.* Ставить кого-л. в глупое положение. ФСРЯ, 147; БМС 1998, 173.

Води́ть в дураки́ *кого. Прост. Устар.* Обманывать, дурачить кого-л. Ф 1, 51.

Посади́ть (поста́вить) в дураки́ *кого. разг.* Поставить в неловкое, глупое положение кого-л. Ф 2, 79, 80.

Без дурако́в. *Прост.* Со всей серьёзностью, без шуток. Ф 1, 174; БМС 1998, 173; БТС, 288.

Валя́ть (воро́чать, стро́ить) дурако́в. *Ряз. Неодобр.* То же, что **валять дурака 1-2.** ДС, 156.

С дурако́в. *Морд.* По глупости, не подумав. СРГМ 1980, 40.

ДУРА́ФЬЯ * Дура́фья Глу́повна (Глупи́нична). *Яросл. Шутл.-ирон.* Глупая, неразвитая женщина. ЯОС 4, 26.

ДУРАЧИ́НА * Дурачи́на дурака́тая. *Пск. Бран.* О крайне глупом человеке. ПОС 10, 48.

С дурачи́ной (с дурачи́нкой). *Пск. Неодобр.* О глуповатом человеке, о человеке со странностями. СПП 2001, 37.

Под дурачи́ну. *Новг. Неодобр.* То же, что **с дурачиной.** НОС 8, 18.

ДУРАЧИ́НКА * С дурачи́нкой. См. **С дурачиной (ДУРАЧИНА).**

ДУРА́ШКА * Запуска́ть/ запусти́ть дура́шку *кому. Жарг. угол., мол. Шутл.* Совершать половой акт с кем-л. ТСУЖ, 67; Балдаев 1, 149; УМК, 80. < **Дурашка** — мужской половой орган.

ДУРДО́М * Дневно́й дурдо́м. *Жарг. шк. Пренебр.* Школа. (Запись 2003 г.).

Дурдо́м на прогу́лке. *Жарг. шк. Шутл.* Урок физкультуры на улице. Bytic, 1991–2000.

Дурдо́м на сце́не, *Жарг. студ. Шутл.-ирон. или презр.* Студенческая самодеятельность. (Запись 2003 г.).

Дурдо́м «Рома́шка». *Жарг. шк. Презр.* Учительская. ВМН 2003, 46.

Дурдо́м «Со́лнышко». 1. *Жарг. шк. Пренебр. или Шутл.-ирон.* То же, что **дневной дурдом.** (Запись 2003 г.). 2. *Жарг. мол. Шутл.-ирон.* Семья, в которой постоянно происходят скандалы. Максимов, 122.

Загаси́ться на дурдо́м. *Жарг. мол.* Притвориться умалишённым, симулировать психическое заболевание. Елистратов 1994, 147.

ДУ́РЕНЬ * А вот ду́рню на оре́хи. *Народн.* Угроза расправы с кем-л. ДП, 220.

Ладь ду́рня больши́м пирого́м. *Кар. Шутл.-ирон.* Выражение недоверия к чьему-л. обещанию или предложению. СРГК 4, 516.

Оставля́ть/ оста́вить в ду́рнях *кого. Волг.* Обманывать, перехитрить кого-л. Глухов 1988, 117.

ДУРЁХА * Дурёха карто́нная. *Жарг. мол. Шутл.-ирон.* То же, что **дурилка картонная 1 (ДУРИЛКА).** Максимов, 122.

ДУ́РИК * На ду́рика. *Жарг. мол.* Хитро, обманным путем, нагло (добиться чего-л., получить что-л.). Елистратов 1994, 124.

ДУРИ́ЛКА * Дури́лка карто́нная. 1. *Жарг. мол. Шутл.-ирон.* О глупом и легкомысленном человеке. Максимов, 122. 2. *Жарг. мол.* Ласковое обращение к собеседнику. Митьки, 1990, 8; ЧП, 18.02.91; Собеседник, 1994, № 11–12; Югановы, 74; Елистратов 1994, 124. 2. *Митьк. Шутл.-ирон.* О любом человеке. Митьки, 1991, № 5, 52.

Дури́лка лавса́новая. *Жарг. спорт. (д/пл.). Шутл.* Обращение к дельтапланеристу. БСРЖ, 172.

ДУРИ́НА * Брать дури́ной. *Сиб.* Плакать навзрыд от испуга. СРНГ 23, 330.

С дури́ной. *Орл., Пск.* То же, что **с дурачиной (ДУРАЧИНА).** СОГ 1990, 91; СПП 2001, 37.

ДУРИ́НКА * Без дури́нки. *Пск.* Понастоящему, как следует. СПП 2001, 37.

С дури́нкой. *Дон., Орл., Пск.* То же, что **с дурачиной (ДУРАЧИНА).** СДГ 1, 143; СОГ 1989, 127; СПП 2001, 37.

ДУРИ́НОЧКА * С дури́ночкой. *Кар.* То же, что **с дурачиной (ДУРАЧИНА).** СРГК 2, 11.

ДУ́РКА * Коси́ть (кли́нить) ду́рку. *Жарг. угол., мол.* Симулировать психическое заболевание. Балдаев 1, 201; Вахитов 2003, 80. < **Дурка** — психическое заболевание; психически больной человек.

Бить/ разби́ть ду́рку. *Жарг. угол.* 1. Раскрыть, расстегнуть дамскую сумочку (о воре). Перм.; Балдаев 1, 37. 2. Совершить кражу из дамской сумочки. Балдаев 1, 37; Елистратов 1994, 124; СВЯ, 8; Быков, 68. < **Дурка** — женская сумочка.

Купи́ть/ покупа́ть ду́рку. *Жарг. угол.* Красть сумочку. СВЯ, 30.

Раско́цать ду́рку. *Жарг. угол.* Совершить кражу из хозяйственной сумки. СРВС 4, 146.

ДУРМА́Н * Дурма́ну объе́лся. *Народн.* О человеке, который начал вести себя подобно сумасшедшему. ДП, 435.

ДУ́РНА * Сдёрнуть ду́рну. *Сиб.* Вымещать зло на ком-л. СФС, 68; СРНГ 8, 268.

ДУ́РНИК * Ду́рник напа́л *на кого. Жарг. мол.* Кто-л. испытывает состояние депрессии, дискомфорта. Елистратов 1994, 124.

Быть в ду́рнике. *Жарг. мол.* Испытывать состояние дискомфорта; мучиться от головной боли, тошноты (обычно — с похмелья); быть в депрессии. Елистратов 1994, 124.

ДУРНИ́НА * Дурни́ной (дурни́нушкой) реве́ть (ора́ть). *Сиб., Алт.* Кричать истошным голосом. СФС, 157; ФСС, 127; СРГА 2-1, 54.

ДУРНИ́ЦА * На дурни́цу. *Курск., Одесск.* Даром, бесплатно. БотСан, 102; СРНГ 8, 269; КСРГО. // *Орл.* За чужой счёт. СОГ 1990, 91.

Уди́ть дурни́цу. *Жарг. угол. Ирон.* Идти воровать без намеченного плана. ТСУЖ, 51.

ДУРНИ́ЧКА * Драть дурни́чку. *Забайк., Сиб. Неодобр.* Зарабатывать большие деньги нечестным путем. ФСС, 64; СРГЗ, 106.

На дурни́чку. *Сиб.* 1. За чужой счёт, бесплатно, даром. 2. Без оплаты, без вознаграждения. ФСС, 65; СФС, 112.

Поро́ть дурни́чку. *Сиб.* 1. Вести себя легкомысленно. 2. Говорить ерунду, глупости. СФС, 68; ФСС, 147; СРНГ 30, 82.

ДУРНО́Й * Иска́ть дурне́й себя́. *Сиб.* Считать кого-л. глупее, чем сам. ФСС, 88.

Дурно́й тебя́ возьми́! *Обл. Бран.* Восклицание, выражающее гнев, негодование, возмущение кем-л. Мокиенко 1990, 27.

ДУ́РНОСТЬ. * Впасть в ду́рность. *Арх.* Начать поступать неразумно. АОС 5, 139.

ДУРНУ́ШКА * На дурну́шку. *Сиб.* Очень громко. ФСС, 65.

ДУРНЯ́К * Дурня́к взял *кого. Жарг. мол. Неодобр.* Кто-л. начал вести себя непорядочно. w-99.

На дурня́к. 1. *Волг.* Бесплатно, даром. Глухов 1988, 89. 2. *Волг.* С применением грубой силы. Глухов 1988, 89. 3. *Прост.* Наобум, напропалую, не соизмеряясь с риском и опасностью. Мокиенко 2003, 28.

Пере́ть на дурня́к. *Прост.* Стремиться, лезть куда-л. нагло, нахально, не обращая внимания на других. Мокиенко 2003, 28.

ДУ́РОВО * В ду́рово. *Кар.* Напрасно, зря (делать что-л.). СРГК 2, 11.

ДУ́РО́М * Ду́ром дуре́ть. 1. *Курск., Прикам.* Сходить с ума, лишаться рассудка. БотСан, 92; МФС, 35. 2. *Сиб. Неодобр.* Баловаться. озорничать. ФСС, 65.

Дуро́м дури́ть. 1. *Сиб.* То же, что **дуром дуреть.** ФСС, 65. 2. *Яросл.* Очень громко кричать. ЯОС, 4, 27. 3. *Яросл.* Сильно шуметь. ЯОС 4, 27.

Ду́ром ма́яться. *Прикам.* 1. *Неодобр.* Совершать неразумные поступки. 2. Тяжело переживать какое-л. несчастье. МФС, 57.

ДУ́РОСТЬ * Быть не в ду́рости. *Кар. Одобр.* Быть неглупым, воспитанным. СРГК 2, 11.

ДУ́РОЧКА * Ду́рочка с переу́лочка. *Жарг. мол. Шутл.-ирон.* О глупой девушке. Максимов, 122.

По ду́рочке. *Жарг. мол.* По ошибке, ошибочно. Мокиенко 2003, 28.

Напере́ть ду́рочки. *Сиб., Приамур.* Наговорить, рассказать много небылиц кому-л. СРГПриам., 166; ФСС, 119.

Валя́ть ду́рочку. *Ряз.* То же, что **валять дурака 1 (ДУРАК).** СРНГ 36, 210.

Включа́ть/ включи́ть ду́рочку. См. **Включать дуру (ДУРА).**

Гнать ду́рочку. См. **Гнать дуру (ДУРА).**

Гоня́ть ду́рочку. *Брян. Неодобр.* Бездельничать. СБГ 5, 47.

Городи́ть ду́рочку. См. **Городить дуру (ДУРА).**

Де́лать ду́рочку. *Жарг. мол. Неодобр.* То же, что **гонять дурочку.** Никитина 1998, 120.

Жить за ду́рочку. 1. *Сиб. Ирон.* Без оплаты работать на кого-л. ФСС, 72. 2. *Волг.* Бестолково, бездумно, нерационально вести хозяйство. Глухов 1988, 43.

Ко́рчить ду́рочку. *Пск.* То же, что **валять дурака (ДУРАК).**

Коси́ть под ду́рочку. *Жарг. мол.* Прикидываться простаком. Вахитов 2003, 85.

Лома́ть ду́рочку. *Жарг. мол.* То же, что **валять дурака 1 (ДУРАК).** Максимов, 122.

Накати́ть ду́рочку *на кого. Жарг. угол., мол. Неодобр.* Ввести кого-л. в заблуждение, заморочить кому-л. голову. СВЯ, 30.

Пере́ть (поро́ть) ду́рочку. *Горьк., Курск., Сиб.* Говорить вздор, ерунду. БалСок, 34; БотСан, 93; СРНГ 26, 251; ФСС, 134, 147.

Стро́ить ду́рочку. *Разг.* То же, что **валять дурака 1 (ДУРАК).** Ф 2, 192.

ДУРЦА́ * С дурцо́й. *Морд.,Одесск., Перм. Неодобр.* То же, что **с дурачинкой (ДУРАЧИНА).** СРГМ 1980, 41; КСРГО; Подюков 1989, 68.

ДУРЧИ́НА * С дурчи́нкой. *Пск. Неодобр.* То же, что **с дурачинкой (ДУРАЧИНА).** СПП 2001, 37.

ДУРЧИ́НКА * С дурчи́нкой. *Пск. Неодобр.* То же, что **с дурачинкой (ДУРАЧИНА).** СПП 2001, 37.

ДУРШЛА́Г * Наби́ть дуршла́г. *Жарг. мол.* Наесться. Елистратов 1994, 125.

Отки́нуть на дуршла́г. *Жарг. мол. Шутл.* Опорожнить кишечник. Елистратов 1994, 125.

ДУРЬ * До ду́ри *чего. Яросл.* Очень много. ЯОС 4, 6. **До чёртовой ду́ри.** *Пск.* То же. РЩН, 1976.

В дурь пере́ть/ попере́ть. *Ряз. Неодобр.* Действовать неразумно, проявляя упорство. ДС, 157; СРНГ 26, 251; СРНГ 29, 306.

Выкола́чивать/ вы́колоти́ть дурь *из кого. Прост.* Суровыми мерами устранять дурные привычки, склонности, исправлять кого-л. Ф 1, 94.

Дурь бо́льше себя́ *у кого. Коми. Неодобр.* О человеке со странностями. Кобелева, 62.

Дурь жена́тая. *Жарг. нарк.* Гашиш, смешанный с табаком. ТСУЖ, 51, 55; Грачев 1994, 12; СВЯ, 30; 1996, 24; Быков, 68; DL, 71; Никольский, 47; Елистратов 1994, 125; Мильяненков, 117; ББИ, 72; Балдаев 1, 118.

Дурь из му́тной воды́. *Жарг. нарк., угол.* Фальсификация гашиша. ТСУЖ, 51.

Дурь на го́лову наволо́чь. *Смол. Ирон.* Придумать что-л. глупое, странное. СРНГ 19, 178.

Дурь отошла́. *Горьк.* О человеке, который пришёл в себя, в своё нормальное состояние. БалСок, 34.

Ещё дурь из жо́пы не вы́лезши *у кого. Пск.* О молодом человеке, поступающем неразумно. (Запись 2001 г.).

Молоти́ть (моло́ть) дурь. *Сиб. Презр.* Говорить ерунду, чушь. ФСС, 114.

Повы́колотить дурь *из кого. Народн.* Побоями, наказаниями заставить кого-л. вести себя разумно, в соответствии с нормами поведения. ДП, 439.

Пользи́тельная дурь. *Народн. Шутл.* Водка. ДП, 793.

Ду́рью дуре́ть. *Курск.* Вести себя агрессивно, буйствовать. БотСан, 93.

Ду́рью ма́яться. 1. *Прост. Неодобр.* Бездельничать. ПОС 10, 54. 2. *Прост. Неодобр.* Поступать неразумно, делать глупости. Ф 1, 294; БотСан, 93; Глухов 1988, 84. 3. *Жарг. мол. Шутл.* Употреблять наркотики. Максимов, 123.

Ду́рью му́читься. *Прост. Неодобр.* 1. То же, что **дурью маяться 1.** 2. Озорничать, шалить. ЗС 1996, 243; ПОС 10, 54.

Ду́рью отбыва́ть. *Народн.* Прикидываться простаком. ДП, 435.

Ду́рью пу́таться. *Брян. Неодобр.* Вести себя сумасбродно. СБГ 5, 47.

Попола́м с ду́рью. *Народн. Неодобр.* О глуповатом простодушном человеке. ДП, 435.

ДУ́РЯ-БУ́РЯ * С ду́ря-бу́ря. *Сиб. Неодобр.* Без причины, не разобравшись. ФСС, 66.

ДУРЯ́ГА * На всю дуря́гу. *Кар.* Интенсивно, сильно. СРГК 2, 11.

ДУСТ * Нае́сться ду́ста. *Жарг. мол. Неодобр.* Начать буйствовать, буянить. Максимов, 123.

А ду́стом не про́бовали? *Разг. Ирон.* О людях, ситуациях, когда допустимые терпение и терпимость полностью исчерпаны. Мокиенко 2003, 28.

ДУ́ТВА * Дава́ть ду́тву *кому. Яросл.* Ругать, наказывать кого-л. ЯОС 3, 119.

ДУТЬ * Дуть не проду́ть *чего. Кар.* О большом количестве чего-л. СРГК 5, 255.

ДУХ * Во весь дух. *Разг.* Очень быстро (бежать, побежать, мчаться и т. п.). ФСРЯ, 148; ДП, 276, 514; БТС, 289; БМС 1998, 173; Мокиенко 1986, 48; ШЗФ 2001, 39; СРНГ 29, 69.

Во́льный дух. *Ряз.* Жар в истопленной печи после выгреба углей. ДС, 93.

В оди́н дух. *Кар.* Тотчас, немедленно. СРГК 4, 150.

Выгоня́ть дух. *Горьк.* Совершать обряд после смерти человека в доме. БалСок, 29.

Вы́пустить дух. 1. *Прост.* Умереть, околеть. Ф 1, 98. 2. (из паруса). *Пск.* Опустить парус. СРНГ 8, 277.

Дать (подвести́) дух *кому. Жарг. угол.* Ударить в солнечное сплетение, в область сердца. Балдаев 1, 324; ТСУЖ, 135.

Де́вочей дух. *Арх. Шутл.* Присутствие девушек. АОС 10, 381.

Дух в дух. *Брян.* Дружно, в полном согласии. СБГ 5, 48.

Дух вон *из кого.* 1. *Прост.* О чьей-л. смерти. ФСРЯ, 148; БТС, 148; ЗС 1996, 98, 151; ПОС, 10, 59. 2. *Пск.* О крайне тяжёлом физическом состоянии, когда человек находится при смерти. СПП 2001, 37. 3. *Пск.* О состоянии крайней усталости. ПОС 10, 59. 4. *Пск.* О крайней степени проявления какого-л. признака, качества. ПОС 10, 59. 5. также *кому. Пск., Смол. Бран.* Выражение гнева, досады, проклятия. СПП 2001, 37; СРНГ 8, 275.

Дух вы́ветрился. *Кар.* Утрачены какие-л. привычки, обычаи. СРГК 2, 12.

Дух выхо́дит *[из кого, чей].* 1. *Брян.* О наступлении смерти. СБГ 5, 48. 2. *Волог., Яросл.* О состоянии сильного утомления, усталости. СВГ 2, 66; ЯОС 4, 27.

Дух дрожи́т (мле́ет) *у кого. Волг.* О сильном испуге, волнении. Глухов 1988, 39.

Дух заби́лся *у кого, чей. Брян.* То же, что **дух выходит 2.** СБГ 5, 48.

Дух занима́ется (замира́ет). *Разг.* То же, что **дух захватывает.** ФСРЯ, 148; Ф 1, 175; БТС, 335; ПОС 12, 11.

Дух запира́ет (спира́ет). *Народн.* То же, что **дух захватывает.** Жиг. 1969, 226, 227; БТС, 355; ЗС 1996, 73; СРГМ 1980, 42, 99; СРГК 2, 12.

Дух захва́тывает *у кого. Разг.* О затруднении, остановке дыхания (от волнения, испуга, сильных переживаний и т. п.). ДП, 273; ФСРЯ, 148; СБГ 5, 48. **Дух схва́тывает** *у кого. Сиб.* То же. Верш. 6, 436.

Дух и бу́ква [зако́на]. *Книжн.* Точное следование закону, его истинному смыслу. < Калька с франц. *l'ésprit et la lettre.*

Дух Ле́нина. *Жарг. шк. Шутл.-ирон.* Вид мужской прически. Максимов, 123.

Дух напа́л. *Волог.* О желании что-л. сделать. СВГ 2, 66.

Дух не ды́шит *у кого. Морд.* О крайней степени усталости. СРГМ 1980, 42.

Дух не лежи́т *у кого к чему, к кому. Курск.* Кому-л. не нравится что-л., кто-л. БотСан, 93.

Дух не льнёт *у кого к чему, к кому. Брян.* То же, что **дух не лежит.** СБГ 5, 48.

Дух противоре́чия. *Книжн. Неодобр.* Строптивость, стремление противоречить во всём, не соглашаясь ни с чем. БМС 1998, 173; ШЗФ 2001, 71.

Дух рад (ра́дуется). *Брян.* О радостном настроении. СБГ 5, 48.

За оди́н дух. *Яросл.* Сразу, в один прием. ЯОС 4, 52.

ЗемлянО́й дух. *Волог.* По суеверным представлениям — целебная паутина, находящаяся в трещинах почвы и применяемая при лечении ран, порезов и т. п. СРНГ 11, 259.

И дух просты́л *чей. Волг.* Кто-л. убежал, исчез, скрылся. Глухов 1988, 57.

Испусти́ть дух. *Книжн.* Умереть. ФСРЯ, 148; БТС, 289; БМС 1998, 174.

На весь дух. *Арх., Сиб.* То же, что **во весь дух.** АОС 4, 15; СФС, 110; ФСС, 66.

На дух не на́до *кому чего. Разг.* Кто-л. не может терпеть, не переносит чего-л. ФСС, 66; СРГМ 1986, 66; СОГ 1990, 93; ДС, 158.

На дух не принима́ть *что, чего. Ряз.* Не любить, не переносить, не терпеть чего-л., кого-л. ДС, 158.

На еди́ный (оди́н) дух. *Кар., Сиб.* То же, что **за один дух.** СРГК 2, 12; ФСС, 66.

Не в дух. *Перм.* Без особого желания, с неохотой. Сл. Акчим. 1, 264.

Неве́рный дух. *Яросл.* То же, что **нечистый дух 1.** СРНГ 20, 332; ЯОС 6, 126.

Некошно́й дух. *Волог.* То же, что **нечистый дух 1.** СВГ 5, 95.

Нечи́стый дух. 1. *Разг.* Черт, нечистая сила. Ф 1, 175. 2. *Яросл. Бран.* Выражение досады, гнева. ЯОС 6, 144.

Нечи́стый дух оказа́лся. *Курск.* Кому-л. померещилось что-л. БотСан, 105.

Отда́ть дух. *Прост.* То же, что **испустить дух.** БотСан, 93, 107; Ф 2, 25.

Перехва́тывает дух *у кого. Разг.* 1. Кому-л. становится трудно дышать. 2. Кто-л. испытывает сильное волнение. Ф 2, 41.

Поднима́ть/ подня́ть дух. 1. *Разг.* Воодушевлять, ободрять, придавать силы кому-л. Ф 2, 57. 2. *Горьк. Шутл.* Выпить для смелости. БалСок, 50.

Рвать на дух. *Сиб.* Есть что-л. с большим аппетитом. СРНГ 34, 357.

Ру́сский дух. *Народн.* То, что составляет русский народный характер, духовную суть русской нации. БМС 1998, 174.

Соблюда́ть/ соблюсти́ дух и бу́кву зако́на. *Публ.* Предельно точно, строго следовать закону. Нau, 73; Мокиенко 2003, 28.

Ста́рший дух. *Жарг. арм.* Солдат второго полугодия срочной службы. Максимов, 403.

То́лько дух па́хнет. *Кар. Одобр.* О чём-л., вызывающем восхищение. СРГК 2, 12.

Хоть дух *[кому]. Пск.* Всё равно, безразлично; хоть бы что. ПОС 10, 59.

Что́бы дух не пах *чей, от кого. Кар.* Требование уйти, удалиться. СРГК 4, 413.

Выходи́ть/ вы́йти из ду́ха вон. *Пск.* 1. Ослабевать, выбиваться из сил. ПОС 10, 58. 2. Умирать. СПП 2001, 37.

До ду́ха. 1. *Волог.* О большом количестве чего-л. СВГ 2, 66. 2. *Волог., Яросл.* Абсолютно, совершенно. СВГ 2, 66; ЯОС 3, 9.

Ду́ха не мочь. *Волог.* То же, что **выходить из духа.** СВГ 5, 8.

[Ни] ду́ха (ду́ху) [нет]. *Пск., Яросл.* Абсолютно ничего, никого, нисколько. ПОС 10, 57, 59; ЯОС 6, 145; Мокиенко 1986, 170.

От свято́го ду́ха. *Пск. Ирон.* Без мужа, не будучи в браке (роди́ть). ПОС 10, 59.

Прису́тствие ду́ха. *Книжн.* Самообладание, хладнокровие. ФСРЯ, 148; БМС 1998, 174.

Чтоб и ду́ха (ду́ху) не́ было *чьего. Прост.* Требование немедленно уйти, удалиться. БМС 1998, 174.

Духа́ми припада́ет ба́тюшко. *Беломор.* Дует порывистый ветер с моря, с океана; порывами налетает штормс океана. СРНГ 8, 275.

В духа́х. *Пск., Сиб.* То же, что **в духе.** СПП 2001, 37; ФСС, 66.

[И] в духа́х нет *чего, кого. Ряз., Яросл.* Об отсутствии кого-л., чего-л. ДС, 158; ЯОС 4, 132.

На духа́х. *Сиб.* В непосредственной близости от зверя, когда собаки чуют его. ФСС, 66.

Не в духа́х. 1. *Кар., Пск., Сиб.* То же, что **не в духе 1.** СРГК 1, 26; СПП 2001, 37; ФСС, 66; СФС, 122. 2. *Пск. Неодобр.* Злой, недобрый. ПОС 10, 58. 3. *с кем. Пск.* В ссоре, не в ладах с кем-л. ПОС 10, 59.

В ду́хе. *Разг.* В хорошем настроении. ФСРЯ, 148; БТС, 289.

Не в ду́хе. 1. *Разг.* В плохом настроении. ФСРЯ, 148; БТС, 289; ПОС, 10, 58. 2. *с кем. Пск.* В ссоре, не в ладах с кем-л. ПОС 10, 59.

Не в своём ду́хе. *Сиб.* То же, что **не в духе 1.** ФСС, 66.

Взбива́ть ду́хи. *Волг.* Сильно кашлять. Глухов 1988, 10.

Во (на) все духи́. *Пск.* То же, что **во весь дух.** ПОС 10, 58; ПОС 3, 122; Мокиенко 1986, 48.

Переводи́ть духи́. *Сиб. Неодобр.* Распространять слухи, сплетничать. ФСС, 133.

Рвать ду́хи. *Волг.* Кричать, браниться. Глухов 1988, 141.

Духо́в не хвата́ет *кому. Башк.* Кто-л. не в силах, не в состоянии сделать что-л. СРГБ 1, 119.

Во́льным ду́хом. *Орл.* Без промедления, сразу. СОГ 1989, 82.

Воспря́нуть ду́хом. *Книжн. Одобр.* Воодушевиться, прийти в бодрое состояние, приободриться. ФСРЯ, 148; БТС, 289; ШЗФ 2001, 43; БМС 1998, 174.

Впада́ть/ впасть ду́хом. *Сиб.* Приходить в уныние. ФСС, 31.

Ду́хом [ду́ху] не знать [не слыха́ть] *о чём. Прибайк.* Не иметь никакого понятия о чём-л. СНФП, 63.

Ду́хом не собра́ться *кому. Пск.* Стать слабым, обессилеть. ПОС 10, 58.

Ду́хом (душо́й) слы́шать *что. Пск.* Чувствовать, предчувствовать что-л. СПП 2001, 37.

Еди́ным (одни́м) ду́хом. *Разг.* 1. Сразу, в один приём. 2. Очень быстро, молниеносно. ФСРЯ, 149; БТС, 295.

Живы́м ду́хом. *Прост.* То же, что **единым духом 2.** ФСРЯ, 149.

Жить/ прожи́ть лёгким ду́хом. *Дон.* Жить беззаботно, не трудясь. СДГ 2, 109.

Жить святы́м ду́хом. *Волг. Ирон.* Бедствовать, голодать. Глухов 1988, 43, 146.

[И] святы́м ду́хом не знать *что, о чём. Пск.* Не догадываться, ничего не знать о чём-л. ПОС 10, 59.

Набро́сить ду́хом. *Приамур.* Повеять чем-л. (о запахе). СРГП 161.

Ни́щие ду́хом. *Книжн. Неодобр.* 1. О смиренных, лишённых чувства собственного достоинства людях. 2. О людях, лишённых духовных интересов. < Выражение из Евангелия. БМС 1998, 174.

Одни́м (еди́ным) ду́хом. *Разг.* Очень быстро, мигом. Ф 1, 175; БТС, 289; Глухов 1988, 116.

Одни́м ду́хом напи́таны (пропи́таны). 1. *Курск.* О полном сходстве кого-л., чего-л. БотСан, 106. 2. *Волг.* О единодушии, согласии. Глухов 1988, 116.

Опада́ть/ опасть ду́хом. *Брян., Кар., Моск., Сиб.* То же, что **падать духом.** СБГ 5, 48; СРГК 4, 201; СРНГ 23, 229.

Па́дать/ пасть ду́хом. *Разг.* Приходить в уныние, впадать в депрессию. ФСРЯ, 149; БМС 1998, 174; БТС, 786; СОСВ, 134; ЗС 1996, 166.

Па́хнуть ду́хом. *Кар.* Издавать запах. СРГК 4, 413.

Пита́ться святы́м ду́хом. *Разг.* Голодать. Глухов 1988, 122; Ф 2, 47.

Побра́ться с ду́хом. *Сиб.* То же, что **собираться/ собраться с духом.** ФСС, 138.

Пони́кнуть ду́хом. *Разг. Устар.* То же, что **падать/ пасть духом.** Ф 2, 73.

Посы́пать худы́м ду́хом *что. Пск. Неодобр.* Испортить что-л. ПОС 10, 59.

Святы́м ду́хом. 1. *Разг.* Как бы само собой, неизвестно как (делать что-л., делается что-л.). Ф 1, 176; БТС, 289; ФСРЯ, 149. 2. *Волг., Курск.* Очень быстро. Глухов 1988, 146; БотСан, 113.

Святы́м ду́хом пита́ться. *Разг. Ирон. или Шутл.* Голодать, ничего не есть, отказываться от пищи. <Выражение из Евангелия. БМС 1998, 174.

С ду́хом. 1. *Кар.* Об испорченном продукте питания, издающем дурной запах. СРГК 2, 12. 2. *Кар., Прибайк.* То же, что **не в духе.** СРГК 2, 12; СНФП, 63.

Сника́ть/ сни́кнуть ду́хом. *Морд.* То же, что **падать духом.** СРГМ 2002, 93.

Собира́ться/ собра́ться с ду́хом. *Разг.* Набираться смелости, решаться на что-л. ПОС 10, 58; Ф 2, 171.

Хвати́ть ду́хом. *Смол.* Ударить молнией. ССГ 11, 50.

Хоть ду́хом сда́ться (сда́йся). *Пск.* О бесполезности усилий для достижения чего-л. ПОС 10, 58.

В духу́. *Пск.* То же, что **в духе.** ПОС, 10, 58.

Говори́ть по́ духу. *Печор.* Шептаться. СРГНП 1, 138.

Дава́ть/ дать (задава́ть/ зада́ть) ду́ху. 1. *Прост.* Сильно ругать, бранить кого-л. ФСРЯ, 123. 2. *Прост.* Расправляться с кем-л., избивать, громить кого-л. ФСРЯ, 123; Глухов 1988, 30; Мокиенко 1990, 46. 3. *Арх.* Вздыхать; восстанавливать сбившееся дыхание. СРНГ 7, 257.

Ду́ху нагна́ть *кому. Прибайк.* Испугать кого-л. СНФП, 63.

Ду́ху не зна́тко. *Перм., Прикам.* О внезапно исчезнувшем человеке. СГПО, 201; МФС, 40.

Ду́ху не навы́шишь. *Курск.* Об отсутствии смелости, решимости для выполнения чего-л. БотСан, 93.

Ду́ху нет *у кого. Морд.* 1. Кто-л. чувствует слабость, недомогание. 2. Кто-л. не осмеливается сделать что-л. СРГМ 1980, 42.

Набира́ть/ набра́ть ду́ху. *Сиб.* То же, что **собираться с духом.** Верш. 4, 29.

Набира́ться/ набра́ться ду́ху. *Прост.* То же, что **собираться с духом.** СБГ 5, 48; Ф 1, 308.

На одно́м духу́. *Пск.* Очень быстро, мгновенно. ПОС 10, 58.

Нет ду́ху *у кого. Кар.* Об отсутствии сил, здоровья у кого-л. СРГК 2, 12.

Не хвата́ет ду́ху *кому. Разг.* Кому-л. недостаёт смелости, решимости для выполнения, осуществления чего-л. Ф 2, 230.

Ни ду́ху. 1. *Арх., Морд., Новг.* Нисколько, ни в коей мере. СРГМ 1980, 42; СРНГ 21, 213. 2. *Арх.* Абсолютно ничего. СРНГ 21, 213.

Ни есть ду́ху. *Ряз.* То же, что **что есть духу 1.** ДС, 158.

Придава́ть ду́ху *кому. Разг.* Воодушевлять кого-л. Ф 2, 89.

Противоре́чить ду́ху и бу́кве зако́на. *Публ.* Быть незаконным. Нau, 73.

Что есть ду́ху. *Разг.* То же, что **во весь дух.** ФСРЯ, 149; БТС, 289; ПОС, 10, 58. 2. Очень громко (кричать, вопить). ФСРЯ, 149.

Па́дать от (с) ду́ху. 1. *Ворон., Дон.* Терять силы, обессилевать. СРНГ 25, 120; СДГ 2, 219. 2. *Горьк.* То же, что **падать духом.** БалСок, 49.

Подба́вить ду́ху *кому. Сиб., Приамур.* Подлечить кого-л. ФСС, 139; СРГПриам., 207.

Что́бы ду́ху не́ было *чьего! Прост.* Требование чьего-л. немедленного удаления. БТС, 289.

ДУХИ́ * Ссать духа́ми. *Жарг. мол.; Вульг.-Прост. Шутл.-ирон.* Бурно радоваться, получать удовольствие от чего-л.; пребывать в хорошем настроении. Мокиенко, Никитина 2003, 127.

Беспла́тные духи́ на любо́й вкус. *Жарг. шк. Шутл.* О школьном туалете. ВМН 2003, 47.

ДУХОВЕ́НСТВО * Духове́нство Совде́пии. *Жарг. угол., Разг. Ирон.* Номенклатурные партаппаратчики. ББИ, 72; Балдаев 1, 119.

ДУХО́ВКА * Прочи́стить духо́вку *кому. Жарг. гом. Шутл.* Совершить анальное сношение с кем-л. Кз., 123; УМК, 81. < **Духовка** — анальное отверстие.

ДУХОПЕ́ЛИ (ДУХОПЕ́ЛЫ) * Дать духопе́лей *кому. Дон.* Побить, избить кого-л. СДГ 1, 144. **Дать духопе́лы.** *Курск.* То же. БотСан, 91.

ДУ́ХОЧКА * Ни ду́хочки. *Арх.* То же, что **ни духу 1-2.** СРНГ 21, 213.

ДУШ * Беспла́тный душ. *Жарг. мол. Шутл. или Пренебр.* О человеке, брызжущем слюной при разговоре. Максимов, 32.

ДУША́ * Бума́жная душа́. *Прост. Пренебр.* Бюрократ, формалист. Ф 1, 176; БТС, 290.

[Вся] душа́ в го́рсти *у кого. Арх.* О состоянии душевного расстройства, напряжения, беспокойства. АОС 9, 370.

Вся́кому душа́ нужна́. *Ворон.* Уверение в правильности, истинности сказанного. СРНГ 8, 280.

В чем [то́лько] душа́ (ду́шенька) де́ржится. *Прост.* О хилом, слабом, еле живом человеке. ФСРЯ, 175; Ф 1, 176; БТС, 253, 290; Жиг. 1969, 253; ДП, 398; БалСок, 29; БотСан, 87; ПОС 10, 65.

Вы́йди душа́ (ду́шенька)! *Горьк.* Клятвенное заверение в чём-л. БотСан, 29.

Душа́ боле́ет *у кого [о ком, о чём, по кому, по чему]. Пск.* То же, что **душа болит.** ПОС 2, 86.

Душа́ (ду́шенька) боли́т (заболе́лась, разболе́лась, вы́болела) *у кого* 1. *[о ком, о чём, по кому, по чему]. Разг.* О чувстве беспокойства, тревоги, тоски; о душевных страданиях, переживаниях. ФСРЯ, 149; ПОС 10, 66; ПОС, 5, 115. 2. *[за что]. Пск.* О состоянии нетерпеливого желания что-л. сделать. ПОС, 10, 66, 72.

Душа́ ва́лится (вы́валилась) [вон] *у кого. Пск.* 1. О сильном желании чего-л. ПОС 10, 69. 2. О чувстве скорби, душевной боли, тоски. СПП 2001, 37. 3. О чувстве нежности, приязни. ПОС 10, 69. 4. О чувстве страха. ПОС 10, 69.

Душа́ в ду́шу. *Разг.* Дружно, в полном согласии (жить, прожить). ФСРЯ, 149; ЗС 1996, 300; БТС, 290; ПОС 10, 67; Жиг. 1969, 235; ДП, 304, 740.

Душа́ вздь́нулась *у кого. Кар.* Кто-л. осмелился что-л. сделать. СРГК 1, 196.

Душа́ виси́т *у кого. Арх. Ирон.* Об очень худом человеке. АОС 4, 105.

Душа́ в ни́точку. См. **Душа на ниточке.**

Душа́ в нос (в но́се, в носу́) *у кого. Перм., Прибайк., Сиб. Ирон.* О сильном испуге, страхе. Сл. Акчим. 1, 264; СРНГ 21, 286; СНФП, 64; Подюков 1989, 69; ФСС, 66.

Душа́ вон. 1. *из кого. Прост.* Выражение крайней необходимости, непреклонного, настойчивого требования (сделать что-л.). Ф 1, 176. 2. *[у кого]. Пск.* Кто-л. испытывает крайнее отвращение к чему-л. РЩН, 1976. 3. *[у кого]. Пск.* Кто-л. умер. РЩН, 1976. 4. *Кар.* Кто-л. заснул. СРГК 1, 226; СРГК 2, 13. 5. *Пск.* Клятвенное заверение в чём-л. ПОС 10, 65. 6. *[из кого]. Брян.* Выражение досады, гнева, раздражения. СБГ 5, 49.

Душа́ в пя́сточку ушла́ *у кого. Новг.* То же, что **душа в пятки ушла.** Сергеева 2004, 62.

Душа́ в пя́тки ушла́ *у кого. Разг. Шутл.-ирон.* Об очень испугавшемся человеке. ФСРЯ, 150; БТС, 290, 1379; ШЗФ 2001, 71; Жиг. 1969, 223; БМС 1998, 175; СРГА 2-1, 56; СОСВ, 66; ДП, 273.

Душа́ в пя́тках *у кого. Разг. Шутл.* То же, что **душа в пятки ушла.** Ф 1, 176; ПОС 10, 65.

Душа́ выла́зит *у кого.* 1. *Курск.* О сильном желании получить, сделать что-л. БотСан, 93. 2. *Брян.* Кто-л. испытывает тошноту, отвращение к чему-л., к кому-л. СБГ 5, 49.

Душа́ вы́нувши *у кого. Пск.* То же, что **душа в пятки ушла.** СПП 2001, 38.

Душа́ выпада́ет/ вы́пала *у кого. Кар.* 1. То же, что **душа выходит.** СРГК 2, 13. 2. О возникновении теплого чувства, симпатии. СРГК 1, 276.

Душа́ выхо́дит/ вы́шла *у кого. Кар., Курск., Морд., Прикам.* О чьей-л. смерти. СРГК 1, 311; БотСан, 93; СРГМ 1980, 42; МФС, 35.

Душа́ выхо́дит по кусо́чкам *у кого. Жарг. мол.* О длительной икоте. Максимов, 77.

Душа́ гори́т *у кого.* 1. *Волг., Пск.* О сильном волнении, страданиях, переживаниях. Глухов 1988, 39; ПОС 7, 106. 2. *Прост.* О состоянии восторженного возбуждения. СРГК, 1, 370. 3. *Прост.* О сильном желании чего-л. БТС, 220; АОС 9, 345; Подюков 1989, 69. 4. *Морд., Пск.* О сильной жажде. СРГМ 1980, 42; ПОС 10, 68.

Душа́ да те́ло. 1. *Брян.* О голом, раздетом человеке. СБГ 5, 49. 2. *Сиб. Ирон.* Об очень бедном, неимущем человеке. ФСС, 66.

Душа́ дры́гает *у кого. Волг., Петерб.* Усиленно бьётся сердце (от испуга, волнения). СРНГ 8, 221; Глухов 1988, 39.

Душа́ ды́бом (ды́борем) *у кого. Волг.* О сильном волнении. Глухов 1988, 39.

Душа за ду́шу. *Брян.* То же, что **душа в душу.** СБГ 5, 49.

Душа́ за́йцем в лес убежа́ла *у кого. Горьк. Ирон.* О сильном испуге. БалСок, 34.

Душа́ зама́ялась *у кого. Морд.* О состоянии усталости. СРГМ 1980, 42.

Душа́ запекла́сь *у кого. Морд.* О сильной жажде. СРГМ 1980, 42.

Душа́ за пя́тки хвата́ет *кого. Пск.* То же, что **душа в пятки ушла.** СПП 2001, 38.

Душа́ затека́ет. *Пск.* То же, что **душа мрёт.** ПОС 10, 67.

Душа́ идёт *кому про кого. Пск.* То же, что **душа болит 1.** СПП 2001, 38.

Душа́ и ме́ра. *Прикам.* О достаточном количестве чего-л. МФС, 35.

Душа́ кале́ка *у кого. Пск. Шутл.-ирон.* О глупом, несообразительном, бесхитростном человеке. СПП 2001, 38.

Душа́ ка́тится *у кого. Пск.* О состоянии волнения. ПОС 14, 45.

Душа́ коротка́ *у кого.* 1. *Волог., Сиб.* Об одышке. СВГ 2, 66; ФСС, 66. 2. *Сиб.* О плохой памяти. ФСС, 66. 3. *Кар.* У кого-л. нет интереса к чему-л., нет силы делать что-л. СРГК 2, 13; СРГК 4, 495.

Душа́ лежи́т *у кого к чему, к кому. Разг.* Кто-л. испытывает симпатию, интерес, доброжелательно относится к кому-л., к чему-л. ФСРЯ, 150; Ф 1, 176; ПОС 10, 67; СРНГ 15, 219.

Душа́ ло́пнет *у кого. Сиб.* О состоянии большого горя. ФСС, 66.

Душа́ мле́ет *у кого. Сиб.* О тяжёлом душевном состоянии, депрессии. ФСС, 66.

Душа́ мрёт *у кого. Пск.* О чувстве тоски, беспокойства. СПП 2001, 38.

Душа́ му́тная *у кого. Коми. Неодобр.* О самолюбивом, заносчивом человеке. Кобелева, 62.

Душа́ надрыва́ется *у кого, чья. Прост.* Кто-л. испытывает душевные страдания, чувство тоски, жалости. ФСРЯ, 150.

Душа́ на жижёлочке де́ржится *у кого. Морд. Шутл.-ирон.* Об очень худом, тощем человеке. СРГМ 1980, 58.

Душа́ назы́нет *у кого, чья. Кар.* Кто-л. захочет, пожелает чего-л. СРГК 3, 325.

Душа́ наизна́нку *у кого. Разг.* Кто-л. сильно встревожен, тяжело переживает что-л. Ф 1, 176.

Душа́ на ме́сте *у кого. Прост.* Кто-л. спокоен, не испытывает волнения, тревоги. Ф 1, 176; ПОС 10, 65.

Душа́ на не́бе *у кого. Разг.* Кто-л. испытывает чувство величайшей радости. Ф 1, 177.

Душа на ни́точке (в ни́точку) [болта́ется, виси́т, ви́снется] *у кого.* 1. *Волог., Дон.* О состоянии сильной усталости, слабости. СВГ 2, 67; СДГ 1, 144. 2. *Сиб., Забайк.* Кто-л. находится при смерти. СРГЗ, 106; СФС, 69; ФСС, 66; СРНГ 21, 242. 3. *Горьк.* О сильном чувстве страха. БалСок, 34. 4. *Волг.* О сильном волнении. Глухов 1988, 39.

Душа́ на покая́нии *у кого, чья. Брян.* Об отдыхе. СБГ 5, 49.

Душа́ на поко́е *у кого, чья. Дон.* Кто-л. спокоен, не испытывает волнения, страха и т. п. СДГ 3, 33; СРНГ 28, 389.

Душа́ на поля́нку *у кого, чья. Сиб.* Обязательно, во что бы то ни стало. ФСС, 66.

Душа́ на пял ле́зет (вылеза́ет, выхо́дит) *у кого, чья. Ряз.* 1. О невозможности терпеть что-л. 2. О чувстве тревоги, беспокойства, сожаления. ДС, 476; СРНГ 16,340.

Душа́ нараспа́шку *у кого, чья. Разг.* Об откровенном, чистосердечном, отзывчивом человеке. ФСРЯ, 150; БМС 1998, 175; БТС, 290; ЗС 1996, 187, 365; ШЗФ 2001, 71; Жиг. 1969, 235; СРГБ 2, 97; ПОС 10, 67. **Душа нарастопа́шку** *у кого, чья. Арх., Башк.* То же. СРНГ 20, 121; СРГБ 2, 97.

Душа́ нару́же *у кого. Морд.* О незастегнутом воротнике, не закрытой шарфом шее. СРГМ 1980, 42.

Душа́ на споко́е. *Алт.* То же, что **душа на покое.** СРГА 2-1, 56.

Душа́ на тря́ске *у кого, чья. Брян.* То же, что **душа болит.** СБГ 5, 49.

Душа́ не идёт *у кого. Волог.* О затруднённом дыхании. СВГ 2, 67.

Душа́ не лежи́т *у кого к чему, к кому. Разг.* У кого-л. нет интереса, склонности, симпатии, доброжелательного отношения к чему-л., к кому-л. ФСРЯ, 150; БМС 1998, 175; БТС, 491; ЗС 1996, 115; Глухов 1988, 39; СБГ 5, 49; СДГ 2, 163.

Душа́ не налега́ет *у кого. Дон., Орл.* То же, что **душа не лежит.** СДГ 2, 163; СОГ 1990, 93.

Душа́ не на ме́сте *у кого. Разг.* Кто-л. встревожен, обеспокоен. ФСРЯ, 150; ЗС 1996, 168, 476; БТС, 164; Глухов 1988, 39; СБГ 5, 49.

Душа́ не несёт. *Кар., Печор.* То же, что **душа не принимает 1.** СРГК 2, 13; СРГК 4, 14; СРГНП 1, 194.

Душа не обора́чивается *у кого к кому, к чему. Орл.* То же, что **душа не лежит.** СОГ 1990, 94.

Душа́ не приля́жет. *Кар.* У кого-л. неспокойно на душе. СРГК 5, 175.

Душа́ не принима́ет *[чего].* 1. *Разг.* Совсем нет желания, не хочется чего-л. (чаще — о пище). ДС, 158; БТС, 290; СРГК 2, 13; Глухов 1988, 39; ЗС 1996, 196; ФСРЯ, 150. 2. *Пск.* О чём-л. вредном для здоровья, не подходящем организму. ПОС 10, 68.

Душа́ не пристаёт *у кого к кому, к чему. Кар.* То же, что **душа не лежит.** СРГК 5, 205.

Душа́ не роди́т *что, чего. Сиб. Ирон.* Об отсутствии желания делать что-л. ФСС, 66.

Душа́ оборвала́сь *у кого, чья. Разг.* О сильном испуге. НОС 6, 102.

Душа́ па́дает *у кого, чья. Ряз.* То же, что **душа оборвалась.** ДС, 159; СРНГ 25, 123, 130.

Душа́ печёт. См. **Душу печёт.**

Душа́ под лёд пошла́ *у кого. Брян.* То же, что **душа оборвалась.** СБГ 5, 49.

Душа́ прилега́ет *у кого к чему. Смол.* То же, что **душа лежит.** СРНГ 31, 271.

Душа́ приля́жет/ прилегла́ *у кого. Сиб.* Кто-л. успокоится, перестанет волноваться, тревожиться. СРНГ 31, 271; СФС, 151ФСС, 66.

Душа́ припада́ет *к кому. Сиб.* О чувстве расположения, любви к кому-л. ФСС, 66.

Душа́ пузыри́ пуска́ет. *Народн. Шутл.* 1. Об икоте. ДП, 819. 2. Об отрыжке. ДП, 680.

Душа́ ра́дуется. *Разг. Одобр.* О чувстве удовлетворения. Ф 1, 177; НОС 9, 79.

Душа́ разрыва́ется *у кого, чья. Разг.* Кто-л. испытывает глубокую скорбь, печаль. ФСРЯ, 150.

Душа́ рассыпа́ется *у кого. Волг.* Кто-л. испытывает сильное волнение, какие-л. душевные переживания. Глухов 1988, 39.

Душа́ с Бо́гом говори́т (бесе́дует). *Народн., Жарг. мол. Шутл.* О громкой отрыжке. ДП, 680; Я — молодой, 1996, № 26.

Душа́ сверби́т *у кого. Морд.* То же, что **душа разрывается.** СРГМ 1980, 43.

Душа́ с те́лом расстаётся. 1. *Прост. Устар.* О наступлении смерти. Ф 1, 177. 2. *Курск.* О тяжёлой болезни. БотСан, 93. 3. *Ворон.* О сильной боли. СРНГ 34, 224. 4. *Курск., Сиб.* О состоянии сильного утомления, крайней слабости. БотСан, 93; ФСС, 66. 5. *Курск.* О сильном испуге. БотСан, 93.

Душа́ сто́нет *у кого. Морд.* Кто-л. испытывает чувство тоски, тревоги, беспокойства. СРГМ 2002, 147.

Душа́ сы́плется *у кого, чья. Сиб.* О состоянии растерянности. ФСС, 66.

Душа́ — теле́га, са́ни — ро́звальни. *Горьк. Шутл.-ирон.* Об открытом, простодушном человеке. БалСок, 34.

Душа́ тю́кнула *у кого. Нов.* То же, что **душа оборвалась.** НОС 11, 77.

Душа́ умира́ет *[у кого]. Пск.* О чувстве страха, боязни. ПОС 10, 67.

Душа́ холони́т *у кого. Сиб.* То же, что **душа умирает.** ФСС, 66.

Дыря́вая душа́. *Разг. Неодобр.* О человеке с мелочными интересами, не способном на великодушные поступки. Мокиенко, Никитина 2003, 127.

Дышля́вая душа́. *Ворон. Неодобр.* О чёрством, эгоистичном человеке. СРНГ 8, 299.

Е́ле-е́ле душа́ в те́ле *[у кого]. Разг.* 1. О тяжело больном или очень старом человеке. 2. Об очень уставшем человеке. ФСРЯ, 150; БТС, 1313; ЗС 1996, 179; ПОС 10, 123.

Ешь (пей), душа́, — не хочу́. *Народн. шутл.* Об избытке, большом количестве чего-л. ДП, 100.

Загоре́лась душа́ до ви́нного ковша́. *Народн. Шутл.-ирон.* О желании выпить спиртного. ДП, 799.

За́ячья душа́ *[у кого]. Разг.* О робком, трусливом человеке. Ф 1, 177; БТС, 290; ФСРЯ, 151.

И́родова душа́. *Прост. Устар. Бран.* Жестокий, скверный человек. Ф 1, 177. < От имени царя Иудеи Ирода, которому, по Евангелию, приписывается избиение младенцев. Мокиенко, Никитина 2003, 127.

Как душа́ жела́ет *чья. Разг.* Как хочется, как нравится кому-л. МФС, 35.

Карто́вная душа́. *Прикам. Шутл.* О любителе картофеля. МФС, 35.

Ка́торжная душа́. *Пск. Бран.* О ком-л., поступившем неправильно. СПП 2001, 38.

Крива́я душа́. *Коми, Пск. Неодобр.* О непорядочном, лживом человеке. Кобелева, 65; ПОС 10, 67.

Нечи́стая душа́. *Пск. Бран.* Об озорном ребёнке. СПП 2001, 38.

Ове́чья душа́. *Костром.* О добром, кротком человеке. СРНГ 22, 296.

Понесла́сь душа́ в рай. *Волг. Шутл.* 1. О приливе бодрости, радости. 2. О начале какого-л. интенсивного действия. Глухов 1988, 129. **Понесла́сь душа́ в рай, а но́ги в мили́цию.** *Волг. Шутл.* То же. (Запись 2003 г.).

Свята́я душа́ на костыля́х. 1. *Волг., Сиб. Ирон.* О слабом, худом, болезненном человеке. Глухов 1988, 146; СФС, 164; ФСС, 67; Ф 1, 178; СОСВ, 66; СБО-Д1, 128. 2. *Сиб. Пренебр.* О пьянице, алкоголике. ФСС, 67. 3. *Народн. Шутл.* Приветствие при неожиданной встрече после долгой разлуки. ДП, 756; СРНГ 15, 85; ФСС, 67; СФС, 164. 4. *Сиб. Неодобр.* О незванном, нежеланном госте, визитере. ФСС, 67.

Ско́лько [твоя́] душа́ раде́ет. *Кар.* Сколько захочешь, сколько пожелаешь. СРГК 5, 390.

Соба́чья душа́. *Прост. Бран.* О непорядочном человеке. КСРГО; Ф 1, 178.

Хоть душа́ вон. *Брян.* Обязательно, непременно. СБГ 5, 49.

Черни́льная (бума́жная) душа́. *Разг. Пренебр.* Бюрократ, чиновник, формалист. ФСРЯ, 151; БМС 1998, 175; Мокиенко 1990, 129.

Что душа́ подыма́ет. *Новг.* Вдоволь, сколько хочется (о еде, питье). СРНГ 28, 273.

По душа́м. 1. *Разг.* Откровенно, ничего не скрывая (говорить). ДС, 159; БТС, 290. 2. *Сиб.* По любви, по взаимному расположению (жениться, выйти замуж). ФСС, 67.

Во душа́х кра́сных де́вицах. *Яросл. Фольк.* До замужества, в девичестве. ЯОС 2, 38.

В худы́х (плохи́х) ду́шах. 1. *Сиб.* О тяжело больном, близком к смерти человеке. СРГК 2, 13. 2. *Кар., Перм.* Об очень усталом, утомлённом человеке; о человеке в подавленном состоянии. СРГК 2, 13; Подюков 1989, 69.

В душе́. 1. *Разг.* Внутренне, мысленно. ФСРЯ, 151; СБГ 5, 49. 2. *Волг.* Тайно, подспудно. Глухов 1988, 9. 3. *Пск.* Нравится, приятен кому-л. ПОС 10, 66. 4. *Пск.* С удовольствием, охотно. ПОС 10, 66.

Висе́ть на душе́ *у кого. Волг., Курск. Неодобр.* Надоедать кому-л., обременять кого-л. Глухов 1988, 11; БотСан, 102.

Встава́ть в душе́. *Ряз.* Застревать в горле. ДС, 158.

Держа́ть в (на) душе́ *что.* 1. *Курск.* Помнить что-л. БотСан, 92. *//Пск., Прикам.* Помнить что-л. неприятное, обидное). СПП 2001, 38; МФС, 33. 3. *Новг.* Иметь в виду что-л. НОС 2, 85.

Душе́ бо́льно (бо́лько) *[кому]. Пск.* О чувстве грусти, тоски. ПОС 10, 66.

Душе́ го́рько. *Дон.* О чувстве горечи, угнетённом состоянии. СДГ 1, 110.

Зну́ди́т на душе́. *Новг.* О состоянии тревоги, тоски. НОС 3, 100.

Идти́ к душе́. *Пск.* Быть приятным, нравиться кому-л. СПП 2001, 38.

Идти́ по душе́. *Прикам.* Поступать по своему усмотрению. МФС, 43.

К душе́. 1. *кому, у кого. Пск., Ряз., Сиб. Одобр.* Нравится, приятно кому-л. ФСС, 67; ДС, 159; ПОС 10, 66; Мокиенко 1988, 74. 2. *Пск., Сиб.* С удовольствием, охотно. ПОС 10, 66; СФС, 88; ФСС, 67.

Лежа́ть на душе́ *у кого. Пск.* Нравиться кому-л. СРНГ 16, 330.

Не к душе. 1. *кому. Перм., Сиб.* То же, что **не по душе.** Подюков 1989, 69; СФС, 124; ФСС, 67. 2. *Ср. Урал.* Без удовольствия. СРГСУ 2, 198.

Не по душе́ *кому что. Разг.* Не нравится, неприятно кому-л. БТС, 290.

Не приста́ло к душе́ *у кого что. Арх.* То же, что **не по душе.** СРНГ 31, 403.

По душе́ 1. *Прост.* Искренне, чистосердечно, откровенно. Ф 1, 179. 2. *кому. Прост. Одобр.* То же, что **к душе 1.** СБГ 5, 49; Ф 2, 34; ПОС, 10, 66. 3. *Пск.* То же, что **к душе 2.** ПОС 10, 66. 4. *Ряз.* Откровенно, искренно. ДС, 159.

Поры́ться в душе́ *у кого. Жарг. угол.* Навести подробные справки о ком-л. Балдаев 1, 341; ТСУЖ, 52.

Прикипе́ть к душе́. *Волг.* Стать привычным для кого-л. Глухов 1988, 132.

Чита́ть в душе́ *чьей. Разг. Устар.* Понимать душевное состояние кого-л. Ф 2, 254.

Шо́ркнуть по душе́. *Жарг. мол. Шутл.* 1. Выпить спиртного. 2. Весело провести время. Максимов, 123.

Без души. 1. *от кого, от чего. Разг. Устар.* В восторге, восхищении. ФСРЯ, 151. 2. *Разг. Устар.* Забыв все на свете. ФСРЯ, 151. 3. *Прост.* Неохотно, без желания. Ф 1, 179; НОС 2, 111. 4. *Пск. Неодобр.* Сделанный недобросовестно, некачественно. ПОС, 10, 67. 5. *Волг., Перм., Пск., Ряз.* О чувстве тревоги, беспокойства, страха. СПП 2001, 38; ДС, 158. 6. *Курск.* О состоянии сильной усталости. БотСан, 82. 7. *Пск.* Очень быстро, изо всех сил. ПОС 10, 69. 8. *Волг. Неодобр.* О чёрством, бездушном человеке. Глухов 1988, 2. 9. *Кар. Одобр.* О добром, простодушном человеке. СРГК 2, 13.

Блюёт с ду́ши *кого. Твер.* Тошнит кого-л. СРНГ 3, 17.

Выка́тываться с души́. *Курск.* Работать до изнеможения. БотСан, 113.

Вы́нуть из души́ *у кого что. Сиб. Неодобр.* Взять, забрать что-л. последнее у кого-л. ФСС, 37.

Вырыва́ть/ вы́рвать из души́ *кого, что. Разг.* Заставлять себя забыть кого-л., что-л. ФСРЯ, 97.

Выскочить из души́. *Кар.* Потерять сознание. СРГК 1, 292.

Выходи́ть/ вы́йти из души́. 1. *Ряз.* Терять самообладание. ДС, 158. 2. *Волг.* Волноваться, переживать о чём-л. Глухов 1988, 20. 3. *Ряз.* Очень хотеть, сильно желать чего-л. ДС, 158.

Для души́. *Разг.* Для собственного удовольствия. ФСРЯ, 152; СБГ 5, 49.

Души́ не ве́дать *в ком. Прикам.* То же, что **души не чаять.** МФС, 16.

Души́ не по́мнить (не чу́ять, не чу́вствовать). *Пск.* 1. Быть вне себя от радости. 2. *в ком.* Безгранично любить, обожать кого-л. ПОС, 10, 65.

Души́ нет *у кого.* 1. *Новг., Ряз.* То же, что **без души 5.** НОС 6, 53; ДС, 158. 2. *Курск.* То же, что **без души 6.** БотСан, 93. 3. *Волг., Пск.* Кто-л испытывает сильное чувство страха, ужаса. Глухов 1988, 105; ПОС 10, 67.

Души́ не ча́ять (не слы́шать) *в ком. Народн.* Очень любить кого-л. ФСРЯ, 152; БТС, 290, 1469; ШЗФ 2001, 71; Ф 2, 166; ДП, 304. **Души не чу́ять** *в ком. Курск.* То же. БотСан, 93.

Матери́ть/ изматери́ть из души́ в ду́шу *кого. Прост. обл.* Очень грубо, крепко и цветисто ругать кого-л. Мокиенко, Никитина 2003, 127.

Мёртвые души. 1. *Книжн. или публ.* Люди, фиктивно числящиеся где-л. Ф 1, 179. 2. *Жарг. арм. Шутл.-ирон.* Солдаты гражданских специальностей (музыканты, художники, спортсмены), числящиеся на военных должностях и выполняющие специальные поручения начальства. Кор., 173. 3. *Жарг. шк. Ирон.* Ученики на уроке. Максимов, 247. 4. *Жарг. шк. Ирон.* Ученики в учительской. Максимов, 247. < По названию одноименной поэмы Н. В. Гоголя. БМС 1998, 176.

Ме́рять ду́ши. *Арх.* Измерять крестьянские земельные наделы в зависимости от количества человек в семье. СРНГ 18, 118.

Не с души́. *Пск.* То же, что **без души 1.** ПОС 10, 66.

Не сла́зить с души́ *у кого. Волг. Неодобр.* Надоедать, докучать кому-л. Глухов 1988, 104.

Не у души́. *Яросл. Неодобр.* Не нравится кому-л. что-л. ЯОС 6, 124.

Ни [одно́й] души́. *Разг.* Никого, ни одного человека. ФСРЯ, 152. **Ни одно́й крещёной души́.** *Кар.* То же. СРГК 3, 20.

Опри́чь души́. 1. *Влад.* Без аппетита (есть). СРНГ 23, 298. 2. *Башк., Морд.* Нехотя, против желания. СРГБ 2, 127; СРГМ 1980, 43.

Отвести́ от души́. *Прикам.* Успокоиться; получить удовлетворение от чего-л. МФС, 70.

От души́. 1. *Разг.* С удовольствием. ПОС 10, 66. 2. *Разг.* Энергично, интенсивно. СБГ 5, 49; ПОС, 10, 66. 3. *Пск. Одобр.* Добрый, душевный (о человеке). ПОС, 10, 67.

От всей души́. *Разг.* Совершенно искренне; с полной откровенностью, непосредственностью. ФСРЯ, 152; ЗС 1996, 290; БТС, 122.

От ма́тиной души́ вали́ться. *Пск.* Рождаться. СПП 2001, 38.

Охвати́ть души́. *Волог.* Отдышаться. СВГ 2, 67.

Про́тив души́. *Пск.* Без желания, против воли. ПОС 10, 66.

Рвать с души. 1. *кого. Волог., Дон.* Тошнить. СВГ 2, 67; СДГ 1, 144. 2. *у кого что.* Отбирать, отнимать у кого-л. что-л. СДГ 1, 144.

Рва́ться с души́. *Орл.* О приступе рвоты. СОГ 1990, 94.

Сдать с души́ *что. Новг.* Освободиться от забот, от ответственности, от дум о чём-л., о ком-л. НОС 10, 31.

С души́ воро́тит. *Прост.* О состоянии крайнего отвращения, неприятии чего-л. БТС, 150, 290; Подюков 1989, 32.

С души́ ле́зет *[у кого]. Ворон.* Кого-л. тошнит, мутит. СРГН 16, 340.

С души́ му́тит *кого. Прост. Неодобр.* О том, что вызывает чувство неприязни у кого-л. Ф 1, 305. **С души́ блева́ть му́тит** *кого. Пск. Пренебр.* То же. Козырев, 300.

С души́ на ду́шу. *Прикам.* Еле-еле, с большим трудом (о затруднённом дыхании). МФС, 35.

С души́ прёт *[кого]. Ленингр., Сиб. Пренебр.* О чём-л. отвратительном по запаху и внешнему виду. СРНГ 26, 251; СФС, 165.

С души́ свали́ться. *Пск.* Умереть, скончаться. СПП 2001, 38.

С души́ спусти́ться. *Сиб.* То же, что **с души свалиться.** СФС, 165.

Со всей души́. *Пск.* 1. То же, что **от всей души.** 2. Глубоко, полной грудью вздохнув. СРНГ 8, 280; ПОС 10, 68.

Спаси́те на́ши ду́ши. *Жарг. шк. Шутл.* Об экзаменах. Максимов, 399.

Спусти́ть с души́. *Прибайк.* Умереть. СНФП, 65.

С просто́й души́. *Прибайк.* Открыто, доверчиво, по наивности. СНФП, 65.

Тяну́ть из души́ три души́ *у кого. Волг. Неодобр.* Мучить кого-л., издеваться над кем-л. Глухов 1988, 162.

У души́ лежа́ть. *Сиб. Одобр.* Нравиться кому-л. ФСС, 67, 104.

Боле́ть душо́й. *Разг.* Волноваться, переживать, тревожиться о ком-л., о чём-л. ФСРЯ, 42; БТС, 290; СПП 2001, 38; ДС, 158.

Быть за душо́й *у кого.* 1. *Разг.* Иметься в наличии. ФСРЯ, 152. 2. *Перм.* Храниться в памяти. Сл. Акчим. 1, 264.

Виля́ть (верте́ть) душо́й. *Курск., Морд., Ряз., Сиб.* То же, что **кривить душой.** БотСан, 86; СРГМ 1978, 76; ДС, 158; СОСВ, 66.

Висе́ть над душо́й *у кого. Волг.* Надоедать, докучать кому-л. Глухов 1988, 11.

Всей душо́й. 1. *Разг.* Целиком, полностью, всем существом (быть на чьей-л. стороне, сочувствовать кому-л.). ФСРЯ, 152; БМС 1998, 176; БТС, 122; . 2. *Разг.* Очень сильно, горячо, беспредельно (хотеть, стремиться, ожидать чего-л.). ФСРЯ, 152; БМС 1998, 176. 3. *Брян.* То же, что **от всей души.** СБГ 5, 49.

Втю́риться душо́й *в кого. Забайк.* Влюбиться в кого-л. СРГЗ, 83.

Гля́нчить над душо́й. *Яросл.* Неотступно, назойливо просить кого-л. о чём-л. ЯОС 3, 81.

Душо́й да (и) те́лом. 1. *Разг.* То же, что **всей душой 1.** ФСРЯ, 152; БМС 1998, 176; МФС, 35. 2. *Разг. устар., Сиб., Прибайк., Пск.* То же, что **за душой ничего нет.** БМС 1998, 176; ФСС, 66; СНФП, 64; ПОС, 10, 65. 3. *Прикам.* В одиночестве. МФС, 35.

Душо́й слы́шать. *Пск.* То же, что **духом слышать (ДУХ).** СПП 2001, 38.

За душо́й ничего нет *у кого. Разг.* 1. Об очень бедном, неимущем человеке. 2. Об абсолютно бездуховном человеке. БМС 1998, 176; ШЗФ 2001, 76; БТС, 290; ПОС 10, 65.

Криви́ть/ покриви́ть душо́й. *Разг. Неодобр.* Обманывать, лгать, лицемерить; поступать против совести. ФСРЯ, 212; БТС, 470; ЗС 1996, 361; СРНГ 29, 15; ДП, 306; СОСВ, 96; ПОС 10, 67. **Кривля́ть душо́й.** *Коми. Неодобр.* То же. Кобелева, 65.

Крути́ть/покрути́ть душо́й. *Пск. Неодобр.* То же, что **кривить душой.** ПОС 10, 67; СРНГ 29, 15.

Отдыха́ть душо́й. *Разг.* Обретать душевный покой. ФСРЯ, 302.

Откры́ться душо́й. *Кар.* Признаться в чём-л., поделиться сокровенными мыслями. СРГК 4, 302.

Пережива́ть душо́й. *Кар.* Волноваться. тревожиться о ком-л., о чём-л. СРГК 4, 444.

Пере́ть душо́й. *Арх.* То же, что **кривить душой.** СРНГ 26, 251.

Прикипа́ть/ прикипе́ть душо́й *к кому, к чему. разг.* Надолго и сильно привязываться к кому-л., к чему-л. Ф 2, 90.

Сверну́ть душо́й. *Кар.* Проявить неискренность, лицемерие. СРГК 5, 653.

С весёлой душо́й. *Арх.* В хорошем настроении; охотно. АОС 3, 152.

С дорого́й душо́й. *Курск.* С удовольствием. БотСан, 113.

С душо́й. *Разг.* С увлечением, подъёмом (делать что-л.). ФСРЯ, 152.

С душо́й схвати́ться. *Сиб.* Перевести дух, восстановить дыхание. СФС, 165.

Сиде́ть над душо́й. *Перм. Неодобр.* То же, что **стоять над душой.** Сл. Акчим. 1, 264.

С лёгкой душо́й. *Разг.* 1. Легко, спокойно, без огорчения. 2. С чувством облегчения. 3. Не испытывая угрызений совести. БТС, 290.

С откры́той душо́й. *Разг.* Без предубеждений; доверчиво, откровенно (относиться к кому-л., делать что-л.). ФСРЯ, 153; ЗС 1996, 365.

Стоя́ть над душо́й *у кого. Разг. Неодобр.* Надоедать, назойливо мешать кому-л. ФСРЯ, 153; БТС, 290, 1275; ЗС 1996, 69; БМС 1998, 176.

С хоро́шей душо́й. *Сиб.* С добрыми намерениями. ФСС, 67.

Одна́ душо́ю. *Курск.* Совсем одна, в одиночестве. БотСан, 106.

Береди́ть ду́шу *кому, чью, в ком. Разг.* Вызывать тягостные воспоминания; тревожить, беспокоить. ФСРЯ, 35.

Брать/ взять за ду́шу *кого.* 1. *Разг.* Сильно, глубоко волновать, тревожить кого-л. ФСРЯ, 45; ЗС 1996, 126. 2. *Сиб.* Тяжело ранить кого-л. ФСС, 26. 3. *Ряз.* Хватать кого-л. за верхнюю переднюю часть одежды в порыве гнева. ДС, 158.

В ду́шу ви́ться. *Народн. Неодобр.* Лицемерить, льстить кому-л. ДП, 305.

В ду́шу, в крест, в Богоро́дицу! *Прост. обл. Бран.* Выражение крайнего недовольства, негодования, возмущения кем-л., чём-л. Мокиенко, Никитина 2003, 127.

В ду́шу вле́зет, а за грош прода́ст. *Народн. Неодобр.* О ненадёжном, двуличном человеке, подхалиме. Жиг. 1969, 220.

В ду́шу вьётся, в карма́н ле́зет. *Народн. Неодобр.* О двуличном человеке, лицемере, обманщике. ДП, 161.

В ду́шу ко́тится *кому что. Курск.* Нравится кому-л. что-л. БотСан, 85.

В ду́шу поле́ном! *Кар. Бран.* Восклицание, выражающее гнев, негодование, досаду. СРГК 5, 53.

В ду́шу то́рнуло *[кому]. Пск.* О предчувствии. ПОС 10, 67.

Вкла́дывать/ вложи́ть ду́шу. 1. *во что. Разг.* Целиком полностью отдаваться чему-л., делать что-л. с любовью, увлечением. ФСРЯ, 70; БТС, 290; ЗС 1996, 126. 2. *Прибайк.* Любить кого-л., заботиться о ком-л. СНФП, 64.

Вкола́чивать ду́шу в пя́тки *кому. Прост. Устар.* Жестоко обходиться с кем-л., истязать кого-л. Ф 1, 66.

Влеза́ть/ влезть (залеза́ть/ зале́зть) в ду́шу *к кому. Разг.* 1. Узнавать, выведывать у кого-л. что-л., касающееся его личной жизни; вмешиваться в чью-л. личную жизнь. 2. Любыми средствами завоевывать чьё-л. доверие, расположение. ФСРЯ, 72; БТС, 330; БМС 1998, 177; ШЗФ 2001, 38; СБГ 3, 33; СБГ 5, 49; СРНГ 28, 106.

Вложи́ться в ду́шу *кому. Сиб. Одобр.* То же, что **впасть в душу.** ФСС, 28.

Во всю ду́шу. *Арх.* Очень интенсивно, энергично. АОС 4, 15.

В одну́ ду́шу. 1. *Волг.* Вместе, сообща. Глухов 1988, 13. 2. *Прибайк.* Дружно, без ссор и скандалов (жить). НФП, 64.

Возьми́ твою́ ду́шу! *Алт. Бран.* Восклицание, выражающее гнев, раздражение. СРГА 2-1, 56.

Всю ду́шу вы́портить. *Кар.* Дойти до изнеможения, измучиться. СРГК 1, 281.

Всю ду́шу на кула́к вы́мотать *кому. Сиб.* Измучить кого-л. придирками, домогательствами. ФСС, 37.

Всю ду́шу отда́ть. *Сиб.* Откровенно рассказать всё о себе. СФС, 48; СБО-Д1, 128; ФСС, 129.

Входи́ть/ войти́ в ду́шу *чью. Разг.* Глубоко затрагивать, волновать, становиться предметом постоянных раздумий, размышлений. БМС 1998, 177.

Вывора́чивать/ вы́вернуть ду́шу [наизна́нку] *перед кем. Разг.* Признаваться в чём-л., рассказывать всё о себе. БТС, 168; Глухов 1988, 17.

Вы́класть (вы́ложить) ду́шу. *Арх., Сиб.* Отдать все силы какому-л. делу, посвятить себя чему-л. АОС 7, 291; СФС, 51; СБО-Д1, 82; ФСС, 36.

Вы́колосить ду́шу *кому, чью. Волг., Пск.* То же, что **выматывать/ вымотать душу.** Глухов 1988, 18; СРНГ, 8, 281.

Вы́колотить ду́шу из те́ла *у кого. Прост. Устар.* Угрозами, побоями довести кого-л. до смерти. Ф 1, 94.

Вы́ложить на чи́стую ду́шу *что. Дон.* Чистосердечно признаться в чём-л., рассказать о чём-л. сокровенном. СДГ 1, 88.

Выма́тывать/ вы́мотать (вытя́гивать/ вы́тянуть) ду́шу *кому, чью. Разг.* Изводить, терзать, мучить кого-л.; досаждать кому-л. чем-л. неприятным. ФСРЯ, 98; БТС, 187; ЗС 1996, 342; СБГ 3, 86; СОСВ, 46; Глухов 1988, 20; СРНГ, 8, 281; СРГК 1, 127.

Вы́нести ду́шу. *Кар.* То же, что **вымотать душу.** СРГК 1, 127.

Вынима́ть/ вы́нуть (вы́нять) ду́шу *кому, чью.* 1. *Курск.* Сильно избить кого-л. БотСан, 88. 2. *Прост.* Убивать, умерщвлять кого-л. Ф 1, 96. 3. *Прост.* То же, что **выматывать душу.** БТС, 177; СРНГ, 8, 281; ПОС 6, 25; ПОС 10, 67; Ф 1, 96. 4. *Арх.* Произвести сильное впечатление на кого-л., взволновать кого-л. АОС 8, 46.

Вы́нуть и задви́нуть ду́шу *чью. Сиб.* Убить кого-л. сильным ударом. ФСС, 37.

Вы́ронить ду́шу *для кого. Кар.* Быть готовым на всё ради кого-л. СРГК 1, 288.

Вы́трясти ду́шу *из кого. Разг.* Измучить кого-л. угрозами, домогательствами. ФСРЯ, 98; БТС, 185, 290.

Вытя́гивать ду́шу. См. **Выматывать душу.**

Дать в ду́шу *кому. Жарг. мол.* Ударить в грудь кого-л. Максимов, 101.

Добыва́ть/ добы́ть ду́шу *[чью]. Кар.* Привести кого-л. в сознание, реанимировать кого-л. СРГК 1, 466; СРГК 1, 495; СРНГ 8, 145.

Достава́ть/ доста́ть ду́шу *[чью].* 1. *Кар.* То же, что **добывать душу.** СРГК 1, 495; СРНГ 8, 145. 2. *Волг.* Приносить кому-л. душевные страдания, мучить кого-л. Глухов 1988, 37.

Ду́шу воро́тит. *Прост. Неодобр.* О том, что вызывает отвращение. Ф 1, 76.

Ду́шу в пя́тки вбить *кому. Сиб.* Испугать, напугать кого-л. ФСС, 23.

Ду́шу га́ит *кому. Пск.* Кому-л. делается дурно. СРНГ 8, 281.

Ду́шу жжёт *кому.* 1. *Морд.* Об изжоге. СРГМ 1980, 57. 2. *Волог.* О каком-л. очень сильном желании. СВГ 2, 67.

Ду́шу (душа́) печёт. *Сиб., Забайк.* Об изжоге. СРНГ 8, 280; ФСС, 135; СРГЗ, 106.

Ду́шу поднима́ет (подыма́ет) *у кого. Сиб.* Кого-л. тошнит, мутит. ФСС, 140.

Забели́ть ду́шу. 1. *Прикам. Шутл.* Утолить голод. МФС, 38. 2. *кому. Волг.* Успокоить кого-л. Глухов 1988, 44.

За́ душу. *Пск.* Даром, бесплатно. ПОС 10, 69.

За́ душу трясти́ *кого. Пск.* Причинять кому-л. страдания, мучить кого-л. СПП 2001, 38.

Зала́зить в ду́шу *кому. Прибайк.* Волновать кого-л., запоминаться кому-л. СНФП, 64.

Залеза́ть в ду́шу. См. **Влезать в душу.**

За ми́лую ду́шу. *Разг.* 1. С большим удовольствием, охотно. 2. Обязательно, непременно. ФСРЯ, 153; БМС 1998, 177; Ф 1, 180; ЗС 1996, 386; ШЗФ 2001, 77; БТС, 290, 309; ПОС 10, 67.

Запада́ть/ запа́сть в ду́шу. *Прост.* Производить сильное впечатление на кого-л.; волновать, тревожить кого-л. Ф 1, 201.

Запеча́тать ду́шу. *Сиб.* Скрыть, утаить что-л. ФСС, 79.

Запира́ет ду́шу *кому. Кар.* Об одышке. СРГК 2, 172.

Заходи́ть/ зайти́ в ду́шу *чью. Кар.* То же, что **влезать в душу 2.** СРГК 2, 126.

Зацепи́ть за́ душу *кому. Прибайк.* Глубоко взволновать кого-л. СНФП, 65.

Идти́ в ду́шу *кому. Кар.* Нравиться кому-л. СРГК 2, 267.

Извереди́ть ду́шу *кому. Сиб., Забайк.* Измучить, изнурить кого-л. ФСС, 87; СРГЗ, 140.

Излива́ть/ изли́ть ду́шу *кому, перед кем. Разг.* Откровенно рассказывать кому-л. о чём-л. БТС, 290; ФСРЯ, 184.

Измуту́зить ду́шу *кому. Морд.* Заставить страдать кого-л. СРГМ 1980, 119.

Име́ть ду́шу. *Перм.* Быть недовольным, затаить зло на кого-л. Подюков 1989, 88.

Карау́лить ду́шу. *Кар. Шутл.* Чересчур долго быть где-л., у кого-л. СРГК 2, 329.

Кати́ться в ду́шу *кому. Волг. Одобр.* Нравиться кому-л. Глухов 1988, 77.

Квели́ть/ расквели́ть ду́шу *кому. Волг., Дон.* То же, что **ломать душу.** Глухов 1988, 74; СДГ 2, 55.

Класть/ положи́ть ду́шу *за кого, за что. Книжн. Высок.; Сиб.* Отдавать жизнь, жертвовать собой, умирать за кого-л., за что-л. ФСРЯ, 153; Ф 1, 239; БТС, 290; БМС 1998, 177; ФСС, 144.

Класть/ покла́сть ду́шу *за кого. Смол.* То же. СРНГ 28, 383.

Класть ду́шу на ладо́нь *кому. Волг.* Рассказывать кому-л. о себе. Глухов 1988, 75.

Лечь в ду́шу. *Пск., Сиб.* То же, что **впасть в душу.** ПОС 10, 67; СРНГ 17, 30; СФС, 100; ФСС, 105.

Лома́ть ду́шу *кому. Волг.* Расстраивать, заставлять страдать кого-л. Глухов 1988, 83.

Мори́ть ду́шу. 1. *Морд.* Голодать. СРГМ 1986, 33. 2. *Кар. Шутл.-ирон.* Проводить время в ожидании чего-л. или за однообразным занятием. СРГК 3, 257.

Мота́ть ду́шу. 1. *Прост.* То же, что **выматывать душу.** МФС, 60; Кобелева, 67; Ф 1, 303-304. 2. *Жарг. угол.* Допрашивать кого-л. СРВС 4, 142; Б., 101; Мильяненков, 117; ББИ, 73; Балдаев 1, 119.

Мота́ть ду́шу на кула́к. *Прост. Неодобр.* То же, что **выматывать душу.** Ф 1, 304; Мокиенко 2003, 28.

Мота́ть на́ душу. *Морд.* Делать долги. СРГМ 1986, 35.

Муту́зить в ду́шу. *Морд.* То же, что **ломать душу.** СРГМ 1986, 42.

Нама́ять душу *кому. Жарг. мол.* Избить кого-л. Никитина 1998, 120.

На одну́ ду́шу. *Арх.* В один голос (кричать). АОС 3, 83.

Насра́ть в ду́шу *кому. Прост. Неодобр.* Испортить настроение кому-л., обидеть кого-л. Вахитов 2003, 109.

Не в ду́шу. 1. *кому кто, что. Дон., Кар., Пск.* То же, что **не к душе.** СДГ 1, 144; СРГК 2, 13; СРНГ 8, 281; ПОС 10, 66. 2. *Горьк.* То же, что **не в одну душу.** БалСок, 46.

Не в одну́ ду́шу. *Волг.* Неслаженно, недружно, несинхронно. Глухов 1988, 108.

Обжига́ть ду́шу. *Кар.* Давать тепло, согревать кого-л. СРГК 4, 78.

Обсира́ть/обосра́ть ду́шу *кому. Вульг.-прост.* Портить настроение кому-л. Мокиенко, Никитина 2003, 127.

Освободи́ть ду́шу *чью. Кар.* Избавить кого-л. от забот, принести успокоение кому-л. СРГК 4, 237.

Отводи́ть/ отвести́ ду́шу. 1. *кому с кем. Разг.* Рассказывать кому-л. обо всех своих бедах, несчастьях. ФСРЯ, 153; БТС, 740; БМС 1998, 177. 2. *Новг.* Сплетничать. НОС 8, 152. 3. *на ком, на чём. Разг.* Вымещать зло на ком-л., на чём-л. ФСРЯ, 153; БМС 1998, 177. 4. *Разг.* Удовлетворить какое-н. своё желание; находить для себя утешение, успокоение в чём-л. ДП, 868; ФСРЯ, 300; ЗС 1996, 126, 191; БТС, 290; ПОС 10, 66. 5. *Прикам.* Умирать. МФС, 70.

Отдава́ть/ отда́ть ду́шу. 1. *кому, чему. Разг.* Делать все возможное для кого-л., посвящать себя чему-л. МФС, 70; Ф 2, 24; СРГК 4, 288. 2. *Прикам.* Умирать. МФС, 70. 3. *Сиб.* Рассказывать все о себе. СОСВ, 66.

Открыва́ть/ откры́ть ду́шу *кому. Разг.* Откровенно поговорить с кем-л., рассказать о своих заветных мыслях, чувствах. ФСРЯ, 303; БТС, 290; ЗС 1996, 365; ПОС 10, 66; СБГ 5, 49.

Ототкну́ть (разоткну́ть) ду́шу. *Яросл. Устар.* Отделить земельный надел на одну душу путём втыкания колышка на границе между участками (в старой деревне). ЯОС 7, 66; ЯОС 8, 119.

Отпусти́ть ду́шу. *Пск.* Умереть, скончаться. СПП 2001, 38.

Отпусти́ть (пусти́ть) ду́шу на покая́ние. *Разг. Устар.* Пощадить кого-л., смиловаться над кем-л. ФСРЯ, 306; РБФС, 253; ЗС 1996, 60; Ф 2, 107; БТС, 290, 758.

Ошпа́рить ду́шу. *Петерб.* Согреться горячим чаем. СРНГ 25, 95.

Пасни́ (опасни́) тебя́ (его, ее и т. п.) **в ду́шу!** *Сиб. Бран.* Восклицание, выражающее раздражение, досаду. ФСС, 132.

Пасть (впасть) в ду́шу *кому. Кар., Пск. Одобр.* Понравиться, прийтись по душе кому-л. СРГК 4, 406; ПОС, 5, 13.

Пасть на ду́шу *кому. Курск., Перм.* Вспомниться, ожить в памяти. БотСан, 107; Сл. Акчим. 1, 264.

Плева́ть/ наплева́ть в ду́шу *кому. Разг.* Оскорблять самое дорогое для кого-л., самое сокровенное в ком-л. ФСРЯ, 322; БТС, 290; Ф 2, 48; ЗС 1996, 298.

Полага́ть/ положи́ть ду́шу *за кого, в кого. Разг. Устар.* Отдавать все силы, воспитывая кого-л., заботясь о ком-л. Ф 2, 68, 69.

Потеря́ть ду́шу. *Урал.* Сильно запыхаться. СРНГ 30, 277.

Привяза́ть (прите́шить) ду́шу. 1. *Пск.* То же, что **душу проесть.** ПОС 10, 67. 2. *Волг.* Понравиться кому-л. Глухов 1988, 132.

Провожа́ть ду́шу. *Курск.* Проводить поминки. БотСан, 93.

Прода́ть ду́шу. 1. *Жарг. угол.* Перестать воровать. 2. *Жарг. угол.* Стать осведомителем органов МВД или КГБ. 3. *Жарг. арест.* Стать членом секции внутреннего порядка ИТУ. Балдаев 1, 357.

Прода́ть (подписа́ть) ду́шу чёрту (дья́волу). *Прост.* Поддаться какому-л. соблазну. СРНГ 28, 138; Ф 2, 97. **Прода́ть ду́шу за овся́ный блин.** *Народн.* То же. ДП, 180.

Прое́сть ду́шу. *Ряз.* Съесть что-л. вкусное, полакомиться чем-л. ДС, 159.

Промя́ть ду́шу. *Кар. Шутл.* Отдохнуть, занявшись другим делом, сменив деятельность. СРГК 5, 280.

Протяну́ть ду́шу. *Кар. Шутл.* Прогуляться, проветриться. СРГК 5, 313.

Пусти́ть ду́шу на разбо́й. *Яросл. Устар.* Разделить земельный надел на две части (в старой деревне). ЯОС 8, 107.

Пусти́ть ду́шу на споко́яние. *Яросл.* Успокоиться, отдохнуть. ЯОС 8, 107.

Раздира́ть ду́шу *кому, чью. Разг.* Сильно волновать, терзать, мучить кого-л. Ф 2, 115.

Разорви́ твою́ (его́, ва́шу и пр.**) ду́шу я́корь!** *Прост. Бран.* Выражение недовольства, крайнего раздражения кем-л. (проклятие в чей-л. адрес). Мокиенко, Никитина 2003, 127.

Разоткну́ть душу. *Яросл.* Отделить воткнутой в землю палочкой один земельный (душевой) надел от другого. СРНГ 34, 58.

Разрази́ мою́ ду́шу! *Прост.* Клятвенное заверение в чём-л. Ф 2, 117.

Раскла́дывать ду́шу. *Горьк.* То же, что **открывать душу.** БалСок, 51.

Раста́птывать ду́шу *кого, чью. Разг.* Грубо унижать кого-л. Ф 2, 121.

Растравля́ть себе́ ду́шу. *Разг.* Мучиться, переживать, думая о ком-л., о чём-л., вспоминая кого-л., что-л. Ф 2, 122.

Рвать ду́шу *кому. Разг.* Приносить страдания, терзать, мучить кого-л. Ф 2, 123.

Ду́шу сгнои́ть *кому. Прибайк.* Довести до отчаяния, измучить кого-л. СНФП, 64.

С гу́лькину ду́шу. *Арх., Сиб. Шутл.-ирон.* Очень мало. АОС 10, 142; ФСС, 67.

Собра́ть ду́шу. *Курск.* Собраться с силами, решаться на что-л. важное, значительное. БотСан, 114.

Твою́ ду́шу [так]! *Прост. Бран.* Выражение крайнего возмущения, негодования, недовольства. Мокиенко, Никитина 2003, 127.

Тро́нуть за ду́шу *кого. Горьк.* Сказать кому-л. что-л. ласковое, участливое. БалСок, 54.

Трясёт ду́шу *кому. Пск.* Кто-л. испытывает сильное чувство страха, дрожит от испуга. ПОС 10, 67.

Тяну́ть [за] ду́шу *из кого. Разг. Неодобр.* Мучить, терзать, изводить кого-л. ФСРЯ, 486; Глухов 1988, 162; БТС, 1360; Верш. 7, 105; СОСВ, 66; ДП, 146. // *[кому]. Неодобр. Пск.* Утомлять, огорчать, расстраивать кого-л. ПОС 10, 67.

Хвата́ть за ду́шу *кого.* 1. *Разг.* То же, что **брать за душу 1.** Ф 2, 231. 2. *Курск.* То же, что **брать за душу 3.** БотСан, 95.

Хоть ду́шу на ло́коть. *Пск.* Во что бы то ни стало, непременно, обязательно. ПОС 10, 68.

Язви́ твою́ (его́, ва́шу и пр.**) ду́шу!** *Прост. Бран.* Выражение крайнего возмущения, негодования, недовольства. Мокиенко, Никитина 2003, 127.

Язви́ тебя́ (его́ и т. п.**) в ду́шу!** *Прост. Бран.* То же. СБО-Д2, 289; Вахитов 2003, 209.

ДУ́ШЕНЬКА * Вы́йди ду́шенька. См. **Выйди душа (ДУША).**

В чём ду́шенька де́ржится. См. **В чём душа держится (ДУША).**

Где ду́шенька де́ржится. *Пск.* О худощавом человеке. ПОС 10, 72.

Спусти́ться с ду́шеньки. *Волг.* Подобреть, прийти в хорошее настроение. Глухов 1988, 153.

В ду́шеньку *кому что. Волог. Одобр.* Кому-л. нравится, приятно что-л. СРНГ 8, 282.

Отда́ть ду́шеньку. *Пск.* Умереть. СПП 2001, 39.

ДУШЕ́Ц * Брать/ взять за душе́ц *кого. Жарг. угол.* Удушить, удавить кого-л. СРВС 2, 166; СРВС 3, 80; ТСУЖ, 23, 31; СВЯ, 10; Балдаев 1, 45.

ДУ́ШЕЧКА * Потесни́ть ду́шечку. *Вят.* Наесться досыта. СРНГ 30, 279.

В ду́шечках. *Перм.* С полной откровенностью. Сл. Акчим. 1, 264.

ДУ́ШКА * Бо́жья ду́шка. *Брян.* Мелкая бабочка, гусеница, моль. СБГ 1, 64.

ДУШНИ́К * Разобра́ть душни́к *кому. Жарг. угол.* Разбить грудь кому-л. СРВС 2, 74, 205; СРВС 4, 136; СВЖ, 5; ББИ, 73; СВЯ, 30; Балдаев 1, 119. < **Душник** — грудь.

ДУШНЯ́К * Строга́ть душня́к. *Жарг. мол.* Ставить кого-л. в неловкое положение. Максимов, 124.

ДУШО́К * В свой душо́к. *Прикам.* Вдоволь, сколько хочется. МФС, 35.

С душо́к. 1. *Перм.* Интенсивно, энергично. СРНГ 8, 287. 2. *Сиб.* Длительное время. ФСС, 67.

С душко́м. 1. *Разг. Устар., Волг.* О капризном, неуживчивом человеке. Ф 1, 180; Глухов 1988, 147. 2. *Перм., Сиб. Ирон.* О человеке с тяжёлым характером. ФСС, 67; Подюков 1989, 69. 3. *Разг.* О каких-л. сведениях, имеющих пикантные подробности, сомнительные характеристики. Ф 1, 180.

ДЫБ * В дыб [пья́ный]. *Пск.* То же, что **в дым 1. (ДЫМ).** СПП 2001, 39.

ДЫ́БА * В ды́бе. *Кар.* Упрямый, своенравный. СРГК 2, 15.

Вве́сти в ды́бу (в ды́бы) *кого, обычно с отриц.* 1. *Новг., Пск.* Образумить кого-л., преодолеть чьё-л. сопротивление, упрямство. НОС 1, 109; СПП 2001, 39. 2. *Пск.* Рассердить, разозлить кого-л. СРНГ 8, 290.

ДЫ́БАРЬ * Дава́ть ды́баря. *Жарг. байк.* Ехать на заднем колесе. Я — молодой, 1995, № 6.

ДЫБА́ШКИ * Встава́ть/ встать на дыба́шки. *Яросл.* 1. То же, что **вставать в дыбки 1. (ДЫБКИ).** 2. То же, что **становиться на дыбки 1. (ДЫБКИ).** ЯОС 3, 45; ЯОС 6, 76.

ДЫБКИ́ * Встава́ть/ встать в дыбки́. 1. *Ср. Урал.* Вставать на ножки (о ребёнке, начинающем ходить). БотСан, 102; СРГСУ 1, 149. 2. *Прост.* Проявлять резкое несогласие, противостоять, противодействовать чему-л. Ф 1, 85; БалСок, 26.

Станови́ться/ встать на дыбки́. 1. *Курск., Башк.* Подниматься на цыпочки. СРГБ 1, 120. 2. *Брян., Волг.* То же, что **вставать в дыбки 2.** СБГ 5, 50; Глухов 1988, 154.

ДЫБО́К * Стоять дыбо́к. *Яросл.* Стоять на ногах, начинать ходить (о ребенке). ЯОС 4, 28.

ДЫ́БОМ * Встать ды́бом. *Пск.* Прийти в волнение, взбудоражиться. ПОС 10, 77.

ДЫ́БОНЬКИ * Стоя́ть на ды́боньках. *Морд.* То же, что **стоять дыбок (ДЫБОК).** СРГМ 1980, 43.

ДЫБО́ЧКИ * Встава́ть/ встать на дыбо́чки. 1. *Сиб.* То же, что **вставать в дыбки 1. (ДЫБКИ).** ФСС, 67. 2. *Волог., Башк., Сиб.* То же, что **становить-**

ся на дыбки 1. (ДЫБКИ). СВГ 2, 68; СРГБ 1, 120; ФСС, 67.

ДЫБО́ШКИ * Зави́ться в дыбо́шки. *Морд.* Подняться на задние ноги. СРГМ 1980, 69.

Станови́ться на дыбо́шки. *Волг., Ворон.* То же, что **вставать в дыбки 2. (ДЫБКИ).** Глухов 1988, 154; СРНГ 8, 290.

ДЫБЫ́ * Стоя́ть на дыба́х. *Перм.* Держаться прямо, вытянувшись. Сл. Акчим. 1, 265.

Ходи́ть на дыба́х. *Перм.* Вести себя вызывающе. Сл. Акчим. 1, 265.

В ды́бы. *Пск., Сиб.* О состоянии крайнего раздражения. СРНГ 8, 290; СФС, 35; ФСС, 67.

Вскочи́ть на дыбы́. *Горьк.* Возмутиться, возразить кому-л. БалСок, 44.

Встава́ть/ встать на дыбы́. 1. *Прост.* Проявлять своё несогласие с кем-л., с чем-л., противостояние чему-л. БТС, 162; ЗС 1996, 68; Ф 1, 180. 2. *Пск.* Разъяриться, приготовиться к драке. ПОС 10, 78.

Пока́зывать ды́бы. *Сиб.* Вести себя заносчиво, нагло. ФСС, 143; СРНГ 28, 365.

Станови́ться на дыбы́ *перед кем. Брян.* Заискивать перед кем-л., льстить кому-л. СБГ 5, 59.

ДЫЛКА́ * Дать дылка́. *Перм.* Убежать откуда-л. СРНГ 8, 291.

ДЫМ * В дым. 1. *Разг. Неодобр.* О крайней степени алкогольного опьянения. ФСРЯ, 153; БТС, 291; СОСВ, 66; ФСС, 119; СПСП, 36; СРГПриам., 166; ПОС 10, 78. 2. *Пск., Сиб.* Полностью, совершенно; очень сильно. ФСС, 67; ПОС, 10, 78.

Дым коромы́слом *где, у кого.* 1. *Разг.* О шумном веселье. ЗС 1996, 192. 2. *Разг.* О перебранке, скандале. ЗС 1996, 192. 3. *Волг. Неодобр.* О беспорядке, грязи в доме. Глухов 1988, 39.

Дым да ко́поть *у кого. Разг. Устар. Ирон.* Об отсутствии имущества у кого-л. Ф 1, 180.

Вози́ть дым. *Перм. Ирон.* Работать нехотя, лениво. Подюков 1989, 133.

[Ещё] дым в голове́ *у кого. Пск. Ирон.* О молодом, несерьёзном человеке. СПП 2001, 39.

Пакова́ть дым у ве́тра. *Яросл. Шутл.-ирон.* Бездельничать. ЯОС 4, 29.

Пили́ть дым у Шата́лова. *Яросл. Шутл.-ирон.* То же, что **паковать дым у ветра.** ЯОС 4, 29.

Пройти́ дым и во́ду. *Башк.* Многое испытать в жизни. СРГБ 1, 120.

Пуска́ть дым в глаза́ *кому. Разг. Неодобр.* Обманывать, намеренно вводить в заблуждение кого-л. ЗС 1996, 208; Глухов 1988, 136.

Пуска́ть на дым *что. Волг. Неодобр.* Тратить нерационально, без надобности (о деньгах). Глухов 1988, 137.

Ни ды́ма ни ко́поти *у кого.* 1. *Горьк. Ирон.* О бедном, неимущем человеке. БалСок, 47. 2. *Волг. Ирон.* О человеке, у которого что-то не ладится, дела идут не лучшим образом. Глухов 1988, 109.

Дава́ть ды́му *кому. Волг.* Сильно ругать, бранить, наказывать кого-л. Глухов 1988, 27.

В дыму́. 1. *Жарг. угол.; Дон.* Сильно пьян. СРНГ 3, 324; Балдаев 1, 51; ББИ, 37; СВЯ, 13. 2. *Жарг. угол.* В состоянии растерянности. Балдаев 1, 51; ББИ, 37.

ДЫМЕ́Ц * [Пья́ный] в дыме́ц. *Пск.* То же, что **в дым 1. (ДЫМ).** СПП 2001, 39.

ДЫМИ́НА * [Пья́ный] в дыми́ну. *Прост.* То же, что **в дым 1. (ДЫМ).** Ф 1, 180-181; БТС, 291; Подюков 1989, 70; БотСан, 85; ЗС 1996, 193; НОС 9, 74; СФС, 116; ПОС, 10, 79; ФСС, 119; ЯОС 2, 37.

ДЫМИ́НКА * [Пья́ный] в дыми́нку. *Пск.* То же, что **в дым 1. (ДЫМ).** ПОС 10, 79.

ДЫМИ́НУШКА * В дыми́нушку. *Перм., Пск.* То же, что **в дым 2. (ДЫМ).** Подюков 1989, 70; ПОС 10, 79.

ДЫМИ́ЩЕ * [Пья́ный] в дыми́ще. *Пск.* То же, что **в дым 1. (ДЫМ).** ПОС 10, 79.

ДЫ́МНИК * Храни́ть свой ды́мник. *Печор. Шутл.-ирон.* Оставаться не замужем. СРГНП 1, 195.

Сиде́ть за ды́мником. *Печор. Шутл.-ирон.* То же, что **хранить свой дымник.** СРГНП 1, 195.

< **Дымник** — печная труба; дымоход.

ДЫМОГА́Н * [Пья́ный] в дымога́н. *Пск.* То же, что **в дым 1. (ДЫМ).** ПОС 10, 81.

ДЫМОВО́Е * Вы́пить дымово́го. *Кар.* Выпить спиртного по случаю топки печи в первый раз после ее кладки. СРГК 1, 278.

ДЫМО́К * Жить с дымко́м. 1. *Дон.* Вести разгульный образ жизни. СДГ 1, 144. 2. *Волг.* Экономно вести хозяйство. Глухов 1988, 43.

Идти́ с дымко́м. 1. *Дон. Шутл.-ирон.* Быть пьяным. СДГ 1, 144. 2. *Волг.* Складываться неудачно (о делах). Глухов 1988, 57.

Дымку́ пропусти́ть. *Пск. Шутл.* Немного покурить. СПП 2001, 39.

Дать на дымо́к. *Жарг. лаг.* Оставить докурить папиросу, сигарету. Грачев 1992, 66.

Испуска́ть свяще́нный дымо́к. *Жарг. мол. Шутл.* Курить. Максимов, 124.

ДЫМЯ́ЩИЙСЯ * Ходи́ть с дымя́щимся. *Жарг. мол. Шутл.* Ходить с возбужденным, в состоянии эрекции членом. Флг., 96; УМК, 81.

ДЫ́НЯ * Настуча́ть по ды́не *кому. Жарг. мол.* Избить кого-л. Максимов, 124.

По си́ней ды́не. *Жарг. мол. Шутл.* 1. По глупости. Максимов, 385. 2. В состоянии алкогольного опьянения. (Запись 2004 г.).

Вста́вить (ététaката́ть) ды́ню *кому. Жарг. мол.* Наказать кого-л. Вахитов 2003, 32.

Дать в ды́ню *кому. Жарг. мол.* Ударить по голове; избить кого-л. МК, 12.08.99; Максимов, 101.

Закати́ть ды́ню *кому. Жарг. мол.* Выругать кого-л. Максимов, 124.

Закружи́ть ды́ню *кому. Жарг. мол. Шутл.* Увлечь, влюбить в себя кого-л. Максимов, 124.

Запусти́ть ды́ню *кому. Жарг. мол.* Распространить какой-л. слух, сплетни. Максимов, 124.

Синяя ды́ня. *Жарг. мол. Пренебр.* Алкоголик, пьяница. Максимов, 124.

ДЫРА́ * Дыра́ в го́рсти *у кого. Народн.* О расточительном, неэкономном человеке. ДП, 114.

Дыра́ в нёбо. 1. *Волг. Шутл.* О человеке высокого роста. Глухов 1988, 39. 2. *Волог.* О большом количестве чего-л. СВГ 2, 28.

Дыра́ в рука́х *у кого. Перм. Ирон.* О неэкономном хозяине. Подюков 1989, 70.

Дыра́ ленини́зма. *Разг. Ирон. Устар.* Главное управление снабжения в Ленинграде (1960–1970-е гг.). Синдаловский, 2002, 70.

Дыра́ под го́рлом *у кого. Народн. Неодобр.* О пьянице, алкоголике. ДП, 793.

Озо́новая дыра́. 1. *Спец.* Лакуна в озоновом слое Земли. Мокиенко 2003, 28. 2. *Разг.* Пробел, недостаток, уязвимое место в чём-л. Мокиенко 2003, 28. 3. *Жарг. арм. Шутл.-ирон.* Казарма. БСРЖ, 175.

Чёрная дыра́. 1. *Публ.* Место, где всё пропадает, исчезает бесследно. СП, 239; БТС, 292; БМС 1998, 178. 2. *Жарг. арм., морск. Шутл.-ирон.* Подводная лодка. Лаз., 82. 3. *Жарг. мол.* Место, где торгуют наркотиками. Мокиенко 2003, 28. 4. *Жарг. шк. Шутл.* Школьный туалет. (Запись 2004 г.).

Вся́кой (ка́ждой) дыре́ гвоздь. *Волг., Дон. Неодобр.* То же, что **в каждой дырке гвоздь 1. (ГВОЗДЬ).** Глухов 1988, 16; СДГ 1, 98.

В ка́ждой дыре́ заты́чка. *Сиб.* То же, что **в каждой дырке гвоздь 1. (ГВОЗДЬ).** СОСВ, 66.

В ка́ждую дыру́. *Сиб.* Повсюду. СОСВ, 66.

Гляде́ть сквозь дыру́ *на что. Яросл.* Отрицательно, неодобрительно относиться к чему-л. ЯОС 3, 80.

Заткну́ть дыру́. 1. *Прост.* Использовать что-л. как спасительное средство. Глухов 1988, 51. **2.** *чаще в форме повел. накл. Арх.* Замолчать. СРНГ 11, 116.

Каку́ю дыру́? *Ряз.* Зачем, для чего? ДС, 142.

Ни в каку́ю дыру́ не ле́зет *что. Прибайк. Неодобр.* Неуместный, совершаемый, происходящий некстати. СНФП, 65.

Во все ды́ры. *Сиб.* Везде и всюду. ФСС, 67.

Дуть во все ды́ры. *Горьк. Шутл.-ирон.* Храпеть во сне. БалСок, 34.

Затыка́ть ды́ры (ды́рки). *Прост.* Наспех или на время устранять какие-л. недостатки, пробелы в каком-л. деле. ФСРЯ, 171; Ф 1, 205.

Сопе́ть в две дыры́. *Волг.* Молчать, сдерживаться от высказывания. Глухов 1988, 152.

Ши́ры ды́ры. *Пск. Шутл.* 1. Очень далеко. 2. Широко. СПП 2001, 39.

ДЫ́РКА * Белоку́рая ды́рка. *Жарг. мол. Шутл.* Певица Бритни Спирс. Круто 2003, № 20.

Где ни ды́рка — всё заты́чка. *Сиб. Ирон.* О человеке, который нужен, необходим в каждом деле. ФСС, 81.

Ды́рка в груди́ну. *Пск.* Туберкулёз. ПОС 10, 84.

Ды́рка в заты́лок. *Жарг. лаг.* Расстрел. Росси 1, 106.

Ды́рка в карма́не *у кого. Волг.* О полном безденежье. Глухов 1988, 39.

Ды́рка в не́бе. *Сиб.* Просвет, образующийся при вырубке леса; участок вырубленных деревьев в лесу. ФСС, 67; СБО-Д1, 129; СФС, 69.

Ды́рка в сту́ле. *Яросл. Шутл.-ирон.* О человеке, который ничего не делает на работе. ЯОС 4, 29.

Ды́рка от бу́блика. *Прост. Пренебр.* О ничтожном, незначительном человеке. Максимов, 124; ЗС 1996, 33; БТС, 292.

Ды́рка от су́шки. *Сиб. Шутл.* 1. О крайне малом количестве чего-л. 2. Об отсутствии чего-л. СОСВ, 183.

Зашто́панная ды́рка. *Жарг. мол. Пренебр.* О девушке с завышенной самооценкой. Максимов, 124.

Золота́я ды́рка. *Сиб.* Углубление в боковой стене русской печи, куда кладут спички. ФСС, 67.

Чёрная ды́рка. *Жарг. мол. Шутл.* 1. Негритянка. 2. Анальное отверстие. УМК, 81; Балдаев 1, 119; Балдаев 2, 142.

Шокола́дная ды́рка. *Жарг. гом.* 1. Анальное отверстие. 2. Пассивный гомосексуалист. УМК, 81; Балдаев 1, 119; Балдаев 2, 166.

В ка́ждой ды́рке гвоздь. 1. *Сиб. Неодобр.* О человеке, который вмешивается во все дела. ФСС, 41. 2. *Пск. Одобр.* О человеке, который обладает определённым опытом, многое знает, во многом разбирается. СПП 2001, 39.

Пове́ситься на ды́рке. *Кар.* Застрять в каком-л. отверстии. СРГК 4, 586.

Стоя́ть на ды́рке. *Жарг. мол.* Следить за окружающей обстановкой, караулить, сторожить что-л. Максимов, 72.

Влеза́ть (лезть) во все ды́рки. *Прост.* Вмешиваться во все дела. БТС, 292.

Затыка́ть ды́рки. См. **Затыкать дыры (ДЫРА).**

Влеза́ть/ влезть в мыши́ную ды́рку. *Волг.* Проявлять изобретательность, находчивость. Глухов 1988, 12.

Иска́ть ды́рку. *Прост.* Пытаться найти неблаговидный предлог для осуществления чего-л. Глухов 1988, 59.

Не сто́ит ды́рки от бу́блика. *Прост. Презр.* О незначительном, неавторитетном человеке. Глухов 1988, 105.

Протере́ть ды́рки. *Жарг. мол.* Посмотреть внимательно. Елистратов 1994, 126.

Верте́ть ды́рку на боку́. *Пск.* Назойливо приставать к мужчине, молодому человеку (о девушке). (Запись 1993 г.).

Насе́чь ды́рку. *Пск.* Отхлестать, выпороть кого-л. (Запись 2001 г.).

В любу́ю ды́рку проле́зет. *Прост.* О хитром, пронырливом человеке. БТС, 292.

Встава́ть/ встать на ды́рку. *Жарг. мол. Шутл.* Следить, наблюдать за окружающей обстановкой. Максимов, 72.

Получи́ть ды́рку в заты́лке (в заты́лок). *Жарг. угол., арест.* Быть расстрелянным, убитым пулей. Р-87, 77, 127.

Поспева́ть не в свою́ ды́рку. *Кар.* Вмешиваться не в своё дело. СРГК 5, 44.

Просве́рлит ды́рку без буравля́. *Волг.* О подвижном, непоседливом человеке. Глухов 19988, 135.

ДЫ́РОЧКА * Напи́ться до ды́рочек. *Кар.* Сильно опьянеть, выпив спиртного. СРГК 4, 553.

Шокола́дная ды́рочка. *Жарг. гом. Ласк.* То же, что **шоколадная дырка 1. (ДЫРКА).** Кз., 123.

Сопе́ть в ды́рочки. *Жарг. мол.* Молчать. Максимов, 397.

С ды́рочкой. *Жарг. арм. Шутл.-ирон. или Неодобр.* Не настоящий. < По аналогии с учебным оружием, которое имеет отверстие в стволе. Кор., 255.

Де́лать/ сде́лать ды́рочку *кому. Жарг. угол., арест. Ирон.* Расстрелять, убить кого-л. огнестрельным оружием. Р-87, 77.

Пря́мо в ды́рочку. *Жарг. мол. Одобр.* О чём-л. отличном, превосходном. Вахитов 2003, 151.

ДЫРЯ́ГА * На всю дыря́гу. *Новг.* Очень громко. НОС 2, 110.

ДЫХ * Дать под дых *кому. Разг.* Ударить кого-л. в верхнюю часть живота. БТС, 292; ФСС, 54; СДГ 1, 145; Глухов 1988, 30; СБО-Д1, 110.

Перехва́тывает дых *у кого. Обл.* То же, что **перехватывает дух 1-2. (ДУХ).** Ф 2, 41.

ДЫХА́ЛО * Надава́ть под дыха́ло *кому. Сиб.* Нанести удары в верхнюю часть живота. ФСС, 116.

ДЫХА́НИЕ * Второ́е дыха́ние. 1. *Публ.* Прилив сил, энергии. Ф 1, 181; БТС, 164; БМС 1998, 178. < Из речи спортсменов. Мокиенко 2003, 29. 2. *Жарг. шк. Шутл.* Подсказка. БСРЖ, 175.

Зава́ливает дыха́ние *у кого. Морд.* 1. Об одышке. 2. О болезненном ощущении тяжести в груди. СРГМ 1980, 66.

Обрета́ть/ обрести́ второ́е дыха́ние. *Публ.* 1. Ощущать новый прилив сил, энергии. 2. Возобновлять активное функционирование. Мокиенко 2003, 29; БТС, 292; ШЗФ 2001, 49.

Перехва́тывает дыха́ние *у кого. Разг.* То же, что **перехватывает дух 1-2. (ДУХ).** Ф 2, 41.

Следи́ть за дыха́нием, *чаще в форме повел. накл. Жарг. мол.* Оставлять кому-л. покурить. Я — молодой, 1996, № 26.

На одно́м (еди́ном) дыха́нии. *Разг.* 1. Быстро, стремительно, порывисто. 2. С увлечением, вдохновенно. Ф 1, 181; НСЗ-84; БТС, 292; Мокиенко 2003, 29.

До после́днего дыха́ния. *Разг.* До самой смерти, до конца жизни. ФСРЯ, 154.

ДЫ́ХАТЬ * Ды́хать не дава́ть *кому. Курск. Неодобр.* Надоедать кому-л. своим вниманием. БотСан, 94.

Не ды́хать. *Пск.* Затаить дыхание, не двигаться, чтобы не обнаружить себя. ПОС 10, 88.

ДЫХЛО́ * Прове́рить ды́хло *[кому]. Жарг. мол.* Избить кого-л. Максимов, 124.

Разева́ть/ рази́нуть дыхло́. *Морд.* Громко кричать, орать. СРГМ 1980, 44.

ДЫ́ХНУ́ТЬ * Как дыхнёт, так брехнёт. *Терск. Ирон.* О человеке, который все время лжёт. СРНГ 12, 328.

Дыхну́ть не́когда *кому. Разг.* Кто-л. очень занят, чрезмерно перегружен работой. ФСРЯ, 275; СБГ 5, 51.

Дыхну́ть нельзя́ *кому. Пск.* Нет свободы действий у кого-л. ПОС 10, 87.

Ни ды́хнуть, ни пы́хнуть *[кому]. Пск.* О чьей-л. чрезвычайной занятости. ПОС 10, 87.

ДЫША́ТЬ * Дыша́ть не ви́дно *кому. Жарг. мол. Шутл.* Кто-л. не может увидеть чего-л., т. к. ему мешают, заслоняя обзор. Вахитов 2003, 52.

Дыша́ть не́чем *кому.* 1. *Пск.* Плохо живется кому-н. ПОС 10, 88. 2. *Жарг. угол.* Нет денег, нечем платить долг. Мильяненков, 117; Грачев, 1992, 70.

Как ды́шится? *Жарг. мол.* Как дела? Я — молодой, 1996, № 26.

ДЫ́ШЛО * Вы́йти из ды́шла. *Арх.* Нарушиться, выйти из привычного распорядка (о делах, жизни). АОС 7, 240.

В ды́шло тебе́ (вам, ему́ и т. п.**)!** *Прост. Бран.* Проклятие в чей-л. адрес, недоброе пожелание кому-л. Мокиенко, Никитина 2003, 128.

Вы́шло це́лое ды́шло. *Пск. Шутл.-ирон.* Какой-то пустяк вызвал неприятные последствия. ПОС 10, 89.

Ды́шло тебе́ (вам, ему́ и т. п.**) в гло́тку (в рот)!** *Прост. Бран.* **1.** То же, что **в дышло тебе!** 2. Замолчи, заткнись! Мокиенко, Никитина 2003, 128.

Ды́шло тебе́ (вам, ему́ и т. п.**) под лопа́тки!** *Прост. Бран.* То же, что **в дышло тебе!** Ф 1, 182; Мокиенко, Никитина 2003, 128.

Едри́ть твою́ в ды́шло! *Прост. Бран.* Выражение крайнего раздражения, негодования. Мокиенко, Никитина 2003, 128.

Ни в ды́шло ни в огло́блю. *Народн. Неодобр.* О бестолковом человеке. ДП, 448; Глухов 1988, 108.

По са́мое ды́шло. *Пск.* О большом количестве чего-л. ПОС 10, 89.

Туды́ его́ (их и т. п.**) в ды́шло!** *Прост. Бран.* Проклятие в чей-л. адрес, недоброе пожелание кому-л. Мокиенко, Никитина 2003, 128.

< **Дышло** — 1. Глотка. 2. Мужской половой орган.

ДЬЯ́ВОЛ * Бе́лый дья́вол. *Публ.* 1. Наркотики. 2. Наркомания. НРЛ-78; Мокиенко 2003, 29.

Голубогла́зый дья́вол. *Публ. Ирон.* Телевизор. НРЛ-82. < Из англ. *blue-eyed-devil.* Мокиенко 2003, 29.

Дья́вол верёвку подсу́нул *кому. Коми.* О повесившемся человеке. Кобелева, 62.

Дья́вол всели́лся *в кого. Прост.* Кто-л. приходит в неистовство от злобы, раздражения. Ф 1, 182.

Дья́вол на глаза́ туск навёл *кому. Коми.* Кто-л. начал терять зрение. Кобелева, 62.

Дья́вол пое́хал *на ком. Волг.* О несдержанном человеке, хулигане. Глухов 1988, 39.

Дья́вол сиди́т *в ком. Прост.* Кто-л. лукавит, сопротивляется. Ф 1, 182.

Дья́вол смути́л (соблазни́л) *кого. Коми. Неодобр.* Кто-л. совершил неправильный поступок. Кобелева, 62.

Дья́вол тебя́ (его́, вас и пр.**) побери́!** *Прост. Бран.* Выражение досады, негодования, желания избавиться от кого-л. Мокиенко, Никитина 2003, 128. **Дья́вол тебя́ (его́** и т. п.**) ухвати́!** *Ряз.* То же. ДС, 580.

Жёлтый дья́вол. *Публ. Презр.* 1. Золото, порабощающее людей. 2. Дух наживы, стяжательство. БТС, 292. < По названию очерка М. Горького «Город Желтого Дьявола». БМС 1998, 178; Мокиенко 2003, 29.

[На] како́го дья́вола. *Прост.* То же, что **на кой дьявол?** Мокиенко, Никитина 2003, 129.

На кой дья́вол? *Прост.* Зачем, для чего? ФСРЯ, 154; БТС, 292; Мокиенко, Никитина 2003, 128.

Притворе́нный дья́вол. *Кар. Неодобр.* Любитель дурачиться, прикидываться кем-л. СРГК 5, 212.

Супроти́вный дья́вол. *Морд. Бран.* О человеке, не подчиняющемся, сопротивляющемся кому-л., чему-л. СРГМ 2002, 172.

Ходя́чий дья́вол. *Жарг. арм.* Часовой. Максимов, 125.

Како́го дья́вола. *Прост. Груб.* Почему, зачем? БТС, 292; Ф 1, 182; Мокиенко 1986, 177, 179.

Ни дья́вола. *Прост.* Совсем ничего. БТС, 292.

Те́шить дья́вола. *Прост. Неодобр.* То же, что **тешить беса 1. (БЕС).** Ф 2, 204.

За каки́м (ко́им) дья́волом? *Прост. Бран.* То же, что **на кой дьявол?** БТС, 292; Мокиенко, Никитина 2003, 129.

ДЬЯ́НИ́ЦА * Забра́ть в ежо́вые дья́ницы *кого. Пск.* Подчинить себе кого-л., строго и сурово обращаться с кем-л. ПОС 10, 117. < **Дья́ни́ца** — рукавица, варежка.

ДЭНС * Де́лать дэнс. *Жарг. мол. Шутл.* Танцевать. Никитина 1998, 121. < От англ. *dance* — 'танец'.

ДЮ́ЖИНА * Чёртова дю́жина. *Разг. Неодобр. или Шутл.-ирон.* Число тринадцать. ФСРЯ, 154; БТС, 293; БМС 1998, 178; СПП 2001, 39.

ДЮЛИ́ * Дать (вста́вить) дюле́й *кому. Прост.* 1. Побить, поколотить кого-л. 2. Отругать, выругать кого-л., сделать выговор кому-л. 3. Наказать кого-л. < **Дюли** — эвфем. сокращ. от *пиздюли.* Мокиенко, Никитина 2003, 129.

ДЮ́ПЕЛЬ * Дю́пель плю́сный. *Жарг. комп.* Диск, сжатый Double Space. Садошенко, 1996.

ДЯ́ДЮШКА * Америка́нский дя́дюшка. *Публ. Шутл.-ирон.* Об источнике нежданной финансовой помощи. БМС 1998, 179.

Дя́дюшка Сэм. *Публ. Устар. Ирон.* То же, что **дядя Сэм 1-2 (ДЯДЯ).** Новиков, 61.

ДЯ́ДЯ * Попа́сть (угоди́ть) к дя́де [на пору́ки]. *Жарг. угол. Шутл.-ирон.* Быть арестованным, попасть в тюрьму. Гиляровский, 7; Балдаев 1, 338; ТСУЖ, 140; Максимов, 125.

Быть у дя́ди на пору́ках. *Жарг. угол. Шутл.-ирон.* Отбывать наказание в местах лишения свободы. Трахтенберг, 23; СРВС 2, 167; СВЯ, 13; Грачев 1992, 54; ТСУЖ, 114, 182; ; Балдаев 1, 52.

Среди́ чужо́го дя́ди. *Пск.* Без родственников, в окружении чужих людей. ПОС 10, 100.

Би́ться на дя́дю. *Брян.* Работать на кого-л. СБГ 1, 56.

Надéяться на дя́дю. *Прост. Шутл.-ирон.* Рассчитывать на то, что дело будет сделано кем-л. другим или сделается само собой. БТС, 293.

На чужóго дя́дю. *Прост. Неодобр.* Без выгоды для себя, ради выгоды другого. БТС, 293; Ф 1, 182.

Большóй дя́дя. *Жарг. шк. Шутл.* Директор школы, техникума. ВМН 2003, 47.

Дóбрый дя́дя. *Разг. Ирон.* О человеке, щедром за чужой счёт. БТС, 293.

Дя́дя Богдáн. *Прост. Ирон.* Отчим. Мокиенко, Никитина 2003, 129.

Дя́дя Волóдя. *Жарг. мол., Разг. Шутл.* 1. В. И. Ленин. 2. Сторублевая купюра. УМК, 82; ББИ, 73; Балдаев 1, 120.

Дя́дя — достáнь вoрóбышка. *Прост. Шутл.* О человеке высокого роста. Вахитов 2003, 52; Ф 1, 182; Мокиенко 2003, 29.

Дя́дя Жóра. *Жарг. мол. Шутл.* О чрезмерном аппетите. Максимов, 125.

Дя́дя Зю. *Жарг. журн., полит. Шутл.-ирон.* Лидер КПРФ В. Зюганов. МННС, 170.

Дя́дя Кóля. *Жарг. шк. Шутл.* Оценка «единица» («кол»). ВМН 2003, 47.

Дя́дя Митя́й. *Жарг. угол., арест. Шутл.-ирон.* 1. Пересыльная тюрьма. ТСУЖ, 52. 2. То же, что **дядя Митя 1.** Трахтенберг, 23.

Дя́дя Ми́тя. *Шутл.-ирон.* 1. *Жарг. угол. Устар.* Петербургские арестантские роты. 2. *Жарг. шк.* Милиционер. СРВС 3, 37.

Дя́дя, по кармáну глядя. *Народн. Шутл.* О богатом родственнике. Жиг. 1969, 173.

Дя́дя Сарáй. 1. *Жарг. угол., Разг. Шутл.-ирон.* Невнимательный человек, разиня. СРВС 1, 116; ТСУЖ, 52; СВЯ, 30. 2. *Жарг. угол., Разг. Шутл.-ирон.* Человек, прикидывающийся простаком. УМК, 82; Мильяненков, 118; ББИ, 73; Балдаев 1, 120. 3. *Жарг. мол. Пренебр.* Глупый, несообразительный человек. Максимов, 125.

Дя́дя Стёпа. *Разг. Шутл.* О человеке очень высокого роста. < Главный герой одноимённой поэмы для детей С. Михалкова (1935-1942 гг.), а также поэм «Дядя Степа-милиционер» (1954 г.), «Дядя Степа и Егор» (1968 г.). Дядечко 2, 38.

Дя́дя Сэм. 1. *Публ. Устар. Ирон.* Ироническое собирательное прозвище капиталистов и правящей верхушки США. МСЭ, т. 1, 503; ШЗФ 2001, 71. 2. *Публ. Ирон.* Соединенные Штаты Америки; правительство США. < Из англ.: *Uncle Sam.* БМС 1998, 179. 3. *Жарг. мол. Шутл.* Самогон. Максимов, 125.

Дя́дя усáтый. *Жарг. мол. Шутл.* Троллейбус. Максимов, 125.

Дя́дя Фёдор. *Жарг. мол. Шутл.* Мужской половой орган. Елистратов 1994, 663; ЖЭСТ-1, 141.

Дя́дя Хвёдор. *Жарг. мол. Шутл.* Хороший человек. Я — молодой, 1997, № 22. < Из укр.: **Хвёдор** — Фёдор.

Дя́дя Хиля́й. *Жарг. муз. Ирон.* Певец Эдуард Хиль. ЖЭМТ, 37.

Дя́дя хрустя́щий. *Жарг. мол. Шутл.* О человеке с деньгами. Максимов, 125.

Дя́дя Я́ша. 1. *Жарг. журн. Шутл.* Глава Палестинской автономии Ясир Арафат. МННС, 48. 2. *Жарг. мол. Презр.* Милиционер. Максимов, 125.

Леснóй дя́дя. *Народн.* Леший. СРНГ 16, 373.

Сдéлал дя́дя на свою́ рóжу гля́дя. *Курск. Ирон.* О чём-л., сделанном небрежно, некачественно. БотСан, 113.

ДЯ́ТЕЛ * Дя́тел новогóдний. *Жарг. мол. Презр.* О крайне глупом человеке. Вахитов 2003, 52.

Опи́лочный дя́тел. *Жарг. угол. Пренебр.* Лицо, вращающееся в преступной среде, но не ворующее, а живущее за счёт других. УМК, 82; СВЯ, 30.

ЁБАЛДЫ * Собственными ёбалдами подавишься! *Жарг. угол. Бран.* Угроза расправы. < **Ёбалды** — мошонка. Мокиенко, Никитина 2003, 129.

ЕБÁЛО * Закрóй (захлóпни, заткни́) ебáло (ебáльник)! *Нецენз. Груб.* Требование замолчать. Мокиенко, Никитина 2003, 129, 130.

Заткну́ть ебáло (ебáльник) *кому. Нецензь. Груб.* Заставить замолчать кого-л. Мокиенко, Никитина 2003, 129–130.

Откры́ть (раскры́ть, рази́нуть) ебáло. *Нецензь. Груб.* 1. Разинуть рот (от бездействия, изумления, праздного созерцания). 2. Начать говорить. Мокиенко, Никитина 2003, 130.

Совáть/ су́нуть ебáло *куда, во что. Нецензь. Груб.* 1. Назойливо вмешиваться во что-л. 2. Пытаться войти, попасть, заглянуть куда-л. Мокиенко, Никитина 2003, 130.

Съéздить / хуя́кнуть в ебáло (по ебáлу) *кому. Нецензь. Груб.* Ударить кого-л. по лицу. Мокиенко, Никитина 2003, 130.

Получи́ть по ебáлу. *Нецензь. Груб.* Получить удар в лицо. Мокиенко, Никитина 2003, 130.

ЕБÁЛЬНИК * Закрóй (захлóпни, заткни́) ебáльник! См. **Закрóй ебáло (ЕБАЛО).**

Заткну́ть ебáльник. См. **Заткнуть ебало (ЕБАЛО).**

Откры́ть (раскры́ть, рази́нуть) ебáльник. См. **Открыть ебало (ЕБАЛО).**

Хуя́кнуть в ебáльник. См. **Съездить в ебало (ЕБАЛО).**

ЕБИСТÓС * Брать/ взять в ебистóс *кого. Жарг. угол.* Крепко ругать кого-л. Мокиенко, Никитина 2003, 133.

ЕБЛÓ * Щёлкать/ щёлкнуть еблóм. *Жарг. мол. Груб.* Пропустить, прозевать что-л. Мокиенко, Никитина 2003, 134.

É́БЛЯ * É́бля с перискóпом. *Вульг.-прост. Шутл.-ирон.* Совокупление в подъезде (за неимением квартиры): женщина стоит при этом на четвереньках, наблюдая за входной дверью — не идёт ли кто-л. Мокиенко, Никитина 2003, 134.

É́бля с пля́ской. *Вульг.-прост. Неодобр.* 1. Буйное, безудержное веселье. 2. Большой беспорядок. Мокиенко, Никитина 2003, 134.

ЕБОБЛЯ́ДИЩЕ * Мудопроёбное ебобля́дище. *Нецензь. Жарг. мол. Бран.* О крайне непорядочном человеке. Мокиенко, Никитина 2003, 134.

ЕБУЛЫ́ЗИНКА * С ебулы́зинкой. *Морд. Шутл.-ирон. или Пренебр.* О глуповатом человеке. СРГМ 1980, 45.

ЕВГÉНИЙ * Иди́ (иди́те) к Е-е-вгéнию Онéгину! *Шутл.-ирон. Эвфем. Бран.* Выражение крайнего раздражения, негодования. Мокиенко, Никитина 2003, 135.

ЕВДОКИ́Я * Евдоки́я [Плю́щиха] — подмочи́ порóг. *Народн.* День Св. Евдокии (14 марта). ДП, 875; НОС 7, 160.

ЕВРÉЙ * На фигá (нафигá) еврéю лáпти. *Жарг. мол. Шутл.* О каком-л. явном несоответствии, абсурде; о чём-л. ненужном, неуместном. Белянин, Бутенко 100; Елистратов 1994, 274.

ЕВРО́ПА * Смеши́ть Евро́пу. *Кар.* Вызывать насмешки своими действиями или поведением. СРГК 2, 20.

ЕГА́ * Ега́ не еги́т. *Жарг. комп. Шутл.* О визуальных помехах на дисплее. < **Ега** — видеоадаптор EGA. БСРЖ, 177.

ЕГОЗА́ * Егоза́ напа́ла *на кого. Башк. Неодобр.* Кто-л. стал непоседливым, беспокойным. СРГБ 1, 121.

ЕГОР * Его́ра заправля́ть. *Жарг. угол.* Говорить неправду. Хом. 1, 303.

Его́ра наве́сить. *Жарг. угол.* Пошутить. Хом. 1, 303.

Е́ДА * Гуси́ная еда́. *Дон. Шутл.-ирон.* 1. Пища из зелени. 2. Простая жидкая пища. СДГ 1, 120.

В са́мой е́де. *Кар.* В подростковом возрасте, когда много и с аппетитом едят. СРГК 2, 20.

Здоро́в на еду́, да хил на рабо́ту. *Народн. Неодобр.* О бездельнике, дармоеде. Жиг. 1969, 226.

Мета́ть на еду́. *Калуж.* Обладать хорошим аппетитом. СРНГ 18, 135.

Не нагна́ть еды́ *кому. Дон.* О человеке с плохим аппетитом. СДГ 2, 156.

ЕДА́ЛО * Бараба́нить по еда́лам *кому. Жарг. угол.* Бить кого-л. по зубам. СРВС 3, 225.

Зае́хать в еда́ло *кому. Обл.* Ударить кого-л. в лицо. Мокиенко 1990, 53-54.

ЕДА́ЛЬНИК * Прикуси́ть еда́льник. *Жарг. мол. Груб.* Замолчать. Максимов, 341.

ЕДВА́ * Едва́ не едва́. *Башк.* С трудом, с большими затратами силы. СРГБ 1, 121.

Ё́ДВА * Есть ёдва *кого. Дон.* То же, что **есть едом (ЕДОМ).** СДГ 1, 146.

ЕДЕ́НИЕ * Ни еде́ния ни пите́ния *кому. Кар.* Об отсутствии аппетита у кого-л. СРГК 4, 521.

ЕДКО́М * Есть/ зае́сть едко́м *кого. Пск.* То же, что **есть едом (ЕДОМ).** СПП 2001, 39, 61.

Съесть едко́м *что. Кар.* Съесть что-л. сразу, за один приём, целиком. СРГК 2, 21.

Е́ДМА́ * Есть/ съесть е́дма́ *кого. Волг., Дон.* То же, что **есть едом (ЕДОМ).** Глухов 1988, 40; СДГ 1, 146.

ЕДМО́М * Есть едмо́м. *Пск.* То же, что **есть едом (ЕДОМ).** СПП 2001, 39.

ЕДМЯ́ (ЕДЬМЯ́) * Есть/ съесть едмя́ (едьмя́). *Ряз., Пск.* То же, что **есть едом (ЕДОМ).** ДС, 159; СПП 2001, 61.

ЕДО́М * Есть (заеда́ть) едо́м *кого. Забайк., Курск., Морд., Сиб. Неодобр.* Донимать, изводить кого-л. постоянными упреками, замечаниями; терзать, мучить кого-л. БотСан, 94; СРГЗ, 108; СРГМ 1980, 46; СФС, 69; ФСС, 68, 77.

Е́ДОМА * Сади́ться на е́дому. *Печор.* Начинать вести оседлый образ жизни. СРГНП 1, 198.

ЕДУ́Н * Еду́н напа́л (нашёл) [*на кого*]. *Прост. Шутл.* О появлении повышенного аппетита, сильного желания есть у кого-л. БТС, 295; ПОС 10, 114; Ф 1, 183; Мокиенко 2003, 30; Глухов 1988, 72.

Еду́н приста́л *к кому. Пск.* То же, что **едун напал.** ПОС 10, 114.

ЕДЬМЯ́. См. **ЕДМЯ.**

ЁЖ * Бритоголо́вый ёж. *Жарг. арм. Шутл.* Солдат-новобранец. Максимов, 44.

Ёж тебя́ (его, вас и пр.) **за́ ногу!** *Прост. Бран. Шутл.* 1. Выражение легкой досады, огорчения, недовольства. 2. Пожелание чего-л. неприятного. < **Ёж** — двуплановое обыгрывание повел. формы глагола **еть** — сношать. Мокиенко, Никитина 2003, 135.

Испуга́л ежа́ жо́пой (за́дницей). *Вульг.-прост. Шутл.-ирон.* Ответ на чьи-л. угрозы; отрицание опасностей, о которых кто-л. предупреждает. Мокиенко, Никитина 2003, 135.

Подпуска́ть/ подпусти́ть ежа́. *Волг.* Зло, с иронией шутить, насмехаться над кем-л. Глухов 1988, 126.

Роди́ть ежа́. *Жарг. мол. Шутл.* Очень удивиться. Белянин, Бутенко, 53.

Сесть на ежа́. *Жарг. мол. Шутл.-ирон.* Испытать разочарование. Максимов, 126.

Чтоб тебе́ ежа́ про́тив ше́рсти роди́ть! *Народн. Бран.* Восклицание, выражающее гнев, негодование. ДП, 750.

Держа́ть в ежа́х *кого. Прост.* Строго, сурово обращаться с кем-л. Ф 1, 145.

Пусть тебе́ (вам, ему́ и пр.) **сто еже́й войду́т в жо́пу!** *Вульг.-прост.* Недоброе пожелание, проклятье в чей-л. адрес. Мокиенко, Никитина 2003, 135.

Звони́ть ежу́. *Жарг. мол. Шутл.-ирон.* То же, что **сесть на ежа.** Максимов, 126.

Ежу́ поня́тно *что. Разг. Шутл.* О чём-л. очевидном, понятном. Максимов, 126; БТС, 295; СПП 2001, 39.

ЕЖЕВИ́КА * Мы зна́ем, как па́хнет ежеви́ка. *Жарг. мол.* Ответная реплика на сообщение о чём-л. общеизвестном. Максимов, 261.

ЁЖИК * Ёжик в тума́не. *Жарг. мол. Шутл.* 1. Растерявшийся, запутавшийся человек. Елистратов. 129. 2. Человек в прокуренном туалете. Максимов, 127. 3. Человек с обесцвеченными волосами. Максимов, 127. < Из популярного детского мультфильма (1975 г.). Дядечко 2, 59.

Ёжик идёт! *Жарг. мол.* Предупреждение о приближении кого-л. Никитина 1998, 123.

Ёжик из Черно́быля. *Жарг. мол. Ирон.* 1. О лысом человеке. 2. О лысине. Максимов, 127.

Ёжик нос разби́л. *Жарг. мол. Шутл.* О менструации. Максимов, 127.

Лы́сый ёжик. *Жарг. мол. Шутл.* Стрижка наголо. Максимов, 127.

Нахо́хлить ёжик. *Жарг. мол. Шутл.* Обидеться на кого-л. Максимов 127.

Пья́ный ёжик. *Жарг. мол., панк. Шутл.-ирон.* Прическа панка. Югановы, 190.

Дурне́е пья́ного ёжика. *Разг. Шутл.-ирон.* Об очень глупом и наивном человеке. Быков, 161.

Пусти́ть ёжика. *Жарг. мол. Шутл.* Выпить смесь водки с пивом. Максимов, 127.

Рожа́ть ёжика (ёжиков) [про́тив ше́рсти]. *Жарг. мол. Шутл.-ирон.* 1. Делать что-л. с большим напряжением, испытывая неприятные эмоции. БСРЖ, 177. 2. Ощущать сильную боль (как правило — в животе). Вахитов 2003, 158; Максимов, 127. 3. Испражняться. Максимов, 127.

Звони́ть/ позвони́ть ёжикам (ёжику). *Жарг. мол. Шутл.* Об акте мочеиспускания. Максимов, 127.

Ёжики циви́льные. *Жарг. мол. Шутл.* Мужские гениталии. Максимов, 127.

Иди́ ты ёжиков пасти́! *Жарг. мол. Неодобр.* Восклицание, выражающее раздражение, желание прекратить общение с кем-л. СМЖ, 89.

Пасти́ ёжиков. 1. *Жарг. угол. Шутл.-ирон.* Бездельничать. ББИ, 75; Балдаев 1, 123. 2. *Жарг. мол.* Лгать, обманывать. Максимов, 127.

Посмотре́ть на ёжиков. *Жарг. мол. Шутл.* Сходить в туалет. Максимов, 127.

ЕЗД * Ни е́зду ни хо́ду. 1. *Горьк.* О труднопроходимой местности. Бал.Сок., 47. 2. *[кому куда]. Пск.* У кого-л. нет возможности проехать или пройти куда-л. ПОС 10, 117.

Е́здом е́здить. *Прибайк.* Регулярно, всё время, часто ездить куда-л. СНФП, 66.

Брать е́зды. *Олон. Шутл.* Бросать палку в цель, сидя верхом на обыгранном сопернике (при игре в городки). СРНГ 8, 329.

ЕЗДА́ * Ни езды́, ни пизды́. *Неценз. Шутл.-ирон.* Об авиакатастрофе. < Первоначально — шутливая загадка об авиакатастрофе. Мокиенко, Никитина 2003, 135.

ЕЗДАВА́ * Печна́я ездава́. *Яросл. Шутл.-ирон.* О девушке, которая любит сидеть на печи. ЯОС 7, 104.

ЕЙ-БО́ГУ * На ей-Бо́гу. *Орл.* Под честное слово (дать, взять в долг). СОГ 1989, 43.

ЁК * Ёк макарёк. *Жарг. мол. Шутл.* Об отсутствии чего-л. у кого-л., где-л. БСРЖ, 177.

ЕКТУ́ХА * Екту́ха (екту́шка, екту́шки, икту́шки) взяла́ (взя́ли, забра́ла, забра́ли) [*кого*]. *Пск.* Об икоте. ПОС 10, 123.

Екту́ха (ёктушки) напа́ла (напа́ли) *на кого. Пск.* То же, что **ектуха взяла.** ПОС 10, 123.

Екту́ха приста́ла [*к кому*]. *Пск.* То же, что **ектуха взяла.** ПОС 10, 123.

ЕКТУ́ШКА * Екту́шка взяла́. См. **Ектуха взяла (ЕКТУХА).**

Екту́шки забра́ли. См. **Ектуха взяла (ЕКТУХА).**

ЕЛА́НЬ * Ела́нь шата́ть. *Перм., Урал. Неодобр.* Скитаться, бродить без определённых занятий, лодырничать. СРНГ 8, 337.

ЕЛДА́ * Елда́ Оста́нкинская. *Разг. Шутл.* Останкинская телебашня. Елистратов 1994, 130.

Е́ЛЕ * Е́ле можа́ху. *Разг. Шутл.* В состоянии сильного опьянения. ФСРЯ, 251.

Еле можа́хом. *Прикам.* Едва-едва, с большим трудом. МФС, 59.

ЕЛЕ́СЯ * Сиди́т Еле́ся ноги све́ся. *Народн. Неодобр.* О лентяе, бездельнике. ДП, 501.

ЕЛИЗА́РКО * Елиза́рко прие́дет сва́тать в Могилёвскую губе́рнию. *Кар.* Наступит смерть. СРГК 2, 24.

ЁЛКА * Заграни́чная ёлка. *Пск.* Лиственница. ПОС 10, 124.

Зелёная ёлка. *Ворон. Шутл.* О здании, помещении, где продается водка. СРНГ 11, 250. < В старину над кабаками и другими питейными заведениями прибивалась ёлка. Прим. ред. Ср. **Иван Ёлкин, у Ивана Ёлкина в гостях был.**

Дава́ть на ёлки *кому. Урал. Шутл.-ирон.* Разыгрывать кого-л., потешаться над кем-л. СРНГ 8. 343.

Ёлки зелёные! *Прост.* Восклицание, выражающее удивление, досаду, раздражение. ФСРЯ, 155; БТС, 296; БМС 1998, 180; Подюков 1988, 74.

Ёлки с сука́ми! *Пск.* Восклицание, выражающее гнев, раздражение, досаду. ПОС 10, 124.

Обежа́ть вокру́г ёлки. *Перм.* Выйти замуж без официального оформления. Сл. Акчим. 1, 270.

Срать я хоте́л с высо́кой ёлки *на кого*! *Вульг.-прост. Бран.* Выражение крайнего презрения, равнодушия, безразличия к кому-л. Мокиенко, Никитина 2003, 136.

Помере́ть (умере́ть, согну́ться) под ёлкой. *Перм.* Окончить жизнь бесславно (о никчёмном, опустившемся человеке). Сл. Акчим. 1, 270.

Идти́ под ёлку. *Жарг. угол. Устар. Шутл.* Идти в кабак (Даль В. И.). Грачев, 1997, 39.

Купи́ть ёлку. *Орл.* В свадебном обряде — выкупить разукрашенное еловое деревце в доме невесты (о женихе и его родственниках). СОГ-1992, 144.

Смотре́ть под ёлку. *Новг.* Находиться в тяжёлом состоянии (о больном человеке). СРНГ 8, 343.

Угоди́ть под ёлку. *Новг.* Умереть. СРНГ 8, 343.

Хо́чет на ёлку влезть и жо́пу не ободра́ть. *Вульг.-прост. Ирон.* О человеке, интенсивно желающем чего-л. трудного, выгодного и приятного, но при этом опасающегося риска. Мокиенко, Никитина 2003, 136.

ЁЛКИН * К Ёлкину. *Волог. Шутл.* В кабак, в какое-л. питейное заведение (пойти). СРНГ 8, 343.

ЁЛОЧКА * Зелёная ёлочка. *Жарг. арест., угол.* 1. *Шутл.-ирон.* Бывший военнослужащий, отбывающий наказание; человек, осужденный за воинское преступление. ТСУЖ, 54; Балдаев 1, 158; УМК, 85. 2. *Неодобр.* Новичок в колонии или тюремной камере. УМК, 85.

Пойти́ (прогуля́ться) по ёлочкам. *Новг.* Умереть. СРНГ 8, 348.

В ёлочки. *Кар.* Одна из стадий роста льна. СРГК 2, 25.

Ёлочки точёные! *Прост. Эвфем.* 1. *Бран.-шутл.* Выражение фамильярного порицания или неудовольствия. 2. *Шутл.-одобр.* Выражение чувства удовольствия, удовлетворения. Подюков 1989, 74; Мокиенко, Никитина 2003, 137.

Под ёлочкой. *Перм.* На улице, вне дома. Сл. Акчим. 1, 270.

Всё в ёлочку. *Жарг. мол. Одобр.* Всё в порядке, всё хорошо (о положении дел). h-98. // Всё правильно. БСРЖ, 177.

Лезть/ поле́зть на ту же ёлочку. *Сиб. Шутл.* Слепо подражать кому-л. ФСС, 144.

ЕЛЬ * Венча́ли вокру́г е́ли (раки́тового куста́) *кого*; **венча́ли вокру́г е́ли [а че́рти пе́ли]** *кого. Народн. Шутл.-ирон.* О невенчанной чете. БМС 1998, 180. < Выражение восходит к языческому обряду венчания. Мокиенко, Никитина 2003, 137.

Ель аль сосна́? *Калуж., Твер.* Да или нет? СРНГ 8, 352.

Заблуди́ться в трёх е́лях. *Горьк.* Не суметь сделать правильный выбор, принять нужное решение. БалСок, 36.

ЕМЕ́ЛЯ[1] * Мели́, Еме́ля, твоя́ неде́ля. *Прост. Ирон. или Презр.* О полном недоверии к чьим-л. словам, чьему-л. рассказу. БМС 1998, 180; СПП 2001, 39; Жук. 1991, 169; ДП, 203; Мокиенко 1989, 166; Глухов 1988, 84.

ЕМЕ́ЛЯ[2] * На Еме́лю. *Жарг. комп. Шутл.* На адрес E-mail. Садошенко, 1996.

ЕМО́К * Брать в емо́к *кого. Сиб.* Обхватывать вокруг талии кого-л . ФСС, 16.

ЕНИСЕ́Й * Перекрыва́ть Енисе́й. *Разг. Шутл.-ирон.* Делать что-л. бесполезное, напрасное. < Фраза из песни Ю. Визбора, популярной в 60-е гг., о грандиозных советских проектах: «… Зато мы делаем ракеты,/ Перекрываем Енисей, / А также в области балета / Мы впереди планеты всей». SchA, 1999, 174.

ЕПАНЧА́ * Епанча́ на́шего сукна́. *Волг. Одобр.* Родной, близкий, свой человек. Глухов 1988, 40.

ЕПИ́ПЕД * Пороле́йный епи́пед. *Жарг. шк. Шутл.* Параллелепипед. Pricols, 2002.

ЕПИ́ШКА * Епи́шка Гашников. *Новг., Влад. Шутл.* Изворотливый опытный человек. СРНГ 8, 363.

ЕРЁМА * Ерёма, Ерёма, сиде́л бы ты до́ма, точи́л бы свои́ веретёна. *Народн. Шутл.-ирон.* Говорится тому, кто принимает заведомо ложное решение, совершает ошибочный поступок. Жук. 1991, 114.

Постáвить Ерёму. *Жарг. мед.* Катетеризировать яремную вену. Pulse, 2000, № 9, 12.

ÉРЕСЬ * По éреси. *Кар.* От озлобления, со зла. СРГК 2, 27.

ЕРЕТИ́К * Кóего еретикá? *Арх. Неодобр.* Зачем, для чего? СРНГ 14, 83; Мокиенко 1986, 179.

ЕРÓШКА * Ерóшка идёт; ерóшки идýт (забéгали). *Кар.* О пупырышках, появляющихся на коже от страха или холода. СРГК 2, 28.

ЕРУНДÁ * Ерундá на пóстном мáсле. *Разг. Пренебр.* О чём-л., не заслуживающем внимания; о чьих-л. глупых рассуждениях. БМС 1998, 181; БТС, 297, 523; ЗС 1996, 378; ФСС, 155.

Вить ерундý. *Кар. Неодобр.* Наговаривать на кого-л. СРГК 1, 202.

Нести́ (порóть) ерундý. *Прост. Неодобр.* Говорить неправду, болтать глупости. БМС 1998, 181; ФСРЯ, 155; СПП 2001, 39.

Точáть (точи́ть) ерундý. *Дон. Неодобр.* То же, что **нести ерунду.** СДГ 1, 147; Мокиенко 1990, 33.

ЕРУНДИ́ХА * Порóть ерунди́ху. *Пск. Неодобр.* То же, что **нести ерунду (ЕРУНДА).** СПП 2001, 39.

ЕРУНДÓВИНА * Плести́ вся́кую ерундóвину. *Кар. Неодобр.* или *Шутл.-ирон.* То же, что **нести ерунду (ЕРУНДА).** СРГК 2, 28.

ЁРШ * Ёрш вперёд держáть. *Сиб. Ирон.* Зазнаваться. ФСС, 60.

Ёрш вперёд *у кого*; **ершóм вперёд.** *Сиб. Презр.* О заносчивом, гордом человеке. ФСС, 68.

Ёрш твою клещ (медь)! *Жарг. мол. Бран.* Выражение досады, раздражения. Вахитов 2003, 53.

Гнать ершá. *Жарг. угол.* 1. Выдавать себя за другое лицо. 2. Присваивать себе другую кличку. 3. Выдавать себя за вора. СВЯ, 31.

Сидéть на ершáх. 1. *Пск.* То же, что **стоять на ершах.** Ивашко, 1993, 166; ПОС, 10 134. 2. *Волг.* Вести себя беспокойно. Глухов 1988, 148. 2.

Стоя́ть на ершáх. *Пск.* Быть на свидании. Ивашко, 1993, 166; ПОС, 10 134.

Ерши́ по тéлу встáли *у кого. Волг.* Кто-л. сильно замерз, продрог. Глухов 1988, 40.

Морóзить ерши́ (ершéй). 1. *Волг.* Замерзать, дрожать от холода. Глухов 1988, 85. 2. *Пск.* Ходить на свидания; быть на свидании вне жилого помещения — в сенях, на крыльце, на улице. Ивашко, 1993, 166; ПОС 10, 134. 3. *Пск.* Ухаживать за девушкой. Ивашко, 1993, 166. 3. Хватать женщину за груди. ПОС 10, 134.

Ходи́ть (пойти́) на ерши́. *Кар., Пск.* То же, что **ерши морозить 1.** Ивашко, 1993, 166; СРГК 2, 28.

ЕСАÝЛ * Фóрточный есаýл. *Жарг. угол.* Вор, проникающий в квартиру через форточку. Максимов, 126.

ÉСЛИ * Éсли бы да кабы́. *Прост. Шутл.-ирон.* О несбыточности, неосуществимости чего-л.; о том, что могло бы случиться, произойти, что можно было бы предотвратить. ФСРЯ, 155; БМС 1998, 181.

ÉСЛИНА * На всю éслину. *Сиб.* Очень громко, во все горло (кричать). ФСС, 68.

ÉСТВО * Западáть в éстве. *Яросл.* Много есть, объедаться. ЯОС 4, 90.

ЕСТЕСТВÓ * С естествá. *Кар.* Изначально, от природы. СРГК 2, 29.

ЕСТЬ * Ест — грéется, рабóтает — мёрзнет. *Народн. Неодобр.* О лентяе, дармоеде. Жиг. 1969, 213.

Есть не прóсит. *Разг.* Не мешает, не причиняет забот, беспокойства. СПП 2001, 39; Мокиенко 2003, 30.

Есть не уéсться. *Дон.* То же, что **ешь не хочу.** СДГ 1, 147.

Есть прóсит. *Прост. Шутл.* О разорвавшейся обуви. ФСРЯ, 155; БТС, 297; СПП 2001, 39.

Ни есть ни прóбовать *[у кого]. Волг.* О крайней бедности, нищете. Глухов 1988, 109.

Ешь не хочý. *Прост.* О большом количестве пищи. ФСРЯ, 156; ЗС 1996, 186; Глухов 1988, 41. **Ешь не хоти́.** *Перм.* То же. Сл. Акчим. 1, 272.

ЁТОЧКА * Ни ёточки. *Яросл.* О полном отсутствии чего-л. ЯОС 6, 145.

ЕФÉС * Остáться на ефéсе. *Башк.* Остаться ни с чем. СРГБ 1, 123.

ЕФРÉМ * Ефрéм ушáстый. *Кар. Бран.* Растяпа, нерасторопный человек. СРГК 2, 29.

Éхать * Éхало болéло *кому что. Пск.* Кого-л. не волнует что-л., кому-л. безразлично что-л. ПОС 10, 139.

Как éхало, так и брелó *[кому что]. Сиб.* То же, что **ехало болело.** ФСС, 69.

ЁЧЕНЬКИ * Ёченьки мои́! *Сиб.* Восклицание, выражающее изумление, испуг. ФСС, 69.

ЖАБ * Жаб тебé сядь на язы́к! *Орл. Бран.* Недоброе пожелание говорящему что-л. нежелательное. СОГ 1990, 107.

ЖÁБА[1] * Забивáть жаб. *Жарг. мол.* Знакомиться с девушками. СИ, 1998, № 7; Вахитов 2003, 56.

Сто жаб тебé в рот! *Кар. Бран.* Восклицание, выражающее негодование, возмущение в чей-л. адрес. СРНГ 35, 204.

Вся́кая жáба. *Сиб. Пренебр.* 1. Малостоящие предметы, вещи. 2. Вздор, чепуха. ФСС, 70; СФС, 48.

Жáба бы тебé на язы́к! *Яросл. Бран.* Восклицание, выражающее гнев, негодование по поводу чьих-л. надоедливых вопросов. ЯОС 4, 39.

Жáба зевопáстая. *Башк. Бран.* О свинье, которая громко хрюкает. СРГБ 1, 123.

Жáба мохноры́лая (парагвáйская, сутýлая). *Жарг. мол. Бран.* О человеке, вызывающем раздражение, гнев, негодование. Максимов, 128.

Жáба на языкé испечётся *у кого. Волг. Шутл.-ирон.* 1. О болтуне, пустомеле. 2. О неразговорчивом человеке, молчуне. Глухов 1988, 41.

Жáба сéла в гóрлышко *кому. Башк.* Заболело горло у кого-л. СРГБ 1, 123.

Жáба, сядь! *Кар.* Требование замолчать, прекратить говорить. СРГК 2, 30.

Во всю жáбу. *Кар.* Очень громко (кричать, орать, вопить). СРГК 2, 30.

Драть жáбу. *Кар., Морд. Неодобр.* Громко кричать, ругаться. СРГК 2, 30; СРГМ 1980, 49.

Задави́ть жáбу. *Жарг. мол. Шутл.-ирон.* Ошибиться. Максимов, 128.

На какýю жáбу. *Перм.* Зачем, для чего? < **Жаба** в русской языческой мифологии — одно из «нечистых» животных, в которые может «оборачиваться» нечистая сила. Подюков 1989, 74.

Сесть на жáбу. *Жарг. мол. Шутл.* Сильно испугаться. Максимов, 128.

ЖÁБА[2] * Жáба глóжет *кого. Жарг. мол. Шутл.-ирон.* О состоянии жажды при похмелье. КП, 25.02.98.

Жáба дýшит (дáвит, задави́ла, заéла) *кого. Мол.* 1. *Неодобр.* О проявлении жадности, зависти. Митрофанов,

Никитина, 62; Югановы, 77; Я — молодой, 1994, № 10; Вахитов 2003, 53; Максимов, 128. 2. О состоянии грусти, тоски. Елистратов 1994, 132. 3. О состоянии обиды. А Журавля жаба давит, что так ему в душу наклали. w-99. 4. *Жарг. арм.* Кому-л. очень хочется в увольнение. АиФ, 1996, № 1.

ЖАБÓ * Жабó на отлёте *у кого. Жарг. мол. Шутл.-одобр.* Об удачливом, предприимчивом, решительном человеке. Максимов, 128.

ЖÁБРА * Гáдова жáбра. *Пск. Бран.* О непослушном домашнем животном. ПОС, 10, 144.

Дать по жáбрам *кому. Жарг. мол.* Ударить кого-л. в грудь. Елистратов 1994, 132.

Держáть в жáбрах *кого. Прикам.* Воспитывать в большой строгости кого-л. МФС, 33.

Брать/ взять за жáбры *кого.* 1. *Разг.* Подчинять кого-л. себе; заставлять кого-л. ФСРЯ, 45; БТС, 298; СБГ 5, 56; СПП 2001, 39. 2. *Жарг. угол.* Изобличить кого-л. на допросе. ТСУЖ, 23; Балдаев 1, 45.

Жáбры горя́т *[у кого]. Жарг. мол.* О сильной жажде (обычно — с похмелья). Никитина 1998, 125.

Жáбры на рéшке. *Жарг. угол.* Жалюзи на окне камеры для ограничения обзора. ББИ, 77; Балдаев 1, 127.

Заливáть жáбры. *Жарг. мол. Шутл.* Пить спиртное, пьянствовать. Максимов, 128.

Ки́нуть (плесну́ть) под жáбры. *Жарг. угол., мол.* Выпить спиртного. Балдаев 1, 321; Никитина, 1998, 125; Максимов, 128.

Схвати́ть за жáбры *кого. Пск.* Схватить кого-л. за горло, за грудь. ПОС 10, 144.

ЖÁВОРОНОК * Жáворонок на кры́льца сел *кому. Перм. Шутл.-ирон.* О человеке, не захотевшем работать. Подюков 1989, 122.

Жáворонок на у́ши сел *кому. Сиб. Шутл.* Об уставшей лошади. ФСС, 70.

Слу́шать жáворонков. *Пск. Шутл.* Останавливаться, стоять (о лошади). ПОС 10, 145.

ЖÁДНОСТЬ * Сидéть за жáдность. *Жарг. угол. Ирон.* Быть осуждённым к лишению свободы за хищение в особо крупных размерах. Балдаев 2, 38.

ЖАЙМÁ * Жевáть жаймá *кого. Волг.* Издеваться над кем-л., мучить кого-л. Глухов 1988, 42.

ЖÁЛКО * Жáлко у пчёлки в жóпке. *Вульг.-прост. Шутл.-ирон.* Реплика тому, кто, о чём-л. сожалея, сказал «жалко». < **Жалко.** *Зд.* — каламбурно обыгрываемое слово **жало** (пчелиное).

ЖÁЛО * Вы́рвать жáло *кому. Жарг. мол.* Наказать, избить кого-л. Елистратов 1994, 132.

Замочи́ть (зали́ть) жáло. *Разг. Шутл.* Выпить спиртного. Балдаев 1, 146; ТСУЖ, 64; Максимов, 128.

Змеи́ное жало. *Сиб.* Крапива. ФСС, 70.

Жáлить жáло. *Жарг. мол. Шутл.* Пить спиртное. Максимов, 128.

Жáло остáвить, а яд удали́ть. *Жарг. угол.* Обезвредить опасного человека. ТСУЖ, 54; СВЯ, 31.

Кáпнуть на жáло *кому. Жарг. угол., мол.* Дать взятку кому-л. (особенно сотрудникам правоохранительных органов). Балдаев 1, 179; ТСУЖ, 81; Максимов, 128.

Кидáть на жáло *кому. Жарг. угол.* Давать взятки кому-л. Балдаев 1, 185.

Кусну́ть жáло. *Жарг. мол.* Замолчать. Максимов, 215.

Наби́ть жáло. *Жарг. мол. Шутл.* Наесться. Елистратов 1994, 132.

Прижáть жáло. *Жарг. мол.* Успокоиться. Максимов, 128.

Води́ть жáлом. *Жарг. мол. Шутл.-ирон.* 1. Вертеть головой, смотреть по сторонам. Максимов, 65. 2. Выражать недовольство, капризничать. Елистратов 1994, 132.

ЖÁЛОБА * В жáлобу. *Кар.* Очень сильно, страстно (любить кого-л.). СРГК 3, 167.

ЖÁЛОСТЬ * Брать/ взять на жáлость *кого. Жарг. угол., мол.* Пытаться разжалобить кого-л., вызвать соучастие у кого-л. Мокиенко 2003, 30.

ЖÁЛЮЗИ *Откры́ть (подня́ть) [свои́] жáлюзи. *Жарг. мол. Шутл.* Посмотреть внимательно, обратить внимание на что-л. Никитина 1998, 125.

ЖАНДÁРМ * Жандáрм Еврóпы (Áзии). *Публ. Устар. Неодобр.* Государство, осуществляющее полицейские функции, ведущее борьбу с революционным движением в международном (европейском, азиатском) масштабе; о правителях таких государств. Ушаков 1, 846.

Междунарóдный жандáрм. *Публ. Устар. Неодобр.* То же, что **жандарм Европы.** Ушаков, т. 1, 846.

ЖАР * Бросáет (кидáет) в жар *кого. Разг.* 1. Кто-л. ощущает внезапный внутренний прилив тепла. Сл. Акчим. 1, 274. 2. Кто-л. приходит в сильное волнение, в состояние крайнего возбуждения. ФСРЯ, 48; Ф 1, 236; СРГК 1, 119.

Взя́ться в жар. *Кар.* Активно начать какую-л. работу. СРГК 1, 199.

Вки́нуло в жар *кого. Пск.* То же, что **бросает в жар 2.** ПОС 10, 162.

Грести́ (загребáть) жар чужи́ми рукáми. *Разг. Неодобр.* Пользоваться результатами чужого труда в своих корыстных целях. ФСРЯ, 162; СРНГ 7, 134.

Жар идёт. *Кар.* О каком-л. интенсивном действии. СРГК 2, 35.

Лить жар (нали́ть, накидáть, нары́ть, насдавáть жáру). *Кар.* Плескать воду в бане на раскалённые камни. СРГК 3, 131, 330, 348, 368.

Метáть жар. 1. *Печор.* Плескать воду на камни в бане для образования пара. СРГНП 1, 202. 2. *Кар.* Испытывать разгорячённое лихорадочное состояние. СРГК 3, 200.

Не в жар посáженный. *Прибайк.* Некрасивый, несимпатичный внешне человек. СНФП, 66.

Пéрвый жар. *Свердл. Шутл.* О разгаре драки. СРНГ 26, 15.

Пойти́ в жар. *Беломор.* Сделаться быстрым (о течении в реке) во время прилива или отлива. СРНГ 28, 356.

Разбрáсывает в жар *кого. Кар.* То же, что **бросает в жар 1-2.** СРГК 5, 397.

Рыть в жар *кого, безл. Кар.* Лихорадить кого-л. СРГК 5, 596.

Рыть жар. *Кар.* В русской бане лить воду на раскалённую печку или камни для образования пара. СРГК 5, 596.

Бить жáром. *Кар.* Сильно печь, палить (о солнце). СРГК 1, 73.

Загорéть жáром. *Печор.* Стать очень смуглым под влиянием солнечных лучей. СРГНП 1, 202.

Всы́пать жáру *кому. Обл.* То же, что **давать/ дать жару 4.** Мокиенко 1990, 51.

Горéть жáром. *Дон.* 1. Находиться в лихорадочном состоянии, испытывать сильный жар. 2. Ярко блестеть, сверкать. СДГ 1, 108.

Обдáло жáром *кого. Разг.* Кто-л. пришёл в замешательство, испытывает испуг, смятение. Ф 2, 5.

Сверну́ться жáром. *Кар.* Измучиться, обессилеть. СРГК 5, 654.

Дава́ть/ дать (задава́ть/ зада́ть) жа́ру. 1. *кому. Перм.* Причинять кому-л. сильное беспокойство. Сл. Акчим. 1, 274. 2. *Прост.* Делать что-л. с азартом, в полную силу. Ф 1, 132; СОГ 1990, 41; ПОС 10, 162; СОСВ, 68. 3. *Яросл.* Убегать откуда-л. ЯОС 3, 321. 4. *кому. Прост.* Бить, наказывать побоями кого-л. Мокиенко 1990, 48; Глухов 1988, 30.

Жа́ру тебе́ (вам) в печь! *Яросл.* Приветственное пожелание хозяйке. ЯОС 4, 40.

Задава́ть/зада́ть жа́ру *кому. Разг.* 1. Сильно избивать, колотить кого-л. 2. Сильно ругать, бранить кого-л. ФСРЯ, 156; БМС 1998, 182.

Нагна́ть жа́ру. *Народн.* Отчитать, отругать, пригрозить кому-л. ДП, 272; Ф 1, 309.

Накида́ть жа́ру. См. **Лить жар.**

Нары́ть жа́ру. См. **Лить жар.**

Насдава́ть жа́ру. См. **Лить жар.**

Ни жа́ру ни па́ру. *Арх. Неодобр.* Нет пользы от кого-л., чего-л. СРНГ 21, 213.

Поддава́ть/ подда́ть жа́ру *кому. Разг.* Заставлять кого-л. действовать активнее, энергичнее. ФСРЯ, 156; БМС 1998, 182.

ЖАРА́ * Цыга́нская жара́. *Прост. Шутл.-ирон.* Холод; озноб. БМС 1998, 182.

На жару́. *Жарг. угол.* На опасное место, на опасное дело (идти). СРВС 3, 196, 212, 222.

ЖА́РЕНОЕ * И жа́реного и па́реного. *Волг. Шутл.* Об изобилии пищи. Глухов 1988, 57.

Па́хнет жа́реным. *Разг.* Можно ожидать неприятного, опасного развития ситуации. БТС, 300; БМС 1998, 182-183; Ф 2, 36; СПП 2001, 39.

ЖАРЁХА Дать (зада́ть) жарёхи *кому. Новг., Пск., Яросл.* Сильно избить, наказать кого-л. НОС 2, 75; ПОС 10, 164; ЯОС 4, 68; Мокиенко 1990, 48.

ЖА́РИ * На жа́рях. *Кар.* На солнцепёке. СРГК 2, 37.

ЖАРИ́ЩА А́дова жари́ща. *Разг.* Об очень сильной, несносной жаре. РАФС, 173.

ЖА́РКО * Ни жа́рко ни хо́лодно *кому. Разг.* Кому-л. безразлично что-л., кого-л. не волнует, не трогает что-л. ФСРЯ, 156; БТС, 300; СБГ 5, 60; ПОС 10, 167.

ЖАРНЯ́ * Зада́ть жарню́ *кому. Обл.* Избить кого-л. Мокиенко 1990, 160.

ЖАРО́К * [Сиде́ть] за **жарко́м** *Сиб.* 1. Находиться в тени, в защищённом от солнечного света месте. 2. *Неодобр.* Находиться под чьей-л. защитой, опекой. ФСС, 70.

По жарку́. *Кар.* При жаркой погоде, в жару. СРГК 2, 39.

ЖАРУ́ГА * Загреба́ть жару́гу. *Пск.* Зарабатывать много денег. ПОС 10, 168.

ЖАРЮ́ГА * Жить на жарю́ге. *Пск.* Жить в напряжённой политической обстановке. ПОС 10, 168.

ЖА́ТВА * Бе́лая жа́тва. *Публ. Устар. Патет.* Сбор хлопка. Новиков, 62.

Зелёная жа́тва. *Публ. Устар. Патет.* Сенокос, уборка кормовых трав. Новиков, 62.

Сла́дкая жа́тва. *Публ. Патет.* Сбор винограда. Мокиенко 2003, 30.

Янта́рная жа́тва. *Публ. Патет.* О сборе кукурузы на зерно. Мокиенко 2003, 30.

ЖБАН * Жбан (жбана́) дать (подда́ть) *кому. Пск., Яросл.* Ударить, побить кого-л. ПОС 10, 171. ЯОС 3, 121; ЯОС 8, 56. <**Жбан** — глиняный или металлический сосуд для хранения жидкости.

Получи́ть в жбан. *Жарг. мол.* То же, что **получить жбан.** Никитина 1996, 58. < **Жбан** — голова.

Получи́ть жбан (жбана́, жбаны́). *Пск., Яросл.* Подвергнуться избиению. ПОС 10, 171; ЯОС 3, 121; ЯОС 8, 56; Мокиенко 1990, 61.

Дать (надава́ть, насади́ть) жбано́в *кому. Кар., Пск.* Побить, избить кого-л. СРГК 1, 424; ПОС, 10, 171; Мокиенко 1990, 49, 68.

ЖБА́НДЕЛЬ * Жба́ндель не ва́рит *у кого. Разг. Шутл.-ирон.* Кто-л. плохо соображает. Елистратов 1994, 133.

ЖВА́КА * Теря́ть (потеря́ть) жва́ку. *Волог.* Переставать жевать жвачку вследствие заболевания (о животном). СВГ 2, 80.

ЖВА́ЧКА * Жва́чка для уше́й. *Жарг. мол. Неодобр.* Медленная, спокойная, негромкая музыка. Максимов, 129.

Жева́ть жва́чку. *Разг.* Нудно, надоедливо повторять одно и то же. ФСРЯ, 156; БТС, 300; ЗС 1996, 333.

Теря́ть/ потеря́ть жва́чку. *Новг.* Заболевать. НОС 8, 153.

ЖГУТ * Вить жгуты́. *Жарг. арест.* Жестокая тюремная игра, унижающая достоинство осуждённого. ТСУЖ, 32.

ЖДА́ЛЫ * Прое́сть жда́лы. *Обл. Шутл.* То же, что **съесть все жданки (ЖДАНКИ).** Мокиенко 1990, 154.

ЖДА́НИКИ * Пое́сть [все] жда́ники. *Курск. Шутл.-ирон.* Долго ждать, не дождаться кого-л. СРНГ 28, 285-286; БотСан, 94, 108. // *Брян.* Долго ждать опаздывающего гостя. СБГ 5, 62.

ЖДА́НКИ * Корми́ть жда́нками *кого. Волг.* Давать пустые обещания. Глухов 1988, 76.

Все жда́нки прогляде́ть. *Алт. Шутл.-ирон.* Долго прождать кого-л. СРГА 2-1, 75.

Оброни́ть жда́нки. *Новг.* То же, что **потерять жданки.** Сергеева 2004, 206.

Потеря́ть жда́нки. *Новг., Яросл. Неодобр.* Потерять терпение при длительном ожидании. Сергеева 2004, 206; ЯОС 4, 42; Мокиенко 1990, 154.

Съесть (пое́сть) все жда́нки. *Народн. Шутл.* Чрезмерно долго и с большим нетерпением дожидаться чего-л. БМС 1998, 183; ЗС 1996, 476; Глухов 1988, 126; Мокиенко 1990, 154.

ЖДА́НУШКИ * Пое́сть жда́нушки. *Обл.* Чрезмерно долго и терпеливо ждать чего-л. Мокиенко 1990, 154.

ЖДА́НЦЫ * Съесть жда́нцы (жда́нчики). *Кар. Шутл.-ирон.* То же, что **съесть все жданки (ЖДАНКИ).** СРГК 2, 43; Мокиенко 1990, 154.

ЖДА́НЧИКИ * Съесть жда́нчики. См. **Съесть жданцы (ЖДАНЦЫ).**

ЖДА́НЫ * Жда́ны вы́шли *у кого. Арх.* Кто-л. потерял терпение при длительном ожидании. АОС 7, 240.

Перее́сть (съесть) жда́ны. *Обл.* То же, что **съесть все жданки (ЖДАНКИ).** Мокиенко 1990, 154.

ЖЁВАНКА * Взя́ться жёванкой. *Кар.* Измяться, стать мятым. СРГК 1, 109.

ЖЁВАНОЕ * Корми́ть жёваным *кого. Волг. Шутл.-ирон. или Неодобр.* Чрезмерно опекать кого-л. Глухов 1988, 76.

ЖЕВА́ТЬ * Жева́л бы да глота́л. *Разг. Шутл.-одобр.* О большой любви, пристрастии к чему-л. Мокиенко 2003, 30.

ЖЕВО́К * Жевко́м жева́ть *что. Кар. Шутл.* Быстро, с жадностью есть, жевать что-л. СРГК 2, 43.

По ба́бьему жевку́ (жемку́). *Пск.* 1. Крупными хлопьями (о снеге). 2. Крупными каплями (о дожде). ПОС, 10, 177; ПОС 10, 193.

ЖЕЗЛ * Жезл Мерку́риев. *Книжн. Устар.* Торговля, умение торговать. БМС 1998, 183.

ЖЕЛА́НИЕ * Жела́ние па́лось. *Ср. Урал.* Кому-л. очень захотелось чего-л. СРГСУ 3, 118.

Отре́зать жела́ние *у кого к чему. Кар.* Отбить всякую охоту к чему-л. СРГК 4, 321.

Горе́ть жела́нием. *Разг.* Очень сильно, непреодолимо хотеть чего-л. Ф 1, 123.

ЖЕЛА́ННИК * Деви́чий жела́нник. *Разг. Ирон.* Ловелас, любитель женщин. ФСС, 70.

Ма́мушкин жела́нник. *Дон., Сиб.* Изнеженный, избалованный ребёнок. СДГ 1, 150; ФСС, 70.

ЖЕЛА́ННОЕ * Дать жела́нное. *Кар.* Согласиться. СРГК 1, 424.

ЖЕЛА́НЬЕ * От всего́ жела́нья. *Кар.* Откровенно, искренне. СРГК 2, 44.

ЖЕЛА́ТЬ * Жела́ю не брать. *Пск.* Не иметь желания, не хотеть, не соглашаться сделать что-л. СПП 2001, 40.

ЖЁЛВИ * Жёлви с тобо́й (с ним и т. п.)! *Волог., Кар. Бран.* Восклицание, выражающее гнев, раздражение, досаду. СВГ 2, 71; СРГК 2, 44.

Жёлви тебе́ на язы́к! *Волог. Бран.* Требование замолчать, перестать говорить. СВГ 2, 81.

ЖЕЛЕЗА́ * Железа́ **с вну́тренней секре́цией.** *Разг. Шутл.-ирон.* О злой, вредной, сварливой женщине. Мокиенко, Никитина 2003, 139.

ЖЕЛЕ́ЗКА[1] * По желе́зке. *Жарг. угол. Одобр.* Всё в порядке, всё хорошо, нормально. ББИ, 182; Грачев, Мокиенко 2000, 65. < Ср. **железно** — 'надёжно, точно, наверняка'.

Жать на все желе́зки. *Волг.* Стараться, проявлять усердие. Глухов 1988, 41.

Жать на [всю] желе́зку. *Жарг. авто.* 1. Нажимать на педаль газа. 2. Ехать очень быстро. БСРЖ, 181; Грачев, Мокиенко 2000, 65; Ф 1, 185.

Запусти́ть желе́зку. *Жарг. мол., нарк.* Начать курить сигарету с наркотиком. Максимов, 129.

Заряди́ть [в] желе́зку. *Карт.* Играть в карты без денежных ставок. Балдаев 1, 150; ТСУЖ, 67.

На всю (на по́лную) желе́зку. *Разг.* В полную силу, с азартом. БСРЖ, 181; Глухов 1988, 88; БТС, 301.

ЖЕЛЕ́ЗКА[2] * Гнать желе́зку. *Жарг. угол.* Совершать карманные кражи на транспорте. Балдаев 1, 89. < **Железка** — железная дорога.

Запусти́ть желе́зку. *Жарг. нарк. Шутл.* Начать курить сигарету с наркотиком. Максимов, 129. < Ср. **пустить паровоз**.

ЖЕЛЕ́ЗО * Поню́хать желе́за. *Жарг. мол. Шутл.* Послушать музыку в стиле «тяжёлый металл». Максимов, 129.

Гнуть (кача́ть, таска́ть) желе́зо. *Жарг. мол.* Заниматься культуризмом, бодибилдингом. Елистратов 1994, 133; Максимов, 88, 130.

Кова́ть желе́зо, пока́ горячо́. *Разг.* Не терять времени, используя благоприятные обстоятельства. Ф 1, 241.

Выжига́ть калёным желе́зом *что. Разг.* Искоренять, уничтожать что-л., прибегая к крайним мерам. ФСРЯ, 93; Ф 1, 92. // Всецело, полностью, без остатка искоренять, уничтожать что-л. БМС 183; БТС, 171, 301.

Хва́статься желе́зом. *Жарг. угол. Шутл.-ирон.* Улыбаться. ТСУЖ, 55.

На желе́зах. *Новг.* На железном ходу. НОС 2, 125.

ЖЕЛО́НКА * Напе́ть жело́нку *кому. Новг.* Отругать, отчитать кого-л. ОС 2, 127.

ЖЁЛТ * Жёлт желте́ть. *Кар.* Ярко желтеть (о морошке). СРГК 2, 47.

ЖЕЛТУ́ХА * Грести́ желту́ху. *Жарг. Шк.* Убирать территорию. ВМН 2003, 48.

ЖЕЛУ́ДОК * В желу́дке вя́зьмо *у кого. Пск. Шутл.* Кто-л. испытывает чувство голода. ПОС 6, 117.

Ударя́ть/ уда́рить по желу́дку *кому. Жарг. лаг. Пренебр.* Лишать кого-л. пайка на некоторое время (старая мера наказания в исправительно-трудовых учреждениях). Радио «Свобода», 20.11.92.

Желу́док на ноль *у кого. Жарг. мол.* О голодном человеке. Максимов, 130.

Жить в свой желу́док. 1. *Горьк.* Быть эгоистом, думать только о себе. БалСок, 36. 2. *Волг.* Жить богато и независимо (о человеке, не состоящем в браке). Глухов 1988, 43.

Име́ть желу́док. *Книжн. Эвфем.* Испражняться. Флг, 108.

На го́лый желу́док. *Арх.* Натощак. АОС 9, 261.

Обезвре́дить желу́док. *Жарг. мол. Шутл.* Выпить спиртного. Максимов, 130.

Полоска́ть желу́док. *Разг. Шутл.* Пить воду, чай и т. п. Ф 2, 70.

ЖЁЛУДЬ * Морско́й жёлудь. *Помор.* Молодь усоногих рачков Belanus. САР, 1847; СРНГ 18, 277.

Сиде́ть на желудя́х. *Новг.* 1. Голодать. 2. Остаться ни с чем. 3. Быть начеку. НОС 2, 128; НОС 10, 53.

ЖЕЛЧЬ * Излива́ть желчь *на кого. Разг. Устар.* Вымещать на ком-л. зло, раздражение. Ф 1, 221.

Изойти́ же́лчью. *Волг.* Долго сердиться на кого-л., злобствовать. Глухов 1988, 57.

ЖЁМ * Хоть в жём *кого. Народн. Устар.* О человеке, от которого трудно получить какую-л. информацию (ничего «не выжмешь»). < **Жём** — пресс, орудие, которым выжимают жидкость. БМС 1998, 184.

ЖЕМА́Ч * Задава́ть жемача́. *Волг.* Поспешно убегать, скрываться. Глухов 1988, 47.

ЖЕМО́К * Угости́ть жемко́м *кого. Народн. Ирон.* То же, что **дать жемок.** ДП. 145; Мокиенко 1990, 160.

По ба́бьему жемку́. См. **По бабьему жевку (ЖЕВОК).**

Дать жемо́к (жему́лю) *кому. Обл.* Ударить, побить кого-л. Мокиенко 1990, 48, 160.

ЖЕМУ́ЛЬКА * Дать жему́льку с ква́сом *кому. Обл.* То же, что **дать жемок.** Мокиенко 1990, 48, 159.

ЖЕМУ́ЛЯ * Дать жему́лю. См. **Дать жемок (ЖЕМОК).**

ЖЕНА́ * Заложи́ть жён и дете́й. *Книжн. Устар.* Пожертвовать самым дорогим, ничего не пожалеть. < Восходит к историческому призыву К. Минина времен войны с польскими захватчиками (1612 г.). БМС 1998, 184.

Армя́нская жена́. *Жарг. (гом.).* Пассивный партнёр, сожительствующий с постоянным партнёром. Мокиенко, Никитина 2003, 139.

Втора́я жена бортмеха́ника. *Жарг. авиа. Шутл.* Стюардесса. Максимов, 73.

Жена́ Ги́тлера. *Жарг. шк. Шутл.-ирон. или Презр.* Учительница немецкого языка. ВМН 2003, 48.

Жена́ Пенте́фрия. *Книжн. Устар.* О женщине-соблазнительнице, стремящейся к плотским наслаждениям и искушающей невинных юношей. < Восходит к Библии. БМС 1998, 184.

Ка́дровая жена. *Кар.* Женщина, состоящая в церковном браке, обвенчанная. СРГК 2, 48.

Ла́герная жена́. *Жарг. угол.* Заключённая, с которой сожительствует заключённый же, любовница в лагере.

Поспева́лова жена́. *Яросл. Неодобр.* Сплетница. ЯОС 8, 72.

Пристяжна́я жена́. *Кар., Сиб. Шутл.-ирон.* Любовница. СРГК 2, 48; ФСС, 70.

Солда́тская жена́. *Народн. Шутл.* Ружьё. ДП, 710.

Соло́менная жена́. *Кар.* Женщина, находящаяся в разводе. СРГК 2, 48.

Друго́й жено́ю. *Орл.* О втором браке мужчины. СОГ 1990, 84.

ЖЕНИ́ЛКА * Жени́лка (же́ня) не вы́росла *у кого. Прост. обл. Шутл.-ирон.* 1. Кто-л. ещё не способен к половым сношениям по молодости лет. 2. Кто-л. ещё слишком молод, неопытен. < **Женилка** — мужской половой орган. Подюков 1989, 75; Глухов 1988, 42; Мокиенко, Никитина 2003, 139.

Жени́лки вы́росли *у кого. Перм. Шутл.* О человеке, достигшем половой зрелости. СГПО, 159; Подюков 1989, 75.

ЖЕНИ́ТЬСЯ * До́лго жени́ться. *Пск.* Долго разговаривать, беседовать о чём-л. ПОС 10, 196.

ЖЕ́НИХ * Бога́тый жени́х. *Жарг. курс. Шутл.* Курсант пятого курса военного училища. Максимов, 37.

Лопа́тинов жени́х. *Пск. Эвфем.* Смерть, смертный час. ПОС 10, 196.

Кача́ть жениха́. 1. *Дон.* В свадебном обряде: бросать жениха на постель невесты. СДГ 1, 152. 2. *Волг.* В свадебном обряде: требовать выкуп за невесту. Глухов 1988, 74.

Подпуска́ть жениха́. *Моск.* Давать согласие выйти замуж. СРНГ 28, 152.

Слови́ть жениха́. *Жарг. угол. Шутл.* Ограбить кого-л. СРВС 3, 192.

ЖЁНКА * Каба́цкая жёнка. *Народн. Неодобр.* Женщина лёгкого поведения. Мокиенко, Никитина 2003, 139.

Гуля́ть из-за жёнки. *Арх.* Изменять жене. АОС 10, 147.

ЖЕ́НЩИНА * Бе́лая же́нщина. *Жарг. нарк.* 1. Героин. 2. Кокаин. Максимов, 30.

Же́нщина, кото́рая даёт. *Жарг. мол. Шутл.-ирон.* О женщине, легко соглашающейся на половое сношение. < Каламбурное переосмысление названия кинофильма, в котором играет Алла Пугачева ("Женщина, которая поёт"). УМК, 88.

Же́нщина с натру́женными губа́ми. *Жарг. мол. Шутл.* Проститутка. Максимов, 98.

Же́нщина с прице́пом. *Жарг. мол. Шутл.* Мать-одиночка. Максимов, 130.

Зно́йная же́нщина — мечта́ поэ́та. *Разг. Шутл.-одобр.* О привлекательной женщине. < Название 12-й главы романа И. Ильфа и Е. Петрова «Двенадцать стульев» (1928 г.). Дядечко 2, 89.

Па́дшая (па́вшая, поги́бшая) же́нщина. *Книжн. Неодобр.* Грешница, согрешившая женщина. Мокиенко, Никитина 2003, 139.

Публи́чная (у́личная) же́нщина. *Разг. Неодобр.* Проститутка. Мокиенко, Никитина 2003, 139.

Ищи́те же́нщину. *Книжн. Шутл.* Виновницей всякого события является женщина. < Употребляется также без перевода: *cherchez la femme* (Из романа А. Дюма-отца «Могикане Парижа», 1864 г.). БМС 1998, 184.

ЖЕ́НЯ * Же́ня Ле́нин. *Жарг. мол., муз. Шутл.* Джон Леннон. Никитина 1998, 126.

Же́ня не вы́росла (не наросла́). См. **Женилка не выросла (ЖЕНИЛКА).**

ЖЁРДОЧКА * До жёрдочки *кому что. Разг.* Кому-л. абсолютно безразлично что-л.; кто-л. равнодушен, безразличен к чему-л. Мокиенко 1992, 17-24.

ЖЕ́РЕБ (ЖЕ́РЕБЬ) * Большо́й же́реб. *Одесск.* Удача, везение, счастливая судьба. КСРГО.

Броса́ть (кида́ть) же́реб (жереба́). *Дон., Курск.* То же, что **бросать жребий (ЖРЕБИЙ).** СДГ 1, 141; БотСан, 96.

Держать же́реб. *Дон.* То же, что **бросать жребий (ЖРЕБИЙ).** СДГ 1, 128.

Же́реб вы́пал *кому. Дон.* Кому-л. суждено, досталось на долю что-л. СДГ 1, 89.

Кида́ть/ ки́нуть же́реби. *Яросл.* То же, что **бросать жребий (ЖРЕБИЙ).** ЯОС 5, 29.

ЖЕРЕБЕ́Ц * Жеребе́ц двуно́гий. *Прост. Неодобр.* Мужчина, добивающийся от женщин только полового удовлетворения. Мокиенко, Никитина 2003, 140.

Морско́й жеребе́ц. *Вост.* Красноголовый кулик. (В. И. Даль). СРНГ 18, 277.

Неёзженный жеребе́ц. 1. *Горьк.* Себялюбивый человек со строптивым характером. БалСок, 46. 2. *Волг.* Сильный, крепкий человек. Глухов 1988, 98.

ЖЕРЕ́БЧИК * Кури́ный жере́бчик. *Тамб.* То же, что **мышиный жеребчик.** СРНГ 16, 126.

Мыши́ный жере́бчик. *Разг. Пренебр. или Презр.* О старом ловеласе, волоките. ФСРЯ, 157; БМС 1998, 185; ДП, 748, 943; ЗС 1996, 267; БТС, 567.

ЖЕРЁДЬ * Бить в ве́рхнюю жерёдь. *Новг. Неодобр.* Зазнаваться, высоко ценить себя, быть нескромным. НОС 1, 58.

ЖЕ́РЛО * Же́рло вулка́на. *Жарг. шк. Шутл.* Учительская. ВМН 2003, 49.

ЖЁРНОВ * Ви́деть сквозь жёрнов. *Народн.* Быть проницательным. ДП. 477.

Ходи́ть на жёрнов. *Кар.* Молоть зерно чужим жёрновом. СРГК 2, 53.

Попада́ть/ попа́сть под жернова́ *чего. Публ.* Оказываться в какой-л. воздействующей ситуации, в сложном положении. НРЛ-79; Мокиенко 2003, 31.

Моло́ть жернова́ми. *Прост. Неодобр.* Слишком много говорить. Максимов, 130.

ЖЕ́РТВА * Же́ртва або́рта. *Прост. Груб.* О ничтожном, неполноценном человеке. Вахитов 2003, 54; Максимов, 130; Арбатский, 127. < Слова Остапа Бендера из романа И. Ильфа и Е. Петрова «Двенадцать стульев» (1928 г.). Дядечко 2, 62.

Же́ртва автомоби́льного або́рта. *Жарг. авто. Ирон.* 1. Автомобиль «Запорожец». 2. Автомобиль «Ока». Максимов, 130.

Же́ртва вече́рняя. *Книжн. Устар. Неодобр.* О людях с сомнительной репутацией, изображающих из себя угнетённую невинность. < Восходит к Библии. БМС 1998, 185.

Же́ртва излуче́ния. *Жарг. шк. Шутл.* Учитель информатики. Максимов, 130.

Же́ртва перестро́йки. *Жарг. авто. Шутл.-ирон.* Автомобиль «Ока». Максимов, 130.

Же́ртва продо́льной пилы́. *Жарг. бизн. Ирон.* Бизнесмен, понесший двойной убыток — при покупке и при перепродаже товара. БС, 66.

Же́ртва пья́ной акуше́рки (пья́ного зача́тия). *Разг. Презр.* О человеке, вызывающем гнев, раздражение. Вахитов 2003, 54; Максимов, 130.

Но́вая же́ртва. *Жарг. шк. Ирон.* 1. Ученик, оставленный после уроков на дополнительные занятия. Максимов, 130. 2. Новичок в классе. ВМН 2003, 49. < По названию популярного телесериала.

Пасть же́ртвой *чего. Книжн.* Погибнуть от чего-л. или ради чего-л. Ф 2, 32; БТС, 303.

Приноси́ть/ принести́ же́ртву *кому, чему. Книжн.* Жертвовать чем-л., лишать себя чего-л. ради кого-л., чего-л. ФСРЯ, 157; Ф 2, 92; БМС 1998, 185.

ЖЕРУ́Н * Жеру́н напа́л *на кого. Жарг. мол. Шутл.* О постоянном сильном желании есть. (Запись 2004 г.).

ЖЕСТ * Краси́вый жест. *Разг.* Нарочитый, преднамеренный поступок, рассчитанный на то, чтобы произвести хорошее впечатление. ФСРЯ, 157.

Широ́кий жест. *Разг.* Показное проявление великодушия, внимания, щедрости. Ф 1, 186.

ЖИ́ВА * Одна́ жи́ва. *Кар. Ирон.* Об очень худом, истощённом человеке. СРГК 2, 54.

ЖИВА́ШКИ * Прие́хать на жива́шки. *Волог.* Приехать к невесте в день сватанья. СВГ 2, 85.

ЖИ́ВЕНЬКИЙ * Бу́дьте жи́веньки! *Брян.* Пожелание здоровья кому-л. СБГ 5, 68.

ЖИВЕ́Ц * С живцо́м (с живцо́й). 1. *Орл.* О недоваренном картофеле. СОГ-1992, 22. 2. *Дон.* В неготовом виде. СДГ 1, 153.

ЖИВМЯ́ * Живмя́ жить *где. Прост.* 1. Постоянно проживать где-л. СНФП, 67; Ф 1, 188. 2. Постоянно находиться у кого-л., где-л. Ф 1, 188; СРГМ 1980, 57.

ЖИ́ВНОСТЬ * Входи́ть/ войти́ (приходи́ть/ прийти́) в жи́вность. *Горьк., Том.* Оживать. БалСок, 51; СРНГ 5, 240; Мокиенко 1990, 109.

В жи́вности. 1. (быть, оста́ться, оста́вить). *Кар., Морд., Новг., Орл., Прикам., Перм., Печор., Прибайк., Ср. Урал, Яросл.* В живых, живым. СРГК 2, 55; СРГК 4, 253; Морд. 1980, 58; СОГ 1990, 117; НОС 2, 130; МФС, 36; СРГНП 1, 207; СНФП, 66; СРГСУ 1, 158; ЯОС 2, 37. 2. *чьей. Кар., Приамур.* То же, что **при живности.** СРГК 2, 55; СРГПриам., 34. 3. *Яросл.* В действительности, на самом деле. ЯОС 2, 37.

По жи́вности. *Одесск.* Очень старый, пожилой. КСРГО.

При жи́вности *чьей. Кар., Коми, Печор., Ряз.* При чьей-л. жизни, в период чьей-л. жизни. СРГК 2, 55; Кобелева, 63; СРГНП 1, 207; ДС, 168.

ЖИВО́Й (ЖИВА́Я, ЖИВО́Е) * Жив (живо́й, жить) бу́дешь, но еба́ть (еба́ться, жени́ться, чайку́ пить) не захо́чешь. *Прост.-неценз. Шутл.-ирон.* О слабости, болезненности (из-за недоедания и непосильной работы в лагерях, в колхозе и т. д.). Мокиенко, Никитина 2003, 140, 141.

Жив быть не хочу́. *Разг. Устар.* Клятвенное заверение в чём-л. Ф 2, 240.

Жив — не го́ден. *Кар. Ирон.* О нетрудоспособном человеке. СРГК 2, 56.

Жив сгоре́л. *Перм.* О человеке, сильно обеспокоенном чем-л. Подюков 1980, 75.

И жив, да негоден. *Перм.* То же, что **Жив – не го́ден.** СРНГ 20, 373.

Как жив не быва́л. *Сиб.* О погибшем человеке. ФСС, 19.

Ни жив ни го́ден. *Кар.* То же, что **ни жив ни мёртв 1.** СРГК 2, 56.

Ни жив ни мёртв. 1. *Разг.* О состоянии сильно испугавшегося, оцепеневшего от страха человека. ФСРЯ, 157; БМС 1998, 185; БТС, 305, 535; ДП, 273; Верш. 4, 119; ПОС 10, 222. // О состоянии удручённого, сильно расстроенного человека. ФСРЯ, 157. 2. *Прост.* О человеке, близком к смерти. Ф 1, 186. 3. *Пск.* О больном, обессилевшем человеке. ПОС 10, 22.

Чи жив чи мёртв. *Брян.* То же, что **ни жив ни мёртв 1.** СБГ 5, 68.

Дойма́ть до живо́го *кого. Волг.* 1. Расстраивать, волновать кого-л. 2. Разорять, ставить в безвыходное положение кого-л. Глухов 1988, 36.

С живо́го не слезть *с кого.* 1. *Прост.* Подчинить своей воле кого-л., заставить исполнить свое желание. СРГМ 2002, 78. 2. *Волг.* Строго наказать кого-л. Глухов 1988, 104. **С живо́го не сле́зу [, е́сли...].** *Прост. обл.* Клятвенное заверение добиться своего, заставив кого-л. выполнить свои обещания, долг. Мокиенко, Никитина 2003, 140.

Брать/ взять (задева́ть/ заде́ть, затра́гивать/ затро́нуть, зацепить) за живо́е *кого. Разг.* 1. Затрагивать самолюбие, обижать кого-л. 2. Волновать, заставлять переживать кого-л. ФСРЯ, 157; БМС 1998, 186; БТС, 305, 352; ЗС 1996, 298; ШЗФ 2001, 79; Ф 1, 37, 206; Мокиенко 1990, 89; ДП, 143; СБГ 5, 68.

Тяну́ть живо́е и мёртвое (живы́м и мёртвым). *Дон.* Воровать, красть всё подряд. СДГ 3, 167.

Хвата́ть за живо́е *кого. Разг.* То же, что **брать за живое 1-2.** Ф 2, 231.

Ве́чно живо́й. 1. *Публ. Патет. Устар.* О В. И. Ленине. Сарнов, 54. 2. *Жарг. мол. Шутл.-ирон.* О таракане. Максимов, 60.

Драть с живо́го и мёртвого. *Разг. Неодобр.* Непомерно поднимать цены, получать большую прибыль за счёт других. БМС 1998, 186.

Не слезть с живо́го *с кого. Новг.* очень сильно наказать кого-л. СРГК 2, 56.

Ни живо́й ни вши́вый. *Прибайк. Шутл.-ирон.* Бедный, неимущий. СНФП, 66.

Ре́зать по живо́му. 1. *Разг.* Вынужденно разрывать отношения, связи с кем-л. СФРЯ, 388; БТС, 305. 2. *Брян.* Резкими словами усугблять чьё-л. душевное страдание. СБГ 5, 68.

Вести́ на живу́ю. *Арх.* Быть откровенным. АОС 10, 310.

Игра́ть на живу́ю. *Жарг. муз.* Импровизировать. Максимов, 131.

Живы́е и мёртвые. *Жарг. арм. Шутл.* 1. Смена караула. 2. Об утреннем подъёме в армии и на флоте. Максимов, 131. < Первоначально — назв. романа К. Симонова. Мокиенко, Никитина 1998, 190.

Живы́м не па́хнет. *Сиб.* Неуютно, необжито где-л. СОСВ, 69.

Ни в живы́х ни в мёртвых. *Кар.* О человеке, пропавшем без вести. СРГК 2, 56.

ЖИ́ВОСТЬ * Жить в жи́вости. *Орл.* О благополучной, беззаботной жизни. СОГ 1990, 124.

ЖИВО́Т[1] * Береги́ живо́т. *Кар. Шутл.* Об экономном, бережливом человеке. СРГК 1, 67.

Выма́тывать живо́т. *Волг.* То же, что **драть живот.** Глухов 1988, 19.

Драть живо́т. *Пск.* Чрезмерно напрягаться, работая. ПОС 9, 197.

Запаса́ть живо́т. *кар. Шутл.* Наедаться перед обедом. СРГК 2, 56.

Живо́т боли́т *у кого.* 1. *Волг., Новг., Сиб.* Кому-л. очень хочется сделать что-л. Глухов 1988, 42; НОС 2, 130; ФСС, 71. 2. *за кого, за что. Новг.* Кто-л. сильно беспокоится о ком-л., переживает по какому-л. поводу. НОС 2, 130; Сергеева 2004, 54.

Живо́т завяза́лся *у кого. Морд.* О расстройстве желудка. СРГМ 1980, 58.

Живо́т к позвоно́чнику приро́с *у кого. Прост. Шутл.* О сильном чувстве голода или жажды. ПОС 10, 224; Вахитов 2003, 54.

Живо́т к хребти́не приро́с *у кого. Пск. Шутл.* Об очень худом, тощем человеке. ПОС 10, 225.

Живо́т на коло́тьях *у кого. Дон.* О коликах в животе. СДГ 2, 71.

Живо́т подво́дит *у кого. Разг.* Кто-л. очень голоден. БТС, 305; Глухов 1988, 42; СБГ 5, 69.

Живóт поджóмши. См. **Кишки поджомши (КИШКА).**

Живóт (живóтик) подсóх *у кого. Яросл. Ирон.* Об обедневшем, неимущем человеке. ЯОС 4, 46; СРНГ 29, 210.

Живóт распирáет *у кого. Волг. Шутл.-ирон.* О человеке, который быстро полнеет. Глухов 1988, 42.

Лóпни мой живóт! *Волг.* Клятвенное заверение в правоте сказанного. Глухов 1988, 83.

Наводи́ть живóт! *Перм. Шутл.* Полнеть от хорошей, обильной пищи. Подюков 1989, 123.

Надрывáть/ надорвáть (подрывáть/ подорвáть, рвать/ порвáть, срывáть/ сорвáть) живóт. *Прост.* 1. Причинить вред внутренним органам чрезмерным усилием, поднятием большой тяжести. 2. Долго и много, до изнеможения смеяться. СРНГ 30, 119; СРНГ 28, 120; СРНГ 34, 356; БТС, 305; ДП, 868; Глухов 1988, 172; СБГ 5, 69.

Наедáть/ наéсть живóт. *Прост. Пренебр.* Полнеть, толстеть. Глухов 1988, 89.

Нажи́ть живóт. *Прибайк.* Забеременеть. СНФП, 66.

На живóт. *Кар.* Для откорма, выращивания (купить, оставить). СРГК 2, 56.

Нали́тый живóт. *Сиб. Презр.* Пьяница, алкоголик. ФСС, 71.

Нали́ть живóт. 1. *Новг.* Напиться досыта. НОС 5, 153. 2. *Сиб. Неодобр.* Напиться пьяным. ФСС, 118.

Нарáне (вам, тебé и пр.) **сядь в живóт!** *Краснояр. Бран.* Восклицание, выражающее гнев, раздражение. СРНГ 20, 119.

Отдáть живóт. *Кар.* Родить ребёнка. СРГК 4, 288.

Подхвати́ть живóт. *Пск.* Рассмеяться, захохотать. ПОС 10, 225.

Рвать живóт. *Прикам.* Смеяться до изнеможения. МФС, 85.

Скряну́ть живóт. *Новг.* То же, что **надрывать/ надорвать живот 1.** НОС 10, 81.

Два животá не вы́есть. *Арх.* Не съесть много. АОС 7, 200.

Покоротáть животá. *Яросл.* Сильно устать. ЯОС 4, 46.

На животé кайтáн, а на душé шайтáн. *Сиб. Неодобр.* О двуличном человеке. ФСС, 90.

Остáться (повали́ться) без живóтов. *Ряз.* Сильно, до изнеможения смеяться. ДС, 168.

Взять в животы́ *кого. Кар.* Взять чужого ребёнка в свою семью. СРГК 2, 56.

Вы́йти (уйти́) в животы́. *Волог.* После свадьбы перейти жить в дом жены, стать членом семьи жены. СВГ 1, 93; СВГ 2, 85.

Животы́ коротки́ *у кого. Волг.* О крайней бедности, жизни впроголодь. Глухов 1988, 42.

ЖИВÓТ[2] *** Положи́ть живóт** *за кого, за что. Книжн. Устар. Высок.; Брян.* Умереть, погибнуть (обычно в бою) за кого-л., что-л. БМС 1998, 186; БТС, 305; Ф 2, 69; СБГ 5, 69. < **Живот** — в древнерусском языке — ‘жизнь.

Не на живóт, а на смерть. *Книжн. Устар. Высок.* Не щадя жизни, крайне самоотверженно (бороться. сражаться). БМС 1998, 186; БТС, 305; ДП, 281; ФСРЯ, 157; ДС, 168; Мокиенко 1990, 107.

Поджимáть живóт. *Прост. Ирон.* Жить бедно, терпеть лишения. Ф 2, 56.

Животá не навы́шишь. *Орл.* О затруднительном материальном положении. СОГ 1990, 118.

И животá весьмá лиши́ть *кого. Разг. Устар. Ирон.* Казнить кого-л., полностью расправиться с кем-л. < Фраза из Петровского воинского устава 1714 г. БМС 1998, 186.

Не жалéть/ не пожалéть животá своегó. *Книжн. Устар. Высок.* Жертвовать жизнью. БМС 1998, 186; ЗС 1996, 69; Глухов 1988, 98.

Не щадя́ животá своегó. *Книжн. Устар. Высок.* Смело, самоотверженно (бороться, сражаться). БМС 1998, 186.

В животáх. *Кар.* В течение всей жизни. СРГК 2, 56.

ЖИВÓТИК * Живóтик подсох. См. **Живот подсох (ЖИВОТ).**

Живóтик [с антéнной], кошелёк и у́шки (два у́шка). *Жарг. мол. Шутл.* О преуспевающем бизнесмене, «новом русском». Максимов, 131.

Надрывáть/ надорвáть живóтик. 1. *Брян.* То же, что **надрывать живот 1 (ЖИВОТ).** СБГ 5, 69. 2. (*чаще* **живóтики**). *Разг. Шутл.* То же, что **надорвать живот 2 (ЖИВОТ).** ФСРЯ, 263; СРНГ 6, 159; Максимов, 131.

ЖИВОТИ́НА * Сгинь послéдняя животи́на! *Народн.* Клятвенное заверение в чём-л. ДП, 654.

ЖИВÓТНИК * Жить в живóтниках. *Волог.* Жить в доме жены (о муже). СВГ 2, 85.

ЖИВÓТНОЕ * Многоклéточное живóтное. *Жарг. шк. Шутл.* Классный журнал. ВМН 2003, 49.

Ди́кие живóтные. *Жарг. шк. Презр.* Педагогический коллектив. ВМН 2003, 49.

ЖИВУ́ЛЬКА * На живу́льку. 1. *Приамур.* Намечая линию шва. СРГПриам., 164. 2. *Морд., Сиб., Приамур. Неодобр.* Кое-как, небрежно. СРГМ 1980, 58; ФСС, 71; СРГПриам., 164.

ЖИВЦÁ * С живцóй. См. **С живцóм. (ЖИВЕЦ).**

ЖИ́ВЧИК * Подпусти́ть жи́вчика. *Волг. Шутл.* Выпить спиртного. Глухов 1988, 126.

Посади́ть жи́вчика к нóсу *кому. Обл.* Ударить кого-л. Мокиенко 1990, 57.

Жи́вчики в глазáх хóдят *у кого. Сиб.* Об умном, живом выражении глаз. ФСС, 71.

Глотáть (откýшать) жи́вчиков. *Жарг. мол. Шутл.* Совершить орогенитальный половой акт. Хом. 2, 121; Мокиенко, Никитина 2003, 140.

ЖИВЬЁМ * Живьём жить. *Кар.* Постоянно проживать где-л. СРГК 2, 58.

Хоть живьём корми́ *кого. Сиб.* О человеке, страдающем отсутствием аппетита. ФСС, 96.

ЖИГ * Дать жи́гу *кому.* 1. *Перм.* Выругать, отчитать кого-л. СРНГ 7, 257. 2. *Пск.* Наказать, выпороть кого-л. ПОС 10, 230-231; Мокиенко 1990, 47; Глухов 1988, 30.

ЖИГÁРА * Дать жигары́. *Пск.* То же, что **дать жи́гу 2 (ЖИГ).** СПП 2001, 40; Мокиенко 1990, 47.

ЖИГÁЧ * Дать жигачá *кому. Алт.* То же, что **дать жи́гу 2 (ЖИГ).** СРГА 2-1, 82.

ЖИГУ́Н * Жигу́н знáет *что. Кар.* Что-л. неизвестно точно. СРГК 2, 59.

ЖИД * Вéчный жид. *Книжн.* Беспокойный, ищущий, постоянно неудовлетворённый человек, скиталец. < Выражение восходит к Библии. БМС 1998, 187; БТС, 305; Ф 1, 187.

[И] жидá обмáнет. *Народн.* О хитром, предприимчивом человеке. ДП, 348.

Уби́ть жидá. *Жарг. угол.* Разбогатеть. ТСУЖ, 181.

На хренá (нахренá) жиду́ гармóшка. *Жарг. мол. Шутл.-ирон.* О явном несоответствии, абсурде; о ненужности чего-л. Елистратов 1994, 275.

ЖИ́ДКОСТЬ * Жи́дкость вовну́трь. *Жарг. мол. Шутл.* Водка. Максимов, 131.

Обжига́ющая (суха́я) жи́дкость. *Жарг. мол. Шутл.* Водка. Максимов, 131.

Тормозна́я жи́дкость. *Жарг. мол. Шутл.-ирон.* 1. То же, что **обжигающая жидкость.** 2. Напиток «Фанта». Максимов, 131.

Обме́ниваться жи́дкостью (жи́дкостями). *Жарг. мол. Шутл.* 1. Целоваться. 2. Совершать половой акт. Максимов, 131, 132.

ЖИ́ЖА * Коро́вья жи́жа [ове́чий хвост]. *Прост. Бран.* О подлом, непорядочном человеке. Мокиенко, Никитина 2003, 140-141.

Не бу́лькай (не хлю́пай), жи́жа! *Жарг. мол.* Требование замолчать. Максимов, 48.

Оси́новая жи́жа. *Прикам. Пренебр.* Жидкий, имеющий слабую крепость напиток. МФС, 36.

Окуну́ться в жи́жу. *Жарг. мол. Шутл.* Искупаться в каком-л. водоёме. Максимов, 132.

ЖИЗНЬ * Брать/ взять к жи́зни. См. **Брать/ взять на жизнь.**

Вы́пасть из жи́зни. *Прикам.* Совершенно, совсем забыть что-л. МФС, 23.

Вы́черкнуть из жи́зни *кого, что. Разг.* Заставить себя забыть кого-л., что-л. БТС, 306.

Дава́ть / дать жи́зни. 1. *кому. Разг.* Сильно ругать, бранить кого-л. ФСРЯ, 124; БТС, 305; ПОС 9, 108; Мокиенко 1990, 48. 2. *кому.* Бить, колотить кого-л., расправляться с кем-л. ФСРЯ, 124; Ф 1, 132; БотСан, 91; ПОС 10, 236. 3. *Прост.* Делать что-л. в полную силу, интенсивно. Ф 1, 132; Подюков 1989, 57; ПОС 10, 236.

До жи́зни. 1. **[гробово́й].** *Сиб.* До конца жизни, до самой смерти. ФСС, 71; СФС, 63, 64; Мокиенко 1990, 95. 2. *Орл.* В высшей степени, очень. СОГ 1990, 119.

Жи́зни нет *кому. Разг.* О чьей-л. трудной жизни где-л., в каких-л. условиях. МФС, 65.

Жить в жи́зни. *Пск. Одобр.* Жить спокойно, в достатке. ПОС 10, 254.

Из жи́зни в жизнь. *Кар.* Из поколения в поколение. СРГК 2, 61.

Навстре́чу жи́зни. *Жарг. шк. Шутл.* Дорога из школы. ВМН 2003, 49.

Не дава́ть жи́зни *кому. Неодобр. Разг.* Постоянно мучить кого-л., причинять кому-л. неудобства, неприятности. ПОС 10, 235.

Не дай жи́зни. *Алт. Неодобр.* О чём-л. скверном, очень плохом. СРГА 2-1, 83.

Ни в жи́зни. *Влад.* Никогда, ни при каких обстоятельствах. СРНГ 21, 213.

Определи́ть по жи́зни *кого. Жарг. мол.* Дать отпор кому-л., сдержать выскочку, наглеца. Максимов, 132.

От жи́зни. *Ряз.* То же, что **ни в жизни.** ДС, 375.

Отойти́ к лу́чшей жи́зни. *Разг. Устар.* То же, что **отходить/ отойти от жизни.** Ф 2, 29.

Отпа́сть от жи́зни. *Новг.* Потерять интерес к чему-л. НОС 7, 55.

Отходи́ть/ отойти́ от жи́зни. *Разг. Устар.* Умирать. Ф 2, 30.

Перепра́виться в жи́зни. *Кар.* Начать жить лучше. СРГК 4, 464.

По жи́зни. *Жарг. мол., Разг.* 1. В реальной жизни. ЕЗР, 154-155. 2. Во всех случаях, всё время, постоянно. СМЖ, 93. 3. *Орл.* В общем, в целом. СОГ 1990, 119.

Реши́ться жи́зни. *Прост.* Умереть, погибнуть. Подюков 1989, 174.

Ста́вить себя́ вы́ше жи́зни. *Прибайк.* Важничать, зазнаваться; капризничать, привередничать. СНФП, 67.

Уходи́ть/ уйти́ из жи́зни. *Книжн.* Умирать. ФСРЯ, 158; БТС, 1379; ЗС 1996, 179; Ф 2, 225.

Больша́я жизнь. *Жарг. шк. Шутл.* Каникулы. < По названию советского кинофильма. Максимов, 39.

Брать/ взять на жизнь (к жи́зни) *кого. Сиб.* Жениться на ком-л., взять в жены кого-л. ФСС, 16, 71.

Вдохну́ть жизнь *в кого, во что. Книжн. или Публ.* Оживить, сделать кого-л., что-л. жизнеспособным. БМС 1998, 187.

Води́ть жизнь. *Кар.* Жить. СРГК 1, 212.

Во́лчья жизнь. *Разг. Неодобр.* О жизни в постоянных лишениях, острой вражде с кем-л. РКФС, 189.

Воплоща́ть в жизнь *что. Книжн. или Публ.* Осуществлять что-л. ФСРЯ, 78.

Всю жизнь на ло́шади сиде́л. *Жарг. мол. Шутл.-ирон.* О кривоногом человеке. Максимов, 73.

Де́лать жизнь *с кого. Книжн. Высок.* Брать за образец чью-л. жизнь, подражать кому-л. < Из поэмы В. В. Маяковского «Хорошо». БМС 1998, 187.

Жизнь в раю́. *Жарг. арм.* Пребывание солдата в санчасти. Максимов, 132.

Жизнь жи́зненски. *Яросл.* На протяжении всей долгой жизни. ЯОС 4, 47.

Жизнь за плеча́ми. *Жарг. авиа. Шутл.-ирон.* О парашюте. Максимов, 132.

Жизнь не жизнь. *Сиб.* О тяжёлых условиях жизни. ФСС, 71.

Жизнь па́ла *у кого, чья. Кар. Одобр.* Чья-л. жизнь удалась. СРГК 4, 405.

Жизнь подошла́ *чья. Сиб.* О чьём-л. преклонном возрасте. ФСС, 71.

Жизнь прошла́ ми́мо. *Сиб. Ирон.* О жизни, полной горя, несчастий. СОСВ, 152.

Жизнь прошла́ сторonóй. *Жарг. арм. Ирон.* О службе в армии. Максимов, 132.

Клёвая жизнь. *Жарг. шк. Шутл.-ободр.* Каникулы. Максимов, 132.

Кура́жить жизнь. *Сиб.* Жить беззаботно, развлекаться, гулять. ФСС, 101.

Лома́ть жизнь. *Пск. Неодобр.* Праздно проводить время; вести праздное существование. ПОС 10, 235.

На ве́чную жизнь. *Пск.* 1. (**отправиться** и т. п.). Умереть. 2. Навсегда. СПП 2001, 40.

Наджа́бить жизнь. *Печор.* Подорвать здоровье. СРГНП 1, 443.

Нару́шить жизнь *чью. Кар.* Погубить кого-л. СРГК 3, 367.

Начина́ть/ нача́ть но́вую жизнь. *Разг. Шутл.-ирон.* Резко изменять свою жизнь (обычно — с намерениями исправиться, стать лучше). Мокиенко 2003, 31.

На́ша жизнь теля́чья: обосра́лся — и жди [пока́ не вы́моют]. *Вульг.-прост.* О ситуации, когда спорить, возражать или рассуждать бесполезно: своей правоты не доказать. Мокиенко, Никитина 2003, 141.

Не жизнь, а мали́на. *Прост. Одобр.* О счастливой, привольной, беззаботной жизни. БМС 1998, 187; БТС, 306; ЗС 1996, 152; Мокиенко 1986, 251; Ф 1, ПОС 10, 235.

Не на жизнь, а на́ смерть. *Книжн.* 1. Не ради своей жизни, до последнего, решительного исхода. 2. Очень сильно. БТС, 306.

Ни в жизнь. *Прост.* Ни при каких условиях, ни при каких обстоятельствах. ФСРЯ, 158; ПОС 10, 235.

Подари́ть жизнь *кому. Книжн.* Оставить в живых, помиловать кого-л. Ф 2, 55.

Положи́ть жизнь. 1. *Прост.* Лишиться здоровья, сил. ПОС 10, 235. 2. *Книжн.* Погибнуть за какое-л. дело. Ф 1, 239; СПП 2001, 40. 3. *Разг.* Затратить много сил, стараний для достижения цели. Ф 1, 239.

Припасти́ жизнь. *Кар.* Посвятить себя, свою жизнь кому-л. СРГК 5, 188.

Проводи́ть в жизнь *что. Книжн.* Осуществлять что-л. на практике. Ф 2, 96.

Прожига́ть жизнь. *Разг. Неодобр.* Предаваться разгульной жизни. БМС 1998, 188; БТС, 306; Ф 2, 98.

Прожи́ть жизнь в соро́чке. *Прибайк.* Быть удачливым, счастливым. СНФП, 67.

Разбива́ть/ разби́ть жизнь *чью, кому. Разг.* Лишать кого-л. радости, смысла существования. Ф 2, 112.

Ра́йская жизнь. *Жарг. шк. Шутл.* Последняя парта в классе. (Запись 2003 г.).

Реши́ть свою́ жизнь. *Волог.* Покончить жизнь самоубийством. СРНГ 35, 86.

Семе́йная жизнь. *Прикам.* Название комнатного цветка. МФС, 36.

Соба́чья жизнь. *Прост. Неодобр.* О чьей-л. тяжёлой, невыносимой жизни. БМС 1998, 188.

Теря́ть жизнь. *Сиб. Неодобр.* То же, что **прожигать жизнь.** СФС, 186.

Устраивать/ устро́ить весёлую жизнь *кому. Прост. Ирон.* Причинять неприятности кому-л. с целью вывести из равновесия, унизить, опозорить и т. п. Ф 2, 224.

Цепля́ться за жизнь. *Разг.* Из последних сил стараться сохранить свою жизнеспособность. Ф 2, 244.

Я люблю́ тебя́, жизнь. *Жарг. арм. Шутл.-ирон.* 1. О сигнале «Отбой». 2. О прыжке с парашютом. Максимов, 502.

Покрасова́ться жи́знью. *Арх.* Пожить в свое удовольствие. СРНГ 29, 7.

Поплати́ться жи́знью. *Разг.* Погибнуть, делая что-л. опасное. Ф 2, 76.

Проща́ться с жи́знью. *Разг.* 1. Готовиться к смерти, ждать смерти. 2. Умирать. Ф 2, 104.

Распрости́ться с жи́знью. *Разг.* Умереть. Ф 2, 119.

Запи́сываться на жи́зню. *Дон.* Регистрировать брак. СДГ 2, 12.

Пойти́ на жи́зню. *Ряз.* Начать жить по-другому. СРНГ 28, 352.

Жи́ла * Вытя́гиваться (тяну́ться) из жил. *Перм.* Сильно напрягаться, выполняя физическую работу. Подюков 1989, 210.

Со всех жил. *Брян., Пск.* Очень сильно, интенсивно. СБГ 5, 71; ПОС 10, 237.

Золота́я жи́ла. *Разг.* Что-л. сулящее большую удачу. БТС, 306; ЗС 1996, 92.

Лена́я жи́ла. *Пск. Неодобр.* О лентяе, бездельнике. СПП 2001, 40.

Станова́я жи́ла. 1. *Прикам.* Кровеносная система. МФС, 36. 2. *Прикам.* Позвоночный столб. МФС, 36. 3. *чего. Разг.* Самое главное, основное в чём-л.; основа чего-л. ФСРЯ, 158; ЗС 1996, 114; БМС 1998, 188.

Брать на жи́лу. *Волг.* Много и напряжённо работать, напрягаться. Глухов 1988, 6.

В жи́лу *кому что.* 1. *Разг. Одобр.* Удачно, к месту, на пользу кому-л. (сделать что-л.). БМС 1998, 188; БТС, 306; СМЖ, 86; Югановы, 43. 2. *Жарг. мол.* Удачный, уместный. Митрофанов, Никитина, 63.

Жи́лу на ви́лу! *Волг.* Призыв, требование выполнить обещанное. Глухов 1988, 42.

Набива́ть ту́хлую жи́лу. *Жарг. мол. Шутл.* Есть, принимать пищу. Максимов, 132.

Не в жи́лу. *Жарг. мол. Неодобр.* 1. Неудачно, невпопад (сказать, сделать что-л.). 2. *[кому что].* Не нравится, не доставляет удовольствия, неприятно. БТС, 306; Елистратов 1994, 137; Аврора, 1989, № 1, 89; Вахитов 2003, 110.

Паха́ть/ вспаха́ть на жи́лу. *Перм.* 1. Оставлять огрехи при небрежной пахоте. СГПО, 426.

Свали́ть на жи́лу. *Перм.* Свалить дерево, надрубив его снизу. СГПО, 559.

Вы́тянуть (вы́тащить, повытя́гивать) [все] жи́лы (жи́лочки). *Брян., Пск.* То же, что **надорвать жилы 1-2.** СБГ 5, 71, 72; ПОС, 10, 237; ПОС, 6, 88.

Жи́лы бьют *у кого. Печор.* О пульсе. СРГНП 1, 208.

Жи́лы задры́гались *у кого. Пск.* Кто-л. сильно испугался. ПОС 11, 194.

Жи́лы тро́нуло *у кого. Дон.* О признаках скорого отёла, когда набухают вены вымени. СДГ 1, 155.

Мота́ть/ вы́мотать жи́лы *у кого. Морд.* То же, что **тянуть жилы.** СРГМ 1978, 98.

Надрыва́ть/ надорва́ть жи́лы. *Перм., Пск.* Много и напряжённо работать, терять силы от тяжёлой работы. Подюков 1988, 116; ПОС 10, 237, 241.

Отломи́ть жи́лы. *Прикам.* Сильно ударившись, растянуть сухожилие. МФС, 71.

Подколе́нные жи́лы трясу́тся *у кого. Костром.* О боли в ногах от усталости. СРНГ 28, 41.

Подъе́сть подколе́нные жи́лы *кому. Прикам.* Причинить кому-л. непоправимый вред. МФС, 77.

Рвать/ порва́ть (сорва́ть) жи́лы. *Волг., Перм., Пск.* То же, что **надрывать жилы.** Глухов 1988, 141; Подюков 1988, 116; ПОС 10, 237, 241. 2. *чьи. Брян.* То же, что **тянуть жилы.** СБГ 5, 71.

Тяну́ть (вытя́гивать) жи́лы *из кого. Разг. Неодобр.* Мучить, изнурять кого-л. непосильной работой, непомерными требованиями. ФСРЯ, 486; БТС, 185, 306, 1360.

ЖИЛЕ́Т * Спаса́тельный жиле́т. *Жарг. мол. Шутл.* Куртка на пуху. Максимов, 132.

Ора́нжевые жиле́ты. *Разг. Шутл.* О работниках дорожно-ремонтной службы. Мокиенко 2003, 31.

ЖИЛЕ́ТКА * От жиле́тки рукава́. *Разг., Волг., Прибайк. Шутл.-ирон.* Абсолютно ничего. Глухов 1988, 119; СНФП, 67.

Пла́кать (плака́ться) в жиле́тку *кому. Разг.* Жаловаться кому-л., сетовать на что-л., ища сочувствия, поддержки. ФСРЯ, 158; ЗС 1996, 154, 167; БТС, 306; БМС 1998, 189; Ф 2, 76; СБГ 5, 71.

ЖИЛЕ́Ц * Не жиле́ц [на бе́лом (на э́том) све́те]. *Народн.* О человеке, который близок к смерти, долго не проживёт. ФСРЯ, 158; БТС, 306; СБГ 5, 71; ДП, 398.

Ни жи́лец ни мертве́ц. *Пск. Ирон.* Об очень слабом, больном человеке. ПОС 10, 238.

ЖИ́ЛИ-БЫ́ЛИ * Говори́ть за жи́ли-бы́ли. *Жарг. угол., мол.* Разговаривать о жизни. Максимов, 89.

ЖИ́ЛКА * Жи́лка на жи́лку ско́чет. *Кар.* О вывихе конечности. СРГК 2, 62.

Таска́ть по жи́лке *кого. Пск.* Мучить, истязать, пытать кого-л. СПП 2001, 40.

Во все жи́лки. *Обл.* Интенсивно, азартно (плясать). Д 2, 552; Мокиенко 1986, 48.

Вы́тянуть все жи́лки. См. **Вытянуть жилы (ЖИ́ЛА).**

Жи́лки трясу́тся *у кого.* 1. *Горьк.* О состоянии сильной усталости. БалСок, 35. 2. *Волг.* О сильном испуге. Глухов 1988, 42.

Подсека́ть жи́лки *кому. Олон.* 2. Лишать кого-л. сил, бодрости. 1. Валить с ног кого-л. СРНГ 28, 177.

Име́ть жи́лку. *Разг.* О наличии у кого-л. природных склонностей, способностей к чему-л. БМС 1998, 189.

Тяну́ться в жи́лку. *Пск.* Жить в нищете, бедности. СПП 2001, 40.

ЖИ́ЛО * Сшиби́ть жи́ло. *Прикам.* растянуть сухожилие. МФС, 98.

ЖИ́ЛОСТЬ * Не дава́ть жи́лости *кому. Пск.* То же, что **не давать жизни (ЖИЗНЬ).** ПОС 10, 241.

ЖИ́ЛОЧКА * Перетяну́ло жи́лочки *кому. Пск.* О сильно испугавшемся человеке. (Запись 1998 г.).

Повытя́гива́ть все жи́лочки. См. **Вытянуть жилы (ЖИЛА).**

Поднасади́ть жи́лочки. *Сиб.* Подорвать здоровье тяжёлым многолетним трудом. СОСВ, 141.

Сорва́ть все жи́лочки. См. **Вытянуть жилы (ЖИЛА).**

ЖИ́ЛЬЕ * Повытя́гивать, повытя́гнуть всё жи́лье. *Брян.* То же, что **Вытянуть жилы (ЖИЛА).** СБГ 5, 72.

ЖИМКО́М * Жимко́м жать *кого. Сиб.* Притеснять, угнетать кого-л. ФСС, 70.

ЖИР[1] * Завести́ свой жир. *Сиб.* Созреть. ФСС, 74.

Закопа́ть жир. *Курск. Неодобр.* Пресытиться, стать капризным, привередливым от изобилия чего-л. БотСан, 94.

Копа́ть жир в по́пке. *Волг. Ирон.* Капризничать, привередничать (о богатом, избалованном человеке). Глухов 1988, 42.

Растряса́ть/ растрясти́ (порастрясти́) жир. *Разг. Шутл.-ирон.* То же, что **сгонять жир.** ФСРЯ, 387; ЗС 1996, 496; Глухов 1988, 140.

Сгоня́ть/ согна́ть (спуска́ть/ спусти́ть) жир. *Разг.* Худеть. Ф 2, 179.

Беси́ться с жи́ру. 1. *Разг. Неодобр.* Привередничать, капризничать от пресыщенности чем-л. БМС 1998, 189; БТС, 307; СБГ 5, 72; ДП, 730. 2. *Пск.* Излишне суетиться, предпринимать что-л. излишнее. СПП 2001, 40.

Дуре́ть с жи́ру. *Волг. Неодобр.* То же, что **беситься с жиру 1.** Глухов 1988, 39.

Закопа́ться в жиру́. *Курск.* Жить в большом достатке. БотСан, 85.

Заплы́ть в жиру́. *Пск. Неодобр.* Располнеть, стать тучным. СПП 2001, 40.

Из жи́ру вон. *Волг. Неодобр.* О полном, толстом человеке. Глухов 1988, 57.

Ло́паться от (с) жи́ру. *Брян., Волг. Неодобр.* Быть чрезмерно полным, тучным. СБГ 5, 72; Глухов 1988, 83.

Ло́шадь на жиру́. *Кар.* Лошадь, которая может использоваться для перевозки рыбы во время путины. СРГК 2, 64.

Не до жи́ру, [быть бы жи́ву]. *Прост. Шутл.-ирон.* Не до богатства, не до наживы — лишь бы удалось выжить. БМС 1998, 189; Глухов 1988, 97.

Выноси́ть на жиры́ *что. Сиб.* Сдавать молоко государству сверх нормы, чтобы компенсировать недостаточную жирность уже сданного молока. ФСС, 37.

ЖИР[2] * На жир. *Кар.* На временное проживание, на постой. СРГК 2, 64.

ЖИРА́Ф * Жира́ф большо́й, ему́ видне́й. *Разг. Шутл.* О начальстве, которое принимает какое-л. решение. < Рефрен песни В. Высоцкого «Что случилось в Африке» (1968 г.). Дядечко 2, 68.

ЖИРА́ФА * Бегу́щая жира́фа. *Жарг. мол. Шутл.* Памятник маршалу Жукову у Исторического музея в Москве. Щуплов, 106.

ЖИРОВНЯ́ * Подня́ть жировню́. *Орл.* Начать баловаться, резвиться. СОГ 1990, 122.

ЖИРО́К * Завяза́ть жиро́к. *Морд.* Полежать, поспать после обеда. СРГМ 1980, 70.

ЖИСТЬ * Бежа́ть ско́лько жи́сти. *Брян.* Очень быстро бежать, нестись. СБГ 1, 38.

Жи́сти мои! *Яросл.* Восклицание, выражающее изумление, испуг. ЯОС, 4, 48.

Жисть си́ним мо́хом заросла́. *Брян. Неодобр.* Об очень трудной жизни в бедности, нищете. СБГ 5, 73.

Не жисть, а ка́торга. *Брян.* О крайне тяжёлой жизни. СБГ 5, 73.

Не по жисть. *Сиб.* Ни в коем случае, ни за что. ФСС, 71.

Ни в жисть. *Прост.* Ни за что; ни в коем случае; никогда. Верш. 4, 149.

Реши́ться жи́стью. *Брян.* Покончить с собой. СБГ 5, 73.

ЖИТЕ́ЙСКОЕ * Не па́хнет жите́йским. *Кар. Пренебр.* О запущенном хозяйстве. СРГК 4, 413.

ЖИ́ТЕЛЬ * Жи́тели кра́йнего Се́вера. *Жарг. мол. Шутл.* О продуктах в холодильнике. Максимов, 132.

Лесной жи́тель. *Кар.* Лесной дух, леший. СРГК, 2, 66.

Не жи́тель. *Кар.* То же, что **не жиле́ц (ЖИЛЕЦ).** СРГК 2, 66.

ЖИ́ТЕЛЬСТВО * Жить жи́тельством. *Волг. Одобр.* Жить дружно, сообща. Глухов 1988, 43.

ЖИ́ТКА * Тяну́ть (вытя́гивать) [всю] жи́тку *из кого. Брян.* То же, что **тянуть жилы (ЖИЛА).** СБГ 5, 71.

ЖИТМЯ́ * Житмя́ жить *где. Орл.* Находиться где-л. постоянно, часто бывать где-л. СОГ 1990, 123.

ЖИ́ТО * Вся́кого жи́та по лопа́те. *Прост. Шутл.* О пёстрой смеси чего-л. Ф 1, 188.

Ёшь твоё жи́то! *Прост. обл. Бран.* Выражение лёгкого недовольства, раздражения, досады. < **Ешь** — повел. форма от **ети.**

Жи́то ката́ть. *Кар.* Кататься по земле на житном поле, что, согласно поверью, дает силы и здоровье. СРГК 2, 68.

Жи́то толо́чь. См. **Гущу толочь (ГУЩА).**

ЖИ́ТОМ * Жить жи́том. *Ряз.* Постоянно проживать где-л. ДС, 169.

ЖИТУ́ХА * Войти́ в житу́ху. *Жарг. мол.* Осуществиться. Максимов, 67.

ЖИТЬ * Как живёте-мо́жете? *Прост. Шутл.* Как поживаете, как жизнь? БМС 1998, 190.

Как живёте, как ко́рмитесь? *Сиб.* То же, что **как живете-можете?** СРНГ 14. 337.

Жить бу́дешь, а еба́ть (еба́ться) не захо́чешь. См. **Жив будешь, а ебать не захочешь (ЖИВОЙ).**

Жить да есть. *Сиб. Одобр.* Жить вольготно, благополучно. ФСС, 72.

Жить не ожиди́ть. *Волог.* Жить легко, беззаботно. СВГ 6, 37.

Жить не́чем *кому. Брян.* Об утрате жизненных сил. СБГ 5, 73.

Не жить, а плыть. *Кар. Неодобр.* О тяжёлой жизни. СРГУ 4, 553.

Не жить не быть. *Прикам.* Обязательно, непременно. МФС, 37.

Хо́чешь жить — уме́й верте́ться. *Жарг. мол. Шутл.* О фехтовании. Максимов, 464.

ЖИТЬЁ * В своём житье́. *Кар.* Единолично. СРГК 2, 69.

Жить на житье́. *Сиб., Приамур.* Жить на месте работы (на пашне, сенокосе) во время страды. ФСС, 72; СРГПриам., 87.

Жить своё житьё (свои́м житьём). *Печор.* Вести свое хозяйство. СРГНП 1, 121.

Зыря́нское житьё. *Сиб. Пренебр.* О жизни неаккуратных, нечистоплотных людей. ФСС, 72.

Изрони́ть житьё. *Вят.* Прожить жизнь в бедности, нужде. СРНГ 12, 169.

Разжи́ть житьё. *Печор.* Разбогатеть. СРГНП 1, 212.

Реши́ть житьё. 1. *Сев.-Двин.* Разориться. 2. *Олон.* Покончить жизнь самоубийством. СРНГ 35, 85.

Жить го́ревским житьём. *Дон.* 1. Жить тяжёлой жизнью в бедности.

2. Вести аморальный образ жизни. СДГ 1, 107.
Жить житьём. 1. *Кар., Печор.* То же, что **жить житом (ЖИТОМ).** СРГК 2, 69; СРГНП 1, 207. 2. *Сиб. Шутл. или Неодобр.* Долгое время находиться где-л. ФСС, 72.
Жить кре́пким житьём. *Прикам.* Держать семью, детей в большой строгости. МФС, 37.
Не к житью́. *Кар.* О близости смерти. СРГК 2, 69.
По житью́. *Печор.* Для хозяйственных нужд. СРГНП 1, 212.
Ломи́ться чужо́го житья́. *Кар.* Злорадствовать. СРГК 3, 144.
Своего́ житья́ не жива́ть. *Печор.* Не иметь своего хозяйства. СРГНП 1, 121.
ЖИ́ХАРЬ * Ба́енный жи́харь. *Кар.* Злой дух, по суеверным представлениям, обитающий в бане. СРГК 2, 70. < **Жихарь** — житель, жилец.
Домово́й жи́харь. *Кар.* Дух, мифическое существо, обитающее в жилище человека. СРГК 2, 70.
Не жи́харь. *Кар.* То же, что **не жилец (ЖИЛЕЦ).** СРГК 2, 70.
Ни жи́харя. *Кар.* Абсолютно ничего, совсем ничего. СРГК 2, 70. < **Жихарь** — черт.
ЖЛОБ * Жлоб зата́ренный. *Жарг. комп. Шутл.* Файл, заархивированный архиватором TAR. Садошенко, 1995. < По названию популярной песни. **Жлоб** — необразованный, скупой человек; **затаренный** — имеющий много дорогих, модный вещей.
ЖЛОБА́ * Жлоба́ бе́лая ду́шит *кого. Одесск.* О сильном волнении, переживаниях. КСРГО.
ЖМЕ́НЯ * Пхать в о́бе жме́ни. *Волг. Неодобр.* Алчно, жадно завладевать чем-л., заниматься накопительством. Глухов 1988, 137.
Дать жме́ню (жмя́тку) *кому. Пск.* Избить, наказать побоями кого-л. ПОС 10, 262; Мокиенко 1990, 49.
ЖМУР * Идти́ на жмура́ (на жму́рика). *Жарг. муз.* Играть на похоронах. БСРЖ, 185.
Лаба́ть жмура́ (жмуру́, на жмура́х, жму́рику). Муз. То же, что **идти на жмура.** Никольский, 49; Максимов, 133.
Тащи́ть (таска́ть, тяну́ть) жмура́. *Жарг. муз.* То же, что **идти на жмура.** РТР, 10.09.95; БСРЖ, 185; Вахитов 2003, 177.
Дела́ть жмуро́м *кого. Жарг. угол.* Убивать кого-л. Быков, 73.
< **Жмур** — покойник.
ЖМУ́РИК * Провожа́ть/ проводи́ть жму́рика. *Жарг. муз.* То же, что **идти на жмура.** СВЯ, 32.
Идти́ на жму́рика. См. **Идти на жмура (ЖМУР).**
Лови́ть жму́риков. *Прост. Шутл.* Быть сонливым, хотеть спать. БМС 1998, 190; ПОС 10, 263, 267; Мокиенко 1990, 153.
Лаба́ть жму́рику. См. **Идти на жмура (ЖМУР).**
< **Жмурик** — покойник.
ЖМУ́РИКИ * Игра́ть в жму́рики. *Волг. Шутл.-ирон.* Заниматься бесполезным и несерьёзным делом. Глухов 1988, 55.
ЖМУ́РКИ * Игра́ть в жму́рки. *Разг.* Скрывать друг от друга свои мысли, утаивать истинные намерения; действовать окружными путями, взаимно обманывать друг друга. ФСРЯ, 159; БМС 1998, 191.
Помо́чь сыгра́ть в жму́рки *кому. Разг. Ирон.* Довести до смерти кого-л. Елистратов 1994, 138.
Сыгра́ть в жму́рки. *Разг. Шутл.-ирон.* Умереть. Елистратов 1994, 138.
ЖМЯ́ТКА * Дать жмя́тку. См. **Дать жменю (ЖМЕНЯ).**
ЖОГ * Лечь на жог. *Ряз.* Лечь ничком. СРНГ 16, 329.
Дава́ть/ дать жо́гу. 1. *Морд., Ряз., Перм.* Отчитывать, ругать; бить, наказывать кого-л. СРНГ 7, 257; ДС, 170; СОГ 1990, 41; Подюков 1989, 58; СРГМ 1980, 61; Глухов 1988, 30; Мокиенко 1990, 47. 2. *Ряз.* Обходить, обегать большое пространство. ДС, 170.
ЖОЗИ́ * Белоку́рая Жози́. *Жарг. шк. Шутл.* Учительница со светлыми волосами, блондинка. (Запись 2003 г.). < По имени героини кинофильма «Неуловимые мстители».
ЖОМ * Брать/ взять в жом *кого. Морд.* Подчинять, заставлять повиноваться кого-л. СРГМ 1980, 61.
Задава́ть жо́му *кому. Волг.* Строго наказывать, бить кого-л. Глухов 1988, 47.
Ни жо́му ни ло́му. *Сиб.* О полном отсутствии чего-л. ФСС, 73.
ЖО́ПА * Бе́лая жо́па. *Вульг.-прост. Бран.* Белогвардеец. Мокиенко, Никитина 2003, 142.
Дево́чья жо́па. *Арх. Шутл.* О женщине, рожающей только девочек. АОС 10, 381.
Жо́па го́лову переве́шивает *у кого. Вульг.-прост. Шутл.-ирон.* О безнадёжно глупом, несообразительном человеке. < Из юморески Г. Хазанова из серии «Кулинарный техникум» (31.12.93 г.). Мокиенко, Никитина 2003, 142.
Жо́па на два база́ра. *Жарг. мол. Неодобр.* Двуличный человек. Расо-2003.
Жо́па наизна́нку. *Вульг.-прост. Презр.* О чьём-л. толстом, мясистом и красном лице. Мокиенко, Никитина 2003, 142.
Жо́па на колёсах. *Вульг.-прост. Презр.* То же, что **жопа с ручкой 1.** Мокиенко, Никитина 2003, 147.
Жо́па об жо́пу [*с кем*] **— [и врозь].** *Вульг.-прост. Шутл.* О резком прекращении супружеских или дружеских отношений. Мокиенко, Никитина 2003, 142.
Жо́па с глаза́ми. *Вульг.-прост. Презр.* То же, что **жопа с ручкой 1.** Мокиенко, Никитина 2003, 147.
Жо́па с двумя́ «А» («О»). *Жарг. мол. Шутл.-одобр.* О чём-л. превосходном, отличном. Вахитов 2003, 55.
Жо́па с двумя́ «Ж» («П»). *Жарг. мол. Неодобр.* О чём-л. очень плохом, скверном. Вахитов 2003, 55.
Жо́па с ру́чкой. 1. *Вульг.-прост. Презр.* О человеке, вызывающем раздражение, негодование. Арбатский, 138; Мокиенко, Никитина 2003, 147. 2. *Жарг. карт.* Пиковая масть в картах. Вахитов 2003, 55.
Жо́па с уша́ми. *Вульг.-прост. Презр.* То же, что **жопа с ручкой 1.** Мокиенко, Никитина 2003, 147.
Жо́па ши́ре плеч *у кого. Вульг.-прост. Шутл.-ирон.* О толстом, слабом и неуклюжем человеке. Мокиенко, Никитина 2003, 142.
Здра́вствуй, жо́па, Но́вый год! *Вульг.-прост. Шутл.-ирон.* 1. Шутливое приветствие. 2. *Неодобр.* О человеке, совершившем какую-л. глупость, нелепость, допустившем промах. 3. Выражение удивления, изумления. 4. Выражение резкого протеста, несогласия с чем-л. Мокиенко, Никитина 2003, 148.
Карто́фельная жо́па. *Пск. Шутл.* О любителе картофеля. СПП 2001, 40.
Кра́сная жо́па. *Вульг.-прост. Ирон.* О коммунисте. Мокиенко, Никитина 2003, 142.
Полна́ жо́па огурцо́в *Жарг. студ. Ирон.* О провале на экзамене. (Запись 2003 г.).

Твоя́ жо́па ши́ре. *Вульг.-прост. Шутл.-пренебр.* Выражение согласия с кем-л., признание чьей-л. правоты или бо́льших возможностей (при вынужденной уступке в сделке, в споре). Мокиенко, Никитина 2003, 146.

Хи́трая жо́па. *Вульг.-прост. Ирон.* Хитроумный человек, норовящий обмануть своего партнёра. Мокиенко, Никитина 2003, 143.

Я не я — жо́па не моя́. *Жарг. мол. Шутл.-ирон.* О заносчивом, высокомерном человеке. Вахитов 2003, 209.

В жо́пе дыра́! *Вульг.-прост. Шутл.-ирон.* Ответ человеку, кричащему «Ура!». Мокиенко, Никитина 2003, 148.

В жо́пе сверби́т *у кого. Вульг.-прост. Неодобр.* Кто-л. испытывает постоянное и суетное желание сделать что-л. Мокиенко, Никитина 2003, 143.

В [по́лной] жо́пе [сиде́ть, оказа́ться]. *Жарг. мол.* В сложной ситуации, безвыходном положении. Никитина 2003, 189.

[Дава́ть/ дать] по жо́пе *кому. Вульг.-прост. Презр.* 1. Бить кого- л. 2. Сильно наказывать кого-л. 3. Выгонять, увольнять кого-л. откуда-л. Мокиенко, Никитина 2003, 143.

Ковыря́ть в жо́пе КПСС. *Разг. Устар. Презр.* Читать от безделья журналы «Политсамообразование», «Коммунист», «Молодой коммунист» и газету «Правда». Балдаев 2001, 160.

Ковыря́ть (ковыря́ться, колупа́ть, колупа́ться) в жо́пе. *Вульг.-прост. Презр.* Бездельничать, делать что-л. медлительно и неохотно. Мокиенко, Никитина 2003, 143.

На чужо́й жо́пе в рай въезжа́ть/ въе́хать. *Вульг.-прост. Ирон.* Пользоваться чужим трудом в корыстных личных интересах, получать что-л. за счёт других. Мокиенко, Никитина 2003, 147.

Накла́сть по жо́пе *кому. Вульг.-прост.* Физически наказать, поколотить кого-л. Мокиенко, Никитина 2003, 143.

Очути́ться в глубо́кой жо́пе. *Жарг. мол. Шутл.-ирон.* Попасть в неприятную ситуацию, сложное положение. Мокиенко, Никитина 2003, 143.

Бря́кнуть жо́пой об доро́гу *кого. Вульг.-прост.* Сильно побить, поколотить кого-л. Мокиенко, Никитина 2003, 143.

[Го́лой] жо́пой об забо́р. *Вульг.-прост.* О потерпевшем неудачу человеке. Мокиенко, Никитина 2003, 143.

Ду́мать жо́пой. *Вульг.-прост.* Совершать много ошибок, действовать непродуманно, глупо. Мокиенко, Никитина 2003, 143.

Жо́пой гво́зди дёргать. *Вульг.-прост. Ирон.* О способностях в сложных ситуациях добиваться чего-л. самыми изощрёнными способами.

Жо́пой о жо́пу и врозь. *Вульг. Шутл.-ирон.* О решительном и окончательном расхождении с кем-л. Мокиенко, Никитина 2003, 143.

Колоти́ть жо́пой. *Пск. Груб.* Проявить крайнее нетерпение; суетиться. ПОС 10, 270.

Крути́ть жо́пой. *Вульг.-прост. Неодобр.* 1. Ходить, вихляя бёдрами. 2. Сопротивляться, упрямиться, упорно не соглашаться на что-л. Мокиенко, Никитина 2003, 143.

Лежа́ть кве́рху жо́пой. *Вульг.-прост. Презр.* 1. Лежать ничком, без движения, не владея собой (напр., о пьяном). 2. Бездельничать, тунеядствовать. Мокиенко, Никитина 2003, 143.

Прираста́ть/ прирасти́ жо́пой *[к чему]. Вульг.-прост. Шутл.* Надолго обосновываться где-л., привязываться к какому-л. месту. Мокиенко, Никитина 2003, 143-144.

Хоть жо́пой дыши́. *Вульг.-прост. Ирон.* О спёртом или дымном воздухе. Мокиенко, Никитина 2003, 144.

Хоть жо́пой ешь (жуй). *Жарг. мол. Шутл.* Об очень большом количестве чего-л. Вахитов 2003, 196.

Брать/ взять (хвата́ть/ схвати́ть) за жо́пу *кого. Вульг.-прост.* 1. Ставить кого-л. в безвыходное положение. 2. Поймать, арестовать кого-л. 3. Настойчиво напирать на кого-л. при допросе (заставляя сознаться). Мокиенко, Никитина 2003, 144.

Броса́ть/ бро́сить (кида́ть/ ки́нуть) че́рез жо́пу *кого. Вульг.-прост.* Отказывать кому-л. (особенно — при ухаживаниях). Мокиенко, Никитина 2003, 144.

В жо́пу йо́дом ма́заный! *Вульг.-прост. Бран.* То же, что **ёбаный в жопу!**

В жо́пу па́русом. *Пск.* Категорическое отрицание чего-л., отказ кому-л. в чём-л. СПП 2001, 40.

Ёбаный в жо́пу. *Нецենз. Бран.* Выражение досады, раздражения или презрения, порицания. Мокиенко, Никитина 2003, 144.

Еби́ тебя́ (его́, вас и пр.**) в жо́пу!** *Нецենз. Бран.* Выражение крайнего недовольства, раздражения, желания избавиться от кого-л., чего-л. Мокиенко, Никитина 2003, 145.

Жо́пу в горсть и бежа́ть. *Жарг. мол. Шутл.-ирон.* Быстро убежать откуда-л., броситься бежать. Вахитов 2003, 55.

Жо́пу на глаза́ натяну́ть *кому. Вульг.-прост.* Грубо, примитивно обмануть, одурачить кого-л. Мокиенко, Никитина 2003, 145.

Отрасти́ть [себе́] жо́пу. *Вульг.-прост.* Очень сильно растолстеть, разъесться. Мокиенко, Никитина 2003, 145.

За жо́пу и в конве́рт (в то́рбу, в я́щик) *кого. Вульг.-прост. Шутл.-ирон.* Арестовать, заключить в тюрьму кого-л. < **Конверт** — каморка в тюрьме (обычно — недалеко от канцелярии), где временно запирают новых заключённых до их распределения по камерам; **торба, ящик** — тюрьма. Мокиенко, Никитина 2003, 145.

И на твою́ жо́пу хер найдётся. *Вульг.-прост. Угрож.* Придёт время и тебе поплатиться, понести наказание от кого-л. более жестокого и сильного. Мокиенко, Никитина 2003, 145.

Иска́ть на свою́ жо́пу приключе́ний. *Вульг.-прост. Ирон.* Рисковать, поступать авантюрно, вмешиваться в опасные события или ситуации. Мокиенко, Никитина 2003, 145.

Ки́нуть жо́пу (за́дницу) *куда. Жарг. мол. Шутл.* Сесть куда-л. Вахитов 2003, 77.

Лезть в жо́пу *кому. Пск.* Лебезить, заискивать перед кем-л. ПОС 10, 270.

Лиза́ть жо́пу *кому. Вульг.-прост. Неодобр.* Подхалимничать, угождать кому-л. Вахитов 2003, 91;Мокиенко, Никитина 2003, 145.

Ма́зать/ нама́зать (сма́зывать/ сма́зать) жо́пу скипида́ром *кому. Вульг.-прост. Шутл.-ирон.* 1. Подгонять кого-л., заставлять поторопиться кого-л. 2. Сильно ругать, бранить кого-л. 3. Вызывать крайнее раздражение у кого-л. Мокиенко, Никитина 2003, 145.

Мо́рщить жо́пу. *Жарг. мол. Неодобр.* Капризничать, привередничать. (Запись 2004 г.).

Напи́ться (упи́ться) в жо́пу. *Вульг.-прост.* Напиться до состояния сильного алкогольного опьянения. Мокиенко, Никитина 2003, 148.

На свою́ жо́пу. *Вульг.-прост. Шутл.* Себе во вред, на свою беду. Мокиенко, Никитина 2003, 145.

Ну тебя́ (вас, его́ и т. п.**) в жо́пу!** *Вульг.-прост. Бран.* Выражение пренебрежения, презрения, желания отделаться, избавиться от кого-л., чего-л. Мокиенко, Никитина 2003, 145.

Пока́зывать/ показа́ть жо́пу [*кому*]. *Вульг.-прост. Пренебр.* Спасаться бегством, убегать, удирать. Мокиенко, Никитина 2003, 145.

Посыла́ть/ посла́ть в жо́пу *кого. Вульг.-прост.* Грубо ругать кого-л., выражая крайнее негодование, возмущение, раздражение. Мокиенко, Никитипа 2003, 145.

Поцелу́й меня в жо́пу! *Прост. Презр.* Грубый отказ сделать, дать что-л. кому-л. Мокиенко, Никитина 2003, 146.

Пья́ный в жо́пу. *Вульг.-прост. Пренебр.* Об очень пьяном человеке. СПП 2001, 40; Вахитов 2003, 153.

Турну́ть под жо́пу *кого. Вульг.-прост.* 1. Ударить в мягкое место, дать пинок под зад. 2. Грубо вытолкать, выпроводить, выгнать кого-л. откуда-л. Мокиенко, Никитина 2003, 146.

Целова́ть/ поцелова́ть в жо́пу *кого. Вульг.-прост.* Пресмыкаться, угодничать перед кем-л., подлизываться к кому-л. Мокиенко, Никитина 2003, 146.

Чеса́ть жо́пу пя́ткой. *Жарг. мол. Шутл.* Быстро уходить, убегать откуда-л. Вахитов 2003, 199.

До жо́пы. *Вульг.-прост.* 1. *чего.* О большом количестве чего-л. 2. *кому что.* Абсолютно безразлично, все равно. Мокиенко, Никитина 2003, 148.

Расколо́ться до жо́пы. *Жарг. угол. Презр.* Перестать сопротивляться следователю, признать себя виновным, выдать всех сообщников. Мокиенко, Никитина 2003, 147.

Свя́той жо́пы калчо́к. *Пск. Ирон., Неодобр.* О высокомерном, гордом человеке. СПП 2001, 40.

Сиде́ть жо́пу вля́павши. *Пск.* Никуда не выходить из дома. (Запись 1993 г.).

ЖО́ПЕР * По́лный жо́пер. *Жарг. мол. Неодобр.* О безвыходном положении, очень сложной ситуации. Вахитов 2003, 138.

ЖО́ПКА * Кури́ная жо́пка. *Дон. Шутл.* Бородавка. СДГ 1, 156.

Оголи́ть жо́пку. *Кар.* Поставить чашку на блюдце вверх дном в знак того, что напился досыта. СРГК 4, 138.

ЖОР * Жор напа́л *на кого. Прост. Шутл.* О разыгравшемся аппетите. Елистратов 1994, 137; Вахитов 2003, 55.

Жо́ром жрать. 1. *Волг., Сиб.* Есть очень много, с жадностью. Глухов 1988, 44; ФСС, 73. 2. *Сиб.* Жалить, кусать (о насекомых). ФСС, 73. 3. *Волг.* Мучить кого-л., издеваться над кем-л. Глухов 1988, 44.

Идти́ на жо́ры. *Кар.* Поедать, уничтожать что-л. (о хищных рыбах). СРГК 2, 267.

ЖОРО́Н * Жоро́н напа́л *на кого. Морд.* Кто-л. испытывает сильное желание есть, не может остановиться, принимая большое количество пищи. СРГМ 1980, 61.

ЖО́РА * Жо́ра Ми́шин (Миха́йлов). *Жарг. мол., муз. Шутл.* Певец Джордж Майкл. Я — молодой, 1997, № 45; АиФ, 1999, № 25.

Жо́ра Ха́рин. *Жарг. мол., муз. Шутл.* Музыкант группы «Битлз» Джордж Харрисон. Никитина 1998, 129.

ЖОХ * Жо́хом ходи́ть. *Жарг. угол.* Остаться без денег. СРВС 1, 71; СРВС 2, 35, 176; ТСУЖ, 57; ББИ, 79; Балдаев 1, 131. < **Жох** — нищий.

ЖРАТЬ * Не жра́мши, не спа́мши. *Жарг. мол. Шутл.* С раннего утра, очень рано. Вахитов 2003, 111.

ЖРЕ́БИЙ * Броса́ть (мета́ть, кида́ть) жре́бий. *Разг.* Гадать на чём-л., чтобы принять решение. БМС 1998, 191; БТС, 308, 537; Ф 1, 236.

Жре́бий бро́шен. *Книжн.* Принято окончательное решение, сделан решительный шаг в каком-л. деле, предприятии. ФСРЯ, 159; БТС, 98, 308; ШЗФ 2001, 76; БМС 1998, 191; Мокиенко 1989, 151-152.

Мета́ть жре́бий об оде́ждах. *Книжн. Архаич.* Преждевременно делить что-л. (чьё-л. имущество, наследство). < Восходит к Библии. БМС 1998, 191.

Намета́ть жре́бий. *Приамур. Устар.* О жеребьёвке, определявшей обязательное переселение из Забайкалья на Амур в середине XIX века. СРГПриам., 165.

Труси́ть (трясти́, тресть) жре́бий. *Дон.* То же, что **бросать жребий.** СДГ 3, 163.

ЖРЕЦ * Жрец любви. *Жарг. мол. Шутл.* Мужской половой орган. Елистратов 1994, 663; ЖЭСТ-1, 141.

Жрецы́ Феми́ды. *Книжн., Публ. часто Ирон.* О судьях. Ф 1, 190; БМС 1998, 191. < **Фемида** — в греческой мифологии богиня правосудия.

ЖРИ́ЦА * Жри́ца любви́. *Публ. Ирон.* Проститутка. МК, 15.03.01; РТР, 23.11.01.

Жри́ца раздева́лки. *Жарг. шк. Шутл.* Гардеробщица. ВМН 2003, 49.

ЖУГЛЬ * Ни жугля́. *Новг.* О полном отсутствии чего-л. где-л. НОС 2, 140.

ЖУДА́ * Наби́ть жуду́. *Орл.* Надоесть кому-л., говоря об одном и том же. СОГ 1990, 128.

Нагоня́ть жуду́ (нагна́ть жуды́) *на кого.* 1. *Волг., Курск.* Пугать кого-л. Глухов 1988, 88; БотСап, 94. 2. *Орл.* Вызывать состояние уныния, тоски грусти. СОГ 1990, 129.

ЖУ́ДОСТЬ * Нагоня́ть жу́дость (жу́дости) *на кого. Орл.* Запугивать кого-л., намеренно вызывать страх в ком-л. СОГ 1990, 130.

ЖУ́ЖЕЛИЦА * Прочи́стить жу́желицу *кому. Жарг. гом.* Совершить с кем-л. анальное сношение. Кз., 124. < **Жужелица** — задний проход.

ЖУЖУ́ * Крути́ть (гоня́ть) жужу́. *Жарг. мол. Шутл.* Слушать магнитофон. LD-2000; Максимов, 133.

ЖУК * Жук дал по́лоз. *Сиб. Неодобр.* О неправильно выгнутом полозе. СФС, 73.

Жук жукова́тый. *Жарг. угол.* Человек, принадлежащий к преступному миру. СРВС 4, 105.

Жук и жа́ба. *Пск.* Каждый, всякий, все без исключения. ПОС 10, 274.

Жук наво́зный. 1. *Прост. Презр.* Пройдоха, плут. БМС 1998, 191; Флг., 118; Мокиенко 1990, 112. 2. *Жарг. угол. Презр.* Колхозник; сельский житель. ББИ, 149. 3. *Орл. Пренебр.* Неопрятный, нечистоплотный человек. СОГ 1990, 131.

Колора́дский жук. *Разг. Презр.* О хитром, коварном, лицемерном человеке. Ф 1, 190; Мокиенко, Никитина 2003, 149-150.

Не жук на по́лочке. *Волг. Шутл.-одобр.* О чём-л. важном, значительном. Глухов 1988, 98.

Пого́стный жук (жучо́к). *Жарг. угол. Пренебр.* Работник кладбища, вымогающий взятки. Балдаев 1, 232.

Золоты́е жуки́. *Жарг. бирж.* Дилеры — держатели золота. БС, 81.

ЖУРА́ВЛЬ * И́виковы журавли́. *Книжн. Устар.* О неотвратимости кары за преступление, о неминуемом возмездии. < Восходит к греческой мифологии. БМС 1998, 192.

Жура́вль в не́бе. *Разг. часто Ирон.* О чём-л. неопределённом, далёком от осуществления. Ф 1, 190; БТС, 308; Мокиенко 1989, 138. < От русской пословицы **Лучше синица в руках, чем журавль в небе**.

Жура́вль сапоги́ дал *кому. Пск. Шутл.* О появлении цыпок на руках или на ногах у кого-л. ПОС 10, 277.

Пойма́ть журавля́ в не́бе. *Разг.* Добиться невозможного. Ф 2, 63.

ЖУРНА́Л * Га́дить в журна́ле. *Жарг. шк. Неодобр.* Ставить неудовлетворительные оценки. School 129, 2003.

Краси́во рисова́ть в журна́ле. *Жарг. шк. Одобр.* Ставить высокие оценки. School 129, 2003.

ЖУРЧИ́НСКИЙ * Позвони́ть Журчи́нскому. *Жарг. мол. Шутл.* О мочеиспускании. h-98; Мокиенко, Никитина 2003, 150.

ЖУТЬ * До жу́ти. *Разг.* Очень, в высшей степени. ФСРЯ, 159.

Гнать жуть (жу́ти). 1. *Жарг. арест.* Испытывать новичка в камере путём запугивания и насилия. Балдаев 1, 89. 2. *Жарг. мол.* Угрожать кому-л. Максимов, 87.

ЖУЧО́К * Поста́вить жучка́. *Разг., техн.* Подключить сигнализацию. БСРЖ, 187.

Пого́стный жучо́к. См. **Погостный жук (ЖУК).**

ЗА * За и против. *Книжн., публ.* Об аргументах и контраргументах; о подтверждении и отрицании чего-л. ФСРЯ, 159; ШЗФ 2001, 76; БМС 1998, 193.

Взве́шивать/ взве́сить все «за» и «против». *Книжн., публ.* Внимательно, тщательно анализировать положительные и отрицательные стороны чего-л., продумывать все преимущества; объективно разбираться в чём-л. перед принятием решения. БМС 1998, 80; ШЗФ 2001, 35; Ф 1, 190.

ЗАБА́ВА * Заба́ва Путя́тишна. *Жарг. мол. Шутл.-одобр.* Весёлая девушка. Максимов, 134. < Образ взят из русских былин. Прим. ред.

Молода́я заба́ва. *Кар.* О молодом, беспечном человеке. СРГК 3, 200.

ЗАБАСТО́ВКА * Италья́нская забасто́вка. *Публ. Устар.* Небрежная, медленная работа. < Связано с конкретным историческим событием 1904 г., когда итальянские железнодорожники применили новый способ в забастовочной борьбе. БМС 1998, 193.

ЗАБВЕ́НИЕ (ЗАБВЕ́НЬЕ) * Предава́ть/ преда́ть забве́нию *что. Книжн.* Считая маловажным, забывать что-л. Ф 2, 86.

Приходи́ть/ прийти́ (уходи́ть/ уйти́) в забве́нье. *Книжн.* Забываться, уходить из памяти. Ф 2, 94, 225.

ЗА́БЕ́Г * Во́лчий за́бег. *Пск.* Глухое, отдалённое место. ПОС 11, 8.

Идти́ на забе́г. *Приамур.* Забрасывать, спускать невод во время рыбной ловли. СРГПриам., 107.

В забе́ге. *Кар.* В глуши. СРГК 2, 79.

ЗА́БЕРЕГ * Ма́ткин за́берег. См. **Маткин берег (БЕРЕГ).**

ЗА́БИДКИ * За́бидки взя́ли *кого. Пск.* Завидно кому-л. ПОС 11, 13.

ЗАБИРУ́ХА * Забира́ть [вся́кую] забиру́ху. *Пск. Шутл.-ирон.* Говорить, рассказывать что-л. несерьёзное. ПОС 11, 17.

ЗАБЛУЖДЕ́НИЕ * Вводи́ть/ ввести́ в заблужде́ние *кого.* Создавать неправильное представление, дезориентировать кого-л. < Выражение из Библии. БМС 1998, 193.

ЗАБОЛЕВА́НИЕ * О́строе респирато́рное заболева́ние. *Жарг. шк. Шутл.* Основы Российского законодательства (учебный предмет). < Расшифровка аббревиатуры ОРЗ. ВМН 2003, 50.

ЗА́БОЛЬ * В за́боль (взабо́ль). *Сиб.* В самом деле, действительно. СФС, 37.

ЗА́БОЛЬЕ * Заболе́ть за́больем. *Кар.* Начать сильно болеть. СРГК 2, 83.

ЗАБО́Р[1] * За кирпи́чный забо́р. *Жарг. арест., угол.* На расстрел (идти, отправить и т. п.). ТСУЖ, 61.

Переле́зть через забо́р. *Жарг. бизн.* Вывезти сырьё за границу по поддельным документам. БС, 203.

Че́рез забо́р. *Печор.* Сверх меры (напиться). СРГНП 1, 217.

От забо́ра до обе́да. *Жарг. арм. Шутл.* Ответ не по существу о времени, в течение которого необходимо работать. Белянин, Бутенко, 117.

Чере́з три́дцать три забо́ра но́гу задери́! *Жарг. мол.* Требование удалиться, оставить в покое кого-л. Вахитов 2003, 198.

Оста́ться в забо́ре. *Волог.* Остаться дома. СВГ 2, 95.

Расписа́ться на забо́ре. *Жарг. арест.* Совершить побег из ИТУ. Балдаев 2, 11; ББИ, 206; Мильяненков, 219.

На́шему забо́ру двою́родный плете́нь. *Народн. Шутл.-ирон.* Об очень отдалённом родстве, о дальнем родственнике. БМС 1998, 193; СПП 2001, 41; Жиг. 1969, 173. **Нашему забо́ру двоюродный Я́ков.** *Кар. Шутл.-ирон.* То же. СРГК 1, 432

ЗАБО́Р[2] * В забо́р. *Кар.* Наперекор друг другу. СРГК 2, 83.

ЗАБО́ТА * Входи́ть в забо́ту. *Перм.* Проявлять беспокойство о ком-л., о чём-л. Подюков 1989, 34.

Держа́ть забо́ту. *Кар.* Беспокоиться о чём-л. СРГК 1, 454.

Наде́ть забо́ту. *Волог.* Взять на себя заботу о ком-л. СВГ 5, 54.

На забо́ту. *Кар.* Так, чтобы потом волноваться. СРГК 2, 85.

Нам (мне) бы ва́ши забо́ты. *Разг.* Наши (мои) заботы гораздо важнее чьих-л. БМС 1998, 193.

ЗАБРА́ЛО * С откры́тым (по́днятым) забра́лом. *Книжн.* Честно, открыто, прямо (бороться, выступать против кого-л.). Ф 1, 191; БТС, 311; ЗС 1996, 69, 360, 508; ФСРЯ, 159.

ЗА́БЫТЬ *До за́быти. *Кар.* До предела, насколько возможно. СРГК 2, 89.

ЗАВА́Л * Брюшно́й зава́л. *Дон.* 1. Запор. 2. Непроходимость кишечника. СДГ 1, 161.

Зава́л в животе́ *у кого. Дон.* То же, что **брюшной завал.** СДГ 1, 162.

Разбира́ть/ разобра́ть (расчища́ть/ расчи́стить) зава́лы. *Публ., Разг.* Освобождать путь каким-л. прогрессивным силам, способствовать развитию прогрессивных тенденций в жизни общества. Мокиенко 2003, 32.

ЗАВА́ЛИНКА * Ходи́ть по зава́линкам. *Волг.* Попрошайничать. Глухов 1988, 167.

ЗАВАЛИ́ТЬСЯ * Хоть завали́сь. *Разг.* Много, в изобилии, в большом количестве. ФСРЯ, 160.

ЗАВАЛИ́ШИН * Познако́миться с Завали́шиным и Полежа́евым. *Разг. Устар. Шутл.* Долго и праздно находиться в постели. БМС 1998, 194.

ЗАВАРИ́ТЬСЯ * Хоть завари́сь. *Кар.* Об очень горячей воде. СРГК 2, 32.

ЗАВЕДЕ́НИЕ[1] * Нет в заведе́нии *чего у кого. Прикам.* Что-л. не принято делать. МФС, 65.

ЗАВЕДЕ́НИЕ[2] * Ме́стное (соотве́тствующее) заведе́ние. *Жарг. мол. Шутл.* Туалет. Максимов, 136.

ЗАВЕРШЕ́НИЕ * Приходи́ть/ прийти́ к логи́ческому заверше́нию. *Жарг. мол. Шутл.* 1. Онанировать. 2. Эякулировать. Максимов, 224.

ЗАВЁРТКА * Храпе́ть во (на) все [носовы́е] завёртки. *Прост.* Очень крепко, беспробудно спать. БТС, 313; Глухов 1988, 88; Мокиенко 1986, 48.

Жрать завёртку. *Новг.* 1. *Шутл.-ирон.* Голодать. 2. Находиться в безвыходном положении. НОС 2, 140.

ЗАВЕ́С * Брюшно́й заве́с. *Дон.* Беременность. СДГ 1, 42.

ЗАВЕ́СА * Дымова́я заве́са. *Публ., разг. Неодобр.* Маскировка, прикрытие истинных намерений и мыслей. БМС 1998, 194; БТС, 291, 313.

Заве́са спа́ла с глаз. *Книжн.* Кому-л. стало ясно, понятно то, что раньше не было или не представлялось ясным. Ф 1, 200.

Поднима́ть/ подня́ть заве́су *чего, над чем. Книжн., публ.* Частично раскрывать что-л. засекреченное, непонятное, делать более ясным нечто, прежде скрывавшееся, утаивавшееся. БМС 1998, 195; Ф 2, 57; БТС, 313.

Приоткрыва́ть (приподнима́ть) заве́су *чего. Книжн.* Слегка раскрывать, прояснять что-л. Ф 2, 92.

Срыва́ть/ сорва́ть (сдёрнуть) заве́су *с чего. Книжн.* Представлять что-л. в истинном свете, раскрывать сущность чего-л. БТС, 313; Ф 2, 148.

ЗАВЕ́Т * Заве́тить заве́т. *Кар.* Дать обет. СРГК 2, 36.

Класть/ положи́ть (кла́дывать) заве́т. *Разг. Устар.; Кар., Печор.* Давать обет, клятву, обещание. Ф 2, 70; СРГК 2, 95, 360; СРГК 5, 58; СРГНП 1, 221.

Отправля́ть заве́т. *Кар.* Служить молебен по обещанию в один из церковных праздников. СРГК 4, 319.

Поки́нуть заве́т. *Волог.* То же, что **заветить завет.** СРНГ 28, 379.

Ни заве́та (заве́ту) ни отве́та (отве́ту) *о ком, от кого. Волг., Дон.* Нет никаких известий от кого-л., сведений о ком-л. Глухов 1988, 109; СДГ 1, 163.

Ста́рого заве́та (заве́ту). *Разг. Устар.* О человеке с устаревшими взглядами, убеждениями. Ф 1, 192.

В заве́те нет *чего.* 1. *Одесск., Сиб.* Не принято, не заведено что-л. где-л. КСРГО; СФС, 137; ФСС, 74. 2. *Новг., Сиб.* О том, не известно кому-л., давно забыто. НОС 3, 12; ФСС, 74. 3. *Волг., Дон., Сиб.* О том, что отсутствует где-л. Глухов 1988, 55; СДГ 1 163; СБО-Д1, 143.

ЗАВЕ́ТНОЕ * Заве́тного нет *у кого, где. Ряз.* То же, что **В завете нет 1.** ДС, 175.

ЗАВЕ́ТИ * В заве́тях. *Алт.* Раньше, в былые времена. СРГА 1, 146.

В заве́тях нет *чего. Ряз.* То же, что **в завете нет 3.** ДС, 175.

ЗАВИ́ДКИ * Зави́дки беру́т *кого. Прост.* Кто-л. испытывает чувство зависти. Ф 1, 192; БТС, 313; Мокиенко 1990, 26; БотСан, 95.

ЗАВИ́РА * Залепи́ть зави́ру. *Жарг. угол.* Совершить кражу из квартиры. ТСУЖ, 62.

ЗАВИ́РКИ * Пить/ вы́пить зави́рки. *Пск.* Получать спиртное за невесту в качестве выкупа, загородив завирками (специальными жердями) дорогу на свадьбе. ПОС 11, 80.

ЗАВИРНЯ́ * Завира́ть [ра́зную] завирню́. *Пск. Шутл.-ирон. или Неодобр.* Выдумывать небылицы, сочинять. ПОС 11, 80.

ЗА́ВИСТЬ * Набира́ть за́висти. *Кар. Неодобр.* Начинать завидовать кому-л. СРГК 3, 291.

Бе́лая за́висть. *Разг. Шутл.-одобр.* О желании обладать чем-л., имеющемся у другого, не сопровождаемом злобой, досадой. Мокиенко 2003, 32.

Чёрная за́висть. *Разг. Неодобр.* О желании обладать чем-л., имеющемся у другого, сопровождаемом злобой, досадой. Мокиенко 2003, 32.

Зави́довать бе́лой за́вистью *кому. Разг. Шутл.-одобр.* Желать обладания чем-л., имеющемся у другого, не испытывая при этом злобы, досады. Мокиенко 2003, 32

Зави́довать чёрной за́вистью *кому. Разг. Неодобр.* Желать обладания чем-л., имеющемся у другого, испытывая при этом злобу, досаду. Мокиенко 2003, 32

ЗАВО́Д[1] * Вое́нный заво́д. *Разг., жарг. угол. Ирон.* Ликёро-водочный завод. ББИ, 46.

Кирно́й заво́д. *Жарг. мол. Шутл.* Кировский завод в Санкт-Петербурге. Митрофанов, Никитина, 87. < От **Кирзавод** (жарг. мол., шутл.) — *Кировский завод.* БСРЖ, 192.

На гли́нном заво́де черепу́шки лить. *Морд. Шутл.-ирон.* Умирать. СРГМ 1982, 127.

Рабо́тать на заво́де. *Жарг. угол.* 1. Фабриковать фальшивые деньги. СРВС 3, 195; Балдаев 2, 5. 2. Изготавливать воровские инструменты и приспособления. Балдаев 2, 5.

ЗАВО́Д[2] * Быть в заво́де. *Сиб.* Иметься в обычае, в наличии. ФСС, 20.

В заво́де нет *чего.*1. *Прост.* То же, что **в завете нет 1.** БТС, 314; Подюков 1989, 77. 2. *Алт.* То же, что **В завете нет 3.** СРГА 1, 146.

ЗАВО́ДКА * Мета́ть заво́дки. *Жарг. мол.* Назойливо приставать к кому-л. Максимов, 137.

ЗА́ВОЛГА * Ходи́ть по за́волгам. *Морд.* Работать по найму в разных местах. СРГМ 1980, 69.

ЗАВО́Р * Под заво́ром. *Пск. Неодобр.* В нищете (жить). ПОС 11, 102. < **Завор** — обрыв, крутой откос.

ЗАВОРО́Т * Заворо́т кишо́к. *Разг.* Непроходимость кишечника. ПОС 11, 104.

Заворо́т мозо́г. *Пск.* Помрачение рассудка. ПОС 11, 104.

С таки́ми заворо́тами ме́сто за воро́тами *кому. Разг. Ирон.* О человеке с тяжёлым характером, с которым невозможно иметь дело. Елистратов 1994, 146.

С заворо́тами (с заворо́там). *Разг. Неодобр.* О человеке со странностями, психическими отклонениями. Подюков 1989, 77.

ЗАВСЮ́ * По завсю́. *Яросл.* О будничной одежде в противоположность праздничной. ЯОС 8, 11.

ЗА́ВТРА * Пошёл за́втра, пришёл вчера́. *Народн. Шутл.-ирон.* О действиях бестолкового человека. ДП, 460.

ЗА́ВТРАК * За́втрак сту́дента. *Жарг. студ. Шутл.* Карандаш. (Запись 2003 г.).

За́втрак тури́ста. *Жарг. мол. Шутл.-ирон.* Автомобиль «Запорожец». Максимов, 137.

Корми́ть за́втраками *кого. Разг. Шутл.-ирон.* Откладывать выполнение чего-л. обещанного на другой день, на завтра. ФСРЯ, 161; Жиг. 1969, 331; ДП, 240, 653; БМС 1998, 195; Мокиенко 1990, 153; ЗС 1996, 296, 340, 476; Глухов 1988, 76.

В за́втраки. *Дон.* 1. Утром. 2. О положении солнца в 7–9 часов утра. СДГ 1, 164.

По́здние за́втраки. *Дон.* Время с 9 до 10 часов утра. СДГ 3, 31.

Ра́нние за́втраки. *Дон.* Время восхода солнца, раннее утро. СДГ 3, 82.

Сули́ть за́втраки *кому. Разг. Устар.* То же, что **кормить завтраками.** Ф 2, 194.

ЗАВЯ́З * До завя́зов. *Кар.* Доверху. СРГК 2, 101.

ЗАВЯ́ЗКА * Быть в [глухо́й] завя́зке. *Жарг. мол.* Прекратив какую-л. деятельность, не заниматься ею (обычно — о пьянстве, проституции). Максимов, 51; Митьки, 1992, № 6, 62; Аврора, 1988, № 2, 120.

В завя́зку не брать *кого. Сиб.* Считаться с кем-л., учитывать чьё-л. мнение. ФСС, 16.

Под завя́зку. *Прост.* 1. О большом количестве чего-л. 2. Вдоволь, досыта. 3. До конца, до предела. СПП 2001, 41; Ф 1, 193; ФСС, 75; Глухов 1988, 90, 124.

Уходи́ть в завя́зку. *Жарг. мол.* Прекращать какую-л. деятельность (обычно — о пьянстве, проституции). КП, 05.11.99.

ЗАГАДА́ТЬ * И загада́ет, и отгада́ет. *Пск.* О хитром, изворотливом человеке, который на всё способен. ПОС 11, 121.

ЗАГА́ДКА * Зага́дка сфи́нкса. *Книжн.* 1. Задачи, требующие большой сообразительности и остроумия для их решения. 2. Что-л. непонятное, загадочное, неразрешимое. БМС 1998, 195.

Сфи́нксова зага́дка. *Книжн. Устар.* То же. < Восходит к греческой мифологии. БМС 1998, 195.

Игра́ть в зага́дки. *Разг.* Говорить намеками, недомолвками; высказываться туманно, неясно. ФСРЯ, 179.

ЗАГА́Р * Взойти́ в зага́р. *Кар.* Прийти в возбуждённое состояние, разгорячиться. СРГК 2, 102.

Вну́тренний зага́р. *Жарг. мол. Шутл.* Румянец на лице во время алкогольного опьянения; специфический коричневатый цвет лица алкоголика во время запоя, абстинентного синдрома. Митрофанов, Никитина, 66.

Под зага́р. *Кар.* В состоянии возбуждения, злобы (сделать что-л.). СРГК 2, 102.

Цыга́нский зага́р. *Прост. Шутл.* О грязи на чьей-л. коже. БМС 1998, 195.

Дава́ть зага́ра *кому. Пск.* Подзадоривать кого-л. ПОС 11, 124.

ЗАГА́С * Быть в зага́се. *Жарг. мол.* Уклоняться от выполнения какой-л. работы; пропускать учебные занятия. VSEA, 72.

ЗАГА́ШНИК * Класть/ положи́ть в зага́шник *что. Прост.* Припасать, прятать что-л. в скрытом, тайном месте. < **Загашник** — складка в штанах, в которую вдевается пояс. Мокиенко 2003, 32; Глухов 1988, 128.

ЗАГВО́ЗДКА * Задава́ть загво́здку *кому. Волг.* Поставить в трудное, безвыходное положение кого-л. Глухов 1988, 47.

ЗАГИ́Б * Заги́б Ива́ныч (Петро́в). 1. *Жарг. арест, лаг. Ирон.* Труп. Балдаев 1, 137; ББИ, 82. 2. *Жарг. арест, лаг., мол. Ирон.* Смерть. СРВС 3, 62; Быков, 77; Максимов, 137.

ЗАГЛА́ЗЬЕ * В (за) загла́зье. *Пск., Сиб.* В отсутствие кого-л., заочно (говорить, ругать, хвалить). ПОС, 11, 128.

По загла́зью. *Кар., Пск., Яросл.* То же, что **в заглазье.** СРГК 1, 115; СРГК 2, 103; СПП 2001, 41; ЯОС 8, 11.

ЗАГЛО́Т * Уйти́ в загло́т. *Жарг. мол.* Замолчать. Максимов, 438.

ЗАГЛУ́МКА * Заглу́мки дава́ть. *Сиб.* Улыбаться. ФСС, 52.

ЗАГЛУ́ШКА * Самова́рная заглу́шка. *Морд. Пренебр.* О некрасивом человеке небольшого роста. СРГМ 2001, 16.

ЗА́ГОВЕНЫ * До морко́вкиных за́говен. *Народн. Шутл.* То же, что **до морковкиного заговенья (ЗАГОВЕНЬЕ).** БМС 1998, 195; ПОС, 11, 139.

Ко́шкины за́говены. *Новг. Шутл.* О том, что никогда не осуществится. СРНГ 15, 150.

ЗА́ГОВЕНЬ * На калмы́цкий за́говень. *Обл. Шутл.* Никогда. Мокиенко 1986, 210.

До моржо́ва за́говня. *Коми. Шутл.* То же, что **до морковкиного заговенья (ЗАГОВЕНЬЕ).** Кобелева, 67.

ЗА́ГОВЕНЬЕ * Коро́вье за́говенье. *Волог. Шутл.* Осенняя гололедица (когда коров перестают выгонять в поле). СРНГ 14, 351.

Крапи́вное за́говенье. *Яросл. Шутл.* Обычай молодёжи в праздники (Петров день, День всех святых и др.) обжигать друг друга крапивой и обливать водой. ЯОС 5, 85.

На морко́вкино за́говенье. *Прост. Шутл.* Никогда; неизвестно когда. Мокиенко 1986, 210; ЗС 1996, 343, 477.

До морко́вкиного (морко́вкина) за́говенья. *Народн. Шутл.* Неопределённо долго; до времени, которое никогда не наступит, до бесконечности. БМС 1998, 195; ФСС, 76; СФС, 33, 65; Мокиенко 1989, 184; Глухов 1988, 37; ШЗФ 2001, 68.

До ско́рого за́говенья. *Горьк.* До свидания. БалСок, 34.

По́сле руса́лкиного (руса́льского) за́говенья. *Морд. Шутл.* То же, что **на морковкино заговенье.** Мокиенко 1986, 210.

ЗА́ГОВОР * За́говор молча́ния. *Книжн. Неодобр.* Намеренное замалчивание печатью, общественностью и т. п. какого-л. значительного, но неприятного факта, заслуги неугодного лица. ФСРЯ, 161; БТС, 554; ШЗФ 2001, 78.

Быть в одно́м за́говоре *с кем. Печор.* Работать вместе с кем-л. СРГНП 1, 228.

ЗАГОЛИ́ТЬСЯ * Бе́гать заголи́вши. *Пск. Неодобр.* Бездельничать. ПОС 11, 142.

ЗАГО́Н * Дать заго́н *кому. Волг.* Строго наказать кого-л. Глухов 1988, 30.

Быть в заго́не. *Жарг. мол.* Думать, размышлять о чём-л. (Запись 2004 г.).

ЗАГО́РБИНА * Дать заго́рбину *кому. Кар.* Отругать кого-л. СРГК 2, 107.

ЗАГО́РБОК * Натузи́ть (нахлеста́ть) заго́рбок *кому. Обл.* Избить, побить кого-л. Мокиенко 1990, 53, 54.

ЗАГОРБУ́ЛИНА * Дать загорбу́лин *кому. Кар.* То же, что **дать загорбину (ЗАГОРБИНА).** СРГК 2, 107.

ЗАГОРБЯ́ТНИК * Дать загорбя́тника *кому. Перм.* Ударить по спине, по шее кого-л. Подюков 1989, 58.

ЗАГОРО́ДКА * Загороди́ть загоро́дку. *Пск. Шутл.* Всё перепутать, сделать что-л. несуразное, нелепое. ПОС 11, 149.

ЗАГОТО́ВКА * Маха́ть загото́вками. *Жарг. мол. Неодобр.* Размахивать руками, активно жестикулировать. Вахитов 2003, 96.

Опусти́ть загото́вки. *Жарг. мол.* Успокоиться, перестать вести себя агрессивно. Максимов, 138.

ЗАГРИ́ВОК * На загри́вке *у кого. Кар.* На попечении, на иждивении у кого-л. СРГК 2, 110.

Скрипи́т в загри́вке *у кого. Пск.* Кому-л. приходится расплачиваться, держать ответ. ПОС 12, 123.

Дублёные загри́вки. *Жарг. арм.* Солдаты морской пехоты. Лаз., 129.

Дать по загри́вку *кому. Прост.* Ударить, побить кого-л. Глухов 1988, 30.

В (за) загри́вок залете́ло *кому. Сиб.* Кто-л. наказан, получил выговор за что-л. ФСС, 78; СБО-Д1, 152; Мокиенко 1990, 53, 54.

Намы́лить загри́вок *кому. Новг.* Избить, поколотить кого-л. НОС 5, 156; Сергеева 2004, 47.

Получи́ть в загри́вок. *Прост.* Быть наказанным, получить выговор, нагоняй. БалСок, 26; Глухов 1988, 129.

Посади́ть на загри́вок *кого. Коми.* Позволить кому-л. использовать себя в личных целях; содержать кого-л. Кобелева, 73.

ЗАГРУ́ЗКА * Де́лать/ сде́лать загру́зку. *Жарг. мол.* Обмануть, дезинформировать кого-л. Никольский, 51.

ЗАГС * Глухо́й загс. *Жарг. угол., мил.* Нераскрытое преступление. Балдаев 1, 88.

ЗАГУ́РБИНА * Дать загу́рбину *кому. Кар.* Ударить кого-л. по спине. СРГК 1, 424.

ЗАД * В зад не дует *кому что. Прост. шутл.* Что-л. кого-л. не беспокоит, не причиняет неудобств. Подюков 1989, 68; Мокиенко, Никитина 2003, 151.

Волну́ющий зад. *Жарг. гом. Шутл.-ирон.* О специфической походке пассивного гомосексуалиста с целью привлечения внимания. СВЯ, 17; УМК, 93.

Греть [свой] зад *где. Прост. Пренебр.* Предаваться бездеятельности, не проявляя большой активности, пребывая в благоприятных условиях. Мокиенко, Никитина 2003, 151.

Дава́ть/ дать под зад коле́ном (коле́нкой) *кому. Прост.* Грубо прогнать, выдворить кого-л. откуда-л. Ф 1, 194; Мокиенко, Никитина 2003, 151.

Зад на ло́шади [в три дня] не объе́дешь *у кого. Прост. Шутл.-ирон.* О широкозадом, задастом человеке. Подюков 1989, 136.

Зад об зад. *Прост. Шутл.-ирон.* О прекращении супружеских отношений. Подюков 1989, 78.

Зад подсо́х *у кого. Прост. Неодобр.* Об успокоившемся, остепенившемся, обзавёшемся хозяйством человеке. Мокиенко, Никитина 2003, 151.

Ката́ть зад в больни́це. *Сиб. Шутл.-ирон.* Долго болеть, находясь в больнице. ФСС, 91.

Лиза́ть зад *кому. Прост. Презр.* Унижаться, пресмыкаться, угодничать перед кем-л.; Ф 1, 279 Мокиенко, Никитина 2003, 151.

Наби́лось в зад пыли *кому. Волг. Шутл.* 1. Кто-л. устал от тяжёлой работы. 2. Кому-л. надоело делать что-л. Глухов 1988, 86.

Платони́ческий зад. *Жарг. мол. Шутл.* Станция метро "Ботанический сад" в Москве. ЖЭСТ-2, 58.

Дава́ть/ дать под зад [коле́ном] *кому. Прост.* Гнать, прогонять кого-л., давать отпор кому-л. Ф 1, 134; Глухов 1988, 124.

Подставля́ть под ста́рый зад молоды́е но́ги. *Перм. Шутл.* Быстро, бодро, моложаво идти или бежать (о старике). Подюков 1989, 153; Мокиенко, Никитина 2003, 151.

Ни за́да ни пе́реда *у кого. Волг. Неодобр.* О некрасивом, непривлекательном человеке. Глухов 1988, 109.

Бить за́дом. *Пск.* Отвергать чьи-л. ухаживания (о девушке). ПОС 11, 166.

За ба́бьим за́дом весь век прожи́ть. *Новг.* Не участвовать в войне. НОС 3, 22.

За́дом гру́ши окола́чивать. *Вульг.-прост. Обл.* Бездельничать, лениться в работе. Мокиенко, Никитина 2003, 151.

За́дом напере́д. *Разг.* Беспорядочно, наоборот. Глухов 1988, 48.

Ни за́дом ни пе́редом. *Перм.* О человеке, не имеющем определённой позиции по какому-л. вопросу. СРНГ 21, 213.

Прираста́ть/ прирасти́ за́дом *[к чему]. Вульг.-прост. Шутл.* Надолго обосноваться где-л., привязаться к какому-л. месту. Подюков 1989, 162; Мокиенко, Никитина 2003, 151.

Сверка́ть/ засверка́ть го́лым за́дом. *Прост. Презр.* Жить в большой нужде, крайней бедности. Мокиенко, Никитина 2003, 151; Ф 2, 141.

Хиля́ть за́дом. *Жарг. мол. Неодобр.* Заискивать, угождать кому-л. Максимов, 139.

Ви́деть на заду́ и на переду́. *Новг.* Быть догадливым, проницательным. НОС 1, 126.

[Дать] по за́ду меша́лкой *кому. Волг.* То же, что **дать под зад коленкой.** Глухов 1988, 127.

[Дать] по за́ду песто́м *кому. Перм.* То же, что **дать под зад коленкой.** Подюков 1989, 196.

Иска́ть в заду́ но́ги. *Волг. Шутл.* Быстро убегать откуда-л., скрываться. Глухов 1989, 59.

Зады́ на переды́. *Волг.* То же, что **задом наперед.** Глухов 1988, 48.

Сесть на зады́. *Волг.* Обосноваться, построить дом. Глухов 1988, 147.

Тверди́ть (повторя́ть) зады́. *Разг. Устар. Неодобр.* Заучивать, повторять что-л. давно пройденное, давно известное. БМС 1998, 196.

ЗАДА́В * До зада́ву. *Кар.* О большом количестве чего-л. СРГК 2, 112.

ЗАДАВИ́ТЬСЯ * Ни задави́ться, ни заре́заться [не́чем] *у кого. Волг. Ирон.* О крайней бедности. Глухов 1988, 109.

ЗАДА́НИЕ * Дома́шнее зада́ние. *Жарг. студ. Шутл.* Часть угощения, уносимая с собой с банкета, вечеринки. ВМН 2003, 51.

Дать дома́шнее зада́ние *кому. Жарг. мол. Шутл.* Предложить гостям забрать с собой часть угощения. ВМН 2003, 51.

ЗАДА́ЧА * Ре́дечна зада́ча. *Ср. Урал. Неодобр.* О высокомерном человеке, зазнайке. СРГСУ 1, 170.

С зада́чей. *Сиб.* О хитром, скрытном человеке. ФСС, 76.

Без зада́чи. *Дон.* О человеке без воображения, не способном творчески, оригинально мыслить. СДГ 1, 167.

Задава́ть/ зада́ть зада́чу *кому. Разг.* Ставить кого-л. в сложное, затруднительное положение. Ф 1, 242.

ЗАДА́ЧКА * Мозголо́вная зада́чка. *Ряз. Шутл.* О чём-л. замысловатом, трудном для восприятия. СРНГ 18, 203.

ЗАДЕ́ЛЬЕ * Заки́нуть (найти́) заде́лье; прики́нуться с заде́льем. *Ср. Урал.* Найти предлог, сообщить вымышленную причину, повод к каким-л. действиям. СРГСУ 1, 170.

ЗАДЕРИ́ХА * Оди́н задери́ха, друго́й неспусти́ха. *Сиб.* О задиристых, несговорчивых, строптивых людях. ФСС, 76.

ЗАДИ́Р * Идти́ на задир. *Пск.* Обострять отношения, вызывать на ссору кого-л. ПОС 11, 183.

ЗА́ДНИЦА * Говоря́щая за́дница. *Жарг. мол. Презр.* Глупый, несообразительный человек. Елистратов 1994, 149.

Дежу́рная за́дница. *Жарг. арм. Шутл.-ирон.* Дежурный по отделению. АиФ, 1996. — № 1, 26.

За́дница не по ци́ркулю *у кого. Жарг. мол. Шутл.-ирон.* 1. О крупных ягодицах. 2. О чьих-л. недостаточных возможностях, силе, умениях. УМК, 93.

За́дница [от сла́дкого] не сли́пнется? *Жарг. мол. Шутл.-ирон.* Ответ на чьи-л. необоснованные требования, просьбы, претензии. Максимов, 139.

Ку́речья (кури́ная) за́дница. *Сиб. Шутл.-ирон.* Об очень малом количестве чего-л. ФСС, 76.

Свята́я за́дница. *Жарг. мол. Шутл.-ирон.* Авторитетный человек. Максимов, 139.

Накла́сть по за́днице *кому. Прост.* Физически наказать, поколотить кого-л. Мокиенко, Никитина 2003, 152.

За́дницей чу́ять *что. Жарг. мол. Шутл.* Предчувствовать что-л. Гелована, Цветков, 68.

Лежа́ть кве́рху за́дницей. *Прост. Презр.* 1. Лежать ничком, без движения, не владея собой (напр., о пьяном). 2. Бездельничать, тунеядствовать. Подюков 1989, 79; Мокиенко, Никитина 2003, 152.

Сверка́ть го́лой за́дницей. *Прост. Пренебр.* Бедно одеваться. СРНГ 36, 239; Глухов 1988, 145.

Хоть за́дницей ешь *что. Волг. Шутл.* Об изобилии, большом, чрезмерном количестве чего-л. Глухов 1988, 168.

Брать/ взять за за́дницу *кого. Жарг. мол.* Решительно воздействовать на кого-л., заставлять действовать определённым образом. Вахитов 2003, 27.

За́дницу в горсть и ме́лкими прыжка́ми! *Жарг. мол.* Требование быстро удалиться, уйти откуда-л. Вахитов 2003, 59.

За́дницу не расто́ркать. *Кар. Неодобр.* Не сделать чего-л. из-за лени. СРГК 5, 480.

Иска́ть на свою́ за́дницу приключе́ний. *Разг. Шутл.-ирон.* Рисковать, поступать авантюрно, вмешиваться в опасные события, ситуации. УМК, 93.

Ки́нуть за́дницу. См. **Кинуть жопу (ЖОПА).**

Лиза́ть за́дницу *кому. Прост. Презр.* Унижаться, пресмыкаться, угодничать перед кем-л. Мокиенко, Никитина 2003, 153.

Навари́ть за́дницу *кому. Пск.* Побить, поколотить, наказать кого-л. СПП 2001, 41.

Надёргать за́дницу *кому. Кар.* Выпороть кого-л. СРГК 1, 460.

Накра́сить за́дницу *кому. Сиб.* То же, что **наварить задницу.** ФСС, 118.

На свою́ за́дницу. 1. *Прост. Шутл.* Себе во вред, на свою беду. Мокиенко, Никитина 2003, 153. 2. *Волг.* Для себя, на себя (работать). Глухов 1988, 138.

Подня́ть (приподня́ть) за́дницу. *Прост.* Начать какую-л. работу, деятельность, начать делать что-л. Мокиенко, Никитина 2003, 153.

Посыла́ть/ посла́ть в за́дницу *кого. Прост.* Грубо ругать кого-л., выражая крайнее негодование, возмущение, раздражение. Подюков 1989, 79; Мокиенко, Никитина 2003, 154.

Прищеми́ть за́дницу. *Волг.* Успокоиться, смириться с чем-л. Глухов 1988, 134.

Пя́тить за́дницу. *Пск.* Отказываться, не сознаваться в чём-л. ПОС 11, 187.

Рвать/ порва́ть за́дницу. 1. *Жарг. мол., арм. Неодобр.* Выслуживаться перед начальством. 2. *Жарг. мол., арм.* Работать с максимальным напряжением сил. Югановы, 84. 3. *кому. Жарг. мол. Шутл.* Насиловать мужчину. Максимов, 139.

Суши́ть за́дницу. *Сиб. Неодобр.* Нигде не работать. СОСВ, 72.

Через за́дницу [автоге́ном]. *Разг. Неодобр.* Нерационально, небрежно (делать что-л.). Елистратов 1994, 18, 149.

Вы́валиться из за́дницы. *Пск.* Родиться. ПОС 5, 122.

Отлегло́ от за́дницы *у кого. Волг. Шутл.* Миновала боль, беда, неудача. Глухов 1988, 119.

ЗА́ДНЯЯ * Включи́ть за́днюю. *Жарг. мол.* 1. Испугаться. 2. Уйти, скрыться, удалиться откуда-л. h-98; Вахитов 2003, 29.

[Удосто́иться] за́днюю созерца́ть. *Книжн. Устар. Ирон.* 1. Знать что-л. неосновательно, не видеть истинного лица чего-л. 2. О крайней степени унижения. < Оборот церковно-славянский, букв. — «созерцать зад Иеговы». БМС 1998, 196.

ЗАДО́Р * В задо́р *кому* (делать что-л.). *Пск.* 1. Из чувства состязательности. ПОС 11, 189. 2. С намерением разозлить кого-л., назло кому-л. СПП 2001, 41.

Взойти́ в задо́р. *Яросл.* Поссориться с кем-л. ЯОС 3, 18.

Войти́ в задо́р. *Пск.* Начать делать что-л. с увлечением, пылом, азартно. СПП 2001, 41.

Держа́ть задо́р. *Забайк.* Держать лодку против течения. СРГЗ, 100.

Под задо́р. *Кар.* С желанием, с воодушевлением, азартно. СРГК 2, 117.

Без вся́кого задо́ру. *Кар.* Не переставая (о дожде). СРГК 1 250.

Не иска́ть задо́ру. *Кар.* Быть покладистым, не склонным к ссоре. СРГК 2, 295.

ЗАДО́РИНКА * Без задо́ринки. *Разг.* Гладко, без помех. Ф 1, 195; БТС, 320.

Ни задо́ринки ни вы́лька. *Пск.* О гладкой, ровной поверхности чего-л. СПП 2001, 41.

ЗАЁБ * Заёб нашёл *на кого. Вульг.-прост. Неодобр.* 1. Кто-л. стал вести себя странно, чудаковато. 2. Кто-л. неожиданно забыл что-л. сделать. Мокиенко, Никитина 2003, 151.

С заёбами. *Жарг. мол. Неодобр.* Со странностями (о человеке). Мокиенко, Никитина 2003, 151.

ЗАЕ́ДКА * На зае́дку, на заку́ску. *Волг. Шутл.* В самом конце, напоследок. Глухов 1988, 90.

ЗАЁМ * Ходи́ть по за́ймам. *Прикам.* Брать в долг деньги, хлеб. МФС, 107.

Жить в за́ймах. *Одесск.* Жить на одолженные деньги. КСРГО.

ЗАЖА́МКА * Держа́ть в зажа́мке *кого. Сиб.* Строго обращаться с кем-л. ФСС, 59.

ЗАЖИГА́НИЕ * Зажига́ние срабо́тало. *Жарг. мол. Шутл.* Состоялось обольщение сексуального партнера. Максимов, 140.

По́зднее зажига́ние. *Жарг. мол. Ирон.* 1. Медлительность. 2. Тугодумие, глупость. Максимов, 140.

ЗАЖИ́М * Жить в зажи́ме. *Прибайк.* Подвергаться угнетению, находиться под гнётом. СНФП, 69.

До зажи́му. *Волог.* До состояния полного изнеможения. СВГ 2, 118.

ЗАЖИ́МКА * Жить с зажи́мкой (с зажи́мочкой). *Волг., Яросл.* Быть экономным, расчётливым или скупым. Глухов 1988, 43; ЯОС 4, 48.

ЗАЖИ́МОЧКА * Жить с зажи́мочкой. См. **Жить с зажимкой (ЗАЖИМКА).**

ЗАЖИ́ТОК * Жить в зажи́тке (в зажи́тках). *Сиб.* Жить зажиточно, не испытывать нужды ни в чем. ФСС, 71; СФС, 37.

ЗАЖМУ́РКИ * Жить зажму́рки. *Дон.* Не знать жизни, ни в чем не разбираться. СДГ 1, 169.

ЗАЖО́М * Попасть в зажо́м. *Белом.* Оказаться в сложном положении, безвыходной ситуации. Мокиенко 1986, 115; Мокиенко 1990, 137.

ЗАЗРЕ́НИЕ * Без зазре́ния со́вести. *Разг. Неодобр.* Не испытывая чувства стыда, нагло, бессовестно (лгать, действовать). ФСРЯ, 164; БТС, 323; ШЗФ 2001, 17; ЗС 1996, 362; БМС 1998, 196.

ЗА́ЙЧИК * За́йчик по Бо́жьей тра́вке пасётся. *Жарг. угол.* Наводчик, указывающий за вознаграждение лиц, торгующих наркотиками. ТСУЖ, 61.

Пить за́йчик. *Волог.* В свадебном обряде: выставлять на тарелке фигурку зайца в знак того, чтобы подали вина, и пить вино. СВГ 2, 119.

Пусти́ть за́йчика. *Пск.* Совершить поджог. ПОС 11, 220.

ЗАЙТИ* Зашёл прове́дать, не дади́те ль пообе́дать? *Пск.* Шутливое приветствие при входе в дом. (Запись 1992 г.).

ЗАКА́Л * Ста́рого зака́ла. 1. *Народн.* О старосветском человеке. ДП, 303. 2. *Разг. Одобр. Устар.* О стойких, закалённых в борьбе людях старшего поколения. Мокиенко, Никитина 1998, 202; МАС 1, 525; Веллер 1994, 237. 3. *Разг.* О человеке с устаревшими, несовременными взглядами. Ф 1, 196.

ЗАКАЛИ́ТЬ * Закали́ть да запали́ть *что. Волг. Шутл.-ирон.* О чём-л. совершенно непригодном, не нужном в доме. Глухов 1988, 48. **Закали́ть да запули́ть.** *Морд. Шутл.-ирон.* То же. СРГМ 1980, 78.

ЗАКАЛЮ́КА * Лезть в закалю́ку. *Кар.* Выражать несогласие, возражать кому-л. СРГК 2, 181.

ЗАКАРА́ЧКИ * На закара́чках. *Костром., Олон.* На четвереньках (ползать и т. п.). Мокиенко 1986, 92.

ЗАКА́Т * В зака́т. *Сиб.* На запад. ФСС, 77; СБО-Д1, 149.

Зака́т в голове́ *у кого. Жарг. мол. Неодобр. или Шутл.* О полной отстранённости от действительности. Максимов, 141.

Зака́т со́лнца вручну́ю. *Жарг. мол. Шутл.-ирон. или Неодобр.* О неумелом, непрофессиональном исполнении чего-л. Никитина 2003, 206; Максимов, 141.

На зака́те дней. *Книжн.* В старости, в преклонном возрасте. ФСРЯ, 165; БТС, 325; ЗС 1996, 312, 486.

На зака́те солнца. *Горьк.* То же, что **на закате дней** БалСок, 44.

Смея́ться с зака́том. *Морд.* То же, что **смеяться в закаты.** СРГМ 2002, 87.

Смея́ться (хохота́ть) в зака́ты (в зака́тки) *Дон.* Весело, заразительно, долго смеяться. СДГ 1, 170.

ЗАКА́ТКИ * Смея́ться в зака́тки. См. **Смеяться в закаты (ЗАКАТ).**

ЗАКВА́СКА * На ржано́й заква́ске заме́шанный. *Сиб.* Обычный, ничем не примечательный. ФСС, 79.

До́брой (кре́пкой) заква́ски. *Прост. Одобр.* О здоровом, крепком старике. Ф 1, 196; СПП 2001, 41.

Ста́рой заква́ски. *Разг.* То же, что **старого закала 3 (ЗАКАЛ).** Ф 1, 196.

ЗАКИДО́Н * С закидо́нами. *Жарг. мол. Неодобр.* 1. О чьём-л. странном, необычном поведении. 2. О заносчивом, самонадеянном человеке. Елистратов 1994, 152; Подюков 1989, 80.

ЗАКИ́СЕЛЬКА * Проткну́ться заки́селькой. *Пск.* Стать кислым, прокиснуть. ПОС 11, 235.

ЗАКЛА́Д * Бить об закла́д, *только в форме* **бью о закла́д.** *Пск.* То же, что **биться об заклад 2.** ПОС 11, 236; СПП 2001, 41.

Би́ться (уда́риться) об закла́д. *Разг.* 1. Спорить с обязательством оплатить проигрыш. 2. Выражать уверенность в своей правоте, в истинности чего-л. Ф 1, 197; ФСРЯ, 37; ЗС 1996, 349, 478; Ф 2, 216; БТС, 1373.

Класть закла́д. *Сиб.* То же, что **биться об заклад 1-2.** ФСС, 93.

Отдава́ть закла́д. *Волог.* В свадебном обряде: дарить сватам что-л., изготовленное своими руками (о невесте). СВГ 6, 88.

Проби́ть закла́д. *Разг. Устар.* Проиграть в споре на деньги или какие-л. ценные вещи. Ф 2, 95.

Попа́сться с закла́дом. *Жарг. угол.* Быть изобличённым в краже. СРВС 2, 203; ТСУЖ, 140.

ЗАКЛЁПКА * Заклёпок не хвата́ет *у кого. Прост. Неодобр.* О глупом, слабоумном человеке. БТС, 326.

ЗА́КЛИК * За́клику нет [никако́го] *у кого. Сиб.* О своенравном, непокорном человеке. ФСС, 77.

ЗАКЛЮ́КА * Лезть в заклю́ку. *Кар.* Упорно возражать, перечить кому-л. СРГК 2, 133.

Накла́сть заклю́ку. *Кар. Неодобр.* Допустить брак, перепутав нитки при тканье. СРГК 2, 133.

ЗАКОБЛУ́НКИ * Выки́дывать закоблу́нки. *Волг. Неодобр.* Совершать необдуманные, предосудительные поступки. Глухов 1988, 18.

ЗАКОМА́НД * Гово́рить с закома́ндом. *Пск.* Утаивать, скрывать что-л. ПОС 7, 34.

ЗАКО́Н * Воровско́й зако́н. *Жарг. угол.* Традиции воровской среды, неписаные правила поведения, обязательные для воровского братства. ТСУЖ, 34; Мильяненков, 123; Балдаев 1, 142; ББИ, 85.

Головно́й зако́н. *Горьк.* Первый брак. БалСок, 31.

Заводи́ть зако́н. *Волг.* Оформлять брачные отношения. Глухов 1988, 45.

Зако́н бутербро́да. *Разг. Шутл.* Ситуации, когда из двух возможностей выпадает худшая. БТС, 105.

Зако́н джу́нглей. 1. *Разг.* Об острой борьбе, в которой не выбирают средств, а побеждает сильнейший. БМС 1998, 196. 2. *Жарг. арм. Шутл.-ирон.* О правах солдат в столовой. Максимов, 142. < Калька с английского, из «Книги джунглей» Р. Киплинга 1894-95 гг.). Дядечко 2, 78.

Зако́н зако́нить. *Сиб.* Учить кого-л. поступать согласно закону. ФСС, 77.

Зако́н Ли́нча. *Книжн. или Публ. Неодобр.* Самосуд, жестокая расправа над кем-л. по собственному усмотрению. < Калька с англ., по имени **Джона Линча** (конец XVIII в.), который имел в Северной Каролине неограниченную власть. БМС 1998, 196.

Зако́н не пи́сан *кому. Разг.* Кто-л. не считается с общепринятыми нормами поведения. ФСРЯ, 165; БМС 1998, 197.

Зако́н Паркинсо́на. *Публ.* О господстве бюрократической машины в государственном аппарате. < Заглавие русского перевода книги С. Норткота Паркинсона «Parkinson's Law» (1957). БМС 1998, 197.

Зако́н по́длости. *Разг. Шутл.-ирон.* Обычная вероятность реализации непредвиденного, худшего из возможных вариантов, случающегося вопреки надеждам и желаниям. НРЛ-79; Ф 1, 197; Мокиенко 2003, 32-33.

Зако́н тайги́ (ту́ндры). *Жарг. лаг., арест., угол.* То же, что **колымский закон.** Р-87, 123.

Исполня́ть зако́н. *Яросл.* Жить в супружестве. ЯОС 4, 144.

Колы́мский зако́н. *Жарг. лаг., арест., угол.* О жестоких, суровых законах лагерной жизни. Р-87, 123.

Непи́саный зако́н. *Разг.* Установленные в каком-л. обществе, коллективе традиции, которым необходимо следовать. Ф 1, 197; БМС 1998, 197.

Подводи́ть под зако́н *кого. Прост.* Разоблачать, привлекать к ответственности кого-л. Ф 2, 56.

Принима́ть/ приня́ть зако́н. *Народн.* Венчаться, вступить в брак. МФС, 81; Ф 2, 91.

Разби́ть зако́н. *Яросл.* Развестись с женой. ЯОС 4, 75.

Сухо́й зако́н. *Разг.* Запрет на изготовление и продажу спиртного. Ф 1, 198; БТС, 1293; ЗС 1996, 343; Мокиенко 2003, 33.

Че́рез зако́н. *Волог.* Чрезмерно, слишком. СВГ 2, 122.

В зако́не. 1. *Волго-Касп.* Охраняется законом (о рыбе). Копылова, 94. 2. *Разг. Устар.; Прикам.* В законном браке. МФС, 37; Ф 1, 198. 3. *Жарг. угол.* Об уважаемом, авторитетном воре. БСРЖ, 200. 4. *Жарг. мол.* Нормально, хорошо, как обычно. Елистратов 1994, 153.

Жить в одно́м зако́не. *Прикам.* Всю жизнь состоять в одном браке. МФС, 37.

Не в зако́не. *Коми.* Вне брака (родить). Кобелева, 63.

Прикры́ть зако́ном *кого. Яросл.* Жениться на девушке, которой это было обещано. ЯОС 4, 75.

Жить све́рху зако́ну. *Сиб. Неодобр.* Нарушать супружескую верность. ФСС, 72.

По (согла́сно) зако́ну по́длости. *Разг. Шутл.-ирон.* В соответствии с обычной реализацией худшего из возможных вариантов, вопреки ожиданиям, надеждам. НРЛ-79; Мокиенко 2003, 33.

Драко́новские зако́ны (ме́ры). *Книжн. Неодобр.* 1. Суровые, жестокие законы, установления. 2. Крайне жестокие, беспощадные меры, наказания. < Выражение — калька с древнегреч., связ. с именем первого законодателя Афинской республики Дракона (Драконта), VII до н. э. БМС 1998, 197; ШЗФ 2001, 70.

ЗАКО́РТОЧКИ * На зако́рточках (зако́ртышках, заку́ртышках). *Яросл.* На плечах, на спине. ЯОС 6, 76; Мокиенко 1986, 95.

ЗАКО́РТЫШКИ * На зако́ртышках. См. **На закорточках (ЗАКОРТОЧКИ).**

ЗА́КРИК * Нет за́крику *на кого. Кар.* О своевольном, независимом человеке. СРГК 2, 141.

ЗАКРОМА́ * Заложи́ть (сдать) в закрома́ Ро́дины. *Публ. Патет.* О сдаче хлеба государству. Мокиенко, Никитина 1998, 203.

ЗАКРО́ШКИ * На закро́шках. *Арх.* То же, что **на закорточках (ЗАКОРТОЧКИ).** АОС 4, 84; Мокиенко 1986, 95.

ЗАКРУ́Т * Закру́т тебя́ возьми́! *Волг.* Восклицание, выражающее досаду, раздражение, возмущение кем-л. Глухов 1988, 48.

ЗАКРУ́ТКА * Дава́ть закру́тку *кому. Пск.* Поступать строго, сурово с кем-л. ПОС 11, 272.

Попа́сть в закру́тку. *Жарг. мол.* Оказаться в сложной, запутанной ситуации. БСРЖ, 201.

ЗАКРЫ́ТИЕ * Под закры́тием. *Кар.* В свадебном обряде — с закрытым лицом, под свадебным покрывалом. СРГК 2, 143.

ЗАКРЫ́ШКИ * На закры́шках. *Яросл.* То же, что **на закорточках (ЗАКОРТОЧКИ).** ЯОС 6, 76.

ЗАКУВЫ́РКИ * На закувы́рках. *Яросл.* То же, что **на закорточках (ЗАКОРТОЧКИ).** ЯОС 6, 76.

ЗАКУ́КИ * С заку́ками. *Кар.* Иносказательно, используя поговорки, прибаутки. СРГК 2, 144.

ЗАКУ́КОРКИ * На заку́корках. *Кар., Сиб. Яросл.* То же, что **на закорточках (ЗАКОРТОЧКИ).** СРГК 2, 144; ФСС, 78; ЯОС 6, 76.

ЗАКУ́КРЫ * На заку́крах. *Арх., Кар.* То же, что **на закорточках (ЗАКОРТОЧКИ).** СРГН 28, 104; СРГК 2, 144.

ЗАКУ́РТЫШКИ * На заку́ртышках. См. **На закорточках (ЗАКОРТОЧКИ).**

ЗАКУ́СКА * Зада́ть заку́ску *кому. Народн.* Досадить, причинить зло кому-л. ДП, 133.

На заку́ску. *Разг.* В заключение, под конец. БТС, 330; ЗС 1996, 122.

ЗАЛ * А́ктовый зал. *Жарг. мол. Шутл.* Публичный дом. Максимов, 12.

Голубо́й зал. *Жарг. гом.* Подъезд на Пушкинской улице в Москве (помещение юридической консультации), где гомосексуалисты распивают спиртные напитки. Кз., 45.

Гре́ческий зал. *Разг., Жарг. угол.* 1. Парадное дома, подъезд - место выпивки. 2. Затрапезное питейное заведение, точка общепита. ББИ, 60. < Образовано на основе фразы **В греческом зале.**

Зал боево́й сла́вы. *Жарг. шк. Шутл.* То же, что **читальный зал 1.** Максимов, 143.

Зал заседа́ний. *Жарг. шк. Шутл.* То же, что **читальный зал 1.** Muravlenko, 2002.

Зал ожида́ния. *Жарг. шк. Шутл.* То же, что **читальный зал 1.** ВМН 2003, 51.

Чита́льный зал. 1. *Жарг. шк. Шутл.* Школьный туалет. Максимов, 477. 2. *Жарг. гом. Шутл.* Общественный туалет в Российской государственной библиотеке в Москве под читальным залом № 1. Кз., 71. 3. *Жарг. гом. Шутл.* Баня (место скопления гомосексуалистов). Кз., 71.

Чиха́льный (ча́хлый) зал. *Жарг. студ. Шутл.-ирон.* Читальный зал. ВМН 2003, 51.

В гре́ческом за́ле, в греческом зале. 1. *Разг.* О чьих-л. неверных словах, действиях. Дядечко 2, 72. 2. *Жарг. студ. (археол.).* Археология (учебный предмет). (Запись 2003 г.). < Образовано на основе фразы *В греческом зале* из миниатюры М. Жванецкого «Фигура в музее», включённой в спектакль «Плюс-минус» А. Райкина (1969). Произносится со щелевым *«г»*. БМШ 2000, 66.См. **Греческий зал.**

ЗА́ЛЁЖ * В за́леже. *Кар.* В запасе. СРГК 2, 148.

Лежа́ть залежо́м. *Сиб.* Долго лежать, не находя применения. СРНГ 16, 329; ФСС, 104.

ЗАЛЕПУ́ХА * Мочи́ть залепу́хи. *Жарг. мол.* Совершать оригинальные поступки, делать что-л. необычное. Елистратов 1994, 155. < **Залепуха** — нечто необычное, выдающееся, яркое, запоминающееся. БМС 1998, 202.

Лепи́ть залепу́ху. *Жарг. мол.* 1. *кому* Обманывать кого-л. 2. Неудачно шутить. 3. *кому* Обвинять кого-л. по статье уголовного кодекса. Максимов, 143.

ЗАЛЁТ * Пойти́ в залёт. *Жарг. угол.* Начать готовиться к преступлению. Балдаев 1, 332.

ЗАЛИВНО́Й * Пла́кать в заливну́ю. *Пск.* Много, долго плакать, пролить много слёз. СПП 2001, 41.

ЗАЛИ́ВКА * Выдава́ть зали́вку на щи. *Пск. Неодобр.* Проводить время в пустых разговорах, болтовне. ПОС 5, 147; ПОС 11, 297.

ЗАЛИ́ТЬСЯ * Хоть зале́йся. *Сиб.* О большом количестве чего-л. ФСС, 78.

ЗАЛО́Г * Бить в зало́г. *Горьк.* То же, что **би́ться об заклад 1. (ЗАКЛАД).** БалСок, 23. **Бить об зало́г.** *Арх.* То же. АОС 2, 27.

Класть зало́г (зало́жечку). *Кар.* Давать согласие на что-л. СРГК 2, 360.

Уда́риться по зало́гу. *Сиб.* Заключить пари. СФС, 190.

ЗАЛО́Г[2] * Добыва́ть/ добы́ть зало́г. *Вост.-Казах.* Корчевать лес, очищать землю под пашню. СРНГ 8, 81.

Драть зало́г. *Приамур.* Пахать целину. СРГПриам., 77.

< **Залог** — целина, росчисть.

ЗАЛО́ЖЕЧКА * Класть зало́жечку. См. **Класть залог (ЗАЛОГ).**

ЗАЛО́ЖКА * Сиде́ть на зало́жке. 1. *Приамур.* Находиться в запертом помещении. СРГПриам., 271. // *Кар.* Находиться в помещении, запертом снаружи. СРГК 2, 151. 2. *Волог.* Постоянно запирать дом изнутри. СВГ 2, 129.

ЗАЛО́М * Зала́мывать/ залома́ть зало́м (зало́мы). *Новг.* Перевязывать или ломать растущие колосья ржи на полосе с целью порчи, колдовства. НОС 3, 45.

Дать зало́ма. *Кар.* Почувствовать ломоту в костях. СРГК 2, 151.

ЗАЛУ́ПА * Еще мал и глуп и не вида́л больши́х залу́п. *Нецենз. Презр.* О глупом, неопытном, не прошедшем суровых жизненных испытаний человеке. < Цитата из нецензурной басни. Мокиенко, Никитина 2003, 155.

Залу́па с глаза́ми. *Неценз. Бран.* Обращение к человеку. Елистратов 1994, 156.

Ко́нская залу́па. *Неценз.* 1. Об очень большом мужском члене. 2. *Бран.* О задиристом, скандальном человеке. Мокиенко, Никитина 2003, 151.

Ко́нскую залу́пу! *Неценз.* Выражение полного отказа. < **Залупа** — крайняя плоть. Мокиенко, Никитина 2003, 155.

Лезть в залу́пу. *Неценз Жарг. мол.* 1. Провоцировать драку, ссору; вести себя агрессивно. 2. Вызывать кого-л. на откровенность, пытаться узнать что-л. сокровенное. Вахитов 2003, 90.

Coса́ть [ко́нскую] залу́пу. *Неценз. Неодобр.* Оставаться ни с чем. Мокиенко, Никитина 2003, 155.

Соси́ [ко́нскую] залу́пу! *Неценз. Бран.* Выражение полного отказа. Мокиенко, Никитина 2003, 155.

Кида́ть залу́пы. *Неценз. Жарг. мол.* Выражать свое отрицательное отношение к кому-л., к чему-л. Вахитов 2003, 76.

ЗАЛЫ́СКА * Под залы́ску. *Кар.* Гладко. СРГК 2, 153.

ЗАМ * Зам по половы́м вопро́сам. *Жарг. шк. Шутл.* Школьная уборщица. (Запись 2003 г.).

ЗАМА́ЗКА * Быть в зама́зке. 1. *Жарг. мол., угол.* Находиться в состоянии азарта. Югановы, 87. 2. *Жарг. мол.* Потерпеть неудачу. Елистратов 1994, 156; VSEA, 76. 3. *Жарг. карт.* Быть в проигрыше. ББИ, 42; Балдаев 1, 294. 4. *Жарг. угол.* Быть связанным круговой порукой из-за соучастия в нераскрытом преступлении. Югановы, 87.

ЗАМАНИ́ХА * Забрести́ (попа́сть) в замани́ху. *Народн. Шутл.-ирон.* Заблудиться. ДП, 480; Мокиенко 1986, 116. < **Заманиха** — ловушка.

ЗАМА́Х (ЗАМА́К) * Пить под зама́х. *Пск.* Выпивать сразу, залпом. ПОС 11, 318.

Под зама́х. *Ср. Урал.* В состоянии возбуждения, раздражения, гнева. СРГСУ 4, 53.

Стерять зама́х *кому. Пск.* Помешать осуществлению чьих-л. планов, намерений. СПП 2001, 41.

За одни́м зама́хом. *Пск.* Попутно, заодно. ПОС 11, 318.

ЗАМА́ШКА * Па́утчая замашка. *Сиб.* Безжалостная, мертвая хватка. ФСС, 79; СРНГ 25, 284. < Прил. От **па́ут; пау́т** – паук.

ЗАМЕ́НА * Заме́на по хо́ду игры́. *Публ. Ирон.* Быстрая, досрочная смена руководящих лиц в правительственных органах. < Из речи спортсменов. Мокиенко 2003, 33.

ЗАМЕ́С * Друго́го заме́су. *Волг.* Иной, отличный от других. Глухов 1988, 38.

Одного́ заме́су. *Волг., Сиб.* Одинаковые, схожие по каким-л. качествам. Глухов 1988, 116; ФСС, 79.

ЗАМЕ́ТКА * На заме́тке *у кого. Разг.* Под особым наблюдением (быть, находиться). ФСРЯ, 167.

Брать/ взять на заме́тку *кого. Разг.* Принимать во внимание, учитывать, запоминать кого-л., что-л. БМС 1998, 198.

Не в заме́тку. *Сиб.* Незаметно. ФСС, 79.

ЗАМЕЧА́НИЕ * Под замеча́нием. *Сиб.* О человеке с плохой репутацией. ФСС, 79.

ЗАМИ́Н * С зами́ном. *Яросл.* С остановками, запинаясь (говорить). ЯОС 3, 84.

ЗА́МОК * Возду́шные (при́зрачные) за́мки. *Книжн. Ирон.* Фантастические, невыполнимые планы, замыслы, несбыточные мечты. Ф 1, 199-200; БТС, 333; БМС 1998, 198.

Стро́ить возду́шные за́мки. *Книжн. Ирон.* Предаваться пустым, неосуществимым мечтам и надеждам, мечтать о несбыточном. ФСРЯ, 168; ЗС 196, 344; БТС, 143, 333; БМС 1998, 198.

За́мок из песка́. *Публ. Неодобр.* О чём-л. зыбком, неустойчивом, неосуществимом. Мокиенко 2003, 33.

ЗАМО́К * За (под) семью́ (десяью́) замка́ми. *Разг.* 1. Под надёжной охраной; под строгим присмотром. 2. Тщательно спрятан, недоступен. ФСРЯ, 168.

Держа́ть в замка́х *кого. Сиб.* Удерживать кого-л., принуждать остаться где-л. СОСВ, 61.

На замке́. *Разг.* Заперт, закрыт. ФСРЯ, 186.

Колоти́ть замки́ (замо́чки). *Твер.* Воровать. СРНГ 14, 180.

Ходи́ть под замки́. *Кар.* То же, что **колотить замки.** СРГК 2, 158.

Замко́м по мо́рде. *Жарг. морск. Шутл.* Заместитель командира по морским делам. < **Замком** — заместитель командира. Мокиенко, Никитина 1998, 204.

К ка́ждому замку́ клю́чик. 1. *Прикам.* О человеке, который может найти общий язык со всеми. МФС, 47. 2. *Волг.* О человеке, не в меру услужливом, льстивом. Глухов 1988, 75.

Залезть под замо́к. *Сиб.* Проникнув в помещение, украсть что-л. ФСС, 78.

Замо́к с секре́том. *Волг.* О хитром человеке. Глухов 1988, 49.

Ло́жить на замо́к *что. Кар.* Запирать что-л. СРГК 3, 140.

На замо́к. *Разг.* Под охрану, в заточение (посадить, заключить). ФСРЯ, 168.

Ходи́ть под замо́к. *Прикам.* Входить в дом в отсутствие хозяев. МФС, 107.

Целова́ть/ поцелова́ть замо́к. *Прост. Шутл.* Придя к кому-л. в гости, не застать хозяев. ФСРЯ, 168; БМС 1998, 198-199.

ЗАМОЛЁНКА * Сиде́ть в замолёнках. *Яросл.* Быть помолвленной. ЯОС 2, 37.

ЗАМО́Р * На замо́р. *Сиб.* С целью уморить с голоду. ФСС, 79.

Хохота́ть в замо́р. *Кар.* Смеяться до изнеможения. СРГК 2, 158.

Идти́ на замо́ре. *Сиб.* Голодать. ФСС, 86.

ЗАМО́Т * Быть в замо́те. *Жарг. мол.* Очень устать, утомиться от множества дел, суеты. НРЛ-79; Мокиенко 2003, 33.

ЗАМО́ЧЕК * В замо́чек завяза́ть. *Сиб.* Связать узлом, завязать узел. ФСС, 79.

Колоти́ть замо́чки. См. **Колотить замки (ЗАМОК).**

ЗА́МУЖ * Выходи́ть/ вы́йти за́муж. 1. *Разг.* Вступать в брак (о женщине). БМС 1998, 199. 2. *Кар. Шутл.-ирон.* Женившись, перейти в семью жены. СРГК 2, 160. 3. *Жарг. гом.* Вступить в гомосексуальное сношение. Кз., 48. 4. *Жарг. гом.* Стать членом гомосексуальной или лесбийской семьи. Кз., 48.

Вы́вернуться за́муж. *Кар.* То же, что **выйти замуж 1.** СРГК 1, 254.

Вы́дернуть за́муж. *Волог.* Поспешно вступить в брак. СВГ 1, 91.

Вы́лезти за́муж. *Волог.* То же, что **выйти замуж 1.** СВГ 1, 94.

Оборва́ть в за́муж *кого. Кар.* Взять в жены кого. СРГК 4, 102.

ЗА́МУЖЕМ * Не пе́рвый раз (год) за́мужем. *Жарг. мол. Шутл.* Об опытном, уже побывавшем в какой-л. ситуации человеке. Белянин, Бутенко, 107.

ЗАМУ́ЖЕСТВО * Испуга́ться заму́жества. *Волог.* Измениться внешне в худшую сторону, осунуться. похудеть, выйдя замуж. СВГ 3, 26.

ЗАМЫКА́НИЕ * Замыка́ние се́рдца. *Кар.* Инфаркт. СРГК 2, 161.

Коро́ткое замыка́ние. 1. *Разг. Неодобр.* О бурном эмоциональном всплеске, вспышке гнева. БМС 1998, 199. 2. *Разг. Неодобр.* О внезапном кратковременном помрачении рассудка. (Запись 2003 г.). 3. *Жарг. шк. Шутл.* Урок физики. ВМН 2003, 52. 4. *Жарг. шк. Шутл.* Учитель, учительница физики. ВМН 2003, 52.

ЗА́НАВЕС * Желе́зный за́навес. 1. *Публ. Неодобр.* Преграды (обычно — намеренно создаваемые по идеологическим соображениям), препятствующие взаимным контактам различных стран и создающие их политическую изоляцию. БМС 1998, 200; ТС XX в., 228; ШЗФ 2001, 74; Янин 2003, 106; БТС, 334. 2. *Жарг. арест., мил. Шутл.-ирон.* Наружные въездные ворота в ИТУ. Быков, 71. 3. *Жарг. мол. Шутл.* Маска неприступности на лице. Вахитов 2003, 54. < Выражение из речи У. Черчилля (5 марта 1946 г.). Дядечко 2, 61.

Опуска́ть/ опусти́ть за́навес. *Книжн.* Заканчивать что-л. Ф 2, 18.

Под за́навес. *Разг.* К самому концу, в самом конце чего-л. ФСРЯ, 168; БМС 1998, 200; БТС, 334; ЗС 1996, 123, 527.

ЗАНАВЕ́СКА * Наве́сить занаве́ски на глаза́. *Волг.* Намеренно не замечать чего-л. Глухов 1988, 87.

Теребить занаве́ски. *Жарг. мол. Неодобр.* 1. Раздражать, нервировать кого-л. 2. Вводить в заблуждение, запутывать кого-л. (Запись 2004 г.).

ЗАНА́ЧКА * Быть в зана́чке *у кого. Разг.* Быть спрятанным, надёжно укрытом где-л. СРГМ 1980, 87; Мокиенко 2003, 33.

ЗАНИШТЯ́К * Жить в заништя́ке. *Жарг. мол. Одобр.* О богатой, обеспеченной жизни. Елистратов 159.

ЗАНО́ЗА * Броса́ть зано́зу. *Жарг. мол.* Задираться, провоцировать конфликт. Максимов, 45.

Де́лать зано́зу. *Пск.* Устраивать перерыв в работе для отдыха. ПОС 12, 13.

Под зано́зу. *Ср. Урал.* С издёвкой. СРГСУ 4, 53.

Сесть на зано́зу. *Пск.* Дать себя перехитрить, поддаться обману. ПОС 12, 13.

ЗАО́Ч * По зао́чу. *Коми.* В отсутствие кого-л. Кобелева, 63.

ЗАПА́Д * Быть в запа́де *на кого. Жарг. мол.* Влюбиться, испытывать симпатию к кому-л. БСРЖ, 207. < От **западать** — влюбляться в кого-л.

До запа́ду. *Волог.* До первого снега. СВГ 2, 135.

ЗАПАДЛО́ * Западло́ держа́ть *кого. Жарг. угол., мол.* Проявлять неуважение, быть недостаточно внимательным к кому-л. < Первонач. **за падло держать** *кого* — 'считать кого-л. ничтожеством, мерзавцем'. Митьки, 1990, 9; БСРЖ, 207.

ЗАПА́Л * Под запа́л. *Прост.* Сгоряча, в порыве какого-л. чувства. ФСРЯ, 169; Ф 1, 201.

В запа́ле. *Прикам.* Под запретом. МФС, 39.

ЗАПА́РА * Вели́кая запа́ра. *Жарг. студ. Шутл.* Экзаменационная сессия. Никитина 1998, 147. < **Запара** — экзамен.

ЗАПА́С * В запас. *Сиб.* Под присмотр. ФСС, 79.

Запа́с про́чности. *Публ.* Преимущество в чём-л., обеспечивающее успех. Ф 1, 201; БМС 1998, 201; ШЗФ 2001, 80.

Про запа́с. *Прост.* На тот случай, если понадобится. ФСРЯ, 169.

Загоня́ть запа́сы. *Волг.* Экономить, скапливать что-л. Глухов 1988, 46.

ЗАПАСНО́Й * Уйти́ на запасно́й. *Жарг. мол.* Отправиться ночевать в чужой дом. Максимов, 147.

ЗАПА́СЬЕ * В (на) запа́сье. *Печор.* На всякий случай. СРГНП 1, 254.

ЗА́ПАХ * За́пах Ильича́. 1. *Разг. Шутл.-ирон.* Запах политуры, суррогатного спирта, который пьют опустившиеся алкоголики ввиду дешевизны. Балдаев 1, 147; ББИ, 87. 2. *Жарг. угол. Шутл.-ирон.* Запах содержимого тюремной камеры. Балдаев 1, 147; ББИ, 87.

За́пах лека́рств. *Жарг. шк. Шутл.* Школьный медпункт. ВМН 2003, 52.

Корми́ть за́пахом *кого. Кар.* Не давать кому-л. пищи. СРГК 2, 431.

С за́пахом. *Ср. Урал. Неодобр.* О высокомерном, зазнавшемся человеке. СРГСУ 1, 180.

Сыт одни́м за́пахом. *Кар.* О человеке, которому не нужно много пищи. СРГК 2, 431.

ЗАПОДЛИЦО́ * Заподлицо́ держа́ть *кого. Жарг. мол.* То же, что **западло держать (ЗАПАДЛО).** Югановы, 301.

ЗАПИ́СКА * Запи́ски охо́тника. *Жарг. шк. Шутл.* 1. Тетрадь школьника. ВМН 2003, 52. 2. Дневник. < По названию сборника рассказов И. С. Тургенева. Максимов, 148.

Запи́ски сумасше́дшего. 1. *Жарг. шк. Шутл.* Тетрадь школьника. ВМН 2003, 52. 2. *Жарг. шк. Шутл.* Сочинение. Bytic, 1991–2000; ШП, 2002. 3. *Жарг. шк. Шутл.* Дневник. ВМН 2003, 52. 4. *Жарг. курс. Устар.* Конспект по марксистско-ленинской подготовке. Кор., 109. 5. *Жарг. арм. Шутл.-ирон.* Армейский устав. Максимов, 148. < По названию повести Н. В. Гоголя.

Запи́ски Ше́рлока Хо́лмса. *Жарг. шк. Шутл.* Конспект. Максимов, 148.

ЗА́ПИСЬ * Под за́пись. *Дон.* В кредит (брать, покупать). СДГ 1, 39.

ЗАПИТА́Я * Пить запиту́ю. *Кар.* Пьянствовать, пить запоем. СРГК 4, 522.

ЗАПЛА́ТКА * На запла́тку. *Кар.* Напоследок, сверх чего-л., после всего. СРГК 2, 176.

ЗАПЛЁТ * Пойти́ в заплёт. *Кар.* Перепутаться, перемешаться, прийти в беспорядок. СРГК 2, 176.

ЗАПЛО́Т * Забра́ть в запло́т. *Приамур.* Плотно пригнать друг к другу (доски). СРГПриам., 88.

ЗАПЛЫ́В * Ма́ссовый заплы́в. *Жарг. арм. Шутл.* Уборка казармы. Максимов, 148.

ЗАПО́Й * Де́лать запо́й. *Дон.* То же, что **запивать запой.** СДГ 2, 12.

Запива́ть/ запи́ть запо́й. *Приамур.* Устраивать угощение со спиртным после удачного сватовства. СРГПриам., 98.

ЗАПОМИНА́НИЕ * На моё запомина́ние. *Дон.* При моей жизни. СДГ 2, 12.

ЗАПО́НА * Принести́ в запо́не. *Сиб. Неодобр.* Родить ребенка вне брака. СФС, 152.

ЗАПО́Р * Зайти́сь в запо́р. *Новг.* Сильно замёрзнуть, окоченеть от холода. НОС 3, 62.

ЗАПО́РЕЦ * Ни запо́рца, ни подворо́тенки. *Народн.* О хозяйстве бедняка. ДП, 90.

ЗАПРА́ВА * Брать/ взять запра́ву. *Волг., Дон.* Приобретать какую-л. привычку. Глухов 1988, 5; СДГ 2, 13.

ЗА́ПРЕЖЬЕ * По за́прежьям. *Кар.* По сторонам. СРГК 2, 184.

ЗАПРЕ́ТКА * Гра́бить запре́тку. *Жарг. арест.* Быть в доверии у уполномоченного; сотрудничать с администрацией ИТУ. Р-87, 87; ББИ, 59. < **Запретка** — запретная зона в ИТУ.

ЗАПРО́С * Дать запро́с *кому. Волог.* Предупредить кого-л. о чём-л. СВГ 2, 8.

Без запро́су. *Кар.* Без разрешения. СРГК 2, 186.

ЗА́ПРЯЖЬ * Быть в за́пряже. *Сиб. Шутл.-ирон.* Усердно работать. СОСВ, 75.

ЗАПУ́КА * Ба́нная запу́ка. *Сиб. Презр.* Неряха. ФСС, 80; СФС, 19.

ЗАПУ́ХА * Ба́нная запу́ха. *Ср. Урал.* То же, что **банная запука (ЗАПУКА).** СРГСУ 1, 34.

ЗАПЯТА́Я * До после́дней запято́й. *Разг. Устар.* Во всех подробностях, не упуская ничего. Ф 1, 202; БТС, 341.

Поста́вить запяту́ю. 1. *кому. Прикам.* Воспрепятствовать кому-л. в чём-л. МФС, 80. 2. *Жарг. мол. Шутл.* Затушить сигарету о стену. Максимов, 148.

ЗАПЯ́ТКИ * На запя́тках. *Волог.* Потом, после, спустя некоторое время. СВГ 2, 145.

В запя́тки. 1. *Яросл.* Обратно. ЯОС 2, 37. 2. *Перм., Прикам.* Вслед кому-л. (говорить, кричать). СГПО, 188; МФС, 39.

Вступи́ть на чужи́е запя́тки. *Арх.* Занять не свое место. АОС 6, 61.

Посла́ть на запя́тки *кого. Волог.* Ответить отказом на сватовство. СВГ 2, 145.

Ступа́ть на запя́тки. *Волог.* Идти следом за кем-л., не отставая ни на шаг. СВГ 2, 145.

ЗАРА́ЗА * Зара́за бы взяла́ *кого! Морд. Бран.* Выражение возмущения, негодования. СРГМ 1980, 93.

Зара́за отси́женная. *Жарг. нарк.* Надёжно спрятанные наркотики. Максимов, 148.

Зара́за понюхала *кого. Волг. Неодобр.* О непоседливом, несдержанном человеке. Глухов 1988, 51.

Зара́за тёмная. *Пск. Бран.* Об упрямом, непослушном животном. СПП 2001, 41.

В зара́зу мать! *Волг. Бран.* Восклицание, выражающее гнев, негодование, досаду. Глухов 1988, 10.

Зара́зу тебе́ в рот! *Прост. Бран.* Выражение досады, раздражения, негодования. Мокиенко, Никитина 2003, 157.

Зара́зы кусо́к. *Курск. Бран.* О человеке, поступившем неправильно. БотСан, 82, 96.

ЗАРЕ́З * До заре́зу ну́жен (необходи́м). *Разг.* Очень, крайне необходим. БМС 1998, 201.

ЗАРЕ́ЗАТЬ * Хоть заре́жь (хоть заре́жьте). *Разг.* Об очень трудном, безвыходном положении. БМС 1998, 201.

ЗАРЖАВЕ́ТЬ * Не заржаве́ет *у кого, за кем. Прост.* Кто-л. может что-л. сделать, сказать, не думая о последствиях. СРГМ 1910, 93.ЗС 1996, 238; Глухов 1988, 98, 163.

ЗА́РИ * За́ри беру́т *кого. Сиб.* О чувстве зависти. ФСС, 80.

ЗАРИ́ЦА * Ву́тренняя зари́ца. *Одесск.* Планета Венера. КСРГО.

ЗАРНИ́ЧКА * Вече́рняя зарни́чка. *Одесск.* Звезда Сириус. КСРГО.

ЗАРО́ДЫШ * Обезья́ний заро́дыш. *Жарг. мол. Бран.* О подлом, непорядочном человеке. Вахитов 2003, 115.

Души́ть/ задуши́ть в са́мом заро́дыше. *Публ.* Уничтожать, пресекать зло в самом начале, не давая ему разрастись. БМС 1998, 201; БТС, 342; Ф 1, 203.

ЗАРО́К * Положи́ть заро́к. *разг. Устар.* Связать себя клятвой. Ф 2, 70.

ЗАРО́Н * С заро́ном. *Кар.* О строптивом человеке, упрямом животном. СРГК 2, 192.

ЗАРУ́Б * Под зару́бом. *Кар.* В нетрезвом состоянии. СРГК 2, 193.

ЗАРЬ * Зарь берёт *кого. Волг.* Кто-л. завидует кому-л. Глухов 1988, 51.

ЗАРЯ́ * На заре́ тума́нной ю́ности. *Книжн. Ирон.* В годы ранней юности (с оттенком сожаления о прошедших временах). БМС 1998, 201.

А зо́ри здесь ти́хие. *Жарг. арм., курс. Шутл.* 1. Туалет. 2. Госпиталь, санчасть. ЖЭСТ-1, 223. < Назв. повести Б. Л. Васильева «А зори здесь тихие» (1969).

До тёмной зари́. *Курск., Прикам.* Допоздна. БотСан, 92; МФС, 39.

От (с) зари́ до зари́. *Прост.* С утра до вечера. Ф 1, 202-203; ЗС 1996, 485; ПОС 12, 105; СРГК 1, 281; СРГК 4, 600.

Ви́деть зарю́. *Волог.* Спать чутко и просыпаться вовремя. СРНГ 11, 14.

Заря́ вгоня́ет, заря́ выгоня́ет *кого. Дон.* О человеке, работающем с утра до вечера. СДГ 2, 15.

Заря́ вы́кинула (вы́гнала, гнала́) *кого.* 1. *Дон.* О человеке, вернувшемся на заре. СДГ 2, 15; СРНГ 11, 14. 2. *Волг.* О человеке, рано проснувшемся. Глухов 1988, 51.

Заря́ коммуни́зма. *Жарг. арест. Ирон.* Тюремная баланда, приготовленная из гнилых овощей, крапивы, лебеды с небольшим добавлением крупы. Балдаев 1, 150; ББИ, 88.

Десна́я заря́. *Калуж.* Растение валерьяна лоснящаяся. СРНГ 16, 375.

Тёмная заря́. *Перм.* Закат солнца. СГПО, 628.

Чуть заря́ пробры́знула. *Волг.* Очень рано утром. Глухов 1988, 174.

На заря́х. *Урал.* Рано утром. СРНГ 11, 14.

Зо́ри целу́ются. *Перм.* О летних незакатных зорях в северных районах, когда утренняя заря сходится с вечерней. Подюков 1989, 86.

Отлива́ть зо́ри (зо́рю). *Дон.* Поливать растения на заре. СДГ 2, 213.

В зо́рю посмотре́ть. *Сиб. Одобр.* Очень красивый. ФСС, 148.

Выть зо́рю. *Перм., Ср. Урал.* Плакать, причитать (о невесте). СРНГ 6, 44; СРГСУ 1, 106.

Игра́ть зо́рю. 1. *Дон.* Петь свадебные песни. СДГ 2, 37. 2. *Волг.* Беспокоить, тормошить кого-л. Глухов 1988, 55.

ЗАРЯ́ДКА * На одну́ заря́дку. *Кар.* Без перерыва, без отдыха (работать). СРГК 2, 195; СРГК 4, 150.

ЗАСА́Д * Заса́д тебе́ в го́рло! *Ряз. Бран.* Восклицание, выражающее гнев, негодование в адрес того, кто громко кричит. СРНГ 11, 17. **Заса́д тебе́ в кады́к!** *Башк. Бран.* То же. СРГБ 1, 147.

ЗАСА́ДА * Быть в заса́де. *Жарг. мол. Шутл.* Совокупляться, совершать половой акт с кем-л. Югановы, 90.

Попа́сть в заса́ду. *Жарг. мол.* Оказаться в сложной ситуации. Никитина 1996, 68.

ЗАСЕДА́НИЕ * Заседа́ние госду́мы. *Жарг. шк. Шутл.* Заседание педсовета. Максимов, 149.

ЗАСЕ́К * Ввали́ться в Фила́тов засе́к. *Новг.* Выйти замуж за богатого. НОС 1, 109; Сергеева 2004, 209.

[Хоть] в засе́к посади́ (всади́) *кого. Пск.* О человеке, который не полнеет, хотя ест очень много. ПОС 12, 112.

ЗАСИ́ДКА * Забира́ться в заси́дку *к кому. Влад.* Ходить в гости к соседям в зимние вечера. СРНГ 11, 31.

ЗАСИРА́НИЕ * Засира́ние мозго́в. *Разг. Вульг. Неодобр.* Попытка заставить кого-л. думать определённым образом. Р-87, 127.

ЗАСКО́К * С заско́ком. *Пск. Неодобр.* О том, кто обнаруживает странности в поведении. ПОС 12, 120.

ЗАСЛО́Н * Ста́вить/ поста́вить засло́н *кому, чему. Разг.* Мешать какому-л. неблагоприятному явлению. БМС 1998, 201.

ЗАСЛО́НКА * Греме́ть во все засло́нки. *Волг.* Поднимать шум, тревогу. Глухов 1988, 26.

Запи́хивать за о́бе засло́нки. *Волг.* Есть с аппетитом. Глухов 1988, 50.

Корми́ть/покорми́ть с засло́нки *кого. Сиб.* 1. Кормить скотину в закрытом помещении, тем самым оберегая ее от сглаза. 2. Беречь, предохранять кого-л. от сглаза. ФСС, 96; СФС, 144.

Бить в засло́нку. 1. *Ворон. Ирон.* Оживлённо рассказывать о чём-л. неинтересном. СРНГ 11, 42. 2. *Волг.* Действовать решительно. Глухов 1988, 2.

ЗАСЛУ́ГА * За половы́е заслу́ги. *Жарг. арм. Шутл.* Медаль «За боевые заслуги». Кор., 110.

ЗАСО́С * Сиде́ть в засо́с. *Олон.* Долго, страстно целоваться, сидя обнявшись. СРНГ 11, 50.

ЗАСТЁЖКА * Све́тлые застёжки. *Арх.* О беглых солдатах, скрывавшихся в лесах. СРНГ 36, 266.

ЗАСТЕ́НКИ * Сиде́ть в засте́нках. *Кар.* Бездействовать, ничего не предпринимать. СРГК 1, 208.

ЗАСТО́ЛЬЕ * Сесть в засто́лье. *Кар.* Сесть, расположиться за столом для еды. СРГК 2, 209.

Вы́йти из засто́лья. *Кар.* Выйти из-за стола, окончив или прервав еду. СРГК 2, 209.

ЗА́СТУП * Бить за́ступом. *Новг.* Заниматься физическим трудом. НОС 1, 58.

ЗА́СУХА * Мо́края за́суха. *Перм. Прикам.* Продолжительное ненастье, наносящее вред сельскому хозяйству. СГПО, 192; МФС, 39.

ЗАСЫ́ЧКА * В засы́чку. *Влад.* С раздражением, вызывающе. СРНГ 11, 80.

ЗАТВО́Р * Передёргивать/ передёрнуть затво́р. *Жарг. мол. Шутл.* Онанировать. Декамерон 2001, № 3; Максимов, 150.

ЗАТИ́НКА * Без зати́нки. *Арх.* Безупречно (сделать что-л.). СРНГ 11, 92.

С зати́нкой. *Новг.* Об упрямом, строптивом человеке, животном. НОС 3, 77.

ЗАТИ́ШЬЕ * Зати́шье перед бу́рей. 1. *Разг.* Временное успокоение в ходе каких-л. дел, событий. Ф 1, 205. 2. *Жарг. шк. Шутл.* Пауза перед вызовом ученика к доске. Максимов, 49.

ЗАТМЕ́НИЕ * Замасты́рить со́лнечное затме́ние *кому. Жарг. угол.* Убить кого-л. ТСУЖ, 63.

Затме́ние в голове́ *у кого. Коми.* О помутнении рассудка. Кобелева, 63.

Затме́ние луны́. *Пск.* О головокружении, обмороке. ПОС 12, 185.

ЗАТО́Н * С зато́ном. *Новг., Пск. Неодобр.* Об упрямом, капризном человеке, животном. НОС 4, 103; ПОС 12, 188.// *Пск.* О неисправной вещи. ПОС 12, 188.

ЗАТРА́ВКА * Для затра́вки. *Прост.* 1. Для возбуждения интереса к дальнейшему. 2. Для начала, почина чего-л. Мокиенко 2003, 34.

На затра́вку. *Прост.* То же, что **для затравки 2.** Ф 1, 205.

Сде́лать затра́вку. *Прост.* Положить начало, основание чему-л. Ф 2, 147.

ЗАТРА́СКА * Задава́ть/ зада́ть затра́ску *кому.* 1. *Дон.* Грозить, угрожать кому-л., пугать кого-л. СДГ 2, 20. 2. *Волг.* Строго наказывать, бить кого-л. Глухов 1988, 47.

ЗАТУ́ЛЬЕ * Ни зату́лья, ни приту́лья, ни зати́ну. *Народн.* О крайне бедном, бездомном человеке. ДП, 63.

ЗАТЫ́ЛОК * Иска́ть на заты́лке вши. *Вят. Ирон.* Старательно, но безрезультатно искать что-л. СРНГ 12, 214.

Че́шется в заты́лке *у кого. Волг.* Кто-л. испытывает беспокойство, затруднение, не понимает чего-л. Глухов 1988, 172.

Врозь заты́лком. *Арх.* В разные стороны (пойти). АОС 6, 31.

Стира́ть заты́лком на́волочки. *Новг. Шутл.-ирон.* Бездельничать, лежать в постели. СРНГ 11, 117; Мокиенко 1990, 64.

Бить по заты́лку буты́лку за буты́лкой. *Моск.* О длительной, интенсивной выпивке. СРНГ 11, 117.

Бри́тый заты́лок. *Жарг. мол.* Рэкетир. Максимов, 44.

В заты́лок. *Разг.* В один ряд друг за другом. Ф 1, 206.

Ко́жаный заты́лок. *Жарг. мол., крим. Шутл.* Телохранитель; охранник. БСРЖ, 215; Максимов, 151.

Пока́зывать/ показа́ть заты́лок. *Волг. Шутл.* Уходить, убегать откуда-л. Глухов 1988, 128.

Тупостри́женный заты́лок. *Жарг. мол. Шутл.-ирон.* Коммерсант. Максимов, 151.

ЗАТЫ́ЧКА * Ба́нная заты́чка. 1. *Перм., Ср. Урал. Пренебр.* О нечистоплотном человеке. Сл. Акчим. 1, 331; СРГСУ 1, 34. 2. *Сиб.* О человеке, который везде успевает, за все берется. СФС, 19. 3. *Прикам., Сиб. Пренебр.* О слабохарактерном человеке, услугами которого пользуются другие. МФС, 39; ФСС, 11; СФС, 19.

Заты́чка во все ды́ры (ды́рки). *Прост. Неодобр.* О человеке, который постоянно вмешивается не в своё дело. Ф 1, 206; Глухов 1988, 51.

Заты́чка во вся́кой бо́чке. *Волг. Неодобр.* О надоедливом, не в меру услужливом человеке. Глухов 1988, 51.

Заты́чка от пусто́го двора́. *Волг. Неодобр.* то же, что **затычка во всякой бочке.** Глухов 1988, 51.

Лагу́нная заты́чка. *Морд. Пренебр.* О неряшливо одетом человеке. СРГМ 1980, 91.

Ни в заты́чку, ни в подты́чку не годи́тся *кому. Народн.* Значительно уступает кому-л. в чём-л. ДП, 427.

ЗАТЯ́Г * С затя́гом. *Пск.* Со странностями в поведении. ПОС 12, 208.

ЗАУГО́ЛЬЕ * Бе́гать по заугóлью. *Пск. Неодобр.* 1. Подслушивать, выведывать что-л., шпионить за кем-л. 2. *То же, что* **болта́ться по заугóльям.** СПП 2001, 41.

Шепта́ть по заугóлью. *Пск. Неодобр.* Говорить плохо о человеке в его отсутствие. СПП 2001, 41.

Болта́ться (верте́ться) по заугóльям. *Пск. Неодобр.* Бездельничать, праздно слоняться, уклоняться от работы. ПОС 2, 92; ПОС 12, 213; Мокиенко 1990, 65.

ЗАУ́ШИНА * Дава́ть/ надава́ть зау́шин *кому. Прост. Устар.; Обл.* Бить, избивать кого-л. Ф 1, 133; Мокиенко 1990, 47.

ЗАУ́ШНИЦА * Есть так, что зау́шницы красне́ют. *Кар.* Есть быстро, жадно, с большим аппетитом. СРГК 2, 229; СРГК 3, 9.

ЗАУ́ШНО * Зау́шно треща́т *у кого. Волог.* О человеке, который ест с жадностью. СВГ 2, 159.

ЗАХА́Р * По бе́дному Заха́ру вся́кая щепа́ бьёт. *Народн. Ирон.* О невезучем человеке. ДП, 60.

ЗАХВА́Т * В захва́т. *Тул.* Нарасхват. СРНГ 11, 144.

На захва́ты. *Одесск.* То же, что **в захват.** КСРГО.

ЗАХВАТИ́ТЬ * Как захвати́ть. *Пск.* 1. О большом количестве чего-л. 2. Досыта, вдоволь. 3. Быстро. 4. Охотно, с удовольствием. ПОС 12, 225.

Где захвачу́, где и прокачу́. *Кар. Неодобр.* О небрежной работе. СРГК 5, 264.

ЗАХВА́ТКА * В захва́тку. *Новг.* То же, что **в захват.** НОС 3, 85.

На захва́тки. *Курск.* То же, что **в захват.** СРНГ 11, 145.

ЗАХЛЁСТ * В захлёст *чего у кого. Костром.* Имеется в большом количестве. СРНГ 11, 150.

ЗАХЛОБУ́ШКА * Попа́сть в захлобу́шку. *Горьк., Свердл., Ср. Урал.* Оказаться в сложном положении, трудной ситуации. БалСок, 50; СРНГ 11, 151; СРГСУ 1, 189; Мокиенко 1986, 115. < **Захлобушка** — вьюшка у подтопка, дверца, которой закрывают трубу.

ЗАХО́Д * Смея́ться (хохота́ть) в захо́д (в захо́ды). *Влад., Перм.* Смеяться до изнеможения. СРНГ 11, 156, 158; Подюков 1989, 224.

Гнило́й захо́д. *Жарг. угол.* 1. Обман, ложное действие. ТСУЖ, 40. 2. Хитрый подход к кому-л. ТСУЖ, 4.

Захо́д с се́вера. *Жарг. угол.* Неприятные и опасные вопросы, задаваемые следователем. ТСУЖ, 69.

Одни́м захо́дом. *Волг.* Сразу, разом. Глухов 1988, 116.

Захо́ды заходи́ться. *Сиб.* То же, что **смеяться в заход.** ФСС, 81.

ЗАХО́ДКА * Прийти́ в захо́дку. *Нижегор.* Зайти к кому-л. СРНГ 11, 158.

ЗАХОЛУ́СТЬЕ * Быть в захолу́стье. *Кар.* Быть глупым, невежественным. СРГК 2, 233.

ЗАХРЕБЕ́ТНИК * Дава́ть/ дать захребе́тник *кому. Кар.* Ударять по спине кого-л. СРГК 2, 234.

ЗАЧА́ТЬЕ * С зача́тья ве́ка. *Смол.* Издавна, с давних пор. СРНГ 11, 172.

ЗАШЕ́ЕК * Проводи́ть по заше́йкам *кого. Разг. Устар.* Выгнать, прогнать кого-л. Ф 2, 97.

ЗАШИ́ВКА * Под заши́вку. *Прибайк.* Доверху, полно, до предела. СНФП, 69.

ЗАШО́Р * Быть в зашо́ре. *Жарг. мол. Неодобр.* Потерять ощущение реальности, адекватность восприятия в результате излишней суеты. Югановы, 93.

ЗАЯ́ВА * Кида́ть/ ки́нуть зая́ву *на что. Жарг. мол.* 1. Писать заявление на что-л., о чём-л. БСРЖ, 220. 2. Предъявлять претензии к кому-л. Вахитов 2003, 76.

ЗАЯВЛЕ́НИЕ * Подава́ть/ пода́ть заявле́ние на два ме́тра. *Разг. Шутл.-ирон.* Умереть, быть готовым к смерти. БМС 1998, 202; БСРЖ, 220.

ЗА́ЯЦ * Лови́ть за́йца. *Новосиб.* В свадебном обряде: перегораживать улицу для того, чтобы задержать поезд жениха с требованием выкупа за невесту. СРНГ 17, 101; ФСС, 107.

Обогна́ть за́йца. *Новг. Шутл.* Быстро побежать. НОС 6, 97.

Ска́зывать за́йца в ве́рше, щу́ку в капка́не. *Народн. Шутл.-ирон.* Рассказывать небылицы, говорить вздор, ерунду. ДП, 206.

Хоть за́йца гоня́й. 1. *Народн. Шутл.-ирон.* О сильном холоде в помещении. Жиг. 1969, 338. 2. *Перм. Шутл.* О ничем не заполненном, просторном помещении. Подюков 1989, 49.

Гоня́ться (бе́гать) за двумя́ за́йцами. *Разг. Неодобр.* Браться за несколько дел сразу, не имея чёткой цели, разбрасываться при выполнении какой-л. работы, совершении какого-л. дела. БМС 1998, 202; БалСок, 22; БТС, 240, 856; Глухов 1988, 26; АОС 9, 305.

Убива́ть/ уби́ть (пойма́ть) двух за́йцев. *Народн. Одобр. или Шутл.* Достигнуть сразу двух целей, осуществить сразу два намерения. БМС 1998, 202; БТС, 240, 1363; Ф 2, 63; ЗС 1996, 102; АОС 10, 292.

За́яц в кле́тке с ти́грами. *Шутл.-ирон.* 1. *Жарг. шк.* Молодой учитель на уроке. 2. *Жарг. студ.* Студент на госэкзамене. Максимов, 153.

За́яц во хмелю́. *разг. Ирон.* О хвастливом и задиристом пьяном человеке. < Восходит к заглавию басни С. Михалкова (1945).

За́яц [мо́жет] нае́стся *[чем]. Пск. Шутл.* Об очень малом количестве чего-л. ПОС 12, 276.

Земляно́й (земно́й) за́яц. *Прост.* Грызун семейства тушканчиков. Ф 1, 207. // *Дон., Яросл.* Тушканчик. СДГ 2, 26; ЯОС 4, 120.

Морско́й за́яц. *Спец. (морск.).* Лахтак, морское млекопитающее семейства тюленей. Ф 1, 207. // *Арх.* Один из видов тюленя в Белом море и Северном Ледовитом океане. СРНГ 17, 101.

ЗВА́НИЕ (ЗВА́НЬЕ) * Име́ть зва́ние. *Сиб. Одобр.* Быть образованным. ФСС, 88.

Одно́ [то́лько] зва́ние. 1. *Прост. Устар.* О чём-л., не соответствующем своему положению, названию. Ф 1, 207. 2. *Волг.* Что-л. ненадёжное, недостаточно полное. Глухов 1988, 116.

До зва́нья. 1. *Помор.* До конца, полностью, без остатка. ЖРКП, 56. // *Перм.* Абсолютно все, все до одного. Подюков 1989, 83. 2. *Кар.* Чисто, до блеска. СРГК 2, 246.

И зва́нья не взять. *Яросл.* Не иметь намерения, не считать возможным. ЯОС 4, 132.

И зва́нья нет *чего. Прост.* О полном отсутствии чего-л. ФСРЯ, 277; СГПО, 197; ФСС, 81, 121; СРНГ 11, 209; МФС, 65; ПОС 12, 278.

Ни зва́нья. *Пск., Моск.* Нисколько, ничего (не знать). СРНГ 21, 213

Ни зва́нья нет *чего. Пск.* То же, что **и званья нет.** ПОС 12, 278.

ЗВА́НЬИШКО * Зва́ньишка не́ту *чего. Перм.* То же, что **и званья нет.** СРНГ 11, 210.

ЗВА́НЬЮШКО * Зва́ньюшка нет *чего. Сиб.* То же, что **и званья нет.** ФСС, 121.

ЗВЕЗДА́ * До бе́лых звёзд. *Прибайк.* Долго, допоздна. СНФП, 70.

Звёзд с не́ба не хвата́ет *кто. Разг. Ирон. или Пренебр.* О недалёком, малоспособном, бесталанном человеке. ФСРЯ, 172; БМС 1998, 204; БТС, 1440.

Нахвата́ть звёзд. *Башк.* О пятнах на одежде. СРГБ 1, 153.

Вече́рняя (вечёрошная, у́тренняя) звезда́. *Дон.* Планета Венера. СДГ 1, 63.

Во́лчья звезда́. *Ср. Урал.* Созвездие Большая Медведица. СРГСУ 1, 90.

Восходя́щая звезда́. *Книжн.* Человек, начинающий приобретать славу, известность в какой-л. области. ФСРЯ, 172; ЗС 1996, 31.

Звезда́ бале́та (Голливу́да). *Жарг. мол. Шутл.-ирон.* Проститутка; девушка лёгкого поведения. Максимов, 153.

Звезда́ *чья* **взошла́.** *Книжн. Высок.* У кого-л. началась полоса удач, пришли успехи, известность, слава. БМС 1998, 204.

Звезда́ восто́чная. *Волог. Шутл.* Об очень бойком человеке. СРНГ 5, 147.

Звезда́ *чья* **закати́лась.** *Книжн.* 1. Кончились чьи-л. успехи, везение. 2. Кто-л. потерял популярность, известность. БМС 1998, 294.

Звезда́ кита́йского мультфи́льма. *Жарг. мол. Презр.* О зазнавшемся человеке. Вахитов 2003, 68.

Звезда́ пе́рвой величины́. *Книжн. Одобр., Шутл. или Ирон.* О выдающемся деятеле, мастере, специалисте в какой-л. области. ФСРЯ, 172; БМС 1998, 204.

Путево́дная звезда́. *Книжн. Высок.* 1. Руководящая, направляющая мысль, указывающая верное направление в какой-л. области жизни. 2. Человек, определяющий каким-л. образом чью-л. жизнь, деятельность. ФСРЯ, 172; БМС 1998, 204.

Счастли́вая звезда́. *Книжн.* Везение, удача. Ф 1, 207.

У́тренняя звезда́. См. **Вечерняя звезда.**

Идти́ со звездо́й. *Жарг. угол.* Совершать преступление ночью. Балдаев 1, 170; ТСУЖ, 77.

Усы́пать звёздами *что. Жарг. угол.* Разбив стекло в окне, в витрине, совершить ограбление. Ларин 1931, 120; СРВС 2, 90; Балдаев 2, 101.

Усы́пать звёздами я́щик с ду́рью. *Жарг. угол., нарк.* Разбить стекло шкафа, в котором находятся наркотики. ТСУЖ, 183.

Роди́ться под счастли́вой звездо́й. *Разг. Шутл.* Быть удачливым, везучим, счастливым. ФСРЯ, 172; БМС 1998, 204; Жиг. 1969, 147; ДП, 58.

Включи́ть звезду́. *Жарг. мол. Шутл.-ирон. или Неодобр.* Зазнаться, начать капризничать, вести себя вызывающе (о проявлении так называемой "звёздной болезни"). АиФ, 1999, № 12.

Рассы́пать звезду́. *Жарг. арм.* Разжаловать, понизить в воинском звании. Кор., 242; Афг.-2000.

Больши́е звёзды. *Жарг. арм.* Старшие офицеры. Афг.-2000.

Выслу́живать звёзды. *Жарг. студ.* Угождать преподавателям, выслуживаться перед ними. Максимов, 77.

Выше то́лько звёзды, кру́че то́лько я́йца. *Жарг. мол. Ирон.* О зазнавшемся человеке. Вахитов 2003, 35.

До звезды́. 1. *Разг.* До вечера, до темноты. Ф 1, 207. 2. *что кому. Жарг. мол.* Абсолютно безразлично. < **Звезда.** *Эвфем.* — женские гениталии. Мокиенко, Никитина 2003, 160.

Доро́жные звёзды. *Алт., Сиб.* Млечный путь. СРНГ 8, 136; ФСС, 82.

Звёзды па́дают в ию́ле. *Жарг. курс. Шутл.* О производстве в офицеры курсантов по окончании военного училища. Кор., 113.

От звезды́ до звезды́. *Пск., Сиб.* Всю ночь (от появления звёзд вечером до их исчезновения утром). СПП 2001, 41; ФСС, 82.

Получи́ть звезды́. *Жарг. мол. Шутл.* Подвергнуться избиению. (Запись 2004 г.).

Сова́ть во все звёзды *кого. Морд.* Привлекать кого-л. к любой работе. СРГМ 2002, 98.

Счита́ть звёзды. 1. *Разг. Шутл.-ирон.* Быть склонным к мечтательности и фантазиям; проводить время в праздных мечтаниях. Ф 2, 198; БТС, 1298. 2. *Пск.* Платить фант в игре поцелуем (на улице). Ивашко 1993.

Хвата́ть звёзды на не́бе. *Ворон. Неодобр.* 1. Зазнаваться, вести себя высокомерно. 2. Проявлять гнев, раздражение. СРНГ 11, 212; СРНГ 20, 319.

Хвата́ть звёзды с не́ба. *Разг.* Легко, без особых усилий добиваться успехов в чём-л. ФСРЯ, 205; ЗС 1996, 39, 216.

ЗВЕЗДОЧЁТ * Звездочёт конья́чных этике́ток. *Жарг. мол. Шутл.-ирон.* Алкоголик (как правило, в ответе на вопрос о профессии). Щуплов, 68.

ЗВЁЗДОЧКА * Красноарме́йская звёздочка. 1. *Дон.* Садовый цветок космея. СДГ 2, 26. 2. *чаще мн. Горьк.* Искра в печи. БалСок, 40.

Октября́тская звёздочка. *Разг. Шутл.-ирон.* Сомнительная компания (хулиганов, алкоголиков). Елистратов 1994, 171.

Игра́ть на одну́ (две, три) больши́е звёздочки. *Жарг. угол.* Играть в карты на жизнь майора, подполковника, полковника. Грачев 1997, 135.

Игра́ть на три (четы́ре) звёздочки. *Жарг. угол., карт.* Играть на жизнь одного из участников игры. Балдаев, I, 168.

Пойма́ть (схвати́ть) звёздочку. *Жарг. спорт., мол.* То же, что **включить звезду (ЗВЕЗДА).** ОРТ, 09.10.99.

ЗВЕЗДЮЛИ́ * Дать (вста́вить) звездюле́й *кому. Прост.* 1. Побить, поколотить кого-л. 2. Отругать, выругать кого-л. 3. Наказать кого-л. < **Звездюли** (*эвфем.* от **пиздюля**) — 1. Удар. 2. Выговор, наказание. Мокиенко, Никитина 2003, 160.

ЗВЕ́Й-ВЕ́ТЕР * На зве́й-ве́тер. *Яросл.* Наобум, невпопад, некстати (говорить, делать что-л.). ЯОС 6, 77.

ЗВЁН * Звёном звене́ть. *Прибайк.* Постоянно, очень сильно звенит. СНФП, 70.

ЗВЕНО́ * Сла́бое звено́. *Жарг. шк. Шутл.-ирон.* Ученик, вызванный к доске. ВМН 2003, 54.< По названию популярной телепередачи.

Сре́днее звено́. *Публ.* О руководителях среднего ранга. Мокиенко 2003, 34.

ЗВЕРЁК * Капу́стный зверёк. *Пск. Бран.-шутл.* О ребёнке, который что-л. портит. ПОС 13, 482.

ЗВЕРЁНЫШ * Зверёныш нелю́дный. *Пск. Бран.* О непорядочном человеке. ПОС 12, 286.

ЗВЕРИ́НА * Звери́ной па́хнет. *Терск. Неодобр.* О человеке, в характере которого имеются черты, свойственные зверю. СРНГ 25, 231.

ЗВЕРЬ * На всех зверёв похо́жий. *Пск. Ирон.* О некрасивом, непривлекательном на вид человеке. СПП 2001, 41.

Зверь косоно́гий. *Пск. Бран.* Об упрямом, непослушном животном. ПОС 12, 289.

Зверь черножо́пый. *Прост. Бран.* О человеке нерусской национальности (обычно — кавказцах или среднеазиатах). Мокиенко, Никитина 2003, 151.

Мураве́йный зверь. *Сиб.* Медведь. СБО-Д1, 275; СРНГ 11, 271.

Стре́ляный зверь. *Пск.* То же, что **травленый зверь.** СПП 2001, 41.

Тра́вленый зверь. *Народн.* Об опытном, бывалом человеке. ДП, 490.

Чёрный зверь. *Прибайк.* Медведь. СНФП, 70.

Буди́ть зве́ря *в ком. Разг. Шутл.* Злить, раздражать кого-л. Вахитов 2003, 110.

Знать (узнава́ть/ узна́ть) зве́ря по когтя́м. *Книжн. Устар.* Сильный, смелый, решительный человек узнается по поступкам. БМС 1998, 205.

ЗВЕРЮ́ГА * Зверюга нелю́дная. *Пск. Бран.* О непорядочном, подлом человеке. ПОС 12, 289.

ЗВОД * Четвёртого зво́ду. *Урал. Ирон.* О человеке маленького роста. СРНГ 11, 220.

ЗВОН * Звон до не́ба. *Башк.* О широком обсуждении чего-л. СРГБ 1, 153.

Звон наводи́ть/ навести́. 1. *Жарг. мол.* Звонить по телефону кому-л. БСРЖ, 221. 2. *Жарг. шк. Шутл.* Давать звонок. ВМН 2003, 54.

Кимва́льный звон. *Книжн. Устар. Ирон.* О словах и выражениях, внешне напыщенных, торжественных, но бессодержательных, пустых. < **Кимвал** — древний ударный инструмент, состоящий из двух медных тарелок. От библейского выражения *медь звенящая и кимвал бряцающий.* Ф 1, 208.

Колоко́льный звон. *Жарг. спорт. (бокс.).* Удар в область уха, по затылку. ТВ-Спорт, 29.02.04.

Мали́новый звон. *Разг. Одобр.* 1. Приятный, спокойный, мягкий по тембру звон колоколов, колокольчиков, бубенцов. 2. *Устар.* Мелодичное позвякивание шпор. БМС 1998, 206.

Устро́ить моско́вский звон (звон моско́вских колоколо́в) *кому. Жарг. арм.* Ударить кого-л. с двух сторон по ушам. Митрофанов, Никитина, 75.

Зво́ном звене́ть. *Яросл.* О наличии денег. ЯОС 4, 116.

Со зво́ном в голове́. *Сиб. Неодобр.* О легкомысленном, глупом человеке. ФСС, 82.

Дава́ть/ дать (задава́ть/ зада́ть) зво́ну *кому. Прост.* Ругать, сильно наказывать кого-л. БМС 1998, 207; ШЗФ 2001, 60; Глухов 1988, 47.

Звони́ть (уда́рить) во все зво́ны. *Волг.* Поднимать тревогу. Глухов 1988, 52, 162.

ЗВОНА́РЬ * Дава́ть/ дать (надава́ть) звонаря́ (звонаре́й) *кому. Волг., Олон.* Избивать, колотить кого-л. Глухов 1988, 30; СРНГ 11, 221.

Купи́ть звонаря́. *Жарг. угол.* Дать еду собаке, охраняющей объект грабежа. ТСУЖ, 94. < **Звонарь** — собака.

Звона́рь по чужо́й деньге́. *Волг. Шутл.-ирон.* Вор, грабитель. Глухов 1988, 52.

ЗВОНО́К * От звонка́ до звонка́. *Разг.* От начала до конца. Ф 1, 208; Балдаев 1, 298; Грачев 1992, 81; Росси 1, 130; ТСУЖ, 161.

Под звонко́м. *Пск. Шутл.-ирон. или Неодобр.* В состоянии алкогольного опьянения. ПОС 12, 294.

Завяза́ть звоно́к. *Жарг. угол.* Убить собаку, охраняющую объект. ТСУЖ, 59. < **Звонок** — собака.

Звоно́к звени́т. *Жарг. угол.* Собака лает. ТСУЖ, 71.

Купи́ть звоно́к (звонка́). *Жарг. угол.* Отвлечь сторожевую собаку. Балдаев 1, 215.

Пе́рвый звоно́к (звоно́чек) прозвене́л *для кого, для чего. Разг.* О первом предупреждении, сигнале опасности для кого-л., чего-л. Мокиенко 2003, 34.

Сде́лать звоно́к. *Жарг. мол. Шутл.* Сходить в туалет (как правило — с шумом). БСРЖ, 221.

Сесть на звоно́к. *Жарг. крим.* Подключить на прослушивание чей-л. телефон. Хом. 2, 334.

ЗВОНО́ЧЕК * Пе́рвый звоно́чек прозвене́л. См. **Первый звонок прозвене́л (ЗВОНОК).**

ЗВУК * Дава́ть/ дать звук. *Обл.* Приветствовать кого-л., здороваться с кем-л. Мокиенко 1990, 110.

Пусто́й звук. *Разг.* Информация, воспринимаемая как лишённая всякого смысла, значения, не заслуживающая внимания. ФСРЯ, 172.

Ни зву́ка. *Разг.* О полной тишине, безмолвии, молчании. ФСРЯ, 172.

Не дава́ть (не де́лать) зву́ку *[о чём]. Пск.* Никому не рассказывать о чём-л., хранить в тайне что-л. ПОС 12, 295.

Не подня́ть зву́ку. *Кар.* Не произнести ни слова. СРГК 2, 246.

ЗВЯ́ГА * Дава́ть/ дать звя́гу *кому. Кар.* Отвечать ударом на удар, давать сдачу в драке кому-л. СРГК 2, 246.

ЗВЯ́КАЛО * Разнузда́ть звя́кало. *Разг. Неодобр.* Начать говорить. СРВС 2, 74, 117, 205; Смирнов 1993, 182. // *Жарг. мол. Неодобр.* Сказать лишнее. Максимов, 154. < **Звякало** — язык.

ЗГА * Зги Бо́жьей не ви́дно [не вида́ть]. *Народн.* То же, что **ни зги не ви́дно.** ЗС 1996, 495; СПП, 41.

[Ни] зги не ви́дно (не вида́ть). *Разг.* Об абсолютной темноте. ФСРЯ, 172; Ф 1, 208; БТС, 129; БМС 1998, 207; ЗС 1996, 449; ПОС, 12, 297; ПОС, 4, 9; СРНГ 11, 226; Мокиенко 1990, 143; РЩН, 1976.

Пья́ный до зги. *Кар.* В состоянии сильного алкогольного опьянения. СРГК 1, 473.

ЗДА́НИЕ * Бе́лое зда́ние. *Жарг. мол. Шутл.* Туалет. Я — молодой, 1997, № 22.

ЗДЕТЬ * Ни здеть ни наде́ть. *Сиб.* Об отсутствии необходимой одежды. ФСС, 82.

ЗДОР * Лезть на́ здор (на́здор). *Костром.* Перечить, возражать кому-л. СРНГ 16, 340. < **Здор** — 1. Вздор, неправда. 2. Сссора, брань, раздор.

ЗДОРО́В * Будь здоро́в! Бу́дьте здоро́вы! 1. *Разг.* Восклицание при чихании другого лица с пожеланием здоровья. 2. *Разг.* Формула прощания. 3. *Прост. Одобр.* В высшей степени, отлично, превосходно. 4. *Прост. Одобр.* Огромный, сильный, здоровый. БМС 1998, 208; ЗС 1996, 436; ШЗФ 2001, 25; ФСС, 18.

Будь здоро́в, соси́ большо́й! *Вульг.-прост. Ирон.* Прощальная фраза, подчёркивающая неуважение к собеседнику. < Каламбурное искажение ходовой прощальной формулы: **«Будь здоров, расти большой!»** Мокиенко, Никитина 2003, 151.

Дава́ть/ дать здоро́в *кому. Арх., Кар.* Здороваться с кем-л. СРНГ 7, 257; СРГК 2, 247.

Поди́ здоро́в. *Калуж.* То же, что **здорово был (ЗДОРОВО).** СРНГ 28, 23.

ЗДОРО́ВО * За здоро́во живёшь. *Прост. Ирон.* 1. Бесплатно, без вознаграждения. 2. Безосновательно, без причины. ДП, 155; СФС, 75; ФСРЯ, 173; БТС, 307; Мокиенко 1990, 98; СПП 2001, 42.

Здоро́во был (была́, бы́ли)! *Дон.* Приветствие при встрече в любое время дня: здравствуй. СДГ 1, 51; СДГ 2, 28.

Здоро́во днева́л (днева́ла, днева́ли)! *Дон.* Приветствие днем и вечером: здравствуй, добрый день. СДГ 2, 28.

Здоро́во живёшь (живёте)! *Дон.* То же, что **здорово был!** СДГ 2, 28.

Здоро́во ночева́л (ночева́ла, ночева́ли)! *Арх., Волг., Волог., Дон., Перм., Помор., Урал.* Утреннее приветствие: здравствуй, доброе утро. СРНГ 21, 298; СДГ 2, 28; Глухов 1988, 53; Подюков 1989, 84; ЖРКП, 57; ЯОС 4, 117.

Ни здоро́во, ни прости́. *Кар.* Без повода, без причины, просто так. СРГК 2, 247.

Сно́ва здоро́во. *Ворон.* О надоедливом повторении чего-л. кем-л. СРНГ 11, 234.

ЗДОРО́ВЬЕ * Быть при здоро́вье. *Приамур., Сиб.* Быть здоровым. СРГПриам., 34; ФСС, 82.

Войти́ в здоро́вье. *Арх.* Выздороветь. АОС 5, 32.

Здоро́вье не пости́гло *кого. Морд.* Кто-л. заболел. СРГМ 1980, 104.

Износи́ть здоро́вье. *Волог.* Дойти до болезненного состояния, подорвать здоровье. СВГ 2, 166.

Класть здоро́вье. *Волг.* Работать до изнеможения. Глухов 1988, 75.

Пить за здоро́вье архимандри́та. *Прост. Устар. Шутл.-ирон.* Пить сверх всякой меры, выдумывая для этого разные тосты. БМС 1998, 209.

Попра́вить здоро́вье. *Разг. Шутл.* 1. Выпить спиртного. 2. Опохмелиться. Максимов, 154.

Порва́ть здоро́вье. *Сиб.* То же, что **износить здоровье.** ФСС, 196.

Е́здить со здоро́вьем. *Яросл.* Посещать ближайших родственников (о молодожёнах). ЯОС 4, 34.

Здоро́вьем бо́лен. 1. *Народн.* О больном человеке. ДП, 397. 2. *Волг. Ирон.* О крепком, здоровом человеке, притворяющемся больным. Глухов 1988, 4.

Неиспра́вный здоро́вьем. *Волог.* То же, что **здоровьем болен.** СВГ 5, 105.

Не унывать здоро́вьем. *Приамур.* Быть здоровым, бодрым. СРГПриам., 308.

Далёкого здоро́вья! *Арх.* Пожелание здоровья, долгих лет жизни. АОС 10, 251.

Не унести́ своего́ здоро́вья [*кому*]. *Пск.* Об очень полном, но болезненном человеке. СПП 2001, 42.

ЗДОРО́ВЬИЦЕ * Сде́лать до́брое здоро́вьице *кому. Олон.* Поздороваться с кем-л. СРНГ 11, 235.

ЗДО́ХИ * Здо́хи закры́лись *у кого. Кар.* Перехватило дыхание. СРГК 2, 144.

ЗДРА́ВИЕ * Нача́ть за здра́вие, а ко́нчить за упоко́й. *Разг. Неодобр. или Ирон.* Начать речь оптимистически, а завершить пессимистически. БМС 1998, 209; БТС, 1392; ДП, 448, 648; Жиг. 1969, 110.

ЗДРА́ВНИЦА * Всесоюзная здра́вница. *Публ. Патет.* О каком-л. курортном городе, местности с большим количеством лечебно-оздоровительных заведений. Новиков, 67.

ЗДРА́ВСТВУЙ * Дава́ть/ дать здра́вствуй *кому. Пск.* Здороваться с кем-л. СРНГ 7, 257.

ЗДЫХ * Под са́мый здых. *Яросл.* В самое уязвимое место (ударить, бить и т. п.). ЯОС 8, 21.

Зды́ху (здыха́нья) нет *у кого. Волог.* О сильной одышке. СВГ 2, 168.

ЗДЫХА́НЬЕ * Здыха́нья нет. См. **Здыху нет (ЗДЫХ).**

ЗЕ́БРЫ * Дать под зе́бры *кому. Ворон.* Ударить кого-л. под подбородок. СРНГ 11, 242.

ЗЕВ * Зев в бе́рдо! *Урал.* Приветственное пожелание ткущим. СРНГ 11, 242.

Льви́ный зев. *Разг.* 1. *Спец.* Антирринум, род многолетних трав семейства норичниковых. 2. *Разг.* Садовое растение с цветами, напоминающими пасть льва. Ф 1, 209; СОСВ, 107.

ЗЕВА́КА * Лови́ть зева́к. *Пск. Неодобр.* Праздно слоняться, бездельничать, глазея на что-л. ПОС 12, 307-308; Мокиенко 1990, 154.

Зева́ку пойма́л. *Пск. Шутл.* О невнимательном человеке, которого легко обмануть, провести. ПОС 12, 307.

ЗЕВА́ЛО * Разга́ять (раззя́вить) зева́ло. *Дон., Волг.* Кричать, браниться. Глухов 1988, 139; Мокиенко 1990, 87.

Раззя́пить зева́ло. 1. *Дон. Неодобр.* Начать праздно смотреть на что-л. 2. Начать говорить о чём-л. (обычно — о болтливом человеке). СДГ 3, 80.

Рази́нуть зева́ло. *Новг. Неодобр.* Удивлённо или праздно смотреть на кого-л., что-л. НОС 3, 92.

ЗЕВА́ЛЬНИК * Прикуси́ть (прикры́ть) зева́льник. *Жарг. мол.* Замолчать. Максимов, 341.

ЗЕВО́К * Дать зевка́ (зевуна́). *Народн.* Упустить благоприятный случай, момент. ДП, 484; ПОС 8, 132; ПОС 12, 308.

ЗЕКС * Стоя́ть на зе́ксе. *Жарг. угол.* Охранять орудующего вора. Росси 1, 130; Грачев, Мокиенко 2000, 79. < **Зекс** — шесть (сигнал опасности). СРВС 3, 187.

ЗЕ́ЛЕНО * Зе́лено пожа́то *кому. Пск.* Кого-л. не волнует, не беспокоит что-л., кому-л. безразлично что-л. ПОС 12, 313.

ЗЕЛЁНЫЙ * Рабо́тать по зелёной. *Жарг. морск., рыб.* Прийти с лова и уйти снова на лов без отдыха. Кор., 239.

ЗЕ́ЛЕНЬ * Торча́ть на зе́лени. *Жарг. угол., мол.* Участвовать в пикнике. Балдаев 2, 82.

Вы́йти на зе́лень. *Жарг. мил., авто.* Дождаться зелёного света на светофоре. Кор., 69.

Зе́лень подки́льная. *Жарг. морск. Бран.* О человеке, вызвавшем раздражение, негодование. Щуплов, 86.

Зе́лень пуза́тая; пуза́тая зе́лень. *Жарг. мол. Пренебр.* О младших по возрасту: дети, молодёжь. Максимов, 155.

Погранцо́вая зе́лень. *Жарг. арм.* Пограничные войска. Елистратов 1994, 338; ЖЭСТ-1, 234.

Просе́чься в зе́лень. *Жарг. нарк.* Покурить сигарет с наркотическим веществом. Смена, 1988, № 3, 7.

Ходи́ть на зе́лень. *Ср. Урал.* Праздновать Троицу. СРГСУ 2, 166.

ЗЕ́ЛКИ * Вы́пучить зе́лки. *Новг.* Начать внимательно или удивлённо смотреть на что-л. НОС 3, 93. < **Зелки** — глаза.

ЗЕЛО́ * До зела́. *Разг., Яросл Устар.* Очень сильно, в высшей степени. Ф 1, 209; ЯОС 4, 6.

ЗЕ́ЛЬЕ * Лю́тое зе́лье. *Печор. Флк.* Отрава, яд. СРГНП 1, 400.

Хвата́ть своё зе́лье. *Смол.* Исполнять свой каприз, причуду, прихоть. СРНГ 11, 254.

ЗЕМЕ́ЛЬКА * В земе́льку собира́ться (прибира́ться). *Пск.* Быть близким к смерти. ПОС 12, 318.

И земе́льку замести́. *Перм.* Окончательно покончить с чем-л. Подюков 1989, 81.

Ложи́ться в земе́льку. *Пск.* Умирать. СРНГ 17, 109.

ЗЕМЛЕДЕ́ЛЕЦ * Крыла́тый земледе́лец. *Публ. Патет.* Лётчик сельскохозяйственной авиации. Новиков, 69.

ЗЕМЛЕКО́П * Стально́й землеко́п. *Публ. Патет.* Экскаватор (в угольных разрезах). Новиков, 69.

ЗЕМЛЕМЕ́Р * Служи́ть землеме́ром по ви́нной ча́сти. *Народн. Ирон.* Лежать на земле пьяным. ДП, 793.

ЗЕМЛЯ́ * За три́девять земе́ль. *Разг.* Очень далеко. ФСРЯ, 173; ШЗФ 2001, 77; БТС, 1345; Мокиенко 1986, 203; Янин 2003, 109; БМС 1998, 209-210.

Быть в земле́. *Коми, Сиб.* Об умершем. Кобелева, 64; ФСС, 20; СБО-Д1, 49.

Жить на бе́лой земле. 1. *Яросл. Устар.* Не платить податей. СРНГ 11, 256; ЯОС 4, 48. 2. *Пск. Одобр.* О благополучной и спокойной жизни. ПОС 12, 322-323.

Клони́ться к земле́. *Пск.* Быть в преклонном возрасте. ПОС 14, 220.

На земле́ не валя́ется. *Разг.* 1. О том что не достаётся легко, даром. 2. О том, что редко встречается. БТС, 111; Ф 1, 50.

Предава́ть/ преда́ть земле *кого, что. Книжн.* Погребать, хоронить. ФСРЯ, 354.

Прида́ться земле́. *Брян.* Потемнеть лицом (от горя, испуга). СРНГ 31, 185.

Сесть к земле́. *Кар.* Стать ниже ростом от старости; сгорбиться. СРГК 2, 250.

Сиде́ть на бе́лой земле́. *Сиб. Устар.* То же, что **жить на белой земле 1.** СФС, 108.

Ходи́ть по земле́. 1. *Разг.* Жить, существовать. Ф 2, 238; Подюков 1989, 223. 2. *Пск.* Быть сведущим в земледелии, полеводстве (об агрономе). ПОС 12, 323.

Взя́ться землёй. 1. *Печор.* Укрепиться корнями в земле, прижиться (о растении). СРГНП 1, 73. 2. *Пск.* Истлеть, превратиться в прах. ПОС 12, 322. 3. *Сиб.* Стать болезненно бледным, землисто-серым. ФСС, 27; СФС, 38; СБО-Д1, 64; СОСВ, 38.

Землёй заметáло *кого. Перм.* То же, что **земля выступила на лице.** СРНГ 11, 256.

Землёй пáхнет. *Пск. Ирон.* Об очень старом, больном, близком к смерти человеке. ПОС 12, 322.

Пáхнуть землёй. *Волг., Перм.* Быть близким к смерти. Глухов 1988, 121; Подюков 1988, 145.

Подёрнуться землёй. *Сиб.* 1. То же, что **взяться землёй 2.** 2. Тяжело заболеть. СРНГ 11, 256; СРНГ 28, 4; ФСС, 140.

Под землёй стóлько, скóлько на землé *кого. Пск.* О хитром, скрытном человеке. ПОС 12, 321.

Под землёй три аршúна вúдит. *Пск.* О хитром человеке. ПОС 12, 321.

Сровня́ть с землёй *что. Разг.* Полностью разрушить что-л. ФСРЯ, 173; ЗС 1996, 509; БТС, 1256.

Быть повéрх землú. *Кар.* Жить, быть живым. СРГК 2, 250.

Доставáть/ достáть из-под землú *что. Разг.* Добывать что-л. (обычно очень редкое, дефицитное) любым способом, несмотря на трудности, во что бы то ни стало. Ф 1, 171, 209; ФСРЯ, 173; БМС 1998, 210.

Землú насы́пало в ногáх *кому. Пск.* О тяжести в ногах, затрудняющей хождение. ПОС 12, 322.

Землú не хватáет *кому. Волог.* Об очень быстро бегущем человеке. СВГ 2, 169.

Землú под лáпоть нет *у кого. Башк. Ирон.* О чьём-л. очень малом земельном участке. СРГБ 1, 155.

Землú под собóй не доставáть. *Пск.* Очень быстро бежать. ПОС 9, 176.

Вы́йти с землú. *Пск.* Родиться в крестьянской семье. ПОС 12, 323.

Не вúдеть и землú. *Арх.* Ничего не замечать. АОС 4, 90.

Не вúдно от землú *кого. Волг. Шутл.-ирон.* То же, что **не отрос от земли.** Глухов 1988, 95.

Не отрóс от землú. *Волг. Шутл.-ирон.* О человеке очень маленького роста. Глухов 1988, 101.

Не слы́ша землú. *Коми.* Очень быстро (бежать). Кобелева, 78.

Не слы́шать землú под собóй. *Разг. Устар.* быть в приподнятом, возвышенном настроении от чего-л. ФСРЯ, 436.

От землú. *Прост.* О человеке, который занимается сельским хозяйством. Ф 1, 209.

От землú не видáть (не вúдно) *кого. Разг. Ирон.* О человеке небольшого роста. ФСРЯ, 66; ФСС, 27; СФС, 134.

От землú не отошёл. *Горьк.* То же, что **от земли не видать.** БалСок, 48.

Сходúть/ сойтú с землú. *Прост. Устар.* Переселяться в город, перестав заниматься земледелием, сельским трудом. Ф 2, 196.

Чуть от (с) землú видáть (вúдно) *кого. Разг.* То же, что **от земли не видать.** ФСРЯ, 67.

Брáться за зéмлю. *Арх.* Идти в рост, крепнуть (о растении). АОС 2, 11.

Бросáть об зéмлю *что. Сиб.* Прекращать делать что-л. ФСС, 17.

Вернýть на грéшную зéмлю *кого. Разг. Шутл.-ирон.* Внушить кому-л. необходимость мыслить и действовать, исходя из реальной обстановки. Ф 1, 54.

Вернýться на грéшную зéмлю. *Разг. Шутл.-ирон.* Начать мыслить и поступать, исходя из реальной обстановки. Ф 1, 54.

Взойтú в сырý зéмлю. *Печор.* Умереть. СРГНП 1, 72.

Глядéть (смотрéть) в зéмлю. *Кар., Перм., Пск.* Готовиться к смерти, ожидать смерти. СРГК 5, 273; Подюков 1989, 43; ПОС 7, 11.

Готóв (рад, хотéл бы) сквозь зéмлю провалúться. *Разг.* О человеке, чувствующем себя очень неловко, не знающем, куда деваться (от стыда, неловкости). ФСРЯ, 173; БМС 1998, 210; СРГК 5, 273; ДП, 576, 743.

Дéдову зéмлю пахáть. *Пск. Ирон.* Делать слишком глубокую вспашку. ПОС 12, 322.

Драть зéмлю под собóй. *Волг.* Злобствовать, бурно проявлять свое недовольство. Глухов 1988, 37.

Жрать зéмлю. *Перм. Груб.* Быть мертвым. Подюков 1989,76.

Залегáть в зéмлю. *Горьк., Кар.* То же, что **ложиться в землю.** БалСок, 26; СРГК 2, 147.

Зéмлю есть бýду! *Пск.* Клятвенное заверение в чём-л. СПП 2001, 42.

Зéмлю рóет. *Прост.* О человеке, развивающем кипучую деятельность, проявляющем активность для достижения какой-л. цели. ФСРЯ, 390.

Идтú/ пойтú в зéмлю. *Арх., Курск., Олон., Пск.* Умирать. СРНГ 28, 362; БотСан, 109; ПОС 12, 321. **Идтú в Могилёвскую зéмлю.** *Пск. Шутл.-ирон.* То же. СПП 2001, 42.

Кормúть зéмлю. *Брян.* Вносить удобрения в почву. СРНГ 14, 337.

Крáше в зéмлю кладýт. *Горьк. Ирон.* О сильно исхудавшем человеке. БалСок, 41.

Ложúться/ лечь в зéмлю. *Разг.* Умирать. ФСРЯ, 173; БалСок, 26; СРГК 2, 147; Ф 1, 279.

Мéрить зéмлю. *Кар. Неодобр.* Ходить, бродить без дела. СРГК 2, 249; СРГК 3, 200.

Найтú (напáсть на) дóбрую зéмлю. *Морд. Шутл.-ирон.* Напиться пьяным. СРГМ 1986, 73, 88.

Напрáсно тяготúть зéмлю. *Книжн. Устар. Неодобр.* Жить напрасно и бесцельно, без пользы для других, для общества. БМС 1998, 210.

Об зéмлю. *Пск. Шутл.* Об отходе ко сну. ПОС 12, 321.

Отрéзать зéмлю по крыльцó *у кого. Сиб. Ирон.* Отобрать всю землю у кого-л. ФСРГС. 130.

Пáрить зéмлю. *Волг. Ирон.* Быть мёртвым, лежать в могиле. Глухов 1988, 121.

Побудáть зéмлю. *Сиб. Шутл.-ирон.* Будучи сильно пьяным, идти спотыкаясь. ФСС, 138.

Повалúться в зéмлю. *Кар.* Умереть. СРГК 4, 577. **Повалúло в зéмлю** *кого. Коми.* Кто-л. умер. Кобелева, 72.

Под (в) зéмлю уйтú. *Пск.* Исчезнуть, пропасть. ПОС 12, 320-321.

Подперéть зéмлю рóгом. *Жарг. мол. Шутл.-ирон.* Напиться пьяным. Максимов, 155.

Подымáть зéмлю. *Сиб.* Пахать. ФСС, 141.

Прикусúть зéмлю. *Народн.* Поклясться землей. СРНГ 11, 256.

Полéзть (поткáться) в зéмлю. *Перм.* Умереть. Подюков 1989, 213.

Поливáть зéмлю пóтом. *Разг.* Много и долго трудиться (на земле). Ф 2, 68.

Пробивáть/ пробúть зéмлю кулакóм. *Смол.* Активно жестикулировать. СРНГ 11, 256.

Провалúться мне сквозь зéмлю! *Прост. Устар.* Формула клятвенного заверения в чём-л. ФСРЯ, 173.

Провалúться скрозь зéмлю. *Сиб.* Пропасть, исчезнуть. Верш. 6, 265.

Пугáть зéмлю. *Жарг. мол. Шутл.* Падать. Максимов, 155.

Рыть зéмлю. 1. *Пск.* Горько, безутешно плакать. (Запись 2002 г.) 2. *Жарг. мол. Неодобр.* Сердиться. Максимов, 155.

Рыть зе́млю но́сом. *Перм.* 1. *Ирон.* Умереть, быть мёртвым. 2. Очень стараться, усердствовать в достижении цели. Подюков 1989, 179.

Спря́тать в зе́млю *кого. Перм.* Похоронить кого-л. Подюков 1989, 196.

Теря́ть зе́млю из-под ног (под нога́ми). *Разг.* Лишаться уверенности в самом себе в результате утраты того, на чём основывается общественное или служебное положение, мировоззрение. ФСРЯ, 474.

Топта́ть зе́млю. *Перм.* Жить, быть в живых. Подюков 1989, 204.

Угна́ть в зе́млю *кого. Пск.* Довести до смерти кого-л. ПОС 12, 321.

Уйти́ в зе́млю. *Перм., Сиб.* Умереть, скончаться. Подюков 1989, 213; Верш. 7, 138; СОСВ, 191. **Уйти́ под зе́млю.** *Жарг. мол. Шутл.-ирон.* То же. Максимов, 155.

Хвата́ть зе́млю. *Прибайк.* Опустить голову вниз от неловкости, стыда за что-л. СНФП, 71.

Целова́ть зе́млю. *Перм. Шутл.* Падать на землю (от страха, опьянения), лежать на земле. Подюков 1989, 225.

Бе́лая земля́. *Яросл.* Земля, составляющая личную собственность. ЯОС 1, 50.

Боева́я земля́. *Дон.* Сельскохозяйственный выгон. СДГ 1, 33.

Ве́чная земля́. *Сиб.* Целина. ФСС, 82.

Гулева́я земля́. *Дон.* Временно не обрабатываемая земля. СДГ 1, 118.

Земля́ в иллюмина́торе. *Жарг. шк. Шутл.* 1. Астрономия (учебный предмет). 2. *Жарг. шк. Шутл.* Учительница астрономии. ВМН 2003, 54. 3. *Жарг. арм. Шутл.-ирон.* О беге в противогазе. Максимов, 155.

Земля́ в карма́не *у кого. Сиб. Одобр.* О человеке, который всегда живёт в достатке. ФСС, 82.

Земля́ вы́ступила на лице́ *у кого. Башк., Волг., Костром.* О приближении смерти у тяжелобольного человека. СРГБ 1, 155; Глухов 1988, 53; СРНГ 11, 256.

Земля́ гори́т. *Пск.* О чьём-л. крайнем возбуждении, буйстве. ПОС 12, 321.

Земля́ гори́т под нога́ми. 1. *Разг.* Кто-л. вынужден очень быстро, стремительно убегать. Ф 1, 210; БТС, 220; ФСРЯ, 173; ЗС 1996, 212. 2. *Пск.* Об очень жаркой и сухой погоде. ПОС 7, 106.

Земля́ де́ржится *на ком. Разг. Одобр.* О сильном, достойном человеке. Ф 1, 210.

Земля́ дро́чит *кого. Яросл. Ирон.* О чьей-л. близкой смерти. ЯОС 4, 119.

Земля́ зовёт *кого. Перм.* Об очень старом человеке. Подюков 1989, 84.

Земля́ не берёт (не принима́ет) *кого. Перм., Сарат.* Кто-л. живёт очень долго, дольше обычного. Подюков 1989, 84; СРНГ 31, 315.

Земля́ не де́ржит *кого.* 1. *Прост. Шутл.-ирон.* Кто-л. падает, спотыкается (как правило — об очень пьяном человеке). СРГМ 1980, 106; Глухов 1989, 53. 2. *Волг.* Кто-л. очень стар, слаб. Глухов 1988, 53.

Земля́ обетова́нная. *Книжн. Высок. Одобр.* 1. Место, куда кто-л. мечтает и стремится попасть. 2. Предмет страстных желаний, стремлений, надежд. < Выражение из Библии. ФСРЯ, 173; Ф 1, 210; БМС 1998, 211; ШЗФ 2001, 82.

Земля́ пу́хом *кому. Разг.* В речевом этикете: доброе поминание умершего. Ф 1, 210; ЗС 1996, 181.

Земля́ уж ма́тка *кому. Пск.* О том, кто очень стар, близок к смерти. ПОС 12, 321.

Как то́лько земля́ де́ржит (но́сит, те́рпит) *кого. Прост. Неодобр.* О подлеце, мерзавце. ФСРЯ, 173; Ф 1, 210.

Ма́лая земля́. *Кар. Шутл.* О человеке невысокого роста. СРГК 2, 250.

Матери́нская земля́. *Башк.* Чернозём. СРГБ 1, 155.

Но́вая земля́. *Одесск.* Целина. КСРГО.

О́гненная земля́. *Жарг. арм. Шутл.-ирон.* 1. Строевой плац. 2. Полигон. Максимов, 284.

То́лстая земля́. *Новг.* Удобренная почва. НОС 11, 45.

То́лька земля́ во́ет. *Пск.* О быстрой езде. СПП 2001, 42.

ЗЕМЛЯ́К * **Закады́чный земля́к.** *Сиб.* Коренной сибиряк, старожил. ФСС, 82; СФС, 75.

ЗЕМЛЯНИ́КА * **Дава́ть/ дать земляни́ки (земляни́ку)** *кому. Сиб., Забайк. Устар.* Наказывать плетьми крестьян за недобросовестную работу на земле. ФСС, 51; СРГЗ, 130.

Получа́ть/ получи́ть земляни́ку. *Сиб., Забайк. Устар.* Получать наказание плетьми за недобросовестную работу на земле. ФСС, 51; СРГЗ, 130.

ЗЕМЛЯ́НКА * **Ходи́ть по земля́нкам.** *Пск.* Совершать кражи. (Запись 2002 г.).

Уда́рить об земля́нку *что, кого. Калуж.* Бросить на землю кого-л., что-л. (в игре, в драке). СРНГ 11, 258.

ЗЕМЛЯ́ЧКА * **Уда́рить об земля́чку** *кого, что. Сиб.* То же, что **об землянку ударить (ЗЕМЛЯНКА).** СФС, 129.

ЗЕМЬ * **Земь потяну́ла** *кого. Народн.* О заболевании радикулитом. СРНГ 11, 263.

Не кря́кнешь об земь *кого. Волг. Шутл.* 1. Об очень полном, упитанном человеке. 2. Об очень богатом, авторитетном, важном человеке. Глухов 1988, 99.

ЗЕ́НИ * **Откры́ть зе́ни.** *Новг.* Посмотреть внимательно. НОС 3, 95. < **Зени** — глаза.

ЗЕ́НИКИ * **Нали́ть зе́ники.** *Твер.* Напиться пьяным. Мокиенко 1986, 79. < **Зеники** — глаза.

ЗЕНИ́Т * **Достига́ть/ дости́гнуть зени́та сла́вы.** *Книжн.* Добиваться высшей степени славы, известности. БМС 1998, 211.

Быть в зени́те сла́вы. *Книжн.* То же, что **достигать зенита славы.** Ф 1, 210.

ЗЕНИ́ЦА * **Зени́ца о́ка.** *Народн. Ласк.* О любимом человеке (чаще — о ребёнке). ДП, 317.

ЗЕ́НКИ * **Коря́чить зе́нками.** *Жарг. угол.* Смотреть. Балдаев 1, 181.

Бере́менные зе́нки. *Жарг. мол. Шутл.* 1. О глазах навыкате. 2. О пучеглазом человеке. Максимов, 32.

Бессты́жие зе́нки. *Яросл. Бран.* О бессовестном, нахальном человеке. ЯОС 1, 57.

Вылупля́ть (вылу́пливать)/ вы́лупить зе́нки. *Прост.* 1. Смотреть на кого-л., на что-л., не отрываясь, широко раскрыв глаза. СПП 2001, 25; ФСС, 37. 2. Удивляться. Вахитов 2003, 34.

Вы́реветь зе́нки. *Горьк.* Долго и горько проплакать. БалСок, 29.

Выставля́ть/ вы́ставить (вы́строчить) зе́нки. *Морд.* То же, что **вылуплять зенки 1.** СРГМ 1978, 101.

Залива́ть зе́нки. См. **Наливать зенки.**

Запали́ть зе́нки. *Жарг. угол.* Насторожиться. ТСУЖ, 65.

Зе́нки вразбе́г *у кого. Жарг. мол.* Об удивлённом человеке. Максимов, 71.

Зе́нки закрыва́ются *у кого. Пск.* О человеке в сосотоянии крайней усталости. СПП 2001, 42.

Лу́пать зе́нки *на кого, на что. Прост. Неодобр.* Смотреть, таращиться на кого-л. Быков, 89.

Налива́ть/ нали́ть (залива́ть/ зали́ть) зе́нки. *Прост.* Напиваться пьяным. ФСРЯ, 174; Максимов, 144; Ф 1, 199.

Пристре́ло в зе́нки *кому. Казан.* Померещилось, почудилось. СРНГ 31, 421.

Протере́ть зе́нки. *Прост. Груб.* То же, что **разуть зенки.** Ф 2, 102.

Пя́лить зе́нки. *Прост.* То же, что **вылуплять зенки 1-2.** СПП 2001, 25; Мокиенко 1990, 74; Ф 2, 109; Вахитов 2003, 153.

Разу́ть зе́нки, *чаще в форме повел. накл. Прост. Груб.* Посмотреть внимательнее. ПОС 13, 4; СПП 2001, 42; Мокиенко 1990, 25.

Распуска́ть зе́нки. *Волг.* То же, что **вылуплять зенки 1-2.** Глухов 1988, 139.

Сцаря́бать зе́нки *кому. Пск.* Расправиться с кем-л. ПОС 13, 4.

ЗЕ́НОЧКИ * Зе́ночки закати́лись (скати́лись) *у кого. Волг., Смол.* Кто-л. умер. Глухов 1988, 53; Мокиенко 1986, 79.

ЗЕ́НЫ * Вы́голить зе́ны. *Обл.* Начать внимательно, удивлённо смотреть на кого-л., на что-л. Мокиенко 1990, 25. < **Зены** — глаза.

ЗЕНЬ * От зе́ни две пяде́ни. См. **Две пядени от зени (ПЯДЕНЬ).**

ЗЕПА́ЛО * Закры́ть (заткну́ть) зепа́ло. *Пск.* Перестать кричать, говорить; замолчать. ПОС 13, 6.

Зепа́ло не закрыва́ется *у кого. Пск. Неодобр.* О человеке, который постоянно кричит, бранится. ПОС 13, 6.

Откры́ть (раскры́ть) зепа́ло. *Пск. Неодобр.* Начать громко кричать, ругаться. ПОС 13, 6.
< **Зепало** — рот человека.

ЗЕПЛО́ * Распусти́ть зепло́. *Пск. Неодобр.* Раскричаться. < **Зепло** — горло, глотка. ПОС 13, 7.

ЗЕ́РКАЛО * Зе́ркало ру́сской революции. *Публ.* О Л. Н. Толстом, отразившем в своих произведениях ситуацию в России периода первой русской революции 1905 г. < От заглавия статьи В. И. Ленина «Лев Толстой как зеркало русской революции» (1908 г.). БМС 1998, 213.

ЗЕРНО́ * Перелома́ть (перемоло́ть) мно́го зёрен. *Новг.* Затратить много сил на что-л. НОС 7, 122.

Ни зерна́. *Разг. Устар.; Яросл.* Абсолютно ничего нет у кого-л. (обычно — о еде, о крайней бедности). ЯОС 6, 145; Ф 1, 210; СРНГ 21, 213. **Ни ма́кова зерна́.** *Волг., Пск.* То же. Глухов 1988, 109; СПП 2001, 42.

Отделя́ть зёрна от плевел. *Книжн.* Разделять полезное и вредное. Ф 2, 25.

Зарони́ть зерно́ *чего. Книжн.* Возбудить, вызвать какое-л. чувство; дать основание, повод к чему-л. ФСРЯ, 170.

Зерно́ горя́чее. *Пск.* О самом близком, дорогом человеке. ПОС 13, 12.

Ма́ковое зерно́. *Прост. Устар.* Самое незначительное количество чего-л. Ф 1, 211.

ЗЁРНЫШКО * Нет зёрнышка в глаз бро́сить. *Сиб.* То же, что **нет ни зёрнышка.** ФСС, 17.

Нет ни зёрнышка. *Пск.* О полном отсутствии пищи. СРНГ 11, 268.

Сажа́ть зёрнышки. *Жарг. нарк. Шутл.* Принимать наркотики в таблетках. Максимов, 156.

Загоня́ть зёрнышко за зёрнышко. *Волг.* Экономить, проявлять бережливость. Глухов 1988, 46.

ЗИГЗА́Г * Зигза́г уда́чи. 1. *Разг.* О неожиданном везении. 2. *Жарг. арм.* О самовольной отлучке солдата из части. Максимов, 156. < Название кинокомедии («Мосфильм», 1968 г.). Дядечко 2, 87.

ЗИМА́ * Зима́ зи́мская. *Волг., Ряз.* О долгой зиме. Глухов 1988, 53; ДС, 199.

Зима́ и ле́то. *Сиб.* Комнатный цветок бегония семперфлоренс. ФСС, 82.

Не пе́рвая зима́ во́лку зимова́ть. *Народн.* О бывалом человеке, привыкшем к неудобствам, тяготам и т. п. Жук. 1991, 214.

Пройдёт зима́ ле́том. *Пск. Ирон.* О невыполненном обещании, незавершённом деле. ПОС 13, 18.

Хва́тит спать: зима́ присни́тся, коле́нки отморо́зишь! *Жарг. мол. Шутл.* Призыв быть внимательным, бодрым, не спать. Вахитов 2003, 194.

[Всю] зи́му зи́мскую. *Курск., Пск.* На протяжении всей долгой зимы. БотСан, 96; СПП 2001, 42.

Зи́му зи́мскую. *Перм.* В течение всей зимы. Подюков 1989, 85.

Идти́ под зи́му. *Кар.* Оставаться на зиму в земле (о луке). СРГК 2, 268.

Напуска́ть в зи́му *кого. Яросл.* Оставлять молодняк (скот) на зиму на вырост. ЯОС 6, 109.

Ора́ть ни зи́му ни ле́то. *Казан.* Говорить что-л. бессмысленное. СРНГ 23, 330.

Сади́ться на зи́му. *Урал.* Готовиться к зимовке скота. СРНГ 36, 28.

Среди зимы́ льду взаймы́ не вы́просишь (сне́гу не ку́пишь) *у кого. Народн. Неодобр.* О скупом человеке. ДП, 110.

ЗИМБА́БВЕ *Ломи́сь в Зимба́бве. *Жарг. бизн., крим.* Отказ выплатить деньги рэкетирам. h-98.

ЗИ́МНИЙ * Зи́мний не брал, с Ле́ниным не встреча́лся. *Разг. Шутл.-ирон.* Об обыкновенном, ничем не примечательном человеке (чаще — о себе). Синдаловский, 2002, 78.

ЗИ́МНИК * Зи́мник гоня́ть. *Кар.* Ходить в поисках денег, заработка. СРГК 1, 365.

ЗИМО́ВКА * Взять на зимо́вку *кого. Жарг. карт.* Вовлечь жертву в игру. Балдаев 1, 62; ББИ, 43.

Игра́ть на зимо́вку. *Жарг. карт.* Участвовать в шулерской игре, в которую втягивается жертва. СРВС 2, 192; ТСУЖ, 112.

ЗИПУ́Н * Загну́ть зипу́н. *Свердл.* Сказать что-л. смешное, пошутить. СРНГ 11, 284.

ЗЛО * Дава́ть зла *кому. Сиб.* Злить, раздражать кого-л. СФС, 80.

До зла. *Сиб.* О чрезмерно большом количестве чего-л. ФСС, 82.

Зла не хвата́ет. *Прост.* Выражение досады, раздражения, гнева. СРГМ 1980, 107.

Ни зла ни ума́ *у кого. Курск., Прикам.* Об очень молодом, неопытном человеке. БотСан, 105; МФС, 40.

Во зле. *Морд.* В порыве раздражения. СРГМ 1980, 107.

Во́ зло. *Пск.* Очень сильно, безжалостно (разорять кого-л.). ПОС 13, 32.

Волочи́ть зло *на кого. Прибайк.* Сплетничать, наговаривать на кого-л. СНФП, 72.

Вы́класть зло *на кого. Кар.* Выругать кого-л. напрасно, выместить зло на ком-л. СРГК 1, 268.

Держа́ть зло про себя́. *Пск.* Затаив злобу, замышлять недоброе. ПОС 13, 32.

Зло да́вит (издави́ло) *кого. Сиб.* О состоянии обиженного, озлобленного человека. ФСС, 82.

Зло завяза́лось. *Морд.* Испортились отношения между кем-л. СРГМ 1980, 107.

Изнести́ зло *на кого. Алт.* То же, что **выкласть зло.** СРГА 2-1, 184.

Нагоня́ть зло. *Кар.* Делать что-л. назло кому-л. СРГК 2, 254.

Нести́ (понести́) зло. 1. *Кар.* Испытывать гнев, досаду, обиду. СРГК 2, 254; СРГК 4, 14. 2. *Приамур.* Приносить несчастье кому-л. СРГПриам., 172.

Оскаля́ть зло. *Сиб.* Несправедливо обрушивать на кого-л. свой гнев, раздражение. ФСС, 127; СФС, 132.

Оста́вить зло. *Сиб., Приамур.* О недопитом вине, водке. ФСС, 127; СРГПрим., 186.

Сгоня́ть зло *на ком. Сиб.* Вымещать гнев, раздражение на ком-л. Верш. 6, 198.

Уничтожа́ть/ уничто́жить зло. *Жарг. мол. Шутл.* Пить спиртное. Максимов, 156.

ЗЛО́БА * Зло́ба дня. *Публ.* То, что в данное время особенно важно, актуально, интересует и волнует всех. ФСРЯ, 174; ЗС 1996, 486; ШЗФ 2001, 83; Янин 2003, 120; БТС, 251; БМС 1998, 213.

Гнать (знать) зло́бу. *Сиб., Забайк.* Злобствовать, вымещать зло на ком-л. ФСС, 43; СФС, 55; СРГЗ, 90.

На зло́бу дня. *Публ.* На актуальную, важную, волнующую всех в данный момент тему. ФСРЯ, 174; БТС, 251; БМС 1998, 213.

ЗЛОВРЕ́НТИЙ * Зловре́нтий Па́длыч. *Разг. Ирон. или Презр.* О Лаврентии Павловиче Берия. Fantaz. 2.5.2002.

ЗЛО́-ГО́РЕ * До зла́-го́ря назли́ть *кого. Сев.-Двин.* Сильно досадить кому-л., разозлить кого-л. СРНГ 19, 283.

От зла́-го́ря. *Сиб.* Со злости, будучи в состоянии гнева, раздражения. ФСС, 48.

ЗЛОДЕ́ЙКА * Злоде́йка с накле́йкой. *Разг. Шутл.-ирон.* Водка или самогон. Мокиенко 2003, 34.

ЗЛОСТЬ * Зло́сти по́лные ко́сти. *Волг. Неодобр.* О сердитом, жестоком человеке. Глухов 1988, 53.

Ло́паться от зло́сти. *Разг.* Быть в состоянии гнева. *Ф 1, 286.*

Войти́ в злость. *Арх., Прикам.* Сильно рассердиться. АОС 5, 32; МФС, 20.

ЗЛЫД * На весь злыд. *Сиб.* Очень громко. ФСС, 82.

ЗЛЫ́ДНЯ (ЗЛЫ́ДЕНЬ) * Злы́дни обсе́ли *кого. Одесск.* О человеке, измученном бедностью, нищетой. КСРГО.

Коша́чьи злы́дни *чего. Волог.* О крайне малом количестве чего-л. СВГ 3, 115.

Ни злы́дни ни ка́лива. *Смол.* Абсолютно ничего нет у кого-л., где-л. СРНГ 21, 213.

Твори́ть злы́дни. *Волг. Неодобр.* Злобствовать, совершать подлости. Глухов 1988, 158.

Води́ть злы́дню. *Новг.* Сплетничать, оговаривать кого-л. НОС 1, 130; Сергеева 2004, 37.

До злы́дня *чего. Том.* О большом количестве чего-л. (1964). СРНГ 11, 294; СФС, 64; ФСС, 82.

< Слово **злы́день** ‘злой, недоброжелательный человек’ и т. п. имело, вероятно, первоначальное значение ‘чёрт, нечистая сила’. Такую семантику имеет слово в белорусском, украинском и польском языках. Ср. бел. **яко́га злы́дня**, лексически варьируется с оборотом **яко́га чо́рта.** Aksamitow, Czurak 2000, 212.

ЗМЕЕВЕ́Ц * Змеевцо́м бы вы́вернуло (вы́вертело) в па́сти! *Ср. Урал. Бран.* Выражение гнева, раздражения в чей-л. адрес. СРНГ 11, 297; СРГСУ 1, 194. < **Змеевец** — нарыв, язва.

ЗМЕЕ́Д * Змее́д забери́ *кого*! *Пск. Бран.* Восклицание, выражающее гнев, негодование в чей-л. адрес. СПП 2001, 42.

ЗМЕ́ИЩЕ * Зме́ище тебе́ в ру́ки! *Перм.* Недоброе пожелание человеку, доставившему неприятность кому-л. СГПО, 201.

ЗМЕЙ * Возду́шный змей. *Жарг. бизн., крим.* Вид преступлений с использованием компьютера, когда деньги переводятся из одного банка в другой с постепенно повышающимися необеспеченными суммами, затем крупная сумма быстро снимается и владелец счёта исчезает. БС, 32.

Зелёный змей. *Жарг. мол. Шутл.* То же, что **зелёный змий (ЗМИЙ).** Максимов, 155.

Змей беспу́тный. *Горьк. Бран.* Характеристика человека, оцениваемого отрицательно. БотСан, 37.

Змей вострокопы́тный. *Сиб.* То же, что **змей беспутный.** ФСС, 82.

Змей Горы́ныч. 1. *Народно-поэт.* Воплощение зла, коварства и насилия в образе змея. Ф 1, 211. 2. *Жарг. арм. Шутл.* Установка разминирования. РТР, 09.09.99; БСРЖ, 225.

Змей громово́й! *Сиб.* Выражение досады, раздражения, гнева. СОСВ, 77.

Змей над кры́шей лета́ет *у кого. Волг. Шутл.* Кто-л. тоскует о ком-л. Глухов 1988, 53.

Змей подколо́дный. *Ворон. Бран.* То же, что **змей беспутный.** СРНГ 28, 42.

Змей по ку́му. *Жарг. угол.* Человек, постоянно имеющий свою долю в преступлении, совершаемом группой, в которую он входит. ТСУЖ, 73. < **Змей** — вор.

Змей рога́тый. *Пск. Бран.* То же, что **змей беспутный.** СПП 2001, 42; Мокиенко 1990, 106.

Змей сипа́тый. *Пск. Бран.* О непослушном животном. СПП 2001, 42; Мокиенко 1990, 106.

Змей (змеи́шко) тебе́ (ему́, вам и т. п.) **в ру́ки!** *Прикам.* Восклицание, выражающее крайнее раздражение, неодобрение в чей-л. адрес. МФС. 40.

Змей шелуда́вый. *Пск. Бран.* То же, что **змей беспутный.** СПП 2001, 42; Мокиенко 1990, 106..

Обе́й змей *кого*! *Сиб. Бран.-шутл.* Восклицание, выражиющее смягчённое раздражение. ФСС, 82.

Чтоб змей в тарары́ *кому*! *Прибайк. Бран.* Проклятие, недоброе пожелание в чей-л. адрес. СНФП, 72.

Вы́пусти́ть зме́я. *Жарг. мол. Шутл.* Сходить в туалет. Максимов, 76.

Напива́ться/ напи́ться до зелёного зме́я. См. **Напиваться до зеленого змия (ЗМИЙ),**

Зме́я в сту́ле (покупать и т. п.). *Пск. Шутл.* Что-л. особое, изысканное. СПП 2001, 42.

ЗМЕИ́ШКО * Змеи́шко тебе́ в ру́ки! См. **Змей тебе в руки! (ЗМЕЙ).**

ЗМЕЯ́ * Напусти́ть змей *на кого. Жарг. мол. Шутл.* Надеть наручники на кого-л. Максимов, 156.

Отогрева́ть/ отогре́ть (пригрева́ть/ пригре́ть) змею́ на груди́ (за па́зухой). *Разг. Неодобр.* Проявлять внимание, заботу, любовь к человеку, который впоследствии платит неблагодарностью. ДП, 137; ФСРЯ, 174; БМС 1998, 214.

Сотвори́ть змею́ *кому. Прибайк.* Устроить неприятность кому-л. СНФП, 72.

Змея́ безупро́кая. *Пск. Бран.* О рассеянной женщине. СПП 2001, 42.

Змея́ выдрогла́зая. *Пск. Бран.* О подлой, непорядочной женщине. ПОС 5, 155.

Змея́ глуха́я. *Пск. Бран.* О домашнем животном, доставляющем какие-л. неприятности хозяину. СПП 2001, 42; Мокиенко 1990, 106.

Змея́ грязнопя́тая. *Пск. Бран.* О неряшливой, нечистоплотной женщине. ПОС 8, 65.

Змея́ запа́зушная. *Народн. Бран.* О подлом, неблагодарном человеке. ДП, 137.

Зме́я заползла́ *в кого. Сиб.* О состоянии испуга, страха. ФСС, 82.
Зме́я лю́тая. *Олон. Бран.* То же, что **змея подколодная.** СРНГ 28, 53.
Зме́я подколо́дная. *Прост. Неодобр. или Бран.* О злом, коварном, подлом человеке. ФСРЯ, 174; БМС 1998, 214; ШЗФ 2001, 83; СОСВ, 141; Мокиенко 1990, 106; СРНГ 28, 42, 53.
Зме́я подкорче́жная. *Смол. Бран.* То же, что **змея подколодная.** СРНГ 28, 46. < **Подкорчежный** — живущий под корнями дерева.
Зме́я подкусто́вная. *Олон. Бран.* То же, что **змея подколодная.** СРНГ 28, 53.
Зме́я подпа́зушная. *Колым. Бран.* То же, что **змея подколодная.** СРНГ 28, 128.
Зме́я подхали́мая. *Пск. Бран.* О хитрой, коварной женщине. СПП 2001, 42.
Зме́я ползу́чая. *Волг. Бран.* О сердитом, злопамятном человеке. Глухов 1988, 53.
Зме́я полоса́тая. *Пск. Бран.* То же, что **змея подколодная.** СПП 2001, 42.
Зме́я шелудя́вая. *Пск. Бран.* То же, что **змея подколодная.** СПП 2001, 42.
Зме́я шмуля́стая. *Пск. Бран.* То же, что **змея подколодная.** СПП 2001, 42.
Подпа́зушная зме́я. *Печор. Бран.* То же, что **змея подколодная.** СРНГП 2, 73.
Ле́шева зме́я. *Костром. Бран.* То же, что **змея подколодная.** СРНГ 17, 31.
ЗМИЙ * Боро́ться со зми́ем. *Жарг. мол. Шутл.* Пить спиртное. Максимов, 41.
Зелёный змий. *Публ. Неодобр.* 1. Об алкоголе, спиртных напитках. 2. О пьянстве. Ф 1, 211; БМС 1998, 214.
Ле́шев змий. *Костром. Бран.* О непорядочном человеке. СРНГ 17, 31.
Напива́ться/ напи́ться (допива́ться/ допи́ться) до зелёного зми́я (зме́я). *Разг. Устар. Неодобр.* Напиться до крайней степени, до потери сознания, до галлюцинаций. ФСРЯ, 174; Ф 1, 211; БМС 1998, 214.
Обузда́ть (объезжа́ть, дрессирова́ть) зелёного зми́я. *Жарг. мол. Шутл.* Пить спиртное, пьянствовать. Щуплов, 61, 63.
ЗНАК * Восклица́тельный знак. *Жарг. шк. Шутл.* Учитель высокого роста. РСЖ, 2002.
Дава́ть знак. *Сиб.* Появляться, выступать (о крови и т. п.). ФСС, 52; СФС, 58; СБО-Д1, 109.
Подава́ть/ пода́ть знак. *Разг. Устар.* Выражать намёк. Ф 2, 54.
Ста́вить знак ра́венства *между кем, между чем. Разг.* Считать одинаковым, подобным. БТС, 1258.
Да́ться в зна́ки. 1. *Брян. Неодобр.* Оставить о себе надолго недобрую память. СРНГ 11, 305. 2. *Волг. Одобр.* Запомниться, понравиться кому-л. Глухов 1988, 31.
Дава́ть зна́ки. *Морд.* Предвещать, предсказывать что-л. СРГМ 1980, 11.
Со зна́ком ка́чества. *Публ. Одобр.* О чём-л. качественном, надёжном. Мокиенко 2003, 35.
Со зна́ком ми́нус. *Публ. Неодобр.* 1. Плохой, некачественный. 2. Плохо, некачественно. Мокиенко 2003, 35.
Со зна́ком плюс. *Публ. Одобр.* 1. Хороший, качественный. 2. Хорошо, качественно. Мокиенко 2003, 35.
Не дава́ть (не подава́ть) зна́ку. 1. *Кар.* Не подавать о себе никаких известий. СРГК 2, 254. 2. *Пск.* Не высказывать своего отношения к кому-л., к чему-л. ПОС 13, 58. 3. *кому. Сиб.* Настойчиво, неотступно требовать чего-л. от кого-л. ФСС, 52; СРНГ 11, 305.
Зна́ку нет. 1. *чего. Моск., Прибайк.* Нет признаков чего-л. СРНГ 11, 305; СНФП, 72. // *чего. Дон., Пск.* Не осталось признаков, следов чего-л. СДГ 2, 31; ПОС 13, 58. 2. *Сиб., Приамур.* Нет привычки, обычая делать что-л. ФСС, 19; СРГПриам., 34. 3. *о ком, о чём. Волг.* Ничего неизвестно о ком-л., о чём-л. Глухов 1988, 53. 4. *на ком. Сиб., Приамур.* О человеке в ссадинах, синяках, израненном, искалеченном, избитом. ФСС, 83; СРГПриам., 172.
ЗНАМЕНА́ТЕЛЬ * Приводи́ть/ привести́ к о́бщему (одному́, еди́ному) знамена́телю *кого, что. Книжн. или Публ.* 1. Уничтожать различия между кем-л., чем-л., уравнивать кого-л., что-л. в каком-л. отношении., ставить кого-л., что-л. в одинаковое положение. 2. *Нов.* Дисциплинировать членов коллектива, уравнивать их в правах. ФСРЯ, 175; ЗС 1996, 338; Ф 2, 88; БМС 1998, 216.
ЗНАМЕ́НИЕ * Знаме́ние вре́мени. *Книжн. или Публ.* 1. Общественное явление особенно характерное, типичное для данного времени. 2. Событие или явление, которое накладывает свой отпечаток на события данного времени. Ф 1, 212; ШЗФ 2001, 83; БМС 1998, 216.
ЗНА́МЯ * Под кра́сным зна́менем. *Разг., жарг. угол. Шутл.* О менструации. Балдаев 1, 326.
Поднима́ть/ подня́ть зна́мя *чего. Публ. Высок.* Начинать борьбу за что-л., во имя чего-л. БМС 1998, 216; БТС, 873.
Станови́ться/ стать под зна́мя *чего. Публ.* То же, что **поднимать знамя.** Ф 2, 185.
ЗНА́ТОМ * Зна́том не знать. *Ряз.* 1. Не иметь представления, ничего не знать о чём-л. 2. Не касаться чего-л., не иметь дела с чем-л. СРНГ 11, 312; ДС, 200.
ЗНАТЬ * Почём знать, чего не знать. *Орл. Шутл.* О неизвестном будущем. СРНГ 30, 378.
Зна́ет, где га́вкнуть, где лизну́ть. *Одесск.* О двуличном человеке. КСРГО.
ЗНА́ТЬБА * Роди́ма зна́тьба. *Кар.* Родимое пятно, родинка. СРГК 2, 255.
ЗНИК (ЗНЫК) * Зни́ку нет *кому. Яросл.* О беспокойном человеке. ЯОС 4, 124.
Не знать по зны́ку *о чём, чего. Дон.* Абсолютно ничего не знать о чём-л. СДГ 2, 32.
Не дава́ть/ не дать зни́ку. 1. *кому. Алт., Волог., Новг., Перм., Ср. Урал., Сиб., Яросл. Неодобр.* Надоедливо приставать к кому-л., настойчиво, неотступно просить чего-л. СРГА 2-1, 167; МФС, 30; Подюков 1989, 56; СРГСУ 1, 195; СРНГ 11, 315-316; ЯОС, 124. 2. *кому. Забайк., Новг., Перм., Сиб.* Сверх меры загружать кого-л. работой, заставлять работать без отдыха, перерыва. НОС 3, 100; ФСС, 52; СФС, 81; СРНГ 11, 315-316. 3. *кому. Южн.-Сиб.* Показывать своё преимущество, одерживать победу над кем-л. СРНГ 11, 315-316. 4. *Яросл.* Вести себя беспокойно. ЯОС 4, 124.
Не оста́лось и зны́ку. *Дон.* О чём-л. исчезнувшем бесследно. СДГ 2, 32.
Ни зни́ку ни пони́ку *о ком, от кого. Ряз.* Нет никаких известий от кого-л., о ком-л. ДС, 200; СРНГ 21, 213. **Ни зны́ку ни позны́ку (ни поны́ку).** *Дон.* То же. СДГ 2, 32.
ЗНОЙ * Дава́ть/ дать (зада́ть) зно́ю *кому. Пск.* Ругать кого-л., устраивать нагоняй кому-л. ПОС 13, 81; СПП, 42; Мокиенко 1990, 47.
ЗОБ * Зоб на́ сто́рону. *Сиб. Шутл.* О человеке, наевшемся досыта. ФСС, 83; 117; СФС, 81.
Наби́ть зоб. *Смол.* Наесться досыта. СРНГ 11, 321.
Порва́ть зоб *кому. Курск.* Жестоко расправиться с кем-л. (угроза). СРГН 11, 321.

Распра́вить (расста́вить) зоб. *Перм.* Очень громко кричать, возмущаться. СА, 345.

ЗОБНЯ́ * Пуста́я зобня́. *Кар. Пренебр.* О тучном человеке. СРГК 2, 256.

ЗОБО́К * Зобо́к наби́тый *у кого. Морд.* О богатом человеке. СРГМ 1980, 109.

ЗОВ * Ве́чный зов. *Жарг. мол. Шутл.-ирон.* О рвоте в состоянии алкогольного опьянения. Максимов, 60.

Зов пре́дков. 1. *Жарг. арм. Шутл.* Письмо из дома от родителей. Кор., 115. 2. *Жарг. арм. Шутл.* Самовольная отлучка из части. Кор., 115. 3. *Жарг. морск., курс. Шутл.* О контрольно-пропускном пункте. БСРЖ, 225. 4. *Жарг. мол. Шутл.* То же, что **вечный зов.** Максимов, 157.

Зов приро́ды. *Жарг. мол. Шутл.* Желание сходить в туалет. Никитина 2003, 239.

ЗОВУ́ТКА * Зову́т зову́ткой, а велича́ют у́ткой. *Народн. Шутл.* Ответ на вопрос «Как тебя зовут?» при нежелании поддерживать разговор. Жук. 1991, 129.

ЗО́ДЧИЙ * Вели́кий Зо́дчий. *Публ. Патет.* О И. В. Сталине. Вайскопф 2001, 365.

ЗОЛА́ * Зо́лы золи́ть. *Яросл.* Варить щёлок для мытья белья. ЯОС 4, 126.

ЗО́ЛОТО * Бе́лое зо́лото. *Публ.* Хлопок. Ф 1, 214; БМС 1998, 217.

Ви́дно зо́лото на гря́зи. *Иркут.* Чьи-л. хорошие качества легко обнаруживаются. хорошо заметны. СРНГ 11, 331.

Голубо́е зо́лото. *Публ. Устар. Патет.* Природный горючий газ. Новиков, 73.

Грему́чее зо́лото. *Жарг. крим.* Сильное взрывчатое вещество — продукт взаимодействия аммиака и соединений трехвалентного золота. БС, 73.

Живёт, зо́лото ве́сит. *Народн. Одобр.* О человеке, живущем счастливо, благополучно. ДП, 81.

Живо́е (мя́гкое) зо́лото. *Публ. Устар. Патет.* Пушнина. Новиков, 73.

Зелёное зо́лото. *Публ. Устар. Патет.* 1. Лес. Ф 1, 214. 2. Чай (растение). Новиков, 73.

Зо́лото Акапу́лько. *Нарк. Шутл.-ирон.* Марихуана. БС, 156.

Зо́лото помеде́ет *у кого. Народн. Неодобр.* 1. О человеке, который не бережёт вещи. 2. О шаловливом ребёнке. СРНГ 11, 331.

Изве́стно зо́лото. *Заурал.* О человеке с определёнными известными качествами. СРНГ 12, 104.

Кори́чневое зо́лото. *Публ.* Бурый уголь. НРЛ-82; Мокиенко 2003, 35.

Мя́гкое зо́лото. *Публ.* Пушнина. Ф 1, 214; Мокиенко 2003, 35.

Хорони́ть зо́лото. *Пск.* Об игре, в которой нужно найти спрятанный предмет (в старину играли на святках, пряча золотой перстенёк, колечко). ПОС 13, 91.

Чёрное зо́лото. *Публ.* 1. Нефть. БМС 1998, 217. 2. Уголь. Новиков, 74.

Зо́лотом обли́ть *что. Новг. Одобр.* Сделать что-л. добросовестно, качественно. НОС 6, 119.

Зо́лотом у́ши заве́шены *у кого. Арх.* О глуховатом человеке. СРНГ 11, 331.

Осыпа́ть зо́лотом *кого. Разг. Устар.* делать кого-л. богатым. Ф 2, 22.

ЗОЛОТО́Й * Будь ты золото́й. *Пск.* Форма вежливой просьбы. ПОС 13, 94.

Жить в золото́м. *Пск. Одобр.* Жить богато и счастливо. СПП 2001, 42.

ЗОЛОТУ́ХА * Вы́читать золоту́ху *кому. Орл.* Сделать выговор, замечание. СРНГ 6, 57.

ЗОЛОТУ́ШКА * Золоту́шку иска́ть. *Прикам.* Работать, наклонившись. МФС, 44.

ЗО́МБИ * А зо́мби здесь ти́хие. *Жарг. шк. Шутл.* Повесть Б. Васильева «А зори здесь тихие». БСПЯ, 2000.

ЗО́НА * Больша́я зо́на. *Жарг. угол., арест.* 1. Воля; окружающий мир, исключая места заключения. Быков, 90. 2. *Ирон.* СССР. Балдаев 1, 42.

Зо́на осо́бого внима́ния. *Жарг. арм., курс. Шутл.* Столовая. Кор., 116.

Кра́сная зо́на. *Жарг. угол.* Образцово-показательная тюрьма. Максимов, 157.

Мёртвая зо́на. *Публ.* 1. Место, которое чем-л. опасно. Ф 1, 214. 2. Враждебная обстановка, окружающая кого-л. Мокиенко 2003, 35.

Мохна́ткина зо́на. *Жарг. угол., арест. Шутл.* Женское ИТУ. Балдаев 1, 256. < От **мохнатка** — женские гениталии.

Су́чья зо́на. *Жарг. угол.* Тюрьма, где уголовники по договорённости с администрацией поддерживают порядок. Максимов, 157.

Держа́ть зо́ну. *Жарг. угол., арест.* Иметь власть в колонии. Быков, 62; Балдаев 1, 163; ББИ, 92.

Слома́ть зо́ну. *Жарг. угол., арест.* Навести порядок во взбунтовавшемся ИТУ. Балдаев 1, 163; ББИ, 92.

Топта́ть зо́ну. *Жарг. угол.* Отбывать срок наказания в местах лишения свободы. Максимов, 157.

Уходи́ть в зо́ну. *Жарг. нарк.* Начинать испытывать действие наркотика. Максимов, 74.

Оттолкну́ться от зо́ны. *Жарг. угол., арест.* Совершить побег из ИТУ. Росси 1, 132; Балдаев 1, 299.

Сня́ться с зо́ны. *Жарг. арест.* Выйти на свободу после окончания срока заключения. Максимов, 157.

ЗОНТ * Де́лать зонт. *Жарг. мол.* Загораживать, скрывать, прикрывать что-л. Вахитов 2003, 45.

Зонт безопа́сности. *Публ.* Военное покровительство, навязываемое США другим странам. НРЛ 81; Мокиенко 2003, 36.

Опусти́ть (спусти́ть) зонт. *Жарг. угол.* Совершить ограбление, проникнув в помещение через потолок. СРВС 4, 137; Мильяненков, 128; Балдаев 1, 163; ББИ, 92.

ЗО́НТИК * За́ячий зо́нтик. *Дон.* Растение тамарикс многоцветный. СДГ 2, 26.

Зо́нтик с ру́чкой. *Разг. Бран.* О неумелом, неловком, неудачливом человеке. УМК, 98; Быков, 90. < Эвфем. от *жопа с ручкой.*

Зо́нтик, твоё ме́сто в углу! *Жарг. мол.* Требование замолчать, уйти. Максимов, 157.

Зо́нтик похе́рить. *Жарг. угол.* Уйти из квартиры, с места кражи, чтобы избежать ареста. Балдаев 1, 52; ББИ, 92.

Неудо́бно зо́нтик в жо́пе открыва́ть. *Жарг. мол. Шутл.* Ответ на чью-л. реплику, начинающуюся словом «неудобно». Вахитов 2003, 112.

До зо́нтика *кому что. Жарг. мол., угол. Неодобр.* Кому-л. абсолютно безразлично что-л.; кто-л. равнодушен, безразличен к чему-л. Мокиенко 1992, 17-24. < Образовано по модели **до лампочки**. БСРЖ, 226.

Быть под зо́нтиком. *Жарг. угол.* 1. Иметь покровителя, защиту. 2. Иметь надежное убежище. 3. Жить у любовницы. Балдаев 1, 52.

Накры́ться зо́нтиком. *Жарг. угол., мол.* Исчезнуть, пропасть. Быков, 90; Мокиенко 2003, 36.

ЗООПА́РК * Сходи́ть в зоопа́рк. *Жарг. мол. Шутл.* Получить литовские или белорусские деньги (с изображением животных). Максимов, 158.

ЗО́РОМ * Зо́ром зо́рить. *Яросл.* Разорять, грабить кого-л. ЯОС 4, 127.

ЗРАЧО́К * Брать на зрачо́к *[что]. Пск.* Вглядываться во что-л., прищурив глаза. ПОС 2, 156.

ЗРЕ́НЬЕ * Не дать зре́нья *кому. Твер.* Поторопить кого-л. СРНГ 11, 333.

ЗРЫ́ДЬЮ * Зры́дью зрыда́ть. *Волог..* Плакать навзрыд. СРНГ 11, 350.

ЗРЯ * Зря каля́кать. *Морд.* Бредить (о больном человеке). СРГМ 1980, 110.

Как зря. *Одесск. Неодобр.* Очень плохо. КСРГО.

Ни зря не вида́ть. *Смол.* Об абсолютной темноте, когда ничего не видно. СРНГ 21, 213.

Почём зря. *Прост.* Очень сильно, безудержно (врать, ругать, бить). ФСРЯ, 349; БМС 1998, 217; Глухов 1988, 131.

Почём зря попа́ло. *Сиб.* Все, что попало, без стеснения (говорить, рассказывать). ФСС, 146.

ЗРЯ́ХОВО * На зря́хово. *Твер.* Не обдумав, спонтанно. СРНГ 11, 351.

ЗРЯ́ЧАЯ * Идти́ на зря́чую. *Жарг. угол.* Совершать преступление наугад, без предварительной разведки. ТСУЖ, 76; Балдаев 1, 169; БСЖ 2000, 226.

ЗРЯ́ЧКА * Дуть на зря́чку. *Жарг. угол.* То же, что **идти на зря́чую (ЗРЯЧАЯ).** СРВС 1, 188.

ЗУБ * Бра́ться зуб за зуб. *Волг.* Сильно ругаться, браниться, ссориться. Глухов 1988, 2.

В зуб толкну́ть не смыслит. *Народн.* То же, что **ни в зуб ногой.** ДП, 427.

Голубо́й (си́ний) зуб. *Жарг. мол. Шутл.* Устройство для передачи данных по сотовой связи < Англ. *Bluetooth.* Костин, 245.

Гры́зть зуб *на кого. Арх., Коми, Прибайк., Сиб.* Питать недоброе чувство к кому-л., затаить зло, испытывать жажду мести. АОС 10, 107; Кобелева, 61; СФС, 81; ФСС, 49; СНФП, 72; СРНГ 11, 353.

Давно́ после́дний зуб съел. *Перм. Шутл.-ирон.* Об очень старом человеке. Подюков 1989, 200.

Держа́ть зуб *на кого-л. Прост.* То же, что **иметь зуб 1.** Ф 1, 159.

Зуб га́лится *у кого. Пск.* То же, что **зуб горит 2.** ПОС 6, 132.

Зуб гори́т *у кого.* 1. *Арх., Кар.* О сильном чувстве злобы, раздражения, неприязни. АОС 9, 345; СРГК 1, 370. 2. *Волг., Сиб.* О большом, сильном желании, стремлении. ФСС, 73; Глухов 1988, 54.

Зуб дам! *Перм.* Клятвенное заверение в чём-л. Подюков 1989, 58.

Зуб до зу́бу не дохо́дит *у кого.* 1. *Брян., Олон., Перм.* О сильном ощущении холода, озноба. СБГ 5, 35; СРНГ 11, 353; Подюков 1989, 86. 2. *Волг.* Кто-л. много и долго смеется. Глухов 1988, 54.

Зуб за два шнифта́. *Жарг. угол. Презр.* Доносчик, осведомитель. Смирнов 1993, 179.

Зуб за зуб. 1. *Прост.* Без всяких уступок друг другу в перебранке, ссоре, драке. ФСРЯ, 167; БМС 1998, 217; ДП, 262. < Восходит к Библии. 2. *Курск.* О начале ссоры. БотСан, 96. 3. *Ср. Урал.* О людях, обсуждающих кого-л. с насмешками, издевательствами. СРНГ 11, 353. 4. *Волг.* О человеке, дрожащем от холода. Глухов 1988, 54.

Зуб игра́ет *у кого. Волг.* То же, что **зуб горит 2.** Глухов 1988, 54.

Зуб на зуб не попада́ет *у кого. Прост.* Кто-л. чувствует озноб, дрожит от холода, страха. ФСРЯ, 176; ДП, 272; СПП 2001, 42; ЗС 1996, 73, 449; СРГМ 1986, 67; НОС 7, 135. **Зуб на зуб не докря́нется** *у кого. Кар.* То же. СРГК 1, 474.

Зуб на зуб не прихо́дит *у кого. Сиб.* То же. ФСС, 83.

Зуб на кон! *Жарг. мол.* Клятвенное заверение в истинности сказанного. Максимов, 158.

Зуб об зуб коло́тится *у кого. Волг.* 1. О сильно замёрзшем, продрогшем человеке. 2. О сильно испуганном человеке. Глухов 1988, 54.

Зуб разыгра́лся *у кого. Печор. Шутл.* О каком-л. сильном желании. СРГНП 1, 284.

Зуб с ко́рнем вы́рвет. *Новг.* О человеке, который может добиться своего любыми средствами. НОС 3, 104.

Зуб с зу́бом не свести́. *Перм.* Дрожать от холода. Подюков 1989, 181.

Зуб с зу́бом не стыка́ются *у кого. Волг. Шутл.* О человеке, который много говорит, болтает. Глухов 1988, 54.

Зуб тряхну́лся *у кого. Тобол. Ирон.* О состарившейся лошади. СРНГ 11, 354.

Име́ть зуб *на кого.* 1. *Прост.* испытывать неприязнь к кому-л. за что-л., желание причинить вред, отомстить. ФСРЯ, 185; СПП 2001, 42. 2. *Жарг. бизн., крим.* Помнить чьи-л. долги. h-98.

Ко́нский зуб. *Дон.* Сорт крупной кукурузы. СДГ 2, 33.

На голо́дный зуб. *Народн.* Натощак, до принятия пищи. ДП, 132; АОС 9, 256; ПОС 7, 64.

На голо́дный зуб не попада́йся *кому. Народн.* О злом, сердитом человеке. ДП, 132.

На го́лый зуб. *Пск.* Без оплаты, без вознаграждения за работу, даром. ПОС 7, 73.

На за́дний зуб. *Кар.* О малом количестве чего-л. СРГК 2, 259.

На зуб. 1. *Яросл.* О подарке по случаю рождения ребенка. ЯОС 3, 120. 2. *Волог.* То же, что **на зубу.** СРНГ 11, 354.

На оди́н зуб [положи́ть]. *Разг.* Очень мало, недостаточно. ЗС 1996, 186; Глухов 1988, 91.

Не в зуб *кому что. Пск.* Кому-л. не нравится что-л. СПП 2001, 42; ПОС 13, 110.

Не вына́ть с зуб. *Ряз.* Постоянно говорить о чём-л. ДС, 201; СРНГ 11, 353.

Не пойма́ть зуб на́ зуб. *Кар.* Дрожать от холода. СРГК 5, 37.

Не покрыва́ть (не прикрывать) зуб. 1. *Волг., Моск.* Смеяться, веселиться. Глухов 1988, 103; СРНГ 11, 354. 2. *Волг. Неодобр.* Болтать, пустословить. Глухов 1988, 103.

Не́чего на зуб положи́ть. *Сиб.* О состоянии крайней нужды, голода. ФСС, 144.

[Ни] в зуб не брать *что. Пск.* Не употреблять в пищу, не есть чего-л. СПП 2001, 42.

Ни в зуб гало́шей. *Жарг. мол. Шутл.* То же, что **ни в зуб [ногой].** Белянин, Бутенко, 111.

Ни в зуб [ного́й] [толкну́ть]. *Прост. Ирон. или Презр.* Совершенно ничего не знать, не понимать, не разбираться в чём-л. ФСРЯ, 176; ЗС 1996, 33; БТС, 1328; Мокиенко 1990, 95, 118; БМС 1998, 218; СНФП, 73.

Остри́ть зуб. См. **Точить зуб.**

Положи́ть на (под) зуб *что. Прост. Шутл.* Съесть что-л. Ф 2, 70; Подюков 1989, 155.

Поста́вить на зуб *что. Волог.* Выучить наизусть что-л. СРНГ 11, 354.

Прое́сть (прие́сть, съесть) зуб *на чем. Прост.* Быть знатоком какого-л. дела, иметь опыт, навык, основательные знания в какой-л. области. БМС 1998, 220; СРНГ 11, 354; ДП, 490; СОСВ, 79; СПП 2001, 42; СДГ 3, 67.

Репяно́й зуб. *Народн.* 1. Молочный зуб. 2. Больной зуб. СРНГ 11, 353.

Свекро́вий (свёкров) зуб. *Кар.* Изъян в домотканом полотне. СРГК 5, 652.

Си́ний зуб. См. **Голубой зуб.**

Таска́ть зу́бы. *Сиб. Неодобр.* Зубоскалить, высмеивать кого-л. СФС, 81.

Точи́ть (востри́ть, остри́ть) зуб (зу́бы). 1. *на кого, на что. Прост.* Испытывая злобу, замышлять или готовить что-л. недоброе против кого-л., стремиться причинить вред кому-л., готовиться к отмщению. БМС 1998, 221; ФСРЯ, 177; БотСан, 96; ЗС 1996, 229, 301; Максимов, 158; ДП, 220. 2. *Волг.* Болтать, пустословить. Глухов 1988, 160. 3. *на кого. Коми.* Оговаривать кого-л. Кобелева, 80. 4. *Горьк.* Ссориться, ругаться. БалСок, 37. 5. *Яросл.* Смеяться. СРНГ 11, 354. 6. *на кого, на что. Прост.* Хотеть, стремиться захватить кого-л., что-л., завладеть кем-л., чем-л. ФСРЯ, 177; БотСан, 96.

Дава́ть/ дать зу́ба *кому.* 1. *Олон.* Пошутить, посмеяться над кем-л., слегка поругать кого-л. СРНГ 11, 353. 2. *Волг.* Строго наказывать, бить кого-л. Глухов 1988, 30.

Зу́ба не подто́чишь. *Кар.* Нельзя обвинить, упрекнуть кого-л. в чём-л. СРГК 2, 258.

Ни зу́ба во́ рте, ни гла́за во́ лбе. *Арх. Ирон.* Об очень старом человеке. АОС 9, 84.

Щёлкать с зу́ба. *Арх.* 1. Говорить красиво, складно. 2. *Неодобр.* Говорить небрежно, свысока. СРНГ 11, 354.

Не по зуба́м *кому что. Разг.* О чём-л. недоступном, недосягаемом. Ф 1, 214-215.

По зуба́м *кому что. Прост.* Хватает сил, умения, способностей у кого-л. на что-л. ФСРЯ, 176; ФСС, 83; СФС, 144.

Получа́ть/ получи́ть по зуба́м. *Прост.* Подвергаться избиению. Глухов 1988, 129.

Баля́скать зуба́ми. *Брян.* Болтать, пустословить. СБГ 1, 28.

Боро́ться зуба́ми. *Кар.* Страдать от зубной боли. СРГК 2, 259.

Бря́кать зуба́ми. 1. *Прибайк., Сиб. Ирон.* Быть очень голодным; голодать ФСС, 18; СНФП, 72. 2. *Прибайк.* Болтать, пустословить. СНФП, 72.

Вози́ (возьми́) зуба́ми. *Жарг. мол. Шутл.* Белое сухое вино «Вазисубани». Елистратов 1994, 174; Щуплов, 187; ЖЭСТ-2, 17.

Держа́ться зуба́ми *за что. Разг.* Всеми силами отстаивать свои интересы. Ф 1, 161.

Есть / съесть зуба́ми (зу́бом). 1. *Калуж., Кар., Олон., Пск., Твер.* Постоянно изводить кого-л. упрёками, придирками; ругать кого-л. СРГК 2, 29; СРГК 2, 259; СРНГ 11, 353-354.

Заглода́ть (изглода́ть) зуба́ми *кого. Сиб.* Измучить кого-л. постоянными упрёками, придирками; погубить, довести до крайне бедственного положения. до смерти кого-л. ФСС, 75, 87.

За зуба́ми пищи́т *у кого. Кар.* О еде с аппетитом, с удовольствием. СРГК 2, 258; СРГК 4, 527.

Звони́ть зуба́ми. *Волг. Шутл.* Дрожать от холода. Глухов 1988, 52.

Игра́ть зуба́ми. *Перм.* То же, что **звонить зубами.** Подюков 1989, 87.

Кла́цать зуба́ми. 1. *Сиб.* То же, что **щёлкать зубами.** ФСС, 93. 2. *Волг. Неодобр.* Сердиться, злобствовать. Глухов 1988, 75.

Лежа́ть зуба́ми к стенке. *Жарг. мол. Шутл.* Спать. Максимов, 158.

Лоскота́ть зуба́ми. *Пск.* То же, что **щёлкать зубами.** СПП 2001, 42.

Ля́скать зуба́ми. 1. *Орл.* То же, что **щёлкать зубами.** СОГ-1994, 98. 2. *Волг.* То же, что **клацать зубами 2.** Глухов 1988, 83.

Мета́ться зуба́ми. *Коми.* Ссориться, ругаться с кем-л. Кобелева, 67.

Окола́чивать зуба́ми. *Кар.* То же, что **баляскать зубами.** СРГК 2, 259; СРГК 4, 179.

Роди́лся с зуба́ми. *Перм. Шутл.* О бойком, насмешливом человеке. Подюков 1989, 175.

Ска́лить зуба́ми. *Ряз.* То же, что **щёлкать зубами.** СРНГ 11, 354.

Скрежета́ть зуба́ми. *Прост.* То же, что **скрипеть зубами.** Ф 2, 160.

Скрипе́ть зуба́ми. *Прост.* Сердиться, испытывать ярость, гнев, злобу. Ф 2, 161; Глухов 1988, 149.

Скорлы́кать (ско́ркать, скри́чигать, скырката́ть, скырчига́ть) зуба́ми. *Перм.* То же, что **скрипеть зубами.** Подюков 1989, 187.

Стуча́ть зуба́ми. *Прост.* Мёрзнуть, дрожать от холода. Ф 2, 193.

Точи́ть зуба́ми. *Перм.* То же, что **скрипеть зубами.** Подюков 1989, 205.

Хоть зуба́ми грызи́. *Пск.* О чём-л. очень твердом. ПОС 8, 58.

Щёлкать зуба́ми. *Прост.* Голодать. ФРСЯ, 538; ДП, 805; Ф 2, 267; СНФП, 73.

Быть на зуба́х *[у кого]. Кар.* Быть предметом постоянных разговоров. СРГК 2, 259.

В зуба́х сло́во не завя́знет *у кого. Народн. Одобр.* Об острослове, красноречивом человеке. Жиг. 1969, 113.

Вы́носить в зуба́х *кого. Кар.* Вырастить ребенка без чьей-л. помощи. СРГК 2, 258.

Вя́знуть/ навя́знуть в зуба́х *у кого. Прост. Неодобр.* Сильно надоедать кому-л. ДП, 626; ФСРЯ, 261; Глухов 1989, 21.

Держа́ть в зуба́х *кого. Волг., Курск., Ряз.* Строго обращаться с кем-л., воспитывать в строгости, держать в подчинении кого-л. Глухов 1988, 33; ДС, 201; БотСан, 92; СРНГ 11, 353.

Засе́сть в зуба́х *у кого. Ворон.* То же, что **вязнуть в зубах.** СРНГ 11, 353.

Истрясти́ в зуба́х *кого. Курган.* Выместить зло на ком-л., отомстить кому-л. СРНГ 12, 266.

Ковыря́ть в зуба́х. *Волг. Шутл.-ирон.* То же, что **щёлкать зубами.** Глухов 1988, 75.

Навя́знуть (настря́ть) в зуба́х *кому. Прост.* Предельно надоесть, наскучить кому-л. Ф 1, 309, 319.

На одни́х зуба́х. *Разг.* На пределе, на исходе сил. Мокиенко 2003, 36.

Носи́ть в зуба́х *кого.* 1. *Ворон., Олон.* То же, что **держать в зубах.** СРНГ 11, 354; СРНГ 21, 288. 2. *Волг.* Любовно опекать, чрезмерно заботиться о ком-л. Глухов 1988, 113.

Ходи́ть на зуба́х. *Пск. Неодобр.* Бесноваться, неистовствовать. СПП 2001, 42.

Би́ться до зубо́в. *Алт. Одобр.* Добросовестно, хорошо работать. СРГА 1, 70.

Вооружён до зубо́в. *Публ.* О полностью или сверх меры вооружённом человеке. БМС 1998, 219; ЗС 1996, 124.

Выдира́ть из зубо́в *у кого что. Пск.* Отнимать, силой или обманом забирать что-л. у кого-л. ПОС 5, 152.

Из зубо́в кровь идёт *у кого.* 1. *Влад., Морд. Неодобр.* О жадном, скупом человеке. СРНГ 11, 353-354; СРГМ 1982, 88. 2. *Перм.* О предельном напряжении сил. Подюков 1989, 98.

Меж (сквозь) зубо́в (говорить, сказать). *Сиб.* 1. То же, что **сквозь зу́бы.** 2. Неохотно, со злом. ФСС, 83; СБО-Д1, 171; СРНГ 11, 353; СРНГ 18, 78; СФС, 104.

Не снять зубо́в. *Кар.* Непрерывно просить о чём-л. СРГК 2, 259.

Ободра́ть с зубо́в ко́жу. *Сиб.* Обобрать кого-л., отнять последнее у кого-л. СОСВ, 79, 88; Верш. 4, 349.

От зубо́в отска́кивает *у кого*. 1. *Прост.* О чёткой, правильной речи, ясном изложении мысли. СПП 2001, 42. 2. *Волг.* О хорошем знании дела, быстром, чётком исполнении работы. Глухов 1988, 120.

Рвать из зубо́в *у кого что. Прост.* Стремиться завладеть чем-л. необходимым, отняв это у другого. Глухов 1988, 141.

С молоды́х зубо́в. *Прост.* Смолоду, с ранних лет. Ф 1, 215.

Брать/ взять зу́бом. 1. *Прикам.* Добиваться чего-л. криком, угрозами. МФС, 13. 2. *что. Перм.* Кусать, откусывать что-л. Подюков 1989, 25.

Есть зу́бом. См. **Есть зубами.**

Колоти́ть зу́бом. *Новг. Неодобр.* Сплетничать. НОС 4, 91.

Щёлкнуть зу́бом. *Жарг. мол. Шутл.* Снять пробу, попробовать пищу. Максимов, 158.

Говори́ть с зу́бу. *Арх.* Заменять в речи звук «е» звуком «а» после мягких согласных. СРНГ 6, 260-261.

К зу́бу. *Твер.* Наизусть (выучить). СРНГ 11, 353.

На зубу́. *Народн. Одобр.* Прочно, твёрдо, надёжно. ДП, 462.

По зу́бу. *Новг.* На каждого в отдельности (разделить). СРНГ 11, 354.

Брать/ взять на зу́бы *что. Перм.* Делать что-л. предметом шуток, насмешек. Подюков 1989, 25.

Бу́дешь счита́ть зу́бы в роту́. *Р.Урал.* Угроза расправы с кем-л. СРНГ 35, 203.

Ве́шать зу́бы на спи́чку. *Перм.* Оставаться без пищи, голодать. Подюков 1989, 24.

Ви́чкать зу́бы. *Печор. Неодобр.* Говорить попусту. СРГНП 1, 76.

Влупи́ть зу́бы в сте́нку. *Брян.* Замолчать. СБГ 3, 34.

Во все зу́бы. *Пск. Шутл.* 1. С аппетитом (есть). ПОС 3, 122. 2. Интенсивно, много. СПП 2001, 43.

Востри́ть зу́бы. *Прост.* Зло насмехаться над кем-л. ЗС 1996, 55, 103.

Вставля́ть зу́бы *кому. Сиб. Шутл.-ирон.* Избивать кого-л. ФСС, 32.

Вы́скалить зу́бы; зу́бы вы́скалить. 1. *Смол.* О солнце: светить, когда идёт дождь. СРНГ 11, 353. 2. *Кубан.* Умереть. Борисова 2005, 72.

Вы́ставить зу́бы на просу́шку. *Новг.* То же, что **галить зубы**. НОС 1, 151.

До́лгие зу́бы выставля́ть. *Прибайк.* Перечить старшим, спорить. СНФП, 72.

Драть зу́бы в ко́жу *кому. Прибайк.* Отбирать последнее у кого-л. СНФП, 72.

Выставля́ть зубы́. 1. *Пск., Перм., Сиб. Неодобр.* Грубить, дерзить кому-л. ФСС, 38; СФС, 52; Подюков 1989, 37; СПП 2001, 43. 2. *Перм.* Давать отпор кому-л. СРНГ 11, 353. 3. *Волг.* Смеяться, потешаться над кем-л. Глухов 1988, 20.

Га́ли́ть (го́лить) зу́бы. *Арх., Смол., Сиб.* Смеяться. АОС 9, 32; ФСС, 45; СРНГ 6, 294. // *Яросл.* Смеяться, когда это неприятно, обидно для других. ЯОС 3, 68.

Гляде́ть в зу́бы *кому. Костром.* Беспрекословно подчиняться кому-л., слушаться чьих-л. приказаний. СРНГ 11, 353.

Греть зу́бы. *Жарг. мол. Шутл.* Курить. (Запись 2004 г.).

Гры́зть зу́бы. 1. *на что. Сиб.* Страстно желать, стремиться получить что-л. ФСС, 49. 2. *на кого. Волг., Морд.* Испытывать злобу по отношению к кому-л., быть готовым причинить неприятности кому-л. Глухов 1988, 27; СРГМ 1978, 130.

Дать в зу́бы *кому.* 1. *Прост.* Избить кого-л. 2. *Жарг. мол. Шутл.* Дать взятку кому-л. Максимов, 101.

Дать в зу́бы, что́бы дым пошёл. *Жарг. мол. Шутл.* Дать закурить, дать прикурить кому-л. Никитина 2003, 240.

Драть зу́бы. 1. *Кар., Яросл.* Громко смеяться. СРГК 2, 259; ЯОС 4, 19. 2. *Кар.* Громко говорить. СРГК 2, 259. 3. *Кар.* Сплетничать, болтать пустое. СРГК 1, 505.

Дуть в зу́бы. *Сиб.* Жалеть о чём-л. не сделанном вовремя. ФСС, 66.

Желе́зные зу́бы *у кого.* 1. *Сиб. Неодобр.* О грубом человеке. ФСС, 84. 2. *Пск. Одобр.* Об упорном, выносливом человеке. ПОС 13, 111.

Жить на го́лые зу́бы. *Сиб.* Бедствовать, жить в крайней бедности, нищете. ФСС, 72.

Загиба́ть зу́бы. *Кар.* 1. Умирать. 2. Говорить неправду, лгать. СРГК 2, 259.

Загова́ривать/ заговори́ть зу́бы *кому. Разг. Ирон. или Шутл.* 1. Посторонними разговорами (а также лестью, шутками) намеренно отвлекать кого-л. от чего-л. существенного. 2. Обманывать, вводить в заблуждение кого-л. многословными аргументами, заставляя согласиться с чем-л. ФСРЯ, 177; БМС 1998, 219; ЗС 1996, 46; ШЗФ 2001, 85; ПОС 11, 137.

За зу́бы взять *кого. Кар.* Высмеять кого-л. СРГК 1, 199.

Закуси́вши зу́бы. *Пск.* Не желая говорить. ПОС 13, 109.

Замыва́ть зу́бы *кому. Пск.* Разговорами пытаться расположить к себе, увлечь кого-л. ПОС 13, 109.

Запере́ть зу́бы. *Кар.* Замолчать. СРГК 2, 259.

Зу́бы взя́ли *кого. Сиб.* О сильном ознобе, лихорадке. ФСС, 84; СФС, 81.

Зу́бы в нако́лках *у кого. Жарг. мол. Ирон.* О зазнавшемся, важничающем человеке. Вахитов 2003, 68.

Зу́бы воя́т *у кого. Новг. Шутл.* Кто-л. ест с большим аппетитом. НОС 3, 105.

Зу́бы вспоте́ли *у кого. Жарг. мол. Шутл.* О широко улыбающемся человеке. Вахитов 2003, 69.

Зу́бы в ша́хматном поря́дке. *Жарг. мол. Шутл.* 1. О зубах, некоторые из которых выбиты, отсутствуют. 2. О наличии отдельных золотых зубов, которые видны. БСРЖ, 227.

Зу́бы вылета́ют *у кого. Сиб.* То же, что **зубы взяли.** ФСС, 84.

Зу́бы говоря́т *у кого. Волог.* Кто-л. дрожит от холода. СРНГ 11, 353.

Зу́бы го́лые *у кого. Пск.* О человеке, склонном насмехаться, зубоскалить. ПОС 13, 109.

Зу́бы дли́нные *у кого.* 1. *Алт. Неодобр.* О дерзком человеке. СРГА 2-1, 169. 2. *Кар. Неодобр.* О человеке, который постоянно придирается к кому-л., ругает кого-л. СРГК 2, 259. 3. *Перм. Неодобр.* О любителе позлословить. Подюков 1989, 86.

Зу́бы залоскота́ли *у кого. Новг.* Кто-л. задрожал от холода. НОС 3, 105.

Зу́бы на гвоздь (на спи́чку) [пове́сить]. *Волг., Вят., Калин.* Голодать, испытывать нужду. СРНГ 11, 353-354; Глухов 1988, 54.

Зу́бы на голи́ *у кого. Кар.* О человеке, который часто смеется. СРГК 2, 259.

Зу́бы наголе́ *у кого. Прибайк.* То же. СНФП, 73.

Зу́бы не жмут [тебе́, вам]? *Жарг. мол.* Угроза расправы. Смирнов 2002, 210.

Зу́бы оска́ливши. *Пск.* 1. (лежать). Умереть, быть мёртвым, лежать мёртвым, быть похороненным. 2. (стоять). О пустующих домах с выбитыми стёклами и распахнутыми дверями. СПП 2001, 43.

Зу́бы позелене́ли *у кого. Волог.* О слишком долгом ожидании чего-л. СРНГ 11, 354.

Зу́бы разгоре́лись *у кого на что. Разг.* Кому-л. очень сильно, непреодолимо захотелось, хочется чего-л. Ф 1, 215; ФСРЯ, 104.

Зу́бы трясёт *кому, у кого. Перм.* О дрожи от холода, страха и т. п. Подюков 1989, 207.

Кали́ть зу́бы. *Костром.* Смеяться. СРНГ 12, 361.

Класть зу́бы на гря́дку. *Курск.* То же, что **класть зубы на полку.** БотСан, 98.

Класть/ положи́ть зу́бы на по́лку. *Прост. Шутл.-ирон.* Испытывая нужду, ограничивать себя в самом необходимом; голодать. БТС, 903; ДП, 805; Ф 1, 215; ФСРЯ, 177; ЗС 1996, 189; БМС 1998, 220; Глухов 1988, 128.

Кобы́льи зу́бы. *Смол.* То же, что **зубы длинные 2.** СРНГ 14, 19.

Лома́ть/ облома́ть зу́бы. *Прост.* Терпеть неудачу в каком-л. крайне нелегком деле, начинании. Ф 1, 284.

Лупи́ть зу́бы. *Арх., Яросл. Неодобр.* То же, что **галить зубы.** СРНГ 17, 201; ЯОС 4, 127.

Мыть (помы́ть) зу́бы (зу́бки). *Неодобр.* 1. *Коми, Новг., Ряз., Печор., Пск., Сиб.* Болтать, вести пустые разговоры, сплетничать. Кобелева, 67; НОС 5, 116; СРГНП 1, 284; СПП 2001, 43; ДС, 201; ФСС, 115; СРНГ 11, 354. 2. *Кар., Пск., Перм., Приамур., Сиб.* Зубоскалить, высмеивать кого-л. СРГК 2, 259; СРГПриам., 160; СПП 2001, 43; Подюков 1988, 119; ФСС, 145. 3. *Волог., Пск., Сиб.* Смеяться попусту, без причины. СВГ 5, 13; СРНГ 11, 354; СФС, 81; ФСС, 115; СПП 2001, 43; СОСВ, 79. 4. *кому. Пск.* Обманывать, вводить в заблуждение кого-л. СПП 2001, 43.

Набива́ть/ наби́ть зу́бы. 1. *Пск.* Наедаться досыта. СПП 2001, 43. 2. *Перм.* Набивать оскомину. СРНГ 11, 354. 3. *Волг.* Уставать от болтовни. Глухов 1988, 87. 4. *кому. Волог.* Прививать какой-л. навык, опыт кому-л. СВГ 5, 20.

На голо́дные зу́бы. *Сиб.* О состоянии бедности, нужды. ФСС, 84.

На го́лые зу́бы. 1. *Печор.* Бесплатно, даром. СРГНП 1, 284. 2. *Сиб.* То же, что **на голодные зубы.** ФСС, 84.

Нати́рать зу́бы *кому. Перм.* То же, что **заговаривать зубы 1.** Подюков 1989, 128.

Обби́ть зу́бы. 1. *Кар., Перм., Сиб.* Набить оскомину. СРГК 4, 67; СРНГ 11, 354; СФС, 133. 2. *Сиб.* Получить жизненный опыт, жизненный урок. ФСС, 126.

Обкола́чивать зу́бы языко́м. *Народн. Неодобр.* Много болтать, пустословить. СРНГ 22, 75.

Обла́мывать/ облома́ть зу́бы. 1. *Волг.* Потерпеть неудачу. Глухов 1988, 114. 2. *кому. Разг.* Укрощать, усмирять кого-л.; подчинять кого-л. своей воле. Ф 2, 7.

Оголя́ть зу́бы. *Ряз.* Улыбаться, смеяться. СРНГ 11, 254.

Омыва́ть зу́бы. *Кар.* То же, что **мыть зубы 2.** СРГК 2, 259.

Оскаля́ть/ оска́лить зу́бы. 1. *Пск. Неодобр.* То же, что **зубы мыть 2.** СПП 2001, 43. 2. *Кар., Пск. Неодобр.* Проявлять недовольство, браниться, ругаться. СРГК 4, 244; СПП 2001, 43. 3. *Пск.* Умирать. СПП 2001, 43.

Остри́ть зу́бы. См. **Точить зуб.**

Отби́ть зу́бы. 1. *Кар., Перм., Печор., Сиб.* То же, что **оббить зубы 1.** СРГК 4, 67; СРНГ 11, 354; СРГНП 1, 537; СФС, 133. 2. *Сиб.* То же, что **оббить зубы 2.** ФСС, 126. 3. *Печор.* Потерять желание заниматься чем-л. СРГНП 1, 537.

Откры́ть зу́бы. *Кар.* Начать ругаться. СРГК 2, 259.

Още́рить зу́бы. 1. *Кар. Ирон.* Умереть. СРГК 4, 362. 2. *Жарг. мол.* Улыбнуться, засмеяться. Максимов, 158.

Переводи́ть зу́бы. *Ср. Урал.* Переставать давать молоко (о корове). СРГСУ 4, 12.

Пили́ть зу́бы. *Сиб. Пренебр.* Болтать попусту. ФСС, 136.

Поднима́ть/ подня́ть зу́бы *на кого. Кар., Прикам., Яросл.* Начинать смеяться, подтрунивать, насмехаться над кем-л. МФС, 76; СРНГ 11, 354; СРГК 4, 650; ЯОС 4, 127.

Пока́зывать /показа́ть зу́бы. 1. *Прост., Неодобр.* Проявлять по отношению к кому-л. враждебность, нетерпимость, вести себя агрессивно. ФСРЯ, 335; БТС, 893; СПП 2001, 43. 2. *Кар.* Улыбаться. СРГК 5, 38. // *Перм.* Смеяться; шутить. Подюков 1989, 154.

Поклада́ть зу́бы на гу́бы. *Кар.* То же, что **класть зубы на полку.** СРГК 2, 259.

Полома́ть зу́бы *на чём. Жарг. угол.* Попасться с поличным на чём-л. Балдаев 1, 334; ТСУЖ, 74; Мильяненков, 128; ББИ, 93.

Полоска́ть зу́бы. 1. *Перм.* Пить спиртное. Подюков 1989, 156. 2. *Дон.* Опохмеляться, снимать похмельный синдром спиртным. СРНГ 11, 354.

Попада́ть/ попа́сть на зу́бы *чьи.* 1. *Пск.* Встретиться с человеком, который разгневан, возбуждён; стать предметом чьего-л. раздражения, гнева. СПП 2001, 43. 2. *Перм.* Стать предметом чьих-л. шуток, насмешек. Подюков 1989, 157.

Поста́вить зу́бы на поро́г. *Кар.* Замолчать. СРГК 2, 259.

Почи́стить зу́бы *кому.* 1. *Новосиб.* Побить, избить кого-л. СРНГ 31, 16. 2. *Жарг. угол.* Совершить орогенитальный половой акт с кем-л. Балдаев 1, 345. 3. *Жарг. угол.* Ударить в лицо кому-л. Балдаев 1, 345.

Прие́сть зу́бы. *Волг.* 1. Привыкнуть к чему-л. 2. Потерять интерес к чему-л. надоевшему. Глухов 1988, 132.

Продава́ть зу́бы. *Волг.* Смеяться, хохотать. Глухов 1988, 134.

Прое́сть зу́бы. 1. *Прост.* То же, что **проесть зуб.** БМС 1998, 220; СРНГ 11, 354; СПП 2001, 42; СДГ 3, 67. 2. *Перм. Шутл.-ирон.* Состариться. Подюков 1989, 200.

Прореди́ть (прочи́стить) зубы *кому. Волг.* Строго наказать, побить кого-л. Глухов 1988, 135.

Пя́лить зу́бы. *Яросл.* Улыбаться. ЯОС 8, 110.

Распуска́ть зу́бы. *Жарг. мол. Неодобр.* Грубо, непристойно выражаться, ругаться. Максимов, 158.

Расска́лить зу́бы. *Кар.* Улыбнуться, рассмеяться. СРГК 5, 467.

Сдви́нуть (застегну́ть) зу́бы. *Жарг. угол.* Замолчать, прекратить разговор. СМЖ, 89; Никитина 1998, 158.

Се́ять/ посе́ять зу́бы драко́на. *Книжн. устар. Неодобр.* Разжигать вражду, затевать смуту, провоцировать раздоры. < Восходит к древнегреческому мифу о герое Кадме. БМС 1998, 220.

Ска́лить зу́бы. 1. *Прост.* Смеяться, насмехаться над кем-л. ДП, 132; БМС 1998, 220; ФСРЯ, 177; Мокиенко 1990, 86; СПСП, 122. 2. *на кого. Прост.* То же, что **точить зуб 1.** ДП, 132; БМС 1998, 220; СПСП, 122. 3. *Прост.* Сердиться, выражать в грубой форме свое возмущение, негодование. Ф 2, 159. 4. *Жарг. арест.* Сопротивляться, не подчиняться. Мильяненков, 128; Балдаев 1, 164; ББИ, 93.

Сквозь (скрозь) зу́бы. 1. *Прост.* Невнятно, неразборчиво (говорить, сказать). ФСРЯ, 177; ШЗФ 2001, 55; БМС 1998, 219. 2. *Прост.* С презрением, неудовольствием (говорить, сказать). ФСРЯ, 177; БМС 1998, 219; ДП, 415; СДГ 3, 126; СНФП, 73. 3. *Кар.* Без аппетита. СРГК 2, 259.

Сколóть зýбы. *Твер.* 1. *кому.* Отказать кому-л. в чём-л. 2. Получить отказ. СРНГ 11, 354.

Скуси́вши зýбы. *Пск.* Превозмогая себя, через силу. ПОС 109.

Смотрéть в зýбы *кому. Разг. Устар.* Проявлять излишнюю мягкость, церемониться с кем-л. ФСРЯ, 439; ЗС 1996, 295.

Сощемля́ть зýбы. *Волг.* То же, что **стискивать зубы.** Глухов 1988, 152.

Сполоснýть зýбы. *Разг. Шутл.* Выпить спиртного. ДП, 490.

Спрячь зýбы — с дéтства лошадéй боюсь! *Жарг. мол. Шутл.* Требование замолчать. Максимов, 401.

Сти́скивать/ сти́снуть зýбы. *Разг.* Сдерживать гнев, боль, обиду. Глухов 1988, 155; Ф 2, 186.

Сточи́ть зýбы. *Прост.* То же, что **проесть зуб.** ЗС 1996, 129.

Суши́ть зýбы. 1. *Пск. Неодобр.* Болтать с кем-л. ПОС 13, 110. 2. *Жарг. мол. Шутл.* Смеяться. Максимов, 158.

Считáть/ сосчитáть зýбы *кому. Прост.* Строго наказывать, бить кого-л. Глухов 1988, 152, 157.

Съесть зýбы. 1. *на чём. Разг.* То же, что **проесть зуб.** БТС, 1299. 2. *Перм. Шутл.* Состариться. Подюков 1989, 200.

Таскáть зýбы. *Сиб. Неодобр.* Зубоскалить, высмеивать кого-л. СФС, 81.

Толкáть (тóркать) в зýбы *кого. Волг.* В резкой форме напоминать кому-л. о чём-л. Глухов 1988, 159.

Точи́ть зýбы. См. **Точить зуб.**

Укýсит и зýбы пховáет. *Курск. Неодобр.* О хитром, коварном человеке. БотСан, 116.

Чесáть зýбы. 1. *Прост. Неодобр.* То же, что **скалить зубы 1.** ФСРЯ, 177; СРНГ 11, 354; СРГК 5, 127. 2. *Жарг. мол. Шутл.* Есть, принимать пищу. Максимов, 158. 3. *кому. Перм.* Бить, ударять кого-л. по лицу. Подюков 1989, 229. // *Волг.* Строго наказывать, бить кого-л. Глухов 1988, 173.

Чи́стить зýбы. *Горьк. Неодобр.* То же, что **скалить зубы 1.** БалСок, 37.

Щéрить/ ощéрить зýбы. *Прост.* Улыбаться. Максимов, 158.

Щýчьи зýбы. *Коми.* Заросшая трещина в стволе дерева. Кобелева, 83.

ЗУБÁТКА * Зубáтка отсóхла *у кого. Кар.* Кто-л. перестал сердиться. СРГК 4, 308.

ЗУБÉЦ * За зубцáми. *Жарг. журн.* В Кремле. МННС, 49.

ЗУБИ́ЛО * Пересчитáть зуби́ла *кому. Яросл.* ЯОС 7, 98.

ЗУБИ́ЩЕ * Зуби́ща вы́скалить. *Пск. Неодобр.* Начать смеяться без причины. СПП 2001, 43.

ЗУБÓК * Держать на зýбках *кого. Кар.* Постоянно неодобрительно высказываться о ком-л., высмеивать кого-л. СРГК 1, 454.

Носи́ть на зýбках *кого. Перм., Пск.* То же, что **держать на зубках.** СРНГ 21, 288; ПОС 13, 117.

Брать/ взять на зýбки. 1. *что. Волг.* Испытывать, пробовать что-л. Глухов 1988, 11. 2. *кого. Новг., Сиб.* Осмеивать, высмеивать кого-л. Сергеева 2004, 31; ФСС, 26; СФС, 38.

Поднимáть на зýбки *кого. Прост. Устар.* Зло осмеивать кого-л. Ф 2, 57.

Помы́ть зýбки. См. **Мыть зубы (ЗУБ).**

Пополоскáть зýбки. *Прост. Шутл.* Выпить немного спиртного. Ф 2, 76.

Дáться на зубóк *кому. Сиб.* Быть подхваченным в речи, стать предметом разговора. СОСВ, 59.

На зубóк. *Прост.* В подарок новорождённому. ФСРЯ, 176; ЗС 1996, 290; ДП, 379; СРГБ 2, 83; ФСС, 84.

Позолоти́ть (посеребри́ть) зубóк *кому. Прост.* Преподнести подарок новорождённому. ЗС 1996, 290.

Прóбовать/ попрóбовать на зубóк *что. Прост.* Проверять что-л. на фактах во всех деталях, подробностях. Ф 2, 95.

ЗУБОСКÁЛ * Зубоскáл белозýбый. *Сиб. Бран.* Насмешник. ФСС, 84.

ЗУБРИ́ЛКА * Зубри́лка лошади́ная. *Новг. Бран.* О человеке, вызывающем отрицательные эмоции. СРНГ 28, 216.

ЗУБРЯ́ЖКА * В зубря́жку. *Твер.* Наизусть. СРНГ 12, 18.

ЗУБРЯ́ТКА * Учи́ть в зубря́тку *что. Народн.* Заучивать наизусть что-л. СРНГ 12, 18.

ЗУДÁ * Зудý нагнáть. *Ряз.* Надоесть кому-л., повторяя одно и то же. ДС, 202; СРНГ 12, 19.

ЗУК * Дать зук *кому. Тамб.* Известить, оповестить о чём-л. кого-л. СРНГ 12, 24.

ЗÝСМАН * Зýсман забрáл. *Жарг. муз.* Похолодало. Pulse, 2000, № 9, 10.

ЗЫ́БКА * В зы́бке. *Печор.* В младенческом возрасте. СРГНП 1, 285.

В зы́бке зы́баться. *Пск.* Быть в возрасте грудного ребенка. ПОС 13, 127.

Сесть у зы́бки. *Пск.* Стать нянькой. ПОС 13, 129.

ЗЫК * Зык напáл *на кого.* 1. *Ворон.* О желании громко кричать. СРНГ 12, 34. 2. *Курск.* О беспокойном поведении животного в период течки. БотСан, 96.

Без зы́ку. *Ряз.* Сразу, без промедления, без звука. СРНГ 12, 34.

Зы́ку нет *у кого. Ряз.* Об охрипшем, потерявшем голос, онемевшем человеке. СРНГ 12, 34.

ЗЫРКИ́ * Бросáть зырки́. *Сиб.* Смотреть, поглядывать на кого-л., на что-л. ФСС, 17.

Зырки́ нали́ть. *Кар.* Напиться пьяным. СРГК 2, 262. < **Зырки** — глаза.

ЗЫЧМЯ́ * Зычмя́ зычи́ть. *Яросл.* Громко кричать. ЯОС 4, 130.

ЗЮ * Коря́вый зю. *Жарг. мол. Шутл.-ирон.* О странно одетом человеке. Максимов, 159.

ЗЮГЗÁГ * Зюгзáг удáчи. *Разг. Шутл.* Об успехах Г. А. Зюганова и партии коммунистов на различных выборах. Панорама, 1999, № 28.

ЗЮ́ЗЯ * Пья́ный в зю́зю. *Жарг. мол. Шутл.* О человеке в состоянии сильного алкогольного опьянения. Вахитов 2003, 153.

ЗЮ́НИ * Зю́ни распусти́ть. *Калуж.* Расплакаться. СРНГ 12, 44.

ЗЮ́РЬКА * В зю́рьку. *Пск.* Очень сильно (пьян). ПОС 13, 139.

ЗЯ́БЛИК * Гималáйский зя́блик. *Жарг. мол. Шутл.* Женские гениталии. Максимов, 84.

ЗЯТЬ * Взять в зятья *кого. Ряз.* Принять в дом зятя или мужа. СРНГ 12, 51.

Вы́дать (вы́дворить, определи́ть) в зятья́ *кого. Дон., Калуж.* Женив сына, поселить его в доме жены. СДГ 1, 85; СДГ 2, 35; СРНГ 12, 51.

Выходи́ть/ вы́йти (заходи́ть/ зайти́, поступáть/ поступи́ть, уходи́ть/ уйти́) в зятья́. *Дон., Смол.* Женившись, перейти жить в дом жены. СДГ 2, 35; СРНГ 12, 51.

ИВÁН * Ивáн Грóбов. *Арх. Ирон.* Смерть. АОС 10, 71.

Ивáн Грóзный. 1. *Жарг. арм. Шутл.* Комбат. БСРЖ, 228. 2. *Жарг. шк. Шутл.* Директор школы. Максимов, 159. 3. *Жарг. шк. Шутл.* Строгий учитель. ВМН 2003, 56.

Ива́н Долба́й. *Жарг. арм. Шутл.* Реактивный миномёт. Кор., 117; Лаз., 107.

Ива́н Ёлкин. *Жарг. угол. Устар. Шутл.* Кабак, трактир (В. И. Даль). Грачев 1997, 39.

Ива́н Ива́нович. 1. *Жарг. угол.* Прокурор. ТСУЖ, 75; Мильяненков, 128; Балдаев 1, 164; Грачев 1997, 65; ББИ, 93. 2. *Жарг. угол. Ирон.* Человек, не принадлежащий к преступному миру. Росси 1, 134. 3. *Жарг. мол., Разг. Шутл.* Туалет. Флг., 136; Мокиенко 1995, 37.

Ива́н Ива́нович и Ива́н Ники́форович. *Книжн. Ирон. или Презр.* О людях, долгое время находящихся в мелочной ссоре. БМС 1998, 223. < Имена главных героев «Повести о том, как Иван Иванович поссорился с Иваном Никифоровичем» Н. В. Гоголя (1834 г.).

Ива́н Ко́чкин. *Сиб.* Растение лабазник. ФСС, 85; СБО-Д1, 173.

Ива́н мо́крый. *Сиб.* То же, что **Ванька мокрый (ВАНЬКА).** ФСС, 85; СОСВ, 80.

Ива́н на боло́те. *Горьк.* Растение краснокоренник дикий. БалСок, 37.

Ива́н, не по́мнящий родства. *Народн. Неодобр.* Бродяга, бездомный скиталец. ДП, 448.

Ива́н с Во́лги. *Жарг. угол.* Дерзкий хулиган. ТСУЖ, 75; Балдаев 1, 164; ББИ, 93.

Ива́н Суса́нин. 1. *Разг. Шутл.-ирон.* О человеке, намеренно заманивающем кого-л. куда-л. Мокиенко 2003, 36. 2. *Разг.* О человеке, из-за которого кто-л. сбился с пути. Мокиенко 2003, 36. 3. *Жарг. музейн. Шутл.-ирон.* Экскурсовод. (Запись 2004 г.).

Ива́н Тоску́н. 1. *Жарг. арест. Шутл.-ирон.* Желудочная боль от плохой пищи. СРВС 2, 38; ТСУЖ, 75; Балдаев 1, 164; ББИ, 93. 2. *Перм.* О чувстве голода. Подюков 1989, 87.

Ива́н Ха́рин. *Жарг. мол. Шутл.* Рок-группа «Ван Хален». АиФ, 1999, № 25.

Ива́н широ́кий. *Жарг. авто. Шутл.* Автомобиль марки «УАЗ». Максимов, 159.

[В] два с полови́ной (полтора́) Ива́на. *Горьк., Новг., Прибайк., Сиб. Шутл.* О человеке высокого роста. СРНГ 29, 134; НОС 8, 96; СНФП, 73; ФСС, 55.

Ко́рчить (представля́ть, стро́ить) из себя́ Ива́на. *Горьк., Сиб. Неодобр.* Важничать, зазнаваться. БалСок, СРНГ 12, 53; СРНГ 31, 80; СФС, 181.

Полтора́ Ива́на. *Новг. Шутл.* О человеке высокого роста. Сергеева 2004, 140.

Разы́грывать Ива́на. *Жарг. угол., арест. Неодобр.* Пытаться верховодить (о действиях неавторитетного заключённого). Мильяненков, 128; Балдаев 1, 164; ББИ, 93.

У Ива́на Ёлкина в гостя́х был. *Волог. Шутл.-ирон.* О пьяном человеке. СРНГ 8, 343.

Я про Ива́на, а он про болва́на. *Народн. Неодобр.* О бестолковом человеке. ДП, 457.

Пойти́ (сходи́ть) к Ива́ну Ива́новичу. *Жарг. мол. Шутл.-ирон.* Сходить в туалет. Флг., 136; Мокиенко 1995, 37; Максимов, 159.

ИВА́НОВСКАЯ * Во всю Ива́новскую. *Разг.* 1. Быстро, сильно (о скорости и интенсивности движения, перемещения). 2. Громко, оглушительно. ДП, 255; БТС, 122; ШЗФ 2001, 40; ФСРЯ, 177; ЗС 1996, 70, 174, 353, 357; Мокиенко 1986, 35; СРГА 1, 161; АОС 9, 45. < Связано с именем героя русских сказок Ивана-дурака. БМС 1998, 225.

ИВА́НЧИК * Ива́нчики ска́чут. *Обл.* Об ощущении пестроты, потемнения в глазах. Мокиенко 1990, 17.

ИВА́ШКО * Ивашко Хмельни́цкий. *Прост. Устар. Шутл.-ирон.* О вине, алкоголе. БМС 1998, 226.

ИГЛА́ * Ко́жаная игла́. *Жарг. угол.* Мужской половой орган. Мокиенко 1995, 37; Балдаев 1, 192.

Шить деревя́нными и́глами. *Прост. Устар. Ирон. или Шутл.* Совершать грабежи, налёты и т. п. (о разбойниках). БМС 1998, 226.

Сиде́ть на игле́. *Жарг. мол., нарк.* Регулярно употреблять наркотики (внутривенно). СМЖ, 95; Вахитов 2003, 165.

Игло́й уколо́ть не́где. *Яросл.* Очень тесно. ЯОС 4, 132; СРНГ 12, 61.

Портня́жить с дубо́вой игло́й. *Жарг. Шутл.-ирон. угол.* То же, что **шить деревянными иглами.** Балдаев 1, 340; ТСУЖ, 141.

Сиде́ть за игло́й. *Пск.* Заниматься шитьём. ПОС 155.

Засади́ть (сажа́ть, посади́ть) на иглу́ *кого. Жарг. мол., нарк.* Вовлечь в наркоманию кого-л. Югановы, 95; Грачев, 1994 14; Грачев 1996, 29; Вахитов 2003, 136, 141, 161.

Сесть (подсе́сть) на иглу́. *Жарг. мол., нарк.* Начать регулярно вводить себе наркотики внутривенно. ЕЗР, 65; ТСУЖ, 160; ТС XX в., 258; Вахитов 2003, 165; Максимов, 159.

Сквозь иглу́ проле́зет. *Сиб. Неодобр.* О лицемерном, изворотливом человеке. СФС, 169.

Иглы́ не́куда протыкну́ть. *Кар.* То же, что **иго́лку (иго́лки) не́где воткну́ть** 1-2. СРГК 5, 311.

Иглы́ не зато́чишь (не подто́чишь, не подобьёшь). *Народн. Одобр.* Невозможно обнаружить изъяны, недостатки в чём-л. ДП, 478; 205.

Иглы́ (иго́лки) не пропиха́ть (не протолкну́ть). *Кар., Пск.* То же, что **иго́лку (иго́лки) не́где воткну́ть** 1-2. СРГК 2, 264; СПП 2001, 43.

От иглы́ до ни́тки. *Кар. Одобр.* Основательно, детально, тщательно. СРГК 2, 264.

Сойти́ (соскочи́ть, слезть, спры́гнуть) с иглы́. *Жарг. нарк.* Перестать вводить себе наркотики внутривенно. Мы, 1991, № 5, 127; Аврора, 1991, № 8, 16; Югановы, 95; Грачев, Мокиенко 2000, 81; Вахитов 2003, 167; Максимов, 159.

Хоть и́глы бери́. *Кар.* Очень светло. СРГК 2, 264.

И́ГО * Нести́/ понести́ и́го *на кого. Прикам.* Доносить на кого-л. МФС, 65.

ИГО́ЛКА * Жить на иго́лках. *Пск.* Жить в постоянной тревоге, волнениях. СПП 2001, 43.

Встать на иго́лки. *Кар.* Подтаять, образуя игольчатые осколки (о льде). СРГК 2, 265.

До иго́лки. *Разг. Устар.* Абсолютно всё, ничего не упуская, до мелочей (описать, перечислить). ФСРЯ, 177.

Иго́лки не подпу́стишь. *Разг. Устар. Одобр.* Невозможно к чему-л. придраться. ФСРЯ, 332.

Иго́лки не проткну́ть. См. **Иглы не пропихнуть (ИГЛА).**

На иго́лки. *Разг. Устар.* На мелкие расходы (давать, получать). ФСРЯ, 178.

Пусти́ть на иго́лки *что. Жарг. морск. Шутл.-ирон.* Разрезать на металлолом (о корабле). ОРТ, 21.05.2000.

Воспита́ть иго́лкой *кого. Дон.* Вырастить ребёнка на средства, заработанные шитьём. СДГ 1, 77.

Иго́лку (иго́лки) не́где воткну́ть. *Разг.* 1. О большом скоплении людей. 2. О большой тесноте. ФСРЯ, 274; СНФП, 74.

ИГО́ЛОЧКА * На иго́лочках. *Кар.* О хрупком, слоистом льде. СРГК 2, 265.

С иго́лочки. *Разг.* 1. Совершенно новый, только что сшитый (об одежде). 2. Одетый во всё новое. 3. Только что изготовленный. ФСРЯ, 178; СОСВ, 80; ЗС 1996, 77; БМС 1998, 227.

ИГРА́ * Игра́ в дыр-ды́р. *Жарг. спорт. Шутл.* Тренировочная игра футболистов на маленькой площадке. Максимов, 124.

Игра́ в одни́ воро́та. *Разг.* Столкновение, спор, в котором одна из сторон явно сильнее и поэтому побеждает. БМС 1998, 227. < Из речи спортсменов. Мокиенко 2003, 37.

Игра́ в пря́тки. *Разг.* Скрытность, лукавство, двусмысленность в поведении. Ф 1, 215.

Игра́ в сло́ники. *Жарг. арм., шк. Шутл.* Учебные занятия в противогазах. Максимов, 160.

Игра́ в три смычка́. *Жарг. крим., мил.* Изнасилование женщины тремя мужчинами. Никитина 2003, 242.

Игра́ на гита́ре. 1. *Жарг. угол.* Взламывание сейфа с помощью специального воровского инструмента — гитары. ТСУЖ, 75. 2. *Жарг. мол., угол.* Совершение полового акта с женщиной. ТСУЖ, 39, 75; Мокиенко 1995, 37; Балдаев 1, 164; ББИ, 93. < **Гитара** — женские гениталии.

Игра́ на ду́дке (на кларне́те, на фле́йте). *Жарг. гом., угол.* Гомосексуальный орогенитальный половой акт. УМК, 98; Мильяненков, 128; Балдаев 1, 164; ББИ, 93.

Игра́ на роя́ле. *Жарг. угол., мил.* Дактилоскопирование. Быков, 92. < От **играть на рояле** — подвергаться дактилоскопированию.

Игра́ на телегра́ф (на сигна́л). *Жарг. карт.* Игра в карты, когда соучастник подаёт условные знаки. СРВС 1, 202; СРВС 2, 39; ТСУЖ, 75; Мильяненков, 128; Балдаев 1, 164; ББИ, 93.

Игра́ на одну́ (две, три, четы́ре) звёздочки. *Жарг. угол., карт.* Игра на жизнь офицера: младшего лейтенанта, лейтенанта, старшего лейтенанта, капитана. Грачев 1997, 135.

Игра́ на три ко́сточки. *Жарг. угол., арест.* Игра в карты, в процессе которой разыгрывается жизнь какого-л. человека, неугодного данной группировке; проигравший должен его убить. ТСУЖ, 75; Грачев 1997, 135.

Игра́ не сто́ит свеч. *Разг.* О не оправдывающем себя деле, занятии. ФСРЯ, 178; БТС, 1271; ЗС 1996, 103; Янин 2003, 126; ДП, 123, 468.

Игра́ под (на) очко́. *Жарг. карт., угол., арест.* Игра в карты, когда в случае проигрыша с проигравшим совершается гомосексуальный ануегенитальный половой акт. ТСУЖ, 75; Мильяненков, 128; Балдаев 1, 164; ББИ, 93; Мокиенко, Никитина 2003, 162.

Игра́ приро́ды. *Разг.* Исключительное, редкое явление, отклонение от обычных норм. ФСРЯ, 178.

Игра́ слов. *Книжн.* Каламбур, обыгрывание слов; остроумное выражение. ФСРЯ, 178; ЗС 1996, 330; БМС 1998, 227.

Игра́ слу́чая. *Книжн.* Непредвиденное или необъяснимое стечение обстоятельств. ФСРЯ, 178; ЗС 1996, 159.

Игра́ с огнём. *Разг. Неодобр.* О чём-л., на первый взгляд незначительном, но могущем повлечь за собой опасные, пагубные последствия. БМС 1998, 227.

Опа́сная игра́. *Разг.* Рискованное предприятие. Ф 1, 216.

Че́стная игра́. *Разг. Одобр.* Поведение, выдержанное в рамках нравственных правил, без лжи и предательства. БМС 1998, 227.

Цветна́я игра́. *Жарг. угол.* Карточная игра на чью-л. жизнь. Максимов, 160.

Вести́ двойну́ю игру́. *Разг. Неодобр.* Двурушничать, действовать в интересах обеих противостоящих, противоборствующих сторон. ШЗФ 2001, 34. < Из речи картежников. БМС 1998, 227.

Игра́ть в опа́сную игру́. *Разг.* Сильно рисковать. Ф 1, 216.

Сыгра́ть в игру́ «бомби́ть холоди́льник». *Жарг. мол. Шутл.* Поесть, принять пищу. Вахитов 2003, 176.

Аппара́тные и́гры. *Публ. Неодобр.* Деятельность государственного, партийного аппарата, создающая внешний эффект демократизации общественной жизни. СП, 17.

Стро́ить и́гры. *Морд.* Играть. СРГМ 2002, 154.

ИГРА́НЧИК * Игра́ть игра́нчик. *Сиб.* Участвовать в играх, танцевать во время народных праздников. ФСС, 85; СРГП, 107..

И́ГРЕК * И́грек И́грекович. *Жарг. шк. Шутл.* Учитель по имени Игорь Игоревич. ВМН 2003, 56.

ИГРЕ́Ц * Игре́ц зна́ет *что, кого. Ворон.* Непонятно, неясно, неизвестно что-л., о ком-л. СРНГ 11, 312. < **Игрец** — черт, нечистая сила.

Игре́ц тебя́ (его и т. п.**) возьми́ (изБе́й, изломА́й, разломА́й)!** *Ворон., Дон., Курск., Орл., Тамб., Тул., Ряз. Бран.* Восклицание, выражающее негодование, гнев, раздражение. СРНГ 12, 70; ДС, 204.

Пойди́ (пошёл) к игреца́м! *Дон. Бран.* То же, что **игрец тебя возьми.** СРНГ 28, 361; СДГ 2, 37.

И́ГРИЩЕ * И́грища выкупа́ть. *Перм. Прикам.* Брать внаём, арендовать помещение для вечеринки. СГПО, 206; МФС, 22.

ИДЕ́Я * Завира́льные иде́и. *Книжн. Пренебр.* 1. Ложные, вздорные идеи, под которыми подразумевается политическое вольнодумство. 2. Запутанные нелепые мысли. < Из комедии А. С. Грибоедова «Горе от ума» (1822–1824). БМС 1998, 228.

ИДИ́ЛЛИЯ * Арка́дская иди́ллия. *Книжн. часто Ирон.* Беспечное, ничем не омрачённое существование. БМС 1998, 228.

И́ДОЛ * И́дол него́дный. *Пск. Бран.* О непорядочном человеке. СПП 2001, 43.

И́ДОЛИЩЕ * И́долище пога́ное. *Фольк.* Сказочное существо, олицетворяющее язычество. Мокиенко 1986, 165.

ИДТИ́ * Идёт–нейдёт, да и е́дет — не е́дет. *Народн. Неодобр.* О чьих-л. медленных, нерешительных действиях. ДП, 473.

Не идёт не ко́лет. *Пск.* О чьём-л. бездействии, нерешительности. СПП 2001, 43.

Идёшь ты пля́шешь! *Прост. Бран.-шутл.* Пожелание кому-л. удалиться, убираться. Подюков 1996, 87; Мокиенко, Никитина 2003, 162.

Иди́ кури́ (паси́сь, тусу́йся, упади́)! *Жарг. мол.* Требование удалиться, уйти откуда-л. Вахитов 2003, 70; Максимов, 160.

Идти́ и брести́. *Кар.* Происходить, протекать (о каких-л. событиях, периоде жизни). СРГК 1, 113.

Ни идти́ ни е́хать. *Брян. Неодобр.* О чём-л. бесполезном. СБГ 5, 55.

Иди́ да огля́дывайся. *Сиб.* Об осторожной жизни. ФСС, 85.

Как шло, так и е́хало *кому что. Морд.* О полном равнодушии, безразличии к чему-л. СРГМ 1980, 113.

Ни шло ни е́хало [ни се́ло, ни па́ло]. *Народн.* О чём-л., неожиданно случившемся. ДП, 473; ЯОС 6, 145.

И́ЖЕ * И и́же с ним (с ни́ми). *Книжн. Неодобр.* Единомышленники; люди, близкие кому-л. по взглядам, положению. < Выражение церковнославянское; **иже** (*устар.*). — местоимение в значении 'который, которые'. БМС 1998, 229; Ф 1, 220.

И́ЖИЦА * Прописа́ть и́жицу *кому. Разг. Устар., Пск. Шутл.* 1. Наказать кого-л. ремнём, розгами. 2. Выругать, отчитать кого-л. БМС 1998, 229; ЗС 1996, 203; СПП 2001, 43. < **Ижица** — последняя буква церковно-славянской азбуки. БМС 1998, 229.

Чита́ть/ прочита́ть и́жицу *кому. Волг., Кар.* То же, что **прописать ижицу 2.** Глухов 1988, 173; СРГК 2, 268; СРГК 5, 323.

ИЗБА́ * Изба́ и ба́ня. *Новг.* О большом количестве чего-л. СРНГ 12, 89.

Пошла́ изба́ по го́рнице. *Народн.* О буйном веселье, гульбе. ДП, 255.

Ни в избе́ ни во дворе́. *Волг.* О крайней бедности. Глухов 1988, 108.

Ни в избе́ ни на у́лице. *Перм., Прикам.* В неопределённом положении. МФС, 43; СГПО, 207.

Наговори́ть (напе́ть) избу́ и ба́ню [и ма́ленький приба́нничек]. *Пск. Шутл.* Очень много наговорить, рассказать. СПП 2001, 43.

Ни вон ни в избу́. *Народн. Ирон.* О бестолковом человеке. ДП, 449. 2. *Волг.* О нерациональном ведении хозяйства. Глухов 1988, 43.

Сдава́ть в избу́ *что. Жарг. мол.* Продавать что-л. через комиссионный магазин. Максимов, 161.

Не из избы́ вон. *Яросл. Неодобр.* О скверной погоде, когда нельзя выйти из дома. ЯОС 6, 123.

Не из избы́, не в избу́. *Твер.* Ничего не приобретая для дома, семьи. СРНГ 12, 89.

Схва́тывать с избы́ верх. *Волг.* Хулиганить, безобразничать. Глухов 1988, 156.

Счита́ть и́збы. *Новг.* Собирать милостыню, попрошайничать. НОС 11, 14.

ИЗБИЕ́НИЕ * Избие́ние младе́нцев. *Книжн.* 1. Жестокая расправа над беззащитными людьми. 2. *Шутл.* О строгих мерах по отношению к кому-л. < Выражение из Евангелия. ФСРЯ, 183; БМС 1998, 230; Янин 2003, 131.

ИЗБО́Й * Жить на избо́ях. *Печор.* Постоянно подвергаться побоям. СРГНП 1, 288.

ИЗБРА́ННИК * Избра́нники Фе́ба. *Книжно-поэт. Устар. Высок.* О поэтах и художниках. < В античной мифологии **Феб** — одно из наименований бога света и искусств. БМС 1998, 230.

ИЗБУ́ШКА * Избу́шка на клю́шке. *Перм. Шутл.* Об отсутствии хозяев в доме, о закрытом доме. Подюков 1989, 88.

Избу́шка на ку́рьих но́жках. 1. *Фольк.* Бревенчатый домик в лесу, где живет Баба-Яга. Ф 1, 221; БМС 1998, 230. 2. *Разг. Шутл.* О ветхой и маленькой деревянной постройке. Ф 1, 221; БМС 1998, 230; СОСВ, 123; ЗС 1996, 134, 491; Верш. 4, 164. 3. *Жарг. шк. Шутл.-ирон.* Школа; здание школы. ВМН 2003, 56. 4. *Жарг. студ. Шутл.-ирон.* Комната в студенческом общежитии. Максимов, 161.

Коси́ть под избу́шку. *Жарг. мол. Шутл.-ирон.* Одеваться как все. Максимов, 161.

ИЗВА́ДКА * Взять изва́дку. *Яросл.* Приобрести привычку, привыкнуть к чему-л. ЯОС 4, 135.

ИЗВЕ́К * С изве́ку веко́в. *Сиб.* Издавна, с давних пор. ФСС, 87; СФС, 168.

ИЗВЕ́С * Без изве́су. *Сиб.* Тайно, тайком. ФСС, 87; СБО-Д1, 175.

ИЗВЕ́СТНОСТЬ * Ста́вить/ поста́вить в изве́стность *кого о чем. Разг.* Извещать кого-л., сообщать кому-л. о чём-л. Ф 2, 181.

ИЗВИ́ЛИЕ * Кру́пное изви́лие мо́зга. *Прикам.* Болезнь мозга. МФС, 43.

ИЗВИ́ЛИНА * Не хвата́ет изви́лин *кому. Разг. Ирон. или Презр.* О глупом, недалёком человеке. Мокиенко 2003, 37.

Изви́лина ба́нтиком завяза́лась *у кого. Жарг. мол. Шутл.* О человеке, решающем сложную проблему. Елистратов 1994, 176.

Шевели́ть/ пошевели́ть изви́линами. *Разг. Шутл.-ирон.* Соображать, думать, размышлять. БСРЖ, 230; Максимов, 486.

Выпрямля́ть/ вы́прямить изви́лины *кому. Разг. Ирон.* Заставлять кого-л. думать «правильно», как необходимо властям; отучать от самостоятельного мышления, свободомыслия. БСРЖ, 230.

Изви́лины задыми́лись *у кого. Разг. Шутл.* Кто-л. очень устал. Елистратов 1994, 176.

ИЗВО́Д * На изво́д идти́. *Вят.* Приходить в упадок. СРНГ 12, 108.

ИЗВО́ЗЧИК * Возду́шный изво́зчик. *разг. Шутл.-ирон.* Лётчик гражданской авиации. Ф 1, 221.

ИЗВО́ЛИТЬ * Изво́лить издо́хнуть. *Жарг. мол. Шутл.-ирон.* Умереть. Максимов, 161.

ИЗГА́Л * На весь изга́л. *Пск.* Очень громко, во весь голос. СПП 2001, 43; Мокиенко 1986, 48.

ИЗГАЛЕ́ННАЯ * На изгале́нную. *Пск.* То же, что **на весь изгал (ИЗГАЛ).** СПП 2001, 43.

ИЗГИ́Б * С армя́нским изги́бом, с грузи́нским начёсом. *Жарг. мол. Шутл.* О человеке с кривыми волосатыми ногами. Максимов, 16.

ИЗГНА́НИЕ * Изгна́ние из ра́я. *Жарг. арм. Шутл.-ирон.* 1. Призыв в армию. Максимов, 161. 2. Возвращение из отпуска. БСРЖ, 230.

ИЗГОРО́ДА * Городи́ть изгоро́ду. *Пск.* То же, что **нести изгородицу (ИЗГОРОДИЦА).** СПП 2001, 43.

Ме́рить изгоро́ду. *Кар.* Гадать, считая жерди в изгороди. СРГК 3, 200.

ИЗГОРО́ДИЦА * Нести́/ понести́ изгоро́дицу. *Пск. Шутл.* Говорить вздор, бессмыслицу. СРНГ 12, 121.

ИЗДЕ́ЛИЕ * Рези́новое изде́лие продолгова́той фо́рмы. *Жарг. мол. Шутл.* Презерватив. Максимов, 364.

Хлебобу́лочные изде́лия. *Жарг. гом. Шутл.-ирон.* Грудь транссексуала. Шах.-2000.

ИЗДИВУ́ШКА * На издиву́шку. *Яросл.* На удивление. ЯОС 6, 77.

ИЗДОСЕ́ЛЬ * Издосе́ль досе́ль. *кар.* С давних пор. СРГК 2, 279.

ИЗДЫХА́НИЕ * До после́днего издыха́ния. *Книжн. Высок.* До самой смерти, до конца жизни. ФСРЯ, 184; ШЗФ 2001, 68; БМС 1998, 231.

ИЗЖИ́В * Не дава́ть изжи́ву *кому. Кар.* Мучить, изводить кого-л. СРГК 2, 280.

ИЗЖО́ГА * Навести́ изжо́гу *кому. Разг.* 1. Наказать, устроить нагоняй кому-л. 2. Надоесть кому-л., утомить кого-л. Елистратов 1994, 177.

ИЗЛИ́ШЕСТВО * Архитекту́рное изли́шество. *Гом. Шутл.-ирон.* Женская грудь. Шах.-2000.

ИЗЛИЯ́НИЕ * Излия́ние мозго́в. *Кар.* Кровоизлияние в мозг. СРГК 2, 281.

ИЗЛО́М * Испы́тывать/ испыта́ть (про́бовать/ попро́бовать) на изло́м *кого, что. Разг.* Устраивать кому-л. сложное испытание, проверку трудностями. Мокиенко 2003, 37.

ИЗМАЛЕ́Ц * С измале́ц [ма́лости]. *Сиб.* С детского возраста. ФСС, 87.

ИЗМЕ́НА * Изме́на ка́тит (подкати́ла) *у кого, кому. Жарг. угол.* 1. О состоянии обманутого, в чём-л. просчитавшегося человека. ТСУЖ, 77. 2. О психическом состоянии подозрительного человека, которого мучают кошмары. ТСУЖ, 77. 3. *также Нарк.* О состоянии абстинентного синдрома. ТСУЖ, 77; Югановы, 96.

Сидéть (быть) на измéне. *Жарг. мол.* 1. Бояться, испытывать страх. МК, 1996, № 45; Никитина 1998, 161; Вахитов 2003, 165, 172. 2. Нервничать в ожидании чего-л. СИ, 1998, № 7.

Вы́пасть на измéну. *Жарг. мол.* 1. *Неодобр.* Обмануть, подвести кого-л. 2. Совершить что-л. неожиданное. Митрофанов, Никитина, 77.

Вы́садить (посади́ть) на измéну *кого. Жарг. мол. Неодобр.* 1. Неприятно удивить, привести в состояние шока кого-л. СМЖ, 88. 2. Напугать кого-л. Максимов, 161.

Пробивáет на измéну *кого. Жарг. мол.* Кто-л. испытывает страх. Вахитов 2003, 149; Максимов, 161.

Сесть (подсéсть, упáсть) на измéну. *Жарг., мол.* Испугаться, испытать чувство страха, тревоги (обычно — в состоянии абстинентного синдрома). Я — молодой, 1993, № 4, № 20; Югановы, 96; Вахитов 2003, 165.

ИЗМЕРÉНИЕ * Четвёртое измерéние. *Публ. Ирон.* О чём-л. сверхчувственном, недоказуемом, мистическом. Ф 1, 221.

ИЗМÓР * Брать/ взять на измóр (измóром) *кого. Разг.* Вынудить кого-л. к чему-л. настойчивыми убеждениями, принуждением и т. п. БМС 1998, 231; ЗС 1996, 69, 342; Ф 1, 37.

Измóром мори́ть *кого. Горьк.* Добиваться чего-л. настойчивостью, навязчивостью. БалСок, 37.

И́ЗМОРОЗЬ * И́зморозь взялá *кого. Кар.* Кому-л. стало холодно, зябко. СРГК 2, 283.

И́ЗНАВЕСТЬ * С и́знавести. *Пск.* Неожиданно, случайно, ненароком. ПОС 13, 245.

И́ЗНЕВЕСТЬ * С и́зневести. *Пск.* На первый взгляд, сначала. ПОС 13, 245.

ИЗНАСИ́ЛОВАНИЕ * Изнаси́лование ушéй. *Жарг. шк. Неодобр.* Нравоучение, которое читают ученикам на педсовете. (Запись 2003 г.).

ИЗНÓС * На изнóс. *Разг.* 1. До полной негодности, ветхости. 2. С полной отдачей сил (работать). 3. Изнурительный, требующий полной отдачи (труд, работа). Мокиенко 2003, Ф 1, 222.

Нет изнóсу *чему. Прост. Одобр.* О чём-л. крепком, прочном, долго находящемся в употреблении. Глухов 1988, 105.

ИЗОБРЕТÉНИЕ * Стáрого изобретéния. *Пск.* 1. Древний, давно существующий. 2. Придерживающийся старых традиций, уклада жизни. ПОС 13, 250.

ИЗОЛÉНТА * Быть на изолéнте. *Жарг. мол. Шутл.* Находиться в состоянии сильного алкогольного опьянепия. Максимов, 52.

Сходи́ за изолéнтой! *Жарг. мол.* Требование удалиться, уйти. Вахитов 2003, 176.

ИЗУ́ЧЬ * На изу́чь (наизу́чь). *Прикам.* Наизусть, по заученному (говорить, сказать). МФС, 43.

ИЗЪЯ́Н * Ввести́ в изъя́н *кого. Иван.* Лишить девушку невинности. СРНГ 12, 177.

ИЗЪЯ́ТИЕ * До изъя́тия. *Кар.* Полностью, до основания, без исключения. СРГК 2, 287.

ИЗЮ́М * Иди́ ты изю́м коси́ть! *Жарг. мол.* Восклицание, выражающее раздражение, желание прекратить общение, избавиться от кого-л. СМЖ, 89.

Изю́м коси́ть. *Жарг. мол. Шутл. или Неодобр.* Бездельничать. БСРЖ, 231.

ИИСУ́С * Притя́гивать/ притяну́ть (приводи́ть/ привести́) к Иису́су *кого. Разг. Устар.* Привлекать кого-л. к суровому наказанию, ответственности за что-л. БМС 1998, 231.

Произвести́ к Иису́су Христу́ *кого. Новг.* Похоронить кого-л. Сергеева 2004, 199.

ИК * Заблуди́вшийся ик. *Жарг. мол. Шутл.* Выделение газов через задний проход. Максимов, 135.

ИКÓНА * Большáя икóна. *Жарг. арест., угол. Шутл.-ирон.* 1. Правила внутреннего распорядка в ИТУ. Б., 18. 2. Портрет Ленина. Балдаев 1, 42.

Икóна да лопáта. *Прибайк. Шутл.* Об очень разных, не имеющих сходства друг с другом людях. СНФП, 75.

Поднимáть/ подня́ть икóну. 1. *Народн.* Снимать икону для клятвы. ДП, 653. 2. *Ср. Урал.* Выносить икону из церкви и молиться всем селом, прося о милости. СРГСУ 4, 69.

Помоли́ться на икóну. *Жарг. арест. Ирон.* Изучить правила внутреннего распорядка ИТУ. Балдаев 1, 336; ТСУЖ, 139.

Затерзáть икóны. *Прибайк.* Устать молиться, прося чего-л. СНФП, 74.

ИКÓНКА * Вертéть икóнку да хлéбы. *Кар.* В свадебном обряде: Благословлять молодых, обводя иконой и хлебом над головами жениха и невесты. СРГК 1, 178.

ИКРÁ * Лягу́шья икрá. *Пск.* Растение незабудка. ПОС 13, 262.

С икрóй. *Разг. Шутл.-ирон.* О беременной женщине. БСРЖ, 231.

Дои́ть икру́. *Колым.* Нереститься (о рыбе). СРНГ 8, 95.

Метáть икру́. 1. *Прост. Шутл.* Сердиться, бурно возмущаться. ФСРЯ, 184; БМС 1998, 232; ЗС 1996, 298; СПП 2001, 43. 2. *Прост. Шутл.* Волноваться, нервничать. ФСРЯ, 184; БМС 1998, 232; СОСВ, 111; СНФП, 75; ПОС 13, 262. 3. *Жарг. мол. Шутл.* О рвоте. Никитина 2003, 245.

Метáть икру́ баклажáна. *Жарг. угол. Шутл.* О поносе. Балдаев 1, 250.

Метáть [крáсную]икру́ бáночками. *Жарг. мол.* Ругаться, гневно возмущаться (как правило, по пустякам). НТВ, 17.09.2000.

ИКС * Какóго иксá? *Жарг. студ.* Зачем, с какой целью? Вахитов 2003, 73.

Не ви́деть ни иксá. *Жарг. шк. Шутл.* Абсолютно ничего не видеть. ВМН 2003, 56.

ИКТУ́ШКИ * Иктýшки напáли. См. **Ектуха взяла (ЕКТУХА).**

ИЛЛЮМИНÁТОРЫ * Задрáить иллюминáторы. *Разг. Шутл.* Перестать смотреть на кого-л., на что-л. Елистратов 1994, 178.

Зали́ть иллюминáторы. *Жарг. арм., морск.* Напиться пьяным. Кор., 108.

ИЛЛЮ́ЗИЯ * Утрáченные иллю́зии. *Книжн.* О полном разочаровании в ком-л., чём-л., об утрате прежней веры, идеалов. < От названия романа О. Бальзака (1839).

ИЛЬЯ́ * Завя́зывать/ завязáть (завивáть) Ильé бóроду. См. **Завивáть бóроду (БОРОДА).**

Ильé на бóроду [остáвить]. См. **Остáвить на бородку Илье (БОРОДКА).**

Илья́ барáний рог. *Народн.* О дне Св. Ильи (2 августа). ДП, 889.

Илья́ подъезжáет. *Кар.* О надвигающейся грозе. СРГК 5, 14.

ИМÁТКОМ * Имáтком имáть *кого. Печор. Шутл.* Ловить кого-л., играя в жмурки. СРГНП 1, 292.

ИМЕНИ́НЫ * Быть на имени́нах и на крести́нах *у кого. Сиб.* Давно и очень хорошо знать кого-л. ФСС, 20.

Имени́ны се́рдца. *Разг.* О приподнятом, праздничном настроении. < Слова Манилова из поэмы Н. В. Гоголя «Мертвые души». Дядечко 2, 104.

ИМЕ́НЬЕ * Име́нья — одни́ каме́нья *у кого. Дон. Шутл.-ирон.* Об отсутствии имущества у кого-л. СДГ 2, 39.

И́МЕЧКО * Нажи́ть чёртово и́мечко. *Яросл. Шутл.* Стать бабушкой, называться бабушкой. ЯОС 6, 94.

ИМПЕРАТИ́В * Императи́в вре́мени. *Публ.* Настоятельное требование современности, задача момента. Нац, 81–82.

И́МЯ * Христо́вым и́менем перебива́ться. *Разг. Устар.* Жить подаянием, собирать милостыню. < Буквально: «просить ради Христа». БМС 1998, 232-233.

Де́лать/ сде́лать (соста́вить) себе́ и́мя. *Книжн.* Становиться известным, популярным. Ф 2, 148, 175.

И́мя в наро́де положи́тельное. *Жарг. митьк.* Одобрительный отзыв о ком-л. Митьки, 1992, № 6, 64.

И́мя им легио́н. *Книжн. чаще Неодобр.* О неисчислимом множестве людей. БТС, 489; Мокиенко 1986, 169. < Выражение из Евангелия. ФСРЯ, 185; БМС 1998, 233.

Класть/ положи́ть и́мя *кому. Печор., Пск.* Давать имя, кличку кому-л. СРГНП 1, 315; ПОС 13, 277.

Коро́вье и́мя. *Волог.* Растение заразиха. СРНГ 14, 351.

Лесно́е и́мя. *Жарг. мол. Шутл.* Прозвище. Никитина 2003, 246.

Ло́жить (накла́дывать, наклада́ть, покла́сть) и́мя *чему, кому. Кар., Смол.* Давать название чему-л., давать имя, кличку кому-л. СРГК 3, 140, 332; СРНГ 28, 383; ПОС 13, 277.

На моё (твоё, его́) и́мя. *Прикам.* Для меня (тебя, его). МФС, 44.

Нести́ и́мя. *Кар.* Иметь название. СРГК 4, 14.

Отдава́ть и́мя. *Кар.* Оскорблять кого-л. СРГК 2, 291.

Переме́нивать и́мя. *Пск.* Перемалывать зерно на муку. ПОС 13, 277.

Приве́тное (прива́дное) и́мя. *Сиб.* Прозвище. ФСС, 88.

ИНВАЛИ́Д * Инвали́д пя́той гру́ппы. *Разг. Шутл.* О евреях (подвергаемых ущемлению гражданских прав из-за «пятого пункта» — пункта анкеты, отражающего национальность). БСРЖ, 232.

Инвали́д ю́зер. *Жарг. комп. Шутл.-ирон.* Неумелый, несообразительный пользователь компьютера. < Из англ.: *invalid user.* Садошенко, 1995; Шейгал, 206.

ИНГАЛЯ́ЦИЯ * Приня́ть ингаля́цию. *Разг. Шутл.* Покурить. Елистратов 1994, 178; WMN, 40.

Сде́лать ингаля́цию *кому. Разг. Шутл.* Наказать кого-л. Елистратов 1994, 178.

ИНДЕ́ЙКА * Лесна́я инде́йка. *Брян.* Птица глухарь. СРНГ 16, 376.

ИНДУЛЬГЕ́НЦИЯ * Выдава́ть/ вы́дать индульге́нцию *кому. Книжн. Устар.* Прощать кому-л. что-л., извинять кого-л. Ф 1, 91.

ИНДЮ́К * Разу́мный индю́к вы́сидел *кого. Народн. Ирон.* О глупом, бестолковом человеке. ДП, 436.

ИНДЮ́ШКА * Индю́шки от воробья́ не распозна́ет. *Народн. Презр.* О глупом, не осведомлённом в какой-л. области человеке. ДП, 427.

И́НЕЙ * И́ней насе́л *на кого. Кар.* Об ощущении холода, ознобе. СРГК 2, 292.

И́ней по ко́же идёт *у кого. Сиб.* О чувстве страха, волнения, возбуждения. ФСС, 88.

Наде́ть и́ней на го́лову. *Прибайк.* Стать седым от горя, переживаний и т. п. СНФП, 76.

ИНЖЕНЕ́Р * Инжене́р бара́ньих туш. *Разг. Ирон.* О мяснике. < Трансф. **инженер человеческих душ.** Османова 1990, 63.

Инжене́р челове́ческих душ. *Публ.* 1. *Высок.* О писателе, педагоге-воспитателе. 2. *Ирон.* О писателе-ремесленнике, посредственном педагоге. Ф 1, 224.

ИНСТИТУ́Т * Всесою́зный институ́т наро́дного образова́ния. *Жарг. мол. Шутл. деаббр.* Название магазина «ВИНО». ФЛ, 101.

Голубо́й институ́т. *Жарг. шк. Шутл.* Педагогический институт, университет. Вахитов 2001, 244. < По ассоциации с **педик.**

Институ́т ве́чной (све́тлой) па́мяти культу́ры. *Разг. Ирон.* Институт культуры им. Н. К. Крупской, ныне Санкт-Петербургский государственный университет культуры и искусств. Синдаловский, 2002, 80.

Институ́т держа́ть. 1. *Брян.* Учиться в институте. СБГ 5, 16. 2. *Одесск.* Сдавать экзамены в институте. КСРГО.

Институ́т кра́сных мастурба́торов. *Разг. Презр. Устар.* Ленинградский политологический институт при ЦК КПСС в Таврическом дворце (1970-е гг.). Синдаловский, 2002, 81.

Институ́т культу́ры и о́тдыха. *Разг. Ирон.* То же, что **институт вечной памяти культуры.** Синдаловский, 2002, 81.

Институ́т культу́ры и́мени ду́ры. *Разг. Ирон.* То же, что **институт вечной памяти культуры.** Синдаловский, 2002, 81.

ИНСТРУМЕ́НТ * Инструме́нты для улы́бок. *Нарк.* Сигареты с наркотическим веществом. ССВ-2000.

ИНТЕЛЛИГЕ́НТ * Мягкоте́лый интеллиге́нт. *Книжн. или Публ. Неодобр. или Презр.* О безвольном, бесхарактерном, уступчивом человеке. < Оборот из художественной литературы и публицистики второй половины XIX века. БМС 1998, 233.

ИНТЕРЕ́С * Держа́ть интере́с. *Обл.* Интересоваться чем-л. Мокиенко 1990, 104.

Игра́ть на интере́с. *Жарг. мол.* Играть в карты на деньги, на вещи. Максимов, 160.

Из спорти́вного интере́са. *Разг. Шутл.* Из желания проверить свои способности, свое умение в чём-л. БТС, 1251; Ф 1, 224.

Остава́ться/ оста́ться при свои́х интере́сах. *Разг. Шутл.* Ничего не терять и не приобретать. БМС 1998, 233; СРНГ 31, 101.

Ходи́ть в интере́сах. *Одесск.* Быть беременной. КСРГО.

Быть на интере́се. *Пск.* 1. Интересоваться чем-л. 2. *кому.* Нравиться кому-л. ПОС 13, 294.

Остава́ться/ оста́ться при пи́ковом интере́се. *Разг. Ирон.* Оставаться в большом проигрыше, терпеть неудачу, крах. ФСРЯ, 186; БТС, 831; БМС 1998, 233.

Попыта́ть интере́су. *Дон.* Поинтересоваться чем-л. СДГ 2, 46; СРНГ 30, 25.

ИНФА́РКТ * Менто́вский инфа́ркт. *Жарг. арест., угол.* Стандартный диагноз медчасти мест заключения, по которому списывается умерший от побоев заключённый. Балдаев 1, 248, 171; ББИ, 96.

ИНФОРМА́ЦИЯ * Информа́ция к размышле́нию. *Разг.* О фактах, предлагаемых собеседнику для самостоятельного анализа. < Фраза, которую произносит голос за кадром (арт. Е. Копелян), из телефильма «Семнадцать мгновений весны» (1973 г.).

ИО́В * Многострада́льный Ио́в. *Книжн. Устар.* О человеке, мужественно переносящем всевозможные невзгоды, удары судьбы. < Выражение из Библии. БМС 1998, 233-234.

ИО́СИФ * Целому́дренный (прекра́сный) Ио́сиф. *Книжн. Устар. иногда Шутл.* О целомудренном юноше. < Из библейского рассказа о юном Иосифе. БМС 1998, 234.

ИРИ́НЬЯ * Ири́нья — разро́й берега́. *Яросл.* День Св. Ириньи (16 апреля по ст. ст.), когда начинается ледоход. ЯОС 4, 143.

Иро́ния судьбы́. *Книжн.* 1. Нелепая случайность (с неприятными, иногда трагическими последствиями). 2. *Шутл.* Удивительный, совершенно непредвиденный поворот судьбы. Ф 1, 224; ЗС 1996, 139. < Выражение известно многим европейским языкам – ср. Нем. *Ironie des Schicksals* (Röhrich 1995, 3, 780). В русском языке – калька с немецкого или французского. Особенно популярным и крылатым оно стало благодаря фильму Э. Рязанова «Ирония судьбы, или С лёгким паром» (1975). БМС 1998, 234; ФСРЯ, 186.

ИСК * Положи́ть и́ску. *Морд.* Очень долго искать кого-л., что-л. СРГМ 1980, 121.

ИСКА́ТЕЛЬ * Иска́тель же́мчуга. *Жарг. арм.* Уборщик. Кор., 119.

Иска́тель приключе́ний. *Разг.* 1. Путешественник, следопыт. 2. Авантюрист. ФСРЯ, 186. 2. *Жарг. шк. Шутл.* Ученик на перемене. Максимов, 163.

ИСКА́ТЬ * Ищи́ свищи́ *кого. Прост. Шутл.* О ком-л. ушедшем надолго, о чём-л. пропавшем, безвозвратно утраченным. ФСРЯ, 187; Глухов 1988, 60; СПП 2001, 43.

Ищи́те и обря́щете. *Книжн. архаичн.* Для того, чтобы что-то найти, необходимо искать; для того, чтобы чего-то достичь, необходимо действовать. < Выражение — цитата из церковнославянского текста Библии. БМС 1998, 234

И́СКОМ * И́ском иска́ть *что. Пск., Сиб.* Долго, напряжённо, старательно искать что-л. СПП 2001, 43; ФСС, 88.

ИСКО́Н * С иско́н ве́ка (век). *Сиб., Приамур.* С давних пор, издавна. ФСС, 88; СФС, 168; СРГПриам., 272.

ИСКОНА́К * До исконаку. *Сиб.* Совершенно, целиком и полностью, до основания. ФСС, 88.

И́СКОРКА * И́скорки из глаз. См. **Искры из глаз [посыпались] (ИСКРА).**

И́СКОРОК * С и́скорком. *Кар.* Азартно, с задором, душевным подъемом. СРГК 2, 296.

И́СКРА * И́скра Бо́жия. 1. *Книжн. высок.* О врождённой одарённости, проблеске таланта. БМС 1998, 234; БТС, 88. 2. *Книжн. Высок.* Благородный порыв чувств, высокие стремления. ФСРЯ, 186. 3. *Сиб.* Совесть. ФСС, 88.

Зарони́ть и́скру *чего. Книжн.* Возбудить, вызвать какое-л. чувство; дать основание, повод к чему-л. ФСРЯ, 170.

Класть и́скру на се́рдце *кому. Кар.* Оставлять глубокое положительное впечатление на кого-л. СРГК 2, 296, 360.

И́скры загоре́лись. *Дон.* То же, что **искры из глаз посыпались.** СДГ 2, 40.

И́скры (и́скорки) из (с) глаз посы́пались *у кого.* 1. *Прост.* О неожиданном и сильном ударе, ушибе, столкновении с кем-л. ФСРЯ, 170; БМС 1998, 235; Мокиенко 1990, 26. 2. *Пск.* О состоянии физического перенапряжения, волнения, сильной боли. ПОС 3, 122.

И́СКРИНКА * Худа́я и́скринка зашла́. *Кар.* О появлении разлада в семье. СРГК 2, 296.

ИСКУПЛЕ́НИЕ * Искупление грехо́в. *Жарг. студ. Шутл.* Экзаменационная сессия. Максимов, 163.

ИСКУ́С * С иску́сом. *Прибайк.* Экономно, небольшими дозами (есть что-л.). СНФП, 76.

ИСПА́Д * Не в испа́д *кому. Прикам.* Не во вред. МФС, 44.

ИСПА́ШКА * На четы́ре испа́шки. *Кар.* В четырёх направлениях, на четыре стороны. СРГК 2, 297.

На испа́шку. *Кар.* 1. Наотмашь. 2. Наспех, наскоро. СРГК 2, 297.

ИСПО́ДНИЦА * Держа́ться за испо́дницу. *Волг. Неодобр.* Быть несамостоятельным, постоянно прибегать к помощи, защите кого-л. Глухов 1988, 34.

ИСПО́ЛИЦА * В испо́лицу. *Кар.* На паевых началах. СРГК 2, 299.

И́СПОВЕДЬ * Идти́ на и́споведь. 1. *Жарг. студ.* Сдавать экзамен. 2. *Жарг. арест.* Идти к коменданту на отметку. Росси 1, 138.

И́споведь ни́щего. *Жарг. арм. Шутл.-ирон.* Письмо домой, родителям. Кор., 120.

ИСПУ́Г * Брать/ взять на испу́г *кого. Разг.* Пытаться смутить, запугать кого-л., добиваясь чего-л. в корыстных целях. БСРЖ, 234; Ф 1, 38.

Де́лать испу́г *кому. Кар.* Лечить испугом. СРГК 1, 444; СРГК 2, 301.

Попа́сть под испу́г. *Пск.* Сильно испугаться. ПОС 13, 330.

Отде́латься лёгким испу́гом. *Разг.* Легко пережить какое-л. потрясение. ЗС 1996, 106.

ИСПЫТА́НИЕ * Испыта́ние на про́чность. *Публ.* Проверка сил, выдержки, выносливости человека в экстремальных ситуациях. Ф 1, 225; Мокиенко 2003, 38.

ИСПЫ́ТОК * Брать/ взять на испы́ток *кого, что. Морд.* Проверить, испытать кого-л., что-л. СРГМ 1980, 124.

И́ССТАРЬ * От и́сстари. *Сиб.* С давних пор. ФСС, 89.

С и́сстари веко́в (лет). *Пск., Сиб.* То же, что **от исстари.** СПП 2001, 43.4 СФС, 169; СБО-Д1, 183.

ИСТЁК * Пойти́ на истёк. *Прикам.* Умереть. МФС, 77.

И́СТИНА * А́збучная и́стина. *Разг. чаще Неодобр.* О том, что всем хорошо известно, ясно без всяких доказательств. Ф 1, 225; ЗС 1996, 337; БМС 1998, 235.

Вся и́стина вы́шла. *Кар.* О завершении, окончании чего-л. СРГК 2, 303.

Го́лая (нага́я) и́стина. *Книжн.* Чистая, безусловная правда. БМС 1998, 235.

Прописна́я и́стина. *Книжн. часто Неодобр.* Нечто всем известное, тривиально верное и не вызывающее никаких сомнений. Ф 1, 226; ЗС 1996, 337; БМС 1998, 235.

ИСТО́К * Все исто́ки истекли́ *у кого. Дон.* 1. Все силы иссякли у кого-л. 2. Об отсутствии у кого-л. средств к существованию. СДГ 2, 41.

ИСТО́РИЯ * Перепи́сывать/ переписа́ть исто́рию. *Публ. Неодобр.* Пересматривать исторические факты и концепции под углом изменившейся политической, социальной ситуации. Мокиенко 2003, 38.

Ве́чная исто́рия. *Разг. Неодобр.* О постоянно повторяющихся поступках, делах. ФСРЯ, 187.

Исто́рия с геогра́фией. *Разг. Шутл.* О неожиданном, непредвиденном повороте дела. ФСРЯ, 187; БМС 1998, 236.

Обыкнове́нная исто́рия. 1. *Разг.* Об обычных, привычных, шаблонных житейских ситуациях. < От заглавия романа И. А. Гончарова (1847 г.). БМС 1998, 236. 2. *Жарг. шк. Шутл.* Невыученный урок. Максимов, 283.

ИСТО́ЧНИК * Исто́чник Гиппокре́ны. *Книжно-поэт. Устар.* То же, что **кастальский источник.** < Выражение из древнегреческой мифологии. БМС 1998, 236.

Исто́чник зна́ний. *Жарг. шк. Шутл.* Шпаргалка. Максимов, 164.

Каста́льский исто́чник (ключ). *Книжно-поэт. Устар.* Об источнике творческого поэтического вдохновения. < Выражение из древнегреческой мифологии. БМС 1998, 236; Дядечко 2, 140.

ИСТУ́Х * Идти́ на исту́х. *Волог.* Ухудшаться, идти на убыль. СВГ 3, 5.

ИСУ́СИК * Прики́дываться Ису́сиком. *Волг. Шутл.-ирон.* Притворяться скромным, бедным, беззащитным. Глухов 1988, 132.

ИСХО́Д * Дава́ть (де́лать) исхо́д *кому. Кар.* Оказывать уважение кому-л. СРГК 2, 305.

Идти́ на исхо́д. *Волог.* Переставать существовать, исчезать. СВГ 3, 5.

ИСЧА́ДИЕ * Исча́дие а́да. *Книжн. Устар. Неодобр.* О ком-л., внушающем отвращение или ужас своими поступками, видом, характером. Ф 1, 226; БТС, 29. < **Исчадие** — выродок. БМС 1998, 236.

ИТО́Г * Подводи́ть под ито́г *что. Новг.* Подытоживать, подсчитывать что-л. НОС 8, 23.

ИУ́ДУШКА * Иу́душка Головлёв. *Книжн. или Публ. Презр.* О лицемере и ханже, прикрывающем жестокие и подлые поступки маской добродетели. < По имени главного героя романа М. Е. Салтыкова-Щедрина «Господа Головлевы» (1875–1880). БМС 1998, 237.

ИХТИА́НДР * Звать (вызыва́ть, корми́ть) Ихтиа́ндра (Ахтиа́ндра). *Жарг. мол. Шутл.* О сильной рвоте (обычно — у унитаза). Никитина 1996, 75; Я — молодой, 1996, № 18–19; Вахитов 2003, 68, 84; Максимов, 18.

Игра́ть в Ихтиа́ндра. *Жарг. мол. Шутл.* Страдать рвотой. Елистратов 1994, 176.

ИША́К * Пиха́ть ишака́. *Жарг. мол. Шутл. или Неодобр.* Говорить вздор, ерунду. Я — молодой, 1997, № 45.

ЙОГУРТ * Гнать йогурт. *Жарг. мол. Шутл.* Онанировать. Декамерон 2001, № 3; Никитина 2003б, 224.

ЙО́ТА * Йо́та в йо́ту. *Книжн.* О скрупулезном воспроизведении текста. Мокиенко 1986, 101.

Ни на йо́ту. *Книжн.* Абсолютно ни на сколько, без всяких отклонений от чего-л. < Восходит к евангельскому изречению. БМС 1998, 238; ФСРЯ, 187.

Ни йо́ты. *Книжн.* Совсем ничего. ФСРЯ, 188.

От йо́ты до йо́ты. *Книжн.* Полностью. Ф 1, 227.

КА * До ка. *Яросл.* До каких пор? ЯОС 4, 6.

КАБА́К[1] * Получи́ть каба́к. *Одесск.* Получить отказ при сватовстве. КСРГО. < **Кабак** — тыква.

Дать кабака́ *кому. Одесск.* Отказать кому-л. при сватовстве. КСРГО.

КАБА́К[2] * В кабаке́ роди́лся, в вине́ крести́лся. *Народн. Пренебр.* О пьянице, алкоголике. ДП, 796.

КАБАЛА́ * Кабала́ кремёшная (клемёшная). *Орл.* О невыносимых, тяжёлых условиях существования. СОГ-1992, 3.

Ввести́ в кабалу́ *кого. Курск.* Заставить кого-л. нести ненужные расходы. БотСан, 86.

Возвести́ кабалу́ *на кого. Перм.* Оговорить, очернить кого-л. СРНГ 12, 280.

Попада́ть/ попа́сть в кабалу́ *к кому. Разг. Неодобр.* Оказываться в подчинённом, зависимом положении у кого-л. БМС 1998, 239.

Стро́ить кабалы́. *Сиб.* Заводить интриги. СФС, 85; СРНГ 12, 280.

КАБАРГА́ * Сиде́ть в кабарге́ *у кого. Волг., Дон.* Сильно надоесть кому-л. Глухов 1988, 147; СДГ 3, 118.

КАБИНЕ́Т * Кабине́т заду́мчивости. *Разг. Шутл.-ирон.* Уборная, туалет. Мокиенко 2003, 138.

Кабине́т мучи́телей. *Жарг. шк.* Учительская. (Запись 2003 г.).

Кабине́т пропу́щенных уро́ков. *Жарг. шк.* Медпункт в школе. (Запись 2003 г.).

КАБИНЕ́ТИК * Незате́йливый кабине́тик. *Жарг. студ. Шутл.-ирон.* Деканат. (Запись 2003 г.).

КАБЛУ́К * Кра́сный каблу́к. *Разг. Устар. Пренебр.* Щеголь. Ф 1, 227.

Класть/ положи́ть под каблу́к *что. Волг.* Присваивать, прятать что-л. Глухов 1988, 128.

Крыть каблу́к. *Перм., Урал.* Скрывать следы, улики; укрывать кого-л. СРНГ 12, 285; СРНГ 15, 351.

Попада́ть/ попа́сть под каблу́к *к кому. Разг.* Оказываться в полной зависимости от кого-л., в подчинении у кого-л., в чьей-л. власти. ДП, 145.

Ходи́ть на каблука́х. *Новг.* Быть бойким, смелым. НОС 12, 19.

В каблуке́ после́дний гвоздь. *Пск. Ирон.* О незначительном, не заслуживающем внимания человеке. ПОС 6, 151.

Ходи́ть на одно́м каблуке́. *Перм. Шутл.* Ходить очень быстро, стремительно. Подюков 1988, 223.

Гнуть каблуки́. *Жарг. мол. Шутл.* 1. Флиртовать с кем-л. 2. Танцевать. Максимов, 88.

Лома́ть каблуки́. *Жарг. мол.* Изменять близкому человеку (особенно женщине). Мокиенко, Никитина 2003, 164.

Обива́ть (сбива́ть) каблуки́. *Волг. Неодобр.* Бесцельно бродить без дела. Глухов 1988, 114.

С каблуко́в доло́й. *Прибайк. Ирон.* О старом обессилевшем человеке. СНФП, 76.

Под каблуко́м *у кого, чьим. Разг.* В полной зависимости от кого-л., в подчинении у кого-л., в чьей-л. власти. ФСРЯ, 188; СРГМ 1986, 14; СНФП, 76.

КАБЛУЧО́К * Высо́кие каблучки́. *Одесск.* О лёгкой, беззаботной жизни. КСРГО.

Каблучки́ доло́й. *Прибайк.* Об умершем человеке. СНФП, 76.

Слови́ть каблучо́к. *Жарг. арм., авиа. Шутл.-ирон.* Отбить пятки при приземлении с парашютом. Кор., 262.

КА́БУР * Брать/ взять на ка́бур *что. Жарг. угол.* Совершать ограбление с использованием подкопа или пролома пола. Балдаев 1, 45, 62. < **Кабур** — подкоп или пролом пола с целью грабежа; от нем. арго *kablern* — ‘подкапывать’ (Б. А. Ларин). Грачев 1997, 71.

КАВАЛЕ́Р * Гео́ргиевский кавале́р. *Разг. Устар.* Храбрый, заслуженный воин (в царское время). БМС 1998, 239.

Моги́льный кавале́р. *Яросл.* Гробокопатель, могильщик. СРНГ 18, 191; ЯОС 6, 49.

Никола́евский кавале́р. *Дон.* Старый холостяк. СДГ 2, 186.

КА́ВЕРЗА * Стро́ить ка́верзы. *Прост. Неодобр.* Сознательно вредить кому-л. Глухов 1988, 155.

Сплесть ка́верзу. *Смол.* Сказать неправду, пустить ложный слух. СРНГ 12, 292.

КАДЕ́Т * Кра́сный каде́т. *Жарг. морск.* Офицер флота. Максимов, 205.

КАДИ́ЛО * Разде́лывать кади́ло. *Сиб. Неодобр.* Вести себя неподобающим образом, совершать предосудительные поступки. Верш 6, 39.

Раздува́ть /разду́ть кади́ло. 1. *Прост.* Создавать ажиотаж, поднимать шум вокруг какого-л. дела, чьего-л. проступка. БМС 1998, 239; ФСРЯ, 188; СРГК 3, 197. 2. *Волг.* Развивать бурную деятельность. Глухов 1988, 139. 3. *Сиб.* Много и страстно говорить, не слушая собеседников. СФС, 156. 4. *Пск. Неодобр.* Сплетничать, наговаривать на кого-л. напраслину. СПП 2001, 43.

Разду́й кади́ло. *Сиб.* Об озорном, изобретательном человеке. СФС, 156.

КА́ДКА * Ба́нная ка́дка. *Горьк. Пренебр.* Полная, тучная женщина. БалСок, 22.

Со свое́й ка́дки. *Пск.* За счёт собственных средств, доходов. СПП 2001, 43.

КА́ДОЧКА * Не в ка́дочку соли́ть *что. Перм. Шутл.-ирон.* О том, что не стоит беречь, хранить. Подюков 1989, 193.

КАДР * Попада́ть/ попа́сть в кадр. *Жарг. мол.* Быть замеченным. Елистратов 1994, 182.

Скле́енный кадр. *Жарг. угол.* Удачное, прочное знакомство с девушкой. Митрофанов, Никитина, 79.

За ка́дром. *Жарг. мол. Неодобр.* За пределами непосредственно изображаемого, происходящего. НСЗ-60; Елистратов 1994, 182.

Рисова́ть (де́лать) ка́дры. *Жарг. угол.* Искать половых партнеров. СРВС 4, 138; Балдаев, 2, 16.

КА́ДРА́ * Рисова́ть ка́дру́. *Жарг. угол. Шутл.* Знакомиться с девушкой. СРВС 4, 146; ТСУЖ, 153.

КАДРЕ́ЛКА * Ходи́ть в кадре́лку. *Кар.* То же, что **ходить в кадрель (КАДРИЛЬ).** СРГК 2, 311.

КАДРИ́ЛЬ (КАДРЕ́ЛЬ) * Ходи́ть в кадре́ль. *Прикам.* Танцевать кадриль. МФС, 107.

Стро́ить кадри́ли. *Яросл.* Важничать, зазнаваться, привередничать. ЯОС, 5, 7.

Води́ть в кадре́ль *кого. Кар.* Приглашать кого-л. на танец. СРГК 11, 212.

Вы́кинуть кадре́ль. *Орл.* Сделать что-л. неожиданное, удивить кого-л. СРНГ 12, 301.

КАДУ́ШКА * Ба́нная каду́шка. *Волг. Пренебр.* О полном, тучном человеке. Глухов 1988, 61.

Влете́ть в каду́шку. *Прост.* Попасть в сложное, безвыходное положение. Мокиенко 1986, 115; Мокиенко 1990, 137.

КАДЫ́К * Во весь кады́к. *Морд.* Очень громко. СРГМ 1982, 10; Мокиенко 1986, 48.

Зажму́рить кады́к. *Народн.* Замолчать. ДП, 414.

Зали́ть на кады́к. *Волог.* Напиться пьяным. СРНГ 12, 302.

Разе́ть (рази́нуть, раскры́ть) кады́к. *Морд., Яросл. Неодобр.* Начать кричать, браниться. СРГМ 1982, 11; ЯОС, 8, 116, 121.

Стуча́ть кадыко́м. *Жарг. угол. Неодобр.* Шуметь. Быков, 95

КА́ЖДЫЙ * Ка́ждый вся́кий. *Сиб.* Любой человек, кто попало. ФСС, 90.

Из ка́ждых. *Пренебр.* То же, что **каждый всякий.** ФСС, 90.

КАЖЕДЁННАЯ * Кажедённая заби́ла *кого. Дон.* Кто-л. начал трястись от гнева. СДГ 2, 44.

КАЗА́К * Во́льный каза́к. *Разг. часто Шутл.* 1. О независимом человеке, не признающем никаких притеснений. 2. О холостяке. БМС 1998, 239; ФСРЯ, 188; ШЗФ 2001, 42; Мокиенко 1986, 33-34; Глухов 1988, 14.

Каза́к лихо́й. *Жарг. угол.* Грабитель русского происхождения. Балдаев 1, 175; ББИ, 98. < Образовано сокращением строки известной советской песни: «Казак лихой, орёл степной».

Казака́ кле́ить. *Жарг. арест.* Уговаривать контролера ИТУ, чтобы тот за вознаграждение разрешил пронос наркотиков на территорию колонии. ТСУЖ, 79.

Быть (жить, ходи́ть) в казака́х. *Волог., Кар.* Работать по найму, батрачить в крестьянском хозяйстве. СВГ 3, 31; СРГК 2, 311.

Когда́ каза́ки пла́чут. *Жарг. арм. Шутл.-ирон.* О наряде, дежурстве в выходной день. Максимов, 186. < По названию кинофильма (1963) по мотивам «Донских рассказов» М. Шолохова. Кожевников 2001, 460.

КАЗА́НЬ * У нас в Каза́ни грибы́ с глаза́ми [их едя́т, они́ глядя́т]. *Народн. Шутл.-ирон.* О явной, откровенной лжи. СПП 2001, 131.

Е́хал в Каза́нь, а зае́хал в Ряза́нь. *Народн. Ирон. или Неодобр.* О поступке бестолкового человека. ДП, 448.

Минова́ть Каза́нь. *Новг.* Уйти, убежать очень далеко. СРНГ 12, 310.

КАЗА́ТЬСЯ * Ма́ло не ка́жется (не пока́жется). *Разг.* Сильно, очень. Елистратов 1994, 182.

КАЗАЧИ́ХА * Отдава́ть/ отда́ть в казачи́хи *кого. Кар.* Отдавать кого-л. прислугой в богатую семью. СРГК 2, 313. Ср. **Жить в казачках.**

Жить (жива́ть, ходи́ть) в казачи́хах (казачи́хами). *Кар.* Быть работницей, прислугой в богатой семье. СРГК 2, 313.

КАЗА́ЧКА * Жить (нажи́ться) в казачках. 1. *Пск.* Работать по найму. ПОС 13, 386. 2. *Кар.* То же, что **Жить в казачихах (КАЗАЧИХА).**

КАЗАЧО́К * Полево́й казачо́к. *Север.* Молодой бычок. СРНГ 29, 48.

КАЗНА́ * Не счита́ть казны́. *Нар.-поэт.* Имея много денег, тратить их неразумно, без счёта. Ф 2, 197.

КАЗНИ́ТЬ * Казни́ть и ми́ловать. *Разг.* Поступать с кем-л. по собственному произволу, как заблагорассудится. Ф 1, 228.

КАЗНЬ * Вида́ть ка́зни. *Морд.* Страдать, мучиться. СРГМ 1978, 76.

Казнь на рассве́те. *Жарг. курс., арм. Шутл.-ирон.* Утренняя зарядка. БСРЖ, 237.

Еги́петская казнь (еги́петские ка́зни). *Книжн. Устар. Неодобр.* О крайне тяжёлых бедствиях, мучениях, напастях. ФСРЯ, 189; БТС, 294; БМС 1998, 240.

Стреле́цкая казнь. *Жарг. шк. Шутл.* Об ученике у классной доски. Максимов, 166.

КА́ИН * Ка́ин зако́нный. *Жарг. угол.* Скупщик краденого, пользующийся доверием у воров. Балдаев 1, 176; ББИ, 98; Грачев 1997, 133; Мильяненков, 133.

КАЙФ * Бе́лый кайф. *Жарг. нарк.* Героин. Аврора, 1990, № 11, 127.

Бы́чий кайф. 1. *Жарг. мол., угол.* Состояние сильного алкогольного опьянения. ТСУЖ, 27. 2. *Жарг. мол.* Водка. Я — молодой, 1996, № 22. 3. *Жарг. нарк.* Наркотик растительного происхождения. Максимов, 52.

В кайф *кому что. Жарг. мол. Одобр.* Приятно, в радость, доставляет удовольствие кому-л. СМЖ, 87; Пульс, 1991, № 11, 23.

Врубáть в кайф *кого. Жарг. нарк.* Приобщать, приучать кого-л. к употреблению наркотиков. Никольский, 28.

Вы́хватить (заловúть) кайф. *Жарг. нарк.* Испытать воздействие наркотика, достичь состояния эйфории. Грачев 1996, 27; Аврора, 1991, № 9, 28.

Давúть кайф. *Жарг. угол.* Наслаждаться чем-л. БСРЖ, 237.

Держáть кайф. 1. *Жарг. нарк.* То же, что **иметь кайф.** 2. *Жарг. мол.* Стараться сохранить удовольствие, свежесть приятных ощущений. Югановы, 98.

Имéть кайф. *Жарг. мол.* Находиться под воздействием наркотика, в состоянии наркотической эйфории. ТСУЖ, 80; Запесоцкий, Файн, 54.

Кайф на кармáне. *Жарг. нарк.* Наркотик в кармане. Грачев 1994, 15; 1996, 31.

Ловúть/ словúть (поймáть) кайф. 1. *от чего. Жарг. мол.* Получать удовольствие от чего-л., наслаждаться чем-л. Елистратов 1994, 183; Никитина 1996, 77; Быков, 95; Вахитов 2003, 92, 168. 2. *Жарг. нарк.* Испытать воздействие наркотика. Вожатый, 1990, № 10, 16; Левин, 130. 3. *Жарг. мол.* Напиться пьяным; находиться в состоянии алкогольного опьянения. Аврора, 1990, № 11, 121.

Ломáть/ сломáть (облáмывать/ обломáть, обломúть, обрубúть, сорвáть) кайф *кому.* 1. *Жарг. угол., мол.* Портить кому-л. хорошее настроение, мешать получать удовольствие от чего-л. Рекшан, 139; Ступени, 1991, № 3, 7; Елистратов 1994, 183; ТСУЖ, 166; БТС, 504; Быков, 95; Вахитов 2003, 116–117. 2. *Жарг. нарк.* Помешать наркоману получить удовольствие от наркотика. Глагол, 1993, № 40; Личко, Битенский, 292; Белянин, Бутенко, 86.

Майн кайф. *Жарг. мол. Шутл.* Состояние наркотической эйфории. Балдаев 1, 338.

Не в кайф *кому что. Жарг. мол. Неодобр.* Неприятно, не хочется, не доставляет удовольствия кому-л. что-л. Вахитов 2003, 110.

Под кáйфом. *Жарг. мол.* 1. В состоянии наркотической эйфории. Рожанский, 25; Глагол, 1993, № 40. Грачев 1994, 15; 1996, 31. 2. В состоянии алкогольного опьянения. Никитина, 1996, 78.

Не по кáйфу шуршáть. *Жарг. мол. Неодобр.* Говорить что-л. не к месту, не по теме. h-98.

По кáйфу *кому что. Жарг. мол.* То же, что **в кайф.** МК, 09.04.92; Собеседник, 1998, № 10; СМЖ, 93.

Торчáть по кáйфу. *Жарг. угол.* Употреблять наркотики. Балдаев 2, 82.

< Кайф — 1. Удовольствие, наслаждение, любые приятные эмоции от чего-л.; состояние полной удовлетворенности. 2. Наркотики. 3. Состояние наркотической эйфории. 4. Алкогольные напитки. 5. Состояние алкогольного опьянения.

КАК * Кверху кáком. 1. *Разг. Шутл.* Ничком (обычно — ответ на вопрос «как?»). Елистратов 1994, 183. 2. *Жарг. мол. Шутл.* Ответ на вопрос «Как?». Вахитов 2003, 73.

Никакúм кáком. *Костром.* Никоим образом. СРНГ 21, 230.

КÁКА * Большáя кáка. *Детск. или Разг. Шутл.-ирон.* 1. О чём-л. некачественном, негодном, нехорошем. 2. О подлом, непорядочном любящем подгадить ближнему человеке. Мокиенко, Никитина 2003, 164.

Пьяный в кáку (в какáшку). *Жарг. мол. Шутл. или Пренебр.* О человеке в состоянии сильного алкогольного опьянения. Вахитов 2003, 153.

КАКÁ * Дéлать/ сдéлать (надéлать) какá. *Детск. эвфем.* Испражняться, какать. Мокиенко, Никитина 2003, 164.

КАКАРЯ́ЧКИ * На какаря́чках (на кокорáчках, на кокоря́чках). *Яросл.* На корточках. ЯОС 6, 77.

КАКÁШКА * Какáшка в бумáжке. *Жарг. мол. Шутл. или Пренебр.* Шоколадный батончик «Сникерс». (Запись 2004 г.).

Быть в пóлной какáшке. *Жарг. мол. Неодобр.* Находиться в стрессовой, крайне неприятной ситуации. БСРЖ, 238.

Пья́ный в какáшку. См. **Пьяный в каку (КАКА).**

Улетéть в какáшку. *Жарг. мол.* Впасть в депрессию. Югановы, 99.

КАКÓЙ (КАКÁЯ, КАКÓЕ) * Какáя вы́йдет. *Арх.* Будь что будет. АОС 7, 240.

Не ахтú какóй. *Прост. Неодобр.* Не очень хороший. ФСРЯ, 191; БМС 1998, 240.

Ни в какýю. *Прост.* Ни при каких обстоятельствах, ни за что. Верш. 4, 149.

КÁКТУС * Кáктус тебé в кармáн! *Жарг. мол.* Выражение негодования; пожелание неудачи. Мальчишник, 222.

Рýхнуть на кáктус. *Жарг. мол. Шутл.* Сойти с ума, начать вести себя неординарно. СИ, 1998, № 7; БСРЖ, 238.

Идú кáктусы полóть (прорéживать). *Жарг. мол.* Требование удалиться, не мешать кому-л. Вахитов 2003, 70.

КАЛ * Взболтнýть кал *кому. Жарг. мол. Груб.* Избить кого-л. Никитина, 1996, 78.

Кал дроблёный. *Жарг. мол. Пренебр.* О чём-л. отвратительном, скверном. БСРЖ, 238.

Метнýть кал. *Жарг. мол. Шутл.* 1. Испражниться. 2. Надорваться, умереть. Елистратов 1994, 184.

КАЛАБÁХА * Дать калабáху *кому. Пск. Шутл.* То же, что **дать калабашку (КАЛАБАШКА).** СПП 2001, 43.

КАЛАБÁШКА * Дать калабáшку *кому. Олон.* Ударить, стукнуть кого-л. СРНГ 14, 143.

КАЛАМБУ́Р * Поднимать каламбур. *Жарг. арест.* Устраивать скандал, поднимать шум. Б., 124.

КАЛÁНДА * Набúть калáнду. *Яросл.* Разбогатеть. ЯОС 5, 14.

КАЛАПÁЙКА * Дать калапáйку *кому. Кар.* То же, что **дать калабашку (КАЛАБАШКА).** СРГК 2, 317; СРНГ 12, 335.

КАЛАНЧÁ * Пожарнáя каланчá. *Прост. Шутл.-ирон.* О человеке очень высокого роста. ФСРЯ, 191; БМС 1998, 240; СПП 2001, 43.

КАЛÁЧ * Тёртый калáч. *Разг. Одобр. или Ирон.* Об опытном, бывалом человеке, которого трудно обмануть. ДП, 490; ФСРЯ, 191; БМС 1998, 240.

Готóвые калачú на берёзе вися́т. *Сиб. Шутл.* О лёгкой, беззаботной жизни. ФСС, 90.

Давáть/ дать на калачú *кому. Волг.* Строго наказывать, бить кого-л. Глухов 1988, 30.

Доставáться/ достáться на калачú *кому. Разг. Шутл.* Доставаться как следует, основательно (о наказании, порке). ФСРЯ, 191; БМС 1998, 241; Глухов 1988, 30.

Моли́ть калачи́. *Яросл., Костром.* Об обрядовом угощении с молитвами, вином и белым хлебом (1 августа по ст. ст.), которое, по суеверным представлениям, должно приносить удачу рыбакам. ЯОС 6, 52; СРНГ 18, 218.

Встреча́ет калачо́м, а провожа́ет кирпичо́м. *Народн. Неодобр.* О двуличном человеке. Жиг. 1969, 207. **Ко́рмит калачо́м, да в спи́ну кирпичо́м.** *Народн. Неодобр.* То же. Жиг. 1969, 208; ДП, 662.

Калачо́м не зама́нишь (не замани́ть) *кого куда. Разг.* Никакими уговорами, никакими средствами не заставить кого-л. зайти или заехать куда-л. ФСРЯ, 192; БМС 1998, 240; БТС, 331; ЗС 1996, 490; Янин 2003, 136.

КАЛА́ЧИК * Кала́чики вися́тся *у кого. Сиб. Шутл.* О беззаботной жизни в достатке, изобилии. СОСВ, 83.

КАЛГА́Н * Взять на калга́н *кого. Жарг. угол.* 1. Ударить головой в лицо кого-л. ТСУЖ, 31; Б., 21. 2. Ударить кого-л. по голове. Максимов, 62.

Гнило́й калга́н. *Волг. Бран.* О крайне глупом человеке. Глухов 1988, 73.

Закры́ть калга́н *кому. Жарг. угол.* Проломить череп кому-л. ТСУЖ, 62.

Калга́н ва́рит. *Прост.* То же, что **голова варит (ГОЛОВА́).** СДГ 2, 46; СПП 2001, 28; Грачев, Мокиенко 2000, 84.

Калга́н не ва́рит. *Прост.* То же, что **голова не варит (ГОЛОВА).** ФСС, 90; СОГ-1992, 11, 67; СРГНП 1, 299.

Калга́н разла́мывается *у кого. Прост.* О головной боли. СРГБ 2, 18.

Калга́н с бука́шками *у кого. Пск. Ирон.* О глупом, тупом человеке. СПП 2001, 43; ПОС 13, 414.

Насади́ть на калга́н *кого. Жарг. угол.* Ударить головой в подбородок кого-л. Балдаев 1, 272.

< **Калган** — голова; первоначально — деревянная чашка, горшок (обл.). Д 2, 77.

КАЛЕ́КА * Кале́ка без ног. *Жарг. мол. Шутл.* Певица Кайли Миноуг. Я — молодой, 1997, № 45.

Полторы́ кале́ки. *Прост. Шутл.-ирон.* О небольшом количестве людей где-л. Глухов 1988, 129.

Пьян в кале́ку. *Пск. Неодобр.* О человеке в состоянии сильного алкогольного опьянения. СПП 2001, 43.

КАЛЕ́НДЫ * До гре́ческих кале́нд. *Книжн. Шутл.* На неопределённо долгий срок (отложить что-л.); в течение очень долгого времени (выполнять что-л.). Ф 1, 229. < **Календы** — в Древнем Риме первый день месяца, день выплаты долгов и процентов (у греков такого обычая не было). БМС 1998, 241.

КАЛЕ́НИЕ * Доводи́ть/ довести́ до бе́лого кале́ния *кого. Разг. Неодобр.* Лишать кого-л. самообладания, злить, сердить кого-л. ФСРЯ, 192; БМС 1998, 71, 242; ЗС 1996, 60; ШЗФ 2001, 69; БТС, 265; Мокиенко 1986, 33; Мокиенко 1990, 129.

КОЛЕ́НО * Доводи́ть/ довести́ до бе́лого кале́на *кого. Пск.* То же, что **доводить до белого каления (КАЛЕНИЕ).** СПП 2001, 43.

КАЛИ́БР * Бо́йкого кали́бра. *Прикам. Одобр.* О бойком, расторопном человеке. МФС, 45.

КАЛИ́НА * В кали́ну да в мали́ну. *Кар.* Очень сильно, до красного цвета. СРГК 3, 192.

КАЛИ́НКА * Кали́нку лома́ть. *Пск.* Название молодёжной хороводной игры. ПОС 13, 422.

КАЛИ́ННИКИ * Кали́нники игра́ют. *Прикам.* Об августовских зарницах, всполохах молний без грома. Подюков 1989, 89; МФС, 45.

КАЛИ́ТКА * Быть при за́дней кали́тке. *Яросл.* Оказаться ненужным, быть забытым. ЯОС 8, 82.

В одну́ кали́тку. *Спорт.* 1. (*футб.*). Об игре в одни ворота. 2. О чьём-л. явном преимуществе в состязаниях. БСРЖ, 239.

Закры́ть кали́тку. *Разг.* Замолчать. Елистратов 1994, 184; Вахитов 2003, 61.

Захло́пнуть кали́тку. 1. *Разг. Шутл.* Застегнуть ширинку. Елистратов 1994, 184. 2. *Жарг. мол.* То же, что **закрыть калитку.** Вахитов 2003, 67.

Съесть кали́тку. *Новг. Шутл.-ирон.* Получить отказ при сватовстве. СРНГ 12, 360.

КАЛИ́Ф * Кали́ф (хали́ф) на час. *Книжн. Ирон. или Пренебр.* 1. О человеке, получившем власть или завладевшем властью на короткое время. ДП, 246; ФСРЯ, 192. 2. О человеке, случайно или ненадолго ставшем кем-л., занявшемся делом, которое ему не свойственно (обычно престижным). БМС 1998, 242; БТС, 1438, 1467; Мокиенко 1898, 31; Янин 2003, 137..

КАЛМЫ́ЧКА * На калмы́чку. *Яросл.* Способ повязывания платка, когда концы его завязываются на затылке. ЯОС 6, 77.

КАЛО́ША (КАЛО́Ш) * Ста́рая кало́ша. *Жарг. морск. Пренебр.* Очень старое судно. БСРЖ, 239.

С архиере́йскими кало́шами ря́дом. *Кар. Шутл.-ирон.* О часах, которые неточно ходят. СРГК 2, 320.

Кало́ши на у́лицу. *Смол.* Брюки навыпуск (не заправленные в сапоги). СРНГ 12, 364.

На одну́ кало́шу *с кем. Кар.* Очень похож на кого-л. СРГК 2, 320; СРГК 4, 150.

Сажа́ть/ посади́ть в кало́шу *кого. Прост. Ирон.* Ставить кого-л. в неловкое, нелепое, смешное положение. ФСРЯ, 192; БМС 1998, 242; Мокиенко 1990, 136. **Посади́ть в кало́ш** *кого. Сиб.* То же. ФСС, 147.

Сесть в кало́шу. *Прост. Ирон.* Попасть в сложное положение, потерпеть неудачу. ЗС 1996, 42, 104; Мокиенко 1986, 115; Мокиенко 1990, 136.

КАЛЫБА́ЛЫ * Разводи́ть калыба́лы. *Яросл.* Распространять ложные слухи, сплетни. ЯОС 8, 114.

КАЛЫ́М * Пого́стный калы́м. *Жарг. угол.* Взятка представителю власти. Балдаев 1, 323.

КАЛЬ * Дать ка́ли *кому. Дон.* Обдать только что выкупавшегося человека песком, пылью, грязью. СРНГ 12, 352.

КАЛЬКУЛЯ́ТОР * Ходя́чий калькуля́тор. *Жарг. шк. Шутл.* 1. Учитель математики. 2. Ученик, хорошо разбирающийся в математике. ВМН 2003, 60.

КАЛЬСО́НЫ * Кальсо́ны белу́ги. *Жарг. муз. Шутл.* Оперная тетралогия Р. Вагнера «Кольцо нибелунгов». БСРЖ, 239.

Стира́ть кальсо́ны. *Жарг. гом. Шутл.* Искать полового партнера, склонять кого-л. к совершению полового акта. ЖЭСТ-2, 223.

КАЛЯ́К * Рыжо́вый каля́к. *Жарг. мол. Шутл.-одобр.* Мудрое высказывание (букв. «золотые слова»). БСРЖ, 240. < **Рыжовый** — золотой; **каляк** — речь, слова.

КАМА́РКА * Под кама́рку. *Пск.* С узлом на шее (о завязывании головного платка). ПОС 13, 433.

КА́МБАЛА́ * Камбала́ двугла́зая. *Жарг. угол. Шутл.-ирон.* Бинокль. Мильяненков, 133.

Коса́я ка́мбала. *Арх. Пренебр.* О косоглазом человеке. СРНГ 13, 15.

Косоро́тая, косогла́зая камбала. *Онеж. Бран.* О любом человеке. СРНГ 13, 15.

Крива́я ка́мбала. 1. *Сиб. Пренебр.* Об одноглазом человеке. СРНГ 13, 15. 2. *Волог., Олон. Шутл.-ирон.* О любом человеке. СРНГ 13, 15.

Сле́пая камбала́. 1. *Пск., Смол. Бран.* Об одноглазом человеке. СРНГ 13, 15. 2. *Кубан. Пренебр.* О близоруком человеке. СРНГ 13, 15. 3. *Пск. Бран.* О невнимательном, не заметившем чего-л. человеке. СРНГ, 3, 15.

КАМБАТУ́ШИНА * Дать камбату́шину *кому. Кар.* Побить, поколотить кого-л. СРГК 1, 424.

КА́МЕНКА * Плесну́ть на ка́менку. *Перм. Шутл.* Выпить спиртного. Подюков 1989, 149.

КА́МЕНЬ * На каменю́ го́лову прокóрмит. *Кар.* О человеке, который сможет выжить в любых условиях. СРГК 5, 268.

Бе́лый ка́мень. *Жарг. мол. Шутл.* Унитаз. Максимов, 31.

Броса́ть/ бро́сить (кида́ть/ ки́нуть, швыря́ть/ швырну́ть, запуска́ть/ запусти́ть) первый ка́мень *в кого. Книжн. Неодобр.* Осуждать кого-л., обвинять кого-л. в чём-л. БМС 1998, 242.

В ка́мень. *Яросл.* Об очень твёрдом предмете. ЯОС 2, 37.

Дать (пода́ть) ка́мень вме́сто хле́ба *кому. Книжн. Устар.* Вместо подлинного благодеяния отделаться от ищущего помощи чем-л. ненужным, излишним. < Восходит к библейскому сюжету. БМС 1998, 245.

Держа́ть ка́мень за па́зухой. *Разг. Неодобр.* Таить злобу на кого-л., не показывая этого, иметь скрытые намерения повредить, отомстить кому-л. ФСРЯ, 192; БМС 1998, 243; ЗС 1996, 229; БТС, 252, 774. **Держа́ть ка́мень за душо́й.** *Разг.* То же. БТС, 290.

Заткну́ть камень за огоро́д *кому. Брян.* Причинить зло кому-л. СРНГ 22, 346.

Иска́ть философ́ский ка́мень. *Книжн. Ирон.* Гоняться за несбыточной мечтой о коренной переделке чего-л. без особого труда. БМС 1998, 244.

Ка́мень лёг на серде́чке *у кого. Пск. Флк.* О возникшей грусти, тоске. ПОС 13, 439-440.

Ка́мень на дно. *Пск. Шутл.* О человеке, не умеющем плавать. СПП 2001, 43.

Ка́мень на душе́ (на се́рдце) [лежи́т] *у кого. Разг.* О чувстве тяжести, тягостном ощущении у кого-л. ФСРЯ, 192; Ф 1, 230; БМС 1998, 145.

Ка́мень на ка́мень не оста́лся. *Народн.* О полном разрушении чего-л. ДП, 144.

Ка́мень от се́рдца отвали́лся *у кого. Разг.* То же, что **камень с души свалился** ДП, 154.

Ка́мень подвали́л к се́рдцу *у кого. Горьк.* То же, что **камень на душе лежит.** БалСок, 40.

Ка́мень преткнове́ния. *Книжн.* Серьёзная помеха, препятствие, затруднение в каком-л. деле, занятии. ФСРЯ, 192; Ф 1, 230; БМС 1998, 245; Янин 2003, 137.

Ка́мень с души́ (с се́рдца) свали́лся *у кого. Разг.* О чувстве душевного облегчения, избавления от тягостных ощущений, гнетущих переживаний. ФСРЯ, 192; БМС 1998, 245; ЗС 1996, 170.

Ка́мень тебе́ (ему́ и т. п.**) в зу́бы!** *Кар. Бран.* Восклицание, выражающее гнев, негодование. СРГК 2, 323.

Краеуго́льный ка́мень *чего. Книжн.* 1. Основание, фундамент чего-л. 2. основа, главная идея чего-л. < Выражение из Библии. ФСРЯ, 192; БМС 1998, 245; ЗС 1996, 114, 378.

Кра́сный ка́мень. *Кар.* Аметист. СРГК 2, 323.

Лы́сый камень. *Разг. Шутл.-ирон.* Бюст В. И. Ленина в вестибюле Московского вокзала в Ленинграде — Санкт-Петербурге. (В 1990-е гг. на его месте был установлен бюст Петра I). Синдаловский, 2002, 110.

На го́лый (на чи́стый) ка́мень. *Пск.* На пустое место, где отсутствует жильё (прийти, приехать жить и т. п.). ПОС 7, 72; ПОС 13, 439.

Не уда́рить ка́мень об ка́мень. *Волг. Неодобр.* Бездельничать, бездействовать. Глухов 1988, 106.

Пилёный ка́мень. *Жарг. комп.* Процессор, оригинальная маркировка которого была сточена и нанесена маркировка более дорогого. КП, 19.08.99.

Пове́сить ка́мень себе́ на ше́ю. *Разг.* Обременить себя чем-л. БТС, 852; Ф 2, 51.

Подво́дный ка́мень (подво́дные ка́мни). *Разг.* О непредвиденной, скрытой опасности, трудности. ФСРЯ, 193; Ф 1, 230; БМС 1998, 246.

Про́бный ка́мень *чего. Книжн.* То, на чем испытывают качество. ценность чего-л.; то, что выявляет свойства, сущность чего-л. ФСРЯ, 192; БМС 1998, 246.

Пусти́ть ка́мень в *чей* **огоро́д.** *Разг.* То же, что **бросать/ бросить камешек в** *чей* **огоро́д (КАМЕШЕК).** Ф 2, 107.

Саморо́дный ка́мень. *Дон.* Кремень для добывания огня. СДГ 2, 48.

Скласть ка́мень на се́рдце. *Помор.* Причинить кому-л. страдания, беспокойство. ЖРКП, 144.

Смеша́ть ка́мень на камéнь *что. Пск.* Разрушить что-л. до основания. СПП 2001, 43; ПОС 13, 439.

Филосо́фский ка́мень. *Книжн.* 1. В представлении средневековых философов: чудодейственное средство, способное превращать металл в золото, исцелять от болезней и т. п. 2. Основа основ, самое главное. Ф 1, 230.

Уйти́ за ка́мень. *Сиб.* Переселиться в Сибирь. СРНГ 13, 23.

Кати́сь катя́щим ка́мнем! *Пск.* Уходи, убирайся вон! СРНГ, 13, 136; СПП 2001, 43.

Проклина́ть кату́щим ка́мнем *кого. Пск.* Сильно ругать, проклинать кого-л. СПП 2001, 43.

Бро́сить на ка́мни *кого. Жарг. угол., мол.* 1. Обмануть кого-л. 2. Возложить на кого-л. ответственность за чужое преступление. Максимов, 45.

Воро́чать ка́мни. *Пск.* Выполнять тяжелую физическую работу. ПОС 13, 440.

Грызть ка́мни. *Прост.* Прилагать все усилия для того, чтобы достичь чего-л. Мокиенко 2003, 39.

Ка́мни вопию́т (возопию́т). *Книжн. Устар. Неодобр.* О чём-л. ужасном, возмутительном, вызывающем негодование. < Выражение из Евангелия. ФСРЯ, 193; БМС 1998, 246.

Класть ка́мни в Пиза́нскую ба́шню. *Публ. Неодобр.* Способствовать чему-л., вносить свой вклад во что-л. заведомо ущербное, чреватое разрушением. Мокиенко 2003, 39-40.

Хоть ка́мни с не́ба па́дай. *Перм. Шутл.* Обязательно, во что бы то ни стало; вопреки всему. Подюков 1989, 141.

Бежа́ть к большо́му ка́мню. *Сиб.* Уходить от надоедливого человека. ФСС, 11.

На камню́ го́лову прокóрмит. *Олон.* Об умелом, предприимчивом человеке, который в любых условиях прокормит себя. СРНГ 2, 299; СРНГ 13, 23.

На камню́ хле́ба добудет. *Новг.* То же, что **на камню голову прокормит.** НОС 2, 88.

Из ка́мня ка́мень. *Сиб. Неодобр.* О жестоком, суровом человеке. ФСС, 90.

И с ка́мня лы́ки дерёт. *Народн. Неодобр. или Ирон.* О скупом человеке. ДП, 109.

Како́го ка́мня [ну́жно] тебе́? *Калуж.* Чего не хватает, что нужно, чего тебе хочется? СРНГ 13, 23.

На́до ка́мня горя́чего *кому. Пск.* О достаточном количестве, изобилии чего-л. ПОС 13, 439.

Не вы́просишь ка́мня го́лову разби́ть *кому. Новг. Шутл.-ирон.* О жадном, скупом человеке. Сергеева 2004, 134.

Не оставля́ть/ не оста́вить ка́мня (ка́мень) на ка́мне *от чего. Разг.* Уничтожать, разрушать что-л. до основания, без остатка. ДП, 144, 223; ФСРЯ, 193; БМС 1998, 246; БТС, 732.

Разжи́ться с пусто́го ка́мня. *Кар.* Начать вести хозяйство, изначально не имея никаких средств. СРГК 5, 355.

Три ка́мня. *Жарг. гом.* Комсомольская площадь (Площадь трёх вокзалов) в Москве. Кз., 69.

Забра́сывать/ заброса́ть (заки́дывать/ закида́ть) камня́ми *кого. Разг.* Подвергать осуждению кого-л. БТС, 311; Ф 1, 197.

Побива́ть камня́ми *кого. Книжн. Устар.* Усиленно порицать, преследовать или наказывать кого-л. Ф 2, 50. < Выражение употребляется в Ветхом Завете. БМС 1998, 247.

КА́МЕРА * Га́зовая ка́мера. 1. *Жарг. шк. Ирон.* Кабинет директора. (Запись 2003 г.) 2. *Жарг. шк. Ирон.* Кабинет химии. (Запись 2003 г.) 3. *Жарг. студ. Ирон.* Раздевалка в спортзале. (Запись 2003 г.) 4. *Жарг. авиа. Шутл.* Площадка, на которую становится самолет при прогревании двигателей. Максимов, 79.

Ка́мера пы́ток. *Жарг. шк. Ирон.* 1. Кабинет директора. ВМН 2003, 60. 2. Кабинет завуча. ВМН 2003, 60. 3. Кабинет воспитательной работы. ВМН 2003, 60. 4. Школьный медпункт. ВМН 2003, 60. 5. Учительская. Максимов, 168.

Ка́мера хране́ния. *Жарг. мол. Шутл.* Тюрьма. Елистратов 1994, 185.

Сдать в ка́меру хране́ния *кого. Жарг. мол. Шутл.* Посадить в тюрьму кого-л. Елистратов 1994, 185.

КА́МЕШЕК * Броса́ть/ бро́сить ка́мешек (ка́мешки) в *чей* **огоро́д.** *Разг. Шутл.* Делать в чей-л. адрес осуждающие или иронические намеки. ФСРЯ, 193; БМС 1998, 247; Ф 1, 44, 230; БТС, 698; ШЗФ 2001, 24; Мокиенко 1986, 28; СПП 2001, 43.

Горя́чий ка́мешек. *Жарг. угол.* Драгоценный камень. Грачев 1992, 86.

Держа́ть ка́мешек в па́зухе. *Разг.* Быть готовым защитить себя. Ф 1, 159.

На го́лом ка́мешке. *Новг.* На пустом месте. НОС 2, 31.

На ка́мешке роди́лся. *Народн.* О бедном, неимущем человеке. ДП, 92.

Броса́ть (кида́ть) ка́мешки из-за угла́ *в кого. Разг. Устар.* Исподтишка обвинять, осуждать кого-л.; делать обидные намеки в завуалированной форме. Ф 1, 43, 236.

Заки́дывать ка́мешки в огоро́д. *Прост.* То же, что **бросать камешек в огород.** ЗС 1996, 49.

КА́МЗЫ * Распускать ка́мзы. *Волог.* Начинать драку, бить кого-л. СВГ 3, 36.

КАМО́РКА * Камо́рка па́пы Ка́рло. *Жарг. шк. Шутл.* Подсобное помещение в спортивном зале. ВМН 2003, 60.

КАМСА́ * Дава́ть / дать на камсу́ [*кому*]. *Пск.* Приплачивать, давать кому-л. небольшую сумму сверх заработанной. СПП 2001, 43.

КА́МУШЕК * Ка́мушка тебе́ ещё? *Калуж.* То же, что **какого ка́мня тебе (КАМЕНЬ).** СРНГ 13, 30.

Пойти́ по се́рым ка́мушкам. *Пск.* Отправиться в туалет. (Запись 1996 г.).

Ката́ть ка́мушки. *Волг. Неодобр.* Бездельничать, праздно проводить время. Глухов 1988, 73.

Счита́ть ка́мушки. *Сиб.* Осматривать хозяйство жениха перед свадьбой. СФС, 87; СРНГ 13, 30; СБО-Д1, 187; СОСВ, 83.

КА́МЫСЫ * Протяну́ть ка́мысы. *Арх., Сиб. Шутл.-ирон. или Пренебр.* Умереть. СРНГ 13, 33.

Тяну́ть/ растяну́ть ка́мысы. *Арх., Сиб.* Плакать, рыдать. СРНГ 13, 33.

КАМЫ́Ш * Быть в камыша́х. 1. *Орл.* То же, что **идти в камыши 1.** СРНГ 13, 33. 2. *Пск. Шутл.* Быть пьяным. СПП 2001, 43.

Идти́/ пойти́ (прийти́) в камыши́. 1. *Орл.* Участвовать в коллективной крестьянской работе, помогая кому-л. из односельчан. СРНГ 13, 33. 2. *Пск. Шутл.* Пойти на угощение (обычно после завершения какой-л. работы), без приглашения. СПП 2001, 43.

КАНА́ВА * Рыть кана́ву *кому. Яросл.* Стремиться причинить вред кому-л. СРГН 13, 35; ЯОС 5, 18.

Свали́ (срыгни́) в кана́ву! *Жарг. мол. Груб.* Требование удалиться, отстать от кого-л. Максимов, 376.

КАНАЛИЗА́ЦИЯ * Опусти́ть ни́же канализа́ции *кого. Жарг. мол. Шутл.* 1. Избить кого-л. 2. Унизить, опозорить кого-л. 3. Испугать кого-л. Максимов, 288.

КАНВА́ * По чужо́й канве́. *Жарг. угол.* По чужому документу. СРВС 3, 113; ТСУЖ, 138.

КАНДАЛЫ́ * Загреме́ть кандала́ми. *Сиб. Устар.* 1. Быть сосланным в Сибирь на каторгу. 2. Быть осуждённым за преступление. ФСС, 76.

Надева́ть [на] на себя́ кандалы́. *Разг. Устар. Ирон.* Брать на себя тяжёлые, неприятные обязанности. Ф 1, 310.

КАНДИБО́БЕР * Вы́гнать (прогна́ть) с кандибо́бером *кого. Дон.* Решительно, резко выгнать, прогнать кого-л. откуда-л. СДГ 2, 49; СДГ 3, 66.

Пляса́ть с кандибо́бером. *Кар.* Выполнять замысловатые движения, фигуры во время танца, пляски. СРГК 2, 324.

С кандибо́бером. 1. *Орл.* О человеке с причудами, странностями. СОГ-1992, 10. 2. *Волг.* О гордом, независимом человеке. Глухов 1988, 148.

Ходи́ть с кандибо́бером. *Волг.* Важничать, зазнаваться. Глухов 1988, 136.

КАНДИДА́Т * Кандида́т про́тив всех. *Жарг. журн.* Виртуальный кандидат на выборах, условное обозначение результатов голосования по графе «против всех». МННС, 60.

КАНИ́КУЛЫ * Долгосро́чные кани́кулы. *Жарг. угол., арест.* Длительный срок заключения. Хом. 1, 280.

КАНИ́СТРА * Кани́стра волоса́тая. *Жарг. мол. Бран.* О человеке, вызывающем гнев, негодование, раздражение. Вахитов 2003, 74.

Не бу́лькай, кани́стра! *Жарг. мол. Бран.* Требование замолчать, не возражать кому-л. Вахитов 2003, 110.

КАНИТЕ́ЛЬ * Выде́лывать канител́и. *Прибайк. Неодобр.* Капризничать, привередничать. СНФП, 76.

Заводи́ть/ завести́ канит́ель. 1. *Ворон., Свердл.* Начинать ссору. СРНГ 13, 41. 2. *Волг.* Начинать хлопотное, бесполезное дело. Глухов 1988, 45.

Канит́ель с у́ксусом. *Прост. Устар. Презр.* Пустые разговоры, бессмысленная, витиеватая речь. < Из произведений А. П. Чехова. БМС 1998, 247.

Навестѝ канитéль. *Новг.* Устроить переполох. НОС 5, 128.

Наводѝть канитéль. *Сиб., Приамур.* Суетиться, хлопотать. ФСС, 116; СРГПриам., 162.

Тянýть (разводѝть) канитéль. 1. *Разг. Неодобр.* Затягивать какое-л. дело; медлить с ответом. ФСРЯ, 193; БМС 1998, 247; ЗС 1996, 342, 376; Мокиенко 1989, 35-36; Мокиенко 1990, 88; Ф 2, 113; СПП 2001, 43. 2. *Жарг. шк. Пренебр.* Учиться в школе. ВМН 2003, 61.

КАНКА́НТ * Канка́нт (канка́нты, канка́ны) мочѝть/ отмочѝть. *Жарг. угол.* Совершать что-л. необычное, чудить. Балдаев 1, 177; ББИ, 100; Мильяненков, 134; Смирнов 1993, 180.

КАНО́ССА * Идтѝ/ пойтѝ в Кано́ссу. *Книжн.* Подчиняться кому-л., обладающему большой властью, авторитетом, после предшествующего отказа от подчинения. < Восходит к историческому эпизоду: Германский император Генрих IV, отлучённый папой Григорием от церкви, вынужден был в 1077 г. идти пешком в Каноссу (замок в Северной Италии), где находился папа, с покаянием. БМС 1998, 247–248.

КАНТОВА́ТЬ * Кантýй помáлу. *Жарг. мол. Шутл.* Призыв начать работу. Елистратов 1994, 186.

КАНУ́Н * [В] канýн канýна. *Новг., Пск.* День за двое суток до праздника. НОС 4, 18; ПОС 13, 464.

Канýн тебя́ (егó и т. п.) возьмѝ! *Новг.* Восклицание, выражающее раздражение, негодование. СРНГ 13, 45.

Пошёл канýн, да в вóду канýл. *Твер. Ирон.* О человеке, который ушёл и не вернулся. СРНГ 28, 363.

Приносѝть канýн. *Волог.* Приносить пиво в церковь и оставлять его в пользу причта. СРНГ 13, 45.

Приходѝть с канýном. *Волог.* То же, что **приносить канун**. СРНГ 13, 45.

КА́НЦЛЕР * Желéзный кáнцлер. *Публ.* О человеке с несгибаемой волей, непреклонной решимостью добиваться своей цели. < Первонач. — прозвище канцлера Германии Бисмарка. БМС 1998, 248.

КАНЦЕЛЯ́РИЯ * Небéсная канцеля́рия. *Книжн. Шутл.* О сверхъестественных силах, управляющих погодой. Ф 1, 231; Глухов 1988, 94.

КА́НЬГИ * Растянýть кáньги. *Мурман.* Умереть. СРНГ 34, 286. < **Кáньги** — ноги.

КА́ПА * Ни кáпы. *Волог.* То же, что **ни капли (КАПЛЯ)**. СРНГ 13, 49; СРНГ 21, 213.

КАПЕ́ЛОЧКА * Ни капéлочки. *Ряз.* То же, что **ни капли (КАПЛЯ)**. ДС, 218; СРНГ 13, 50.

КА́ПЕЛЬКА * Кáпелька в кáпельку. *Разг.* О большой степени сходства. Мокиенко 1986, 100.

Все кáпельки подобрáть (взять) *у кого. Сиб., Яросл.* Быть очень похожим на кого-л. ЯОС 3, 9; СРНГ 13, 51; ФСС, 26, 140.

Не пролéй кáпельки. *Яросл. Неодобр.* О скупом, мелочном человеке, крохоборе. ЯОС 6, 124.

Не тѝснет кáпельки с кулакá. *Новг. Неодобр.* О жадном, скупом человеке. Сергеева 2004, 135.

КАПЕЛЮ́ЖЕЧКА * Ни капелю́жечки. *Орл.* То же, что **ни капли (КАПЛЯ)**. СОГ-1992, 16.

КАПИ́НКА * До капѝнки. *Кар.* Без остатка, до конца. СРГК 2, 325.

КАПИТА́Л * Рабóтать мёртвому капитáлу. *Пск.* Без оплаты, без вознаграждения за работу. СПП 2001, 43.

КА́ПКА * Кáпки завернýть. *Кар.* Умереть. СРГК 2, 326.

Ни кáпки. *Кар.* То же, что **ни капли (КАПЛЯ)**. СРГК 2, 326.

КАПКА́Н * Попáсть в капкáн. *Разг.* Оказаться в сложной, неприятной ситуации, в безвыходном положении. ДП, 145; Ф 2, 75; Мокиенко 1986, 116.

Мочѝть капкáны. 1. *Жарг. угол.* Добиваться чего-л. обманом. Балдаев 1, 178, 257; ББИ, 100; Мильяненков, 134. 2. *Жарг. арест.* Делать что-л. запрещённое. БСРЖ, 243.

КАПЛЮ́ШКА * Каплю́шки собирáть. *Пск. Неодобр.* Ходить по гостям с целью выпить спиртного. СПП 2001, 43.

КА́ПЛЯ * Дать успокóительных кáпель *кому. Новг.* Наказать, образумить кого-л. Сергеева 2004, 45.

Прописáть бóцманских кáпель *кому. Прост. Устар. Шутл.* Сильно наказать кого-л. БМС 1998, 248; ДП, 219; Мокиенко 1990, 59.

Весёлые кáпли. *Яросл. Шутл.-ирон.* Водка. ЯОС 3, 8.

Все кáпли взять (подобрáть) *от кого. Сиб.* То же, что **все капельки подобрать (КАПЕЛЬКА)**. ФСС, 26, 140.

Две кáпли дворя́нской крóви. *Новг. Ирон.* О человеке, который кичится своим благородным происхождением. НОС 2, 76; Сергеева 2004, 32.

До послéдней кáпли. *Разг.* До конца, без остатка, целиком. ФСРЯ, 194.

До послéдней кáпли крóви. *Публ. Высок.* До последней возможности, жертвуя всем, самоотверженно и не боясь смерти. ФСРЯ, 194; Ф 1, 231; БТС, 472; БМС 1998, 248.

Мёртвые кáпли. *Дон.* Яд. СДГ 2, 1364 СРНГ 18, 123.

Ни кáпли. *Разг.* Нисколько, ничуть. ФСРЯ, 194; БМС 1998, 248; ДС, 218; Верш. 4, 149.

Подобрáть кáпли. *Волг.* Быть похожим на кого-л. Глухов 1988, 125.

Шалёные кáпли. *Смол.* Водка. ССГ 11, 124.

Бóжья кáпля. *Сиб.* Роса. ФСС, 90.

Кáпля в кáплю. *Прост.* 1. О физическом сходстве. 2. О точном выполнении чего-л. Подюков 1989, 89; Глухов 1988, 73.

Кáпля в мóре. *Разг.* О незначительном, недостаточном количестве чего-л.; о чрезвычайно малом количестве чего-л. по сравнению с окружением. БМС 1998, 249; БТС, 556; ЗС 1996, 513; СПП 2001, 44.

Кáпля воды́ нахóдит *[на кого]. Прибайк.* О человеке, очень похожем внешне на кого-л. СНФП, 77.

Не кáждая кáпля за вóрот. *Посл. Новг.* Выражение утешения, успокоения. Сергеева 2004, 27.

Послéдняя кáпля. *Разг.* Факт, какое-л. событие в числе других, ставшее причиной ссоры, открытой вражды. Ф 1, 232.

КА́ПОЧКА * На кáпочках. *Дон.* На корточках. СДГ 2, 50.

Удержáть на кáпочке *кого. Пск.* Спасти кого-л., несмотря ни на что. ПОС, 13, 476.

Ни кáпочки. *Кар., Новг.* То же, что **ни капли (КАПЛЯ)**. СРГК 2, 237; НОС 4, 19.

КАПРИ́З * Брать/ взять в каприз. *Арх.* Сердиться, нервничать. АОС 2, 110.

Обвалѝться в капрѝз. См. **Пойти в каприз.**

Поимéть капрѝз. *Дон.* Раскапризничаться. СДГ 3, 32.

Пойтѝ (обвалѝться) в капрѝз. *Ряз.* Начать капризничать. ДС, 351; СРНГ 28, 357.

Поня́ть (приня́ть) в каприз. *Дон.* Обидеться на кого-л. СДГ 3, 40.

Поверну́ть в каприз. *Сиб.* То же, что **пойти в каприз.** ФСС, 138.

КАПРО́Н * Рвать капро́н. *Жарг. гом. Шутл.* Совершать анальное сношение, когда ноги пассивного партнера лежат на плечах у активного. ЖЭСТ-2, 242.

КАПУ́СТА * Белокоча́нная капу́ста. *Жарг. угол. Шутл.* Советские и российские рубли. Мокиенко 1995, 38; Балдаев 1, 179; ББИ, 100; Мильяненков, 134.

Во́лчья капу́ста. *Сиб.* Растение чемерица. СБО-Д1, 71.

За́ячья капу́ста. *Яросл.* 1. Растение валериана. 2. Растение кислец. 3. Фиалка. ЯОС 4, 115.

Ко́нская капу́ста. *Вят.* Растение сибирский ревень. СРНГ 14, 269.

Лесна́я капу́ста. *Волог.* Растение бородавник обыкновенный. СРНГ 16, 375.

Ру́бленая капу́ста. *Жарг. угол.* Деньги, добытые преступным путем. УМК, 102.

Цветна́я капу́ста. *Жарг. угол. Шутл.* Иностранная валюта. Мокиенко 1995, 38; Балдаев 1, 179; ББИ, 100; Мильяненков, 134.

Быть при капу́сте. *Жарг. мол.* Иметь деньги, быть при деньгах. Югановы, 101.

Не в капу́сте подо́бран (на́йден). *Прост.* Не хуже других в каком-л. отношении. Ф 1, 323.

Отсыха́ть в капу́сте. *Жарг. мол.* Испытав неудачу, пребывать в бездействии. Вахитов 2003, 124.

Вари́ть капу́сту. *Жарг. мол.* Зарабатывать деньги. Максимов, 55.

Выходи́ть на чёрную капу́сту. *Брян.* Вступить в брак с неимущим. СБГ 3, 87.

Изруби́ть в капу́сту *кого. Разг.* Избить, поколотить кого-л., жестоко расправиться с кем-л. ФСРЯ, 195.

На гнилу́ю капу́сту честь. *Прикам. Ирон.* Об уважении к тому, на кого раньше не обращали внимания. МФС, 110.

Оку́чивать капу́сту. *Жарг. мол. Шутл.* Зарабатывать деньги. БСРЖ, 243.

Руби́ть капу́сту. 1. *Жарг. угол.* Убегать, скрываться. СРВС 3, 117; ТСУЖ, 154; Балдаев 2, 20. // Убегать, скрываться, похитив деньги. УМК, 102. 2. *Жарг. мол.* Зарабатывать много денег. Вахитов 2003, 160; Смирнов 2002, 12.

Стричь капу́сту. *Жарг. мол.* То же, что **рубить капусту 2.** Житинский, 71.

КАПУ́СТКА * Завива́ть капу́стку. *Яросл.* Играть и плясать под песню «Вейся, капустонька». ЯОС 4, 59.

КАПУ́СТОЧКА * Вить капу́сточку. *Арх.* То же, что **завивать капустку (КАПУСТКА).** АОС 4, 109.

КАПУ́Т * Задать капу́т *кому. Обл.* 1. Избить кого-л. Мокиенко 1990, 48. 2. Убить кого-л. СРНГ 13, 61.

КА́РА * На ка́рах. *Жарг. угол.* О содержании в штрафном изоляторе. Балдаев 1, 268.

КАРАБА́С * Караба́с Бараба́с. *Жарг. шк. Шутл.* Директор школы. (Запись 2003 г.).

КАРАВА́Й * Кида́ть/ ки́нуть (класть/ положи́ть) на карава́й. *Волг., Дон.* Дарить что-л. на свадебном пиру молодым. Глухов 1988, 75; СРНГ 13, 198.

КАРА́К * Кара́к каза́нский. *Жарг. угол.* Авторитетный преступник татарского происхождения. Балдаев 1, 179; ББИ, 100.

КАРАЛЫ́К * Брать/ взять на каралы́к (на каралэ́с) *кого. Жарг. угол. Груб.* Совершить с кем-л. половой акт в грубой форме, изнасиловать кого-л. Б, 105. < **Каралык, каралэс** — мужской половой орган.

КАРА́ЛЬКИ * Кара́льки иска́ть. *Сиб. Ирон.* Стремиться к удовольствиям, искать легкой жизни. ФСС, 88.

КАРАЛЭ́С * Брать/ взять на каралэ́с. См. **Брать на каралык (КАРАЛЫК).**

КАРАМО́Л * Выходи́ть на карамо́л. *Сиб.* Ссориться, скандалить. ФСС, 40.

КАРАНДА́Ш * Брать/ взять на каранда́ш *что. Публ.* Делать запись, заметку для памяти, записывать что-л. БМС 1998, 249; ЗС 1996, 238, 377; Ф 1, 38; ПОС 13, 487.

Каранда́ш в стака́не. *Жарг. мол. Шутл.-ирон.* О худом человеке в обуви большого размера. Вахитов 2003, 74.

Кра́сный каранда́ш. Мужской половой орган. Елистратов 1994, 187, 663; ЖЭСТ-1, 141.

Под каранда́ш. *Сиб.* О продаже товаров без наличного расчёта, под запись. ФСС, 91.

Пусти́ть каранда́ш. *Жарг. угол.* Заставить кого-л. заплатить за угощение. Балдаев 1, 179; ББИ, 100; Белоус, 28; Мильяненков, 134.

Писа́ть карандашо́м. *Жарг. угол.* Работать ломом. Балдаев 1, 319. < **Карандаш** — лом.

КАРА́НКИ * Переверну́ть кве́рху кара́нками *что. Кар.* Устроить беспорядок где-л. СРГК 4, 433.

КАРА́СЬ * Лови́ть карасе́й. 1. *Жарг. арест. Шутл.-ирон.* Очищать отхожее место в боксе. УМК, 102; Быков, 97. 2. *Жарг. шк.* Получать неудовлетворительные оценки. (Запись 2003 г.).

Ба́нный кара́сь. *Жарг. угол. Шутл.* Женщина с крупными бёдрами. Хом. 1, 411.

Борзо́й кара́сь. *Жарг. арм., морск.* Матрос, прослуживший один год. Максимов, 40.

Бума́жный кара́сь. *Жарг. морск. Шутл.-ирон.* Моряк, служащий на берегу. Никитина, 1998, 174.

Кара́сь потво́рный. *Жарг. угол., арест. Ирон.* Человек, осуждённый за изнасилование. Мокиенко, Никитина 2003, 166.

Пойма́ть (отлови́ть) карася́. *Жарг. шк.* Получить двойку. (Запись 2003 г.).

Преврати́ть карася́ в порося́. *Народн. Шутл.-ирон.* Сильно преувеличить что-л. в рассказе. Жиг. 1969, 212.

КАРАУ́Л * Брать/ взять на карау́л. *Спец. Устар.* Приветствовать кого-л. особым ружейным приемом. Ф 2, 147.

Крича́ть карау́л. 1. *Разг.* Звать на помощь в трудных, опасных ситуациях; паниковать. БМС 1998, 250. 2. *Пск.* Страдать от боли. ПОС 13, 493.

Крича́ть на карау́л. *Тул.* Громко кричать. СРНГ 13, 78.

Почётный карау́л. *Жарг. мол. Шутл.* Ухажёр, который неотступно сопровождает девушку. Елистратов 1994, 187.

Реве́ть (рыча́ть) карау́л. *Кар.* То же, что **кричать караул.** СРГК 5, 504, 598.

Хоть карау́л кричи́. *Разг.* О состоянии отчаяния в какой-л. безвыходной ситуации. ФСРЯ, 213; БТС, 471; СФС, 198; СПП 2001, 44.

Держа́ть на карау́ле *кого. Сиб.* Наблюдать, следить за кем-л. СФС, 62.

На карау́ле. *Сиб.* Наготове. ФСС, 91.

КАРАЧЕ́НЬКИ * На карačéньках. *Яросл.* То же, что **на карачках (КАРА́ЧКИ).** ФСС, 91; Мокиенко 1986, 92.

КАРА́ЧКИ * На кара́чках. *Разг.* На четвереньках (ползти, лезть, стоять). ФСРЯ, 195; БМС 1998, 250; СРГМ 1986, 90; Мокиенко 1986, 92; СПСП, 53.

На кара́чки. 1. *Прост.* На четвереньки (опуститься). Мокиенко 1986, 92; ФСРЯ, 195. 2. *Печор.* На корточки. СРГНП 1, 303. 3. *Печор.* На верхнюю часть спины, на плечи (взять, посадить кого-л., положить что-л.). СРГНП 1, 303.

КАРАЧУ́Н * Дать (зада́ть) карачу́н (карачуна́). 1. *Прост.* Умереть. БМС 1998, 250-251. 2. *кому. Яросл.* Убить кого-л. ЯОС 3, 121.

Карачу́н пришёл *кому. Прост.* Кто-л. умер. ФСРЯ, 195; БМС 1998, 250-251.

КАРГА́ * Карга́ в пузыре́ принесла́ *кого. Куйбыш. Неодобр.* О неместном, приехавшем откуда-л. человеке. СРНГ 13, 82.

Ста́рая карга́. *Прост. Неодобр.* О злой, сварливой старухе. БМС 1998, 252.

КАРДА́Н * Дви́нуть карда́ном. *Жарг. мол.* Подвинуться. Вахитов 2003, 44.

КАРЕ́ТА * Пода́ть гала́хову каре́ту *кому. Ряз.* Отказать кому-л. в чём-л. СРНГ 6, 106.

КАРКАЛЫ́ГА * Каркалы́га лютая (лютый). *Жарг. мол. Неодобр.* Злобный коварный человек. Никитина 2003, 262.

КАРЛ * Карл Маркс. *Жарг. мол. Шутл.* Мужской половой орган. Елистратов 1994, 663; ЖЭСТ-1, 141.

Два Ка́рла. *Жарг. мол. Шутл.* Угол улиц К. Маркса и К. Либкнехта (в г. Одессе). Смирнов 2002, 51.

КА́РЛИК * Ка́рлик Нос. *Жарг. студ. (филол.).* Детский писатель Н. Носов. (Запись 2003 г.).

КА́РЛОС * Ка́рлос Сатана́. *Жарг. мол. Шутл.* Гитарист Карлос Сантана. Я — молодой, 1996, № 26.

КАРМА́Н * Больно́й на карма́н. *Волг. Ирон.* О крайне бедном человеке. Глухов 1988, 4.

Взять карма́н. *Жарг. угол.* Совершить карманную кражу. ТСУЖ, 31.

Войти́ в карма́н. *Пск.* Похитить, украсть что-л. ПОС, 4, 106.

Вы́простать карма́н. *Прибайк.* Израсходовать деньги, излишне потратиться. СНФП, 77.

Вы́трясти карма́н. *Разг.* Истратить все свои деньги или вынудить кого-л. к большим тратам. БТС, 185.

Гнуть в свой карма́н. *Арх.* Наживаться, обогащаться. АОС 9, 166.

Держи́ карма́н [ши́ре]. *Разг. Шутл.-ирон.* Ничего не получишь, не рассчитывай получить что-л. ФСРЯ, 195; БМС 1998, 252; ЗС 1996, 96, 187, 477; ШЗФ 2001, 66; БТС, 1498; Жук. 1991, 102; Мокиенко 1990, 95.

Держа́ть карма́н. *Пск.* Быть расчетливым, экономным. ПОС 9, 42.

Дыря́вый карма́н. 1. *Горьк. Пренебр.* Бесхитростный человек, простак. БалСок, 34. 2. *у кого. Волг. Ирон.* О полном безденежье. Глухов 1998, 40.

Жмёт карма́н. *Жарг. мол.* У кого-л. имеются лишние деньги. Смирнов 2002, 72.

За чужо́й карма́н. *Сиб.* За чужой счет. ФСС, 91.

Зае́хать в чужо́й карма́н. *Кар.* То же, что **войти в карман.** СРГК 2, 120.

Залеза́ть/ залезть в карма́н к госуда́рству. *Публ.* Пользоваться государственными средствами в личных интересах. ТС XX в., 180.

Запра́вить в карма́н *что. Кар.* Присвоить что-л. СРГК 2, 183.

Идти́ на чужо́й карма́н. *Кар.* Посягать на чужое, наживаться за чужой счет. СРГК 2, 268.

Иметь то́лстый карма́н. *Одесск.* Быть богатым. КСРГО.

Карма́н коро́ткий *у кого. Башк. Ирон.* Об отсутствии денег у кого-л. СРГБ 2, 22.

Карма́н не дерёт (не рвёт) *что кому. Волг., Горьк.* Не является лишним. Глухов 1988, 97; БалСок, 40; СРНГ 34, 357.

Карма́н плохо́й *у кого. Новг.* Кто-л. очень беден или испытывает нужду в деньгах. НОС 4, 25.

Карма́н распу́хши *у кого. Пск.* Кто-л. богат, имеет большие доходы, хорошо зарабатывает. СПП 2001, 44.

Карма́н то́нок (то́нкий) *у кого.* 1. *Новг., Сиб.* О безденежье, недостатке денег у кого-л. НОС 4, 25; НОС 11, 46; ФСС, 91; Мокиенко 1988, 73; СОСВ, 186. 2. *Горьк.* Кто-л. имеет мало возможностей для осуществления чего-л. БалСок, 40.

Карма́н то́лстый *у кого. Прост.* О богатом, обеспеченном человеке. ЗС 1996, 144; СОСВ, 186; Глухов 1988, 73, 159.

Класть /положи́ть в карма́н. 1. *Разг. Неодобр.* Незаконно присваивать чужие деньги. Глухов 1988, 128; СПП 2001, 44; СНФП, 77. 2. *кому. Спорт. (баск.).* Делать передачу на грудь. ОРТ, 09.08.98.

Корчева́ть карма́н. *Жарг. мол. Шутл.* Шарить в кармане, искать что-л. в кармане. БСРЖ, 245.

Лезть в свой карма́н. *Прибайк.* Делать что-л. себе во вред, в убыток. СНФП, 77.

Набива́ть/ наби́ть [себе́] карма́н. *Разг.* Быстро (и обычно нечестным путем) обогащаться. ФСРЯ, 195; БМС 1998, 253; БТС, 569; ЗС 1996, 92; Глухов 1988, 87; Ф 2, 72; ДП, 174.

Оди́н карма́н. *Сиб. Ирон. или Неодобр.* Одно и то же. ФСС, 91.

Подставля́й карма́н. *Волг. Ирон.* То же, что **держи карман шире.** Глухов 1988, 126.

Показа́ть свой карма́н. *Пск.* Щедро одарить молодых на свадьбе. СРНГ 28, 365.

По́лный (то́лстый, туго́й) карма́н *у кого. Разг.* О богатом, денежном человеке. ФСРЯ, 195; БМС 1998, 153; Ф 1, 232; ФСС, 91.

Попо́вский карма́н. *Влад., Ряз. Шутл.-ирон.* О наличии больших денег у кого-л. СРНГ 29, 325.

Растрясти́ карма́н. *Волг.* Истратить много денег. Глухов 1988, 140.

Сельдяно́й карма́н. *Пск.* Прозвище взяточника. Доп., 1858.

Скака́ть в карма́н. *Прикам. Ирон. или Неодобр.* Быть накладным, приносить убытки. МФС, 91.

Суши́ть карма́н. *Пск.* Тратить, расходовать деньги в большом количестве. СПП 2001, 44; ПОС 14, 6.

То́щий карма́н *у кого. Разг. Ирон.* О бедном, неимущем, безденежном человеке. ФСРЯ, 195; БМС 1998, 253.

Широ́кий карма́н *у кого. Сиб.* То же, что **полный карман.** ФСС, 91.

Вымола́чиваться из карма́на. *Сиб., Приамур.* Постоянно расходоваться, убывать (о деньгах). ФСС, 37; СРГПриам., 50.

Из госуда́рственного карма́на. *Разг.* За счёт средств государства. Ф 1, 232.

Из со́бственного карма́на. *Разг.* Собственными, личными деньгами (расплачиваться). Ф 1, 232.

Из чужо́го карма́на. *Разг.* За чей-л. счёт, не из личных средств. Ф 2, 48.

Карма́на не́ту *у кого. Прибайк., Сиб.* Об отсутствии денег у кого-л. СНФП, 77; ФСС, 91, 122.

Пересыпа́ть из пра́вого карма́на в ле́вый. *Обл. Неодобр.* Бездельничать. Мокиенко 1990, 65.

Разжи́ться с пусто́го карма́на. *Кар.* Обзавестись хозяйством, изначально не имея никакого имущества. СРГК 5, 416.

Бить по карма́нам. *Народн. Неодобр.* Мошенничать, воровать. ДП, 650; СРНГ 13, 94.

Ла́зить по карма́нам. *Разг.* Совершать карманные кражи. Ф 1, 274.

Проверя́ть по карма́нам. *Кар. Ирон.* То же, что **бить по карманам.** СРГК 5, 239.

Служи́ть моле́бны по карма́нам. *Народн. Ирон. или Неодобр.* То же, что **бить по карманам.** ДП, 167.

Ша́рить по карма́нам. *Разг.* Заниматься карманным воровством. Ф 2, 261.

С карма́нами. *Прибайк.* О человеке при деньгах, иметь доход. СНФП, 77.

Свисти́т в карма́нах. *Волг. Ирон.* О безденежье. Глухов 1988, 145.

В [одно́м] карма́не вошь на арка́не [в другом — блоха́ на цепи́] *у кого. Прост. Шутл.* О бедном, нищем человеке. ДП, 91; Жиг. 1969, 353; СПП 2001, 44; ПОС 14, 5.

В карма́не жи́дко *у кого. Прост. Ирон.* Об отсутствии денег у кого-л. ЗС 1996, 142.

В карма́не Ива́н Тощо́й да Ма́рья Лего́тишна *у кого. Перм. Шутл.-ирон.* То же, что **в кармане вошь на аркане.** СРНГ 28, 23.

В карма́не чахо́тка, в сундуке́ сухо́тка *у кого. Народн. Шутл.-ирон.* То же, что **в кармане вошь на аркане.** ДП, 91.

В карма́не чиха́ет *у кого. Пск.* Об отсутствии или малом количестве денег у кого-л. ПОС 14, 5.

В одно́м карма́не дыра́, а друго́й чини́ть пора́. *Народн. Шутл.-ирон.* То же, что **в кармане вошь на аркане.** Жиг. 1969, 353.

В одно́м карма́не смерка́ется, в друго́м заря́ занима́ется *у кого. Народн. Шутл.-ирон.* То же, что **в кармане вошь на аркане.** Жиг. 1969, 353; Жук. 1991, 59.

В пра́вом карма́не сочéльник, в ле́вом — понеде́льник *у кого. народн. Шутл.-ирон.* То же, что **в кармане вошь на аркане.** Жиг. 1969, 353.

Неудо́бно в карма́не зо́нтик раскрыва́ть. *Жарг. мол. Шутл.-ирон.* Ответ на чью-л. реплику со словом «неудобно». Елистратов 1994, 189.

Что по что и что в карма́не [*у кого*]. *Шутл.* О человеке, который хорошо выглядит. (Запись 2000 г.).

Шаркота́ть в карма́не. *Новг.* Иметься в наличии (о деньгах). НОС 12, 81.

С карма́ном. *Разг.* О богатом, располагающем деньгами человеке. НРЛ-82; Мокиенко 2003, 40.

Тряхну́ть карма́ном. *Разг. часто Шутл.-ирон.* Не скупясь, потратить деньги на что-л., раскошелиться, расщедриться. ФСРЯ, 195; БМС 1998, 253.

Бить (ударя́ть/ уда́рить) по карма́ну *кому. Разг.* Наносить кому-л. материальный ущерб. ФСРЯ, 195; БМС 1998, 253; БТС, 1373.

Быть без карма́ну. *Башк.* Не иметь денег. СРГБ 1, 38.

Не по карма́ну *кому что. Разг.* Слишком дорого, не по средствам кому-л. Ф 1, 232; ФСРЯ, 195; ЗС 1996, 138; Мокиенко 1990, 95.

По карма́ну *кому, что. Разг.* Соответствует имеющимся средствам. Ф 1, 232.

Вы́мыть карма́ны *кому, у кого. Пск.* Выманить деньги обманом у кого-л. СПП 2001, 44.

Загля́дывать в чужи́е карма́ны. *Разг. Неодобр.* Интересоваться чужими доходами. ТС XX в., 233.

Карма́ны кре́пкие *у кого. Новг.* О жадном, скупом человеке. Сергеева 2004, 133.

Клепа́ть карма́ны. *Пск.* Богатеть, наживаться. ПОС 14, 191.

Трясти́ карма́ны *чьи. Прост.* Заставлять, принуждать кого-л. тратить деньги. Ф 2, 210.

Чи́стить карма́ны. *Пск. Неодобр.* Воровать, промышлять воровством. СПП 2001, 44; ПОС 14, 6.

Щу́пать карма́ны. *Пск.* Искать денег, испытывая их нехватку. ПОС 14, 6.

КАРМА́НЧИК * В карма́нчике шуми́т *у кого. Пск.* Об обеспеченном, платёжеспособном человеке. ПОС 14, 7.

КАРОЛИ́НА * Кароли́на Ива́новна. *Жарг. угол. Шутл.* 1. Кистень. Грачев, 1995, 14; 1997, 65. 2. Гирька весом 10–20 фунтов, привязанная за верёвку (используется как холодное оружие). СТРА 2003, 386.

КАРПУ́ША * Карпу́ша за нос хвати́ла. *Кубан.* О сильном морозе. СРНГ 13, 98.

КАРСА́Н * Карса́н бы тебя́ (его́ и т. п.) побра́л! *Сиб. Бран.* Восклицание, выражающее досаду, возмущение, негодование. ФСС, 91.

КА́РТА * Ка́рта идёт (пошла́) *кому. Разг.* Обстоятельства складываются удачно для кого-л. Ф 1, 233.

Игра́ть откры́тыми ка́ртами. *Разг.* Действовать с явными, не скрываемыми от других намерениями. НРЛ-81, 91; Мокиенко 2003, 41.

Сесть на ка́рту. *Народн.* Сконфузиться. СРНГ 13, 110.

Ста́вить/ поста́вить на ка́рту *что. Разг.* Рисковать чем-л. (жизнью, честью, общественным положением и т. п.) для достижения какой-л. цели. ФСРЯ, 196; БМС 1998, 253; Ф 2, 182; БТС, 1258.

И ка́рты в ру́ки *кому. Разг.* Кто-л. по своим знаниям, опыту и т. п. наиболее подходит для исполнения чего-л. ФСРЯ, 196; БМС 1998, 253; Глухов 1988, 73.

Как ка́рты ля́гут. *Разг.* Как получится, смотря по обстоятельствам. Елистратов 1994, 189.

Ка́рты на стол. *Разг.* Требование раскрыть тайные намерения, планы. Ф 1, 233.

Класть/ положи́ть ка́рты на стол. *Разг.* То же, что **открывать карты.** БТС, 1272.

Не в карты игра́ть. *Волг. Шутл.* О важном, серьёзном деле. Глухов 1988, 95.

Открыва́ть/ откры́ть (раскрыва́ть/ раскры́ть) [свои́] ка́рты. *Разг.* Переставать скрывать свои намерения, замыслы, планы. Ф 1, 233; ФСРЯ, 384; ЗС 1996, 232.

Порва́ть ка́рты. *Кар.* Погадать кому-л. на картах, раскинуть карты для гадания. СРГК 5, 81.

Пу́тать/ спу́тать (сме́шивать/ смеша́ть) ка́рты *чьи, кому. Разг.* Неожиданным вмешательством, расстраивать чьи-л. замыслы, планы. ФСРЯ, 196; БМС 1998, 253; ЗС 1996, 231.

КАРТ-БЛА́НШ * Дава́ть/ дать (выдава́ть/ вы́дать) карт-бла́нш *кому на что. Книжн.* Предоставлять кому-л. право действовать по собственному усмотрению. < Франц. *carte blanche* — букв. «белый (чистый) лист». БМС 1998, 253; Ф 1, 133.

Получа́ть/ получи́ть карт-бла́нш. *Книжн.* Получать право действовать по собственному усмотрению. БМС 1998, 253.

КАРТИ́НА * Картина Ре́пина «Приплыли». *Жарг. мол. Шутл.-ирон.* 1. О неоправдавшихся надеждах, неудаче, провале. 2. О чём-л. абсурдном, непонятном, запутанном. БСРЖ, 245; Вахитов 2003, 74.

Слёзная карти́на. *Сиб.* О том, что очень жалко, до слёз жалко кому-л. ФСС, 91.

По карти́не. *Сиб.* Напоказ, для вида. ФСС, 91.

Гнать карти́ну. 1. *[кому]. Жарг. мол. Неодобр.* Говорить ерунду, вводить кого-л. в заблуждение. Быков, 51. 2. *перед кем. Жарг. угол.* Пытаться произвести на кого-л. хорошее впечатление. Быков, 51. 3. *Жарг. мол. Неодобр.* Усложнять ситуацию, нагнетать напряжённость. Митрофанов, Никитина, 44.

Наби́ть карти́ну. 1. *Жарг. угол.* Нанести татуировку. Мильяненков, 172; ТСУЖ, 111. 2. *Жарг. бизн.* Поставить печать. Никитина 1998, 175.

Развёртывать/ разверну́ть карти́ну *чего. Книжн.* Подробно излагать, описывать что-л.; раскрывать сущность, содержание чего-л. Ф 2, 113.

Карти́ны кра́сить. *Жарг. угол., мол.* Изготавливать самодельные игральные карты. Урал-98.

КАРТИ́НКА * Бо́жья карти́нка. *Сиб.* Отпечаток растения на камне. СФС, 27; ФСС, 91.

Карти́нка свое́й жи́зни. *Жарг. угол.* Автобиография. Мильяненков, 135.

С карти́нками. *Разг.* С неприличными, нецензурными, грубыми выражениями. СПП 2001, 44.

Весёлые карти́нки. 1. *Жарг. угол. Шутл.* Порнографическое издание, кинофильм. Балдаев 1, 60. 2. *Жарг. шк.* Доска в классе. (Запись 2003 г.) < Образовано шутливой ассоциацией с названием известного журнала для детей дошкольного возраста «Весёлые картинки». ББИ, 42.

Волше́бные карти́нки. *Жарг. нарк.* Галлюцинации (после приёма наркотиков). ФЛ, 99.

Полити́ческие карти́нки. *Жарг. шк. (муз).* «Поэтические картинки» Э. Грига. (Запись 2003 г.).

Рисова́ть карти́нки. *Жарг. угол.* Обманывать кого-л., вымышлять что-л. Мильяненков, 135.

Хоть карти́нки пиши́ *с кого. Волг. Шутл.-одобр.* Об очень красивом человеке. Глухов 1988, 169.

Гнать карти́нку. *Жарг. мол.* 1. Притворяться непонимающим. 2. Лгать, обманывать. 3. Болтать попусту. Максимов, 87.

Без карти́нок. *Разг.* Без грубых, нецензурных выражений. СПП 2001, 44.

КАРТО́НКА * Потрясти́ карто́нкой. *Жарг. студ. Шутл.* Попытаться сдать экзамен. РТР, 02.10.98. < **Картонка** — зачётная книжка.

КАРТО́ФКА * Карто́фка в мунди́ре. См. **Карто́шка в мундире** (КАРТОШКА).

КА́РТОЧКА * Визи́тная ка́рточка *кого, чего. Публ.* Нечто примечательное, дающее наилучшее рекламное представление о ком-л., о чём-л. Мокиенко 2003, 41.

Жёлтая ка́рточка. 1. *Жарг. мол. Шутл.* Психически ненормальный человек. Максимов, 131. 2. *Жарг. мед. Шутл.* Горчичник. (Запись 2004 г.).

Ка́рточка с обезья́ной. *Жарг. студ.* Студенческий билет. (Запись 2003 г.).

Брать/ взять на ка́рточку *кого. Кар.* Фотографировать кого-л. СРГК 1, 199.

Ко́мкать ка́рточку *кому. Пск.* Ругать, отчитывать кого-л. СПП 2001, 44.

Помя́ть (попо́ртить) ка́рточку *кому. Разг. Шутл.-ирон.* Избить кого-л. Быков, 97.

КАРТО́ШКА * Карто́шка (карто́фка) в мунди́ре. *Разг.* Картофель, сваренный в кожуре. БТС, 563; СРГК 1, 313.

Карто́шка в тулу́пах (в штана́х). *Орл.* То же, что **картошка в мундире.** СОГ-1992, 22.

Карто́шка в шинеля́х. *Пск.* То же, что **картошка в мундире.** СПП 2001, 82.

Карто́шка карто́шку догоня́ет. *Волг. Ирон.* О скудной пище бедняка. Глухов 1988, 73.

Раз карто́шка, два карто́шка. *Жарг. арм. Шутл.-ирон.* О меню в солдатской столовой. Лаз., 65.

Насчёт карто́шки дров поджа́рить. *Волг. Шутл.* О мягкой, ненавязчивой просьбе, намеке. Глухов 1988, 93.

Свиня́чьи карто́шки. *Сиб.* Растение хохлатка. Верш. 6, 187.

Сажа́ть карто́шку. *Жарг. муз.* Играть на гитаре быстрыми ударами сверху. БСРЖ, 246.

КА́РТРИДЖ * Ты что, ка́ртриджа объе́лся?! *Жарг. комп. Шутл. или Неодобр.* О странных поступках, действиях человека, который ведет себя подобно сумасшедшему. БСРЖ, 246.

КАРТУ́З * Зайти́ в карту́з. *Пск. Шутл.* Заупрямиться. СПП 2001, 44; ПОС 14, 26.

КАРУСЕ́ЛЬ * Попада́ть/ попа́сть в карусе́ль. *Прост.* Оказываться в сложном, опасном или неприятном положении. Ф 2, 73.

Ката́ться на карусе́лях. *Жарг. мол.* 1. Участвовать в групповом половом сношении. 2. Совершать половой акт с кем-л. Мокиенко, Никитина 2003, 166.

КАРЬЕ́Р * Во весь карье́р. *Волг., Сиб.* Очень быстро. Глухов 1988, 12; ФСС, 91; СФС, 41.

КАСА́НИЕ * В одно́ каса́ние. 1. **(сыгра́ть)**. *Жарг. спорт. (футб, хокк.).* С лету ударить по мячу, шайбе. 2. **(срабо́тать)**. *Разг. Одобр.* Хорошо, слаженно выполнить какую-л. работу. Елистратов 1994, 189; НРЛ-82.

КАСАРЕ́ЦКИЙ * Лома́ть Касаре́цкого. *Орл.* 1. Встречать Новый год. СОГ-1992, 23. 2. Есть что-л. специально приготовленное по случаю торжества. СРНГ 17, 118. 3. Лишать девушку невинности в первую брачную ночь. СРНГ 17, 118.

КА́СКА * Голубы́е ка́ски. *Публ. Нов.* Солдаты ООН. БМС 1998, 254.

Ме́дные ка́ски. *Публ.* Военная верхушка (в США, Англии). НСЗ-80; Мокиенко 2003, 41.

Э́то вам не в неме́цкие ка́ски срать. *Жарг. мол.* О каком-л. важном, серьёзном, ответственном деле. (Запись 2001 г.).

Би́ться ка́ской об лёд. *Жарг. спорт. Шутл.-ирон.* Испытывать неудачу в хоккейной игре. Максимов, 35.

КА́ССА * В ка́ссу. *Жарг. мол. Одобр.* Кстати, к месту; именно то, что нужно. Югановы, 102; Елистратов 1994, 189.

В одну́ ка́ссу. *Жарг. спорт.* Об игре с большим разрывом в очках. БСРЖ, 246.

Не в ка́ссу. *Жарг. мол. Неодобр.* Некстати, неудачно (сказать, сделать что-л.). Югановы, 102; Вахитов 2003, 110.

Ми́мо ка́ссы. *Неодобр.* 1. *Жарг. мол.* Невпопад, некстати. Никитина, 1998, 175. 2. *Жарг. муз.* Неточно, фальшиво. Никитина 1996, 81. 3. *Жарг. мол.* О неудаче, провале. Елистратов 1994, 189.

Не отходя́ от ка́ссы. 1. *Разг.* Сразу, без промедления. 2. *Жарг. мол. Шутл.* Во время полового акта, не прерывая полового акта (о действиях мужчины). БСРЖ, 246.

КАССА́НДРА * Ве́щая Касса́ндра. *Книжн. Ирон.* О прорицателе будущих событий, кажущихся маловероятными. Янин 2003, 57. < Из древнегреческой мифологии. БМС 1998, 254.

КА́СТОР * Ка́стор и По́ллукс. *Книжн.* Два неразлучных друга. < Выражение связано с древнегреческой и древнеримской мифологией. БМС 1998, 254.

КАСТРЮ́ЛЯ * Чи́стить кастрю́лю *кому. Мед. Шутл.* Делать кому-л. аборт. БСРЖ, 247.

КАСТЬ * Из ка́сти в касть. *Кар.* Очень резко, нецензурными словами (выругать кого-л.). СРГК 2, 32.

На все (на ра́зные) ка́сти. *Новг.* То же, что **из касти в касть.** НОС 4, 29.

Пойти́ по ка́стям. *Новг.* Начать портить что-л. НОС 8, 76.

< **Касть** — гадость, мерзость.

КАСЬЯ́Н * Касья́н гля́нул (поглядел, покоси́лся) *на кого.* 1. *Дон.* О сглазе, которому человек, по суеверным представлениям, часто подвергается 29 февраля, в день Касьяна. СДГ 2, 52. 2. *Горьк.* О человеке или животном, заболевшем без видимых причин. БалСок, 46; СРНГ 29, 3. *Дон. Ирон.* О взгляде хмурого человека. СДГ 2, 52.

Касья́н год. *Арх.* Високосный год. АОС 9, 198.

КАТАВА́СИЯ * Навести́ катава́сии. *Новг.* 1. Устроить скандал, драку. 2. Очернить, оговорить кого-л., насплетничать. НОС 5, 128; Сергеева 2004, 176.

КАТА́ЛА * Во́льный ката́ла. *Жарг. карт. Шутл.* Профессиональный игрок в карты. Максимов, 68.

КАТА́НИЕ * Фигу́рное ката́ние. *Жарг. мол. Шутл.* Изощрённый половой акт. УМК, 102.

КАТА́ТЬСЯ * Ката́ться да валя́ться. *Олон.* Лежать без движения (о бумагах, делах). СРНГ 13, 125.

КАТЕГО́РИЯ * Быть в ра́зных весовы́х катего́риях *с кем, с чем. Разг. Шутл.-ирон.* 1. Иметь разное социальное положение, степень влиятельности, значимости и т. п. 2. Иметь различный статус, финансовое положение, условия труда и т. п. (о предприятиях, учреждениях и т. п.). Мокиенко 2003, 41.

КАТЕ́ЛКИ * Разде́лывать кате́лки. *Ворон.* Шалить, озорничать. СРНГ 13, 126.

КА́ТЕР * Торпе́дный ка́тер. *Жарг. шк. Шутл.* Учительница с высоким бюстом. РСЖ, 2002.

КАТЕРИ́НА * Ва́ша Катери́на да на́шей Ори́не двою́родная Праско́вья. *Народн. Шутл.-ирон.* О дальнем родственнике, отдалённом родстве. ДП, 389.

КА́ТКА * Во всю ка́тку. *Арх.* Очень громко. АОС 4, 14.

Дать (зада́ть) ка́тку (ка́тки) *кому. Народн.* Избить, поколотить кого-л. ДП, 221; СПП 2001, 44; ПОС 14, 46.

КАТКИ́ * В катки́ ката́ться. *Ленингр.* Кататься по земле. СРНГ 13, 132.

КАТКО́М * Катко́м ката́ться. *Кар.* Не держаться на ногах. СРГК 2, 333.

Катко́м покати́ться. *Сиб.* Упав, покатиться по земле. ФСС, 143.

КАТО́К * Като́к для вшей. *Жарг. мол. Шутл.* Лысина. Максимов, 74.

Под като́к. *Пск.* До основания, целиком. СПП 2001, 44.

КА́ТОМ * Ка́том ката́ет *кого. Волог.* Кто-л. страдает, мучается от боли. СВГ 3, 46.

Ка́том кати́ть. *Кар.* Делать что-л. быстро, энергично. СРГК 2, 333.

КА́ТОРГА * Рези́новая ка́торга. *Разг. Ирон.* Завод резино-технических изделий «Красный треугольник». Синдаловский, 2002, 157.

Вдоль по ка́торге. *Жарг. арест. Устар.* Бессрочные каторжные работы. СРВС 2, 110, 203.

КАТУ́ХА * Живёт в кату́хе, а ка́шляет по-го́рничному. *Сиб. Ирон.* О человеке, который не по средствам модно одевается. СФС, 72.

КАТУ́ШКА * С кату́шек доло́й. *Прост.* Об упавшем человеке. Ф 1, 234; СОГ-1992, 27; СБГ 5, 30.

Сорва́ться (сойти́, съе́хать) с кату́шек. *Прост. Шутл.* Лишиться рассудка, сойти с ума. Ф 2, 173; Вахитов 2003, 176; Подюков 1989, 195.

Больша́я (по́лная) кату́шка. *Жарг. лаг.* С 1937 г. и до начала 40-х гг.: 20-летний срок заключения, а затем и до 1959 г. — 25-летний. Р-87, 150.

Кату́шка на размо́тке. *Жарг. арест.* Об окончании срока наказания. Балдаев 1, 182; ББИ, 102; Мильяненков, 136.

Коро́вья кату́шка. 1. *Сиб.* Осенняя гололедица (когда коров перестают выгонять в поле). СРНГ 14, 351; СФС, 92; ФСС, 92. 2. *Курск. Шутл.-ирон.* О низкорослом человеке. БотСан, 99.

Ма́лая кату́шка. *Жарг. лаг.* Осуждение на 10 лет (после 1937 г.). Р-87, 150.

На кату́шках. *Жарг. угол. Неодобр.* О ком-л. не в меру бойком. ТСУЖ, 112.

Кату́шки сдать. *Кар.* Умереть. СРГК 2, 333.

Всади́ть (влепи́ть) на по́лную кату́шку. *Жарг. угол.* Определить кому-л. максимальный срок наказания. Б., 104; ТСУЖ, 35.

На всю (на по́лную) кату́шку. *Разг.* 1. До конца, до предела, полностью. 2. Интенсивно, энергично, в полную силу. 3. Очень быстро. Ф 1, 234; ФСРЯ, 196; БТС, 300; Гвоздарев 1982, 182-183; Гвоздарев 1988, 166; БМС 1998, 254; Грачев, Мокиенко 2000, 67; НСЗ-84; БалСок, 27; АОС 4, 15; СБГ 5, 61; Вахитов 2003, 109.

Под кату́шку. *Калин.* Сплошь, дочиста. СРНГ 13, 135.

КАТУШКО́М * Катушко́м ката́ться. *Пск.* Очень радоваться чему-л. СПП 2001, 44.

КАТЫ́Ш * Каты́ш тебя́ (его́ и т. п.) закати́! *Смол. Бран.* Восклицание, выражающее негодование, раздражение. СРНГ 13, 137.

Катышо́м ката́ться. *Кар.* Мучаясь от боли, переворачиваться с боку на бок. СРГК 2, 334.

КА́ТЬКА * Две ка́тьки. *Жарг. мол.* Двести рублей. МК, 11.02.92. < От **Катя, Катька** — сто рублей.

У Ка́тьки. *Жарг. гом.* Название сквера у Александринского театра в Санкт-Петербурге — место встреч гомосексуалистов. Кз., 49.

КАТЮ́ША * Быть на катю́ше. *Пск.* Подвергаться операции аборта. < **Катюша** — гинекологическое кресло. СПП 2001, 44.

КА́ТЯ[1] * Две ка́ти. *Жарг. угол., мол.* Двести рублей. Балдаев 1, 104. < На дореволюционных сторублёвых купюрах был напечатан портрет императрицы Екатерины II, отсюда **катя** — сто рублей. ТСУЖ, 82.

Ка́тя два. *Жарг. студ. (ист.).* Императрица Екатерина-II. (Запись 2003 г.).

КА́ТЯ[2] * Зада́ть ка́тю *кому. Ряз.* Наказать, побить кого-л. СРНГ 13, 138.

КА́ТЯ[3] * Переда́ть (присла́ть) Ка́те *сколько* **поцелу́ев.** *Жарг. угол., арест., нарк.* Просьба выслать определенное количество наркотика (чаще — о кодеине). ТСУЖ, 82; Грачев 1994, 15; Грачев 1996, 33. < **Катя** — кодеин.

КАФЕ́ * Кафе́ «Ручеёк». *Жарг. шк. Шутл.* Школьный туалет. Максимов, 173.

КАФТА́Н * Кафта́н с подкла́дкой *у кого. Народн.* О богатом человеке. ДП, 85; БМС 1998, 254.

Три́шкин кафта́н. *Разг. Ирон.* О непродуманном, небрежном и поспешном устранении одних недостатков, которое влечет за собой возникновение других. ФСРЯ, 196; БТС, 1346; Ф 1, 234; БМС 1998, 255; Мокиенко 1990, 92.

КАЧА́ЛКА * Едри́ (ядри́) тебя́ (вас, его́ и пр.) в кача́лку! *Прост. Бран.* Выражение досады, негодования, возмущения. Мокиенко, Никитина 2003, 166. < **Качалка** — женские гениталии.

КАЧА́ЛОВО * Разводи́ть кача́лово.

Жарг. крим. Неодобр. Спорить, выяснять отношения. Быков, 98.

КАЧА́Н * Кача́н кукуру́зы. *Жарг. угол.* Наган. БСРЖ, 248.

Сруби́ть кача́н *кому. Волг.* Строго наказать, побить кого-л. Глухов 1988, 153.

КАЧА́НЬЕ * Кача́ньем кача́ть. *Вят.* Долго пилить дрова. СРНГ 13, 142.

КАЧЕ́ЛИ * Каче́ли с ви́сом. *Жарг. мол.* Половой акт в положении стоя. Балдаев 1, 182; ББИ, 102.

Сде́лать каче́ли *кому. Жарг. угол., арест.* Убить кого-л., положив ему на грудь доску и прыгнув на неё вдвоем. Кор., 255.

КАЧЕ́ЛЬ * Мать твою́ (ва́шу, его́ и пр.) **в каче́ль!** *Прост. Бран.* Выражение гнева, негодования. Мокиенко, Никитина 2003, 166.

Туды́ (растуды́) твою́ (ва́шу, его́ и пр.) **каче́ль!** *Прост. обл. Бран.* 1. Пожелание зла, несчастья; проклятие: пропади ты (вы, он и пр.)! Будь ты неладен! 2. Выражение крайнего недовольства, раздражения, злобы. < **Качель** зд. — то же, что **качалка.** Подюков 1989, 208; Мокиенко, Никитина 2003, 166.

Туды́ тебя́ (вас, его и пр.) **в каче́ль [карусе́лью]!** *Прост. Бран.* То же, что **туды твою качель!** Мокиенко, Никитина 2003, 166.

КА́ША * Ба́бья ка́ша. 1. *также* **ба́бьи ка́ши.** *Ворон., Дон. Калуж.* Рождественское гулянье женщин у повитухи. СРНГ 2, 18; СДГ 1, 9. 2. *Прост. Устар.* Встреча, посиделки (обычно у близких людей). БМС 1998, 255.

Берёзовая (кали́новая) ка́ша. *Прост.* 1. Порка розгами. БМС 1998, 255. 2. Розги. ФСРЯ, 196; Ф 1, 235; Янин 2003, 26. 2. *Прост. Устар.* Розги. ШЗФ 2001, 19. // *Кар. Шутл.* Прут, ветвь, тонкая гибкая палочка. СРГК 2, 306.

Гу́рьевская ка́ша. *Жарг. угол.* Избиение. Балдаев 1, 97; ББИ, 61.

Ка́ша в голове́ *у кого. Прост. Неодобр.* 1. О путанице, отсутствии ясности в мыслях. ФСРЯ, 196; ЗС 1996, 334; БМС 1998, 255. 2. О глуповатом, необразованном человеке. СПП 2001, 44; Глухов 1988, 74.

Ка́ша во рту *у кого. Разг. Неодобр.* О чьей-л. невнятной речи, непонятном произношении. ФСРЯ, 197; БМС 1998, 255.

Ка́ша завари́лась. *Разг. Неодобр.* Началось сложное, хлопотное или неприятное дело. ФСРЯ, 197; БМС 1998, 255.

Ка́ша замёрзла в чердаке́ *у кого. Жарг. мол. Шутл.-ирон.* О глупом человеке. Максимов, 145.

Ка́ша из топора́. *Разг. Шутл.* О чём-л. стоящем, сделанном, несмотря на нехватку компонентов, которые входят в его состав. < Выражение из сказки о солдате и жадной хозяйке. Дядечко 2, 141-142.

Ка́ша с ве́ником. *Жарг. мол. Пренебр.* Плохо приготовленная пища. Максимов, 57.

Ка́ша с воробья́ми. *Пск.* Блюдо из гороховой каши с кусочками свинины. ПОС 14, 67.

Ма́йская ка́ша. *Дон.* Растение подмаренник крестовидный. СДГ 2, 128.

Ма́нная ка́ша. *Жарг. мол. Шутл.* Толстая (часто — пористая) подошва на обуви. Никитина, 1998, 177.

Ри́совая ка́ша. *Жарг. шк. Шутл.* Рисование. (Запись 2003 г.) < От **рис** — рисование.

Цыпля́чья ка́ша. *Смол. Шутл.* О пшённой каше. ССГ 11, 94.

Быть в ка́ше. *Сиб.* Участвовать в каком-л. деле. ФСС, 20.

В ка́ше косте́й не вида́л. *Пск. Шутл.-ирон.* О мало испытавшем, неопытном человеке. Кузнецов, 158; ПОС 14, 66.

Найти́ в ка́ше ко́стку. *Пск.* Обнаружить что-л. тщательно скрываемое. ПОС 14, 66.

Ка́шей задави́вши. *Новг. Ирон.* Об очень старом человеке. Сергеева 2004, 143.

Накорми́ть (угости́ть) берёзовой ка́шей *кого. Разг.* То же, что **дать берёзовой каши.** БМС 1998, 255; Мокиенко 1990, 60, 160.

Ба́бьи ка́ши. См. **Бабья каша.**

Дать (зада́ть) берёзовой ка́ши *кому. Прост. Шутл.* Высечь, выпороть кого-л.; побить, поколотить кого-л. ФСРЯ, 197; БМС 1998, 255; СПП 2001, 44; ШЗФ 2001, 60; Мокиенко 1990, 48, 109, 160.

Еда́ть берёзовой ка́ши. *Кар.* Быть наказанным. СРГК 2, 20.

Ка́ши не сва́ришь *с кем. Разг. Неодобр.* О человеке, с которым невозможно договориться о чём-л., совместно сделать что-л. ФСРЯ, 197; БМС 1998, 257; СПП 2001, 44; Ф 2, 141; ЗС 1996, 33, 284; ДП, 241.

Ка́ши проси́ть. *Прост. Шутл.-ирон.* Быть дырявым, разорванным (об изношенной обуви, реже — одежде). ФСРЯ, 197; БМС 1998, 256; ДП, 586-587; Жиг. 1969, 275.

Ма́ло ка́ши ел. *Прост. Шутл.-ирон. или Презр.* 1. О физически слабом молодом человеке. 2. О неопытном, несведущем в чём-л. человеке. ФСРЯ, 197; БМС 1998, 256; СПП 2001, 44.

Навари́ть ка́ши. *Пск. Неодобр.* Сделать, совершить много чего-л. нежелательного. СПП 2001, 44.

Отды́хать до у́тренней ка́ши. *Жарг. мол. Шутл.* Перестать донимать кого-л., оставить в покое кого-л. Вахитов 2003, 121.

Бить ка́шу. *Брян.* Раздавать кашу гостям во время совершения обряда крещения. СБГ 1, 55.

Бить под ка́шу *кого. Чкал.* Бить в верхнюю часть живота, под грудную клетку. СРНГ 13, 148.

Вари́ть ка́шу. 1. *Пск.* Виться облаком, столбом (о насекомых). СПП 2001, 44. 2. *Волог.* Играть в прятки. СВГ 3, 50.

Вари́ть ка́шу на мазу́риках. *Новг.* Обманывать, обсчитывать невнимательных людей. НОС 1, 108; Сергеева 2004, 229.

Забели́ть ка́шу. *Волг.* Уладить дело, помирить ссорящихся. Глухов 1988, 44.

Зава́ривать/ завари́ть ка́шу. 1. *Разг. Неодобр.* Затевать, начинать сложное, хлопотное или неприятное дело. ФСРЯ, 197; БТС, 312; ШЗФ 2001, 77; БМС 1998, 257; СОСВ, 84. 2. *Пск.* Начать скандал, ссору. СПП 2001, 44.

Класть/ положи́ть на (за) ка́шу. 1. *Орл., Прикам., Сиб.* Дарить деньги родителям ребёнка на крестинах. СОГ-1992, 40-41; ФСС, 934 МФС, 46; СРНГ 29, 100. 2. *Орл.* Одаривать молодых во время свадьбы. СОГ-1992, 40-41.

Моли́ть ка́шу. *Ворон.* Есть кашу, сваренную на молоке в первый раз после отёла, сопровождая еду молитвой. СРНГ 18, 218.

Не дать плю́нуть себе́ в ка́шу. *Сиб.* не дать себя в обиду, постоять за себя. ФСС, 55.

Поднима́ть ка́шу. *Симб.* Делать складчину для сироты в день крестин. СРНГ 28, 272.

Расхлёбывать/ расхлеба́ть ка́шу. *Разг. Неодобр.* Распутывать сложное, хлопотное или неприятное дело. БМС 1998, 258; ФСРЯ, 197; Мокиенко 1990, 93.

Свари́ть ка́шу *с кем. Пск.* Договориться, найти общий язык с кем-л. СПП 2001, 44.

Чини́ти (чини́ть) ка́шу. *Разг. Архаич.* Устраивать свадебный пир. БМС 1998, 258.

КА́ШЕЛЬ * [И] ка́шель и пердёж — ничего́ не разберёшь. *Вульг.-прост. Ирон.* О звуках, издаваемых стариками. Мокиенко, Никитина 2003, 167.

Сиде́ть за ка́шель. *Жарг. лаг.* Находиться в заключении «за подавание в другую камеру условных сигналов посредством кашля». Р-87, 151; 356.

КАШИ́ЦА * Желе́зная каши́ца. *Новг. Неодобр.* Жадный, скупой человек. НОС 4, 34.

Зада́ть каши́цу *кому. Народн.* Досадить, доставить неприятности кому-л. ДП, 133.

КА́ШКА * Дать берёзовой ка́шки. *Пск.* То же, что **дать берёзовой каши (КАША).** ПОС 14, 70.

[Класть] на ка́шку. *Перм.* То же, что **класть на кашу (КАША).** СГПО, 229.

КАШТА́Н * Таска́ть кашта́ны из огня́. *Книжн. Неодобр.* исполнять трудную, связанную с немалым риском работу, результатами которой пользуются другие. < Фраза из басни Ж. Лафонтена «Обезьяна и кот» (1678 г.). БМС 1998, 258.

КАЮ́К * Зада́ть каю́к *кому.* 1. *Сиб.* Убить кого-л. СРНГ 13, 155; СФС, 75; ФСС, 76. 2. *Обл.* Избить кого-л. Мокиенко 1990, 48.

Каю́к пришёл *кому. Жарг. угол., Прост.* Кто-л. умер, скончался. БМС 1998, 259; БСРЖ, 249; Грачев, Мокиенко 2000, 85.

КАЮ́Р * Ходи́ть в каю́ры. *Камч.* Отбывать ямскую повинность. СРНГ 13, 155.

КВАДРА́Т * Квадра́т в квадра́те. *Жарг. мол. Пренебр.* О крайне тупом, безнадёжно глупом человеке. < **Квадрат** — глупый, несообразительный чаловек. Никитина 1996, 82.

Квадра́т твою́ гипотену́зу! *Жарг. шк. Бран.* Выражение досады, раздражения, негодования. ВМН 2003, 62.

Маги́ческий квадра́т. *Книжн.* Квадрат, разделённый на части, в каждую из которых вписана цифра, дающая в сумме вместе с другими по горизонтали, вертикали или диагонали одно и то же число. БТС, 512.

Топта́ть квадра́т. *Жарг. угол.* Отбывать срок наказания в тюрьме. Елистратов 1994, 191.

Чёрный квадра́т. *Жарг. студ. Шутл.* Доска. ВМН 2003, 62.

Вы́дать два квадра́та *кому. Жарг. угол.* Убить кого-л. Балдаев 1, 75; ББИ, 50.

Два в квадра́те. *Жарг. шк. Шутл.* Учитель математики. Аврора, 1993, № 8, 158.

КВАДРАТУ́РА * Квадрату́ра кру́га. *Книжн.* О неразрешимой задаче, о чём-л. абсолютно невозможном, недостижимом. Ф 1, 235; БМС 1998, 259. < Из древней математической задачи. Дядечко 2, 142.

Иска́ть (оты́скивать) квадрату́ру кру́га. *Книжн. часто Ирон.* Пытаться решить неразрешимую задачу, добиться невозможного. БМС 1998, 259.

КВАРТА́Л * Чёрный кварта́л. *Разг., угол.* Неблагоустроенный рабочий поселок. ББИ, 143.

КВАРТИ́РА * Дворя́нская кварти́ра. *Сиб. Устар.* Постоялый двор, гостиница. ФСС, 92.

Кварти́ра две́сти. *Жарг. мол. Шутл.-ирон.* Гроб. Никитина 2003, 269.

Раста́скивать/ растащи́ть по национа́льным кварти́рам *что. Публ. Неодобр.* Распределять, разделять общегосударственное достояние по национальному принципу (при распаде бывшего СССР). СП, 128.

Позвони́ть в кварти́ру. *Жарг. арест. Шутл.* Раздавить клопа на стене камеры. ТСУЖ, 71.

КВАС * А́томный квас. *Башк. Шутл.* Квас, приготовленный из концентрата. СРГБ 1, 24.

Гу́си́ный квас. *Прикам. Шутл.-ирон.* Вода. МФС, 46.

Квас целова́л нас. *Новг.* О частом употреблении кваса летом. НОС 4, 35.

Клю́квенный квас. *Жарг. угол.* Кровь. Трахтенберг, 28; ТСУЖ, 83; Елистратов 1994, 191; СРВС 1, 120, 202; СРВС 2, 43; СРВС 3, 185; Ларин 1931, 128.

Ни [в] квас, ни [в] лави́ну. *Пск. Неодобр.* Не к месту, некстати, невпопад (сказать). СПП 2001, 44. < **Лавина** — осадок от кваса.

Пуска́ть [клю́квенный] квас *кому. Жарг. угол.* Наносить кому-л. колотые или резаные раны. СРВС 2, 43, 74; ТСУЖ, 83, 149; Балдаев 1, 363.

Из кв́асов нейти́. *Яросл.* Постоянно болеть. ЯОС 4, 133.

С како́го кв́асу? *Прикам.* По какой причине, с какой стати? МФС, 46; Подюков 1989, 90.

КВАСО́К * С кваско́м. *Пск.* О своевольном человеке, человеке с характером. СПП 2001, 44.

Ни квасо́к ни заква́ска. *Народн. Неодобр.* О чём-л. неопределённом или посредственном. ДП, 473.

Тот же квасо́к, да по друго́й воде́. *Народн. Неодобр. или Ирон.* О нежелательном повторении чего-л. ДП, 855.

КВАСЦЫ́ * Не выходи́ть из квасцо́в. *Волг. Дон.* Постоянно болеть. СДГ 2, 55; Глухов 1988, 96.

КВАШНЯ́ * Замеси́ть в чёрной квашне́ *кого. Пск.* Очернить, оклеветать кого-л. СПП 2001, 44; ПОС 14, 83.

Из одно́й квашни́. *Прибайк.* О людях, одинаковых по происхождению, схожих по образу жизни, характеру и т. п. СНФП, 78.

Квашня́ монасты́рская. *Новг. Ирон. или Пренебр.* О полном, тучном человеке. НОС 4, 36.

Квашня́ ски́сла *у кого. Перм. Шутл.* Пришло время заводить детей кому-л. Подюков 1989, 90; Мокиенко, Никитина 2003, 167.

КВИТО́К * Идти́ на квито́к. *Тул.* Заключать сделку; мириться с кем-л. СРНГ 13, 168.

КВО́МУТ * Кво́мут с тобо́й (с ним и т. п.)! *Волог. Бран.* Восклицание, выражающее раздражение, нежелание продолжать общение, иметь дело с кем-л. СВГ 3, 53.

КВО́ЧКА * Кво́чка с цыпля́тами. *Жарг. угол.* Пистолет с патронами. Балдаев 1, 183; ББИ, 103.

КЕ́ВКА Скать ке́вки. *Пск. Неодобр.* Бездельничать. (Запись 1994).

КЕ́ГЛЯ * Шевелить кеглей. *Жарг. мол. Шутл.* Думать, соображать. Елистратов 1994, 192. < **Кегля** — голова.

Отбро́сить (отки́нуть) ке́гли (ке́ды). *Жарг. мол. Шутл.-ирон.* Умереть. Никитина, 1996, 83; Югановы, 63. < **Кегля** — нога.

Распусти́ть ке́гли. *Жарг. мол.* Начать драться. Вахитов 2003, 157.

Щёлкать/ щёлкнуть ке́глями. *Жарг. мол.* 1. Тепло прощаться с кем-л. 2. Умирать. Вахитов 2003, 157.

КЕ́ДЫ * Вы́ставить (задви́нуть) ке́ды. *Жарг. мол. Шутл.* Умереть. Запесоцкий, Файн, 54; Максимов, 139.

Ке́ды в у́гол поста́вить. *Жарг. мол. Шутл.-ирон.* 1. То же, что **выставить кеды.** WMN, 42; ЖЭСТ-2, 277. 2. Очень сильно удивиться, быть потрясённым чем-л. Югановы, 179.

Отбро́сить (отки́нуть) ке́ды. См. **Отбросить кегли (КЕГЛЯ).**

Соса́ть ке́ды. *Жарг. шк.* Плохо отвечать у доски, на экзамене. (Запись 2003 г.).

КЕЙС * Ке́йсом по фе́йсу *кому. Шутл.-ирон.* 1. *Жарг. шк.* Об ударе портфелем по голове. 2. *Жарг. мол.* О ситуации неприятного удивления, недоумения, разочарования. БСРЖ, 250. < **Кейс** — портфель, чемоданчик-«дипломат»; **фейс** — лицо.

КЕЙФ * Де́лать кейф. *Разг. Устар.* Проводить время в безделье. Ф 1, 144.

КЕКС * Бу́рый кекс. *Жарг. мол.* Деловой человек. Максимов, 49.

Му́тный кекс. *Жарг. мол. Неодобр.* Непорядочный, ненадёжный человек. БСРЖ, 250.

КЕ́НЫ * Держа́ть ке́ны *[с кем]. Жарг. угол.* Сводить счёты с кем-л. ТСУЖ, 47.

КЕ́ПКА * На ке́пке. *Жарг. муз.* Перед публикой на улице (играть, петь). Митрофанов, Никитина, 85.

Уйти́ под ке́пку. *Жарг. журн., полит.* Получить покровительство мэра Москвы Ю. Лужкова. МННС, 139.

КЕ́ПОЧКА * Под ке́почкой. *Жарг. мол.* Место встречи у памятника В. И. Ленину на Московской площади в Ленинграде–Санкт-Петербурге. Синдаловский, 2002, 144.

КЕРЖА́К * Променя́ть кержако́в на лешако́в. *Алт.* Забыть старые традиции, обычаи, правила. СРГА 2-II, 32. < **Кержак** — старообрядец.

КЕРОСИ́Н * Го́лый кероси́н. *Жарг. мол. Пренебр.* Алкоголик, пьяница. Никитина 2003, 272.

Рабо́тать на кероси́не. *Жарг. мол. Шутл.* Пить спиртное, пьянствовать. Елистратов 1994, 192.

Па́хнет кероси́ном. *Жарг. угол.* О приближающейся опасности, острой ситуации. Ф 2, 36; ТСУЖ, 83. < Ср. разг. **дело пахнет керосином.**

Нали́ть кероси́ну *кому. Жарг. угол. Неодобр.* Оклеветать кого-л. Балдаев 1, 270.

Подли́ть кероси́ну *кому. Новг.* Отказать при сватовстве кому-л. НОС 8, 38; Сергеева 2004, 236.

КЕФИ́Р * Гнать кефи́р. *Жарг. мол. Шутл.* Онанировать. Декамерон 2001, № 3.

Кефи́р на жи́жу разводи́ть. *Жарг. мол. Шутл.* Лгать, обманывать. Максимов, 132.

Пролива́ть кефи́р *на кого. Жарг. мол.* Предъявлять претензии к кому-л., ругать кого-л. Вахитов 2003, 151.

Пи́сать кефи́ром. *Жарг. мол.* Льстить кому-л., выслуживаться перед кем-л. Максимов, 314.

Хоть зале́йся всё кефи́ром! *Жарг. мол. Шутл.* О безразличии ко всему. Елистратов 1994, 155.

КЕЧЕШИ́НА * Наби́ть кечеши́ну. *Кар.* Наесться досыта. СРГК 2, 342.

КЕ́ША * Ни ке́ши ни киселя́ *с кого. Пск. Неодобр.* О бесполезном, никчёмном человеке. < **Кеша** — ржаная мука. ПОС 14, 102.

КЕ́Я * Плю́хнуться на ке́ю. *Жарг. комп. Шутл.* Нажать клавишу на клавиатуре. Садошенко, 1996. < **Кея** — клавиатура (англ. *keybord*).

КИБИ́ТКА * Иди́ киби́тки кра́сить! *Разг. Бран.* Требование уйти, оставить в покое кого-л. НВ, 1997, № 35, 48. < Эвфем. от нецензурной брани.

Откры́ть киби́тку. *Неодобр.* Начать говорить, болтать. Гд. ПОС 14, 103.

КИ́ВЕР * Без ки́вера (ки́веру). *Кар.* В беспамятстве. СРГК 2, 343.

КИДО́К * Кидко́м броско́м. *Кар. Неодобр.* То же, что **кидком да швырком.** СРГК 2, 344.

Кидко́м да швырко́м. *Прост. Неодобр.* Наскоро, кое-как, торопливо. Ф 1, 236.

КИЗУ́ЛЯ * Наби́ть кизу́лю. *Кар.* Наесться досыта. СРГК 2, 345.

КИЗЯ́К * Мета́ть кизя́к. *Жарг. мол. Шутл.* Испражняться. Я — молодой, 1996, № 13.

КИЙ * Толкну́ть ки́ем. 1. *что. Жарг. угол.* Продать или перепродать краденое. Балдаев 2, 80. 2. *кого. Жарг. мол.* Совершить половой акт с кем-л. (о мужчине). Никитина 2003, 273.

КИКИ́МОРА * Кики́мора боло́тная. *Прост. Бран.* 1. О некрасивом, неопрятно одетом человеке. 2. О нелюдимом и угрюмом человеке. < **Кикимора** — женский персонаж русской мифологии. БМС 1998, 260; Мокиенко 1986, 176; НОС 4, 40.

КИ́ЛА́ * Вот тебе́ карто́фельная ки́ла. *Горьк.* Слова, которые говорят отстающему в уборке картофеля, забрасывая на его участок несколько связанных стеблей ботвы вместе с плодами. БалСок, 28.

Ки́ла́ варайду́чая. *Кар. Неодобр.* О ворчливой женщине. СРГК 2, 345.

Моржо́вая кила́. *Онеж. Бран.* О надоедливом ребёнке. СРНГ 13, 206.

Рассыпна́я кила́. *Яросл.* По суеверным представлениям — болезнь, пущенная по ветру путём колдовства. ЯОС 8, 125.

Вести́ килу́. *Перм. Шутл.-ирон.* Отставать от остальных, быть последним. Подюков 1989, 21.

Дать килу́ *кому. Волог.* Превзойти кого-л. в чём-л., победить кого-л. СВГ 3, 55.

Погова́ривать ки́лу. *Влад.* Ворчать. СРНГ 13, 206.

Напуска́ть/ напусти́ть килы́ по ве́тру. *Дон. Устар.* То же, что **садить килу.** СДГ 2, 168.

На́ тебе килу́. *Кар.* Слова, которые говорят отстающему в работе, подавая при этом палку с привязанным на конце сеном. СРГК 2, 345.

Сади́ть/ посади́ть килу́ *кому. Прикам.* По суеверным представлениям — вызвать у кого-л. болезнь колдовством. МФС, 80.

КИ́ЛЛЕР * То́лько за ки́ллером посыла́ть *кого. Крим. Шутл.-ирон. или Неодобр.* О медлительном, нерасторопном человеке. РТР, 07.02.01.

КИЛОГРА́ММ * Два килогра́мма вме́сте с боти́нками. *Жарг. мол. Шутл.-ирон.* О худом человеке маленького роста. Максимов, 42.

КИЛОМЕ́ТР * За сто пе́рвый киломе́тр. *Разг. Шутл.-ирон.* В глухую провинцию. (Запись 1997 г.).

Сто пе́рвый киломе́тр. 1. *Жарг. угол.* Место высылки. Грачев, Мокиенко, 155. 2. *Жарг. угол. Ирон.* Кладбище. Грачев, Мокиенко, 155. 3. *Разг. Ирон.* Город Луга Ленинградской области, куда за так называемый 101-й километр ссылали за административные нарушения. Синдаловский, 2002, 175-176.

Нас мно́го, и мы на ка́ждом киломе́тре. *Жарг. арм., курс. Шутл.* Кросс на 15 км. БСРЖ, 254.

За де́сять киломе́тров киселя́ хлеба́ть. *Пск.* Напрасно идти, отправляться куда-л. далеко. ПОС 14, 142.

За больши́е киломе́тры. *Арх.* Очень далеко. АОС 2, 70.

Крути́ть (накру́чивать) киломе́тры. *Жарг. авто.* Ездить на большие расстояния. Мокиенко 2003, 42.

КИЛЬ * Проби́ть киль *кому. Жарг. угол.* Сильно избить кого-л. Балдаев 1, 185; ББИ, 104; Мильяненков, 138; Елистратов 1994, 194.

Передвига́ть киля́ми. *Жарг. мол. Шутл.* Идти, шагать. БСРЖ, 254.

КИЛЬВА́ТЕР * Плыть (идти́, сле́довать) в кильва́тере. *Разг. Неодобр. или Ирон.* Следовать неотступно за кем-л., сопровождать кого-л. БМС 1998, 260.

КИМ * Держа́ть ким. *Жарг. угол.* Спать. ТСУЖ, 47; Быков, 100; Балдаев 1, 108. < **Ким** — сон.

КИМВА́Л * Кимва́л бряца́ющий (звуча́щий). *Книжн. Архаич. Презр.* О пышных, торжественно звучащих фразах, за которыми пустое и бесплодное содержание. Ф 1, 236-237. < Выражение из Библии; **кимвал** — древний музыкальный инструмент типа литавров. БМС 1998, 260.

КИМОНО́ * Кимоно́-то херова́то. *Жарг. мол. Шутл.* О чём-л. японском. Щуплов, 392.

КИНЖА́Л * Кинжа́л ему́ в грудь по са́мую рукоя́тку! *Прост. Бран.* Пожелание зла, проклятие в чей-л. адрес. Мокиенко, Никитина 2003, 167.

КИНКО́М * Кинко́м ки́нуть *что. Сиб. Пренебр.* Швырнуть, небрежно бросить что-л. ФСС, 92.

КИНО́ * Вазели́новое кино́. *Жарг. кино, ТВ. Шутл.-ирон.* Кадры, снятые с фильтром, размывающим изображение. БСРЖ, 254.

Кино́ и не́мцы! *Жарг. мол. Шутл.* О чём-л. смешном, удивительном. Смирнов 2002, 91; БСРЖ, 254.

Крути́ть кино́. *Жарг. угол.* Думать, размышлять; вспоминать что-л. ТСУЖ, 93.

КИП * Кипа́м кише́ть. *Пск.* О большом количестве насекомых. СПП 2001, 44.

Ки́пом кипе́ть. 1. *Яросл.* Бурно, сильно кипеть. ЯОС 5, 30. 2. *Кар.* Энергично, много работать. СРГК 2, 347. 3. *Яросл. Неодобр.* Проявлять излишнюю энергию, горячиться. ЯОС 5, 30. 4. *Беломор.* Появляться в большом количестве (о насекомых, рыбах и т. п.). Мокиенко 1986, 110.

КИ́ПА * Е́здить с ки́пами. *Вят.* Возить товар. СРНГ 13, 214.

КИПЕ́НИЕ * Довести́ до бе́лого кипе́ния *кого. Новг.* Рассердить, разозлить кого-л. НОС 4, 41.

КИ́ПЕНЬ * Ки́пень кипе́ть. *Новг.* То же, что **кипом кипеть 4.** НОС 4, 42.

Ки́пнем (кипьмя́) кипеть. *Орл., Ряз.* 1. То же, что **кипом кипеть 2. (КИП).** 2. То же, что **кипом кипеть 4.** СОГ-1992, 35; Мокиенко 1986, 110.

КИПЕТУ́ЛИНА * Свари́ть кипету́лины. *Новг. Шутл.* Вскипятить воды. НОС 10, 18.

КИ́ПИШ * Не в кипиш. *Жарг. мол.* 1. Легко, без проблем, запросто. Я — молодой, 1996, № 18-19. 2. Неприятно, не хочется. БСРЖ, 255. < **Кипиш** — хлопоты, суета; скандал, шум.

КИПМЯ́ * Кипмя́ кипе́ть. *Яросл.* Спориться, гореть в руках (о деле, работе). ЯОС 5, 30.

КИПЬ * Кипь кипи́т. *Пск.* 1. О шумном веселье. СПП 2001, 44. 2. О большом скоплении людей где-л. Мокиенко 1986, 110.

КИПЬЁ * Кипьём кипе́ть. *Кар.* То же, что **кипно кипеть 2 (КИПНО).** СРГК 2, 347.

КИПЬМЯ́ * Кипьмя́ кипе́ть. См. **Ки́пнем кипеть (КИПЕНЬ).**

КИ́ПНО * Ки́пно кипе́ть. 1. *Новг.* То же, что **кипом кипеть 2. (КИП).** НОС 4, 42. 2. *Новг., Кар.* О большом количестве чего-л. НОС 4, 42; СРГК 2, 347.

КИПУ́Н * Кипу́н тебе́ на язы́к! *Кар.* Недоброе пожелание тому, кто говорит то, что не следует. СРГК 2, 348.

КИПЯТО́К * Ссать (пи́сать) кипятко́м, *чаще с отриц. Жарг. мол. Ирон. или Неодобр.* 1. Спешить, суетиться. Митрофанов, Никитина, 87. 2. Бояться, опасаться чего-л. Митрофанов, Никитина, 87. 3. Чрезмерно радоваться, бурно демонстрировать свой восторг. УМК, 103. 4. Быть в хорошем настроении от чего-л. УМК, 103; Югановы, 105. 5. Испытывать любую сильную эмоцию. Елистратов 1994, 194.

Ходи́ть кипятко́м. *Жарг. мол. Шутл.-ирон.* Изумляться чему-л., восторгаться чем-л. Никитина, 1996, 85.

Слива́й кипято́к. *Жарг. мол.* Требование прекратить разговор или какое-л. действие. Щуплов, 440.

КИР * Заки́нуть кир. *Жарг. мол.* Выпить спиртного. Никитина, 1996, 85. < **Кир** — алкогольные напитки, спиртное.

Быть под ки́ром. *Жарг. мол.* Находиться в состоянии алкогольного опьянения. Хом. 1, 145.

КИРЗА́ * Задви́нуть кирзу́. *Жарг. арм.* Надеть сапоги. Лаз., 55.

КИРКА́ * Кирко́й подпоя́санный. *Жарг. Лаг. Шутл.-ирон.* Добросовестный рабочий. Р-87, 154.

КИРПИ́Ч * [Вдруг] кирпи́ч на го́лову упадёт *кому. Разг. Шутл.*-ирон. О непредсказуемости жизненных ситуаций: всё может неожиданно случиться, никто не гарантирован от случайностей. БСРЖ, 256.

Догони́ меня́, кирпи́ч. *Жарг. шк. Шутл.* Об уроке физкультуры. ВМН 2003, 63.

Где мой дежу́рный кирпи́ч? *Жарг. мол. Шутл.* Угроза избить, ударить кого-л. Елистратов 1994, 195.

Кирпи́ч с не́ба. *Жарг. мол.* О чём-л. неожиданном, вызвавшем удивление. Никитина 2003, 277.

Кирпи́ч со смы́слом. *Жарг. шк. Шутл.* Учебник. ВМН 2003, 63.

Купи́ть/ покупа́ть кирпи́ч. *Жарг. угол. Шутл.-ирон.* Стать жертвой обмана (купив у кого-л. некачественный или вообще не существующий товар). БСРЖ, 256.

Носи́ть кирпи́ч в па́зухе. См. **Носить кулак в пазухе (КУЛАК).**

Обожжённый кирпи́ч. *Народн.* Об опытном, бывалом человеке. ДП, 490.

Проглоти́ть кирпи́ч. *Жарг. мол. Шутл.* Замолчать. БСРЖ, 256.

Прода́ть кирпи́ч *кому. Жарг. угол. Шутл.-ирон.* 1. Ударить кого-л. по голове. 2. Ограбить кого-л. Балдаев 1, 357; Мильяненков, 138.

Спи́сывать/ списа́ть на кирпи́ч *что. Жарг. мил. Шутл.-ирон.* Сваливать вину на случайность, непредвиденные обстоятельства (обычно — при травматизме, ранениях кого-л.). < От оборота **[вдруг] кирпич на голову упадёт** *кому.* БСРЖ, 256.

Чёрный кирпи́ч. *Сиб.* Плиточный чай. ФСС, 93.

На девя́том кирпиче́. *Арх.* 1. Очень далеко. 2. Очень высоко. АОС 10, 402.

КИРПИЧИ́НА * Пско́вская кирпичи́на. *Пск. Бран.* О грубом, дерзком, драчливом человеке. СПП 2001, 44.

Кирпичи́ну обмыва́ть. *Кар.* Устраивать выпивку по случаю окончания кладки печи. СРГК 4, 92.

КИСА́ * Ходи́ть/ пойти́ с кисо́й. *Пск.* Просить милостыню, побираться. ПОС 14, 137.

Растрясти́ кису́. *Пск.* Потратить свои деньги, опустошить кошелек. ПОС 14, 137.
< **Киса́** — холщёвая сумка на лямке, которую носят на плече.

КИ́СА * Насы́пать в ки́су *кому. Жарг. мол. Шутл.* Избить кого-л. Расо-2003.

КИ́СЕЛИЦА * Воро́нья ки́селица. *Арх.* Растение щавель. АОС 5, 96.

Кисе́лица с одного́ решета́ *кому. Пск.* Всё равно, безразлично, одинаково кому-л. что-л. ПОС 14, 139.

КИ́СЕЛКА * Воро́нья ки́селка. *Кар.* Растение конский щавель. СРГК 2, 350.

Соба́чья ки́селка. *Кар.* Полевой щавель. СРГК 2, 350.

КИСЕ́ЛЬ * Надава́ть киселе́й *кому. Народн.* Избить, поколотить кого-л. СРНГ 13, 227.

Накорми́ть киселём *кого. Народн.* То же, что **надавать киселей.** СРНГ 13, 227.

Белгоро́дский кисе́ль. *Разг. Устар. Шутл.* О чьём-л. ловком и хитроумном обмане, уловках. < Связано с рассказом о белгородском киселе, помещённом в «Повести временных лет». БМС 1998, 261.

Двою́родный кисе́ль на трою́родной воде́. *Новг.* О дальнем родственнике. НОС 4, 43.

Доста́нется на кисе́ль *кому. Разг. Устар.* Кто-л. поплатится, будет сурово наказан. Ф 1, 171.

Кисе́ль в коро́бке *у кого. Жарг. мол. Шутл.-ирон.* О глупом, несообразительном человеке. Аврора, 1993, № 8, 23

Кисе́ль ся́дется *без кого. Пск.* Дело обойдётся, решится без кого-л. СПП 2001, 44; ПОС 14, 142.

Лить кисе́ль на́ ноги *кому. Жарг. арм.* Провоцировать драку, задираться. Кор., 156.

Лягуша́чий (лягу́ший) кисе́ль. *Кар., Новг.* Икра лягушек. СРГК 2, 350; НОС 4, 43.

Пить (хлеба́ть) кисе́ль ма́ленькими сто́пками. *Пск.* То же, что **хлебать киселя со сметаной.** ПОС 14, 142.

Продава́ть кисе́ль. *Том.* Осторожно, тихо ходить, передвигаться. СРНГ 13, 227.

Дава́ть/ дать (подда́ть) киселя́ *кому.* 1. *Народн.* Ударять кого-л. коленом сзади; выталкивать кого-л. коленом откуда-л. ДП, 238; СРНГ 13, 227; Ф 1, 133. 2. *Жарг. угол., мол.* Толкать кого-л. Хом. 1, 259.

Ря́бяйдать ра́ньше киселя́. *Кар. Неодобр.* Спешить, торопиться с обещаниями. СРГК 5, 605.

Хлеба́ть киселя́. *Сиб.* Жить в трудностях и лишениях. СПСП, 55; СОСВ, 85.

Хлеба́ть киселя́ со смета́ной. *Пск. Ирон.* О том, что долго тянется и не даёт нужного результата. ПОС 14, 142.

КИСЕ́Т * Дай кисе́т с табако́м. *Жарг. угол.* Лезь в карман жертвы за кошельком (сигнал сообщнику). ТСУЖ, 45.

Кисе́т с табако́м. *Жарг. угол.* Карман с кошельком. Хом. 1, 427.

Подержа́ть за ки́сет *кого. Волг.* Отобрать деньги у кого-л.; разорить кого-л. Глухов 1988, 124.

КИ́СКА * Ки́ска спать не дала́ *кому. Перм. Шутл.* О невыспавшемся человеке. Подюков 1989, 97.

КИСЛИ́ТЬ * И кисли́т и слади́т. *Дон.* О чём-л. очень вкусном. СДГ 2, 58.

КИСЛИ́ЦА * Деревя́нная кисли́ца. *Прикам.* Красная смородина. МФС, 47.

Ко́нья кисли́ца. *Яросл.* Растение конский щавель. ЯОС 5, 59.

Выкру́чивать кисли́цу *кому. Волг. Шутл.* Строго наказывать, бить кого-л. Глухов 1988, 18.

КИ́СЛО * Ни ки́сло ни сла́дко. *Народн.* О чём-л. неопределённом или посредственном. ДП. 473.

Переболта́лось ки́сло с пре́сным. *Новосиб.* Всё смешалось, перепуталось. СРНГ 26, 30.

Чтоб тебе́ (ему́ и т. п.**) ки́сло было!** *Кар.* Восклицание, выражающее гнев, раздражение, недоброе пожелание в чей-л. адрес. СРГК 2, 352.

КИ́СЛОЕ * Подава́ть ки́слого *кому. Перм. Ирон.* Встречать кого-л. негостеприимно. Подюков 1989, 151.

Ки́слое с пре́сным. *Волг. Неодобр.* Неразбериха, беспорядок, несуразица. Глухов 1988, 74.

Пу́тать/ спу́тать (меша́ть/ смеша́ть) ки́слое с пре́сным. *Костром.* Смешивать, путать что-л. противоположное, несовместимое. СРНГ 31, 93; ЗС 1996, 102.

Переболта́ться ки́слому с пре́сным. *Сиб. Ирон.* Перемешаться, перепутаться. ФСС, 133.

КИСЛОРО́Д * Глота́ть кислоро́д. *Сиб. Ирон.* Тонуть. ФСС, 43.

Перекрыва́ть/ перекры́ть кислоро́д *кому. Разг.* Препятствовать осуществлению какого-л. важного дела, лишать кого-л. возможности действовать. ТС XX в., 295; Мокиенко 2003, 43.

Подыша́ть кислоро́ду. *Жарг. шк. Шутл.* Отдохнуть на перемене. Максимов, 179.

КИСЛОТА * Се́рная кислота́. 1. *Жарг. спорт. (д/пл.).* Очень слабый восходящий поток. БСРЖ, 257. 2. *Жарг. шк. Пренебр.* Учительница химии. ВМН 2003, 63.

Солёная кислота́. ***Жарг. шк.*** *Пренебр.* **То же, что серная кислота.** 2. Максимов, 180.

Фо́сфорная кислота́. *Жарг. шк. Пренебр.* То же, что **серная кислота 2.** (Запись 2004 г.).

Пла́вать в се́рной кислоте́. *Жарг. спорт. (д/пл.).* Летать в слабом восходящем потоке. БСРЖ, 257.

Бры́згать кислото́й. *Жарг. мол. Неодобр.* Говорить ерунду, откровенно обманывать кого-л. h-98.

КИСЛЯ́К * Де́лать кисля́к (кисляка́). *Жарг. мол.* Выражать недовольство гримасой. Никитина 1998, 184.

Мандря́чить кисляки́. *Жарг. мол. Неодобр.* 1. Делать что-л. бесполезное. 2. Говорить вздор, ерунду. Вахитов 2003, 95.

Навороти́ть кисля́к. *Жарг. угол.* Выглядеть грустным. ТСУЖ, 84.

КИСЛЯ́ТКА * Воронья кислятка. *Арх.* Растение конский щавель. АОС 96, 5.

КИСТЕ́НЬ * Гуля́ть с кистенём. *Разг. Устар.* Заниматься разбоем. Ф 1, 130.

КИ́СТОЧКА * На́ше вам с ки́сточкой! *Разг. Шутл.* Приветствие при встрече. БМС 1998, 261; СПП 2001, 44.

Со́рок одно́ с ки́сточкой! *Разг. Шутл.* То же, что **наше вам с кисточкой!** ФСРЯ, 447.

КИСТЬ * Из кисте́й вон. *Арх.* Взрослый. АОС 5, 79.

Ни кисте́й ни весте́й. *Перм. Шутл.* Об отсутствии известий о ком-л. Подюков 1989, 91.

Вы́йти из-под ки́сти *кого, чьей. Книжн.* Быть нарисованным кем-л. (о произведении живописи). ФСРЯ, 93.

Не с ки́сти вы́пал. *Прибайк.* О человеке, понимающем толк в чём-л. не хуже других, не лишённом природных способностей, разбирающемся в чём-л. СНФП, 78.

КИТ[1] * Эта́пный кит. *Жарг. лаг. Шутл.-ирон.* Сельдь, получаемая в составе пайка на этапе. Р-87, 466.

Три кита́. *Разг. часто Ирон.* Важнейшее, основное условие существования чего-л., фундамент, основание чего-л. Ф 1, 237; БМС 1998, 261.

КИТ[2] * Кит Ки́тыч (Тит Ти́тыч). *Книжн. Ирон.* 1. О жестоком, своевольном и невежественном купце. 2. О самодуре. < По имени одного из действующих лиц в комедии А. Н. Островского «В чужом пиру похмелье» (1856 г.). БМС 1998, 261.

КИТА́ЕЦ * Бе́лый кита́ец. *Жарг. мол.* Синтетический наркотик. Вахитов 2003, 14.

КИТА́Й * Кита́й поднима́ется. *Влад. Неодобр.* Готовится что-то недоброе, приходит несчастье. СРНГ 13, 240.

КИТА́ЙКА * Ски́нуть (задви́нуть, загна́ть) кита́йку *кому. Жарг. ж/д.* Выдать пассажиру использованное постельное белье. < Возможно, по сходству цвета кожи китайцев и нестиранного белья (жёлтому). Елистратов 1994, 196.

КИ́ТУШКИ * Обива́ть (сбива́ть, сшиба́ть) ки́тушки-[мики́тушки]. *Волг. Шутл.-ирон.* Бездельничать. Глухов 1988, 114; Мокиенко 1990, 69.

КИФ * Тёмный киф. *Жарг. арест.* Расправа с сокамерником (таким образом, чтобы потерпевший не узнал избивающих). Трахтенберг, 29; Мильяненков, 139; ТСУЖ, 84; Балдаев 2, 77; СРВС 1, 121; СРВС 2, 42, 216; СРВС 3, 195; ТСУЖ, 174. < **Киф** — избиение товарища.

КИ́ЧА * Кача́ться в ки́че. *Жарг. угол., арест.* Отбывать срок наказания в местах лишения свободы. ТСУЖ, 83; СВЖ, 6. < **Кич** — тюрьма.

КИШ * Киш киши́т. *Сиб.* То же, что **кишмя кишит (КИШМЯ).** ФСС, 93; СФС, 88; Мокиенко 1986, 105.

КИШИНЁМ * Кишинём киши́т. *Костром., Яросл.* То же, что **кишмя кишит (КИШМЯ).** ЯОС 5, 33; Мокиенко 1986, 105.

КИШКА́ * Кишка́ беспоко́йная *у кого. Жарг. нарк.* Об ощущении тошноты. Максимов, 32.

Кишка́ во́стра *[у кого]. Пск.* Кто-л. очень голоден. СПП 2001, 44.

Кишка́ гузённая. 1. *Новг. Презр.* О непорядочном человеке. НОС 4, 46. 2. *Волг. Пренебр.* О глупом, неавторитетном человеке. Глухов 1988, 74.

Кишка́ кишке́ бьёт по башке́. *Прост. Шутл.* То же, что **кишка востра.** СПП 2001, 44; ПОС 14, 159; Вахитов 2003, 78; Максимов, 52.

Кишка́ кишке́ весть подаёт. *Пск. Шутл.* То же, что **кишка востра.** СПП 2001, 44; ПОС 14, 159.

Кишка́ кишке́ марш игра́ет. *Волг. Шутл.-ирон.* То же, что **кишка востра.** Глухов 1988, 74.

Кишка́ кишке́ протоко́л пи́шет. *Прост. Шутл.* О сильном чувстве голода. Вахитов 2003, 78; Глухов 1988, 74.

Кишка́ кишке́ [желба́к] сули́т. *Кар., Новг. Шутл.* То же, что **кишка востра.** СРГК 2, 44; НОС 4, 46.

Кишка́ кишке́ ку́киш (фи́гу, фи́льку) даёт (ка́жет). *Народн.* То же, что **кишка востра.** Жук. 1991, 142; Глухов 1988, 74; СПП 2001, 44; ПОС 14, 160.

Кишка́ кишку́ догоня́ет *у кого. Волг. Ирон.* О жизни впроголодь. Глухов 1988, 74.

Кишка́ не те́рпит *у кого. Перм.* Об отсутствии терпения, несдержанности. Подюков 1989, 91.

Кишка́ тонка́ *у кого. Прост. Ирон. или Презр.* О недостатке силы, способностей, средств для осуществления чего-л. БМС 1998, 262; ЗС 1996, 225, 384; СПП 2001, 44.

Пошла́ кишка́ по поря́дне. *Кар., Новг.* О слухах, сплетнях. СРГК 2, 355; СРГК 5, 87; НОС 4, 46; НОС 8, 134.

Пошла́ кишка́ по уря́дью. *Народн. Устар.* О судебных проволочках, волоките. ДП, 566.

По кишка́м с батожка́ми побежа́ло. *Новг.* О сильном голоде. НОС 1, 38.

Пропа́сть с кишка́ми. *Пск. Шутл.* Надолго уйти, исчезнуть. СПП 2001, 44; ПОС 14, 160.

Пусти́ть по кишке́ (деньги). *Жарг. бизн., крим.* Получать прибыль и не платить долю рэкетирам. h-98.

Уда́рить по кишке́. *Жарг. мол. Шутл.* Поесть чего-л. Я — молодой, 1998, № 8.

Все кишки́ своло́кло́ *у кого. Арх.* Кому-л. очень смешно. СРГК 36, 320.

Выма́тывать/ вы́мотать все кишки́ *кому.* 1. *Прост. Неодобр.* Крайне надоедать, мучить кого-л. настойчивыми просьбами, речами, уговорами. ФСРЯ, 198; БМС 1998, 263; ШЗФ 2001, 51; ЗС 1996, 46; Ф 1, 95; ДП, 223. 2. *Арх.* О сильной рвоте. АОС 8, 9.

Вы́пустить ки́шки (ки́шку) *кому. Прост.* Нанести ножевую рану в живот; убить кого-л. ПОС 6, 43; Ф 1, 98.

Вы́тянуло кишки́ *у кого. Арх.* О сильной физической усталости. АОС 8, 337.

Заверну́лись ки́шки *у кого. Пск.* О внезапной сильной боли в животе. ПОС 11, 63.

Зама́зать (затрави́ть) кишки́. *Сиб.* Перекусить, слегка утолить голод. ФСС, 79; Мокиенко 1986, 27.

Кишки́ в узелки́ завяза́лись *у кого. Жарг. мол. Шутл.* Об очень сильном чувстве голода. Вахитов 2003, 78.

Кишки́ вы́лезли *у кого. Сиб.* Об изнурительном, тяжёлом труде. СОСВ, 86.

Кишки́ вы́таяли *у кого. Кар.* О сильно похудевшем человеке. СРГК 1, 302.

Кишки́ к спине́ приросли́ *у кого. Волг. Ирон.* О жизни в голоде и бедности. Глухов 1988, 74.

Кишки́ марш игра́ют *у кого. Прост. Шутл.-ирон.* О чувстве голода. Мокиенко 1986, 27.

Кишки́ нару́жу *у кого. Жарг. мол.* О возбуждённом человеке. Югановы, 106.

Кишки́ пересудо́мились *у кого.* 1. *Дон.* О чувстве сильного голода. СДГ 2, 59; СРНГ 26, 234. 2. *Волг.* О жизни в бедности и голоде. Глухов 1988, 74.

Кишки́ тебе́ на́ уши! *Сиб. Бран.-шутл.* Восклицание, выражающее некоторое раздражение. ФСС, 93.

Надрыва́ть/ надорва́ть (сорва́ть) кишки́. *Прост.* Долго и надрывно смеяться, хохотать до изнеможения. БМС 1998, 263; СПП 2001, 44.

Намота́ть кишки́ вокру́т башки́ *кому. Жарг. мол.* Расправиться с кем-л. Максимов, 268.

Перееда́ть кишки́ *кому. Волг.* Сильно надоедать кому-л. Глухов 1988, 122.

Повы́теребить кишки́ *кому. Народн.* Измучить кого-л., крайне надоесть кому-л. ДП, 223.

Полоска́ть кишки́. 1. *Волг. Ирон.* Бедствовать, голодать. Глухов 1988, 129. 2. *Жарг. угол.* Продавать краденые носильные вещи. Балдаев 1, 335.

Прое́сть все кишки́ *кому. Волг. Неодобр.* Сильно надоесть кому-л. Глухов 1988, 134.

Рвать кишки́. 1. *Прост.* Выполнять тяжёлую работу, надрываться. Ф 2, 124. 2. *Пск.* Смеяться, хохотать до изнеможения. ПОС 14, 160.

Ходи́ть ки́шки поджо́мши. *Пск.* Голодать, ничего не есть. СПП 2001, 44.

С кишко́й. *Волог.* О беременной женщине. СВГ 3, 62.

Бить кишку́. *Жарг. угол.* Есть, принимать в пищу что-л. Балдаев 1, 186; ББИ, 105; Мильяненков, 139.

Бро́сить на кишку́. См. **Кинуть на кишку.**

Замори́ть кишку́. *Кар., Пск.* Слегка закусить. СРНГ, 13, 251; СРГК 2, 159.

Ки́нуть (бро́сить) на кишку́ *что, чего.* 1. *Жарг. угол., мол.* Съесть что-л. Балдаев 1, 185; Максимов, 45. // *Жарг. мол.* Плотно поесть. h-98. 2. *Жарг. нарк.* Принять наркотическую таблетку. Балдаев 1, 185; Югановы, 105.

Набива́ть/ наби́ть кишку́. *Пск.* Наедаться досыта. СПП 2001, 44; ПОС, 159.

Па́рить кишку́ в чужо́м горшку́. *Печор. Шутл.-ирон. Эвфем. Фольк.* Иметь связь с замужней женщиной. СРНГП 2, 10.

Поте́шить кишку́. *Пск.* Возбудить аппетит, раздразнить себя, слегка закусив. СРНГ, 13, 251.

Пробива́ет на кишку́ *кого. Жарг. мол.* Кто-л. испытывает чувство голода. Вахитов 2003, 149.

Провентили́ровать кишку́. *Жарг. гом.* Совершить с кем-л. анальное сношение. Кз., 126.

Сбива́ться на кишку́. *Пск.* Испытывать чувство голода. СПП 2001, 44; ПОС 14, 159.

Хоть за кишку́ пове́шай *кого. Кар.* Об упрямом, строптивым человеке, с которым невозможно договориться о чём-л. СРГК 4, 589.

Быть (броди́ть и т. п.**) без кишо́к (без кишо́чек).** *Пск.* То же, что **хохотать без кишок.** ПОС, 2, 175; СРНГ, 13, 251.

Разде́ться до кишо́к. *Жарг. карт.* Проиграть в карты одежду. Балдаев 2, 8.

Хохота́ть без кишо́к. *Перм.* Громко, заразительно, много смеяться.

КИШМА́ * Кишма́ кишу́ет. *Ворон.* То же, что **кишмя кишит (КИШМЯ).** Мокиенко 1986, 105.

КИШ-МИ́Ш * Киш-миш куряга́. *Волг. Шутл.* О неразберихе, беспорядке. Глухов 1988, 74.

КИШМЯ́ * Кишмя́ киши́т. *Разг.* О сплошной массе, множестве беспорядочно движущихся насекомых, животных, людей. БМС 1998, 262; Ф 1, 237; НОС 4, 42; ФСС, 93; Мокиенко 1986, 104, 110.

КИШО́М * Кишо́м киши́т. *Ирк.* То же, что **кишмя кишит (КИШМЯ).** Мокиенко 1986, 105.

КИШО́ЧКИ * Быть без кишо́чек. *Пск.* То же, что **надрывать кишки (КИШКА).** СРНГ 13, 251; ПОС 14, 161.

КЛА́ВА * Кла́ва лохма́тая. *Жарг. мол. Бран.-шутл.* Девушка, молодая женщина. Никитина 1998, 184.

Кла́ва, я валю́сь! *Жарг. мол. Одобр.* Выражение восхищения, крайнего удивления. Вахитов 2003, 79.

Ти́скать кла́ву. *Жарг. комп. Шутл.* Нажимать на клавишу. Садошенко, 1996; Шейгал, 209.

Топта́ть кла́ву. *Жарг. комп.* Вводить текст с клавиатуры. Шарифуллин, 47.

КЛАВИАТУ́РА * А клавиату́ру пожева́ть не хо́чешь? *Жарг. комп. Шутл.-ирон.* Отрицательный ответ на чью-л. просьбу. БСРЖ, 258.

КЛА́ВИША * Дави́ть на кла́виши. *Жарг. мол. Шутл.* Спать. Максимов, 100.

Посла́ть на три кла́виши (кно́пки) *что. Жарг. комп. Шутл.* О выходе из какой-л. программы при помощи нажатия клавиш Ctrl, Alt, Del. Садошенко, 1996. < Шутливая аллюзия на известное выражение **послать на три буквы.**

Топта́ть кла́виши. *Жарг. комп. Шутл.* Вводить в компьютер информацию с клавиатуры. Ваулина, 65.

КЛА́ВКА * Кла́вка Черепи́цына. *Жарг. мол. Шутл.* Топ-модель Клаудиа Шиффер. БСРЖ, 259.

КЛАД * Выгова́ривать клад (кла́дку). *Дон.* Договариваться о подарках к свадьбе для жениха и невесты. СДГ 2, 59.

Иска́ть кла́ды. *Ворон. Ирон.* Бесцельно копать землю. СРНГ 13, 253.

КЛА́ДБИЩЕ * Бродя́чее кла́дбище бифште́ксов. *Жарг. мол.* Об очень полном человеке. Максимов, 44.

Гляде́ть на кла́дбище. *Сиб.* Быть при смерти. ФСС, 43.

Кла́дбище бутербро́дов. *Жарг. шк. Шутл.* Учитель, который на переменах съедает большое количество бутербродов, принесённых из дома. (Запись 2003 г.).

Кла́дбище книг. *Жарг. шк. Шутл.* Портфель, ранец. (Запись 2003 г.).

Принести́ кла́дбище. *Кар. Ирон.* Перестать рожать. СРГК 5, 183.

КЛА́ДЕЗЬ * Кла́дезь прему́дрости. *Разг. Шутл.-ирон.* Обширные и глубокие знания, сведения и т. п. Ф 1, 238; ЗС 1996, 242; ФСРЯ, 34.

КЛА́ДКА * Одно́й кла́дки. *Волг., Дон.* 1. Об одногодках, ровесниках. 2. Об очень похожих по внешнему виду людях. Глухов 1988, 116; СДГ 2, 29; СРНГ 13, 256.

Выгова́ривать кла́дку. См. **Выговаривать клад (КЛАД).**

Дава́ть кла́дку. *Дон.* Выкупать невесту (в свадебном обряде). СДГ 1, 121.

Прикрыва́ть кла́дку. *Дон.* Преподносить подарки жениху и невесте. СРНГ 31, 263.

КЛАДО́ВАЯ * Войти в кладо́вую. *Пск.* Украсть что-л. ПОС 4, 105.

КЛАДЬ * Ячме́нна кладь! *Прост. обл. Бран.-шутл.* Выражение лёгкого недовольства, раздражения. Мокиенко, Никитина 2003, 168.

КЛА́ПАН * Да́вит на кла́пан *кому. Жарг. мол. Шутл.* О позыве на дефекацию. (Запись 2004 г.).

Закрыва́ть/ закры́ть кла́пан. *Разг.* Сдерживать свои эмоции, чувства; переставать плакать. БМС 1998, 263; ФСРЯ,198.

Открыва́ть/ откры́ть кла́пан. *Жарг. мол. Шутл.* Начинать плакать. СМЖ, 90.

Рвёт кла́пан *у кого. Жарг. мол.* О сильном желании сходить в туалет. Максимов, 182.

Клапана́ горя́т (засо́хли). *Жарг. мол.* О жажде с похмелья. Урал-98.

Откры́ть клапана́. *Жарг. мол.* 1. Согласиться на половой акт в кем-л. (о женщине). 2. Разговориться, разоткровенничаться. Урал-98.

Шевели́ть клапана́ми. *Жарг. мол. Шутл.* Быстро идти, шагать. Максимов, 486.

КЛА́РА * Кла́ра Це́лкин (Це́лкина). 1. *Жарг. мол. Шутл.-ирон.* Девственница. Елистратов 1994, 534. 2. *Разг. Шутл.* Табачная фабрика им. Клары Цеткин в Ленинграде (1960–1970-е гг.), ныне фабрика «Нево-табак». Синдаловский, 2002, 88.

КЛАРНЕ́Т * Игра́ть на кларне́те. *Жарг. угол.* Совершать гомосексуальный половой акт. Балдаев 1, 168.

КЛАСС * Пока́зывать/ показа́ть класс. *Разг.* Проявлять себя в чём-л. с лучшей стороны, делать что-л. очень хорошо, мастерски. Ф 2, 64.

Попа́сть под класс. *Дон.* Оказаться в числе враждебных классовых элементов. СДГ 3, 41; СРНГ 29, 293.

Пе́рвый класс. *Разг. Одобр.* О чём-л. превосходном, отличном, прекрасном. Глухов 1988, 121.

Два кла́сса, и (а) тре́тий коридор. *Прост.* О необразованном человеке. Глухов 1988, 31.

Ни иметь кла́ссов. *Том.* Быть неграмотным. СБО-Д1, 180.

КЛА́ССИК * Живо́й кла́ссик. *Жарг. мол. Шутл.* Мужской половой орган. Елистратов 1994, 663; ЖЭСТ-1, 141.

Кла́ссик в ке́пке. *Жарг. мол. Шутл.* В. И. Ленин. Елистратов 1994, 197.

Чита́ть кла́ссиков. *Жарг. мол. Шутл.* Пить спиртное. Елистратов 1994, 551.

КЛАССИ́ЧЕСКИ * Отдыха́ть класси́чески. *Жарг. мол. Шутл.-ирон.* 1. Пить спиртное. 2. Принимать наркотики. Максимов, 182.

КЛАСТЬ * Класть до́верху *кому. Жарг. угол.* Избивать кого-л. ТСУЖ, 85; Балдаев 1, 186; ББИ, 105; Мильяненков, 139.

Класть не́куда. *Кар.* Ничего не слышно, ничего не понятно. СРГК 3, 410.

КЛЁВ * Клёв на ры́бу! *Яросл.* Приветственное пожелание рыбакам. ЯОС 5, 34.

КЛЕЙ * Идти́ на клей. *Жарг. угол.* 1. Отправляться на воровство. СРВС 3, 219. 2. Отправляться на удачное дело. СРВС 3, 190. 3. Идти воровать по заранее разработанному плану. СРВС 2, 39, 56, 193, 203; ТСУЖ, 113; Балдаев 1, 169; УМК, 103. 4. Давать согласие на совершение полового акта (о девушке, женщине). УМК, 103.

Клей и но́жницы. *Публ. или Книжн. Ирон. или Презр.* О литературном произведении, построенном на беззастенчивом заимствовании чужого материала. БМС 1998, 263.

Пасть на клей. *Кар. Неодобр.* Осесть, стать клейкими (о пирогах). СРГК 4, 406.

Прода́ть клей *кому. Жарг. угол.* Дать кому-л. наводку на преступление. СРВС 3, 63.

Соро́чий клей. *Перм., Прикам.* Растение кукушкины слёзки. МФС, 47; СГПО, 234.

Ты́рить на клей. *Жарг. угол.* Воровать по разработанному плану. Максимов, 182.

КЛЕЙМО́ * Клейма́ не́где поста́вить *[на ком]. Прост. Неодобр.* О хитром, изворотливом человеке, мошеннике. СПП 2001, 44.

Анти́христово клеймо́. *Разг. Устар.* 1. Клеймо, которым во времена Петра I клеймили руку рекрутам-новобранцам для предупреждения от побегов. 2. Пошлина и поддельная «медаль!», выдаваемая за снятую бороду «шутейным протодьяконом» — Петром I. БМС 1998, 263.

Заты́ренное клеймо́. *Жарг. угол.* Безуспешный розыск похищенного. ТСУЖ, 69.

Класть/ положи́ть клеймо́ *на кого. Разг.* 1. Позорить, бесчестить кого-л. 2. *Устар.* Оставлять на ком-л. след какого-л. воздействия. Ф 1, 239.

КЛЕ́ЙСТЕР * Сиде́ть на кле́йстере. *Жарг. угол. Неодобр.* 1. Быть осведомителем органов милиции или КГБ. 2. Доносить, выдавать кого-л. 3. Быть подкупленным. Балдаев 2, 38.

КЛЁК * Сбива́ть клёк. *Волг. Неодобр.* Бездельничать. Глухов 1988, 144.

КЛЕ́ММА * Протира́ть кле́ммы то́нким сло́ем. *Жарг. морск., курс. Шутл.* Пить в одиночку. БСРЖ, 260.

КЛЁП * Клёп оси́новый. *Куйбыш. Пренебр.* О невзрачном человеке маленького роста. СРНГ 13, 278.

КЛЁПКА * Клёпка слаба́ *у кого. Ворон. Неодобр.* О слабовольном, глупом человеке. СРНГ 13, 281.

Без клёпки в голове́. *Волг. Пренебр.* О крайне глупом человеке. Глухов 1988, 2.

Вста́вить клёпки *кому. Волг. Шутл.* Образумить кого-л. Глухов 1988, 16.

Клёпки расклепа́лись *у кого. Волг. Шутл.-ирон.* О глупом, несообразительном человеке. Глухов 1988, 75.

[Одно́й] клёпки [в голове́] нет (не хвата́ет) *у кого. Народн. Шутл.-ирон.* О глупом, несообразительном человеке. ДП, 436; Глухов 1988, 75. **Девя́той клёпки не хвата́ет** *у кого. Волг. Шутл.-ирон.* То же. Глухов 1988, 103.

Клёпок не хвата́ет *у кого. Прост. Ирон. или Пренебр.* То же, что **одной клёпки нет.** ФСРЯ, 504.

КЛЕРК * Шарово́й клерк. *Жарг. угол. Шутл.* Работник бильярдной. Балдаев 2, 155.

КЛЕ́ТКА * Во́лчья кле́тка. *Жарг. угол.* Колония особого режима. Максимов, 68.

Лечь на кле́тку. *Народн.* Спутаться, перепутаться (о колосьях злаков). СРНГ 17, 30.

Сесть на кле́тку. *Морд.* Стать неработоспособным, беспомощным. СРГМ 2002, 43.

КЛЕ́ТОЧКА * Быть в кле́точке. *Жарг. мол.* О состоянии лёгкого, приятного опьянения. Елистратов 1994, 197.

КЛЕТЬ * Бобы́льная клеть. *Арх. Пренебр.* О ленивом, бесхозяйственном человеке. АОС 2, 41.

КЛЕШНЯ́ * Тяну́ть/ протяну́ть клешню́. *Жарг. мол. Шутл.-ирон.* Просить денег взаймы. Максимов, 183.

КЛЕ́ЩИ * Вытя́гивать (тащи́ть) клеща́ми *что из кого. Разг. Неодобр.* С большим трудом добиваться от кого-л. ответа, признания в чём-л., откровения и т. п. БМС 1998, 263; БТС, 185; ФСРЯ, 199; Ф 1, 101.

Клеща́ми не вы́дерешь (не вы́тащишь) *из кого что. Разг.* О невозможности заставить кого-л. рассказать о чём-л. Ф 1, 92.

Попа́сть (попа́сться) в кле́щи. *Обл. Неодобр.* Оказаться в сложном, безвыходном положении. Мокиенко 1990, 137.

КЛИЕ́НТ * Клие́нт дозре́л (гото́в). *Разг. Шутл.* 1. О готовности сделать что-л. 2. О человеке, не способном действовать самостоятельно (пьяном, уставшем и т. п.). < Из кинофильма «Бриллиантовая рука» («Мосфильм», 1969 г.). Дядечко 2, 146.

Не суети́сь под клие́нтом. *Жарг. мол. Шутл.* Призыв не нервничать, не беспокоиться. Елистратов 1994, 198. < Из анекдота о проститутках.

КЛИ́ЗМА * Ста́вить/ вста́вить (поста́вить) кли́зму *кому. Прост.* 1. Наказывать, ругать кого-л. 2. Унижать кого-л. Елистратов 1994, 198; Балдаев 1, 188; ББИ, 106; Максимов, 183; Мокиенко, Никитина 2003, 168.

КЛИ́КА * Бы́чья кли́ка. *Жарг. бирж.* Группа брокеров, играющая на повышение. БС, 113.

Медве́жья кли́ка. *Жарг. бирж.* Группа брокеров, играющая на понижение. БС, 113.

КЛИКИ́ШКИ (КЛЮКИ́ШКИ, КЛИКУ́ШКИ, КЛЯКИ́ШКИ) * На кликишках (на клюкишках, на кликушках, на клякишках). *Пск.* На спине, за спиной, на плечах (носить, нести). СПП, 44.

На клики́шки (на клику́шки, на клюки́шки, на кляки́шки). *Пск.* На спину, на плечи (взять, посадить и т. п.). СПП 2001, 44.

КЛИКУ́ШКИ * На кликушки. См. **На кликишки (КЛИКИШКИ).**

НА КЛИКУ́ШКАХ. СМ. **НА КЛИКИШКАХ (КЛИКИШКИ).**

КЛИ́МАКС * Кли́макс головно́го мо́зга. *Жарг. мол. Шутл.-ирон.* Глупость. Максимов, 183.

Кли́макс се́рдца. *Жарг. мол. Неодобр.* Бездушие, черствость. Максимов, 183.

Тво́рческий кли́макс. *Жарг. мол. Шутл.* Отсутствие вдохновения, хандра. Елистратов 1994, 198. < Каламбур на основе сочетания **творческий климат.**

КЛИ́МАНТ * Не по кли́манту. *Прикам.* То же, что **не климат (КЛИМАТ).** МФС, 47.

КЛИ́МАТ * Не кли́мат *кому, чему. Разг.* Не подходит, не годится кому-л., чему-л. НРЛ-70; НСЗ-84; Верш. 4, 339; Подюков 1989, 91.

КЛИН * Бить клин. *Сиб.* Упорно отказываться от чего-л., не соглашаться с кем-л., протестовать. ФСС, 12.

Вбива́ть/ вбить клин *между кем, между чем. Разг.* Разобщать, ссорить кого-л., делать чуждыми, враждебными друг другу. ФСРЯ, 199; БМС 1998, 263.

Вы́йти на клин. *Арх.* Быть близким к полному исчезновению. АОС 7, 240.

Вышиба́ть (выбива́ть) клин кли́ном. *Разг.* Уничтожать результаты какого-л. действия или состояния теми же средствами, которые это действие или состояние вызвали. ДП, 213; БТС, 188; ЗС 1996, 166, 172; ФСРЯ, 100.

Гнать клин. *Приамур. Неодобр.* Оставлять невспаханными отдельные участки земли. СРГПриам., 56.

Клин Бли́нтон. *Жарг. мол. Шутл.* Бывший президент США Билл Клинтон. Елистратов 1994, 198.

Кли́нить клин. *Новг.* То же, что **колотить клин.** НОС 4, 53.

Колоти́ть [в] клин. *Новг., Пск.* Громко говорить, кричать. НОС 4, 53; СПП 2001, 44; ПОС 14, 212.

Куда́ (как) ни кинь — всё клин. *Народн. Неодобр.* Об отсутствии выхода из сложной ситуации. ДП, 853; БМС 1998, 264.

Оси́новый клин в ду́шу *кому*! *Новг. Бран.* Недоброе пожелание в чей-л. адрес. ЗС 1996, 25.

Подбива́ть/ подби́ть клин. *Пск.* Мешать, препятствовать кому-л. в чём-л. СПП, 44.

Подкли́нивать клин. *Яросл.* Препятствовать сделке двух лиц. ЯОС 8, 28.

Привезти́ клин. *Новг.* Получить отказ при сватовстве. СРНГ 13, 297.

Сходи́ть на клин. *Жарг. угол.* Терять рассудок, сходить с ума. Балдаев 2, 68

Хоть клин в рот забивай *кому. Новг.* Об отсутствии аппетита у кого-л. НОС 9, 152.

Хоть клин на голове́ держи́. *Кар.* То же, что **хоть кол на голове теши (КОЛ).** СРГК 1, 454.

Хоть клин на голове́ теши́ (чеши́). *Арх., Морд.* То же, что **хоть кол на голове теши (КОЛ).** АОС 9, 236; СРГМ 1986, 51.

Схвати́ть (слови́ть, пойма́ть) клина́. *Жарг. мол. Неодобр.* 1. Заклинить, перестать работать (о приборе, механизме). СМЖ, 90; Максимов, 183. 2. Задуматься, застопориться на чём-л. (о человеке). Елистратов 1994, 198; Я — молодой, 1997, № 27. 3. Оцепенеть от неожиданности, опешить. СМЖ, 90.

Кли́ном не вы́йти. *Кар.* Быть не единственным в выборе. СРГК 2, 368. **Не кли́ном вы́йти.** *Сиб.* То же. ФСС, 36.

Не кли́ном свело́ *на ком, на чем. Морд.* Кто-л., что-л. не является единственным, незаменимым. СРГМ 2002, 25.

Прие́хать с кли́ном. *Кар.* То же, что **привезти клин.** СРГК 2, 368.

Лови́ть (сшиба́ть) клины́. *Разг. Неодобр.* Терять рассудок, вести себя подобно сумасшедшему, совершать странные поступки. Никитина, 1998, 187.

Кроши́ть кли́нья *с кого. Жарг. мол.* Вымогать деньги (как правило, с должника). Урал-98.

Подбива́ть кли́нья *к кому. Разг.* 1. Ухаживать за кем-л., добиваясь расположения, любви. СПП 2001, 44; Максимов, 183; Ф 2, 55. 2. Пытаться войти в доверие к кому-л., договориться с кем-л. о чём-л. Максимов, 183; Глухов 1988, 123.

Прогоня́ть кли́нья. *Пск.* Сшивать куски ткани вперед иголкой. ПОС 14, 212.

Точи́ть кли́нья. *Жарг. мол.* Лихорадочно, спешно искать деньги, добывать деньги (любым способом, вплоть до воровства) для последующего возврата долга. Урал-98.

КЛИНО́К * Взять из-под клинка́ *кого. Приамур.* Взять девушку в жёны по воле родителей, против её желания. СРГПриам., 42.

Выки́дывать (отки́дывать) клинки́. *Орл.* Употреблять в речи замысловатые, вычурные слова, обороты. СОГ-1992, 44.

Подбива́ть клинки́ *к кому. Кар.* То же, что **подбивать клинья (КЛИН).** СРГК 4, 616.

Подби́ть клинки́ *к кому. Дон.* Посмеяться над кем-л. СДГ 3, 20.

КЛИ́НЫШЕК * Подбива́ть кли́нышки *к кому. Прост.* То же, что **подбивать клинья (КЛИН).** ЗС 1996, 48.

КЛИ́НЬЕ * Кли́ньем около́ченный. *Кар.* О ветре, который долго дует в одном направлении. СРГК 2, 368.

КЛИПА́К * Струга́ть клипаки́. *Жарг мол. Шутл.* Удивлять, веселить кого-л. своим поведением, какими-л. поступками, высказываниями. Митрофанов, Никитина, 89. < **Клипак** — видеоклип.

КЛИ́ТОР * Су́нуть кли́тор *во что. Жарг. мол. Неодобр.* Вмешаться не в своё дело. УМК, 103.

КЛИЧ * Кли́кнуть клич. *Разг.* Обратиться с каким-л. призывом к большому количеству людей. ФСРЯ, 199; БМС 1998, 264; Мокиенко 1986, 33.

КЛОК * Сорва́ть клок. *Жарг. угол.* Совершить неудачную кражу. Балдаев 2, 100.

Урва́ть клок. *Жарг. угол.* Совершить кражу, получив минимальную выгоду. ТСУЖ, 183.

КЛОП * Дави́ть (придави́ть) клопа́. 1. *Жарг. угол., Разг.* Бездельничать. ТСУЖ, 85; Балдаев 1, 101. 2. *Пск.* Обманывать кого-л., обманом добиваться своего. СПП 2001, 44. 3. *Жарг. шк. Шутл.* Давать звонок. (Запись 2001 г.). 4. *Жарг. мол. Шутл.* Нажимать кнопку вызова лифта. Максимов, 182. 5. *Жарг. мол.* Искать скрытый микрофон. Максимов, 100.

Раздави́ть клопа́. *Жарг. арест., угол.* Выключить свет в помещении. Балдаев 2, 8; ТСУЖ, 85.

Охо́титься за клопа́ми. *Жарг. угол.* Грабить пьяных. СРВС 2, 176; СРВС 3, 91; СРВС 4, 143; Балдаев 1, 301; ТСУЖ, 61, 126.

Дави́ть клопо́в. *Морд. Неодобр.* Делать что-л. медленно, вяло. СРГМ 1980, 12.

Лови́ть ора́нжевых клопо́в. *Жарг. нарк. Шутл.* Находиться под действием наркотика. Максимов, 183.

Сушёные клопы́. *Жарг. мол. Шутл.-ирон.* Китайские и вьетнамские сигареты. Максимов, 184.

КЛО́ТИК * Пойдём на кло́тик пить чай с муси́нгами. *Жарг. морск. Шутл.* О невыполнимом приказе, просьбе. БСРЖ, 262.

КЛО́УН * Ста́рый кло́ун. *Жарг. мол. Шутл.-ирон.* Пожилой человек. Максимов, 184.

Де́лать/ сде́лать кло́уна. 1. *из кого. Жарг. угол.* Убить, жестоко расправиться с кем-л. в наказание за что-л. Бен, 38-9. 2. *кому. Разг.* Сильно, до синяков избить кого-л. Смирнов 1993, 180. 3. *кому. Пск.* Разбивать кому-л. нос до крови. ПОС 14, 221. 4. *Жарг. угол.* Обезображивать себе лицо, изменять его черты. Быков, 61.

КЛО́ЧКА * Дать кло́чку *кому. Яросл.* ЯОС 3, 121.

Дать кло́чку с поволо́чкой *кому. Пск. Шутл.* Быстро разделаться, расправиться с кем-л., с чем-л. СПП 2001, 44; ПОС 14, 222.

КЛОЧО́К * Ни клочка́ ни задо́ринки. *Кар.* То же, что **ни сучка ни задоринки (СУЧОК).** СРГК 2, 117.

КЛУБ * Жидо́в клуб. *Жарг. мол. Шутл.-ирон.* Клуб железнодорожников (ж/д). Митрофанов, Никитина, 63.

Клуб знатоко́в. *Жарг. шк. Шутл.* 1. Учительская. 2. Педагогический коллектив. ВМН 2003, 65.

Клуб людéй, охладéвших к жи́зни. *Жарг. мол. Шутл.-ирон.* Морг. Максимов, 184.

Клуб путешéственников. 1. *Жарг. шк. Шутл.* Урок географии. 2. *Жарг. мол. Шутл.* Психиатрическая лечебница. Максимов, 184.

Клуб свобóдных эмóций. *Жарг. гом.* Скверик у Большого театра в Москве — место встреч гомосексуалистов. Кз., 50.

Клуб «Что? Где? Когда?». *Жарг. шк. Шутл.* Школьный туалет. Максимов, 184.

КЛУБÁН * В (на) клубáн. *Пск.* В виде шара, клубка. ПОС 14, 223.

КЛУБНИ́ЧКА * Тя́нет (потянýло) на клубни́чку *кого. Разг. Ирон.* Кто-л. испытывает тягу к чему-л. эротическому, развлекательному, несерьёзному. Мокиенко, Никитина 2003, 168.

КЛУБÓК * С клубкá. *Пск. Неодобр.* О лентяе, бездельнике. СПП, 44.

Смотáть клубкóм да и связáть узлóм. *Народн.* Расправиться с кем-л., наказать кого-л. ДП, 217.

В клубóк свертéло *кого. Кар.* Кто-л. сильно заболел. СРГК 2, 373.

Завивáть клубóк. *Сиб.* Быстро бежать, убегать откуда-л. ФСС, 75.

Поднимáть клубóк за ни́тку. *Народн. Неодобр.* Делать что-л. бестолково, несуразно. СРНГ 21, 241.

Распýтывать/ распýтать клубóк. *Разг.* Разрешать какое-л. трудное дело, сложную ситуацию. БМС 1998, 264; Ф 2, 120.

КЛЫК * Бéлый клык. *Жарг. мол., угол. Шутл.* Мужской половой член. Елистратов 1994, 663; ЖЭСТ-1, 141.

Брать/ взять (давáть, кидáть, принимáть) на клык. 1. *Жарг. угол., гом., Разг.* Об орогенитальном половом акте. Балдаев 1, 45, 63; Кз., 126; УМК, 104. 2. *кого. Волг.* Подчинять кого-л. себе, заставлять действовать определенным образом. Глухов 1988, 6.

Имéть (заимéть) клык *на кого. Жарг. угол.* Затаить злобу на кого-л. Балдаев 1, 189; ББИ, 107; Мильяненков, 140.

Кóжаный клык. *Жарг. мол. Шутл.* Мужской половой орган. Максимов, 184.

На клык навали́ть. *Жарг. мол.* То же, что **брать на клык.** h-98.

Отвести́ клык. *Кар.* Доказать свою невиновность, упорно отрицая что-л., не сознаваясь в чём-л. СРГК 4, 279.

Дать клыкá. *Жарг. мол.* Попробовать (о пище). Максимов, 102.

Спря́тать клыки́. *Жарг. мол.* Перестать улыбаться. СМЖ, 96.

КЛЮВ * [Брать/взять] на клюв. *Жарг. гом., мол. Шутл.* Об оральном половом сношении. Кз., 126; УМК, 104.

Бросáть / брóсить на клюв *что.* 1. *Жарг. угол., мол.* Есть, употреблять в пищу что-л. Балдаев 1, 47; Максимов, 45. 2. *кому. Жарг. мол.* Дать взятку кому-л. Максимов, 45.

Начи́стить клюв *кому за что. Прост.* Избить, наказать кого-л. СПП 2001, 44; Максимов, 184.

Прикры́ть клюв. *Жарг. мол.* Замолчать. Максимов, 341.

Раскры́ть клюв. *Жарг. мол. Неодобр.* Начать говорить. СМЖ, 35.

Щёлкать клю́вом. *Жарг. угол., мол.* 1. Упускать какую-л. возможность. Быков, 215. 2. Обманываться в своих расчётах. Максимов, 184.

КЛЮ́КÁ * На клюкé *чего. Пск.* Очень мало. ПОС 14, 233.

До клюки́. *Прост.* 1. До глубокой старости. 2. До нищенского состояния. Ф 1, 242.

Отдáть клю́ки. *Пск.* Перестать вести домашнее хозяйство, передать кому-л. ведение домашнего хозяйства. ПОС 14, 235.

Вози́ться с клюкóй. *Пск.* Заниматься домашним хозяйством. ПОС 14, 233.

Отня́ть клюкý *у кого. Пск.* Лишить кого-л. возможности вести домашнее хозяйство. ПОС 14, 233.

КЛЮ́КВА * Вот так клю́ква! *Прост.* Восклицание, выражающее удивление при неприятной неожиданности. БМС 1998, 264; ШЗФ 2001, 44.

Развéсистая клю́ква. *Разг. Ирон.* О чём-л. абсолютно неправдоподобном, выдуманном. ФСРЯ, 199; БМС 1998, 265; ЗС 1996, 335, 378.

КЛЮКИ́ШКИ * На клюки́шки. См. **На кликишки (КЛИКИШКИ).**

На клюки́шках. См. **На кликишках (КЛИКИШКИ).**

КЛЮ́ХА * Давáть пить с клю́хи [*кому*]. *Пск. Неодобр.* Скупиться на угощение. СПП 2001, 44.

КЛЮЧ[1] * Бéлый ключ. *Брян., Орл.* Бурно кипящая вода. СБГ 1, 45; СОГ 1989, 70.

Дать ключ. *Сиб.* Закипеть (о воде или другой жидкости). ФСС, 54; СФС, 89; СРНГ 13, 323.

Дéлать ключ. *Новг.* О девичьем гадании в Святки. НОС 4, 59.

Кастáльский ключ. См. **Кастальский источник (ИСТОЧНИК).**

Ключ кипи́т. *Пск.* О бурлящей, клокочущей, кипящей воде. ПОС 14, 238.

Пусти́ть ключ. *Жарг. мол. Шутл.* О мочеиспускании. Максимов, 185.

Кипéть с клю́ча. *Приамур., Прибайк., Сиб.* Бурлить, клокотать (о жидкости). ФСС, 93; СНФП, 79; СРГПриам., 116.

Ключи́ откры́лись. 1. *Пск.* Началось кровотечение из носа. 2. *Сиб.* Началось маточное кровотечение. СРНГ, 13, 323.

Ключи́ улегли́сь. *Волог.* О прекращении бурного кипения жидкости. СВГ 3, 69.

Смёртные ключи́. *Сиб.* Маточное кровотечение. ФСС, 94.

КЛЮЧ[2] * Выкупить ключ. *Кар.* В свадебном обряде: получить деньги или подарки за невесту. СРГК 2, 376.

Ключ к знáниям. *Жарг. шк. Шутл.* Учебник. (Запись 2002 г.).

Ключ ко дну. *Прибайк.* Об отсутствии улик при тайном совершении чего-л. неблаговидного. СНФП, 78.

Ключ на двéсти пятьдеся́т. *Жарг. мол. Шутл.* Стакан. Максимов, 185.

Ключ от кварти́ры, где дéньги лежáт. *Разг. Шутл.* О средстве приобретения чего-л. ценного без особых усилий. < Слова Остапа Бендера из романа И. Ильфа и Е. Петрова «Двенадцать стульев» (1928 г.). Дядечко 2, 147.

Сдавáть/ сдать под ключ. 1. *что. Разг.* Заканчивать строительство домов, квартир, полностью подготовив их для проживания. Ф 1, 242; НСЗ-84. 2. *кого. Жарг. угол. Шутл.-ирон.* Донести в милицию или КГБ на кого-л. Балдаев 2, 32; Грачев 1997, 132. 3. *Жарг. угол. Шутл.-ирон.* Перевести из отделения милиции в следственный изолятор. Балдаев 2, 32; Грачев 1997, 132.

Рýсский ключ. *Техн. Шутл.-ирон.* Способ откручивания гайки при помощи зубила и молотка. БСРЖ, 263.

Нет ключá в головé *у кого. Ворон.* О глупом, сумасбродном человеке. СРНГ 13, 322.

За ключáми не ви́снет. *Арх.* О чём-л. не доставляющем хлопот, проблем, не отягощающем человека. АОС 4, 106.

На ключáх. *Прост. Устар.* Под запором, под замком. Ф 1, 242.

В ключé. 1. *Жарг. мол.* В курсе дел, событий (быть). (Запись 2004 г.). 2. *каком. Публ.* В соответствии с какими-л.

идеями, методами, приемами. БМС 1998, 265.

Подбира́ть ключи́. См. **Подбирать ключик (КЛЮЧИК).**

Потеря́ть ключи́ от пя́той кварти́ры. *Жарг. мол. Шутл.* О поносе. Максимов, 185.

Под ключо́м. *Разг.* 1. *Устар.* В заключении. 2. Под замком, взаперти. Ф 1, 242.

КЛЮ́ЧИК * Золото́й клю́чик. *Разг.* О средстве, помогающем достичь успеха, счастья. < По книге для детей А. Толстого «Золотой ключик или Приключения Буратино» (1936 г.). Дядечко 2, 91.

Подбира́ть/ подобра́ть клю́чик (ключи́) *к кому. Разг.* Находить способы, средства воздействия на кого-л. Ф 2, 55.

С клю́чика. *Орл., Пск.* О горячей, только что приготовленной пище. СОГ-1992, 46; ПОС 14, 241.

Мочи́ть клю́чики. *Жарг. мол. Шутл.* Лгать, обманывать. Максимов, 185.

КЛЮ́ЧКА * Загну́ть клю́чку *кому. Ворон.* 1. Хитро намекнуть кому-л. на что-л. 2. Устроить подвох кому-л. СРНГ 13, 325.

КЛЮЧО́К * С ключка́. *Пск.* То же, что **с ключика (КЛЮЧИК).** ПОС 14, 243.

КЛЮ́ШКА * Всё на клю́шке. *Жарг. мол. Одобр.* Всё в порядке. Я — молодой, 1996, № 18-19. < Из спортивной терминологии.

Переки́нуть клю́шки. *Жарг. мол. Шутл.* Перейти улицу. Никитина, 1998, 189. < **Клюшка** — нога.

КЛЯКИ́ШКИ * На кляки́шки. См. **На кликишки (КЛИКИШКИ).**

На кляки́шках. См. **На кликишках (КЛИКИШКИ).**

КЛЯ́МКА * Кля́мка запа́ла *у кого. Волг. Шутл.-ирон.* Кто-л. забыл о чём-л. Глухов 1988, 50.

КЛЯП * Дай кляп, да облу́пленный *[кому]. Пск. Бран.* О человеке, которому трудно угодить, привередливом, капризном. ПОС 14, 246. < **Кляп** — мужской половой орган.

Иди́ на кляп! *Кар. Бран.* Восклицание, выражающее негодование, раздражение, нежелание продолжать общение с кем-л. СРГК 2, 378.

Кляп тебе́ (вам, ему́ и пр.**) в го́рло (в рот)!** *Прост.* 1. *Бран.* Пожелание бед, неприятностей кому-л. 2. Кто-л. ничего не получит, кроме неприятностей. Мокиенко, Никитина 2003, 169.

Кляп зна́ет *кого, что. Пск.* Неизвестно, непонятно что-л. кому-л. ПОС 14, 246.

[На] кой кляп? *Кар.* Зачем, с какой целью? СРГК 2, 378; Мокиенко 1986, 179.

Не ста́вить в кляп *кого. Новг.* Не уважать кого-л., не считаться с кем-л. Сергеева 2004, 34.

Оди́н кляп *кому. Пск.* Всё равно, безразлично. (Запись 1996 г.).

Ни кля́па. *Пск., Кар., Яросл.* Абсолютно ничего, нисколько, ничуть. СРГК 2, 378; СРНГ 21, 213; ЯОС 6, 145; Мокиенко 1986, 170.

Ни за кля́пом *кому что. Пск.* Абсолютно не нужно кому-л. что-л. (Запись 2000 г.).

Скрути́ть кля́пом *кого. Народн.* Наказать кого-л., расправиться с кем-л. ДП, 217.

Иди́ (пошёл) к кля́пу! *Пск. Бран.* То же, что **иди на кляп**. < **Кляп** — *зд.:* чёрт, дьявол. СПП, 44.

На кляпу́. *Волог.* Наклонно (о растущем дереве). СВГ 3, 69.

КЛЯ́ПА * Ни кля́пы. *Пск.* То же, что **ни кляпа (КЛЯП).** ПОС 14, 247.

КЛЯПЦЫ́ (КЛЕ́ПЦЫ) * Взять (забра́ть) в кляпцы́ (в кле́пцы) *кого. Пск.* Заставить кого-л., принудить кого-л. к чему-л. СПП 2001, 44; ПОС 14, 193, 248; Мокиенко 1990, 136. < **Кляпцы́** — капкан.

Попа́сть (попа́сться) в клепцы́. *Пск., Твер.* Оказаться в безвыходном положении. СРНГ 13, 334; ПОС 14, 193; Мокиенко 1990, 137.

КЛЯ́ТВА * Анниба́лова (Аннибаловская, Ганниба́лова) кля́тва. *Книжн. Высок.* Твёрдая решимость бороться с кем-л., чем-л. до конца; обещание неизменно следовать своим идеалам. < Выражение из античной истории. БМС 1998, 266; БТС, 40; ФСРЯ, 200.

Класть кля́тву. *Кар.* Обещать что-л., клясться. СРГК 2, 358.

КЛЯ́ТЫЙ * Не клят не мят. *Кар. Одобр.* О бодром, не уставшем, полном сил человеке. СРГК 2, 378.

КЛЯ́ТЬБА * Клять кля́тьбу. *Дон.* То же, что **класть клятву (КЛЯТВА).** СДГ 2, 63.

КЛЯЦ * Кляц тебе́ сядь! *Калуж. Бран.* Восклицание, выражающее негодование, гнев в чей-л. адрес. СРНГ 13, 337.

КЛЯЧ * Глуп по са́мый кляч. *Народн. Неодобр.* Об очень глупом, несообразительном человеке. ДП, 437.

Кляч в го́рле встал *у кого. Кар.* Об ощущении комка в горле. СРГК 2, 379.

КЛЯ́ЧА * Хрома́я кля́ча. *Прост. Пренебр.* О старом, больном, слабом человеке. Глухов 1988, 170.

КЛЯ́УЗА * Игра́ть без кля́уз. *Жарг. карт.* Играть честно, без шулерских приемов. Балдаев 1, 168.

КНИ́ГА * Амба́рная (инвента́рная) кни́га. *Жарг. шк. Шутл.* Классный журнал успеваемости. (Запись 2003 г.).

Клёвая кни́га. *Жарг. мол. Шутл.* Справочник рыболова. Максимов, 183.

Кни́га в хоро́шем переплёте. *Разг. Шутл.* Взятка с приглашением в ресторан. Елистратов 1994, 199.

Кни́га джу́нглей. *Жарг. шк.* Учебник зоологии. < По названию романа Р. Киплинга.

Кни́га жа́лоб [и предложе́ний]. *Жарг. шк. Шутл.-ирон.* Дневник. Максимов, 185.

Кни́га жи́зни. *Жарг. шк. Шутл.-ирон.* То же, что **книга жалоб.** Максимов, 185.

Кни́га у́жасов. *Жарг. шк. Шутл.-ирон.* То же, что **книга жалоб.** ВМН 2003, 65.

Кни́га за семью печа́тями. *Книжн.* О чём-л. абсолютно непостижимом, не доступном пониманию, скрытом от непосвященных. < Выражение из Библии. БМС 1998, 266; Ф 1, 242; БТС, 829; ЗС 1996, 378; ФСРЯ, 200.

Кни́га — лу́чший пода́рок. *Разг. Шутл.* Фраза, традиционно произносимая при вручении имениннику бутылки спиртного. Югановы, 107. < **Книга** — бутылка спиртного.

Кни́га не прочи́тана. *Жарг. мол. Шутл.-ирон.* О девственнице. Максимов, 185.

Кни́га ска́зок. *Жарг. шк. Шутл.-ирон.* Учебник. (Запись 2004 г.).

Кни́га судьбы́ (су́деб). *Жарг. шк.* То же, что **книга жалоб.** (Запись 2003 г.).

Кра́сная (чёрная) кни́га. *Жарг. шк. Шутл.-ирон.* То же, что **книга жалоб.** (Запись 2003 г.).

О чём не пи́шут в кни́гах. *Разг. Шутл.* Что-л. неприличное, о чем не принято говорить. Мокиенко, Никитина 2003, 169.

И кни́ги в ру́ки *кому. Разг.* О том, кто знает, умеет что-л., хорошо разбирается в каком-л. деле. ФСРЯ, 200; БМС 1998, 266.

Чита́ть кни́ги (кни́гу). *Жарг. угол., мол. Шутл.-ирон.* 1. Гнать самогон.

2. Пить спиртное. Елистратов 1994, 199, 551; Балдаев 1, 190; ББИ, 108; Грачев, Мокиенко 2000, 90. 3. Лгать, обманывать. Максимов, 185.

Записа́ть в па́мятную кни́гу *кому что. Обл.* Избить, наказать кого-л. побоями за что-л. Мокиенко 1990, 60.

Набра́ть кни́гу. *Жарг. угол.* Украсть бельё, вывешенное для просушки. ББИ, 148.

Смо́трит в кни́гу, а ви́дит фи́гу. *Разг. Шутл.-ирон. или Неодобр.* 1. О человеке, невнимательном при чтении. 2. О ничего не понимающем человеке. ДП, 454, 480; БТС, 1421; Мокиенко, Никитина 2003, 169.

КНИ́ЖКА * Записна́я кни́жка. *Жарг. шк. Шутл.* Парта. ВМН 2003, 65.

Кни́жка в со́рок страни́ц (страни́чек). *Жарг. мол. Шутл.* Водка. < Аллюзия на сорокаградусность водки. Вахитов 2003, 80; Максимов, 185.

Кни́жка в стекля́нном переплёте. *Жарг. мол. Шутл.* Бутылка спиртного. Вахитов 2003, 80.

Парти́йная (парте́йная) кни́жка. *Пск.* Билет члена компартии. ПОС 14, 257.

Прока́тная кни́жка. *Пск.* Проездной билет. ПОС 14, 257.

Пятиде́тная кни́жка. *Пск.* Удостоверение многодетной матери. ПОС 14, 257.

Говори́ть кни́жки. *Пск.* Читать вслух церковные тексты по книге или наизусть. ПОС 14, 256.

Чита́ть кни́жку. *Жарг. мол. Шутл.* 1. Курить. Я — молодой, 1997, № 2. 2. < **Книжка** — пачка сигарет. 2. Пить спиртное. 3. Ходить в туалет. Максимов, 185.

Чита́ть кни́жку в пятьдеся́т два листа́. *Народн. Шутл.* Играть в карты. ДП, 825.

КНИ́ЖНИК * Кни́жник запо́йный. *Жарг. угол. Шутл.-ирон.* Алкоголик, пьяница. Балдаев 1, 190; ББИ, 108; Мильяненков, 140. < Ср.: **книга** — бутылка спиртного.

Кни́жники и фарисе́и. *Книжн. Презр.* О ханжах, лицемерах, фразёрах. < Выражение из Библии. БМС 1998, 266.

КНО́ПКА * Волше́бная кно́пка. *Жарг. бизн., крим.* Арсенал преступных средств подавления конкурентов, включая убийство. БС, 33.

Пина́ть (пиха́ть, топта́ть) кно́пки. *Жарг. комп. Шутл.* Работать на клавиатуре. Максимов, 185.

Посла́ть на три кно́пки. См. **Послать на три клавиши (КЛАВИША).**

КНУТ * Кнут и пря́ник. *Публ.* Чередование жёстких и мягких мер при обращении с кем-л., ведении какой-л. политики. БМС 1998, 267.

Кнут пла́чет *по кому. Волг., Орл.* Кто-л. заслуживает наказания. Глухов 1988, 75; СОГ-1992, 46.

На кнут да махну́ть. *Дон.* 1. О малом количестве чего-л. 2. О плохом качестве чего-л. СДГ 2, 132.

Научи́лся кнут вить да соба́к бить. *Ворон. Неодобр.* О бездельнике, лентяе. СРНГ 36, 10.

Петро́в кнут. *Дон.* Растение дикий цикорий. СДГ 3, 11.

Прила́живать кнут. *Пск.* Готовиться строго воспитывать кого-л. ПОС 14, 259.

Принести́ кнут с пу́говкой *на кого. Обл.* Избить кого-л. Мокиенко 1990, 56.

Ва́ливать кнута́ *кому. Волг.* Строго наказывать, бить кого-л. Глухов 1988, 9.

Дава́ть/ дать кнута́ *кому.* 1. *Прост.* Наказывать, сечь кого-л. СОГ–1992, 46. 2. *Жарг. угол.* Помогать кому-л. продавать краденый товар. Балдаев 1, 102; ББИ, 64.

Из-под кнута́. *Пск.* Нехотя, лениво. ПОС 14, 259.

Отби́ться от кнута́ и па́лки. *Новг.* Перестать повиноваться, подчиняться кому-л. НОС 7, 39; Сергеева 2004, 43.

Благословля́ть кнуто́м *кого. Пск.* Бить, наказывать кого-л. ПОС 14, 259.

Де́йствовать кнуто́м и пря́ником. *Публ.* Чередовать жёсткие и мягкие меры при обращении с кем-л., ведении какой-л. политики. БМС 1998, 266.

Одни́м кнуто́м стёбанные. *Латв., Ряз.* О похожих, одинаковых, равных в каком-л. отношении людях. СРНГ 13, 345.

Кнуто́м погоня́ет *кто кого, что что. Пск. Шутл.* О большом количестве чего-л., кого-л. где-л. СПП 2001, 44; ПОС 14, 260.

Э́тим кнуто́м стёбан. *Пск.* О человеке, испытавшем, пережившем что-то подобное. ПОС 14, 259.

Кнуты́ вить да соба́к бить. *Народн. Шутл.-ирон. или Неодобр.* Бездельничать. Жиг. 1969, 201.

КНЯГИ́НЯ * Княги́ня молода́я. *Яросл.* Невеста. ЯОС 5, 40.

КНЯЗЬ * Из кня́зи в гря́зи. *Разг. Ирон.* О человеке, занимавшем высокое положение и лишившемся его. Ф 1, 243; ПОС 14, 265.

Князь тьмы. *Книжн. Устар.; Новг.* Дьявол, сатана. Ф 1, 243; НОС 4, 62.

Молодо́й князь. *Волог., Яросл.* Жених. СРНГ 18, 226; ЯОС 5, 41.

Первобра́чный князь. *Арх.* Жених, вступающий в первый брак. СРНГ 26, 6.

Кня́зя Хова́нского рекоменда́тельные пи́сьма. *Разг. Устар.* 1. Деньги. 2. Взятки. < Буквально — «за подписью князя Хованского». А. Н. Хованский (1771–1857) — князь, управлявший государственным ассигнационным банком. БМС 1998, 267.

Быть в князья́х. *Пск.* Быть правым, победителем в чём-л. ПОС 14, 265.

КО́БАРГА́ * Въе́сться в ко́баргу́ *кому. Дон. Неодобр.* Сильно надоесть кому-л. СДГ 1, 84.

КОБЕ́Л (КОБЁЛ) * Чеса́ть кобла́. *Жарг. карт.* Обманывать в картёжной игре сельского жителя. СРВС 3, 132. < **Кобел (кобёл)** — сельский житель, как правило — глупый, простоватый. БСРЖ, 264.

КОБЕЛЁК * У кобелька́. *Жарг. муз. Шутл.* Пьеса П. И. Чайковского «У камелька». БСРЖ, 264.

КОБЕ́ЛЬ * Чёрных кобеле́й на́бело перемыва́ть. *Народн. Неодобр.* Бездельничать. ДП, 255, 456, 474; Мокиенко 1990, 65.

Бесхво́стый кобе́ль. *Прост. Презр.* О подлом, непорядочном мужчине. Мокиенко, Никитина 2003, 169.

Како́й кобе́ль. *Иркут., Ряз.* Неизвестно кто; никто. ДС, 226; СРНГ 13, 356.

Кобе́ль зна́ет. *Ряз.* Ничего не известно о ком-л., о чём-л. ДС, 226.

Кобе́ль но́гу сло́мит. *Орл. Неодобр.* О беспорядке в доме, в сарае. СОГ-1992, 48.

Кобе́ль с ба́нкой. *Орл. Неодобр.* О человеке, который сплетничает, распространяет ложные слухи. СОГ-1992, 48.

Кобе́ль тебя́ (его́ и т. п.**) покоря́бай !** *Ворон. Бран.* Восклицание, выражающее досаду, раздражение. СРНГ 28, 368.

Мохна́тый кобе́ль. *Прост. презр.* О грубом, жестоком, подлом мужчине. Мокиенко, Никитина 2003, 169.

Операти́вный кобе́ль. *Жарг. угол., мил.* Служебно-разыскная собака. Балдаев 1, 291.

Пухлоры́лый кобе́ль. *Прост. Презр.* О грубом, безобразном и непорядочном человеке. Мокиенко, Никитина 2003, 169.

Сентимента́льный кобе́ль. *Жарг. мол. Шутл.-ирон. или Пренебр.* Мужчина средних лет, пристающий к молодым девушкам. (Запись 2001 г.).

Ста́рый кобе́ль. *Прост. Презр.* О старике или мужчине средних лет, волочащемся за молодыми женщинами. Мокиенко, Никитина 2003, 169.

Кобелю́ под хвост. *Прост. Неодобр.* 1. О чём-л., израсходованном совершенно напрасно. 2. О чём-л., чему не придают абсолютно никакого значения, не обращают никакого внимания. Мокиенко, Никитина 2003, 170.

Кобеля́ рябо́го. *Орл.* Совершенно, абсолютно ничего. СОГ-1992, 48.

Не сто́ит кобеля́ була́ного. *Морд. Неодобр.* О скандальном, склочном человеке. СРГМ 2002, 143.

Не́чем вы́манить кобеля́ из-под ла́вки. *Волг. Ирон.* О крайней бедности. Глухов 1988, 107.

Отпусти́ть кобеля́. *Сиб. Неодобр.* Грубо выругаться. ФСС, 130.

С семью́ кобеля́ми не сы́щешь *кого. Морд.* О том, кто исчез на долгое время, кого трудно найти. СРГМ 2002, 188.

КОБЫ́ЛА * Из кобы́л да в кля́чи. *Народн. Ирон.* О человеке, променявшем лучшее место на худшее. ДП, 469; ЯОС 4, 133; СРНГ 13, 339.

То́лько кобы́л драть. *Твер. Неодобр.* О грубом, невежливом человеке. СРНГ 14, 18.

Необъе́зженная кобы́ла. *Прост. Неодобр.* О строптивом, непослушном человеке. Глухов 1988, 75.

Нога́йская кобы́ла. *Прикам. Бран.* О не в меру резвящейся девочке. МФС, 48.

Присво́ила кобы́ла реме́нный кнут. *Пск.* О ситуации, когда чужих принимают за своих. ПОС 14, 259.

Си́вая кобы́ла. *Жарг. мол. Шутл.* Блондинка. Максимов, 186.

Кати́сь к кобы́ле под хвост чай пить! *Прост. Бран.* Требование удалиться, уйти, не мешать кому-л. Мокиенко, Никитина 2003, 170.

Кобы́ле под муды́. *Прост. Ирон.* Никуда (ответ на вопрос «Куды?»). Мокиенко, Никитина 2003, 170.

Кобы́ле под хвост. *Прост. Презр.* То же, что **кобелю под хвост (КОБЕЛЬ).** Мокиенко, Никитина 2003, 170; Сергеева 2004, 211.

На криво́й (вши́вой, си́вой) кобы́ле не объе́дешь (не объе́хать) *кого. Пск., Новг. Шутл.* Об опытном, бывалом человеке, которого не обманешь, не проведёшь. НОС 6, 120; СПП 2001, 45; ПОС 14, 269.

На худо́й кобы́ле не увезёшь *что, чего. Коми. Неодобр.* О чём-л. скверном, плохом. Кобелева, 81.

Не прише́й кобы́ле хвост. *Прост.* 1. *Презр.* О бестолковом, неумелом человеке. 2. *Неодобр.* О чём-л., не имеющем никакого отношения к делу, ситуации. ФСРЯ, 200; БМС 1998, 267; БТС, 1441; ЗС 1996, 281, 335; Мокиенко 1990, 64; Подюков 1989, 162; ПОС 14, 269; Вахитов 2003, 111.

Прише́й соба́ке хвост. *Перм. Неодобр.* То же, что **не пришей кобыле хвост 2.** Подюков 1989, 162.

Запряга́ть кобы́лу. *Жарг. нарк.* Набирать наркотик в шприц. Никитина 2003, 288.

Иска́ть кобы́лу [у тата́рина, у цыга́н]. *Жарг. угол., мол. Шутл.-ирон.* Заниматься бесполезным делом; бездельничать. СРВС 2, 43; Балдаев 1, 171; h-98; ТСУЖ, 78; Вахитов 2003, 71.

Купи́ть кобы́лу. *Народн. Эвфем.* Совершить половой акт. Мокиенко, Никитина 2003, 170.

Ню́хать кобы́лу. *Прост. Устар. Ирон.* Быть публично наказанным кнутом. Ф 1, 337.

Привяза́ть (отвяза́ть, спусти́ть, перевяза́ть) кобы́лу. *Жарг. мол. Шутл.* Сходить в туалет. Никитина 1996, 87; Быков, 105; Вахитов 2003, 145; Максимов, 194.

Се́рую кобы́лу из огоро́да (в огоро́де) не ви́дно. *Кар. Шутл.* О тёмных летних ночах. СРГК 4, 141.

Смоляну́ю кобы́лу сло́жишь, а не уе́дешь *от чьих слов. Пск. Шутл.* Об обманщике, лгуне. ПОС 2, 168.

Докра́лся до кобы́лы. *Народн. Устар. Неодобр.* О проворовавшемся и получившем заслуженное наказание человеке. < **Кобыла** — доска, на которую клали наказуемого кнутом. БМС 1998, 267.

Се́рой (бе́лой) кобы́лы сон. *Дон. Ирон. или Неодобр.* Что-л. вымышленное, неправдоподобное; небылица. СДГ 3, 134.

Ста́рше попо́вой кобы́лы. *Народн.* Об очень старом человеке. ДП, 356.

КОБЫ́ЛКА * Обра́тная кобы́лка. *Жарг. угол.* Вновь арестованный ворецидивист. Максимов, 186.

Се́рая кобы́лка. *Жарг. арест. Ирон.* Женщина-заключённая, выполняющая тяжёлую физическую работу. Балдаев 2, 36.

Совра́ть смоляну́ю кобы́лку. *Пск.* Наговорить много неправдоподобного, наврать кому-л. ПОС 14, 270.

КОБЫЛЯ́ТИНА * Вытряса́ть кобыля́тину. *Смол.* Убивать волков. СРНГ 14, 22.

КОБЫ́ТКИ * На кобы́тках. *Кар.* На четвереньках. СРГК 2, 382.

КОВА́ТЬ * Кова́ть да моло́ть. *Пск. Шутл.-ирон.* Пустословить, рассказывать небылицы. ПОС 14, 274.

И куёт, и ду́ет, и сам не зна́ет, что бу́дет. *Народн. Ирон.* О бесполезной работе. ДП, 428.

Ни куёт ни ме́лет. *Волг. Неодобр.* 1. О неумелом, бездеятельном человеке. 2. О малозначительном, неавторитетном человеке. Глухов 1988, 99, 109.

КОВА́ТЬСЯ * Не куётся не плёщется. *Волг. Неодобр.* О деле, которое не продвигается. Глухов 1988, 99.

Ни (не) куётся ни (не) плю́щится. *Народн. Неодобр.* О неумелых безрезультатных попытках сделать что-л. ДП, 860; НОС 4, 64.

КОВДА́ (КОВДЫ́) * Ковда́ нет! *Сиб.* Категорический отказ. СРНГ 14, 28.

Ковда́ ни на есть. *Яросл.* В любое время. ЯОС 5, 43; СРНГ 14, 27.

Ковда́ никовда́. *Костром.* Долгое время спустя; в далеком будущем. СРНГ 14, 27. **Ковды никовды́.** *Новг.* То же. СРНГ 14, 28.

КОВЁР * Вызыва́ть/ вы́звать на ковёр *кого. Разг. часто Шутл.-ирон.* Вызывать подчинённого к себе в кабинет для выговора. БМС 1998, 268; ШЗФ 2001, 50; СНФП, 79.

Идти́/ пойти́ на ковёр. *Разг. часто Шутл.-ирон.* Идти в кабинет начальника для выговора. БМС 1998, 267; Ф 1, 244; НСЗ-84. // *Жарг. шк.* Идти к директору школы по его вызову. ВМН 2003, 66.

Кра́сный ковёр. *Жарг. шк. Шутл.* Кабинет директора. ВМН 2003, 66.

Перси́дский ковёр. *Жарг. арест. Шутл.-ирон.* Пол в камере. ТСУЖ, 131.

Вышива́ть ковра́. *Волог., Кар.* Танцевать народный танец. СРНГ 14, 29.

На ковре́. 1. *Разг.* В положении человека, дающего объяснения, ответ на претензии, замечания. НСЗ-84. 2. *Жарг. шк. Шутл.* В кабинете директора. ВМН 2003, 66.

КО́ВКА * Дать ко́вку *кому. Петерб.* Ударить кого-л. СРНГ 14, 92.

КОВРИ́ЖКА * Ни за каки́е коври́жки. *Прост.* Ни при каких обстоятельствах. ФСРЯ, 200; ЗС, 295, 344.

КОВЧЕ́Г * Ковче́г заве́та (открове́ния). *Книжн. Архаич.* Что-л. священное, неприкосновенное; святыня; хранилище чего-л. заветного. < Выражение из Библии. БМС 1998, 268.

Ковче́г спасе́ния. *Книжн.* То же, что **Ноев ковчег 1-2.** БМС 1998, 268.

Но́ев ковче́г. *Книжн.* 1. *Шутл.-ирон.* О доме или другом помещении, заполненном множеством людей. 2. *Высок.* Средство спасения. Ф 1, 244. < Выражение из Библии. БМС 1998, 268.

КО́ВШИК * Большо́й ко́вшик. *Ср. Урал.* Созвездие Большая Медведица. СРГСУ 1, 51.

КО́ВЫ * Кова́ть ко́вы. *Разг. Устар.* Действовать коварно, злонамеренно по отношению к кому-л. Ф 1, 243.

КОВЫЛЁК * На ковылёк. *Кар.* Набок. СРГК 2, 383.

КОВЫ́ЛЬ-КОСТЫ́ЛЬ * На ковы́ль-косты́ль. *Курск. Неодобр.* Кое-как, как-нибудь. СРНГ 15, 85.

КОВЫ́РКА * Навра́ть через ковы́рку. *Новг.* Наговорить небылиц. НОС 5, 132.

Че́рез ковы́рку. 1. *Новг.* Переворачиваясь, кувыркаясь. НОС 4, 65. 2. *Кар.* Кувырком. СРГК 2, 383. 3. *Новг.* Кое-как, неточно. НОС 4, 66.

КОГДА́ * Когда́ да коли́. *Смол.* О бесконечном оттягивании какого-л. дела, обещания. СРНГ 14, 134.

Когда́ не быть. *Сиб.* Разумеется, конечно, на самом деле. ФСС, 21.

КО́ГОТЬ * Без когте́й. *Кар. Неодобр.* О неумелом, не привыкшем к труду человеке. СРГК 2, 384.

Со свои́х когте́й. *Прикам.* Своим трудом. МФС, 48.

Брать/ взять в ко́гти *кого. Сиб.* Подчинять своей воле кого-л., сурово, строго обращаться с кем-л. ФСС, 26.

Выпуска́ть/ вы́пустить ко́гти. *Разг.* То же, что **показывать когти.** ЗС 1996, 218.

Дать ко́гти *кому. Иван.* Избить, поколотить кого-л. СРНГ 14, 44.

Забра́ть ко́гти. *Пск.* Стать спокойнее, перестать буянить. ПОС 11, 40.

Зала́мывать ко́гти. *Перм.* Неустанно трудиться, изнурять себя тяжёлой работой. Подюков 1988, 80.

Облома́ть ко́гти. 1. *кому. Кар.* Укротить, усмирить кого-л., заставить покориться. СРГК 4, 89. 2. *Волг. Ирон.* Терпеть неудачу. Глухов 1988, 114.

Пока́зывать/ показа́ть ко́гти. *Прост.* Проявлять по отношению к кому-л. враждебность, нетерпимость, вести себя агрессивно. БТС, 893; ЗС 1996, 223; СПП 2001, 45.

Пока́ ко́гти шеве́лятся. *Кар.* Пока жив кто-л. СРГК 2, 384.

Распуска́ть/ распусти́ть ко́гти. *Волг.* Проявлять агрессивность. Глухов 1988, 139.

Рвать (сорва́ть) ко́гти *куда, откуда.* 1. *Жарг. лаг.* Бежать из-под стражи. Р-87, 157, 337; СРВС 4, 146; Бен, 103. 2. *Жарг. угол., Разг.* Уходить, поспешно удаляться откуда-л., бежать, удирать куда-л., откуда-л. СРВС 3, 186, 223; НРЛ-70; ТСУЖ, 166; НСЗ-84; Максимов, 186; Вахитов 2003, 157.

Рисова́ть ко́гти. *Жарг. мол.* То же, что **рвать когти 2.** Максимов, 186.

Спусти́ть ко́гти *на кого. Иван.* То же, что **дать когти.** СРНГ 14, 44.

Натере́ть (надра́ть) когтя́ми на за́втрак. *Жарг. арест.* Подвергнуться телесному наказанию в тюрьме. СРВС 1, 67, 204.

Быть в когтя́х *у кого. Прост.* Полностью подчиняться, повиноваться кому-л. Глухов 1988, 8.

Держа́ть в когтя́х *кого. Разг.* Строго следить за кем-л., строго обращаться с кем-л., ограничивать чью-л. свободу. ФСРЯ, 200; ДС, 229; Ф 1, 157-158; Глухов 1988, 33.

На когтя́х. *Кар.* Наготове. СРГК 3, 334.

КО́ДЕКС * Уголо́вный ко́декс. *Жарг. шк. Шутл.* Журнал успеваемости. (Запись 2003 г.).

КО́ДЛА * Ко́дла госуда́рственных банди́тов. *Жарг. лаг. Шутл.-ирон.* Расшифровка сокращения *КГБ.* Р-87, 419

КОЕ-КАК * Кое-как ма́ло. *Прикам. Неодобр.* Наспех, небрежно. МФС, 56.

КОЕ-ЧТО * Сошли́сь кое о чём помолча́ть. *Народ. Ирон.* О людях, сидящих молча; о ситуации, когда разговор не завязывается. ДП, 415; Жиг. 1969, 105.

КО́ЖА * Гнила́я ко́жа. *Кар. Бран.* О непорядочном человеке. СРГК 2, 385.

Жи́рная (гру́бая) ко́жа. *Жарг. угол.* Бумажник с крупной суммой. ТСУЖ, 43, 56.

Ко́жа говори́т *на ком. Дон.* О бойком, отчаянном человеке. СДГ 1, 103.

Ко́жа на перело́ме. *Жарг. угол.* Момент во время совершения карманной кражи, когда кошелёк почти вытащен. Балдаев 1, 192; ББИ, 108; Мильяненков, 141. < **Кожа** — бумажник, кошелек.

[Одна́] ко́жа да ко́сти *[у кого]*; **[одни́] ко́сти да ко́жа** *[у кого]. Разг. Неодобр.* О крайне худом, измождённом человеке. ДП, 309, 398; БМС 1998, 269; ФСРЯ, 200; СОСВ, 88; Глухов 1988, 76; СПП 2001, 45. **Ко́жа да ко́стки.** *Пск.* То же. СПП 2001, 45.

Ко́жа да ро́жа. *Дон.* То же, что **кожа да кости.** СДГ 2, 65.

Ко́жа на шесту́. *Пск.* То же, что **кожа да кости.** СПП 2001, 45; ПОС 14, 295.

Ко́жа с ба́бками. *Жарг. угол.* Бумажник с деньгами. Бр., 8.

Пестри́нья ко́жа. *Кар. Шутл.* или *Пренебр.* О веснушчатом лице. СРГК 2, 385.

Чёртова ко́жа. *Разг.* Очень прочная ткань, обычно чёрного или белого цвета. Ф 1, 244. // *Новг.* Бязь чёрного цвета. НОС 12, 54.

В одно́й ко́же с одно́й ро́жей. *Сиб. Неодобр.* Без всяких изменений. ФСС, 94.

Найдётся за ко́жей. *Кар.* Не пропадёт, будет полезным, пойдёт впрок. СРГК 2, 385.

Обрасти́ соба́чьей ко́жей. *Перм. Шутл.-ирон.* Состариться. Подюков 1989, 135.

Пропа́сть с ко́жей. См. **Пропасть с кожи.**

С ко́жей в я́му. См. **Из ко́жи в я́му.**

Тере́ться ко́жей. *Жарг. мол. Шутл.* Совершать половой акт с кем-л. Максимов, 187.

Вывора́чиваться/ вы́вернуться из ко́жи. *Пск.* 1. То же, что **лезть из кожи вон.** 2. *Неодобр.* Шалить, баловаться (о живом, подвижном ребёнке). СПП 2001, 45.

Вы́йти со свое́й ко́жи. *Пск.* Взглянуть на себя со стороны, объективно оценить себя. ПОС 5, 170.

Выла́зить из ко́жи. *Алт.* То же, что **лезть из кожи вон.** СРГА 1, 189.

Выходи́ть из ко́жи вон. *Арх.* То же, что **лезть из кожи вон.** АОС 8, 370.

Ко́жи не хвата́ет *кому. Перм. Шутл.* О чрезмерно полном человеке. Подюков 1989, 219.

Лезть (вылеза́ть) из ко́жи вон. *Разг.* Очень стараться, усердствовать в чём-л. ФСРЯ, 200; БТС, 148, 491; БМС 1998, 269; ПОС 14, 295; ДП, 512; Глухов 1988, 80.

Лупи́ться (вылупа́ться) из ко́жи. *Сиб.* 1. То же, что **лезть из кожи вон.** ФСС, 37. 2. Приходить в состояние крайнего раздражения. ФСС, 108.

Ни ко́жи ни ро́жи *у кого. Разг. Пренебр.* О худом, некрасивом, безобразном человеке. ФСРЯ, 200; СПП 2001, 45; Глухов 1988, 109; Мокиенко 1990, 145. **Ни ко́жи, ни рожи, ни ви́денья.** *Народн. Пренебр.* То же. ДП, 258; Ф 1, 245; СПП 2001, 45.

Уйти́ (пропа́сть) из ко́жи (с ко́жей) в я́му. *Пск. Шутл.* Надолго уйти, исчезнуть. СПП 2001, 45; ПОС 14, 296..

Пропа́сть с ко́жи (с ко́жей). *Волг., Дон., Кар.* Бесследно исчезнуть. Глухов 1988, 135; СРГК 2, 385; СРГК 5, 284; СДГ 3, 69.

Рва́ться из ко́жи. *Разг.* То же, что **лезть из кожи вон.** Ф 2, 124.

В ко́жу не вмести́ться. *Новг.* Стать слишком полным, толстым. НОС 1, 129.

В ко́жу не влеза́ет (не вхо́дит). *Печор.* То же, что **в кожу не лезет.** СРГНП 1, 321.

В ко́жу не ле́зет. *Башк. Пренебр.* Об очень полном человеке. СРГБ 2, 58.

В ко́жу не ме́ститься. *Кар.* Быть здоровым и полным, живя в благополучии. СРГК 3, 200.

В ко́жу не потолпи́ться. *Дон. Неодобр.* О чрезмерно полном человеке. СДГ 3, 49.

Влеза́ть в ко́жу *чью, кого. Разг.* Ставить себя на место кого-л. или в положение кого-л. ФСРЯ, 72.

Входи́ть в ко́жу. *Прикам.* Располнеть. МФС, 21.

Вы́мять (вы́мнять) ко́жу. *Сиб.* Несколько раз промять упряжных животных, чтобы они спустили лишний жир. ФСС, 3; СРНГ 14, 49.

Дви́гать ко́жу. *Жарг. мол. Шутл.-ирон.* Заниматься онанизмом. Елистратов 1994, 200.

Драть ко́жу *с кого. Народн.* Жестоко эксплуатировать кого-л. ДП, 132; Ф 1, 173.

Залива́ть/ зали́ть за ко́жу. 1. *Волг. Шутл.* Пить спиртное. Глухов 1988, 49. 2. **[са́ла]** *кому. Дон.* Обижать кого-л. СДГ 2, 8; СРНГ 36, 64.

Лезть под ко́жу *к кому. Прост.* Раздражать, нервировать кого-л. Подюков 1989, 105; Максимов, 187.

Мять ко́жу *кому. Перм. Шутл.* Бить, избивать кого-л. Подюков 1989, 121.

Навело́ ко́жу *кому. Яросл.* О затянувшейся ране. ЯОС 6, 85.

Не вме́стится в ко́жу. *Перм. Неодобр.* То же, что **не входит в кожу.** Подюков 1989, 26.

Не вхо́дит (не толпи́тся/ протолпи́тся) в ко́жу. *Волг. Неодобр.* О чрезмерно полном человеке. Глухов 1988, 96, 103, 105.

Ободра́ло ко́жу *кому. Сиб.* Об ощущении озноба от сильного страха, волнения. ФСС, 124.

Рабо́тать на ко́жу. *Жарг. угол.* Подбрасывать деньги прохожему, а затем грабить его. СРВС 1, 213; ТСУЖ, 151.

Спуска́ть/ спусти́ть ко́жу *с кого. Прост.* Строго наказывать, бить кого-л. Глухов 1988, 153; Ф 2, 179.

КОЖУРИ́НА * Из кожури́ны вывора́чиваться/ вы́вернуться. *Пск.* То же, что **из кожи вывернуться (КОЖА).** СПП 2001, 45; ПОС 14, 303.

Коза́ * Бе́лая коза́; Про бе́лую козу́. *Жарг. муз. Шутл.* Итальянская народная песня «O sole mio», которая начинается словами que bella cosa… БСРЖ, 267.

Бря́нская коза́. *Орл. Шутл.-ирон.* 1. О непоседливом, подвижном человеке. 2. О глупом, несообразительном человеке. СОГ 1989, 100.

Двухно́гая коза́. *Арх. Неодобр.* О человеке, который мало работает, но много потребляет. АОС 10, 353.

Идёт коза́ рога́тая. *Фольк. Шутл.* Выражение, которым шутливо пугают маленьких детей. БМС 1998, 269.

Коза́ в сарафа́не. *Народн. Ирон.* О странно одетом, нелепо выглядящем человеке. ДП, 686; Глухов 1988, 76.

Коза́ необу́ченная. *Жарг. мол. Неодобр. или Ирон.* Обращение к женщине. ОРТ, 14.03.98.

Коза́ с мото́ром. *Жарг. мол.* 1. *Шутл.* О торопливом человеке. 2. *Неодобр.* О человеке, выдающем себя за преуспевающего бизнесмена. Максимов, 187.

Коза сыта́, и капу́ста цела́. *Народн.* О компромисной ситуации, примирении и удовлетворении интересов разных людей или непримиримых группировок. ДП, 426; БМС 1998, 270.

Лету́чая коза́. *Пск.* Птица бекас, издающая звук, похожий на блеяние козы. ПОС 307.

Спляса́ла коза́ с медве́дем. *Народн. Шутл.-ирон.* О чём-л. несуразном, нелепом. Жиг. 1969, 260.

Где ко́зам рога́ пра́вят. *Волг. Ирон.* О далёком, неудобном для проживания месте. Глухов 1988, 21.

Трави́ть ко́зами се́но. *Волг. Ирон.* Бесполезно расходовать, тратить средства. Глухов 1988, 160.

Вы́ехать на козе́. *Жарг. студ.* Сдать экзамен без подготовки, при помощи шпаргалок, обманув преподавателя и т. п. Я — молодой, 1996, № 18-19.

Дать козе́. *Ворон. Шутл.* Сделать неверный ход (при игре в шашке). СРНГ 14, 57.

[И] на козе́ не подъе́дешь *к кому.* 1. *Прост. Неодобр.* О совершенно неприступном, гордом, упрямом человеке. ФСРЯ, 200; БМС 1998, 270; БТС, 887; Жиг. 1969, 229. 2. *Пск.* О хитром, предприимчивом человеке. СПП 2001, 270.

Козе́ (козлу́) поня́тно. *Разг. Шутл.* Само собой разумеется, ясно без объяснений. Вахитов 2003, 80; Максимов, 187.

На [криво́й] козе́ не объе́дешь *кого. Прост.* Не обманешь, не проведёшь, не перехитришь кого-л. ФСРЯ, 200; Мокиенко 1990, 83; НОС 6, 120.

На лихо́й (задри́панной) козе́ не подъе́дешь *к кому. Волг. Неодобр.* О капризном, высокомерном человеке. Глухов 1988, 90.

На фига́ (нафига́) козе́ бая́н. *Жарг. мол. Шутл.* О каком-л. явном несоответствии, абсурде; о чём-л. ненужном, неуместном. Белянин, Бутенко, 100; Елистратов 1994, 274.

Оста́ться (сиде́ть) на козе́. *Новг., Пск. Шутл.* Отставать от кого-л., быть последним в работе. НОС 4, 68; СПП 2001, 45.

Подъезжа́ть/ подъе́хать на блатно́й козе́ *к кому. Жарг. мол.* Предъявлять какие-л. требования, приказывать что-л. в резкой, грубой форме. БСРЖ, 267.

Подъезжа́ть на козе́ *к кому. Волг.* Стараться угодить кому-л. Глухов 1988, 127.

Пошёл ты (он и т. п.**) к козе́ на имени́ны!** *Прост.* Восклицание, выражающее нежелание продолжать общение с кем-л., требование уйти, удалиться. БМС 1998, 270.

[Показа́ть] где ко́зам рога́ пра́вят. *Народн.* Расправиться с кем-л., наказать кого-л. ДП, 220.

Прие́хать (прилете́ть) на блатно́й козе́. *Жарг. мол.* Вести себя подобно человеку, близкому к криминальным структурам. Максимов, 35.

Гнать козу́. *Новг.* Жать полосу хлеба в определённом направлении. СРНГ 6, 234.

Загну́ть козу́ *кому. Перм.* То же, что **заделать козу 3.** Подюков 1989, 78.

Заде́лать (сде́лать) козу́ *кому.* 1. *Жарг. угол. Неодобр.* Подвести товарища, помешать в каком-л. деле. ТСУЖ, 61; Балдаев 1, 139. 2. *Жарг. угол.* Избить кого-л. Балдаев 1, 139. 3. *Разг. Неодобр.* Поступить непорядочно по отношению к кому-л. Бен, 59; СПП 2001, 45.

Пасти́ (води́ть) козу́. *Жарг. угол.* Следить за пьяным с целью ограбления. Хом. 1, 181.

Показа́ть (устро́ить) козу́ [с мото́ром] *кому. Жарг мол.* 1. То же, что **заделать козу 1.** 2. *Шутл.* Уйти из дома перед приходом гостей. Максимов, 188.

Пора́ козу́ на торг вести́. *Народн.* О девушке, которой пора замуж. ДП, 745.

Скидава́й козу́ с крова́ти! *Прост. или Жарг. мол. Шутл.-ирон.* О готовности вступить в активные половые сношения. Б, 90; Мокиенко, Никитина 2003, 171.

Ко́зы бегу́т. *Дон. Шутл.* О движении воздуха в жаркий день. СДГ 2, 66.

Ко́зы в носу́ *у кого. Волг. Пренебр.* О неряшливом, неопрятном человеке. Глухов 1988, 76.

Ко́зы ночева́ли в уша́х *у кого. Курск. Неодобр.* О грязных ушах. БотСан, 98.

Отставно́й козы́ бараба́нщик. *Прост. Шутл.-ирон.* 1. О малозначительном, но претендующем на общественное признание человеке. 2. О человеке без определённых занятий, потерявшем общественное положение. ДП, 256; 713, 732; БТС, 59, 762; ЗС 1996, 33; ФСРЯ, 201; БМС 1998, 272; Мокиенко 1990, 92.

КОЗЁЛ * Безро́гий козёл. *Прост. Бран.* О гнусном, мерзком, но не способном нанести серьёзного ущерба человеке. Мокиенко, Никитина 2003, 171.

Воню́чий козёл. *Прост. Бран.* О подлом, злобном и вредном человеке. Мокиенко, Никитина 2003, 171.

Го́рный козёл. *Жарг.* 1. *спорт. (тур.) Шутл.* Альпинист. Максимов, 93. 2. *Пренебр.* Кавказец. Мокиенко, Никитина 2003, 171.

Козёл в заго́не. *Жарг. мол. Шутл. или презр.* Начальник в кабинете. Максимов, 138.

Козёл искупле́ния. *Разг. Устар.* То же, что **козёл отпущения**. БМС 1998, 273.

Козёл на при́вязи. *Жарг. мол. Шутл.* Мужской половой орган. Елистратов 1994, 663; ЖЭСТ-1, 141.

Козёл опуще́ния. *Жарг. шк. Ирон.* Учитель физкультуры (т. к. основное упражнение на уроке — наклон и подъём). БСРЖ, 267. < Трансформация выражения **козёл отпущения**.

Козёл отпуще́ния. 1. *Разг. часто Неодобр.* О человеке, на которого сваливают чужую вину, ответственность за чужие ошибки. БМС 1998, 273; ЗС 1996, 106, 306; ФСРЯ, 200; Янин 2003, 143; Мокиенко 1989, 117-118. 2. *Жарг. шк.* Дневник. (Запись 2003 г.).

Коря́вый козёл. *Жарг. мол.* 1. *Презр.* О некрасивом молодом человеке. 2. *Бран.* О подлом, непорядочном человеке. Максимов, 188.

Красноро́гий козёл. *Жарг. арест. Презр.* Привилегированный осуждённый активист из хозобслуги КВЧ ИТУ, помогающий в наведении порядка в зоне. Балдаев 2001, 160.

Обле́злый козёл. *Прост. бран.* О мерзком, гнусном, обычно — старом, потрёпанном человеке. Мокиенко, Никитина 2003, 171.

Пошёл козёл по лыки, коза́ по оре́хи. *Народн. Неодобр.* О несогласованности в действиях, которая мешает продвижению дела. ДП, 460.

СВПе́шний (Эсвепешный) **козёл.** *Жарг., арест. Презр.* Презираемый осуждённый–активист, член секции внутреннего порядка (СВП) ИТК. Балдаев, 2001, 164.

Упря́мый козёл. *Прост. бран.* Об упрямом, несговорчивом человеке. Мокиенко, Никитина 2003, 171.

Фарширо́ванный козёл. *Жарг. мол. Пренебр.* О глупом, медленно соображающем человеке. Максимов, 187.

Бей козла́ с узла́. *Орл.* Призыв действовать, быть решительным в каком-л. деле. СРНГ 14, 39.

Дава́ть/ дать козла́. 1. *Жарг. спорт. (конн.).* Подскакивать, взбрыкивая задними ногами. БСРЖ, 267. 2. *Прибайк.* Бегать, подпрыгивая (о кошках). СНФП, 79.

Дёрнуть козла́ за бо́роду. *Горьк.* Сделать что-л. неуместное. БалСок, 40.

Дои́ть козла́. *Разг. Устар.; Пск.* Бездельничать, праздно проводить время, заниматься чем-л. бесполезным. БМС 1998, 274; ПОС 3, 97.

Драть козла́. 1. *Прост. Шутл.-ирон.* Громко и фальшиво петь. ДП, 824; БМС 1998, 274; ФСРЯ, 146; ШЗФ 2001, 70; Мокиенко 1989, 119. 2. *Курск.* Сильно кричать от боли. БотСан, 98. 3. *Башк., Пск., Твер.* О рвоте (как правило — после перепоя). СРГБ 1, 115; СРНГ 8, 175; ПОС 14, 311.

Забива́ть/ заби́ть козла́. *Прост.* 1. *Шутл.* Играть в бабки, в козны. Мокиенко 1986, 110. 2. *Шутл.* Играть в домино. НСЗ-60; БТС, 310; Ф 1, 191. 3. *Неодобр.* Попусту тратить время, заниматься пустяками. БМС 1998, 274.

Загоня́ть козла́. *Жарг. мол.* Воровать овощи с огорода. Максимов, 138.

Купи́ть козла́. *Жарг. мол. Шутл.-ирон.* Переплатить, покупая что-л. Максимов, 187.

Подари́ть козла́ *кому. Жарг. мол. Шутл.-ирон.* Оказать кому-л. ненужную услугу. Максимов, 187.

Потроши́ть козла́. *Жарг. мол. Шутл.* Ремонтировать мотоцикл. Югановы, 108.

Пуска́ть/ пусти́ть козла́ в огоро́д [капу́сту сторожи́ть]. *Разг. Неодобр.* Давать кому-л. доступ туда, где он может быть особенно вреден, из чего он может и хочет извлечь выгоду. ДП, 475; 644; Жук. 1991, 271; ФСРЯ, 201; ЗС 1996, 200; БМС 1998, 275; Мокиенко 1989, 118.

Служи́ть за козла́ на коню́шне. *Народн. Устар. Ирон.* Бездельничать, бесцельно проводить время. ДП, 501; БМС 1998, 276.

Завоня́ло козла́ми. *Жарг. мол.* О появлении работников милиции. Максимов, 137.

Драть козло́в. *Пск.* То же, что **драть козла 2.** СПП 2001, 45.

Де́лать/ сде́лать козло́м *кого. Жарг. угол.* 1. Распускать слух о связях кого-л. с милицией. 2. Совершить насильственный акт мужеложества с кем-л. Балдаев 2, 32; Мокиенко, Никитина 2003, 171.

Хоть козло́м, да поплыву́. *Пск.* Несмотря ни на что, всё равно. ПОС 14, 311.

Козлу́ поня́тно. См. **Козе понятно (КОЗА).**

Го́рные козлы́. *Жарг. тур. Шутл.* Альпинисты или горные туристы. Максимов, 93.

Драть козлы́. *Пск.* То же, что **драть козла 2.** СПП 2001, 45.

КОЗЕЛО́К * Отмочи́ть (вы́бросить) козелка́. *Ворон.* Сделать что-л. неожиданное, смешное, несуразное. СРНГ 14, 61.

КО́ЗЛИК * Се́ренький ко́злик. *Жарг. мол. Шутл.* Малолетний пассивный гомосексуалист. Максимов, 382.

КОЗЛУ́ШКА * Козлу́шка начиха́ла. *Вят.* О малом количестве чего-л. СРНГ 20, 290.

КОЗЛЯ́ТНИК * Пры́гнуть в козля́тник. *Жарг. угол., арест. Ирон.* Добросовестно работать, сотрудничать с администрацией ИТУ. Балдаев 1, 361.

КО́ЗНИ * Стро́ить ко́зни. *Прост. Неодобр.* Тайно вредить кому-л., замышлять зло против кого-л. Ф 2, 193; ЗС 1996, 231.

КОЗУ́ЛЬКА * Состря́пать козу́льку. *Кар.* Переделать старую вещь. СРГК 2, 388.

КОЗУ́ЛЯ * Посади́ть на козу́лю *кого. Иркут.* Обогнать соседа в работе (при косьбе). СРНГ 14, 75; СРНГ 30, 134; СФС, 149.

КОЗЫРЁК * Брать/ взять под козырёк. *Разг.* Приветствовать кого-л. по-военному, приложив руку к козырьку. Ф 1, 61.

Ети́шкин козырёк! *Жарг. мол.* Выражение восторга. һ-98.

Шито́-крыто́ козырько́м наза́д. *Пск. Шутл.* У кого-л. всё в порядке, дела идут хорошо. СПП 2001, 45; ПОС 14, 331.

КО́ЗЫРЬ * Ходи́ть с козыре́й. *Прост.* Прибегать к важнейшему из аргументов. Глухов 1988, 167.

Руга́ть в ко́зыри *кого. Ворон.* Грубо, непристойно ругать кого-л. СРНГ 14, 78.

Би́тый ко́зырь. *Разг. Пренебр.* О ком-л., о чём-л., потерявшем силу, значимость. Ф 1, 245.

Вы́ложить ко́зырь. *Прост.* Привести какой-л. аргумент, подтверждение чего-л. Ф 1, 95.

Ко́зырь с головы́ слете́л *у кого. Пск.* Сошла спесь с кого-л. Шт., 1978.

Лома́ть ко́зырь. *Перм. Неодобр.* Важничать, зазнаваться. Подюков 1989, 108.

Наха́льный ко́зырь. *Сиб. Неодобр.* О наглом, нахальном человеке. СРНГ 20, 255.

Устана́вливать ко́зырь. *Пск. Неодобр.* Вести себя агрессивно, деспотично. СПП 2001, 45.

Дави́ть ко́зыря. *Жарг. мол.* Вызывающе смотреть на кого-л. Максимов, 478.

Ко́рчить ко́зыря. *Прост.* Вести себя высокомерно, заносчиво. Ф 1, 257.

Не покриви́ть ко́зыря. *Кар.* Не поклониться кому-л., не поприветствовать кого-л. СРГК 2, 388.

Подня́ть ко́зыря. *Прибайк.* Начать вести себя высокомерно, заноситься, важничать. СНФП, 79.

Оста́ться при свои́х козыря́х. *Разг.* В том же положении, состоянии; с тем, что имеется. ФСРЯ, 201.

КОЗЮ́ЛЬКА * Козю́лек объе́сться. *Жарг. мол. Неодобр.* Стать высокомерным, заносчивым. Максимов, 188.

КОЗЯ́ВКА * Это тебе́ не козя́вки тре́скать. *Жарг. мол. Шутл.* О важном, серьёзном деле. Максимов, 501.

КО́ЙКА * Дави́ть ко́йку. *Перм.* Лежать без дела; спать. Подюков 1989, 56.

Пойти́ в ко́йку *с кем. Жарг. мол.* Вступить в половую связь с кем-л. Елистратов 1994, 201.

КОК * Третю́шкин кок. *Жарг. угол., арест. Ирон.* Порция заварки чая. Балдаев 2, 85. < **Кок** — кокаин.

КО́КА * Ко́ка с со́ком. 1. *Прост. Устар.; Яросл.* Материальный достаток, богатство. БМС 1998, 276; ЯОС 5, 47. 2. *Прост.* О чём-л. неожиданном, неприятном. Ф 1, 245. 3. *Ирон.* О хитром, предприимчивом человеке. Ф 1, 245. 4. *Орл.* О ничтожно малом количестве чего-л. СОГ-1992, 56.

Ко́ки с со́ком то́лько нет *у кого. Орл.* О большом достатке, изобилии чего-л. СОГ-1992, 56.

Не боя́ться ни ко́ки ни мо́ки. *Пск. Одобр.* Быть смелым, бесстрашным. СПП 2001, 45; ПОС 14, 339.

Вида́л ко́ку с со́ком! *Сиб.* Категорический отказ кому-л. в чём-л. ФСС, 27; СРНГ 14, 86.

Выжима́ть ко́ку с со́ком *из кого. Разг. Устар.* Жестоко эксплуатировать кого-л. Ф 1, 92.

Дать ко́ку с со́ком *кому. Яросл.* Абсолютно ничего не дать кому-л. ЯОС 3, 121.

Ко́кать ко́ку. *Пск.* Класть яйцо (о курице). ПОС 14, 339.

Получи́ть ко́ку с со́ком. *Сиб., Яросл.* Получить отказ, ничего не получить в ответ на просьбу. ФСС, 145; ЯОС 8, 56.

КОКАЙН * Кокаин кру́пными гра́нулами с зелёного о́строва. *Жарг. мол. Шутл.* О шоколадном батончике «Баунти». Максимов, 188.

КОКАРЕ́ШКИ * На кокаре́шках. *Кар.* За спиной. СРГК 2, 389.

КО́КАЧ * Дать ко́кача *кому. Ленингр.* Ударить кого-л. СРНГ 7, 257.

КО́КИ * Отби́ть [себе́] ко́ки. *Жарг. угол. Шутл.* Об ощущении разбитости от тряской дороги. Мокиенко, Никитина 2003, 172.

КОКЛЮ́ША * Без коклю́ш. *Обл.* Прямо и открыто, без шуток и вздора (говорить, сказать что-л.). БМС 1998, 276.

КОКЛЮ́ШКА * В коклю́шки игра́ть. *Яросл. Неодобр.* То же, что **гнуть коклюшки.** ЯОС 2, 38.

Гнуть коклю́шки. *Яросл. Неодобр.* Лгать, обманывать кого-л. ЯОС 5, 47.

На коклю́шки. *Новг.* На спину, за спину. НОС 4, 73.

КО́КОН * Мочи́ть ко́коны. *Жарг. угол.* 1. Давать ложные показания. 2. Обманывать кого-л. ТСУЖ, 109. < **Коконы** — 1. Яйца домашней птицы. 2. Мошонка.

КОКО́РА * Деревя́нная коко́ра. *Арх.* Соха. СРНГ 8, 17.

Коко́ра си́цкая. *Яросл. Бран.* О неловком, нерасторопном человеке. < **Сицкий** — проживающий на берегах р. Сити. ЯОС 5, 47.

Ста́рая коко́ра. *Печор. Бран.* О немолодой женщине, вызывающей отрицательные эмоции. СРГНП 1, 323.

КОКОРА́ЧКИ (КОКОРЯ́ЧКИ) * На кокора́чках (на кокоря́чках). См. **На какарячках (КАКАРЯЧКИ).**

КОКО́РИНА * Согну́ть коко́рину. *Пск. Неодобр.* Сказать, глупость, небылицу, что-л. нелепое, непродуманное. СРНГ 14, 95; ПОС 14, 344. < **Кокорина** — изогнутый пирог, изделие из теста.

КОКО́РКИ * На коко́рки (коко́рочки). *Кар.* На корточки. СРГК 2, 392.

На коко́рках (коко́рочках). *Кар., Прикам.* На корточках. МФС, 48.

КОКО́РОЧКИ * На коко́рочки. См. **На кокорки (КОКОРКИ).**

На коко́рочках. См. **На кокорках (КОКОРКИ).**

КОКС * Зада́ть ко́ксу. *Жарг. мол. Шутл.-ирон.* Быстро убежать откуда-л. АиФ, 1992, № 21.

Заряди́ть ко́ксу. *Жарг. мол.* Совершить неожиданный поступок, удивить окружающих своим поведением. Максимов, 149.

КОКТЕ́ЙЛЬ * Кокте́йль Мо́лотова. *Жарг. арм.* Бутылка с зажигательной смесью. < Из англ.: *Molotov's coctail.* Кор., 134; Лаз., 15.

Коктéйль «Пéнная смерть». *Жарг. мол.* Смесь водки с пивом. Максимов, 188.

КОКУ́Й * На коку́й. *Яросл.* Способ повязывания платка, при котором концы завязываются сзади, уши закрыты. ЯОС 6, 77.

КОКУ́ЛЬКИ * На коку́льки. *Новг.* То же, что **на кокорки (КОКОРКИ).** НОС 4, 77.

КОКУ́РА * На коку́рах. *Яросл.* То же, что **на кокорках (КОКОРКИ)**. ЯОС 6, 77.

Обирáть коку́ры. *Казан.* Выезжать в районы проживания чувашей и черемисов с целью заработать денег гаданием на картах и хлебных зернах (о русских женщинах). СРНГ 14, 104.

КОКУ́РКИ * На коку́рках. *Ср. Урал, Яросл.* То же, что **на кокорках (КОКОРКИ).** СРГСУ 2, 171; ЯОС 6, 77.

Сидéть на коку́рках. *Костром.* Сидеть на коленях или на плечах. ЖКС 2006, 155.

На коку́рки. *Кар.* То же, что **на кокорки (КОКОРКИ).** СРГК 2, 394.

КОКУ́РОЧКИ * На коку́рочках. *Кар., Ср. Урал.* То же, что **на кокорочках (КОКОРКИ).** СРГК 3, 335; СРГСУ 2, 171.

На коку́рочки. *Яросл.* То же, что **на кокорки (КОКОРКИ).** ЯОС 6, 77.

КО́КУШКА * Ко́кушки тебé (вам, ему и пр.**)!** *Жарг. мол.* Ничего не получишь! Ничего не дам! (формула категорического отказа). Б., 80. < **Кокушка** — фига, кукиш.

КОЛ * Вбивáть/ вбить кол. *Новг.* Отделять кому-л. в собственность часть земельного участка. НОС 1, 109.

Вбивáть/ вбить (забивáть/ заби́ть) оси́новый кол в моги́лу (на моги́ле) *кого, чьей. Разг. Неодобр.* Окончательно обезвреживать кого-л., избавляться от кого-л. < От древнего суеверного обычая забивать осиновый кол в могилу умершего колдуна, знахаря, ведьмы, упыря или оборотня, чтобы они не могли выходить из могилы по ночам и причинять вред людям. БМС 1998, 277; ШЗФ 2001, 33; БТС, 113.

Девя́тый кол изгорóды. *Пск. Шутл.-ирон.* Об очень дальнем родственнике. ПОС 8, 176.

Заби́ть кол *на что. Жарг. мол.* Прекращать, бросать делать что-л. Елистратов 1994, 143. < **Кол** — мужской половой орган.

Кол бы тебé в гóрло (в кáдку)! *Кар. Бран.* Выражение негодования, гнева. СРГК 2, 310, 396.

Кол в глóтку *кому*! *Прост. Бран.* Пожелание бед, неприятностей кому-л. Ф 1, 245. **Кол в хайлó** *кому*! *Перм. Бран.* То же. МФС, 48.

Кол да перетю́ка. *Неодобр.* 1. *Вят.* О препятствии, задержке. СРНГ 14, 110. 2. *Олон.* О бедняках, нищих. СРНГ 14, 110; Мокиенко 1990, 136. 3. *Перм.* О вздорных, скандальных людях. СРНГ 14, 110.

Кол прививáется *[где]. Пск.* О начале, первом этапе строительства (на пустом месте). СПП, 2001, 45; ПОС 14, 349.

Кол тебé (вам, емý и пр.**) в глóтку!** *Прост. бран.* 1. Пожелание бед, неприятностей. 2. Кто-л. ничего не получит, кроме неприятностей. < Оборот совмещает прямое и переносное значения слова *кол* — «заострённая толстая палка» и «большой мужской орган». Мокиенко, Никитина 2003, 172.

Лонгóвый кол. *Жарг. мол. Шутл.* Лёгкий и большой заработок. < **Лонговый** — длинный; **кол** — рубль. Грачев 1997, 169.

Посади́ть на кол *кого. Жарг. угол., мол.* Совершить половой акт с кем-л. Балдаев 1, 341.

Привезти́ кол. *Кар.* Получить отказ при сватовстве. СРКГ 2, 396.

Хоть кол на головé теши́ *кому. Неодобр.* 1. *Прост.* Об упрямом, не поддающемся на уговоры человеке. ФСРЯ, 201; БТС, 1320; БМС 1998, 277; ДП, 209-210; 350; АОС 9, 236; Жиг. 1969, 152; СРГК 3, 410; ПОС, 7, 51. 2. *Волг., Пск.* О плохо соображающем, туповатом человеке. Глухов 1988, 169; СПП 2001, 45.

Хоть через кол гляди́. *Арх.* Как ни вглядывайся (все равно ничего не увидишь). АОС 9, 139.

Без колá и дворá. *Прост.* То же, что **ни кола ни двора 1.** Ф 1, 246.

До колá. *Пск.* До основания, полностью. СПП 2001, 45; ПОС 14, 349.

Жить от колá. *Кар.* Начинать создавать свое хозяйство на пустом месте, с нуля. СРГК 2, 396.

Колá заостри́ть не умéет. *Орл. Неодобр.* О неумелом, нерасторопном человеке. СОГ-1992, 57.

Нет колá, ни дворá, однá папáха пышнá *у кого. Прибайк. Шутл.-ирон.* То же, что **ни кола ни двора 1.** СНФП, 79.

Ни колá живóго. *Орл.* Абсолютно ничего (не осталось после пожара). СОГ 1989, 63.

Ни колá ни волá, ни селá, ни дворá, ни ми́ла животá, ни образа помоли́ться, ни хлéба, чем подави́ться, ни ножа, чем зарéзаться. *Народн.* То же, что **ни кола ни двора 1.** ДП, 591; Мокиенко 1990, 100.

Ни колá ни дворá *у кого.* 1. *Разг.* Абсолютно ничего нет у кого-л. (о бедняке, нищем). ФСРЯ, 201; БТС, 242; ЗС 1996, 134; БМС 1998, 278; ДП, 89; ФСС, 55; ПОС 8, 42; ПОС 14, 349. 2. *Жарг. мол. Шутл.-ирон.* Импотент без квартиры. Раскин, 228; Максимов, 188. < **Кол** — мужской половой орган.

Ни колá ни дворá, а верéй точёные *у кого. Народн. Неодобр.* О бедняке, стремящемся казаться богатым. ДП, 589.

Ни колá ни дворá, ни мéдного грошá *[у кого]. Пск.* То же, что **ни кола ни двора 1.** СПП 2001, 45. **Ни колá ни дворá, ни кури́ного перá** *[у кого]. Прост.* То же. Ф 1, 246; Мокиенко 1990, 100. **Ни кола ни двора, ни ми́лого (имéлого) животá** *[у кого]. Новг., Пск.* То же. СПП 2001, 45; НОС 1, 43; Мокиенко 1990, 100. **Ни колá ни дворá, ни пригорóды** *[у кого]. Народн.* То же. ДП, 90; Мокиенко 1990, 100. **Ни колá ни дворá, ни рогáтого волá** *[у кого]. Народн.* То же. Жиг. 1969, 355. **Ни колá ни дворá, ни скоти́ны ни животи́ны** *[у кого]. Курск.* То же. БотСан, 105.

Ни колá ни задóринки *у кого. Прикам.* То же, что **ни кола ни двора 1.** МФС, 48.

Ни колá ни огрáды *у кого. Обл.* То же, что **ни кола ни двора 1.** Мокиенко 1990, 100.

Ни колá ни ослá *у кого. Дон.* То же, что **ни кола ни двора 1.** СДГ 2, 207.

Ни колá ни рямóтки *[у кого]. Волог.* То же, что **ни кола ни двора 1.** СВГ 3, 81.

Обвивáться крутóм кóла. *Пск.* Жить очень бедно. СПП 2001, 45.

Начинáть с кóла. *Пск.* Начинать какое-л. дело с самого начала, с нуля. СПП 2001, 45; ПОС 14, 349.

Постáвить колá. *Жарг. спорт.* Забить мяч в баскетбольное кольцо сверху. Максимов, 188.

Разжи́ться с колá. *Волг.* Разбогатеть, благодаря собственному труду, изначально ничего не имея. Глухов 1988, 139.

С первого кола. *Прибайк.* С самого начала. СНФП, 79.

Вспомина́ть (помина́ть) [оси́новым] ко́лом [в ду́шу] *кого. Пск. Неодобр. или Шутл.-ирон.* Проклинать, вспоминать недобрым словом кого-л. СПП 2001, 45.

Коло́м в зе́млю *кого*! *Новг. Бран.* Недоброе пожелание, проклятие в чей-л. адрес. Сергеева 2004, 24.

Коло́м не наме́рить *чего у кого. Новг.* О большом количестве чего-л. у кого-л. НОС 4, 78.

Коло́м не сшибёшь *кого. Волг. Одобр.* О крепком, сильном человеке. Глухов 1988, 105.

Ко́лом тебе́ в го́рло (по го́рлу)! *Пск. Бран.* Восклицание, выражающее раздражение по отношению к тому, кто громко кричит. СРНГ 14, 110; ПОС 14, 349.

Коло́м тебя́ (его́ и т. п.) **в зе́млю!** *Новг., Иркут.* Восклицание, выражающее гнев, негодование по отношению к недоброму, непорядочному человеку. НОС 4, 79; СРНГ 14, 110.

Не объе́хать коло́м *кого. Перм.* О невозможности избежать чего-л. (напр., замужества, брака с кем-л.). Сл. Акчим. 3, 103.

Пойти́ ко́лом да ло́мом. *Волог.* 1. Погибнуть, подвергнуться уничтожению. СВГ 4, 44. 2. Пропасть, исчезнуть бесследно. СВГ 3, 81.

Провали́сь ко́лом оси́новым! *Пск. Бран.* Восклицание, выражающее негодование, раздражение. СПП 2001, 45.

Хоть ко́лом ти́скай *кого. Пск.* О полном отсутствии желания, отказе делать что-л. СПП 2001, 45.

Хоть оси́новым коло́м [в уша́х] ковыря́й *у кого. Народн. Неодобр. или Шутл.-ирон.* Об упрямом, строптивом, несговорчивом человеке. БМС 1998, 279.

Везти́ на колу́ *что. Кар.* Передвигать что-л. волоком. СРГК 2, 396.

Верте́ться на одно́м колу́. *Ряз.* Жить крайне бедно, нищенствовать. СРНГ 14, 110; ДС, 230.

К го́лому колу́. *Ряз.* Туда, где никого нет, где никто не живёт (прийти, приехать). ДС, 229.

Привива́ться/ приви́ться к ко́лу. *Яросл.* Выстраивать дом, обзаводиться хозяйством. ЯОС 5, 5.

Мани́ть колы́. *Кар.* Отбирать деньги у кого-л. обманом. СРГК 3, 198.

В ко́лья и в мя́лья. 1. *Тобол.* На все случаи жизни. СРНГ 14, 109. 2. *Костром. Одобр.* Об умелом, сноровистом человеке. СРНГ 14, 109.

Обхва́тывать (счита́ть) ко́лья. *Орл.* Гадать о возможности выйти замуж, считая колья изгороди, охваченные руками. СОГ-1992, 58, 61.

Пойти́ в ко́лья. *Смол.* Побить, поколотить кого-л. СРНГ 28, 359.

Быть (побыва́ть) и в ко́льях и в мя́льях. *Народн.* Многое испытать в жизни. ДП, 489; СРНГ 14, 109.

КОЛБАСА́ * Делова́я колбаса́. *Жарг. мол. Неодобр.* 1. О деловой женщине, девушке, не желающей в данный момент развлекаться. Белянин, Бутенко, 48. 2. О слишком активном, предприимчивом, хитром человеке, пройдохе, авантюристе. БСРЖ, 269.

Колбаса́ в те́сте. *Жарг. мол. Шутл.* Пенис в презервативе. Максимов, 189.

Колбаса́ с глаза́ми. *Разг. Шутл.* Селёдка. ТСУЖ, 87; Мильяненков, 141.

Кровяна́я колбаса́. *Жарг. мол. Пренебр.* Алкоголик, пьяница (как правило, с синяками на лице). Максимов, 189.

КОЛБА́СКА * Колба́ска в те́сте. *Жарг. мол. Шутл.* Пенис в презервативе. Максимов, 189.

Кати́сь колба́ской по у́лице (по Ма́лой) Спа́сской! *Прост. Пренебр.* Требование уйти, удалиться; выражение нежелания продолжать общение. Ф 1, 231.

КО́ЛБИНА * До ко́лбины. *Кар.* Абсолютно всё; целиком и полностью. СРГК 2, 397.

КОЛБУ́ШКА * На колбу́шках. *Кар.* На корточках. СРГК 2, 397.

КОЛГО́ТКИ * Дви́гать колго́тками. *Жарг. мол. Шутл.* Быстро идти, шагать. Вахитов 2003, 44, 129, 203.

Скрести́ колго́тками. *Жарг. мол. Шутл.* Обижаться на кого-л. Максимов, 189.

Шевели́ть колго́тками. *Жарг. мол.* Быстро идти, шагать. Максимов, 486.

В махро́вых колго́тках. *Жарг. мол. Шутл.* О волосатых ногах. Максимов, 189.

А́нины (Зи́нины, Та́нины и т. п.) **колго́тки.** *Жарг. шк. Шутл.* Тряпка для стирания с доски. (Запись 2003 г.).

Колго́тки «Ру́сская зима». *Жарг. мол. Шутл.* Ватные брюки. Максимов, 189.

КОЛДУ́Н * Колду́н зна́ет *кого, что. Пск.* Абсолютно ничего не известно о ком-л., о чём-л. СПП 2001, 45; ПОС 14, 356.

КОЛЕ́НКА * Коле́нки мо́рщить. *Жарг. мол. Шутл.* Расстраиваться, сильно переживать по какому-л. поводу. h-98.

КОЛЕ́НКО * Под коле́нко. *Пск.* Очень полно, доверху. ПОС 14, 359.

КОЛЕНКО́Р * Друго́й коленко́р. *Разг.* Совсем не то, что было, не так, как было, иначе. ФСРЯ, 201; СПП 2001, 45.

КОЛЕ́НО * Впа́каться до са́мого коле́на. *Пск. Неодобр. Ирон.* Попасть в неловкое, невыгодное, неприятное положение по своей оплошности или неосведомлённости. ПОС 5, 12.

Выбива́ть коле́на. См. **Выбивать коленца (КОЛЕНЦЕ).**

Вы́ломать с коле́на *что. Волг.* Сделать что-л. необычное, совершить экстравагантный поступок. Глухов 1988, 19.

До седьмо́го коле́на. *Прост. Устар.* Об отдалённой степени родства. Ф 1, 246.

Ломи́ть из коле́на. *Волг.* Лгать, обманывать кого-л. Глухов 1988, 83.

Паха́ть вы́ше (пове́рх) коле́на. *Арх. Неодобр.* Небрежно подметать пол. СРНГ 25, 289.

С коле́на в коле́но. *Кар.* Из поколения в поколение. СРГК 2, 398.

Маха́ться коле́нами. *Пск.* Ругать кого-л. попусту. ПОС 14, 361.

В тре́тьем коле́не. *Горьк.* В отдалённом родстве. БалСок, 29.

Па́дать/ упа́сть на коле́ни *перед кем. Разг.* Умолять, униженно просить кого-л. о чём-л. Ф 2, 32.

По коле́ни но́ги оттопта́ть. *Народн.* Очень устать от ходьбы. ДП, 277.

Преклоня́ть/ преклони́ть коле́ни (коле́на) *перед кем., чем.* 1. *Книжн. Высок.* Покоряться, смиряться, признавать чью-л. власть над собой. БМС 1998, 279; ЗС 1996, 40. 2. *Книжн. Высок.* С уважением, почтением относиться к кому-л., к чему-л., признавать величие, достоинство кого-л., чего-л. БМС 1998, 279. 3. *Жарг. угол. Шутл.-ирон.* Совершать кражи у молящихся в церкви. Балдаев 1, 347; Елистратов 1994, 202; ТСУЖ, 144.

Воро́чать в коле́но (по коле́но). 1. *Волг., Сиб. Неодобр.* Непристойно ругаться. Глухов 1988, 14; СФС, 39. 2. *Сиб. Неодобр.* Рассказывать непристойные анекдоты. ФСС, 30. 3. *Волг.* Выполнять тяжелую физическую работу. Глухов 1988, 14.

Второ́е коле́но. *Печор., Сиб.* Двоюродные братья и сестры. СРГНП 1, 324; СФС, 49.

Вы́ломать в коле́но. *Арх.* О тяжёлой жизни. АОС 7, 293.

Гнуть коле́но. *Яросл.* Баловаться, шалить, дурачиться. ЯОС 3, 83.

Де́лать коле́но. *Яросл.* Плясать. ЯОС 3, 127.

За коле́но не по́днято. *Кар.* Ничего не сделано, не начато какое-л. дело. СРГК 4, 650.

Заломи́ть через коле́но. *Яросл. Неодобр. или Шутл.-ирон.* Сильно преувеличить, соврать. ЯОС 4, 82.

Леви́тово коле́но. *Книжн. Устар. Ирон.* Духовное сословие, священнослужители. < **Левитово колено** — одно из 12 еврейских племен (колен), потомков Левита, сына библейского патриарха Иакова. БМС 1998, 179.

Лы́сое коле́но. *Жарг. мол. Шутл.-ирон.* Голова, обычно лысая. Елистратов 1994, 202.

Па́дай хоть коле́но. *Сиб.* О ситуации безысходности, неизбежности чего-л. (делать нечего, ничего не поделаешь). ФСС, 131.

Пересе́чь коле́но. *Кар.* Нарушить установленную обычаем очередность выхода замуж сестер. СРГК 4, 468.

Матюга́ться (руга́ться) дли́нным коле́ном. *Прост.* Изощрённо ругаться матом. Мокиенко, Никитина 2003, 172.

Прижима́ть коле́ном сунду́к. *Волг. Шутл.-ирон.* Копить богатство. Глухов 1988, 132.

Выки́дывать коле́ны. *Пск. Шутл.-ирон.* О походке пьяного человека. ПОС 360.

Шевели́ть коле́нями. *Жарг. угол., Разг.* Убегать, скрываться. ТСУЖ, 200.

По́лзать на коле́нях. *Прост.* 1. *Устар.* Настойчиво, униженно просить о чём-л. 2. *перед кем. Неодобр.* Заискивать, пресмыкаться перед кем-л. Ф 2, 68.

КОЛЕ́НКА * Коле́нки дрожа́т *у кого. Разг. Шутл.-ирон.* Кто-л. очень сильно испуган чем-л. Ф 1, 246.

КОЛЕНКО́Р * Друго́й коленко́р. *Разг. Одобр.* То, что нужно, то, что подходит (по сравнению с чем-л.). Глухов 1988, 38.

КОЛЕ́НЦЕ * Выбива́ть коле́нца (коле́на). *Яросл.* Плясать вприсядку. ЯОС 3, 48.

Выки́дывать/ вы́кинуть (отка́лывать/ отколо́ть) коле́нце. *Разг. Неодобр.* Совершать, проделывать что-л. неожиданное, необычное, несуразное. ФСРЯ, 201; БМС 1998, 280; ЗС 1996, 64.

КО́ЛЕР * Подгоня́ть/ подогна́ть [всех] под оди́н ко́лер. *Разг.* Уравнивать кого-л. с кем-л. в каком-л. отношении, не считаясь с различиями. ФСРЯ, 328.

КОЛЁСИКО * Колёсики со скри́пом. *Жарг. угол.* Новые ботинки или сапоги. Р-87, 157.

Подка́тывать/ подкати́ть колёсики *к кому. Перм., Сиб.* Искать подход к кому-л., договариваться с кем-л. о чём-л. Подюков 1989, 152; ФСС, 140.

КОЛЕ́СИЦА * Нести́ коле́сицу. См. **Нести́ околе́сицу (ОКОЛЕ́СИЦА).**

КОЛЕСО́ * Не выходи́ть с колёс. *Кар.* Постоянно быть в движении, перемещаться. СРГК 2, 398.

Понёс без колёс. *Волг., Дон. Неодобр. или Шутл.-ирон.* 1. О человеке, который начал говорить ерунду, вздор. 2. О человеке, начавшем делать что-л. азартно, интенсивно. Глухов 1988, 129; СДГ 3, 40.

С колёс. *Разг.* 1. Сразу же после доставки (продаваться, раскупаться). 2. Немедленно, без задержки (внедряться, воплощаться в жизнь). НСЗ-60; Мокиенко 2003, 44.

Ве́дьмины колёса. *Разг.* О полёгших, закрученных ветром или прибитых дождем колосьях. НРЛ-77; Мокиенко 2003, 44.

Идти́ на колёса. *Жарг., угол.* Совершать кражи в общественном транспорте. Балдаев 1, 169.

Ката́ть/ раската́ть (заката́ть) колёса. *Жарг. нарк.* То же, что **накатить колесо.** Никитина, 1996, 89; ТСУЖ, 61; СМЖ, 89, 92.

Кати́ть колёса. *Жарг. угол.* Идти куда-л. Быков, 104; Балдаев 1, 193; ББИ, 109; Мильяненков, 141.

Колёса от мото́ра. *Жарг. мол. Шутл.* Лекарства от болезней сердца. Максимов, 189.

Меня́ть колёса. *Жарг. мол. Шутл.* Переобуваться. Максимов, 189.

Нагну́ть колёса на турусах. *Казан. Неодобр.* Наврать, наговорить ерунды, небылиц. СРНГ 19, 197.

Нести́ колёса на туру́сах. *Народн. Неодобр.* Говорить ерунду, лгать. ДП, 205. Ср. **Нести турусы на колёсах (ТУРУСЫ).**

Отбро́сить (отки́нуть) колёса. *Жарг. авто, мол. Шутл.-ирон.* О развалившемся, потерпевшем аварию автомобиле, мотоцикле и т. п. < Каламбурная актуализация модели **отбросить копыта; отбросить коньки** и т. п. БСРЖ, 270.

Подка́тывать колёса *к кому. Ср. Урал.* Лицемерить, угождать кому-л. с целью получения какой-л. личной выгоды. СРГСУ 4, 54.

Подма́зать колёса *[кому]. Пск. Ирон.* Дать взятку, переплатить кому-л. за что-л. СПП 2001, 45.

Сда́ли колёса верте́ться *у кого. Прибайк.* О человеке, обессилевшем от старости. СНФП, 80.

Сесть на колёса. *Жарг. нарк.* Начать регулярно употреблять наркотики в таблетках. Вахитов 2003, 165.

Торча́ть по колёсам. *Жарг. нарк.* Употреблять наркотики в таблетках. Балдаев 2, 82; Максимов, 190.

Под колёсами. *Жарг. нарк.* В состоянии наркотического опьянения. ТСУЖ, 135.

Шевели́ть колёсами. *Жарг. угол., Разг. Шутл.* 1. Думать, размышлять о чём-л. 2. Бежать. 3. Убегать откуда-л., скрываться. Балдаев 2, 157.

Ширя́ться колёсами. *Жарг. нарк. Шутл.* Принимать наркотики в таблетках. Максимов, 190.

Быть на колёсах. 1. *Жарг. мол.* Иметь собственную автомашину. НП, 27.04.94. 2. *Разг.* Находиться в движении, в пути. ФСРЯ, 201. 3. *Разг.* Часто переезжать на новое место жительства. ФСРЯ, 201. 4. *Жарг. нарк.* То же, что **сидеть на колёсах.** Балдаев 2, 38; ББИ, 223.

Сиде́ть на колёсах. *Жарг. нарк., угол.* Постоянно употреблять наркотики. Балдаев 2, 38; ББИ, 223; Мильяненков, 231.

Уе́хать на колесе́. *Новг.* Переселиться из деревни в город. НОС 4, 81.

Бе́личье колесо́. *Жарг. техн.* Об устройстве для улучшения проходимости комбайна в непогоду. НРЛ-80. < Шутливо-метафорический термин, возникший на основе сравнения **вертеться как белка в колесе**. БСРЖ, 270.

Верте́ть (крути́ть) колесо́. 1. *Жарг. угол.* Лгать, обманывать кого-л. Балдаев 1, 59. // *Жарг. угол., разг.* Лгать при собирании милостыни. СРВС 3, 82; ТСУЖ, 29. // *Жарг. мил.* Лгать с целью получить показания. ТСУЖ, 87. 2. *Жарг. карт.* Играть в карты, используя шулерские приемы. Балдаев 1, 59. 3. *Жарг. угол.* Совершать махинации. БСРЖ, 270. 4. *Жарг. нарк.* Сбывать гашиш низкого качества. ТСУЖ, 93.

Войти́ в колесо́. *Арх.* Прийти в нормальное, обычное состояние. АОС 5, 32.

Гоня́ть колесо́. *Перм.* Возить на тачке руду. СРНГ 7, 15.

Запасно́е колесо́. *Жарг. мол. Шутл.-ирон.* Девушка, подруга как запасной вариант. Никитина 2003, 295.

Зашиби́ть колесо́. *Жарг. угол.* Украсть крупную сумму. СРВС 3, 193. < **Колесо** — металлический рубль.

Кати́ть колесо́. *Жарг. нарк.* То же, что **вертеть колесо 4.** ТСУЖ, 93.

Колесо́ в грязи́. *Пск. Шутл.* О человеке очень занятом, постоянно хлопочущем по хозяйству. СПП 2001, 45.

Колесо́ верту́чее. *Пск. Неодобр.* О непостоянном, ветреном человеке. ПОС 3, 99.

Колесо́ в колесо́. *Жарг. спорт.* Рядом и с одинаковой скоростью (ехать). Мокиенко 2003, 45.

Колесо́ ме́жду ног *у кого. Жарг. мол. Шутл.* О кривоногом человеке. Максимов, 189.

Колесо́ Форту́ны. *Книжн.* Слепая судьба, превратности, непостоянство человеческого счастья. Ф 1, 246. < В мифах древних римлян **Фортуна** — богиня счастья и несчастья, судьбы, удачи. БМС 1998, 280.

Круто́е колесо́. *Перм. Неодобр.* О не в меру подвижном, непоседливом человеке. Подюков 1989, 92.

Накати́ть (вкати́ть) колесо́. *Жарг. нарк.* О приёме наркотиков в таблетках. Отр. угол, 135; ТСУЖ, 61; СМЖ, 89, 92.

Отки́нуть колесо́ (колёса). *Разг. Шутл.-ирон.* Потерпеть аварию (о старом, развалившемся автомобиле, мотоцикле). < Образовано по модели **отбросить копыта**. Мокиенко 2003, 45.

Поверну́ть вспять колесо́ истории. *Книжн.* Приостановить закономерный ход исторического развития, вернуться к прошлому. Ф 2, 51.

Пя́тое колесо́ в возу́ (в колесни́це, в теле́ге). *Разг. Ирон. или Неодобр.* 1. О малозначительном, лишнем, ненужном в каком-л. деле человеке. ФСРЯ, 202; Ф 1, 246; ДП, 455, 634; ЗС 1996, 33; СПП 2001, 45. 2. О мешающем кому-л. человеке. ДП, 455, 634; СПП 2001, 45.

Колесо́м тебе́ доро́га! *Новг. Бран.* Недоброе пожелание кому-л. НОС 2, 96. // *Пск. Бран.* Недоброе пожелание отправляющемуся в путь. СПП 2001, 45.

КОЛЕ́ЧКО * Показа́ть коле́чко *кому. Жарг. мол.* О половом акте, совершенном оральным способом. БСРЖ, 270.

Потеря́ть коле́чко. *Сиб. Ирон.* Лишиться рассудка. СОСВ, 89, 148.

КОЛЕ́ШКО * Показа́ть коле́шко. *Новг. Одобр.* Проявить себя как хороший танцор. НОС 8, 76.

КОЛЕЯ́ * Иди́ свое́й колеёй! *Пск.* Ответ на назойливое, бесцеремонное обращение. ПОС 14, 370.

Выбива́ть/ вы́бить из колеи́ *кого. Разг.* Заставлять кого-л. нарушать привычный образ жизни, выводить кого-л. из обычного состояния. БМС 1998, 281; ЗС 1996, 150, 229.

Выбива́ться/ вы́биться из колеи́. *Разг.* Нарушать привычный образ жизни. ЗС 1996, 499.

Сходи́ть/ сойти́ с [нае́зженной колеи́]. *Разг.* То же, что **выбиваться из колеи.** Ф 2, 196.

Взять себя́ в колею́. *Горьк.* Справиться с сильным волнением, душевным потрясением. БалСок, 26.

Входи́ть/ войти́ в [свою́, обы́чную, норма́льную] колею́. *Разг.* Возвращаться к привычному образу жизни, деятельности. БМС 1998, 281; ФСРЯ, 202; БТС, 145; ЗС 1996, 167.

Изби́тая колея́. *Разг.* Общепринятый, тривиальный способ действия, образ жизни. Ф 1, 246.

КО́ЛЛЕДЖ * Дубо́вый ко́лледж. *Жарг. студ. Шутл.-ирон.* Лесотехническая академия. Синдаловский, 2002, 69.

КОЛЛЕКТИ́В * Зайти́ в коллекти́в. *Одесск.* Вступить в колхоз. КСРГО.

Размножа́ться в коллекти́ве. *Жарг. мол., угол. Шутл.* Совершать групповое половое сношение. Балдаев 2, 8.

КОЛЛЕ́КЦИЯ * Колле́кция оши́бок. *Жарг. шк. Шутл.-ирон.* Проверенный диктант. Максимов, 190.

КО́ЛОБ * Печь ко́лобы. *Арх.* Зло высмеивать кого-л. СРНГ 14, 141.

КОЛОБО́К * Ква́шеный колобо́к. *Яросл.* Просохшая после квашения овчина. ЯОС 5, 27.

Колобо́к в штана́х, *Жарг. шк. Шутл. или Пренебр.* Полный, упитанный учитель небольшого роста. (Запись 2003 г.).

Туря́ть колобо́ки. *Новг. Неодобр.* Бездельничать. НОС 11, 73.

КОЛОВОРО́Т * Коловоро́т тебе́ (вам, ему́ и пр.) в рот! *Прост. Бран.* Пожелание бед, неприятностей кому-л. Мокиенко, Никитина 2003, 172.

КОЛО́ДА * Прибивна́я коло́да. *Пск.* 1. *Бран.* О зяте, принятом в дом жены. Доп., 1858. 2. *Неодобр.* О чужом, постороннем человеке. СРНГ, 12, 206.

Сыра́я коло́да. *Волг. Неодобр.* О неповоротливом, нерасторопном человеке. Глухов 1988, 76.

Броса́ть/ бро́сить в коло́ду *что. Разг. Презр.* Выбрасывать что-л., избавляться от чего-л. Флг., 259.

Вали́ть в коло́ду. *Иркут. Груб.* Испражняться. СРНГ 14, 154.

Завести́ в крестья́нскую коло́ду. *Перм. Устар.* Внести в список крестьянских детей ребенка, родившегося не от крестьянина, а, например, от рекрута. СРНГ 15, 237.

Класть в коло́ду *кого. Кар.* Хоронить кого-л. СРГК 2, 359.

КОЛО́ДЕЦ * Байбако́в коло́дец. *Сиб.* Лекарственное растение, применяемое в народной медицине при лечении конъюнктивита. ФСС, 94; СБО-Д1, 20.

Бездённый коло́дец. *Башк. Неодобр.* О чрезмерном аппетите. СРГБ 1, 38.

Запира́ть (класть, стро́ить) коло́дец (коло́дцы). *Кар., Прикам., Ср. Урал, Яросл.* Ворожить на жениха, выкладывая колодец из спичек (святочное и рождественское гадание). СРГК 2, 401; МФС, 39; СРГСУ, 2, 39; ЯОС 5, 51.

Зары́ться в коло́дец. *Жарг. мол.* Скрывать свою обиду. Максимов, 149.

Коло́дец молока́ *кому*! *Яросл.* Приветственное пожелание человеку, доящему корову. ЯОС 5, 51.

На оди́н коло́дец. *Кар.* Рядом, на одной улице. СРГК 4, 150.

Проры́ть коло́дец. *Жарг. мол.* 1. Сильно удивиться. 2. Очень испугаться. Максимов, 190.

КОЛО́ДКА * Держа́ть в коло́дках *кого. Волг.* То же, что **заковать в колодки.** Глухов 1988, 33.

Вяза́ть коло́дки. 1. *Дон.* В свадебном обряде: получать выкуп у неженатого мужчины. СДГ 2, 70. 2. *Волг.* Завершать какое-л. дело. Глухов 1988, 21.

Взять на коло́дку *кого. Жарг. угол.* Подсунуть кому-л. пачку бумаги под видом денег. СРВС 1, 203.

Закова́ть в коло́дки *кого. Волг.* Полностью подчинить кого-л. себе. Глухов 1988, 48.

Закры́ть [свою́] коло́дку. *Пск. Груб.* Замолчать. СПП 2001, 46.

На крестья́нскую коло́дку де́ланый. *Сиб.* Имеющий склонность к крестьянскому труду. ФСС, 56.

На одну́ коло́дку сде́ланы (сби́ты, сши́ты). *Прост.* Об одинаковых стандартных, похожих лицах, предметах. ФСРЯ, 202; БМС 1998, 282; СРНГ 14, 159; ЗС 1996, 18, 31, 201; ДП, 856; БотСан, 103.

Разде́лывать/ разде́лать на коло́дку *что. Кар.* Разрезать (рыбу) по животу). СРГК 5, 410.

КОЛО́ДЧИК * Класть коло́дчик. *Кар.* То же, что **запирать колодец (КОЛОДЕЦ).** СРГК 2, 401.

КО́ЛОКОЛ * Бить в ко́локол. *Пск.* Проявлять беспокойство, тревогу. ПОС 2, 17.

Слить ко́локол. *Обл.* Солгать; рассказать что-л. неправдоподобное. Мокиенко 1990, 113.

Бить/ заби́ть (уда́рить) во все колокола́. *Разг.* Поднимать тревогу. БМС 1998, 282; Ф 2, 216.

Греме́ть во все колокола́. *Пск.* То же, что **звонить во все колокола.** СПП 2001, 46.

Звони́ть/ раззвони́ть во все колокола́ *что. Прост. Неодобр.* Повсюду объявлять о чём-л., шумно обсуждать какую-л. новость, событие. БМС 1998, 202; ЗС 1996, 70, 357; ФСРЯ, 202; Ф 1, 208; ДП, 516.

Колокола́ отзвони́ли. *Волг.* Об окончании, завершении чего-л. Глухов 1988, 19.

Колоко́лить во все колокола́. *Сиб.* Разговаривать очень громко. ФСС, 99.

Лить колокола́. *Разг. Неодобр.* Лгать, распространять ложные слухи; пустословить. БМС 1998, 282; ФСРЯ, 202; Мокиенко 1990, 113.

Лома́ть колокола́. *Кар.* Звонить в колокола. СРГК 3, 142.

Раскача́ть колокола́. *Жарг. угол. Неодобр.* Разговориться. СРВС 3, 189.

Ударить во все колокола́. *Разг.* Поднять тревогу, потребовать изменений в чём-л., вызвавшем озабоченность, беспокойство. БТС, 1373.

Стоя́ть (ходи́ть) под колокола́ми. *Книжн., архаичн.* Принимать очистительную присягу, клясться в невиновности. < По названию редкого вида церковной присяги. БМС 1998, 282.

КОЛОКО́ЛЬНЯ * Звони́ть со всех колоко́лен. *Волг.* Поднимать шум, тревогу. Глухов 1988, 52.

Отзвони́л, да и с колоко́льни [доло́й]. *Прост.* Об освобождении от какого-л. неприятного дела, о завершении дела и безразличии к результатам работы. Жук. 1991, 242; Жиг. 1969, 212; ДП, 413.

Плева́ть с высо́кой колоко́льни *на кого, на что. Жарг. мол.* Относиться к кому-л., к чему-л. безразлично. Максимов, 77.

С колоко́льни отца́ блино́м убил. *Народн. Шутл.-ирон.* О заведомой лжи, вымысле. ДП, 438.

Смотре́ть со свое́й колоко́льни *на кого, на что. Разг. Неодобр.* Судить о ком-л., о чём-л. со своих личных позиций, с точки зрения своих нужд, односторонне (об ограниченности, узости взглядов, кругозора). БМС 1998, 283; ФСРЯ, 202; ЗС 1996, 26; Ф 1, 112.

Колоко́льня развали́лась *у кого. Жарг. мол. Неодобр.* О неадекватном поведении человека. Максимов, 190.

Колоко́льня упа́ла *на кого. Жарг. мол. Шутл.* О звоне в ушах. Максимов, 190.

КОЛОКО́ЛЬЦЫ * [Увезти́] на колоко́льцах *кого. Сиб.* На лошадях, в повозке. ФСС, 94.

Колоко́льцы у подо́льца. *Олон., Волог. Пренебр.* О рваной одежде. СРНГ 14, 165; СРНГ 28, 117.

КОЛОКО́ЛЬЧИК * Колоко́льчик залива́ется. *Жарг. угол.* Собака лает. Балдаев 1, 194; ББИ, 109. < **Колокольчик** — собака.

КОЛО́ННА * Пя́тая коло́нна. *Публ. Неодобр.* Тайные агенты врага — шпионы, диверсанты, саботажники, предатели. < Выражение генерала франкистской армии Эмилио Мола, объявившего во время наступления на Мадрид (1938 г.), что помимо четырех армейских колонн располагает в городе *пятой колонной* — сетью тайных агентов, предателей, сочувствующих ре Франко. Ф 1, 246; БМС 1998, 284.

КО́ЛОС * Выгова́ривать на ко́лос. *Орл.* Произносить слова заговора, поливая больной палец теплой водой над пучком ржаных колосьев. СОГ 1989, 109.

Выходи́ть на ко́лос. *Сиб.* Начинать колоситься (о злаках). Верш. 4, 358.

Ко́лос от ко́лоса — не слы́шно го́лоса. *Народн. Неодобр.* О плохом урожае. ДП, 435; Жук. 1991, 144; СРГК 2; 404.

На колосу́. *Кар.* О созревшем хлебе. СРГК 2, 403.

С ко́лосу не бежи́т *у кого. Кар.* Кому-л. можно не спешить, не торопиться. СРГК 2, 403.

КОЛОСНИ́К * Колосники́ гре́ются *у кого. Перм. Шутл.* О состоянии похмелья. Подюков 1989, 205.

КОЛО́СС * Коло́сс на гли́няных нога́х. *Книжн. Ирон. или Пренебр.* Что-л. величественное, могущественное с виду, но слабое, легко разрушающееся по существу. ФСРЯ, 202. < Восходит к библейскому рассказу о вавилонском царе Навуходоносоре, который увидел во сне великана (ср. **колосс** — из греч. *kolossos* — статуя больших размеров), по глиняным ногам которого ударил упавший с горы камень; колосс рухнул и обратился в прах. БМС 1998, 285; Мокиенко 1986, 144; ЗС 1996, 513; БТС, 208.

КОЛОТКИ́ * Брать/ взять на колотки́ *кого.* 1. *безл. Дон.* О сильной дрожи, тряске. СДГ 1, 39. 2. *Волг.* Решительно требовать чего-л., привлекать к ответу кого-л. Глухов 1988, 6.

Поднима́ть на колотки́ *кого. Волг.* Заставлять кого-л. энергично действовать. Глухов 1988, 125.

КОЛОТО́ВКА * Дать колото́вку *кому. Прикам.* Побить, поколотить кого-л. МФС, 30; Мокиенко 1990, 46.

КОЛОТУ́Н * Колоту́н взял *кого. Новг.* 1. Об ознобе, дрожи от холода. НОС 4, 92. 2. О чьей-л. смерти. Сергеева 2004, 196.

Дава́ть колотуна́. *Кар.* Мерзнуть, дрожать от холода. СРГК 1, 420; СРГК 2, 406.

КОЛОТУ́ХА * Колоту́ха берёт/ взяла́ *кого. Новг.* То же, что **колотун берёт (КОЛОТУН).** НОС 4, 92; Сергеева 2004, 60.

КОЛОТУ́ШКА * Дава́ть/ дать (наве́сить, наве́шать) колоту́шек *кому. Обл.* Бить, колотить кого-л. Мокиенко 1990, 45, 51.

Принима́ть колоту́шки. *Коми.* Подвергаться избиению. Кобелева, 73.

Ходи́ть с колоту́шкой. *Перм., Прикам.* Совершать ночной обход с целью предупреждения пожара. СГПО, 665; МФС, 108.

Дать колоту́шку *кому. Обл.* Ударить кого-л. Мокиенко 1990, 46.

КО́ЛОТЬЕ (КОЛО́ТЬЕ, КОЛОТЬЁ) * Берёт/ взя́ло на коло́тье *кого. Дон.* Об ощущении колющей боли. СДГ 2, 71.

Бьёт на коло́тье *кого. Дон. Устар.* О лихорадке, ознобе. СДГ 2, 71.

Како́е коло́тье! *Ряз.* Ни в коем случае, ни за что (категорическое отрицание, отказ). ДС, 234.

Како́е коло́тье но́сит *кого. Ряз. неодобр.* Об отсутствующем человеке, который должен быть на месте. ДС, 234; СРНГ 21, 288.

Ко́бы тебя́ (его́ и т. п.) **коло́тье заколо́ло!** *Ряз. Бран.* То же, что **колотье тебя заколи.** ДС, 234.

Коло́тье тебя́ (его́ и т. п.) **заколи́!** *Ряз. Бран.* Восклицание, выражающее негодование, раздражение, недоброе пожелание в чей-л. адрес. ДС, 234; СРНГ 11, 312.

Колотьё его́ зна́ет. *Ряз.* Об отсутствии известий, сведений о ком-л., о чём-л. ДС, 234; СРНГ 11, 312; Мокиенко 1986, 181.

Ко́лотье пошло́ по мозга́м *у кого. Пск.* О начале сильной головной боли. СПП 2001, 46.

Подня́ло на коло́тье *кого. Сиб.* О колющей боли. ФСС, 140.

Ни коло́тья. *Ряз.* Абсолютно ничего, нисколько. ДС, 234; СРНГ 21, 213.

< **Колотье** — колющая боль.

КОЛОШМА́ТКА * Дать колошма́тки *кому. Волг., Дон.* Избить кого-л. СДГ 2, 71; Глухов 1988, 30.

КОЛПА́К * Брать/ взять под колпа́к *кого. Разг.* Устанавливать надзор за кем-л. Мокиенко 1986, 119.

Колпа́к гори́т *у кого. Жарг. мол. Шутл.* О головной боли, усталости в результате умственного перенапряжения. (Запись 2004 г.).

Колпа́к пое́хал *у кого. Жарг. мол. Шутл.-ирон.* Кто-л. сошёл с ума, начал вести себя подобно сумасшедшему. Шанс, 12.05.2000. < Образовано по модели *крыша поехала.*

Надева́ть/ наде́ть колпа́к. 1. *Волг.* Намеренно не обращать внимания, не слышать чего-л. Глухов 1988, 89. 2. *на кого. Прост.* Подчинять себе кого-л. Мокиенко 1986, 119.

Наложи́ть колпа́к *[кому, на кого]. Пск.* Убить кого-л. СПП 2001, 46.

Наряжа́ть/ наряди́ть в колпа́к *кого. Прост. Устар.* То же, что **накрывать колпаком.** БМС 1998, 286-287.

Ни в колпа́к *кого. Пск.* Не уважать, не признавать, ни во что не ставить кого-л. СПП 2001, 46.

Отпе́тый, [да] колпа́к наде́тый. *Сиб. Неодобр.* О легкомысленном человеке. ФСС, 130; Верш. 4, 307.

Поста́вить под стекля́нный колпа́к *кого. Книжн. Устар. Неодобр.* Полностью оградить кого-л. от окружающей среды, изолировать кого-л. от всяких внешних воздействий. Ф 1, 246; БМС 1998, 285.

Чёрный колпа́к. *Жарг. угол.* 1. Оперативные службы МВД, КГБ. 2. Гласный административный надзор. ББИ 2, 143.

Шибану́ло в колпа́к *кого. Жарг. мол.* О начале действия алкоголя или наркотика. Максимов, 191.

Колпака́ неломи́ть *перед кем. Прибайк.* Не замечать кого-л., не приветствовать кого-л. при встрече. СНФП, 80.

Сиде́ть на колпаке́. *Жарг. угол., арест.* Симулировать беспамятство. Балдаев 2, 38; Мильяненков, 231.

Расти́ть колпаки́. *Яросл.* Делать заготовку валенка, соединяя края войлока, сращивая их. ЯОС 8, 125.

Надава́ть колпако́в *кому. Кар.* Избить кого-л. СРГК 2, 407.

Быть под колпако́м *у кого. Разг. Неодобр. или Шутл.-ирон.* Находиться под постоянным надзором, обычно — совершив неосторожность, дав повод для подозрений. БМС 1998, 285; Ф 1, 246; Грачев, Мокиенко 2000, 137.

Держа́ть под стекля́нным колпако́м *кого. Разг.* 1. Тщательно оберегать кого-л. от внешних воздействий, от любых трудностей. 2. Тайно наблюдать за кем-л. БТС, 442, 1265.

Жить под стекля́нным колпако́м. *Разг.* Быть отчуждённым, оторванным от внешнего мира. Мокиенко 1986, 120-122.

Колпако́м вон с тебя́ (с него́ и т. п.)! *Пск. Бран.* Эмоциональное восклицание, выражающее негодование, гнев. СПП 2001, 46.

Накрыва́ть/ накры́ть колпако́м *кого. Прост. Устар.* Обманом подчинять себе, одурачивать кого-л. БМС 1998, 286-287; Мокиенко 1986, 122.

КОЛУ́Н * Колуно́м не ушиби́ть *кого. Сиб.* О крепком, здоровом человеке. ФСС, 207.

Хоть колуно́м по голове́ бей. *Сиб. Неодобр.* О неразумно упрямом человеке. ФСС, 11.

КОЛУПА́Й * Колупа́й с бра́том. *Сиб. Презр.* Случайные, незначительные люди. ФСС, 94.

КОЛХО́З * Колхо́з «Кра́сный Ла́поть». *Разг.. Шутл.-ирон.* 1. Об отстающем, отсталом колхозе. 2. О недобросовестном, примитивном и некачественно работающем предприятии. 3. Об отсталых, малограмотных, недобросовестно работающих людях. < Фразеологическая шутка, рожденная пародированием патетической модели советских предприятий: «Красный Октябрь», «Красный треугольник», «Красная заря». БСРЖ, 272.

Пусти́ть на колхо́з *кого. Жарг. угол., мол.* То же, что **огулять колхозом.** Югановы, 110; БСРЖ, 272.

Начало́сь в колхо́зе у́тро. *Жарг. мол. Неодобр.* О начале чего-л. нежелательного. Вахитов 2003, 110; Максимов, 191.

Огуля́ть колхо́зом *кого. Жарг. угол., мол.* Совершить групповое изнасилование. Югановы, 110; УМК, 106.

КОЛЫБЕ́ЛЬ * Колыбе́ль револю́ции. *Публ. Патет.* О городе Ленинграде. БМС 1998, 287.

С (от) колыбе́ли. *Разг.* С младенческих лет, с раннего возраста. ФСРЯ, 202.

Стоя́ть у колыбе́ли *чего. Книжн.* Быть свидетелем возникновения чего-л., способствовать развитию чего-л. Ф 2, 191.

КО́ЛЫШЕК * Заби́ть пе́рвый ко́лышек. *Публ.* Начать какое-л. дело. БМС 1998, 287.

С пе́рвого ко́лышка. *Публ.* С первых дней существования чего-л., с самого начала, с самого зарождения чего-л. Ф 1, 248; БМС 1998, 287.

На одно́м ко́лышке пелёнки суши́ли. *Волг. Шутл.* Об очень дальнем родстве. Глухов 1988, 91.

Гнуть/ согну́ть ко́лышки. *Народн.* Шутить, балагурить. СРНГ 14, 208.

Горе́лые ко́лышки. *Жарг. арм. Пренебр.* Неопытные бойцы. Лаз., 129.

Подбива́ть ко́лышки *к кому. Жарг. мол. Шутл.* Пытаться познакомиться с кем-л. Вахитов 2003, 134.

Счита́ть ко́лышки. *Сиб.* В свадебном обряде: осматривать хозяйство жениха (о родственниках невесты). СФС, 90.

КО́ЛЬЕ-МЯ́ЛЬЕ * Носи́ть с ко́льемя́лье. *Сиб. Неодобр.* О повседневном использовании хорошей одежды, обуви. ФСС, 94; СРНГ 14, 212.

Попа́сть в ко́лье-мя́лье. *Пск. Шутл.* Оказаться в неудобном положении, в неприятной ситуации. СПП 2001, 46.

Ходи́ть в ко́лье-мя́лье. *Башк. Неодобр.* Одеваться неопрятно. СРГБ 2, 36.

КОЛЬЦО́ * Ко́льца гремя́т *у кого. Яросл. Ирон.* О неимущем, бедном человеке. ЯОС 5, 56.

Уходи́ть/ уйти́ из кольца́. *Жарг. угол.* Избегать ответственности за сводничество, содержание притона. Балдаев 2, 98.

Засыпаться в кольцé. *Жарг. угол.* Быть осуждённым к лишению свободы за сводничество или содержание притона. ТСУЖ, 68; Балдаев 1, 338.

Брать/ взять в кольцó *кого, что. Разг.* Окружать кого-л., что-л. Ф 1, 35.

Золотóе кольцó, *Жарг. студ. Шутл.* Физическое воспитание (учебный предмет). (Запись 2003 г.).

Попадáть / попáсть в кольцó. *Жарг. угол.* Быть осуждённым к лишению свободы за сводничество или содержание притона. ТСУЖ, 140.

Ходúть по кольцý. *Жарг. авто.* Совершать кольцевые автоперевозки. Максимов, 191.

КОЛЮ́ЧКА * Сидéть на колю́чке. *Жарг. нарк.* Принимать наркотики в инъекциях. Максимов, 191.

Выпускáть/ вы́пустить колю́чки. *Волг.* Проявлять агрессивность, непокорность. Глухов 1988, 19.

За колю́чкой. *Жарг. угол., арест.* На свободе. Югановы, 110.

КОЛЯ́БА * Ломáть коля́бы. *Жарг. мол. Неодобр.* Важничать, зазнаваться. Максимов, 191.

КОЛЯДÁ * Колядá егó знáет. *Волог.* Абсолютно ничего не известно о ком-л., о чём-л. СВГ 3, 93.

Колядý томúть. *Новг. Неодобр.* Медлить, испытывая чьё-л. терпение. СРНГ 14, 222.

КОЛЯ́СКА * Коля́ска идёт. *Одесск.* Проходит жизнь. КСРГО.

КОМ * Закатáть ком *[кому]. Пск.* Отказать жениху. Ивашко, 1979.

Ком (комóк) землú съесть. *Орл.* Дать клятву, поклясться. СОГ-1992, 72.

Ком подкатúл к гóрлу. *Разг.* О спазмах в горле, в груди при ощущении давящей, гнетущей тяжести. Ф 1, 248.

КÓМА * Быть в кóме. *Жарг. мол. Шутл.* Находиться в состоянии сильного опьянения, тяжелого, дурманящего сна. WMN, 44.

Уйтú в кóму. *Жарг. мол. Шутл.* Прийти в состояние сильного опьянения, тяжёлого, дурманящего сна. WMN, 44.

От кóмы до кóмы знакóмы. *Прибайк.* О давнем, проверенном знакомстве. СНФП, 80.

КОМÁНДА * Бесштáнная комáнда. *Прост. Шутл.-ирон. или Пренебр.* 1. Группа маленьких детей. СБГ 1, 52. // Группа неряшливо одетых детей. Глухов 1988, 3; БалСок, 23. 2. Бедняки, босяки, нищие. Глухов 1988, 3.

Дыря́вая комáнда. *Шутл.-ирон.* 1. *Разг.* Футбольная команда, пропускающая много мячей в свои ворота. 2. *Жарг. угол.* Женская бригада. Флг., 97.

Подстúлочная комáнда. *Жарг. угол. Шутл.-ирон.* То же, что **дырявая команда 2.** Флг., 259.

Похорóнная комáнда. *Жарг. мол. Ирон.* Бойцы ОМОНа. Максимов, 192.

Чёртова комáнда. *Пск. Шутл. или Неодобр.* О большом количестве чего-л. (Запись 2000 г.).

КОМАНДИРÓВКА * Командирóвка в вéчность. *Жарг. шк. Шутл.* О походе ученика за мелом. Максимов, 192.

Отпрáвиться в небéсную командирóвку. *Жарг. мол. Шутл.-ирон.* Умереть. Максимов, 192.

КОМÁНЬ * Быть в комáнú. *Кар.* Быть здоровым, хорошо себя чувствовать, быть в норме. СРГК 2, 409.

Вы́жить из комáнú. *Кар.* Лишиться памяти. СРГК 2, 409.

КОМÁР * Где комáр теля́т не пас. *Пск.* То же, что **куда Макар телят не гонял (МАКАР).** СПП 2001, 46.

Забодáй [тебя́] комáр! *Прост. Бран.-шутл.* Выражение лёгкого недовольства, раздражения; пожелание избавиться от кого-л. Мокиенко, Никитина 2003, 173; Сергеева 2004, 24.

Комáр дóлбит *кого. Жарг. угол.* О похмелье. Балдаев 1, 195; ББИ, 110; Мильяненков, 142. < **Комар** — трансф. **кумар.**

Комáр на себé унесéт. *Народн. Ирон.* О чём-л. очень лёгком, небольшом. ДП, 549.

Комáр нóса не поддéнет. *Дон. Одобр.* То же, что **комар носа не подточит.** СДГ 3, 22; СРНГ 21, 286.

Комáр нóса не подсýнет. *Орл.* То же, что **комар носа не подточит.** СОГ-1992, 71.

Комáр нóса не подтóчит. *Разг. Одобр., иногда Шутл.* 1. Очень аккуратно, точно, так, что не к чему придраться. 2. Так, что никто ничего не узнает, не заподозрит. ДП, 432, 478; ФСРЯ, 202; БМС 1998, 287.

Комáр нóсу не протокáрил. *Кар. Одобр.* То же, что **комар носа не подточит 1.** СРГК 5, 309.

Комáр слóновый. *Жарг. арм. Презр.* Глупый и надоедливый, но физически сильный человек. Максимов, 192.

Комáр свáлит *кого. Волг., Дон. Ирон.* О слабом, тщедушном человеке. Глухов 1988, 76; СДГ 2, 73; СРНГ 36, 206.

Комáр тебé (вам, емý и пр.) в нос! *Прост. Шутл.-ирон.* Пожелание неприятностей, зла кому-л. Мокиенко, Никитина 2003, 173.

Жить (растú) на комарá. *Сиб.* В суровых условиях. ФСС, 95.

Заморúть комарá. 1. *Пск.* Немного поесть, закусить. СПП 2001, 46; Мокиенко 1986, 27. 2. *Морд.* Утолить жажду, напиться. СРГМ 1980, 85.

Комарá за ýши тянýть. *Перм. Неодобр.* Делать что-л. некачественно, работать недобросовестно. Подюков 1989, 133.

Комарá не обúдит. *Разг. Шутл.-ирон.* О тихом, безобидном человеке. БМС 1998, 288. **Комарá не зашибёт.** *Прост.* То же. Ф 1, 207.

На бéдного комарá и шúшки вáлятся. *Пск. Шутл.-ирон.* О неудачнике, невезучем человеке. СПП 2001, 46.

На комарá с обухом. *Волг. Шутл.-ирон.* О действиях чрезмерно осторожного, трусливого человека. Глухов 1988, 90.

На комарá с рогáтиной (с кистенём). *Народн. Шутл.-ирон.* О чрезвычайных усилиях, предпринимаемых по ничтожному поводу. ДП, 457.

Оцéживать/ оцедúть комарá. *Книжн. Устар. Ирон.* Излишне заботиться о мелочах, забывая о главном. БТС, 770. < Выражение из Евангелия. БМС 1998, 288.

Разогнáть комарá. *Жарг. нарк.* Сделать инъекцию небольшой дозы наркотика. Балдаев 2, 8; Мильяненков, 218. < **Комар** — трансф. **кумар.**

Идú комарóв пинáй! *Жарг. мол.* Требование уйти, оставить в покое кого-л. h-98.

Комарóв кормúть (покормúть). *Пск. Шутл.* Находиться, заниматься чем-л. на свежем воздухе летом, когда очень много комаров. СПП 2001, 46.

Комарóв ловúть. *Пск.* Дремать. Шт., 1978.

Бéлые комары́. *Арх.* Падающий первый снег. АОС 2, 233.

Валú комары́ и мýха. *Кар.* О буйном веселье. СРГК 3, 274.

Едя́т тебя́ (вас, егó и пр.) комары́! *Прост. Шутл.-ирон.* Пожелание неприятностей, зла кому-л. Мокиенко, Никитина 2003, 173.

Комары́ зае́ли, а вот тепе́рь му́хи куса́ют. *Прибайк.* О постоянно недовольном человеке. СНФП, 80.

КОМАТО́З * Быть в комато́зе. *Жарг. мол. Шутл.-ирон.* Находиться в состоянии сильного опьянения. WMN, 45.

КОМБИНА́Т * Комбина́т макулату́ры. *Разг. Шутл.-ирон.* Типография им. В. В. Володарского (Ленизидата) (1960–1970-е гг.). Синдаловский, 2002, 90.

Комбина́т «Огни́ коммуни́зма». *Разг. Шутл.-ирон.* Крематорий в Санкт-Петербурге. Синдаловский, 2002, 90.

КОМБИНА́ТОР * Вели́кий комбина́тор. *Разг. Ирон. или Неодобр.* Ловкий пройдоха, добивающийся успеха путём сложных операций, уловок, мошенничества. < Выражение распространилось благодаря роману И. Ильфа и Е. Петрова «Двенадцать стульев», главный герой которого Остап Бендер, пройдоха и мошенник, иронически назван *великим комбинатором.* БМС 1998, 289; Мокиенко 1990, 16.

КОМБИНА́ЦИЯ * Комбина́ция из трех па́льцев. 1. *Прост. Шутл.* Кукиш. ФСРЯ, 203. 2. *Жарг. комп. Шутл.* Выход из программы нажатием трёх клавиш Ctrl-Alt-Del. < Каламбурная омонимия с разговорным оборотом, обозначающим кукиш. БМС 1998, 272.

КОМЕ́ДИЯ * Вы́курить коме́дию. *Брян.* Совершить неожиданный поступок, удивить кого-л. СБГ 3, 72.

Испо́ртить всю коме́дию. *Моск. Неодобр.* Испортить дело неумелыми, неосторожными действиями. СРНГ 14, 229.

Игра́ть (лома́ть) коме́дию. *Разг. Неодобр.* Притворяться, лицемерить. ФСРЯ, 232; Мокиенко 1990, 88; ЗС 1996, 49; БТС, 504; Ф 1, 216. 2. *Пск.* Шутить, веселить кого-л. СПП 2001, 46.

Ку́кольная (Петру́шкина) коме́дия. *Разг. Устар. Презр.* 1. О чьих-л. притворных, лицемерно-пошлых действиях, поступках, проделках, которые маскируют настоящую цель, как правило — неблаговидную. 2. Смешное, нелепое, странное происшествие. Ф 1, 248; БМС 1998, 289.

Фини́та ла (ля) коме́дия. *Разг. часто Ирон.* О завершении какого-л. дела, как правило — неблагополучном. БМС 1998, 289.

КО́МИКИ * Выстра́ивать/вы́строить ко́мики. *Дон.* Веселить, смешить кого-л. СДГ 2, 73.

КОМИТЕ́Т * Комите́т глуби́нного буре́ния. *Разг. Шутл.-ирон.* КГБ, Комитет государственной безопасности. БСРЖ, 273.

Шмо́нькин комите́т. *Жарг. угол. Ирон.* Сборище проституток. Балдаев 2, 165.

Состоя́ть в комите́те по утаптыванию мостово́й. *Народн. Неодобр. или Ирон.* Бездельничать, разгуливать, слоняться без дела. ДП, 256, 501; Мокиенко 1990, 65.

КО́МКАНЬЕ * Дать ко́мканья *кому. Кар.* Избить кого-л. кулаками. СРГК 2, 111.

КОМИТЕ́Т * Шмо́нькин комите́т. *Разг. Шутл.-ирон.* Сборище проституток у гостиницы. Балдаев, 2001, 166.

КОММЕ́РЦИЯ * Вести́ комме́рцию. *Орл.* 1. Проявлять ловкость, оборотистость в делах. 2. *Неодобр.* То же, что **водить компанию (КОМПАНИЯ).** СОГ 1989, 20.

КОММУ́НА * Се́верная комму́на. *Публ. Патет.* Название Петрограда в 1918–1919 гг. Синдаловский, 2002, 164.

КОММУНА́Р * Чёрный коммуна́р. 1. *Жарг. арм., угол.* Рядовой военно-строительного батальона. 2. *Жарг. угол.* Колхозник. ББИ 2, 143.

КО́МНАТА * Бе́лая ко́мната. *Жарг. шк. Шутл.* Школьный туалет. ВМН 2003, 67.

Ко́мната для у́мников. *Жарг. шк. Шутл.* Библиотека. ВМН 2003, 67.

Ко́мната о́тдыха *Жарг. шк. Шутл.* То же, что **белая комната.** Максимов, 192.

Ко́мната сме́рти. 1. *Жарг. арм. Шутл.-ирон.* Канцелярия в воинской части. БСРЖ, 273. 2. *Жарг. шк.* Учительская. (Запись 2004 г.).

Ко́мната сме́ха. 1. *Жарг. шк. Шутл.* Спортивный зал. ВМН 2003, 67. 2. *Жарг. арм. Шутл.* Баня. Максимов, 192.

Ко́мната стра́ха. *Жарг. шк. Шутл.* 1. Кабинет школьного стоматолога. 2. Кабинет химии. ВМН 2003, 67.

Ко́мната терпи́мости. *Жарг. шк. Шутл.* Школьный туалет. ВМН 2003, 67.

Чёрная (тёмная) ко́мната. *Жарг. шк. Шутл.* Кабинет директора. ВМН 2003, 68.

КОМО́К * Комо́к не́рвов. *Жарг. мол. Шутл.* Большой живот у мужчины. Максимов, 192.

Собира́ться в комо́к. *Разг.* Напрягаться, готовясь к чему-л. неприятному. Ф 2, 171.

Съесть комо́к земли́. См. **Ком земли съесть (КОМ).**

КОМПА́КТ-ПУ́ДРА * Компа́кт-пу́дра для мозго́в. *Жарг. мол. Ирон.* Телевизор. Максимов, 193.

КОМПА́НИЯ * Для компа́нии. *Разг.* То же, что **за компанию.** ФСРЯ, 203.

При всей честно́й компа́нии. *Разг.* В присутствии всех, всенародно. БТС, 1476.

Води́ть компа́нию. *Разг.* Дружить, быть в приятельских отношениях с кем-л. Глухов 1988, 13.

За компа́нию. *Разг.* Вместе с другими, заодно (сделать что-л.), только потому, что это делают другие. ФСРЯ, 203.

Тёплая компа́ния. *разг. Пренебр.* Группа людей, объединённых мелкими, несерьёзными интересами (обычно — об алкоголиках). Ф 1, 248-249.

КО́МПАС * Ко́мпас слома́лся *у кого. Жарг. мол. Шутл.* О человеке, который не знает, куда идти дальше. Максимов, 193.

Хильну́ть по ко́мпасу. *Жарг. мол. Шутл.-ирон.* Уйти откуда-л. (о человеке, которого выгнали). h-98.

КОМПО́Т * Компо́т тебе́ в рот! *Жарг. угол.* Требование замолчать. Максимов, 193.

Не ссы в компо́т! *Жарг. мол.* 1. Призыв не бояться чего-л. 2. **[там по́вар но́ги мо́ет]**! *Ирон.* Призыв воздержаться от какого-л. нежелательного действия. Смирнов 2002, 132.

Компо́том отдаёт. *Жарг. мол. Неодобр.* О глупых советах. Максимов, 193.

Компо́том у́ши мыть *кому. Жарг. мол.* Лгать, обманывать кого-л. Максимов, 193.

КОМПРОМА́Т * Компрома́т на ученика́. *Жарг. шк. Шутл.* Дневник. ВМН 2003, 68.

КОМСОМО́ЛЕЦ * Забайка́льский комсомо́лец. *Жарг. угол., арест. Ирон.* Заключённый, отбывающий наказание на строительстве Байкало-Амурской магистрали. Балдаев 1, 135.

Шве́дский комсомо́лец. *Жарг. угол. Шутл.-ирон.* Нарушитель государственной границы. Балдаев 2, 157.

КОМУ́ХА * Кому́ха тебя́ (его́ и т. п.) **возьми́!** *Горьк. Бран.* Эмоциональное восклицание, выражающее гнев, негодование, проклятие. БалСок, 40.

КО́МУШЕК * Пойти́ по се́рым ко́мушкам. *Пск. Шутл.* Отправиться в туалет. (Запись 2002 г.).

КОН * Жить не в кон, а из ко́ну. *Сиб.* О периоде старения человека. ФСС, 72.

Пойти́ в кон. *Пск.* Погибнуть, умереть. СРНГ, 14, 242; Мокиенко 1990, 134.

Попада́ть/ попа́сть в кон. *Прост.* 1. Вовремя оказываться в нужном месте. 2. Делать что-л. уместное, своевременное. СРГМ 1982, 60; СРГБ 2, 36.

Сдать на кон *кому что. Жарг. мол.* Выдать кого-л., рассказать кому-л. о чём-л. БСРЖ, 274.

С кон ве́ку. *Сиб.* Давно, с давних пор. СФС, 169.

Ста́вить/ поста́вить на кон. *Разг.* Подвергать риску, смертельной опасности (о жизни). ФСРЯ, 450.

Добива́ться/ доби́ться [до] ко́ну. 1. *Новг.* Довести до конца что-л. НОС 2, 87. 2. *Морд.* Достигать чего-л., прикладывая большие усилия. СРГМ 1982, 60.

На кону́. *Курск.* При смерти. БотСан, 103.

Коны́ (ко́ни) наводи́ть. *Жарг. угол.* Устанавливать контакт с кем-л. Балдаев 1, 266; ББИ, 111; Мильяненков, 143.

КОНВЕ́ЙЕР * Ста́вить/ поста́вить на конве́йер *что. Публ.* Начинать широкое применение, внедрение чего-л.; налаживать, увеличивать регулярное и массовое производство чего-л. НРЛ-81; Мокиенко 2003, 45.

Держа́ть на конве́йере *кого. Жарг. угол., мил.* Подвергать кого-л. непрерывному допросу. Быков, 105.

КОНВЕ́РТ * Взять на конве́рт *кого. Жарг. угол.* 1. Подсунуть кому-л. пачку бумаги под видом денег. СРВС 1, 203; СРВС 2, 56; СРВС 3, 80. 2. Обмануть кого-л. ТСУЖ, 31.

Класть в конве́рт *кому. Жарг. угол.* Бить кого-л. сзади по шее. Балдаев 1, 187.

Наложи́ть в конве́рт *кому. Жарг. угол., Разг.* Избить кого-л. Быков, 105; Максимов, 193.

Сесть в конве́рт. *Жарг. угол., арест.* Попасть в карцер. Р-87, 402.

КОНГРЕ́СС * Конгре́сс КПСС. *Разг. Шутл.-ирон.* Психиатрическая больница № 2 в Ленинграде–Санкт-Петербурге (наб. р. Мойки, 126). Синдаловский, 2002, 91.

КОНДАЧО́К * С кондачка́. *Прост. Неодобр.* 1. Не подумав, несерьёзно, легкомысленно; без понимания дела. 2. *Устар.* Бесцеремонно. ФСРЯ, 203; БМС 1998, 290.

КОНДИ́ЦИЯ * Отправля́ться на конди́ции. *Жарг. шк. Устар.* Заниматься репетиторством. ШС, 2001.

КОНДРА́ * Кондра́ бьёт *кого. Жарг. мол.* О состоянии озноба (как правило — в состоянии абстинентного синдрома). 2. О состоянии дискомфорта. Максимов, 52.

Пойти́ в ко́ндру. *Сиб.* Начать скандалить. ФСС, 142; СБО-Д2, 98; СФС, 144; СРНГ-28, 360.

КОНДРА́Т * Кондра́т обнима́ет *кого. Жарг. мол. Шутл.* О сильном морозе. Максимов, 193.

КОНДРА́ТИЙ * Кондра́тий хвати́л *кого. Прост.* То же, что **кондрашка хватил (КОНДРАШКА).** Ф 1, 249.

КОНДРА́ТИК * Кондра́тика пойма́ть. *Одесск.* Скоропостижно скончаться, быть разбитым параличом. КСРГО.

КОНДРА́ШКА * Кондра́шка подхвати́л *кого. Сиб.* У кого-л. начался понос.ФСС, 95.

Кондра́шка хвати́л (хвати́ла, сту́кнул, сту́кнула, пришиб, уда́рил) *кого. Прост. Шутл.* Кто-л. скоропостижно скончался (об апоплексическом ударе, параличе). ФСРЯ, 203; БМС 1998, 290-291; ЗС 1996, 180; БТС, 1373; Ф 1, 249; ДП, 401.

КО́НДРИКИ * Стро́ить ко́ндрики (ко́ндриков). *Дон.* Дурачиться, делать что-л. необычное, несуразное. СДГ 3, 146.

КОНДУ́КТОР * Берёзовый конду́ктор. *Кар., Яросл. Шутл.* Посох, палка. СРГК 2, 412; ЯОС 1, 53.

Ли́повый конду́ктор. *Пск. Шутл., эвфем.* Гроб. СПП 2001, 46.

КОНЕВО́Е * Вы́пить конево́е. *Кар.* Выпить спиртного по случаю окончания постройки основной части дома. СРГК 1, 278.

КОНЁК * Бо́гов конёк. *Арх., Волог.* Кузнечик. АОС 2, 43; СВГ 1, 34. **Бо́говой (бо́гушков, бо́жий) конёк.** *Арх.* То же. АОС 2, 43.

Люби́мый конёк. *Разг.* О предмете чьих-л. стремлений, излюбленной теме, увлечении, хобби, слабости. БМС 1998, 292; ЗС 1996, 339.

Попа́сть на свой конёк. *Разг.* То же, что оседлать своего любимого конька. Ф 2, 76.

Вскочи́ть (скочи́ть) с конька́ на бо́рону. *Арх., Новг.* Выполнить что-л. трудное (о хитром, изворотливом человеке); Преодолеть трудности, достичь желаемого результата. АОС 1, 143; НОС 10, 79; Сергеева 2004, 132, 209.

Оседла́ть своего́ люби́мого конька́. *Разг. Шутл.* Начать с увлечением говорить, рассуждать на излюбленную тему. БМС 1998, 292; ФСРЯ, 205; ФСС, 127.

Сади́ться / сесть на своего́ люби́мого конька́. *Разг.* То же, что **оседлать своего любимого конька.** БМС 1998, 292; ФСРЯ, 205; ЗС 1996, 339.

Коньки́ отбро́сить (отки́нуть). *Прост. Пренебр.* Умереть. СФС, 91; ФСС, 128.

КОНЕ́Ц[1] *** В коне́ц све́та.** *Пск.* Очень далеко, в отдалённое место. СПП 2001, 46.

Вида́ть коне́ц *кому. Кар.* О приближении чьей-л. смерти. СРГК 2, 413.

В коне́ц (вконе́ц). *Разг.* Совсем, совершенно, окончательно. ФСРЯ, 203.

Глухо́й коне́ц. *Волг.* О тихом, безлюдном месте. Глухов 1988, 23.

Дать коне́ц себе́. *Перм.* Покончить жизнь самоубийством. СРНГ 14, 253.

За коне́ц. *Сиб.* Что-л. кончается, подходит к концу. ФСС, 95.

Ка́зовый коне́ц. *Разг. Устар. иногда Ирон.* Лучшая часть, сторона чего-л.; выигрышная, показная сторона чего-л. ФСРЯ, 203. < От **хазовый конец** (см.) под влиянием народной этимологии — «конец материи, ткани, который показывали («казали») покупателю (В. И. Даль). БМС 1998, 292.

Конец антра́кта. *Жарг. студ. Шутл.-ирон.* Экзамены, сессия. Максимов, 194.

Коне́ц весёлой жи́зни (лафы́). *Жарг. студ. Шутл.-ирон.* То же, что **конец антракта.** (Запись 2003 г.).

Коне́ц всему́ и всем. *Жарг. студ. Шутл.-ирон.* То же, что **конец антракта.** (Запись 2003 г.).

Коне́ц за коне́ц зашёл *[у кого]. Волг., Пск.* У кого-л. образовались запасы продуктов, денег и т. п. (о благополучной, зажиточной жизни). СРНГ 14, 253; Глухов 1988, 76.

Коне́ц рук. *Сиб. Неодобр.* То же, что **по конец рук.** ФСС, 56.

Коне́ц све́та. 1. *Прост.* Полный крах; нечто, что невозможно пережить. Ф 1, 249. 2. *Прост.* Что-л. из ряда вон выходящее, необычное. Ф 1, 249. 3. *Жарг. шк. Шутл.-ирон.* Вызов родителей в школу. Golds, 2001. 4. *Жарг. мол.* Восклицание, выражающее удивление, радость, разочарование и т. п. Максимов, 194.

Найти́ коне́ц. *Пск.* Добиться принятия правильного решения. СПП 2001, 46.

На како́й коне́ц? *Разг. Устар.* Для чего, почему, с какой целью? ФСРЯ, 203.

На плохо́й коне́ц. *Ряз.* По меньшей мере, по самому скромному подсчёту. ДС, 236.

На тот коне́ц. *Разг. Устар.* На такой случай, для такой цели. ФСРЯ, 203.

На худо́й коне́ц. *Разг.* В самом крайнем, наихудшем случае, по крайней мере. ФСРЯ, 203; БМС 1998, 292.

Не бли́жний коне́ц. *Морд.* Далеко. СРГМ 1982, 62.

Оди́н коне́ц. *Разг.* 1. О чём-л. неприятном, но неотвратимом, о неизбежной гибели, смерти. БМС 1998, 292; Глухов 1988, 115. 2. Всё равно, пусть будет так. ФСРЯ, 204.

Отруби́ть коне́ц *чему. Кар.* Покончить с чем-л. СРГК 2, 413.

Под коне́ц ру́чек. *Кар. Неодобр.* То же, что **по конец рук.** СРГК 2, 413.

По коне́ц рук. *Волг., Перм., Сиб. Неодобр.* Недобросовестно, небрежно (работать, делать что-л.). Глухов 1988, 128; Верш. 6, 127; Подюков 1989, 177; ФСС, 95.

Сде́лать коне́ц *кому. Прикам.* Лишить кого-л. жизни. МФС, 89.

Схвати́ть на коне́ц. *Жарг. угол.* Заразиться венерической болезнью. Флг., 155, 344; ТСУЖ, 111; Мокиенко, Никитина 2003, 173.

Ха́зовый коне́ц. *Разг. Устар.* Показная, лучшая часть, сторона какой-л. вещи или явления. < Буквально — «показной конец ткани, материи, который демонстрируют покупателю»; **хазовый** — от диал. **хаз** — ‘щеголь, франт’. БМС 1998, 293.

Без конца́. *Разг.* 1. Очень долго. 2. Очень много. ФСРЯ, 204.

Без конца́, без кра́ю. *Прикам.* То же, что **без конца 2.** МФС, 48.

Без конца́ лет. *Пск.* Всегда, всю жизнь. СПП 2001, 46.

В о́ба конца́. *Разг.* Туда и обратно (ехать, идти и т. п.). ФСРЯ, 204.

Два конца́. *Жарг. шк. Шутл.* Неудовлетворительная оценка, двойка. ВМН 2003, 68.

До конца́. *Терск.* Очень много, чересчур. СРНГ 14, 253.

До конца́ ве́ку. *Орл.* То же, что **до конца дней.** СОГ 1989, 152.

До конца́ дней. *Книжн.* До самой смерти, до конца жизни. ФСРЯ, 204.

До конца́ ногте́й (па́льцев). *Книжн.* Всем существом, целиком, полностью, во всём (быть кем-л. или каким-л.). ФСРЯ, 204.

Жить на два конца́. *Ср. Урал.* Жить на две семьи. СРГСУ 2, 163.

Из конца́ кра́ю. *Пск.* Всегда, всё время. СПП 2001, 46.

Конца́-кра́ю не ви́дно. *Разг.* 1. О чём-л., простирающемся очень далеко. 2. О чём-л., продолжающемся очень долго. ФСРЯ, 68.

Лить в о́ба конца́. *Обл.* Пить спиртное в больших количествах. Ф 1, 280.

Набива́ть (набира́ть) в о́ба конца́. *Сиб.* Очень жадно есть. СФС, 108; СРНГ 14, 254.

Не во́все до конца́. *Арх.* О психически ненормальном человеке. СРНГ 14, 254.

Не есть конца́ *чему. Морд., Твер.* О большом количестве чего-л. СРГМ 1980, 49; СРНГ 14, 254.

Не свести́ конца́. *Разг. Устар.* Не закончить, не довести дело до конца. Ф 2, 141.

Не с того́ конца́. *Разг.* Не так, как нужно, как следует. ФСРЯ, 204.

Нет конца *чему. Кар.* Очень долго, слишком долго. СРГК 2, 413.

Ни конца́ (ни кра́ю) ни бе́регу. *Арх.* Очень далеко. АОС 1, 165.

Ни конца́ ни кра́я *чему. Разг.* О чём-л. бесконечном, беспредельном. Ф 1, 250.

С конца́ веко́в (ве́ку). 1. *Пск., Орл.* Издавна, с давних пор; всегда, постоянно. СРНГ 14, 254; СОГ-1992, 74. 2. (с отрицанием). *Пск.* Никогда. СПП 2001, 46.

Бре́шет и на конце́ не во́ет. *Волг. Неодобр.* Об обманщике, лгуне. Глухов 1988, 7.

В конце́ концо́в. *Разг.* В конечном итоге; наконец. ФСРЯ, 204; ШЗФ 2001, 30.

На конце́ концо́в. *Сиб.* То же, что **в конце концов.** СРНГ 14, 254; ФСС, 95.

Носи́ть на конце́ языка́ *что. Волг.* Постоянно думать, помнить о чём-л. Глухов 1988, 113.

[И] концо́в не связа́ть. *Пск.* 1. То же, что **концов не найти.** СРНГ 14, 253; СПП 2001, 46. 2. О человеке, загруженном, работой, заботами, обязательствами. СРНГ 36, 338.

Концо́в не найти́ (не сыска́ть). *Разг. Неодобр.* Невозможно разобраться в чём-л. ФСРЯ, 204; БМС 1998, 293; Глухов 1988, 100.

Не догна́ть концо́в. *Прибайк.* О невозможности обнаружить виновного. СНФП, 82.

Со всех концо́в. 1. *Разг.* Отовсюду. ФСРЯ, 204. 2. *Пск.* С большой силой, интенсивно. СПП 2001, 46.

Доводи́ть/ довести́ с концо́м. *Перм.* То же, что **сводить концы с концами.** СРНГ 36, 8.

Други́м концо́м вы́шло. *Печор. Шутл.-ирон.* О невозможности вспомнить что-л. СРГНП 1, 329.

С концо́м. 1. *Кар., Печор., Помор., Прикам.* Бесследно, безвозвратно (исчезнуть, потеряться). СРГК 2, 413; СРГНП 1, 329; ЖРКП, 70; МФС, 48. 2. *Волог.* Окончательно, навсегда (уходить). СВГ 3, 97.

Тем же концо́м. *Волг.* Об адекватном ответном действии. Глухов 1988, 158.

Броса́ть концы́. *Жарг. муз.* Резко обрывать окончания музыкальных фраз. Максимов, 45.

Вводи́ть концы́ *кому. Пск. Неодобр.* Доставлять неприятности кому-л. СПП 2001, 46.

Взять концы́. *Дон.* Напасть на след. СРНГ 14, 253; СДГ 2, 75.

Взя́ться за худы́е концы́. *Арх. Неодобр.* Начать вести аморальный образ жизни, совершать неблаговидные поступки. АОС 4, 85.

В концы́ концо́в. *Сиб.* То же, что **в конце концов.** ФСС, 95.

Води́ть концы́ *кому.* 1. *Пск. Неодобр.* Рассказывать небылицы, говорить вздор, обманывать кого-л. СРНГ 14, 253. 2. *Волг. Неодобр.* Запутывать дело; плутовать, хитрить. Глухов 1988, 13.

Вы́вязать все концы́ *кому. Пск.* Рассказать кому-л. о чём-л. очень подробно, досконально, объяснить всё до конца. ПОС 5, 135.

[Е́ле] своди́ть концы́ с конца́ми. *Разг.* С трудом справляться с нуждой, едва укладываться в свое жалованье, заработок. ФСРЯ, 205; БМС 1998, 294; ДП, 63; 529.

Зака́пывать (хова́ть) концы́. *Дон.* То же, что **хоронить концы 2.** СРНГ 14, 253.

Зачи́стить концы́. *Жарг. мол.* 1. Уничтожить улики. 2. Отвести от себя подозрения. Максимов, 152.

[И] концы́ в во́ду [пря́тать, хорони́ть]. 1. *Прост. Ирон.* Дело кончено; не осталось улик, следов преступления. БМС 1998, 293; БТС, 139, 1253; ЗС 1996, 50, 205; Грачев, Мокиенко 2000, 93. 2. *Прост. Ирон.* Об уничтожении чего-л. предосудительного, что необходимо скрыть. БМС. 293. 3. *Пск. Шутл.* О чём-л. пропавшем, исчезнувшем, о ком-л., надолго ушедшем, уехавшем. ПОС 4, 71.

Концы́ в во́ду и пузы́рья в го́ру (вверх). *Обл. Шутл.* То же, что **концы в воду 1-2.** Мокиенко 1990, 117.

Концы́ в животе́ *кому. Волог.* О чьей-л. смерти. СВГ 3, 97.

Концы́ в конца́х. *Арх., Пск.* То же, что **в конце концов.** СРНГ 14, 253; СПП 2001, 46.

Концы́ ко́нцов (конца́м). *Пск.* То же, что **в конце концов.** СПП 2001, 46.

Концы́ с конца́ми не схо́дятся *у кого. Прост.* 1. Кто-л. с трудом справляется с нуждами, едва укладывается в сумму заработка, жалованья. Ф 1, 251. 2. Кто-л. рассказывает что-л. неправдоподобно, нелогично, путаясь в последовательности повествования.

Концы́ с уто́чью *у кого. Волог.* О постоянной нужде, безденежье. СВГ 3, 97.

Найти́ концы́. 1. *Дон.* Обнаружить что-л. СДГ 2, 161. 2. *Пск.* Привлечь к ответственности кого-л., найти средства воздействия на кого-*л.* СПП 2001, 46.

Обруби́ть концы́. *Разг.* Решительно покончить с чём-л. Ф 2, 12.

Отдава́ть/ отда́ть концы́. *Разг.* 1. Удаляться, убегать откуда-л. 2. Умирать. БМС 1998, 294; ФСРЯ, 204; ЗС 1996, 180; Глухов 1988, 119; Верш. 4, 287; Смирнов 2002, 151.

Отдава́ть/ отда́ть концы́ в во́ду. *Сиб.* То же, что **отдавать концы 2.** ФСС, 129.

Отки́нуть концы́. *Прост.* Умереть. БалСок, 48.

Подбива́ть концы́. *Волг.* Подводить итоги сделанного. Глухов 1988, 124.

Пойти́ на все концы́. *Кар.* Разрушиться, распасться. СРГК 2, 413.

Прикла́сть концы́. *Кар.* То же, что **отки́нуть концы.** СРГК 2, 413.

Своди́ть концы́ с конца́ми. 1. *Разг.* Не испытывая нужды в средствах, расходовать их умеренно, экономно. ДП, 427; БМС 1998, 294; СРНГ 36, 8. 2. *Жарг. мол. Шутл.* О половых контактах гомосексуалистов. Щуплов, 431.

Скла́дывать концы́. *Дон.* То же, что **отдавать концы 2.** СДГ 3, 122.

Теря́ть концы́. 1. *Прост. Ирон.* путаться в мыслях, рассуждениях. БМС 1998, 294. 2. *Брян.* Хитрить, скрывая что-л. СРНГ 14, 254.

Хова́ть концы. См. **Закапывать концы.**

Хорони́ть/ схорони́ть концы́. 1. *Прост.* Уничтожать что-л. предосудительное, что необходимо скрыть. БТС, 1452; Гвоздарев 1982, 36; Гвоздарев 1988, 58; БМС 1998, 204; ЗС 1996, 208; Грачев, Мокиенко 2000, 94; СОСВ, 90. // *Сиб.* Уничтожать следы преступления. СПСП, 55. 2. *Дон.* Устраивать заключительное угощение в доме невесты или жениха. СДГ 3, 182; СРНГ 14, 253.

Худы́е концы́ води́ть. *Кар. Неодобр.* Заводить сомнительные знакомства. СРГК 1, 212.

КОНЕ́Ц[2] *** Мочи́ть/ замочи́ть (помочи́ть) коне́ц.** *Жарг. мол.* Совершать половой акт. Быков, 105; Мокиенко, Никитина 2003, 173.

Навари́ть (намота́ть) на коне́ц. *Жарг. мол.* Заразиться венерическим заболеванием. Максимов, 194; Мокиенко, Никитина 2003, 173.

Поморо́зить коне́ц. *Жарг. мол. Шутл.-ирон.* Долго простоять на рынке и ничего не продать. Максимов, 194.

Чуть коне́ц не отвали́лся *у кого. Разг. Вульг.* Об ощущении сильного холода, мороза. Быков, 43.

Ка́пает (зака́пало) с конца́ *у кого. Разг.* О заражении венерической болезнью. Мокиенко 1995, 42.

КОНЕ́ЧИК * С коне́чком. *Печор.* То же, что **с концом 1. (КОНЕЦ).** СРГНП 1, 329.

КОНЕ́ЧНОСТЬ * Пя́тая коне́чность. *Жарг. мол. Шутл.* Ягодицы. Максимов, 194.

Трясти́ коне́чностями. 1. *Жарг. шк. Шутл.* Поднимать руку на уроке. 2. *Жарг. мол. Шутл.* Танцевать. Максимов, 194.

КО́НИК * Бо́жий ко́ник. *Арх., Онеж.* То же, что **божий конёк (КОНЁК).** СРНГ 3, 64; СРНГ 14, 256.

Выбра́сывать/ вы́бросить (выки́дывать/ вы́кинуть, выстра́ивать, стро́ить) ко́ники. *Волг., Дон. Неодобр.* 1. *Волг., Дон. Неодобр.* Совершать что-л., вызывающее осуждение. Глухов 1988, 17, 155; СДГ 2, 75; СДГ 3, 146. 2. *Волг., Дон., Одесск. Неодобр.* Капризничать. Глухов 1988, 17, 155; СДГ 2, 75; СДГ 3, 146; Смирнов 2002, 94. 3. Нарушать привычную обстановку. Шевченко 2002, 147.

КОНИ́НА * Кони́на и воз *чего. Сиб.* О большом количестве чего-л. ФСС, 95.

КО́ННИЦА * Ко́нница Будённого во рту ночева́ла *у кого. Жарг. мол. Шутл.* О состоянии сильного похмелья. Максимов, 278.

КОНОКЛЁСКА * Свали́ть под коноклёску *кого. Морд. Пренебр.* Похоронить кого-л., не соблюдая обряда. СРГМ 2002, 22.

КОНОПЛЯ́ * Вы́йти из конопе́ль по со́лнышку. *Новг.* Выдать, открыть себя; привлечь внимание к себе. НОС, 1, 148; Сергеева 2004, 48.

Да и в конопле́. *Волог.* То же, что **[и] концы в воду 1-2 (КОНЕЦ).** СРНГ 14, 226.

КОНСЕ́РВА * Консе́рва на колёсах. *Жарг. авто. Шутл.-ирон.* Дешёвая автомашина в плохом техническом состоянии. Максимов, 190.

КОНСТРУ́КЦИЯ * Двенадцатиэта́жная констру́кция. *Разг. Шутл.-ирон.* Многословное матерное ругательство. НРЛ-81.

КОНТО́РА * Золота́я конто́ра. *Жарг. угол.* 1. *Устар.* Главный воровской пункт конокрадов. СРВС 2, 184. 2. Притон. Балдаев 1, 122, 159.

Конто́ра пи́шет. *Разг. Шутл.* Независимо от результатов дело всё равно учитывается. Ф 1, 250.

Конто́ра по прода́же рабо́в. *Разг. Ирон.* Управление по трудоустройству Ленгорисполкома, расположенное по ул. Зайцева, 34, (1970-е гг.). Синдаловский, 2002, 92.

Конто́ра трепаче́й. *Разг. Пренебр.* Центральный лекторий общества «Знание» в Ленинграде (1970-е гг.). Синдаловский, 2002, 92.

Конто́ра трете́йских волко́в. *Разг. Презр.* Институт усовершенствования следственных работников прокуратуры и МВД в Ленинграде–Санкт-Петербурге. Синдаловский, 2002, 92.

Не та конто́ра. *Пск.* О чём-л. неудачном, не таком, как хотелось бы. СПП 2001, 46.

Ха́керская конто́ра. *Жарг. шк., студ. Шутл.* Компьютерный класс. (Запись 2003 г.).

Чёртова конто́ра. *Разг. Шутл.-ирон.* Совет по делам религий Ленинграда и области (1970-е гг.). Синдаловский, 2002, 201.

Шара́шкина конто́ра. *Разг. Пренебр.* 1. Несолидное, не вызывающее доверия учреждение, предприятие, организация. ФСРЯ, 204; БТС, 1490; БМС 1998, 294. 2. Плохо управляемое заведение. ФСРЯ, 204; БМС 1998, 294. 3. Абсолютный беспорядок. ФСРЯ, 204; БМС 1998, 294; Грачев, Мокиенко 2000, 92. 4. *Жарг. шк., студ. Пренебр.* Профессионально-техническое училище. Максимов, 484. 5. *Жарг. шк., студ. Пренебр.* Техникум. Максимов, 484. 6. *Жарг. шк., студ. Шутл.-ирон.* Высшее учебное заведение. Максимов, 484. < Прил. **шарашкина** объясняется из **шарашка, шарага** — засекреченный научно-исследовательский или проектный институт, где под контролем органов безопасности работали учёные и инженеры, как правило, осуждённые за «саботаж строительства социализма», «подрыв военной мощи СССР». (Термин появился в 30-х гг.). БСРЖ, 276.

Заде́лать конто́ру. *Жарг. угол.* Совершить преступление. СРВС 4, 139; Балдаев 1, 197; ББИ, 111; Мильяненков, 143.

КО́НТРА * Поста́вить на ко́нтру. *Куйбыш.* Противиться, не уступать кому-л. СРНГ 30, 209.

КОНТРО́ЛЬ * Брать контро́ль. *Жарг. нарк.* Набирать в шприц немного крови при инъекции наркотика, чтобы убедиться, что игла попала в вену. Максимов, 43.

Замо́чный контро́ль. *Прибайк.* Заключение, тюрьма. СНФП, 82.

КОНУРА́ * Конура́ «Ве́чно живо́го». *Жарг. мол. Шутл.-ирон.* Ленинский мемориальный музей «Шалаш» в Разливе. Синдаловский, 2002, 92.

Конура́ коммуни́зма. *Разг. Ирон.* Спецприёмник для административно-арестованных ГУВД Ленинграда — Санкт-Петербурга по ул. Захарьевской, 6. Синдаловский, 2002, 92.

КОНФЕРЕ́НЦИЯ * Зелёная конфере́нция. 1. *Жарг. угол.* Поездка в лес для проведения воровской сходки. 2. *Разг. Шутл.* Распитие спиртного в лесу или в парке. СРВС 4, 137; ТСУЖ, 72; Максимов, 154.

КОНФЕ́ТА * Конфе́та «Вьюжная ночь». *Жарг. гом.* Мужской половой орган. ЖЭСТ-2, 223. < Трансф. названия конфет «Южная ночь»; ср. **вьюжность** — 'гомосексуальность, склонность к гомосексуализму'.

КОНЦЕПТУА́Л * Дви́гать концептуа́л. *Жарг. мол.* Аргументированно доказывать что-л., убеждать кого-л. в чём-л. Slang-2000.

КОНЦЕ́РТ * Дава́ть конце́рт. *Волг. Неодобр.* Совершать необдуманные, предосудительные поступки. Глухов 1988, 28.

Конце́рт око́нчен — скри́пки в пе́чку. *Жарг. мол.* О завершении какого-л. дела, мероприятия, разговора с намёком на то, что можно расходиться. Максимов, 195.

Коша́чий конце́рт. 1. *Разг. Неодобр.* Крик, скандал. Глухов 1988, 77. 2. *Жарг. шк. Пренебр.* Урок музыки. ВМН 2003, 69.

Устра́ивать/ устро́ить конце́рт. *Прост.* Поднимать шум, скандалить. Ф 2, 224.

Стро́ить конце́рты. *Прибайк.* То же, что **устраивать концерт.** СНФП, 82.

КОНЦЛА́ГЕРЬ * Концла́герь «Дру́жба». *Жарг. шк. Шутл.-ирон.* Школа. (Запись 2004 г.).

Концла́герь «Улы́бка». *Жарг. студ. Шутл.-ирон.* Студенческое общежитие с очень строгим комендантом. ВМН 2003, 69.

КО́НЧИК * Дать ко́нчик *кому. Жарг. крим.* Дать кому-л. первую взятку. Хом. 1, 260.

На ко́нчиках па́льцев. *Разг.* О первоначальной стадии разработки, освоения чего-л. НРЛ-78.

Верте́ться на ко́нчике языка́. *Разг.* О тщетном усилии вспомнить что-л. хорошо известное, знакомое, но забытое в данный момент. БТС, 132, 1532.

До ко́нчиков па́льцев. *Разг.* Всем существом, целиком, полностью. ФСРЯ, 205.

КОНЧИ́НА * Дать кончи́ну. *Башк.* Умереть. СРБГ 2, 37.

КОНЧИ́ТА * Кончи́та пришла́ *кому. Жарг. мол. Шутл.* Пришёл конец, что-л. завершается крахом, неудачей для кого-л. Никитина 1998, 198.

КОНЬ * Быва́ть (быть) и на коне́, и под конём. *Волг., Пск., Сиб.* Многое испытать, приобрести опыт в жизни. Глухов 1988, 8; СРНГ 2, 228; ФСС, 20.

Загну́ть, что на до́бром коне́ не объе́дешь (не увезёшь). *Сиб. Неодобр. или Ирон.* Наговорить много неправдоподобного, наврать. ФСС, 76.

На коне́. *Разг.* В выгодном, выигрышном положении. Ф 1, 249; Подюков 1989, 93.

На коне́ сиди́т, а коня́ и́щет. *Народн. Ирон.* О невнимательном, рассеянном человеке. ДП, 578.

Оказа́ться на коне́ или под конём. *Обл.* О возможности попасть или в положение победителя или в положение побеждённого. Ф 1, 249.

Прокати́ть на кра́сном коне́ *кого, что. Олон.* Сжечь, поджечь что-л. СРНГ 14, 275; СРНГ 15, 196.

Сиде́ть на том коне. 1. *Перм. Одобр.* Быть специалистом, хорошо разбираться в каком-л. деле. СРНГ 14, 275. 2. *Печор.* Заниматься привычным делом. СРГНП 1, 330.

Коне́й наре́зать. *Жарг. мол.* Умереть. БСРЖ, 277. **Менять коней на переправе** см. ЛОШАДЬ.

Не гони́ коне́й. *Прост.* Призыв успокоиться. Подюков 1989, 50.

Отвяза́ть (привяза́ть, спусти́ть) коне́й (коня́). *Жарг. мол. Шутл.* Сходить в туалет. Никитина 1996, 87; Быков, 105; Вахитов 2003, 145; Максимов, 194.

Уйти́ с коне́й. *Жарг. мол.* Потерять сознание. Максимов, 194.

Еби́сь оно́ до́хлым конём на ипподро́ме! *Неценз. Жарг. мол. Бран.* Выражение крайнего безразличия к чему-л. Мокиенко, Никитина 2003, 174.

Конём не нае́дешь *на кого. Волг.* 1. Об очень богатом человеке. 2. *Неодобр.* О заносчивом, высокомерном человеке. Глухов 1988, 99.

Конём не свернёшь *кого. Перм. Одобр.* О крепком, сильном человеке. Подюков 1989, 181.

Худы́м конём не увезёшь *чего. Прибайк.* О большом количестве чего-л. плохого, неприятного (как правило, о жизненных невзгодах). СНФП, 82.

Броса́ть/ бро́сить (отбро́сить, дви́гать/ дви́нуть, кида́ть/ ки́нуть, ша́рнуть, ша́ркнуть) ко́ни. 1. *Жарг. угол., Прост.* Умирать. ТСУЖ, 88; ББИ, 11; СНФП, 82; Вахитов 2003, 44, 77; Максимов, 45. 2. *Жарг. комп.* Выходить из строя (о компьютере). Садошенко, 1996. < Ср. разг. **коньки отбросить.**

Ко́ни ляга́ются. *Костром. Шутл.* Об урчании в животе. СРНГ 14, 275.

Ко́ни не ко́рмлены, плу́ги не спра́влены *у кого. Новг.* Ничего не готово, не сделано, не упорядочено. Сергеева 2004, 246.

Ма́лые ко́ни. *Жарг. угол., арест.* Ботинки, туфли. Балдаев 1, 197; ББИ, 111;

Мильяненков, 143. //*Жарг. мол.* Туфли, сандалии. Максимов, 194.

Скле́ить ко́ни. См. **Склеить коньки (КОНЬКИ).**

[Ещё и] конь не валя́лся. 1. *Прост. Неодобр.* О работе, которая далека от завершения, ещё не начата. БТС, 111; ШЗФ 2001, 73; ЗС 1996, 109, 474; Глухов 1988, 76. 2. *Морд.* Очень рано, далеко до рассвета. СРГМ 1982, 64.

Желе́зный (стально́й) конь. 1. *Публ.* О тракторе. Ф 1, 252. 2. *Жарг. мол. Шутл.* О велосипеде. Мокиенко 2003, 47.

Конь без муде́й (без яи́ц). *Вульг.-прост. Ирон.* О мужеподобной, грубой и властной женщине. Мокиенко, Никитина 2003, 174.

Конь бзделова́той (бздилова́той) поро́ды. *Вульг.-прост. Презр.* Трус. Мокиенко, Никитина 2003, 174.

Конь в пальто́. 1. *Прост. Шутл.* Ответ на вопрос «Кто?» Вахитов 2003, 83. 2. *Жарг. мол. Шутл.* Незваный гость. Максимов, 195. 3. *Жарг. мол. Шутл.* Должностное лицо. Максимов, 195. 4. *Жарг. мол. Презр.* Грубая, нескладная, неаккуратная девушка. Максимов, 195.

Конь Жу́кова. *Жарг. мол. Шутл.* О крупном, сильном человеке. Максимов, 195.

Конь с я́йцами. 1. *Волг. Шутл.* О крупном, сильном человеке. Глухов 1988, 76. 2. *Жарг. спорт. Шутл.-ирон.* Спортсменка, занимающаяся восточными единоборствами. Максимов, 196.

Педа́льный (педализи́рованный) конь. *Жарг. мол.* 1. *Презр.* Глупый, несообразительный человек, являющийся объектом насмешек. 2. *Презр.* Человек, незаслуженно обвинённый в чём-л., отвечающий за чужие поступки. 3. *Презр.* Гомосексуалист. 4. *Шутл.* Велосипед. Максимов, 195.

Троя́нский конь. 1. *Книжн.* Дар врагу с целью погубить его. < Из древнегреческой мифологии. БТС, 1347. 2. *Жарг. шк. Шутл.-ирон.* Контрольная без предупреждения. (Запись 2003 г.). 3. *Жарг. мол.* Ловкач, проныра, хитрец. Максимов, 196. 4. *Жарг. мол. Пренебр.* Глупый, несообразительный человек. Максимов, 196.

Тыгыды́мский конь. *Жарг. мол.* 1. *Шутл.* Хромой человек. 2. *Пренебр.* Глупый, несообразительный человек. 3. *Неодобр.* О человеке, вызывающем досаду, гнев, возмущение. < Из анекдота. Максимов, 196.

И коню́ поня́тно. *Пск.* О чём-л. очевидном, бесспорном. СПП 2001, 46.

Ко́ли не по коню́, так по огло́блям. *Народн. Ирон.* О поучении обиняками, наказании невинного вместо виновного. БМС 1998, 296.

Гнать коня́. *Жарг. арест.* Передавать что-л. из камеры в камеру с помощью протянутой нитки. Максимов, 87.

Гоня́ть коня́ на вороту́. *Прибайк.* Наматывать рыболовные сети на лебёдку. СНФП, 82.

Замори́ть коня́. *Сиб. Шутл.* Немного поесть, слегка утолить голод. ФСС, 79.

На коня́. *Яросл.* На два ската (о крыше). ЯОС 6, 77.

Напои́ть коня́. *Фольк. эвфем.* Совершить половой акт. Мокиенко, Никитина 2003, 174.

Не в коня́ корм [тра́тить (трави́ть)]. *Народн. Неодобр.* О напрасных усилиях при достижении какой-л. цели. ДП, 452; Жиг. 1969, 56.

Ни коня́, ни во́зу, [ни что на воз положи́ть] *у кого. Народн.* О бедном, неимущем человеке. Жиг. 1969, 355; ДП, 90; СРНГ 21, 213.

Ни коня́ ни хвоста́ *у кого. Алт. Шутл.-ирон.* То же, что **ни коня ни возу.** СРГА 2-II, 71.

Оседла́ть коня́. *Жарг. угол.* 1. Совершить угон автотранспорта, мотоцикла. 2. Совершить половой акт. Балдаев 1, 293; ТСУЖ, 122; ББИ, 162; ТСУЖ, 122; Мокиенко, Никитина 2003, 174.

Понузда́ть коня́. *Сиб. Ирон.* Подгонять ленивого человека. ФСС, 145.

Отвяза́ть (привяза́ть, спусти́ть) коня́. См. **Привязать коней.**

Приня́ть на коня́. *Жарг. арм.* Выпить «на посошок» (последнюю рюмку перед уходом). Кор., 229.

По ко́ням! *Жарг. мол.* Призыв выпить коньяку. Никитина, 1998, 199.

КОНЬКИ́ * Шевели́ть конька́ми. *Жарг. мол. Шутл.* Идти быстрее. Елистратов 1994, 207.

На конька́х метр с ша́пкой. *Жарг. мол. Шутл.-ирон.* О человеке маленького роста. Максимов, 196.

Выки́дывать коньки́. *Пск. Шутл.* Плясать. СПП 2001, 46.

Отда́ть коньки́. *Сиб.* То же, что **отбросить коньки 1.** Верш. 4, 287; СОСВ, 91.

Отбро́сить (отки́нуть) коньки́. 1. *Прост. Пренебр.* Умереть. БСРЖ, 277; СПП 2001, 46; Ф 2, 22; Вахитов 2003, 120. 2. *Жарг. мол.* Заснуть. Максимов, 196.

Растяну́ть коньки́. *Мурман.* То же, что **отбросить коньки 1.** СРНГ 34, 286.

Скле́ить коньки́ (ко́ни). *Жарг. мол. Шутл.* То же, что **отбросить коньки 1.** Югановы, 302.

Сточи́ть коньки́. *Жарг. мол. Шутл.-ирон.* То же, что **отбросить коньки 1.** Максимов, 196.

С конько́в доло́й. *Пск.* 1. О смерти кого-л. 2. О состоянии очень смущённого или возмущённого человека. ПОС, 9, 138.

КОНЬЯ́К * Винтово́й конья́к. *Жарг. мол. Шутл.* Одеколон. ФЛ, 98.

Конья́к две ко́сточки. *Разг. Шутл.-ирон.* Денатурированный спирт. Балдаев 1, 197; ББИ, 111; Мильяненков, 143.

КОНЮ́ШНЯ * А́вгиевы коню́шни. *Книжн. Неодобр.* 1. О сильно загрязнённом, засорённом месте, помещении, где царит беспорядок. 2. О каком-л. учреждении, организации, где царят хаос и неразбериха в ведении дел. 3. О сильно запущенных делах, беспорядочном скоплении бумаг, документов. < Выражение связано с древнегреческой легендой о шестом из двенадцати подвигов Геракла. ФСРЯ, 205; Ф 1, 253; ШЗФ 2001, 14; БТС, 24; БМС 1998, 296-297.

КОП * Ко́пом копа́ть. *Сиб.* Копать с трудом. ФСС, 95.

Ко́пу в голове́ не хвата́ет *у кого. Одесск. Неодобр.* О глупом, слабоумном человеке. КСРГО.

КОПА́ЛКА * Ядрёна копа́лка! *Перм. Бран.-шутл.* Восклицание, выражающее лёгкое раздражение, досаду. Подюков 1989, 93.

КОПА́Ч * Встать на копа́ч. *Сиб.* 1. Перевернуться кверху дном (о посуде). 2. Стать вверх ногами. ФСС, 32; СРНГ 14, 287.

КОПЕ́ЕЧКА * Золота́я копе́ечка. *Дон.* Большая сумма. СДГ 2, 32.

Копе́ечка в копе́ечку. *Прост.* Совершенно точно. Ф 1, 253.

Копе́ечка с конько́м. *Пск. Шутл.* Очень мало (о деньгах). СПП 2001, 46.

Кру́гленькая копе́ечка. *Прост. Устар.* Большая сумма. Ф 1, 253.

Копе́ечки во́льной нет *у кого. Орл.* Жить бедно, испытывать трудности в деньгах. СОГ-1992, 78.

С копе́ечки. *Курск.* Купленный за деньги. БотСан, 113.

Влета́ть/ влете́ть (встава́ть/ встать, выходи́ть/ вы́йти, обходи́ться/ обойти́сь, стать) в копе́ечку (в копе́йку) *кому. Разг.* Требовать очень больших затрат, стоить очень дорого. ФСРЯ, 205; БМС 1998, 297; БТС, 136, 1262.

Вы́лета́ть/ вы́лететь в золоту́ю копе́ечку. *Арх.* То же, что **влетать в копеечку.** АОС 7, 289.

Ни за копе́ечку. *Прост.* Совершенно напрасно, зря. Ф 1, 154.

Обходи́ться/ обойти́сь в копе́ечку с конько́м. *Новг.* Стоить дорого. Сергеева 2004, 201.

Отхвати́ть копе́ечку с конько́м. *Новг.* Предпринять удачное, выгодное дело. Сергеева 2004, 210.

КОПЕ́ЙКА * Вста́вить пять копе́ек. *Жарг. арм., мол. Шутл.-ирон.* Принять участие в чём-л. Кор., 67.

Истяга́ться из после́дних копе́ек. *Алт.* Приобретать, покупать что-л. на последние деньги. СРГА 2-1, 195.

На семна́дцать копе́ек. *Прибайк. Шутл.-ирон.* Абсолютно ничего. СНФП, 83.

Получа́ть/ получи́ть семь копе́ек. *Жарг. лаг. Шутл.-ирон.* Быть расстрелянным. < 7 копеек — цена револьверной пули. Р-87, 355; Росси 2, 355.

Во́льная копе́йка. *Сиб.* Лишние деньги в доме. ФСС, 95.

Вся́кая копе́йка алты́нным гвоздём приби́та *у кого. Народн. Одобр.* О бережливом, экономном человеке. ДП, 109.

Глю́чная копе́йка. *Жарг. шк. Шутл.* Число 4, цифра 4. ПНН, 1999.

Дома́шняя копе́йка. *Твер.* Деньги, заработанные дома. СРНГ 8, 117.

Копе́йка болта́ется *у кого. Пск.* Водятся деньги, имеются сбережения у кого-л. ПОС 2, 91.

Копе́йка в копе́йку. *Разг.* Совершенно точно (при подсчёте денег). ФСРЯ, 205; Мокиенко 1986, 101.

Копе́йка долга́ *у кого.* О большом количестве денег. ПОС 9, 129.

Копе́йка за копе́йку захо́дит *у кого. Волг.* Кто-л. делает сбережения, копит что-л. про запас. Глухов 1988, 52.

Копе́йка копе́йку жале́ет. *Сиб.* О необходимости быть бережливым. ФСС, 95.

Копе́йка не щерба́та *чья. Прост. Одобр.* О богатом, уважаемом человеке. ЗС 1996, 30; Глухов 1988, 86; НОС 4, 105.

Одна́ копе́йка ребро́м *у кого. Сиб. Ирон.* О малом количестве денег. Верш. 6, 91.

Помя́тая (шпаклёванная) копе́йка. *Жарг. мол. Шутл.-ирон. или Пренебр.* Некрасивая девушка с ярким макияжем. Максимов, 196.

Пра́вая копе́йка. *Арх.* Правда, честность, бескорыстие. СРНГ 31, 62.

Щерба́тая копе́йка. *Дон. Устар.* Лишние деньги. СДГ 3, 205.

С копе́йками. *Разг.* С небольшим. НРЛ-82, 89; Мокиенко 2003, 47.

Без копе́йки. *Прикам.* Бесплатно, даром (отдать, взять что-л.). МФС, 48.

Вы́биться из копе́йки. *Ряз.* То же, что **добиться до копейки.** ДС, 238.

Доби́ться до копе́йки. *Волг., Курск., Ряз.* Израсходовать все деньги, остаться без денег, обеднеть. Глухов 1988, 35; БотСан, 92; СРНГ 14, 288.

Жить из одно́й копе́йки. *Сиб.* То же, что **жить с копейки 2.** ФСС, 95.

Жить с копе́йки. *Сиб.* 1. Не иметь своего хозяйства, все покупая. 2. Быть бедным, испытывать нужду. ФСС, 72, 95; СБО-Д1, 140; СРНГ 14, 288.

Копе́йки класть. *Пск.* Пришивать небольшие заплаты. СРНГ 14, 288.

На копе́йки. *Ряз., Сиб.* За оплату деньгами. ДС, 238; ФСС, 95; СРНГ 14, 288.

Ни копе́йки [за душо́й] *у кого. Разг.* О полном отсутствии денег у кого-л. ФСРЯ, 206; БМС 1998, 297.

Перебива́ться с копе́йки на копе́йку. *Разг. Устар.* Жить очень бедно. Ф 2, 37.

Подобра́ть все копе́йки. *Перм. Шутл.* Унаследовать все черты, качества родителей. Подюков 1989, 153.

С копе́йки. *Моск.* О чём-л. покупном. СРНГ 14, 288.

С копе́йками не спра́виться *кому. Кар.* Иметь нужду в деньгах. СРГК 2, 418.

Три копе́йки. *Жарг. угол.* 1. Милиционер. 2. Сигнал опасности. Балдаев 2, 85; ТСУЖ, 178

Дрожа́ть над [ка́ждой] копе́йкой. *Разг.* Быть скупым. ДП, 109; ФСРЯ, 206.

Колоти́ться над копе́йкой. *Курск.* То же, что **дрожать над [каждой] копейкой.** БотСан, 98.

В копе́йку. *Жарг. мол.* Абсолютно точно; точь-в-точь. СМЖ, 87.

Влета́ть/ влете́ть (выходи́ть/ вы́йти, обходи́ться/ обойти́сь) в копе́йку. См. **Влетать в копеечку (КОПЕЕЧКА).**

Гнать копе́йку. *Прост. Устар.* Любыми способами добывать деньги, обогащаться. Ф 1, 113.

Жить на пра́вую копе́йку. *Арх., Волг.* Зарабатывать деньги честным трудом. СРНГ 31, 62; Глухов 1988, 43.

Жмать копе́йку. *Орл.* Беречь, копить деньги. СОГ 1990, 125.

За копе́йку. 1. *Курск.* За денежную оплату. БотСан, 95. 2. *Сиб.* Зря, напрасно, попусту. ФСС, 95.

За копе́йку в це́ркви плю́нет. *Морд.* О бедном человеке, которому очень нужны деньги. СРГМ 1982, 65.

За копе́йку за́йца дого́нит. *Новг. Ирон.* То же, что **за копейку удавится.** НОС 2, 89; Сергеева 2004, 133.

За копе́йку уда́вится. *Прост. Неодобр.* Об очень жадном человеке. БТС, 1372.

Зашиба́ть копе́йку. *Прост.* Много зарабатывать. ДП, 528; Глухов 1988, 52.

Име́ть копе́йку, вылететь в рубль. *Горьк. Ирон.* Погнаться за большим и потерять малое. БалСок, 27.

Под оста́тную копе́йку ребро́м. *Пск. Шутл.* Об очень малом количестве чего-л. СПП 2001, 46.

Сколоти́ть копе́йку. *Прост.* Накопить, заработать денег. Глухов 1988, 149.

Ско́чит за копе́йку с конька́ на бо́рону. *Новг.* О жадном, скупом человеке. Сергеева 2004, 135.

Ста́вить/ поста́вить копе́йку на ребро́. *Урал.* Экономить, терпеть лишения, чтобы скопить денег на что-л. СРНГ 34, 362.

Счита́ть копе́йку. *Прост.* Быть экономным, бережливым. Ф 2, 198.

КОПЕНГА́ГЕН * Не Копенга́ген (копенга́ген) *в чём. Жарг. мол. Шутл.* О некомпетентном, не разбирающемся в чём-л. человеке. БСРЖ, 278; Вахитов 2003, 209.

КОПИ́ЛКА * Упере́ться копи́лкой. *Жарг. угол.* Отказаться от полового сношения из-за малого вознаграждения (о проститутке). < **Копилка** — женские гениталии. Балдаев 2, 100.

КО́ПИЯ * Снима́ть ко́пию *с кого. Кар.* Подражать кому-л., копировать кого-л. СРГК 2, 418.

КОПНА́ * Васия́нова копна́. *Кар. Шутл. ирон. или Пренебр.* О человеке крупного телосложения. СРГК 1, 164.

Ста́вить копну́. *Жарг. мол. Шутл.* Испражняться. Флг., 155; УМК, 107.

КО́ПОС * Ко́пос берёт /взял *кого* **(навали́лся** *на кого*). *Пск.* Кто-л. испытывает сильное чувство страха, ужаса. СПП 2001, 46. < **Ко́пос** — страх, ужас.

КО́ПОТЬ * Дава́ть/ дать ко́поти *кому.* 1. *Прост.* Шумно и весело праздновать, отмечая что-л. Ф 1, 133. 2. *Пск. Шутл.* То же, что **задавать копоти 2.** СПП 2001, 46. 3. *Кар. Неодобр.* Доставлять много забот, беспокойства кому-л. СРГК 1, 424.

Задава́ть/ зада́ть ко́поти *кому. Прост. Устар.* 1. Нагонять страху на кого-л., сильно пугать кого-л. 2. Сильно ругать, бранить, наказывать побоями кого-л. БМС 1998, 298; ФСРЯ, 206; ШЗФ 2001, 78; Глухов 1988, 47.

Нагоня́ть/ нагна́ть ко́поти *кому.* 1. *Прост.* Запугивать кого-л. Ф 1, 309. 2. *Перм.* То же, что **задавать копоти 2.** Подюков 1989, 123.

Поднима́ть ко́поть. *Перм. Неодобр.* Устраивать скандал, поднимать шум. Подюков 1989, 154.

КОПТИ́ТЕЛЬ * Копти́тель не́ба. *Книжн. Устар. Неодобр.* Человек, живущий бесцельно, без пользы для других. ФСРЯ, 206.

КОПФ * Есть копф на голове́ *у кого. Жарг. мол. Шутл.* О толковом, умном, рассудительном человеке. < От нем. *Kopf* — *'голова'.* Елистратов 1994, 207.

Име́ть копф на голове́. *Жарг. мол. Шутл.* Быть толковым, умным, рассудительным. БСРЖ, 278.

КОПЧЁНЫЙ * Копчёный горя́чего (холо́дного) копче́ния. *Жарг. мол. Шутл.* Кавказец. Максимов, 196.

КОПЫ́Л * Брать/ взять на свой копы́л. *Волг.* Упрямо добиваться своего. Глухов 1988, 6.

На оди́н копы́л. *Печор., Пск., Новг.* Об очень похожих друг на друга, одинаковых людях, предметах. СРГНП 1, 332; СПП 2001, 46; НОС 4, 108; Мокиенко 1990, 129; Глухов 1988, 91.

На свой копы́л. *Народн.* По своей мерке, по своему желанию. БМС 1998, 298; СРНГ 26, 46; Глухов 1988, 92.

Под копы́л. 1. *Орл.* Набок. СРНГ 14, 301. 2. *Волг., Ворон., Сиб.* Всё до конца, абсолютно всё, без остатка. Глухов 1988, 124; СРНГ 14, 301; ФСС, 96; СФС, 142. 3. *Том.* Насмерть. СРНГ 14, 301.

Поста́вить на копы́л *что.* 1. *Волог.* Опрокинуть что-л. СРНГ 14, 301. 2. *Арх., Волог., Перм.* Привести в беспорядок что-л. СРНГ 14, 301; Подюков 1989, 160.

Ни копыла́ ни дрови́ны. *Обл.* Об отсутствии денег, хозяйства у кого-л. Ф 1, 255.

Из копыло́в (копы́льев) вы́йти вон. *Костром., Яросл.* Сильно рассердиться, разгневаться; сильно расстроиться. ЯОС 4, 133; СРНГ 14, 300.

С копыло́в (копы́льев, копылко́в) доло́й. *Прост. часто Ирон. или Шутл.* 1. О чьей-л. смерти. 2. О падении. 2. О жизненной катастрофе, о банкротстве. БМС 1998, 299; ФСС, 62; ЗС 1996, 105, 157; СФС, 64; БотСан, 113; СРНГ 14, 300; СРГМ 1982, 28, 66; СРГК 2, 420; СНФП, 83; Мокиенко 1989, 33.

Сшиби́ть с копыло́в *кого. Морд.* Сильным ударом, толчком сбить с ног кого-л. СРГМ 2002, 183.

Копыло́м стряхну́ть *что, чего. Яросл. Ирон.* Об очень малом количестве чего-л. СРНГ 14, 301.

Поднима́ть/ подня́ть [всё] вверх копыло́м. *Народн. Неодобр.* 1. Переворачивать всё вверх дном. 2. Будоражить всех окружающих. БМС 1998, 298; СРНГ 14, 301; Мокиенко 1989, 33.

Поста́вить копыло́м *что. Народн.* Изменить что-л., сделать иначе, чем было. СРНГ 14, 301.

Узна́ть по копылу́. *Новг. Шутл.-ирон.* Определить родство по лицу. СРНГ 14, 300.

Отки́нуть копылы́. *Морд.* Умереть. СРГМ 1982, 66.

Сшиба́ть с копы́льев *кого. Свердл.* Валить с ног кого-л. СРНГ 14, 300.

Копы́лья кве́рху. *Кар. Ирон.* Об очень пьяном человеке. СРГК 2, 420.

< **Копыл** — 1. Деревянная колодка, используемая сапожниками. 2. Опора в виде бруска, соединяющая полозья саней с кузовом. 3. Нос. 4. Нога.

КОПЫ́ЛА * Задра́ть копы́лу. *Дон.* Начать важничать, зазнаваться. СДГ 2, 78. < **Копы́ла** — нос.

КОПЫЛО́К * Вверх копылка́ми. *Волг. Шутл.* О падении. Глухов 1988, 9.

Кверх копылка́ми. *Ряз., Сиб.* В перевёрнутом положении. СРНГ 14, 302; ФСС, 92.

Задра́ть копылки́. *Сиб., Приамур. Ирон.* Умереть. ФСС, 76; СРГП. 93.

Отбро́сить копылки́. *Морд., Ряз., Сиб.* То же, что **задрать копылки.** СРГМ 1982, 66; СРНГ 14, 302; СФС, 91.

Сби́ться с копылко́в. *Яросл.* Пропасть, испортиться. СРНГ 14, 302.

С копылко́в доло́й. См. **С копылов долой (КОПЫЛ).**

КОПЫ́ЛЬЕ * С копы́лья доло́й. *Смол.* То же, что **долой с копылов (КОПЫЛ).** СРНГ 14, 32.

КОПЫ́ТЕЧКИ * Обмыва́ть/ обмы́ть копы́течки. *Ср. Урал.* То же, что **обмывать копыта (КОПЫТО).** СРГСУ 2, 48; СРНГ 14, 3-4.

КОПЫ́ТКИ * Отбро́сить (отки́нуть) копы́тки. *Волг.* То же, что **отбросить копыта (КОПЫТО).** Глухов 1988, 119.

Пойти с копы́ток. *Дон.* 1. Упасть. 2. Сбиться с правильного пути. СДГ 2, 78; СРНГ 28, 362.

С копыток доло́й. См. **С копыт долой (КОПЫТО).**

Слете́ть с копы́ток. *Ряз.* То же, что **пойти с копыток 1.** ДС, 239.

КОПЫ́ТО * Вы́тряхнуть с копы́т *кого. Пск.* Разорить кого-л. ПОС 6, 84.

С копы́т (с копы́ток) доло́й. *Прост.* То же, что **с копылов долой (КОПЫЛ).** БМС 1998, 299; ПОС 9, 138; Мокиенко 1989, 35; ЗС 1996, 98.

Спры́гнуть с копы́т. *Жарг. мол. Шутл.* Сделать что-л. смешное. Максимов, 196.

Загну́ть копы́та. *Новг., Пск.* Умереть. Сергеева 2004, 197; ПОС 11, 137.

Задра́ть копы́та. *Волг.* То же, что **загнуть копыта.** Глухов 1988, 76.

Заточи́ть копы́та. *Жарг. угол.* Приготовиться к побегу из мест лишения свободы. Максимов, 151.

Копы́та в зе́млю. *Жарг. мол.* О пьяном человеке. Максимов, 155.

Копы́та не беру́т *у кого. Печор.* Не хватает сил на что-л. (о колдунах). СРГНП 1, 332.

Обмыва́ть/ обмы́ть копы́та. *Народн.* Пить спиртное при купле-продаже скота. ДП, 533; БалСок, 40; ФСС, 124; СФС, 91; ЗС 1996, 133, 195, 430; СРНГ 14, 306.

Отбро́сить (отки́нуть, протяну́ть) копы́та. 1. *Прост.* Умереть. БТС, 739; Вахитов 2003, 120; Ф 2, 26; Мокиенко 2003, 47; НСЗ-84; ЗС 1996, 98, 151, 180. 2. *Жарг. мол. Шутл.* Заснуть. Максимов, 197.

Отстегну́ть копы́та. *Жарг. мол. Шутл.-ирон.* То же, что **отбросить копыта 1.** СМЖ, 92.

Отшиба́ть копы́та *кому. Жарг. мол.* Избивать кого-л. Максимов, 197.

Приколоти́ть копы́та. *Жарг. мол. Шутл.-ирон.* Вести себя подобно респектабельному, удачливому человеку, крупному бизнесмену. Максимов, 197.

Точи́ть копы́та. *Жарг. угол., арест.*

Готовиться к побегу из мест заключения. Максимов, 197.

Уда́рило по копы́там *кому. Жарг. мол. Шутл.-ирон.* О действии алкоголя на кого-л. Максимов, 197.

Бить копы́тами. *Разг.* Злиться, чувствовать раздражение. Максимов, 34.

Пыли́ть копы́тами. *Жарг. мол.* Убегать откуда-л. Максимов, 197.

Шевели́ть копы́тами. *Жарг. угол., мол.* Идти быстро. Грачев 1992, 92.

Быть на копы́те. *Печор.* Быть наготове. СРГНП 1, 332.

Идти́ на копы́те. *Печор.* Щеголять. СРГНП 1, 332.

Ко́лотое копы́то. *Олон.* О замужней женщине или обесчещенной девушке. СРНГ 14, 305.

Вали́ться в копы́то *кому. Прикам., Урал.* Кланяться, падать в ноги кому-л. МФС, 16; СРНГ 14, 305.

Бить копы́том. 1. *Прост.* Сопротивляться, противиться чему-л., упрямствовать. Мокиенко 2003, 47; Ф 1, 23. 2. *Перм.* Изменять кому-л. в супружестве. Подюков 1989, 15.

КОПЫ́ТЦЕ * Загну́ть копы́тца. *Новг.* То же, что **загнуть копыта (КОПЫТО).** Сергеева 2004, 197.

Скла́дывать копы́тца. *Новг.* Ирон. Умирать. НОС 10, 70.

Хрю́шино копы́тце. *Жарг. мол. Шутл.* Широкий каблук. Максимов, 197.

КОПЬЁ[1] * Брать/ взять на копьё *что. Разг. Устар.* Захватывать что-л. штурмом, приступом. Ф 1, 255.

Его́рьево копьё. *Сиб.* Полевая дикая гвоздика. СФС, 69.

Би́ться в ко́пья. *Сиб.* Ревностно защищать кого-л., что-л. ФСС, 12; СРНГ 14, 307.

Лома́ть (приломи́ть, изломи́ть — *Архаич. высок.*) **ко́пья.** *Книжн. Ирон.* Бороться за что-л., с жаром спорить о чём-л. БМС 1998, 299; ФСРЯ, 206; БТС, 504; ЗС 1996, 349; Мокиенко 1990, 133.

КОПЬЁ[2] * До копья́. *Пск.* Абсолютно всё, полностью, без остатка. СПП 2001, 46.

Ни копья́. *Прост.* О полном отсутствии денег. Ф 1, 255; Вахитов 2003, 113.

КОПЬЕЦО́ * Лесно́е копьецо́. *Твер.* Растение медуница аптечная. СРНГ 16, 375.

КОРА́ * Истле́ть до коры́. *Волог.* Испытать большую тревогу, пережить большие страдания. СВГ 3, 26.

КО́РА * Мочи́ть ко́ры. *Жарг. мол.* Веселить публику, дурачиться. Никитина 1998, 202; Вахитов 2003, 101, 139. < **Кора** (от **корка**) — что-л. весёлое (рассказ, случай и т. п.). h-98.

КОРА́БЛИК * Игра́ть/ поигра́ть в кора́блики *с кем. Жарг. мол. Шутл.* То же, что **пускать кораблики.** Максимов, 197.

Пуска́ть / пусти́ть кора́блики. *Жарг. мол. Шутл.* Совершать половой акт с кем-л. Максимов, 197.

КОРА́БЛЬ (КОРА́Б) * Тяп-ля́п и вы́шел кора́б (кора́бль). *Сиб. Ирон.* О чём-л., сделанном наспех, небрежно. СФС, 189; СРНГ 14, 308.

Взять корабли́. *Новг.* Разбогатеть. НОС 1, 125.

Выду́мывать корабли́. *Прибайк.* Делать что-л. ненужное, лишнее. СНФП, 84.

Жечь (сжига́ть, сжечь) [свои́] корабли́. *Книжн.* Решительно порывать с прошлым; делать невозможным возврат к чему-л., отрезать путь к отступлению. ФСРЯ, 206; БМС 1998, 300; ЗС 1996, 70, 302.

Прие́хать к пусто́му кораблю́. *Кар.* Прийти туда, где нет или мало угощения. СРГК 5, 355.

Голубо́й кора́бль. *Публ. Патет.* Хлопкоуборочный комбайн. Новиков, 87.

Кора́бль револю́ции. *Публ. Патет.* Крейсер «Аврора». Новиков, 86.

Покида́ть/ поки́нуть кора́бль *чего, какой. Публ.* Выходить из состава чего-л. НРЛ 81; Мокиенко 2003, 47.

Степно́й кора́бль. *Публ. Патет.* Комбайн. Новиков, 87.

Стопи́ть кора́бль. *Жарг. нарк.* Выкурить дозу анаши, равную спичечному коробку. < **Корабль** — спичечный коробок анаши. Максимов, 197.

Попада́ть/ попасть с корабля́ на бал. *Книжн. часто Шутл.* 1. О человеке, попадающем после долгого отсутствия, путешествия на какое-л. праздненство. 2. О чьём-л. резком, стремительном переходе из одной обстановки в другую, от одних занятий к другим; о быстрой смене ситуаций. < Выражение из романа А. С. Пушкина «Евгений Онегин». БМС 1998, 301; БТС, 56; Ф 1, 255.

КОРГИ́ * На корга́х. *Морд.* На плечах, на верхней части спины (нести что-л., сидеть у кого-л.). СРГМ 1982, 67.

На корги́. *Морд.* На плечи, на верхнюю часть спины (взять, посадить кого-л. и т. п.). СРГМ 1982, 67.

КОРДО́Н * За кордо́н. *Публ.* За пределы своей страны, за границу. Мокиенко 2003, 47-48.

За кордо́ном. *Публ.* За пределами своей страны, за границей. Мокиенко 2003, 48.

Ста́вить кордо́ны *кому. Книжн. или Публ. Неодобр.* Чинить препятствия кому-л., чему-л. БМС 1998, 301.

КОРДЫБА́ШКИ * На кордыба́шках. *Морд.* То же, что **на коргах (КОРГИ).** СРГМ 1982, 67.

На кордыба́шки. *Морд.* То же, что **на корги (КОРГИ).** СРГМ 1982, 67.

КО́РДИШКИ * На ко́рдышках. *Морд.* То же, что **на коргах (КОРГИ).** СРГМ 1982, 67.

На ко́рдышки. *Морд.* То же, что **на корги (КОРГИ).** СРГМ 1982, 67.

КОРЕННО́Й (КОРЕ́ННАЯ) * Коренна́я, не шали! *Ворон.* Вот мы какие, вот с кем вы имеете дело; знай наших (выражение гордости и самодовольства, похвальба). СРНГ 14, 320.

Куда́ коренна́я [не] вы́везет. *Ворон.* О действии наудачу, в расчёте на счастливый случай. СРНГ 14, 320.

Ходи́ть в коренну́ю. *Жарг. угол.* Совершать преступление с помощником, напарником. Балдаев 2, 125.

КО́РЕНЬ * Аверья́нов ко́рень. *Перм., Прикам.* Растение валериана. МФС, 49; СГПО, 248.

Ада́мов ко́рень. *Прикам.* Корень, отваром которого девушки привораживают парней. БалСок, 21.

В ко́рень. *Разг.* 1. Основательно, глубоко (знать что-л.). 2. Совсем, окончательно (разорять, разрушать что-л.). 3. Очень, сильно (пьяный). Вахитов 2003, 23; ФСРЯ, 206; Ф 1, 255; НОС 9, 95; Подюков 1989, 94.

Вы́вести в ко́рень *что. Кар.* Ликвидировать, уничтожить что-л. СРГК 2, 425.

Вы́вести ко́рень квадра́тный. *Жарг. шк. Шутл.* Привести в состояние сильного раздражения учителя математики. (Запись 2004 г.).

Вывора́чивать ко́рень. *Башк. Ирон.* Брать в жёны немолодую женщину. СРГБ 2, 39.

Едрёна (едрёный, ядрёна, ядрён, ядрёный) ко́рень! *Вульг.-прост. Бран.* Восклицание, выражающее досаду, раздражение, негодование, возмущение. **Едри́ тебя́ (вас, его́) в ко́рень!** *Вульг.-прост. эвфем. бранно.* Выражение крайнего недовольства кем-л., чем-л. Мокиенко, Никитина 2003, 175.

Ёлкин ко́рень! *Перм., Сиб. Бран.-шутл.* Восклицание, выражающее лёгкую досаду. ФСС, 96.

Ёшкин ко́рень! *Прост. Шутл.-ирон.* То же, что **ёлкин корень! Ёш те ко́рень!** *Пск. Бран.* Восклицание, выражающее досаду, удивление. ПОС 10, 140. **< Корень** — частый славянский эвфемизм для обозначения мужского полового органа. Мокиенко, Никитина 2003, 175.

Жить в ко́рень. *Печор.* Постоянно проживать где-л. СРГНП 1, 333.

Запря́чь в ко́рень *кого. Разг.* Заставить кого-л. работать на себя. Максимов, 148.

Ко́рень жи́зни. *Книжн.* Женьшень. Ф 1, 255.

Ко́рень зелёный! *Прост. обл. Бран.-шутл.* Выражение лёгкого недовольства, раздражения. < Образовано по эвфем. модели **Ёлки зелёные!** Мокиенко, Никитина 2003, 175.

Ко́рень зла. *Книжн.* Основа какого-л. порока, несчастия. < Выражение из Библии. Ф 1, 255; БМС 1998, 302.

Ко́рень квадра́тный. *Жарг. шк. Шутл.* Учитель математики. (Запись 2004 г.).

Кре́пкий ко́рень. *Жарг. угол., мол. Одобр.* Старый, верный друг. Елистратов 1994, 207.

Ма́рьин ко́рень. *Спец.* Многолетнее растение семейства лютиковых. Ф 1, 255; СОСВ, 109. // *Алт.* Полевой цветок пион. СРГА 3-1, 59.

На ко́рень. *Пск.* То же, что **в корень 2 (КОРЕНЬ).** СПП 2001, 47.

Под ко́рень. *Разг.* До основания, принципиально, полностью. НРЛ-82; БТС, 868; Мокиенко 2003, 48.

Подруба́ть/ подруби́ть (подсе́чь) под ко́рень. *Разг.* 1. *что.* Уничтожать самое основание чего-л. 2. *кого.* Губить, наносить непоправимый вред чему-л. БМС 1998, 302; ФСРЯ, 206; Ф 2, 60.

Ряди́ть в ко́рень *кого. Яросл.* Нанимать кого-л. на целое лето или на целую зиму (о работниках в старой деревне). ЯОС 8, 144.

Сла́дкий ко́рень. *Публ.* Сахарная свекла. НСЗ-70; Мокиенко 2003, 48.

[Ходи́ть] в кореню́. 1. *Сиб.* Быть центральным, коренным в упряжке (о лошади). Верш. 4, 204. 2. *Печор.* Быть основным, главным где-л. СРГНП 1, 333.

Красне́ть/ покрасне́ть до корне́й воло́с. *Разг.* Сильно краснеть, вспыхивать румянцем. БТС, 147; СРГК 2, 425.

Наспуска́ть с корне́й *что. Кар.* Срубать, вырубать что-л. СРГК 2, 425.

Вырыва́ть/ вы́рвать с ко́рнем *что. Разг.* Полностью уничтожать, искоренять что-л. ФСРЯ, 96; СПП 2001, 47.

Переверну́ть ко́рнем *что. Кар.* Перевернуть вверх дном что-л. СРГК 4, 582.

Пусти́ть ко́рни (коре́нья). *Разг.* Прочно, надолго обосноваться где-л., начать жить осёдло, на определённом месте. // *Пск.* Выйти замуж, начать семейную жизнь. СПП 2001, 47.

И в корню́, и в припря́жке. *Яросл. Одобр.* О работящем, способном человеке. ЯОС 4, 132.

Зачи́череветь на корню́. *Челяб.* Быть невзрачным, тщедушным, низкорослым. СРНГ 11, 180.

Подреза́ть/ подре́зать на корню́ *кого. Орл.* То же, что **подрубать под корень.** СОГ-1992, 82.

На корню́. 1. *Разг.* Не скошенный, не сжатый (о злаках, траве). ФСРЯ, 208. 2. *Разг.* Сразу и быстро, целиком. Ф 1, 256. 3. *Разг.* В самом начале, не дав развиться чему-л. СОСВ, 93. 4. *Одесск.* Самый младший в семье. КСРГО.

Со́хнуть на корню́. *Народн.* Сильно худеть от болезни или страданий. МФС, 94; СПП 2001, 47.

[Вы́йти] с ко́рня вон. 1. *Пск.* Состариться, потерять силы, ослабеть. ПОС 5, 169. 2. *Новг.* Лишиться жизни, умереть. НОС 4, 111.

Зача́ться с ко́рня. *Волог.* Начать жить, существовать, ничего не имея. СВГ 2, 161.

Того́ же ко́рня. *Прост.* 1. О кровных родственниках. 2. Об очень похожих по характеру, физическим признакам людях. Ф 1, 256.

Враста́ть/ врасти́ (прираста́ть/ прирасти́) корня́ми. 1. *Разг.* Сильно привыкать, привязываться к чему-л. ФСРЯ, 81. 2. *Прибайк.* Закрепляться, оседать где-л. (о постоянном жительстве). СНФП, 84.

Обвести́ корня́ми *кого. Народн.* Заворожить, околдовать кого-л. БМС 1998, 303.

Уходи́ть корня́ми *во что. Книжн.* Иметь своим истоком что-л., быть связанным по происхождению с чем-л. Ф 2, 226.

КОРЕ́НЬЕ * Злое коре́нье. *Кар. Неодобр.* О недобром человеке. СРГК 2, 254.

Ма́рьино коре́нье. *Алт.* То же, что **марьин корень (КОРЕНЬ).** СРГА 3-1, 59.

КО́РЕШ * Расходи́ться/ разойти́сь по кореша́м. *Жарг. мол.* Кончать дело мирно, прекращать вражду. НРЛ-78.

КОРЕ́ШКА * Ети́тная коре́шка. *Пск. Бран.* Восклицание, выражающее досаду, огорчение. ПОС 10, 138.

КОРЕШО́К * На-под корешка́. *Кар.* Полностью, от начала до конца. СРГК 2, 427.

С-под корешка́. *Кар.* Об остатках чего-л. СРНГ 14, 328.

В корешки́ (в корешка́х). *Ряз.* О лошади, запряжённой коренным. ДС, 240.

Кому́ корешки, кому вершки́. *Народн. Шутл.-ирон.* О несправедливом, неравном дележе чего-л. < Из русской народной сказки «Мужик и медведь». БМС 1998, 303.

Не оста́лось корешко́в. *Кар.* Совсем ничего не осталось. СРГК 2, 427.

Обойти́ дуби́нным корешко́м. *Обл.* Избить кого-л. Мокиенко 1990, 55-57.

Золото́й корешо́к. *Яросл.* Растение цикорий. ЯОС 4, 126.

КОРЖ * Мета́ть коржи́. *Жарг. мол. Шутл.-ирон.* О рвоте. БСРЖ, 279.

КО́РЗА * Ста́рая ко́рза. *Печор. Бран.* О зловредной старой женщине. СРГНП 1, 334.

КОРЗИ́НА * Мирска́я корзи́на. *Кар. Ирон.* О нищем, попрошайке. СРГК 3, 200.

Потреби́тельская корзи́на. *Публ.* Товары массового, общего потребления, первой необходимости. Мокиенко 2003, 48.

Продово́льственная корзи́на. *Публ.* Минимальный набор продовольственных товаров, необходимых среднестатистическому человеку для поддержания работоспособного состояния. < Калька с англ. *food basket.* МННС, 115.

Ста́рая корзина. *Прост. обл. Бран.* О старой, некрасивой и сварливой женщине. < Образовано по модели соотнесения женщины (или женского полового органа) с названиями сосудов, «ёмкостей». Мокиенко, Никитина 2003, 175.

Рабо́тать (писа́ть) в (на) корзи́ну. 1. *Разг.* Писать что-л., выбрасывая написанное. 2. Создавать литературные произведения, не имея надежды на их публикацию. НРЛ-82; Мокиенко 2003, 48. Ср. **Работать в стол.** 3. *Жарг. мил.* Проводить оперативно-следственные действия по делу, которое будет прекращено. Максимов, 197.

Поднима́ться от корзи́ны. *Сиб. Устар.* Жить милостыней. ФСС, 140. // *Арх.* Начинать жизнь, прося милостыню. СРНГ 28, 100.

КОРЗИ́НКА * Корзи́нки хо́дят. *Иркут.* О ряби на водной поверхности, идущей местами, пятнами. СРНГ 14, 331.

Ходи́ть с корзи́нкой (с корзи́ночкой). *Кар.* Просить подаяние. СРГК 2, 428.

КОРЗИ́НОЧКА * Подходи́ть с корзи́ночкой. *Пск. Шутл.* Нарушать верность в любви, изменять (прежде, чем изменят тебе). СПП 2001, 47.

Ходи́ть с корзи́ночкой. См. **Ходить с корзинкой (КОРЗИНКА).**

КОРИДО́Р * Води́ть коридо́ром *кого. Жарг. угол. Неодобр.* Лгать, обманывать кого-л. Балдаев 1, 67, 198; ТСУЖ, 89; ББИ, 45.

Коридо́ры вла́сти. *Публ.* Властные структуры, государственные органы и проходящие там процессы, скрытые от глаз внешнего наблюдателя. МННС, 66.

КОРИФЕ́Й * Корифе́й нау́ки (всех нау́к). *Публ. Патет.* О И. В. Сталине. Вайскопф 2001, 290.

КОРИ́ЧНЕВЫЙ * Зае́хать в кори́чневое. *Жарг. гом.* Совершить анальное сношение с кем-л. Кз., 128.

КО́РКА * Ко́рка — в па́лец, не угрызёшь. *Сиб.* О жизни в бедности, нищете. ФСС, 96.

Ко́рка на глаза́ ки́нулась *кому. Сиб.* О наступающей слепоте. ФСС, 96.

Бесхле́бные ко́рки. *Кар.* Скудное питание. СРГК 2, 430.

Во все ко́рки. *Прост.* Очень быстро (бежать, убегать). Мокиенко 1986, 48, 94.

До ко́рки. *Волг.* Всё без остатка (отдать, растратить). Глухов 1988, 36.

Есть ко́рки. *Пск.* Жить в бедности, нищете. ПОС 10, 137.

Кида́ть ко́рки. *Жарг. мол.* То же, что **мочить корки 1.** Вахитов 2003, 76.

Кипе́ть на все ко́рки. *Кар.* Сильно, интенсивно кипеть. СРГК 2, 347.

Кроши́ть ко́рки *на кого. Жарг. мол. Неодобр.* Вести себя агрессивно по отношению к кому-л. Вахитов 2003, 86.

Кле́ить (лепи́ть) ко́рки. *Жарг. мол.* 1. Шутить. 2. Делать что-л. необычное. 3. Придираться к кому-л., ругать, отчитывать кого-л. Максимов, 182.

Мочи́ть ко́рки. *Жарг. мол.* 1. Веселить публику, дурачиться. Митрофанов, Никитина, 94. 2. Убегать. Белянин, Бутенко, 97. 3. То же, что **клеить корки 3.** Максимов, 197. < **Корки** — 1. Что-л. смешное. 2. Ботинки, туфли.

Отда́ть ко́рки. *Жарг. мол. Шутл.* Посмеяться над кем-л., над чем-л. Максимов, 197.

Отшелуши́ть на о́бе ко́рки *кого. Народн.* То же, что **ругать на все корки.** ДП, 260.

Оста́ться на ко́рки. *Яросл.* При разделе остаться жить в доме родителей. ЯОС 6, 77.

От ко́рки до ко́рки. *Прост.* От начала до конца, полностью, ничего не пропуская (прочитать, выучить и т. п.). ФСРЯ, 206; БМС 1998, 304.

Руга́ть/ вы́ругать (брани́ть/ вы́бранить, распека́ть, срами́ть/ вы́срамить на все (на вся́кие) ко́рки *кого. Прост.* Сильно ругать, отчитывать кого-л. БМС 1998, 3-3; ФСРЯ, 206; СПП 2001, 47; ЗС 1996, 352; ФСС, 39; НОС 4, 28.

Вы́тянуть ко́рку. *Кар.* Раскатать тесто. СРГК 1, 307.

Отколо́ть ко́рку. *Жарг. мол. Шутл.* Пошутить. Максимов, 197.

Посади́ть на ко́рку (коря́к) *что. Жарг. нарк.* Высушить, выпарить наркотик. Максимов, 197, 199.

Свело́ в суху́ю ко́рку *кого. Новг.* О сильно похудевшем больном человеке. Сергеева 2004, 195.

КОРКУ́ШКИ * На корку́шках. *Смол.* На плечах, на верхней части спины (нести, сидеть). Мокиенко 1986, 95, 99.

На корку́шки. *Смол.* На плечи, на верхнюю часть спины (взять, посадить кого-л., сесть кому-л.). Мокиенко 1986, 95, 99.

КОРМ * Бе́лый корм. *Арх.* Зерно, идущее на корм скоту. АОС 1, 158.

Воро́ний корм. *Нижегор. Бран.* Об упрямом, непослушном домашнем животном. СРНГ 14, 335.

Глухари́ный корм. *Сиб.* На золотых приисках — золотоносные пески зелёного цвета. СРНГ 14, 335.

Корм для черепа́шек. *Жарг. мол. Шутл.* Наркотики. ССВ-2000.

Подно́жный корм. *Прост. часто Шутл.* Даровое питание; средства к существованию, добываемые где придётся. БМС 1998, 304; ФСРЯ, 207.

Ры́бий корм. *Жарг. арм., угол. Шутл.* Моряк; военный моряк. Балдаев 1, 21.

Чёрный корм. *Кар.* Сено. СРГК 2, 430.

Ко́рмом корми́ть *кого. Сиб.* Содержать кого-л. ФСС, 96.

Быть на плохо́м корму́. *Кар.* Иметь плохой аппетит. СРГК 2, 430.

Кре́пкий к ко́рму. *Кар.* Непрожорливый. СРГК 3, 17.

КОРМА́ * Дыря́вая корма́. *Пск.* О лодке, на корме которой находится женщина. СРНГ 8, 297.

КОРМИ́ЛО * Стоя́ть (находи́ться) у корми́ла [вла́сти (правле́ния)]. *Книжн. Высок.* Править, управлять, руководить чем-л. БМС 1998, 304; Ф 2, 191.

КОРМУ́ШКА * Припа́сть к корму́шке. *Жарг. мол. Шутл.* Заняться оральным сексом; совершить половой акт оральным способом. Я — молодой, 1996, № 26.

Отлуча́ть/ отлучи́ть от корму́шки *кого. Прост.* Заставлять кого-л. отвыкнуть от места, где можно, пользуясь бесконтрольностью, поживиться, приобрести что-л. легко или незаконно. Мокиенко 2003, 48.

Ломи́ться на корму́шку. *Жарг. арест.* Просить перевода в другую камеру из-за конфликта с сокамерниками. Балдаев 1, 231.

КО́РМЧИЙ * Вели́кий ко́рмчий. 1. *Публ. Патет.* И. В. Сталин. Вайскопф, 2001, 290. 2. *Публ. Патет.* Мао Цзедун, главный идеолог и руководитель Коммунистической партии Китая. Новиков, 89. 3. *Разг. Шутл.-ирон.* О каком-л. начальнике. Янин 2003, 53.

КО́РОБ * В ко́роб не ле́зет и из ко́роба нейдёт (и ко́роба не отдаёт). *Народн. Неодобр.* О бестолковом человеке. ДП, 449.

Наговори́ть (навра́ть, наплести́) це́лый ко́роб. *Прост.* То же, что **наговорить с три короба.** ФСРЯ, 208; ФСС, 119.

Из ко́роба в кро́шни (в носи́лочки), [из те́рема в ови́н]. *Народн. Шутл.-ирон.* 1. О человеке, попавшем из одного затруднительного положения в другое. 2. О человеке, материальное положение которого ухудшилось.

БМС 1998, 304-305; ДП, 469; ФСС, 119; СРНГ 15, 290.

Наговори́ть (навра́ть, наобеща́ть, насы́пать) с три ко́роба. *Прост. Ирон.* Очень много наговорить, наобещать, наврать. Жиг. 1969, 212; ДП, 411; СРНГ 20, 81; ФСРЯ, 208; БМС 1998, 305; ЗС 1996, 336; СРГМ 1986, 61; СОСВ, 161; Глухов 1988, 165; Мокиенко 1990, 140; Ф 1, 319; НОС 12, 83.

Ни в ко́роб ни из ко́роба. *Народн. Неодобр.* То же, что **в короб не лезет и из короба нейдёт.** ДП, 472.

КОРО́БКА * Коро́бка не ва́рит *у кого. Прост.* О глупом, несообразительном человеке. Ф 1, 257.

Коро́бка с проби́рками. *Жарг. шк. Шутл.* Кабинет химии. ВМН 2003, 69.

Коро́бка с хи́пишем. *Жарг. угол. Шутл.* Радиоприёмник, магнитофон. Балдаев 1, 199; ББИ, 112. < **Хипиш (хи́пеш)** — шум, скандал.

Спи́чечная коро́бка. *Жарг. арм. Устар.* Самолет «У-2» («По-2»). Лаз., 238.

Уда́рить по коро́бке. *Жарг. авто.* 1. Быстро переключить скорость. 2. Быстро уехать, уйти откуда-л. БСРЖ, 280.

Довести́ до коро́бки *кого. Арх.* Довести до нищенства кого-л. СРНГ 14, 347.

Брать/ взять с коро́бкой *кого. Жарг. угол.* Подсунуть кому-л. пачку бумаги под видом денег. СРВС 1, 203.

Брать/ взять на коро́бку *кого. Жарг. угол.* Продать кому-л. пустой ящик или какой-л. агрегат под видом машинки для изготовления фальшивых денег. СРВС 2, 56, 80.

Гнать (гоня́ть) коро́бку. *Жарг. угол.* Совершать карманные кражи в городском транспорте. Балдаев 1, 89.

Мять коро́бку. *Перм. Ирон.* Выполнять тяжёлую работу. СГПО, 322; МФС, 61.

Переки́нуть коро́бку. *Жарг. угол.* Обворовать магазин. Балдаев 1, 313.

КОРОБО́К * Есть в коробке́ *у кого. Жарг. мол. Шутл.-одобр.* О неглупом, толковом человеке. Елистратов 1994, 208. < **Коробок** — голова.

Едри́ твой коробо́к! *Перм.* Выражение досады, негодования, гнева. Подюков 1989, 71.

КОРО́БОЧКА * Закры́ть коро́бочку. *Разг.* Замолчать. Быков, 107.

Раскры́ть коро́бочку. *Разг.* Начать возмущаться. БСРЖ, 280.

КОРОБУ́ШКА * На коробу́шках. *Олон.* На корточках. СРНГ 14, 348.

КОРОБЬЯ́ * Наби́ть коробью́. *Народн.* Накопить богатство. СРНГ 14, 349.

КОРО́ВА * Обойти́ коро́в. *Новг.* Совершить обряд, предохраняющий дом от нечистой силы. НОС 6, 99.

Семь коро́в ту́чных. *Книжн. Архаич. часто Ирон.* О мифическом (чаще — представляемся в чьём-л. воображении) или крайне сомнительном богатстве, изобилии, благополучии. < Восходит в библейскому мифу. БМС 1998, 305.

С коро́в до коро́в. *Пск.* С утра до вечера. СПП 2001, 47.

База́рная (бо́ндарева, междуво́рная) коро́ва. *Сиб. Ирон.* Женщина, любящая ходить по деревне и сплетничать, пустословить. ФСС, 96.

Гульна́ коро́ва. *Сиб. Шутл.* Человек, который часто не бывает дома, не ночует дома. ФСС, 96.

Ди́кая коро́ва. *Яросл.* Лось. ЯОС 4, 5.

До́йная коро́ва. *Жарг. бизн. Одобр.* Третий этап «жизненного цикла» товара, когда он приносит большие прибыли. БС, 66.

Колоби́хина (колонко́ва) коро́ва. *Алт. Неодобр.* То же, что **базарная корова.** СРГА 2-1, 60, 61.

Колобко́ва коро́ва. *Сиб. Презр.* То же, что **базарная корова.** ФСС, 96; Ф 1, 256.

Коро́ва жева́ла *что. Разг. Ирон.* Об измятой одежде на ком-л. Ф 1, 256.

Коро́ва на пе́рвую соло́му. *Яросл.* Трёхлетняя корова. ЯОС 5, 69.

Коро́ва с седло́м. *Жарг. мол. Пренебр.* О безвкусно одетой девушке. Максимов, 198.

Коро́ва языко́м слизну́ла *что. Прост.* Что-л. пропало, прошло впустую. Ф 1, 256.

Похотли́вая коро́ва. *Сиб. Презр.* О легкомысленной, развратной женщине. ФСС, 96; СФС, 149; СРНГ 14, 349.

Ста́линская коро́ва. *Разг. Ирон.* Коза. (Запись 2001 г.).

Чья бы коро́ва мыча́ла, а твоя́ бы молча́ла. *Прост. Груб.* 1. Требование замолчать, перестать говорить, обращённое к некомпетентному в чём-л. человеку. Жиг. 1969, 105. 2. Требование не обвинять других в тех недостатках, которые есть у самого говорящего: не тебе об этом судить, говорить (говорится в ответ на обвинения того, кто сам чем-л. опорочил, запятнал себя). Жук. 1966, 511,

Шаба́нова коро́ва. *Горьк. Презр.* О неряшливой, бесхозяйственной женщине. БотСан, 57.

Я коро́ва, я и бык, я и ба́ба, и мужи́к. *Новг.* О самостоятельной, сильной женщине. НОС 1, 15.

Крути́ть коро́вам хвосты́. *Перм. Шутл.-ирон.* Заниматься грязной, неблагодарной работой. Подюков 1989, 99.

Коро́ве рог сшиба́ет. *Горьк. Шутл.* О сильном холоде, морозе. СРНГ 35, 117.

Не́где коро́ве хвоста́ отбро́сить. *Сиб. Шутл.-ирон.* О тесноте. ФСС, 128.

Пошёл к коро́ве на́ хвост! *Жарг. мол. Бран.* Выражение гнева, негодования, возмущения, нежелания общаться с кем-л. Максимов, 198.

Бе́лую коро́ву за огоро́дом не ви́дно. *Кар.* О тёмных ночах летом. СРГК 4, 141.

Коро́ву до́ят, а она́ в зе́ркало смо́трится. *Пск. Шутл.-одобр.* О хорошей, обеспеченной жизни. СПП 2001, 47.

Корми́ть коро́ву. *Олон.* Играть в рюхи. СРНГ 14, 350.

Мо́ре под коро́ву *кому! Свердл.* Приветствие доящим корову. СРНГ 14, 349.

Обу́ть коро́ву в ла́пти. *Народн. Ирон.* Сделать что-л. некстати. ДП, 633.

Тащи́ коро́ву на ба́ню — травы́ мно́го. *Народн. Шутл.-ирон.* О действиях бестолкового человека. ДП, 452.

Девя́той (деся́той) коро́вы пузы́рь (требу́х); у коро́вы девя́тый пузы́рь. *Пск. Ирон.* О дальнем родственнике, отдалённом родстве. ПОС 8, 176; ПОС 9, 56.

Дя́диной коро́вы пузы́рь. *Новг.Ирон.* То же, что **девятой коровы пузырь.** НОС 9, 59.

От чёрной коро́вы бе́лый пузы́рь. *Новг. Неодобр.* О человеке, который слишком высоко ценит себя. Сергеева 2004, 35.

Фарао́новы коро́вы. *Книжн. Архаич.* То же, что **семь коров тучных.** БМС 1998, 306.

КОРО́ВКА * Бо́жья коро́вка. 1. *Разг.* Небольшой жук с округлым или овальным тельцем пёстрой окраски, обычно с чёрными пятнышками на светлом фоне. Ф 1, 257. 2. *Жарг. авиа. Шутл.* Лётчик пассажирских авиалиний; летчик местных авиалиний. БСРЖ, 281. 3. *Жарг. курс. (авиа).* Учебный самолёт. Максимов, 38. 4. *Разг. Шутл.* Тихий, безобидный человек. Ф 1, 257; БМС 1998, 306; ШЗФ 2001, 21; БТС, 88. 5. *Жарг. угол.* Старушка. УМК, 109. 6. *Жарг. нарк.* Анаша. VSEA, 15; Балдаев 1, 41; УМК, 109. 7. *Жарг. мол.*

Шутл. Автомобиль «Volkswagen». Елистратов 1994, 208. 8. *Жарг. мол. Шутл.* Автомобиль «Ока». Вахитов 2003, 17. 9. *Жарг. мол. Шутл.* Автомобиль «Запорожец». Максимов, 38.

На коро́вках. 1. *Волог.* На корточках. СВГ 3, 108. 2. *Волог.* На коленях. СВГ 3, 108. 3. *Перм.* На четвереньках. Подюков 1989, 95.

По́лзать на коро́вках. *Волог.* Быть несамостоятельным, неспособным делать что-л. (о престарелом, дряхлом человеке). СВГ 2, 140.

КОРО́ВОЧКА * На коро́вочках. *Волог.* То же, что **на коровках 1. (КОРОВКА).** СВГ 3, 108.

КОРО́ВУШКА * Бо́гова (бо́гушкова, бо́жья) коро́вушка. *Арх.* Насекомое божья коровка. АОС 2, 43, 46, 50, 170.

КОРОЛЕ́ВА * Англи́йская короле́ва. *Жарг. студ. Шутл.-ирон.* Студентка, которая переодевается несколько раз в день. (Запись 2003 г.).

Армя́нская короле́ва. *Жарг. угол.* 1. Пассивный гомосексуалист. 2. Женщина, вступающая в орогенитальные контакты. Мокиенко, Никитина 2003, 176.

Короле́ва поле́й. *Публ. Патет.* Кукуруза. Мокиенко, Никитина 1998, 283.

Короле́ва СС (суперсе́кса). *Жарг. угол., мол.* 1. Проститутка, удовлетворяющая половую страсть клиента в любой форме. 2. Минетчица. Мокиенко, Никитина 2003, 176.

КОРОЛЕ́ВСТВО * Короле́вство кривы́х зерка́л. *Разг.* О том, что не может быть объяснено с позиций здравого смысла; о месте, где всё наоборот. < Название кинофильма (студия М. Горького, 1963 г.). Дядечко 2, 156–157.

КОРО́ЛЬ * Боро́ться до короле́й. *Жарг. спорт.* Играть до самого конца, полной победы одной из сторон (о шахматной партии). НРЛ-78.

А коро́ль-то го́лый; го́лый коро́ль. *Книжн. Ирон.* 1. О внезапно разоблачённых, мнимых авторитетах. 2. О несостоятельных идеях и теориях, потерявших свою привлекательность. 3. О неприятной для кого-л. правде, разоблачении чего-л., давно скрываемого. БМС 1998, 306; БТС, 217; Ф 1, 257.

Идти́/ пойти́, куда́ коро́ль пешко́м хо́дит. *Разг. Эвфем. Шутл.* Идти в туалет. Мокиенко, Никитина 2003, 176.

Коро́ль джу́нглей. *Жарг. шк. Шутл. или Шутл.-ирон. Шк.* Директор школы. (Запись 2003 г.).

Коро́ль дров. *Жарг. комп. Шутл.* Графический редактор Corell Draw. Шейгал, 207; Садошенко, 1996.

Коро́ль на час. *Жарг. арм. Шутл.-ирон.* Дневальный, оставшийся за дежурного. Максимов, 198.

КОРОМЫ́СЛО * Вы́пить коромы́сло на вёдрах. *кар. Шутл.* Выпить большое количество спиртного. СРГК 1, 278.

Коромы́сло в спине́ заросло́ *у кого. Волог. Неодобр.* О ленивом человеке. СВГ 2, 145.

Попа́сть под менто́вское коромы́сло. *Жарг. арест.* Подвергнуться изуверскому способу надевания наручников заключённым, злостно нарушающим режим содержания, за нападение на работников правоохранительных органов: одну руку загибают через плечо к лопатке другой руки через бок на спину; иногда подвешивают на крюк (впоследствии этот способ НКВД широко применялся в Германии в гестапо и СС к врагам Третьего рейха); после этих процедур зек истошно кричал от сильной боли, мочился, испражнялся в штаны и через короткое время терял сознание. Балдаев 2001, 163.

КОРО́НА * Золота́я коро́на. *Пск.* Тигровая лилия. ПОС, 95.

Грести́ коро́ной. *Жарг. мол. Неодобр.* Вести себя вызывающе, заносчиво. Митрофанов, Никитина, 94.

С коро́ной на голове́. *Жарг. мол. Неодобр.* О человеке, который ведёт себя вызывающе, заносчиво. Pulse, 2000, № 9, 9.

КОРО́СТА * Не своя́ коро́ста. *Сиб.* Чужая беда, боль. СОСВ, 93.

Обрасти́ коро́стой. *Новг. Презр.* Быть неряшливым, нечистоплотным. Сергеева 2004, 248.

КОРО́ТКИЙ * Без коро́ткого. *Ряз.* Сразу, без разговоров, без церемоний. СРНГ 14, 369; ДС, 241.

КОРОТКОНО́ГА * Коротконо́га се́ла на ше́ю *кому. Коми.* Кто-л. начал лениться. Кобелева, 65.

КО́РОЧКА * Зелёная ко́рочка. *Жарг. мол.* Доллары. Максимов, 155.

Ко́рочка усо́хла *у кого. Жарг. мол. Шутл.-ирон.* Кто-л. плохо соображает. Елистратов 1994, 209.

Кра́сные ко́рочки. 1. *Прост.* Советский паспорт. Мокиенко 2003, 48. 2. *Прост.* Диплом с отличием (в вузе, техникуме). Мокиенко 2003, 48. 3. *Кар.* Документ, удостоверение. СРГК 2, 434.

На все ко́рочки. *Морд.* Сильно, интенсивно (ругать, бранить кого-л.). СРГМ 1982, 75.

На ко́рочки. *Печор.* На корточки. СРГНП 1, 337.

Записа́ть на ко́рочку *что. Жарг. мол.* Запомнить что-л. Елистратов 1994, 209.

Перебива́ться с ко́рочки на ко́рочку. *Народн.* Жить очень бедно, голодать, бедствовать. ДП, 89; ФСРЯ, 208.

КОРОЧУ́Н * Корочу́н на язы́к *кому! Новг. Бран.* Недоброе положение болтливому человеку. Сергеева 2004, 24.

КО́РПУС * Па́жеский ко́рпус. *Разг. Шутл.* Вуз (напр., МГИМО), после окончания которого молодые люди получают престижную работу, в том числе за границей. СІН, 199.

Ри́мским ко́рпусом в снегу́ рачко́м. *Жарг. мол. Шутл.* Название оперы: Римский-Корсаков. «Снегурочка». БСРЖ, 282.

КОРРЕСПОНДЕ́НТ * Ссу́ченный корреспонде́нт. *Жарг. угол., арест. Неодобр.* 1. Заключённый, пишущий заметки для стенгазеты ИТУ. 2. Жалобщик. Балдаев 2, 58.

От ри́жского корреспонде́нта. *Публ. Устар. Шутл.* О заведомой лжи. БМС 1998, 306.

КОРТА́ШКИ * На корта́шках. *Обл.* На плечах, на верхней части спины (нести, сидеть). Мокиенко 1986, 95, 97.

На корта́шки. *Обл.* На плечи, на верхнюю часть спины (взять, посадить кого-л.). Мокиенко 1986, 95, 97.

КО́РТКИ * На ко́ртках. *Обл.* То же, что **на корташках (КОРТАШКИ).** Мокиенко 1986, 95, 97.

На ко́ртки. *Обл.* То же, что **на корташки (КОРТАШКИ).** Мокиенко 1986, 95, 97.

КО́РТОЧКИ * Сиде́ть на ко́рточках. *Разг.* Сидеть, согнув ноги в коленях и держась на носках. ФСРЯ, 208; БМС 1998, 306.

Под ко́рточки. *Печор.* Под мышки. СРГНП 1, 337.

Положи́ть на ко́рточки *кого. Волог.* Победить кого-л. в борьбе. СРНГ 14, 376.

Сесть (присе́сть) на ко́рточки. *Разг.* Сесть, согнув ноги в коленях и держась на носках. ФСРЯ, 208; БМС 1998, 306.

КО́РШУН * Ко́ршун тряпи́чный. *Сиб. Презр.* Оборванный, неопрятно одетый человек. ФСС, 96.

КО́РЩИК * Ко́рщику еретику́ в зу́бы, а моим де́точкам по́ветерь. *Кар.* Пожелание благополучия родным, близким. СРГК 4, 588.

КОРЫ́ТО * Остава́ться/ оста́ться (очутиться, оказа́ться, сиде́ть) у разбитого корыта (при разби́том корыте). *Разг.* Остаться ни с чем, потерять всё нажитое, приобретённое (обычно — как справедливая расправа за неверные поступки, излишние притязания). < Выражение возникло на основе «Сказки о рыбаке и рыбке» А. С. Пушкина. БМС 1998, 307; Ф 1, 257; БТС, 707; ФСРЯ, 208; СПП 2001, 47.

Оста́ться на ба́енном корыте. *Кар.* То же, что **остаться у разбитого корыта.** СРГК 4, 256. < **Баенный** — банный.

Спору́нья в коры́те! *Яросл.* Приветственное пожелание стирающим белье. СРНГ 15, 37.

Возвраща́ться/ возврати́ться к разби́тому коры́ту. *Разг.* То же, что **оставаться у разбитого корыта.** ФСРЯ, 209; БМС 1998, 307.

Би́то коры́то. *Пск. Неодобр.* О чём-л. плохом, неудачном. ПОС 2, 16; ПОС 7, 16.

Посади́ть под коры́то (брата, сестру). *Новг., Сиб.* Жениться (выйти замуж) раньше старшего брата (сестры). СФС, 148; СРНГ 30, 134; Сергеева 2004, 244.

Разби́тое коры́то. 1. *Пск. Неодобр.* О бедном, разрушенном хозяйстве. СПП 2001, 47. 2. *Жарг. мол. Шутл.-ирон.* О больном человеке. Максимов, 199.

КОРЬ * Сиде́ть на корю́. *Ряз.* Владеть дедовским имуществом. СРНГ 15, 38.

КОРЮ́ЧКИ * На корю́чках. *Алт.* На четвереньках. СРГА 2-2, 80.

КОРЯ́ВО * Коря́во наса́живать. *Жарг. мол. Неодобр.* Делать что-л. неправильно. h-98.

КОРЯ́ГА * До коряги *кому что. Жарг. мол.* Абсолютно всё равно, безразлично кому-л. что-л. < **Коряга** — мужской половой орган. Елистратов 1994, 209.

Па́рить коря́гу. *Жарг. мол. Шутл.* Совершать половой акт. h-98.

Пья́ный в коря́гу. *Жарг. мол. Шутл.* О крайней степени опьянения. Никитина, 1996, 93.

КОРЯ́К * Посади́ть на коря́к. См. **Посадить на корку (КОРКА)**

КОСА́[1] * Нашла́ коса́ на ка́мень. *Разг.* Столкнулись чьи-л. взгляды, интересы, характеры. ФСРЯ, 209; БМС 1998, 307; Ф 1, 257; Сб.Ром. 11, 224; ДП, 66, 163; ЗС 1996, 225; Жук. 1991, 198. **Нае́хала коса́ на ка́мень.** *Курск.* То же. БотСан, 102.

На вся́ких ко́сах перере́заться. *Кар.* Многое испытать в жизни, приобрести большой жизненный опыт. СРГК 2, 437.

Нести́ косо́й. *Кар.* Косить. СРГК 4, 14.

[Хоть] косо́й коси́ (пусти́). *Разг.* О большом количестве чего-л. (обычно — грибов, овощей). Ф 1, 257; Глухов 1988, 169; СРГМ 1982, 74.

Во всю ко́су. *Арх.* Изо всей силы, очень сильно. АОС 4, 15; СРНГ 15, 44.

Ро́бить пе́рвую ко́су. *Печор.*То же, что **ударить в косы.** СРГНП 1, 338.

Стать под косу́. *Кар.* Начать косить. СРГК 2, 437.

Ходи́ть на косу́. *Жарг. мол. Шутл.* Выпрашивать у кого-л. сигареты. Максимов, 199.

Жить с косы́ на ка́мень. *Новг.* Терпеть нужду, лишения. НОС 4, 15.

Косы́ не вы́трешь *где. Пск.* Очень мало травы. ПОС 6, 79.

Уда́рить в ко́сы. *Орл.* Начать сенокос. СОГ-1992, 92.

КОСА́[2] * Ве́трена коса́. *Кар.* Перистые облака. СРГК 2, 437.

Вши́вая (ста́рая) коса́. *Кар. Пренебр.* Женщина, не вышедшая замуж. СРГК 2, 437.

Де́вичья коса́. *Дон.* Сорное растение ясменник стелющийся. СДГ 1, 125.

Непе́тая коса́. *Кар.* То же, что **вшивая коса.** СРГК 2, 437.

Ходи́ть в одно́й косе́. *Сиб.* Быть невестой. Верш. 4, 204.

Оста́ться трясти́ косо́й. *Кар.* Не выйти замуж, остаться незамужней. СРГК 2, 437; СРГК 4, 256.

Прие́хать за косо́й. *Приамур. Устар.* Приехать за приданым невесты. СРГПриам., 222.

Выкупа́ть /вы́купить ко́су́. *Пск., Сиб.* Дарить подарки родственникам невесты. ФСС, 36; СФС, 51; СРНГ 15, 43, 299; ПОС 5, 185-186.

Замыка́ть ко́су. *Кар.* В свадебном обряде — прощаться с косой (о невесте). СРГК 2, 437.

Кла́сть на косу́ *что. Сиб.* Дарить подарки невесте. СФС, 89; СОСВ, 86; ФСС, 93; СБО-Д1, 197.

Кра́сить ко́су. *Приамур.* В свадебном обряде — украшать волосы невесты. СРГПриам., 130.

Купля́ть ко́су. *Новг.* То же, что **выкупать косу.** НОС 4, 120.

Отнима́ть (отыма́ть) ко́су. *Волог.* В свадебном обряде — расплетать косу невесты перед тем, как сделать ей причёску замужней женщины. СВГ 6, 94, 105.

Плести́ ко́су. *Яросл.* Сплетать ветви березы в виде косы на Троицу. ЯОС 5, 74.

Продава́ть ко́су. *Алт., Курск., Орл., Приамур., Сиб.* В свадебном обряде — брать выкуп за невесту. СРГА 2-2, 80; БотСан, 99; СОГ-1992, 92; СРГПриам., 225; СФС, 92; СОСВ, 93; СБО-Д1, 213; СРНГ 15, 43.

Пропива́ть ко́су. *Сиб.* Устраивать угощение в доме невесты накануне свадьбы. СРНГ 15, 43-44; СОСВ, 153; СБО-Д1, 213.

Разделя́ть (разнима́ть) ко́су. *Кар.* В свадебном обряде: заплетать невесте две косы вместо одной. СРГК 5, 410.

Расплета́ть ко́су. *Сиб.* ТО же, что **разделять косу.** Верш. 6, 68.

Собира́ть под косу́ *кого. Приамур.* Приглашать подруг в дом невесты на девичник. СРГПриам., 279.

Ходи́ть на́ косу. *Тобол.* Приходить на свадебное угощенье. СРНГ 15, 44.

Перебива́ться с косы́ на ка́мень. *Новг.* Испытывать нужду, лишения. Сергеева 2004, 223.

Пету́шьи ко́сы. *Перм.* Название травянистого растения. СППО, 439.

Пуши́стые ко́сы. *Кар.* Перистые облака. СРГК 2, 437.

КОСА́ТИК * Лесно́й коса́тик. *Влад.* Осока сжатая. СРНГ 16, 375.

КОСА́Я * Понесла́сь коса́я в ба́ню! *Жарг. мол. Шутл.-ирон.* О начале больших неприятностей. Максимов, 329.

Заби́ть косу́ю. 1. *Жарг. угол.* Дать взятку кому-л. 2. *Жарг. угол.* Обмануть кого-л. 3. *Жарг. нарк.* Выкурить сигарету, начинённую наркотическим веществом. Балдаев 1, 135.

КОСИ́К * На коси́к. *Яросл.* 1. Сложив по диагонали (о платке, повязываемом на голову). 2. В объезд (о дороге). ЯОС 6, 77.

КОСМАТУ́ХА * Ходи́ть в космату́ху. *Прибайк.* Быть косматым, непричёсанным. СНФП, 84.

КОСМА́Ч * Причасти́ть космача́ за грев. *Жарг. арест.* Совершить акт насильственного мужеложства над священнослужителем по указке НКВД МГБ и в благодарность за это получить продукты питания, курево и чай. Балдаев, 2001, 163.

КОСМЕ́НЬ * Космень вы́трясти *кому. Сиб.* Наказать кого-л., оттаскав за волосы. ФСС, 39.

КОСМОНА́ВТ * Космона́вт на огоро́де. *Жарг. мол. Шутл.* О чём-л., вызывающем сильное удивление. Максимов, 199.

КО́СМОС * Улете́ть (полете́ть) в ко́смос. *Жарг. мол. Шутл.-одобр.* Получить удовольствие. Максимов, 199.

КО́СМЫ * Возя́кать за ко́смы *кого. Морд.* Наказывать кого-л., таская за волосы. СРГМ 1978, 83.

КОСМЫ́РКА * Вя́зить космы́рку *кому. Урал.* Угрожать кому-л. расправой. СРНГ 15, 57.

КО́СО * Ко́со напо́перёк. *Вят.* Наоборот, не так, как следует. СРНГ 15, 65.

Смотре́ть ко́со *на кого. Разг.* Относиться к кому-л. с недоверием, настороженно. Ф 2, 168.

КОСОГЛА́ЗИЕ * Развива́ть косогла́зие. *Жарг. студ. Шутл.* Списывать у кого-л. (Запись 2003 г.).

КОСО́Й * Косы́м не гляде́ть *на кого.* 1. *Кар.* Не обращать внимания на кого-л., не слушать кого-л. СРГК 2, 440. 2. *Курск.* Поссориться с кем-л. БотСан, 99.

Взгляну́ть из косы́х *на кого. Арх.* Посмотреть краем глаза, искоса. АОС 4, 62.

Жить на косы́х. *Перм.* Постоянно враждовать, ссориться с кем-л. Подюков 1989, 76.

КОСО́К * На косо́к. *Яросл.* То же, что **на косик (КОСИК).** ЯОС 6, 77.

КОСОПЛЁТКА * Бе́лая (кра́сная) косоплётка. *Пск. Ирон.* О женщине, не вышедшей замуж, старой деве. ПОС 1, 167.

За́ячьи косоплётки. *Перм., Прикам.* Растение с длинными, ползущими стеблями, с мелкими листьями — плаун булавовидный. СГПО, 2534 МФС, 49.

Плести́ косоплётки. *Перм. Ирон.* Лгать, обманывать. Подюков 1989, 150.

КОСОРО́ТИК * Косоро́тики нае́хали *[на кого]. Кар. Шутл.* Кому-л. хочется спать, кого-л. клонит в сон. СРГК 3, 317.

КОСОРЫ́ЛИЩЕ * Косоры́лище лесно́е. *Жарг. мол. Презр.* Человек неприятной наружности. Максимов, 200.

КОСТЕНИ́ЦА * Дать костени́ц *кому. Пск.* Побить, поколотить кого-л. (Запись 2002.)

КОСТЁР * Лесно́й костёр. *Ворон.* растение мятник обыкновенный. СРНГ 16, 375.

Устро́ить большо́й пионе́рский костёр. *Жарг. Шутл.-ирон. или Неодобр.* Испортить, запутать, развалить дело. Елистратов 1994, 331.

Костры́ пру́жить. *Онеж., Арх.* Новогодний обычай — опрокидывать поленницы, разбрасывать дрова по двору. СРНГ 15, 71. < **Пру́жить** — опрокидывать. СРНГ 33, 65.

КОСТИ́НА * Суха́я кости́на. *Прикам. Пренебр. или Ирон.* Худой, истощённый человек. МФС, 49.

КОСТИ́ТЬ * Ни кости́ть ни ла́стить *кого. Прикам.* Жить с кем-л. без ссор, но и без любви (в семье). МФС, 50.

КО́СТКА * Бе́лая ко́стка. *Новг.* О человеке знатного происхождения. НОС 4, 125.

Горя́чая (горя́чечная) ко́стка (ко́сточка). *Арх.* Щиколотка, лодыжка. АОС 9, 383.

Ко́стка стёрта *у кого. Новг.* О трудно прожитой жизни. НОС 4, 125.

Моги́льная ко́стка. *Прибайк.* Нарост на суставе. СНФП, 84.

Слу́хательная ко́стка. *Пск. Бран.* О подслушивающем ребёнке. СПП 2001, 47.

Одни́ ко́стки да ко́жа. *Пск.* То же, что **кожа да кости (КОЖА).**

Пойти́ в ко́стку. *Жарг. мол.* Обидеться. БСРЖ, 283.

Проглоти́ть ко́стку. *Ворон.* Пропустить без ответа обидное слово. СРНГ 15, 75.

КОСТОЛО́МКА * Зада́ть костоло́мку *кому. Яросл.* Побить, поколотить кого-л. ЯОС 4, 68.

КОСТОМЕ́ЛЯ * В костоме́лю. *Свердл. Неодобр.* Наоборот, не так, как следует; неудачно. СРНГ 15, 78; СРГСУ 1, 83.

КОСТОПЫ́ЖКА * Дать костопы́жку *кому. Пск.* Выругать кого-л., устроить нагоняй кому-л. СПП 2001, 47.

КО́СТОЧКА * Проструга́ть до ко́сточек. *Новг.* О сильной боли. НОС 9, 49.

Бе́лая ко́сточка. 1. *Народн.* То же, что **белая кость 1. (КОСТЬ).** БМС 1998, 308; ФСРЯ, 209. 2. *Жарг. морск.* Штурманы и артиллеристы на корабле. Кор., 40.

Венча́льная ко́сточка. *Орл. Ласк.* Обращение супругов друг к другу. СОГ 1989, 158.

Голуба́я ко́сточка. *Народн.* То же, что **белая кость 1. (КОСТЬ).** БМС 1998, 308; ФСРЯ, 209.

Горя́чая (горя́чечная) ко́сточка. См. **Горячая костка (КОСТКА).**

Ми́лая ко́сточка. *Сиб. Одобр.* 1. Положительная черта, положительное качество человека. 2. Неординарный, интересный человек. 3. Ласковое обращение к кому-л. ФСС, 97.

Ны́вная ко́сточка. *Яросл. Неодобр.* Надоедливый, докучливый человек. ЯОС 5, 78.

Разбира́ть/ разобра́ть по ко́сточкам. *Разг. Неодобр.* 1. *кого.* Злословить, сплетничать, судачить о ком-л. 2. *что.* Подробно, до мелочей обсуждать что-л. БМС 1998, 307; ФСРЯ, 209; ЗС 1996, 357.

Хоть по ко́сточкам разбери́ *кого. Волг. Неодобр.* Об упрямом, непослушном человеке. Глухов 1988, 169.

Не по ко́сточке *кому что. Новг.* Не подходит, не годится кому-л. что-л. Сергеева 2004, 201.

Одева́ться по ко́сточке. *Яросл. Одобр.* Быть модно, щеголевато одетым; носить модную одежду. ЯОС 8, 31; СРНГ 15, 79.

Шить по ко́сточке (в ко́сточку). *Кар., Новг.* Шить одежду по фигуре. СРНГ 15, 79; СРГК 2, 442; НОС 4, 126; НОС 11, 15.

Две ко́сточки. *Жарг. угол.* Денатурированный спирт. Грачев, 1997, 12.

Игра́ть на четы́ре ко́сточки. *Жарг. угол.* Играть в карты на жизнь человека, неугодного преступной группировке. Балдаев 1, 168.

Лома́ть ко́сточки. *Кар.* Обниматься с кем-л. СРГК 3, 142.

Мыть ко́сточки *кому. Разг.* То же, что **перемывать косточки.** БТС, 567.

Перебива́ться (перекола́чиваться) с ко́сточки на ка́мешек. *Народн.* Терпеть нужду, жить очень бедно. ДП, 89.

Перебира́ет ко́сточки *кому. Горьк.* Кого-л. знобит, лихорадит. БалСок, 49.

Перемыва́ть / перемы́ть (промыва́ть, перебира́ть) ко́сточки *кому. Разг. Неодобр.* Злословить, сплетничать о ком-л. ФСРЯ, 209; БМС 1998, 308; Ф 2, 99, 38; БТС, 811; Глухов 1988, 122; ЗС 1996, 358; Мокиенко 1986, 31.

Перенести́ ко́сточки *куда. Жарг. мол.* Уйти, пойти куда-л. Максимов, 200.

Роди́ться ко́сточкой. *Кар.* Быть рослым, стройным. СРГК 2, 442.

Всади́ть ко́сточку проме́ж глаз *кому.*

Жарг. угол. Пристрелить, убить кого-л. Бен, 62.

Обглода́ть ко́сточку. *Жарг. гом. Шутл.* Об оральном половом сношении. Кз., 50. < **Косточка** — мужской половой орган.

Отчи́стить на го́лую ко́сточку *кого. Смол.* 1. Выругать, отчитать кого-л. 2. Рассказать о чьём-л. поведении с плохой стороны. СРНГ 6, 346.

Очи́стить на го́лую ко́сточку. *Волг.* Забрать, отобрать всё у кого-л., разорить кого-л. Глухов 1988, 120.

На четырёх ко́сточках. *Кар.* На четвереньках. СРГК 2, 442.

КОСТРО́В * Фе́дя Костро́в. *Жарг. мол. Шутл.* Фидель Кастро (лидер кубинских коммунистов). Елистратов 1994, 210.

КОСТЫ́ЛЬ * Показа́ть костыли́ *кому. Сиб.* Показать кукиш кому-л. ФСС, 143.

Щу́пать костыли́. *Жарг. угол.* Готовиться к побегу из тюрьмы, ИТУ. Балдаев 1, 201; ББИ, 114; Мильяненков, 145.

Жать на весь косты́ль. *Жарг. мол., авто.* Вести машину на предельной скорости. БСРЖ, 284.

Заби́ть косты́ль. *Жарг. нарк.* 1. Начинить сигарету гашишем. 2. Выкурить сигарету с гашишем. Максимов, 135.

На косты́ль. *Печор.* Крест-накрест. СРГНП 1, 341.

Свято́й косты́ль. *Жарг. лаг. Шутл.* Пайка, порция хлеба. Р-87, 169, 268. < Образовано на основе старого шутливого выражения **святая душа на костылях.**

Скова́ть косты́ль. *Пск. Шутл.* Больно запнуться о камень. СРНГ 15, 85.

Ста́вить косты́ль. *Кар., Перм., Прикам.* Поднимать заднюю лапу кверху (о животном, например кошке, поднимающей заднюю лапу при мытье, которое предвещает приход гостей). СРГК 2, 444; СГПО, 604; МФС, 95.

Дать костыля́ *кому. Новг.* Побить, наказать кого-л. НОС 4, 124; Сергеева 2004, 44.

Довести́ до ни́щенского костыля́ *кого. Вят.* Разорить кого-л. СРНГ 15, 85.

КОСТЫ́Ч * На сто костыче́й навздева́ться. *Яросл. Шутл.* Надеть большое количество одежды. ЯОС 6, 78.

КОСТЬ * Выходи́ть из косте́й. *Арх.* Ругаться, негодовать. АОС 8, 370.

До косте́й. *Разг.* Очень сильно, совсем, насквозь (промокнуть, промёрзнуть). ФСРЯ, 209.

Из косте́й вы́преть. *Пск. Шутл.* Об ощущении сильной жары. СПП 2001, 47.

[И] косте́й не соберёшь. *Разг.* Не уцелеешь, будешь полностью уничтожен (предупреждение об опасных последствиях чьих-л. действий). БМС 1998, 308; ФСРЯ, 209.

Ни косте́й ни весте́й *от кого. Народн. Ирон.* Об отсутствующем и долго не подающем о себе вестей человеке. БМС 1998, 308; МФС, 49; Мокиенко 1990, 150; Глухов 1988, 109.

Би́ться (от) с ко́сти на ка́мень. *Перм., Твер.* То же, что **перебиваться с косточки на камешек (КОСТОЧКА).** СРНГ 15, 88; Подюков 1989, 13.

Бро́сить/ забро́сить (ки́нуть) ко́сти. *Жарг. мол.* 1. *[куда].* Сесть, присесть куда-л. Грачев 1997, 218; Вахитов 2003, 77. 2. Лечь (спать, загорать и т. п.). Югановы, 38; Балдаев 1, 47. 3. Переночевать где-л. Елистратов 1994, 210. 4. **[по тра́ссе].** Пойти, поехать, направиться куда-л. Митрофанов, Никитина, 95; СтМ, 1992, № 2, 42; Балдаев 1, 136; Вахитов 2003, 77; Максимов, 45.

Въе́сться в ко́сти *кому. Волг.* Сильно надоесть кому-л. Глухов 1988, 26.

Гнои́ть ко́сти. *Волг.* Быть погребённым, покоиться в земле. Глухов 1988, 24.

Дать в ко́сти *кому. Волг.* Строго наказать, побить кого-л. Глухов 1988, 29.

Две ко́сти вме́сте. *Кар. Ирон.* О физически слабом человеке или животном. СРГК 2, 444.

Для ко́сти брю́хо не боли́т *у кого. Кар.* Кого-л. не волнуют чужие проблемы, нет дела до других людей. СРГК 1, 462.

Дра́ться до ко́сти. *Народн.* Самоотверженно, отчаянно драться. СРНГ 15, 88.

Загрести́ ко́сти *чьи. Волг.* Похоронить кого-л. Глухов 1988, 46.

Кле́ить ко́сти. *Прибайк.* Сплетничать, злословить о ком-л., обсуждать кого-л. СНФП, 85.

Ко́сти вздыма́ть. *Пск.* Вставать, подниматься на ноги. ПОС, 3, 157.

Ко́сти в стака́не. *Жарг. мол.* Родители дома. Митрофанов, Никитина, 95.

Ко́сти глядя́т, а мя́са не вида́ть. *Народн. Шутл.-ирон.* Об очень худом. ДП, 309.

Ко́сти на ме́сто. *Прибайк.* О замужестве. СНФП, 85.

Ко́сти несть в го́сти. *Новг. Шутл.* Идти куда-л., к кому-л. НОС 6, 52.

Ко́сти стоя́т. *Кар. Шутл.-ирон.* О сильно похудевшем человеке. СРГК 2, 444.

Ко́сти с небольши́м коли́чеством мя́са. *Жарг. мол. Пренебр. или Шутл.-ирон.* Об очень худой девушке, топ-модели. Максимов, 200.

Ко́сти с целлюли́том. *Жарг. мол. Шутл.-ирон.* О полной, упитанной девушке. Максимов, 200.

Лома́ть ко́сти. *Прост.* Выполнять тяжёлую физическую работу. СРНГ 15, 86; Ф 1, 285.

Мыть ко́сти *кому. Прост.* Сплетничать, злословить о ком-л. Ф 1, 306.

На четы́ре ко́сти. *Олон., Печор., Ср. Урал., Сиб.* На четвереньки. СРНГ 15, 88; МФС, 49.

[Одни́] ко́сти да ко́жа. См. **Кожа да кости (КОЖА).**

Оста́лись одни́ ко́сти. *Прост.* Об очень худом человеке. Верш. 4, 268.

Отмолоти́ть ко́сти *кому. Пск.* Избить кого-л. СПП 2001, 47.

Па́рить ко́сти в земле́. *Волг.* Об умершем, похороненном. Глухов 1988, 121.

Перебива́ться с ко́сти на ка́мень. *Новг.* То же, что **перебиваться с косточки на камешек (КОСТОЧКА).** НОС 4, 127; НОС 7, 116.

Переки́нуть (перенести́) кости *куда. Жарг. мол.* Пойти, прийти, переместиться куда-л. Максимов, 200.

Пересчита́ть ко́сти *кому. Разг.* Избить кого-л. БТС, 818; Мокиенко 1990, 60.

Положи́ть ко́сти в зе́млю (на ме́сто) *чьи. Печор.* Похоронить кого-л. СРГНП 1, 341.

Получи́ть в ко́сти. *Волг.* Подвергнуться избиению. Глухов 1988, 129.

По кости́ *кому что. Курск.* То же, что **в кость 1.** БотСан, 109.

[Свои́] ко́сти нести́ в го́сти (в го́рсти). *Перм. Шутл.-ирон.* Быть близким к смерти, собираться умирать. Подюков 1989, 187. // *Новг.* Умирать на чужбине. Сергеева 2004, 199.

Скласть ко́сти. *Волг.* Умереть, погибнуть. Глухов 1988, 149.

Собира́ть ко́сти. 1. *Перм. Шутл.* Кутить на следующий день после Масленицы, доедая остатки пищи после праздника. СРНГ 15, 88. 2. *Жарг. мол.* Убегать откуда-л. Максимов, 200.

Ста́вить/ поста́вить на четы́ре ко́сти *кого. Жарг. арест., гом.* Совершить анальное сношение с кем-л. (обычно — насильно). Кз., 129; УМК, 109.

Шевели́ть мёртвые ко́сти. *Арх.* Поминать усопших. СРНГ 15, 88.

Ада́мова кость. 1. *Сиб.* Кость ископаемых животных. СРНГ 15, 87. 2. *Арх., Сиб.* Окаменевшее дерево. СФС, 16; СРНГ 1, 205.

Бе́лая кость. 1. *Разг. Неодобр.* О человеке аристократического происхождения, барине, дворянине. БМС 1998, 308; ФСРЯ, 209; БТС, 70. 2. *Жарг. угол.* Высшая воровская каста. ТСУЖ, 19. 3. *Жарг. аэропорт.* Таможенники. АиФ, 95, № 40, 30. 4. *Жарг. авиа.* Лётчики (в отличие от наземного обслуживающего персонала). БСРЖ, 284.

В кость. 1. *кому. Кар., Олон.* По размеру, как раз. СРГК 2, 444; СРНГ 15, 88. 2. *Олон.* Впрок. СРНГ 15, 87–88. 3. *кому. Олон.* На крепкое здоровье. СРНГ 15, 88.

Го́лая кость. *Арх.* О бедном, неимущем человеке. АОС 9, 261.

Грызть кость. *Прибайк.* Ссориться, вести перебранку. СНФП, 84.

Влезть в кость *кому. Морд.* Войти в доверие, вызвать расположение к себе. СРГМ 1978, 79.

Голуба́я кость. *Народн.* То же, что **белая кость 1.** БМС 1998, 308; ФСРЯ, 209.

Девя́тая кость от жо́пы (от за́дницы). *Арх., Кар. Шутл.-ирон.* Об отдалённом родстве, о дальнем родственнике. АОС 10, 401; СРГК 2, 444.

Держа́ть кость. *Жарг. угол.* Пожимать руку кому-л. Балдаев 1, 201; ББИ, 114; Мильяненков, 145.

Ки́нуть кость *кому. Жарг. угол.* Поздороваться за руку с кем-л. Балдаев 1, 201; ББИ, 114; Мильяненков, 145.

Кость в го́рле. *Разг.* То, что мешает, досаждает кому-л. Ф 1, 258.

Кость в кость [столкну́ться]. *Жарг. спорт. (футб.).* О серьёзном столкновении игроков в ходе матча. КП, 05.11.99.

Кость во́ет *у кого. Сиб.* 1. [*на что*]. О сильном желании сделать что-л. ФСС, 97. 2. Кого-л. охватывает тоска. СРНГ 15, 88.

Кость за кость захо́дит *у кого. Морд.* О тяжёлой, непосильной работе. СРГМ 1982, 77.

Кость о кость бьётся *у кого. Сиб. Ирон.* Об очень худом, истощённом человеке. СОСВ, 94.

Кость от ко́сти, [плоть от пло́ти] *кого, чьей. Книжн.* 1. Порождение, детище кого-л., чего-л. 2. О чьём-л. кровном родстве с кем-л. 3. О чьём-л. идейном родстве с кем-л. < Выражение из Библии. БМС 1998, 309; ФСРЯ, 209.

Кость поёт. *Костром.* В суеверных представлениях — о плаче, который доносится с могил невинно убитых. СРНГ 26, 337.

Лезть в кость. *Ворон., Ряз.* Стараться быть ласковым, угодливым, обходительным. ДС, 244; СРНГ 16, 339.

Ло́маная кость. *Костром.* О человеке, который много работает. СРНГ 15, 88.

Моги́льная кость. *Сиб.* Наросты на суставах. ФСС, 97; СФС, 105.

Наскочи́ла кость на кость. *Народн.* То же, что **нашла коса на камень (КОСА).** СРНГ 15, 88; ЗС 1996, 225.

Не в кость *кому что. Жарг. мол. Неодобр.* Не нравится, не подходит кому-л. что-л. VSEA, 99.

Ча́хлая кость. *Кар. Неодобр.* О бледном, физически слабом человеке. СРГК 2, 445.

Чёрная кость. *Разг. Пренебр.* Человек незнатного происхождения, принадлежащий к непрестижному сословию. Ф 1, 258; ФСРЯ, 209; ЗС 1996, 29..

Вы́таять до ко́стьев. *Кар.* Сильно похудеть. СРГК 1, 302.

Ложи́ться/ лечь костьми́. 1. *Книжн. Высок.* Погибнуть в бою, сражении. 2. *Прост. часто Шутл.* Стараться изо всех сил сделать что-л. БМС 1998, 309; ФСРЯ, 210; ЗС 1996, 282, 234; БТС, 495.

Ко́стья показа́ть. *Кар. Шутл.* Появиться где-л. ненадолго. СРГК 2, 445.

Не по костя́м *кому что.* 1. *Морд.* Об одежде, не соответствующей размерам тела. СРГМ 1982, 77. 2. *Новг.* О чём-л. трудном, непосильном. НОС 4, 127.

Пора́ костя́м на ме́сто. *Народн. Шутл.-ирон.* Пора умирать (об очень старом человеке). ДП, 285; МФС, 72; СРГМ 1986, 24; СНФП, 85.

Греме́ть костя́ми. 1. *Прост.* Быть очень худым, тощим. Глухов 1988, 26. 2. *Жарг. мол.* Суетиться. Максимов, 96. 3. *Жарг. мол. Шутл.* Танцевать. Максимов, 96.

Костя́ми бря́кайте. *Жарг. мол. Шутл.* Певица Кристина Орбакайте. Панорама, 1999, № 41.

Трясти́ костя́ми. *Жарг. мол. Шутл.* 1. Идти куда-л. 2. Танцевать. Максимов, 200.

На четырёх костя́х. *Кар., Перм., Прикам., Ср. Урал, Сиб.; Жарг. мол.* На четвереньках. СРГК 2, 445; МФС, 49; СГПО, 665; СРГСУ 2, 192; ФСС, 97; СФС, 121; Максимов, 474.

Сиде́ть в костя́х *у кого. Волг.* Сильно надоесть кому-л. Глухов 1988, 147.

Ходи́ть по костя́х. *Смол.* Быть свободной, просторной (об одежде). ССГ 11, 64-65.

КОСТЬЁ * Бро́сить костьё. *Кар.* То же, что **бросить кости 2. (КОСТЬ).** СРГК 2, 445.

Всё костьё на мя́со перегни́ло *у кого. Кар.* О болях во всем теле. СРГК 3, 286.

Мёртвое костьё. *Печор.* Покойник, труп. СРГНП 1, 341.

Одно́ костьё. *Кар., Печор.* Об очень худом человеке. СРГК 2, 445; СРГНП 1, 341.

Положи́ть костьё. *Печор.* Умереть, погибнуть. СРГНП 1, 341.

Ста́рое костьё. *Кар. Пренебр.* О старом человеке или животном. СРГК 2, 445.

КОСТЮ́М * Рези́новый костю́м. *Жарг. мол. Шутл.* Презерватив. Максимов, 200.

Отцо́вских и матери́нских костю́мов не на́шивать. *Кар. Неодобр. или Ирон.* Не достичь того, в чём преуспели родители. СРГК 4, 340.

[Ходи́ть] в костю́ме Ада́ма (Е́вы). *Разг. Шутл. или Ирон.* О голом, нагом человеке. БМС 1998, 308; Ф 1, 259; ФСРЯ, 210; Максимов, 200; Мокиенко 1989, 157.

Это вам не в но́вом костю́ме на жва́чку сесть. *Жарг. мол. Шутл.* О чём-л. важном, значительном (Запись 2001 г.).

КО́СТЯ * Ко́стя Престу́кин. *Жарг. мол. Пренебр.* Доносчик, информатор органов милиции, КГБ. Никольский, 70. < Ср.: **стучать** — доносить на кого-л.

КОСУ́ЛЯ * Оде́ться на косу́лю. *Кар.* Неряшливо или неумело повязать платок, несимметрично сложив его. СРГК 4, 149.

КОСЫ́НКА * Кра́сная косы́нка. См. **Красная косыночка (КОСЫНОЧКА).**

КОСЫ́НОЧКА * Кра́сная косы́ночка (косы́нка). *Жарг. угол., арест. Ирон.* Пассивный педераст, любовник профессионального преступника. Мокиенко, Никитина 2003, 176.

КОСЯ́К * Ве́шать/ пове́сить коса́к *на кого. Жарг. мол.* Обвинять кого-л. в чём-л. Вахитов 2003, 134.

Взорва́ть턴 кося́к. *Жарг. мол.* Закурить. Я — молодой, 1995, № 6. < **Косяк** — сигарета с наркотическим веществом.

В кося́к *кому что. Жарг. мол. Неодобр.* Плохо, неудачно, нежелательно, неприятно. СМЖ, 18. < **Косяк** — неудача, ошибка.

Въе́хать в кося́к. *Жарг. мол.* Совершить опрометчивый поступок; ошибиться. Максимов, 74.

Дави́ть (пуля́ть) кося́к (косяка́). 1. *Жарг. мол. Неодобр.* Недоброжелательно, косо смотреть на кого-л. Елистратов 1994, 210; ББИ, 63; Бен, 62. 2. *Жарг. угол.* Следить за кем-л.; подсматривать, незаметно наблюдать за кем-л. Балдаев 1, 101; Быков, 58; ТСУЖ, 44; ББИ, 63; Бен, 62. 3. *Жарг. мол. Неодобр.* Говорить ерунду, обманывать кого-л. Митрофанов, Никитина, 95.

Забива́ть/ заби́ть (колоти́ть/ заколоти́ть, приколоти́ть; прибива́ть/ приби́ть) кося́к. 1. *Жарг. нарк.* Набивать папиросу, сигарету наркотическим веществом (травой). Рожанский, 28; Мазурова, Сленг, 138; ТСУЖ, 90; DL, 71; СМЖ, 89; Югановы, 113; Грачев 1994, 17; Грачев 1996, 36. 2. *Жарг. нарк., мол.* Выкуривать сигарету, начинённую наркотическим веществом. Балдаев 1, 135; Вахитов 2003, 65. 3. *Жарг. угол.* Давать взятку кому-л. Балдаев 1, 135. 4. *Жарг. угол.* Обманывать кого-л. Балдаев 1, 135.

Задави́ть кося́к. *Жарг. нарк.* Выкурить сигарету с гашишем. Максимов, 130.

Загна́ть в кося́к *кого. Жарг. мол.* Принудить кого-л. к чему-л. h-98.

Ки́нуть кося́к. *Жарг. мол. Неодобр.* Поступить неправильно, напр. выйти из группировки. h-98.

Лезть в кося́к. *Жарг. мол. Неодобр.* Попадать в неприятные ситуации по своей вине. Максимов, 201.

Моро́зить кося́к. *Жарг. мол.* Держать сигарету с марихуаной, не куря её. Югановы, 113.

Поро́ть/запоро́ть кося́к (косяка́, косяки́). 1. *Жарг. угол.* Солгать, обмануть кого-л. Балдаев 1, 340. 2. *Жарг. угол.* Совершить ненужное действие. ТСУЖ, 90. 3. *Жарг. арест.* Умышленно нарушить правила, которых придерживается большинство осуждённых, надеясь, что подумают на другого. ТСУЖ, 66. 4. *Жарг. мол. Неодобр.* Подвести кого-л. h-98. 4. *Жарг. мол.* Совершать ошибку. Максимов, 201.

Проби́ть кося́к. *Жарг. мол. Неодобр.* Не прийти на назначенную встречу. Максимов, 201.

Броса́ть/ бро́сить косяка́ (косяки́) *на кого, на что. Жарг. угол., мол.* 1. Посмотреть искоса, бросить косой взгляд. Грачев, 1992, 93. 2. Завидовать кому-л. ББИ, 44; Балдаев 1, 47. 3. *Жарг. мол.* Следить, наблюдать за кем-л., за чем-л. Максимов, 45.

Выгля́дывать из-за косяка́. *Сиб. Неодобр.* Бездельничать, отлынивать от работы. ФСС, 34.

Гнуть косяка́ *на кого. Прибафк.* Сердиться, таить обиду на кого-л. СНФП, 85.

Дать косяка́ *кому. Печор.* Ударить кого-л. СРГНП 1, 166.

Засади́ть косяка́. *Жарг. мол.* Покурить. Елистратов 1994, 210.

Прогна́ть косяка́. *Жарг. нарк.* При задержании за употребление наркотиков симулировать психическое заболевание. ТСУЖ, 147.

Угоди́ть проме́ж косяка́ и две́ри. *Народн.* Попасть в сложную ситуацию, безвыходное положение. ДП, 146.

Ве́сить косяки́. *Одесск.* Давать согласие жениху. КСРГО.

Вывора́чивать косяки́. *Сиб. Неодобр.* Надоедать кому-л. своими посещениями. ФСС, 34.

Кида́ть косяки́ *[на кого]. Разг.* Следить за кем-л., разузнавать что-л. о ком-л. Смирнов 1993, 180.

Стро́ить косяки́. *Жарг. мол.* Придираться к кому-л. Максимов, 201.

Сшиба́ть косяки́. *Жарг. мол. Неодобр.* Вести себя заносчиво, высокомерно. Максимов, 201.

Ходи́ть косяко́м. *Новг. Ирон.* Оставаться холостым в зрелом, пожилом возрасте. НОС 4, 127.

< **Косяк** — 1. Боковая часть дверной или оконной рамы. 2. Косой, недобрый взгляд. 3. Неудача, ошибка. 4. Сигарета с наркотическим веществом.

КОТ * Ещё и кот не валя́лся. *Одесск. Неодобр.* Ещё ничего не сделано, дело не начато. КСРГО.

Ёшкин кот! *Прост. Бран. Эвфем.* Восклицание, выражающее досаду, негодование.

Ёщий кот! *Пск. Бран. Эвфем.* То же, что **ёшкин кот.** ПОС 10, 143.

Ко́ванный кот не перекря́нет (не пересигнёт) *кого. Дон. Шутл.* О человеке высокого роста. СДГ 3, 8; СРНГ 26, 200.

Кот бо́льше наплачет. *Пск.* То же, что **кот наплакал.** СПП 2001, 47.

Кот в мешке́. *Разг. Неодобр. или Шутл.* О чём-л. неизвестном, непроверенном. БМС 1998, 309; Мокиенко 1989, 110.

Кот в сапога́х. *Жарг. арм. Шутл.* Солдат; сержант. Максимов, 201.

Кот напла́кал. *Прост. Шутл.* О крайне малом, недостаточном количестве чего-л. ФСРЯ, 210; БМС 1998, 309; Верш. 4, 82.

Кот напле́вал. *Пск. Шутл.-ирон.* То же, что **кот наплакал.** СПП 2001, 47.

Кот помо́йный. *Пск. Бран.* О надоедливом ребёнке. СПП 2001, 47.

Кот позо́рный. *Пск. Бран.* О непорядочном человеке. СПП 2001, 47.

Ма́ртовский кот. *Разг. Шутл.* Любвеобильный мужчина. Максимов, 201; ЗС 1996, 270.

Ма́ткин кот! *Пск. Бран, эвфем.* Восклицание, выражающее досаду, удивление. СПП 2001, 47.

Су́кин кот. *Вульг.-прост. Бран. или Шутл.-ирон.* Негодяй, негодник. Ф 1, 259; Глухов 1988, 156; Мокиенко, Никитина 2003, 177.

Взя́ло кота́ поперёк живота́. *Народн.* Кто-л. попал в сложную ситуацию, в беду. ДП, 146.

Идти́ на кота́. *Жарг. угол.* Обкрадывать клиента проститутки. Балдаев 1, 169. // Ограбить жертву с помощью соучастницы. ТСУЖ, 76. < **Кот** — любовник проститутки, обкрадывающий ее клиентов.

Пойма́ть кота́ за я́йца. *Жарг. мол.* 1. Схватить и крепко держать кого-л. 2. *Шутл.* Неудачно сходить на рыбалку. Максимов, 201.

Покупа́ть (купи́ть) кота́ в мешке́. *Разг. часто Шутл.* Приобретать что-л., не зная ничего о качестве, достоинствах приобретаемого. ФСРЯ, 210; БМС 1998, 309; Ф 1, 259; БТС, 481, 540; ЗС 1996, 95, 108; ТФ, 482; Мокиенко 1990, 133.

Понесло́ кота́ на слу́чку. *Разг., Шутл.-ирон.* О мужчине, ударившемся в разврат, разгул. Быков, 74.

Тяну́ть кота́ за хвост. *Прост. Неодобр.* 1. Нудно говорить, медлить с ответом, вызывая у слушающего раздражение. 2. Слишком долго делать что-л., оттягивать время. БМС 1998, 310; ФСРЯ, 210; Глухов 1988, 16; Мокиенко 1990, 107, 113.

Щеголя́ть в кота́х. *Сиб.* Обладать редкой или дорогой вещью. СФС, 40.

Коту́ под хвост. *Прост. Неодобр.* Насмарку. Вахитов 2003, 85.

Не всё (отошла́) коту́ ма́сленица. 1. *Народн.* Об осложнениях в чьей-л. беззаботной, лёгкой жизни. Жук. 1991, 204; ЗС 1996, 204. 2. *Жарг. шк. Шутл.* Об отличнике, получившем неудовлетворительную оценку. ШП, 2002; Максимов, 72.

КОТА́ЛЫШКИ * На кота́лышках. *Кар.* У чужих людей. СРГК 3, 338.

КОТЁЛ * Бе́лый котёл. *Жарг. угол.* Серебряные часы. Балдаев 1, 201; ББИ, 114. < **Котёл** — часы.

Дыря́вый котёл. *Сиб. Ирон.* О плохой памяти. ФСС, 97.

Котёл ва́рится. *Публ.* О бурно протекающих в обществе процессах. Мокиенко 2003, 48.

Котёл с лапшо́й. *Жарг. угол.* Часы на цепочке. Мильяненков, 145.

О́бщий котёл. *Прост.* То, что получено, добыто всеми и распределяется всеми. Ф 1, 259.

Свари́ть оди́н (о́бщий) котёл *с кем. Печор.* Прийти к согласию, договориться с кем-л. о чём-л. СРГНП 1, 342.

Вари́ться в о́бщем котле́. *Разг.* Длительно находиться в какой-л. среде, воспринимая её взгляды, интересы. БТС, 111; Ф 1, 50.

Остуди́ть котлы́. *Жарг. мол. Шутл.* Выпить спиртного. Максимов, 202.

КОТЕЛО́К * Загреме́ть котелка́ми. *Жарг. угол., лаг. Неодобр.* Оскандалиться. Р-87, 122.

Выки́дывать (выде́лывать, прока́тывать) котелки́. *Волг., Дон.* Делать что-л. необычное, экстравагантное. Глухов 1988, 18; СДГ 2, 83.

За все котелки́. *Жарг. угол.* 1. Полностью, до конца. 2. От души, в удовольствие. Балдаев 1, 137.

Морокова́ть котелко́м. *Дон.* Усиленно думать, размышлять о чём-л. СДГ 3, 39.

Котело́к ва́рит *у кого. Разг. Шутл.-одобр.* Об умном, сообразительном человеке. ФСРЯ, 210.

Котело́к на плеча́х *у кого. Прост. Одобр.* То же, что **котелок варит.** Глухов 1988, 77.

Котело́к не ва́рит *у кого. Разг. Шутл.-ирон. или Неодобр.* О несообразительном, недогадливом человеке. Ф 1, 259; БМС 1998, 310.

Котело́к не сработал *у кого. Сиб. Шутл.* Кто-л. не сообразил, не понял чего-л. ФСС, 97.

Луди́ котело́к! *Прикам.* Призыв работать, не отвлекаясь ни на что. МФС, 56.

Навяза́ть котело́к *кому. Дон.* Отвергнуть чьи-л. ухаживания. СДГ 2, 155.

КОТЁНОК * Хоть котя́т бей. *Орл. Шутл.* О большом, широком лбе. СОГ-1992, 100.

КО́ТИК * Морско́й ко́тик. *Жарг. морск.* Подводный десантник. Кор., 176.

КО́ТКОМ * Ко́тком ката́ться. *Пск.* То же, что **котом кататься 2. (КОТОМ).** СПП 2001, 47.

КОТЛЕ́ТА * Дать в котле́ту *кому. Жарг. мол.* Ударить по лицу кого-л. Елистратов 1994, 211.

Истере́ть (измя́ть) в котле́ту *кого. Сиб.* Жестоко расправиться с кем-л. ФСС, 89.

Сде́лать [отбивну́ю] котле́ту *из кого. Прост.* Избить кого-л. Ф 2, 147; Максимов, 202.

Спаса́ть котле́ты. *Жарг. пожарн. Шутл.-ирон.* Тушить пожар, вызванный пригоранием пищи. Максимов, 202.

Толка́ть котле́ты. *Жарг. мол. Шутл.* Испражняться. Максимов, 202.

Хоть котле́ты выреза́й. *Пск. Шутл.* О толстой, массивной задней части шеи. СПП 2001, 47.

КО́ТОМ * Ко́том ката́ться. 1. *Ряз.* Перекатываться, лёжа на земле. ДС, 246. 2. *Пск.* Весело смеяться, хохотать. СПП 2001, 47.

Ко́том кати́ть *что. Курск.* Перекатывать что-л. БотСан, 99.

КОТЛОВА́Н * Утопи́ть в котлова́не *кого. Жарг. угол.* Спровоцировать изнасилование с целью привлечь к уголовной ответственности неугодного человека. Балдаев 2, 101. < **Котлован** — женские гениталии.

КОТЛЫ́ * Котлы́ ры́жие. *Жарг. угол.* Золотые часы. Балдаев 1, 202; ББИ, 115. < **Котлы** — часы.

Котлы́ с лапшо́й. *Жарг. угол.* Часы на цепочке. Балдаев 1, 202; ББИ, 115.

Свети́ть котлы́. *Жарг. угол.* Смотреть на часы. ТСУЖ, 158.

КОТО́ВСКИЙ * Под Кото́вского. *Разг. Шутл.* Наголо (постри́чь, постри́чься). Мокиенко, Никитина 1998, 284.

Кото́мку пове́сить на ше́ю. *Смол. Ирон.* Обеднеть, стать нищим. СРНГ 15, 110.

Накла́сть кото́мку *кому. Коми.* Избить кого-л. Кобелева, 68.

КОТО́МА́ * Ходи́ть с кото́мо́й. *Печор.* Быть беременной. СРГНП 1, 343.

КОТО́МКА * Ходи́ть с кото́мкой. *Новг.* Испытывать нужду, бедствовать. Сергеева 2004, 221.

КОТО́МОЧКА * Бе́лая кото́мочка. *Сиб. Устар. Ирон.* Поселенец, переселенец из Европы в Сибири. ФСС, 97; СФС, 21.

КО́ТУШКОМ * Ко́тушком кати́ться. *Орл.* Стремиться, быстро двигаться куда-л. СОГ-1992, 99.

КОТЯ́Х * Сшиба́ть котяхи́. *Морд. Неодобр.* Бездельничать. СРГМ 2002, 182. < **Котя́х** — лепешка коровьего навоза.

КО́ФЕ * Морко́вный ко́фе. *Разг. Ирон.* О людях, не знающих своего дела, плохо разбирающихся в чём-л. НРЛ-82. < Морковный отвар вместо чая или кофе и заменяющий сахар, употребляется в годы нужды, голода.

Пи́сать в ко́фе. *Жарг. мол. Шутл.* Опасаться, бояться чего-л. Никитина, 1996, 94.

КО́ХАНЫЙ * Ни ко́ханый, ни леле́йный. *Дон.* О ком-л., о чём-л., находящемся без присмотра. СДГ 2, 84.

КО́ЦКА * Дать ко́цки *кому. Яросл.* Избить кого-л. ЯОС 3, 121.

КО́ЦЫ * Вяза́ть ко́цы *[куда, откуда]. Жарг. угол.* Готовиться к побегу. Балдаев 1, 203; ББИ, 115; Мильяненков, 146. < **Коцы** — туфли, ботинки.

КОЧА́Н * Вскрыть коча́н. *Жарг. мол.* Ударить кого-л. по затылку. Максимов, 72.

Коча́н кукуру́зы. *Жарг. угол.* Пистолет, наган. Балдаев 1, 203; ББИ, 115; Мильяненков, 146.

Прополоска́ть коча́н. *Жарг. мол. Шутл.* Вымыть голову. Максимов, 202.

КОЧЕГА́Р * По кочега́ру разлива́ть. *Жарг. мол. Шутл.* Разливать спиртное, отмеряя его уровень спичечным коробком (по толщине). Урал-98.

КОЧЕГА́РКА * Втора́я кочега́рка страны́. *Публ. Патет.* Кузнецкий угольный бассейн. Новиков, 93.

Всесою́зная кочега́рка. *Публ. Патет.* Донецкий угольный бассейн. Новиков, 93.

Но́вая всесою́зная кочега́рка. *Публ. Патет.* Экибастузский угольный бассейн. Новиков, 93.

Тре́тья у́гольная кочега́рка. *Публ. Патет.* Карагандинский угольный бассейн. Новиков, 93.

КОЧЕРГА́ * Ба́нная кочерга́. *Яросл. Пренебр. или Шутл.-ирон.* Об угловатой, нескладной женщине. ЯОС 1, 34.

Сиде́ть (быть) на [криво́й] кочерге́. *Жарг. мол. Шутл.* Находиться в состоянии алкогольного опьянения. Аврора, 1988, № 2, 112; Югановы, 142; Максимов, 202, 206.

Зацепля́ть кочерго́й. *Горьк. Неодобр.* Неумело, плохо косить траву. БалСок, 40.

Заби́ть кочергу́. *Жарг. угол., арест.* Совершить побег из ИТУ. Балдаев 1, 135.

КОЧЕРЁЖКА * Жа́репые кочерёжки. 1. *Дон. Шутл.-ирон.* О полном отсутствии съестного. СДГ 2, 85. 2. *Волг.* О калорийной, невкусной пище. Глухов 1988, 41.

КОЧЕРЫ́ЖКА * Жить на кочеры́жке. *Брян. Шутл.-ирон.* О жизни впроголодь. СБГ 5, 74.

Грызть кочеры́жку нау́ки. *Жарг. шк. Шутл.* Учиться в школе; изучать что-л. Никитина, 1998, 205. < Образовано на основе популярного газетного штампа **грызть гранит науки**.

Запа́рить кочеры́жку. *Жарг. мол. Шутл.* Закурить. Елистратов 1994, 160, 212.

КО́ЧЕТ * Кра́сный ко́чет. 1. *Ряз.* Пожар. СРНГ 15, 129. 2. *Морд. Одобр.* О пожилом, но бодром мужчине. СРГМ 1982, 80.

В кочета́. *Костром.* В полночь, когда поют петухи. СРНГ 15, 129.

Вторы́е кочета́. *Дон.* Время около двух часов ночи, когда второй раз поют петухи. СДГ 2, 85.

Пе́рвые кочета́. *Дон.* О полуночи, когда поют петухи. СДГ 2, 85.

Пусти́ть кра́сного ко́чета. *Самар.* Устроить пожар. СРНГ 15, 196.

Тре́тьи кочета́. *Дон.* О наступлении рассвета, когда третий раз поют петухи. СДГ 2, 85.

Пе́ред кочета́ми. *Дон.* Перед рассветом. СДГ 2, 85.

С кочета́ми. 1. *Дон.* Поздно вечером, ближе к полуночи. СДГ 2, 85. 2. *Ворон., Дон., Курск., Нижегор.* Очень рано утром. СРНГ 15, 129; СДГ 2, 85.

Со вторы́ми кочета́ми. *Дон.* То же, что **с кочетами 2.** СДГ 2, 85.

С пе́рвыми кочета́ми. 1. *Дон.* В полночь. СДГ 2, 85. 2. *Волг.* То же, что **с кочетами 2.** Глухов 1988, 16.

С тре́тьими кочета́ми. *Дон.* На рассвете. СДГ 2, 85.

На кочета́х. *Дон.* То же, что **с кочетами 2.** СРНГ 15, 129.

До кочето́в. 1. *Кубан.* То же, что **с кочетами 2.** СРНГ 15, 128. 2. *Дон.* До глубокой ночи, до пения первых петухов. СДГ 2, 85.

До́льше кочето́в. *Влад.* За полночь. СРНГ 15, 128.

До пе́рвых кочето́в. *Дон.* До полуночи. СДГ 3, 5.

До тре́тьих кочето́в. *Волг., Дон.* До рассвета. СДГ 2, 85.

С кочето́в. *Ряз.* С раннего утра. СРНГ 15, 129.

КОЧЕТО́К * Схва́тывать/ схвати́ть кочетка́. *Волг.* Падать на скользком месте. Глухов 1988, 156.

С пе́рвыми кочетка́ми. *Морд.* То же, что **с кочетами 2.** СРГМ 1982, 80.

КО́ЧКА * Го́лая ко́чка. *Орл.* Пепелище на месте сгоревшего дома. СОГ 1990, 11.

Ко́чка зре́ния. *Публ. Неодобр.* Необъективный, консервативно-мещанский, не соответствующей природе вещей взгляд на те или иные явления действительности. < Обыгрывание оборота **точка зрения** М. Горьким в статье «О кочке и о точке» (1933). Мокиенко 1989, 24, 26.

Ко́чка на боло́те. *Сиб. Презр.* О выскочке, зазнайке. ФСС, 97.

Нести́сь по ко́чкам. *Жарг. мол.* Лгать, обманывать, рассказывать небылицы. Максимов, 202.

Понести́ по ко́чкам *кого. Кар., Прибайк.* Начать сильно ругать, стыдить кого-л. СРГК 3, 5; СНФП, 85.

Прожи́ть по ко́чкам. *Кар.* Многое испытать в жизни, пережить много трудностей. СРГК 3, 5.

Протащи́ть по ко́чкам *кого. Жарг. арест.* Убить неугодного сокамерника сиденьем унитаза. Балдаев 1, 360.

Разнести́ по ко́чкам *кого. Кар.* Отругать, отчитать кого-л. СРГК 5, 425.

Сбива́ть ко́чки. *Волг. Неодобр.* Бездельничать. Глухов 1988, 144.

Натереби́ть ко́чку *кому. Прикам.* Побить, наказать кого-л. МФС, 64; Мокиенко 1990, 53.

Прие́хать (прийти́) на го́лую ко́чку. *Сиб.* Прибыть на новое, необжитое место. СФС, 151; ФСС, 97; СРНГ 31, 199; СРНГ 15, 133.

КОШ * Попа́сть под кош. *Яросл.* Подвергнуться наказанию. ЯОС 8, 63.

КОШЕЛЁК * Кошелёк на ше́е *у кого. Пск.* Кто-л. распоряжается деньгами в семье. СПП 2001, 47.

Пусто́й кошелёк *у кого. Разг.* Об отсутствии денег у кого-л. ФСРЯ, 210.

Смотре́ть че́рез кошелёк *на что. Разг. Неодобр.* Оценивать что-л. лишь с позиций материальной выгоды. Мокиенко 2003, 49.

Туго́й (то́лстый) кошелёк *у кого. Разг.* Кто-л. имеет много денег. ФСРЯ, 210.

Врозь кошелька́ми. *Арх.* На свои деньги. АОС 6, 31.

Обзва́нивать кошелько́м *кого. Народн.* Обходить прихожан в церкви, собирая денежные пожертвования. СРНГ 22, 53.

КОШЁЛКА * Ста́рая кошёлка. *Прост. Презр.* О немолодой женщине. Вахитов 2003, 85.

На кошёлках. *Коми, Твер., Яросл.* За плечами, на спине. СРНГ 15, 144; ЯОС 6, 77.

Плести́ кошёлки. *Волг. Неодобр.* 1. Болтать, пустословить. 2. Делать что-л. медленно, неумело. Глухов 1988, 123.

Едри́ (ядри́) тебя́ (вас, его́ и пр.) в кошёлку! *Грубо-прост. Бран.* 1. Пожелание зла, несчастья; проклятие в чей-л. адрес. 2. Выражение крайнего недовольства, раздражения, злобы. Мокиенко, Никитина 2003, 177.

КОШЕ́ЛЬ * Жить в нищенском кошеле (нищим кошелём). *Прикам.* Бедствовать, не иметь средств к существованию. МФС, 50.

Наплести́ кошеле́й. *Коми, Печор.* Наврать, наговорить небылиц. Кобелева, 68; СРГНП 1, 345.

Взять на кошели́ *кого, что. Волог.* Повесить что-л., посадить кого-л. на спину, за плечи. СРНГ 15, 146.

Кошели́ наве́шены. *Тобол.* О болезни верхней части спины, лопаток. СРНГ 15, 146.

Плести́ кошели́ с лаптя́ми. *Народн. Неодобр.* Лгать, обманывать кого-л. ДП, 203.

Дойти́ до кошелю́. *Коми.* Обеднеть, стать нищим. Кобелева, 62.

Бо́льшой коше́ль. *Печор.* О состоятельном, богатом человеке. СРГНП 1, 345.

Дубо́вый коше́ль. *Морд. Неодобр.* Об алкоголике с тяжёлым характером. СРГМ 1982, 81.

Коше́ль пусто́й *у кого. Коми.* О бедном, неимущем человеке. Кобелева, 65.

Коше́ль та́ловый (та́льниковый). *Тамб. Ирон.* О рассеянном, нерасторопном человеке. СРНГ 15, 146.

Наве́сить коше́ль. *Орл.* Обременить себя тягостными заботами, обязанностями. СОГ-1992, 103.

Накла́сть в кошель *кому. Народн.* Побить кого-л. по спине. СРНГ 15, 146.

Развя́зывать коше́ль. *Разг.* Идти на издержки, траты. ФСРЯ, 378.

КО́ШКА * Ве́шать до́хлых ко́шек *на кого. Жарг. угол. Неодобр.* Обвинять задержанного в старых нераскрытых преступлениях. Максимов, 60.

Бе́лая ко́шка. *Горьк.* Хитрый человек. БалСок, 22.

Блатна́я (ве́тошная) ко́шка. *Жарг. угол.* Проститутка — сообщница грабителя. СРВС, II, 45, 185; СВЯ, 8; ТСУЖ, 90-91.

Валю́тная ко́шка. *Жарг. угол.* Проститутка, вывозимая за рубеж на заработки. Балдаев 1, 56.

Дра́ная ко́шка. *Прост. Презр.* О худой, измождённой женщине. ФСРЯ, 210; Флг., 94; Ф 1, 259; ТСУЖ, 91.

Залягáй тебя́ ко́шка! *Перм. Бран.-шутл.* Выражение лёгкого недовольства, раздражения; пожелание избавиться от кого-л. Подюков 1989, 81; Мокиенко, Никитина 2003, 178.

Ко́шка в дыбо́шке. *Волг. Неодобр.* О строптивом, несговорчивом человеке. Глухов 1988, 77.

Ко́шка (ко́шки) во рту нага́дила (нака́кали). *Жарг. мол.* О тяжёлом похмелье. Максимов, 203.

Ко́шка, кото́рая гуля́ла сама́ по себе́. *Разг. Шутл. или Ирон.* 1. О независимом, своевольном, самостоятельном человеке, не подчиняющемся чьим-л. регламентациям. Дядечко 2, 158. 2. О любителе (любительнице) погулять. < Заглавие русского перевода сказки Р. Киплинга. БМС 1998, 311.

Ко́шка на грудь не вско́чит *кому. Перм. Шутл.* Об уверенном в себе человеке. Подюков 1989, 97. // *Прибайк.* О кичливом, самодовольном человеке. СНФП, 86.

Ко́шка на грудь не запры́гнет *кому. Морд. Неодобр.* О высокомерном, заносчивом человеке. СРГМ 1982, 82.

Ко́шка скребёт на свой хребёт. *Сиб.* О драчуне, забияке, пострадавшем в потасовке. ФСС, 98; ДП, 224.

Ко́шка съе́ла *что. Перм. Шутл.* О чём-л. бесследно исчезнувшем. Подюков 1989, 96.

Чёрная ко́шка доро́гу перебежа́ла *кому. Разг.* У кого-л. началась полоса неудач, несчастий. ФСРЯ, 210.

Чёрная ко́шка пробежа́ла *между кем. Разг.* Произошла ссора, размолвка, испортились отношения между кем-л. БМС 1998, 311; Ф 1, 259; БТС, 1474; ФСРЯ, 210.

Полоска́ть ко́шками *кого. Разг. Устар. Ирон.* Выпороть, наказать плетью кого-л. < **Кошка** — плеть с несколькими хвостами. БМС 1998, 312.

Ко́шке на ло́жку. *Новг. Шутл.-ирон.* О незначительном количестве чего-л. ЗС 1996, 160.

Ко́шке под хвост. *Прост. Неодобр.* То же, что **коту под хвост (КОТ)**. Мокиенко, Никитина 2003, 178.

Ко́шке хвоста́ не завя́жет. *Волг. Шутл.-ирон.* О неловком, неумелом человеке. Глухов 1988, 98.

Бы́стро то́лько ко́шки ебу́тся, да слепы́е рожда́ются! *Нецენз. Жарг. арест.* Реплика на понукание начальства *быстро-быстро*! Мокиенко, Никитина 2003, 178.

Ко́шки в дыбо́шки. *Приамур., Сиб.* Кто-л. обиделся, рассердился. ФСС, 97; СРГПриам., 130.

Ко́шки скребу́т на душе́ (на се́рдце) *у кого. Разг.* Кому-л. грустно, тоскливо, тревожно; кого-л. гнетут дурные предчувствия. БМС 1998, 311; Ф 1, 259; ФСРЯ, 210; БТС, 290; ЗС 1996, 476.

Не́чем ко́шки из избы́ вы́манить. *Перм.* О крайней бедности. Подюков 1989, 191.

Ни ко́шки ни ло́жки *у кого.* 1. *Прикам. Ирон.* О человеке, у которого нет ни хозяйства, ни родственников. МФС, 50. 2. *Волг.* О крайне бедном человеке. Глухов 1988, 109.

Сильне́е ко́шки звéря нет. *Разг. Ирон.* О человеке, которого считают главным, сильным, хотя он таковым не является. < Выражение возникло на основе басни И. А. Крылова «Мышь и крыса». БМС 1998, 312.

Ко́шку в зу́бы, ко́шкин хвост на табаке́рку *[кому]. Пск. Бран.* О пьяном человеке. РЩН, 1976.

Пусти́ть (подпусти́ть) ко́шку. *Волг.* Поссорить кого-л. Глухов 1988, 137.

КОШМА́ * Кошма́ ки́слая. *Урал. Бран.* Негодяй, никчёмный человек. СРНГ 15, 152.

КОШМА́Р * Кошма́р, летя́щий на кры́льях но́чи. *Жарг. студ. Ирон.* О коменданте, вахтёрше, воспитателе в общежитии. Максимов, 203.

Кошма́р на у́лице вя́зов. *Жарг. студ. Шутл.-ирон.* Экзаменационная сессия. Максимов, 203.

КОШМА́РИК * Кошма́рики на возду́шном ша́рике. *Жарг. мол. Шутл.-ирон.* О сложной, неприятной ситуации. Максимов, 203.

КОЩЕ́Й * Коще́й (Каще́й) Бессме́ртный. 1. *Разг. Неодобр.* О злом, жадном, скупом человеке. БМС 1998, 312. 2. *Разг. Неодобр.* О крайне худом человеке. БМС 1998, 312; БТС, 75; Мокиенко 1989, 147. 3. *Жарг. шк. Шутл.-ирон. или Пренебр.* Пожилой, престарелый учитель; учитель-пенсионер. ВМН 2003, 70. < **Кощей Бессмертный** — персонаж восточнославянских народных сказок, крайне худой, костлявый старик, богатый, скупой и алчный. БМС 1998, 312.

КО́Я * Ко́я не ми́нет. *Ср. Урал., Сиб.* В крайнем случае; если будет нужно; когда понадобится. СРГСУ 2, 59; ФСС, 98.

КРАБ * Держа́ть кра́ба. *Жарг. мол. Шутл.* Пожимать руку кому-л. ТСУЖ, 47; Никольский, 70.

Хвата́ть / схвати́ть кра́ба. *Жарг. спорт. Ирон.* Делать неудачный гребок, косо зацепившись веслом за воду. БМС 1998, 312; Мокиенко 1989, 131-132.

Ласка́ть кра́бы (кра́бов). *Жарг. угол.* Совершать кражи наручных часов. Балдаев 1, 203; ББИ, 115; Мильяненков, 147. < **Крабы** — часы.

КРА́ЖА * Мохна́тая (волоса́тая, лохма́тая, шерстяна́я) кра́жа. *Жарг. угол.* Изнасилование. Балдаев 2, 158; УМК, 110; Быков, 102; СВЯ, 17; ТСУЖ, 100; ББИ, 144, 287.

КРА́ЕШЕК * Кра́ешком гла́за. См. **Краем глаза (КРАЙ).**

Кра́ешком у́ха. См. **Краем уха (КРАЙ).**

КРАЙНА * Кра́йна Бо́жья *чего. Волог.* То же, что **край крающий (КРАЙ).** СВГ 3, 119.

КРАЙ[1] * Гляде́ть кра́ем. *Печор.* Близиться к концу, заканчиваться. СРГНП 1, 346.

Кра́ем (кра́ешком) гла́за. *Разг.* 1. Мельком, очень краткое время (видеть что-л.). 2. Попутно, одновременно с чем-л. (смотреть, наблюдать). Ф 1, 260; ФСРЯ, 210; БТС, 207.

Кра́ем (кра́ешком) у́ха. *Разг.* 1. Невнимательно, урывками (слушать что-л.). 2. Мельком, мимоходом (слышать о чём-л.). Ф 1, 260; ФСРЯ, 210-211; ЗС 1996, 354.

В са́мый край. *Прост.* Без какого-л. излишка, очень мало. Ф 1, 260.

Гнило́й край. *Кар.* Запад. СРГК 3, 7.

Довести́ до край. *Сиб. Неодобр.* Постоянным гонением, преследованием сделать кого-л. физически слабым, немощным, морально угнетенным. ФСС, 61.

Дойти́ край де́ла. *Арх.* Дойти до крайней степени чего-л. АОС 10, 464.

Жить край за край. *Сиб.* Жить одной семьёй. ФСС, 98; СФС, 92.

Жить через край. *Пск. Одобр.* Жить в достатке, зажиточно. СПП 2001, 47.

За оди́н край. *Дон.* Одинаково. СДГ 2, 199.

Знать край да не па́дать. *Р. Урал.* Иметь чувство меры. СРНГ 25, 124.

Край краю́щий *чего. Волог.* О большом количестве чего-л. СВГ 3, 118.

Край на край. *Одесск.* В конце концов. КСРГО.

Край подхо́дит. *Курск.* О крайней необходимости. БотСан, 99.

[На] край [бе́лого]све́та (земли́). *Народн.* Очень далеко, в отдалённое место. БМС 1998, 313; СПП 2001, 47; ДП, 554; МФС, 49; ФСРЯ, 211; СОГ-1992, 105.

На седьмо́й край. *Горьк.* Очень далеко. БалСок, 45.

Не видь край *чего. Арх.* О большом количестве чего-л. АОС 4, 90.

Непоча́тый край *чего. Разг.* Очень много, в избытке, в изобилии. БМС 1998, 313; ФСРЯ, 211.

Пере́дний край. 1. Участок оборонительной линии, ближайший к неприятельскому фронту. 2. Что-л., находящееся впереди, в авангарде чего-л. Ф 1, 260; БТС, 800.

Перелива́ть че́рез край. *Разг. Устар.* Делать или говорить что-л. лишнее. Ф 2, 39.

По край краёв. *Сиб.* В нужде, нищете. ФСС, 98.

По край све́та (све́ту). *Кар., Яросл.* То же, что **на край света.** СРГК 4, 557; ЯОС 8, 11.

С край кому́ охо́та. *Прикам.* Всем подряд. МФС, 72.

Че́рез край *чего. Прост.* То же, что **непочатый край.** СРНГ 26, 15; ДП, 792; Глухов 1988, 171.

Хвати́ть (хлебну́ть) через край. *Разг.* Испытать много горя, лишений. БТС, 1440; Мокиенко 1990, 84; ЗС 1996, 193.

Без кра́ю. *Сиб.* 1. Постоянно, всё время. 2. Без ограничения, очень много. ФСС, 98.

Доводи́ть/ довести́ до кра́ю *кого.* 1. *Сиб.* Растить, воспитывать кого-л. ФСС, 61. 2. *Волг.* Разорять кого-л. Глухов 1988, 35.

Дожи́ть до кра́ю. *Перм.* Оказаться в крайне тяжёлом положении. Подюков 1989, 63.

До кра́ю. *Ср. Урал.* Очень, в высшей степени. СРГСУ 1, 139.

Идти́ по кра́ю про́пасти. *Разг.* Сильно рисковать. Ф 1, 220.

Кра́ю нет *чему. Сиб.* То же, что **непочатый край.** ФСС, 98.

На краю́ [бе́лого] све́та (земли́). *Разг.* Очень далеко, в отдалённом месте. БМС 1998, 313; ФСРЯ, 211; ЗС 1996, 417, 498.

На краю́ ги́бели (про́пасти). *Книжн.* В непосредственной близости от смертельной опасности. ФСРЯ, 211; Ф 1, 261; Ф 2, 217.

На краю́ жи́тельства. *Кар.* То же, что **на краю белого света.** СРГК 2, 66; СРГК 3, 7.

На краю́ земли́ (све́та). *Разг.* Очень далеко. Ф 1, 260; ЗС 1996, 492..

На краю кла́дбища. *Горьк.* Перед смертью. БалСок, 44.

На краю́ (у кра́я) моги́лы (гро́ба). *Разг.* В состоянии, близком к смерти. Ф 1, 261; ФСРЯ, 211.

На краю́ про́пасти. См. **На краю гибели.**

На краю́ сме́рти. *Печор.* В непосредственной близости от смерти (об очень старом или тяжело больном человеке). СРГНП 1, 346.

Не (ни) с кра́ю [да] не (ни) с бе́регу. *Кар.* Не по порядку. СРГК 3, 7. // *Печор.* Без порядку, бестолково. СРГНП 1, 346.

Ни кра́ю ни бе́регу не ви́дно. *Кар.* О полной темноте. СРГК 1, 61.

Ни кра́ю ни конца́. *Сиб.* То же, что **непочатый край.** ФСС, 98.

С кра́ю. *Сиб.* 1. С самого начала. 2. Все подряд. ФСС, 98.

С кра́ю до кра́ю. *Новг.* От начала до конца, полностью. НОС 4, 135. **С кра́ю на край.** *Сиб.* То же. ФСС, 98.

Хорошо́ в краю́ родно́м, где па́хнет се́ном и говно́м. *Вульг.-прост. Шутл.-ирон.* О не очень хорошей, хотя и знакомой обстановке, месте и т. п. Мокиенко, Никитина 2003, 178.

В края́. *Кар.* Целиком, полностью. СРГК 3, 7.

Жить ни у кра́я ни у бе́рега. *Прикам.* Не иметь определённого, прочного положения в жизни. МФС, 51.

От кра́я до кра́я. *Разг.* Везде, повсюду. БМС 1998, 313; СРГК 1, 282.

Рвёт на два кра́я *кого. Курск.* О сильной рвоте в состоянии опьянения. БотСан, 112.

КРАЙ[2] * Гнать край. *Жарг. мол. Шутл.* Плакать, рыдать. РТР, 07.06.99. < Ср. англ. *cry* — плач.

КРАЙНЯ́К * На крайня́к. *Жарг. мол.* На крайний случай. Югановы, 142.

КРА́ЛЯ * Кра́ля бу́бен. *Перм. Одобр.* Об очень красивой девушке. Подюков 1989, 97.

КРАН * Открыва́ть/ откры́ть кран (кра́ны). *Нов.* 1. Предоставлять кому-л. возможности пользоваться чем-л. НРЛ-81, НРЛ-81, 152.; Мокиенко 2003, 49. 2. Снимать запрет на что-л.; допускать к чему-л. ранее запрещенному. НРЛ-89, 195.

КРА́НКИ * Отда́ть кра́нки. *Яросл. Пренебр.* Умереть. ЯОС 5, 85.

КРА́НТИК * Заверну́ть кра́нтик. *Жарг. мол.* Замолчать. Елистратов 1994, 212.

КРАПИ́ВА * Узна́ть, чем крапи́ва па́хнет. *Народн. Ирон.* Подвергнуться жестокой расправе, наказанию. ДП, 222; Мокиенко 1990, 51.

Найти́ в крапи́ве *[кого]. Волг., Курск.* Родить ребёнка вне брака. Глухов 1988, 90; БотСан, 103.

Сесть в крапи́ву. *Жарг. мол.* Опозориться. Максимов, 204.

Скака́ть в крапи́ву. *Южн. Устар. Неодобр.* О нравственном падении девушки. СРНГ 15, 168.

КРАПИ́ВКА * Быва́ть в крапи́вке. *Кар.* Приятно проводить время, вступать в половую связь с мужчинами (о девушке). СРГК 3, 8.

КРА́ПИНКА * Зелёный в кра́пинку. *Волг. Шутл.-ирон.* О молодом, неопытном человеке. Глухов 1988, 53.

КРАСА́ * Де́вичья краса́. 1. *Пск.* Заплетенные волосы, коса. СРНГ 15, 171. 2. *Арх.* Травянистое растение гвоздика полевая. АОС 10, 366, 370. 3. *Арх., Орл., Пск.* Комнатное растение бальзамин. АОС 10, 366, 370; ПОС, 8, 169; СОГ 1990, 50. 4. *Моск., Пск., Яросл.* В свадебном обряде — украшенное деревце, цветок. СРНГ 15, 17; ЯОС 3, 325. 5. *Арх.* Жизнь до замужества. АОС 10, 366, 370.

Де́вья краса́. 1. *Сиб.* То же, что **девичья краса 1.** ФСС, 98; СФС, 61. 2. *Сиб.*

Лента, выплетенная из косы невесты. СФС, 61. 3. *Арх.* То же, что **девичья краса 2.** АОС 10, 366, 370. 4. *Арх.* То же, что **девичья краса 3.** АОС 10, 366, 370.

Самолу́чшая краса́. *Кар.* Наиболее удобное, лучшее время для какого-л. дела. СРГК 3, 8.

Во всей красе́. *Разг. Ирон.* В неприглядном виде. ФСРЯ, 211.

К красе́ *чего. Краснояр.* О большом количестве чего-л. СРНГ 15, 171.

В красу́. *Кар.* С красным, алым оттенком, отблеском. СРГК 3, 8.

Войти́ в красу́. *Горьк.* Похорошеть. БалСок, 27.

Отда́ть красу́. *Прикам.* Лишиться сил, здоровья, молодости. МФС, 70.

Помя́ть де́вичью красу́. *Фольк.* Лишить девушку невинности. Мокиенко, Никитина 2003, 178.

Про́да́ва́ть красу́. *Курск.* В свадебном обряде — принимать выкуп за невесту. БотСан, 99.

Из красы́. *Сиб. Одобр.* Красивый. ФСС, 98.

Не из (с) красы́. *Кар. Неодобр.* Некрасивый. СРГК 3, 8.

Ни красы́ ни басы́ *[у кого]. Кар.* То же, что **не из красы.** СРГК 3, 8.

КРАСА́ВИЦА * Бо́жья краса́вица. *Сиб.* Бабочка-однодневка. ФСС, 98.

Ночна́я краса́вица. *Сиб.* Комнатный цветок. ФСС, 98; СОСВ, 125.

Пи́саная краса́вица. *Разг. часто Ирон.* Очень красивая девушка, женщина. < **Писаный** — от **писа́ть** — раскрашивать, украшать, рисовать. БМС 1998, 313.

Спя́щая краса́вица. 1. *Жарг. арм. Шутл.* Часовой. БСРЖ, 289. 2. *Жарг. арм. Шутл.* Дежурный по роте. Кор., 271. 3. *Жарг. студ., шк. Шутл.-ирон.* Студент, школьник на занятиях. Максимов, 204. 4. *Жарг. студ. Пренебр.* Глупая, несообразительная студентка. (Запись 2003 г.). 5. *Жарг. арест.* Тюрьма с камерами-«сейфами» для особо опасных преступников. Кор., 271.

КРА́СЕНЬ * В кра́сень. *Кар.* То же, что **в кра́ску.** СРГК 3, 9.

КРАСИ́ВО * Говори́т краси́во, да слу́шать тоскли́во. *Народн. Неодобр.* О краснобае. Жиг. 1969, 211.

КРА́СКА * Кра́ска бро́силась в лицо *чье, кому. Разг.* О густо покрасневшем (от смущения, стыда, досады) человеке). ФСРЯ, 211; БМС 1998, 313.

Кра́ска игра́ет на лице́ *чьём. Разг. Одобр.* О румянце на лице у кого-л. СРНГ, 12, 69.

Кра́ска прилила́. *Сиб.* О состоянии спелости хлебов. ФСС, 98.

Рисова́ть мра́чными кра́сками *что. Книжн.* Описывать безрадостные, тяжёлые картины жизни. Ф 2, 126.

Рисова́ть чёрными кра́сками *кого, что. Разг.* Представлять кого-л. или что-л. в неприглядном свете. Ф 2, 126.

Сиде́ть в кра́ске. *Кар.* Покраснеть от смущения, стыда. СРГК 3, 11.

Без кра́ски. *Кар.* Без преувеличения, без прикрас. СРГК 3, 11.

Вы́йти из кра́ски. *Сиб., Яросл.* Начинать зеленеть (о всходах озимых). СРНГ 15, 177; ФСС, 36.

Носи́ть кра́ски (кра́ску). *Печор.* Иметь менструацию. СРГНП 1, 347.

Раздвига́ть кра́ски. *Жарг. худ. Шутл.* Заниматься живописью. Елистратов 1994, 394.

Сгуща́ть кра́ски. *Разг.* 1. Сильно преувеличивать. 2. Представлять что-л. хуже, чем есть на самом деле. ФСРЯ, 416; ЗС 1996, 362.

Залива́ться/ зали́ться кра́ской. *Прост.* Краснеть от смущения, стыда. Ф 1, 199

Ма́зать/ зама́зать ро́зовой кра́ской *что. Публ.* Приукрашивать какие-л. явления действительности, излишне положительно отзываться о чём-л. БМС 1998, 313-314.

Ма́зать/ зама́зать чёрной кра́ской *что. Публ.* Клеветать, очернять кого-л. БМС 1998, 314.

Пы́хать кра́ской. *Пск.* Краснеть от смущения, стеснительности. СПП 2001, 47.

Ски́нуться кра́ской. *Пск.* Покраснеть (от смущения, стыда и т. п.). СПП 2001, 47.

Брос́ает в кра́ску *кого. Разг.* О человеке, краснеющем от стыда или неловкости. ШЗФ 2001, 24; Ф 1, 43.

Вгоня́ть/ вогна́ть в кра́ску *кого. Разг.* Смущать, заставлять покраснеть кого-л. ФСРЯ, 211; БМС 1998, 314; БТС, 139; ШЗФ 2001, 40.

Вда́риться в кра́ску. *Пск.* То же, что **скинуться краской.** СПП 2001, 47.

Впуска́ть/ впусти́ть в кра́ску *кого. Кар.* То же, что **вгонять в краску.** СРГК 1, 240; СРГК 3, 11.

Вы́нять кра́ску из лица́ *у кого. Арх.* Заставить кого-л. побледнеть. СРНГ 5, 320.

Пойти́ на кра́ску. *Кар.* Изменить цвет, отбелиться (о льне). СРГК 3, 11.

Приводи́ть в кра́ску *кого. Разг.* Заставлять кого-л. краснеть, смущаться. Ф 2, 88.

Принима́ть кра́ску. *Том.* Становиться золотисто-жёлтым при созревании (о злаках). СБО-Д1, 218.

Спусти́ть кра́ску с лица́. *Кар.* Побледнеть. СРГК 3, 11.

Не жалеть кра́сок. *Разг.* Не скупиться на похвалы или осуждение, рассказывая о чём-л. БМС 1998, 314.

КРА́СНЕНЬКАЯ * Идти́ по кра́сненькой. *Жарг. угол.* Быть осуждённым на десять лет тюремного заключения. Елистратов 1994, 213.

Разменя́ть кра́сненькую. *Жарг. угол.* Отбыть пять лет срока наказания из десяти. Балдаев 1, 206; Быков, 107; ББИ, 117; Мильяненков, 147. < От **красненькая** — десятирублевая купюра.

КРАСНИ́НА * Под красни́ну (красни́нку). *Новг.* Красноватого цвета. НОС 4, 136.

КРАСНИ́НКА * Под красни́нку. См. **Под краснину (КРАСНИНА).**

КРА́СНО * Кра́сно и цветно́, да линю́че. *Народн. Неодобр.* О речи краснобая. ДП, 411.

Кра́сно и я́сно ходи́ть. *Пск. Одобр.* Жить богато, зажиточно. СПП 2001, 47.

КРАСНУ́ХА * Лепи́ть красну́ху. *Жарг. угол.* Совершать кражи из контейнеров на железной дороге. Балдаев 1, 225; Мильяненков, 155; ББИ, 127. < **Краснуха** — Товарный железнодорожный состав с контейнерами. Быков, 107. Первоначально — вагон красного цвета для перевозки телят; в 30-х гг. в нём перевозили заключённых. Грачев, 1992, 93.

КРА́СНЫЙ * Кра́сное и чёрное. *Публ.* О политических группировках противоположной ориентации. < Название романа французского писателя Стендаля (1831 г.). Дядечко 2, 160.

Кра́сные пришли́. *Жарг. мол. Шутл.* О начале менструации. ЖЭСТ-2, 30.

Кита́йский кра́сный. *Жарг. нарк.* Героин. БС, 35.

КРАСОТА́ * Ба́бья красота́. *Арх.* Растение герань. АОС 1, 78.

Де́ви́чья красота́. 1. *Яросл.* Венок из цветов, который надевают на голову. ЯОС 3, 125. 2. *Пск., Ряз.* То же, что **девичья краса 3. (КРАСА).** ДС, 249; ПОС, 8, 169. 3. *Сиб.* Комнатное растение колокольчик. ФСС, 98; СФС, 61. 4. *Дон.* Декоративное растение космея.

СДГ 1, 125. 5. *Волог., Яросл.* То же, что **девичья краса 4. (КРАСА).** СВГ 2, 15; ЯОС 3, 125.

Де́вья (ди́вья — *Перм.* **) красота́.** 1. *Алт., Арх., Перм., Прикам.* То же, что **девичья краса 2. (КРАСА).** АОС 10, 366; СРГА 2-1, 17; МФС, 51; СГПО, 260. 2. *Арх.* Красная повязка на голове невесты. АОС 10, 366. 3. *Яросл.* То же, что **девичья краса 4. (КРАСА).** ЯОС 3, 124. 4. *Арх.* То же, что **девичья краса 5. (КРАСА).** АОС 10, 366.

Кра́сная красота́. *Ленингр.* Головной убор невесты в последний вечер перед венцом, когда она оплакивает своё девичество. СРНГ 15, 194.

Красота́ ва́шей че́сти! *Сиб.* Ответ на шутливое пожелание чихнувшему человеку. СРНГ 15, 199.

Ове́чья красота́. *Яросл. пренебр. или Ирон.* О некрасивом человеке. ЯОС 7, 27.

На красоте́. *Ряз.* На видном месте, хорошо освещённом солнцем. ДС, 249; СРНГ 15, 200.

Покрасова́ться в красоте́. *Яросл.* Погулять в девушках. СРНГ 29, 7.

Красоту́ кра́сить. *Волог., Кар.* Символически расставаться с девичьей жизнью. СРНГ 15, 176; СРНГ 3, 11.

Наруша́ть де́вичью красоту́. *Арх.* Снимать ленту, повязку с головы невесты во время свадебного обряда (символизирует конец девичества). АОС 10, 367.

Отдава́ть/ отда́ть красоту́. *Волог., Прикам.* В свадебном обряде — помещать ленту невесты, выкупленную женихом, в Евангелие. СВГ 6, 88; СГПО, 260; МФС, 70.

Разводи́ть (развози́ть) красоту́. *Сиб., Приамур.* Кататься по деревне на украшенной повозке перед венчанием. СФС, 93; СРНГ 15, 200; СРГПО, 232.

Сади́ть красоту́. *Прикам.* То же, что **отдавать красоту.** МФС, 88.

Смыва́ть красоту́. *Волг. Неодобр.* Тщательно умываться. Глухов 1988, 150.

КРАСЬ * Крась кра́сит *что. Кар.* О чём-л., сплошь покрытом красными ягодами, плодами. СРГК 3, 11.

КРАТ * Во́ сто кра́т. *Книжн.* Во много раз (больше, лучше, красивее и т. п.). БМС 1998, 314; ШЗФ 2001, 40.

КРА́ТОЧКА * В кра́точках. *Новг.* Коротко. НОС 4, 139.

КРАХ * Крах (Прах) Культу́ры. *Жарг. мол. Шутл.-ирон.* Парк культуры им. Горького в Москве; станция метро «Парк культуры». Елистратов 1994, 213; Щуплов, 319.

Крах с балала́йкой. *Орл. Шутл.* О полном провале, неудаче, крахе. СОГ-1992, 109.

Пойти́ на крах. *Дон.* Погибнуть. СДГ 2, 167.

КРАЮ́ШКА * Походи́ть по краю́шкам *у кого, кому. Волог.* Отхлестать по ягодицам кого-л. СВГ 3, 122.

С краю́шку. *Кар.* Недолго, короткое время. СРГК 3, 15.

КРЕВ * Пся крев! *Прост. Бран.* Восклицание, выражающее негодование, возмущение. < Из польск. *psia krew!* Мокиенко, Никитина 2003, 178.

КРЕ́ДЕЦ * Сади́ться на кре́дец. *Ряз.* Утрачивать рыхлость, затвердевать (о земле, хлебе). СРНГ 15, 206.

КРЕДИ́Т * Дыша́ть во весь креди́т. *Жарг. мол. Одобр.* Жить свободно, используя все средства, ни в чём себя не ограничивая. Никитина, 1998, 207.

Креди́т дове́рия. *Публ.* Надежды, вера народа в проведение правительством, государственными и общественными деятелями, депутатами эффективных реформ. ТС XX в., 216; СП, 106.

Креди́т твою́ (ва́шу, его и пр.**) мать!** *Жарг. мол. Шутл.- ирон.* Восклицание, выражающее легкую досаду, раздражение. < Трансформация бранного выражения **Едри твою мать!** Мокиенко, Никитина 2003, 178.

Танцева́ть не в креди́т. *Жарг. мол.* Вести себя заносчиво, высокомерно. Максимов, 205.

КРЕЖ * Под креж. *Кар.* В конце жизни. СРГК 4, 639.

КРЕ́ЖИК * В кре́жик. *Кар.* Вверх, в гору. СРГК 3, 16.

КРЕ́ЗА́ (КРЭ́ЙЗА) * Креза́ (крэ́йза) ка́тит (покати́ла) *у кого. Жарг. мол.* Кто-л. сходит с ума, ведёт себя подобно сумасшедшему. Мазурова, Сленг, 130; DL, 156.

Лови́ть крезу́. *Жарг. мол.* Получать огромное удовольствие от чего-л.; увлекаться чем-л. до фанатизма. КП, 04.12.98.

< От англ. *crazy* — 'сумасшедший'.

КРЕ́ЙЗЕР * Кре́йзер «Авро́ра». *Жарг. мол. Ирон. или Пренебр.* 1. Пожилой человек со странностями. БСРЖ, 291. 2. Старая дева. ЖЭСТ-2, 52. < От англ. *crazy* — 'сумасшедший'.

КРЕКУ́ШКИ * На крекушках. *Новг.* На спине, за плечами. НОС 4, 140.

КРЕ́НДЕЛЬ * Под кре́ндель. *Морд., Пск., Ср. Урал.* Под руку (взять, ходить и т. п.). СРГМ 1982, 85; СПП 2001, 47; СРГСУ 4, 56.

Выдава́ть кренделя́. *Орл.* То же, что **выкидывать кренделя.** СОГ-1992, 110.

Выде́лывать (выпи́сывать) кренделя́ [нога́ми]. *Прост. Шутл.-ирон.* Идти нетвёрдой походкой, шатаясь (о пьяном). ФСРЯ, 212; БТС, 468; БМС 1998, 314-315; Ф 1, 96; Вахитов 2003, 35.

Выки́дывать кренделя́. *Прост.* Азартно плясать, отплясывать. БМС 1998, 315.

КРЕНЬ * Брать на крень *что. Кар.* Клонить, кренить что-л. СРГК 3, 17.

КРЕ́ПА * Име́ть кре́пу. *Дон.* Быть стойким, проявлять выдержку. СДГ 2, 28.

КРЕПЁЖ * Сде́лать крепёж. *Жарг. муз.* Закрепить разученное произведение повторным исполнением на репетиции. Максимов, 205.

КРЕ́ПОСТЬ * Быть в кре́пости. *Сиб. Одобр.* Быть здоровым, сильным, находиться в расцвете физических сил. СБО-Д1, 220; ФСС, 98.

КРЕПОТА́ * На крепоту́. *Волог.* Крепко, прочно. СВГ 3, 123.

КРЕПЫ́Ш * Крепы́ш бухенва́льдский (крепы́ш из Бухенва́льда). 1. *Жарг. мол. Шутл.-ирон.* Об очень худом человеке. Елистратов 1994, 214; Я — молодой, 1995, № 16; Зайковская, 40. 2. *Жарг. шк. Шутл.-ирон.* Учитель труда. Максимов, 51.

КРЕ́СЛО * Кре́сло под жо́пу попа́ло *кому. Разг. Вульг. Шутл.-ирон.* О человеке, который зазнался, получив повышение по службе. ВМН 2003, 321.

КРЕСТ * Большо́й Крест. *Дон.* Созвездие Южный Крест. СДГ 1, 35.

Взять крест. *Жарг. угол.* Обворовать аптеку. Мильяненков, 148.

Вот те крест! *Прост.* Клятвенное заверение в истинности сказанного. БТС, 1355.

Держа́ть крест на вороту́. *Кар.* Иметь совесть, быть порядочным, честным. СРГК 1, 454.

Есть ли крест вороту́ *у кого? Пск.* Вопрос, выражающий возмущение чьим-л. поступком. СПП 2001, 47.

Класть/ положить крест. *Разг. Устар.* Креститься. Ф 1, 239.

Кра́сный крест. 1. *Жарг. угол. Ирон.* Больница. Грачев, 1992, 94. 2. *Жарг. мол. Шутл.* Медсестра. Максимов, 205.

3. *Жарг. мол.* Студент медицинского учебного заведения. (Запись 2004 г.).

Крест Ива́на Вели́кого. *Сиб.* Созвездие Южный крест. СФС, 93.

Крест на пу́зе (во всё пузо)! *Жарг. мол. Шутл.* Точно, обязательно (заверение в истинности сказанного). Вахитов 2003, 86; Максимов, 206.

Лечь на крест. *Жарг. угол., арест.* 1. Заболеть и попасть в санчасть. Быков, 110. 2. Тяжело заболеть. Балдаев 1, 226.

Нести́ свой крест. *Книжн. Высок.* терпеливо переносить страдания, невзгоды, мириться со своей печальной участью. ФСРЯ, 212; ЗС 1996, 151; БМС 1998, 315.

Ни крест ни пест не берёт *кого. Наронд. Неодобр.* Об упрямом несговорчивом человеке. ДП, 625.

Носи́ть крест. *Жарг. угол.* Принадлежать к преступному миру. ТСУЖ, 118.

Отда́ть крест с во́рота *кому. Новг.* Поделиться, отдать кому-л. самое ценное, самое дорогое НОС 1, 138; НОС 7, 44.

Па́дать на крест. *Жарг. угол., арест.* Симулировать тяжёлую болезнь. Балдаев 1, 305; ББИ, 168; Мильяненков, 188.

Петро́в крест. 1. *Дон., Прикам.* Лекарственное травянистое растение Astragalus glycyphyllus. СДГ 3, 11; МФС, 51. 2. *Новг.* Созвездие Орион. НОС 4, 143.

Положи́ть крест *на кого, на что. Прибайк.* Потерять веру в кого-л., во что-л. СНФП, 86.

Сесть на крест. *Жарг. угол., арест.* Заболеть, лечь в больницу. ТСУЖ, 160; Максимов, 206. 2. *Морд.* Обессилеть от болезни, старости, стать нетрудоспособным. СРГМ 1982, 86.

Ста́вить/ поста́вить крест *на чём. Разг.* Переставать думать о чём-л., делать что-л., надеяться на что-л. ФСРЯ, 212; ЗС 1996, 103, 293; Ф 2, 181; Глухов 1988, 131.

Уйти́ под крест (на кресты́). *Перм.* Умереть. Подюков 1989, 213-214.

Целова́ть крест. *Разг. Устар.* Давать клятву, обещание, присягать. БМС 1998, 315; Ф 2, 244.

Быть у креста́. *Волог.* Умереть. СРНГ 15, 225.

Креста́ нет *на ком. Разг. Неодобр.* О непорядочном, нечестно поступающем человеке. ФСРЯ, 212; ЗС 1996, 96; СРНГ 28, 60.

Три креста́. *Жарг. арест.* Заключённый, больной венерическим или кожным заболеванием. < От отметки в личном деле. Балдаев 2, 85.

Меня́ться/ поменя́ться креста́ми *с кем. Разг. Устар.* Устанавливать дружеские отношения с кем-л. БМС 1998, 315.

Побрата́ться креста́ми *с кем. Кар.* Обменяться нательными крестами в знак привязанности, дружбы. СРГК 4, 571.

Жить (ходи́ть) в одно́м кресте́. *Волг., Ряз.* Испытывать нужду, жить бедно. Глухов 1988, 13; ДС, 169.

Носи́ть на кресте́ *что. Новг.* Постоянно иметь что-л. при себе, носить с собой. НОС 6, 69.

Не признава́ть ни кресто́в, ни персто́в. *Ср. Урал.* Быть своевольным, не признавать никаких авторитетов. СРНГ 26, 291.

Ни кресто́м ни моли́твой. *Калуж.* Никак, никакими средствами. СРНГ 21, 215. **Ни кресто́м, ни персто́м.** *Перм.* То же. Подюков 1989, 97.

Огради́ть кресто́м *кого. Одесск.* Перекрестить кого-л. КСРГО.

Осеня́ть/ осени́ть кресто́м *кого. Книжн.* Крестить кого-л. (делая рукой знак креста над ним). Ф 2, 19.

Осеня́ть/ осени́ть себя́ (осеня́ться/ осени́ться) кресто́м. *Разг. Устар. Книжн.* Креститься (делая рукой знак креста над собой). Ф 2, 19.

Перегороди́ть кресто́м *кого, что. Печор.* Перекрестить кого-л., что-л. СРГНП 1, 350.

Сиде́ть на кресту́. *Жарг. арест.* Освободиться от работы, получив больничный лист. ТСУЖ, 113.

Бро́сить (кида́ть) кресты́. *Кар.* Ворожить, колдовать, оставляя, бросая в определённых местах крестики из веточек, палочек. СРГК 2, 344. // Совершить колдовские действия для заговора пропавшей скотины. СРГК 1, 119.

В кресты́. *Новг.* Крестообразно. НОС 4, 143.

Де́лать кресты́. *Волог.* Сидеть без дела. СВГ 3, 124.

Держа́ть (пра́вить) кресты́. *Народн.* Отправлять богослужение. СРНГ 15, 236.

Кресты́ с ма́ршем. *Разг. Устар. Шутл.* Самое последнее блюдо (о конце обеда). < Выражение связано с традицией читать после обеда молитву и уходить под звуки марша. БМС 1998, 315.

Рыть кресты́. *Кар.* Гадать на перекрёстке дорог. СРГК 5, 597.

Уйти́ на кресты́. См. **Уйти под крест.**

Укла́сться на кресты́. *Кар.* Сесть на стык двух скамеек (о девушке, которая, согласно примете, в этом случае не выйдет замуж). СРГК 3, 19.

КРЕ́СТИ * Кре́сти ко́зыри. *Пск. Шутл.* Увы, делать нечего. СПП 2001, 47.

КРЕ́СТИК * В кре́стик. *Кар.* То же, что **в кресты (КРЕСТ).** СРГК 3, 19.

На кре́стик. 1. *Яросл.* О деньгах, подаренных крёстным отцом новокрещённому младенцу. ЯОС 6, 77. 2. *Кар.* Крест-накрест. СРГК 3, 338.

Слить кре́стик. *Яросл. Неодобр.* Перекреститься, побожиться в неправом деле. ЯОС 5, 89.

Хоть бы кре́стик сде́лать. *Кар. Неодобр.* Ничего не делать, бездельничать. СРГК 3, 19.

Награжда́ть/ награди́ть кре́стиками *кого. Жарг. угол., лаг. Неодобр.* Заражать кого-л. сифилисом. Р-87, 358. < От отметки в личном деле заключённого. Балдаев 2, 85.

Сиде́ть в кре́стики. *Новг.* Друг против друга, напротив. НОС 10, 53.

КРЕСТИ́НЫ * Я у него́ на крести́нах не быва́л. *Народн.* Уклончивый ответ на вопрос о чьём-л. возрасте. ДП, 359.

КРЁСТНЫЙ * Е́хать в крёстные (в кумовья́). *Костром.* Помогать в довивании основы на навой (при ткании). Громов 1992, 63.

КРЕСТЬЯ́НИН * Крепостно́й кресть́янин. *Жарг. шк. Шутл.-ирон.* Ученик, школьник. Усп, 2000, 62.

КРЕСТЬЯ́НСТВО * Занима́ться крестья́нством. *Приамур.* Быть земледельцем. СРГПриам., 97.

КРЕТИ́НУШКА * Крети́нушки International. *Жарг. мол. Шутл.-ирон.* Поп-группа «Иванушки–International». Я — молодой, 1997, № 38.

КРЕ́ЧЕНЬ * Сесть на кре́чень. *Морд.* Обессилеть от болезни, старости, стать нетрудоспособным. СРГМ 1982, 86.

КРЕЩЕ́НИЕ * Боево́е креще́ние. *Разг.* 1. Первое участие в бою. 2. Первое серьёзное испытание в каком-л. деле. Ф 1, 261; ЗС 1996, 508, 527; ФСРЯ, 212.

Креще́ние огнём. *Книжн.* То же, что **боевое крещение 1.** Ф 1, 261.

КРЕЩЁНЫЙ * И крещёный не воскре́снет. *Новг. Неодобр.* О злом, подлом человеке. СРНГ 36, 7.

КРЕЩЕ́НЬЕ * В Креще́нье льда́ не вы́просишь *у кого. Сиб. Неодобр.* О крайне скупом человеке. СФС, 40.

КРИ́ВО * И кри́во и ко́со и на́ сторону. *Народн. Неодобр.* Несуразно, бестолково. ДП, 469.

Кри́во насади́ть. *Перм. Шутл.-ирон.* Допустить брак, промах в работе. Подюков 1989, 127.

Кри́во не пра́во. *Сиб.* Любыми средствами. СФС, 94; СРНГ 31, 59.

Кри́во повя́зан. *Кар. Ирон.* О чём-л. неказистом. СРГК 4, 602.

Кри́во повя́зана. *Пск. Шутл.* О необразованной деревенской женщине. СПП 2001, 47.

КРИВО́Й (КРИВА́Я) * Куда́ крива́я вы́везет (вы́несет). *Прост. Ирон.* Так, как получится, как случится (при действиях в надежде на удачу, счастливый случай). ДП, 270; ФСРЯ, 212; БТС, 176, 470; БМС 1998, 315; СОГ-1992, 134.

Криво́й как есть. *Разг. Шутл.-ирон.* Очень пьяный, в состоянии сильного алкогольного опьянения. Митрофанов, Никитина, 98.

На криво́й не объе́дешь *кого. Прост.* Не обманешь, не проведёшь, не перехитришь кого-л. ФСРЯ, 212; БТС, 470; Мокиенко 1990, 83; Глухов 1988, 100; БМС 1998, 315.

Кривы́м не сгляну́ть. *Новг.* Не обратить внимание на что-л. НОС 10, 29.

КРИВУ́ЛИНА * Де́лать криву́лины. *Олон.* Идти или ехать, сбиваясь с правильного пути. СРНГ 15, 249.

КРИВУ́ЛЬ * Задава́ть/ зада́ть кривуля́. *Яросл.* Идти окольной, не прямой дорогой, делать крюк. ЯОС 4, 68; СРНГ 15, 249.

КРИ́ЗИС * Кри́зис жа́нра. *Публ., Разг.* О творческом застое, отсутствии свежих идей. < Название одной из глав романа И. Ильфа и Е. Петрова «Золотой теленок» (1931 г.). Дядечко 2, 165.

КРИК * Во весь крик. *Олон.* Очень громко. Мокиенко 1986, 48.

Крик в ночи́. *Жарг. арм. Шутл.* 1. Утренний подъём. БСРЖ, 292. 2. Команда «Тревога!». Максимов, 206.

Крик души́. *Разг. часто Ирон.* 1. Выражение большой душевной боли, чего-л., долго копившегося в душе. 2. Сильное желание, настойчивое требование чего-л. БМС 1998, 316; ЗС 1996, 353; Ф 1, 261.

Крик крико́ша. *Кар.* То же, что **кричать на крик.** СРГК 3, 21.

Крича́ть на крик (на кри́ки). *Прост.* Очень громко, во весь голос кричать, плакать. БТС, 470; СПП 2001, 47; ФСС, 99; СОГ-1992, 111.

[На лужа́йке] де́тский крик. *Разг. Шутл.* О бурных эмоциях по пустому поводу. < Впервые встречается в пьесе Б. А. Лавренева «Разлом». БМС 1998, 316.

Поднима́ть/ подня́ть крик. *Разг.* Бурно выражать неодобрение, протест против чего-л. БМС 1998, 316.

После́дний крик мо́ды. *Разг. часто Ирон.* Модная новинка. < Выражение — полукалька с франц. *dernier cri de la mode.* БМС 1998, 316; ЗС 1996, 353; БТС, 470; Ф 1, 262.

Кри́ком крича́ть. *Прост.* 1. То же, что **кричать на крик**. 2. Громко плакать. БотСан, 99; СПП 2001, 47. БотСан, 99; НОС 4, 146; БТС, 470.

Кри́ком реве́ть. *Сиб.* То же, что **кричать на крик**. СРНГ 35, 6.

Хоть кри́ком кричи́. *Прост.* Выражение отчаяния, бессилия в сложной, безвыходной ситуации. Ф 1, 262.

Положи́ть кри́ку. *Ряз.* Много плакать в связи с какими-л. переживаниями. ДС, 251.

Ни кри́ку ни гва́лту. *Дон.* То же, что **ни крику ни зыку.** СДГ 2, 89.

Ни кри́ку ни зы́ку. *Дон., Терск.* О полной тишине. СДГ 2, 89; СРНГ 12, 34.

КРИКОИ́Н * Под крикои́ном. *Жарг. мед. Шутл.* Без обезболивания. БСРЖ, 292.

КРИКУ́ШИ * На крику́ши. *Кар.* То же, что **на крикушки (КРИКУШКИ).** СРГК 3, 21.

КРИКУ́ШКИ * На крику́шках (на круки́шках, на крюки́шках). *Пск.* На спине, за плечами (нести). СПП 2001, 47.

На крику́шки (на круки́шки, на крюки́шки). *Пск.* На спину, на плечи (взять, посадить и т. п.). СПП 2001, 47.

КРИ́НКА * Мы́льная кри́нка. *Перм. Бран.* О непорядочном человеке. СРНГ 15, 259.

КРИ́НОЧКА * Сня́тая кри́ночка. *Яросл. Ирон.* О девушке, утратившей невинность до замужества. ЯОС 5, 90.

КРИСТА́ЛЛ * Сквозь магический криста́лл. *Книжн. Устар.* О провидении, проникновении в будущее. < Выражение из романа А. С. Пушкина «Евгений Онегин». БМС 1998, 316.

КРИ́ТИКА * Не выде́рживать/ не вы́держать никако́й кри́тики. *Разг.* Оказываться никуда не годным по своим качествам, достоинствам. ФСРЯ, 93.

Ни́же вся́кой кри́тики. *Разг. Неодобр.* О чём-л. очень плохом. < Калька с нем. *unter aller Kritik.* БМС 1998, 316.

В кри́тику *что. Колым.* В насмешку (делать что-л.). СРНГ 15, 260.

КРИ́ЦУ * Сесть на кри́цу. *Ряз.* Стать плотным, твердым. ДС, 252.

КРИ́ЧЕМ * Кри́чем крича́ть. *Волг., Ряз.* То же, что **кричать на крик (КРИК).** Глухов 1988, 77; ДС, 253.

КРИЧМА́ * Кричма́ крича́ть. *Ряз., Яросл.* То же, что **кричать на крик (КРИК).** ДС, 253; ЯОС 5, 91; Мокиенко 1986, 106.

КРОВА́ТЬ * Быть на ку́мовой крова́ти. *Пск. Эвфем.* Подвергаться операции аборта. СПП 2001, 47.

Идёт ми́мо крова́ти спать на пола́ти. *Народн. Шутл.-ирон.* О бестолковом человеке. ДП, 452.

Прикова́ть к деви́чьей крова́ти *кого. Тамб.* Женить кого-л. СРНГ 15, 266.

Больша́я крова́ть. *Жарг. мол. Шутл.* Город. Максимов, 39.

Дави́ть крова́ть. *Арх. Ирон.* Много, долго находиться в положении лёжа. АОС 10, 212.

Ка́менная крова́ть. *Перм.* Второй этаж амбара, где помещаются камни — жернова. СРНГ 13, 19.

КРОВИ́НА * Есть крови́на в лице́ *у кого. Кар.* О здоровом румянце. СРГК 3, 21.

В крови́ну мать! *Волг. Бран.* Восклицание, выражающее досаду, раздражение, негодование. Глухов 1988, 12.

КРОВИ́НКА * Вы́пить оста́тнюю крови́нку *[чью, у кого]. Пск.* Измучить кого-л., причинить много страданий кому-л. ПОС 6, 32.

КРОВИ́ЩА * Крови́ща и говни́ще. *Жарг. митьк.* Романтизированное героическое прошлое митьков. Митьки, № 6, 64.

КРО́ВЛЯ * Сва́лится с кро́вли за копе́йку. *Новг. Ирон.* О жадном, скупом человеке. Сергеева 2004, 135.

КРО́ВУШКА * Цеди́ть кро́вушку. См. **Цедить кровь (КРОВЬ).**

КРОВЬ * Крове́й не хвата́ет *у кого на что. Орл.* У кого-л. недостаточно сил для осуществления чего-л. СОГ-1992, 113.

Би́ться до кро́ви ка́пли. *Брян.* Сражаться до последней возможности, до конца. СБГ 1, 56.

В кра́сной крови́. *Кар.* О созревшем колосе. СРГК 3, 14, 22.

В крови́ *у кого. Разг.* О давней, чаще порочной привычке. ЗС 1996, 28; Глухов 1988, 12.

До кро́ви до по́ту. *Волг., Дон.* До крайнего утомления, изнеможения (о тяжёлом, изнурительном труде). Глухов 1988, 36; СДГ 3, 48.

Идти́ по кро́ви. *Кар.* Передаваться по наследству. СРГК 2, 268.

Купа́ться (утопа́ть) в крови́. *Книжн. Неодобр.* Совершать казни, массовые убийства, кровопролития. БМС 1998, 316; БТС, 472, 1407.

Прийти́сь (быть) не по кро́ви *кому. Кар., Пск.* Не суметь излечить больного (о неудачном заговоре знахаря). СРГК 3, 22; СПП 2001, 47.

Тёмной кро́ви. 1. *Пск.* О смуглом, темноволосом человеке. СПП 2001, 47. 2. *Печор. Неодобр.* О высокомерном, заносчивом человеке. СРГНП 1, 352.

Чёртовой кро́ви. *Кар.* То же, что **тёмной крови.** СРГК 3, 22.

Би́ться в кровь. *Дон.* Жертвуя всем, защищать кого-л., что-л. СДГ 1, 30.

Броса́ть/ бро́сить (кида́ть/ ки́нуть, отки́дывать/ отки́нуть, мета́ть) кровь. *Народн.* Делать кровопускание в медицинских целях. СРГК 2, 344; СРГК 3, 22; ДС, 253; КСРГО. СДГ 1, 41; СДГ 2, 58; НОС 4, 39; ЯОС 5, 29; ЯОС 7, 65.

В са́мую кровь. *Морд. Неодобр.* О бездорожье, распутице. СРГМ 1982, 88.

[Всю] кровь перемота́ть *кому. Пск.* Утомить, измучить кого-л. СПП 2001, 47.

Выки́дывать/ вы́кинуть кровь. *Кар.* То же, что **бросать кровь.** СРГК 1, 268.

Вы́питая кровь. *Пск.* Об измученном, надломленном человеке. ПОС 6, 32.

Голуба́я кровь. *Книжн. часто Ирон.* О человеке дворянского, аристократического происхождения. ФСРЯ, 213; ЗС 1996, 29; БТС, 216; ШЗФ 2001, 56; БМС 1998, 317.

Горю́чая кровь *[у кого]. Пск.* ПОС 7, 142.

Горя́чая кровь. 1. *Разг.* О вспыльчивом, импульсивном человеке. БТС, 222. 2. *Пск.* Родной по крови человек. ПОС 7, 145. 3. *Пск.* Ласковое обращение к собеседнику. ПОС 7, 145.

Доста́ть кровь. *Кар.* Избить кого-л. до крови. СРГК 3, 22.

Доста́ть кровь с нутря́. *Сиб.* Заболеть чахоткой. ФСС, 64.

Жёлтая кровь. *Прост. Ирон.* Жидкие испражнения. Мокиенко, Никитина 2003, 179.

За́ячья кровь. *Жарг. угол. Презр.* Трус. Мокиенко, Никитина 2003, 179.

Ива́нова кровь. *Приамур.* Растение зверобой. СРГПриам., 106.

Исте́чь на кровь. *Кар.* Ослабеть от потери крови. СРГК 2, 302.

Кача́ть кровь. *Пск.* Мучить кого-л., издеваться над кем-л. ПОС 14, 61.

Кровь бро́силась (ки́нулась, уда́рила) в го́лову *кому. Разг.* Кто-л. пришёл в исступление, сильное возбуждение. ФСРЯ, 213; БТС, 472.

Кровь бро́силась в лицо́ *кому. Прост.* Кто-л. покраснел от стыда, досады и т. п. ФСРЯ, 213; БТС, 472.

Кровь вскипа́ет (закипа́ет) в жи́лах *у кого. Разг.* Кто-л. находится в состоянии сильного возбуждения. Ф 1, 263.

Кровь говори́т (заговори́ла) *в ком. Разг.* 1. Сказывается характер, натура. 2. Проявляется чувство родства. Ф 1, 263; БТС, 213, 472; ЗС 1996, 280; ФСРЯ, 213.

Кровь за кровь. *Книжн.* Убийство за убийство. ФСРЯ, 213; БТС, 472.

Кровь заму́чила *кого. Кар.* У кого-л. возникло сильное любопытство, заинтересованность в чём-л. СРГК 3, 22.

Кровь игра́ет (кипи́т) *в ком. Разг.* 1. Кто-л. ощущает в себе избыток сил, энергии. 2. Кто-л. охвачен сильной страстью, порывом чувства. Ф 1, 263; ФСРЯ, 213; БТС, 472.

Кровь идёт из зубо́в *у кого. Волг.* О жизни впроголодь. Глухов 1988, 77.

Кровь из ноготко́в. *Прикам.* О работе с большим напряжением сил. МФС, 51.

Кровь из но́су. *Прост.* Обязательно, непременно, во что бы то ни стало, не считаясь ни с чем (сделать что-л.). БМС 1998, 317; ЗС 1996, 115; СПП 2001, 47; ФСРЯ, 214.

Кровь ки́нулась *кому. Пск.* О кровоизлиянии в мозг. ПОС 14, 124.

Кровь морамо́я. *Жарг. угол. Презр.* Жидкие испражнения (от испуга). < **Морамой (моромой)** — еврей (*жарг.*). Хом. 1, 476.

Кровь натяга́ется *у кого. Печор.* О повышении кровяного давления. СРГНП 1, 464.

Кровь не кипи́т *у кого. Пск.* О старческой слабости. ПОС 14, 127.

Кровь не рабо́тает *у кого. Кар.* Об отравлении. СРГК 3, 22.

Кровь не переработала *у кого что. Сиб.* Кто-л. не пережил какую-л. беду, несчастье. СРНГ 26, 204.

Кровь но́сом пошла́ *у кого. Жарг. карт.* О начавшей расплачиваться жертве шулеров. СРВС 3, 114; ТСУЖ, 92, 118, 143; Балдаев 1, 208; ББИ, 118; Мильяненков, 148; Ларин 1931, 128.

Кровь обовраже́ла *у кого. Пск. Неодобр.* Об очень развращённом человеке. СРНГ 22, 151.

Кровь от кро́ви *кого, чьей. Разг.* 1. Родной ребёнок. 2. Порождение, детище кого-л., чего-л. ФСРЯ, 214.

Кровь пы́шет *у кого. Горьк. Неодобр.* О злом, сердитом человеке. БалСок, 41.

Кровь сатаны́. *Жарг. угол. Шутл.-ирон. или Пренебр.* Дешёвое низкосортное красное вино. Балдаев 1, 208; ББИ, 118; Мильяненков, 148.

Кровь сбеси́лась *у кого. Орл.* О покалывании в онемевших частях тела. СОГ-1992, 113.

Кровь скипе́ла *у кого. Забайк., Сиб.* О сильном волнении. СРГЗ, 379; ФСС, 99.

Кровь с молоко́м. *Разг. Одобр.* 1. О румяном, здоровом человеке. 2. О свежем, румяном лице. БМС 1998, 317; ЗС 1996, 77, 173; БТС, 472, 553; ДП, 359, 397, 746; ФСРЯ, 214; Мокиенко 1990, 132.

Кровь сты́нет (ледене́ет) в жи́лах *у кого. Разг.* О чувстве сильного страха, ужаса. ФСРЯ, 214; БТС, 472; Ф 1, 264; СБГ 5, 71.

Отбавля́ть кровь. *Кар.* То же, что **бросать кровь.** СРГК 4, 271.

Отворя́ть кровь. *Дон.* То же, что **бросать кросьь.** СДГ 2, 211.

Пить (соса́ть) кровь *чью. Прост. Неодобр.* Мучить, притеснять кого-л., глумиться над кем-л. БМС 1998, 317; ФСРЯ, 214; БТС, 472, 835; Глухов 1988, 123.

Полирова́ть кровь. *Разг. Шутл.* Возбуждать, горячить себя. Ф 2, 68.

По́ртить/ испо́ртить кровь *кому. Разг. Неодобр.* Причинять неприятности, огорчения, раздражать кого-л. ФСРЯ, 214; БМС 1998, 317; ЗС 1996, 229.

По́ртить себе́ кровь. *Разг. Неодобр.* Раздражаться, возбуждаться, сердиться (обычно — по собственной вине). БМС 1998, 317; БТС, 472.

Потопи́ть в крови́ *что. Книжн.* О массовом физическом уничтожении людей где-л. Ф 2, 82.

Пролива́ть/ проли́ть [свою] кровь. *Разг.* 1. *за кого, за что.* Погибать, защищая кого-л., что-л. 2. Сражаться, воевать. БМС 1998, 317; СОСВ, 153; Верш. 4, 365.

Пуска́ть/ пусти́ть кровь *кому.* 1. *Разг. Устар.* Лечить кого-л. кровопусканием. Ф 2, 106. 2. *Прост.* Наносить сильные побои, ранения; убивать кого-л. Ф 2, 106. 3. *Жарг. карт.* Обыгрывать кого-л. СРВС 2, 74, 185; ТСУЖ, 92, 149; Балдаев 1, 208; ББИ, 118; Ларин 1931, 128.

Пу́тать кровь. *Кар.* Вести родство, иметь родню. СРГК 3, 22.

Разгоня́ть кровь. *Разг.* Усиливать кровообращение. ФСРЯ, 379.

Разгоре́лась кровь в комаре́. *Кар. Ирон.* Разогреться в процессе труда. СРГК 2, 409.

Разлохма́тить кровь. *Жарг. мол. Шутл.* Выпить спиртного. Максимов, 206.

Распаля́ть кровь *в ком. Разг. Устар.* Приводить кого-л. в сильное возбуждение. Ф 2, 119.

Режь — кровь не идёт. *Волг. Ирон.* О безвыходном, бедственном положении. Глухов 1988, 141.

Родна́я кровь. *Прост.* О близком родственнике. ЗС 1996, 305.

Своя́ кровь. *Ряз.* То же, что *родная кровь.* ДС, 506.

Семибра́тская кровь. *Дон.* Растение хвощ полевой. СДГ 2, 90.

Цеди́ть кровь (кро́вушку) *чью. Новг. Неодобр.* Издеваться над кем-л., мучать кого-л. Сергеева 2004, 186.

Цыга́нская кровь. *Волг.* Об импульсивном, вспыльчивом человеке. Глухов 1988, 170.

Венча́ться кро́вью. *Нижегор.* Быть убитым. СРНГ 15, 270.

Изойти́ кро́вью. *Жарг. угол., мол.* Сильно потратиться. Елистратов 1994, 215.

Ма́лой кро́вью. *Разг.* С небольшими потерями, понеся небольшой урон. Ф 1, 264; ЗС 1996, 236, 508.

Обойти́ (обойти́сь) кро́вью. *Арх., Кар.* Потерять много крови, истечь кровью. СРНГ 22, 261; СРГК 4, 98.

Па́хнет кро́вью. *Разг.* О чём-л., связанном с убийством, кровопролитием. Ф 2, 36.

Писа́ть кро́вью [се́рдца]. *Книжн.* Писать с глубокой искренностью, убеждением, пережив, выстрадав написанное. БТС, 472; ЗС 1996, 369.

Плати́ть кро́вью *за что. Книжн.* Погибать, добиваясь чего-л. Ф 2, 48.

Пойти́ кро́вью. *Кар.* Горько заплакать от какого-л. переживания. СРГК 3, 22.

Поплы́ть кро́вью. *Орл.* То же, что **обойти кровью.** СОГ-1992, 113.

Поте́ть кро́вью. *Волг.* Быть строго наказанным. Глухов 1988, 131.

Расписа́ться кро́вью. *Жарг. мол.* Сходить в туалет в неразрешённом месте. Максимов, 206.

Смыть кро́вью оби́ду. *Книжн.* Отомстить, убив обидчика. БТС, 472.

Умы́ть кро́вью *кого. Волг.* Избить кого-л. Глухов 1988, 163.

Умы́ться кро́вью. *Прост.* Подвергнуться избиению. БТС, 1388.

КРОКОДИ́Л * Крокоди́л Ге́на. *Разг. Шутл.* 1. Прозвище Геннадия. Дядечко 2, 165. 2. Лидер российских коммунистов Геннадий Зюганов. Панорама, 1999, № 28; МННС, 170. 3. О добродушном человеке. Дядечко 2, 165. < По имени героя серии популярных мультфильмов.

КРО́ЛИК * Кро́лик сто́нет. *Жарг. мол., муз. Шутл.* Рок-группа «Роллинг Стоунз». БСРЖ, 293.

Корми́ть кро́ликов. *Жарг. мол.* Извергать рвоту в кустах. Максимов, 197.

Суши́ть крокоди́ла. *Жарг. арм.* Заставлять молодого солдата висеть на дужках кроватей (вид издевательства старослужащих над молодыми солдатами). Максимов, 207.

КРО́ЛИК * Лови́ть кро́ликов. *Жарг. мол. Шутл.* О приступе рвоты в кустах. Максимов, 197.

КРО́МКА * В золоты́х кро́мках. *Пск. Одобр.* О человеке, хорошем во всех отношениях. ПОС 13, 93.

С кро́мки. *Пск. Шутл.* Совсем немного, слегка (работать и т. п.). СПП 2001, 48.

КРОП * С кро́па. *Сиб.* Внезапно, вдруг. СФС, 170.

КРО́СНА * Запря́чь кро́сна. *Волог.* Приготовить ручной ткацкий станок для работы. СВГ 2, 144.

Сова́ть кро́сны. *Пск. Шутл.* Ходить взад и вперёд. СПП 2001, 48.

КРОССО́ВОК * Солда́тский кроссо́вок. *Жарг. арм. Шутл.* Сапог. Максимов, 207.

КРОТ * Земляно́й крот. *Жарг. угол. Шутл.-ирон.* Крестьянин, колхозник. Балдаев 1, 209; ББИ, 118; Мильяненков, 149.

КРОТИ́ЛО * Показа́ть, где настоя́щее кроти́ло. *Арх.* Учинить расправу над кем-л.; одолеть кого-л. в неравной схватке. СРНГ 15, 284.

КРО́ТОСТЬ * Голуби́ная кро́тость. *Книжн.* О кротком, тихом, терпеливом человеке. БМС 1998, 318.

КРО́ХА * Ни кро́хи. *Прост.* Нисколько, ничуть. СРНГ 21, 214; Ф 1, 264; ДС, 254-255.

КРО́ХА * Расшиби́ть в кро́хи говённые *что, кого. Народн. Вульг.* Сильным ударом разбить что-л., нанести увечье кому-л. Мокиенко, Никитина 2003, 179.

С кро́хи на кро́ху перекола́чиваться. *Народн.* Жить в нищете, бедности. ДП, 89.

КРО́ХОТКА * До кро́хотки. *Курск., Орл., Ряз.* Полностью, без остатка, абсолютно все. БотСан, 92; СОГ-1992, 115; ДС, 254.

Ни кро́хотки. *Орл., Ряз.* То же, что **ни крохи (КРОХА).** ДС, 254-255; СОГ-1992, 115.

Чу́тин кро́хотку. *Пск. Устар.* Очень мало, совсем немного (подождать кого-л.). Доп., 1858.

КРОХО́ТОЧКА * Ни крохо́точки. *Пск.* То же, что **ни крохи (КРОХА).** СПП 2001, 48.

КРОХТИ́НА * Ни крохти́ны. *Пск.* То же, что **ни крохи (КРОХА).** СПП 2001, 48.

КРОХТИ́НКА * Ни крохти́нки. *Пск.* То же, что **ни крохи (КРОХА).** СПП 2001, 48.

КРОХТИ́НОЧКА * Ни крохти́ночки. *Пск.* То же, что **ни крохи (КРОХА).** СПП 2001, 48.

КРОША́НКА * Кроши́ть кроша́нкой. *Кар.* Мелко крошить. СРГК 3, 27.

КРО́ШЕЧКА * До кро́шечки. *Сиб.* То же, что **до крошки (КРОШКА).** Верш. 4, 367.

Ни кро́шечки. *Прост.* То же, что **ни крохи (КРОХА).** Верш. 4, 367.

КРОШИ́НОЧКА * Ни кроши́ночки. *Пск.* То же, что **ни крохи (КРОХА).** СПП 2001, 48.

КРОШКА * Кро́шка Бо́ря. *Прост. Шутл.-ирон.* Б. Моисеев, популярный эстрадный певец и шоумен.

Кро́шка Ки́ри. *Жарг. полит., журн. Шутл.-ирон.* С. В. Кириенко, полномочный представитель Президента РФ в Приволжском федеральном округе. МННС, 176.

Кро́шка Ца́хес. *Студ. (филол.). Шутл.* Преподавательница зарубежной литературы. (Запись 2003 г.). < По имени героя сказки Э. Т. А. Гофмана.

В кро́шки. *Сиб.* Очень сильно, основательно (выругать, отчитать, оскорбить). ФСС, 88. 99; СФС, 40.

До кро́шки. *Пск.* Полностью, основательно (промок, взмок кто-л.). СПП 2001, 48.

Ни кро́шки. *Прост.* То же, что **ни крохи (КРОХА).** Ф 1, 264; СПП 2001, 48.

КРО́ШКИ * За кро́шками. *Обл.* На заплечье. Мокиенко 1986, 95.

КРУГ * Дава́ть/ дать (де́лать/ сде́лать) круг. *Разг.* Идти, ехать окольным, более длинным путем. БТС, 474.

Вести́ круг. *Кар.* Заниматься домашним хозяйством. СРГК 1, 185; СРГК 3, 30.

Вы́вести на круг *кого. Волг., Дон.* Поставить кого-л. перед судом общественности. Глухов 1988, 17; СДГ 2, 90.

Заколдо́ванный (за́мкнутый) круг. 1. *Разг. Неодобр.* Положение, из которого нельзя или очень трудно найти выход. БМС 1998, 318; ШЗФ 2001, 79; Ф 1, 265. 2. *Жарг. шк. Шутл.* Геометрия (учебный предмет). Максимов, 142.

Идти́ в круг. *Волог. Устар.* Идти на заработки коновалить. СРНГ 15, 294.

Круг да о́коло. *Орл.* Не касаясь сути дела, обиняками. СОГ-1992, 117.

Круг круго́м. *Ряз.* Со всех сторон, вокруг. ДС, 256.

Круг погодя́. *Орл.* Некоторое время спустя. СОГ-1992, 117.

Маги́ческий круг *чего. Книжн.* О какой-л. ограниченной сфере, области. Ф 1, 265.

На круг. 1. *Разг.* В среднем, по приблизительному подсчёту. ФСРЯ, 214. 2. *Кар.* В течение всего периода времени, без перерыва. СРГК 3, 30. 3. *Кар.* Полностью, без остатка. СРГК 3, 30.

На тот же круг. См. **На том же кругу.**

Поро́чный круг. *Книжн.* То же, что **заколдованный круг.** ФСРЯ, 214; Ф 1, 265; БМС 1998, 318; ЗС 1996, 160.

Поста́вить на круг *кого. Вят.* Венчать в церкви кого-л. СРНГ 15, 293.

Пусти́ть на круг *кого. Жарг. мол.* О групповом изнасиловании. Елистратов 1994, 215.

Сесть на еди́ный круг. *Арх., Кар.* Собраться вместе. СРНГ 15, 294-295.

Собира́ться в круг. *Кар.* Играть, гулять (о гуляниях молодежи). СРГК 3, 30.

Спаса́тельный круг. *Публ.* О чём-л., служащем средством спасения, помогающем избавиться от трудностей, болезней, неприятностей. Мокиенко 2003, 49.

Ходи́ть в круг. *Кем.* Водить хороводы. СКузб., 46; Верш. 7, 204.

Ходи́ть на круг. *Ср. Урал.* Ходить на гулянья. СРГСУ 2, 172.

Води́ть круга́ (круги́). *Ряз., Яросл.* То же, что **ходить в круг.** ДС, 254; ЯОС 5, 93.

Игра́ть в круга́ (в круги́). *Сиб.* То же, что **ходить в круг.** СФС, 40, 82.

Выбива́ться из кру́га. *Прост.* Отходить от обычных дел, занятий. Ф 1, 89.

Сбива́ть/ сбить с кру́га *кого. Прост.* 1. Дезориентировать, сбивать с толку, запутывать, приводить в замешательство кого-л. Ф 2, 139; СРГК 3, 30. 2. Воздействуя каким-л. образом, заставлять кого-л. изменить поведение в худшую сторону. Ф 2, 140.

Сбива́ться/ сби́ться с кру́га (с кру́гу). 1. *Прост. Устар.* Изменять своё поведение в худшую сторону, начинать вести предосудительный образ жизни. Ф 2, 140. 2. *Пск.* Ошибаться в подсчётах. СПП 2001, 48. 3. *Пск.* Теряться, приходить в недоумение. СПП 2001, 48. 4. *Ворон.* Сердиться, приходить в ярость. СРНГ 15, 295. 5. *Новг., Пск.* Уставать от постоянных хлопот. СПП 2001, 48; НОС 10, 14. 6. *Пск.* Беднеть, разоряться. СРНГ, 15, 295.

Сверну́ть с кру́га. *Прост. Устар.* То же, что **сбиваться/ сбиться с круга 1.** Ф 2, 141.

Сходи́ть/ сойти́ с кру́га. *Разг.* Опускаться нравственно, терять социальный статус. БТС, 474; Ф 2, 173.

Возвраща́ться на кру́ги своя́. *Книжн.* Повторяться, начинаться с самого начала. БТС, 474; Ф 1, 54. < Выражение из Библии. БМС 1998, 214.

Пойти́ на круги́. *Прибайк.* 1. Начать дурно, предосудительно себя вести. 2 Не удаться, не сложиться (о жизни, о судьбе). СНФП, 86.

Пройти́ все круги́ а́да. *Книжн.* Испытать неимоверные трудности, выдержать тяжёлые испытания. Ф 2, 99.

Быть в кругу́. *Народн.* Цвести (о дереве). СРНГ 15, 293.

На кругу́. *Сиб.* 1. При людях, на публике. 2. Совсем, полностью, совершенно. ФСС, 99.

На том же кругу́ (на тот же круг). *Ср. Урал.* Сейчас же, в то же время, одновременно. СРГСУ 2, 189.

Не спуска́ть с кру́гу *кого. Алт.* Не давать передышки кому-л. СРНГ 15, 295.

По второ́му кру́гу. *Разг.* Второй раз, вторично. НСЗ-84.

Сиде́ть в кругу́. *Урал.* Пьянствовать с друзьями. СРНГ 15, 295.

Сби́ться с кру́гу. *Новг.* Устать. Сергеева 2004, 241.

Спива́ться/ спи́ться с кру́гу. *Прост. Неодобр.* Становиться алкоголиком, пьяницей. ДП, 793; БМС 1998, 319; БТС, 474; ЗС 1996, 196. < Трансф. **сбиться с круга**.

Спя́тить с кру́гу. *Курск.* Совершить странный, неожиданный поступок. СРНГ 15, 295.

Стоя́ть на кругу́. *Народн.* Венчаться в церкви. СРНГ 15, 293.

КРУГА́ЛЬ * Дава́ть/ дать кругаля́. *Волг., Морд., Яросл.* Делать круг, проходить лишнее расстояние. Ф 1, 133; Глухов 1988, 30; СРГМ 1982, 89; ЯОС 3, 121.

КРУГЛО́ * Под кругло́. *Кар.* О кратной рублю круглой сумме. СРГК 3, 31.

КРУ́ГЛЫЙ * Одна́ кругла́. *Ряз.* В полном одиночестве (о женщине). ДС, 364; СРНГ 15, 301.

КРУГЛЯ́ХА * На кругля́ху. *Приамур., Сиб.* Вкруговую; образуя круг. СРГПриам., 133; ФСС, 99.

КРУГОВЕ́НЬКА * В кругове́ньку. *Яросл.* В кружок; кругом. ЯОС 2, 38.

КРУГОВО́Й (КРУГОВА́Я) * Кругова́я нашла́ *на кого* **(но́сит** *кого*). *Ворон. Неодобр.* Кто-л. совершает взбалмошные, шальные поступки. СРНГ 15, 305. < **Круговая** — болезнь вертячка (у животных).

КРУГОВЕ́НЯ * Кругове́ня нашла́ *на кого. Нижегор.* То же, что **круговая нашла (КРУГОВАЯ).** СРНГ 15, 303.

КРУГОВУ́ШИ * Де́лать кругову́ши. *Кар.* Устраивать катания на санях по пруду вокруг столба. СРГК 3, 22.

КРУГО́М * Бе́гать круго́м. *Жарг. угол., карт.* Возвращать долги. Балдаев 1, 209; ББИ, 118; Мильяненков, 149.

Круго́м и о́коло. *Пск.* Со всех сторон, вокруг себя. СПП 2001, 48.

Круго́м обойдёт, да встре́чу попадёт. *Прикам.* О хитром, расчётливом человеке. МФС, 67.

Ходи́ть круго́м да о́коло. 1. *Разг.* Говорить обиняками, не касаясь сути дела. ФСРЯ, 509; БТС, 474. 2. *Волг.* Повторять одно и то же. Глухов 1988, 77.

КРУЖА́ВА * Под кружа́ву. *Морд.* То же, что **в кружало (КРУЖАЛО).** СРГМ 1982, 89.

КРУЖА́ЛО * В кружа́ло. *Прост. Устар.* Ровной линией вокруг головы (постричь и т. п.). Ф 1, 265.

КРУЖЕВА́ * Плести́ кружева́. 1. *Перм. Шутл.* Болтать, пустословить. Подюков 1989, 150. 2. *с кем. Прост. Шутл.* Кокетничать, заигрывать с кем-л. Ф 2, 49. 3. *Жарг. угол., мол. Неодобр.* Обманывать кого-л. Балдаев 1, 209; ББИ, 118; Мильяненков, 149. 4. *Жарг. угол.* Убегать из мест лишения свободы. ТСУЖ, 134. 5. *Жарг. мол.* Выменивать у кого-л. что-л. Максимов, 207.

КРУЖЕ́ЛЬ * Дать круже́ли *кому. Дон.* 1. Оттаскать за волосы кого-л. СРНГ 15, 310. 2. Сильно ударить, побить кого-л. СДГ 2, 91.

КРУ́ЖКА * Быть в одно́й кру́жке *с кем.* 1. *Прибайк.* Жить, работать и т. п. вместе с кем-л., совместно. СНФП, 86. 2. *Жарг. угол., мол. Шутл.* Быть в доле с кем-л., быть компаньонами. Елистратов 1994, 216. < **Кружка** — касса, деньги; место, где хранятся деньги. БСРЖ, 294.

КРУЖО́ВЦА * Жить на кружо́вцах. *Волог.* Зарабатывать изготовлением и продажей кружева. СВГ 4, 5.

КРУЖО́К * Бе́гать в кружки́ *за кем. Новг.* Ухаживать за кем-л., стараться угодить кому-л. НОС 4, 154.

Изматери́ть в кружки́ *кого. Сиб.* Выругать кого-л., используя самые грубые выражения. ФСС, 87; СБО-Д1, 178.

Собира́ть кружки́. *Прикам. Неодобр.* Неумеренно употреблять спиртные напитки, устраивать пьянки. МФС, 93.

Загу́ливать кружо́к. *Новг.* Становиться в круг и начинать петь, плясать. НОС 3, 22.

Открыва́ть кружо́к «Уме́лые ру́ки». *Жарг. мол.* Заниматься онанизмом. Максимов, 207.

Лучи́ть кружо́к. *Кар.* Освещать лучиной сидящих на вечеринке. СРГК 3, 160.

КРУКИ́ШКИ * На круки́шки. См. **На крику́шки (КРИКУШКИ).**

На круки́шках. См. **На крику́шках (КРИКУШКИ).**

КРУПА́ * Кра́сная крупа́. *Сиб.* Отходы при обработке зерна; мякина. ФСС, 99.

Взя́ться на крупу́. *Новг.* Раскрошиться, стать раздробленным. НОС 4, 154.

Намоло́ть на крупу́ да на муку́. *Прибайк., Сиб. Пренебр. или Ирон.* Наговорить много вздору. СНФП, 86; ФСС, 119.

КРУПЕ́НЯ * Крупе́ня с глаз текёт *у кого. Новг.* О старом, немощном, дряхлом человеке. НОС 4, 155.

КРУПИ́НА * Крупи́на за крупи́ной го́нится (гоня́ется, бе́гает) с дуби́ной. *Прост. Шутл.-ирон.* Об очень жидком постном кушании. Жук. 1991, 148; СФС, 95; СРГМ 1982, 90; Глухов 1988, 77. **Крупи́на от крупи́ны [гоня́ется] с дуби́ной.** *Пск.* То же. Шт., 1978. **Крупи́на с дуби́ной.** *Пск. Шутл.* Скудная пища. СПП 2001, 48.

КРУПИ́НКА * Крупи́нка крупи́нку догоня́ет. *Волг. Ирон.* О скудной, несытной пище бедняка. Глухов 1988, 78.

КРУТ * Быть в кру́те. *Кар.* Постоянно хлопотать, суетиться. СРГК 3, 37.

КРУТИ́ЛЬ * Дать крутиля́ *кому. Сиб.* Выругать, избить кого-л. СФС, 60; СБО-Д1, 110; СОСВ, 59.

КРУТИ́НА * С крути́ной. *Новг.* О вспыльчивом, несдержанном человеке. НОС 4, 157.

Наворoти́ть три крути́ны по хому́ти́не и семь решёт дро́бью. *Народн. Ирон.* 1. Испражниться в большом количестве, наворотить кучу дерьма. 2. Наговорить много пустого, бессмысленного. Мокиенко, Никитина 2003, 179.

КРУ́ТКА * Кру́ткой крути́ть. *Курск.* О ноющей боли. БотСан, 99.

КРУТО́Й * Круто́й всмя́тку. *Жарг. мол.* О человеке, выдающем себя за респектабельного, удачливого бизнесмена. Максимов, 209.

КРУТЬ-ВЕРТЬ * Хоть круть-ве́рть. *Орл.* Несмотря ни на что. СОГ-1992, 122.

КРУЧИ́НА * Вороти́ть кручи́ну. 1. *Волг.* Грустить, тосковать. Глухов 1988, 14. 2. *Сев.-Двин.* Мстить кому-л. СРНГ 5, 120.

Разби́ть кручи́ну. *Кар.* Развеселиться, развлечься. СРГК 3, 39.

Не разбе́й кручи́ны. *Кар.* Для развлечения, утешения. СРГК 3, 39.

КРЫЛО́ * Во́роново крыло́. *Разг.* 1. О чёрном цвете, о чём-л. чёрном. БТС, 476. 2. О картах пиковой масти. ДП, 825.

Встава́ть/ встать на крыло́. *Разг.* 1. То же, что **подниматься на крыло.** 2. Взлетать (о птицах). 3. Приобретать самостоятельность, независимость от других. Ф 1, 85.

Подли́ться под крыло́ *кому. Кар.* Приласкаться. СРГК 4, 643.

Поднима́ть на крыло́ *кого. Разг.* Учить летать птенцов. Ф 2, 57.

Поднима́ться/ подня́ться на крыло́. *Разг.* Начинать летать (о птенцах). СРГК 3, 40; Ф 1, 267; СРНГ 28, 100.

Слома́ть крыло́. *Жарг. нарк. Ирон.* Не получить ожидаемой дозы наркотика (напр., потерять наркотическую таблетку). БСРЖ, 296.

Ста́вить/ поста́вить на крыло́ *кого. Жарг. авиа.* Учить кого-л. управлять самолётом. Ф 2, 182.

Станови́ться/ стать на крыло́. 1. *Спец. биол.* Учиться летать (о птицах). 2. *Разг.* Становиться самостоятельным. Ф 2, 184.

Под крыло́м *у кого. Разг.* Под чьим-л. покровительством, защитой. Ф 1, 267; Глухов 1988, 33.

Хоть крыло́м смета́й. *Ряз.* О большом количестве чего-л. ДС, 257.

Вяза́ть кры́лья *кому. Волг.* Ограничивать свободу действий, приводить в покорность кого-л. Глухов 1988, 21.

Кры́лья вы́росли *у кого. Разг.* Кто-л. имеет возможность проявить себя, верит в свои силы, способен развернуть какую-л. деятельность. Ф 1, 267.

Обчекры́чить кры́лья *кому. Волг.* То же, что **подрезать крылья.** Глухов 1988, 115.

Опуска́ть/ опусти́ть кры́лья. 1. *Прост.* Приходить в уныние. ЗС 1996, 167; Ф 2, 18. 2. *Кар.* Засыхать (о растении). СРГК 3, 40.

Обреза́ть/ обре́зать (подреза́ть/ подре́зать, подсекать/ подсечь) кры́лья *кому. Разг.* Лишать кого-л. возможности проявить себя, лишать веры в себя. БМС 1998, 319; БТС, 878, 880; Ф 2, 11; ЗС 1996, 227; Глухов 1988, 115.

Пooбломáть крылья *кому. Прост.* Укротить, усмирить, заставить покориться кого-л. Ф 2, 73.

Приде́лать кры́лья *кому. Жарг. гом. Шутл.-ирон.* Совершить гомосексуальное изнасилование (т. е. сделать «петухом» кого-л.). Кз., 129.

Развя́зывать/ развяза́ть кры́лья *кому. Волг.* Предоставлять кому-л. свободу действий. Глухов 1988, 138.

Свя́зывать/ связа́ть кры́лья *кому. Волг.* То же, что **вязать крылья.** Глухов 1988, 145.

Скла́дывать/ сложи́ть кры́лья. *Волг. Ирон.* Смиряться с чем-л., прекращать борьбу. Глухов 1988, 148.

Ходи́ть кры́лья распусти́в. *Пск. Шутл.* Быть пьяным. СПП 2001, 48.

Треща́ть кры́льями. *Жарг. мол.* Лгать, обманывать. Максимов, 209.

Лета́ть на кры́льях. *Разг.* 1. Передвигаться быстро, стремительно. 2. Быть в приподнятом, радостном настроении. Ф 1, 278; Глухов 1988, 81.

КРЫ́ЛУШКО * Опусти́ть кры́лушки. *Курск.* То же, что **опустить крылья 1. (КРЫЛО).** БотСан, 99.

Лета́ть на кры́лушках. *Курск.* Бегать очень быстро. БотСан, 100.

КРЫ́ЛЫШКО * Быть на кры́лышках. *Жарг. мол. Шутл.* Менструировать. Никитина 2003, 326. < От рекламы прокладок с крылышками.

Лете́ть (улета́ть) на кры́лышках. *Прикам.* Мчаться, быстро бежать куда-л. МФС, 54.

А́нгеловы (а́нгельские) кры́лышки. *Сиб.* 1. Комнатное растение бегония. 2. Растение заячьи ушки. СРНГ 15, 345; СФС, 17; ФСС, 99; СОСВ, 25.

Кры́лышки отлете́ли *у кого. Пибайк.* О старом, обессилевшем человеке. СНФП, 86.

Облома́ть (подре́зать) кры́лышки *кому. Пск.* Смирить кого-л. силой или морально. СПП 2001, 48.

Опуска́ть/ опусти́ть кры́лышки. *Волг.* Приходить в уныние, впадать в депрессию. Глухов 1988, 117.

Подбира́ть/ подобра́ть кры́лышки. *Волг.* То же, что **складывать крылья (КРЫЛО).** Глухов 1988, 58.

Помы́ть кры́лышки *кому. Жарг. угол.* Изнасиловать кого-л. Балдаев 1, 337; ББИ, 185.

Помя́ть кры́лышки *кому. Прост. Устар.* Сковать чьи-л. силы, препятствовать их проявлению. Ф 2, 72.

Распуска́ть/ распусти́ть кры́лышки. *Новг.* 1. Становиться весёлым, бодрым. 2. *Неодобр.* Бездействовать. 3. *Неодобр.* Отчаиваться, приходить в уныние. НОС 9, 107.

Брать/ взять под кры́лышко *кого. Прост.* Опекать, оберегать кого-л. Ф 2, 93; Глухов 1988, 6.

Ла́сточкино кры́лышко. *Кар.* То же, что **ангеловы крылышки.** СРНГ 15, 345.

Держа́ть под пра́вым кры́лышком *кого. Новг.* Имея влияние, контролировать, оберегать кого-л. Сергеева 2004, 181.

Под кры́лышком *чьим. Прост.* Под защитой, под опекой кого-л. Глухов 1988, 124.

КРЫ́ЛЬЦА * Вы́нести на свои́х кры́льцах *что. Волог.* Справиться с чем-л. трудным, тяжёлым одному, без поддержки. СВГ 4, 7.

КРЫМ * Пое́хал в Крым на капу́сту. *Народн. Ирон.* О действиях бестолкового человека. ДП, 449.

Ночь в Крыму́, всё в дыму́, ничего́ (ни хуя́— *Неценз.*) **не ви́дно**. *Прост. ирон.* О чём-л. страшном, грозном и непонятном. Мокиенко, Никитина 2003, 179.

КРЫ́СА * Архи́вная кры́са. *Разг. Презр.* Служащий архива; сотрудник, много лет проработавший в архиве. Мокиенко, Никитина 2003, 179; Ф 1, 268.

Бе́лая кры́са. *Жарг. угол., арест. Ирон.* Врач, медицинский работник, берущий взятки. Балдаев 1, 33.

Библио́течная кры́са. *Разг. Пренебр.* Страстный любитель и собиратель книг, полностью погружённый в это занятие. Мокиенко, Никитина 2003, 179; Ф 1, 267.

Бухга́лтерская кры́са. *Жарг. мол.* Бухгалтер. Максимов, 50.

Гарнизо́нная крыса. *Арм. Устар. Презр.* Военный, длительное время служивший в гарнизоне. Ф 1, 268; Мокиенко, Никитина 2003, 179.

Интенда́нтская кры́са. *Арм. Устар. Презр.* Военный, управляющий войсковым хозяйством и снабжением частей и учреждений. Ф 1, 268; Мокиенко, Никитина 2003, 179.

Канцеля́рская (черни́льная) кры́са. *Прост. Пренебр.* О канцелярском служащем, чиновнике, бюрократе, формалисте. БМС 1998, 319; Ф 1, 268; ФСРЯ, 216.

Компью́терная кры́са. *Жарг. шк. Шутл.-ирон. или Пренебр.* Учитель информатики. Максимов, 193.

Кры́са Шварцене́ггера. *Жарг. кинол. Шутл.-ирон.* Бультерьер. Максимов, 209.

Лаборато́рная кры́са. *Жарг. шк. Презр.* Учительница химии. (Запись 2003 г.).

Магазе́йная (магази́нная, лаба́зная) кры́са. *Новг. Бран.* О непорядочном человеке. СРНГ 15, 349; СРНГ 28, 216.

Партиза́нская кры́са. *Жарг. мол. Пренебр.* Доносчик. Максимов, 209.

Тылова́я кры́са. *Разг. Презр.* Человек, не принимавший непосредственного участия в военных действиях, отсиживавшийся во время войны в тылу. Мокиенко, Никитина 2003, 179.

В крысу *кому что. Жарг. мол.* 1. *Пренебр.* О проявлении скупости, жадности. 2. Кому-л. не хочется делиться, отдавать кому-л. что-л. Никитина 2003б, 289.

КРЫ́ТЫЙ * Кры́тый по-ба́нному. *Сиб. Ирон.* 1. Бедно одетый. ФСС, 99. 2. Невзрачный, некрасивый. СРНГ 15, 351.

КРЫТЬ * Крыть не́чем. *Разг. Прост.* Нечего сказать в ответ, нечего возразить. ФСРЯ, 216; 319; Глухов 1988, 107.

КРЫ́ША * Кры́ша а́дрес поменя́ла (смени́ла) *у кого. Жарг. мол. Шутл.* То же, что **крыша едет/ поехала.** Вахитов 2003, 87.

Кры́ша в пути́ *у кого. Жарг. мол. Шутл.-ирон.* То же, что **крыша едет 1.** Максимов, 210.

Кры́ша (крышня́к) дыми́т (дыми́тся) *у кого. Жарг. мол. Неодобр.* То же, что **крыша едет / поехала 1.** Вахитов 2003, 88.

Кры́ша е́дет/ пое́хала (перее́хала, съезжает/ съе́хала, ползёт, течёт/ потекла́, протекла́) *у кого. Жарг. мол. Шутл.-ирон.* 1. Кто-л. сходит с ума, ведёт себя подобно сумасшедшему. БТС, 476; ТС XX в., 85; Левин, 73; Я — молодой, 1995, № 8; Никольский, 73; Вахитов 2003, 87-88; Максимов, 210. 2. Кто-л. испытывает какие-л. сильные переживания, эмоции. Запесоцкий, Файн, 147. 3. *также Жарг. нарк.* Кто-л. испытывает состояние наркотической эйфории. Мазурова, Сленг, 134.

Кры́ша е́дет, дом стои́т *у кого. Жарг. мол. Шутл.-ирон.* Кто-л. сходит с ума, ведёт себя подобно сумасшедшему. Никитина, 1998, 99.

Кры́ша над голово́й. *Разг.* Жильё, пристанище. Ф 1, 268–269; ЗС 1996, 134; Мокиенко 1990, 133.

Кры́ша не в поря́дке *у кого. Жарг. мол. Шутл.-ирон.* Кто-л. психически ненормален, со странностями. DL, 134.

Кры́ша свисти́т *у кого. Жарг. мол. Шутл.-ирон.* То же, что **крыша едет 1.** Максимов, 210.

Кры́ша с кры́шей. *Кар.* О людях, равных по положению в обществе, по состоятельности. СРНГ 15, 352.

Кры́ша, стой! *Жарг. мол. Шутл.* Команда, подаваемая самому себе (обычно вслух), когда изменения сознания приобретают нежелательный в данной ситуации размах. Югановы, 117.

Быть (находи́ться) в кры́ше. *Жарг. мол.* Быть дома. Максимов, 210.

Пое́хать кры́шей. *Жарг. мол.* Сойти с ума, начать вести себя подобно сумасшедшему. Я — молодой, 1993, № 21.

Под одно́й кры́шей *с кем. Разг.* В одном доме, в одной квартире. Ф 1, 269.

С кры́шей не ти́хо *у кого. Жарг. мол. Шутл.-ирон. или Неодобр.* То же, что **крыша не в порядке.** Никитина 1998, 443.

Вы́ше кры́ши. *Разг.* 1. О большом количестве чего-л. 2. *Одобр.* О высоком качестве чего-л. Вахитов 2003, 35; Максимов, 77.

Ро́стом до кры́ши, а трусли́вее мы́ши. *Народн. Неодобр. или Ирон.* О сильном, крепком, но боязливом человеке. Жиг. 1969, 225.

Рыть с кры́ши соло́му. *Волг. Неодобр.* Находиться в состоянии крайнего возбуждения, злобы. Глухов 1988, 142.

Держа́ть кры́шу *кому. Жарг. мол.* Брать под свою защиту кого-л. Вахитов 2003, 46.

Кры́шу оторва́ло *кому. Жарг. мол.* То же, что **крыша едет 1.** Югановы, 117.

Кры́шу сорва́ло (снесло́) *у кого. Жарг. мол.* То же, что **крыша едет 1.** Вахитов 2003, 170; Максимов, 210.

Подви́нуть кры́шу. *Жарг. нарк.* Принять наркотик. Максимов, 210.

Поста́вить кры́шу *кому. Жарг. мол.* Вывести кого-л. из состояния психического расстройства, вернуть к нормальному состоянию. Елистратов 1994, 217; Никитина, 1996, 99; Запесоцкий, Файн, 147.

Принима́ть/ приня́ть под свою кры́шу *кого. Разг.* Давать приют, устраивать кого-л. на проживание. Ф 2, 92.

Рвать кры́шу. *Жарг. мол.* Сердиться, злиться. Никитина 2003, 327.

Снести́ кры́шу *кому. Жарг. мол.* Произвести сильное впечатление, свести с ума кого-л. Вахитов 2003, 142, 169.

Чи́стить кры́шу *кому. Жарг. мол.* Объяснять, разъяснять кому-л. что-л. Вахитов 2003, 200.

КРЫША́К * Крыша́к пое́хал. *Жарг. мол.* То же, что **крыша поехала.** Вахитов 2003, 88.

КРЫ́ШКА * До кры́шки. *Курск.* Абсолютно всё, до конца. БотСан, 92.

Кры́шки во рту не́ было *у кого. Смол.* О человеке, который ничего не ел. < **Крышка** — крошка.

От кры́шки две ши́шки. *Новг.* 1. *Шутл.* О человеке маленького роста. Сергеева 2004, 139. 2. *Пренебр.* О человеке, который слишком высоко себя ценит. Сергеева 2004, 35.

От кры́шки до кры́шки. *Разг. Устар.* От начала до конца, целиком, полностью. Ф 1, 269.

Греме́ть кры́шкой. *Жарг. мол. Неодобр.* Говорить что-л. БСРЖ, 297.

С кры́шкой. *Кар.* Глубиной больше человеческого роста. СРГК 3, 41.

Закры́ть кры́шку. *Жарг. мол.* Замолчать. Максимов, 142.

Кры́шку сви́нчивает *кому. Жарг. мол.* Кто-л. теряет рассудок под воздействием какого-л. сильного впечатления. НТВ, 25.05.03.

Под одну́ кры́шку. *Пск. Шутл.* О похожих, одинаковых людях. СПП 2001, 48.

Приподня́ть кры́шку *кому. Жарг. гом. Шутл.* Совершить с кем-л. анальное сношение. Кз., 51.

КРЫШНЯ́К * Крышня́к дыми́т (дыми́тся). См. **Крыша дымится (КРЫША).**

Крышня́к съе́хал (пое́хал) *у кого. Жарг. мол. Шутл.* То же, что **крыша едет 1-2. (КРЫША)**. БСРЖ, 297; Максимов, 210.

КРЮК * Брать/ взять на крюк *кого. Жарг. угол.* Ставить в зависимость, подчинить себе кого-л., как правило — посредством взятки. Быков, 112; Максимов, 62.

Дать крюк (крюка́). *Прост.* Пройти или проехать окольным путём. ЗС 1996, 495; Глухов 1988, 30; Мокиенко 1990, 111.

Дать крюк поперёк *кому. Петерб.* Решительно отказать кому-л. в чём-л. СРНГ 15, 358.

Зацепи́ть на крюк *кого. Жарг. угол.* Дать взятку кому-л. Балдаев 1, 154.

Крюк любви́. *Жарг. мол., угол. Шутл.* Мужской половой орган. ТСУЖ, 93; УМК, 111; Мильяненков, 149.

Не крюк. *Новг.* Окольный путь, проделанный без труда. НОС 4, 162.

Попа́сть на крюк *к кому. Жарг. угол., карт.* Задолжать кому-л. Балдаев 1, 338; ТСУЖ, 140.

Согну́ть крюк. *Перм. Шутл.* Выдумать что-л. забавное, остроумное. СРНГ 15, 358.

Сня́ться с крюка́. *Жарг. угол.* О прекращении гласного административного надзора органами милиции. Балдаев 2, 49.

Ссать крюка́ми, *обычно с отриц. Жарг. мол. Вульг. Неодобр.* 1. Говорить ерунду, вздор. 2. Говорить слишком заумно, сложно для понимания. Митрофанов, Никитина, 100.

Ста́вить/ поста́вить крюк *кому. Разг. Устар.* Мешать кому-л. в чём-л. Ф 2, 182.

Заки́дывать крюки́. *Народн.* Осторожно разузнавать о чём-л. ДП, 792.

Крю́ком не стащи́ться. *Новг. Ирон.* Быть беспомощным, не способным самостоятельно передвигаться. НОС 4, 162.

Дать крю́ку (крюка́). *Прост.* 1. Пройти или проехать лишнее расстояние окольной дорогой. 2. *Устар.* Допустить промах, ошибку. ФСРЯ, 216; БМС 1998, 319.

КРЮ́КАЛО * Начи́стить крю́кало (кря́кало) *кому. Жарг. угол.* Сильно ударить в лицо кого-л.; жестоко избить кого-л. ББИ, 119.

КРЮКИ́ШКИ * На крюки́шки. См. **На крикушки (КРИКУШКИ).**

На крюки́шках. См. **На крикушках (КРИКУШКИ).**

КРЮ́ЧЕНЬ * Сесть на крю́чень. *Морд.* Обессилеть от болезни, старости, стать нетрудоспособным. СРГМ 1982, 86.

КРЮЧО́К * Сиде́ть под крючка́ми. *Кар.* Запершись дома, никого не пускать. СРГК 4, 615.

Держать на крючке́ *кого. Разг.* Хитрыми уловками заставлять кого-л. поступать определённым образом. Сергеева 2004, 230.

Жить на крючке́. *Камч., Сиб.* Держать дом запертым, постоянно опасаясь грабежа, разбоя. ФСС, 72; СРНГ 15, 361.

В крючки́. *Яросл.* Криво, неровно (боронить). ЯОС 2, 39.

Гнёт крючки́. *Новг. Шутл.-ирон.* О худом, сутулом человеке. Сергеева 2004, 137.

Заки́дывать крючки́ на мы́льные пузыри́. *Жарг. мол. Неодобр.* Вести себя высокомерно, заносчиво. Максимов, 141.

Крючки́ да багрычки́. *Сиб. Неодобр.* О мелких, уродливых огурцах. СФС, 96; ФСС, 100.

Крючки́ на язы́к забра́сывать. *Жарг. мол. Неодобр.* Придираться к сказанному, цепляться к словам. Никитина 1998, 215.

Крючки́ повыта́скивать *из кого. Кар. Неодобр.* Надоесть кому-л. своими просьбами, требованиями. СРГК 3, 42; СРГК 4, 601.

Рвать крючки́. *Жарг. угол.* Совершать побег из мест лишения свободы. БСРЖ, 297.

Ходи́ть во крючки́. *Новг. Неодобр.* Бездельничать, отлынивать от работы. НОС 12, 19.

Ве́шать на крючо́к *кого. Жарг. угол.* Начинать подозревать кого-л. в чём-л. ТСУЖ, 31.

Клева́ть/ клю́нуть на крючо́к. *Прост. Ирон.* Попадать в трудное, невыгодное положение, прельстившись чем-л. Ф 1, 240.

Лови́ть/ пойма́ть (подде́ть) на крючо́к *кого. Прост.* 1. Хитрыми уловками заставлять кого-л. поступить определённым образом. 2. Стараться женить на себе кого-л. Ф 1, 283; Ф 2, 63; ЗС 1996, 230.

На золото́й крючо́к. *Пск.* За деньги, за плату (покупать). СПП 2001, 48.

На сере́бряный крючо́к. *Прост.* То же, что **на золотой крючок.** ДП, 81; НОС 8, 76.

Пойма́ть на [свой] крючо́к *кого. Прост.* Привлечь к ответу, к ответственности. **Посади́ть на крючо́к** *кого. Волг.* То же. Глухов 1988, 130.

Сесть на крючо́к. *Жарг. торг.* Поддаться шантажу. Максимов, 210.

КРЯЖ * Из одного́ кря́жа. *Волог.* Об одинаковых, очень похожих друг на друга людях, предметах. СВГ 4, 8.

КРЯ́КАЛО * Кря́кало начи́стить. См. **Крюкало начистить (КРЮКАЛО).**

КРЯ́КЛА * Нае́сться в кря́клу. *Волог.* Наесться досыта; съесть лишнее, переесть. СРНГ 15,367; СВГ 4, 9; СВГ 5, 37. < **Крякла** — 1. Чурбан. 2. Твердый ошейник для свиней.

КРЯХТЕ́ЛКА * Спусти́ть кряхте́лку. *Жарг. мол.* Замолчать. Максимов, 401.

КСИ́ВА * Ветряна́я кси́ва. *Жарг. угол.* Фальшивый документ. СРВС 2, 119.

Хле́бная кси́ва. *Жарг. угол. Шутл.-ирон.* Партбилет члена КПСС. Балдаев 2, 124.

Вы́слать на кси́ву *кого. Жарг. угол.* Выслать кого-л. на родину или место приписки. СРВС 1, 124.

Лома́ть/ занломи́ть кси́ву (кси́вы). *Жарг. угол., мол.* Проверить документы у кого-л.. ТСУЖ, 93. Быков, 81, 112; СРВС 4, 139. < **Ксива** — документ; удостоверение личности, паспорт.

КСТИТЬ * Ни кстя (кстясь) ни моля́ (моля́сь). *Волг.* Неожиданно сказать, сделать что-л. Глухов 1988, 109.

КСТИ́ТЬСЯ * Ни кстясь ни моля́сь. См. **Ни кстя ни моля (КСТИТЬ).**

КТО * Взя́ться не́ за кем. *Волг.* То же, что **лежать не за кем.** Глухов 1988, 11.

Лежа́ть не́ за кем. *Пск.* Об одиноком, беспомощном человеке, которому не на кого надеяться. СПП 2001, 48.

Е́хать не́ от кого. *Пск.* Некого оставить, уезжая. ПОС 10, 139.

Лечь не́ под кого. *Пск.* То же, что **лежать не за кем (КТО).** СПП 2001, 48.

Не́ к кому приста́ть. *Новг.* Об отсутствии друзей и подруг. НОС 9, 28.

Кто во что гора́зд. *Разг.* Каждый посвоему, на свой вкус; кто на что способен. ФСРЯ, 216; ЗС 1996, 102; БМС 1998, 319.

Кто его́ зна́ет. *Разг.* Неизвестно, никто не знает о чём-л., о ком-л. ФСРЯ, 216.

Кто есть кто. *Публ.* Что собой представляют те или иные люди. < Калька с англ. *who is who.* Ф 1, 269; БМС 1998, 319.

Кто есть ху. *Разг. или Публ. шутл.-ирон.* Кто является виновником чего-л., кто препятствует демократическим процессам, прогрессу. < Каламбурное переосмысление оборота **кто есть кто** на «английский» манер с намёком на ругательное русское слово (*who* — **хуй**). Приписывается М. С. Горбачёву, якобы употребившему выражение применительно к путчистам. В «Известиях» за 23 августа 1991 г. была опубликована серия статей под общим названием «*Кто есть ху*, как сказал Горбачёв», способствовавшая широкому распространению оборота. Мокиенко, Никитина 2003, 180.

Кто куда́. *Разг.* 1. В разные стороны. 2. Несогласованно, недружно, неодинаково. ФСРЯ, 216.

Кто пове́дает. *Кар.* Неизвестно кто. СРГК 4, 581.

Кто успе́л, тот присе́л. *Жарг. шк. Шутл.* О ситуации в школьной столовой. (Запись 2003 г.).

КУБАРА́ТКА * Вверх кубара́ткой. *Орл.* Вверх ногами. СОГ 1989, 142.

КУБАРЁК * На кубарёк. *Кар.* Кубарем. СРГК 3, 44.

КУ́БАРЕМ * Сверте́ть ку́барем *что. Костром. Неодобр.* Сделать что-л. наспех, кое-как. СРНГ 36, 242.

КУБАРИ́ * Гоня́ть кубари́. *Обл. Неодобр.* Бездельничать. Мокиенко 1990, 68.

КУ́БИК * Ку́бик Ру́бика. *Жарг. арм. Шутл.-ирон.* Чистка картофеля. Максимов, 211.

КУБЫ́ТЬ * Кубы́ть тебя́ (вас, его́) раскубы́ть! *Прост. Бран.* Выражение недовольства, негодования, желания избавиться от кого-л., от чего-л. Мокиенко, Никитина 2003, 180.

КУБЫ́ШКА * Держа́ть в кубы́шке [де́ньги]. *Прост. чаще Неодобр.* Прятать, сохранять деньги на чёрный день. ФСРЯ, 216; БМС 1998, 319.

Е́хать с кубы́шкой. *Ряз.* В свадебном обряде — платить выкуп за невесту и договариваться о дне свадьбы. СРНГ 15, 387.

Наби́ть кубы́шку *кому. Волг.* Побить, избить кого-л. Глухов 1988, 87.

Наполня́ть/ напо́лнить кубы́шку. *Прост.* Копить деньги. Ф 1, 316.

КУБЦЫ́ * Води́ть кубцы́. *Обл. Неодобр.* Бездельничать, праздно проводить время. Мокиенко 1990, 68.

КУВЕРЗЕ́НЬ * Куверзе́нь (кувы́ль) по доро́ге (по доро́жке)! *Костром., Яросл.* Пожелание доброго пути (при встрече на дороге). ЯОС 5, 100; СРНГ 15, 389, 391.

КУВЫ́ЛЬ * Кувы́ль по доро́ге! См. **Куверзень по дороге! (КУВЕРЗЕНЬ).**

КУВЫРКО́М * Лете́ть кувырко́м. *Прост.* Уничтожаться, пропадать впустую. Ф 1, 278.

КУВШИ́Н * Кувши́н ло́пнул. *Волг., Ворон., Курск.* О ссоре. Глухов 1988, 83; СРНГ 17, 137; БотСан, 100.

Кувши́н с водо́й. *Жарг. угол.* Бумажник с деньгами. БСРЖ, 299.

Разби́ть кувши́н. *Волг., Курск.* Поссориться с кем-л. Глухов 1988, 138; БотСан, 111.

КУВЫ́РКА * Че́рез кувы́рку. *Новг. Неодобр.* Беспорядочно, как попало. НОС 4, 169.

КУВЫРО́К * Под кувырка́ми. *Жарг. мол.* В ходе драки. Н-НI, 2000, № 3, 45.

Попа́сть под кувырки́. *Жарг. мол.* Быть избитым в драке. (Запись 2001 г.).

КУДА́ (КУДЫ́) * Куда́ годи́сь. *Арх.* Как следует, как нужно. АОС 9, 201.

Куда́ дева́ется. *Сиб.* Разумеется, несомненно, безусловно. ФСС, 55.

Куда́ дева́ть. *Ряз.* Вполне достаточно, хватит. СРНГ 15, 395.

Куда́ ни кинь. *Разг.* Что ни возьми, к чему ни обратись. ФСРЯ, 197.

Куда́ никуда́. *Арх. Неодобр.* О чём-л. скверном, никуда не годном. АОС 9, 219.

Куда́ ни поверни́. *Разг.* В любом случае, при любом допущении; с какой бы меркой ни подходили к кому-л., к чему-л. ФСРЯ, 326.

Куда́ ни шло. *Разг.* 1. Пусть будет так; согласен. 2. Удовлетворительно, можно принять с некоторыми оговорками. ФСРЯ, 535; БТС, 478.

Посыла́ть/ посла́ть куда́ пода́льше *кого. Прост.* Ругать кого-л. матом. Мокиенко, Никитина 2003, 180; Ф 2, 79.

Хоть куда́. *Разг. Одобр.* 1. Отличный, превосходный. 2. Отлично, превосходно. ФСРЯ, 216; БТС, 1452.

Куды́ и а́хни! *Сиб. Неодобр.* Восклицание, выражающее осуждение. ФСС, 100.

Куды́ с добро́м! *Кар. Одобр.* То же, что **хоть куда 2.** СРГК 1, 465.

Куды́ тебе́! *Сиб. Одобр.* То же, что **хоть куда 1-2.** ФСС, 100.

Куды́ хошь. *Сиб. Одобр.* То же, что **хоть куда 1-2.** ФСС, 100; СРНГ, 16, 16.

КУДЕ́ЛЬКА * Дать куде́льку *кому. Сиб.* То же, что **дать куделю 2. (КУДЕЛЯ).** СФС, 96; СРНГ 15, 399; Мокиенко 1990, 49.

Отпря́сть куде́льку. *Прикам.* 1. Уйти или уехать откуда-л. очень быстро. 2. *кому.* То же, что **дать куделю (КУДЕЛЯ).** МФС, 69.

КУДЕ́ЛЯ * Гляди́т из куде́ли. *Костром. Неодобр.* О плохом волокне, которое похоже на очёски льна, т. е. на куделю. Громов, 1992, 33.

Сыгра́ть куде́ли (куде́лей). *Волг., Дон.* То же, что **давать куделю 2. (КУДЕЛЯ).** Глухов 1988, 47; СДГ 3, 151.

Грызть куде́лю. *Костром.* При прядении теребить прядки кудели зубами. Громов 1992, 32.

Дава́ть/ дать куде́лю (куде́ли) *кому.* 1. *Дон., Сиб.* Таскать кого-л. за волосы. СДГ 2, 96; ФСС, 55; СРНГ 16, 7. 2. *Дон.* Строго наказывать, бить, колотить кого-л. СДГ 2, 96; Мокиенко 1990, 49.

Драть куде́лю *кому. Волг.* То же, что **давать куделю 2. (КУДЕЛЯ).** Глухов 1988, 38.

Расчёсывать/ расчеса́ть куде́лю *кому. Волг., Перм.* То же, что **давать куделю 2. (КУДЕЛЯ).** Глухов 1988, 47; Подюков 1989, 172.

Не та куде́ля в пря́лице. *Кар. Неодобр.* О том, что не подходит кому-л. СРГК 5, 335.

Суро́вая куде́ля. *Прикам. Неодобр.* О непослушном, озорном человеке. МФС, 52.

КУДЛОВА́ТКА * Игра́ть/ сыгра́ть кудлова́тку *кому. Волг. Шутл.* То же, что **давать куделю 2.** Глухов 1988, 157.

КУ́ДРИ * Ва́нины ку́дри. *Дон.* Декоративное растение мыльнянка с пушистыми листьями и махровыми розовыми или белыми цветами. СДГ 2, 97.

Дава́ть (собира́ть) на ку́дри *кому. Волог.* Собирать деньги жениху во время венчания. СВГ 4, 12.

Жечь ку́дри. *Волог.* Обычай сжигать пучок льняного волокна на вечеринке в знак любви юноши и девушки. СВГ 4, 12.

Ку́дри подери́! *Волж. Бран.* Восклицание, выражающее гнев, негодование. СРНГ 16, 14.

Наба́ловать ку́дри. *Морд.* Завить волосы. СРГМ 1986, 51.

Хоть ешь, хоть пей, хоть ку́дри вей. *Кар.* О большом количестве чего-л. СРГК 4, 523.

Ца́рские (царёвы) ку́дри. *Сиб.* 1. Растение мальва. 2. Желтая лилия. ФСС, 100.

Чеса́ть ку́дри жениху́. *Одесск.* Собираться выйти замуж за кого-л. КСРГО.

КУДРЯ́ШКА * Кудря́шка Сью. *Жарг. шк. Шутл.* Учительница с кудрявыми волосами. (Запись 2003 г.) < По имени героини кинокомедии Дж. Хьюза.

КУ́ЗЕНЬКА * Го́рькому Ку́зеньке — го́рькая до́люшка. *Народн. Ирон.* О невезучем человеке, неудачнике. ДП, 147.

КУЗНЕ́ЧИК * Сушёные кузне́чики. *Жарг. мол. Шутл.-ирон.* Китайские сигареты. Максимов, 211.

КУ́ЗНИЦА * Кра́сная ку́зница. *Публ. Устар. Патет.* Город Тула. Новиков, 97.

Ку́зница здоро́вья. *Публ. Устар. Патет.* О санаториях, домах отдыха, где отдыхают трудящиеся. Ушаков 1, 1542.

Ку́зница ка́дров. *Публ. Патет.* Место, где интенсивно готовятся специалисты (особенно в области марксистской идеологии). Ушаков 1, 1542.

Небе́сная ку́зница. *Смол.* Северное сияние. СРНГ 20, 316.

КУ́ЗОВ * Це́лый ку́зов *чего. Волог.* О большом количестве чего-л. СВГ 4, 13.

Не из ку́зова в ко́роб. *Казан. Шутл.-ирон.* О нерасторопном, ненаходчивом человеке. СРНГ 16, 27.

С ку́зовом. *Прост. Шутл.* Беременная. Флг., 165.

КУ́ЗЬКА * Ку́зьку подпусти́ть *кому. Ряз.* Досадить кому-л. СРНГ 16, 27.

КУИ́Н * Куи́н Мэ́ри. *Жарг. морск. Устар.* 1. Красивая портовая проститутка. 2. Притон, в котором собираются моряки дальнего плавания. < Из англ. *queen Mary* — королева Мария. Мокиенко, Никитина 2003, 181.

КУК * Дать ку́ку. *Волог.* Дать знать, известить о себе. СВГ 2, 8.

Не дать и ку́ку. *Волог.* Не дать о себе знать, не известить о себе. СВГ 4, 14.

КУ́КА * Оста́лась Ку́ка да Ма́ка. *Волог.* О состоянии сильной усталости, изнеможения. СВГ 6, 80.

КУКАН * Оде́ть на кука́н *кого. Жарг. мол.* Расправиться с кем-л. (обычно в повел. накл. как угроза). Максимов, 284.

Попа́сть (попа́сться) на кука́н. 1. *Разг.* Оказаться в зависимости, в подчинении у кого-л. ДП, 374. 2. *Астрах.* Оказаться в затруднительном или безвыходном положении. СРНГ 16, 31; Мокиенко 1990, 137, 304; Глухов 1988, 130.

Посади́ть на кука́н *кого.* 1. *Дон.* Арестовать кого-л. СДГ 3, 45; СРНГ 30, 134. 2. *Волг.* Привлечь к ответу, к ответственности кого-л. Глухов 1988, 130. 3. *Астрах., Волг.* Укротить, унять кого-л. Глухов 1988, 130; СРНГ 16, 31.

Быть на кука́не *[у кого]. Жарг. угол.* Находиться под наблюдением, под подозрением у кого-л. Балдаев, 1, 51, 269; ТСУЖ, 113; ББИ, 37.

Оказаться на кука́не. *Ленингр.* То же, что **попаст на кукан 1.** СРНГ 16, 31.

Петь на кука́не. *Жарг. муз. Неодобр.* Петь с большим напряжением голосовых связок, испытывая болевые ощущения в них. Никитина 1996, 99.

КУКАРА́ЧКИ * На кукара́чках. *Яросл.* На четвереньках. ЯОС 6, 77.

КУКАРА́ЧЬ * На кукара́чь (кукора́ч, кукура́ч). *Забайк., Сиб., Яросл.* На четвереньки. ЯОС 6, 77; ФСС, 100; СРГЗ, 173; СФС, 114.

КУКАРЁКИ * До кукарёк. *Новг.* До утра. Сергеева 2004, 157.

КУ́КЕЛЬКИ * Вы́йти в ку́кельки. *Кар.* Зацвести. СРГК 1, 267.

КУКИ́РКИ * На куки́рки. *Сиб.* На корточки. СФС, 114.

На куки́рках. *Сиб.* На корточках. СФС, 114.

КУ́КИШ * Каза́ть ку́киш в рукави́це *кому. Народн.* То же, что **показывать кукиш в кармане.** ДП, 224.

Ку́киш в карма́не. *Прост. Презр.* О трусливой, обычно не высказанной угрозе, возражении кому-л. или несогласии с кем-л. Ф 1, 271; Мокиенко, Никитина 2003, 181.

Ку́киш волоса́тый. *Жарг. мол. Шутл.* Мужской половой орган. Елистратов 1994, 663; ЖЭСТ-1, 141.

Ку́киш с ма́слом. *Прост.* 1. Абсолютно ничего. 2. *кому.* Решительный отказ кому-л. в чём-л. Ф 1, 271; БТС, 523; ЗС 1996, 295; ДП, 238.

Насвиста́ть ку́киш *кому. Смол.* То же, что **показать ку́киш.** СРНГ 20, 153.

Пока́зывать/ показа́ть ку́киш *кому. Прост.* Решительно отказывать кому-л. в чём-л. БМС 1998, 320; ЗС 1996, 229.

Пока́зывать/ показа́ть ку́киш в карма́не *кому. Прост. Ирон.* О чьём-л. трусливом, хорошо замаскированном выражении несогласия с кем-л., упрёка кому-л. ФСРЯ, 217; БТС, 893; Ф 2, 64; БМС 1998, 320.

Съесть ку́киш. *Прост. Ирон.* Потерпеть неудачу. ДП, 61.

Вы́торгуешь у ку́киша мяки́ны. *Народн. Ирон.* Об очень скупом человеке. ДП, 110.

Три ку́киша в зе́млю. *Прибайк.* Очень мало (знать, понимать, разбираться в чём-л.). СНФП, 86.

С ку́кишем не до но́са (но́са не доста́ть). *Волг. Неодобр.* О заносчивом, высокомерном человеке. Глухов 1988, 149.

КУ́КИШКА * Ста́вить ку́кишку. *Прикам.* То же, что **показывать кукиш.** МФС, 95.

КУ́КЛА * Ку́кла лупогла́зая (моргу́чая). *Жарг. студ. Презр.* Глупая, несообразительная студентка. (Запись 2003 г.).

Лесна́я ку́кла. *Яросл.* Медведь. СРНГ 16, 357; ЯОС 5, 128.

Ночна́я ку́кла, а денно́й попуга́й. *Брян. Ирон.* О моднице, кокетке; о щёголе. СРНГ 16, 35.

Чёртова ку́кла. *Прост. Бран.* О непорядочном человеке (чаще — о женщине). ФСРЯ, 217; Арбатский, 367; СПСП, 58.

Брать/ взять на ку́клу *кого. Жарг. угол.* Обманывать кого-л., подсовывая поддельную, фальсифицированную вещь. Росси 1, 176. < **Кукла** — поддельная пачка денег, фальсифицированный товар.

Игра́ть в ку́клы. *Разг. Неодобр.* Заниматься несерьезным и бесполезным делом. Глухов 1988, 55.

КУ́КЛИ * Быть в ку́клях. *Кар.* 1. О растении с нераспустившимися почками. 2. О чём-л. неготовом. СРГК 3, 54.

КУКЛИ́М * Идти́ на кукли́ма. *Жарг. угол.* 1. Называться чужим именем. Балдаев 1, 169; ТСУЖ, 76. 2. Притворяться, симулировать что-л. ТСУЖ, 76. 3. Выдавать себя за лицо, не принадлежащее к преступному миру. ТСУЖ, 76. < **Куклим** — преступник, проживающий, судящийся по чужому паспорту. Балдаев 1, 213; ББИ, 120; Мильяненков, 150.

КУКОРА́Ч * На кукорач. См. **На кукарачь (КУКАРАЧЬ).**

КУКОРЕШНИЦЫ *На кукоре́шницах. *Арх.* На спине, за плечами. СРНГ 16, 43-44.

КУ́КО́РКИ * На все ку́корки. *Коми.* Азартно, весело (плясать). Кобелева, 58.

На ку́ко́рки. 1. *Алт., Сиб.* На корточки. ФСС, 100; СРГА 2-1, 117. 2.*Сиб.* На четвереньки. ФСС, 100.

На ку́корках. 1. *Алт., Сиб.* На корточках. ФСС, 100; СРГА 2-1, 117. 2.*Сиб.* На четвереньках. ФСС, 100. 3. *Сиб., Яросл.* На спине, за плечами. СФС, 126; ЯОС 6, 77; Мокиенко 1986, 96.

КУ́КОРОТКИ *На ку́коротках. *Волог.* На спине, за плечами. СРНГ 16, 44.

КУ́КОРОЧКИ * На ку́корочки. *Яросл.* То же, что **на кукорки 1-2. (КУКОРКИ).** ЯОС 6, 77.

На ку́корочках. 1. *Яросл.* То же, что **на кукорках 1. (КУКОРКИ).** ЯОС 6, 77; Мокиенко 1986, 98. 2. *Прикам.* То же, что **на кукорках 2. (КУКОРКИ).** МФС, 52. 3. *Яросл.* То же, что **на кукорках 3. (КУКОРКИ).** ЯОС 6, 77.

КУКО́РЫШКИ * На куко́рышки. *Сиб.* То же, что **на кукорки 1. (КУКОРКИ).** СРНГ 16, 44; СФС, 114.

КУ́КОРЬ * На ку́корь (сесть). *Чкал.* На корточки. СРНГ 16, 44.

КУ́КРЫ * На ку́крах. *Обл.* То же, что **на кукорках 2. (КУКОРКИ).** СРНГ 16, 44; Мокиенко 1986, 95.

На ку́кры. *Новг.* На плечи, на верхнюю часть спины (взять, посадить кого-л.). Мокиенко 1986, 95.

КУКС * Дать ку́ксу *кому. Обл.* Избить кого-л. Мокиенко 1990, 49.

КУ́КСЯ * Ку́кся боло́тная. *Ср. Урал. Неодобр.* О плаксивом ребёнке. СРГСУ 2, 72.

КУКУ́ * Куку́ пое́хала *у кого. Жарг. мол.* 1. О неадекватном поведении в результате потери рассудка. 2. О состоянии алкогольного или наркотического опьянения. Максимов, 212.

КУКУРА́Ч * На кукурач. См. **На кукарачь (КУКАРАЧЬ).**

КУКУРЕ́ШКИ * На кокуре́шках. *Печор.* 1. То же, что **на кукорках 3. (КУКОРКИ).** 2. То же, что **на кукорках 1.** СРГНП 1, 360.

На кукуре́шки. *Печор.* На заплечье, на верхнюю часть спины. СРГНП 1, 360.

КУКУ́РИКИ * На куку́риках. *Яросл.* То же, что **на кукорках 3.** ЯОС 6, 77.

КУКУ́РКИ * На куку́рках. *Приамур.* То же, что **на кукорках 1. (КУКОРКИ).** СРГПриам., 271.

КУКУРО́ТКИ * На кукуро́тках. *Приамур.* То же, что **на кукорках 1. (КУКОРКИ).** СРГПриам., 271.

КУКУРУ́ЗА * Дыша́ть на кукуру́зу. *Одесск.* Стоять на коленях на кукурузе (наказание). КСРГО.

Охраня́ть кукуру́зу. *Жарг. угол. Неодобр.* Сидеть без дела. Максимов, 212.

Чеса́ть кукуру́зу. *Жарг. мол. Шутл.* Онанировать. Декамерон 2001, № 3.

КУКУ́ШКА * Беспа́мятливая куку́шка. *Пск. Неодобр.* О забывчивой женщине. СПП 2001, 48.

Куку́шка в лес улете́ла *у кого. Жарг. мол. Шутл.* О человеке, задумавшемся над чем-л. Максимов, 212.

Куку́шка замкну́ла (кли́нит) *у кого. Жарг. мол.* Кто-л. потерял способность быстро соображать, здраво рассуждать. Вахитов 2003, 88; Максимов, 183.

Куку́шка ко́лосом подави́лась. *Арх., Беломор., Вост.-Сиб.* О времени созревания ржи, ячменя (когда кукушка перестает куковать). СРНГ 16, 48.

Куку́шка отткукова́ла. *Перм. Ирон.* О завершении, окончании чего-л. Подюков 1989, 100.

Куку́шка пое́хала (уе́хала, слете́ла) *у кого. Жарг. мол. Шутл.* 1. О состоянии психического расстройства, неадекватном поведении. h-98. 2. О состоянии алкогольного или наркотического опьянения. Максимов, 212. < Образовано по модели **крыша поехала.**

Куку́шка фы́ркнула *у кого. Жарг. мол. Шутл.* О человеке, сошедшем с ума. Максимов, 212.

Куку́шка хло́пнула *у кого. Жарг. мол. Шутл.-ирон.* О человеке, совершившем ошибку. Максимов, 212.

Ночна́я куку́шка. *Ворон., Влад., Смол., Пск.* Жена, супруга. СРНГ 21, 304.

Травоя́дная куку́шка. *Жарг. студ. Шутл.-ирон.* Студент первого курса. Максимов, 212.

Сиде́ть на куку́шке. *Твер. Шутл.* Испражняться (о взрослом человеке). СРНГ 16, 48.

От куку́шки [копе́ечки]. *Пск. Шутл.* Об очень малом количестве денег.

СПП 2001, 48. < От поверья: если кукушка застанет человека своим кукованием без денег, он будет беден и голоден весь год.

Дать в куку́шку. *Жарг. гом.* Совершить половой акт анальным способом. Я — молодой, 1995, № 8. < **Кукушка** — анальное отверстие.

[Идти́] слу́шать куку́шку. *Жарг. арест., угол.* Бежать из мест лишения свободы. СРВС 2, 39, 47, 81, 118, 125; ТСУЖ, 77, 94, 164; Балдаев 1, 170; Елистратов 1994, 218.

Крести́ть куку́шку. *Орл.* Детская игра в праздник Вознесения. СОГ 1992, 139.

Меня́ть/ променя́ть куку́шку на лягу́шку. *Ворон. Неодобр.* О невыгодном обмене. СРНГ 17, 258.

Меня́ть/ вы́менять (променя́ть) куку́шку на я́стреба (на ястребца́). *Народн. Ирон.* Выбирать из плохого худшее; поступать нерасчётливо, необдуманно. ДП, 458, 482; БТС, 533; ФСРЯ, 217; БМС 1998, 320; Мокиенко 1990, 29; СР 1, 216.

КУ́КША * Слепа́я ку́кша. *Перм., Прикам. Ирон.* О человеке с полной или частичной потерей зрения. < **Кукша** — птица сойка. МФС, 52; СГПО, 267.

КУКЫ́РКИ * На кукы́рки. *Сиб.* . То же, что **на кукорки 1. (КУКОРКИ).** ФСС, 100.

КУЛА́К * Би́ться на кула́к. *Брян.* Драться. СБГ 1, 55.

Брони́рованный кула́к. *Книжн. воен.* Ударная группировка войск, усиленная военной техникой. БМС 1998, 320.

Быва́л/ был кула́к *на ком. Арх.* Кто-л. подвергался избиению. АОС 2, 205.

В [оди́н] кула́к. *Разг.* Воедино, в единое целое (собрать). ФСРЯ, 217; Ф 1, 271.

Жить в кула́к. *Ворон.* Быть скупым. СРНГ 16, 51.

Зажима́ть/ зажа́ть в кула́к *кого. Разг.* 1. Подчинять своей воле кого-л. 2. Экономить, копить деньги. ФСРЯ, 164; Глухов 1988, 48.

Кула́к сопле́й намота́ть. *Сиб.* Испытать много горя, страданий. СОСВ, 100.

Кула́к с по́лки упа́л (свали́лся) *на кого.* 1. *Жарг. угол Шутл.-ирон.* О синяке под глазом, кровоподтёке на лице у кого-л. Балдаев 1, 214; ББИ, 120; Мильяненков, 150. 2. *Новг.* О неожиданной неприятности. НОС 4, 175.

Намота́ть себе́ на кула́к *что. Сиб.* Принять к сведению что-л. ФСС, 119.

На чи́стый кула́к. *Прибайк.* Честно, без оружия. СНФП, 86.

Носи́ть кула́к (кирпи́ч) в па́зухе. *Волог.* Таить обиду на кого-л., быть готовым отомстить кому-л. СВГ 5, 112.

Пове́сить (наве́сить) кула́к на глаз *кому. Волг.* Побить, избить кого-л. Глухов 1988, 78, 87.

Подноси́ть/ поднести́ кула́к *кому.* 1. *Кар.* Угрожать кому-л. СРГК 3, 55. 2. *Кар., Сиб.* Наносить удары, бить кулаком кого-л. СРНГ 28, 104; СРГК 4, 650; Мокиенко 1990, 55. 3. *Жарг. угол.* Выдавать кого-л., доносить на кого-л. СРВС 4, 144; Балдаев 1, 329; ТСУЖ, 136.

Поле́зть в кула́к. *Коми.* Начать драться. Кобелева, 72.

Пудо́вый кула́к *у кого. Народн.* О человеке, обладающем сильным ударом, способном очень сильно ударить кулаком. ДП, 313.

Свисте́ть в кула́к. *Прост. Шутл.* Остаться без денег, оказаться в крайней нужде. ФСРЯ, 217; БМС 1998, 320; ЗС 1996, 164; Ф 2, 144; ДП, 105; Глухов 1988, 145.

Свят (свято́й) кула́к. *Новг., Сиб.* Карающая рука, Божья кара. СФС, 164; ФСС, 100; СРНГ 16, 51; НОС 4, 175.

Сма́кать кула́к. *Курск. Ирон.* То же, что **грызть кулаки.** БотСан, 99.

Сопе́ть в кула́к. *Волг.* Молчать, сдерживаться от высказываний. Глухов 1988, 152.

Труби́ть в кула́к. *Обл. Неодобр.* Бездельничать. Мокиенко 1990, 65.

Шепта́ть в кула́к. 1. *Волг., Курск.* Говорить невнятно, робко. БотСан, 118; Глухов 1988, 175. 2. *Ворон.* Уклоняться от ответа, от высказывания своего мнения. СРНГ 16, 51.

Брать/ взять с кулака́ *что. Морд.* Завладевать чем-л., применив силу. СРГМ 1982, 99.

В два кулака́. *Яросл.* Вдвоём. СРНГ 16, 51.

Жить из кулака́ в рот. *Народн.* Зарабатывать лишь на пропитание, расходовать все деньги на еду. ДП, 89, 592.

Жить с (со своего́) кулака́. *Пск.* Зарабатывать на жизнь своим трудом, без чьей-л. помощи, поддержки. СПП 2001, 48.

Из-под кулака́. *Пск. Шутл.* В кожуре (о сваренной картошке). (Запись 1998 г.).

Перелётывать с кулака́ на кула́к. *Печор. Ирон.* Подвергаться побоям. СРГНП 1, 360.

Рабо́тать так, чтобы с кулака́ текло́. *Волог. Одобр.* Добросовестно, старательно, изо всех сил. СВГ 4, 15.

Корми́ть кулака́ми *кого. Прост.* Бить, избивать кого-л. Ф 1, 256.

Маха́ть кулака́ми по́сле дра́ки. *Разг.* Негодовать, сокрушаться после чего-л. случившегося. Ф 1, 293.

Маха́ться кулака́ми. *Волог.* Драться. СВГ 4, 76.

Ня́нчить на кулака́х *кого. Волг.* Строго наказывать, бить кого-л. Глухов 1988, 113.

Объясня́ть/ объясни́ть на кулака́х *кому что. Сиб.* Бить кого-л., доказывая свою правоту. СОСВ, 100.

Быть в кулаке́ *у кого. Разг.* Находиться в зависимом, подвластном положении. ФСРЯ, 217.

Держа́ть в кулаке́ *кого. Прост.* Строго обращаться с кем-л., находящимся в подчинении. Ф 1, 158; СРГК 3, 170.

Жить в кулаке́. *Прикам.* Проживать совместно, сообща, единой семьей. МФС, 37.

Брать на кулаки́ *кого. Волг.* Бить, избивать, расправляться с кем-л. Глухов 1988, 6.

Встать в кулаки́. *Горьк.* Ввязаться в драку. БалСок, 27.

Грызть кулаки́. *Кар. Ирон.* Голодать. СРГК 1, 403.

Держа́ть кулаки на при́вязи. *Прост.* Сдерживать себя, не вступать в драку. Ф 1, 159.

Есть кулаки́. *Кар., Пск.* Быть битым, подвергнуться избиению. СРГК 2, 29; ПОС 10, 137.

Зажима́ть кулаки́. *Кар.* Действовать с помощью угроз, вести себя скандально. СРГК 2, 122.

Кулаки́ кве́рху *[у кого]. Коми.* О человеке, провоцирующем драку. Кобелева, 65.

Кулаки́ че́шутся *у кого. Прост. Неодобр.* О драчуне, забияке. ЗС 1996, 62; Глухов 1988, 78.

На свои́ кулаки́. *Кар.* Своим трудом. СРГК 16, 51.

Насыка́ть кулаки́ (кулака́ми). *Яросл.* Грозить кулаком кому-л.; грозить, сжимая кулаки. СРНГ 16, 51.

Подставля́ть кулаки́ *кому. Прибайк.* Выражать недовольство кем-л., угрожать кому-л. СНФП, 86.

Разброса́ть кулаки́. *Жарг. мол.* Подраться с кем-л. Вахитов 2003, 154.

Доста́ть с кулако́в *что. Арх.* Получить что-л., достичь чего-л. с большим трудом. СРНГ 16, 51.

Бу́дешь ты кулако́м слёзы утира́ть. *Народн.* Угроза расправы с кем-л. ДП, 227.

Угости́ть святы́м кулако́м. *Волг. Ирон.* Ударить, побить кого-л. Глухов 1988, 162.

Утира́ться кулако́м. *Волг. Ирон.* Подвергаться избиению. Глухов 1988, 163.

КУЛАЧО́К * Спать на кулачке́. *Волг. Шутл.* Спать очень чутко, часто просыпаясь. Глухов 1988, 153.

Ещё не поднима́лись на кулачки́. *Дон. Устар.* Очень рано; раннее утро. СРНГ 28, 100; СДГ 3, 26.

Получи́ть кулачки́ *от кого. Пск.* Подвергнуться наказанию, избиению. СППП. 48.

Кулачо́к под бочо́к. *Волг. Шутл.* О спящем уставшем человеке. Глухов 1988, 78.

Кулачо́к с по́лки упал *на кого. Сиб. Шутл.-ирон.* То же, что **кулак с полки упал 1. (КУЛАК).** СФС, 96; ФСС, 100; СРНГ 29, 80.

Сжима́ться/ сжа́ться в кулачо́к. *Прост. Шутл.-ирон.* Сморщиваться, становиться маленьким и морщинистым (о лице). Ф 2, 155.

КУЛЁК[1] * Кулёк с огры́зками. *Жарг. мол. Пренебр.* О глупом, несообразительном человеке. Максимов, 213.

Би́ться из кулька́ в рого́жку. *Перм. Ирон.* То же, что **поправляться из кулька в рогожку.** Сл. Акчим. 1, 72.

Вы́вернуться из кулька́ в рого́жку. *Арх. Одобр.* Сделать что-л. ловко, умело, очень постараться. АОС 6, 130.

Перебива́ться с кулька́ в рого́жку. *Пск.* Бедствовать, жить в нищете. (Запись 2000 г.).

[Перева́ливаться (поправля́ться/ попра́виться, попада́ть/ попасть)] из кулька́ (из куля́) в рого́жку. *Прост. Ирон.* 1. Страдать, бедствовать (без изменения ситуации к лучшему). 2. Об ухудшении бедственного положения. ФСРЯ, 217; БТС, 479; ДП, 469, 648; СРГА 2-1, 174; БМС 1998, 320; Ф 2, 38; Янин 2003, 130; Мокиенко 1990, 128.

Не шурши́ кулько́м, Чиполли́но! *Жарг. мол.* 1. Призыв не зазнаваться. Вахитов 2003, 112. 2. Требование замолчать. Вахитов 2003, 112.

КУЛЁК[2] * Большо́й кулёк. *Жарг. шк. Шутл.* Академия культуры им. Крупской в Санкт-Петербурге. Синдаловский, 2002, 28.

Ма́лый кулёк. *Жарг. студ.* Областное училище культуры в Санкт-Петербурге. Синдаловский, 2002, 114.

КУЛЁМА * Кулёма невaро́вая. *Костром. Бран.* Неповоротливый, несообразительный человек. < **Кулёма** — небрежно, неряшливо одетый человек. ЖКС 2006, 177.

КУЛИ́ГА * Кули́га бесседёлочная. *Яросл. Презр.* О некультурном человеке из глухой деревни. ЯОС 5, 105.

Попо́вы кули́ги. *Яросл.* Земли, отведённые духовенству. ЯОС 8, 64.

Дать кули́гу. *Обл.* Пройти лишнее расстояние. Мокиенко 1990, 111.

Отсиде́ть (просиде́ть) кули́гу. *Яросл. Неодобр.* Провести много времени впустую. ЯОС 8, 100.

КУЛИ́К * Дать кулика́. *Курск.* Обмануться в чём-л. СРНГ 16, 66.

Далеко́ кулику́ до Петро́ва дня. *Народн. Ирон.* 1. Ещё многого не хватает кому-л. до полного успеха; ещё рано успокаиваться на достигнутом, отдыхать. 2. Ещё есть время радоваться, веселиться, жить без забот. Жук. 1991, 94; ШЗФ 2001, 59; БМС 1998, 321.

Дать (зада́ть) кулику́. *Костром., Новг., Яросл.* Не зная дороги, идя окольным путем, сделать крюк. СРНГ 7, 257; СРНГ 16, 66; ЖКС 2006, 178; ЯОС 3, 121; ЯОС 4, 68.

КУЛИКА́ТЬ * Кулика́ть по-сво́йски. *Жарг. угол.* Говорить на воровском жаргоне. ТСУЖ, 94; СВЖ, 7; Балдаев 1, 214; ББИ, 120.

КУЛИ́СЫ * За кули́сами. *Разг.* Втайне, негласно, вне официальной обстановки. ФСРЯ, 217.

КУЛИ́ЧКИ * Верте́ть кули́чки. *Яросл.* Показывать кукиш кому-л. ЯОС 2, 57.

Е́хать на кули́чки. *Яросл.* Ехать в гости к жениху на третий день после свадьбы. ЯОС 6, 77.

На кули́чках. *Сиб.* Очень далеко. ФСС, 100.

КУЛЬ * Вали́ть кулём. *Жарг. мол.* Уходить откуда-л. Максимов, 54.

Кулём закули́ть *что. Сиб. Пренебр.* Неаккуратно зашить что-л. СФС, 97; ФСС, 78; СРНГ 16, 73.

В куль да в во́ду. *Прост. Устар. Ирон.* Об уничтожении улик, следов чего-л. ДП, 497; БМС 1998, 321.

Куль да гага́ра — два сапога́ па́ра. *Ворон. Ирон. или Неодобр.* О супругах или друзьях, отличающихся отрицательными качествами. СРНГ 16, 73.

Куль ды́му. *Сиб. Шутл.* О пустоте в помещении. ФСС, 100.

Куль со́ли съесть *с кем. Разг.* Долгое время прожить вместе с кем-л. ФСРЯ, 467.

Ни в куль ни в во́ду. *Разг. Устар.* Ни на что не способный, не годный. Ф 1, 271.

Овся́ный куль; куль овсяно́й (вся́ный). *Перм. Пренебр.* 1. О неловком, не владеющем своим телом человеке. Подюков 1989, 101. 2. О толстом, плотном человеке. Сл. Акчим. 2, 92.

Пья́ный в куль. *Разг. Шутл.-ирон. или Пренебр.* Очень пьяный. Хом. 1, 177.

Из куля́ в рого́жку. *Прибайк.* О мнимых изменениях, повторении одного и того же; о чём-л. одинаковом. СНФП, 87.

Поправля́ться из куля́ в рого́жу. См. **Поправляться из кулька в рогожку (КУЛЁК).**

КУЛЬТУ́РА * Схвати́ть культу́ру. *Кар.* Обратиться к культурным ценностям. СРГК 3, 57.

Ха́вать культу́ру. *Жарг. угол., арест. Ирон.* Получать какие-л. знания; слушать интересные рассказы. Грачев 1992, 182. // *Читать.* Росси 2, 435.

КУЛЬТУРИ́СТ * Культури́ст в сушёном ви́де (сушёный). *Жарг. мол. Пренебр.* О худом, измождённом человеке. Максимов, 213.

КУЛЬТЯ́ * Трясти́ культя́ми. См. **Трясти культяпками (КУЛЬТЯПКИ).**

КУЛЬТЯ́ПКИ * Трясти́ культя́пками (культя́ми). *Жарг. мол. Шутл.* 1. Идти, шагать. 2. Танцевать. Максимов, 213.

КУЛЮ́ХА * Кулю́ха тебя́ (его́ и т. п.) возьми́! *Сиб. Бран.* Восклицание, выражающее гнев, негодование. ФСС, 100.

КУМ * Кум королю́ [госуда́рь дя́дя]. *Народн.* О самостоятельном, независимом, благополучном, довольном жизнью человеке. Ф 1, 272; СНФП, 87; СПП 2001, 48. **Кум королю́, госуда́рь дя́дя.** *Сиб.* То же. ФСС, 100. **Кум королю́, сват мини́стру.** *Волг. Шутл.* То же. Глухов 1988, 78.

Кум му́чает *кого.* 1. *Жарг. арест.* О частых вызовах на допросы, беседы в оперативную часть ИТУ. Балдаев 1, 214; ББИ, 121. < **Кум** — следователь, оперативный работник. 2. *Жарг. нарк., мол. Шутл.-ирон.* О состоянии абстинентного синдрома. Грачев 1994, 19; Грачев 1996, 39. < **Кум** — от **кумар** — абстинентный синдром, ломка. БСРЖ, 301.

Кум плетёт ла́пти. *Жарг. угол., арест.* О сборе оперативным работником ИТУ компрометирующих сведений на заключённого. Балдаев 1, 215; ББИ, 122; Мильяненков, 151.

Не кум королю́. *Новг. Пренебр.* О человеке, не имеющем влияния, авторитета. Сергеева 2004, 34.

Ни кум ни сват. *Прост.* Совершенно чужой кому-л. Ф 1, 272.

Е́хать в кумовья́. См. **Ехать в крёстные (КРЁСТНЫЙ).**

Снюхаться с ку́мом. *Жарг. угол. Неодобр.* Стать осведомителем органов милиции или КГБ. Балдаев 2, 49.

КУМА́ * Е́хала кума́ неве́домо куда. *Народн. Ирон.* О действиях бестолкового человека. ДП, 462.

Коро́вья кума́. *Яросл.* Женщина, помогающая при отёле коровы. ЯОС 5, 69.

Не говори́, кума́, сама́ вое́нных люблю́ (сама́ по пья́ни вы́шла за́муж). *Жарг. мол. Шутл.* Выражение, подтверждающее согласие с собеседником. Максимов, 89.

Приходи́, кума́, косоро́титься. *Волг.* Шутливое приглашение куда-л. Глухов 1988, 133.

Шали́шь, кума́, не с той ноги пляса́ть пошла́. *Народн.* Выражение недоверия обманщику, лгуну. ДП, 162.

КУМА́Ч * Почём кума́ч? *Ворон.* Вопрос, задаваемый покрасневшему человеку, с тем чтобы выяснить причину. СРНГ 16, 80.

Продава́ть кума́ч. *Новг.* Краснеть от стыда, волнения. НОС 9, 11.

Кумачо́м одёрнуло *кого. Новг.* Кто-л. покраснел от стыда, волнения и т. п. НОС 6, 136.

КУМА́ЧНЫЙ * Был кума́чный, да променя́ла на бума́жный. *Народн. Ирон.* О невыгодном обмене, неудачном выборе. ДП, 535. < Имеется в виду сарафан.

КУМИ́Р * Твори́ть себе́ куми́р (куми́ра). *Книжн.* Превращать кого-л. или что-л. в объект слепого преклонения, восхищения. Ф 2, 202.

КУМО́КА. См. **КУМО́ХА**

Кумо́ку трясти́. *Сиб. (Енис.). Неодобр.* Бездельничать, заниматься пустяками. СРНГ 16, 85; СФС, 97.

КУМО́ХА́ (КУМО́КА) * Кака́я тебе́ кумо́ха на́добно? *Олон. Груб.* Что тебе нужно? СРНГ 16, 86. < **Кумо́ха́** – злой дух, черт.

Кумо́ха в зу́бы! *Волог. Шутл.* Формула шутливо-грубоватого приветствия на пожелание приятного аппетита (**Спорина в щёки!**). СРНГ 16, 86. < Ср. В современной речи: – **Приятного аппетита! – Не твоё дело!**

Кумо́ха зна́ет *кого, что. Волог.* Абсолютно ничего неизвестно о ком-л., о чем-л. СВГ 4, 19.

Кумо́ха́ те (его́ и т. п.) **но́сит!** *Арх., Онеж. Неодобр.* О неизвестно где пропадающем, шляющемся без дела человеке. СРНГ 16, 85.

Кумо́ха́ тебя́ (его́ и т. п.) **возьми́!** *Арх., Сиб. Бран.* Восклицание, выражающее гнев, негодование, досаду. СРНГ 16, 85; ФСС, 100; СФС, 97.

Кумо́ху (кумо́ку) трясти́. *Сиб. (Енис.). Неодобр.* Бездельничать, заниматься пустяками. СРНГ 16, 85, 86; СФС, 97.

На каку́ю кумо́ху? *Волог.* Зачем, с какой целью? СВГ 4, 19.

< **Кумоха** — злой дух, черт.

КУ́МПОЛ * Дать по ку́мполу *кому. Разг.* Избить кого-л. СРВС 3, 212; Югановы, 118; Елистратов 1994, 219; ТСУЖ, 138.

Ёбаный по ку́мполу. *Неценз. Презр.* О психически ненормальном человеке. Мокиенко, Никитина 2003, 181.

КУ́МУШКА * Ку́мушка на се́рдце *у кого. Сиб.* О лихорадке, сопровождающейся болью в сердце. ФСС, 101.

Ку́мушка падённа. *Сиб.* Перемежающаяся лихорадка. ФСС, 101.

Куни́сов гоня́ть. *Забайк. Неодобр.* Бездельничать. < **Кунис** — свисток, рожок. СРГЗ, 175.

КУНДЫ-МУ́НДЫ * Скла́дывать кунды-му́нды. *Перм. Шутл.* Собираться, готовиться к отъезду. Подюков 1989, 192.

КУНФУ́ * Посте́льное кунфу́. *Жарг. мол. Шутл.* Половой акт, совокупление. Максимов, 213.

КУПА́ЛЬНИК * Аграфе́нины купа́льники. *Сиб.* День 23 июля по старому стилю, когда начинают купаться в открытых водоемах. ФСС, 101.

КУП * С ку́па (ку́пленки). *Сиб.* О том, что покупается. ФСС, 101; СФС, 170.

КУПЕ́ * Купе́ плацка́ртное. *Жарг. арест.* Распродажа ворами за определённую плату мест на нижнем ярусе нар вновь прибывшим заключённым. Балдаев 2, 215; ББИ, 122.

КУПЕ́ЛЬ * В одно́й купе́ли ку́паны. *Кар.* О родственниках, родившихся в одном и том же селении. СРГК 4, 150.

Купе́ль Силоа́мская. *Книжн. Высок. Архаич.* Нечто исцеляющее, восстанавливающее здоровье, силы. < Восходит к Евангельской легенде. БМС 1998, 321.

КУПЕ́Ц * Купца́ ре́зать. *Пск. Шутл.* Купаться. СПП 2001, 48; Мокиенко 1990, 153.

Отвали́ться от купца́. *Жарг. нарк.* Незаметно отойти с наркотиками от продавца, не заплатив ему. ТСУЖ, 123.

КУПИ́ЛКА * [Как] с купи́лки [так] и до моги́лки. *Перм., Прикам. Шутл.* Всю жизнь. МФС, 52; СГПО, 270.

КУПИ́ЛО * Купи́ло притупи́ло (притупи́лось) *у кого. Прост. Шутл.-ирон.* У кого-л. не хватает средств для покупки чего-л. Ф 1, 272.

КУПИНА́ * Неопали́мая купина́. *Книжн. Высок., архаичн.* Нечто нерушимое, непреходящее, вечное. Ф 1, 272; БТС, 481. < Выражение библейское; букв. «несгораемый куст». БМС 1998, 321.

КУПИ́ТЬ * За что купи́л, за то и продаю́. *Разг.* Повторяю то, что слышал (говорится в тех случаях, когда не ручаются за достоверность сообщаемого). Жук. 1991, 123; ДП, 656; Вахитов 2003, 56.

И ку́пит и прода́ст *кого. Народн. Неодобр.* О мошеннике, плуте. ДП, 163.

КУ́ПКА * С ку́пки. *Морд.* То же, что **с купа (КУП).** СРГМ 1982, 103.

КУ́ПЛЕНКА * С ку́пленки. См. **С купа (КУП).**

КУ́ПЛЯ * В ку́пле. *Кар.* В совокупности, вместе. СРГК 3, 60.

С ку́пли. *Печор., Прикам., Сиб.* То же, что **с купа (КУП).** СРГНП 1, 363; МФС, 52; ФСС, 101.

КУ́ПОЛ * Венча́льный ку́пол. *Алт.* Фата. СРГА 1, 129.

Ку́пол е́дет/ пое́хал *у кого. Жарг. мол. Шутл.-ирон.* Кто-л. сошёл с ума, ведёт себя подобно сумасшедшему. Югановы, 118. < Образовано по модели **крыша едет**.

КУПО́Н * Стри́чь (ре́зать) купо́ны. *Разг.* 1. Жить на ренту, на проценты с ценных бумаг. 2. *Неодобр.* Присваивать средства, выгоды, преимущества того, что добывалось усилиями других. ФСРЯ, 217; ЗС 1996, 93; БТС, 481, 1280; БМС 1998, 321-322.

КУПЫ́РЬ * Выгоня́ть купы́рь. *Дон.* То же, что **идти в купырь 1-2.** СДГ 2, 100.

Идти́ в купы́рь. *Дон.* 1. Быстро расти (о высоком стебле растения). 2. *Шутл.* Быстро расти, вырастать очень высоким (о человеке). СДГ 2, 100.

Лезть в купы́рь. *Дон.* Вести себя вызывающе, провоцировать драку, ссору. СДГ 2, 111.

< **Купырь** — Длинный трубчатый стебель растения.

КУР * Кой кур? *Обл.* Зачем, для чего? Мокиенко 1986, 179.

Чтóбы кур не спел. *Костром.* Тайно, секретно (сделать что-л.). СРНГ 16, 106.

Нигдé кýру нет клю́нуть. *Пск. Шутл.* Об отсутствии свободного места где-л. ПОС 14, 236.

КУ́РА[1] * Говоря́т, что кур доя́т. *Народн. Шутл.-ирон.* Выражение недоверия к собеседнику, употребившему выражение «говорят, что…». Жук. 1991, 86; Ф 2, 24.

До кур. *Народн.* До рассвета, до утра. СРНГ 16, 106.

Считáть кур. *Пск. Неодобр.* Сплетничать. Шт., 1978.

Кудá кýра, тудá и нáша Шýра. *Сиб. Шутл.-ирон.* О слепом и смешном подражании кому-л. ФСС, 101.

Палёна кýра! *Перм. Бран.-шутл.* Выражение досады, недовольства. < **Кура** *зд.* — фонетико-этимологический эвфемизм слова *курва*, с последующим развёртыванием ложного образа. Подюков 1989, 102; Мокиенко, Никитина 2003, 182.

Хоть кýра перебегёт. *Кар. Шутл.-ирон.* О неглубоком водоёме. СРГК 4, 562.

Кýрам нá смех. *Разг. Неодобр.* Крайне бессмысленно, глупо, нелепо. ФСРЯ, 217;БТС, 481; ЗС 1996, 127, 373, 520; ДП, 682; СПП 2001, 48; БМС 1998, 24; Жиг. 1969, 206; БалСок, 41.

Кýрам нéгде клю́нуть. *Новг.* О большом количестве чего-л. на определённом пространстве. Сергеева 2004, 162.

Клюёт с кýрами. *Волг. Пренебр.* О неряшливом, нечистоплотном человеке. Глухов 1988, 75.

Кýре клевáть нéгде. *Пск. Шутл.* О пространстве, полностью покрытом, занятом чем-л. СПП 2001, 48.

Спать и курéй ви́деть. *Волг. Шутл.-ирон.* Мечтать о несбыточном. Глухов 1988, 152.

Пусти́ть кýру. *Жарг. мол. Шутл.* Дезинформировать кого-л., пустить ложный слух. Никитина 2003, 333.

Где кýры не пою́т. *Народн. Устар. Ирон.* О крайней нищете, бедности. БМС 1998, 324.

Кýры загребýт *кого. Дон., Сиб. Шутл.-ирон.* О застенчивом, робком человеке. СДГ 2, 101; ФСС, 101. **Кýры загребýт навóзом** *кого. Волг. Ирон.* То же. Глухов 1988, 79.

Кýры не глядя́т. *Кар.* То же, что **кýры не клюю́т.** СРГК 3, 61.

Кýры не клюю́т *чего у кого. Разг. Шутл.* О большом количестве чего-л. (обычно — денег) у кого-л. ДП, 80, 101, 513; БМС 1998, 324; БТС, 481; ФСРЯ, 218. **Кýры не клюю́т и мы́ши не едýт.** *Пск.* То же. Сб.Ром. 2, 233.

Кýры не кудáхчут *о ком. Волг. Шутл.-ирон.* 1. О человеке, которого забыли, не вспоминают. 2. О человеке, который никого не интересует, безразличен окружающим. Глухов 1988, 43; Глухов 1988, 79.

Кýры пéши брóдят. *Народн. Ирон.* Об очень мелком водоеме. ДП, 549.

КУ́РА[2] * Стрóить кýру. *Жарг. угол.* Притворяться простаком, не понимающим чего-л. человеком. Балдаев 2, 64. < Образовано народно-этимологическим переосмыслением устар. оборота **строить куры** — ухаживать за кем-л. (из франц.: *faire la cour*).

КУРА́Ж * Вéтошный курáж. *Жарг. угол.* Поведение преступника, изображающего постороннее лицо при совершении кражи. ТСУЖ, 30. // Умение держать себя как честный человек. СРВС , 125; СРВС 2, 47.

Возводи́ть курáж. *Сиб. Неодобр.* Капризничать. ФСС, 29.

Навести́ курáж. *Том.* Раскапризничаться. СРНГ 19, 173; ФСС, 116.

Быть в куражé. 1. *Прост. Устар. Ирон.* Быть навеселе, в состоянии лёгкого алкогольного опьянения. БМС 1998, 323. 2. *Разг.* Быть в хорошем настроении, испытывать воодушевление. СРГК 3, 61.

Води́ть куражи́. *Новг.* Пьянствовать. Сергеева 2004, 143.

Стрóить куражи́. *Яросл.* То же, что **возводить кураж.** ЯОС 5, 108.

Быть под куражóм. *Прост. Устар. Ирон.* То же, что **быть в кураже 1.** БМС 1998, 323; ДП, 792; СРГК 3, 61.

КУРА́НТЫ * На курáнтах. *Обл.* На четвереньках. Мокиенко 1986, 92.

Посади́ть на курáнты *кого. Жарг. угол.* Убить кого-л. Балдаев 1, 342.

КУРБА́Ш * Дать курбашá *кому. Пск.* Ударить, стукнуть кого-л. СПП 2001, 48.

Надавáть (наложи́ть) курбашéй *кому. Пск. Шутл.* Побить, поколотить кого-л. СПП 2001, 48.

Получи́ть курбашá (курбашéй). *Пск.* Подвергнуться побоям, быть избитым. СПП 2001, 48.

КУРБЕ́Т * Выки́дывать курбéты. *Разг. Устар.* Совершать неожиданные, несуразные поступки. Ф 1, 93.

Выпи́сывать курбéты. *Разг. Устар.* Танцуя, делать ногами замысловатые движения. Ф 1, 96.

КУ́РВА * Подзабóрная кýрва. *Вульг.-прост. Бран.* Проститутка низкого пошиба, потаскуха. Мокиенко, Никитина 2003, 182.

Рябáя курва. *Жарг. мол. Презр.* О неуважаемой девушке лёгкого поведения. Максимов, 214.

Петь кýрву. *Калуж.* Исполнять частушки под гармонь. СРНГ 26, 337.

КУРДЮ́ПКА * Свернýть курдю́пку *кому. Жарг. угол.* Уничтожить, убить кого-л.; жестоко расправиться с кем-л. Бен, 65. < **Курдюпка** — шея.

КУРЗЕ́НЬ * Стáрая курзéнь. *Кар. Бран.* О старой женщине. СРГК 3, 64.

КУ́РЕВО * Центровóе кýрево. *Жарг. нарк.* Гашиш. Балдаев 2, 135.

КУРИ́ЛКА * Жив кури́лка. *Разг. Шутл.* Кто-л. существует, действует, проявляет себя несмотря на трудные условия. ФСРЯ, 217; БТС, 481; ШЗФ 2001, 75; ЗС 1996, 315; ДП, 54; БМС 1998, 323.

КУРИ́ТЬ * Не кýрит не дыми́т. *Волг. Неодобр.* 1. О неумелом, бездеятельном человеке. 2. О деле, которое не продвигается. Глухов 1988, 99, 109.

КУ́РИЦА * Варёная кýрица. *Прост. Пренебр.* О вялом, апатичном человеке. ЗС 1996, 125.

Загреби́ тебя́ кýрица лáпой! *Перм. Бран.-шутл.* То же, что **залягай тебя курица!** Подюков 1989, 78; Мокиенко, Никитина 2003, 183.

Залягáй тебя́ кýрица (кýры)! *Перм. Бран.-шутл.* Выражение лёгкого недовольства, раздражения; пожелание избавиться от кого-л. Мокиенко, Никитина 2003, 183.

Когдá кýрица запоёт по-петуши́ному. *Обл. Шутл.* Никогда. Мокиенко 1986, 211.

Кýрица безýхая. *Сиб. Презр.* О глухом человеке. ФСС, 101.

Кýрица вторы́м яйцóм. *Яросл.* О курице, которая несётся второй год. ЯОС 5. 109.

Кýрица мажóрная. *Жарг. мол. Пренебр.* О девушке, не входящей в молодёжную группировку. Митрофанов, Никитина, 101.

Кýрица нóгу запýтает. *Пск. Шутл.-ирон. или Неодобр.* О некачественной работе ткачихи. ПОС 12, 77.

Кýрица с цыпля́тами. 1. *Сиб.* Созвездие Большая Медведица. ФСС, 101; СФС, 97. 2. *Сиб.* Созвездие Рака. ФСС, 101. 3. *Жарг. угол.* Пистолет с патронами. ТСУЖ, 94. < По аналогии с выражением **маслёнок с маслятами**. Грачев, 1997, 43.

Лесна́я ку́рица. См. **Полевая курица.**

Мо́края ку́рица. *Прост. Презр.* 1. О жалком, беспомощном человеке. БМС 1998, 324; БТС, 482, 551; ДП, 948; Максимов, 214. 2. О безвольном, бесхарактерном человеке. БМС 1998, 324; ДП, 479, 948. 4. *Дон.* Вид карточной игры. СДГ 2, 140. 3. *Дон.* Проигравший в карточную игру «мокрая курица». СДГ 2, 140.

Полева́я (лесна́я) ку́рица. *Сиб.* Тетерев. СРНГ 16, 376; СРНГ 29, 53.

Попо́ва ку́рица. *Олон.* Ворона. СРНГ 29, 324.

Слепа́я ку́рица. *Прост. Пренебр.* О человеке с частичной потерей зрения. Ф 1, 272; ДП, 316; ЗС 1996, 320; БТС, 482.

С ку́рицами клева́лся. *Иркут. Шутл.* О ребёнке с грязным носом. СРНГ 13, 270; СФС, 170; ФСС, 93.

Генера́льской (ба́рской) ку́рице (ку́рицы) племя́нник. *Народн. Пренебр.* О человеке незнатного происхождения. ДП, 389; Жиг. 1969, 170.

Ку́рице (ку́рочке) клю́нуть (плю́нуть, наступи́ть) не́где. *Волг., Перм., Сиб.* О большом количестве чего-л. где-л. Глухов 1988, 96; Подюков 1989, 102; СОСВ, 87; Верш. 4, 342; ФСС, 93; 120; СФС, 100.

Ку́рице не тётка и свинье́ не сестра́. *Народн. Ирон.* О зазнавшемся человеке. ДП, 731; Жук. 1991, 156.

Ку́рице по коле́но. *Волг. Шутл.* О мелком месте в водоёме. Глухов 1988, 79.

Ку́рице по хо́лку. *Новг. Шутл.* 1. То же, что **курице по колено.** 2. О человеке маленького роста. НОС 12, 20; Сергеева 2004, 138.

Ре́зать ку́рицу, несу́щую золоты́е я́йца. *Разг.* Уничтожать хороший источник доходов, благосостояния. (Запись 1999 г.). Ср. **Нести валютные яйца.**

Ку́рицы бро́дят. *Народн. Ирон.* О неглубоком водоёме. ДП, 549.

КУ́РКА * Ку́рке клю́нуть не́где. *Сиб. Пренебр.* О дырявой одежде, материи. ФСС, 94.

КУРКУ́ЛЬ * Кра́сные куркули́. *Разг. Пренебр.* Дачи партноменклатуры в пос. Репино, Комарово, Солнечное под Ленинградом. Синдаловский, 2002, 96.

КУРНО́САЯ * Курно́сая со двора турну́ла (потури́ла) *кого. Народн. Шутл.-ирон.* О чьей-л. смерти. ДП, 288.

КУРО́К * Спры́гнуть с курка́. *Прост. Устар.* Лишиться рассудка. Ф 2, 178.

КУРОЛЕ́СА * Поёт куроле́су, а несёт аллилу́й. *Народн.* О действиях бестолкового человека. ДП, 450.

КУРОПА́ТКА * Куропа́тку посади́ть. *Дон.* Поступить подло, нечестно. СРНГ 16, 140.

КУРО́РТ * Куро́рт «Сиби́рские моро́зы». *Жарг. шк. Шутл.-ирон.* Библиотека (в которой, как правило, холодно, очень мало читателей, библиотекарь отдыхает). (Запись 2003 г.).

Отпра́вить на куро́рт *кого. Жарг. угол.* Убить кого-л. Максимов, 214.

КУРОХТА́Н * Курохта́н Курохта́ныч. *Яросл. Устар.* Шуточное обращение к мужчинам в Святки. ЯОС 5, 110.

КУ́РОЧКА * Ку́рочка бычка́ родила́, поросёнок я́ичко снес. *Народн. Неодобр. или Шутл.-ирон.* О действиях или словах бестолкового человека. ДП, 461.

Ку́рочке клю́нуть не́где. См. **Курице клюнуть негде (КУРИЦА).**

КУ́РПЫ * Ку́рпы шьют *кого. Пск.* Кто-л. нервничает, предчувствуя плохое. СПП 2001, 48.

КУРС * Брать/ взять курс *на что. Книжн.* Начинать двигаться в каком-л. направлении. БТС, 95; ШЗФ 2001, 23.

Быть в курса́х. *Жарг. мол.* То же, что **быть в курсе.** Никитина, 1998, 218; Вахитов 2003, 110.

Быть в ку́рсе [де́ла]. *Разг.* Быть осведомлённым о чём-л. ФСРЯ, 218; БТС, 482; ШЗФ 2001, 26; БМС 1998, 325; АОС 10, 454.

Входи́ть/ войти́ в курс *чего. Разг.* Знакомиться в деталях, в подробностях с чем-л. Ф 1, 88.

Держа́ть в ку́рсе *кого.* Разг. Сообщать кому-л. о ходе какого-л. дела, событий. БТС, 482.

Ку́рсы дурако́в. *Разг. Ирон.* Управление профтехобразования в Ленинграде (1970-е гг.). Синдаловский, 2002, 101.

Ку́рсы кро́йки и шитья́. *Жарг. мед. Шутл.* 1. Курсы повышения квалификации хирургов. 2. *Жарг. студ.* Спецкурс по хирургии в медицинском институте. Никитина 1998, 218.

Ку́рсы повыше́ния квалифика́ции. *Жарг. мил. Шутл.-ирон.* Колония, следственный изолятор. БСРЖ, 303.

КУРСА́К * Курса́к пропа́л *у кого. Жарг. угол. Шутл. Кто-л. сильно проголодался, у кого-л. свело живот.* Балдаев 1, 216; ББИ, 122; Росси 1, 178. < **Курсак** — желудок, живот. БСРЖ, 303.

КУ́РТКА * Ко́жаные ку́ртки. *Публ. Патет.* Сотрудники ВЧК. Мокиенко, Никитина 1998, 303.

КУРТЫ́ШКИ * На курты́шки. *Сиб.* На плечи, за спину (взять, посадить). ФСС, 101.

На курты́шках. *Яросл.* На плечах, за спиной. ЯОС 6, 77.

КУ́РЫ * Стро́ить ку́ры *кому. Прост. Устар. Шутл.* Ухаживать за кем-л., волочиться, флиртовать с кем-л. БТС, 482, 1280; ЗС 1996, 267; Ф 1, 144. < Полукалька с франц.: *faire la cour*). БМС 1998, 325.

КУРЬЕ́Р * Три́дцать пять (три́дцать, со́рок) ты́сяч одни́х курье́ров. *Разг. Ирон. или Шутл.* О непомерном преувеличении, хвастовстве, бахвальстве. < Выражение из комедии Н. В. Гоголя «Ревизор». БМС 1998, 326.

КУРЯ́ТНИК * Закрыва́ть/ закры́ть куря́тник. *Прост. Груб.* Замолчать. СПП 2001, 48; ЯОС 4, 77.

Открыва́ть /откры́ть (разева́ть/ рази́нуть) куря́тник. 1. *Прост. Груб.* Начинать говорить, кричать, ругаться. ПОС 2, 167.; СРНГ 16, 154; ЯОС 8, 116. 2. *Яросл.* Проявлять излишнее любопытство. ЯОС 8, 116.

КУС * Перебива́ться с ку́са на кус. *Прибайк.* То же, что **перебиваться с куска на кусок (КУСОК).** СНФП, 87.

С ку́су. *Пск.* Получая оплату продуктами (работать). СПП 2001, 48.

КУСО́К * Броса́ет от куска́ *кого. Дон.* Кого-л. тошнит при виде еды. СДГ 1, 41.

Перебива́ться (колоти́ться) с куска́ на кусо́к. *Прост., Нижегор.* Жить очень бедно, терпеть нужду, лишения. Ф 1, 273; Ф 2, 37; ФСРЯ, 313; СРНГ 16, 158.

Ходи́ть по куска́х. *Пск.* Собирать милостыню, побираться, нищенствовать. СРНГ, 16, 158.

В куске́ жить. *Новг.* Жить в достатке, обеспеченно. СРНГ 16, 158.

Доеда́ть сва́дебные куски́. *Кар.* Жить в доме родителей первые дни после свадьбы. СРГК 3, 73.

Идти́ (ходи́ть) в куски́. *Пск., Сарат., Смол.* Собирать милостыню. СРНГ 16, 158.

Куски́ счита́ть. *Иркут.* Следить, как бы кто не съел больше другого. СРНГ 16, 158.

Лови́ть куски́. *Жарг. угол.* Снимать, срывать шапки с прохожих. Максимов, 215.

Пойти́ в куски́. *Перм.* Начать нищенствовать. Подюков 1989, 192.

Разъеда́ть куски́. *Одесск.* Часть свадебного обряда — доедание свадебного угощения в доме невесты. КСРГО.

Рвать на куски́ *что. Прост.* Стремиться захватить что-л., завладеть чем-л. Глухов 1988, 141.

Собира́ть куски́. *Прост.* Жить подаянием, нищенствовать, просить милостыню. ФСРЯ, 443; БТС, 483; Глухов 1988, 144; Подюков 1989, 192; СРГМ 1986, 95.

Таска́ть куски́. 1. *Прост., Краснояр.* Питаться нерегулярно, без горячего, всухомятку. 2. *Сиб.* Питаться в одиночку, не дожидаясь остальных и определённого времени. СРНГ 16, 158; СФС, 185.

Корми́ть ро́зовым куско́м *кого. Пск. Ирон.* Излишне нежить, баловать кого-л. СПП 2001, 48.

Куско́м обнесёт. *Сиб. Неодобр.* О скупом, недобром человеке. ФСС, 124.

Одни́м куско́м не нае́лась, вторы́м пода́вится. *Пск. Ирон.* О втором замужестве. (Запись 1999 г.).

Чтоб мне пе́рвым куско́м подави́ться! *Народн.* Клятвенное заверение в чем-л. ДП, 654.

Воровско́й кусо́к. *Жарг. угол.* Продукты, вещи и т. п., приобретенные на средства из общего воровского фонда. ТСУЖ, 34; Балдаев 1, 70.

Выхва́тывать/ вы́хватить кусо́к [хле́ба] изо рта́ *у кого. Разг. Неодобр.* Отнимая у других, приобретать, получать что-л. БТС, 187; Ф 1, 101.

Дал кусо́к хле́ба до́брый челове́к. *Жарг. угол. Ирон.* О ситуации, когда кто-л. нечаянно выдал на допросе соучастника. ТСУЖ, 45; Белоус, 16.

Дать на небольшо́й кусо́к. *Кар.* Обеспечить прожиточный минимум кому-л. СРГК 3, 73.

Жи́рный кусо́к. *Разг.* Что-л. выгодное, доходное. БТС, 483; СБГ 5, 72.

Корёный кусо́к. *Волг., Сиб.* Питание, за которое упрекают тех, кто его получает. Глухов 1988, 76; СРНГ 16, 158; ФСС, 101.

Кусо́к в го́рло (в гло́тку) не идёт (не ле́зет) *кому. Разг.* Кто-л. не может есть от усталости, волнения и т. п. Ф 1, 273; ФСРЯ, 318; БТС, 483, 892.

Кусо́к вредня́тины. *Жарг. мол. Неодобр.* О зловредном, подлом человеке. Максимов, 215.

Кусо́к де́рева. *Жарг. мол. Устар.* Тысяча рублей. Максимов, 215.

Кусо́к дерьма́. *Прост. Презр.* Крайне непорядочный человек. Максимов, 215.

Кусо́к зара́зы. *Волг. Презр.* То же, что **кусок дерьма.** Глухов 1988, 51.

Кусо́к жи́зни. *Жарг. шк. Шутл.* Школьная столовая. (Запись 2003 г.).

Кусо́к ка́йфа. 1. *Жарг. нарк.* Доза наркотика. DL, 75. 2. *Жарг. мол.* Удовольствие. Мазурова, Сленг, 130. 3. *Жарг. мол. Одобр.* О чём-л. отличном, превосходном, заслуживающем высокой оценки. Никитина 1996, 77.

Кусо́к мо́крого де́рева. *Жарг. мол. Пренебр.* О человеке в состоянии сильного алкогольного опьянения. Максимов, 215.

Кусо́к не ка́тится. *Сиб.* Кто-л. не может есть из-за чьих-то попрёков. ФСС, 101.

Кусо́к обо́ев. *Жарг. мол. Презр.* О глупом, несообразительном человеке. Максимов, 215.

Кусо́к прико́ла. *Жарг. мол.* Смешной случай, анекдот, что-л. забавное. Елистратов 1994, 220.

Кусо́к уро́да. *Жарг. мол. Бран.* О крайне глупом человеке. Максимов, 215.

Кусо́к хле́ба. *Разг.* Средства к существованию, пропитанию. ЗС 1996, 94, 184; Верш. 7, 195.

Кусо́к шала́вы. *Жарг. мол. Презр.* 1. О неопрятной девушке. 2. О нимфоманке. Максимов, 215.

Ла́комый кусо́к (кусо́чек). *Разг.* 1. О вкусной и красиво приготовленной еде. 2. *Шутл. или Ирон.* О чём-л. привлекательном, соблазнительном. 3. *Шутл. или Ирон.* О соблазнительной, привлекательной женщине. ФСРЯ, 318-319; БТС, 483; ЗС 272; БМС 1998, 326.

Мака́ть кусо́к в пе́пел. *Сиб. Ирон.* Жить в крайней нужде, бедности. СОСВ, 100.

Ото́рванный кусо́к. *Прибайк.* О родственнике (чаще — ребёнке), ставшем чужим, далёким. СНФП, 87.

Подво́рный кусо́к. *Прикам.* Работа по найму. МФС, 52.

Проноси́ть кусо́к ми́мо рта. *Прост. Неодобр.* Обижать, ущемлять, обходить вниманием кого-л. Глухов 1988, 135.

Са́харный кусо́к. *Сиб. Одобр.* Хорошее, обильное питание. СРНГ 16, 158; ФСС, 101; СФС, 161.

Урва́ть кусо́к. *Прост.* Захватить, присвоить часть какого-л. богатства, дохода. Ф 2, 221.

КУСО́ЧЕК * Жить на *чей* **кусо́чек.** *Кар.* Жить за чей-л. счет. СРГК 2, 29.

Изве́стный кусо́чек. *Жарг. шк. Шутл.* Мел. ВМН 2003, 74.

Кусо́чек с коро́вий посо́чек. *Народн. Шутл.* О большом куске чего-л. ДП, 549.

Кусо́чек сча́стья. *Жарг. арм. Шутл.* 1. Порция масла. 2. Завтрак. Максимов, 215.

Ла́комый кусо́чек. См. **Лакомый кусок (КУСОК).**

Проси́ть кусо́чка. *Кар.* Собирать милостыню. СРГК 5, 295.

Ходи́ть по кусо́чкам. *Перм.* То же, что **ходить по кускам (КУСОК).** Подюков 1989, 192.

Идти́ (пойти́) в кусо́чки. *Пск., Сиб.* То же, что **ходить по кускам (КУСОК).** СРНГ, 16, 159; ФСС, 142; СФС, 40.

Не вяза́ться в кусо́чки. *Прибайк.* Не понимать происходящего, быть не способным адекватно реагировать на что-л., ориентироваться в ситуации. СНФП, 87.

Собира́ть кусо́чки. *Сиб.* То же, что **собирать куски (КУСОК).** СФС, 97.

КУСТ * Выкупа́ть куст. *Сиб. Устар.* В свадебном обряде — выкупать у подруг невесты украшенное деревце, куст. ФСС, 36.

Посади́ть на боя́рышный куст *кого. Прибайк.* Жестоко расправиться с кем-л. СНФП, 87.

Сего́дня на оди́н куст ся́дет, за́втра на друго́й. *Пск. Неодобр.* О непостоянном, ненадёжном человеке. (Запись 2000 г.).

Венча́ть вокру́г раки́това куста́ (ку́стика) *кого. Прост. Устар. ирон.* 1. Уговаривать или принуждать кого-л. к незаконной, внебрачной связи. 2. Вступать с кем-л. во внебрачное совокупление. Мокиенко, Никитина 2003, 184. **Венча́ть под раки́товым кусто́м (ку́стиком)** *кого. Прост. Устар.* То же. Мокиенко, Никитина 2003, 184.

Венча́ться вокру́г раки́това куста́ (ку́стика). *Прост. Устар. Ирон.* 1. Находиться с кем-л. в незаконной, внебрачной связи. 2. Вступать во внебрачное совокупление, жить половой жизнью до официального брака. < Иронический намёк на языческий обряд венчания. Мокиенко, Никитина 2003, 184.

Венча́ться под раки́товым кусто́м (ку́стиком). *Прост. Устар. Ирон.* То же. Мокиенко, Никитина 2003, 184.

Из-за куста́ бе́лого коня́ не ви́дно. *Кар.* О тёмных ночах после 2 августа. СРГК 3, 74.

Не знать ни куста́, ни листа́. *Печор.* Быть незнакомым с какой-л. местностью. СРГНП 1, 367.

Ни куста́ ни листа́. *Печор.* О полном отсутствии растительности где-л. СРГНП 1, 367.

Окрути́ться вокру́г куста́ про́руби. *Пск. Ирон.* Выйти замуж без венчания. СПП 2001, 48.

Сижу́ в куста́х и жду геро́я. *Жарг. арм. Шутл.* Об общевойсковой эмблеме, на которой изображена звезда в обрамлении венка из листьев. Максимов, 384.

В кусте́. *Сиб.* Все вместе (жить, вырасти). ФСС, 101.

Пое́хать с ре́дких кусто́в в густы́е кусты́. *Сиб. Ирон.* Начать искать лёгкую жизнь, лучшие условия, не оценив по достоинству прежнюю. ФСС, 141; СРНГ 28, 287.

Под кусто́м. *Жарг. простит.* Один из видов услуг проституток (на природе). Митрофанов, Никитина, 102.

В кусты́. *Разг. Ирон.* Подальше от ответственности, непосредственного участия в деле (уходить, прятаться). ФСРЯ, 219.

Смотреть в кусты́. *Разг. Ирон.* Стремиться уклониться от ответственности, от участия в чём-л. ФСРЯ, 439.

Пря́таться/ спря́таться (уходи́ть/ уйти́) в кусты́. *Разг.* Пытаться избежать ответственности. ЗС 234, 507; БТС, 483, 1379; Ф 2, 104, 218.

КУСЬ * Ни кусь ни глыдь *у кого. Пск. Ирон.* Об отсутствии пищи у кого-л. СПП 2001, 48.

КУТ * Весёлый кут. *Одесск.* Гулянье, вечеринка. КСРГО.

Загоня́ть в кут *кого. Волг.* Ставить кого-л. в безвыходное, неловкое положение. Глухов 1988, 46.

Иска́ть пя́тый кут. *Ср. Урал. Шутл.-ирон.* Прятаться где-л. СРГСУ 2, 78.

Поди́ в кут, где му́хи ткут! *Народн. Бран.* Решительный отказ кому-л. в чём-л. ДП, 237.

КУТИ́ТЬ * Кути́ть да мути́ть. *Разг. Устар.* Вносить раздор, ссорить кого-л. Ф 1, 273.

КУТКО́М * Тяну́ть/ протяну́ть кутко́м *кого. Жарг. угол.* Совершать групповое изнасилование над кем-л. Мокиенко, Никитина 2003, 184.

КУ́ТНИЙ * Засмея́ться на ку́тний. *Кубан.* Заплакать. Борисова 2005, 139. < **Ку́тний** — коренной зуб.

КУТО́К * Су́чий куто́к. *Жарг. арест.* Одиночная камера, куда помещают заключённых-осведомителей, чтобы уберечь от расправы сокамерников. Балдаев 2, 68; Быков, 114; СРВС 2, 214; СРВС 4, 12, 38; УМК, 112; Росси 1, 178; ТСУЖ, 172.

КУТО́М * Куто́м кути́ть. *Волог., Кар. Одобр.* Быстро, ловко, умело делать что-л. СВГ 4, 25; СРГК 3, 75.

КУТЫ́РЬ * Брать/ взять за куты́рь *кого. Волг.* Привлекать кого-л. к ответственности. Глухов 1988, 11, 80.

КУ́ТЬКА * Ку́тькой зва́ли *кого. Волг. Шутл.* О человеке, который исчез, скрылся, пропал. Глухов 1988, 52, 79.

КУТЬЯ́ Кутьёй па́хнет. *Пск.* Об очень старом, больном, близком к смерти человеке. СПП 2001, 48.

КУХА́РКА * Кра́сная куха́рка. *Разг. Шутл.-ирон.* Дом культуры им. Н. К. Крупской на пр. Обуховской Обороны, 125, в Ленинграде — Санкт-Петербурге. Синдаловский, 2002, 95.

КУ́ХНЯ * Сиде́ть на ку́хне. *Жарг. муз.* Играть на ударных инструментах в рок-группе. < **Кухня** — ударная установка. БСРЖ, 304.

КУЦУБА́ * Бей тебя́ куцуба! *Одесск. Бран.* Восклицание, выражающее гнев, негодование. КСРГО. < **Куцуба** — кочерга.

КУ́ЦЫЙ * Лови́ть ку́цего за хвост. *Волг. Ирон.* Начинать заведомо неудачное дело. Глухов 1988, 82.

КУ́ЧА * Горе́лая ку́ча. *Арх., Детск.* То же, что **куча мала.** АОС 9, 341.

Ку́ча звёзд. *Сиб.* Созвездие Плеяд. ФСС, 102.

Ку́ча мала́! *Детск.* Возглас в игре, являющийся сигналом к общей свалке. Ф 1, 273; ФСРЯ, 219; БТС, 483, 517.

Ку́ча с гру́дой. *Арх.* О большом количестве чего-л. АОС 10, 88.

Наво́зная ку́ча. *Морд. Пренебр.* О медлительном, нерасторопном человеке. СРГМ 1982, 110.

Сме́ха ку́ча. *Сиб.* Очень смешно. ФСС, 102.

Ви́жу по ку́че, не все ону́чи. *Кар.* Об отсутствии, нехватке, пропаже чего-л. СРГК 4, 301.

В ку́че. 1. *Прост.* Совместно, вместе, одной семьей (жить и т. п.). НОС 4, 190; ФСС, 20; Кобелева, 65; ЖРКП, 78. 2. **[ходи́ть].** *Кар., Прикам., Сиб.* О беременной женщине. СРГК 3, 79; МФС, 52; СФС, 40; ФСС, 102. 3. **[сиде́ть].** *Кар.* Не проявлять признаков роста (о картофеле). СРГК 3, 79.

Собра́ться ку́че. *Кар.* Познакомиться и понравиться друг другу. СРГК 3, 79.

Ма́лой ку́чей. *Сиб.* Понемногу. ФСС, 102.

В две ку́чи не покладёшь *что, чего. Волг. Шутл.* О большом количестве чего-л. Глухов 1988, 9, 102.

До ку́чи. *Прост.* Всё вместе, всё полностью. Ф 1, 273. // *Сиб.* Воедино. ФСС, 102.

Вали́ть (сва́ливать, меша́ть) в одну́ ку́чу *что. Разг.* Путать, смешивать без разбора что-л., кого-л., несмотря на различия, разнородность. ФСРЯ, 54.

В ку́чу. 1. *Кар., Помор.* В одно место. СРГК 3, 79; ЖРКП, 78. 2. *Помор.* Одновременно. ЖРКП, 78.

Мета́ть мя́гкую ку́чу. *Жарг. мол. Шутл.* Испражняться. Максимов, 246.

Наваля́ть ку́чу. *Вульг.-прост.* Испражниться. Мокиенко, Никитина 2003, 184.

На ку́чу. *Пск.* 1. Все вместе, сообща. СПП 2001, 48. 2. **(дави́ть).** Разливать небольшое количество спиртного так, чтобы всем хватило, досталось поровну. СПП 2001, 48.

Наболта́ть ку́чуареста́нтов. См. **Наговорить бочку арестантов (БОЧКА).**

Своди́ть/ свести́ в ку́чу *кого. Пск.* Мучить, сгибать кого-л. (о болезни). СПП 2001, 48.

Тяну́ть/ стяну́ть в ку́чу *кого. Кар.* То же, что сводить в кучу. СРГК 3, 79.

Тя́пнуть ку́чу го́рюшка. *Новг.* Испытать много трудностей, лишений, горя. НОС 11, 82.

КУЧЕРЯ́ВА * Кучеря́ва улыба́ется/ улыбну́лась *кому. Жарг. угол., мол.* Кому-л. везёт, удаётся что-л. Быков, 114.

КУЧЕЧКА * С ку́чечкой. *Прибайк.* О беременной женщине. СНФП, 87.

КУ́ЧКА * Неме́цкая ку́чка. *Кар.* Созвездие Плеяд. СРГК 3, 411.

Гро́хнуться ку́чкой. *Морд.* Издохнуть (о животном). СРГМ 1978, 128.

Комко́м да в ку́чку, на крестья́нску ру́чку. *Народн. Неодобр.* Без особой тщательности, грубо (сделать что-л.). ДП, 427.

КУ́ШАТЬ * Ку́шать не про́сит. *Разг. Шутл.* О том, что не требует забот, не мешает, ни в чём не нуждается. Мокиенко 2003, 50.

Ку́шать по́дано, сади́тесь жрать, пожа́луйста. *Разг. Шутл.* Приглашение к столу. < Реплика героя кинокомедии «Джентльмены удачи» («Мосфильм», 1971 г.). Дядечко 2, 181.

Ку́шать про́сит. *Прост. Шутл.* О разорвавшейся, прохудившейся обуви. Максимов, 216.

КУШИ́РКИ * На куши́рках. *Яросл.* За плечами, на спине. ЯОС 6, 77.

КУ́ЩИ * Отправля́ть/ отпра́вить в ра́йские ку́щи *кого. Книжн. Ирон.*

Убивать, умерщвлять кого-л. Ф 2, 29.

Ра́йские ку́щи. *Книжн. Одобр. или Шутл.-ирон.* Об уютном, привлекательном уголке (доме, саде и т. п.). БМС 1998, 326; БТС, 484.

КЫ́РПА (КИ́РПА) * Задира́ть/ задра́ть кы́рпу (ки́рпу). *Кубан. Неодобр.* Зазнаваться, гордиться. Борисова 2005, 139. **< Кы́рпа** — нос.

КЫ́РШИНА * Дать в кы́ршину *кому. Пск.* Ударить, побить кого-л. СПП 2001, 48.

Получи́ть в кы́ршину. *Пск.* Получить оплеуху, удар, быть битым. СПП 2001, 48. < **Кыршина** — шея; спина; затылок.

КЫ́СКА * Оста́лась кыска в своём кало́ше. *Сиб. Шутл.-ирон.* О человеке, оставшемся ни с чем. СОСВ, 130; Верш. 4, 268.

ЛА́БЗЫРЬ * Ла́бзыря подпускать. *Яросл.* Льстить, угодничать. ЯОС 5, 116; СРНГ 16, 216.

ЛАБИРИ́НТ * Попада́ть/ попа́сть в лабири́нт. *Книжн.* Оказываться в сложном положении, из которого трудно найти выход. БМС 1998, 327.

ЛАБОРАТО́РИЯ * Ска́льная лабора́тория. *Жарг. тур.* Скала для тренировки альпинистов. Максимов, 216.

ЛАБУДА́ * Гнать лабуду́. *Жарг. мол.* 1. *Неодобр.* Болтать, пустословить. 2. *Неодобр.* Лгать, обманывать. 3. Притворяться не понимающим чего-л. Максимов, 87.

ЛА́БУЗЫ * Развести́ ла́бузы. *Пск. Неодобр.* Устроить беспорядок где-л. (Запись 1998 г.).

ЛАБУ́Х (ЛАБУ́ХА) * Дава́ть /дать лабу́х *кому. Пск. Шутл.* Ударять, давать подзатыльник кому-л. СПП 2001, 48.

Надава́ть лабу́х *кому. Пск. Шутл.* Избить, побить кого-л. СПП 2001, 48.

ЛАБУ́ХА. См. **ЛАБУ́Х.**

ЛАВА́Н * Быть на лава́не. *Жарг. угол.* Скрываться от милиции. СРВС 1, 65, 200; СРВС 2, 57, 167. < **Лаван** – библейский персонаж — символ хитрости, изворотливости. ТСУЖ, 27.

ЛАВА́НДА * Раздува́ть лава́нду. *Жарг. угол., мол.* Назначать срок уплаты долга и проценты за неуплату. Урал-98. < **Лаванда** – деньги (от **лавэ**).

ЛА́ВКА * Желе́зная ла́вка. *Одесск. Шутл.* Ларёк, киоск. КСРГО.

Остава́йся ла́вка с това́ром! 1. *Сиб. Бран.* Восклицание, выражающее досаду, раздражение. ФСС, 103. 2. *Перм. Шутл.* Выражение полного равнодушия, безразличия к чему-л. Подюков 1989, 139. 3. *Волг. Ирон.* О покинутом человеке (как правило – девушке). Глухов 1988, 117.

Подсуди́мая ла́вка. *Кар.* Скамья подсудимых. СРГК 4, 678.

Су́дная ла́вка. *Горьк.* То же, что **подсудимая лавка.** БалСок, 54.

Не се́меро по ла́вкам *у кого.* 1. *Прост.* О небольшой семье, которая не обременяет человека. СФС, 125. 2. *Волг.* Об одиноком, свободном человеке. Глухов 1988, 104.

Се́меро по ла́вкам *у кого. Прост.* О многодетных людях. ДС, 266; Глухов 1988, 147.

Тро́е (че́тверо, пя́теро) по ла́вкам *у кого. Перм. Шутл.* То же, что **семеро по лавкам.** Подюков 1989, 103.

Быть бли́зко к смёртной ла́вке. *Дон.* Быть близким к смерти. СДГ 2, 105.

Быть на сторо́нней ла́вке. *Ворон.* То же, что **лежать на смертной лавке.** СРНГ 16, 221; Мокиенко 1986, 17.

Заверну́ться вдоль по ла́вке. *Волог.* Вырасти, стать взрослым. СВГ 2, 100.

Лежа́ть на сме́ртной ла́вке. *Дон.* Быть мертвым. Мокиенко 1986, 17.

Остава́ться/ оста́ться на чужо́й ла́вке. *Сиб.* Лишаться крова. ФСС, 127.

Растяну́ться на ла́вке. *Кар. Ирон.* Умереть. СРГК 5, 486. **Растяну́ться вдоль по ла́вке.** *Прибайк.* То же. СНФП, 88.

Черти́ть на ла́вке. *Башк.* Ворожить. СРГБ 2, 53.

Лежа́ть вдоль ла́вки. *Волг.* Быть непослушным, непокорным, не подчиняться кому-л. Глухов 1988, 80.

Лежа́ть попере́к ла́вки. *Волг.* Быть покорным, послушным, подчиняться кому-л. Глухов 1988, 80. 2. *Перм.* Быть недостаточно взрослым, несамостоятельным. Подюков 1989, 104.

Не́ на что с ла́вки стяну́ть *кого. Волг. Ирон.* О крайней бедности, безденежье. Глухов 1988, 100.

От ла́вки две була́вки. *Новг.* О чём-л., о ком-л. очень маленьком. НОС 5, 3; Сергеева 2004, 139.

Растяну́ться вдоль ла́вки. *Перм.* То же, что **растянуться на лавке.** Мокиенко 1986, 17.

Стащи́ть (снесть) с ла́вки *кого. Ряз.* Похоронить кого-л. ДС, 266; Мокиенко 1986, 17.

Держа́ть под свое́й ла́вкой *кого. Новг.* Имея влияние, контролировать, оберегать кого-л. Сергеева 2004, 181.

Валя́ться под ла́вкою. *Народн. Устар. Шутл.-ирон.* О муже, которому изменяет жена. БМС 1998, 327.

Бро́сить под лавку *что. Народн.* Покончить с чем-л. окончательно, не возвращаться к чему-л. (какому-л. делу, занятию). СРНГ 16, 221.

Брысь под ла́вку! *Народн.* Решительный отказ кому-л. в чём-л., требование оставить в покое. ДП, 237; Максимов, 45; Глухов 1988, 7.

Греть ла́вку. *Жарг. спорт. (футб., хокк.). Шутл.-ирон.* Сидеть на скамейке для запасных игроков, не выходить на поле. Максимов, 217.

Лечь на ла́вку. *Башк.* Умереть. СРГБ 2, 53.

На пья́ную ла́вку. *Прост.* То же, что **по пьяной лавочке (ЛАВОЧКА).** Ф 1, 273.

Не успе́л ла́вку нагре́ть. *Перм. Шутл.-ирон.* О пришедшем куда-л. ненадолго, быстро ушедшем. Подюков 1989, 216.

Подогре́ть ла́вку. *Жарг. спорт. Шутл.-ирон.* Ни разу не выйти на лед во время хоккейного матча. Максимов, 217.

Положи́ть (спря́тать, упря́тать) под ла́вку. *Перм.* Перестать использовать что-л., оценив как ненужное. Подюков 1989, 216.

Посади́ть на подсуди́мую ла́вку *кого. Дон.* Привлечь кого-л. к судебной ответственности. СДГ 3, 28; СРНГ 30, 134.

Сесть на ла́вку. *Жарг. спорт.* Уйти с поля в результате замены. Никитина 2003, 337.

Съе́здить под ла́вку. *Перм.* Родить девочку. СГПО, 274.

ЛА́ВОЧКА * Хле́бная ла́вочка. *Жарг. угол. Шутл.* Место, в котором проститутки ищут клиентов. Балдаев 2, 124.

Ча́стная ла́вочка. *Разг. Ирон. или Пренебр.* Что-л. принадлежащее частному лицу, не имеющее общественного значения. Ф 1, 273.

Чёртова ла́вочка. *Волг. Презр.* Хулиганы, сомнительная компания. Глухов 1988, 172.

Быть на за́дней ла́вочке. *Пск.* Оставаться без должного внимания. СПП 2001, 48.

По пья́ной ла́вочке. *Прост.* Будучи в нетрезвом состоянии, в состоянии опьянения. ФСРЯ, 219; СПСП, 59; БТС, 484; ЗС 1996, 100, 194.

С учёной ла́вочки. *Перм., Прикам.* Сразу после окончания школы или вуза. МФС, 52; СГПО, 274.

Закрыва́ть/ закры́ть (прикрыва́ть/ прикры́ть) ла́вочку. *Прост.* Прекращать какую-л. деятельность, дело. ФСРЯ, 219; БМС 1998, 327; БТС, 484; ШЗФ 2001, 80; СОСВ, 149.

Лезть не в свою́ ла́вочку. *Сиб. Неодобр.* Вмешиваться не в своё дело. ФСС, 105. // *Волг.* Навязывать кому-л. свои советы, волю. Глухов 1988, 81.

Перебива́ть ла́вочку *кому. Прост. Устар.* Мешать кому-л. в каком-л. деле. Ф 2, 37.

Положи́ть на за́днюю ла́вочку *что. Пск.* Оставить что-л. без внимания, ухода, перестать пользоваться чем-л. СПП 2001, 48.

Под пья́ную ла́вочку. *Кар.* То же, что **по пьяной лавочке.** СРГК 3, 87.

Свёртывать/ сверну́ть ла́вочку. *Прост. Ирон.* Прекращать, прерывать какое-л. дело, не доведя до конца. Ф 2, 141.

ЛА́ВОЧЬЕ * Лечь на ла́вочье. *Кар.* То же, что **лечь на лавку (ЛАВКА).** СРГК 3, 87.

ЛАВР * Уве́нчивать/ увенча́ть ла́врами *кого. Книжн. высок. Одобр.* Прославлять кого-л., воздавать почести кому-л. БМС 1998, 327; Ф 2, 214.

Засыпа́ть/ засну́ть на ла́врах. *Книжн. Устар.* То же, что **почивать на лаврах.** Ф 1, 204.

Почива́ть/ почи́ть (поко́иться) на ла́врах. *Книжн. Неодобр.* Успокаиваться на достигнутом, не стремиться к большему. ФСРЯ, 219; БМС 1998, 327; БТС, 484; Ф 2, 66.

По ла́вру. *Жарг. шк. Одобр. или Ирон.* Хорошо, отлично, удачно. Никитина 1996, 101.

Ла́вры Герострáта. *Книжн. Неодобр.* Преступная злодейская слава. < Происхождение фразеологизма связано с именем **Герострата**, уроженца Эфеса в Малой Азии, который, чтобы обессмертить свое имя, сжёг храм Артемиды, одно из семи чудес света. БМС 1998, 328; БТС, 201, 484.

Ла́вры спать (поко́я) не даю́т *чьи кому. Книжн. чаще Ирон.* Кто-л. испытывает чувство острой зависти к чьему-л. успеху. ФСРЯ, 219; БМС 1998, 328; БТС, 484, 1246. **Ла́вры Мильтиа́да (чужи́е) спать не даю́т** *кому. Книжн. чаще Ирон.* То же. < Выражение связано с именем полководца Мильтиада, одержавшего победу над войсками персидского царя при Марафоне.

Пожина́ть ла́вры. *Книжн.* Пользоваться плодами достигнутой славы, известности, почета, успеха. ФСРЯ, 219; БМС 1998, 328; БТС, 484, 888.

Собира́ть ла́вры. *Книжн.* Заслужить славу, почести, пользоваться плодами успеха. Ф 2, 171.

ЛА́ВРА * Вя́земская ла́вра. *Разг. Устар. Неодобр.* Притон, место, где собираются люди, ведущие безнравственный образ жизни. < Происхождение фразеологизма связано с фамилией князя **Вяземского**, дом которого в Петербурге пользовался дурной славой, был известен как притон. БМС 1998, 328.

ЛАВЬЁ * Лавьё сты́нет. *Жарг. угол. Шутл. Денег очень много.* ТСУЖ, 95. < **Лавьё** — деньги. Балдаев 1, 221; СРВС 3, 99.

ЛАВЭ́ * Быть при лавэ́. *Жарг. угол., мол.* ТСУЖ, 99; Смирнов 1993, 178. < **Лавэ** — деньги; из цыганского языка Грачев, 1997, 84.

ЛАГУ́НА * Голуба́я лагу́на. *Жарг. авто.* Оттенок голубого цвета в окраске автомобиля. Максимов, 90.

ЛАД * Вести́ лад. *Яросл.* 1. Задавать ритм и темп при молотьбе. 2. Ударять цепами в такт при молотьбе. 3. Укладывать или переворачивать снопы для молотьбы. ЯОС 3, 9.

Брать в лад. *Кар.* Добиваться успеха в чём-л. СРГК 1, 109.

В лад. *Народн.* 1. В соответствии с ритмом чего-л. 2. Согласованно, стройно, созвучно. ФСРЯ, 219.

Говори́ть не в лад. *Сиб.* Перечить кому-л. ФСС, 44.

Идти́/ пойти́ на лад. *Разг.* Улучшаться, изменяться к лучшему. ФСРЯ, 219; Мокиенко 1986, 145; Мокиенко 1990, 110.

Лад (ла́ду) не брать. *Ряз. Неодобр.* Жить недружно, постоянно ссориться. ДС, 266.

Лад не в лад. *Кар. Неодобр.* Кое-как. СРГК 3, 88.

Навести́ на лад *что. Волг. Одобр.* Устроить, уладить что-л. Глухов 1988, 87.

На свой лад. *Разг.* По своему. Ф 2, 51.

Подвести́ под свой лад *кого. Яросл.* Заставить кого-л. жить по-своему, делать что-л. по-своему. ЯОС 8, 22.

Под лад *чему. Разг. Устар.* В соответствии с чем-л., согласно с чем-л. ФСРЯ, 220.

Попада́ть/ попа́сть не в лад. *Кар.* Выражаться непристойно или невпопад. СРГК 2, 332.

Не дава́ть/ не дать ла́да *кому. Кар.* Не объяснять, не растолковывать кому-л. что-л. СРГК 3, 88.

В лада́х *с кем. Разг.* То же, что **в ладу.** ФСРЯ, 220; СРГЗ, 113.

На лада́х. 1. *Ряз. Одобр.* Благополучно. МФС, 53. 2. *Ряз. Неодобр.* Праздно, в безделье, не трудясь (жить). ДС, 268.

На ста́рых лада́х. *Сиб.* По-старому. ФСС, 103.

Не в лада́х. 1. *с кем. Разг.* то же, что **не в ладу 1.** ФСРЯ, 220; Ф 1, 274. 2. *с чем. Разг.* То же, что **не в ладу 2.** ФСРЯ, 220. 3. *Кар.* О человеке, потерявшем рассудок. СРГК 3, 88.

В ладо́м. *Кар. Одобр.* Дружно, в согласии. СРГК 3, 88.

За гото́вым ла́дом. 1. *Пск.* Несамостоятельно, вместе с кем-л., вслед за кем-л. СПП 2001, 49. 2. *Одесск.* По чьему-л. указанию. КСРГО.

Без ла́ду. 1. *Ленингр.* Зря, без толку. СРНГ 16, 227. 2. *Кар.* Слишком много, чересчур. СРГК 3, 88.

В ладу́ *с кем. Разг.* В дружбе, в полном согласии с кем-л. ФСРЯ, 220; Мокиенко 1986, 145.

Доводи́ть/ довести́ до ла́ду *что. Волг.* 1. Заканчивать, завершать работу, дело. 2. Постигать сущность, основательно разобравшись в чём-л. Глухов 1988, 35.

Ла́ду не брать. См. **Лад не брать.**

Ла́ду не дава́ться. *Сиб.* Не обращать внимания на кого-л.; держаться гордо. СФС, 98; ФСС, 53.

На ладу́ *с кем. Новг.* То же, что **в ладу.** НОС 5, 4.

Не в ладу́. *Разг.* 1. *с кем.* В ссоре, в натянутых отношениях с кем-л. 2. *с чем.* В разладе с чем-л., не соответствуя чему-л. ФСРЯ, 220.

В лады́. *Сиб.* 1. *Одобр.* То же, что **в ладу.** 2. *На несколько голосов (петь).* ФСС, 103.

Води́ть лады́. *Арх.* Веселиться, шалить. АОС 4, 158.

Знать лады́. *Сиб.* Уметь колдовать. ФСС, 83.

Лады́ у воды́. *Народн. Устар. часто Ирон.* О заключении брака. БМС 1998, 329.

На все лады́. *Разг.* Всесторонне, всячески, интенсивно. Ф 1, 274; ФСРЯ, 220; БМС 1998, 329; НОС 4, 28.

Отвестú лады́. *Кар.* Правильно совершить обряд. СРГК 4, 279.

ЛА́ДАН * Дышáть на лáдан. *Разг.* Быть худым, слабым, болезненным, близким к смерти. ФСРЯ, 220; БМС 1998, 329; ДП, 287, 398; БТС, 292; ЗС 1996, 78; СПП 2001, 49; Ф 1, 182; ДС, 159.

Землянóй лáдан. *Прикам.* Растение копытень европейский. МФС, 53.

Кадúть лáдан *перед кем. Книжн. Устар. Ирон.* Льстить кому-л., заискивать перед кем-л. БМС 1998, 329.

Пáхнет лáданом. 1. *от кого, кто. Народн.* О человеке, который находится при смерти. ДП, 287, 398; СРНГ 25, 291; Сергеева 2004, 193. 2. *[что]. Забайк.* О деле, предприятии, которое находится под угрозой срыва; о грозящей опасности. СРГЗ, 181.

ЛА́ДНО * Лáдно не лáдно. *Кар.* Пусть будет, как будет; так тому и быть. СРГК 3, 90.

ЛА́ДНЫЙ * О́коло лáдного. *Олон.* Почти так, как хотелось; приблизительно. СРНГ 23, 141.

ЛАДО́НЬ * Быть на Бóжьей ладóни (ладóшке). *Пск.* То же, что **дышать на ладан (ЛА́ДАН).** ПОС 2, 76.

Держáть на ладóни *кого. Пск.* Заботиться о ком-л., холить, лелеять кого-л. СПП 2001, 49.

Носúть на ладóни *кого.* 1. *Курск.* Очень внимательно относиться к кому-л. БотСан, 103. 2. *Волг.* То же, что **держать на ладони.** Глухов 1988, 113.

Остáться на ладóни. *Сиб., Приамур.* Потерять кров, остаться без жилья. ФСС, 128; СРГПриам., 186.

Покá (когдá) на ладóни вóлосы вы́растут. *Волг. Шутл.* Никогда. Глухов 1988, 128.

На ладóнь посажу́, другóй присту́кну! *Народн.* Угроза расправы с кем-л. ДП, 221.

ЛАДО́ШИ * Хлóпать в ладóши. *Жарг. мол. Шутл.* Передвигаться, идти (чаще — о быстрой ходьбе). Никитина 1998, 221.

ЛАДО́ШКА * Быть на Бóжьей ладóшке. См. **Быть на Божьей ладони (ЛАДОНЬ).**

Покá на ладóшке вóлосы вы́растут. *Курск. Шутл.* Очень долго. БотСан, 109.

Бить в ладóшки. *Смол.* Шелестеть листьями (о дереве). СРНГ 16, 239.

Ладóшки на мандавóшке *у кого. Прост. Шутл.-ирон.* О бездельнике, лентяе. Мокиенко, Никитина 2003, 185.

Ладóшкой не прикрóешь *что. Казан.* О невозможности предусмотреть, предотвратить беду, неприятность. СРНГ 16, 237.

ЛАДУ́Н * Дышáть на ладу́н. *Орл.* То же, что **дышать на ладан (ЛАДАН).** СОГ-1994, 12.

ЛА́ДУРА * Крутану́ть лáдуру. *Жарг. угол.* Совершить кражу на свадьбе. Мильяненков, 152; ББИ, 124; Балдаев 1, 221. < **Ладура** — свадьба.

ЛА́ЖА * Гнать лáжу. 1. *[кому] Жарг. угол.* Лгать, обманывать кого-л. Мильяненков, 152; ББИ, 124; Балдаев 1, 221. 2. *Жарг. мол.* Делать что-л. некачественно, непрофессионально. Никитина 1996, 102; Вахитов 2003, 38.

Кúнуть (брóсить) лáжу *кому. Жарг. мол.* Навредить кому-л. Югановы, 120.

Лить (порóть, толкáть) лáжу *[кому]. Жарг. мол.* Обманывать кого-л., рассказывать небылицы. Никитина 1996, 102; Максимов, 217.

< **Лажа** — обман, фальшь.

ЛАЗАРЕ́Т * Лохмáткин лазарéт. *Жарг. угол. Шутл.-ирон.* Кожно-венерический диспансер. Балдаев 1, 232; УМК, 115. < Ср.: **Лохматка** — женские гениталии.

ЛА́ЗАРЬ * Прикúдываться/ прикúнуться (притворя́ться/ притворúться) Лáзарем. *Разг. Неодобр.* Притворяться больным и несчастным, прибедняться. БМС 1998, 329-330.

Лáзарь убóгий. *Народн. Ирон.* О бедняке, нищем. ДП, 96.

Укáзывать Лáзарю, когдá портќи подвя́зывать. *Кар. Неодобр.* Вмешиваться не в своё дело. СРГК 3, 90.

Застáвить Лáзаря петь *кого. Смол.* Проучить кого-л. СРНГ 16, 242.

Затяну́ть Лáзаря. *Яросл. Ирон.* Неумело запеть какую-л. песню. ЯОС 4, 109; СРНГ 16, 242.

Кóрчить Лазаря. 1. *Ворон. Неодобр.* Просить о чём-л., унижаясь. СРНГ 15, 32. 2. *Ворон., Яросл.* То же, что **петь Лазаря.** СРНГ 16, 242; ЯОС 5, 118.

Наобу́м Лáзаря. *Прост.* Не продумав, не рассчитав, без предварительной подготовки, наудачу (делать что-л.). ФСРЯ, 266; ЗС 1996, 520.

Петь (запевáть, напевáть, тяну́ть) Лáзаря. *Народн. Ирон.* Плакаться, прибедняться, стараясь разжалобить кого-л., выпросить что-л. ДП, 96, 647; ФСРЯ, 220; БМС 1998, 330; БТС. 829; ЗС 1996, 295, 375; Мокиенко 1989, 158.

Пир Лáзаря. *Книжн. Устар. Ирон.* Насыщение объедками со стола богача. БМС 1998, 330.

Подбивáть Лáзаря. *Нижегор.* Нищенствовать. СРНГ 16, 242.

Прикúнуть (стрóить) Лáзаря. *Калуж.* То же, что **петь Лазаря.** СРНГ 16, 242.

Хоть Лáзаря пой, хоть вóлком вой. *Народн. Ирон.* О бедняке, нищем. Жиг. 1969, 357; ДП, 146.

< Выражения восходят к имени библейского нищего Лазаря.

ЛАЗЕ́ЙКА * Оставля́ть/ остáвить для себя́ лазéйку. *Книжн. Ирон.* Оставлять для себя возможность увильнуть от ответственности. БМС 1998, 330.

ЛА́ЗОМ * Лáзом лáзить. *Сиб.* Проворно взбираться на дерево. СРНГ 16, 245, 340; ФСС, 103; СБО-Д1, 238.

Лáзом лезть. *Сиб.* 1. Двигаться, лезть в большом количестве (о насекомых). 2. Действовать нагло, нахально. 3. *к кому.* Назойливо приставать к кому-л. 4. Быстро, буйно расти. ФСС, 104; СФС, 98.

ЛАЙ * Мáссовый (мáйский) лай. *Жарг. мол. Шутл.-ирон.* Поп-группа “Ласковый май”. Щуплов, 312.

ЛАЙК * Строчúть лайк. *Жарг. мол. Шутл.* Заниматься любовной игрой. Максимов, 217. < Англ. *like* — любить, хотеть.

ЛА́ЙКА * Распустúть лáйку. *Перм., Сиб. Неодобр.* Начать грубо ругаться. СРНГ 34, 188; Подюков 1989, 170; Мокиенко, Никитина 2003, 185.

ЛАЙМЯ́ * Лаймя́ лáять. *Яросл.* Громко, неистово лаять. ЯОС 5, 119.

ЛАЙФ * Лайф не в кайф. *Жарг. мол. Шутл.* Не очень хорошая жизнь. Максимов, 217.

ЛА́КОМКА * Идтú по лáкомке. *Арх.* Тратить деньги на лакомства, деликатесы, кутить. СРНГ 16, 250.

ЛА́ЛАК(А) * Лáлаки хóдят *у кого. Новг.* О много говорящем человеке. НОС 5, 6.

Скáлить лáлаки. *Кар.* Смеяться, насмехаться над кем-л. СРГК 3, 92.

Чесáть лáлаки. *Пск. Неодобр.* Болтать, пустословить. СПП 2001, 49.

Бить лáлаком. *Новг.* То же, что **чесать лалаки.** НОС 5, 6.

< **Лáлак[а]** — десна.

ЛАЛЫ́ * Жить на лалáх. *Ряз. Неодобр.* Жить за чужой счёт, в праздности и безделье. ДС, 268.

ЛА́МПА * Ла́мпа Ильича́. См. **Лампочка Ильича (ЛАМПОЧКА).**

До ла́мпы. *Жарг. мол.* То же, что **до лампочки (ЛАМПОЧКА).** Мокиенко 1992, 17–24.

ЛАМПА́ДА * Заду́ть лампа́ду *кому. Жарг. угол.* Убить кого-л. Балдаев 1, 140.

До лампа́ды *кому что. Жарг. мол. Шутл.-ирон.* То же, что **до лампочки (ЛАМПОЧКА).** Елистратов 1994, 223; Мокиенко 1992, 17-24.

ЛАМПА́ДКА * Гаси́ть (туши́ть) лампа́дку. *Кар. Шутл.-ирон.* Отказывать жениху. СРГК 3, 93.

Загаси́ть лампа́дку. *Волог., Перм.* Прекратить, закончить работу. СРНГ 16, 253; Подюков 1989, 209.

ЛА́МПОЧКА * Ла́мпочка Ильича́. 1. *Публ. Устар. Патет.* О первых электрических лампочках в домах крестьян, колхозников. Купина, 117. 2. *Жарг. мол. Шутл.* Мужской половой орган. Елистратов 1994, 663; ЖЭСТ-1, 141.

Ла́мпочка Назарба́ева. *Жарг. мол. Шутл.-ирон.* Керосиновая коптилка. Максимов, 218.

До ла́мпочки *кому что. Разг.* Кому-л. абсолютно нет дела до кого-л., чего-л., кого-л. не волнует, не интересует что-л. ФСРЯ, 220; БТС, 486; БМС 1998, 330; Мокиенко 1990, 30.

От ла́мпочки. *Прост. Неодобр.* Без достаточных оснований, проверенных данных, наобум. Мокиенко 2003, 51.

Включи́ть ла́мпочку Ильича́. *Жарг. мол. Шутл.* Начать напряжённо думать о чём-л. Максимов, 64.

Встряхну́ть (стряхну́ть, стрясти́) ла́мпочку. *Жарг. мол. Шутл.* 1. *кому.* Сильно ударить кого-л. по голове, приведя в состояние, близкое к помешательству. Никитина 1998, 223; Максимов, 218. 2. О временном помрачении рассудка в результате сильного умственного напряжения. (Запись 2004 г.).

ЛАНДКА́РТ (ЛАНДКА́РТА) * Черти́ть ландка́рт (ландка́рту). *Прост. Устар. Шутл.* Марать простыню поллюцией (во время сна). < Нем. *die Landkarte* — лист бумаги с изображением земной поверхности. Мокиенко, Никитина 2003, 185.

ЛАНДО́Н * Слепо́й ландо́н. *Жарг. угол.* Невольный сообщник мошенника. ТСУЖ, 164. < **Ландон** — трансф. угол. **ламдан** — опытный, матёрый преступник.

ЛА́НДЫ * Бить ла́нды. См. **Бить лы́нды (ЛЫНДЫ).**

ЛА́НДЫШ * Ла́ндыш гру́бо па́хнет. *Жарг. угол.* В вагоне ценный груз. ТСУЖ, 95. < **Ландыш** — *груз.*

ЛАНСА́ДА * Задава́ть/ зада́ть ланса́ды. *Прост. Устар. Шутл.* Стремительно убегать, спасаясь от опасности, преследования. < **Лансада** — от франц. *lançade* — прыжок. БМС 1998, 330.

ЛА́НЦЫ * Подкру́чивать (подма́тывать, мота́ть) ла́нцы. *Жарг. мол. Шутл.-ирон.* Убегать откуда-л. Елистратов 1994, 223.

Попа́сть за все ла́нцы. *Жарг. угол.* Оказаться в неприятном положении. Балдаев 1, 338.
< **Ланцы** — 1. Одежда; брюки. 2. Вещи, не имеющие особой ценности. 3. Ювелирные изделия.

ЛА́ПА * Гуси́ная ла́па. 1. *Яросл.* Растение росянка, росник обыкновенный. ЯОС 3, 117. 2. *Яросл.* Вид бороны. ЯОС 3, 117. 3. *Жарг. угол.* Воровское приспособление в виде консервного ножа для вскрытия сейфов. СВЖ, 7; Грачев 1992, 100; Грачев 1995, 5; ББИ, 125; Балдаев 1, 222; Быков, 115.

Заха́пистая ла́па. *Волог. Неодобр.* Жадный, скупой человек. СРНГ 11, 143.

Медве́жья ла́па. *Сиб.* Кактус. ФСС, 103; СФС, 104.

Мохна́тая (лохма́тая) ла́па. *Разг.* О тайном покровителе. Ф 1, 274; Максимов, 218.

Быть в ла́пах *у кого. Разг.* Находиться в полной зависимости от кого-л., в чьей-л. власти. БТС, 487.

Стоя́ть (ходи́ть) на за́дних ла́пах. См. **Стоять на задних лапках (ЛАПКА).**

Быть под ла́пой *у кого. Разг. Устар.; Прибайк., Пск.* Быть в подчинении у кого-л. ФСРЯ, 221; СНФП, 88; СПП 2001, 49.

Брать/ взять на (в) ла́пу. *Прост. Неодобр.* Принимать взятку. Мокиенко 2003, 51.

Брать/ взять под свою́ ла́пу *что. Прибайк., Сиб.* Присваивать, захватывать что-л. СНФП, 88; ФСС, 16.

Ввязи́ть ла́пу *куда. Пск.* Закрепиться где-л., утвердить за собой какое-л. место. ПОС 3, 47.

В ла́пу. *Кар., Сиб.* Способ углового соединения бревен. СРГК 5, 574; СОСВ. 101.

В ла́пу да в кося́к. *Сиб. Неодобр.* Как попало, кое-как. ФСС, 103.

Выжима́ть/ вы́жать ла́пу. *Жарг. угол.* Заставлять кого-л. давать взятку. Р-87, 187.

Глода́ть ла́пу. *Новг.* То же, что **сосать лапу 1.** Сергеева 2004, 220.

Дава́ть/ дать в (на) ла́пу *кому. Прост. Неодобр.* Давать взятку кому-л. БМС 1998, 331; ШЗФ 2001, 61; ЗС 1996, 202; СРВС 3, 9; СРВС 4, 135; СВЯ, 25; ТСУЖ, 45; Ф 1, 274; Балдаев 1, 188.

Загреба́ть/ загрести́ под свою́ ла́пу. *Народн.* 1. *что.* То же, что **брать пол свою лапу.** ДП, 314. 2. *кого.* Подчинять себе, силой привлекать на свою сторону кого-л. ДП, 314.

Запуска́ть/ запусти́ть ла́пу *во что, куда. Разг. Неодобр.* Присваивать что-л., как правило, казённое, общественное; пользоваться чем-л. в корыстных целях. ФСРЯ, 169; БТС, 487.

Мохна́тить ла́пу. *Жарг. мол.* Заниматься онанизмом. Максимов, 218.

На всю ла́пу. *Морд.* Свободно, так, как хочется (жить). СРГМ 1982, 115.

Накла́дывать/ наложи́ть ла́пу *на что. Разг. Неодобр.* Завладевать чем-л., присваивать, захватывать что-л. ФСРЯ, 264; ЗС 1996, 227; Глухов 1988, 90; БТС, 487.

Попа́сть (перепа́сть) на ла́пу *кому. Яросл. Шутл.* О прибыли. ЯОС 8, 63.

Приня́ть на ла́пу. *Жарг. спорт.* Выбить мяч ногой (в футболе). Максимов, 218.

Соса́ть ла́пу. 1. *Прост.* Жить бедно, впроголодь. БМС 1998, 331; СПП 2001, 49; Глухов 1988, 152; Ф 2, 175; ЗС 1996, 141. 2. *Пск. Неодобр.* Бездельничать. СПП 2001, 49.

Загну́ть (задра́ть) ла́пы [кве́рху]. *Орл. Пренебр.* Умереть. СОГ-1992, 17, 18.

Медве́жьи ла́пы. *Яросл.* Растение бескрыльник болотный. ЯОС 6, 38.

Наду́ть ла́пы. *Жарг. мол. Ирон.* То же, что **загнуть лапы.** Максимов, 218.

Ошиби́ть ла́пы. *Кар.* Потерпеть неудачу, встретить неожиданное препятствие при попытке сделать что-л. СРГК 4, 358.

Попада́ть/ попа́сть (угоди́ть) в ла́пы *кому. Разг.* 1. Быть пойманным, схваченным кем-л. 2. Оказаться в чьей-л. власти, в зависимости от кого-л. БТС, 487; Ф 2, 74; ЗС 1996, 225.

Разбра́сывать ла́пы. *Жарг. мол.* Драться. Максимов, 218.

Сма́зать ла́пы. *Сиб. Шутл.* Убежать откуда-л. СФС, 171.

Смести́ ла́пы *кому. Жарг. угол.* Осудить, привлечь к уголовной ответственности кого-л. Балдаев 2, 47.

То́лько дай ла́пы. *Арх.* Очень быстро. АОС 10, 284.

ЛАПЕ́НЬ * Дава́ть /дать лапе́нь (лапня́, липе́нь) *кому. Пск.* Ударять, бить кого-л. СПП 2001, 49.

ЛА́ПКА * Во́лчья ла́пка. *Дон.* Растение герань. СДГ 2, 107.

Гуси́ная ла́пка. 1. *Сиб.* Растение герань луговая. СФС, 58; СОСВ, 59. 2. *Сиб.* Растение тысячелистник многоцветный. СРНГ 16, 264. 3. *Башк., Дон.* Растение лапчатка ползучая. СРГБ 1, 112; СДГ 1, 120. 4. *Яросл.* Растение росник обыкновенный. ЯОС 3, 117. 5. 1. *Жарг. угол.* Приспособление в виде консервного ножа для вскрывания сейфов. ТСУЖ, 96; СВЖ, 7; Балдаев 1, 97. См. также **гусиные лапки.**

Коша́чья ла́пка. *Сиб.* То же, что **гусиная лапка 2.** СБО-Д1, 216.

Ки́ся ла́пка. *Волог.* Растение бессмертник. СВГ 3, 58.

Ла́пка в ла́пку. *Волог.* След в след. СРНГ 16, 263.

Орли́ная ла́пка. *Ворон.* То же, что **гусиная лапка 1.** СРНГ 16, 264.

Стоя́ть (ходи́ть) на за́дних ла́пках (ла́пах) *перед кем. Разг. Презр.* Угождать кому-л., выслуживаться, угодничать перед кем-л. ФСРЯ, 221; Ф 1, 274; Ф 2, 237; БМС 1998, 331; БТС, 320, 1448; ЗС 1996, 65; Мокиенко 1990, 109.

Гуси́ные ла́пки. 1. *Дон.* Комнатное растение членистолистый кактус. СДГ 1, 120. 2. *Разг.* Веерообразно расположенные морщинки около наружного угла глаза. ФСРЯ, 221; ШЗФ 2001, 58. 3. *Жарг. нарк.* Наркотические таблетки. Балдаев 1, 97; ББИ, 63.

За́ячьи ла́пки. *Яросл.* Растение семейства толстянковых — живучка, молодило. ЯОС 4, 115.

Звери́ные ла́пки. *Сиб.* Женская разновидность папоротника. СБО-Д1, 164.

Ко́зьи ла́пки. *Яросл. Шутл.-ирон.* О тонконогом человеке. ЯОС 5, 45.

Котя́чьи ла́пки. *Волог.* Растение семейства сложноцветных — цмин песчаный. СРНГ 16, 263.

Коша́чьи ла́пки. *Волог., Яросл.* Растение гвоздика полевая. СВГ 3, 115; ЯЯОС 5, 83.

Кури́ные ла́пки. *Дон.* Растение куриная слепота. СДГ 2, 101.

Ла́пки кве́рху. *Разг. Шутл.* 1. О человеке, смирившемся со своим положением. 2. Об умершем, погибшем человеке. Ф 1, 274.

Скласть ла́пки. *Перм.* Приготовиться идти куда-л. СРНГ 16, 264.

Сложи́ть ла́пки. *Волг. Неодобр.* Начать бездельничать. Глухов 1988, 150.

Станови́ться на за́дние ла́пки. *Разг.* Начинать угодничать, заискивать перед кем-л. ФСРЯ, 453.

В ла́пку. *Волог.* Размером с человеческую ступню. СРНГ 16, 263.

Жить отряся́ ла́пку. *Орл.* Бедствовать, жить в нужде. СОГ 1990, 124.

На ла́пку. *Ряз.* Наличными (деньгами). СРНГ 16, 264; ДС, 268.

Купа́ть ла́пку. *Кар.* Впервые прикасаться к воде, знакомиться с водой (о детеныше тюленя). СРГК 3, 59.

Лома́ть ла́пку. *Прикам.* Срубать мелкие пихтовые ветки, идущие на выработку пихтового масла. МФС, 55.

ЛАПОТКИ́ * Куку́шечьи лапотки́. *Ср. Урал.* Растение кукушкин лен. СРГСУ 2, 72.

Обува́ть/ обу́ть в лапотки́ *кого. Вят.* То же, что **обувать в лапти (ЛАПОТЬ).** СРНГ 16, 265.

ЛА́ПОТЬ * В ла́поть. *Новг.* О большом количестве чего-л. НОС 5, 7.

Войти́ в оди́н ла́поть. *Народн. Устар.* Разделить что-л. поровну, справедливо. БМС 1998, 331.

Звони́ть в ла́поть. 1. *Пск. Неодобр.* Болтать, пустословить. ПОС 12, 293. 2. *Народн. Неодобр.* Бездельничать. (В. И. Даль). СРНГ 16, 266; ЗС 1996, 357; Мокиенко 1990, 65.

Звони́ть в худой ла́поть. *Волг. Шутл.-ирон.* Поднимать ложную тревогу.

Кве́рху ла́поть; ла́поть кве́рху [задра́ть]. *Чкал. Пренебр.* Умереть. СРНГ 13, 166; СРНГ 16, 266.

Коря́вый ла́поть. *Башк. Пренебр.* Человек со следами оспы на лице. СРГБ 2, 56.

Ла́поть без обо́р. *Горьк. Ирон.* О чём-л. незаконченном. БалСок., 41.

Ла́поть на нога́х, ошмёток на зада́х. *Народн. Пренебр.* О старом, дряхлом человеке. ДП, 298.

Ла́поть подвяза́ли *кому. Ленингр. Шутл.-ирон.* О молодой жене, с которой муж не имел сношений в течение нескольких дней после заключения брака. СРНГ 16, 266.

Ла́поть тебе́ (вам, ему́ и пр.**) в рот!** *Прост. Эвфем. Бран.* Выражение грубого отказа, отрицания. < Образовано по модели бранного выражения **Хуй тебе в рот!** Мокиенко, Никитина 2003, 185.

Нага́я ла́поть. *Арх. Ирон.* О ленивом и бесхозяйственном человеке. СРНГ 17, 142.

На ла́поть. *Новг. Шутл.* Об очень малом количестве чего-л. Сергеева 2004, 164.

Отойти́ (отступи́ть) на ла́поть (на три ла́птя). *Народн. Устар.* Отодвинуться, отойти от кого-л. БМС 1998, 331.

Пи́саный ла́поть. *Яросл. Шутл.-ирон.* Щеголь, франт. ЯОС 7, 107.

Пьяный в ла́поть. *Кар. Пренебр.* В состоянии сильного опьянения. СРГК 3, 97.

Разводи́ть ла́поть. *Кар. Неодобр.* Пустословить; говорить вздор, ерунду. СРГК 3, 97; СРГК 5, 403.

Ядрёный ла́поть! *Прост.* 1. *Бран.-шутл.* Восклицание, выражающее раздражение, неудовлетворённость чем-л. 2. *Шутл.* Восклицание, выражающее удивление, изумление. 3. *Шутл.-одобр.* Восклицание, выражающее восторг, чувство расположения к ко́му-л. Мокиенко, Никитина 2003, 185.

Не выходи́ть из (с) лапте́й. *Волог., Курск., Новг., Пск., Прикам.* Жить в бедности, нищете. СВГ 1, 106; БотСан, 104; НОС 5, 7; МФС, 23; ПОС 6, 96.

Не ла́поть плести́. *Перм.* О непростом деле. Подюков 1989, 103.

Не сноси́вши лапте́й. *Морд.* В короткий промежуток времени. СРГМ 2002, 94.

Лаптём стёганый. *Башк. Ирон. или Пренебр.* О человеке со следами оспы на лице. СРГБ 2, 56.

Ла́птем щи хлеба́ть. *Пск., Сиб. Ирон.* Жить в нищете и невежестве. СПП 2001, 49; СФС, 98; СОСВ, 102; БТС, 1444, 1511; Мокиенко 1990, 129.

Броса́ть/ бро́сить (забро́сить, ки́нуть, закинуть) ла́пти [на монасты́рский телефо́н]. *Дон. Шутл.* 1. Переселяться жить на Дон, к казакам. 2. Богатеть, становиться зажиточным. СДГ 2, 107.

Ве́шать/ пове́сить ла́пти. 1. *Пск. Ирон.* То же, что **откидывать лапти.** СПП 2001, 49. 2. *куда. Дон.* То же, что **бросать лапти 1.** СДГ 2, 107.

Дава́ть ла́пти. *Морд.* В свадебном обряде: ехать к жениху, чтобы договориться о дне свадьбы. СРГМ 1980, 11.

Дава́ть/ дать на ла́пти *кому. Обл.* Избивать кого-л. Мокиенко 1990, 50.

Де́лать /сде́лать ла́пти *кому. Пск. Шутл.* Изменять кому-л. в любви. СПП 2001, 49.

Ёсь твои́ ла́пти! *Пск. Эвфем. Бран.* Восклицание, выражающее досаду. ПОС 10, 135.

Крича́ть ла́пти *кому. Пск.* Осмеивать, освистывать на деревенской гулянке парня, которому изменила девушка. СПП 2001, 49.

Куку́шкины ла́пти. *Сиб.* То же, что **кукушечьи лапотки (ЛАПОТКИ).** СФС, 96.

Навостри́ть ла́пти. *Прост.* Убежать откуда-л. Ф 1, 309.

На него́ ла́пти чёрт по три го́да плёл. *Народн. Шутл.-ирон.* О человеке, которому трудно угодить. ДП, 863.

Наплести́ це́лы ла́пти. *Сиб. Пренебр.* Наговорить много небылиц, вздору. ФСС, 119.

Ла́пти кве́рху. *Перм. Шутл.* О падении от удара. Подюков 1989, 103.

Ла́пти прочь. *Новг. Шутл.-ирон.* 1. О сильно уставшем человеке. Сергеева 2004, 241. 2. Об умершем человеке. Сергеева 2004, 197.

Ла́пти с ног не спуска́ть. *Пск.* Напряжённо, без отдыха работать (о работе, связанной с передвижением, перемещением). СПП 2001, 49.

Ла́пти стоя́т в углу́. *Жарг. мол. Шутл.* Родители дома. Максимов, 218.

Обува́ть/ обу́ть в ла́пти *кого. Прост. Шутл.-ирон.* Обманывать кого-л. БМС 1998, 331; БТС, 689; ДП, 650; БотСан, 106; Ф 2, 12; Максимов, 218. **Обува́ть в кривы́е ла́пти** *кого. Новг. Шутл.-ирон.* То же. НОС 6, 116; Сергеева 2004, 230. **Обува́ть в чёртовы ла́пти** *кого. Прост. Неодобр.* То же. БТС, 689, 1476.

Отбра́сывать/ отбро́сить (отки́дывать/ отки́нуть) ла́пти [кве́рху]. *Прост. Шутл.-ирон.* Умирать. БМС 1998, 332; Мокиенко 2003, 51.

Отпуска́ть/ отпусти́ть ла́пти. *Коми. Ирон.* То же, что **откидывать лапти**. Кобелева, 71.

Плести́/ сплести́ ла́пти. 1. *Жарг. угол.* Бежать из-под стражи. Балдаев 1, 271; ТСУЖ, 96; Белоус, 29. // *Устар.* Готовиться к побегу, намереваться совершить побег. ТСУЖ, 114. 2. *Прост. Устар.* Вести замысловатую, витиеватую, путаную беседу с целью обмануть, сбить с толку кого-л. БМС 1998, 332. 3. *Волг.* Болтать, пустословить. Глухов 1988, 123. 4. *кому. Жарг. угол.* Обманывать кого-л. Балдаев 1, 271. 5. *Пск.* Изменять кому-л. в любви. СПП 2001, 49. 6. *кому. Новг.* Готовить девушку к замужеству. Сергеева 2004, 245. 7. *кому. Жарг. угол., мол.* Готовить расправу с кем-л. Югановы, 301. 8. *кому. Жарг. угол.* Арестовывать, привлекать к уголовной ответственности кого-л. ТСУЖ, 167; Быков, 115. 9. *Народн. Неодобр.* Неумело вести какое-л. дело, путать, портить что-л. ДП, 428; СРНГ 16, 266; БМС 1998, 332.

Подари́ть ла́пти *кому. Новг. Шутл.-ирон.* Нарушить верность, изменить кому-л. в любви. НОС 8, 19.

Пойти́ по ла́пти к босо́му. *Народн. Ирон.* О действиях бестолкового человека. ДП, 636.

После́дние ла́пти то́пчет. *Волог. Ирон.* Об очень старом человеке. СВГ 4, 31.

Разбива́ть ла́пти. *Новг.* Петь женскую частушку в ответ на мужскую. НОС 9, 82.

Свя́зывать ла́пти. *Пск.* Договариваться о чём-л., заключать сделку. СПП 2001, 49.

Суши́ть ла́пти. 1. *Прост. Неодобр.* Бездельничать, простаивать без работы. НРЛ-78. 2. *Жарг. мол.* Отдыхать. Максимов, 218. 3. *Жарг. мол.* Получать удовольствие, наслаждаться чем-л. Максимов, 218.

Урма́нские ла́пти. *Сиб. Пренебр.* Переселенцы в Сибирь из южных районов России. ФСС, 103.

Чита́ть ла́пти *кому. Новг.* Оказывать внимание кому-л. < От народного обряда, когда девушка читает стихи юноше в ответ на передачу лаптей, символизирующих измену. НОС 9, 82; НОС 12, 62.

Щёголевы ла́пти. *Перм. Шутл.-ирон.* О человеке, который стремится одеваться модно, щеголевато, не имея на это достаточных средств. СГПО, 276.

Э́то вам не в ла́пти га́дить. *Жарг. мол.* О чём-л. важном, значительном, сложном. Никитина 2003б, 303.

Ядрёны (ядрёные) ла́пти! *Прост. Бран.-шутл.* То же, что **ядрёный лапоть!** Мокиенко, Никитина 2003, 185.

Два ла́птя па́ра. *Прост. Пренебр.* О похожих друг на друга по своим качествам, свойствам, положению людях. Ф 1, 274.

На два ла́птя. *Перм. Шутл.-ирон.* На небольшое расстояние. Подюков 1989, 103.

О́ба ла́птя на одну́ но́гу. *Прост.* Об одинаковых, сходных по каким-л. качествам людях. БС, 47; Глухов 1988, 114.

Мести́ лаптя́ми. *Сиб. Устар.* Нищенствовать, жить очень бедно. ФСС, 111.

Трясти́ лаптя́ми. *Башк., Сиб.* Одеваться очень бедно. СФС, 98; СРГБ 2, 56.

ЛА́ПОЧКА * Коша́чьи ла́почки. *Орл.* Растение бессмертник. СОГ-1992, 102.

На ла́почках. *Ряз.* На цыпочках. ДС, 268.

ЛА́ПУШКА * Жи́льная ла́пушка. *Волог.* Растение подорожник. СВГ 2, 87.

С ла́пушками брать/ взять *что. Ряз.* Охотно, не раздумывая брать, получать что-л. СРНГ 16, 270.

ЛАПША́ * Лапша́ проки́снет [пока́ он придёт]. *Ворон. Шутл.* О чьём-л. опоздании. СРНГ 16, 270.

Зада́ть лапши́ *кому. Смол.* Выпороть розгами или кнутом кого-л. СРНГ 16, 270.

Полечи́ть берёзовой лапшо́й *кого. Сиб. Шутл.* Избить кого-л. Мокиенко 1990, 161.

Сде́лать лапшо́й *что. Новосиб. Неодобр.* Испортить, помять что-л. СРНГ 16, 270.

Ве́шать лапшу́ на́ уши *кому. Разг. Неодобр.* Обманывать, дезинформировать кого-л. Елистратов 1994, 224; Грачев, Мокиенко 2000, 100; Ф 1, 59; ТС XX в., 133.

Гнать лапшу́ (лапшо́вник). *Жарг. мол.* 1. Лгать, обманывать кого-л. 2. Болтать, пустословить. 3. Притворяться не понимающим чего-л. Максимов, 87.

Изруби́ть (искроши́ть) в лапшу́ *кого. Прост.* Жестоко расправиться с кем-л. БТС, 487.

Кида́ть/ ки́нуть лапшу́. 1. *Жарг. угол.* Говорить глупости. Мокиенко 2003, 51. 2. *Жарг. техн.* Проложить телефонный провод. (Запись 2000 г.).

Колоти́ть лапшу́. *Жарг. техн.* Прокладывать телефонные провода внутри здания (прибивая мелкими гвоздями к стенам). (Запись 2000 г.).

Поби́ть на лапшу́. *Ворон.* 1. *что.* Разбить что-л. на мелкие кусочки. 2. *кого.* Сильно избить кого-л.

Пья́ный в лапшу́. *Жарг. мол. Ирон.* О сильной степени опьянения. Елистратов 1994, 224.

Сыпать лапшу́. *Жарг. мол. Неодобр.* То же, что **вешать лапшу на уши.** Никитина, 1998, 224.

ЛАПШЕМЁТ * Расчехли́ть лапшемёт. *Жарг. мол. Шутл.-ирон.* Начать болтать, говорить вздор. Никитина 1996, 103.

ЛАПШО́ВНИК * Гнать лапшо́вник. См. **Гнать лапшу (ЛАПША).**

ЛАРЁТ * Завести́ в ларёт *кого. Кар.* Навлечь на кого-л. беду, поставить в затруднительное положение. СРГК 3, 98.

ЛАРЕ́Ц * Дво́е из ларца́. *Жарг. шк. Шутл.* Завуч и вахтер. < По названию сказки. Максимов, 104.

ЛА́РИЧЕК * Ла́ричек де́тский. *Печор. Шутл.* Игрушка. СРНГ 16, 272.

ЛА́РЧИК * А ла́рчик про́сто открыва́лся. *Разг. Ирон. или Шутл.* О простом, легко решаемом деле, вопросе. БМС 1998, 332; Ф 1, 275; ШЗФ 2001, 13; Жук. 1991, 33; Янин 2003, 8; ДП, 572. < Выражение восходит к сюжету басни И. А. Крылова «Ларчик» (1808 г.).

Тот ла́рчик, где ни стать ни сесть. *Разг. Эвфем.* О гробе, могиле. < Выражение стало популярным благодаря его употреблению А. С. Грибоедовым в «Горе от ума». В основе его лежит, вероятно, замена слова **ящик** в значении «гроб» словом **ларчик** и его сочетание с народным оборотом **ни стать, ни сесть** «очень тесно, негде повернуться». (ДП, 149; ФСРЯ, 454) и *волг.* «о постоянных хлопотах, заботах» (Глухов 1988, 111). Ср. также шутливую пословицу **Не велика болячка — да сесть не дает** (ДП, 149).

ЛА́СКА * Ла́ски в гла́зки, а за глаза́ гото́в в та́ски. *Народн. Неодобр.* О двуличном человеке. Жиг. 1969, 208.

Говори́ть в ла́ску. *Смол.* говорить ласково, доброжелательно. СРНГ 16, 274.

Дать ла́ску *кому. Калуж.* Обласкать кого-л. СРНГ 16, 274.

ЛАСКОТУ́ХА * Дать ласкоту́ху *кому. Пск. Шутл.* Ударить кого-л., дать затрещину, подзатыльник кому-л. СПП 2001, 49; Мокиенко 1990, 46.

ЛА́СТОЧКА * Ла́сточка Алла́ха. *Жарг. арм.* Женщина-снайпер в чеченских вооружённых формированиях. Кор., 154.

Ла́сточка прилете́ла. *Кар.* О болезни коровы, когда в молоке появляется кровь. СРГК 5, 272.

Пе́рвая ла́сточка. *Разг.* 1. О первых признаках появления, наступления чего-л. 2. О человеке, первом в ряду последовавших за ним. ФСРЯ, 221; БТС, 488; ЗС 1996, 117, 448, 525.

Пой, ла́сточка, пой. *Жарг. шк. Шутл.* О воспитательной беседе учителя или родителей. < Слова из песни. Максимов, 324.

Задави́ть ла́сточку. *Жарг. пожарн.* Наступить на труп при тушении пожара. 310.

Сде́лать ла́сточку *кому. Жарг. угол.* 1. Надеть на кого-л. смирительную рубашку. 2. Выбросить жертву в окно. Балдаев 2, 33.

ЛА́СТУШКА * Ла́стушка коса́тая. *Яросл. Ласк.* Обращение к девушке. ЯОС 5, 121.

ЛА́СТЫ * Шурша́ть ла́стами. *Жарг. мол.* Быстро уходить, убегать откуда-л. Вахитов 2003, 208.

Швырну́ть (щёлкнуть) ла́стами. *Жарг. мол.* То же, что **бросить ласты.** Максимов, 219.

Броса́ть/ бро́сить (завора́чивать/ заверну́ть, надува́ть/наду́ть) ла́сты. *Жарг. мол. Шутл.-ирон.* Умирать. Запесоцкий, Файн, 54; Мы, 1994, № 1, 72; СМЖ, 92; Вахитов 2003, 167; Максимов, 45.

Клеить/ скле́ить ласты. *Жарг. мол.* 1. Мёрзнуть, замерзать. Максимов, 219. 2. То же, что **бросать ласты.** Максимов, 219. 3. Пытаться познакомиться с девушкой. Я — молодой, 1994, № 4; Максимов, 182. 4. Убегать откуда-л. Я — молодой, 1994, № 4; Максимов, 182.

Навостри́ть ла́сты. *Жарг. мол.* Собраться куда-л. Максимов, 219.

Па́рить ла́сты. *Жарг. мол. Шутл.* 1. Отдыхать. 2. Бездельничать. Максимов, 219.

Подвора́чивать/ подверну́ть ла́сты. *Жарг. мол. Шутл.* 1. Падать. 2. То же, что **бросать ласты.** Максимов, 219.

Подка́тывать ла́сты *к кому. Жарг. мол.* Пытаться познакомиться с девушкой, склонять её к сексуальной близости. Максимов, 219.

Свора́чивать/ сверну́ть ла́сты. *Жарг. мол. Шутл.* 1. Заболевать. 2. То же, что **бросать ласты.** Максимов, 219.

Свинти́ть ла́сты. *Жарг. мол.* Убежать откуда-л. Максимов, 219.

Суши́ть ла́сты. *Жарг. мол.* То же, что **бросить ласты.** Максимов, 219.

ЛА́СЫ * Лоса́ть ла́сы. *Ряз. Неодобр.* Болтать, пустословить. Мокиенко 1990, 35.

ЛАТАТА́ХА * Задава́ть/ зада́ть латату́ху *кому. Вост.-Закам.* То же, что **задавать лататы (ЛАТАТЫ).** СРНГ 16, 287.

ЛАТАТЫ́ * Залава́ть/ зада́ть лататы́. *Прост. Шутл.* Проворно скрываться, быстро убегать откуда-л. ФСРЯ, 221; ЗС 1996, 73, 205; БМС 1998, 333.

ЛА́ТКА * Задава́ть/ зада́ть ла́тки *кому. Рост.* То же, что **задавать лататы (ЛАТАТЫ).** СРНГ 16, 290.

ЛАУРЕА́Т * Лауреа́т пре́мий. *Жарг. арест., мол. Ирон.* Человек, заражённый одновременно несколькими венерическими заболеваниями. УМК, 115; ББИ, 126; Балдаев 1, 224.

ЛАФА́ * Лафа́ отошла́ (отвали́лась) *кому. Прост.* Кончилась чья-л. привольная жизнь, везенье. ЯОС 5, 122; СРНГ, 16, 293.

ЛА́ХИ * Ла́хи под па́хи. *Лит. Шутл.* О вещах, переносимых подмышкой. СРНГ 16, 296.

ЛА́ЧА * На ту́ же (на одну́) ла́чу. *Сиб., Пск.* О чём-л. сходном, похожем, подобном. СРНГ, 16, 297.

ЛА́ЯНКА * Получи́ть ла́янку. *Смол.* Быть выруганным, выбраненным. СРНГ 16, 300.

ЛЕБЕДА́ * Гадю́чья лебеда́. *Дон.* Растение паслен сладко-горький. СДГ 1, 93.

ЛЕБЁДКА * За лебёдку. *Сиб.* На губу (класть табак). ФСС, 103.

ЛЕ́БЕДЬ * Настреля́ть лебеде́й. *Жарг. шк. Шутл.-ирон.* Получить много неудовлетворительных оценок. Максимов, 219.

Чеса́ть лебеде́й. *Жарг. угол.* Обворовывать пьяных. Мильяненков, 155; ББИ, 126; Балдаев 1, 224.

Ле́беди летя́т! *Волог., Петерб., Ср. Урал.* Приветствие хозяйке, стирающей белье, моющей или подметающей пол. СВГ 4, 33; СРНГ 16, 301; СРГСУ 2, 87. **Ле́беди лете́ть! Ле́беди лете́ли! Бе́лы ле́беди летя́т! К вам бе́лы ле́беди летя́т! Ле́беди Вам (тебе) на бук (на бу́ки)!** *Обл.* То же. Балакай 1999, 1, 218; 2001, 239.

Бе́лая ле́бедь с чёрным клие́нтом. *Жарг. мол. Шутл.* О валютной проститутке, обслуживающей африканца. Елистратов 1994, 225.

Бе́лый ле́бедь. 1. *Жарг. авиа, арм. Шутл.* Тяжёлый бомбардировщик «Ту-165». РТР, 05.11.99. 2. *Жарг. угол. Ирон.* ИТУ с особо жёсткими, направленными на психологическое подавление заключённых условиями содержания. Балдаев 1, 33. 3. *Жарг. журн., полит.* Следственный изолятор с белыми стенами в центре Красноярска. МННС, 20.

Ле́бедь, рак и щу́ка. *Разг. Ирон.* 1. О группе лиц, в которой каждый занимает свою, несовместимую с другими позицию. Дядечко 2, 182; Ф 1, 275. 2. О чьих-л. несогласованных действиях, не приводящих к успеху при затрате больших сил. < Восходит к одноименной басне И. А. Крылова. БМС 1998, 333.

Перевёрнутый ле́бедь. *Жарг. шк.* Пятерка, оценка «отлично». ВМН 2003, 75.

Умира́ющий ле́бедь. *Жарг. шк. Шутл.-ирон.* Ученик у доски. ВМН 2003, 75.

Пасти́ ле́бедя. *Жарг. угол.* Выслеживать пьяного с целью ограбления. ТСУЖ, 129.

Ходи́ть/ пойти́ по лебедя́м. 1. *Прост.* Приятно проводить время с женщинами лёгкого поведения. СРГК 3, 103; Никитина, 1998, 225; Быков, 116; Вахитов 2003, 70. 2. *Жарг. мол.* Приятно проводить время с мужчинами (о женщине). Никитина 1998, 225. < Оборот отталкивается от звуковой ассоциации **лебедь — блядь.**

ЛЕ́БЕЗ * До ле́беза. *Яросл.* Полностью, без остатка. ЯОС 4, 6.

Ни ле́беза. *Яросл.* О полном отсутствии чего-л. ЯОС 6, 145; СРНГ 16, 302.

ЛЕБЕЗИ́НКА * С лебези́нкой. *Сиб.* О ласковом, приятном взгляде. ФСС, 103; СРНГ 16, 303.

ЛЕВ * Се лев, а не соба́ка. *Книжн. Ирон.* О чём-л. плохо сделанном, требующем особого пояснения. < Восходит к старинному анекдоту о художнике, который, опасаясь непонимания, сопровождал свои картины надписями. БМС 1998, 333.

ЛЕВА́К * Гнать лева́к (левака́). *Жарг. мол. Неодобр.* 1. Поступать неправильно, делать что-л. плохо. Митрофанов, Никитина, 104. 2. Обманывать кого-л. Никитина 1996, 103.

ЛЕВША́ * Не левшо́й сморка́ется. *Народн. Шутл.* Об опытном, бывалом человеке, знающем себе цену. ДП, 477.

ЛЕ́ВЫЙ (ЛЕ́ВАЯ) * Маха́ть ле́вой *на кого, на что. Арх.* Относиться с безразличием, не обращать внимания на кого-л., на что-л. СРНГ 16, 309; СРНГ 18, 46.

ЛЕГА́ВКА * Лега́вка щеня́чья. *Жарг. угол.* Инспекция по делам несовершеннолетних; детская комната милиции. ББИ, 126; Балдаев 1, 224. < Ср. **легавка (лягавка)** — милиция, правоохранительные органы.

ЛЕГЁНЬКО * Легёнько ему́ икни́сь! *Курск.* То же, что **приикнись ему легко! (ЛЕГКО).** СРНГ 16, 310.

ЛЁГКАЯ * В лёгкую. *Жарг. мол.* Легко, без труда. Н-HI, 2000, № 3, 40.

ЛЁГКИЕ * Га́дить лёгкие. *Жарг. мол. Шутл.-ирон.* Курить. Максимов, 79.

Зелёные лёгкие плане́ты. *Публ. Патет.* О растениях (особенно лесах) как важном факторе газообмена в атмосфере Земли. НСЗ-80.

Постуча́ть (уда́рить) по лёгким. *Жарг. мол. Шутл.* Покурить. Елистратов 1994, 225; Максимов, 222.

ЛЁГКИЙ * На лёгких. *Прибайк.* Налегке, без груза (идти, ехать). СНФП, 88.

ЛЕГКО́ (ЛЁГКО) * Лёгко ли! *Яросл.* 1. Восклицание, выражающее утверждение, уверенность в чём-л. 2. Восклицание, выражающее удивление. ЯОС 5, 123.

Лёгко ли есть! *Яросл.* Восклицание, выражающее пренебрежение. ЯОС 5, 123.

Легко́ сказа́ть. *Прост.* Не всё так просто и легко. Глухов 1988, 80, 148

Приикни́сь ему́ легко́! *Смол.* Говорится при упоминании об отсутствующем. СРНГ 28, 346.

ЛЕГКОВО́Й * Ходи́ть в легковы́х. *Кар.* Жить без забот, не испытывать трудностей. СРГК 3, 104.

ЛЁГКОСТЬ * Дава́ть/ дать лёгкость *кому. Морд.* Избавлять кого-л. от болезни, исцелять кого-л. СРГМ 1982, 118.

Лёгкость в мы́слях необыкнове́нная. *Книжн. Ирон.* О легкомысленном и болтливом человеке, склонном к полной безответственности в решении сложных вопросов. < Выражение из комедии Н. В. Гоголя «Ревизор» (1836 г.). БМС. 334; БТС, 490.

ЛЕГО́ТКА * В лего́тке. *Печор.* Без трудностей, не напрягаясь (жить). СРГНП 1, 378.

ЛЕГО́ТОЧКА * На лего́точку. *Сиб.* 1. Слегка. 2. Быстро. ФСС, 104.

ЛЁД * Ве́шний лёд. *Народн. Ирон.* О чём-л. ненадёжном. ДП, 292.

Лёд запи́ленный. *Жарг. мол., муз. Шутл.* Рок-группа «Лед Зеппелин». БСРЖ, 312.

Лёд сло́ман (разби́т, тро́нулся). *Разг.* 1. Об исчезновении враждебности, начале примирения. 2. О решительном, резком начале чего-л. < Выражение заимствовано из франц. языка в XIX в. ФСРЯ, 222; БМС 1998, 334; БТС, 490; ЗС 1996, 116, 527.

Лёд тро́нулся, господа́ прися́жные заседа́тели! *Разг.* О неожиданном и резком изменении к лучшему, наступлении благоприятного переломного момента в какой-л. сложной ситуации. < Выражение — из романа И. Ильфа и Е. Петрова «Двенадцать стульев» (1928 г.). Дядечко 2, 190.

Растопи́ть лёд. *Разг.* Устранить недоверие, отчуждённость между кем-л. ФСРЯ, 387; ЗС 1996, 237.

Льда в Креще́нье не вы́просишь *у кого. Сиб. Ирон. или Неодобр.* Об очень скупом человеке. СФС, 102; ФСС, 38; СРНГ 16, 318.

Уйти́ во льды́. *Жарг. арест.* Бежать из заключения. Росси 1, 195. // Совершить побег в зимнее время. Балдаев 2, 97. < Из северных лагерей легче бежать, когда болота тундры скованы льдом, а в воздухе нет туч мошкары и комаров. Р-87, 195.

ЛЕДЕНЕ́Ц * Бо́жий леденец. *Жарг. мол. Шутл.* Мужской половой орган. Елистратов 1994, 225; Вахитов 2003, 17.

Засади́ть леденца́ за щёку *кому. Жарг. мол.* 1. Совершить половой акт с кем-л. оральным способом. 2. Наказать, выругать кого-л. 3. Отомстить кому-л. Елистратов 1994, 225.

ЛЕ́ДИ * Бе́лая ле́ди. *Жарг. нарк.* Героин. БС, 35.

Желе́зная ле́ди. *Публ.* О бывшем премьер-министре Великобритании Маргарет Тэтчер. Мокиенко 2003, 51.

Ле́ди Грин (Грин ле́ди). *Жарг. арест. Шутл.* Тюремный священник. СРВС 1, 67, 203; СРВС 2, 30, 115; Грачев 1997, 141. < Вероятно, из нем. арго, где *Grinn* 'собака'. Выражение — образчик «юмора висельников»: вероятно, раньше было: **грин** — тюремный священник. Ларин 1931, 123.

Ле́ди запа́ли (запе́ли). *Жарг. угол.* Шутливое название группы Led Zeppelin. Я — молодой, 1995, № 6.

Ле́ди Фрёкенбо́к. *Жарг. студ. Шутл.* Вахтёрша студенческого общежития. Максимов, 220. < **Фрёкен Бок** — женский персонаж из мультфильма о Карлсоне.

Ле́ди Хэмп (Хэми). *Жарг. нарк.* Марихуана. Никитина 1996, 104; Мильяненков, 155; ББИ, 126; Балдаев 1, 225.

Пе́рвая ле́ди. *Публ.* О жене президента страны. Мокиенко 2003, 51.

Пообща́ться с ле́ди Хэмп. *Жарг. нарк.* Покурить марихуаны. Митрофанов, Никитина, 241.

Ру́сская желе́зная ле́ди. *Жарг. журн. Шутл.* Губернатор Санкт-Петербурга В. Матвиенко. МННС, 188.

ЛЁДНА * На свою лёдну. *Новг.* Не к добру, себе во вред. НОС 5, 12. < **Лёдна** — голова.

ЛЁЖА * Лёжа лежа́ть. *Приамур.* 1. То же, что **лежать лёжкой 1. (ЛЕЖКА).** 2. *Неодобр.* То же, что **лежать лёжкой 3. (ЛЁЖКА).** СРГПриам., 143.

ЛЕЖА́НКА * Де́дова лежа́нка. *Пск. Шутл.* Тюрьма. ПОС 8, 179.

Лежа́нкой лежа́ть. *Помор.* То же, что **лежать лёжкой 1. (ЛЕЖКА).** ЖРКП, 80.

Лежа́ть в лежа́нку. *Перм.* То же, что **лежать лёжкой 3. (ЛЕЖКА).**

ЛЕЖА́НЬЕ * Лёгкое лежа́нье *кому! Народн.* Обращение к умершему: пусть земля тебе будем пухом! СРНГ 16, 327.

Лежа́нье не в бок *кому. Одесск.* О человеке, которому не лежится. КСРГО.

От лежа́нья к стоя́нью. *Новг.* От хорошего к плохому. НОС 5, 13.

ЛЕЖА́НЬИЦЕ * Лёгонького лежа́ньица *кому! Пск.* То же, что **лёгкое лежанье! (ЛЕЖАНЬЕ).** СПП 2001, 49.

ЛЕЖА́ТЬ * Здесь лежа́ла, куда́ сбежа́ла. *Сиб. Шутл.* О пропавшей вещи. ФСС, 104.

Пло́хо лежи́т. *Разг. Ирон.* О чём-л., что могут легко украсть. БМС 1998, 334.

ЛЕЖА́ЧИ * Лежа́чи лежа́ть. *Новг.* То же, что **лежать лёжкой 1. (ЛЕЖКА).** НОС 5, 13.

ЛЕЖА́ЧИЙ * Не бей лежа́чего. 1. *Прост. Шутл.-ирон.* Не представляющий особого труда, несложный для исполнения (о работе, задании). БТС, 491; Глухов 1988, 94; ФСС, 11. 2. *Сиб. Неодобр.* Посредственный, не отличающийся положительными качествами. СФС, 122; СБО-Д1, 32; ФСС, 11; СОСВ, 31.

ЛЕЖА́ЧКА * Лежа́ть в лежа́чку. *Сиб., Костром.* То же, что **лежать лёжкой 1-2. (ЛЁЖКА).** СРНГ 16, 329; ФСС, 104.

ЛЕ́ЖЕНЬ * Гра́фский ле́жень. *Прикам. Презр.* О ленивом человеке. МФС, 53.

Лежа́ть ле́жнем. 1. *Прост.* То же, что **лежать лёжкой 1. (ЛЁЖКА).** СРГНП 1, 379. 2. *Алт. Неодобр.* То же, что **лежать лёжкой 2. (ЛЁЖКА).** СРГА 3-1, 18. 3. *Печор.* Лежать без употребления. СРГНП 1, 379.

Справля́ть ле́жня. *Волг. Неодобр.* То же, что **лежать лёжкой 3. (ЛЁЖКА).**

ЛЕ́ЖЕЧЬМА * Лежа́ть ле́жечьма. *Горьк.* То же, что **лежать лёжкой 2. (ЛЁЖКА).** БалСок., 41.

ЛЕ́ЖЕЧЬЮ * Лежа́ть ле́жечью. *Сиб.* То же, что **лежать лёжкой 1-3. (ЛЁЖКА).** ФСС, 104; СФС, 99; СРНГ 16, 330; Мокиенко 1986, 106; Мокиенко 1990, 64.

ЛЁЖКА * Быть в лёжке. *Волог.* Отдыхать, быть свободным от работы. СВГ 4, 35.

До лёжки. *Кар., Помор.* До полной потери сил, до изнеможения. СРГК 3, 108; ЖРКП, 80.

Лежа́ть лёжкой. 1. *Башк., Курск., Морд., Моск., Печор., Сиб., Ср. Урал.* Находиться в лежачем положении, лежать не вставая. СРГБ 2, 58; БотСан, 100; СРГМ 1982, 120; СРНГ 16, 330; СРГНП 1, 379; ФСС, 104; СРГСУ 2, 90; СФС, 99. 2. Тяжело болеть, быть при смерти. *Алт., Волг., Волог., Кар., Моск., Пск., Сиб.* СРГА 3-1, 18; Глухов 1988, 80; СВГ 4, 35; СРГК 3, 107; СРНГ 16, 330, 335; Мокиенко 1990, 157; ФСС, 104. 3. *Волг., Сиб. Неодобр.* Бездельничать. Глухов 1988, 80; СРНГ 16, 330; ФСС, 104. 4. *Ряз.* Лежать, сплошь покрывая что-л. СРНГ 16, 330; ДС, 270.

Лежа́ть лёжкой, дряга́ть но́жкой. *Морд.* То же, что **лежать лёжкой 3.** СРГМ 1980, 37.

В лёжку. *Ряз.* О длительном хранении чего-л. ДС, 270.

В лёжку бро́сило *кого. Сиб.* О состоянии отчаяния. СРНГ 16, 335.

Лежа́ть в лёжку. *Прост.* То же, что **лежать лёжкой 1-3.** ДС, 270; Ф 1, 275; СФС, 40; ФСС, 104; СРГНП 1, 379; Ф 1, 275; СПСП, 60.

Лечь (слечь) в лёжку. *Ворон., Пск.* Слечь от усталости или болезни. СПП 2001, 49; СРНГ 17, 30.

Напи́ться (насвиста́ться) в лёжку. *Прост.* Сильно опьянеть. Ф 1, 276; Мокиенко 1990, 157; СРНГ 16, 335.

Насвиста́ться в лёжку. *Костром.* То же, что **напиться в лёжку.** СРНГ 16, 335.

Пасть в лёжку. *Кар.* То же, что **лечь в лёжку.** СРГК 4, 404; СРНГ 16, 335.

Уложи́ть в лёжку *кого. Прост.* Напоить кого-л. до состояния сильного алкогольного опьянения. Ф 2, 219.

ЛЕЖКО́М * Лежко́м лежа́ть. *Пск., Сиб.* То же, что **лежать лёжкой 2. (ЛЁЖКА).** Мокиенко 1990, 157; ФСС, 104.

ЛЕЖМА́ (ЛЕЖМЯ) * Лежма́ (лежмя́) лежа́ть. 1. *Дон., Курск., Перм., Пск., Приамур.* То же, что **лежать лёжкой 1. (ЛЁЖКА).** СДГ 2, 111; БотСан, 100; Подюков 1989, 104; СРНГ 16, 330; СРГПриам., 143. 2. *Свердл.* То же, что **лежать лёжкой 2. (ЛЁЖКА).** СРНГ 16, 330. 3. *Ряз.* То же, что **лежать лёжкой 4 (ЛЁЖКА).** СРНГ 16, 330; ДС, 270; Ф 1, 275. 4. *Прост.* Не использоваться, не находить применения. Ф 1, 276.

ЛЕЖМО́Й * Лежмо́й лежа́ть. *Горьк. Шутл.-ирон.* Находиться в состоянии сильного алкогольного опьянения. БалСок., 41.

ЛЕЖМО́М * Лежмо́м лежа́ть. *Пск.* То же, что **лежать лёжкой 1. (ЛЁЖКА).** СПП 2001, 49.

ЛЕЖМЯ́. См. **ЛЕЖМА́.**

ЛЕЗГ * Дать лезга́. *Твер. Шутл.* Пуститься наутек, быстро убежать откуда-л. СРНГ 16, 338.

ЛЕЗКО́М * Лезко́м лезть. *Приамур., Сиб.* 1. То же, что **лезмя лезть 1.** 2. С усилием проходить сквозь толпу. ФСС, 105; СРГПриам., 143.

ЛЕЗМЯ́ * Лезмя́ лезть. *Неодобр.* 1. *Астрах.* Залезать, заползать куда-л. в большом количестве. СРНГ 16, 339. 2. *Волог.* Упорно, настойчиво стремиться пройти, попасть куда-л. СВГ 4, 35. 3. *Яросл.* Назойливо, навязчиво приставать к кому-л. СРНГ 16, 339; ЯОС 5, 326.

ЛЕ́ЗОМ * Ле́зом лезть. 1. *Сиб.* То же, что **лезмя лезть 1. (ЛЕЗМЯ).** СФС, 99; СРНГ 16, 339; СРГА 3-1, 19; Мокиенко 1990, 156. 2. *Краснояр., Печор.* То же, что **лезмя лезть 2. (ЛЕЗМЯ).** СРНГ 16, 339; СРГНП 1, 380. 3. *Сиб., Яросл.* То же, что **лезмя лезть 3. (ЛЕЗМЯ́).** СРНГ 16, 339; ЯОС 5, 126. 4. *Алт., Сиб.* Быстро расти (о растениях). СРГА 3-1, 19; СРНГ 16, 339.

ЛЕ́ЗЯМИ * Ле́зями лезть. *Прикам.* То же, что **лезмя лезть 2. (ЛЕЗМЯ).** МФС, 53.

ЛЕ́ЙКА * В одну́ ле́йку. *Ворон., Ср. Урал.* Не делая различий, одинаково. СРНГ 16, 341; СРГСУ 1, 85.

За одну́ ле́йку *с кем. Курск.* Заодно с кем-л. БотСан, 86.

ЛЕКА́РСТВО * Дать лека́рства *кому. Пск.* Строго наказать кого-л. с целью добиться послушания. ПОС 8, 128.

ЛЕЛЕ́Й * Где (куда́, пока́) леле́й прилеле́ет. *Ряз.* О чём-л. неопределённом, недостоверном (в отношении пространства или времени). ДС, 271.

ЛЕМА́Н * Лема́н его́ (её) зна́ет. *Волог.* То же, что **лембой его знает (ЛЕМБОЙ).** СВГ 4, 36.

ЛЕ́МБО́Й * Кой ле́мбой! *Арх.* Зачем, для чего? СРНГ 16, 340; Мокиенко 1986, 179.

Лембо́й его́ зна́ет. *Олон.* Абсолютно ничего неизвестно о ком-л., о чём-л. СРНГ 16, 347.

Ле́мбой тебя́ (его́ и т. п.) **побери́ (возьми́)!** *Олон., Ленингр.* Восклицание, выражающее гнев, негодование. СРНГ 16, 347.

На тебе́ лембо́й! *Кар.* Восклицание, выражающее удивление по поводу чего-л. неприятного, досаду. СРГК 3, 110. < **Лембой** — черт, нечистая сила.

ЛЕ́МЕХ * Перекова́ть ле́мех на сва́йку. *Народн. Неодобр.* Сменить трудовую жизнь на безделье. ДП, 256; БМС 1998, 334-335.

ЛЁН * Вытолка́ть в лён *кого. Перм.* Решительно выгнать кого-л. СРНГ 16, 351.

Залома́ть лён. *Сиб.* Сломать шейные позвонки. ФСС, 78.

Куку́шкин лён. *Спец.* Один из видов мха. Ф 1, 277.

Лён не делён *[у кого, с кем]. Арх., Волог., Кар., Костром.* О близкой, крепкой дружбе. АОС 10, 442; СРНГ 16, 350; СРГК 1, 445; Громов 1992, 14.

Лён поделён *[у кого, с кем]. Волог.* То же, что **лён не делён.** СРНГ 16, 350.

Намы́лить лён *кому. Забайк.* Устроить нагоняй, взбучку кому-л., побить кого-л. СРНГ 16, 351.

Намя́ть (накостыля́ть) лён *кому. Камч.* То же, что **намылить лён.** СРНГ 16, 351; Мокиенко 1990, 53.

Променя́ть лён на ого́нь. *Обл. Ирон.* Выбрать из плохого худшее. Мокиенко 1990, 29.

Сверну́ть лён. *Иркут.* Сломать шею при падении. СРНГ 16, 351.

ЛЕ́НА * Желе́зная Ле́на. *Жарг. мол. Шутл.* Автоинформатор в системе сотовой связи. Костин, 246.

ЛЕ́НИН * Ленин в исполне́нии Махму́да Эсамба́ева. *Разг. Шутл.-ирон.* Памятник В. И. Ленину на Московской площади. < Махмуд Эсамбаев — известный танцовщик. Ленин издали действительно выглядит танцующим на пьедестале. Синдаловский, 2002, 104.

Ле́нин в Разли́ве. 1. *Жарг. мол. Неодобр.* То же, что **Ленин в шалаше.** Синдаловский, 2002, 104; Елистратов 1994, 395. 2. *Разг. Шутл.* Пивной бар от ресторана «Нептун» в Ленинграде — Санкт-Петербурге (ул. Трефолева, 22/25). Синдаловский, 2002, 104. 3. *Разг. Шутл.-одобр.* О чём-л. отличном, превосходном. Синдаловский, 2002, 104.

Ле́нин в шалаше́. *Жарг. мол. Шутл.-ирон.* О чём-л. абсурдном, странном. Елистратов 1994, 559.

Ле́нин на па́лочке. *Разг. Шутл.-ирон.* Бюст В. И. Ленина на Московском вокзале в Ленинграде, ныне заменен бюстом Петра I. < Из-за высокого и узкого прямоугольного пьедестала. Синдаловский, 2002, 104.

Ле́нин с на́ми. *Разг. Шутл.-ирон.* Широкая семейная кровать. Балдаев 1, 225; Балдаев, 2001, 160; Синдаловский, 2002, 124.

Ле́нин, танцу́ющий лезги́нку. *Разг. Шутл.-ирон.* То же, что **Ленин в исполнении Махмуда Эсамбаева.** Синдаловский, 2002, 104.

Ле́нин то́же сиде́л. *Разг. Шутл.* Оправдание человека, попавшего в тюрьму. < В 1950-е гг. среди некоторых ленинградских дворовых мальчишек существовало убеждение, что отсидеть два-три годика в тюрьме не только не страшно, но даже почётно. В качестве аргумента и был придуман этот слоган. Синдаловский, 2002, 104.

Ле́нин, торгу́ющий пиджачко́м. *Разг. Шутл.-ирон.* Памятник В. И. Ленину у Финляндского вокзала в Ленинграде — Санкт-Петербурге (скульптор С. А. Евсеев). < Вождь революции держится рукой за борт пиджака, как бы предлагая его. Синдаловский, 2002, 104.

Отсоси́ у Ле́нина. *Нецենз. Жарг. угол., мол. Груб.* Выражение отказа, несогласия, нежелания что-л. делать, давать. Елистратов 1994, 306.

Звони́ть/ позвони́ть Ле́нину. *Жарг. мол. Шутл.* Пропускать мясо через мясорубку. Максимов, 154, 220.

ЛЕННЯ́К * Лення́к напа́л. *Жарг. мол.* О нежелании делать что-л. Максимов, 221.

ЛЕНТА * Идти́ (хлить) по тёмной ле́нте. *Жарг. угол.* Идти по центральной улице. Балдаев 2, 122; СРВС 3, 189. < **Хлить** – идти.

Выноси́ть ле́нту. *Арх.* Быть пригодным для службы в армии. АОС 8, 40.

Сшить ле́нту *кому. Перм., Прикам.* Сильно ударить кого-л.; избить кого-л. МФС, 98; Мокиенко 1990, 59.

Надава́ть ле́нты *кому. Кар.* Настегать кого-л. ремнём. СРГК 3, 112.

ЛЕ́НТОЧКА * Рвать ле́нточки. *Новг.* Побеждать в соревнованиях по бегу. НОС 9, 118.

ЛЕНТЯ́Й * Пра́здновать лентя́я. *Прост. Шутл.-ирон.* Бездельничать, лодырничать. БМС 1998, 335; Мокиенко 1990, 14.

ЛЕНЬ * От ле́ни гу́бы блино́м обви́сли *у кого. Народн. Пренебр.* То же, что **лень всесветная.** ДП, 506.

От ле́ни мо́хом обро́с. *Народн. Неодобр.* То же, что **лень всесветная.** ДП, 506.

Опузы́риться от ле́ни. *Народн.* То же, что **ленью зарасти.** ДП, 506.

Ба́бья лень. 1. *Башк., Челяб.* Кушанье из раскатанных руками и сваренных комочков теста; суп с клёцками. СРНГ 16, 358; СРГБ 1, 24.

Вали́ть под лень. *Арх.* Вырубать деревья и кустарник, освобождая землю для посевов. АОС 3, 35; СРНГ 16, 358.

Все кому́ не лень. *Прост.* Любой, каждый, все подряд. БТС, 483; СПП 2001, 49.

Лень в ко́сти зашла́ *кому. Кар. Шутл.-ирон.* О человеке, который начал лениться. СРГК 3, 112.

Лень вперёд *кого* **родила́сь.** *Прост. Шутл. или Неодобр.* О лентяе, бездельнике. Глухов 1988, 81; СПП 2001, 49.

Лень всесве́тная. *Перм. Бран.* О лентяе, бездельнике. СРНГ 16, 357.

Лень за па́зухой гнездо́ свила́ *у кого. Народн. Неодобр.* То же, что **лень вперед** *кого* **родилась.** ДП, 506.

Лень лени́ться, а не то́лько шевели́ться *кому. Народн. Шутл.-ирон. или Презр.* То же, что **лень на лени.** Жиг. 1969, 213.

Лень на ле́ни [сиди́т и ле́нью погоня́ет]. *Новг. Неодобр.* Об очень ленивом человеке. НОС 5, 17.

Лень на плете́нь. *Сиб.* Об отсутствии внимания, интереса к чему-л. ФСС, 105. Ср. **напускать тень на плетень.**

Лень наго́льная. *Кар. Презр.* То же, что **лень всесветная.** СРГК 3, 112.

Лень перека́тная. *Влад., Кар.* То же, что **лень всесветная.** СРНГ 26, 119; СРГК 3, 112. Ср. **голь перекатная.**

Я бы рад, да лень не вели́т. *Народн. Шутл.* Отказ делать что-л. Жиг. 1969, 216.

Ле́нью зарасти́. *Пск. Неодобр.* Облениться, стать бездельником. ПОС 12, 88.

ЛЕ́НЬКА-Е́НЬКА * Станцева́ть ле́ньку-е́ньку. *Жарг. мол.* Попасть в аварию, разбить машину. < Искажённое название финского танца «**леткаенка**». Елистратов 1994, 226.

ЛЕ́ПЕ́НЬ * Ле́пень с дериба́сом. *Жарг. угол. Неодобр.* Дырявый платок. СРВС 1, 22. < **Лепень** — носовой платок.

Навари́ть лепне́й *кому. Новг.* Нанести побои кому-л. Сергеева 2004, 183.

Шу́бного ле́пня в дому́ нет *у кого. Ср. Урал. Ирон. или Презр.* Об очень бедном, живущем в нищете человеке. СРНГ 16, 360; СРГСУ 2, 92.

ЛЕ́ПЕТ * Де́тский ле́пет [на лужа́йке]. *Разг. Пренебр.* О чём-л. бессмысленном, очень простом, несерьёзном. ЗС 1996, 335, 378; Вахитов 2003, 46.

ЛЕПЕСТО́К * Лепестко́м по стволу́. *Жарг. мол. Шутл.* О минете. Максимов, 221.

ЛЕПЁХА * Лепёха разбитая. *Жарг. угол.* Брюки и пиджак от разных костюмов. Мильяненков, 155. < **Лепёха** — костюм.

Получи́ть лепёху. *Дон.* Получить оплеуху, затрещину. СДГ 3, 38.

ЛЕПЁШКА * Горя́чая лепёшка. *Кар.* Удар ладонью по какой-л. части тела. СРГК 3, 114.

Печь (пе́чи) лепёшки. 1. *Самар.* Бросать мелкие камешки так, чтобы они прыгали по воде. (1854). СРНГ 16, 363. 2. *Пск.* Раскачивать качели так сильно, чтобы люди на них подпрыгивали. СПП 2001, 49.

Дава́ть/ дать (вы́дать) лепёшку *кому. Кар.* Наносить удар кому-л. СРГК 3, 114.

Испе́чь лепёшку во всю щёчку. *Народн. Шутл.* Дать кому-л. пощёчину. ДП, 260; БМС 1998, 335; Мокиенко 1990, 60.

Разбива́ться/ разби́ться (расшиба́ться/ расшиби́ться) в лепёшку. *Прост.* Постараться, сделать всё возможное для достижения какой-л. цели. ФСРЯ, 225; БМС 1998, 335; БТС, 493; СОСВ, 103; ЗС 1996, 103; СНФП, 90; СПП 2001, 49; Глухов 1988, 138; СПСП, 61.

Разойти́сь в лепёшку. *Пск.* То же, что **разбиться в лепёшку.** СПП 2001, 49.

Сде́лать лепёшку *из кого. Прост.* Сильно избить кого-л. (обычно — в угрозах). БМС 1998, 335.

Хоть лепёшку ты разбе́й. *Прикам.* О невозможности осуществления чего-л., несмотря на прилагаемые усилия. МФС, 84.

ЛЁПКА * Дава́ть/ дать лёпки *кому. Дон.* Побить, отшлепать кого-л. СДГ 2, 112.

ЛЕ́ПОЧКА * На ле́почках. *Ряз.* О ком-л., о чём-л., держащемся непрочно, готовом разрушиться, упасть. ДС, 272.

ЛЕ́ПТА * Ле́пта вдови́цы. *Книжн. Устар.* Скромное пожертвование, сделанное от всего сердца. ЗС, 292. < Выражение из евангельской притчи; **лепта** — мелкая медная монета в Древней Греции. БМС 1998, 335.

Вноси́ть/ внести́ свою́ ле́пту *во что. Книжн.* Делать свой посильный вклад в общее дело, принимать посильное участие в чём-л. полезном. ФСРЯ, 225; БМС 1998, 335; ШЗФ 2001, 39; ЗС 1996, 292.

ЛЕС * Взгля́нет, так лес вя́нет. *Народн.* О суровом взгляде, внушающем страх, ужас. ДП, 272.

Гляде́ть в лес. *Волг.* Намереваться уйти откуда-л., покинуть кого-л. Глухов 1988, 23.

Дрему́чий лес. См. **Тёмный лес.**

Иди́ на тёмный лес! *Новг.* Восклицание, выражающее раздражение, негодование, требование уйти. НОС 3, 110.

Ката́ть лес. *Прикам.* Работать на лесоповале. МФС, 46.

Кто в лес кто по дрова́. *Прост. Неодобр.* О чьих-л. несогласованных действиях, поступках. ФСРЯ, 225; 335; ЗС 1996, 102; СПП 2001, 49; ДП, 460.

Лес ле́сом. *Сиб., Прикам.* О густой траве. ФСС, 105; СРГПриам., 144. // *Дон.* О любых густых зарослях. СДГ 2, 112.

Му́ромский лес. *Фольк. Устар.* Притон разбойников. БМС 1998, 336.

На́ лес! *Кар.* Резкая форма отказа кому-л. в чём-л. СРГК 3, 115.

На́ лес тебя́ уго́нь! *Новг. Бран.* Восклицание, выражающее гнев, негодование. СРНГ 19, 95.

На пусто́й лес, на большу́ю во́ду! *Народн.* Заклинание от порчи. ДП, 932.

На сухо́й лес! *Пск.* Формула заговора (от внутренних болезней). СПП 2001, 49.

Ни лес ни трава́. *Перм.* Растение семейства мотыльковых — ракитник днепровский. СРНГ 16, 368.

Пиха́ть лес. *Кар.* Расчищать лесные участки под сельскохозяйственные угодья. СРГК 4, 523.

Провали́сь лес и го́ры, мы на ко́чке проживём. *Сиб. Шутл.* О человеке, которому всё нипочём. ФСС, 105.

Руби́ть лес. *Жарг. муз. Шутл.* Играть на ударных музыкальных инструментах. Максимов, 221.

Руби́ть лес на огля́дкине. *Костром. Шутл.* Воровать лес. СРНГ 22, 321.

Смотре́ть (гляде́ть) в лес. *Разг.* Стремиться покинуть место пребывания, вернуться к прежнему месту жительства, работе и т. п. < Сокращение пословицы **Как волка ни корми, он все в лес смотрит**. ФСРЯ, 4394 БМС 1998, 336.

Тёмный (дрему́чий) лес. *Разг. Шутл.* О чём-л. неясном, непонятном. ФСРЯ, 225; БМС 1998, 336; ЗС 1996, 102; Глухов 1988, 158; Ф 1, 277; СПП 2001, 49.

Ходи́ть в лес. *Сиб.* Заниматься пушным промыслом. СФС, 40.

Хоть в лес, хоть по дрова. *Коми. Одобр.* О бойком, решительном человеке. Кобелева, 66.

Дво́е вышли из ле́са. *Жарг. шк. Шутл.* Появление опоздавших на последнем уроке. ВМН 2003, 75.

Взя́ться ле́сом. *Новг.* Зарасти. НОС 1, 120.

Идти́ ле́сом. *Кар.* Лгать. СРГК 2, 267.

[Чужо́е] ви́деть за (под) ле́сом, а [своё] не ви́деть под но́сом. *Народн.* Замечать мелкие чужие недостатки, не видя своих крупных недостатков. ДП, 451; ФСС, 27.

В лесу́ дров не найдёт. *Народн. Шутл.-ирон.* О бестолковом, нерасторопном человеке. ДП, 454.

В лесу́ настёганный. *Сиб. Неодобр.* О нелюдимом, угрюмом человеке. ФСС, 120.

В лесу́ роди́лся, пню моли́лся. *Прост., Печор. Пренебр.* О глупом, несообразительном человеке. Максимов, 221; СРНГП 2, 248. **В лесу роди́лся, пню моли́лся, в Бреве́ннице крести́лся.** *Печор. Шутл.-ирон.* То же. < **Бревенница** — небольшая речка у деревни Якшино. СРГНП 1, 42.

В лесу́-то моро́шка, да не но́сят но́жки. *Кар. Ирон.* О старческой слабости, немощи. СРГК 4, 45.

Вы́рос в лесу́, моли́лся пенья́м. *Казан.* О необразованном, невежественном человеке. СРНГ 25, 347.

Жил в лесу́, пенька́м (чертя́м) бо́гу моли́лся. *Волг. Неодобр.* О невежественном, грубом человеке. Глухов 1988, 12, 42.

Жить в лесу́, бо́гу моли́ться колесу́. 1. *Сиб. Ирон.* Жить в захолустье, а глухом, отдалённом месте. ФСС, 72; СФС,

72. 2. *Волг., Сиб.* Быть глупым, необразованным. Глухов 1988, 42; СРНГ 35, 138.

Жить в лесу́, моли́ться колесу́. *Обл.* Быть невежественным, необразованным. Ф 1, 188.

Из всего́ ле́су. *Перм. Шутл.-одобр.* О сильном, крепкого телосложения человеке. Подюков 1989, 61.

Из-за ле́су де́рева не ви́деть. *Народн.* Не замечать чего-л. важного, значительного, обращая внимание на мелочи. ДП, 454.

И́з лесу в лес вози́ть дрова́. *Сиб. Ирон.* Выполнять бесполезную работу. ФСС, 29; Мокиенко 1990, 65.

Из ле́су в лес медве́дя води́ть. *Обл. Шутл.-ирон.* Бездельничать. Мокиенко 1990, 65.

Не ви́деть в лесу́ ле́су. *Волг. Ирон.* Плохо разбираться в чём-л., не видеть достоинств чего-л. Глухов 1988, 95.

Не в лесу́ на́йден. *Прост.* Кто-л. ничем не хуже другого, не так прост, как кажется. Мокиенко 2003, 52.

Не найти́ в лесу́ ле́су. *Волг. Ирон.* Сделать очень неудачный выбор. Глухов 1988, 100.

Одного́ ле́су кочерга́. *Волг.* О человеке, очень похожем на кого-л., близком по духу кому-л. Глухов 1988, 116.

Ста́рого ле́су кочерга́. *Народн. Шутл.* Об опытном, бывалом человеке. ДП, 353; Мокиенко 1990, 12.

На пусты́ ле́сы. 1. *Перм.* Заклинание, употребляемое с целью помешать осуществлению чего-л. СГПО, 2804 СРНГ 17, 14. 2. *Прикам.* Выражение предупреждения, предостережения о нежелательности, недопустимости чего-л. МФС, 54.

На пусты́ ле́сы звене́ть. *Народн. Неодобр.* Говорить вздор, ерунду; болтать, пустословить. ДП, 410.

ЛЕСА́ * Леса́ лесо́й. *Ср. Урал.* О большом количестве чего-л. СРГСУ 2, 92; СРНГ 16, 369. < **Леса** — лес.

ЛЕ́СБИЕ * Посади́ть на ле́сбие *кого. Жарг. гом., мол.* Склонить, принудить кого-л. к лесбиянству. Смена, 1990, № 10, 56.

ЛЕ́СЕНКА * На ле́сенке вытя́гивали *кого. Прибайк. Шутл.* О человеке очень высокого роста. СНФП, 90.

ЛЕСИ́НА * Леси́на неотёсанная. *Прост. Бран. или Пренебр.* О грубом, некультурном человеке. Мокиенко, Никитина 2003, 186.

ЛЕСИ́НКА * Поста́вить ка́ждую леси́нку на свой пенёк. *Новг.* 1. Вернуть прежние времена, прежние порядки. НОС 5, 19. 2. Вернуть затраченные средства. НОС 8, 116.

ЛЕСНИ́К * Голубо́й лесни́к. *Жарг. авиа. Шутл.* Прокурор на воздушном транспорте. АиФ, 1995, № 40. < **Лесник** — генерал.

ЛЕСНО́Й * До лесно́го. *Ср. Урал., Прикам.* 1. Долой, прочь. 2. О большом количестве чего-л. СРГСУ 2, 93; СРНГ 16, 374; МФС, 54; Мокиенко 1986, 170.

На лесно́го. *Ср. Урал.* Зачем, для чего? СРГСУ 2, 93; СРНГ 16, 374.

Ни на лесно́го. См. **Ни на лешего не походит (ЛЕШИЙ).**

Ни лесно́го. См. **Ни лешего (ЛЕШИЙ).**

Иди́ к лесно́му! *Ср. Урал, Сиб. Бран.* Выражение негодования, возмущения в чей-л. адрес., желания избавиться от кого-л. СРГСУ 2, 93; СФС, 82; Мокиенко 1990, 27.

Ну тебя́ (его́ и т. п.**) к лесно́му!** *Сиб., Ср. Урал.* То же, что **иди к лесному.** ФСС, 105; СРНГ 16, 374.

Лесно́й задави́. См. **Леший задави (ЛЕШИЙ).**

Лесно́й [его́] зна́ет. *Ср. Урал., Сиб.* Абсолютно ничего не известно о ком-л., о чём-л. СРГСУ 2, 93; ФСС, 1054 СРНГ 16, 374.

Лесно́й несёт (принёс) *кого. Ср. Урал.* О человеке, пришедшем некстати. СРГСУ 2, 93; СРНГ 16, 374.

Лесно́й тебе́ (ему́ и т. п.**) в рот!** *Ср. Урал. Бран.* Восклицание, выражающее гнев, негодование, недоброе пожелание в адрес человека, говорящего что-л. нежелательное. СРГСУ 2, 83; СРНГ 16, 374.

Лесно́й унёс *кого, что. Ср. Урал.* О ком-л. надолго ушедшем, о чём-л. затерявшемся. СРГСУ 2, 93; СРНГ 16, 374.

Лесно́й херуви́м. *Влад. Шутл.-ирон.* О некрасивом человеке. СРНГ 16, 373.

Понеси́ тебя́ лесно́й! *Ср. Урал.* Восклицание, выражающее возмущение, негодование. СРГСУ 2, 93; СРНГ 16, 371.

Уведи́ лесно́й. См. **Уведи леший (ЛЕШИЙ).**

<**Лесной** — леший; нечистая сила, обитающая в лесу.

ЛЕСОВИ́ЦА * Чтоб лесови́ца побра́ла *кого! Новг. Бран.* Выражение досады, раздражения, возмущения в чей-л. адрес. Сергеева 2004, 26.

ЛЕСОВО́Й * Лесово́й завёл *кого. Пск.* Кто-л. заблудился в лесу. СПП 2001, 49. < **Лесовой** — леший; нечистая сила, обитающая в лесу.

ЛЕ́СТНИЦА * Спусти́ть с ле́стницы *кого. Разг.* Грубо выгнать, прогнать кого-л. как бесчестного, недостойного человека. Ф 2, 179.

ЛЁТ * В лёте. *Кар.* То же, что **на лету.** СРГК 3, 117.

Лови́ть (хвата́ть, схва́тывать) на лету́ *что. Разг. Одобр.* Быстро понимать, усваивать что-л. БМС 1998, 336; БТС, 1440; Ф 1, 283.

На лету́. *Разг.* Мимоходом, наскоро. ФСРЯ, 225.

С лёту. *Разг.* Быстро, легко. Ф 1, 278.

ЛЕ́ТА * Ка́нуть в Ле́ту. *Книжн.* 1. Бесследно и навсегда исчезнуть, уйти в небытие (о человеке). 2. Быть навсегда забытым, преданным забвению. Янин 2003, 138. < Выражение восходит к греческой мифологии. где *Лета* — река забвения в подземном царстве. БМС 1998, 337; ФСРЯ, 225; ЗС 1996, 239, 483.

ЛЕТА́ТЬ * Высоко́ (хорошо́) лета́ет, да где́-то ся́дет. См. **ВЫСОКО.**

ЛЕТЕ́ТЬ * Лете́л, перде́л и ра́довался. *Вульг.-прост. Шутл.-ирон.* Об отлетевшем от чьего-л. сильного удара, пинка человеке. Мокиенко, Никитина 2003, 187.

ЛЕТКО́М * Летко́м лете́ть. *Пск.* Быстро идти, бежать, лететь. СПП 2001, 49.

ЛЕТМА́ (ЛЕТМЯ́) * Летма́ (летмя́) лете́ть. 1. *Ворон., Кар.* Быстро, стремительно лететь. СРГК 3, 117. 2. *Яросл.* Очень быстро бежать, мчаться. СРНГ 17, 72; ЯОС 5, 128.

ЛЕ́ТО[1] * Бабское лето. *Пск., Сиб.* То же, что **бабье лето 1.** СПП 2001, 49; ФСС, 105.

Ба́бье ле́то. 1. *Разг.* Ясные, тёплые дни в конце лета, начале осени. ФСРЯ, 225; БМС 1998, 337; ДП, 892; ЗС 1996, 448; СБГ 1, 23; РЩН, 1976; БТС, 54, 494. 2. *Сиб.* Период летних работ в огороде (уборка картофеля, прополка капусты и т. п.). ФСС, 105; СФС, 18. 3. *Сиб.* Ненастное, дождливое лето. СОСВ, 26. 4. *Башк.* Весеннее время, когда сажают огурцы. СРГБ 1, 24. 5. *Разг.* О возрасте женщины 40–45 лет. БМС 1998, 337.

Ле́то ле́тенское. *Перм., Сиб.* На протяжении всего лета. ФСС, 105; Подюков 1989, 105.

Ле́то летова́ть. 1. *Ряз., Печор.* Проводить лето где-л. ДС, 274; СРГНП 1, 383. 2. *Волг.* Постоянно, долго жить где-л. Глухов 1988, 81.

Ле́то ле́тское. *Курск.* То же, что **лето летенское.** БотСан, 100.

Му́шье ле́то. *Кар.* Период времени летом, когда особенно активизируются мухи. СРГК 3, 119.

На то ле́то, не на э́то. *Народн. Шутл.-ирон.* Никогда (форма отказа кому-л.). ДП, 293, 892; СРНГ 23, 300; Мокиенко 1986, 210.

Начало́сь ле́то в А́фрике. *Жарг. мол. Шутл.-ирон.* О проявлении глупости. Максимов, 18.

Под ле́то. *Кар.* По направлению к югу, южнее. СРГК 3, 118.

ЛЕ́ТО[2] * Вы́житься (вы́пасть) из лет. *Арх.* Достичь преклонного возраста. АОС 7, 214; АОС 8, 61.

Вы́катить на сто лет *кого. Сиб. Неодобр.* Грубо обругать кого-л. ФСС, 36.

Выходи́ть/ вы́йти из лет. *Алт., Арх., Кар., Коми, Печор., Пск.* 1. Достигать преклонного возраста, состариться. 2. Достигать пенсионного возраста. СРГА 1, 186; АОС 7, 239; СРГК 1, 311; СРГК 3, 118; Кобелева, 59; СРГНП 1, 105; ПОС, 5, 167.

До ро́слых лет. *Арх.* До совершеннолетия. СРНГ 35, 187.

Лет-лет и па́мяти нет. *Одесск. Шутл.-ирон.* Об очень старом человеке или вещи. КСРГО.

С изма́лых лет. *Сиб.* С детства. ФСС, 105; СБО-Д1, 177.

Ско́лько лет, ско́лько зим! *Разг.* Приветствие при встрече давно знакомых людей: как давно мы не виделись! БМС 1998, 337; БТС, 494; ФСРЯ, 225; ЗС 1996, 484; Жук. 1991, 301.

С лет вон. *Пск.* О человеке преклонного возраста, старике. СПП 2001, 49.

Сто лет в обе́д *кому. Прост.* О чём-л. очень давнем, старом, о ком-л. преклонного возраста. Ф 1, 278; ФСС, 189; Подюков 1989, 198.

Сто лет в суббо́ту. См. **Сто годов в эту субботу (ГОД).**

Сто лет не на́до *кому чего. Прост.* О полной ненужности чего-л. Верш. 6, 391.

Сто (три́ста) лет со дня рожде́ния ло́шади Пржева́льского (ру́сской балала́йки). *Жарг. мол. Шутл.-ирон.* Мнимый повод для выпивки. Максимов, 405, 429.

Ада́мовы ле́та. *Алт.* С давних пор. СРГА 1, 19.

Входи́ть/ войти́ (выходи́ть/ вы́йти) в лета́. *Прост.* Достигать определённого возраста. БТС, 145, 494; Кобелева, 59.

Лета́ лета́ми. *Кар.* Из года в год, ежегодно. СРГК 3, 118.

Мно́гая ле́та! *Книжн. Устар.* Пожелание долголетия. ЗС 1996, 438.

Подби́тые лета́. *Дон.* Преклонный возраст. СДГ 3, 20.

Око́нчить лета́. *Книжн. Устар.* Умереть, скончаться. Ф 2, 18.

В лета́х. *Разг.* О немолодом человеке. БТС, 494.

В немы́х лета́х. *Коми.* В раннем детстве, когда ребёнок ещё не умеет говорить. Кобелева, 68.

В одни́х лета́х *с кем. Новг.* Одного возраста. НОС 5, 21.

При лета́х *чьих. Печор.* Во времена чьей-л. молодости. СРГНП 1, 382.

Ле́то ле́тски. *Пск.* Издавна, с незапамятных времён. СРНГ 17, 21.

Ти́хое (ти́хо) ле́то. 1. *Пск.* О спокойном периоде времени, спокойной обстановке где-л. СПП 2001, 49. 2. *Волг., Дон.* О спокойном, скромном человеке. Глухов 1988, 158; СДГ 2, 114.

ЛЕТОВА́ТЬ * Летова́ть и зимова́ть *где. Прост.* Постоянно жить где-л. Ф 1, 278.

ЛЁТОМ * Лётом летану́ть. *Пск.* Быстро пойти куда-л. (Запись 2001 г.).

Лётом лете́ть. 1. *Арх., Башк.* Лететь в большом количестве (о птицах). СРНГ 17, 23; СРГБ 2, 60. 2. *Волг., Кар., Курск., Новг., Перм., Прикам.* Очень быстро перемещаться — бежать, идти, ехать. Глухов 1988, 81; СРГК 3, 117; БотСан, 100; НОС 5, 21; Подюков 1989, 105; МФС, 54.

Лётом слета́ть. *Башк.* Быстро сходить куда-л. и вернуться. СРГБ 2, 60.

Лётом улете́ть. *Ряз.* Быстро убежать, сбежать откуда-л. ДС, 274.

ЛЕ́ТОПИСЬ * С ле́тописи в ле́топись. *Сиб.* Постоянно, из года в год. ФСС, 105; СРНГ 36, 6.

Жива́я ле́топись. *Разг. Шутл.* О том, кто хорошо помнит современные ему события. БТС, 494.

ЛЕ́ТУШКО * Ле́тушко пришло́ и поау́кать не дошло́. *Кар. Ирон.* Об упущенном, потраченном впустую времени. СРГК 4, 561.

ЛЁТЧИК * Сби́тый лётчик. *Жарг. студ. Ирон.* Пьяный студент. Максимов, 222.

ЛЕТЬМЯ́ * Летьмя́ лете́ть. *Арх.* То же, что **летма лететь 2. (ЛЕТМА).** Мокиенко 1986, 105.

ЛЁХА * Лёха Boха́нский. *Обл. Презр.* О глупом, недалёком человеке. < Образовано на основе переосмысления имени **Алёша** — ‘дурачок’ и прилаг. **Боханский** — ‘из села Бохан’. БМС 1998, 339; Мокиенко 1990, 106.

ЛЕХМА́Н * Лехма́н его́ зна́ет. *Новг. Неодобр.* То же, что **леший знает (ЛЕШИЙ).** НОС 5, 23.

ЛЕЧЕ́БНИЦА * Ме́стная психиатри́ческая лече́бница. *Жарг. шк. Шутл.- ирон. или Пренебр.* Милицейско-правовой лицей (МПЛ). ВМН 2003, 76.

ЛЕ́ЧКИ * Ха́вать ле́чки. *Жарг. мол. Шутл.-ирон.* Верить лжи, вранью. Максимов, 222. < **Лечки** — от *лечить* — лгать.

ЛЕЧЬ * Лёг — сверну́лся, встал — встряхну́лся. *Народн.* 1. *Ирон.* О жизни бедняка. ДП, 93. 2. *Одобр.* О человеке, которому хорошо жить одному, меньше забот. ФСС, 104.

Лечь и встать. *Волг. Ирон.* Быть очень занятым, не иметь времени для отдыха. Глухов 1988, 80.

ЛЕША́К * Где (куда́) тебя́ (его́, вас и т. п.) **леша́к но́сит (носи́л, унёс)?** *Башк., Ср. Урал., Сиб. Неодобр.* Где ты (он и т. п.) был, куда ходил, почему не пришёл вовремя? СРГБ 2, 60; СРГСУ 2, 96; СРНГ 17, 30.

Куда́ тебя́ леша́к несёт (понёс)? *Башк., Ср. Урал., Сиб. Неодобр.* Куда ты идешь? СРГБ 2, 60; СРГСУ 2, 96; СРНГ 17, 30-31

Леша́к тебя́ (его́ и т. п.) **забери́ (возьми́, задери́, побери́, побра́л бы, понеси́, унеси́).** 1. *Арх., Волог., Перм., Ср. Урал. Неодобр.* Восклицание, выражающее возмущение, негодование. СРНГ 17, 30; Глухов 1988, 106; СРГСУ 2, 96. 2. *Арх., Волог., Перм.* Восклицание, выражающее удивление. СРНГ 17, 30. 3. *Арх., Волог., Перм. Одобр.* Восклицание, выражающее восторг, восхищение. СРНГ 17, 30.

Леша́к его́ (их и т. п.) **зна́ет.** *Сиб., Ср. Урал.* То же, что **леший знает (ЛЕШИЙ).** ФСС, 106; СРНГ 17, 30; СРГСУ 2, 96; СКузб., 112.

Леша́к несёт (принёс) *кого. Башк., Перм., Ср. Урал. Неодобр.* То же, что **леший привёл (ЛЕШИЙ).** СРГБ 2, 60; Глухов 1988, 106; СРГСУ 2, 96.

Леша́к но́сит *кого. Новг. Неодобр.* То же, что **леший носит (ЛЕШИЙ).** НОС 5, 23.

Леша́к со рта не схо́дит *у кого. Волог. Неодобр.* О частом употреблении бранного слова «лешак». СВГ 4, 39.

Леша́к с тобо́й! *Башк., Ср. Урал.* То же, что **леший с тобой (ЛЕШИЙ).** СРГБ 2, 60; СРГСУ 2, 96; СРНГ 17, 30.

Леша́к тебя́ надава́л! *Арх. Бран.* Восклицание, выражающее гнев, негодование в чей-л. адрес. СРНГ 19, 221.

Леша́к тебя́ унеси! *Башк. Бран.* То же, что **лешак тебя надавал.** СРГБ 2, 60.

На како́й леша́к? *Ср. Урал.* Зачем, с какой целью? СРНГ 12, 125; СРНГ 17, 30; СРГСУ 2, 96.

Чтоб тебя́ леша́к забра́л! *Сиб. Бран.* Восклицание, выражающее возмущение, досаду, недоброе пожелание в чей-л. адрес. СРНГ 17, 30.

Га́ркать лешака́. *Прикам.* Ругаться, браниться. МФС, 24.

До лешака́. *Волог., Коми.* То же, что **до лешего (ЛЕШИЙ).** СВГ 4, 39; Кобелева, 66.

Како́го лешака́? *Арх.* Зачем, с какой целью? СРНГ 17, 30.

Ни лешака́. *Коми., Печор.* То же, что **ни лешего (ЛЕШИЙ).** Кобелева, 66; СРГНП 1, 383.

Лешаки́ перенесли́ *кого. Свердл.* То же, что **леший привёл (ЛЕШИЙ).** СРНГ 17, 30.

Каки́х лешако́в? *Коми.* То же, что **какого лешака.** Кобелева, 64.

Иди́ (пошёл, ну тебя́) к лешаку́ (лешака́м)! *Арх., Кар.* То же, что **иди к лешему! (ЛЕШИЙ).** СРНГ 17, 30; СРГК 3, 120; Мокиенко, Никитина 2003, 187.

Посла́ть к лешаку́ *кого. Ср. Урал.* Прогнать кого-л. СРГСУ 2, 96; СРНГ 17, 30.

ЛЕ́ШИЙ * До ле́шего. *Волог., Кар., Сиб.* Очень много. СВГ 4, 39; СРГК 3, 121; ФСС, 106; СФС, 64; СБО-Д1, 244; СРНГ 17, 32.

Завива́ть ле́шего. *Сиб. Устар.* Об обряде завивания венков в лесу в День Троицы. ФСС, 75.

Како́го ле́шего. *Прост. Груб.* 1. Почему, зачем, для чего? ФСРЯ, 522. 2. Чего ещё (надо, не хватает и т. п. кому-л.). ФСРЯ, 522; Ф 1, 279; СРГБ 2, 61.

Ле́шего в стуле! *Прост. Груб.* Выражение категорического отказа. Подюков 1989, 106; Мокиенко, Никитина 2003, 187.

На [како́го] ле́шего. *Сиб., Прикам.* Зачем, для чего. СФС, 114; МФС, 72; СРНГ 17, 33; Мокиенко 1986, 170.

Никако́го ле́шего [нет]. *Том.* Абсолютно ничего нет. СРНГ 17, 33.

Ни ле́шего (ни лесно́го). *Арх., Кар., Прикам., Перм., Сиб.* Абсолютно ничего. АОС 4, 90; СРГК 3, 121; СГПО, 542; МФС, 54; СПСП, 61; Ф 1, 279; СРНГ 16, 374; СРНГ 21, 214; СФС, 127; Мокиенко, Никитина 2003, 187.

Ни на ле́шего (ни на лесно́го) не похо́дит. *Сиб. Неодобр.* О растрёпанном, неаккуратном человеке. СФС, 127; СРНГ 16, 374; СРНГ 17, 33; СРНГ 21, 214.

С три ле́шего. *Сиб.* Очень много. СФС, 181; СБО-Д1, 244; СРНГ 17, 33; Мокиенко 1986, 171.

Иди́ (пошёл) ты к лешему! *Прост. Бран.* То же что **[ну тебя] к ле́шему!** ФСРЯ, 524; СРГК 3, 182; СРГК 1, 47; СПСП, 61; Мокиенко, Никитина 2003, 187.

К ле́шему не го́дный. *Кар. Неодобр.* Очень плохой. СРГК 3, 121.

[Ну тебя́ (вас, его́ и пр.**)] к ле́шему!** *Прост. Бран.* Выражение пренебрежения, злобы, желания избавиться от кого-л. Мокиенко, Никитина 2003, 187.

Веди́ тебя́ ле́ший! *Иркут.* Вынужденное разрешение кому-л. пойти, поехать куда-л. СРНГ 17, 32.

Вот те ле́ший! *Арх.* Восклицание, выражающее удивление. СРНГ 17, 32.

Где тебя́ ле́ший во́дит (води́л)? *Иркут.* Где ты был, почему отсутствовал? СРНГ 17, 32.

Куда́ ле́ший сучки́ не залукнёт. *Народн.* Очень далеко. ДП, 222.

Ле́ший бро́сил *кого. Кемер. Шутл.-ирон.* О падении откуда-л. СРНГ 17, 32.

Ле́ший бы взял (обобра́л, присобо́ровал, хвати́л) *[кого]! Кар.* То же, что **леший возьми!** СРГК 3, 121.

Ле́ший бы не ел *кого! Кемер. Бран.* Восклицание, выражающее негодование, неприязнь по отношению к кому-л. СРНГ 17, 32.

Ле́ший бы задави́л *кого! Народн. Бран.* То же, что **леший задави!** ДП, 333.

Ле́ший бы присобо́ровал *кого! Народн. Бран.* То же, что **леший задави!** Мокиенко 1990, 27.

Ле́ший во́дит *кого. Прост. Неодобр.* То же, что **леший привёл.** МФС, 54; Ф 1, 279.

Ле́ший возьми́ (побери́) *[кого]! Прост. Бран.* Восклицание, выражающее возмущение, негодование, недоброе пожелание в чей-л. адрес. ФСРЯ, 520; АОС 4, 83; СРГК 3, 121; СРНГ 17, 32-33.

Ле́ший вотка́л *кого куда. Пск. Неодобр.* Кто-л. втянут, ввязался в какое-л. дело. СПП 2001, 49.

Ле́ший го́нит (да́вит) *кого. Прибайк. Неодобр.* О необъяснимых, странных поступках. СНФП, 90.

Ле́ший дери́ (подери́)! *Прост. Бран.* То же, что **леший возьми!** Мокиенко, Никитина 2003, 187.

Ле́ший дери́ твою́ (ва́шу, его́ и пр.**) ду́шу!** *Прост. Бран.* То же, что **леший возьми!** Мокиенко, Никитина 2003, 187.

Ле́ший дёрнул *кого. Прост. Неодобр.* О чьём-л. необдуманном, опрометчивом, ненужном поступке, действии. ФСРЯ, 520; Мокиенко 1990, 26.

Ле́ший дёрнул за язы́к *кого. Прост. Неодобр.* О чьём-л. необдуманном, опрометчивом, ненужном высказывании. ФСРЯ, 521.

Ле́ший забра́л *кого. Прибайк., Сиб.* Кто-л. умер. СНФП, 90; ФСС, 106; СФС, 100; СБО-Д1, 244; СРНГ 17, 32; СОСВ, 104; Мокиенко 1986, 182.

Ле́ший задави́ *[кого]! Сиб.* Пожелание неудачи, беды кому-л. ФСС, 105; СФС, 99; СРНГ 16, 374; СРНГ 17, 32.

Ле́ший запе́нит *[кого]! Волог. Бран.* То же, что **леший возьми!** СВГ 2, 137.

Ле́ший запе́тал *кого. Волог. Неодобр.* То же, что **леший носит.** СВГ 2, 138; Мокиенко 1986, 182.

Ле́ший зна́ет. *Прост.* Абсолютно ничего не известно о ком-л., о чём-л. ФСРЯ, 226; СРГК 3, 121.

Ле́ший идёт. *Олон.* О вихре, поднимающем пыль на дороге. СРНГ 17, 32.

Ле́ший красноплё́ший! 1. *Сиб., Яросл. Бран.* О человеке, совершившем какой-л. проступок. ФСС, 106; СФС, 100. 2. ЯОС 5, 130. 2. *Сиб.* Восклицание, выражающее удивление. СФС, 100.

Ле́ший лома́л *кого. Горьк. Неодобр.* О ребёнке, испачкавшем одежду. БалСок., 41.

Ле́ший меня́ возьми́ (де́ри, побери́, подери́)! *Прост. Бран.*1. Восклицание досады при чьих-л. неудачных действиях. 2. Клятвенное уверение в чём-л. совершённом, исполненном или обещаемом. Мокиенко, Никитина 2003, 187.

Ле́ший несёт *кого. Прост. Неодобр.* О чьём-л. нежелательном появлении где-л., приходе куда-л.; о появлении кого-л. где-л. с неизвестной целью. ФСРЯ, 521; Мокиенко 1986, 182.

Ле́ший неси́ (понеси́, унеси́, поведи́) *[кого]*! *Арх., Кар.* То же, что **леший возьми.** АОС 4, 83; СРГК 3, 121; СРНГ 17, 32-33.

Ле́ший но́сит *кого. Прост. Неодобр.* О долго отсутствующем где-л. человеке. ФСРЯ, 521; СРГК 3, 121; Мокиенко 1990, 27.

Ле́ший обобра́л! *Кар.* Восклицание, выражающее неприятное удивление. СРГК 4, 102.

Ле́ший обошёл *кого. Народн.* Кто-л. заблудился, сбился с дороги. ДП, 333; Мокиенко 1986, 182.

Ле́ший опря́тал *кого. Волог.* То же, что **леший снёс.** СВГ 6, 68.

Ле́ший поéхал *на ком. Волг., Сиб. Неодобр.* О человеке, который начал вести себя предосудительно, неправильно. Глухов 1988, 81; ФСС, 106; СФС, 100; СРНГ 17, 33; СРНГ 28, 286.

Ле́ший привёл *кого. Сиб. Неодобр.* О чьём-л. нежелательном приходе. ФСС, 106; СФС, 100; СРНГ 17, 33.

Ле́ший снёс *кого. Горьк.* 1. О чьём-л. падении. БалСок., 41. 2. То же, что **леший унёс 1.** Мокиенко 1986, 182.

Ле́ший с тобо́й (с ва́ми, с ним и т. п.**)!** *Прост.* 1. *Бран.* Выражение возмущения, досады. Мокиенко, Никитина 2003, 187. 2. Выражение вынужденной уступки, невольного согласия с кем-л. ФСРЯ, 522; СРНГ 17, 33.

Ле́ший тебе́ дал! *Арх. Бран.* Восклицание, выражающее гнев, негодование в чей-л. адрес. АОС 10, 285.

Ле́ший увёл *кого. Сиб. Одобр.* Об уходе какого-л. неприятного человека откуда-л. СФС, 100.

Ле́ший унёс. 1. *что. Горьк.* О чём-л., бесследно исчезнувшем. БалСок., 41. 2. *кого. Арх.* О человеке, ушедшем куда-л. напрасно, не за делом. СРНГ 17, 33; Мокиенко 1986, 183.

Лонско́й ле́ший. *Кар. Шутл.-ирон.* Человек высокого роста. СРГК 3, 146.

На кой ле́ший? *Прост.* Зачем, с какой целью? ФСРЯ, 519.

На ле́ший? *Кар.* То же, что **на кой леший.** СРГК 3, 121.

Неси́ ле́ший! *Кар. Бран.* То же, что **леший возьми!** СРГК 4, 14.

Поведи́ тебя́ ле́ший! *Сиб. Бран.* То же, что **леший возьми!** СФС, 141; Мокиенко 1990, 27.

Понеси́ тебя́ ле́ший за кусты́! *Олон. Бран.* То же, что **леший возьми!** СРНГ, 29, 258.

Приведи́ (уведи́) ле́ший *[кого]*! *Сиб. Бран.* То же, что **леший задави!** ФСС, 105-106; СФС, 190; СРНГ 16, 374.

Хоть бы тебя́ ле́ший унёс *[кого]*! *Сиб. Бран.* То же, что **леший задави!** СРГК 4, 597.

За каки́м ле́шим? *Прост.* То же, что **на кой леший?** ФСРЯ, 524.

И с ле́шим, и с ко́нным, и с пе́шим. *Кар. Шутл.-ирон.* С каждым, с любым. СРГК 3, 121.

Каки́м ле́шим? *Пск.* То же, что **на кой леший?** (Запись 1997 г.).

Ле́шим наква́шен (накра́шен). *Ср. Урал. Неодобр.* Об упрямом, неуступчивом человеке. СРГСУ 2, 96; СРНГ 17, 33.

Ни ле́шья. *Кар.* То же, что **ни лешего.** СРГК 3, 121.

ЛЕЩ * Лещ Ле́вченко. *Жарг. мол., муз. Шутл.* Певец Лев Лещенко. ЖЭМТ, 11.

Дава́ть/ дать (зада́ть, подда́ть, влепи́ть) леща́ *кому. Прост.* Наносить кому-л. сильный, хлёсткий удар. ФСРЯ, 226; БТС, 240, 495, 863; БМС 1998, 339; СПП 2001, 49; ЗС 1996, 62, 230; Мокиенко 1990, 48, 61, 159; Шевченко 2002, 120. // *Жарг. угол.* Наносить кому-л. удар ребром ладони по почкам. Мильяненков, 156. < Перифрастический оборот от диал. глагола **лёскнуть** — ударить.

Дави́ть леща́. *Жарг. угол.* 1. Уступать требованию воров. ТСУЖ, 98; СВЖ, 8. // *Жарг. мол.* Идти на уступки кому-л. Мильяненков, 156; Елистратов 1994, 227. 2. Требовать от жертвы беспрекословного подчинения при ограблении. Мильяненков, 156; ББИ, 127; Балдаев 1, 226.

Излови́ть (купи́ть) леща́. *Волог. Шутл.* То же, что **поймать леща 1.** СРНГ 17, 35.

Кида́ть леща́. *Жарг. угол.* 1. *кому.* Угождать кому-л., подхалимствовать, заискивать. < Перифрастический оборот от глагола **льстить.** ББИ, 127; Балдаев 1, 185. 2. Грабить пьяного. < **Лещ** — пьяный. ТСУЖ, 98.

Пойма́ть леща́. 1. *Пск. Шутл.* Упасть, поскользнувшись (особенно в гололедицу). СПП 2001, 49; СРНГ 17, 35. // *Горьк., Новг.* Упасть и удариться. БалСок., 50; НОС 5, 33. 2. *Ворон.* Получить удар. СРНГ 17, 35. 3. *Жарг. спорт.* Сделать неудачный гребок, косо зацепиться веслом за воду. БМС 1998, 339.

Поднести́ леща́ *кому. Прост.* То же, что **давать/ дать леща.** Ф 2, 57.

Получи́ть (схвати́ть) леща́. *Пск. Шутл.* Получить затрещину; подвергнуться избиению. СПП 2001, 49.

Пуска́ть леща́. *Жарг. мол.* 1. Привлекать внимание к себе. Елистратов 1994, 227. 2. Говорить что-л. приятное собеседнику. Максимов, 222.

Слови́ть леща́. *Морд.* Подвергнуться избиению. СРГМ 2002, 81.

Съесть леща́. *Перм. Шутл.* То же, что **поймать леща 1-2.** СРНГ 17, 35.

Держа́ть в леща́х *кого. Кар.* Строго обращаться с кем-л. СРГК 1, 454.

Раздава́ть леще́й. *Обл.* Бить, избивать кого-л. Мокиенко 1990, 159.

Дешёвые лещи́ (лещи́ дёшевы). *Волог., Новг.* О падении на скользкой дороге; о возможности упасть в гололедицу. СРНГ 17, 35; НОС 5, 24.

Лещи́ продава́ть. *Волог.* Падать в гололедицу. СРНГ 17, 35.

Дать (надава́ть, накла́сть) лещо́в *кому. Дон., Новг., Пск.* Выругать, наказать, побить кого-л. СДГ 2, 114; НОС 5, 147; Сергеева 2004, 46, 183; СПП 2001, 49.

ЛЕЩЁДКА * Попа́сть в лещёдку. *Народн.* Оказаться в сложной ситуации, безвыходном положении. ДП, 144; Мокиенко 1990, 137. < **Лещёдка** — капкан.

ЛЖИ́ВО * Лжи́во на лжи́ве. *Сиб. Устар. Неодобр.* О чём-л. ненадёжном, обманчивом. ФСС, 106.

ЛИБЕРАЛИ́ЗМ * Гнило́й либерали́зм. *Публ. Презр.* О беспринципности и примиренчестве. ШЗФ 2001, 54. < Выражение из сатирического очерка М. Е. Салтыкова-Щедрина «Господа Молчалины». БМС 1998, 339.

ЛИ́ВЕР * Дави́ть (дава́ть) ли́вер. 1. *Жарг. угол.* Наблюдать за кем-л., чем-л. ББИ, 127; Балдаев 1, 226; СВЖ, 8. 2. *Жарг. угол.* Отвлекать внимание жертвы при совершении преступления. ТСУЖ, 44; Мильяненков, 156. 3. *Жарг. угол.* Ухаживать за женщиной. УМК, 116. 4. *Жарг. мол.* Идти куда-л. Максимов, 100.

Держа́ть ли́вер. *Жарг. угол.* 1. Передавать соучастнику краденое. 2. Следить, незаметно наблюдать за кем-л. 3. Преследовать кого-л. УМК, 116; СВЯ, 27; ББИ, 67.

Ли́вер трясётся *у кого. Жарг. мол. Шутл.* О состоянии похмелья. Максимов, 222.

Тяну́ть ли́вер *на кого. Жарг. мол.* Вести себя вызывающе по отношению к кому-л. более сильному. Максимов, 186.

ЛИВКО́М * Ливко́м (ли́вом) лить. *Яросл.* Лить в большом количестве, сильно, интенсивно. ЯОС 5, 131.

ЛИВМЯ́ * Ливмя́ лить (ли́ться). *Народн.* Литься интенсивно, в большом количестве (о дожде). ДП, 515; БТС, 496, 500; СОГ-1994, 44; Ф 1, 280; Мокиенко 1986, 110.

ЛИ́ВОМ * Ли́вом лить. См. **Ливком лить (ЛИВКОМ).**

ЛИЗМЯ́ * Лизмя́ лиза́ть *что. Сиб., Забайк.* Лизать что-л. с удовольствием. ФСС, 106; СРГЗ, 185.

ЛИ́ЗНЕМ * Ли́знем слизну́ть *что. Пск. Неодобр.* Унести, украсть что-л. СРНГ, 17, 43.

ЛИЗУ́Н * Дать лизу́на. *Орл.* Убежать откуда-л. СРНГ 17, 45.

Съесть лизуна́. *Беломор. Шутл.* Упасть. < От диал. **лызнуться** — поскользнуться. Мокиенко 1990, 153.

ЛИИ́ЖТ * ЛИИ́ЖТ при МПС. *Жарг. студ. Шутл.* Ленинградский институт изучения женского тела при Министерстве половых сношений. Синдаловский 2002, 105. < Ленинградский институт инженеров железнодорожного транспорта при Министерстве путей сообщения.

ЛИК * В (на) оди́н лик. *Печор.* Об очень похожих друг на друга людях. СРНГ 17, 45; СРГНП 1, 384.

Лик в лик. *Печор.* То же, что **в один лик.** СРНГ 17, 45.

При ли́ке *чьём, кого. Сиб.* В присутствии кого-л. СРНГ 17, 45; СРНГ 31, 101.

Ли́ку не ви́дно. *Волог. Неодобр.* О чём-л. сильно испачканном, загрязнённом. СВГ 4, 39.

Ли́ку не знать. *Морд. Неодобр.* То же, что **лику не видно.** СРГМ 1980, 108.

Причисля́ть/ причи́слить к ли́ку святы́х *кого. Книжн. часто Ирон.* Делать кого-л. объектом почитания, усиленно прославлять, идеализировать кого-л. БМС 1998, 339.

ЛИКЁР * Ба́нный ликёр. *Яросл. Шутл.* Самогон. ЯОС 1, 34.

Ликёр «Две ко́сточки». *Жарг. мол. Шутл.* Спирт-денатурат. Максимов, 223.

Ликёр «Шасси́». *Жарг. авиа. Шутл.* Гидросмесь, заливаемая в стойки шасси (70% глицерина, 20% спирта, 10% воды), которая используется как спиртной напиток. Войнович, 1989, 100. // *Жарг. арм.* Алкогольный напиток на основе чистого спирта. VSEA, 108.

ЛИМО́Н * Вы́жатый лимо́н. *Разг.* 1. Сильно уставший, измученный человек. 2. Человек, утративший духовные силы, творческие способности. ФСРЯ, 226; БТС, 497; ЗС 1996, 98.

Лимо́н лимо́нов. *Жарг. мол. Шутл.* Миллиард. Смирнов 2002, 102. < **Лимон** — миллион.

Ста́рший лимо́н. *Жарг. арм.* Солдат второго полугодия первого года службы. Елистратов 1994, 228.

Быть на лимо́не. *Жарг. угол.* Скрываться от правоохранительных органов. Балдаев 1, 51; ББИ, 37.

ЛИМОНА́Д * Пи́сать лимона́дом. *Жарг. мол.* Испытывать страх, сильно волноваться. Никитина 2003, 349.

ЛИНЕ́ЙКА * Служи́ть на лине́йке. *Жарг. арм.* Проходить срочную службу в погранвойсках. Елистратов 1994, 228.

Забра́ться (перемахну́ть, сигану́ть) за лине́йку. *Жарг. мол.* Уехать за границу. Елистратов 1994, 228.

ЛИ́НЗА * Кудря́вый в ли́нзах. *Жарг. мол. Шутл.-ирон.* Слишком умный. Вахитов 2003, 88.

Протере́ть ли́нзы, *чаще — в форме повел. накл. Жарг. мол.* Посмотреть внимательно. Никитина 1998, 228.

ЛИ́НИЯ * Быть (стоя́ть) на ли́нии огня́. *Публ. Патет.* Находиться в самом трудном, опасном месте, подвергаться риску. НСЗ-70; Мокиенко 2003, 52.

Держа́ться сре́дней ли́нии. *Разг. Устар.* Иметь умеренные взгляды, избегать крайних позиций. Ф 1, 162.

Идти́/ пойти́ по ли́нии наиме́ньшего сопротивле́ния. *Разг. Неодобр.* Избирать лёгкий, но не всегда лучший путь в решении каких-л. проблем, преодолении трудностей. ФСРЯ, 226; БМС 1998, 339.

Ли́нии нет *кому. Пск.* Кому-л. не сопутствует удача, успех. СРНГ, 17, 51.

По ли́нии. 1. *Твер. Одобр.* Благополучно, правильно (жить). СРНГ 17, 50. 2. *Алт.* По решению органов безопасности. СРГА 3-1, 21.

Вести́ ли́нию. *Разг.* Делать что-л., поступать согласно определённым принципам. Ф 1, 57.

В ли́нию. 1. *Урал.* Правильно, как нужно, как положено. 2. *Самар.* В подходящий момент, вовремя. СРНГ 17, 50.

Вступи́ть на ли́нию. *Твер.* Начать работать, устроиться на работу. СРНГ 17, 50.

Выходи́ть/ вы́йти на ли́нию. 1. *Яросл.* Получать, приобретать лучшее по сравнению с прежним. СРНГ 17, 50. 2. *Жарг. угол.* Разговаривать с глазу на глаз. ТСУЖ, 37.

Выходи́ть/ вы́йти на ли́нию огня́. *Публ. Патет.* Попадать в самое трудное, опасное место или ситуацию. НСЗ-70; Мокиенко 2003, 52.

Гнуть свою́ ли́нию. 1. *Разг.* Проводить свою собственную линию поведения независимо от других членов группы. Р-87, 80. 2. *Жарг. угол.* Отбывать срок наказания. Максимов, 88.

Не под ли́нию *кому с кем. Печор.* Не по пути. СРНГ 17, 51.

Попа́сть на хоро́шую ли́нию. *Твер.* Об удачно складывающейся для кого-л. обстановке. СРНГ 17, 51.

Проводи́ть свою́ ли́нию. *Книжн.* Добиваться своего; отстаивать свои принципы. Ф 2, 96.

Уйти́ на ли́нию. *Ворон.* Отправиться на заработки в город. СРНГ 17, 51.

Ходи́ть на ли́нию. *Жарг. муз.* Играть на похоронах. Щуплов, 348.

Демаркацио́нная ли́ния. *Жарг. гом. Шутл.* Углубление между ягодицами. ЖЭСТ-2, 233.

Ли́ния выхо́дит (пошла́, подошла́) *кому. Прост.* Обстоятельства складываются благоприятно для кого-л., представляется благоприятный случай для чего-л. Ф 1, 279; ФСРЯ, 226.

Ли́ния нахо́дит (нашла́) *на кого. Ворон.* Кем-л. овладевает какое-л. душевное состояние, настроение. СРНГ 17, 50.

Не ли́ния *кому. Пск., Твер.* Кому-л. не подобает, не подходит, не приличествует что-л. СРНГ 17, 50.

Чи́стая ли́ния. *Спец.* Потомство без скрещивания. Ф 1, 280.

ЛИНКО́М * Линко́м лить. *Сиб., Приамур.* То же, что **ливмя лить (ЛИВМЯ).** ФСС, 106; СРГПриам., 145.

ЛИ́ПА * Ли́па ли́пу сте́лет. *Алт. Неодобр.* Кто-л. заискивает перед кем-л., льстит кому-л. СРГА 3-1, 28.

Бу́дешь знать, как ли́пу добыва́ть! *Пск.* Угроза расправы, наказания. СПП 2001, 49.

ЛИПЕ́НЬ * Дать липе́нь. См. **Дать лапень (ЛАПЕНЬ).**

ЛИ́ПИНКА * Не из-под ли́пинки. *Новг. Шутл.-ирон.* Не являющийся чем-л. особенным, самый обычный. НОС 5, 26.

ЛИ́ПКИ * Пить ли́пки. *Печор.* Выпивать по поводу удачной сделки, покупки, продажи. СРГНП 1, 385.

ЛИ́ПОВЫЙ * Прикати́ть на ли́повых. *Яросл. Устар. Шутл.* Прийти куда-л. в лаптях. ЯОС 8, 87.

ЛИ́ПОЧКА * Висе́ть (держа́ться, дряга́ться) на ли́почке. 1. *Морд.* Быть непрочно пришитым. СРГМ 1982, 126. 2. *Влад., Волог., Костром., Новг., Пенз., Яросл.* Едва, с трудом держаться; оказываться под угрозой краха, срыва, в большой опасности. СРНГ 17, 58; ЯОС 4, 22; ЯОС 6, 77.

ЛИПЯ́ТЫШКИ * Ходи́ть на липя́тышках. *Кар.* Ходить на цыпочках, с большой осторожностью. СРГК 3, 127.

ЛИС * Ста́рый лис. *Разг. Устар.* Хитрый, лукавый человек. Ф 1, 280.

ЛИСА́ * Лиса́ Али́са. *Разг.* Об очень хитром человеке. < Героиня сказки А. Толстого «Золотой ключик» (1936 г.). Дядечко 2, 191.

Лиса́ блины́ печёт. *Пск. Шутл.* О низком тумане над заболоченными местами. (Запись 1996 г.).

Лиса́ и жура́вль. *Жарг. шк. Шутл.* Директор школы и секретарь. Максимов, 223.

Лиса́ Патрике́евна. *Прост. Неодобр. или Шутл.-ирон.* О хитром, изворотливом, лукавом человеке. ФСРЯ, 226; БТС, 498; ДП, 660; БМС 1998, 340; СПП 2001, 49; Мокиенко 1990, 105.

Ста́рая (тра́вленая) лиса́. *Прост.* Об опытном, бывалом человеке. ДП, 477; Ф 1, 280.

Прики́дываться/ прики́нуться лисо́й. *Разг. Неодобр.* Льстить кому-л. с корыстной целью. Ф 2, 90.

Пойма́ть (добы́ть) лису́. *Иркут.* Подпалить, поджечь одежду. СРНГ 17, 60.

Пуска́ть/ пусти́ть лису́ в куря́тник. *Разг. Ирон.* Создавать ненадёжному, нечестному человеку условия для неблаговидных поступков. Глухов 1988, 136.

Пусти́ть лису́. *Жарг. крим.* Предварительно разведать объект рэкетирского налёта. Хом. 1, 511.

У лисы́ и во сне у́шки на маку́шке. *Народн.* Об очень осторожном, бдительном человеке. Жиг. 1969, 311.

ЛИСИ́ЦА * Морска́я лиси́ца. *Дельта Дуная.* Рыба шиповидный скат. СРНГ 18, 278.

Выпуска́ть/ вы́пустить лиси́ц. *Жарг. мол. Шутл.-ирон.* О рвоте. УМК, 116; ФЛ, 101.

ЛИСИ́ЧКА * Води́ть лиси́чку. *Дон.* В свадебном обряде — символически бороться за невесту, «лисичку». СДГ 1, 70.

ЛИСТ * Ба́рхатный лист. *Сиб.* Растение татарник разнолистный. ФСС, 106.

Бессме́ртный лист. *Арх.* Растение тмин песчаный. АОС 2, 17.

Воро́ний лист (листо́к). *Арх.* Растение подорожник. АОС 5, 95.

Жи́рный лист. *Орл.* Растение алоэ. СОГ 1990, 122.

Кара́сий лист. *Тобол.* Растение кувшинка белая. СРНГ 17, 63.

Класть на лист *что. Коми.* Записывать что-л. Кобелева, 65.

Лома́ть лист. *Сев.-Двин.* Заготавливать ветки осины, берёзы впрок. СРНГ 17, 62.

Ма́чехин лист. 1. *Олон.* Растение мята полевая. 2. *Кар.* Растение мать-и-мачеха. СРНГ 17, 63.

Откры́тый лист. *Спец. Устар.* Документ, дающий право беспрепятственно пользоваться в дороге ямскими или этапными лошадьми. БМС 1998, 340-341.

Семибра́тский лист. *Ср. Урал.* Растение мелколепестник едкий. СРНГ 17, 63.

Фи́говый лист. См. **Фиговый листок (ЛИСТОК).**

Царёв лист. *Смол.* Растение семейства первоцветных — седмичник европейский. СРНГ 17, 63.

Чи́стый лист. *Жарг. шк. Шутл.* Классная доска. ВМН 2003, 76.

С листа́. *Разг.* Без предварительного ознакомления, подготовки, имея перед собой текст или ноты (читать, петь и т. п.). ФСРЯ, 227.

Листо́м сте́лется, да укуси́ть це́лится. *Народн. Неодобр.* О подхалиме, двуличном человеке. Жиг. 1969, 220.

ЛИ́СТЕЖ * Дать ли́стежу. *Кар.* Покрыться тонким льдом. < **Листеж** — тонкий лёд. СРГК 3, 128.

ЛИ́СТИК * Наряди́ться в три ли́стика. *Ворон.* Одеться модно, щеголять модной одеждой. СРНГ 17, 66.

Обира́ть/ обобра́ть в три ли́стика *кого. Карт., угол.* Обыгрывать кого-л. в карты. БСРЖ, 317.

ЛИСТИ́НКА * Ма́чехина листи́нка. *Кар.* Растение мать-и-мачеха. СРГК 3, 129.

ЛИСТО́ВКА * Куда́ бежа́ть листо́вки кле́ить? *Жарг. мол. Шутл.* Что делать, куда идти? (Вопрос задаётся в общей суматохе, неразберихе). БСРЖ, 317.

ЛИСТО́ВЬЕ * Воро́нье листо́вье. *Арх.* То же, что **вороний лист.** АОС 5, 95.

ЛИСТО́К * Прикрыва́ться/ прикры́ться фи́говым листко́м. *Книжн. Ирон.* Лицемерно прикрывать подлинные намерения, маскировать свои неблаговидные поступки. БМС 1998, 341.

Воро́ний листо́к. См. **Вороний лист (ЛИСТ).**

Жильно́й листо́к. *Прикам.* Растение подорожник большой. МФС, 54.

Фи́говый листо́к (лист). *Книжн. Ирон.* Лицемерное прикрытие чего-л. постыдного, маскировки неблаговидных поступков и намерений. ФСРЯ, 227; БТС, 499, 1421; ЗС 1996, 367; БМС 1998, 341. < Восходит к библейскому мифу об Адаме и Еве.

ЛИСТОПА́ДНИК * Листопа́дник побери́ *Пск. кого!* Восклицание, выражающее гнев, раздражение. Шт., 1978. < **Листопадник** — нечистая сила.

ЛИТА́ВРЫ * Бить в лита́вры. *Книжн. Неодобр.* Поднимать шумиху по незначительному поводу. БМС 1998, 341.

ЛИТВА́ * Литва́ пошла́. *Пск. Неодобр.* О начале брани, склоки. СПП 2001, 49.

ЛИТЕРАТУ́РА * Забо́рная литерату́ра. *Разг. Неодобр.* Грубая, нецензурная брань (написанная на заборах). Мокиенко, Никитина 2003, 188.

Методи́ческая литерату́ра. *Жарг. студ. Шутл.* 1. Спиртное; бутылки со спиртным. 2. Туалетная бумага. Максимов, 223.

Техни́ческая литерату́ра. *Жарг. мол. Шутл.* Туалетная бумага. Максимов, 223.

Чита́ть обяза́тельную (методи́ческую) литерату́ру. *Жарг. студ. Шутл.* Пить спиртное. Елистратов 1994, 551; Максимов, 223.

ЛИ́ТКИ * Пить / вы́пить / выпива́ть (де́лать) ли́тки (сли́тки). *Кар., Печор., Пск., Яросл.* Отмечать удачную покупку, заключение какой-л. сделки выпивкой. СРГК 3, 130, 444; СРГНП 1, 387; ПОС, 6, 32; ЯОС 6, 6.

ЛИТКО́М * Лить литко́м. *Ворон.* Сильно литься (чаще — о дожде). СРНГ 17, 72; Мокиенко 1986, 110.

Сли́ться литко́м. *Ряз.* Залиться водой (дождевой, в половодье). ДС, 277; СРНГ 17, 72.

ЛИТР (ЛИ́ТРА) * Два ли́тра. *Жарг. шк. Шутл.* Сдвоенный урок литературы. ВМН 2003, 77. < **Литр** — литература.

Жениxо́ва ли́тра. *Сиб.* Спиртные напитки, которыми жених угощает своих близких. ФСС, 106.

ЛИТРБО́Л (ЛИТЕРБО́Л) * Игра́ть в литрбо́л (литербо́л). *Разг. Шутл.* Пьянствовать. Балдаев 1, 168.

Занима́ться (увлека́ться) литрбо́лом (литербо́лом). *Разг. Шутл.* Часто пить спиртное. Елистратов 1994, 229.

ЛИТРО-ГРАДУС * Ли́тро-гра́дус на рыло. *Жарг. мол. Шутл.* Единица измерения силы воздействия алкоголя на члена какого-л. коллектива. Никитина 1998, 229. < Соответствующую единицу называли также сокращённо **лигрыл** – «**литр** умножить на **градус** и разделить на **рыло**». (Запись 2006 г., С.-Петербург.)

ЛИТЬ * Лить да перели́ть. *Новг. Неодобр.* Пустословить; повторять одно и то же. СРНГ 26, 144.

Лить не вы́лить *[кого]. Горьк.* О сильном сходстве людей. БалСок., 41.

Лья лить. *Прикам.* Литься интенсивно, сильно (о дожде). МФС, 56.

ЛИ́ТЬСЯ * Ле́йся, пе́йся. *Разг.* 1. *Шутл.* Вокально-инструментальный ансамбль «Лейся, песня». 2. *Пренебр.* О любом вокально-инструментальном ансамбле. < Шутливое переоформление 1-й строки песни В. Пушкова на стихи А. Апсалом «Лейся, песня, на просторе». Мокиенко, Никитина 1998, 317.

ЛИФО́Н * Лифо́ном не отмаха́ешься. *Жарг. мол.* О чём-л. вызывающем изумление и резкое неодобрение. Никитина 1996, 105. < От обычая размахивать нижним бельем на рок-концертах.

ЛИХВА́ * С лихво́й. *Разг.* С избытком (окупаться, вознаграждаться; получать, возвращать и т. п.). ФСРЯ, 227; БТС, 500; БМС 1998, 341.

ЛИ́ХО * Не хвата́ет ли́ха *кому. Волг. Ирон.* О трудном, бедственном положении. Глухов 1988, 107.

Хвати́ть (хлебну́ть) ли́ха. *Прост.* Испытать много горя, лишений. Мокиенко 1990, 84; Ф 2, 232, 235.

Все, кому́ не ли́хо. *Сиб.* Все, кто может. ФСС, 106.

Ли́хо не берёт *кого. Волг. Неодобр.* О непоседливом, озорном человеке. Глухов 1988, 82.

Ли́хо одногла́зое. *Яросл. Пренебр.* Прозвище одноглазого или косоглазого человека. ЯОС 6, 7.

Ли́хо тебя́ забери́! *Одесск. Бран.* Восклицание, выражающее гнев, раздражение, досаду. КСРГО.

Не на ли́хо. *Курск., Прикам.* Без злого умысла. БотСан, 104; МФС, 54.

Не помина́й (не помина́йте) ли́хом *кого, что. Разг.* Вспоминая, не думай (не думайте) плохого о ком-л. ДП, 129; ЗС 1996, 418; ФСРЯ, 228; БМС 1998, 342.

ЛИХОДЕ́Й * Лихо́му лиходе́ю не пожела́ешь (не помяни́сь). *Волг., Орл.* О чём-л. неприятном, страшном, нежелательном для кого-л. Глухов 1988, 102; СОГ-1994, 52.

ЛИХОДЕ́ЙКА * Лиходе́йка тебя́ побери́! *Дон. Бран.* То же, что **лихоманка тебя возьми! (ЛИХОМАНКА).** СДГ 2, 117.

ЛИХО́Й * Лихо́й взял *кого. Орл.* Кто-л. заболел, пережил большое несчастье. СОГ-1994, 53.

Лихо́й тебя́ (его́ и т. п.**) возьми́!** *Орл. Бран.* То же, что **лихоманка тебя возьми! (ЛИХОМАНКА).** СОГ-1994, 53.

Лихо́й тебя́ (его́ и т. п.**) убе́й!** *Морд.* То же, что **лихоманка тебя возьми! (ЛИХОМАНКА).** СРГМ 1982, 127.

Расстрели́ твою лихо́й! *Дон.* То же, что **лихоманка тебя возьми (ЛИХОМАНКА).** СРНГ 34, 232.

Чтоб тебя́ (его́ и т. п.**) лихо́й взял!** *Орл. Бран.* То же, что **лихоманка тебя возьми! (ЛИХОМАНКА).** СОГ-1994, 53.

ЛИХОМА́НКА * Лихома́нка его́ знает. *Волг.* О чём-л. неизвестном. Глухов 1988, 82.

Лихома́нка тебя́ возьми́ (бери́, забери́, задери́, подери́, подхвати́, убе́й)! *Ворон., Дон., Орл., Перм., Рост., Сиб., Тул., Яросл. Бран.* Восклицание, выражающее гнев, раздражение, негодование, недоброе пожелание в чей-л. адрес. СРНГ 17, 79; СРНГ 28, 273; СДГ 2, 117; СОГ-1994, 53; СФС, 100; Мокиенко 1990, 27; ЯОС 6, 7.

Чтоб тебя́ лихома́нка взяла́ (зае́ла, подхвати́ла)! *Орл., Сиб., Забайк.* То же, что **лихоманка тебя возьми! (ЛИХОМАНКА).** СОГ-1994, 54; СРГЗ, 186; ФСС, 106.

До лихома́нки. *Свердл.* Очень много. СРНГ 17, 79.

Никако́й лихома́нки. *Морд.* То же, что **ни лихоманки**. СРГМ 1982, 127.

Ни лихома́нки. *Морд.* Абсолютно ничего. СРГМ 1982, 127.

Трясти́сь бы тебе́ лихома́нкой! *Народн. Бран.* То же, что **лихоманка тебя возьми! (ЛИХОМАНКА).** ДП, 749.

ЛИХОМА́Т * Реве́ть на лихома́т (лихома́том). *Сиб., Приамур.* Очень громко кричать. СФС, 100; СРГПрикам., 236; СРНГ 35, 6.

ЛИ́ХОНЬКО * Ах-ти, то́шненько ли́хонько! *Пск.* Восклицание, выражающее досаду, сожаление. СПП 2001, 49.

ЛИХОРА́Д * Лихора́д тебя́ возьми́ (задери́)! *Вят.* То же, что **лихоманка тебя возьми! (ЛИХОМАНКА).** СРНГ 17, 81.

ЛИХОРА́ДИЦА * Лихора́дица тебя́ возьми́! *Кар.* То же, что **лихоманка тебя возьми! (ЛИХОМАНКА).** СРГК 3, 132.

ЛИХОРА́ДКА * Золота́я лихора́дка. 1. *Публ.* Ажиотаж, шумиха, связанная с добычей золота. БМС 1998, 342; ШЗФ 2001, 84. 2. *Жарг. арм.* Чистка блях на поясных ремнях. Максимов, 157.

Лихора́дка зна́ет. *Кар.* Абсолютно ничего не известно о ком-л., о чём-л. СРГК 3, 132.

Лихора́дка тебя́ забери́ (подхвати́)! *Башк., Ворон.* То же, что **лихоманка тебя возьми! (ЛИХОМАНКА).** СРГБ 2, 62; СРНГ 17, 81.

Надое́сть ху́же лихора́дки. *Мрод.* Сильно надоесть кому-л. СРГМ 1986, 66.

Заболе́л огурно́й (лени́вой) лихора́дкой. *Народн. Шутл.-ирон.* О человеке, который начал лениться, отлынивать от работы. ДП, 397.

Каку́ю лихора́дку? *Башк.* Зачем, с какой целью? СРГБ 2, 62.

ЛИХОТА́ * Лихота́ забира́ет *кого. Пск.* Кто-л. кричит, беснуется. СПП 2001, 49.

ЛИЦО́ * Бли́зко лица́. *Кар.* Поблизости от кого-л. СРГК 3, 132.

Вспы́хнуть из лица́. *Ср. Урал.* Покраснеть от смущения. СРГСУ 1, 97; СРНГ 5, 212. **Вспы́хнуть с лица́.** *Горьк.* То же. БалСок., 29.

Вы́ступить из лица́. 1. *Вят.* То же, что **вспыхнуть из лица.** СРНГ 6, 35. 2. *Перм.* Измениться в лице от страха, волнения, боли. Подюков 1989, 38.

Красне́ть с лица́. *Новг.* Становиться красивым. СРНГ 15, 174.

Лица́ не вида́ть *у кого. Ряз., Сиб.* То же, что **лица нет.** ФСС, 27; СРНГ 17, 86.

Лица́ не ви́дно *на ком. Морд.* То же, что **лица нет.** СРГМ 1978, 76.

Лица́ нет *на ком. Разг.* О побледневшем, изменившемся в лице от испуга, горя и т. п. человеке. ФСРЯ, 277; СПП 2001, 49; СОГ-1994, 54; СРНГ 17, 86.

Лица́ не́тути *на ком. Пск.* То же. СПП 2001, 50.

На два лица́. *Ряз.* О человеке, который делает сразу два дела. СРНГ 17, 86.

Не взира́я (невзира́я) на ли́ца. *Разг.* Не считаясь со служебным или общественным положением, авторитетом кого-л. ФСРЯ, 228; БМС 1998, 342. < Выражение из Библии.

Не с лица́. *Пск.* О щуплом, небольшого роста человеке. СПП 2001, 50.

Опа́сть с лица́. 1. *Прост.* То же, что **спасть с лица.** 2. *Перм.* То же, что **выступить из лица 2.** Подюков 1989, 145.

Смахну́ть с лица́. *Тамб.* То же, что **спасть с лица.** СРНГ 17, 86.

Смени́ться с лица́. 1. *Волг., Пск.* То же, что **спасть с лица.** Глухов 1988, 150; СПП 2001, 50. 2. *Новг., Пск., Ряз.* Побледнеть, измениться в лице от испуга, горя, переживаний. СПП 2001, 50; ДС, 537; НОС 10, 94.

Смести́ с лица́ земли́ *что. Книжн.* Полностью уничтожить, разрушить что-л. Ф 2, 167.

Сойти́ с лица́. 1. *Прост.* То же, что **спасть с лица.** Ф 2, 173; Подюков 1989, 195; СПП 2001, 50. 2. *Обл.* Изменить выражение лица под воздействием страха, беспокойства. Ф 2, 173.

Спасть (сойти́) с лица́. *Разг.* Осунуться, похудеть. ФСРЯ, 228; СПП 2001, 50; Глухов 1988, 152.

Стере́ть с лица́ земли́. *Разг.* 1. *кого.* Жестоко расправиться с кем-л., погубить кого-л. 2. *что.* Полностью уничтожить, разрушить до основания что-л. ФСРЯ, 456; ЗС 1996, 60, 236; Ф 2, 186.

В пе́рвых ли́цах. *Дон.* Раньше всех. СДГ 3, 5.

Не в на́ших ли́цах. *Прикам.* О людях, превосходящих говорящего по положению, достоинствам. МФС, 55.

На лице́ напи́сано *у кого что. Разг.* О человеке, чьё состояние, выражение лица и другие признаки отражают его характер, склонности, намерения, желания или переживания. БМС 1998, 343.

Переме́ниться в лице́. *Разг.* О быстрой смене выражения лица под влиянием каких-л. чувств, переживаний. БТС, 810.

При лице́ *чьём. Сиб.* В присутствии кого-л. СРНГ 17, 86; СФС, 152; ФСС, 106.

Броса́ть/ бро́сить в лицо́ *кому что. Разг.* Прямо и смело высказывать кому-л. что-л. БМС 1998, 343; ШЗФ 2001, 24; Ф 1, 43.

Взять лицо́ на́бок. *Жарг. мол.* Обидеться. Максимов, 61.

В лицо́. *Разг.* Открыто, в присутствии кого-л. ФСРЯ, 228.

В одно́ лицо́. *Разг.* В одиночку. НРЛ-78; БСРЖ, 318; Супер 2003, № 9.

Вы́вернуть (переверну́ть, поверну́ть) на лицо́. *Жарг. угол.* Установить чью-л. настоящую фамилию, идентифицировать личность. СРВС 1, 127, 201; СРВС 2, 57, 65, 123, 193, 198; ББИ, 128; Балдаев 1, 228; ТСУЖ, 36, 113, 130.

Выходи́ть/ вы́йти на лицо́. 1. *Волг.* Обнаруживаться. Глухов 1988, 18. 2. *Дон.* Показаться на глаза кому-л., появиться где-л. СДГ 2, 117.

Дави́ть лицо́. *Жарг. угол.* Идти на уступки, соглашаться. Мильяненков, 157; ББИ, 128; Балдаев 1, 228.

Заки́нуть в лицо́ *кому что. Горьк.* Открыто сказать кому-л. что-л. резкое, обидное. БалСок., 36.

Знать в лицо́ *кого. Разг.* Знать по внешнему виду, по облику. ФСРЯ, 228.

Их зна́ли то́лько в лицо́. 1. *Разг.* О людях, которых все знают. Дядечко 2, 116. 2. *Разг.* О тех, чьи дела известны, а имена нет. Дядечко 2, 116. 3. *Жарг. курс. Шутл.* О курсантах, самовольно отлучившихся из части. БСРЖ, 318. < Название героико-приключенческого кинофильма (студия им. А. Довженко, 1966 г.). Дядечко 2, 116.

Кучеря́вое лицо́ рефо́рм. *Жарг. журн., полит. Шутл.* Один из лидеров Союза правых сил Б. Немцов. МННС, 192.

Лицо́ без те́ни. *Жарг. крим.* Нужный, полезный для мафиозной группировки человек, не входящий в криминальные структуры. Хом. 1, 512.

Лицо́ в лицо́. 1. *Разг.* Рядом, в непосредственной близости. ФСРЯ, 228; СРГК 3, 132. 2. *Онеж., Сиб.* Об очень похожих людях. СРНГ 17, 86; ФСС, 106.

Ли́цо кавка́зской национа́льности. *Публ.* О кавказцах (особенно — азербайджанцах). Мокиенко 2003, 53.

Лицо́ к лицу́. *Волог.* Одинакового цвета. СВГ 4, 42.

Лицо́ на лицо́. *Сиб.* То же, что **лицом к лицу.** ФСС, 106.

Лицо́ на сда́чу да́ли *кому. Жарг. мол. Шутл.-ирон.* О некрасивом лице. Вахитов 2003, 91.

Лицо́ подру́ги. *Жарг. мол. Шутл.* Сигареты «Лайка». Урал-98.

Лицо́ хо́чет ло́пнуть *[у кого]. Разг.* О толстощёком, полном человеке. РАФС, 591.

На лицо́. 1. *Разг.* С лицевой стороны. СРГК 3, 132. 2. *Дон., Прикам.* Лично (встретиться, поехать и т. п.). СДГ 2, 117; МФС, 55. // *к кому. Печор.* Для личной встречи (прийти, привести кого-л.). СРГНП 1, 389. 3. *Сиб.* То же, что **в лицо.** ФСС, 106.

На одно́ лицо́. *Разг.* Очень похожи, одинаковы по внешности. ФСРЯ, 228; БМС 1998, 342; ДС, 278.

Не лицо́ *кому что.* 1. *Сиб.* Не подобает кому-л. делать что-л. ФСС, 106. 2. *Ряз.* Не подходит, не нужно кому-л. что-л. ДС, 278.

Не под лицо́. 1. *кому что. Дон., Кар., Яросл.* Не подходит, не годится, не соответствует кому-л. что-л. СДГ 2, 117; СРГК 3, 132; ЯОС 6, 124. 2. *кому что. Дон.* Не нравится, не по вкусу кому-л. что-л. СДГ 2, 117. 3. *Новг.* Не вовремя. НОС 5, 31.

Пе́рвое лицо́ (пе́рвые ли́ца). *Публ.* Руководящий работник. НРЛ-82.

Плева́ть/ плю́нуть в лицо́ *кому. Разг.* Оскорблять кого-л., выражать кому-л. свое крайнее презрение. ФСРЯ, 228; БТС, 840; БМС 1998, 343.

Под лицо́. *Яросл. Одобр.* 1. *кому что.* Подходит, соответствует кому-л. что-л. ЯОС 8, 20. 2. Качественно, наилучшим образом (красить и т. п.). ЯОС 5, 85.

Показа́ть лицо́. *Ряз. Шутл.* Стать чистым, освободиться от грязи. СРНГ 17, 86; ДС, 278.

Показа́ться не в лицо́ *кому. Брян., Смол.* Не понравиться кому-л. СРНГ 28, 366.

Распя́тое лицо. *Кар. Пренебр.* или *Шутл.-ирон.* О веснушчатом человеке. СРГК 3, 132.

Рисова́ть лицо́ на мо́рде. *Жарг. мол. Шутл.* Делать макияж. Максимов, 224.

Теря́ть/ потеря́ть [своё] лицо́. 1. *Разг.* Становиться непохожим на себя, терять свои отличительные, индивидуальные особенности, свою самостоятельность. БМС 1998, 343; Ф 2, 203. 2. *Кар.* Становиться бессовестным, наглым. СРГК 3, 132. 3. *Пск.* Бледнеть. СПП 2001, 49.

Улыбну́ть лицо́. *Жарг. мол.* Широко улыбнуться. Шах.-2000.

Лицо́м к лицу́. 1. Совершенно рядом, в непосредственной близости, очень близко (видеть кого- или что-л.). 2. Непосредственно, вплотную (встречаться, сталкиваться и т.п. с кем-л.). Ср. **носом к носу.** 3. Непосредственно, по-настоящему серьёзно (соприкасаться, сталкиваться и т.п. с чем-л.). ФСРЯ, 228-229.

Настуча́ть лицо́м. *Жарг. театр. Неодобр. или Шутл.-ирон.* Сильно переиграть при исполнении роли. Pulse, 2000, № 9, 11.

Не уда́рить лицо́м в грязь. См. **Не ударить в грязь лицом (ГРЯЗЬ).**

Перепа́сться лицо́м. *Народн.* То же, что **спасть с лица.** СРНГ 26, 178.

Повора́чиваться лицо́м *к кому, к чему. Разг.* Проявлять участие, заинтересованность в ком-л., в чём-л., начинать обращать внимание на кого-л., на что-л. ФСРЯ, 327.

Па́дать/ упа́сть лицо́м в грязь. *Разг. Неодобр.* Проявлять себя не с лучшей стороны. Ф 2, 32.

Прямы́м лицо́м. *Ворон., Сиб.* Откровенно, открыто (сказать). СРНГ 17, 86; ФСС, 106.

В де́вичьем лицу́. *Брян.* В девичестве, не состоя в браке. СБГ 5, 11.

К зя́бкому лицу́ снег подсыпа́ть. *Народн. Ирон.* Усугублять неприятности, сложность ситуации; производить действия, дающие эффект, обратный ожидаемому. ДП, 453.

К лицу́ *кому что. Разг.* Подходит, подобает, соответствует кому-л. что-л. ФСРЯ, 229; ЗС 1996, 77.

Льну́ть/ прильну́ть к лицу́. *Ср. Урал. Одобр.* Подходить, соответствовать, быть к лицу кому-л.

Не к лицу́ румя́на *кому. Прикам. Неодобр.* О поступке, который не соответствует общепринятым нормам поведения, морали, не делает чести человеку. МФС, 88.

По лицу́ *чьему. Беломор.* Подходящий кому-л. СРНГ 17, 86.

ЛИЧ * Проси́ть на лич. *Кар.* Требовать выкуп за невесту. СРГК 3, 133.

ЛИЧИ́НА * Личи́на спада́ет *чья, с кого. Книжн.* Кто-л. предстаёт в своём подлинном виде, обнаруживает свою истинную сущность. Ф 1, 281.

Под личи́ной *чего. Книжн. Неодобр.* Под видом, под прикрытием чего-л., лицемерно. БМС 1998, 343.

Меня́ть/ смени́ть личи́ну. *Книжн. Неодобр.* Лицемерить, притворяться, выдавать себя за другого человека. БМС 1998, 343.

Надева́ть/ наде́ть личи́ну. *Книжн. Неодобр.* Скрывать свою подлинную сущность, свое настоящее лицо, прикидываться, притворяться кем-л. ФСРЯ, 261; БТС, 577.

Снима́ть/ снять личи́ну. 1. *с кого. Книжн.* То же, что **срывать личину.** ДП, 199; Ф 2, 170. 2. *кому. Кар.* Царапать лицо кому-л. или наносить другие повреждения на лицо. СРГК 3, 133.

Срыва́ть/ сорва́ть личи́ну *с кого. Книжн.* Разоблачать кого-л., открывать чью-л. подлинную сущность. БМС 1998, 344.

ЛИЧИ́НКА * Тёмная личи́нка. *Жарг. угол.* 1. Внутренний замок. СРВС 2, 216; Балдаев 1, 76; ТСУЖ, 174. 2. Чирий, прыщ. Балдаев 1, 76.

Отложи́ть (пусти́ть) личи́нку. *Жарг. мол. Шутл.* Об акте дефекации. ЖЭСТ-2, 266; Максимов, 224.

ЛИ́ЧНОСТЬ * Све́тлая ли́чность. *Книжн. Одобр.* Об исключительно положительном, прогрессивном человеке. < Калька из средневековой латыни. БМС 1998, 344.

Тёмная ли́чность. *Разг. Неодобр.* 1. О человеке, вызывающем отрицательные эмоции, имеющем тёмное прошлое. 2. Об обскуранте, невеже, необразованном и невоспитанном человеке. < Калька из средневековой латыни. БМС 1998, 344.

ЛИША́Й * Лиша́й тебя́ побери́! *Обл.* Выражение досады, раздражения, возмущения в чей-л. адрес. Мокиенко 1990, 27.

ЛИ́ШЕК * Зайти́ за ли́шек. *Сиб. Неодобр.* Не соблюсти меру в чём-л. ФСС, 77.

Че́рез ли́шек. *Перм.* То же, что **с лишком.** СГПО, 285.

Е́хать (пое́хать) в ли́шки. *Пск.* Говорить лишнее, привирать. СПП 2001, 50.

На ли́шки. *Прикам.* То же, что **с лишком.** МФС, 55.

С ли́шком. *Прост.* С избытком, сверх какой-л. меры, более, чем нужно. ФСРЯ, 229-230; БМС 1998, 344.

Дви́нуть ли́шку. *Жарг. угол.* 1. *[кому].* Солгать, обмануть кого-л. 2. Проиграться в карты. Балдаев 1, 105.

Че́рез ли́шку. *Морд.* То же, что **с лишком.** СРГМ 1982, 128.

ЛИ́ШНИЙ (ЛИ́ШНЕЕ) * Позволя́ть/ позво́лить себе́ ли́шнее. *Разг. Не-одобр.* Вести себя непристойно, не соответственно своему положению. Ф 2, 62.

Два ма́ло, тре́тий ли́шний. *Кар.* Название народного танца. СРГК 1, 425.

Не с ли́шним *к чему. Калуж. Неодобр.* Не способен к чему-л.; не подходит к чему-л. СРНГ 17, 92.

ЛИШО́ЧЕК * С лишо́чком. *Ряз.* То же, что **с лишком (ЛИШЕК).** ДС, 279.

ЛОБ * Гляде́ть из-подо лба́. *Перм.* Недовольно смотреть на кого-л. Подюков 1989, 43.

Би́ться лба́ми. *Жарг. мол.* Спорить. Максимов, 35.

Пробива́ть лбом сте́ну. *Волг. Неодобр.* Проявлять упрямство. Глухов 1988, 134.

Дать по́ лбу [трудово́й] кни́жкой *кому. Пск. Ирон.* О невыплате заработной платы кому-л. ПОС 14, 257.

Запи́сывать на лбу *что. Волг.* Запоминать что-л. Глухов 1988, 50.

На лбу напи́сано *у кого что. Разг.* О человеке, по внешнему виду которого видны его замыслы, намерения, состояние духа. БМС 1998, 344.

На лбу не напи́сано *у кого что. Прост.* О человеке, по внешнему виду которого трудно узнать что-л. о нём, о его замыслах, желаниях. БМС 1998, 345; Верш. 4, 81; СПП 2001, 50.

Постуча́ть по лбу пи́сей *кому. Жарг. мол. Шутл.-ирон.* Неуважительно отнестись к кому-л. Максимов, 219.

Уда́рить (хло́пнуть) себя́ по лбу. *Разг.* 1. Неожиданно вспомнить что-л. 2. Сообразить, что поступил необдуманно; опомниться. Ф 2, 216, 236.

Ходи́ть на лбу. *Перм. Шутл.-ирон.* Будучи пьяным, постоянно падать при ходьбе. Подюков 1989, 1989, 223.

Аж лоб твёрдый *[у кого]. Одесск.* О много съевшем, досыта наевшемся человеке. КСРГО.

Бить лоб. 1. *Брян.* Извиняться, просить прощения. СБГ 1, 55. 2. *Пск.* Прилежно учиться, зубрить что-л. СПП 2001, 50.

Брить/ забри́ть лоб (лбы) *кому. Прост. Устар.* Брать кого-л. в солдаты, вербовать на военную службу. < От обычая, введенного Петром I, брить наголо переднюю часть головы рекрутам. БМС 1998, 345; БТС, 311; ФСРЯ, 230.

В лоб. 1. *Разг.* Прямо, имея непосредственно перед собой (атаковать, стрелять и т. п.). ФСРЯ, 230. 2. *Разг.* Навстречу движению (дуть, ударять — о ветре). ФСРЯ, 230. 3. *Разг.* Без намёков, прямо, откровенно (спрашивать, говорить). ФСРЯ, 230. 4. *Жарг. карт.*

О подтасовке верхней карты в колоде, одинаковой с картой партнера. СРВС 1, 27; СВЯ, 16; Балдаев 1, 65; ББИ, 45. // *Жарг. карт.* О подтасовке верхней карты в колоде. Хом. 1, 178.

В лоб [порá] *[кого]. Пск.* Пора убить, зарезать кого-л. на мясо (животное). СПП 2001, 50.

В лоб тебé ды́шло! *Прост. обл. Эвфем Бран.* Грубое пожелание зла, неудачи. < **Дышло** — зд. эвфем. замена слова **хуй**. Мокиенко, Никитина 2003, 188.

В лоб тебé кишки́! *Сиб. Бран.* Восклицание, выражающее сильное негодование. ФСС, 93.

Выстановля́ть лоб. *Пск.* Показываться, появляться перед кем-л. СПП 2001, 50.

Вя́зовый лоб. *Новг. Презр.* Об упрямом, глупом человеке. СРНГ 17, 93.

Гнуть на лоб рю́мку. *Перм. Шутл.* Пить спиртное. Подюков 1989, 44.

Дать в лоб *кому. Прост.* Ударить, избить кого-л. Вахитов 2003, 44.

Залы́сить лоб. *Яросл.* Бежать быстро, сломя голову. ЯОС 6, 8.

Засекáть лоб. *Кар. Неодобр.* Бездельничать. СРГК 3, 134.

Зашивáть лоб. *Сиб., Приамур.* Заделывать досками или другими материалами фасад дома. ФСС, 81; СРГПриам., 102.

Змеи́ный лоб. *Пск. Бран.* О непорядочном человеке. СПП 2001, 50.

Лоб в два шнуркá *у кого. Жарг. мол. Шутл.-ирон. Неодобр.* О глупом, недалёком человеке (обычно — с мощной, рельефной мускулатурой). Никитина, 1998, 229.

Лоб в лоб. 1. *Разг.* Навстречу друг другу (идти, сходиться и т. п.). ФСРЯ, 230. 2. *Кар.* В непосредственной близости, вплотную. СРГК 3, 134. 3. *Жарг. карт.* Игра шулеров друг с другом. СРВС 1, 127; СРВС 2, 188; ТСУЖ, 99; Мильяненков, 157; ББИ, 129; Балдаев 1, 229. // Игра шулеров друг с другом, когда ни один из них не подозревает, что его партнер — шулер. Трахтенберг, 35.

Лоб и́ли заты́лок? *Народн.* Да или нет? Нужно или не нужно? СРНГ 17, 93.

Лоб ко лбу. *Сиб. Одобр.* О крепких, здоровых людях. ФСС, 106.

Лоб на глазá накáтывается *у кого. Арх.* Кому-л. очень хочется спать. АОС 9, 83.

Лоб не ломáть. *Брян.* Не думать, не заботиться о чём-л. СРНГ 17, 93.

Лоб трещи́т *у кого. Кар.* 1. У кого-л. болит голова. СРГК 3, 134. 2. Кто-л. потерял способность здраво рассуждать. СРГК 3, 134.

Мéдный лоб. *Разг. Бран.* Об упрямом, глупом, ограниченном человеке. ФСРЯ, 230; БМС 1998, 345; ЗС 1996, 44; БТС, 529.

Мóрщить/ намóрщить лоб. *Разг. Шутл.* Думать, обдумывать что-л. НРЛ-82.

Нá лоб. *Народн.* Залпом, всё до капли (выпить). ДП, 796; СРНГ 17, 93; СРНГ 20, 20.

Намáзать лоб зелёнкой *кому. Жарг. угол., мол.* 1. Приговорить к расстрелу кого-л. 2. Застрелить, расстрелять кого-л. БСРЖ, 318; Максимов, 155.

Нарвáть лоб *кому. Кар.* Наказать кого-л., оттаскав за волосы. СРГК 3, 134.

Пáрить лоб. *Перм. Шутл.-ирон.* Напряжённо работать. Подюков 1989, 143.

Подставля́ть свой лоб под пу́ли. *Разг.* Рисковать жизнью. Ф 2, 60.

Прилетáть/ прилетéть в лоб *кому. Кар. Шутл.-ирон.* О побоях, избиении кого-л. СРГК 5, 175.

Приня́ть на лоб. *Жарг. мол. Шутл.* Выпить спиртного. Никитина, 1998, 229.

Разлы́сить лоб. *Перм. Ирон.* Не вовремя высказать свое желание. Подюков 1989, 169.

Расписáть в лоб. *Жарг. угол.* Разрезать наружный карман жертвы. Балдаев 1, 12.

Спусти́ть лоб *чей* **в колы́шку.** *Кар.* Убить кого-л. СРГК 3, 134.

Толокóнный лоб. *Народн. Презр.* О глупом, бестолковом человеке. БМС 1998, 345.

Хоть в лоб удáрь. *Пск.* О невозможности сделать что-л. СПП 2001, 50.

Хоть за лоб тяни́ *кого. Волг.* Об упрямом, глупом человеке. Глухов 1988, 169.

Хоть лоб режь *кому. Перм. Ирон.* О невозможности повлиять на кого-л. Подюков 1989, 173.

Хоть об лоб порося́т бей. *Перм. Ирон.* О физически крепком, здоровом человеке. Подюков 1989, 13.

Целовáться/ поцеловáться лоб в лоб. *Жарг. авто.* О столкновении автомашин. Максимов, 224.

Что в лоб, что пó лбу *[кому]. Народн. Шутл.* 1. Всё равно, одинаково, нет никакой разницы. 2. *кому.* О невосприимчивости к словам, убеждениям, уговорам. Жук. 1991, 355; Глухов 1988, 173.

Язёвый лоб. 1. *Волг., Сиб., Забайк. Презр.* Об очень глупом, тупом человеке. Глухов 1988, 177; ФСС, 106; СФС, 206; СРГЗ, 469. 2. *Перм. Бран-шутл.* выражение лёгкого раздражения, недовольства в чей-л. адрес. Подюков 1989, 107.

Закатáть в лобá *кому. Жаг. мол.* 1. Ударить по голове кого-л. Вахитов 2003, 61. 2. Избить кого-л. h-98.

ЛÓБАН * Дать лобáн (лобанá) *кому. Олон.* Отказаться танцевать, беседовать, участвовать в игре с кем-л. СРНГ 17, 94; Мокиенко 1990, 47.

Получи́ть лóбана. *Кар.* Оказаться оставленным возлюбленной. СРГК 3, 135.

ЛОБÁЧ * Давáть/ дать лобачá *кому. Кар.* Ударить, стукнуть кого-л. СРГК 3, 135.

ЛОБЗÁНИЕ * Иу́дино лобзáние. *Книжн. Неодобр.* О лести двуличного человека. ДП, 658.

ЛОБÓК * Лобóк к груди́ полéз *у кого. Жарг. мол. Шутл.* О волосатой груди. Максимов, 97.

ЛОВÉЦ * Ловéц жéмчуга. *Жарг. арм. Шутл.-ирон.* Уборщик туалета. Максимов, 224.

ЛОВКÁЧ * Давáть/ дать ловкачá. *Пск.* Умело, искусно вести какое-л. дело, не делать в чём-л. ошибки. СРНГ, 17, 101.

ЛÓВЛЯ * Нет лóвли *у кого. Жарг. мол.* О том, что недостижимо или напрасно, бесполезно. Максимов, 224.

ЛОВУ́ШКА * Поймáть лову́шку. *Яросл.* 1. Украсть что-л. 2. Получить что-л. в результате вымогательства. СРНГ 17, 1024 ЯОС 6, 9.

Попадáть/ попáсть (попáсться) в лову́шку. *Разг.* Будучи неосмотрительным, доверчивым, оказываться обманутым. Ф 2, 75; ДП, 145.

ЛОГ * Большóй лог. *Сиб. Ирон.* Кладбище. ФСС, 107.

Драть лог. *Новг.* Распахивать целину. НОС 2, 102.

Поéхать на лог. *Жарг. мол. Шутл.-ирон.* Умереть. Максимов, 224.

ЛÓГОВО * Вóлчье лóгово. *Разг. Презр.* Жилище, пристанище преступников, врагов и т. п. Ф 1, 283.

Таракáнье лóгово. *Жарг. шк. Пренебр.* Школьная столовая. (Запись 2003 г.).

ЛÓДКА * Подвóдная лóдка. 1. *Жарг. угол. Шутл.* Селёдка. ТСУЖ, 135. 2. *Жарг. мил.* Специальная автомашина, оборудованная аппаратурой для прослушивания квартир. Кор., 215.

Подво́дная ло́дка в степя́х Украи́ны (в песка́х Кара-ку́мы). *Разг. Шутл.* О том, что вызывает сильное удивление. Максимов, 320.

Рези́новая ло́дка. *Жарг. мол. Шутл.* Презерватив. Максимов, 225.

В одно́й ло́дке. *Публ.* В одинаковом (часто — опасном) положении. Мокиенко 2003, 53.

Раска́чивать/ раскача́ть ло́дку. *Публ. Неодобр.* 1. Расшатывать какие-л. структуры власти, приводя к ослаблению государства. 2. Обострять, усложнять какую-л. конфликтную ситуацию. НРЛ-95; Мокиенко 2003, 53.

ЛОДЫ́ГА * Пёсья лоды́га. *Калуж. Бран.* О непорядочном человеке. СРНГ 17, 106.

ЛОДЫ́ЖКА * Лома́ть лоды́жки *кому. Жарг. спорт. (баск.). Шутл.-ирон.* Делать опасный для соперника финт. Максимов, 225.

Одни́ лоды́жки оста́лись. *Орл. Шутл.-ирон.* Об очень худом человеке. СОГ-1994, 60.

ЛО́ДЫРЬ * Гоня́ть ло́дыря. *Прост. Неодобр.* Бездельничать, праздно проводить время. ФСРЯ, 231; БТС, 218; ШЗФ 2001, 56; БМС 1998, 346; ПОС 7, 86; Сл. Акчим. 1, 214; Мокиенко 1990, 139, 155; Арбатский, 161; АОС 9, 316.

Коре́жить ло́дыря. *Сиб. Неодобр.* То же, что **гонять лодыря.** СФС, 100-101.

Ко́рчить (стро́ить) ло́дыря. *Башк., Калуж., Кар., Новг., Орл., Пск., Яросл. Неодобр.* То же, что **гонять лодыря.** СРГБ 2, 63; СРНГ 15, 32; СРНГ 17, 105; СРГК 3, 139; СОГ-1994, 61; НОС 4, 118; СПП 2001, 50; ЯОС 6, 10.

Лени́вее ло́дыря. *Сиб. Шутл.* Об очень ленивом человеке. ФСС, 105.

Справля́ть ло́дыря. *Перм. Неодобр.* То же, что **гонять лодыря.** Подюков 1989, 196.

ЛО́ЖЕ * Прокру́стово ло́же. *Книжн.* Мерка, под которую стремятся насильственно подогнать, приспособить что-л., для неё неподходящее. < Выражение из античной мифологии. ФСРЯ, 231; БТС, 503; БМС 1998, 347.

ЛО́ЖЕЧКА * Сосёт (засоса́ло) под ло́жечкой *у кого. Прост.* О неприятных ощущениях в нижней части груди от голода, страха и т. п. БМС 1998, 347; Ф 1, 283; СПП 2001, 50.

ЛО́ЖКА * Ада́мова ло́жка. *Народн.* Горсть. СРНГ 1, 206; ДП, 314.

Больша́я ло́жка. *Разг. Шутл.* Лопата. Хом. 1, 515.

Ло́жка впереди́ рта *у кого. Кар.* О человеке, который, нарушая правила этикета, начинает есть раньше других. СРГК 3, 140.

Ло́жка говна́ в бо́чке мёда. *Вульг.-прост. Неодобр.* О чём-л. неприятном, хотя и мелком, но портящем целое. < Вульгарно-каламбурная переделка известной поговорки **ложка дёгтя в бочке мёда**. Мокиенко, Никитина 2003, 189.

Ло́жка дёгтя в бо́чке мёда. 1. *Разг. Шутл.-ирон.* О небольшом, незначительном добавлении, которое портит большое и хорошее. БТС, 93, 245, 503. 2. *Жарг. шк. Шутл.-ирон.* Задание отстающему ученику на лето. Bytic, 1999–2000. 3. *Жарг. мол. Шутл.* О родителях, оставшихся дома на выходные дни. Максимов, 225. < От пословицы **Ложка дёгтя портит бочку мёда.**

Ло́жка идёт. *Кар.* О безудержном веселье. СРГК 2, 268.

Ло́жка мёда в бо́чке дёгтя. *Жарг. шк. Шутл.* Перемена. ВМН 2003, 77.

Су́чья ло́жка! *Вульг.-прост. Бран.* Выражение недовольства, злобы, негативной оценки кого-л., чего-л. Мокиенко, Никитина 2003, 189.

Носи́ть ло́жками. *Дон.* Есть из общей миски. СРНГ 21, 288.

На сухи́х ло́жках. *Пск.* То же, что **на сухую ложку.** СПП 2001, 50.

Утопи́ть (потопи́ть) в ло́жке *кого. Разг.* Причинить кому-л. большую неприятность (как правило — по незначительному поводу). ДП, 133; БТС, 503, 1407; ФСРЯ, 500; ФСС, 48; СПП 2001, 50.

Кружа́ть, покружа́ть ло́жки. *Прикам.* Гадать на Святки. МФС, 51.

Ни ло́жки ни ко́шки *у кого. Народн. Ирон.* О бедном, неимущем человеке. Подюков 1989, 108. **Ни ло́жки ни пло́шки** *у кого. Народн. Ирон.* То же. Жиг. 1969, 355.

Отби́ть ло́жки *кому. Арест.* Подвергнуть кого-л. наказанию в виде ударов ложкой по определённым частям тела. Мильяненков, 158; ББИ, 129; Балдаев 1, 229.

Пора́ игра́ть в ло́жки. *Ворон. Шутл.* Приглашение к столу. СРНГ 17, 109.

Свя́зывать/ связа́ть ло́жки. *Волг. Шутл.-ирон.* Умирать. Глухов 1988, 1988, 145.

То́лько ло́жки сви́щут (во́ют). *Кар. Шутл.* О людях, которые быстро, с аппетитом едят. СРГК 3, 140.

Гоня́ть ло́жкой по таре́лке *[что]. Пск. Шутл.* Есть что-л., принимать пищу. ПОС 7, 86.

Ло́жкой ко́рмит, а сте́блем (стебло́м) глаз (глаза́) ко́лет. *Народн. Неодобр.* О двуличном человеке. Жиг. 1969, 208; СРНГ 14, 337.

Ло́жкой подде́ть два ра́за. *Кар. Ирон.* О небольшом количестве чего-л. СРГК 4, 626.

Жить на кра́сную ло́жку. *Волог.* Жить, ни в чём себе не отказывая. СРНГ 17, 109.

Дуть на ло́жку *кому. Волг.* Чрезмерно опекать кого-л. Глухов 1988, 38.

Льётся че́рез ло́жку. *Волг.* О большом количестве чего-л. Глухов 1988, 83.

На сухýю ло́жку. *Кар.* Впроголодь. СРГК 3, 140.

ЛОЖЬ * Крива́я ложь. *Народн. Устар. Неодобр.* Клевета, напраслина. БМС 1998, 348.

Ложь во спасе́ние. *Книжн.* Искупительная ложь, ложь ради спасения кого-л. < Выражение из Библии. БМС 1998, 348.

ЛОЗА́ * Дли́нная лоза́. *Дон. Шутл.* Игра чехарда. СДГ 1, 131; СРНГ 8, 70.

ЛОЗА́Н * Дать (надава́ть) лоза́на (лоза́нов) *кому. Кар.* Побить, избить кого-л. СРГК 3, 140.

Схвати́ть лоза́на. *Кар.* Получить удар, повреждение в результате удара. СРГК 3, 140.

ЛОЗГ * Ло́згом взя́то. *Волог.* О беспорядке где-л. СВГ 4, 44.

До ло́згу *чего. Кар.* Очень сильно, до крайней степени. СРГК 3, 140.

ЛОКА́ЛКА * Проши́ть лока́лку. *Жарг. арест.* Сделать пролом в заборе, отделяющем друг от друга бараки в колонии. ББИ, 129; Балдаев 1, 229. < **Локалка** — локальная зона в колонии.

ЛОКАМЕ́Й * Локаме́й [тебя́, его́ и т. п.] забери́! *Сиб., Забайк. Бран.* Восклицание, выражающее гнев, негодование. ФСС, 107; СРГЗ, 187.

Чтоб на тебя́ локаме́й напа́л! *Сиб., Забайк. Бран.* То же, что **локамей забери!** ФСС, 107; СРГЗ, 107.

ЛОКА́ТОРЫ * Оттопы́рить (разве́сить) лока́торы. *Жарг. мол. Шутл.* Внимательно слушать, подслушивать. Балдаев 1, 300; Вахитов 2003, 154.

ЛОКОМОТИ́В * Локомоти́в (парово́з) исто́рии. *Публ. Патет.* О революции, насильственном государственном перевороте. < Выражение — часть цитаты из статьи К. Маркса «Последствия 13 июня 1849 г.» из цикла "Классовая борьба во Франции". Мокиенко, Никитина 1998, 318.

ЛОКОТО́К * Спать на локотка́х. *Кар.* Спать очень мало. СРГК 3, 141.

Спать на локотке́. *Дон.* Спать очень чутко. СРНГ 17, 114.

Куса́ть локотки́. См. **Кусать локти (ЛОКОТЬ).**

ЛО́КОТЬ * Жать на свой ло́коть. *Народн.* Подчинять кого-л. себе, эксплуатировать кого-л. ДП, 834.

Чу́вствовать ло́коть *кого, чей. Разг.* Иметь помощь, поддержку друга, товарища. Ф 2, 257.

Кати́ться ло́ктем. *Смол.* Безрезультатно пытаться оправдаться. СРНГ 15, 373.

Ло́ктем глаза́ перекрести́ть. *Кар.* То же, что **локтем перекреститься.** СРГК 4, 451.

Локтём перекрести́ться. *Кар.* Испытать большую радость, удовлетворение по поводу чего-л. СРГК 4, 451.

[Все] ло́кти обгры́зть (объе́сть). *Брян., Сиб.* Испытать сильную досаду по поводу чего-л. упущенного, непоправимого. СРНГ 17, 114; ФСС, 124.

Дава́ть ло́кти *кому. Арх.* Бить локтями в спину (как правило — участника детской игры, отказывающегося играть). СРНГ 7, 256.

Засуча́ть ло́кти. *Горьк.* Принимать активное участие в драке. БалСок., 41.

Куса́ть [себе́] ло́кти (локотки́). *Разг.* Жалеть о чём-л., безнадёжно утраченном, упущенном. ФСРЯ, 232; ЗС 1996, 164, 233, 303, 473; БТС, 483, 504; БМС 1998, 348; СОСВ, 100; СПП 2001, 50.

Загреба́ть с ло́ктя. *Костром.* Зарабатывать очень много денег. СРНГ 17, 114.

Из локтя́ в ло́коть. *Сиб.* Передавая из рук в руки. ФСС, 107.

Погля́дывать из-под ло́ктя. *Смол.* Косо, недоброжелательно смотреть на кого-л., недоброжедательно относиться к кому-л. СРНГ 17, 114.

ЛОКШ * Потяну́ть локш. *Жарг. угол. Ирон.* 1. Ничего не получить. 2. Стать жертвой преступления. СРВС 4, 145; ТСУЖ, 143. < **Локш** — неудача, провал.

Локш ха́мать/ сха́мать. *Жарг. угол. Ирон.* Ничего не получить, остаться ни с чем. Бен, 131.

Локш хлеба́ть (тяну́ть). *Жарг. арест.* Отбывать наказание вследствие судебной ошибки. ТСУЖ, 99; ББИ, 129; Балдаев 1, 229; Мильяненков, 158.

ЛОМ * В лом *кому что. Жарг. мол.* Не хочется, неприятно, тяжело (делать что-л.). СМЖ, 87; Пульс, 1990, № 8, 29.

Лом тебя́ (вас, его и т. п.) **возьми́ (сломай)!** *Ряз., Тамб. Бран.* Восклицание, выражающее гнев, негодование. СРНГ 17, 115.

Ломи́ть на лом. *Пск.* Об ощущении сильной боли. СПП 2001, 50.

То́лько лом (ло́мка) идёт. *Кар.* О действии, производящем сильный шум. СРГК 3, 142.

Ло́мом лома́ет *кого. Сиб.* О состоянии недомогания. ФСС, 107.

Ло́мом ломи́ть. 1. *Сиб.* Много и напряжённо работать. ФСС, 108. 2. *Яросл.* Пить много спиртного. ЯОС 6, 10. 3. *Печор.* О сильной боли в костях, суставах. СРГНП 1, 390.

Ло́мом ломи́ться. *Волог.* 1. Очень громко стучать в дверь. 2. Об очень большом количестве чего-л. СВГ 4, 44.

Ло́мом подпоя́санный (опоясанный, подвя́занный) . 1. *Жарг. арест. Пренебр.* Осуждённый, добросовестно работающий, вставший на путь исправления. ТСУЖ, 99; Мильяненков, 158; ББИ, 129; Балдаев 1, 230. 2. *Жарг. угол.* Вор, прекративший преступную деятельность. БСРЖ, 320. 3. *Жарг. угол., мол.* Независимый, дерзкий, решительный человек. ББИ, 129; Балдаев 1, 230; Максимов, 226.

ЛОМА́К * В лома́к *кому что. Жарг. мол.* То же, что **в лом (ЛОМ).** ФЛ, 46.

ЛОМАТИ́Т * Хрони́ческий ломати́т. *Жарг. мол. Шутл.* Постоянное нежелание делать что-л., лень. Максимов, 225.

ЛОМБА́РД * Сдать в ломба́рд *кого. Жарг. угол. Шутл.* 1. Выдать кого-л. правоохранительным органам. СРВС, IV, 164; ТСУЖ, 158. 2. Посадить кого-л. в тюрьму. Елистратов 1994, 230. < **Ломбард** — тюрьма.

Сда́ться в ломба́рд. *Жарг. угол. Шутл.* 1. Сдаться правоохранительным органам. 2. Сесть в тюрьму. Елистратов 1994, 230.

ЛОМЕ́ШНИК * В ломе́шник *кому что. Жарг. мол.* То же, что **в лом (ЛОМ).** Митрофанов, Никитина, 107; Рожанский, 31.

ЛОМИ́НА * В доми́ну *кому что. Жарг. мол.* То же, что **в лом (ЛОМ).** БСРЖ, 320.

ЛО́МКА * Ло́мка часо́в. *Жарг. комп. Шутл.* Выполнение команды Break watch. Садошенко, 1995.

То́лько ло́мка идёт. См. **Только лом идёт (ЛОМ).**

Побыва́ть в ло́мке. *Кар.* Пережить тяжёлое, неприятное событие. СРГК 3, 144.

Дать (зада́ть) ло́мку *кому. Волог., Кар.* Побить, поколотить; выпороть, наказать кого-л. СВГ 4, 45; СРГК 3, 144.

Де́лать ло́мку. *Жарг. мил., угол.* Допрашивать обвиняемого с применением физического насилия, добиваясь признания в совершении преступления. Быков, 61; Мильяненков, 158; ББИ, 130; Балдаев 1, 231.

Ло́мку ломи́ть. *Пск.* То же, что **ломить на лом (ЛОМ).** СПП 2001, 50.

ЛО́МНО * Ло́мно ломи́ть. *Кар., Новг.* То же, что **ломить на лом (ЛОМ).** СРГК 3, 144; НОС 5, 39.

ЛОМОВЩИ́НА * Ходи́ть в ломовщи́не. *Том. Устар.* Быть ломовым извозчиком. СРНГ 17, 123.

ЛОМО́К * Боро́ться на ломка́. 1. *Дон.* Состязаться в ловкости и силе. СДГ 2, 119. 2. *Волг.* Решительно вступать в борьбу. Глухов 1988, 122.

В ломки́ *кому что. Жарг. мол.* То же, что **в лом (ЛОМ).** Вахитов 2003, 24.

Ломко́м (ломотко́м) лома́ть *что. Кар.* Отламывать кусок, куски от чего-л. СРГК 3, 144-145.

Ломко́м ломи́ть. *Кар., Новг., Пск.* То же, что **ломить на лом (ЛОМ).** СРГК 3, 144; НОС 5, 39; СПП 2001, 50.

Пере́ться на ломо́к. *Волг., Дон.* Вести себя нагло, нахально. Глухов 1988, 122; СДГ 2, 113.

ЛОМОНО́СОВ * Второ́й Ломоно́сов. *Жарг. шк. Шутл.* Учитель физики. Golds, 2001.

ЛОМОТА́ * В ломоту́ *кому что. Жарг. мол.* То же, что **в лом (ЛОМ).** СМЖ, 87; Никитина, 1998, 231.

Прописа́ть ломоту́ *кому. Пск. Шутл.* Избить, наказать кого-л. СПП 2001, 50.

Зада́ть ломоты́ *кому. Пск. То же, что* **прописать ломоту.** СПП 2001, 50.

ЛОМОТО́К * Ломотко́м лома́ть. См. **Ломком ломать (ЛОМОК).**

ЛОМО́ТЬ * С ло́мтем не прогло́тишь *чего. Народн.* О большом горе, беде. ДП, 147.

На ломо́ть. 1. *Яросл.* О способе сева, при котором сеют сразу же после первой обработки земли плугом. ЯОС 6, 77. 2. *Вят.* О большом количестве золота. СРНГ 17, 124.

Отре́занный ломо́ть. *Разг.* 1. О человеке, порвавшем связь с семьёй, ставшем самостоятельным. ДП, 710; ФСРЯ, 233; ЗС 1996, 279; БТС, 505; БМС 1998, 348. 2. О человеке, порвавшем связь с привычной средой, привычной деятельностью. ФСРЯ, 233.

Ре́заный ломо́ть. *Пск.* То же, что **отрезанный ломоть 1.** СПП 2001, 50.

ЛОМЫ́ * На лома́х. *Жарг. нарк., мол.* В состоянии ломки, абстинентного синдрома. Урал-98.

По лома́м. 1. *Жарг. нарк., мол.* То же, что **на ломах.** Урал-98.

2. *кому что. Жарг. мол.* То же, что **в лом (ЛОМ).** БСРЖ, 321.

В ломы́ *кому что. Жарг. мол.* То же, что **в лом (ЛОМ).** КП, 04.12.98; БСРЖ, 321.

ЛОМЬ * Ломь да (на) вы́вих. *Перм., Прикам. Ирон.* О больном, не способном работать человеке. СРНГ 17, 126; МФС, 56; СГПО, 287.

ЛОМЯ́К * В ломяк (в ломак) *кому что. Жарг. мол.* То же, что **в лом (ЛОМ).** БСРЖ, 321.

ЛО́НИ * Позало́ни ло́ни. *Сиб.* Два года назад. ФСС, 108. < **Лони** — прошлый год, в прошлом году.

ЛО́НИСЬ * Позало́ни ло́нись. *Сиб.* В позапрошлом году. < **Лонись** — в прошлом году.

ЛО́НО * На ло́не приро́ды. *Книжн.* На открытом воздухе. ФСРЯ, 2334 БМС 1998, 349.

Ло́но Авраа́мово. *Книжн. Архаич.* Об особо приятном, безопасном и уютном месте пребывания или успокоения. < Выражение из Библии. БМС 1998, 349.

ЛО́ПА * Нало́пать ло́пу. *Прибайк., Сиб.* Объесться, переполнить желудок пищей. ФСС, 119; СНФП, 92.

ЛО́ПАНЕЦ * Доторгова́ться до ло́панца. *Обл. Шутл.-ирон.* Разориться. Мокиенко 1990, 153.

ЛОПА́РИК * Стро́ить лопа́рика (лопа́риков, лопа́рики). *Дон. Шутл.* Дурачиться, шутить; обманывать кого-л. СДГ 2, 120.

ЛОПА́ТА * Бря́кать лопа́тами. *Коми. Пренебр.* Исполнять оперу. Кобелева, 63.

Грести́ лопа́тами. *Жарг. мол.* 1. Быстро идти, шагать. 2. Уходить откуда-л. Максимов, 95.

Грести́ (загреба́ть, огреба́ть) лопа́той де́ньги (серебро́, зо́лото). *Разг.* Много получать, зарабатывать (обычно — о деньгах, достающихся легко). ФСРЯ, 233; БТС, 227; БМС 1998, 349; ФСС, 76.

Лопа́той во сне не отмаха́ешься. *Жарг. мол. Пренебр.* 1. Об очень некрасивой девушке. 2. О навязчивом человеке. Максимов, 226.

[Хоть] лопа́той греби́ (грабь) *что. Орл., Пск., Сиб.* О большом количестве чего-л. СОГ-1994, 65; ПОС 7, 165; ФСС, 48; СОСВ, 106.

Хоть лопа́той копа́й *что. Сиб.* О большом количестве ягод. ФСС, 95.

Хоть лопа́той пиха́й *что. Кар. Пренебр.* О невкусной пище. СРГК 3, 147.

Отрабо́тать (сде́лать) лопа́ту. *Жарг. угол.* Выкрасть у кого-л. бумажник, кошелек. Максимов, 226. < **Лопата** — бумажник.

Приде́рживать лопа́ту. *Жарг. мол.* Следить за своей речью, выражаться осторожно, не говорить лишнего. БСРЖ, 321. < **Лопата** — язык.

Проглоти́ть лопа́ту. *Жарг. мол.* Замолчать. БСРЖ, 322. < **Лопата** — язык.

Разби́ть лопа́ту. *Жарг. угол.* Выкрасть деньги из бумажника у кого-л. Максимов, 225. < **Лопата** — бумажник.

Спря́тать лопа́ту в пеще́ру. *Жарг. мол.* То же, что **проглотить лопату.** Максимов, 401. < **Лопата** — язык.

ЛОПА́ТИН * Дожида́ть Лопа́тина. *Сиб. Ирон.* Ждать смерти. ФСС, 62.

ЛОПА́ТИНА * Лопа́тина на перело́ме. *Жарг. угол.* То же, что **лопатник на переломе (ЛОПАТНИК).** ТСУЖ, 99. < **Лопатина** — бумажник, кошелёк.

ЛОПА́ТИНСКИЙ * Пойти́ к Лопа́тинскому. *Пск. Шутл.* Умереть. СПП 2001, 50.

ЛОПА́ТКА * Во все лопа́тки. 1. *Разг. Шутл.* Очень быстро, изо всех сил (бежать, нестись, мчаться). ФСРЯ, 233; ЗС 1996, 109, 205; ШЗФ 2001, 39; Мокиенко 1986, 48; БМС 1998, 349. 2. *Коми.* Очень внимательно (смотреть). Кобелева, 58. 3. *Коми. Шутл.* О полном, крупном человеке. Кобелева, 58.

Класть/ положи́ть на о́бе лопа́тки *кого. Прост.* Вынуждать кого-л. признать свое поражение в борьбе, в споре. Ф 1, 286; Ф 2, 70; БТС, 505ЗС 1996, 30.

Дели́ть с лопа́тки *что. Сиб.* Распределять между собой обмолоченное зерно сразу же после его веяния. СРНГ 17, 135.

ЛОПА́ТНИК * Лопа́тник на перело́ме. *Жарг. угол.* Момент кражи, когда бумажник вытаскивают из кармана. СВЖ, 8. < **Лопатник** — бумажник, кошелёк.

Принима́ть/приня́ть лопа́тник. *Жарг. угол.* Совершать карманную кражу. СРВС 4, 44, 146; Балдаев 1, 352; ТСУЖ, 145.

Разби́ть лопа́тник. *Жарг. угол.* Осмотреть содержимое украденного кошелька. СРВС 4, 36, 146; Балдаев 2, 7.

ЛОПА́ТОЧКА (ЛОПОТО́ЧКА)* Собира́ть лопа́точки (лопото́чки). *Сиб. Шутл.* Получать поцелуи во время игры «соседями». СРНГ 17, 141; СФС, 101; СБО-Д1, 251.

Лопа́точкой разверну́ть. *Пск. Шутл.* Поработать интенсивно. СПП 2001, 50.

ЛО́ПЕНЬ * Ло́пень нае́хал. *Кар. Шутл.* Родился ребёнок. < **Ло́пень** — новорождённый ребёнок до наречения имени.

ЛО́ПКА * Ло́пка нае́хала. *Кар. Шутл.* То же, что **лопень наехал.** СРГК 3, 148. < **Лопка** — то же, что **лопень.**

ЛО́ПНУТЬ * Ло́пнуть хо́чет. *Волог., Сиб. Шутл.* Об очень полном человеке, частях его тела. СРНГ 17, 137; СФС, 101.

ЛОПНЯ́ * Дожи́ть до лопни́. *Пск. Шутл.* Состариться, дожить до преклонного возраста. ПОС 9, 111.

ЛОПОТУ́Н * Лопоту́н от ста́рой ме́льницы. *Пск. Ирон.* О болтуне, пустомеле. СПП 2001, 50.

ЛОПОТЬЁ * Из лопотья́ вон. *Яросл.* О человеке, который очень рьяно что-л. доказывает. ЯОС 4, 133.

ЛОПУ́Х * Водяно́й (озёрный) лопу́х. *Дон.* Растение кувшинка белая. СДГ 2, 121.

ЛОСК * В лоск положи́ть (уложи́ть) *кого.* 1. *Прост.* Окончательно, полностью, наповал положить, уложить кого-л. куда-л. ФСРЯ, 233; ДП, 260; БМС 1998, 349. 2. *Прост.* Сильно побить, поколотить кого-л. САР 1847, 2, 265. 3. *Ворон.* Рассмешить, заставить много смеяться кого-л. СРНГ 17, 151.

Лоск в лоск (к ло́ску) лежа́ть. *Пск.* Лежать вповалку. СПП 2001, 50.

Лоск с лица́ спал. *Сиб.* О лице, потерявшем свежесть, красоту. ФСС, 108.

Наводи́ть лоск. *Смол.* Отчитывать подчинённых, наводить порядок где-л. СРНГ 17, 151.

Пья́ный в лоск. *Перм.* О крайней степени опьянения. Подюков 1989, 109.

ЛОСКОТА́ * Не в *чью* **лоскоту́.** *Кар.* Не соответствует кому-л. по социальному положению. СРГК 3, 150.

ЛОСКУ́Т Лоску́т пя́тницкий. *Пск. Бран.-шутл.* О шаловливом ребёнке. СПП 2001, 50.

Пья́ный (напи́ться) в лоскуты́. *Жарг. мол. Шутл.-ирон.* О сильной степени опьянения. Елистратов 1994, 230; Юганоны, 46.

ЛОСО́СЬ * Лосо́сь в Ри́о. *Жарг. мол. Шутл.* Поп-группа «Лос дель Рио» (Los del Rio). Я — молодой, 1997, № 24.

ЛОСЬ * Гоня́ть лосе́й. *Арх. Неодобр.* Проводить время в безделье. АОС 9, 316.

Посчита́ть лосе́й. *Жарг. мол. Шутл.* Сходить в туалет. Максимов, 226.

Больша́я лось. *Кар.* Созвездие Большая Медведица. СРГК 3, 151. **Большо́й Лось.** *Печор.* То же. СРГНП 1, 394.

Лось педа́льный (велосипе́дный). *Жарг. мол. Презр.* О крайне глупом человеке. Максимов, 227

Лось пробежа́л. *Смол.* О дурном предзнаменовании, предвещающем голод. СРНГ 17, 155.

Лось соха́тый. *Жарг. лаг. Презр.* 1. Наивный, неопытный человек (заключённый). 2. Заключённый, работающий в хозяйственной обслуге ИТУ. Мокиенко, Никитина 2003, 189.

Ма́лый Лось. *Печор.* Созвездие Малая Медведица. СРГНП 1, 394.

Неме́цкий Лось. *Печор.* Созвездие Плеяды. СРГНП 1, 475.

Дава́ть/ дать (гнать) лося́. *Жарг. мол.* Быстро бежать, убегать откуда-л. ВМН 2003, 356; Максимов, 100.

Идти́ / пойти́ на лося́. *Жарг. шк. Шутл.* Выходить покурить на школьное крыльцо. (Запись 2002 г.) < **Лось** — крыльцо.

Пить за лося́. *Жарг. мол. Шутл.* Тост за всё хорошее (чтобы сбыЛОСЬ, хотеЛОСЬ, могЛОСЬ и т. п.). Максимов, 227.

Поста́вить ло́ся *кому. Жарг. мол.* Ударить в лоб кого-л. Максимов, 227.

Ски́нуть лося́. *Жарг. мол.* Выйти из депрессии, перестать грустить. БСРЖ, 322.

ЛОТ * Пра́ведный Лот. *Книжн. Устар.* Единственный добродетельный человек в дурном обществе. < Выражение из Библии. БМС 1998, 350.

ЛОХ * Лох на взлёте. *Жарг. угол.* Человек, готовый отдать деньги мошеннику. Максимов, 61.

Лох позо́рный. *Жарг. шк. Презр.* Директор школы. Максимов, 228.

Лох с реа́лиями. *Жарг. карт.* Богатая жертва шулера. УМК, 118. < **Лох** — жертва преступления; потенциальная жертва преступления.

Сивола́пый лох. *Жарг. угол.* Сельский житель, колхозник. Балдаев 2, 37; УМК, 118.

Трудя́щийся лох. *Жарг. угол. Ирон.* Простой человек, жертва вора или шулера. Балдаев 2, 86; ББИ, 248.

Вы́тащить ло́ха́ из шку́ры. 1. *Жарг. угол.* Отобрать верхнюю одежду при грабеже. 2. *Жарг. карт.* Выиграть у кого-л. все имеющиеся деньги; разорить кого-л., обыграв в карты. ТСУЖ, 37.

Дои́ть/ подои́ть ло́ха. *Жарг. мол.* Обокрасть кого-л. Максимов, 228.

Налы́бать ло́ха. *Жарг. мол. Неодобр.* Поставить себя в неловкое положение. Максимов, 228.

Тащи́ть ло́ха́. 1. *Жарг. карт.* Вовлекать жертву в карточную игру. 2. *Угол.* Завлекать жертву в укромное место. Балдаев 2, 75; ББИ, 242.

Развести́ ло́ха́. *Жарг. карт.* Вовлечь намеченную жертву в картёжную игру. ББИ, 204.

Снима́ть ло́ха. *Жарг. угол.* Выбирать жертву для совершения кражи. Максимов, 228.

Швырну́ть ло́ха́. *Жарг. угол.* Совершить мошенничество. ББИ, 286.

ЛОХА́НКА * Блево́тная лоха́нка. См. **Блевотная лохань.**

Голена́стая лоха́нка. *Жарг. мол. Шутл.-одобр.* Длинноногая девушка. Максимов, 89.

Лоха́нка с ки́кером. *Жарг. нарк.* Табакерка с кокаином. ТСУЖ, 100. < **Лоханка** — табакерка, портсигар.

ЛОХА́НЬ * Блево́тная лоха́нь (лоха́нка). *Прост. Презр.* ТАСС (Телеграфное агентство Советского Союза). Мокиенко, Никитина 2003, 189.

ЛОХМА́НКА * Лохма́нка бы взяла́ *кого! Морд. Бран.* Выражение досады, недовольства. СРГМ 1982, 127.

ЛОХМА́ТКА * Лезть в лохма́тку. *Жарг. муз. Шутл.* Неоправданно в музыкальном отношении использовать альтерированные («лохматые») гармонии. Никитина 1998, 232. < Ср.: **лохматка** — женские гениталии.

ЛОХМА́ТЫЙ * Чеса́ть лохма́того. *Жарг. угол. Шутл.-ирон.* Лгать, обманывать. Балдаев 2, 144; ТСУЖ, 195; ББИ, 280.

ЛОХМОТЫ́ (ЛОХМО́ТЬЯ) * Трясти́ лохмота́ми (лохмо́тьями). 1. *Орл.* Быть одетым неряшливо, в старую, изношенную одежду. СОГ-1994, 72. 2. *Морд.* Быть крайне бедным, неимущим. СРГМ 1982, 131.

ЛОША́ДКА * Бо́жья лоша́дка. *Костром.* Насекомое кузнечик. СРНГ 17, 166.

Тёмная лоша́дка. 1. *Спорт.* Неизвестный или малоизвестный спортсмен, участвующий в соревнованиях и вызывающий повышенный интерес болельщиков своими потенциальными спортивными возможностями. 2. *Разг.* Неизвестная личность, представляющая для кого-л. интерес. БМС 1998, 350; НСЗ-84.

Ста́вить/ поста́вить на ве́рную лоша́дку. *Разг.* Выигрывать, достигать успеха в чём-л., предугадав верную расстановку сил, точно рассчитав ход событий. БМС 1998, 350.

ЛО́ШАДЬ * Меня́ть лошаде́й (коней) на перепра́ве. *Нов. Публ. или разг.* Производить смену власти, тренерского состава и т. п. в трудный период. < Выражение — крылатая фраза американского президента А. Линкольна.

Пригна́ть лошаде́й. *Жарг. мол.* Привести на вечеринку девушек. Максимов, 229.

На криво́й ло́шади не объе́дешь *кого. Обл.* О хитром человеке. Мокиенко 1990, 83.

Соскочи́ть с [хоро́шей] ло́шади. *Прикам.* Не иметь по какой-л. причине хороших лошадей. МФС, 94.

Безве́стная ло́шадь. *Пск.* Никому незнакомый человек. СРНГ 2, 182.

Бе́лую ло́шадь из-за куста́ не ви́дно. *Кар. Шутл.* О тёмных ночах после окончания белых ночей. СРГК 3, 153.

Ви́деть бе́лую ло́шадь. *Жарг. мол.* Говорить вздор, ерунду. Вахитов 2003, 27.

Гну́тая ло́шадь. *Волог. Пренебр.* О нескладной, угловатой женщине. СРНГ 6, 251.

Езжа́лая ло́шадь. *Горьк.* Человек, изможденный тяжёлой работой. Бал-Сок., 35.

Заду́мчивая ло́шадь. *Жарг. шк. Шутл.* Медлительная, апатичная учительница. ВМН 2003, 78.

Корми́ть ло́шадь де́вками. *Костром. Шутл.* В святочной игре «в лошадь» — толкать девушек по одной под полог, который изображает бока лошади. СРНГ 14, 337.

Ломова́я ло́шадь. *Жарг. ирон.* О крупной девушке. Максимов, 225.

Ло́шадь в рот зае́хала *кому. Сиб. Шутл.* О задумавшемся человеке. ФСС, 108.

Ло́шадь И́ра (Ми́ра). *Жарг. мол. Шутл.* Площадь Мира в Ленинграде — Санкт-Петербурге (ныне Сенная); станция метро «Площадь Мира» (ныне «Сенная площадь»). Синдаловский, 2002, 109.

Ло́шадь неподко́ванная. *Горьк.* О человеке с бурным темпераментом. БалСок., 42.

Ло́шадь пе́рвого хомута́. *Яросл.* Лошадь в возрасте трёх лет. ЯОС 6, 15.

Ло́шадь Пржева́льского. *Жарг. мол. Шутл.* 1. *или Пренебр.* То же, что **ломовая лошадь.** 2. О громко смеющемся человеке. 3. О чём-л. редком, вызывающем удивление. Максимов, 230.

Ло́шадь при поллю́ции. *Жарг. мол. Шутл.-ирон.* Станция метро «Площадь революции» в Москве. Щуплов, 319.

Ло́шадь с кры́льями. *Жарг. шк. Шутл.* Ученица выпускного класса. Максимов, 207.

Оседла́ть ло́шадь. *Жарг. угол.* Оказаться на скамье подсудимых. Максимов, 230.

Пожа́рная ло́шадь. *Жарг. мол. Шутл.* О девушке с ярко-рыжими или яркокрасными волосами. Максимов, 230.

Се́рая ло́шадь. *Жарг. арест., угол. Ирон.* 1. Заключённый, занятый на тяжёлых физических работах. 2. Рабочий; крестьянин. Балдаев 2, 30; УМК, 118; ББИ, 221; Мокиенко, Никитина 2003, 190.

Ста́вить/ поста́вить не на ту ло́шадь. *Разг.* Проигрывать, допускать промах в корыстных расчётах, надеждах, ожиданиях. БМС 1998, 350-351.

Ста́рая боева́я ло́шадь. *Разг. Шутл.-ирон.* Жена или старая подруга. Елистратов 1994, 231.

Я и ло́шадь, я и бык, я и ба́ба, и мужи́к. *Прост. Шутл.-ирон.* 1. О женщине, вынужденной исполнять все мужские работы и вести домашнее хозяйство. 2. О гомосексуалистах и лесбиянках. Мокиенко, Никитина 2003, 190.

ЛОШИ́НА * Намути́ть лоши́ну. *Жарг. мол.* Использовать глупого человека в своих целях. h-98. < От **лох** — ограниченный, необразованный человек.

ЛОЩ * Кида́ть лоща́ *кому. Жарг. угол.* Льстить угождать кому-л. Быков, 121.

ЛУБЯ́НКИ * Нали́ть лубя́нки. *Морд. Неодобр.* Напиться пьяным. СРГМ 1982, 133. < **Лубя́нки** — глаза.

ЛУГ * Холо́дный луг. *Вят.* Луг, на котором растёт плохая трава; выгон для скота. СРНГ 6, 315.

Ни к лу́гу ни к боло́ту. *Ряз.* 1. Неуместно, не к месту. 2. О чём-л. неопределённом. СРНГ 17, 175; ДС, 283.

ЛУГОВИ́НА * Подёрнуть лугови́ной. *Яросл.* Покрыться травой, превратиться в луг. ЯОС 8, 26.

ЛУД * Луд тебя́ побери́! *Сиб., Забайк. Бран.* Восклицание, выражающее гнев, негодование. ФСС, 108; СРГЗ, 189. < **Луд** — нечистая сила.

ЛУ́ЖА * Марки́зова лу́жа. *Прост. Устар. Шутл.-ирон.* Финский залив. < Название дано по имени маркиза де Траверсе во времена царствования Александра I. БМС. 351.

Наполоска́ться в лу́же. *Жарг. угол. Шутл.* Выспаться. Балдаев 1, 271. // *Жарг. мол. Шутл.* Выспаться после пьянки. Максимов, 230. < **Лужа** — простыня.

Ерыкну́ть в лу́жу. *Твер.* То же, что **садиться/ сесть в лу́жу.** СРНГ 17, 181.

Сади́ться/ се́сть в лу́жу. *Прост.* Попадать в неловкое, глупое положение, позориться. ФСРЯ, 233; БМС 1998, 351; БТС, 507; ЗС 1996, 42, 104; Мокиенко 1986, 90; СПП 2001, 50.

Сажа́ть/ посади́ть в лу́жу *кого. Прост.* Ставить кого-л. в неловкое, глупое положение. ФСРЯ, 233; БМС 1998, 351; БТС, 507; Ф 2, 137.

ЛУЖА́ЙКА * Потопта́ться по лужа́йке. *Жарг. мол. Шутл.* Получить большой доход. Максимов, 230.

ЛУЖО́К * Кра́сный лужо́к. *Яросл.* Луг, на котором много спелой брусники. ЯОС 5, 86.

Свиня́чий лужо́к. *Сиб.* Травянистое растение гречиха птичья. Верш. 6, 187.

ЛУЖО́ЧЕК * На зелёном лужо́чке я́мочка пригото́влена *кому. Пск. Ирон.* Кому-л. пора умирать (об очень старом человеке). СПП 2001, 50.

ЛУИ́С * Луи́с Альбе́рто (Альбе́ртович). *Жарг. мол. Шутл.* 1. Мужской половой орган. 2. Бригадир женской бригады; начальник в женском коллективе. Елистратов 1994, 231. < **Луис Альберто** — герой мексиканского телесериала.

ЛУК[1] * Змеи́ный лук. *Дон.* Дикий чеснок. СДГ 2, 122.

Лук пе́рвой земли́ (пе́рвая земля́). *Яросл.* Лук-сеянец, лук, выращенный из семян. ЯОС 6, 17.

Лук тре́тьей земли́. *Яросл.* Лук второго урожая. ЯОС 6, 17.

В два лу́ка. *Пенз., Ряз.* Пополам, так, чтобы одна половина совпадала с другой. СРНГ 17, 187; ДС, 283.

Дыша́ть лу́ком *на кого. Жарг. мол.* Несправедливо, беспричинно обвинять кого-л. Вахитов 2003, 52.

Па́хнуть лу́ком. *Жарг. мол.* То же, что **дышать луком.** Вахитов 2003, 128.

ЛУК[1] * Ки́нуть лук *на кого, на что. Жарг. мол.* Посмотреть, бросить взгляд на кого-л., на что-л. Рожанский, 32; Митрофанов, Никитина, 108. < Из англ.: *look.*

ЛУ́КА* В одну́ лу́ку. *Пенз., Ряз.* В одном направлении, в одном смысле. СРНГ 17, 187.

ЛУКА́ВО * Не му́дрствуя лука́во. *Разг.* Просто, без затей. БТС, 507.

ЛУКА́ВЫЙ * От лука́вого. *Книжн.* О чём-л. лишнем, неверном, приносящем вред. Ф 1, 286. < Выражение из Библии. ФСРЯ, 233-234; БМС 1998, 351.

Лука́вый дёрнул *кого. Прост. Ирон.* О неуместном, опрометчивом поступке. Ф 1, 287.

Лука́вый занёс *кого куда. Прост. Неодобр.* О человеке, не вовремя появившемся где-л. Ф 1, 287.

Лука́вый намха́л *кого куда. Яросл.* То же, что **лукавый занёс. < Намха́ть** – напустить, наслать (что-л. неприятное). СРНГ 20, 43.

Лука́вый попу́тал *кого. Прост. Неодобр.* Кто-л. поддался соблазну совершить что-л. предосудительное. Ф 1, 287.

Чтоб тебя (вас, его и пр.**) лукавый взял!** *Прост. Устар. Бран.* Пожелание кому-л. чего-л. плохого. Ф 1, 287; Мокиенко, Никитина 2003, 190.

< Лукавый — дьявол, чёрт.

ЛУКА́НЬКА * Лука́нька хвосто́м накры́л *что. Народн. Шутл.* О пропавшей вещи, которую ищут и не замечают, хотя она находится рядом. ДП, 456, 577, 932. < **Луканька** — то же, что **лукавый.**

ЛУКНО́ * В лу́кна стуча́ть. *Кар.* Аккомпанировать поющим, используя в качестве ударных инструментов лукошко с фанерным дном. СРГК 3, 156.

ЛУ́КОВИЦЫ * Уста́вить лу́ковицы. *Яросл.* Посмотреть пристально, с удивлением. ЯОС 6, 18. < **Луковицы** *зд.* — глаза.

ЛУКО́ШКО * Загляну́ть в луко́шко. *Сиб. Шутл.* Узнать о ком-л. самое сокровенное. ФСС, 76.

ЛУЛЫ́ * Жить на лула́х. *Пск.* Жить бедно, ничего не иметь. СРНГ 17, 192.

Сиде́ть на лула́х. *Пск.* Быть в затруднительном положении. СРНГ 17, 192.

ЛУНА́ * Голуба́я луна́. *Мол.* Гомосексуалист. Вахитов 2003, 40.

Луна́ зашла́ (нашла́) *на кого, кому. Пск. Неодобр.* О чьём-л. непредсказуемом настроении, желании, поведении. СПП 2001, 50.

Луна́ на молоду́. *Горьк., Ср. Урал., Сиб.* Новолуние. БалСок., 42; СРГСУ 2, 105; ФСС, 113.

Тёплая луна́. *Пск.* Солнце. СПП 2001, 50.

Быть на луне́. *Жарг. угол.* Быть расстрелянным. ТСУЖ, 113.

Ничто́ не ве́чно под луно́ю. *Книжн.* Все, что происходит сейчас, каким бы новым оно ни казалось, уже происходило на земле; все изменчиво, бренно, преходяще. < Выражение из Библии. БМС 1998, 352.

Ничто́ не но́во под луно́ю. *Книжн.* То же, что **ничто не вечно под луною.** < Цитата из стихотворения Н. М. Карамзина «Опытная Соломонова мудрость, или Выбранные мысли из Екклесиаста» (1797 г.). БМС 1998, 352.

Вздыха́ть на луну́. *Разг.* Быть романтически настроенным. Ф 1, 60.

Выть на луну́. *Разг.* Изнывать от тоски, скуки. БТС, 187.

Иди́ луну́ расчёсывай! *Жарг. мол.* Требование удалиться, оставить в покое кого-л. Вахитов 2003, 70.

Идти́ на луну́. *Жарг. угол.* Быть приговорённым к расстрелу. Грачев, 1992, 83.

Крути́ть луну́. *Жарг. угол., мол. Неодобр.* Лгать, обманывать кого-л. Мильяненков, 159; ББИ, 131; Балдаев 1, 233; h-98; Вахитов 2003, 87.

Луну́ крадýт (укра́ли). *Терск.* О лунном затмении. СРНГ 17, 193.

Отпра́вить (посла́ть, пусти́ть) на луну́ *кого. Жарг. угол., лаг.* Убить, расстрелять кого-л. Балдаев, 298; Р-87, 77.

[Пойти́] посмотре́ть на луну́. *Жарг. мол. Шутл.* Сходить в туалет. Никитина 1998, 233; Максимов, 230.

С луны́ свали́лся. *Разг. Неодобр.* О человеке с неадекватным поведением. БТС, 507.

ЛУНА́ТИК * Бе́сов луна́тик. *Пск. Бран.* О человеке, поступающем неправильно, не так, как положено. СПП 2001, 50.

ЛУ́НКА * Тёплая лу́нка. *Жарг. мол. Шутл.* Влагалище. (Запись 2004 г.).

ЛУП * Дава́ть/ дать лу́па *кому. Обл.* То же, что **дать лупака (ЛУПАК).** Мокиенко 1990, 46.

ЛУ́ПА * Чи́стая лу́па. *Волог. Пренебр.* О глупом человеке. СВГ 4, 54.

ЛУПА́К * Дать лупака́ *кому. Морд., Ряз.* Избить, поколотить кого-л. СРГМ 1982, 134; Мокиенко 1990, 46; ДС, 283.

ЛУ́ПАЛКИ * Выголя́ть лу́палки. *Пск. Неодобр.* Смотреть на кого-л. с вызовом, нагло; таращить глаза. СПП 2001, 50. < **Лупалки** — глаза.

ЛУПА́НДА * Жарчёная лупа́нда. *Перм. Неодобр.* О человеке с рыжими волосами. Сл. Акчим. 1, 276.

ЛУПАНЕЦ * Дава́ть/ дать лу́панца (лу́панцу) *кому. Морд.* То же, что **дать лупака (ЛУПАК).** СРГМ 1980, 11; СРГМ 1982, 134.

ЛУПЕ́ТКИ * Бры́згать лупе́тками. *Жарг. мол.* Смотреть на кого-л., на что-л. Максимов, 45.

Лупе́тки выголя́ть. *Новг.* Смотреть с удивлением. НОС 5, 52.
< **Лупетки** — глаза.

ЛУПЁХА * Получить лупёху. *Волг.* Подвергнуться избиению. Глухов 1988, 129.

ЛУПЕ́Ц * Надава́ть лупцо́в *кому. Яросл.* То же, что **дать лупака (ЛУПАК).** ЯОС 6, 90.

ЛУ́ПКА * Дать (зада́ть) лу́пки *кому. Обл.* То же, что **дать лупака (ЛУПАК).** Мокиенко 1990, 46.

ЛУ́ПЫШИ * Вы́ставить лу́пыши. *Волог.* Смотреть внимательно, с удивлением. СВГ 4, 54. < **Лупыши** — глаза.

ЛУЧ * Луч све́та в тёмном ца́рстве. 1. *Жарг. мол. Шутл.* Об электрической лампочке в подъезде. 2. *Жарг. шк.* Каникулы. 3. *Жарг. шк. Шутл.* Выходной день. 4. *Жарг. арм.* Письмо из дома. Максимов, 231. < По названию статьи Н. А. Добролюбова о пьесе А. Н. Островского «Гроза».

Пойма́ть со́лнечный луч. *Пск.* Получить солнечный (тепловой) удар. СПП 2001, 50.

Е́здить с лучо́м. 1. *Яросл.* Ездить на лодке с огнём на корме. ЯОС 4, 34. 2. *Кар.* Ловить рыбу острогой осенью, освещая поверхность воды зажжённой лучиной. СРНГ 8, 330. // *Волог.* Ловить рыбу ночью при специальной подсветке. СВГ 2, 72.

Ходи́ть лучо́м. *Волог.* Ловить рыбу, освещая воду огнём костра, разведённого на лодке. СВГ 4, 55.

ЛУЧИ́НА * Лома́ть лучи́ну. *Кар.* Исполнять народный танец «Лучинушка». СРГК 3, 159.

Разводи́ть лучи́ну. *Новг.* Разжигать огонь. НОС 9, 86.

ЛУЧИ́НКА * К лучи́нкам води́ть *кого. Ср. Урал.* В игре — зажигать лучинку перед парнем, который нравится девушке. СРГСУ 2, 30.

Купа́ть лучи́нку. *Кар.* Народное гадание. СРГК 3, 59.

ЛУЧО́К * Из лучка́. *Прикам.* Небрежно или со злостью (бросить, кинуть). МФС, 56.

Вы́йти на лучки́. *Кар.* Расслоиться на волокна (о льне). СРГК 3, 160.

ЛУЧО́НКИ * В лучо́нки. *Кар.* Поперёк, зигзагообразно. СРГК 3, 161.

ЛУ́ЧШЕ * Как нельзя́ лу́чше. *Разг. Одобр.* Очень хорошо, отлично, превосходно. ФСРЯ, 234; БМС 1998, 352.

Лу́чше лу́чшего. *Сиб. Одобр.* Очень хороший, отличный, превосходный. ФСС, 108.

ЛУ́ЧШИЙ (ЛУ́ЧШЕЕ) * Оставля́ет жела́ть лу́чшего. *Разг.* О чём-л., что не очень хорошо, не удовлетворяет в каком-л. отношении. ФСРЯ, 234; БТС, 301; БМС 1998, 353; Ф 2, 21.

ЛУ́ША * Лу́ша Ки́нецкая. *Кар. Неодобр.* О медлительной, нерасторопной девушке. СРГК 3, 161.

ЛЫБА * Дави́ть (вали́ть, вя́лить, тяну́ть) лыбу (лыбы). *Жарг. мол.* Улыбаться. НВ, 1997, № 38, 48; СМЖ, 42; Вахитов 2003, 24, 184; Максимов, 78, 100, 231. < Перифрастическое развёртывание прост. глагола **лыбиться**.

ЛЫЖА (ЛЫЖИ) * Поло́гая лыжа. *Перм. Ирон.* О нерасторопном, медлительном человеке. СРНГ 29, 97; МФС, 56.

Шурша́ть лы́жами. *Жарг. мол. Шутл.* Быстро уходить, убегать откуда-л. Вахитов 2003, 268.

Вы́ехать на лы́жах *[откуда]. Жарг. угол., арест., арм.* То же, что **делать лыжи.** ТСУЖ, 35; Быков, 61; Балдаев 2, 33; Я — молодой, 1995, № 6.

Ката́ться на лы́жах. *Жарг. мол.* Заниматься сексом. Вахитов 2003, 75.

Прокати́ть на лы́жах *кого.* 1. *Жарг. угол.* Изнасиловать кого-л. Балдаев 1, 358; ББИ, 97. 2. *Жарг. мол. Шутл.* Совершить половой акт с кем-л. Вахитов 2003, 150.

Ходи́ть на лы́жах. *Жарг. мол.* Заниматься сексом. Вахитов 2003, 195.

Востри́ть/ навостри́ть лы́жи. *Прост. Шутл.* 1. Удирать, бежать куда-л. или откуда-л. 2. *Шутл.* Намереваться, собираться идти куда-л. ДП, 274; ФСРЯ, 260; ЗС 1996, 205, 480, 498; Глухов 1988, 88; СПП 2001, 50.

Встава́ть/ встать на лы́жи. 1. *Жарг. угол., арест., арм.* То же, что **делать лыжи.** ТСУЖ, 35; Быков, 61; Балдаев 2, 33; ББИ, 49. 2. *Жарг. мол. Шутл.-ирон.* Заниматься проституцией. Елистратов 1994, 232. 3. *Жарг. мол.* Необоснованно надеяться на что-л. Максимов, 72.

Гото́вить (сма́зывать) лы́жи. *Жарг. арест.* Готовиться к побегу из ИТУ. Балдаев 2, 33; ТСУЖ, 42; Мильяненков, 160; ББИ, 59, 131.

Дать лы́жи *кому. Пск.* Побить, поколотить кого-л. СПП 2001, 50.

Делать/ сде́лать лыжи *[откуда]. Жарг. угол., арест., арм.* Совершать побег из мест заключения, из воинской части. ТСУЖ, 35; Быков, 61; Балдаев 2, 33; Я — молодой, 1995, № 6.

Заверну́ть лы́жи. *Жарг. мол.* Отойти в сторону. Максимов, 136.

Ки́нуть лы́жи. *Жарг. мол.* Пойти куда-л. Вахитов 2003, 77.

Лы́жи не е́дут *у кого. Жарг. мол. Шутл.-ирон.* О чьём-л. странном поведении, вызывающем удивление. Никитина 1998, 233.

Мы́лить лы́жи. *Жарг. мол.* Уходить, собираться уходить откуда-л. Никитина 2003, 359.

Нала́дить (наточи́ть) лы́жи *куда. Волг., Курск.* То же, что **направлять/ направить лыжи.** Глухов 1988, 90; БотСан, 101, 103; Ф 1, 315.

Намы́лить (сма́зать) лы́жи. *Жарг. мол.* Собраться уйти откуда-л.; собраться пойти куда-л. БСРЖ, 325; Максимов, 231.

Направля́ть/ напра́вить лы́жи *куда. Прост.* Уходить, уезжать, направляться куда-л. ФСРЯ, 267.

Наса́лить лы́жи *куда. Яросл.* То же, что **направлять/ направить лыжи.** ЯОС 6, 112.

Остри́ть лы́жи. *Пск.* Поспешно убегать. Пск., 1855. СРНГ, 24, 80.

Отбро́сить (отки́нуть) лы́жи. *Жарг. мол. Шутл.* Умереть. Вахитов 2003, 120; Максимов, 231.

Поверну́ть лы́жи. *Прост.* Уйти, уехать, отправиться обратно. Ф 2, 51.

Подкати́ть (подста́вить) лы́жи *кому. Кар.* 1. Обмануть, одурачить кого-л. СРГК 3, 162. 2. Изменить кому-л. в любви. СРГК 4, 674.

Поста́вить лы́жи в у́гол. *Жарг. мол. Шутл.-ирон.* Умереть. Максимов, 213.

Поста́вить на лы́жи *кого. Жарг. арест.* Выжить кого-л. из камеры, изгнать из группировки. Балдаев 1, 342; ТСУЖ, 142.

Сма́зать лы́жи. См. **Намылить лыжи.**

ЛЫЖНЯ́ * Встава́ть/ встать на лыжню́. 1. *Жарг. арм.* Самовольно отлучаться из части. 2. *Жарг. нарк.* Начинать заново колоться наркотиками. Максимов, 72.

Episode placeholder

Наката́ть лыжню́. *Жарг. мол.* Совершить половой акт с кем-л. Вахитов 2003, 107.

Лыжня́ греми́т. *Кар.* О дальнем шуме на дороге. СРГК 3, 162.

ЛЫЗГА́РЬ * Дать лызгаря́ *кому. Кар.* Нанести удар кому-л. СРГК 3, 163.

ЛЫЗГА́Ч * Дать лызгача́ (лыскача́). *Пск.* Убежать, быстро скрыться. Пск., 1855. СРНГ 17, 219, 224.

ЛЫ́ЗА * Задава́ть лы́зу. *Волг.* Поспешно убегать, скрываться. Глухов 1988, 47.

ЛЫ́ЗИК Дать лы́зика *кому. Шутл. Пск.* Ударить кого-л., дать подзатыльник кому-л. СПП 2001, 50.

Получи́ть лы́зика. *Шутл. Пск.* Получить подзатыльник, быть битым. СПП 2001, 50.

ЛЫ́КО * Пять лык в ро́жу. *Горьк.* Лапти, носок которых плетется из 5 лык. БалСок., 51.

Дожи́ть до лы́ка. *Яросл.* Оказаться в безвыходном положении. ЯОС 4, 9.

Дойти́ до лы́ка. *Яросл.* Сильно похудеть. ЯОС 4, 10.

Лы́ка не везёт. *Арх., Пск., Прикам.* То же, что **лыка не вяжет 1.** АОС 3, 80; МФС, 18; ПОС, 6, 113.

Лы́ка не волочи́ть (не завола́кивать). *Кар.* Обессилеть. СРГК 3, 163.

Лы́ка не вя́жет. 1. *Прост. Презр.* Об очень пьяном человеке, не способном координировать свои движения и связно говорить. ДП, 792; ФСРЯ, 234; БМС 1998, 353; ЗС 1996, 193; БотСан, 101; СРНГ 20, 52; Глухов 1988, 96; Мокиенко 1990, 95. 2. *Том. Неодобр.* О человеке, говорящем заплетающимся языком. СПСП, 62; СОСВ, 107. 3. *Орл.* О неумелом, неловком человеке. СОГ-1994, 83.

Лы́ка не нести́. *Кар.* Говорить заплетающимся языком. КСРГК.

Лы́ка не́ с чего сплесть. *Волг. Ирон.* О крайней бедности. Глухов 1988, 58.

Лы́ками сшит. *Народн.* То же, что **лыком шит.** ДП, 471.

Драть лы́ки. *Пск. Неодобр.* Бездельничать, лентяйничать. СРНГ 17, 221.

Ада́мово лы́ко. *Жарг. угол.* Плеть, нагайка. ТСУЖ, 12; СВЯ, 3. // Плеть с тремя концами. Трахтенберг, 3; СРВС 1, 95; СРВС 2, 49, 121, 164, 188; СРВС 3, 76; ТСУЖ, 12.

Во́лчье лы́ко. *Спец.* Растение пухляк. Ф 1, 287.

Вся́кое лы́ко ста́вить в стро́ку. *Прост.* Ставить в вину кому-л. любую ошибку. БТС, 1281, 1258; Мокиенко 1990, 95; Янин 2003, 75; ШЗФ 2001, 48.

Е́ле лы́ко притяну́ть. *Кар.* С трудом дойти, прийти куда-л. (как правило — о пьяном человеке). СРГК 2, 24; СРГК 5, 218.

На одно́ лы́ко ве́шать *кого. Коми.* Уравнивать кого-л. с кем-л. Кобелева, 70.

Не вся́кое лы́ко в стро́ку. *Разг.* О необязательности, ненужности всякую ошибку ставить в вину, в упрёк кому-л. БТС, 508.

Лы́ком сшит. *Пск.* Об опытном человеке. СПП 2001, 50.

Лы́ком сшит, обо́рчиком подпоя́сан. *Народн.* То же, что **лыком шит.** ДП, 134.

Лы́ком шит. 1. *Прост. Неодобр.* О неопытном, необразованном человеке. ДП, 249; ФСРЯ, 234; БМС 1998, 354. 2. *Морд. Ирон.* О худом, тощем человеке. СРГМ 2002, 113.

Не лы́ком шит (подпоя́сан). 1. *Прост.* О способном, умелом, находчивом человеке. ФСРЯ, 234; БТС, 1499; БМС 1998, 354; ЗС 1996, 30; СПП 2001, 50. 2. *Пск. Неодобр.* О непорядочном человеке. СПП 2001, 50.

Одни́м лы́ком ши́ты. *Пск.* О похожих, одинаковых людях (обычно — с отрицательной оценкой). Пск., 1855. СРНГ 17, 220; Глухов 1988, 116.

Подпоя́сан лы́ком. *Волг. Ирон.* О крайне бедном человеке. Глухов 1988, 126.

Без лы́ку. *Ряз.* Сразу, без промедления. ДС, 202.

Дава́ть/ дать лы́ку. *Обл.* Убегать. БМС 1998, 355.

Ни в лы́ку не ста́вить *кого. Новг. Презр.* Не уважать кого-л., относиться к кому-л. с презрением. НОС 5, 55.

ЛЫ́КУС. См. **ЛЫТУС.**

ЛЫЛЫ́ * Оста́ться на лыла́х. *Морд.* Не получить того, на что рассчитывал. СРГМ 1982, 136; Мокиенко 1990, 35.

Провести́ на лыла́х *кого. Обл.* Обмануть, перехитрить кого-л. Мокиенко 1990, 35.

Жить на лылы́. *Пск. Неодобр.* Часто поступать непорядочно, обманывать кого-л. СРНГ 17, 221.

На лылы́. *Волг. Шутл.* Очень далеко, неизвестно куда. Глухов 1988, 91.

Поднима́ть/ подня́ть на лылы́ *кого. Обл.* Смеяться, насмехаться над кем-л. Мокиенко 1990, 35.

ЛЫ́НДЫ * Бить лы́нды. *Неодобр.* 1. *Брян., Волг., Новг., Одесск., Пск.* Бездельничать. СБГ 1, 55; Глухов 1988, 3; Мокиенко 1990, 69; НОС 1, 58; КСРГО. СПП 2001, 50. 2. *Одесск.* Бесцельно бродить без дела. КСРГО.

Продава́ть лынды. *Орл. Неодобр.* То же, что **бить лынды 1-2.** СОГ-1994, 83.

ЛЫ́СИНА * С лы́синой роди́лся, с лы́синой умрёт. *Прикам.* О трудно исправимом человеке. МФС, 86.

Плю́нуть на лы́сину. *Жарг. угол. Шутл.* Дать клятву. Балдаев 1, 322.

ЛЫ́СИНКА * Роди́ться с лы́синкой, умере́ть (помере́ть) со звезди́нкой. *Пск. Неодобр.* Об усилении отрицательных свойств у кого-л. ПОС 12, 282.

С лы́синкой. *Орл. Пренебр.* Об умственно ограниченном, глупом человеке. СОГ-1994, 84.

С лы́синкой роди́лся, с лы́синкой помрёт. *Куйбыш., Сиб. Неодобр.* О человеке, не поддающемся перевоспитанию. СРНГ 35, 138.

ЛЫ́СКА * Лы́ской зва́ли *кого, что. Морд. Шутл.* О неожиданном исчезновении кого-л., чего-л. СРГМ 1980, 103.

ЛЫСКА́Ч * Дать лыскача́. См. **Дать лызгача (ЛЫЗГАЧ).**

ЛЫ́СЫЙ * Гоня́ть лы́сого [в кулаке́]. *Жарг. мол. Шутл.* То же, что **совать лысого в кулак.** Максимов, 92; Декамерон 2001, № 3.

Мокну́ть лы́сого в ту́хлую ве́ну. *Жарг. гом.* Совершить анальное сношение. Кз., 130. < **Лысый** — мужской половой орган.

Сова́ть лы́сого в кула́к. *Жарг. мол. Шутл.* Онанировать. Декамерон 2001, № 3; Никитина 2003б, 322.

Лысый на плеша́того воро́тит. *Пск. Шутл.* О человеке, который сваливает, перекладывает вину или ответственность на другого. СПП 2001, 51.

ЛЫ́ТКА * Бара́ньи лы́тки. *Волг., Пск.* О сухощавом человеке. Глухов 1988, 2; Доп., 1858; ПОС 1, 113.

Задава́ть/ зада́ть лы́тки. *Влад. Шутл.* Очень быстро бежать, убегать. СРНГ 17, 226.

Задра́ть (отбро́сить) лы́тки. *Орл. Шутл. или Презр.* Умереть. СОГ-1994, 86; Ф 1, 195.

Лы́тки сверка́ют (засверка́ли) *у кого. Волг.* О быстро убегающем человеке. Глухов 1988, 83.

Лы́тки трясу́тся (затрясли́сь, переколоти́лись, перетрясли́сь) *у кого. Волг., Орл.* О состоянии испуга, сильного страха. Глухов 1988, 83; СОГ-1994, 86.

Напра́вить лы́тки *куда. Ряз.* Собраться идти куда-л. СРНГ 17, 226.

Одни́ лы́тки. *Сиб.* О крайне худом человеке. ФСС, 108.

Положи́ть на лы́тки *кого. Орл.* Одержать победу над кем-л. СОГ-1994, 86.

Растяну́ть лы́тки. *Кар.* Выпустить, протянуть длинные побеги (о растении). СРГК 3, 165.

С комари́ную (комаро́ву, кома́рью) лы́тку (лы́точку). *Волг., Пск. Шутл.* О небольшом количестве чего-л. Глухов 1988, 149; СПП 2001, 50.

ЛЫТО́К * Зада́ть лытка́. *Народн.* То же, что **задавать/ задать лытки (ЛЫТКА).** ДП, 274.

ЛЫ́ТОЧКА * С комаро́ву (кома́рью) лы́точку. См. **С комариную лытку (ЛЫТКА).**

ЛЫ́ТУС (ЛЫ́КУС) * Лы́тусу (Лы́кусу) пра́здновать. 1. *Обл.* Убежать откуда-л. ДП, 274; БМС 1998, 355. 2. *Народн.* Бояться чего-л., трусить. СРНГ 17, 227. 3. *Пск.* Бездельничать. СПП 2001, 50; Мокиенко 1990, 14. < Оборот образован по модели **трусу праздновать** — трусить; **лытус** — слово, искусственно образованное от глагола **лытать** — убегать; ср. **улытнуть** — улизнуть.

Лы́кусу свято́му, скиля́ге преподо́бному. *Пск. Неодобр.* О безделье. СПП 2001, 50. < **Лы́кус** — лентяй, бездельник.

ЛЫ́ЧКА * Лы́чка с реме́шиком. *Ворон. Шутл.* О супругах с разными характерами. СРНГ 17, 229.

Кле́ить лы́чки *кому. Жарг. арм.* Давать очередное воинское звание кому-л. Елистратов 1994, 232.

Сре́зать лы́чки *кому. Жарг. арм.* Разжаловать кого-л. Елистратов 1994, 232.

Вы́писать лычку. *Жарг. мол.* Ударить по лицу кого-л. Максимов, 76.

ЛЬДИ́НА * Оди́н на льди́не. *Жарг. арест.* Вор-одиночка в колонии. ТСУЖ, 121. // *Жарг. угол.* Название одной из преступных группировок, члены которой отошли от соблюдения воровских традиций. Быков, 140; Балдаев 1, 289; ББИ, 160; Мильяненков, 182.

ЛЬДИ́НКА * Пусти́ть льди́нку. *Новг.* О похолодании поздней осенью. НОС 9, 64.

ЛЬВЁНОК * Пойма́ть львёнка. *Жарг. угол. Шутл.* Обокрасть богатого человека. Ларин 1931, 120; ТСУЖ, 137.

ЛЬЯК * Литы́ в оди́н льяк. *Сиб.* Об очень похожих людях. ФСС, 106. **Во льяк не вы́льешь** *кого. Перм.* То же. СРНГ 5, 87.

ЛЬЯ́ЛО * Вы́литы в одно́ лья́ло. *Арх., Перм.* То же, что **литы в один льяк (ЛЬЯК).** СРНГ 17, 233; Подюков 1989, 35.

ЛЮ́БА * В лю́бе. *Печор. Флк. Одобр.* В любви и согласии (жить). СРГНП 1, 399.

ЛЮБЕ́ЗНЫЙ * За свои́ любе́зные. *Кар. Шутл.* На свои собственные деньги. СРГК 3, 167.

ЛЮБИ́МКА * Мужска́я люби́мка. *Приамур.* Растение валериана каменная. СРГПриам., 159.

ЛЮБИ́ТЕЛЬ * Люби́тель релье́фа. *Жарг. мол. Шутл.* Скалолаз. Максимов, 232.

ЛЮБКИ́ * В любки́. *Сиб.* Рядом, недалеко друг от друга (о сетях, поставленных на реке). ФСС, 108.

ЛЮБЛЮ́ * Игра́ть в люблю́. *Жарг. мол. Шутл.* Совершать половой акт, совокупляться. Максимов, 160.

ЛЮ́БО * При (об) одно́м лю́бе. *Волог.* О неразделённой любви. СВГ 4, 59.

Лю́бо два. *Сиб. Одобр.* Очень хорошо, очень приятно. СФС, 102.

ЛЮБО́ВИНКА * В любо́винку. *Сиб.* С удовольствием, с аппетитом (есть что-л.). ФСС, 108; СФС, 40.

ЛЮБО́ВЬ * Из любви́ к иску́сству. *Разг. Ирон.* Ради самого занятия, без каких-л. корыстных целей. ФСРЯ, 234; ЗС 1996, 93.

Води́ть любо́вь *с кем. Яросл.* Находиться в любовных отношениях с кем-л. ЯОС 3, 25.

Глазна́я любо́вь. *Пск.* Любовь без взаимности. ПОС 7, 176.

Де́лать любо́вь. *Петерб.* Целоваться с кем-л. СРНГ 7, 341.

И вся любо́вь. *Разг.* 1. О чьих-л. непродолжительных, любовных связях. Б, 73. 2. *Шутл.* И всё, и кончено (обычно — при прекращении отношений с кем-л.). Флг., 287; Ф 1, 287; Б, 26.

Крути́ть/ закрути́ть любо́вь *с кем. Прост.* Флиртовать, находиться в любовных отношениях с кем-л. ФСРЯ, 215; Ф 1, 266.

Любо́вь мента́. *Жарг. мол. Шутл.* Сигареты «LM». Вахитов 2003, 94.

Любо́вь с дове́ском. *Прост. Шутл.-ирон.* О любви, кончающейся рождением ребёнка. Мокиенко, Никитина 2003, 190.

Любо́вь с кри́ком. *Жарг. угол.* Изнасилование. Флг., 178.

Не в лю́бовь *кому что, кто. Пск.* Кому-л. не нравится что-л., кто-л. СПП 2001, 51.

Пе́рвая любо́вь. *Жарг. шк. Шутл.* Соседка по парте. Максимов, 307.

Прилегла́ любо́вь к се́рдцу. *Калуж.* Кто-л. полюбил кого-л. СРНГ 31, 271.

Разби́ть любо́вь. *Кар.* Оставить любимого человека, расстаться с ним. СРГК 3, 168.

Своди́ть любо́вь. *Кар.* Привораживать кого-л. СРГК 3, 168.

Сошла́сь любо́вь. *Кар.* О взаимной любви. СРГК 3, 168.

Суха́я любо́вь. *Кар., Перм. Ирон.* Платоническая любовь; безответная любовь. СРГК 3, 168; Подюков 1989, 200.

Твори́ть/ сотвори́ть любо́вь *с кем. Книжн. или Фольк. Устар.* Совокупляться. Мокиенко, Никитина 2003, 190.

Францу́зская любо́вь. *Разг.* Оральный секс. Мокиенко, Никитина 2003, 190.

Занима́ться любо́вью. *Нов.* Вступать с кем-л. в половую связь или предаваться любовным играм. < Калька с англ. **to make love.** НРЛ-91, 177.

ЛЮБОТА́ * Игра́ть в люботу́. *Яросл.* То же, что **водить любовь (ЛЮБОВЬ).** ЯОС 2, 38.

ЛЮБЬ * По лю́би. *Тул.* По своему желанию. СРНГ 17, 241.

С лю́би. *Волог., Костром.* То же, что **по люби.** СРНГ 17, 241.

ЛЮ́БЫ * Прийти́ в лю́бы. *Печор. Флк.* Понравиться кому-л. СРГНП 1, 399.

ЛЮД * Людско́й люд. *Волг.* О большом скоплении народу. Глухов 1988, 83.

Молодо́й люд. *Кар.* Молодежь. СРГК 3, 169.

ЛЮ́ДИ * Вы́йти с людей. *Пск. Ирон.* Потерять силы, состариться, ослабеть. СПП 2001, 51.

Не дошёвши до людей. *Пск. Неодобр.* О бестолковом, неразвитом, неумелом человеке. СПП 2001, 51.

Не из людей вон. *Кар. Неодобр.* Быть не самым плохим. СРГК 1, 226.

Смеши́ть людей. *Прост.* Совершать глупые, странные поступки. СНФП, 93.

Бе́гать в лю́ди. *Кар.* Обращаться за чем-л. к чужим людям. СРГК 3, 169.

Беспреде́льные лю́ди. *Жарг. угол.* Хулиганы. ТСУЖ, 100; Мильяненков, 160; ББИ, 131; Балдаев 1, 233.

Бы́вшие лю́ди. *Публ.* О людях (дворянах, аристократах и т. п.), лишённых своего привилегированного положения. < Выражение стало популярным благодаря рассказу М. Горького «Бывшие люди». БМС 1998, 356.

Ве́рхние лю́ди. *Жарг. арм. (афг.).* Души умерших. Афг.-2000.

В лю́ди. *Кар.* Для посторонних лиц (делать что-л.). СРГК 3, 169.

Выбива́ться/ вы́биться (выходи́ть/ вы́йти) в лю́ди. *Народн.* Добиваться прочного или высокого положения в жизни. ФСРЯ, 98; БТС, 166, 510; ДП, 70; ЗС 1996, 150; БалСок., 27.

Выводи́ть/ вы́вести в лю́ди *кого. Разг.* Принимая деятельное участие в судьбе кого-л., помогать ему достичь прочного или высокого положения. ФСРЯ, 90; БТС, 510.

Выдава́ть/ вы́дать в лю́ди *кого. Арх.* 1. То же, что **выводить в люди.** 2. Выдавать замуж за пределы родного села. АОС 7, 170.

Вы́ставить в лю́ди *кого. Кар.* То же, что **выводить/ вывести в люди.** СРГК 1, 296.

Вытя́гивать/ вы́тянуть в лю́ди *кого. Сиб.* То же, что **выводить в люди.** ФСС, 39.

Выходить в люди. См. **Выбиваться в люди.**

Идти́/ пойти́ в лю́ди. 1. *Разг. Устар.* Идти в услужение, на работу по найму. ФСРЯ, 234; БТС, 510. 2. *Пск.* Выходить замуж. СПП 2001, 51.

Ли́шние лю́ди. 1. *Книжн.* О молодых дворянах, порвавших с крепостнической идеологией и со своей средой, но не сумевших найти применение своим силам в обществе. 2. *часто Публ.* О людях, не находящих применения своим знаниям и способностям, не принимающих участия в общественной жизни. 3. *Публ.* О безработных. < Выражение вошло в литературный язык из «Дневника лишнего человека» И. С. Тургенева (1850 г.). БМС 1998, 356; Мокиенко 1990, 145..

Лю́ди А́лика. *Жарг. мол. Шутл.* Пьяницы, алкоголики. Максимов, 232.

Лю́ди в бе́лых хала́тах. *Публ.* Врачи, медицинский персонал. БМС 1998, 357. < Название и рефрен песни на сл. Л. Ошанина, муз. Э. Колмановского (1962 г.). Дядечко 2, 198.

Лю́ди до́брой во́ли. *Публ. Одобр.* Люди, стремящиеся к миру и всеобщему благу. БМС 1998, 357.

Лю́ди до́брые. *Прост.* Народ. ДС, 285.

Лю́ди из Лэ́нгли. *Публ. Патет.* Агенты Центрального разведывательного управления США. Новиков, 102.

Лю́ди си́него око́па. *Жарг. мол. Шутл.-ирон.* Алкоголики, пьяницы. Максимов, 232.

Лю́ди че́стные, поволжа́не. *Народн. Шутл.-ирон.* Разбойники. ДП, 166.

Ни лю́ди ни зве́ри. *Жарг. курс.* Обедающие курсанты. БСРЖ, 326.

Но́вые лю́ди. *Прикам.* Новое поколение. МФС, 56.

Отда́ть в лю́ди *кого. Пск.* Выдать замуж кого-л. Копаневич. СРНГ 24, 157.

Отпра́вить в лю́ди *кого. Кар.* Отправить кого-л. на заработки. СРГК 4, 229.

Поря́дочные лю́ди. *Жарг. угол.* Воровская среда и люди, поддерживающие ее. Мильяненков, 160; ББИ, 131; Балдаев 1, 233.

Спусти́ть в лю́ди *кого. Кар.* Вырастить, воспитать кого-л. СРГК 3, 169.

Ходи́ть в лю́ди. 1. *Сиб.* Обращаться за помощью к кому-л. Верш. 7, 204. 2. *Печор.* Ходить в гости. СРГНП 1, 399.

Чёрные лю́ди. *Кар. Пренебр.* Беднота, нищие. СРГК 3, 169. < В др.-рус. языке — простой народ, чернь. БМС 1998, 357.

Что ни хвати́, пото́м в лю́ди пока-ти́. *Перм. Шутл.-ирон.* О бедном, неимущем человеке. СРНГ 28, 372.

Ни лю́дям, ни сви́ньям. *Волг. Неодобр.* О чём-л. испорченном, сделанном неправильно. Глухов 1988, 109.

Ни само́му погляде́ть, ни людя́м пока́зать. *Пск. Неодобр.* О чём-л. несуразном, некрасивом. СПП 2001, 51.

Ни себе́ не гож, ни лю́дям приго́ж. *Народн. Неодобр.* О никчёмном, незначительном человеке. ДП, 472.

Отпра́вить к ве́рхним лю́дям *кого. Жарг. арм. (афг.).* Убить кого-л. Афг.-2000.

Потолка́ться по лю́дям. *Новг.* Пожить среди разных людей, научиться разбираться в людях. НОС 8, 154.

Ходи́ть/ пойти́ по лю́дям. *Прост.* 1. Нищенствовать, просить милостыню. 2. Просить кого-л. о помощи. 3. Наниматься в работники, работать по найму. НОС 8, 76; ДС, 285; Верш. 7, 205; Ф 2, 238.

В лю́дях. 1. *Разг. Устар.* В обществе других, среди людей. ФСРЯ, 234. 2. *Разг. Устар.* В услужении, на работе по найму. ФСРЯ, 234. 3. *Кар. Одобр.* О человеке, имеющем прочное положение в обществе, самостоятельном. СРГК 3, 169.

В лю́дях лю́бушка, а до́ма Иу́душка. *Народн. Неодобр.* О двуличном человеке. Жиг. 1969, 207.

В лю́дях Онанья, а до́ма не найдёшь. *Прикам.* О лицемерном человеке, притворщике. МФС, 56.

Жить в лю́дях. *Разг. Устар.* Жить в чужой семье, работая там по найму. ФСРЯ, 234.

Ката́ться на лю́дях. *Новг. Неодобр.* Жить за чужой счёт. НОС 4, 31.

На лю́дях. *Прост.* Среди людей, в обществе других людей. ФСРЯ, 234. // Открыто, в присутствии других. БалСок., 44.

Не в лю́дях челове́к. *Перм. Неодобр.* О поступившем предосудительно, непорядочно. Подюков 1989, 227.

ЛЮК * Фарфо́ровый люк. *Жарг. мол. Шутл.* Унитаз. Максимов, 232.

Лю́ки завари́ло *кому. Жарг. нарк.* О воздействии наркотика. Никитина 1998, 234.

ЛЮ́ЛЬКА * Зы́бать лю́льку. *Пск.* Нянчить грудного ребенка. ПОС 13, 125.

ЛЮ́ЛЯ * Попа́сть в лю́лю. *Жарг. мол.* Лечь спать. Максимов, 232.

Пья́ный в лю́лю. *Жарг. мол. Шутл.* О человеке в состоянии крайнего алкогольного опьянения. (Запись 2004 г.).

ЛЮЛЯ́Н * В люля́н пора́ *кому. Жарг. мол. Шутл.* Пора спать кому-л. Никитина 1996, 108.

ЛЮ́СТРА * Где у вас тут лю́стра из косте́й Петра́ Вели́кого? *Жарг. музейн. Шутл.* О чём-л. абсурдном. БСРЖ, 326.

Лени́вая лю́стра. *Жарг. мол. Шутл.* Бра, настенный светильник. Максимов, 220.

ЛЮСЬЕ́НА * Люсье́на Па́вловна. *Жарг. гом. Шутл.* Ягодицы; задний проход. Кз., 52.

ЛЮ́ТИЧ * Лю́тый лю́тич. *Ряз. Презр.* Бесчеловечный злодей. СРНГ 17, 250.

ЛЮ́ХА * Вы́мочиться из лю́хи в лю́ху. *Новг.* Сильно промокнуть. СРНГ 17, 250.

ЛЯБЗУ́НЬЯ * Лябзу́нья приста́ла *к кому* **(нашла́** *на кого*). *Кар. Шутл.* Кто-л. стал разговорчивым, начал много говорить. СРГК 3, 171. < **Лябзунья** — болтунья.

ЛЯ́ВЗАНЬЕ * Ля́взанья накла́сть. *Кар.* Дать повод, тему для пересудов, пустословия. СРКГ 3, 170.

ЛЯГА́ВЫЙ * Лягá́вым бу́ду! *Жарг. угол.* Клятвенное заверение в чём-л. СВЖ, 8; УМК, 119; Р-87, 35; СВЯ, 9; Мильяненков, 160; ББИ, 126; ТСУЖ, 100; Балдаев 1, 224. < **Лягавый (легавый)** — 1. Милиционер, работник правоохранительных органов; 2. Предатель, доносчик.

ЛЯГА́Ш * Купи́ть ляга́ша́. *Жарг. угол.* Выявить работника милиции (как правило, переодетого). ББИ, 126; Балдаев 1, 224, 215.

ЛЯГО́ША * От лягóша до лягóша. *Морд.* С утра до ночи. СРГМ 1982, 139.

ЛЯГУНО́К * Дать лягунко́в *кому. Волог.* Избить ногами, надавать пинков кому-л. СРНГ 17, 256.

ЛЯГУ́ХА * И лягу́ха не замо́чится. *Пск. Шутл.* О неглубоком водоёме. ПОС 11, 338.

Лягу́ха ко́рбенная. *Кар. Бран.* О человеке, оцениваемом отрицательно. СРГК 3, 174.

ЛЯГУ́ША * Лягу́ша боло́тная. *Сиб. Пренебр.* О неповоротливом, нерасторопном человеке. СФС, 102.

ЛЯГУ́ШКА * Бить лягу́шек. *Курск. Неодобр.* Вести праздный образ жизни. СРНГ 17, 258; Мокиенко 1990, 69, 136; Глухов 1988, 3.

Гоня́ет лягу́шек из-под пу́шек. *Новг. Шутл.* О человеке маленького роста. Сергеева 2004, 137.

Гоня́ть лягу́шек. *Ворон. Неодобр.* То же, что **бить лягушек.** СРНГ 17, 258.

Сши́ривать лягу́шек с я́ру. *Волг. Шутл.-ирон.* То же, что **бить лягушек.** Глухов 1988, 157.

Боло́тная лягу́шка. *Волг. Пренебр.* О неприятном, холодном, бездушном человеке. Глухов 1988, 83.

Гря́зная лягу́шка. *Жарг. нарк., угол.* Сбытчик наркотиков, прячущий их под одеждой на животе. ТСУЖ, 100.

Заляга́й тебя́ лягу́шка! *Прост. обл. Бран.-шутл.* Выражение лёгкого, беззлобного недовольства, раздражения. Мокиенко, Никитина 2003, 191.

Лягу́шка с икро́й. *Жарг. нарк., угол.* Продавец наркотиков с товаром. ТСУЖ, 100; Грачев 1994, 20; Грачев 1996, 41; УМК, 119; ББИ, 132; Балдаев 1, 234.

Лягу́шка с па́лкой. *Жарг. мол.* Боец ОМОНа. Максимов, 232.

Лягу́шка язы́к отъе́ла *кому. Волг. Шутл.-ирон.* О неразговорчивом человеке. Глухов 1988, 83.

Ша, лягу́шка, я — боло́то! *Жарг. мол. Груб.* Требование замолчать. Максимов, 481.

ЛЯД * Ляд ли ему́ смеётся. *Самар.* Об удачливом человеке, которому не грозят неприятности. СРНГ 17, 259.

Ляд возьми́ (побери́) *[кого]! Горьк., Пск., Самар., Яросл. Бран.* Восклицание, выражающее досаду, раздражение, негодование. БалСок., 42; СПП 2001, 51; СРНГ 17, 259; ЯОС 6, 24.

Ля́д его́ бей! *Перм. Бран.* Восклицание, выражающее гнев, негодование. СРНГ 17, 259.

Ляд [его́] зна́ет (ве́дает). *Прост.* Абсолютно ничего неизвестно о чём-л. Ф 1, 288; СРНГ 17, 259; СРГМ 1982, 140.

Ляд с тобо́й (с ва́ми, с ним и пр.)! *Прост. Бран.* Выражение уступки, невольного согласия с кем-л., с чем-л., потери интереса к кому-л., к чему-л. Ф 1, 288; Мокиенко, Никитина 2003, 191.

Ляд тебя́ дери́! *Твер. Бран.* То же, что **ляд возьми!** СРНГ 17, 259.

На кой ляд? *Прост. Неодобр.* Зачем, для чего? ФСРЯ, 234; Ф 1, 288; БТС, 511; БМС 1998, 357; СПП 2001, 51.

Како́го (ко́его) ля́да? *Костром., Олон.* То же, что **на кой ляд?** СРНГ 17, 259.

За каки́м ля́дом? *Прост.* То же, что **на кой ляд?** Ф 1, 288; Мокиенко, Никитина 2003, 192.

Иди́ (пошёл) к ля́ду! *Прост. Бран.* Убирайся, проваливай! Мокиенко, Никитина 2003, 192; БТС, 511

Ну тебя́ (его́ и т. п.) **к ля́ду!** *Народн.* Восклицание, выражающее досаду, раздражение, нежелание видеть кого-л. БМС 1998, 358; СПСП, 62.

Ляды́ его зна́ет! *Кар.* То же, что ляд возьми. СРГК 3, 175.

Ну тебя́ в ляды́! *Волог.* То же, что **ну тебя к ляду!** СРНГ 17, 259.

< **Ляд** — одно из древних восточнославянских наименований чёрта, первоначально, видимо, «полевого» духа.

ЛЯ́ДВА * Закры́ть ля́дву. *Новг.* Замолчать. НОС 5, 61. < **Лядва** — рот.

ЛЯ́ЖЕМ * Ля́жем лечь. *Пск.* То же, что **лечь в лёжку (ЛЁЖКА).** СПП 2001, 51.

ЛЯ́ЖКА * Соба́чья ля́жка. *Жарг. мол. Шутл.* Мускулистая нога. Максимов, 233.

Шевели́ть ля́жками. *Жарг. мол. Шутл.* Быстро идти, передвигаться. Вахитов 2003, 203.

С кури́ную ля́жку. *Волг. Ирон.* О малом количестве чего-л. Глухов 1988, 149.

ЛЯ́ЗГА * Ля́зги собира́ть. *Яросл.* Сплетничать, распространять ложные слухи. ЯОС 6, 26.

ЛЯ-ЛЯ́ * Не на́до ля-ля́ [а то би-би́ зада́вит]! *Разг. Неодобр.* Требование говорить правду, не говорить ерунды. Югановы, 126; Вахитов 2003, 111; Максимов, 266.

Отста́вить ля-ля́! *Жарг. мол.* Замолчать. Максимов, 233.

ЛЯ́ЛЯ * Полоро́тая ля́ля. *Кар. Неодобр.* Болтунья. СРГК 3, 177.

ЛЯ-ЛЯ-ФА́ * Не на́до ля-ля-фа́! *Разг. Шутл.-ирон.* То же, что **не надо ля-ля!** Никитина, 1996, 108. < От названия песни А. Варум.

ЛЯ́МА * Во всю ля́му. *Кар.* То же, что **во всю ляпу (ЛЯПА).** СРГК 3, 177.

Ля́му ши́рить. *Кар.* Громко петь, кричать. СРГК 3, 177. < **Ляма** — рот.

ЛЯ́МКА * Ля́мки от парашю́та. *Жарг. мол. Шутл.* Бюстгалтер. Максимов, 233.

От ля́мки вы́служиться. *Народн.* Достичь высокого воинского звания, начав служить с нижнего чина. ДП, 711.

В ля́мку! *Жарг. спорт. (тур.).* Команда надеть рюкзак. БСРЖ, 327.

Впряга́ться/ впря́чься в ля́мку. 1. *Устар.* Начинать работать бурлаком. 2. *Разг.* Браться за длительную или трудную работу. Ф 1, 80.

Вы́тянуть ля́мку. *Кар.* Выстоять, справиться с чем-л. СРГК 1, 307.

Гнуть ля́мку. *Коми.* Выполнять тяжёлую физическую работу. Кобелева, 60.

Задави́ться за ля́мку. *Горьк.* Покончить жизнь повешением. БалСок., 36.

Запря́чь в ля́мку *кого. Народн.* Подчинить кого-л., начать эксплуатировать кого-л. ДП, 834.

Ля́мку вы́тянет. *Кар. Одобр.* О выносливом, работящем человеке. СРГК 3, 178.

Наде́ть ля́мку на ше́ю. *Горьк.* То же, что **задавиться за лямку.** БалСок., 42.

Отдёрнуть ля́мку. *Кар.* Выполнить какую-л. часть, долю работы. СРГК 3, 178.

Тере́ть ля́мку. *Прост. Неодобр.* То же, что **тянуть лямку 1.** Ф 2, 203.

Тяну́ть ля́мку. 1. *Разг. Неодобр.* Выполнять тяжёлую однообразную работу. ФСРЯ, 234; БМС 1998, 358; ЗС 1996, 97, 151; Мокиенко 1989, 56; Сергеева 2004, 225. 2. *Жарг. угол., арест.* Отбывать срок наказания в местах лишения свободы. ТСУЖ, 143, 181. 3. *Жарг. шк. Ирон.* Учиться в школе, сидеть на уроках. ВМН 2003, 79.

ЛЯ́ПА * Во (на) всю ля́пу. *Новг., Пск.* Очень громко, во весь голос. НОС 5, 63; СРНГ 17, 278. < **Ляпа** — рот.

Дать ля́пу (ля́пы) *кому. Волог., Перм., Прикам., Сев. Двин.* Ударить кого-л. СВГ 4, 63; СГПО, 128; МФС, 30; СРНГ 7, 257; Мокиенко 1990, 46; Глухов 1988, 30. < **Ляпа** — удар.

Драть ля́пу. *Пск. Неодобр.* Громко кричать. СПП 2001, 51.

Носи́ть ля́пу *чью, от кого. Прикам.* Получать удары, подвергаться избиению. МФС, 66.

Принима́ть/ приня́ть ля́пу. *Коми.* То же, что **носить ляпу.** Кобелева, 73.

Рази́нуть ля́пу. *Пск. Неодобр.* Начать громко кричать.

ЛЯ́ПКА * Дать ля́пку *кому. Волг.* То же, что **дать ляпу (ЛЯПА).** Глухов 1988, 30.

ЛЯПО́К * Пья́ный в ляпо́к. *Перм.* О крайней степени опьянения. Подюков 1989, 109.

Дать ляпока́ *кому. Обл.* То же, что **дать ляпу (ЛЯПА).** Мокиенко 1990, 46.

ЛЯПСА́К * Дать ляпсака́ *кому. Кар.* То же, что **дать ляпу (ЛЯПА).** СРГК 3, 181.

ЛЯПУ́ХА * Дать ляпу́ху *кому. Обл.* То же, что **дать ляпу (ЛЯПА).** Мокиенко 1990, 46.

ЛЯ́САЛКИ * Точи́ть ля́салки. *Сиб. Неодобр.* То же, что **точить лясы (ЛЯСЫ).** СФС, 102; Мокиенко 1990, 33.

ЛЯ́СИТЬ * Ля́сить да баля́сить. *Печор. Шутл.* Вести пустые разговоры, болтать. СРГНП 1, 402.

ЛЯ́СКАЛКА * Съе́сть ля́скалку. *Пск.* Упасть, сильно ударившись. СПП 2001, 51.

ЛЯ́СКАЛЫ * Точи́ть ля́скалы. *Пск.* Зубоскалить. (В. И. Даль). СРНГ 17, 333; Мокиенко 1990, 33.

ЛЯ́СЫ * Валя́ть ля́сы. *Пск. Неодобр.* То же, что **точить лясы 1.** СПП 2001, 51; Мокиенко 1990, 35.

Ве́ять ля́сы. 1. *Пск.* Шутить. 2. *Иркут., Новг., Ряз., Пск., Тамб., Твер.* То же, что **точить лясы.** СРНГ 17, 284; Мокиенко 1990, 35.

Городи́ть ля́сы. *Иркут., Новг., Ряз., Пск., Тамб., Твер.* То же, что **веять лясы 1.** СРНГ 17, 284; Мокиенко 1990, 35.

Завести́ ля́сы. *Кар. Неодобр.* Начать болтать, пустословить. СРГК 3, 182.

Ля́сы говоря́т *у кого. Пск. Неодобр.* О разговорчивом, болтливом человеке. (Запись 1991 г.).

Ля́сы то́чит да люде́й моро́чит. *Народн. Неодобр.* Об обманщике. ДП, 162. 2. О краснобае. Жиг. 1969, 211.

Переноси́ть ля́сы. *Волог. Неодобр.* Распространять ложные слухи. СВГ 4, 66.

Плести́ ля́сы да баля́сы. *Кар. Неодобр.* То же, что **точить лясы 1.** СРГК 3, 182.

Подводи́ть ля́сы. *Вят. Неодобр.* То же, что **точить лясы 1.** СРНГ 17, 284; Мокиенко 1990, 35.

Подпуска́ть ля́сы. 1. *Народн. Неодобр.* Говорить вздор, ерунду. ДП, 650, 660; Мокиенко 1990, 34-35; Ф 2, 59. 2. *Волог., Влад.* Льстить кому-л. СРНГ 17, 285.

Разводи́ть ля́сы. 1. *Волог., Влад., Яросл.* То же, что **точить лясы 1.** СРНГ 17, 284; Мокиенко 1990, 36. 2. *Пск. Шутл.* Много говорить; отвлекать кого-л. разговором от чего-л. СПП 2001, 51. 3. *Волог.* Шутить, балагурить. СРНГ 17, 284.

Распуска́ть ля́сы. 1. *Самар.* То же, что **точить лясы 1.** 2. *Ряз.* То же, что **переносить лясы.** СРНГ 17, 284; Мокиенко 1990, 36.

Расска́зывать ля́сы. *Кар.* То же, что **точить лясы 1.** СРГК 3, 182.

Ска́зывать ля́сы. *Волог. Неодобр.* То же, что **точить лясы 1.** СРНГ 17, 284; Мокиенко 1990, 36.

Стро́ить ля́сы. 1. *Волог., Кар., Печор., Пск., Яросл. Неодобр.* То же, что **точить лясы 1.** СПП 2001, 51; СВГ 4, 66; СРГК 3, СРГНП 1, 402; 182; ЯОС 6, 27; Мокиенко 1990, 36. 2. *Пск. Шутл.* Много говорить; отвлекать кого-л. разговором от чего-л. СПП 2001, 51. 3. *Горьк., Кар. Неодобр.* Бездельничать, праздно проводить время. БалСок., 42; СРГК 1, 38.

Строчи́ть ля́сы. *Башк., Ср. Урал.* То же, что **точить лясы 1.** СРГБ 2, 70; СРГСУ 2, 111; СРНГ 17, 285.

Точи́ть ля́сы. 1. *Прост. Неодобр.* Болтать, пустословить; сплетничать. ФСРЯ, 234; БТС, 511, 1335; БМС 1998, 358; СРКГ 2, 154; СНФП, 94; ЗС, 333; СПП 2001, 51. 2. *Арх.* Льстить кому-л., любезничать с кем-л. СРНГ 17, 285.

ЛЯ́СЫ-БА́СЫ * Разводи́ть ля́сы-ба́сы. *Пск.* То же, что **точить лясы 1. (ЛЯСЫ).**

ЛЯ́СЫ-БАЛЯ́СЫ * Точи́ть ля́сы-быля́сы. *Яросл.* 1. То же, что **точить лясы 1 (ЛЯСЫ).** 2. То же, что **разводить лясы 3 (ЛЯСЫ).** СРНГ 17, 284; Мокиенко 1990, 33.

ЛЯХ * Лях с тобо́й (с ним и т. п.)**!** *Пск.* Восклицание, выражающее досаду, безразличие; уступка. СПП 2001, 51.

Иди́ ты к ля́ху! *Пск. Бран.* Восклицание, выражающее гнев, раздражение, нежелание видеть кого-л. СПП 2001, 51.

ЛЯ́ХА[1] *** Ля́ха полуро́тый.** *Кар. Неодобр.* Нерасторопный, несообразительный человек. СРГК 3, 183.

ЛЯ́ХА[2] *** Дави́ть на ля́ху.** *Жарг. мол. Шутл.-ирон.* Убегать. Никитина 1998, 235.

МАВР * Мавр сделал своё дело [Мавр может уходить]. *Разг. Ирон. или Презр.* В чьих-л. услугах больше не нуждаются (ироническая характеристика того, кто сделал прежде что-то хорошее). < Цитата из драмы Ф. Шиллера «Заговор Фиеско в Генуе» (1783 г.). БМС 1998, 360; Мокиенко 1990, 136.

МА́ВРА * Ма́вры — зелёные щи. *Народн.* О церковном празднике — Дне св. Мавры. ДП, 882.

МАГ * Маг и волше́бник. *Разг.* 1. *Неодобр. Устар.* О ловком дельце, использующем различные тайные средства и взятки для достижения своих целей. 2. *Шутл.* Об удачливом человеке, делающем всё легко и быстро. < Выражение из комедии А. В. Сухово-Кобылина «Свадьба Кречинского». ФСРЯ, 234-235; БМС 1998, 360.

МАГАЗИ́Н * Желе́зный магази́н. *Одесск.* Магазин хозтоваров. КСРГО.

МАГАРЕ́Ц * Пить магарцы́. *Горьк.* То же, что **пить магарыч (МАГАРЫЧ).** БалСок., 42.

МАГАРЫ́Ч * Пить магары́ч. *Прост.* Скреплять выпивкой договоренность, сделку. Ф 2, 47.

МАГДАЛИ́НА * Ка́ющаяся Магдали́на. *Книжн. Ирон.* О том, кто жалостливо кается в своих проступках. Ф 1, 289. < Выражение из Евангелия. БМС 1998, 361.

Представля́ть из себя́ ка́ющуюся Магдали́ну. *Книжн. Ирон.* Жалостливо каяться в своих проступках. БМС 1998, 361.

МАГИСТРА́ЛЬ * Во́дная (голуба́я) магистра́ль. *Публ. Патет.* Река; канал. Новиков, 103; БТС, 216.

Магистра́ль ве́ка. *Публ. Устар. Патет.* Байкало-Амурская магистраль. Новиков, 103.

Подзе́мная магистра́ль. 1. Линия метрополитена. 2. Газопровод. Новиков, 104.

Стальна́я магистра́ль. *Публ. Патет.* Железная дорога. Новиков, 103.

МАГНИ́Т * Магни́т тебе́ в су́мку! *Жарг. комп. Бран. или Шутл.-ирон.* Недоброе пожелание кому-л. VHF, 1999.

Магни́том не вы́тянешь *кого откуда. Разг. Шутл.* О человеке, которого невозможно заставить выйти откуда-л. ЗС 1996, 490.

МАДА́М * Мада́м сижу́. *Жарг. мол. Шутл.* Ягодицы. Максимов, 234.

МА́ДЕЖ * До ма́дежа. *Кар.* До крайней степени, очень сильно; очень много. СРГК 3, 185.

МАДЕ́РА * Ца́рская маде́ра. *Народн.* Водка. ДП, 793.

МАДО́ННА * Изобража́ть мадо́нну. *Жарг. арест., гом. Шутл.-ирон.* Выступать в роли пассивного гомосексуалиста. ТСУЖ, 77-78.

МАЁК * Дать майку́ *кому. Новг.* Доставить много забот, тревог кому-л. Сергеева 2004, 55.

МА́ЗА[1] *** Есть ма́за фа́кать водола́за.** *Жарг. мол. Ирон.* Поговорка, означающая бессмысленность предложения, отсутствие удачных перспектив. Рожанский, 33.

В ма́зу *кому что. Жарг. мол.* Кстати, подходит кому-л. Мазурова. Сленг, 132.

Дава́ть/ дать мазу. 1. *Разг.* Делать промах в стрельбе, промахиваться, бить мимо цели. НРЛ-79. 2. *кому. Твер.* Предлагать кому-л. определённую сумму за отказ от чего-л. СРНГ 17, 293.

Держа́ть ма́зу. 1. *за кого. Жарг. угол.* Поддерживать, защищать соучастника. СРВС 4, 10, 27, 46, 75, 135, 104; Быков, 62; ТСУЖ, 47; Грачев 1992, 106. // *Жарг. мол.* Поддерживать кого-л., защищать чьи-л. интересы. Смирнов 2002, 59. 2. *Жарг. угол.* Ухаживать за девушкой. СРВС 4, 10, 27, 75, 135, 104; ТСУЖ, 47. 3. *Жарг. мол.* Держать себя соответственно своему положению, не роняя достоинства. Югановы, 127. 4. *Жарг. мол.* Быть главным, руководить чем-л. Елистратов 1994, 234. 5. *Жарг. мол.* Держать пари. Елистратов 1994, 234. 6. *Жарг. карт., Сиб.* Делать ставку со стороны, не будучи участником игры. СРНГ 17, 293. 7. *Пск., Твер.* Брать подряд на выполнение какой-л. работы совместно с кем-л. СРНГ 17, 293.

Навести́ ма́зу. *Орл.* Завести знакомство, связи для использования их в корыстных целях. СОГ-1994, 100.

Натяну́ть ма́зу. *Пск., Твер.* Обмануть кого-л. Доп., 1858; СРНГ 17, 293.

Не в ма́зу *кому что. Жарг. мол.* Кому-л. что-л. не подходит, некстати. БСРЖ, 329.

Поддержа́ть ма́зу. *Калуж., Сиб.* Посодействовать кому-л., порекомендовать кого-л. кому-л. ФСС, 140; СФС, 102; СРНГ 17, 293.

Прочу́хать ма́зу. *Жарг. угол., мол.* Разузнать о деле. h-98.

Тяну́ть ма́зу. *Жарг. угол.* Заступаться за кого-л. ТСУЖ, 181.

Без ма́зы. 1. *Жарг. мол.* Нет возможности у кого-л. сделать что-л. Мазурова. Сленг, 132; Рожанский, 33. 2. Бесперспективно, бесполезно, безнадёжно. Рожанский, 33. 3. Не хочется, лень; неприятно кому-л. что-л. Рожанский, 33; Вахитов 2003, 14.

< **Маза** — 1. Поддержка, заступничество. 2. Выгодные связи, знакомства. 3. Удачная возможность, шанс. 4. Выгодное дело, афера. 5. Промах в стрельбе. БСРЖ, 328-329.

МА́ЗА[2] **(МА́ЗЭ) * Ма́за фа́ка (ма́зэ фа́кэ).** *Жарг. мол. Бран.* Выражение досады, раздражения, негодования. Вахитов 2003, 94.

Ма́за фа́кер. *Жарг. студ. Шутл.* 1. Физико-математический факультет. 2. Студент физико-математического факультета. Максимов, 234.

МАЗА́Й * Загна́ть за маза́й *кого. Морд.* 1. Утомить кого-л. 2. Заставить страдать, мучиться кого-л. СРГМ 1986, 10.

МАЗА́РКИ (МАЗЯ́РКИ) * Глядéть на маза́рки (мазя́рки). *Морд.* Быть близким к смерти. СРГМ 1986, 11.

Застуча́ть на маза́рки. *Морд. Шутл.* Умереть. СРГМ 1980, 95.

Пойти́ на маза́рки портя́нки суши́ть. *Морд.* То же, что **застучать на мазарки.** СРГМ 1986, 11.

МАЗДО́Н * Дéлать маздо́н. *Жарг. мол.* Совершать половой акт с кем-л. Мокиенко, Никитина 2003, 192.

МАЗУ́РИК * Бéсов мазу́рик. *Бран.* О человеке, чьё поведение вызывает негодование, раздражение. (Запись 1993 г.).

На мазу́рика. *Пск. Неодобр.* Нечестно, не по закону. СПП 2001, 51.

МАЗУ́Т * Вы́рос в мазу́те. *Жарг. мол. Шутл.* Певец Эрос Рамазотти. Я — молодой, 1997, № 24.

МАЗУ́ТА * Бéлая мазу́та. *Жарг. шк. Шутл.* Штрих-корректор. ВМН 2003, 79.

За всю мазу́ту. *Жарг. угол.* За всё, за все причинённые обиды (отомстить). ТСУЖ, 59.

МАЗЬ * На мази́. 1. *Прост.* Близко к удачному завершению. ФСРЯ, 235; БМС 1998, 361; Мокиенко 1986, 31; Мокиенко 1990, 130; БТС, 513. 2. *[у кого] что. Пск.* В хорошем состоянии. СПП 2001, 51. 3. *[у кого] что. Пск.* Имеется договорённость о чём-л. СПП 2001, 51. 4. *Пск. Ирон.* В состоянии алкогольного опьянения. СПП 2001, 51.

Прописа́ть шéйной (шéйные) ма́зи *кому. Сиб. Ирон.* Избить, поколотить кого-л. СРНГ 17, 301; СФС, 204; Мокиенко 1990, 59..

Лепи́ть мазь. *Жарг. мол.* Оправдываться. Максимов, 221.

Ма́зью не ма́заться *какой. Жарг. угол.* Не участвовать в чём-л. сомнительном. ТСУЖ, 101.

Не попа́сть в мазь. *Жарг. мол.* То же, что **не попасть в масть 1-2 (МАСТЬ).** Вахитов 2003, 111.

МАЙДА́Н * Гнать майда́н. *Жарг. угол.* 1. Ехать поездом. Балдаев 1, 89; ТСУЖ, 40. 2. Совершать кражи в поезде. БСРЖ, 330. 3. Играть в карты во время поездки поездом. Балдаев 1, 89.

Гнать майда́н с красну́хами. *Жарг. угол.* Сопровождать товарный вагон с ценным грузом. ТСУЖ, 40.

Держа́ть майда́н. *Жарг. угол.* Совершать кражи на вокзале, в поезде. Балдаев 1, 108; Мильяненков, 161; ББИ, 133.

Идти́ на майда́н. *Народн. Шутл.* Появляться на свет (о новорождённом). СРНГ 17, 303.

Майда́н ла́ндыш. *Жарг. угол.* Вагон с грузами. СРВС 3, 101.

Станови́ть майда́н (майда́ны). *Печор.* Браниться, скандалить. СРГНП 1, 403.

На майда́не. *Ср. Урал.* На виду, открыто. СРГСУ 2, 174; СРНГ 17, 303.

< **Майдан** — 1. Рыночная площадь в населённых пунктах на юге России, на Украине. 2. Поезд, вагон. 3. Вокзал, перрон.

Сби́ться с майда́ну. *Пск.* 1. Очень устать, утомиться, выбиться из сил. 2. *Неодобр.* Начать вести предосудительный образ жизни. СПП 2001, 51.

МАЙДА́НЧИК * Игра́ть в майда́нчик. *Дон. Шутл.* Играть в шашки. СДГ 2, 128.

МА́ЙКА * Ёс твою (ту) ма́йку! *Пск. Эвфем., Бран.* Восклицание, выражающее удивление, досаду, раздражение. СПП 2001, 51.

МАЙО́Р * Ночно́й майо́р. *Жарг. арм.* Младший лейтенант. < По одной звезде на погонах. Кор., 190; Лаз., 127.

Чёрный майо́р. *Жарг. морск.* Капитан третьего ранга. Лаз., 35. < По цвету парадной формы.

МАК[1] * Полево́й мак. *Смол. Устар.* Контрабандный порох. СРНГ 29, 48.

Хоть мак вей (сей). *Новг., Прикам.* О тихой, безветренной погоде. НОС 12, 78; Сергеева 2004, 203; МФС, 56.

Шально́й мак. *Новг.* Наркотик. НОС 12, 78.

МАК[2] * Ма́ком мака́ть. *Волог.* Есть что-л. с удовольствием. СВГ 4, 67.

МАКА́ЛКА * Мака́лку мака́ть. *Кар.* Есть уху, обмакивая в неё хлеб. СРГК 3, 187.

МАКА́Р[1] * Где Мака́р быко́в не пас. *Волг., Кар. Шутл.* То же, что **куда Макар телят не гонял.** СРГК 1, 152; Глухов 1988, 21.

Где Мака́р коз не да́ивал (не пас). *Новг. Шутл.* То же, что **куда Макар телят не гонял.** НОС 2, 74; Сергеева 2004, 156.

Куда́ Мака́р теля́т не гоня́л. *Разг. Шутл.* Очень далеко, в отдалённое место. ФСРЯ, 235; БТС, 218, 478, 514; БМС 1998, 361

Мака́р Андре́ич. *Жарг. мол.* Певец Андрей Макаревич. Запесоцкий, Файн, 135.

Показа́ть, где Мака́р коро́в не пас *кому. Пск.* Строго наказать кого-л., расправиться с кем-л. СПП 2001, 51.

На бéдного Мака́ра все ши́шки ва́лятся. *Прост.* Чем беднее и несчастнее человек, тем больше бед и неудач он испытывает. ДП60, 147, 706; БМС 1998, 362.

Не Мака́ра роди́ть. *Горьк. Шутл.* О каком-л. несложном деле, не составляющем большого труда кому-л. СРНГ 35, 137.

Не роди́т Мака́ра. *Волг. Шутл.* О ленивом, нерасторопном человеке. Глухов 1988, 103.

Слепы́е мака́ры. *Ворон. Ирон.* О рассеянном человеке, отыскивающем вещь, находящуюся на виду. СРНГ 17, 308.

МАКА́Р[2] * Каки́м мака́ром? *Прост.* Как, каким образом? Ф 1, 289; БТС, 514; Вахитов 2003, 73.

Таки́м мака́ром. *Прост.* Так, таким образом. Ф 1, 289; БТС, 514; СФС, 185; Глухов 1988, 158; ФСС, 109; СРНГ 17, 308.

МАКА́РА * Скака́ть мака́ру. *Прикам.* Плясать вприсядку. МФС, 91.

МАКА́РКА * Писа́л Мака́рка свои́м ога́рком. *Народн. Ирон.* О неразборчивой записи. ДП, 420.

На́шему Мака́рке всё ога́рки. *Народн. Ирон.* То же, что **на бедного Макара все шишки валятся.** ДП, 863.

МАКАРО́НЫ * Макаро́ны по-ско́тски. *Жарг. морск. Пренебр.* Любая плохо приготовленная пища. Кор., 165; Лаз., 242. < Трансформация оборота **макароны по-флотски.**

МАКА́РЧИК * Таки́м мака́рчиком. *Пск.* То же, что **таким макаром (МАКАР).** СПП 2001, 51.

МАКДО́НАЛДС * Сходи́ть в Макдо́налдс. *Жарг. мол. Шутл.* Побывать в туалете. Максимов, 235.

МАКИНТО́Ш * Деревя́нный макинто́ш. *Одесск. Ирон.* Гроб. Смирнов 2002, 57.

МАКЛА́К * Макла́к в го́рле встал *у кого. Кар.* О состоянии гнетущей, давящей тяжести. СРГК 3, 187.

МА́КЛИ * Вертéть (провора́чивать) ма́кли. *Жарг. мол.* Заниматься сомнительным бизнесом. СМЖ, 43.

Наводи́ть/ навести́ ма́кли. *Жарг. угол., арест.* 1. Совершать сделку. ТСУЖ, 102. 2. Обмениваться одеждой, вещами, в том числе — с целью маскировки. Балдаев 1, 266. 3. Обмениваться мнениями. ТСУЖ, 102, 111.

Пробúть мáкли *кому. Жарг. угол.* Ввести в заблуждение, обмануть кого-л. Балдаев 1, 355.

МÁКОВИЦА * Етú (ёс) твою мáковицу! *Пск. Бран.* Эмоциональное восклицание, выражающее негодование, раздражение. ПОС 10, 135, 138.

МÁКОВКА * Ёс (тудЫ) твою мáковку! *Пск. Эвфем. Бран.* Восклицание, выражающее досаду, негодование. СПП 2001, 51.

Етúт твою мáковку лéвый колéн! *Пск. Эвфем. Бран.* Выражение негодования, досады, раздражения. ПОС 14, 358.

Поцеловáть в мáковку *кого. Пск. Шутл.* Принести удачу, везение, помочь кому-л. СПП 2001, 51.

Сушúть мáковку. *Новг.* Остаться без денежного вознаграждения, без заработка. НОС 11, 11.

МАКСÚМ * Гóрький Максúм. *Пск.* Пулемёт. ПОС 7, 139.

Максúм вáрит *у кого. Печор. Одобр.* Об умном, сообразительном человеке. СРГНП 1, 403.

Максúм в головé *у кого. Олон. Неодобр. или Шутл.-ирон.* О чудаке, человеке со странностями. СРНГ 17, 315.

Максúм взял *кого* **(зашёл в гóлову)** *кому. Кар. Неодобр. или Шутл.-ирон.* О человеке, забывшем что-л. СРГК 3, 188-189.

Максúм не вáрит (не рабóтает) *у кого. Волг., Кар., Сиб. Неодобр. или Ирон.* О несообразительном человеке. Глухов 1988, 84; СРГК 3, 188; ФСС, 109.

Максúм фыртóк. *Кар. Бран.* О злом человеке. СРГК 3, 189.

МАКСÚМЕЦ * С максúмцем. *Новг., Пск., Сиб. Пренебр. или Ирон.* О глуповатом, несообразительном, умственно неполноценном человеке. НОС 5, 67; СФС, 171; ФСС, 109; СПП 2001, 51.

МАКСÚМКА * Максúмка не сработал *у кого. Пск. Шутл.* Кто-л. не сообразил, не подумал о чём-л., не предусмотрел чего-л. СПП 2001, 51.

МАКСÚМОК * С максúмком. *Сиб. Ирон.* То же, что **с максимцем (МАКСИМЕЦ).** ФСС, 109.

МАКСÚМЧИК * С максúмчиком. *Пск.* То же, что **с максúмцем (МАКСИМЕЦ).** СПП 2001, 51.

МАКУЛАТÝРА * Сдавáть макулатýру. *Жарг. мол. Шутл.* О рвоте. Вахитов 2003, 163.

МАКÝШКА * Макýшки нет. *Волог.* О полном отсутствии чего-л. СВГ 4, 68.

С макýшкой в головé. *Волг. Ирон.* О глупом, несообразительном человеке. Глухов 1988, 150.

Накáкать на макýшку *кому. Сиб. Шутл.* Навредить кому-л. Верш. 4, 56.

По сáмую макýшку. *Разг.* Полностью, целиком. БМС 1998, 363.

Снестú макýшку по сáмое гóломя. *Народн. Ирон.* Жестоко наказать, покарать кого-л. ДП, 219.

МАЛ * Мал мáла мéньше. *Прост.* О нескольких маленьких детях. ФСРЯ, 235; ЗС 1996, 311, 512. **Мал мáла мень.** *Ср. Урал.* То же. СРГСУ 2, 114.

От мáла до велúка. *Разг.* Все без различия возраста, абсолютно все. ФСРЯ, 236; БМС 1998, 363; Мокиенко 1990, 107.

МАЛÁВА * Понестú с малáвы на булáву. *Морд. Шутл.-ирон.* Начать говорить вздор, ерунду. СРГМ 1986, 12.

МАЛÁНЬЯ * Малáнья с я́щиком. *Сиб. Шутл.-ирон.* О человеке, пришедшем с большим, но малоценным грузом. СФС, 102.

Пахáла Малáнья зáдом наперёд. *Кар. Шутл.-ирон.* О том, кто начал делать работу неправильно. СРГК 5, 20.

МАЛАХÁЙ * Нашúть малахáев *кому. Калуж.* Избить, поколотить кого-л. СРНГ 17, 319.

Малахáй — кудЫ хóчешь помахáй. *Сиб. Шутл. или Пренебр.* Неуклюжий, неповоротливый человек крупного телосложения. ФСС, 109.

МÁЛЕНЬКИЙ (МÁЛЕНЬКАЯ, МÁЛЕНЬКОЕ) * За мáленьким. *Кар.* Елеele, чуть-чуть. СРГК 3, 191.

По мáленькой. 1. *Разг.* С небольшой ставки (играть). ФСРЯ, 236. 2. *Кар.* Понемногу. СРГК 3, 191.

Ходúть/ пойтú (сходúть) по мáленькому (по мáлому). *Разг. Эвфем.* О мочеиспускании. Мокиенко, Никитина 2003, 193.

МАЛÉНЬКО * За (из) малéнька. *Горьк., Новг., Олон.* С детства. БалСок., 37; НОС 5, 68; СРНГ 17, 323.

С малéнька (малéньку). *Кар., Новг., Пск.* То же, что **за маленька.** СРГК 3, 191; СРНГ 17, 323.

Малéнько не совсéм. *Сиб. Ирон. или Пренебр.* О глупом, чудаковатом, умственно неполноценном человеке. СРНГ 17, 323; СБО-Д1, 257.

На малéнько. *Кар.* На короткий срок, ненадолго. СРГК 3, 191.

МАЛЁХОНЬКО * С малёхоньку. *Новг.* То же, что **за маленька.** НОС 5, 68.

МÁЛЕЦ * Пожилóй (стáрый) мáлец. *Пск.* Старый холостяк. СПП 2001, 51.

МАЛÚК * Дать (нагнýть) маликá. *Пск. Шутл.* Наказать, побить кого-л. СПП 2001, 51.

МАЛÚНА * Блатнáя малúна. *Жарг. угол.* Воровской притон. УМК, 121; ББИ, 29. < **Малина** — квартира.

Землянáя малúна. *Волог.* Ежевика. СВГ 2, 169.

Козéвья малúна. *Пск.* Ежевика. (Запись 2001 г.).

Малúна в рот! *Ср. Урал. Бран.* Восклицание, выражающее гнев, негодование. СРНГ 17, 327; СРНГ 35, 203; СРГСУ 2, 113.

Разлюлú малúна (разлюлú-малúна). *Прост. Одобр.* О вольготной, благополучной, беспечной жизни. БМС 1998, 363; ЗС 1996, 152; Глухов 1988, 139.

Разлюлú малúну. *Пск. Одобр.* То же. СПП 2001, 51.

Тýхлая малúна. *Жарг. угол.* Воровская квартира, находящаяся под наблюдением. ИЕ-2000.

Торчáть в малúне. *Жарг. мол. Шутл.* Находиться в обществе девушек. Максимов, 236.

Брать/ взять на малúну *кого. Жарг. угол.* 1. Грабить предварительно усыплённую сильным наркотиком жертву. Балдаев 1, 45, 63; ТСУЖ, 24, 113; ББИ, 33, 43. 2. Обкрадывать богатую квартиру. ТСУЖ, 31.

За мúлую малúну. *Сиб. Одобр.* 1. Очень хорошо, превосходно. ФСС, 109. 2. Охотно, с аппетитом. СРНГ 17, 327.

Класть малúну в рукавúцу. *Народн. Неодобр. Устар.* Хитрить, изворачиваться. БМС 1998, 364.

НакрЫть малúну. *Жарг. угол., мил.* Арестовать всех, находящихся в воровском притоне. ТСУЖ, 113.

МАЛÚНКА * Дать малúнку *кому. Жарг. угол.* Усыпить жертву. СРВС 3, 169, 196.

МАЛÚННИК * Жить в малúннике. *Перм. Шутл.* Находиться в постоянном окружении девушек, молодых женщин. Подюков 1989, 76.

МÁЛО * Дай да мáло. *Сиб. Неодобр.* Скверный, никуда не годный. ФСС, 53.

Мáло годя́гу. *Перм.* Более качественный; лучше, чем что-л. СГПО, 296.

Мáло малéйшее. *Волг.* О крайне малом количестве чего-л. Глухов 1988, 84.

Мáло не бýдет (не покáжется) *[кому]. Разг.* Кому-л. придётся отвечать за что-л., нести наказание. ФСС, 18; СРНГ 17, 331. // *Шутл.-ирон.* Предупреждение о том, что ситуация будет много хуже, чем предполагается. Югановы, 127.

Отда́й да ма́ло. *Сиб. Одобр.* О чём-л. превосходном, отличном. СРНГ 17, 331.

Поста́вить ма́ло за вели́ко. *Новг.* Принять что-л. как должное, не осуждая. НОС 5, 69. // Быть довольным тем, что имеешь. НОС 8, 146.

Уби́ть ма́ло *кого. Разг. Бран.* О человеке, вызывающем негодование, возмущение своим поведением. Ф 2, 214.

МА́ЛОСТЬ * С [ма́лой] ма́лости. *Кар., Сиб.* С детства. СРГК 3, 194; СФС, 171; СПСП, 63.

С ма́лости до ста́рости. *Прикам.* Всю жизнь. МФС, 57.

Ма́лой ма́лостью. *Кар.* Обходясь немногим, аскетично. СРГК 3, 194.

МА́ЛЫЙ (МА́ЛОЕ) * Без ма́лого. *Разг.* Почти, около (при словах, обозначающих количество, меру). ФСРЯ, 236.

О́коло без ма́лого. *Костром.* О неопределённом количестве чего-л. СРНГ 23, 141.

Ма́лые ми́ра сего́. *Книжн. Устар.* Люди, занимающие низкое общественное положение. ФСРЯ, 237.

Малы́м малёшенько. *Твер.* Очень мало. СРНГ 17, 341.

Малы́м малёшенький. *Орл.* Очень маленький. СРНГ 17, 341.

Ходить/ пойти́ по ма́лому. См. **Ходить по маленькому (МАЛЕНЬКИЙ).**

МАЛЫ́Ш * С малыша́. *Сиб.* То же, что **с малости (МАЛОСТЬ).** СФС, 171.

МАЛЬ * На ма́ли. *Кар.* Мало, в небольшом количестве. СРГК 3, 195.

МАЛЬБРУ́К * Мальбру́к в похо́д собра́лся. *Книжн. Ирон.* О чьём-л. разрекламированном начинании, проекте, обреченном на провал. < Выражение — начало французской песенки (нач. XVIII века), в которой высмеивается английский полководец герцог Мальборо. БМС 1998, 364.

МА́ЛЬЧИК * А был ли ма́льчик-то? *Разг.* Выражение крайнего сомнения в чём-л. Ф 1, 290. < Из романа М. Горького «Жизнь Клима Самгина» (1923-1936 гг.). БМС 1998, 364.

Звёздный ма́льчик. *Жарг. мол., курс. Шутл.* Офицер. Максимов, 154.

Ма́льчик для битья́ (побоев, сече́ния). *Книжн. Неодобр. или Презр.* О человеке, которому приходится отвечать за чужие провинности. БМС 205, 414. < Из повести М. Твена «Принц и нищий» (1882 г.).

Ма́льчик на побегу́шках. 1. *Прост. Пренебр.* Человек, выполняющий мелкие и несложные поручения, не требующие особой квалификации. Ф 1, 290; БТС, 518; БМС 205, 414. 2. *Жарг. шк. Шутл. или пренебр.* Дежурный. Golds, 2001. 3. *Жарг. арм.* Помощник дежурного по части. Максимов, 236.

Ма́льчик с па́льчик. *Фольк.* Очень маленький, крохотный мальчик. БМС 1998, 364; ЗС 1996, 512; БТС, 518.

Ма́льчик Юнь Су. *Жарг. мол. Шутл.-ирон.* О человеке, упорно выполняющем нудную работу. Югановы, 100.

Наи́вный чуко́тский ма́льчик. *Жарг. мол. Ирон.* Простоватый юноша. Вахитов 2003, 106.

Попсо́вый ма́льчик. *Жарг. мол. Шутл.* Милиционер из ППС (патрульно-постовой службы). Максимов, 236.

Шокола́дный ма́льчик. *Жарг. мол. Шутл.* Африканец, афроамериканец. Максимов, 236.

Ма́льчика обли́жешь. *Жарг. мол. Шутл.* Телепередача «Пальчики оближешь». БСПЯ, 200.

Прийти́ ма́льчика подержа́ть. *Волог.* Окрестить новорождённого. СРНГ 31, 234.

И ма́льчики [крова́вые] в глаза́х *у кого. Разг.* У кого-л. рябит в глазах. ДП, 792; БМС 1998, 365; Мокиенко 1990, 16; Мокиенко, Сидоренко 1999, 241–242; 2005, 222–224; Глухов 1988, 84; Подюков 1989, 110.

Ма́льчики в коро́тких штани́шках. *Публ. Ирон.* О малоопытных специалистах. МННС, 75.

Ма́льчики в ро́зовых штани́шках. *Публ. Ирон.* 1. О команде реформаторов-экономистов, руководимой Е. Гайдаром. < Авторство принадлежит вице-президенту РФ А. Руцкому. 2. О любых либеральных экономистах. МННС, 75.

Ма́льчики из зоомагази́на. *Жарг. мол., муз. Шутл.* Рок-группа «Pet Shop Boys». МК, 04.03.98.

Ма́льчики по вызову. *Жарг. мол. Шутл.* Служба «02» — милиция. Вахитов 2003, 95.

Пасова́ть ма́льчиком. *Жарг. гом.* Быть пассивным гомосексуалистом или изображать из себя такового. УМК, 122; ББИ, 170.

МАЛЬЧИ́Ш * Мальчи́ш и гаши́ш. *Жарг. шк. Шутл.* Повесть А.Гайдара «Мальчиш-Кибальчиш». БСПЯ, 2000.

МАЛЮ́ТКА * Закадри́ть малю́тку. *Жарг. гом.* Склонить несовершеннолетнего к сожительству (о гомосексуалисте). Мокиенко, Никитина 2003, 193.

МАЛЯ́ВОЧКА * Ни маля́вочки. *Яросл.* О полном отсутствии чего-л. ЯОС 6, 145.

МА́МА * В чём (как) ма́ма родила́. *Прост. Шутл.-ирон.* То же, что **в чём мать родила.** Мокиенко, Никитина 2003, 193.

Воровска́я ма́ма. *Жарг. угол.* 1. Содержательница притона. 2. Хранительница, скупщица краденого. Балдаев 1, 70, 240; УМК, 122; ББИ, 135.

Кла́ссная (крута́я) ма́ма. *Жарг. шк. Шутл.* Классная руководительница. ВМН 2003, 80.

Ма́ма и па́па (с папой). *Техн., разг.* Электрический разъём, розетка и штепсель. Максимов, 237. Ср. **папа и мама.**

Ма́ма — ко́шка, па́па — бульдо́жка. *Жарг. мол. Пренебр.* О девушке с неприятной внешностью. Максимов, 237.

Ма́ма крести́теля! *Прост. Устар.* 1. *Бран.* Выражение негодования, возмущения, недовольства. 2. *Экспр.* Выражение восторга, изумления, испуга и т. п. Мокиенко, Никитина 2003, 193.

Ма́ма писа́ла *кому что. Жарг. мол. Шутл.* О чём-л. известном кому-л. Максимов, 237.

Ма́ма поро́да! *Ряз.* Восклицание, выражающее удивление, недоумение. ДС, 443.

Ма́ма, роди́ меня обра́тно! *Жарг. мол.* Восклицание — реакция на неприятную, невыносимую ситуацию. Максимов, 237.

Ма́ма родна́я. *Жарг. комп.* Материнская плата. Лихолитов, 1997, 48.

Ма́ма с до́чкой. *Разг. Шутл.* Две бутылки водки (ёмкостью 0,5 и 0,25 л). УМК, 122.

Ма́ма с мозга́ми. *Жарг. комп. Шутл.* Материнская плата компьютера. Максимов, 237.

Ма́ма Чо́ли. 1. *Жарг. шк. Шутл.* То же, что **классная мама.** 2. *Жарг. мол. Шутл.* Кондуктор в общественном транспорте. Максимов, 237. < По имени героини популярного телесериала.

Моя́ втора́я ма́ма. 1. *Жарг. шк. Шутл.* То же, что **классная мама.** 2. *Жарг.*

мол. Шутл. Презерватив. Максимов, 237. < По названию телесериала. (Запись 2003 г.).

Ста́ра ма́ма. *Сиб.* 1. Бабушка. СКузб., 116. 2. Прабабушка. ФСС, 109.

Ядрёна ма́ма *чья*! *Сиб. Бран.* Восклицание, выражающее крайнее неудовольствие, раздражение, негодование. ФСС, 109.

Вспомна́ть/ вспо́мнить кита́йскую ма́му. *Жарг. мол. Шутл.* Сходить с ума, терять рассудок. Максимов, 72.

Вспомина́ть ма́му на коле́нях. *Жарг. мол. Шутл.* О рвоте в состоянии алкогольного опьянения. Максимов, 72.

Сбрось ма́му с по́езда. *Жарг. шк. Шутл.* О родительском собрании. < По названию кинофильма. ВМН, 2003, 80.

У ма́мы в пизде́. *Вульг.-прост.. Бран.* Абсурдный и грубый ответ на вопрос: «Где?»; неизвестно где, нигде. Мокиенко, Никитина 2003, 193.

Я у ма́мы вме́сто шва́бры. *Разг. Шутл.-ирон.* О небрежной женской причёске. Платонова, 5.

Я у ма́мы ду́рочка. *Разг. Шутл.-ирон.* О нелепой женской причёске. Гловани, Цветков, 25.

МАМА́Й * Мама́й воева́л (прошёл) *где. Прост. Неодобр.* О беспорядке, хаосе где-л. Глухов 1988, 84; Мокиенко 1989, 150; ЗС 1996, 140; СФС, 103; ФСС, 109.

МАМО́Н (МАМО́НА) * Жить в мамо́н. *Пенз.* Сытно есть, чревоугодничать. СРНГ 17, 351.

Мамо́н гуди́т *у кого. Влад.* О чувстве голода. СРНГ 17, 351.

Набива́ть/ наби́ть мамо́н (мамо́ну). 1. *Влад., Волог., Ворон., Костром., Курск., Пенз., Сарат., Тамб., Яросл.* Наедаться досыта. СРНГ 17, 351–352; ЯОС 6, 31. 2. *Перм.* Жить для себя, заботиться только о себе. СРНГ, 17, 351.

На мамо́н [Ла́заря]. *Орл.* Наугад, как вздумается. СОГ-1994, 106.

Натолка́ть мамо́н. *Вят.* То же, что **набивать/ набить мамон 1.** СРНГ 17, 351.

Устла́ть мамо́н. *Влад. Шутл.* Полакомиться чем-л. СРНГ 17, 351.

Служить мамо́не (мамо́нне). *Книжн. Неодобр.* Заботиться о богатстве, предаваться грубым, чувственным наслаждениям. БМС 1998, 366.

< **Мамон (мамона)** — 1. У некоторых народов — божество богатства. 2. Живот, желудок.

МА́МОНТ * У́мный ма́монт. *Жарг. арест. Шутл.-ирон.* Авторитетный начальник ИТУ. Балдаев 2, 99; Грачев 1997, 145.

Запина́ть ма́монта. *Жарг. мол. Шутл.* Сходить в туалет. Максимов, 147.

Ма́монты на свобо́де. *Жарг. шк. Шутл.* Ученики во время перемены. Bytic, 1999-2000.

МАН * Ба́енный ман. *Новг.* По суеверным представлениям — нечистая сила, обитающая в бане. СРНГ 17, 354.

Колоко́льный ман. *Новг.* По суеверным представлениям — нечистая сила, обитающая на колокольне. СРНГ 17, 354.

МАНА́ * Пуска́ть ману́. *Брян.* Вводить в заблуждение кого-л., распространять ложные слухи. СРНГ 17, 354.

МАНДАВО́ШКА * Мандаво́шка ёбаная. *Неценз. Бран.* О подлом, негодном, презираемом человеке (женщине и мужчине). Мокиенко, Никитина 2003, 194.

МАНДРА́Ж (МАНДРАЖЕ́) * Мандра́ж (мандраже́) берёт (трясёт) *кого. Жарг. угол., спорт.* Кто-л. испытывает страх. Б., 96; Мокиенко, Никитина 2003, 195. **Мандра́ж напа́л** *на кого. Жарг. мол.* То же, что **мандраж берёт.** Максимов, 238.

Лови́ть мандра́ж. *Жарг. угол., спорт.* Трусить, пугаться чего-л. Б., 92.

< **Мандраж** — чувство страха.

МАНЕ́Р * А́спидным мане́ром. *Твер.* Беспощадно, жестоко. СРНГ 1, 286.

Живы́м мане́ром. *Прост.* Очень быстро, молниеносно. ФСРЯ, 237; СБГ 5, 68.

МАНЕ́РА * По ти́хим мане́рам. *Калуж.* Честно, по справедливости. СРНГ 17, 358.

Держа́ть (име́ть) мане́ру. *Смол.* Быть вежливым, обходительным. СРНГ 17, 358.

МАНЖЕ́ТЫ * Манже́ты сла́бые *у кого. Жарг. угол.* Об испугавшемся человеке. Максимов, 238.

Сбло́чить манже́ты. *Жарг. угол., мил.* Снять наручники с арестованного. Довлатов 1995, 1, 136; Быков, 123.

МАНИФЕ́СТ * Манифе́стом покры́ться. *Яросл. Шутл.-ирон.* Забыться, стереться из памяти. ЯОС 6, 32.

МАНИ́ШКА * Лома́ться без мани́шки. *Латв.* Гордиться несуществующими или переоценёнными заслугами, качествами. СРНГ 17, 362.

Держа́ться за мани́шку. *Жарг. угол. Устар.* Брать за горло, держать за горло кого-л. ТСУЖ, 63.

Подержа́ть за мани́шку *кого. Жарг. угол.* Задушить кого-л. ТСУЖ, 135.

МА́НКА * Ма́нка с не́ба не сы́плется *кому. Волг.* То же, что **манна не падает (МАННА).** Глухов 1988, 105.

МА́ННА * Ма́нна небе́сная. 1. *Книжн.* О чём-л. желанном, дорогом, редком. ФСРЯ, 237. 2. *Жарг. мол. Шутл.* Снег. Максимов, 238. < По библейскому рассказу, **манна** — пища, которую Бог каждое утро посылал иудеям, когда они шли через пустыню в землю обетованную. БМС 1998, 366.

Ма́нна не па́дает *на кого. Прикам.* Ничего не даётся легко кому-л. МФС, 57.

Ма́нна с не́ба (с небе́с) ва́лится *[на кого]. Новг., Пск.* О благополучии, удаче. Сергеева 2004, 208; СПП 2001, 51.

Пита́ться ма́нной небе́сной. *Разг. Шутл.* Питаться как придётся, чем придётся. БМС 1998, 366.

МА́ННАЯ * Ма́нная не сы́плется *[на кого]. Курск.* То же, что **манна не падает (МАННА).** БотСан, 101. **Ма́нная с не́ба не па́дает** *[на кого]. Волг.* То же. Глухов 1988, 84.

МА́НСЫ * Кида́ть (раски́дывать) ма́нсы. *Жарг. угол.* Лгать, обманывать. ББИ, 135; Балдаев 1, 240. < **Мансы** — обман, ложь. Мильяненков, 163.

МАНТ * Дать (сшить) манта́ *кому. Сиб.* Стукнуть, ударить кого-л. СФС, 183; СРНГ 17, 363; Мокиенко 1990, 59.

МАНТИФО́ЛИЯ * Мантифо́лия с у́ксусом. *Книжн. Неодобр. или Ирон. Устар.* О патетической витиеватой речи. < Из повести А. П. Чехова «Палата № 6». БМС 1998, 366. Слово **мантифолия**, вероятно, — семинарское, греческого происхождения. Фасмер 2, 570.

МАНУФАКТУ́РКА * Мануфакту́рка трясётся *у кого. Жарг. угол., лаг. Шутл.-ирон.* 1. Кто-л. еле удерживается на ногах от большого груза, сильного физического напряжения. 2. Кто-л. боится, испытывает страх, трусит. Р-87, 202.

МАНЬЯ́К * Маньяк на во́ле. *Жарг. шк. Шутл. или Презр.* Учитель физкультуры. (Запись 2003 г.).

МА́РА * Запе́чная (запече́льная) ма́ра. *Кар.* Нечистая сила, злой дух, который, по суеверным представлениям, обитает за печкой. СРГК 2, 173; СРГК 3, 199.

Куда́ ма́ра де́ла *кого, что. Пск. Неодобр.* О пропавшей, потерявшейся вещи, которую никак не удаётся найти. СПП 2001, 61.

Ма́ра во́дит *кого. Морд.* Кто-л. неожиданно странно ведёт себя, не может сделать чего-л. привычного. СРГМ 1986, 15.

Ма́ра возьмёт тебя́ (его́ и т. п.)**!** *Кар. Бран.* Восклицание, выражающее гнев, негодования. СРГК 2, 173.

Ети́ (ёс) твою́ ма́ру! *Пск. Эвфем. Бран.* Эмоциональное восклицание, выражающее негодование, раздражение. ПОС 10, 135, 138.

Оказа́ться в уди́ру ма́ру. *Сиб.* Попасть в неловкое положение. ФСС, 126.

МАРА́ЗМ * Мара́зм крепча́л. *Прост. Ирон.* О всё более увеличивающейся глупости, абсурдности чьих-л. высказываний (особенно — политических деятелей во время застоя, напр., Л. И. Брежнева). < Трансформация литературного штампа **мороз крепчал.** Мокиенко 2003, 55.

МАРАФЕ́Т * Втыка́ть марафе́т. *Жарг. нарк., угол.* Нюхать кокаин. СРВС 4, 9, 25, 102, 134; ТСУЖ, 103; Балдаев 1, 74.

Наводи́ть/ навести́ марафе́т. 1. *Жарг. угол.* Привести в замешательство неожиданным вопросом случайного свидетеля кражи и скрыться с места преступления. Трахтенберг, 37. 2. *Жарг. угол.* Заверять кого-л. в своей невинности, честности. СРВС 2, 51, 55, 189; СРВС 3, 102. 3. *Кубан.* Дурачить, обманывать кого-л. СРНГ 17, 369. 4. *Прост.* Приводить себя или что-л. в полный порядок (по случаю праздника, торжественной встречи кого-л. и т. п.). БМС 1998, 366; НЗС-84, 344; Глухов 1988, 87; Грачев, Мокиенко 2000, 118; Вахитов 2003, 104.

Откры́ть марафе́т. *Жарг. нарк., угол.* Понюхать кокаина. СРВС 2, 196; СРВС 3, 109; ТСУЖ, 125.

Подпуска́ть марафе́т (марафе́ты). *Кубан.* То же, что **наводить марафет 2.** СРНГ 17, 369.

Быть под марафе́том. *Жарг. нарк., угол.* Находиться под воздействием кокаина. Быков, 124.

Разводи́ть марафе́ты. *Кубан.* Говорить ерунду, чепуху. СРНГ 17, 369. < **Марафет** — 1. Искусство, талант, ловкость. 2. Кокаин.

МАРГАРИ́Н * Гоня́ть маргари́н. *Жарг. мол. Шутл.* Вести деловой разговор. Максимов, 92.

МАРЕ́Й * Маре́й сва́тается *к кому. Яросл.* Кому-л. хочется спать. ЯОС 6, 33.

МАРЕ́НА * Расчеса́ть маре́ну. *Сиб.* Наказать, побить кого-л. СРНГ 34, 312.

МАРЁШКИ * Ка́рие марёшки. *Сиб.* Растение марьин корень. ФСС, 109.

МА́РИК * Ма́рик набежа́л. *Яросл. Неодобр.* О проявлении капризов, упрямства. ЯОС 6, 33.

МАРИ́НА * Мари́на Бу́бликова (Нахле́бникова). *Жарг. мол. Шутл.* Певица Марина Хлебникова. Я — молодой, 1998, № 8; Панорама, 1999, № 41; АиФ, 1999, № 25.

МАРИНА́Д * Под марина́дом. *Разг. Неодобр.* О чём-л. намеренно задерживаемом, надолго откладываемом, не решаемом кем-л. Мокиенко 2003, 55.

МАРИНО́ВКА * Запира́ть на марино́вку *кого. Сиб.* Заключать кого-л. под арест. ФСС, 80.

МАРИ́Я * Мари́я Ива́новна. 1. *Жарг. гом.* Обращение к пассивному гомосексуалисту. Кз., 54; Мильяненков, 163; ББИ, 135; Балдаев 1, 242. 2. *Жарг. нарк.* Марихуана. Никитина, 1996, 111. 3. *Жарг. угол.* Нож. УМК, 123; ББИ, 135; Балдаев 1, 242. 4. *Жарг. угол., мол.* Пистолет. УМК, 123; Мильяненков, 163; ББИ, 135; Балдаев 1, 242. 5. *Жарг. техн.* Большая кувалда. БСРЖ, 336.

Мари́я Стюа́рт. *Жарг. шк. Шутл.* Учительница английского языка. (Запись 2003 г.).

Про́сто Мари́я. *Жарг. шк. Шутл.* 1. Школьная уборщица. 2. Учительница обслуживающего труда. < По названию мексиканского телесериала. Максимов, 348.

Чёрная Мари́я. *Жарг. арест. Устар.* Тележка, на которой в тюрьму привозят преступников. СРВС 1, 71, 207; СРВС 2, 137.

МА́РКА * Бестолко́вая ма́рка. *Печор. Бран.* О глупом, несообразительном человеке. СРГНП 1, 406.

На́ша ма́рка. *Жарг. мол. Шутл.* Мужской половой орган. Щуплов, 53.

Ката́ться на ма́рке. *Жарг. угол.* Воровать в городском транспорте. < **Марка** — трамвай, автобус, троллейбус. СРВС, IV, 63.

Вы́сшей (пе́рвой) ма́рки. 1. *Прост.* Самый отъявленный (вор, мошенник и т. п.). ФСРЯ, 238. 2. *Пск.* О проявлении какого-л. качества в высшей степени. СПП 2001, 51.

Кле́ить ма́рки. *Пск. Шутл.* Целоваться (в игре с фантами). СПП 2001, 51.

Одно́й ма́рки. *Морд.* Об одинаковых, сходных людях, предметах. СРГМ 1986, 81.

Пе́рвой ма́рки от за́ду. *Пск. Ирон.* Нехороший, оцениваемый отрицательно. ПОС 11, 167.

Под ма́ркой *чего. Разг.* Прикрываясь чем-л., маскируясь подо что-л. ФСРЯ, 238.

С ма́ркой. *Жарг. торг.* О фирменном товаре. Максимов, 239.

Гнать (гоня́ть) ма́рку 1. *Жарг. угол.-* То же, что **кататься на марке**. Балдаев 1, 89; СРВС 4, 103, 134, 175; ТСУЖ, 41; ББИ, 56. 2. *Жарг. угол., мол.* Стараться возвысить себя в глазах других, стараться представить себя значительным, важным. Быков, 51. 3. *Жарг. торг.* Повышать цену на товар. Максимов, 87.

Держа́ть ма́рку. 1. *Разг.* Соблюдать необходимые нормы поведения, поддерживать достоинство, репутацию. ФСРЯ, 136; БТС, 252. 2. *Жарг. угол.* То же, что **кататься на марке.** СРВС 4, 31, 110; ТСУЖ, 47; СВЖ, 8; Балдаев 1, 108.

Под одну́ ма́рку. *Кар.* Одинаково. СРГК 4, 191.

Пока́зывать ма́рку. *Прост. Одобр.* Проявлять себя с самой лучшей стороны. Ф 2, 65.

Сбить ма́рку. *Жарг. торг.* Снизить цену на товар. Максимов, 239.

Сде́лать под *чью* **ма́рку** *что. Пск.* Поступить согласно чьим-л. указаниям, пожеланиям, замыслам. (Запись 2000 г.).

МАРКЕ́ * Марке́ подсва́тывает *кого. Кар.* То же, что **марей сватается (МАРЕЙ).** СРГК 3, 199; СРГК 4, 669.

МАРКИ́ЗА * А в остально́м, прекра́сная марки́за, всё хорошо́, всё хорошо́. *Разг. Шутл.* О неприятностях, с которыми можно примириться. < Немного изменённое начало французской народной песни «Всё хорошо» (пер. А. Безыменского, 1936, в исп. Л. Утесова). Дядечко 1, 16.

МАРКС * Маркс и Э́нгельс *чего. Жарг. мол. Шутл.* Об основоположнике, законодателе, классике чего-л.

Маркс твою́ Э́нгельс! *Жарг. мол. Эвфем. Бран.-шутл.* Выражение досады, раздражения, удивления. (80-е гг.). Мокиенко, Никитина 1998, 325.

Обрати́ться к Ма́рксу. *Жарг. авиа. Шутл.* Заглянуть в справочник по эксплуатации самолета. Максимов, 239.

МА́РОЧКА * Накрахма́ленную ма́рочку получи́ть в я́щике. *Жарг. нарк.* Получить в посылке носовой платок, пропитанный наркотическим веществом. ТСУЖ, 113. < **Марочка** — носовой платок.

МАРТЕ́Н * Стоя́ть у марте́на. *Разг. Шутл.* Готовить пищу, проводить время на кухне. Елистратов 1994, 240.

МАРТЫ́Н * Марты́н бе́лый. *Сиб.* Водоплавающая птица из семейства чайковых. ФСС, 110.

Марты́н малопе́рый. *Забайк. Презр.* О неопытном человеке. СРГЗ, 194.

Марты́н с балала́йкой. 1. *Прост.* О чудаковатом, несуразном человеке. 2. *Сиб.* Водоплавающая птица из семейства чайковых. СФС, 103; ФСС, 110.

МАРТЫ́ШКА * Волоса́тая марты́шка. *Жарг. шк. Пренебр.* Учитель. Максимов, 68.

Дои́ть марты́шку. *Жарг. мол. Шутл.* Об акте мочеиспускания. (Запись 2004 г.).

МАРУ́СЯ * Утони́, Мару́ся! *Жарг. мол. Презр.* Требование замолчать. Максимов, 441.

Чёрная Мару́ся. *Жарг. угол.* Грузовой автомобиль, оборудованный для перевозок заключённых. Балдаев 2, 142; Росси 1, 202.

МАРУ́ХА * Ежо́вая мару́ха. *Жарг. угол. Неодобр.* 1. Сварливая женщина. 2. Строгая жена. ТСУЖ, 53; УМК, 123; СВЯ, 31.

Мару́ха зна́ет *кого, что. Пск.* Абсолютно ничего не известно о ком-л., о чём-л. СПП 2001, 51.

Кати́сь к мару́хам! *Жарг. угол. Бран.* Убирайся, проваливай отсюда! < Первоначально: «Иди в публичный дом, к проституткам!» Мокиенко, Никитина 2003, 196.

< **Маруха** — 1. Нечистая сила, злой дух женского пола. 2. Проститутка. 3. Любовница. 4. Девушка, женщина.

МАРШ * Марш Мендельсо́на. *Жарг. шк., муз. Шутл.* Звонок с урока сольфеджио. БСРЖ, 337.

Плёвый марш. *Жарг. шк. Шутл.* Стихотворение В. Маяковского «Левый марш». БСПЯ, 2000.

Похоро́нный марш. *Жарг. шк. Шутл.-ирон.* Звонок на урок. Bytic, 1999–2000; Muravlenko, 2002.

Ядрёна марш! *Дон. Бран.* Восклицание, выражающее гнев, негодование. СДГ 3, 207.

На ма́рше. *Публ.* На пути осуществления чего-л. НСЗ-70. < Военная метафора. НСЗ-84; Мокиенко 2003, 56.

МА́РШАЛ * Обо́зный ма́ршал. *Прост. Ирон.* Об офицере-тыловике, не участвующем в боевых действиях. Мокиенко 2003, 56.

МАРШРУ́Т * На оди́ннадцатом маршру́те. *Прост. Шутл.* Пешком. Вахитов 2003, 103.

МАРЫ́НЬЯ * За марынья. *Пск. Шутл.* Очень далеко, в отдалённое место (поехать, уехать). СПП 2001, 51.

МА́РЬЯ * Ма́рья Васи́льевна. *Прост. Шутл.* Московский вокзал в Санкт-Петербурге. Синдаловский 2002, 115.

МА́СКА * Желе́зная ма́ска. *Книжн.* О таинственном, неразгаданном человеке, сделавшемся предметом догадок и разговоров. < «Железная маска» — итальянский посланник во Франции граф Э. Маттиоли, заключённый в Бастилию и носивший чёрную маску. БМС 1998, 366-367.

Кра́сная ма́ска. *Жарг. арест. Пренебр.* Заключённый — член секции внутреннего порядка в ИТУ. Балдаев 1, 205.

Дать по ма́ске *кому. Сиб.* Ударить по лицу кому-л. ФСС, 54.

Надева́ть/ наде́ть ма́ску. *Разг.* Скрывать свою подлинную сущность, прикидываться, притворяться кем-л., каким-л. ФСРЯ, 261.

Надува́ть/ наду́ть ма́ску. *Жарг. мол.* Выдавать себя за значительного, авторитетного человека. Максимов, 240.

Носи́ть ма́ску. *Разг.* Притворяться кем-л. или каким-л. МАС 2, 232.

Сбра́сывать ма́ску. *Разг.* Обнаруживать, показывать свою истинную сущность, переставать прикидываться, притворяться кем-л., каким-л. ФСРЯ, 409; ЗС 1996, 232.

Срыва́ть ма́ску *с кого. Разг.* Обнаруживать чью-л. истинную сущность, разоблачать кого-л. ФСРЯ, 450.

МА́СЛЕНИЦА * Коро́вья ма́сленица. *Горьк. Шутл.* Гололедица. БотСан, 40.

Обжо́рная ма́сленица. *Кар.* Неделя перед Великим постом. СРНГ 22, 49.

Понесла́сь ма́сленица. *Жарг. мол.* О начале чего-л. непонятного. Максимов, 240.

Жечь ма́сленицу. *Яросл.* Сжигать чучело масленицы в конце Масляной недели. ЯОС 4, 45; СРНГ 17, 383.

Подже́чь чужу́ю ма́сленицу. *Новг.* Изменить в любви кому-л. НОС 8, 31.

Смыва́ть ма́сленицу. *Прикам.* Мыться в бане по окончании масленицы. МФС, 93.

Справля́ть неме́цкую ма́сленицу. *Народн. Шутл.-ирон.* Устраивать застолье во время поста. ДП, 822.

Топи́ть ма́сленицу. *Тул.* Топить в проруби чучело масленицы. СРНГ 17, 383.

МАСЛЁНОК * Маслёнок с масля́тами. *Жарг. угол.* Револьвер с патронами. Грачев 1997, 42.

МАСЛИ́НА * Получа́ть/ получи́ть масли́ну. *Жарг. угол.* Быть убитым, застреленным. Р-87, 202; Быков, 124. < **Маслина** — пуля.

МА́СЛИЦЕ * Ма́слице ко́мом! *Свердл.* Доброе пожелание человеку, сбивающему масло или сметану. СРНГ 14, 224.

Морско́е ма́слице. См. **Морское масло (МАСЛО).**

МА́СЛО * Без ма́сла влéзет. *Народн. Неодобр.* О льстеце, подхалиме. ДП, 660.

Ма́сла на го́лову нальёт. *Башк.* О хитром человеке, который много обещает. СРГБ 2, 73.

Ма́сла нет в голове́ *у кого. Пск. Неодобр.* О глупом, несообразительном человеке. ПОС, 7, 51.

Подлива́ть ма́сла (ма́сло) в ого́нь. *Разг. Неодобр.* Обострять какие-л. неприязненные чувства, настроения, осложнять что-л. БМС 1998, 367; Глухов 1988, 124; ЗС 1996, 300; БТС, 523, 870; СПП 2001, 51.

Вари́ться в ма́сле. *Жарг. мол.* Быть осведомлённым в чём-л., быть в курсе дела. Максимов, 55.

Кипе́ть в ма́сле. *Дон. Одобр.* Жить вольготно, благополучно. СДГ 2, 130.

Поскользну́ться на подсо́лнечном ма́сле. *Книжн. Ирон.* Неожиданно потерпеть фатальную неудачу. Выражение образовано на основе реминисценции из романа М. Булгакова «Мастер и Маргарита». Душенко 1997, 56; Мокиенко 2003, 56.

Бить ма́сло. 1. *Разг. Шутл.* Онанировать. УМК, 123; Б, 97. 2. *Волг. Неодобр.* Докучать, приставать к кому-л., повторяя одно и то же. Глухов 1988, 3. 3. *Разг. Неодобр.* Бездельничать. Б., 92. 4. *Дон. Шутл.* Играть на льду, падая друг на друга. СДГ 1, 29.

Бо́гово ма́сло. *Башк., Дон., Яросл.* Масло для лампады. СРГБ 1, 47; СДГ 1, 32; ЯОС 2, 6.

Было ма́сло, да пога́сло. *Волг. Шутл.-ирон.* О том, что испортилось, не удалось, сорвалось. Глухов 1988, 8.

Выжима́ть ма́сло *из кого. Волг., Донск.* Эксплуатировать, мучить кого-л. Глухов 1988, 17; Словарь Шолохова 2005, 272.

Гоня́ть ма́сло. *Жарг. мол. Шутл.* Думать, размышлять. Максимов, 92.

Ети́ твоё ма́сло! *Пск. Эвфем. Бран.* Восклицание, выражающее гнев, негодование. ПОС 10, 135, 138.

Земляно́е ма́сло. *Сиб.* Краденое с россыпей золото, вывозимое в Азию в масле, меду и т. п. (В. И. Даль). СРНГ 11, 259.

Ковыря́ть ма́сло. *Разг. Устар.* Больно щёлкать кого-л. по голове или щипать. ФСРЯ, 200.

Купоро́сное ма́сло. 1. *Прост. Устар. Неодобр.* О язвительном, злом, вредном человеке. Ф 1, 291. 2. *Пск. Шутл.* О бойком, непоседливом ребёнке. СПП 2001, 52.

Лить ма́сло в ого́нь. *Разг.* Обострять, усугублять какие-л. чувства, настроения. Ф 1, 281.

Ма́зать ма́сло. *Жарг. мол.* Приукрашивать действительность. Максимов, 234.

Ма́сло в ча́йнике *у кого. Жарг. мол. Одобр.* Об очень умном человеке. БСРЖ, 338.

Ма́сло ма́сляное. *Разг. Неодобр.* 1. Ничего не объясняющее, не дополняющее повторение одного и того же другими словами. ФСРЯ, 238; БМС 1998, 367; БТС, 523; ЗС 1996, 335. 2. Что-л. избыточное, ненужное, лишнее. Ф 1, 292.

Морско́е ма́сло (ма́слице). *Кар.* 1. Медуза. СРГК 3, 200; СРГК 3, 259. // *Арх.* Медуза, появляющаяся на поверхности Белого моря в тихую, ясную погоду. СРНГ 18, 278. 2. *Беломор.* Тонкий лёд, свободно плавающий на поверхности моря осенью, когда вода еще не замёрзла. СРНГ 18, 279.

Мураши́ное ма́сло. *Волог.* Муравьиная кислота. СВГ 5, 10.

Полива́ть (налива́ть, подлива́ть) ма́сло. *Жарг. угол.* Лгать, обманывать. ТСУЖ, 104; Мильяненков, 164; СРВС 3, 102; ББИ, 136; Балдаев 1, 243. // Лгать, чтобы получить подаяние. СРВС 2, 52, 57; СРВС 3, 105; ТСУЖ, 113.

Положи́ть в ма́сло *кого. Нижегор.* Совершить над кем-л. обряд соборования. СРНГ 29, 101.

Ржано́е ма́сло. *Ворон. Шутл.* Водка. СРНГ 35, 97.

Совко́вое ма́сло. *Жарг. угол. Шутл.-ирон.* Сперма в смеси с выделениями из женского влагалища. Балдаев 2, 50.

Ма́слом цеди́ть, смета́ной дои́ть! *Народн.* Доброе пожелание человеку, доящему корову. ДП, 755.

По ма́слу. *Пск. Одобр.* Спокойно, благополучно (жить). СПП 2001, 52.

МА́СЛЯНКА * Жечь ма́слянку. *Волог.* То же, что **жечь масленицу (МАСЛЕНИЦА).** СВГ 4, 73.

МА́ССА * Вари́ться в ма́ссе. *Жарг. мол.* 1. Быть хорошо осведомлённым во всех делах. 2. Жить интересами коллектива. Максимов, 55.

Дави́ть (жать) [на] ма́ссу. *Жарг. арм., мол. Шутл.* Спать. СМЖ, 89; Югановы, 298; Вахитов 2003, 43.

Задави́ть (замкну́ть, нажа́ть, уда́рить) на ма́ссу. *Жарг. мол.* Уснуть; поспать какое-то время. Елистратов 1994, 240; Гелованн, Цветков, 39; Максимов, 145.

Ремонти́ровать ма́ссу. *Жарг. мол. Шутл.* То же, что **давить на массу.** Максимов, 240.

Топи́ть ма́ссу. *Жарг. мол. Шутл.* То же, что **давить на массу.** Вахитов 2003, 179.

Упа́сть в ма́ссу. *Жарг. мол. Шутл.* То же, что **задавить на массу.** Максимов, 240.

МАССОВИ́К-ЗАТЕ́ЙНИК * Рабо́тать массовико́м-зате́йником. *Жарг. музейн. Шутл.-ирон.* Проводить экскурсию для гостей дирекции (о научных сотрудниках высшей квалификации). БСРЖ, 339.

МА́ССЫ * Иди́ ты (иди́те вы и т. п.) к свои́м ма́ссам! *Прост. Устар. Бран.-шутл.* Посыл, пожелание отделаться, избавиться от кого-л.: иди прочь! убирайся! < Выражение появилось в 20-е годы. Мокиенко, Никитина 2003, 196.

МАСТ * Маст дай. *Жарг. комп. Шутл.* Призыв, просьба, совет удалить какой-л. файл, вызывающий отрицательные эмоции. < От англ. *must die* — 'должен умереть'. Садошенко, 1996.

МА́СТЕР * Запле́чный ма́стер. *Разг. Устар.* Палач. ФСРЯ, 238; БТС, 338

Ма́стер гво́зди дёргать. *Волг. Ирон.* О неумелом, не приспособленном к делу человеке. Глухов 1988, 84.

Ма́стер из ча́шки ло́жкой. *Народн. Ирон.* О бездельнике, который много ест. Жиг. 1969, 226.

Ма́стер ки́слых щей. *Прост. Неодобр.* О неумелом работнике. БМС 1998, 367.

Ма́стер корабе́льный. *Дон. Ирон.* Хвастун. СДГ 2, 131.

Ма́стер (опера́тор) маши́нного до́ения. *Жарг. мол. Шутл.* Работник ГАИ–ГИБДД. Никитина 1998, 242.

Ма́стер на все концы́. *Одобр.* Об умелом, мастеровитом человеке. СПП, 2001, 46.

Ма́стер на все ру́ки. *Разг. Одобр.* О человеке, который справляется с любой работой, умелом, искусном мастере. ФСРЯ, 238; БМС 1998, 367; СПП 2001, 52.

Ма́стер на вся́кое ме́сто. *Коми. Одобр.* То же, что **мастер на все руки.** Кобелева, 66.

Ма́стер Пе́нкин (Хрю́кин). *Орл.* То же, что **мастер кислых щей.** СОГ-1994, 113.

Ма́стер пе́рвого кла́сса. *Жарг. шк. Шутл.-ирон.* Ученик, оставшийся на второй год в первом классе. ПБС, 2002.

Ма́стер по пла́ванию. *Жарг. студ. Шутл.-ирон.* О студенте, не сдавшем третий экзамен на сессии. Максимов, 240.

Ма́стер спи́рта по литрбо́лу. *Разг. Шутл.-ирон.* 1. О пьющем человеке. 2. О неспортивном человеке. Белянин, Бутенко, 91.

Ходи́ть тебе́ у запле́чного ма́стера в подру́чных (в пристяжны́х). *Народн.* Предупреждение о возможном наказании кнутом. ДП, 223.

МАСТЕРСТВО́ * Быть в мастерстве́. *Волог.* Плотничать. СВГ 4, 74.

Запле́чное мастерство́. *Разг. Устар. Ирон.* Навыки палача. Ф 1, 292.

МАСТУРБА́ТОР * Кра́сные мастурба́торы. *Разг. Пренебр.* Ленинградский обком КПСС, Смольный. Синдаловский, 2002, 96.

МАСТЬ * Всех масте́й. *Разг. Неодобр.* О ком-л., о чём-л. самом разном по типу. БМС 1998, 367; ШЗФ 2001, 47.

Все ма́сти прошёл. *Пск.* О том, кто всё испытал в жизни: и плохое, и хорошее. СРНГ 18, 18.

Коси́ть не по ма́сти. *Жарг. мол.* 1. Притворяться. 2. Выдавать себя за другое лицо. Максимов, 199.

Ма́сти нет *к чему. Прикам.* У кого-л. нет желания, склонности делать что-л. МФС, 65.

На э́той ма́сти не вы́едешь. *Народн.* Этим способом не достигнешь успеха. ДП, 480.

Не той ма́сти ко́зырь. *Народн.* О ком-л., отличающемся от остальных, не сходном с ними. ДП, 856.

Одно́й ма́сти. *Прост.* О похожих, одинаковых людях. Глухов 1988, 116.

Чёрной ма́сти. *Жарг. угол.* Об осуждённых, не признающих режима содержания в колонии, тюрьме. Максимов, 240.

В масть *кому что.* 1. *Жарг. угол.* Удачно. СРВС 2, 164; Б., 30. 2. *Жарг. мол.* Уместно, кстати. СМЖ, 87. 3. *Яросл.* По вкусу, нравится, подходит кому-л. что-л. ЯОС 2, 38.

Држа́ть масть. *Жарг. угол.* 1. Иметь неограниченную власть. 2. Руководить, управлять преступной группировкой. 3. Соблюдать воровской закон. ББИ, 137; Балдаев 1, 244.

Каза́ть масть. *Жарг. угол.* Показать, открыть свою принадлежность к определённой воровской группировке. ТСУЖ, 79.

Кана́ть на масть. *Жарг. угол.* 1. Соответствовать определённым требованиям. 2. Иметь успех. Балдаев 1, 177.

Масть не кана́ет (не кно́кает). *Жарг. угол.* Дело не движется. СРВС 4, 176; ТСУЖ, 105; Мильяненков, 164; ББИ, 137; Балдаев 1, 244.

Масть пошла́. 1. *Жарг. карт.* Пошли удачные и нужные карты. ТСУЖ, 105. 2. *Жарг. угол., мол.* Началось везение. Изв., 22.10.98.

Масть пошла́, а де́ньги ко́нчились. *Жарг. мол. Ирон.* О неудаче, невезении. Елистратов 1994, 241.

Масть привали́ла (покатила, прёт) *кому. Жарг. угол., мол.* То же, что **масть пошла 2.** Быков, 125; Максимов, 240.

Лечь в масть. *Жарг. мол. Одобр.* Сделать что-л. удачно. Елистратов 1994, 227.

Меня́ть масть. *Жарг. мол.* Изменять точку зрения, мнение о чём-л. Максимов, 240.

Не в масть *кому что.* **1.** *Жарг. мол. Неодобр.* Неудачно; ошибочно. Елистратов 1994, 241. 2 *Пск., Сиб.* Кому-л. не нравится, не по вкусу что-л. СПП 2001, 524 СФС, 123; ФСС, 110.

Не попа́сть в масть (в мазь). *Жарг. мол.* 1. Не понять тему разговора. 2. Просчитаться, ошибиться в расчётах. Вахитов 2003, 111.

Под масть. 1. *кому что. Курск., Прикам.* То же, что **в масть 3.** БотСан, 108; МФС, 57. 2. *Волг.* То же, что **под одну масть.** Глухов 1988, 125.

Под одну́ масть. *Прост.* Одинаковы, сходны, близки в каком-л. отношении. ФСРЯ, 238.

Сдать за всю масть. *Жарг. угол.* Донести на всех членов воровской группировки. Балдаев 2, 32.

Разойти́сь по мастя́м. *Жарг. мол. Шутл.* Не сойтись во мнениях. h-98.

< **Масть** — 1. Один из разрядов карт по цвету и форме очков. 2. Воровская группировка определённого профиля. 3. Удача, везение.

МАТ * В мат! *Жарг. угол.* Выражение восхищение, удивления (о чём-л. из ряда вон выходящем). Мокиенко, Никитина 2003, 197.

Вноси́ть/ внести́ густо́й мат. *Прост. Устар.* Крепко ругать матом кого-л. Мокиенко, Никитина 2003, 197.

Гнуть мат (ма́ты). *Арх.* Ругаться матом. АОС 9, 165.

Мат пришёл *кому. Народн.* О человеке, находящемся при смерти или на грани краха. ДП, 146; СПП 2001, 52.

На лихо́й мат. *Ср. Урал.* То же, что **благим матом.** СРГСУ 2, 173; СРНГ 17, 78.

Получи́ть мат. *Разг.* Потерпеть поражение, неудачу, проиграть. БМС 1998, 368.

Пья́ный в мат. *Жарг. мол. Шутл.* О человеке в состоянии сильного алкогольного опьянения. Вахитов 2003, 153.

Засмоли́ть ма́та (матюка́). *Курск.* Выругаться матом. БотСан, 101.

Благи́м ма́том. 1. *Прост.* Очень громко (вопить, кричать, орать, реветь и т. п.). ФСРЯ, 238; БМС 1998, 368; ЗС 1996, 166; ШЗФ 2001, 20; БТС, 524; ПОС, 2, 28; НОС 7, 77; НОС 10, 10. 2. *Нижегор.* Очень быстро (бежать, нестись и т. п.). СРНГ 18, 29.

Бо́жьим ма́том. *Сиб.* То же, что **благим матом 1.** СРНГ 18, 19; СФС, 26; ФСС, 110.

Больши́м ма́том матну́ться. *Коми.* То же, что **засмолить мата.** Кобелева, 56.

Дурны́м ма́том. *Алт., Волог., Кар., Пск., Сиб., Яросл.* То же, что **благим матом 1.** СРГА 2-1, 54; СРНГ 18, 19; СРНГ 35, 6; СРГК 2, 119; ПОС, 10, 53; СФС, 68; СБО-Д1, 260; ФСС, 110; ЯОС 5, 91.

Крести́ть (крыть /покры́ть, прикрепи́ть, скрепи́ть, пусти́ть) ма́том. *Прост. Неодобр.* Сквернословить, ругаться матом. СПП 2001, 52; Мокиенко, Никитина 2003, 197.

Лихи́м ма́том. 1. *Кар., Печор., Пск., Сиб., Яросл.* То же, что **благим матом 1.** СРГК 5, 505; СРГНП 1, 407; Верш. 6, 93; СПП 2001, 52; СФС, 157; СРНГ 18, 19; СРНГ 35, 6; ЯОС 5, 91. 2. *Вят., Новг.* То же, что **благим матом 2.** СРНГ, 17, 78; СРНГ, 18, 19.

Неблаги́м ма́том. *Курск.* То же, что **благим матом 1.** БотСан, 104.

Недаровы́м ма́том. *Горьк., Оренб., Яросл.* То же, что **благим матом 1.** БалСок., 46; СРНГ 18, 19; ЯОС 5, 91.

Непу́тным ма́том. *Брян.* То же, что **благим матом 1.** СРНГ 18, 19-20.

Обкла́дывать/ обложи́ть в де́сять (в семь) ма́тов *кого. Прост.* Обрушивать на кого-л. поток неприличной брани. Мокиенко, Никитина 2003, 197.

Посыла́ть/ посла́ть ма́том [по уха́бистой доро́жке] *кого. Прост.* Грубо ругать кого-л. матерными словами. Мокиенко, Никитина 2003, 197.

Сверну́ть ма́том. *Кар.* Грубо выругаться. СРГК 5, 653.

Ти́хим ма́том. *Кар., Пск.* Тайно, тайком, незаметно. СРГК 3, 200; СРНГ, 18, 20.

Довести́ до ма́ту *кого. Яросл.* Вывести из терпения, рассердить кого-л. ЯОС 4, 8.

Дожи́ть до ма́ту. *Яросл.* Обеднеть, обнищать до крайней степени. ЯОС 4, 9.

Все ма́ты сложи́ть на кого. *Прост.* Обругать, выругать кого-л. Максимов, 71.

МАТАТА́ * Наводи́ть/ навести́ (разводи́ть) матату́. *Орл. Неодобр.* Говорить вздор, ерунду, вводить в заблуждение кого-л. СОГ-1994, 114.

МАТВЕ́Й * Спеть Матве́я *кому. Пск. Шутл.* Выругать, отчитать кого-л. СПП 2001, 52.

МАТЁК * Загиба́ть/ загну́ть (согну́ть) матька́. *Прикам.* Сквернословить. МФС, 38.

МА́ТЕРЬ. См. **МАТЬ.**

МАТЕРИА́Л * Ине́ртный материа́л. *Разг. Неодобр.* О равнодушном, безынициативном, инертном человеке. < Из речи строителей. БМС 1998, 368.

МАТЕ́РИЯ * Вы́сшая мате́рия. *Жарг. студ.* Философия (учебный предмет). (Запись 2003 г.).

Рассужда́ть о высо́ких мате́риях. *Разг. часто Ирон.* Говорить на философские темы, рассуждать об отвлечённых предметах. БМС 1998, 368.

МА́ТИЦА * Сиде́ть под ма́тицей. *Народн.* Быть свахой. ДП, 366; СРНГ 18, 30.

МА́ТКА[1] * Ма́тка свет! *Перм.* Возглас удивления. Подюков 1989, 111.

Парнéцкая мáтка. *Прикам.* Девушка, любящая общество молодых людей, парней. СРНГ 25, 230.

Стáренькая мáтка. *Яросл.* Бабушка. ЯОС 6, 35.

Ни мáтки не скáжет. *Кар.* Не может сказать ни слова. СРГК 1, 278.

Класть мáтку. *Кар.* Сквернословить. СРГК 3, 200.

МÁТКА[2] * Мáтка в трусы́ провали́лась *у кого. Жарг. мол. Шутл.-ирон.* Кто-л. восхищён, удивлён (употребляется лицами женского пола). ФЛ, 127.

Мáтка выпадáет *у кого. Жарг. угол., мол. Шутл.* Кто-л. очень сильно смеётся, хохочет. Б, 65.

Мáтка до кадыкá (в пя́тках, ниже колéн) *у кого. Жарг. мол. Шутл.-ирон.* Кто-л. очень испугался чего-л. Никитина 1998, 243; Максимов, 241.

Вы́вернуть мáтку *кому. Жарг. угол., мол.* Жестоко избить кого-л. ББИ, 50.

Вы́ронить мáтку. *Жарг. мол.* Сильно испугаться. Максимов, 77.

Мáтку застýдишь! *Жарг. арм. Груб.* Команда сомкнуть пятки в строю. Кор., 169.

МÁТКА-РÉПКА * Запéть мáтку-рéпку. *Пск.* Огорчиться, прийти в смятение, в уныние. ПОС 12, 33.

Хоть мáтку-рéпку пой. *Пск.* О спокойствии и безразличии ко всему, отсутствии каких-л. забот, проблем. СПП 2001, 52.

МÁТОЧКА * Всё к мáточке. *Жарг. мол.* Призыв к выпивающей компании поставить рюмки рядом для нового заполнения спиртным. Максимов, 71.

Скрои́ть в мáточку *кого. Пск.* Выругать кого-л., используя матерные выражения. СПП 2001, 52.

МАТРÁСОВКА * Наби́ть матрáсовку. *Жарг. мол. Шутл.* Плотно поесть. Максимов, 241.

МАТРÁЦ * Летýчий матрáц. *Жарг. спорт. (авиа, д/пл.).* 1. Параплан. 2. Парапланерист. БСРЖ, 341.

МАТРЁНА * Едрёна (ядрёна) матрёна! *Грубо-прост. Бран.* То же, что **едрёна мать (МАТЬ!)** Мокиенко, Никитина 2003, 198.

Матрёна гузы́нская. *Морд. Пренебр.* О неряшливой женщине. СРГМ 1986, 18.

Матрёна (Матрёха) окоря́чила *кого. Яросл.* Кому-л. не хочется, лень делать что-л. ЯОС 6, 36.

К ядрёне Матрёне! *Перм. Бран.* Выражение гнева, возмущения, негодования. Подюков 1989, 71.

Полторы́ Матрёны. *Новг. Шутл.* Об очень высоком человеке. НОС 8, 96; Сергеева 2004, 140.

МАТРЁХА * Матрёха окоря́чила. См. **Матрёна окорячила (МАТРЁНА).**

МАТРЁШКА * Матрёшка с кувáлдой. *Жарг. мол. Шутл.-ирон.* Дорожная рабочая. Максимов, 211.

Покры́ть матрёшку. *Жарг. угол. Шутл.* Совершить половой акт с кем-л. Балдаев 1, 333; УМК, 125.

МÁТРОМ * Дурны́м мáтром. *Новг.* То же, что **благим матом 1.** НОС 5, 75.

МАТРÓС * Стáрый матрóс, волосáми обрóс. *Жарг. мол. Шутл.* Мужской половой орган. Максимов, 403.

У матрóсов нет вопрóсов. *Прост. Шутл.* Абсолютно всё понятно кому-л. (Запись 1992, Москва.) < По названию кинофильма режиссера В. Роговой (1981 г.).

На фигá (нафигá) матрóсу фáнтик. *Жарг. мол. Шутл.* О каком-л. явном несоответствии, абсурде; о чём-л. ненужном, неуместном. Белянин, Бутенко, 100; Елистратов 1994, 274.

МÁТУХА * Запáрить в мáтуху *кого. Яросл.* Убить кого-л. ЯОС 4, 89.

МÁТУШЕК * Дурны́м мáтушком. *Кар.* То же, что **благим матом 1.** СРГК 3, 200.

МÁТУШКА * Богодáнная мáтушка. 1. *Кар., Сиб., Яросл.* Тёща, свекровь. СРГК 3, 200; СФС, 26; ФСС, 110; ЯОС 2, 6. 2. *Яросл.* Мачеха. ЯОС 2, 6. 3. *Яросл.* Икона с изображением Богородицы. ЯОС 2, 6.

Большáя мáтушка. *Сиб.* Самая оскорбительная матерная брань. СФС, 27; ФСС, 110; СРНГ 18, 39.

Мáтушка óтеть. *Сиб. Пренебр.* Об очень ленивом человеке. ФСС, 129.

Мáтушка рóдная. 1. *Прост.* То же, что **мать честная!** Мокиенко, Никитина 2003, 198. 2. *Жарг. угол., арест. Одобр.* Амнистия. ББИ, 138; Балдаев 1, 245.

Мáтушка цари́ца небéсная! *Прост. Устар.* 1. *Одобр.* Восклицание, выражающее удивление, восхищение, ликование. 2. *Неодобр.* Восклицание, выражающее огорчение, неожиданное неудовольствие. Мокиенко, Никитина 2003, 198.

Поскóнная мáтушка. *Смол.* Неродная, названная мать. СРНГ 30, 166.

Вниз по мáтушке по Вóлге. *Прост. Эвфем. Шутл.-ирон.* 1. [**посылать/ послать, отправлять/ отправить** *кого*]. Грубо ругать кого, пытаясь отделаться, избавиться. 2. Куда-нибудь подальше. < Зачин старинной русской народной песни, появившейся в купеческой среде. Первая запись песни сделана фольклористом М. Д. Чулковым в 1770 г. Первое знач. — каламбурная ассоциация с выражением *посылать по матушке.* БМШ 2000, 85; Мокиенко, Никитина 2003, 198-199.

По мáтушке. *Прост.* С использованисм матерных слов (ругаться). ФСРЯ, 239; СПП 2001, 52; СФС, 78; ФСС, 80; Подюков 1989, 111..

Посылáть/ послáть к роднóй (к такóй-то) мáтушке *кого. Прост. Ирон.* То же что **посылать по матушке.** Мокиенко, Никитина 2003, 199.

Посылáть/ послáть (пускáть/ пусти́ть, крыть/ покры́ть, обклáдывать/ обложи́ть *[кого]*) **по мáтушке.** *Прост.* Нецензурно, грубо ругать кого-л. Мокиенко, Никитина 2003, 199.

Пускáть/ пусти́ть по мáтушке. *Перм.* То же что **посылать по матушке.** Подюков 1989, 69.

Из (из-под) мáтушки в мáтушку (в мать). *Арх., Перм., Сиб.* То же, что **по матушке.** СРНГ 18, 39; СРНГ 29, 275; Подюков 1989, 69; ФСС, 145.

Мáтушки свéты! *Прост.* Выражение удивления, радости или испуга. Мокиенко, Никитина 2003, 199.

У мáтушки за пáзушкой. *Обл. Одобр.* О благополучной жизни. Мокиенко 1990, 79.

Во (на) всю мáтушку (мáтушку-дерéвню). *Кар., Перм.* То же, что **благим матом 1.** СРГК 3, 200; Подюков 1989, 111; Мокиенко, Никитина 2003, 199.

Гнать на всю мáтушку. *Алт.* Торопиться. СРГА 1, 217.

МÁТУШКА-РÉПКА * Хоть мáтушку-рéпку пой (кричи́). *Разг. Устар.* О сложной, безвыходной ситуации, о состоянии отчаяния. ДП, 147; ФСС, 133; СФС, 198; БМС 1998, 368; СРНГ 26, 337; Подюков 1989, 147. < Выражение связано с непристойной песней, где эвфемистически обыгрывается слово **матушка.**Мокиенко, Никитина 2003, 199.

МÁТУШКА-РЕТÝНГА * Хоть мáтушку-ретýнгу вой. *Пск.* То же, что **хоть матушку-репку пой (МАТУШКА-РЕПКА).** Козырев, 1912; СПП 2001, 52.

МАТЫ́КА * Маты́ка неточёная. *Волг. Пренебр.* О крайне глупом человеке. Глухов 1988, 84.

МАТЬ (МАТЕ́РЬ) * До ебёной (едрёной) ма́тери. *Неценз. Груб.* 1. *кого, чего.* Об исключительном множестве кого-л., чего-л. 2. Очень сильно, исключительно интенсивно. Мокиенко, Никитина 2003, 199.

До чёртовой ма́тери. *Прост.* О большом количестве, изобилии чего-л. Глухов 1988, 37.

До япо́нской ма́тери. *Жарг. мол.* То же, что **до ебёной матери 1.** Максимов, 504.

Иди́ (поди́, кати́сь) [ты] к [едрёной (ёбаной, ебёной, ебе́не] ма́тери! *Неценз. Бран.* Восклицание, выражающее гнев, негодование, нежелание общаться с кем-л. СРНГ 28, 361; Ф 1, 292; Мокиенко, Никитина 2003, 199. **Иди́ (кати́сь, убира́йся, пошёл) [ты] к ма́тери на лёгком ка́тере.** *Прост. Бран.-шутл.* То же. Мокиенко, Никитина 2003, 200. **Иди́ (кати́сь, убира́йся, пошёл) [ты] к ма́тери в жо́пу (в пизду́)!** *Прост. Бран.* То же. Мокиенко, Никитина 2003, 200.

Иди́ (кати́сь, убира́йся, пошёл) [ты] к тако́й (тако́й-то, тако́й и тако́й-то) ма́тери! *Прост. Бран.* То же, что **иди к едрёной матери!** Мокиенко, Никитина 2003, 200.

Иди́ (кати́сь, убира́йся, пошёл) [ты] к чёртовой ма́тери! *Прост. Бран.* То же, что **иди к едрёной матери!** Арбатский, 366; Верш. 7, 269; Мокиенко, Никитина 2003, 200; Ф 1, 234.

К ёбаной (ебёной, ебе́не, едрёной) ма́тери! *Неценз. Бран.* 1. Выражение злобы, гнева, раздражения. 2. Прочь, вон, долой! (выражение желания отделаться, избавиться от кого). Мокиенко, Никитина 2003, 200.

К ело́вой ма́тери! *Прост. Эвфем. Бран.* То же, что **к ёбаной матери 1-2!** Мокиенко, Никитина 2003, 200.

К трёпаной ма́тери! *Прост. Эвфем. Бран.* То же, что **к ёбаной матери 1-2!** Мокиенко, Никитина 2003, 200.

К чёртовой ма́тери! *Грубо-прост. бранно или презр.* 1. То же что **к ёбаной матери 2!** 2. **[идти́, лете́ть].** Приходить в беспорядок, расстройство; терпеть крах. Мокиенко, Никитина 2003, 200.

Ма́тери са́ни! *Пск. Эвфем. Бран.* Восклицание, выражающее досаду, удивление. СПП 2001, 52.

По ма́тери. *Сиб.* То же, что **по матушке (МАТУШКА).** ФСС, 110.

Посыла́ть/ посла́ть к ёбаной (ебёной, ебе́не, едрёной, едре́не) матери *кого. Неценз. Бран.* Выругать кого-л., выражая негодование, недоумение, возмущение и т. п., отослав прочь. Мокиенко, Никитина 2003, 200.

Посыла́ть/ посла́ть к ма́тери в гу́зно *кого. Народн. Груб.* То же, что **посылать к ёбаной матери.** Мокиенко, Никитина 2003, 200. < **Гузно** — зад, ягодицы, заднепроходное отверстие.

Посыла́ть/ посла́ть к ма́тери в пизду́ *кого. Неценз. Груб.* То же, что **посылать к ёбаной матери.** Мокиенко, Никитина 2003, 200.

Посыла́ть/ посла́ть (отмаха́ть/ отмахну́ть) по ма́тери *кого. Прост.* Выругать кого-л. матом. Мокиенко, Никитина 2003, 200.

Упомина́ть/ упомяну́ть о ма́тери. *Разг. Эвфем. Шутл.-ирон.* Ругаться матом, употреблять матерщину. Мокиенко, Никитина 2003, 200.

Ма́терь Бо́жья (Бо́жия)! *Прост. Устар.* Восклицание изумления, восхищения, испуга и т. п. Ф 1, 292. < Выражение — эвфемизм, использующий сакральную формулу. Мокиенко, Никитина 2003, 197.

По́йти по Бо́жью ма́терь. *Пск.* Уйти из дому, покинуть родных, семью. СПП 2001, 52.

Из ма́ти в мать. *Костром.* То же,что **из матушки в матушку (МАТУШКА).** СРНГ 36, 8.

Крести́ть с ма́ти. *Новг.* То же, что **крестить матом (МАТ).** СРНГ 15, 289.

С ма́ти на мать. *Кар., Перм.* То же, что **из матушки в матушку (МАТУШКА).** СРГК 1, 254; Подюков 1989, 69.

Ах, заче́м меня́ мать родила́. *Жарг. шк. Шутл.-ирон.* Звонок на урок. ВМН 2003, 82.

Бе́дная мать и обо́сранные де́ти. *Вульг.-прост. Шутл.* Ответ тому, кто надоедает вопросами о названии читаемой кем-л. книги: шуточное название книги. Мокиенко, Никитина 2003, 200.

Бе́нина мать! *Прост. Эвфем. Бран.* Выражение досады, раздражения, негодования. Максимов, 32.

Богода́нная мать. *Яросл.* 1. То же, что **богоданная матушка 1 (МАТУШКА).** 2. То же, что **богоданная матушка 2 (МАТУШКА).** 3. Крестная мать. ЯОС 2, 6.

Больша́я мать. См. **Большая матушка (МАТУШКА).**

Ва́шу мать! См. **Твою мать!**

Во всю мать. *Перм.* Очень громко. Подюков 1989, 111.

Воро́нья мать. *Сиб. Ирон.* Женщина, у которой нет сыновей; женщина, у которой первый ребенок — девочка. ФСС, 110.

В чём (как) мать родила́. *Прост.* 1. Нагишом, без одежды. 2. Без денег, состояния, имущества. ДП, 586; ФСРЯ, 239; Ф 1, 293; Глухов 1988, 17; ЗС 143, 230; Мокиенко, Никитина 2003, 201.

Вы́вороти́ть мать. *Печор.* Грубо, неприлично выругаться. СРГНП 1, 410.

Гнуть мать. *Печор.* Грубо браниться. СРГНП 1, 407.

Ёб (еби́) твою (ва́шу, его́ и пр.**) мать!** *Неценз.* То же, что **едри твою мать 1-3!** Мокиенко, Никитина 2003, 202.

Ёб твою мать на жарго́не ле́нинском! *Жарг. мол. Неценз. Ирон.* То же, что **едри твою мать 2!** Мокиенко, Никитина 2003, 202.

Ебёна (едрёна, ядрёна) мать! *Неценз. Бран.* 1. Выражение недовольства, злобы, раздражения. 2. Призыв к кому-л. действию. 3. *Одобр.* Выражение удовлетворения, восторга или чувства расположения к кому-л. Ф 1, 293; Подюков 1989, 71; Мокиенко, Никитина 2003, 202.

Едри́ (едри́ть, ядри́) твою (ва́шу, его́ и пр.**) мать!** *Неценз.* 1. *Бран.* Восклицание, выражающее чувство острого недовольства, раздражения, обиды, злобы. 2. *Бран.* Восклицание, выражающее недоумение, недоверие, опасение, испуг (по поводу чего-л. неожиданного). 3. *Одобр.* Восклицание, выражающее изумление, восторг, восхищение, удовлетворение и т. п. Подюков 1989, 71; Мокиенко, Никитина 2003, 202.

Ети́ (ёшь) твою (ва́шу, его́ и пр.**) мать!** *Неценз. Бран.* То же, что **едри твою мать 1-3!** Подюков 1989, 74; Мокиенко, Никитина 2003, 202.

И в мать, и в отца, и в рот, и в нос, и в ребро *кого*! *Прост. Эвфем. Бран.* То же, что **едри твою мать 1-2!** Мокиенко, Никитина 2003, 202.

Ку́зина (Ку́зькина) мать! *Перм. Эвфем.* Бранное выражение. Сл. Акчим. 2, 125.

Лиха́я мать! *Яросл. Эвфем.* Бранное выражение. ЯОС 6, 7.

Матери́ться во всю мать *Сиб.* Постоянно ругаться, сквернословить. ФСС, 110.

Мать и ма́чеха. *Жарг. шк. Шутл.* Математика. Максимов, 241.

Мать легко́ (шутя́) родила́ *кого. Перм. Шутл.* О бойком, озорном человеке. Подюков 1989, 112.

Мать моя́ Богоро́дица! *Прост. Устар.* 1. Выражение недовольства. 2. Выражение восторга, изумления, реакции на нечто неожиданное. Подюков 1989, 111; Мокиенко, Никитина 2003, 202.

Мать моя́ (твоя́, ва́ша и т. п.) **была́ же́нщина (же́нщиной)!** *Прост. Эвфем.* То же, что **Мать моя родная!** Мокиенко, Никитина 2003, 202.

Мать моя́ ма́мочка! *Прост. Эвфем.* 1. *Неодобр.* Восклицание недовольства. 2. Восклицание восторга, изумления, реакции на нечто неожиданное. Мокиенко, Никитина 2003, 202.

Мать [моя́] родна́я! *Прост.* Выражение восторга, изумления, реакции на нечто неожиданное. Мокиенко, Никитина 2003, 202.

Мать моя́ тётенька! *Прост. Эвфем.* То же, что **мать моя мамочка 1-2!** Мокиенко, Никитина 2003, 202.

Мать на мать (на ма́ти). *Прикам., Пск. Неодобр.* Сплошная ругань, матерная брань. СРНГ 18, 40; СПП 2001, 52.

Мать (ма́терь) пресвята́я! *Прост.* Выражение страха, испуга, изумления. Мокиенко, Никитина 2003, 203.

Мать пречи́стая! *Разг. Устар.* Выражение удивления, изумления. Ф 1, 293; Мокиенко, Никитина 2003, 203.

Мать — сыра́ земля́. *Народн.* Фольклорно-поэтическое название земли, почвы. БМС 1998, 368.

Мать твою́! 1. *Прост. Эвфем.* То же, что **едри твою мать 1!** Подюков 1989, 111; Мокиенко, Никитина 2003, 203. 2. *Прост.* То же, что **едри твою мать 2!** Мокиенко, Никитина 2003, 203. *Жарг. шк.* Роман М. Горького «Мать». (Запись 2003 г.).

Мать твою́ Бог люби́л! *Волг. Эвфем.* Выражение неприятного удивления, досады. Глухов 1988, 84.

Мать твою́ (ва́шу, его́ и пр.) **в бе́рег!** *Прост. обл. Эвфем.* 1. *Бран.* Восклицание досады, негодования, возмущения. 2. *Одобр.* Восклицание удивления, восхищения. Мокиенко, Никитина 2003, 203.

Мать твою́ (ва́шу, его́ и пр.) **в гроб (че́рез семь гробо́в)!** *Прост. Эвфем. Бран.* То же, что **едри твою мать 1-2!** Мокиенко, Никитина 2003, 203.

Мать твою́ в ду́шу! *Перм. Эвфем. Бран.* То же, что **едри твою мать 1-2!** Подюков 1989, 112.

Мать твою́ (ва́шу, его́ и пр.) **в каче́ль!** *Прост. Эвфем. Бран.* То же, что **едри твою мать 1-2!** Мокиенко, Никитина 2003, 203.

Мать твою́ (ва́шу, его́ и пр.) **[в] перема́ть!** *Прост. Бран.* То же, что **едри твою мать 1-2!** Мокиенко, Никитина 2003, 203.

Мать твою́ (ва́шу, его́ и пр.) **в пизду́!** *Нецenз. Бран.* То же, что **едри твою мать 1-2!** Мокиенко, Никитина 2003, 203.

Мать твою́ (ва́шу, его́ и пр.) **в святы́е пра́здники, че́рез ра́йские врата́, сквозь кула́цкий сабота́ж с духовы́м орке́стром по са́мое до́нышко!** *Прост. Эвфем. Бран. Редк.* То же, что **едри твою мать 1-2!** Мокиенко, Никитина 2003, 203.

Мать твою́ гроба́х! *Пск. Эвфем. Бран.* Восклицание, выражающее досаду, разочарование. СПП 2001, 52.

Мать твою́ за́ ногу (за хвост)! *Прост. Эвфем. Бран.* Восклицание, выражающее негодование, гнев. СПП 2001, 52; Мокиенко, Никитина 2003, 203.

Мать твою́ (ва́шу, его́ и пр.) **ку́рицу!** *Прост. обл. Эвфем. Бран.-шутл.* То же, что **едри твою мать 1-3!** Мокиенко, Никитина 2003, 202.

Мать твою́ (ва́шу, его́ и пр.) **напереко ся́к (на́искось)!** *Перм. Эвфем. Бран.-шутл.* То же, что **едри твою мать 1-3!** Подюков 1989, 111; Мокиенко, Никитина 2003, 203.

Мать твою́ (ва́шу, его́ и пр.) **так (раста́к, перета́к)!** *Прост. Эвфем. Бран.-шутл.* То же, что **мать твою за ногу!** Мокиенко, Никитина 2003, 203.

Мать твою́ (ва́шу, его́ и пр.) **туда́ (туды́, туды́ть)!** *Прост. Эвфем. Бран. или Шутл.- ирон.* То же, что **едри твою мать 1-2!** Мокиенко, Никитина 2003, 204.

Мать твою́ хоте́вши! *Пск. Эвфем. Бран.* То же, что **мать твою́ за́ ногу!** СПП 2001, 52.

Мать твою́ че́рез семь воро́т с при́свистом! *Жарг. морск. Эвфем. Бран.* То же, что **едри твою мать 1-3!** Мокиенко, Никитина 2003, 204.

Мать твою (вашу, его и пр.) **черт!** *Обл. эвфем. бранно шутл.- ирон.* То же, что **едри твою мать 1-3!** Мокиенко, Никитина 2003, 204.

Мать твоя́ (ва́ша, его́ и пр.) **— [две ноги́]!** *Прост. Эвфем. Бран.* То же, что **едри твою мать 1-3!** Подюков 1989, 112; Мокиенко, Никитина 2003, 204.

Мать тебе́ в дугу́! *Пск. Эвфем. Бран.* Восклицание, выражающее безразличие, утрату интереса к кому-л., к чему-л., уступку. СПП 2001, 52.

Мать тебя́ (его́ и пр.) **в ду́шу!** *Прост. Эвфем. Бран.* То же что **едри твою мать 1-3!** Мокиенко, Никитина 2003, 204.

Мать Tере́за. 1. *Жарг. шк. Шутл.* Школьная медсестра. Максимов, 241. 2. *Жарг. мол. Ирон.* Человек, который обещал помочь и не помог кому-л. Максимов, 241.

Мать у цыга́на умерла́. *Волг. Шутл.-ирон.* О человеке, плачущем без причины. Глухов 1988, 84.

Мать честна́я! *Прост.* Восклицание, выражающее удивление, досаду, испуг, радость. ФСРЯ, 239; БТС, 1476; СПП 2001, 52.

Не забу́ду мать родну́ю. *Жарг. угол.* Один из словесных символов преступного мира: перед вступлением в «воры в законе» вор должен отказаться на сходке от своих родителей. ТСУЖ, 117.

Не роди́ мать — сыра́ земля́! *Народн.* О чём-л. нежелательном (выражение предупреждения, предостережения). ДП, 472.

Ни в мать ни в отца́, а в прое́зжего молодца́. *Прост. Шутл.* О ребёнке, не похожем на своих родителей. ДП, 748; СПП 2001, 52.

Обкла́дывать/ обложи́ть в мать твою канарейку *кого. Разг. Шутл.* Ругать кого-л. матом. Флг., 191.

Показа́ть Ку́зькину мать *кому. Прост. Бран.* Расправиться с кем-л., наказать кого-л. (чаще — как угроза расправы). БМС 1998, 368; ЗС 1996, 203, 385; Мокиенко 1990, 25; БТС, 478, 526; ДП, 133, 222; СПП 2001, 52.

Прода́ст родну́ю мать за грош. *Прост. Неодобр.* О ненадёжном, эгоистичном человеке. Глухов 1988, 134.

Распронаеби́ твою (ва́шу, его́ и пр.) **мать!** *Нецenз, бран.* То же, что **едри твою мать 1-2!** Мокиенко, Никитина 2003, 205.

Растаку́ю мать! *Прост. Эвфем. Бран.* То же, что **едри твою мать 1-2!** Мокиенко, Никитина 2003, 205.

Сади́ть мать на мать. *Перм., Ср. Урал.* Ругаться, сквернословить. СРНГ 18, 40; СРНГ 36, 27; СРГСУ 2, 121.
Со́колова мать. *Сиб.* Женщина, имеющая всех сыновей или первого сына. ФСРГС. 110.
Так твою́ (ва́шу, его́ и пр.)! *Прост. Эвфем. Бран.* То же, что **едри твою мать 1-2!** Мокиенко, Никитина 2003, 205.
Туда́ тебя́ (вас, его́ и пр.) **и мать твою (ва́шу, его́** и пр.)! *Прост. Эвфем. Бран.* То же, что **едри твою мать 1-2!** Мокиенко, Никитина 2003, 205.
Туды́-т твою́ мать! *Сиб. Эвфем. Бран.* То же, что **едри твою мать 1-2!** Верш. 7, 35.
Узна́ть Ку́зькину мать, *чаще в повел. накл. Прост. Ирон.* Испытать бедствия, невзгоды, перенести лишения. Мокиенко, Никитина 2003, 205; ЗС 1996, 203. **Узна́ть, как ку́зькину мать зову́т.** *чаще в повел. накл. Прост. Ирон.* То же. Мокиенко, Никитина 2003, 205.
Ягня́чья (ягу́шкина) мать! *Перм. Бран.-шутл.* Выражение лёгкой досады, раздражения. Подюков 1989, 112; Мокиенко, Никитина 2003, 205.
Ядрёна мать! См. **Ебёна мать!**
Язви́ твою́ (ва́шу, его́ и пр.) **мать!** *Прост. Бран.* То же, что **едри твою мать 1-2!** Мокиенко, Никитина 2003, 205.
Япо́на мать! 1. *Прост. Шутл.-ирон.* То же, что **ебёна мать!** Мокиенко, Никитина 2003, 205. 2. *Жарг. журн., полит. Шутл.* Бывший депутат Госдумы РФ Ирина Хакамада. МННС, 210.
МАТЮ́Г * Большо́й матю́г. *Волог.* Грубая брань, матерные выражения. СВГ 1, 38.
Посла́ть на матю́г *кого. Арх.* Выругать кого-л. матом. СРНГ 30, 174.
Кати́ть с матюга́. *Перм.* Грубо ругаться, сквернословить. СРНГ 13, 128.
Распуска́ть матюги́. *Пск.* То же, что **катить с матюга.** (Запись 1995 г.).
Скла́дывать матюги́. *Кар.* То же, что **катить с матюга.** СРГК 2, 332.
Пуска́ть/ пусти́ть (запусти́ть) матюго́м. *Прост.* Ругаться матом. СФС, 103; ФСС, 80; Мокиенко, Никитина 2003, 205.
Покры́ть матюго́м *кого. Сиб.* То же, что **послать на матюг.** СФС, 103; ФСС, 80.
МАТЮ́К * Засмоли́ть матюка́. См. **Засмолить мата (МАТ).**
Не слы́шать ни матюка ни плею́ха. *Перм., Прикам.* Жить в согласии, благополучии, уважении (о семейной жизни). СГПО, 445; МФС, 92.
Гнуть матюки́. *Печор.* Грубо ругаться, сквернословить, материться. СРГНП 1, 410.
Кроши́ть матюки́. *Перм.* То же, что **гнуть матюки.** Сл. Акчим. 2, 125.
МАХ * Во весь мах. 1. *Разг.* Очень быстро. ФСРЯ, 239; БМС 1998, 369; СРГК 1, 243; СБО-Д1, 262; АОС 4, 15. 2. *Арх., Сиб.* С размаху. АОС 4, 15; СБО-Д1, 262.
Мах на со́лнце, бух об зе́млю. *Жарг. шк. Шутл.* Об уроке физкультуры. Максимов, 241.
На всех мах. *Пск.* То же, что **во весь мах** 1. ПОС 3, 123.
На гуси́ный мах. *Волг.* Недалеко, совсем близко. Глухов 1988, 88.
На мах. 1. *Пск., Сиб.* То же, что **во весь мах** 1. СПП 2001, 52. 2. *Новг.* Нараспашку, настежь.НОС 5, 75. 3. *Кар.* Не раздумывая, без колебаний. СРГК 3, 200.
Во все ма́хи. *Орл.* То же, что **во весь мах** 1. СОГ 1989, 21.
Идти́ (проходи́ть) ма́хом. 1. *Дон.* Пропадать даром. СДГ 2, 132. 2. *Волг.* Складываться благоприятно, быстро развиваться в нужном направлении (о деле). Глухов 1988, 56.
Еди́ным ма́хом. *Книжн.* То же, что **одним махом.** БТС, 295.
Одни́м ма́хом. *Разг.* Сразу, за один раз, в один приём. ФСРЯ, 239; ЗС 1996, 109; БТС, 526; БМС 1998, 370.
Одни́м (еди́ным) ма́хом семеры́х (сто душ) убива́хом (побива́хом). *Народн. Ирон.* Быстро, не сомневаясь и не раздумывая, справиться с чем-л. < Выражение возникло под влиянием оборота **одним ударом семерых** из сказки братьев Гримм «Храбрый портняжка» (1814 г.). Форма (аористная) **убивахом (побивахом)** стилизована под старославянский.
Дава́ть /дать ма́ху. 1. *Разг.* Допускать промах, ошибаться. ФСРЯ, 239; БМС 1998, 370; БТС, 526; ЗС 1996, 105; Мокиенко 1990, 110. 2. *Сиб.* Быстро убегать. ФСС, 54; СФС, 104. 3. *Пск.* О скорости вращения, движения какого-л. механизма. СПП 2001, 52. 4. *Пск. Шутл., неодобр.* Врать, привирать, выдумывать что-л. СПП 2001, 52.
Драть ма́ху. *Пск.* Быстро бежать, убегать. СПП 2001, 52.
На маху́. 1. Не замедляя хода. Ф 1, 293. 2. *Перм., Прикам.* Одновременно, попутно, наряду с кем-л. МФС, 57; СГПО, 300.
Не с ма́ху му́дрой руки́. *Яросл. Неодобр.* О чём-л. неудачном, не очень хорошем. ЯОС 6, 124; СРНГ 35, 244.
Со всего́ ма́ху. *Прост.* 1. Размахнувшись изо всей силы. 2. Быстро, без подготовки, не раздумывая. Ф 1, 293; ФСРЯ, 239.
С одного́ ма́ху. *Прост.* То же, что **одним махом.** БМС 1998, 370; ФСРЯ, 239.
С ма́ху [да] под руба́ху. *Шутл.* 1. *Перм. Шутл.* Неожиданно, без подготовки. Подюков 1989, 176. 2. *Печор.* О поспешном, без традиционного ритуала, замужестве. СРНГП 2, 233.
На ма́хах. *Сиб.* Галопом. ФСС, 110.
МАХРЫ́ * Трясти́ махра́ми. 1. *Сиб.* Одеваться неряшливо, бедно. СБО-Д2, 231; СОСВ, 188. 2. *Волг.* Испытывать крайнюю нужду, бедствовать. Глухов 1988, 161.
МАХО́РЧИК * Подержа́ть за махо́рчик *кого. Волг.* Наказать, побить кого-л. Глухов 1988, 124.
МАЦО́К * В мацо́к. *Кар.* Обмакивая, макая. СРГК 3, 200.
МА́ЧЕХА * Не у ма́чехи рос. *Волг., Сиб.* О человеке, который не привык стесняться за столом. Глухов 1988, 106; СФС, 126; СРНГ 34, 257.
МА́ША * Ма́ша не чеши́сь [и Ва́ня не цара́пайся]. *Сиб. Шутл.* Очень аккуратно, точно, так, что не к чему придраться. ФСС, 110.
Не ссы, Маша, всё будет наше! *Жарг. мол. Шутл.* Призыв к спокойствию. Вахитов 2003,111.
Ни Ма́ша ни Гри́ша. *Орл.* О чём-л. неопределённом или посредственном. СРНГ 21, 214.
У́мная Ма́ша. *Жарг. угол.* 1. Рядовая работница. 2. Наивная, простоватая женщина. ББИ, 255.
МА́ШЕНЬКА * Ма́шенька и медве́дь. *Жарг. шк. Шутл.-ирон.* Учитель и ученик. Golds, 2001.
МАШИ́НА * Госуда́рственная маши́на. *Книжн.* Система управления государством. ШЗФ 2001, 57.< Калька с нем. *Die Maschine des Staates.* БМС 1998, 370.
Маши́на для перехо́да с одного́ све́та на друго́й. *Жарг. авиа. Ирон.* Вертолёт. БСРЖ, 343.
Маши́на любви́. *Жарг. мол. Шутл.-одобр.* Опытный и неутомимый любовник. Максимов, 242.

Маши́на ОСО́. *Жарг. лаг. Шутл.* Тачка. Р-87, 216.

Маши́на ОСО́, две ру́чки и колесо́. *Жарг. лаг. Шутл.-ирон.* Прибаутка об Особом совещании — заочном административном суде органов госбезопасности, у которого столько же общего с законностью, сколько у тачки с механизацией. Р-87, 216.

Стира́льная маши́на. 1. *Жарг. бизн. Шутл.* Банк, где отмывают деньги. БС, 160. 2. *Жарг. авто. Шутл.-ирон.* Автомобиль «Жигули». Максимов, 242.

Хмелеубо́рочная маши́на. *Жарг. мол. Шутл.-ирон.* Спецтранспорт медвытрезвителя. Максимов, 242.

Е́хать на берестяно́й маши́не. *Ленингр. Фольк. Шутл.* Ходить в лаптях. СРНГ 18, 58.

Е́хать на ли́повой машине. *Новг.* Скакать верхом на палочке. СРНГ 18, 58.

Заде́лать делову́ю маши́ну. *Жарг. угол.* Вскрыть брезент, под которым находится груз (в автомашине). ТСУЖ, 80.

Запра́вить (завести́) маши́ну. *Жарг. нарк.* Набрать наркотик в шприц. DL, 73; Югановы, 130; Pulse, № 9, 12.

Купи́ть губозака́точную (губосвора́чивательную) маши́ну. *Жарг. мол. Шутл.-ирон.* Умерить свои желания. Вахитов 2003, 88. < Ср.: **раскатать губу.**

МАШИНИ́СТ * Разлива́ть по машини́сту. *Жарг. мол. Шутл.* Разливать спиртное, отмеряя его уровень спичечным коробком (по высоте). Урал-98.

МАШИ́НКА * Блатна́я маши́нка. *Жарг. угол.* Тайная комната. ТСУЖ, 20.

Стира́льная маши́нка. *Жарг. шк.* Стиральная резинка. (Запись 2003 г.).

Шве́йная маши́нка. 1. *Жарг. угол.* Механическая бритва, используемая для нанесения татуировки. Балдаев 2, 157. 2. *Жарг. спорт. (л/атл.). Шутл.-ирон.* Спринтер, бегущий с большой частотой шага, с высоким темпом движения. (Запись 2000 г.) 3. *RPG. Шутл.* Несколько ударов, нанесённых в одну и ту же зону без замаха. (Запись 2004 г.).

Вооружи́ться пи́шущей маши́нкой. *Жарг. шк. Шутл.* Взять в руки авторучку. Максимов, 69.

Брать/ взять за маши́нку *кого. Жарг. угол.* Душить, удушать кого-л. СРВС 1, 130; СРВС 2, 20, 24, 57, 166; Балдаев 1, 45; ББИ, 33, 43. < **Машинка** — горло.

МА́ШКА * Ма́шка щекотну́лась. *Жарг. угол.* Женщина почувствовала, что у неё совершена кража. СРВС 4, 81, 110; СВЖ, 8; ТСУЖ, 105.

Пока́зывать Ма́шки. *Жарг.* арест. Проходить медосмотр (о заключённых-женщинах). Балдаев 1, 333; ББИ, 182. < **Машки** — женские гениталии.

Взять Ма́шку за ля́жку. *Жарг. арм., морск. Шутл.* Начать мыть палубу шваброй. Никитина, 1998, 245. < **Машка** — швабра, щётка для мытья пола, палубы.

Еба́ть (име́ть/ поиме́ть) Ма́шку. *Жарг. арм. Неценз. Шутл.* Мыть пол шваброй. Максимов, 242; Мокиенко, Никитина 2003, 207.

Упа́сть на Ма́шку. *Жарг. арм. Шутл.* То же, что **взять Машку за ляжку**. Кор., 297.

МАШО́К * Дать машка́. *Обл.* Допустить ошибку, промах. Мокиенко 1990, 110.

МАЯ́К * Вы́ставить мая́к гонцу́. *Жарг. нарк.* Предупредить об опасности перевозчика наркотиков. ТСУЖ, 37.

Вы́йти на мая́к. *Жарг. угол.* Объяснить что-л. кому-л. СРВС 4, 165, 177.

Дава́ть / дать мая́к *кому.* 1. *Сиб.* Сигналить кому-л. светом. СФС, 60. 2. *Жарг. угол.* Предупреждать об опасности кого-л. Балдаев, I, 102; 126; ББИ, 54.

Дави́ть мая́к. 1. *Жарг. карт.* Подсказывать жестами во время игры. Быков, 58. 2. *Жарг. угол.* Ориентироваться, иметь ориентир. ББИ, 63.

Мая́к социали́зма. *Жарг. угол. Шутл.-ирон.* Мужской половой член длиной 25 см. ББИ, 138; Балдаев 1, 246.

Мая́к коммуни́зма. *Жарг. угол. Шутл.-ирон.* Мужской половой член длиной 30 см. ББИ, 138; Балдаев 1, 246.

Не в мая́к *кому кто. Жарг. мол.* Не вызывает полового возбуждения, не привлекает в сексуальном плане. Урал-98.

Пройти́ на мая́к. *Жарг. угол.* Выяснить обстоятельства чего-л., разузнать о чём-л. Балдаев 1, 357.

Стоя́ть на маяке́. *Жарг. угол.* Быть на страже во время совершения преступления и предупреждать соучастников об опасности. Грачев 1992, 110.

Лови́ть маяки́. *Жарг. Нарк.* Находиться в состоянии наркотической эйфории. Никитина 2003, 379.

Говори́ть маяко́м. *Жарг. угол.* Переговариваться с помощью условных знаков, жестов. ББИ, 57.

МАЯ́ТОЧКА * Моя́ мая́точка. *Сиб. Ласк.* Любимый, любимая. ФСС, 110.

МАЯЧО́К * Лови́ть маячо́к. *Жарг. нарк.* Вдыхать наркотический дым. Максимов, 224.

МГНОВЕ́НИЕ * В мгнове́ние о́ка. *Книжн.* Очень быстро, моментально. Ф 1, 294; БМС 1998, 370; ШЗФ 2001, 30.

Чу́дное мгнове́ние. *Жарг. шк. Шутл.* Оценка «отлично», пятерка. Bytic, 1999-2000.

Я по́мню чу́дное мгнове́ние (мгнове́нье). 1. *Жарг. шк. Шутл.* Каникулы. ВМН 2003, 83. 2. *Жарг. шк. Шутл.* О получении оценки «пять». ВМН 2003, 83. 3. *Жарг. шк. Шутл.* Об отменённом уроке. (Запись 2003 г.). 4. *Жарг. шк. Шутл.* О звонке с урока. Максимов, 502. 5. *Жарг. арм. Шутл.* О сигнале «Отбой». Максимов, 502.

Семна́дцать мгнове́ний весны́. *Жарг. шк. Шутл.* Весенние каникулы. Bytic, 1999-2000.

МЕ́БЕЛЬ * Для ме́бели. *Разг.* О чём-л. абсолютно бесполезном, ненужном где-л., в каком-л. деле. ФСРЯ, 240; БТС, 527; Глухов 1988, 35.

Дви́гать ме́бель. *Жарг. мол. Шутл.* Совершать половой акт с кем-л. Белянин, Бутенко, 46.

МЁД * Гото́в в мёд посади́ть *кого. Волг., Прикам.* О показном уважении, любви к кому-л. Глухов 1988, 26; МФС, 28.

Ди́вей мёд. *Яросл.* Кондитерские изделия в виде рожков, которые продавали коробейники. ЯОС 3, 125.

Ли́бо мёд пить, ли́бо би́ту быть. *Народн.* О рискованном действии, поступке, совершаемом наудачу. ДП, 77.

Лить мёд на го́лову. *Кар.* Жить богато, зажиточно. СРГК 3, 200.

Мёд с са́харом. *Орл. Одобр.* 1. О благополучной, спокойной жизни. 2. Благополучно, зажиточно. СОГ-1994, 120.

На мёд. *Жарг. угол.* Способ совершения кражи, когда преступник проникает в помещение, выбив стекло кирпичом, смазанным густым мёдом, к которому прилипают осколки стекла. СРВС 2, 57, 193; ТСУЖ, 105.

Не мёд. *Разг.* 1. *кому с кем.* Тягостно, нелегко, трудно. 2. Мало приятного, радостного. ФСРЯ, 240; ЗС 1996, 115.

Падёвый мёд. *Яросл.* Сладкий сок некоторых растений, от которого погибают пчелы. ЯОС 7, 76.

Хорошо́-то мёд с калачо́м. *Народн. Ирон.* О пустом хвастовстве. БМС 1998, 370.

Мёдом не ко́рмят (не корми́ли) *кого. Пск.* О тяжёлой жизни где-л. СПП 2001, 52.

Не с мёдом. *Одесск.* То же, что **не мёд 1.** КСРГО.

Ки́снуть/ иски́снуть в (на) меду́. *Волг., Прикам. Шутл.-одобр.* Жить, не испытывая трудностей, благополучно. Глухов 1988, 60; МФС, 44.

Пла́вать в меду́. *Алт.* То же, что **киснуть в меду.** СРГА 3-II, 50.

МЕДА́ЛЬ * Дать меда́ль в де́вять гра́ммов *кому. Прост. Ирон.* Убить, застрелить кого-л. ЗС 1996, 506.

Песо́чная меда́ль. *Жарг. арм. Шутл.-ирон.* Медаль «За безупречную службу в вооруженных силах». Кор., 209.

Награди́ть свинцо́вой меда́лью *кого. Прост. Ирон.* То же, что **дать медаль в девять граммов.** ЗС 1996, 506.

Быть в меда́лях. *Жарг. спорт.* Занять призовое место на соревнованиях. НТВ, 27.09.2000.

МЕДВЕ́ДКО * Земляно́й медве́дко. *Печор.* Крот. СРГНП 1, 412.

МЕДВЕ́ДЬ * Па́хнет медве́дем. *Перм. Пренебр.* О чём-л. вызывающем отвращение. Подюков 1989, 145.

Бе́лый медве́дь. *Жарг. угол., Разг. Шутл.* 1. Смесь спирта с шампанским. Балдаев 1, 33; Мильяненков, 166; ББИ, 139; Вахитов 2003, 15. 2. Смесь спирта с коньяком. ББИ, 26. 3. Смесь пива, водки и шампанского. Елистратов 1994, 243.

Большо́й медве́дь. *Яросл.* Созвездие Большая Медведица. ЯОС 6, 38.

Бу́рый медве́дь. *Шутл.* 1. *Жарг. угол.* Смесь спирта с коньяком. Мильяненков, 166; ББИ, 36, 139; Балдаев 1, 247; Вахитов 2002, 21. 2. *Жарг. мол.* Смесь пива, коньяка и шампанского. Елистратов 1994, 243.

Дома́шний медве́дь. *Жарг. угол. Шутл.* Платяной шкаф. Мильяненков, 166; ББИ, 139; Балдаев 1, 247. < **Медведь** — сейф.

Ма́лый медве́дь. *Яросл.* Созвездие Малая Медведица. ЯОС 6, 38.

Медве́дь в лесу́ сдох. *Волг. Шутл.* О чём-л. необычном, непривычном. Глухов 1988, 84.

Медве́дь ла́пу окуну́л. *Яросл.* О холодной воде в конце лета, в которой уже нельзя купаться. ЯОС 6, 38.

Медве́дь на́ ухо наступи́л *кому.* 1. *Разг.* О человеке, лишённом музыкального слуха. ФСРЯ, 240; БТС, 528, 1409; БМС 1998, 370. 2. *Пск. Шутл.-ирон.* О глухом, слабо слышащем человеке. СПП 2001, 52.

Медве́дь у́хо отдави́л *кому. Прост. Шутл.* То же, что **медведь на ухо наступил 1.** Ф 1, 294.

Се́верный медве́дь. *Жарг. угол. Шутл.* Смесь спирта с водкой. Балдаев 2, 34.

Взять медве́дя на арка́н. *Жарг. угол.* Украсть сейф для дальнейшего вскрытия в укромном месте. ББИ, 139; Балдаев 1, 247. < **Медведь** — сейф.

Води́ть / вести́ медве́дя. 1. *Дон.* Ходить шумной толпой (о гуляющих на свадьбе). СДГ 1, 71. 2. *Кар. Шутл.-ирон.* Быть пьяным. СРГК 3, 200. 3. *Прост.. Шутл.-ирон.* Пьянствовать; пить запоем. СРНГ 18, 66; ЯОС 3, 25; Максимов, 65. 4. *Орл. Неодобр.* Бездельничать. СРНГ 18, 66.

Вы́валить медве́дя. *Кар.* Окончить работу на ткацком станке. СРГК 3, 200.

Дава́ть/ дать медве́дя. *Кар.* Идти в обход, делать крюк. СРГК 3, 200.

Дави́ть медве́дя. 1. *Орл. Неодобр.* Проводить время в безделье. СОГ-1994, 120. 2. *Прост. Шутл.* Очень долго и крепко спать. Флг., 137; Ф 1, 137; СОГ-1994, 120.

Запоро́ть (вспоро́ть, залома́ть, взять на ла́пу) медве́дя. *Жарг. угол.* Вскрыть сейф. Балдаев 1, 148, 247; Грачев 1992, 110; СРВС 4, 102; ТСУЖ, 66; Мильяненков, 166; СРВС 3, 195, 211; ББИ, 139; Елистратов 1994, 243. < **Медведь** — сейф.

Заряди́ть медве́дя. *Жарг. угол.* Совершить кражу из сейфа или ящика с деньгами. ТСУЖ, 67.

Медве́дя уби́ть, да шку́ры не испо́ртить. *Разг.* О странном, противоречивом, а потому невыполнимом требовании. БМС 1998, 371.

Поборо́ть медве́дя. *Народн.* 1. Одолеть большие затруднения. 2. Выпить большую кружку вина. ДП, 647, 792.

Съесть медве́дя с ше́рстью. *Коми.* О хорошем аппетите. Кобелева, 67.

МЕДУ́ЗА * Меду́за в ли́фчике. *Жарг. мол. Бран.* О девушке, вызывающей досаду, раздражение, негодование. Максимов, 224.

Ша, меду́за, мо́ре ря́дом (споко́йно). *Жарг. мол. Шутл.* Призыв к спокойствию. Вахитов 2003, 202.

МЕДЬ * Бе́лая медь. *Арх.* Никелированный металл. АОС 1, 159.

Медь звеня́щая. *Книжн.* 1. Нечто большое и громкое, но по существу пустое и бесплодное. 2. О пышных, но малосодержательных словах. < Выражение из Первого послания апостола Павла к Коринфянам. БМС 1998, 371.

МЕЖА́ * Перее́хать межу́. *Обл.* Совершить что-л., вызывающее ссору. Мокиенко 1990, 128.

МЕ́ЖДУ * Ме́жду тем. *Книжн.* Тем временем. БМС 1998, 371.

МЕ́ЖЕНЬ * Ба́бья ме́жень. 1. *Пск.* Тёплая погода во второй половине лета, во время жатвы. СПП 2001, 52. 2. *Брян.* Летнее время, когда женщины заготавливают лозу. СБГ 1, 23. 3. *Пск.* Тёплые, ясные дни в начале осени. СРНГ 18, 85.

Ме́жень пойма́ла *кого. Кар. Шутл.-ирон.* Кому-л. не хватило хлеба до нового урожая. СРГК 3, 200.

МЕ́ЖМОЛО́К (МЕ́ЖМОЛО́КИ)* Ходи́ть межмоло́ками (ме́жмолоки, ме́жмолок, ме́жмолоком). *Яросл.* О состоянии коровы в межлактационный период. ЯОС 6, 39.

Ходи́ть в ме́жмолоках. *Волог.* То же, что **ходить межмолоками.** СВГ 4, 79.

МЕ́ЖНОГИ * В ме́жноги. *Кар.* В подол, на колени. СРГК 3, 200.

МЕ́ЙДЖЕР * Ме́йджер с пе́йджер. *Жарг. угол. Шутл.* О невысоком, щуплом человеке. ТК-2000.

МЕ́ККА * Идти́ в Ме́кку. *Книжн.* Посещать место своих грёз, предмет поклонения. < **Мекка** — священный город магометан, место рождения основателя ислама Магомета. БМС 1998, 371.

МЕЛ * Истоло́чь в мел *что. Волог.* Разломать на мелкие части. СВГ 3, 27.

Мел с ги́псом. *Жарг. мол. Шутл.* Киноактер Мэл Гибсон. Я — молодой, 1997, № 38.

Ме́лом пи́сано. *Пск. Шутл.* Неизвестно точно о чём-л. СПП 2001, 52.

Мело́м подме́сть *что. Ряз.* Съесть всё без остатка. ДС, 292.

МЕЛЕ́ДА * Меле́ду меле́дить. *Народн.* Болтать ерунду; проводить время в пустых разговорах. ДП, 455, 501.

Взять на мелку́тье *что. Кар.* Разбить что-л. вдребезги, на мелкие кусочки. СРГК 3, 200.

МЕ́ЛКО * Ме́лко пла́вать. *Прост. Неодобр.* Быть несведущим в делах; уступать кому-л. в чём-л. ЗС 1996, 30; БТС, 836; Смирнов 2002, 114; Глухов 1988, 84, 123.

МЕЛКОВО́ДЬЕ * Быть на мелково́дье. *Жарг. угол. Шутл.-ирон.* Нищенствовать. ТСУЖ, 114; Балдаев 2, 81.

То́пать по мелково́дью. 1. *Жарг. угол. Шутл.-ирон.* То же, что **быть на мелководье.** ТСУЖ, 114; Балдаев 2, 81. 2. *Жарг. мол.* Не иметь денег. Максимов, 244.

МЕЛО́ДИЯ * Петь в мело́дию. *Жарг. угол. Неодобр.* Доносить на кого-л. в милицию; быть осведомителем. Балдаев 1, 317; Р-87, 219; Росси 1, 218. < **Мелодия** — милиция, отделение милиции.

МЕЛО́К * Игра́ть на мело́к. *Народн.* Делать ставки в игре по записи без использования наличных денег. ДП, 825.

МЕ́ЛОЧЬ * По ме́лочи (мелоча́м). *Разг.* 1. В небольшом количестве, небольшими суммами. 2. О чём-л. незначительном, несущественном. ФСРЯ, 241.

Разме́ниваться на ме́лочи. *Разг.* Заниматься не главным, а чем-л. незначительным, несущественным. ФСРЯ, 381; РБФС, 333.

МЕЛЬ * Быть на мели́. *Разг.* Испытывать нужду, нехватку денег. Ф 1, 295.

Пла́вать на мели́. *Горьк.* Относиться ко всему поверхностно, не углубляться в суть дела. БалСок, 49.

Сдёрнуть с ме́ли *кого. Прибайк.* Вразумить, заставить исправиться кого-л. СНФП, 93.

Сиде́ть на мели́. *Разг.* Находиться в крайне затруднительном положении, без денег, испытывая большую нужду. Ф 2, 155.

Сажа́ть/ посади́ть на мель *кого. Прост.* Ставить кого-л. в затруднительное положение. БТС, 532; СРНГ 30, 134.

Сади́ться/ сесть на мель. 1. *Разг.* Попадать в затруднительное, бедственное положение. ФСРЯ, 241; БТС, 532; БМС 1998, 371; Мокиенко 1990, 129; ЗС 1996, 105, 110. 2. *Пск.* Разоряться. СПП 2001, 52. 2. *Пск.* Терять силы в старости. (Запись 1996 г.).

МЕ́ЛЬНИК * Глу́пый ме́льник. *Арх. Презр.* О глупом, несообразительном человеке. АОС 9, 120.

Ме́льник нашёл *на кого. Волог.* О помрачении рассудка, сумасшествии. СВГ 4, 81.

Пусто́й ме́льник. *Кар. Презр.* Болтун, пустомеля. СРГК 3, 200.

С ме́льником поборо́вши. *Новг. Шутл.-ирон.* О глупом, слабоумном человеке. НОС 6, 4.

МЕ́ЛЬНИЦА * Безобро́чная ме́льница. *Народн. Неодобр.* Болтун, пустомеля. ДП, 416.

Ветряна́я ме́льница. 1. *Прост. Неодобр.* О непоседливом, непостоянном человеке. ЗС 1996, 333; Глухов 1988, 10. 2. *Прост. Неодобр.* Болтун, пустослов. СРГК 5, 355; Глухов 1988, 10. 3. *Жарг. арм. Шутл.* То же, что **воздушная мельница.** Максимов, 60.

Возду́шная ме́льница. *Жарг. арм. Шутл.* Вертолёт. Максимов, 60.

Зла́я ме́льница. *Сиб.* Недобрый, злобный человек. ФСС, 111.

Кофе́йная ме́льница. *Арм. Устар.* Самолет «У-2». Лаз., 238.

Поро́жняя ме́льница. *Сиб. Презр.* То же, что **безоброчная мельница.** ФСС, 111.

Шу́лерская ме́льница. *Жарг. угол., карт.* Игорный дом, притон. Балдаев 2, 170. // Квартира, где шулера собираются играть между собой. СРВС 1, 203; СРВС 2, 52, 190; СРВС 3, 103.

Сража́ться с ветряны́ми ме́льницами. *Разг. Неодобр.* Бороться с воображаемыми врагами, бесцельно тратить силы. БТС, 123, 532. < Из романа М. Сервантеса «Хитроумный идальго Дон Кихот Ламанчский» (1605–1615 гг.). БМС 1998, 371; ФСРЯ, 241.

Верте́ть ме́льницу. *Прост. Устар.* Хитрить, лукавить. Ф 1, 55.

Дать ме́льницу *кому. Сев.-Двин.* Избить, выпороть, высечь кого-л. СРНГ 7, 257; Мокиенко 1990, 49.

Драть ме́льницу. *Кар. Шутл.* Смеяться. СРГК 3, 200.

Крути́ть ме́льницу. 1. *Жарг. карт.* Вынуждать шулеров играть между собой. 2. *Жарг. угол.* Сбрасывать жертву с крутой лестницы. Балдаев 1, 211.

Отворя́ть ме́льницу. *Кар.* Начинать говорить много, не переставая. СРГК 4, 284.

МЕН * Мен на обме́н. *Яросл.* В детской игре — предложение чем-л. обменяться. ЯОС 6, 41.

МЕНДЕЛЬСО́Н * Слу́шать Мендельсо́на. *Жарг. угол.* Совершать кражи на свадьбах. Балдаев 2, 47.

МЕНДУ́РА * Плести́ менду́ру. *Печор.* Говорить вздор, ерунду; рассказывать небылицы. СРГНП 1, 415.

МЕНЖА́ * Менжа́ напа́ла *на кого. Разг.* Кто-л. очень испугался. Елистратов 1994, 244. < **Менжа** — 1. Женские гениталии. 2. Испуг, страх.

МЕНКА́ * Менка́ на менка́. *Ряз.* Об эквивалентном обмене. ДС, 292.

Сде́лать менка́. *Волг., Дон.* Обменяться чем-л. Глухов 1988, 146; СДГ 2, 135.

МЕНТ[1] * В оди́н мент (минт). *Волг., Калуж., Курск., Рязан.* Тотчас, быстро. Глухов 1988, 13; СРНГ 18, 168; БотСан, 86; ДС, 294. < **Мент, минт** — трансформация слова **момент**.

МЕНТ[2] * Бле́дный мент. *Жарг. мол. Шутл.* Зубная паста «Блендамед». Максимов, 36.

Шокола́дный мент. *Жарг. угол. Шутл.-ирон.* Милиционер-взяточник. Грачев 1997, 145.

Пусти́ть мента́. *Жарг. мол. Шутл.* Выпить спиртного. Максимов, 244.

Брать/ взять в менты́ *кого. Жарг. мол.* Задерживать, забирать в милицию, арестовывать кого-л. Никитина 1996, 113. < **Мент** — милиционер.

МЕ́НЬШЕ * Посла́ть не ме́ньше *кого. Новосиб.* Грубо выругаться. СРНГ 30, 174.

МЕНЬШИНСТВО́ * Сексуа́льное меньшинство́. *Публ.* Гомосексуалисты, лесбиянки. Мокиенко, Никитина 2003, 207.

МЕНЯ́. См. **Я.**

МЕ́РА * До сих мер. *Кар.* До сих пор, до этого места. СРГК 3, 200.

Со всех мер. 1. *Прибайк., Сиб. Одобр.* О чём-л. превосходном, замечательном. СНФП, 95; СФС, 47. 2. *Морд., Сиб. Одобр.* О человеке, обладающем всеми необходимыми достоинствами. СРГМ 1986, 23; СРНГ 18, 112.

Вы́сшая ме́ра социа́льной защи́ты. *Разг. Эвфем.* Расстрел, казнь. Зильберт, 1994, 50.

На одно́й ме́ре. *Кар.* Одинаково, на равных. СРГК 3, 200.

По кра́йней ме́ре. *Разг.* 1. Хотя бы; во всяком случае. 2. Не меньше, чем что-л.; самое меньшее. ФСРЯ, 241.

Стоя́ть на ме́ре. *Прикам.* О равноденствии. МФС, 97.

Ме́рить одно́й ме́рой. См. **Ме́рить одно́й ме́ркой (МЕРКА).**

Брать/ взять на ме́ру *что. Кар.* Измерять что-л. СРГК 1, 108; СРГК 3, 200.

В ме́ру. *Разг.* 1. Достаточно. 2. Именно столько, сколько нужно. ФСРЯ, 243; БМС 1998, 372.

Встать на ме́ру. *Сиб.* Достичь нормы (об уровне воды в реке). СРНГ 35, 44.

Вы́йти в ме́ру. *Сиб.* Иметь нормальный рост. ФСС, 35.

Выноси́ть ме́ру. *Арх.* Соответствовать определённым размерам. АОС 8, 40.

Ме́рить в ту же ме́ру (то́ю же ме́рою). *Книжн.* Воздавать, платить кому-л. тем же. ФСРЯ, 242; БТС, 534; БМС 1998, 372.

Ме́рить на одну́ ме́ру *кого, что. Разг.* То же, что **мерить одной меркой (МЕРКА).** ФСРЯ, 243.

Не в свою́ ме́ру. *Курск.* О большом количестве чего-л. БотСан, 104.

Не вы́йти в ме́ру. *Сиб.* Иметь малый рост. ФСС, 35.

Попада́ть/ попа́сть (подходи́ть/ подойти́) под ме́ру. *Кар.* То же, что **выносить меру.** СРГК 3, 200.

Поста́вить на свою́ ме́ру *кого. Пск.* Заставить вести себя более сдержанно, как подобает. СПП 2001, 52.

Без ме́ры. *Книжн.* 1. В большом количестве, слишком много. 2. Очень сильно, безгранично. ФСРЯ, 243; БМС 1998, 372.

Не ста́вить себе́ ме́ры. *Кар. Неодобр.* Быть слишком высокого мнения о себе. СРГК 3, 200.

Положи́ть ме́ры *к чему. Разг. Устар.* Предпринять какие-л. действия для осуществления чего-л. Ф 2, 70.

Принима́ть/ приня́ть ме́ры. *Разг.* Предпринимать какие-л. действия для достижения чего-л. Ф 2, 91. < Калька с франц. *prendre des mesures.* БМС 1998, 372.

МЕРЁЖА * Попа́сть в мерёжу. *Беломор.* Оказаться в трудном положении. Мокиенко 1986, 115; Мокиенко 1990, 137.

МЕРЕ́ТЬ * Мри хоть па́дай. *Прикам.* О состоянии удивления, изумления. МФС, 60.

Мря мере́ть. *Сиб.* Очень волноваться, беспокоиться о ком-л., о чём-л. СФС, 107; ФСС, 111; СРНГ 18, 116.

МЕРЗО́СТЬ * Свинцо́вые ме́рзости. *Книжн. Неодобр.* О неприглядных сторонах жизни. < Из повести М. Горького «Детство» (1913–1914 гг.). БМШ 2000, 438.

Ме́рзость запусте́ния. *Книжн. Неодобр.* Полное разорение, опустошение, разложение, грязь. БМС 1998, 372.

МЕРИДИА́Н * Вы́пасть из меридиа́на. *Жарг. арм., морск.* Демобилизоваться, уйти с флота в запас. Кор., 69; Лаз., 131.

МЕ́РИН * Бельги́йский ме́рин. *Перм. Груб.* О физически сильном человеке крепкого телосложения. Подюков 1989, 113.

Когда́ ме́рин окобылеет. *Обл. Шутл.* Никогда. Мокиенко 1986, 211.

МЕ́РКА * Ме́рить одно́й ме́ркой (ме́рой) *кого, что. Разг.* Подходить к оценке различных людей, явлений, обстоятельств одинаково, без учёта индивидуальных особенностей. ФСРЯ, 243; БМС 1998, 373; Ф 1, 295.

Подходи́ть с одно́й ме́ркой *к кому, к чему. Разг.* То же, что **мерить одной меркой.** Ф 2, 61.

Ме́рить на свою́ ме́рку (свое́й ме́ркой) *кого, что. Разг.* Судить о ком-л., о чём-л. только по своим представлениям, согласно только своим требованиям. ЗС 1996, 309; БМС 1998, 373.

Наговори́ть ме́рку ареста́нтов. См. **Наговорить бочку арестантов (БОЧКА).**

МЕРЛО́ * Дава́ть/ дать мерло́ *кому. Горьк.* Убивать кого-л. БалСок., 42.

МЕРСЕДЕ́С * Мерседе́с педа́льный. *Жарг. мол. Шутл.-ирон.* Велосипед. Зайковская, 40; Максимов, 245.

МЕРТВЕ́ЦКИЙ (МЕРТВЕ́ЦКАЯ) * Лежа́ть за мертве́цкую. *Арх.* Быть при смерти, умирать. СРНГ 16, 330.

МЁРТВЫЙ (МЁРТВАЯ) * В мёртвую. *Пск.* Много, долго, горько (плакать). СПП 2001, 52.

Мёртвые не потею́т. *Жарг. арм. Шутл.-ирон.* О беге в противогазах. Максимов, 247.

Жить мёртвым. *Печор.* Быть больным, калекой. СРГНП 1, 416.

Зави́довать мёртвым. *Книжн. Устар.* Быть очень несчастным. < Из «Изречений в прозе» Й. В. Гёте. БМС 1998, 373.

Воскре́снуть из мёртвых. *Разг.* Выжить (о человеке, которого считали безнадёжно больным, погибшим, без вести пропавшим). Ф 1, 77.

Вы́стать из мёртвых. *Арх.*То же, что **воскреснуть из мертвых.** АОС 8, 248.

МЕ́СТЕ́ЧКО * Отпра́виться с месте́чка. *Волог.* Присесть перед дорогой. СВГ 4, 82.

Вся́ко ме́стечко. *Печор.* То же, что. **всякое место 1.** СРГНП 1, 417.

Ёко (како́) местечко. *Костром., Перм.* О большом количестве чего-л. СГПО, 304; СРНГ 18, 127.

Обду́ть местечко. *Волог.* Получить возможность выйти замуж. СРНГ 22, 25.

Тёплое (тёпленькое) месте́чко. *Разг. Шутл.* Место службы, где сравнительно легко работать и много платят. БМС 1998, 373.

То́лько ме́стечко ждать. *Волог.* О пустоте, полном отсутствии чего-л. где-л. СВГ 4, 82.

МЕ́СТО * Досе́ли мест. *Арх.* До сих пор, до этого места. СРНГ 18, 128.

Быть у ме́ста да у те́ла. *Арх.* Иметь постоянную работу, занятие. АОС 10, 453.

В места́ не столь отдалённые. *Разг. Ирон.* В ссылку, в тюрьму. БМС 1998, 374.

Вы́скочить из ме́ста. *Кар.* Оказаться вывихнутым (о суставе). СРГК 3, 200.

Держа́ться ме́ста. *Кар.* 1. Сидеть спокойно, не вертясь. 2. Жить на одном месте. СРГК 1, 455; СРГК 3, 200.

Живо́го ме́ста нет (не оста́лось) *на ком. Разг.* 1. Кто-л. весь избит, изуродован. 2. Кто-л. весь перепачкан, измазан. ФСРЯ, 277; ЗС 1996, 380; БТС 1996, 305, 536; СБГ 5, 68; СРГК 1, 304.

Ле́нинские места́. *Жарг. мол. Шутл.-ирон.* Зад, ягодицы; половые органы. Елистратов 1994, 246; ЖЭСТ-2, 250.

Ме́ста не греть. *Курск.* Не проживать долго на одном месте. БотСан, 101.

Ме́ста не прибра́ть. *Кар.* Не успокоиться. СРГК 5, 146.

Места́ не столь отдалённые. 1. *Разг. часто Ирон.* Удалённые от центра территории. Максимов, 245. 2. *Разг. Ирон.* Место ссылки, заключения; тюрьма. БМС, 374; БТС, 536; ФСРЯ, 243; ЗС 1996, 488; ШЗФ 2001, 30. 3. *Жарг. шк. Шутл.* Школьный туалет. Максимов, 244. 4. *Жарг. мол. Шутл.* Новые городские кварталы. Максимов, 245.

Мо́крого ме́ста не оста́нется *от кого. Прост.* Угроза расправы, уничтожения. БТС, 536; Глухов 1988, 85.

Не находи́ть себе́ ме́ста. *Разг.* Испытывать сильное волнение. БМС 1998, 374; ФСРЯ, 244; Глухов 1988, 100; Верш. 4, 55.

Не прибра́ть себе́ ме́ста. *Кар.* То же, что **не находить себе места.** СРГК 3, 200; СРНГ 31, 112.

Не пригре́й ме́ста. 1. *Волг., Дон., Новг. Неодобр.* О непоседливом, вертлявом человеке. Глухов 1988, 102; СДГ 3, 56; СРНГ 31, 179. 2. *Волг.* О чужом, никому не нужном человеке. Глухов 1988, 104.

Не пролежи́т ме́ста. *Волг. Шутл.* 1. То же, что **не унесёт места.** 2. О трудолюбивом, старательном человеке. Глухов 1988, 103.

Не просиди́т ме́ста. *Волг.* То же, что **не пролежит места 2.** Глухов 1988, 103.

Не с того́ ме́ста ру́ки расту́т *у кого. Новг. Неодобр.* О неумелом и ленивом человеке. НОС 9, 156.

Не сойти́ мне с э́того ме́ста! *Прост.* Клятвенное заверение в чём-л. СПП 2001, 52; Глухов 1988, 104.

Не сходя́ с ме́ста. *Прост.* 1. Сразу, за один приём. 2. Не откладывая на потом, тут же. Ф 2, 196.

Нет ме́ста в ко́же *кому. Перм., Пск. Ирон.* Об очень полном человеке. Подюков 1989, 114; СПП 2001, 52.

Не у ме́ста. 1. *Разг.* Некстати, неуместно. ФСРЯ, 244; СРГК 3, 200.

Не унесёт ме́ста. *Перм.* Не помешает, не стеснит кого-л. Подюков 1989, 215.

Ни с ме́ста. *Разг.* 1. Не двигаться, стоять неподвижно; оставаться в том же положении. 2. В том же состоянии, на том же уровне. ФСРЯ, 244; БТС, 536.

Расшива́ть у́зкие места́. *Публ.* Устранять недостатки в слабых звеньях производственного процесса, ведения хозяйства. НСЗ-84; Мокиенко 2003, 57.

Сдви́нуть с ме́ста *кого. Разг.* Заставить кого-л. действовать, вывести кого-л. из застоя. Ф 2, 147.

Сжить с ме́ста *кого. Приамур.* Прогнать кого-л. СРГПриам., 271.

С ме́ста в карье́р. *Разг.* Тотчас, сразу, без приготовлений. ФСРЯ, 244; ЗС 1996, 117, 497; БТС, 536; БМС 1998, 374.

С ме́ста не своро́тишь *кого. Морд. Неодобр.* О ленивом, малоподвижном человеке. СРГМ 2002, 29.

Среза́ть места́. *Сиб. Устар.* Грабить обозы с чаем. СФС, 177.

Ста́вить всё на свои́ места́. *Разг.* Вносить ясность, определённость, прояснять ситуацию. Ф 2, 181.

Что́бы с ме́ста не встать! *Прост.* Клятвенное заверение в чём-л. Ф 1, 86.

По ле́нинским места́м. *Жарг. мол. Шутл.-ирон.* В область паха (об ударе и т. п.). Веллер 1994, 240.

По места́м. *Кар.* В разные стороны. СРГК 3, 200.

Быть в ме́сте. *Кар.* Находиться в наиболее удобном положении, не ощущать неудобства. СРГК 3, 200.

На го́лом ме́сте. *Разг.* 1. Там, где ничего не было и нет (строить, возводить что-л.). 2. Без всяких оснований, без причин, условий (возникать). Ф 1, 296.

На ме́сте. *Разг.* 1. Непосредственно там, где что-л. происходит. 2. *кого, чьем.* В положении кого-л. (быть, находиться). ФСРЯ, 244.

На своём ме́сте. *Разг. Одобр.* Соответствует по своим качествам тому делу, которым занят. Ф 1, 296; ФСРЯ, 244; СРГМ 1986, 24.

Не сиди́тся на ме́сте *кому. Разг.* Кто-л. испытывает сильное желание, стремится что-л. предпринять, куда-л. пойти и т. п. Ф 2, 156.

Околе́ть на ме́сте. 1. *Краснояр.* О чувстве растерянности от сильного удивления. СРНГ 23, 136. 2. **(мне).** *Костром.* То же, что **не сойти мне с этого места.** СРНГ 23, 136.

Провали́ться мне на э́том ме́сте! *Разг.* То же, что **не сойти мне с этого места!** ФСРЯ, 244; Глухов 1988, 134.

Провали́сь я на э́том ме́сте! *Пск.* То же. СПП 2001, 52.

Сиде́ть на большо́м ме́сте. *Кар.* Занимать высокое положение в обществе. СРГК 3, 200.

Сиде́ть на одно́м ме́сте. *Разг.* Жить где-л. безвыездно. Ф 2, 155.

Толо́чься на одно́м ме́сте. *Разг. Неодобр.* Не продвигаться вперёд в каком-л. деле, на каком-л. поприще. Ф 2, 206.

Топта́ться на одно́м ме́сте. *Разг.* 1. Оставаться на прежнем уровне, не развиваться. Ф 2, 206. 2. Проявлять нерешительность. БТС, 536; Глухов 1988, 160.

Уложи́ть (уби́ть) на ме́сте *кого. Разг.* Сразу, наповал убить кого-л. ФСРЯ, 244.

Умере́ть мне на э́том ме́сте! *Разг.* Клятвенное заверение в чём-л. Ф 2, 219.

Умере́ть на ме́сте! *Сиб.* Выражение сильного возмущения, неприятного удивления. Верш. 7, 147.

Безъязы́кое ме́сто. *Волог. Неодобр.* О неразговорчивом, молчаливом человеке. СВГ 4, 82.

Брать/ взять (подержа́ть) за мя́гкое ме́сто *кого. Прост. Эвфем. Шутл.* Привлекать к ответственности, наказывать кого-л. Мокиенко, Никитина 2003, 207.

Брать/ взять ме́сто. *Кар.* Садиться за стол. СРГК 1, 108; СРГК 3, 200.

Векове́чное ме́сто. *Арх.* Родина, чьё-л. место рождения. АОС 3, 91.

Веково́е ме́сто. *Арх.* Надел земли, переходящий по наследству из поколения в поколение. АОС 3, 92.

Взять на ме́сто *кого. Кар.* То же, что **ставить/ поставить на [своё] место.** СРГК 3, 200.

В ме́сто святы́х собира́ть. *Кар.* Сплетничать, распространять слухи. СРГК 3, 200.

Вот тако́е ме́сто. *Яросл. Шутл.-ирон.* Об очень полном, тучном человеке. ЯОС 3, 41.

Встать на то же ме́сто. *Кар.* Вернуться к прежнему разговору, к прежней теме. СРГК 1, 247.

Вся́кое (ка́ждое) ме́сто. 1. *Печор.* Всё. СРГНП 1, 417. // *Волог., Кар., Перм., Сиб.* Всё, что угодно; смесь чего-л. разнообразного, различного. СВГ 3, 30; СВГ 4, 82; СРГК 1, 250; СРГК 3, 200; Подюков 1989, 113; СГПО, 305; МФС, 58; СФС, 48; СРНГ 18, 130. 2. *Печор.* Каждый член тела, всё тело. СРГНП 1, 417.

Вся́кое ме́сто в рука́х *у кого. Кар. Одобр.* Об умелом мастере в любом деле. СРГК 1, 250.

В то ме́сто. *Костром.* Вместо того; между тем. СРНГ 18, 130.

Выкупа́ть ме́сто. 1. *Брян., Перм.* В свадебном обряде — платить за место за свадебным столом в доме невесты. СБГ 3, 72; СРНГ 5, 299. 2. *Дон.* Покупать для жениха место за столом рядом с невестой (о действиях дружки). СДГ 1, 87.

Ги́блое ме́сто. *Волог. Презр.* О жалком, никчёмном человеке. СВГ 4, 82.

Глу́пое ме́сто. *Арх. Пренебр.* О бестолковом, несообразительном человеке. АОС 9, 120.

Гляде́ть ме́сто. См. **Смотреть место.**

Гнило́е ме́сто. *Перм.* Сторона, откуда идут тучи, приносящие дождь. СРГПриам., 154.

Гре́шное ме́сто. *Прост. обл.* Половые органы. Мокиенко, Никитина 2003, 207.

Дворо́вое ме́сто. *Дон.* Усадьба. СДГ 1, 124.

Ди́кое ме́сто. *Волог. Презр.* То же, что **глупое место.** СВГ 2, 28.

Е́ко (э́ко, како́) ме́сто. *Прикам.* То же, что **еко местечко (МЕСТЕЧКО).** МФС, 58.

Ещё и ме́сто не просты́ло. *Волг.* Кто-л. только что ушел, уехал. Глухов 1988, 41.

Живо́е ме́сто. *Кар.* Жильё, крестьянское подворье. СРГК 3, 200.

Запина́ться за ка́ждое ме́сто. *Кар. Неодобр.* Красть, воровать всё, что возможно. СРГК 3, 200.

Зла́чное ме́сто. *Разг. Шутл.-ирон.* 1. Место, где пьянствуют, предаются разврату. БМС 1998, 374; ШЗФ 2001, 83; ФСРЯ, 245. 2. *Устар.* Место, где можно жить без забот и труда. ФСРЯ, 245.

Знать своё ме́сто. *Разг.* Держаться соответственно своему положению. ФСРЯ, 245; БМС 1998, 374.

Ка́ждое ме́сто. См. **Всякое место.**

Име́ть ме́сто. *Книжн.* Быть, происходить, случаться. ФСРЯ, 245; БМС 1998, 374. **Име́ет ме́сто быть.** *Прост. Шутл.-ирон.* Что-л. происходит, случается. Мокиенко 2003, 57.

Клопо́вое ме́сто. *Жарг. дигг.* Болото в подвале или водосточной системе. Щуплов, 226.

Кня́жеское ме́сто. *Влад.* Почётное место на свадьбе. СРНГ 18, 130.

Кра́сное ме́сто. *Яросл.* Место на солнцепеке. ЯОС 5, 86.

Лёгкое ли ме́сто! *Яросл.* Восклицание, выражающее удивление, недоумение, пренебрежение. СРНГ 16, 311; ЯОС 5, 113.

Лиза́ть не то ме́сто *[кому]. Прост. Презр.* Грубо, но безрезультативно и неудачно подхалимничать, льстить кому-л. Мокиенко, Никитина 2003, 208.

Лиза́ть одно́ ме́сто *кому. Прост. Неодобр.* Подхалимничать, льстить кому-л. ЗС 1996, 65.

Ло́бное ме́сто. 1. *Разг. Устар.* Место казни. БМС 1998, 374; ЗС 1996, 179; Ф 1, 297. 2. Возвышенное, всем видное место. БМС 1998, 374. // *Кар., Яросл.* Участок земли, расположенный на возвышенности. СРГК 3, 135; ЯОС 6, 9. 3. *Жарг. студ.* Деканат. (Запись 2003 г.).

Ме́сто встре́чи. *Жарг. шк. Шутл.* 1. Класс, учебное помещение. ВМН 2003, 84. 2. Школьный туалет. Максимов, 245.

Ме́сто встре́чи измени́ть нельзя́. 1. *Жарг. арм. Шутл.* Развод караулов. БСРЖ, 347. 2. *Жарг. шк. Шутл.* Шк. О школьном туалете. < По названию телефильма. Максимов, 244.

Ме́сто для спле́тен. *Жарг. шк. Ирон.* Учительская. (Запись 2003 г.).

Ме́сто ка́торжных рабо́т. *Жарг. шк.* Спортивный зал. (Запись 2003 г.).

Ме́сто, кото́рым дете́й де́лают. *Разг. Шутл.-ирон.* Детородные органы. Мокиенко, Никитина 2003, 208.

Ме́сто, на кото́рое ука́зывает га́лстук. *Жарг. мол. Шутл.* Пенис. Максимов, 245.

Ме́сто под со́лнцем. *Разг.* 1. Право на существование. Ф 1, 297; БМС 1998, 374. 2. Прочное, высокое положение в обществе. ФСРЯ, 245.

Ме́сто пы́ток. *Жарг. студ. Ирон.* Учебная аудитория. ВМН 2003, 84.

Ме́сто уничтоже́ния отхо́дов. *Жарг. шк. Пренебр.* Школьная столовая. (Запись 2003 г.).

Мо́крое ме́сто оста́нется *от кого. Прост.* Угроза расправы, уничтожения. Ф 1, 297; БТС, 551; ФСРЯ, 245; Глухов 1988, 85.

Мя́гкое ме́сто. *Прост. Шутл.* Зад, ягодицы. Ф 1, 297; Мокиенко, Никитина 2003, 208.

Нагре́ть (пригре́ть) ме́сто. *Прост.* Обжиться, освоиться где-л. Глухов 1988, 88.

На ка́ждое ме́сто. *Кар.* На любой случай жизни. СРГК 3, 200.

На ка́ждое ме́сто ма́стер. *Перм., Прикам.* Об умелом человеке, мастере в любом деле. СППО, 305; МФС, 58.

Нато́птанное ме́сто. *Сиб.* Населённый пункт с большим количеством жителей. ФСС, 111.

Не ме́сто *кому. Печор.* Не нравится, не подходит кому-л. что-л. СРГНП 1, 418.

О́бщее ме́сто. *Разг.* Избитое выражение, прописная истина. ФСРЯ, 245; БМС 1998, 375.

Одно́ ме́сто. 1. *Разг. Эвфем.* Половые органы. УМК, 58. 2. *Разг. Эвфем.* Зад, ягодицы. УМК, 58. 3. *Разг. Эвфем.* Уборная, туалет. УМК, 58. 4. *Разг. Шутл.* Комитет государственной безопасности. Мокиенко, Никитина 2003, 208. 5. *Кар.* Одно и то же. СРГК 3, 200.

Оста́вить мо́крое ме́сто *от кого. Разг.* Безжалостно расправиться с кем-л. Ф 2, 21.

Откупа́ть ме́сто. *Орл.* В свадебном обряде — во время девичника вносить плату деньгами, конфетами и т. п. за возможность жениху сесть рядом с невестой. СОГ-1994, 128.

Отпра́вить на ме́сто *кого. Перм.* Прогнать кого-л. СРНГ 18, 130.

Отхо́жее ме́сто. *Разг.* Уборная без канализации, с выгребной ямой. Мокиенко, Никитина 2003, 208.

Пе́рвое ме́сто. *Кар.* В первую очередь. СРГК 3, 200.

По́лое ме́сто. 1. *Волог.* Висок. СВГ 4, 82. 2. *Кар.* Место между талией и грудью. СРГК 3, 200. 3. *Новосиб.* Незамерзшая часть реки. СРНГ 18, 130.

Посади́ть на ме́сто *кого. Кар., Ленингр.* Выдать замуж кого-л. СРГК 3, 200; СРНГ 30, 134.

Посыла́ть/ посла́ть в одно́ ме́сто *кого. Прост. Шутл.-ирон.* Ругать матерными словами кого-л., стремясь от него отделаться. Мокиенко, Никитина 2003, 208.

Потеря́ть ме́сто. *Кар.* Сбиться с пути, заблудиться. СРГК 3, 200.

Поцелу́й (пусть он поцелу́ет) меня́ в одно́ ме́сто! *Прост. Презр.* 1. Грубый отказ делать что-л., дать что-л. кому-л. Мокиенко, Никитина 2003, 208.

Пригре́ть ме́сто. *Прост. Устар.* Удобно, выгодно устроиться где-л. Ф 2, 89.

Причи́нное ме́сто. *Разг.* Половые органы. СДГ 3, 654; Ф 1, 297; СФС, 152.

Пусто́е ме́сто. 1. *Разг. Неодобр.* О незначительном человеке, от которого нет никакой пользы, никакого толку. Ф 1, 297; БТС, 536; ФСРЯ, 246; ЗС 1996, 33. 2. *Кар.* О человеке, который болтает вздор, ерунду. СРГК 3, 200.

Пья́ное ме́сто. *Жарг. шк. Шутл.* Школьная столовая. (Запись 2003 г.).

Ро́бкое ме́сто. *Яросл.* Локтевой сустав, который очень болит при ушибе. ЯОС 8, 133.

Родово́е ме́сто. *Печор.* Родимое пятно. СРГНП 1, 418.

Сади́ться/ сесть в кня́жеское ме́сто. *Яросл.* Выходить замуж. СРНГ 13, 348; СРНГ 36, 27.

Сади́ться/ сесть на ме́сто. *Волг.* Обосновываться, строить дом где-л. Глухов 1988, 147.

Сде́лать ме́сто на пупу́. *Печор.* Приложить большие усилия для достижения чего-л. СРГНП 1, 418.

Смотре́ть (гляде́ть) ме́сто. *Кар., Сиб.* В свадебном обряде — осматривать дом жениха. СФС, 104. // *Волог.* Осматривать хозяйство жениха или невесты. СВГ 4, 82. // *Волг.* Осматривать подворье и приданое невесты. Глухов 1988, 23.

Снять ме́сто. *Жарг. угол.* Совершить кражу из пассажирского вагона. ТСУЖ, 165.

Спа́льное ме́сто. *Кар.* Спальный мешок. СРГК 3, 200.

Ста́вить/ поста́вить на [своё] ме́сто. *Разг.* Указывать зазнавшемуся, слишком много возомнившему о себе человеку на то, что что он представляет собой в действительности. ФСРЯ, 246; БТС, 536; Ф 2, 182; БМС 1998, 375.

Сты́дное ме́сто. *Прост. Эвфем.* Половые органы. Мокиенко, Никитина 2003, 208.

Тёмное ме́сто. *Разг.* Непонятная, неразгаданная часть текста. Ф 1, 297; ЗС 1996, 93.

Указа́ть ме́сто *кому. Разг.* Одёрнуть кого-л., давая понять, чего он в действительности стоит. БТС, 1379.

Тро́гать за больно́е ме́сто *кого. Разг.* Напоминать кому-л. о чём-л. неприятном, доставляющем боль, огорчение. БМС 1998, 375.

Ука́зывать/ указа́ть на ме́сто *кому. Разг.* То же, что **ставить на место.** ФСРЯ, 246; БМС 1998, 375.

У́зкое ме́сто. *Публ.* Недостаток в слабых звеньях производственного процесса, ведения хозяйства. НРЛ-96; БТС, 1378; Мокиенко 2003, 57.

Уязви́мое ме́сто. *Разг.* Слабая сторона человека, дела. ФСРЯ, 246; БМС 1998, 375.

Чёрное ме́сто. *Кар.* Топь на болоте. СРГК 3, 200.

Чувстви́тельное ме́сто. *Разг. Эвфем.* 1. Женская грудь. Мокиенко, Никитина 2003, 208. 2. Зад, ягодицы. Мокиенко, Никитина 2003, 208. 3. Половые органы. Мокиенко, Никитина 2003, 208.

Э́кое ме́сто! *Волог.* Восклицание, выражающее иронию, пренебрежение. СВГ 4, 82.

Познако́миться с ме́стом рожде́ния. *Жарг. мол. Шутл.* Совершить половой акт с кем-л. Максимов, 245.

Смотре́ть за вся́ким ме́стом. *Волог.* Содержать хозяйство в порядке. СВГ 4, 82.

Э́ким ме́стом? *Кар.* Как, каким образом? СРГК 2, 200.

Бить по больно́му ме́сту *кому. Разг.* Причинять моральную боль, напоминать о чём-л. неблаговидном, позорном, предосудительном. Ф 1, 23.

К ме́сту не быва́ть. *Пск.* Не иметь отдыха, перерыва в работе. ПОС 2, 229.

К ме́сту поло́женный. *Волог.* Уместный. СРНГ 18, 130.

Не к ме́сту. 1. *Разг.* Некстати, неуместно. Ф 1, 297; БМС 1998, 375. 2. *Волог.* Во враждебно настроенную семью, не по любви (выдать замуж). СРНГ 18, 130.

Приби́ться к ме́сту. *Новг.* Хорошо устроиться в жизни. Сергеева 2004, 211.

Прибра́ть к ме́сту *кого. Пск.* 1. Наказать, выругать, побить кого-л. 2. Убить кого-л. 3. Похоронить кого-л. СПП 2001, 52.

МЕ́СЯЦ * Бреха́ть на молодо́й ме́сяц. *Волг. Неодобр.* Лгать, обманывать кого-л. Глухов 1988, 7.

Вы́сидеть косо́й ме́сяц. *Арх.* Просидеть очень долго где-л., засидеться у кого-л. АОС 8, 193.

Гро́зный ме́сяц. *Приамур., Сиб.* Положение луны рогами вверх, которое, по народным приметам, предвещает дождливую погоду. ФСС, 111; СРГПриам., 154.

Ильи́нский ме́сяц. *Прикам.* Август. МФС, 58.

Кото́вый ме́сяц. *Яросл. Шутл.* Март. ЯОС 5, 80.

Медо́вый ме́сяц. 1. *Разг.* Первый месяц супружеской жизни. ФСРЯ, 246; БТС, 529; ЗС 1996, 277; БМС 1998, 376. 2. *Разг.* Расцвет, лучшая пора чего-л. ФСРЯ, 246. 3. *Жарг. курс. Шутл.* Каникулы в военном училище. БСРЖ, 347. 4. *Жарг. арм.* Солдатский отпустк. Максимов, 243.

Ме́сяц в очага́х. *Печор.* О ярких лучах или сиянии вокруг лунного диска. СРГНП 1, 552.

Ме́сяц в рукави́цах. *Перм., Сиб.* Луна, окаймлённая световой полосой, что, по народным приметам предвещает мороз. ФСС, 111; Подюков 1989, 194.

Ме́сяц в (на) ущёрб. *Сиб.* Переход луны в третью фазу, когда она принимает вид серпа. ФСС, 111.

Ме́сяц кай. *Яросл. Шутл.-ирон.* Первый месяц после женитьбы, когда люди каются, разочаровавшись друг в друге. ЯОС 6, 44.

Ме́сяц на горбе́. *Перм.* Положение луны рогами вверх. СГПО, 305.

Ме́сяц наноске́. *Перм.* Положение луны рогами вниз. СГПО, 306.

Ме́сяц на рогу́. *Сиб.* Первая или последняя четверть луны. СОСВ, 111; СРНГ 35, 117.

Ме́сяц обмыва́ется (омыва́ется). 1. *Приамур.* О фазе луны, совпадающей с дождями. СРГПриам., 154. 2. *Перм., Сарат.* О дожде или снеге во время новолуния. Подюков 1989, 114; СРНГ 18, 227. 3. *Сиб.* О дождливой погоде. ФСС, 111.

Ме́сяц народи́лся. *Сиб.* О наступлении новолуния. СОСВ, 120.

Ме́сяц хват. *Яросл.* Месяц, когда заключается особенно много браков. ЯОС 6, 44; СРНГ 18, 132.

Меша́ть в чёрный ме́сяц. *Жарг. гом., арест.* Совершать половой акт анальным способом. ТСУЖ, 107; УМК, 132. СРВС 3, 103.

Наводи́ть в (на) ме́сяц. *Прикам.* Святочное гадание. МФС, 62.

Не по́лный ме́сяц печёт *[кого]. Кар.* О девушке, которой ещё рано замуж. СРГК 4, 502.

Сухо́й ме́сяц. *Приамур.* Положение луны, которое по народным приметам предвещает ясную, сухую погоду. СРГПриам., 154.

Чёрный ме́сяц. *Жарг. гом., арест.* Анальное ответстие. Кз., 145; ТСУЖ, 106, 195; Балдаев 2, 143.

Смотре́ть ме́сяца. *Кар.* Гадать с помощью зеркала, отражающего звёзды. СРГК 3, 200.

МЕ́СЯЧНЫЙ * Жить в ме́сячных. *Орл.* Работать по найму в течение месяца. СОГ-1994, 128.

МЁТ * Мётом мести́. *Сиб.* Очень быстро делать что-л. ФСС, 111.

С мёту сорва́ться. *Пск.* Сойти с ума, начать вести себя подобно сумасшедшему. СПП 2001, 52.

МЕ́ТА * Быть на одно́й ме́те. *Волог.* Одинаково цениться, считаться равными. СВГ 4, 83.

Класть ме́ту. *Дон.* В свадебном обряде — по достижении договорённости о свадьбе класть подарок на плечи жениху и невесты (о действиях родителей). СДГ 2, 136.

Ни ме́ты ни приме́ты. *Южн. Урал.* Незаметно, не показывая вида. СРНГ 21, 214.

МЕТА́ЛЛ * Бу́дешь разгружа́ть мета́лл вёдрами. *Жарг. мол.* Угроза физической расправы с кем-л. Максимов, 46, 245.

Крыла́тый мета́лл. *Публ. Патет.* Алюминий. Новиков, 110.

Презре́нный мета́лл. *Разг. Шутл.-ирон.* Деньги. ФСРЯ, 246; БМС 1998, 376.

МЕТЁЛКА * Под метёлку (метлу́). *Прост.* Абсолютно всё, целиком, без остатка. ФСРЯ, 247; Ф 1, 298; СПП 2001, 52; БотСан, 108.

МЕТЛА́ * Метёт метла́ поперёк гумна́. *Казан.* О человеке, действующем безнаказанно. СРНГ 29, 305.

Метла́ без па́лки. *Жарг. угол. Пренебр.* Одинокая женщина (вдова, разведённая). Мильяненков, 167; ББИ, 140; Балдаев 1, 249.

Метла́ Ива́новна. *Жарг. мол. Шутл.-ирон.* Девушка с распущенными волосами. Максимов, 246.

Метла́ на подборо́дке. *Жарг. мол. Шутл.* Борода. Максимов, 246.

Метла́ рабо́тает ништя́к *у кого. Жарг. угол. Одобр. или Шутл.* О красноречивом человеке, умеющем убеждать. ТСУЖ, 106. < **Метла** — язык.

Но́вая метла́. *Разг.* О новом начальнике. СОСВ, 122.

Пожа́рная метла́. *Свердл. Неодобр.* Сплетница. СРНГ 28, 289; СРГСУ 4, 70.

Тяжёлая метла́. *Жарг. мол., муз. Шутл.* Музыка в стиле «heavy metal». Никитина 2003, 386.

Разводи́ть/ развести́ на метле́ *кого. Жарг. мол.* Обманывать, дезинформировать, запутывать кого-л. Максимов, 246.

Вымета́ть/ вы́мести [желе́зной] метло́й *что. Разг.* Решительно уничтожать что-л., освобождаться от чего-л. Ф 1, 195.

Гнать/ вы́гнать пога́ной метло́й *кого. Волг. Презр.* Прогонять, выпроваживать кого-л. откуда-л. Глухов 1988, 24.

Мести́ (шлёпать) метло́й. *Жарг. мол.* Говорить, разговаривать. Максимов, 236, 246.

Следи́ть за метло́й. *Жарг. мол.* Контролировать свою речь, не говорить лишнего. Елистратов 1994, 246.

Держа́ть метлу́. *Жарг. мол.* То же, что **следить за метлой.** Елистратов 1994, 246.

Кида́ть метлу́. 1. *Жарг. угол. Неодобр.* Лгать, обманывать. 2. *Жарг. карт.* Подбрасывать противнику отыгранные карты. Балдаев 1, 185; ББИ, 104.

Мести́ под одну́ метлу́ *что. Морд.* Быть неприхотливым в пище. СРГМ 1986, 24.

Под метлу́. См. **Под метёлку (МЕТЁЛКА).**

Прикуси́ (придержи́) метлу́. *Жарг. угол., мол.* Требование прекратить болтовню, разговор. Балдаев 2, 45; Максимов, 339, 341.

Сесть на метлу́. *Жарг. мол.* Начать говорить, рассказывать что-л. Вахитов 2003, 165.

Слезь с метлы́! *Жарг. угол., мол.* То же, что **прикуси метлу.** Балдаев 2, 45.

МЕ́ТОД * Квадра́тно-гнездово́й ме́тод. *Жарг. студ. Ирон.* Метод обучения, рассчитанный на самое примитивное восприятие. Максимов, 175.

Ме́тод проб и оши́бок. *Научн. и Публ.* Достижение результатов, изучение чего-л. непосредственно на опыте, экспериментах, без специальных методик, теорий. НСЗ-70; Мокиенко 2003, 57.

Ме́тодом инду́кции. *Жарг. мол. Шутл.* Обходным путём. Максимов, 246.

Ме́тодом ле́нинского физи́ческого убе́ждения. *Жарг. арест. Ирон.* Об избиении неавторитетных заключённых различными группировками заключённых — «бойцами», «гладиаторами», «отморозками», «амбалами», «плебсами» с садистским удовольствием и большой увлечённостью. Балдаев 2001, 161.

Ме́тодом нау́чного ты́канья. *Разг. Шутл.-ирон.* Наугад, методом проб и ошибок. Вахитов 2003, 98.

МЕТР * Метр до де́мбеля. *Жарг. арм.* Период службы после начала отсчета 100 дней до дня выхода приказа об увольнении в запас. Кор., 172.

Метр [два́дцать] с ке́пкой (с ша́пкой). 1. *Прост. Шутл.* О человеке небольшого роста. НСЗ-80; Ф 1, 298; Мокиенко 2003, 57. 2. *Пск. Шутл.* О молодом, неопытном человеке. СПП 2001, 52.

Метр с ба́нтом (с ба́нтиком). *Прост. Шутл.-ирон.* О девочке невысокого роста. Мокиенко 2003, 57.

Метр с ке́пкой на конька́х. *Жарг. мол. Шутл.* То же, что **метр с кепкой 1.** Кор., 172.

Два ме́тра безобра́зия. *Жарг. мол. Презр. или Шутл.-ирон.* Об очень высокой некрасивой девушке. Вахитов 2003, 44.

Ме́тра ку́рим, два броса́ем. *Жарг. арест. Шутл.-ирон.* Живём вольготно — курева достаточно (прибаутка — шутливый ответ на вопрос: « — Как живёте?»). < Букв. «Курим папироски длиною в метр, а окурки по 2 м длиной выбрасываем»; намёк на хроническую нехватку курева в местах заключения. Р-87, 219.

Три ме́тра дра́нки. *Жарг. мол. Шутл.-ирон.* О худощавом человеке очень маленького роста. Максимов, 429.

Три ме́тра колю́чей про́волоки. *Жарг. мол. Шутл.-ирон. или Пренебр.* То же, что **три метра сухостоя.** Вахитов 2003, 181.

Три ме́тра красоты́. *Жарг. мол. Шутл.* О девушке высокого роста. Максимов, 429.

Три (два) ме́тра сухосто́я. *Прост. Шутл.-ирон. или Пренебр.* О человеке высокого роста. СПП 2001, 52; Вахитов 2003, 44.

Четы́ре ме́тра сча́стья. *Жарг. мол. Шутл.* Туалетная бумага. (Запись 2004 г.).

МЕТУ́С * Метуси́ть метуса́. *Пск. Шутл.* Суетиться, хлопотать. СПП 2001, 52.

МЕТЬ * Ме́ти мета́ть. *Олон.* Преодолевать скачками большие расстояния (о коне). СРГК 3, 200.

Бежа́ть в меть. *Влад.* Бежать рысью, нога в ногу. СРНГ 18, 143.

Во (на) всю меть. *Кар.* Быстро, стремительно. СРГК 3, 200; Мокиенко 1986, 48.

Прожи́ть в одну́ меть *с кем. Кар.* Прожить вместе с кем-л. дружно, согласно, без ссор. СРГК 3, 200.

Всей ме́тью. *Кар.* То же, что **на всю меть.** СРГК 3, 200.

МЕХ * За холщо́вый мех. 1. *Народн.* За ничтожную оплату. ФСС, 112; Ф 1, 298; СФС, 155. 2. *Сиб.* В нищете, в бедности (жить). СОСВ, 112.

Мех (мешо́к) и то́рбу (то́рбочку) [и ма́ленький мешо́чек] наговори́ть (наболта́ть). *Пск. Шутл.* Наговорить очень много; рассказать много небылиц. СПП 2001, 52.

Ни в мех ни в то́рока не годи́тся. *Народн. Неодобр.* О чём-л. очень плохом, скверном. ДП, 472; СПП 2001, 52.

Ни за попо́нный мех. *Брян.* То же, что **за холщовый мех.** СРНГ 29, 334.

Ни мех ни хоху́ля. *Курск.* О чём-л. неопределённом или посредственном. БотСан, 106.

Прожи́ть за холщо́вый мех. *Приамур.* Прожить жизнь в бедности. СРГПриам., 225.

Ры́бий мех. 1. *Дон. Шутл.* Чешуя рыбы. СДГ 3, 10. 2. *Жарг. мол.* Об искусственном мехе. Максимов, 246. 3. *Жарг. мол. Шутл.* Об одежде без подкладки или на тонкой подкладке. Максимов, 247.

Из одного́ ме́ха две заво́йки выкра́ивает. *Народн. Неодобр.* О скупом человеке. ДП, 109.

Прочи́стить меха́ *кому. Гом.* Совершить анальное сношение с кем-л. Кз., 55.

Проши́ть меха́ *кому. Жарг. угол.* Прострелить грудь кому-л. Балдаев 1, 361.

Раздува́ть меха́. *Жарг. мол. Шутл.* Лгать, обманывать кого-л. Максимов, 247.

Паха́ть мехо́м. *Пск.* Кормить лошадь зерном во время пахоты и другой тяжёлой работы. СПП 2001, 52.

На ры́бьем меху́. *Прост. Шутл.-ирон.* Не предохраняющий от холода, не согревающий (о верхней одежде). ФСРЯ, 247.

МЕХА́НИКА * Подводи́ть меха́нику. *Разг. Устар.* Пускать в ход хитро придуманные действия; тайно готовить что-л. неожиданное, неприятное для кого-л. Ф 2, 56.

МЕЧ * Бро́сить (положи́ть) меч на ча́шу весо́в (на весы́). *Книжн. Устар.* О применении права сильного. БМС 1998, 376.

Вложи́ть меч в но́жны. *Книжн. Устар.* Прекратить вражду. < Выражение из Евангелия. БМС 1998, 376; БТС, 539; Ф 1, 67.

Дамо́клов меч. *Книжн.* О постоянно грозящей кому-л. опасности. < Из древнегреческого предания о тиране Дионисии Старшем (ок. 432–367 гг. до н. э.), рассказанного Цицероном в сочинении «Тускуланские беседы». БМС 1998, 376; ФСРЯ, 247; ШЗФ 2001, 60; БТС, 239.

Меч па́ртии. *Публ. Патет.* Органы государственной безопасности в сталинское время. Вайскопф, 2001, 320.

Обнажа́ть/ обнажи́ть меч. *Книжн.* Вступать в войну, в вооруженную борьбу с кем-л. Ф 2, 9.

Обоюдоо́стрый меч. *Книжн. Устар.* О том, что может быть использовано двояко, в том числе во вред инициатору действия. < Выражение из Библии. БМС 1998, 377.

Поднима́ть/ подня́ть меч *на кого. Книжн. Высок.* Начинать борьбу с кем-л., выступать с оружием против кого-л. БМС 1998, 377; Ф 2, 57; БТС, 539, 873.

Проси́ть на меч. *Кар.* В свадебном обряде: просить у жениха выкуп за невесту. СРГК 5, 295.

Притупля́ть меч. *Книжн. Устар.* Долго воевать, сражаться с кем-л. Ф 2, 93.

Не выпуска́ть меча́ из рук. *Разг. Устар.* Постоянно быть в боевой готовности. Ф 1, 98.

Не от меча́, не от го́лода. *Прибайк.* О случайной, нелепой гибели. СНФП, 95.

Перекова́ть мечи́ на ора́ла. *Книжн. Высок.* Отказаться от военных действий, намерений, заняться мирным трудом. < Выражение из Библии. БМС 1998, 377; БТС, 723. **Перекуём мечи́ на ора́ла**! *Жарг. гом. Шутл.* Лозунг поклоников орального секса. Шах.-2000.

Предава́ть/ преда́ть мечу́ *кого. Книжн. Устар.* Уничтожать в бою, покорять кого-л. БМС 1998, 377.

МЕЧТА́ * Голуба́я мечта́. *Разг.* Идиллическая, часто недостижимая цель, мечта. БМС 1998, 377; ШЗФ 2001, 56.

Мечта́ идио́та. *Жарг. студ. Шутл.-ирон.* Пятый курс. (Запись 2003 г.).

Мечта́ импоте́нта. *Разг. Шутл.-ирон.* Обелиск на площади Победы в Санкт-Петербурге. Синдаловский, 2002, 116. // Любой памятник в виде стелы, шпиля. Максимов, 247.

Мечта́ мазохи́ста. *Жарг. студ. Шутл.-ирон.* Циркуль. (Запись 2003 г.).

Мечта о хоро́шей жи́зни. *Жарг. шк. Шутл.* Лестница в школе. (Запись 2003 г.).

Мечта́ Пикассо́. *Жарг. мол. Шутл.-ирон.* Некрасивая и непропорционально сложенная девушка. Максимов, 247.

Мечта́ тарака́на. *Жарг. мол. Шутл.* Небольшая, незначительная мечта. Максимов, 247.

Сбыла́сь мечта́ идио́та. *Жарг. мол. Шутл.* О неожиданном осуществлении заветного желания. Максимов, 376. < Слова Остапа Бендера из романа И. Ильфа и Е. Петрова «Золотой теленок».

Взять в мечты́ *что. Сиб.* Задуматься о чём-л. ФСС, 26.

Вы́кидывать мечты́. *Кар.* Размышляя, приходить к каким-л. решениям проблемы. СРГК 3, 200.

Ро́зовые мечты́. *Разг.* Романтические, часто несбыточные мечты о прекрасном. БМС 1998, 377.

МЕЧТА́НИЯ * Весе́нние мечта́ния. *Книжн. Устар.* Стремление к свободе и демократии. < Выражение впервые появилось в либеральной газете «Русские ведомости» в 1904 г. БМС 1998, 378.

МЕЧТА́ТЕЛЬ * Кремлёвский мечта́тель. *Публ. Патет.* О В. И. Ленине. Мокиенко, Никитина 1998, 334.

МЕША́ЛКА * Дать меша́лкой под зад *кому. Волг.* Прогнать кого-л., дать отпор кому-л. Глухов 1988, 124.

МЕШО́К * Из мешка́ в мешо́к пересыпа́ть. *Обл. Неодобр.* Бездельничать. Мокиенко 1990, 65.

Меша́ть мешки́. *Жарг. угол.* Совершать половой акт с кем-л. УМК, 133; ТСУЖ, 107.

Мешки́ плати́ть. *Кар.* Бездельничать. СРГК 3, 200.

Хвата́й мешки́ — вокза́л поехал! *Жарг. мол. Шутл.* Сигнал опасности, призыв немедленно скрыться, убежать. БСРЖ, 349.

Семь мешко́в ста́рцев наговори́ть. *Одесск. Шутл.* Наговорить очень много; рассказать много небылиц. КСРГО.

Быть под мешко́м. *Яросл.* Переносить, грузить тяжёлые мешки. ЯОС 8, 20.

Мешко́м из-за угла́ попу́ганный. *Калуж. Неодобр.* То же, что **пыльным мешком стебанутый.** СРНГ 18, 150.

Мешко́м из-за угла́ приби́тый. *Обл. Неодобр.* То же. Мокиенко 1990, 132.

Мешко́м из-за угла́ сту́кнутый (уда́ренный). *Волг.* То же. Глухов 1988, 85, 156.

Мешко́м опоя́саться. *Пск.* Идти покупать хлеб в неурожайный год. СРНГ 18, 150.

Мешко́м свет носи́ть. *Кар. Шутл.-ирон.* Быть глупым, несообразительным, совершать глупые поступки. СРГК 3, 200. **Мешко́м свет в избу́ носи́ть.** *Кар. Шутл.-ирон.* О невежественном, необразованном человеке. СРГК 2, 271.

Мучны́м мешко́м охлёстнутый. *Горьк. Неодобр.* То же, что **пыльным мешком стебанутый.** БалСок., 43.

Мучны́м мешко́м уда́ренный. *Волг.* То же. Глухов 1988, 162.

Пы́льным мешко́м [из-за угла́] стебану́тый (стебану́ли, стёбнутый, стёбаный). *Пск. Неодобр.* О глупом, придурковатом человеке. ДП, 436; БотСан, 97; СПП 2001, 53. **Пыльным мешко́м из-за угла́ трёхнутый.** *Новг. Неодобр.* То же. НОС 11, 69.

Собира́ть по мешку́. *Морд.* Нищенствовать. СРГМ 2002, 97.

Взять на мешо́к *кого. Жарг. угол.* Убить кого-л. ТСУЖ, 31; ББИ, 43.

[Вот-во́т] мешо́к развя́жется *у кого. Прост. обл. Шутл.* О последней стадии беременности у кого-л. Мокиенко, Никитина 2003, 208.

Де́нежный (золото́й) мешо́к. *Разг. Устар.* Очень богатый человек. ФСРЯ, 248; ЗС 1996, 144; БТС, 250, 540.

Заки́нуть в ко́жаный мешо́к *что. Жарг. мол. Шутл.* Съесть что-л. Максимов, 141.

Зелёный мешо́к. *Жарг. арм. Пренебр.* Первокурсник военного училища. Лаз., 111.

Ка́менный мешо́к. *Жарг. угол., арест.* 1. Тюрьма; тюремная камера. СРВС 1, 58; Ф 1, 298; СРВС 3, 210. 2. Карцер на Соловках. < Кроме «нормальных» карцеров соловецкая администрация пользовалась ещё выдолбленными в монастырских стенах нишами, куда насилу заталкивали людей. В *каменном мешке* нельзя было ни пошевелиться, ни выпрямиться. Р-87, 145.

Мешо́к да то́рбу наболта́ть. См. **Мех и торбу наговорить (МЕХ).**

Мешо́к косте́й. *Пск. Шутл- ирон.* Об очень худом человеке. СПП 2001, 53.

Мешо́к лу́ку. *Волг. Шутл.-ирон.* Небылица, ложь. Глухов 1988, 83.

Мешо́к развяза́лся *у кого. Перм.* 1. О рождении ребёнка. 2. О совершении какого-л. жизненно важного события. Подюков 1989, 212.

Мешо́к с говно́м. *Пск. Презр. или Шутл.-ирон.* О грузном, неповоротливом человеке. СПП 2001, 53.

Мешо́к с грампласти́нками. *Жарг. мол. Шутл.-ирон.* Лгун, обманщик. Максимов, 95.

Мешо́к с ко́робом. *Морд.* О большом количестве чего-л. СРГМ 1986, 25.

Мешо́к с соло́мой. *Разг. Пренебр.* Нерасторопный, глуповатый человек. ФСРЯ, 248.

Незавя́занный мешо́к *чего. Кар.* Об очень большом количестве чего-л. СРГК 4, 9.

Попа́сть в мешо́к голово́й. *Прост.* Оказаться в сложном, безвыходном положении. Мокиенко 1990, 137.

Травяно́й мешо́к. *Печор. Фолькл. Презр.* О прожорливом и слабом коне. < Выражение из былин: «Ох ты конь, мой конь, травяной мешок, Зачем ты обрюшился». СРГНП 1, 498.

Хи́трый мешо́к. *Новг. Шутл.* Тюрьма. НОС 5, 85.

МЕШО́ЧЕК * В мешо́чек. *Разг.* Так, что желток остается жидким, а белок становится крутым (сварить яйцо). ФСРЯ, 248.

Мужско́й мешо́чек. *Жарг. мол. Шутл.* Презерватив. Никитина 2003, 386.

МЕЩАНИ́Н * Мещани́н во дворя́нстве. *Книжн. Шутл.-ирон.* О человеке, занявшем высокое положение не по заслугам. БТС, 540.

МИ * Ми бемо́ль. *Жарг. муз. Шутл.* Три рубля. < Ср.: **ми** — третья нота звукоряда. БСРЖ, 349.

МИГ * Боя́ться [одного́] ми́гу. *Морд., Ряз. Неодобр.* Быть очень боязливым. СРГМ 1986, 25; ДС, 293.

МИЗИ́НЕЦ * Ни на мизи́нец. *Горьк.* Нисколько. БалСок., 47.

С (на) мизи́нец. *Разг.* Очень мало, совсем немного. ФСРЯ, 248.

Мизи́нца не сто́ит *чьего. Разг. Презр.* О человеке, ничтожном по сравнению с кем-л. БМС 1998, 378; БТС, 540, 1271; ЗС 1996, 30; ДП, 471.

Мизи́нцем спихнёшь *кого. Пск. Ирон.* О слабом, тщедушном человеке. СПП 2001, 53.

МИК * Мик жа́ден. *Жарг. мол. Шутл.* Рок-музыкант Мик Джаггер (Mick Jagger). Я — молодой, 1997, № 45.

МИКИ́ТКА * Шально́й мики́тка. *Кар. Неодобр.* О человеке, который издает шум, свистит и т. п. СРГК 3, 200.

Мики́ткой прики́дываться. *Орл. Неодобр.* Принимать на себя какой-л. вид с целью обмануть, ввести в заблуждение кого-л. СОГ-1994, 131.

МИКИ́ТКИ * Брать/ взять под мики́тки *кого. Прост.* Решительно, силой принуждать кого-л. к чему-л. Ф 1, 40.

Надава́ть под мики́тки *кому. Волг., Сиб.* Избить, поколотить кого-л. СФС, 111; Глухов 1988, 125; Мокиенко 1990, 50. **Насова́ть под мики́тки** *кому. Новг.* То же. Сергеева 2004, 183.

Под мики́тки. *Прост.* В самое мягкое, слабое, незащищенное место. БМС 1998, 378; Мокиенко 1989, 175.

МИКЛУ́ХО-МАКЛА́Й * Миклу́хо-Макла́й среди́ дикаре́й (и дикари́). *Жарг. шк. Шутл.-ирон.* 1. О родителе ученика в учительской. Максимов, 112. 2. Об ученике на педсовете. Максимов, 247.

МИКО́ЛА * Мико́ле на боро́дку. *Ср. Урал.* Обычай оставлять несжатый пучок колосьев в поле. СРГСУ 2, 132.

МИКРО́Б * Меня́ться микро́бами. *Жарг. мол. Шутл.* Целоваться. Никитина 2003, 387.

Погоня́ть микро́бов. *Жарг. мол. Шутл.* Выпить спиртного. Максимов, 247.

Дари́ть микро́бы *кому. Жарг. мол. Шутл.* Целовать кого-л. Максимов, 101.

МИКРОФО́Н * Отключи́ть микрофо́н. *Жарг. мол. Шутл.* Отказаться сделать что-л. Максимов, 248.

Откры́тый микрофо́н. *Публ.* Порядок, процедура пользования микрофоном без ограничений и предварительных условий (на собраниях, митингах и т. п.). СП, 146; Мокиенко 2003, 58.

МИ́ЛИКИ * Ми́лики мили́кают. *Кар. Шутл.* О быстром беге. СРГК 3, 200.

МИЛИЦИОНЕ́Р * Ми́лиционер роди́лся. *Разг. Шутл.* О ситуации, когда наступает молчание во время застолья, в какой-л. компании. Вахитов 2003, 98.

До пе́рвого милиционе́ра. *Разг. Шутл.-ирон.* О чьих-л. нарочитых, рассчитанных на внешний эффект проявлениях храбрости, легко сменяющихся трусостью при первой же опасности. Мокиенко 2003, 58.

МИЛИ́ЦИЯ * Далеко́ пойдёт, если мили́ция не остано́вит. *Народн.* О дебошире, хулигане. Жиг. 1969, 229.

МИЛЛИМЕТРА́Ж * Кувалдометри́ческий миллиметра́ж. *Жарг. техн. Шутл.* О точности попадания при работе молотком. БСРЖ, 350.

МИЛЛИО́Н * Миллио́н на миллио́н. *Жарг. авиа.* О хорошей, ясной погоде. Максимов, 248.

МИ́ЛО * Снару́жи ми́ло, внутри́ гни́ло. *Народн. Неодобр.* О двуличном человеке. Жиг. 1969, 232.

МИЛОСЕ́РДИЕ * Пу́ще Бо́жьего милосе́рдия. *Народн. Ирон.* Очень сильно (избить кого-л.). ДП, 227.

МИ́ЛОСТИНА. См. **МИ́ЛОСТЫНЯ.**

МИ́ЛОСТЫНЯ (МИ́ЛОСТИНА) * Больша́я ми́лостыня (милостина). *Прикам., Яросл.* О человеке (чаще — о ребёнке) с очень большими запросами, требованиями. МФС, 59; ЯОС 2, 13.

МИ́ЛОСТЬ * Ми́лости прошу́ к на́шему шалашу́! *Разг. Шутл.* Приглашение присоединиться к компании, сесть за стол. Жук. 1991, 170; БМС 1998, 379.

Бо́жья (Бо́жеская) ми́лость. 1. *Народн.* Гроза. ДП, 929; ФСС, 112; СФС, 27; СРГК 3, 200; ЯОС 2, 8. 2. *Яросл.* Милостыня, подаяние. ЯОС 2, 8. 3. *Яросл.* Благополучие, удача. ЯОС 2, 8. 4. *Яросл.* То, чего очень желали и ждали. ЯОС 2, 8.

Едрёна ми́лость! *Прост. обл. Бран.* Выражение лёгкой досады, раздражения (при желании побудить кого-л. к более энергичным действиям). Мокиенко, Никитина 2003, 209.

Скажи́ (скажи́те) на ми́лость! *Разг.* Восклицание, выражающее удивление или недоверие. ФСРЯ, 248; БТС, 542; БМС 1998, 378.

Бо́жьей ми́лостью. *Разг. Одобр.* О человеке, в совершенстве владеющем чем-л., обладающем прирождённым талантом. БМС 1998, 379.

МИ́ЛОЧКА * Быть у ми́лочки. *Жарг. угол.* Находиться под стражей; быть арестованным, задержанным. Балдаев 1, 52.

МИЛЬО́Н * Мильо́н терза́ний. *Жарг. шк. Шутл.-ирон.* Контрольная работа.

ВМН 2003, 85. < По названию критической статьи И. А. Гончарова.

МИ́ЛЯ * Две ми́ли и гук. *Новг.* О небольшом расстоянии. Сергеева 2004, 157. < **Гук** — крюк. *Прим. ред.*

МИ́МО * Е́хать ми́мо. *Волг.* Сторониться, избегать кого-л., чего-л. Глухов 1988, 41.

Ми́мо ви́дя. *Курган.* Попутно, между делом. СРНГ 18, 165.

Ходи́ ми́мо! *Жарг. мол.* Требование оставить кого-л., отстать от кого-л. Максимов, 462.

МИМО́ЗА * Мимо́за в та́почках. *Жарг. мол. Шутл.-ирон.* Девушка-недотрога. Максимов, 248.

МИ́НА[1] * Де́лать хоро́шую (весёлую) ми́ну при плохо́й игре́. *Разг.* Под внешним спокойствием стараться скрыть свои неудачи, неприятности и т. п. ФСРЯ, 248; ШЗФ 2001, 63; БТС, 543; Ф 1, 145; ЗС 1996, 231; БМС 1998, 379.

МИ́НА[2] * Ми́на заме́дленного де́йствия. *Публ.* О потенциальных опасностях, больших неприятностях, которые проявляются не сразу, исподволь. < Военная метафора из речи сапёров. Мокиенко 2003, 58.

Противота́нковая ми́на. *Жарг. мол. Шутл.* Широкий таз, большие ягодицы. Максимов, 248.

Закла́дывать/ заложи́ть ми́ну заме́дленного де́йствия. *где, подо что. Публ.* Подготавливать где-л. потенциальные опасности, большие неприятности, которые проявляются не сразу. Мокиенко 2003, 58.

Подводи́ть ми́ны. *Разг.* Исподтишка стараться подорвать чье-л. положение, устраивать кому-л. неприятности. ФСРЯ, 248; БТС, 543, 860; БМС 1998, 379.

Подво́дные ми́ны. *Разг.* Скрытые опасности. БМС 1998, 379.

МИНЗДРА́В * Минздра́в предупрежда́ет. *Жарг. мол. Шутл.* О менструации. Максимов, 248.

МИНИАТЮ́РА * В миниатю́ре. *Разг.* В сильно уменьшенном размере, виде. ФСРЯ, 248.

МИ́НИМУМ * Прожи́точный ми́нимум. 1. *Публ.* Необходимое для существования, поддержания жизни количество материальных средств, ресурсов. Мокиенко 2003, 58. 2. *Жарг. студ. (театр.). Шутл.* «Минимум пережитого» (термин системы Станиславского). БСРЖ, 350.

МИНИМУ́НДУС * Быть в миниму́ндусе. *Жарг. нарк., угол.* Испытывать наркотическое опьянение. Балдаев 1, 51; ББИ, 37.

МИНО́ГА * Есть мино́ги. *Жарг. угол. Устар.* Быть наказываемым плетями. СРВС 1, 204, 208; СРВС 3, 68. < **Минога** — плеть, розги.

МИНОМЁТ * Гварде́йский миномёт. *Жарг. муз. Шутл.* Фагот. БСРЖ, 351.

МИ́НУС * Дава́ть/ дать ми́нус три (пять и т. д.). *Жарг. лаг.* Наказывать высылаемых запрещением проживать в трёх, пяти и т. д. городах. Начиная с 1918 г. репрессированным жителям Москвы, Петрограда и Киева ВЧК «давала» *минус три*, запрещая им проживать в этих трёх городах. К началу 40-х гг. «давали» *минус 135* и больше, о чём в паспорте делалась условная секретная пометка. Р-87, 221.

Ми́нус оди́н. *Жарг. муз.* Об исполнении музыки под фонограмму, когда один из исполнителей поёт или играет на самом деле. Максимов, 248.

Ми́нус пить/ попи́ть. *Жарг. мол. Шутл.* О мочеиспускании. БСРЖ, 351. < Пародирование математической формулировки.

Сесть на ми́нус. *Жарг. мол. Шутл.* Испугаться. Максимов, 248.

Жить в минуса́х. *Жарг. лаг.* Проживать в запрещённых, режимных городах. Р-87, 221.

Писа́ть в минуса́х. *Жарг. комп.* Работать в системе С-. Садошенко, 1996.

Выска́кивать/ вы́скочить без минусо́в. *Жарг. лаг.* Быть освобождённым из заключения безо всяких ограничений места жительства. Р-87, 221.

МИНУ́ТА * Без пяти́ мину́т *кто (с существительными, обозначающими человека по профессии). Разг.* Очень скоро будет кем-л., почти стал кем-л. ФСРЯ, 248; БМС 1998, 380; ЗС 1996, 478; ШЗФ 2001, 17.

Де́сять мину́т весе́лья. *Жарг. шк. Шутл.* Перемена. (Запись 2003 г.).

Не че́рез до́лгий мину́т. *Сиб.* Скоро, через некоторое время. ФСС, 112.

Пять мину́т позо́ра, и жизнь продолжа́ется. *Жарг. студ. Шутл.-ирон.* Об участии в художественной самодеятельности. (Запись 2003 г.).

Пять мину́т позо́ра, и ты на рабо́те. *Жарг. авто. Шутл.-ирон.* 1. Об автомобиле «Запорожец». 2. Об автомобиле «Ока». Максимов, 356.

Со́рок пять мину́т допро́са. *Жарг. шк. Шутл.-ирон.* Урок. Максимов, 397.

Блага́я мину́та. *Ряз.* Неблагоприятное для чего-л. время, когда, по суеверным представлениям, особенно активна нечистая сила. ДС, 56; СРНГ 18, 169.

Мину́та в мину́ту. *Разг.* Совершенно точно; точно в установленное время. ФСРЯ, 249; Мокиенко 1986, 101.

Мину́та молча́ния. *Жарг. арм. Шутл.* Чтение письма от девушки. Максимов, 248.

Худа́я мину́та. *Кар.* То же, что **благая минута.** СРНГ 3, 200.

На мину́те. *Иркут.* Только что, недавно. СРНГ 18, 169.

На одно́й мину́те сто переме́н *у кого. Народн.* О чьём-л. непостоянстве. Жиг. 1969, 219.

Той же мину́той. *Новг.* Тотчас, сейчас же. НОС 5, 86.

В мину́ту. *Разг.* Тотчас же, сейчас же. ФСРЯ, 249.

В мину́ту жи́зни тру́дную. *Разг.* В трудный момент. < Из стихотворения М. Ю. Лермонтова «Молитва» (1839 г.). БМС 1998, 380.

Сию́ мину́ту (мину́тку). *Разг.* Быстро, немедленно. ФСРЯ, 249; БМС 1998, 380; Мокиенко 1989, 17-18.

С мину́ты на мину́ту. *Разг.* В самое ближайшее время. ФСРЯ, 249; ЗС 1996, 478.

Счита́ть мину́ты. *Разг.* Нетерпеливо ждать чего-л. Ф 2, 198.

МИНУ́ТКА * На мину́тку. См. **На минуточку (МИНУТОЧКА).**

Сию́ мину́тку. См. **Сию минуту (МИНУТА).**

МИНУ́ТОЧКА * Де́сять лет наза́д позва́ли на мину́точку, и с тех пор сижу́. *Жарг. угол., Разг. Шутл.-ирон.* Обычная реплика тому, кто просит одолжить ему что-л. «на минуточку». < Производя арест в общественном месте, агенты обычно просят «на минуточку». Р-87, 221.

На мину́точку (мину́тку). *Жарг. лаг.* Слова, с которыми обычно обращаются к кому-л. агенты, производя арест в общественном месте. Р-87, 221.

МИНУ́ЧИ * Мину́чи не мину́чи. *Ряз.* О чём-л. обязательном, неизбежном. СРНГ 18, 180.

МИ́НЬКА * Ми́нькой (Ми́тькой) зва́ли. См. **Митькой звали (МИТЬКА).**

МИР * Вы́вести в мир *кого. Прикам.* Помочь достичь прочного или высокого положения в жизни. МФС, 21.

Дешёвый мир. *Жарг. угол. Пренебр.* Люди, не представляющие интереса для преступника. ТСУЖ, 48.
Затéрянный мир. *Жарг. шк. Шутл.* Школьный туалет. < По названию романа А. Конан-Дойля. (Запись 2002 г.).
И в мир, и в пир. *Народн.* На все случаи жизни. ДП, 90.
Как прекрáсен э́тот мир. *Жарг. арм. Шутл.* О получении зарплаты, денежного довольствия. БСРЖ, 351.
Мир в дóме! *Ср. Урал.* Приветствие хозяевам дома. СРГСУ 2, 132.
Мир дорóгой (в пути́)! 1. *Яросл.* Приветствие при встрече. ЯОС 6, 47. 2. *Ср. Урал.* Приветствие путнику, попутчику. СРГСУ 2, 132.
Мир живóтных. *Жарг. шк. Шутл.-ирон.* 1. Школа. (Запись 2003 г.). 2. О ситуации в школьной раздевалке. Максимов, 248.
Мир [на] бесéде! *Перм., Ср. Урал; Яросл.* Приветствие беседующим. СРГСУ 2, 132; ЯОС 6, 47; СРНГ 2, 262.
Мир не взял *кого. Перм.* Об отсутствия согласия, лада. Подюков 1989, 114.
Мир собрáнию. *Яросл.* То же, что **мир беседе.** ЯОС 6, 47.
Мир тéсен. *Разг.* О неожиданной встрече знакомых. ФСРЯ, 249; ЗС 1996, 503; БМС 1998, 380.
Мир труду́! *Яросл.* Приветствие работающим. ЯОС 6, 47.
Остáвить мир. *Книжн. Устар.* То же, что **отойти в мир иной.** Ф 2, 20.
Отойти́ (уйти́) в мир инóй. *Книжн.* Умереть. Ф 2, 29, 229.
Отпрáвить в ни́жний мир *кого. Жарг. арм.* Убить кого-л. Лаз., 230.
Переселúться (уйти́) в лу́чший мир. *Разг. Шутл.-ирон.* Умереть, скончаться. БТС, 816, 1379.
Пойти́ в мир. *Горьк.* Начать просить милостыню. БалСок., 50.
Покидáть мир. *Книжн.* Умирать. Ф 2, 65.
Потусторóнний мир табли́чек. *Жарг. шк. Ирон.* Информатика (учебный предмет), урок информатики. (Запись 2003 г.).
Пускáть/ пусти́ть в мир *кого. Разг. Устар.* Разорять, доводить до нищенства кого-л. Ф 2, 106.
Трéтий мир. *Публ.* О развивающихся странах. СП, 245.
Уйти́ в мир инóй. *Книжн.* Умереть. ЗС 1996, 180.
Не от ми́ра сегó. 1. *Разг.* О крайне неприспособленном к жизни человеке, о мечтателе, фантазере; о странном, наивном, доверчивом человеке. ФСРЯ, 249; БМС 1998, 381; БТС, 545. 2. *Жарг. шк. Шутл.-ирон.* Об учителе психологии; о школьном психологе. Максимов, 248.
Си́льные ми́ра сегó. *Книжн. Устар. или Ирон.* О людях, занимающих высокое общественное положение. ФСРЯ, 250; БМС 1998, 380.
В ми́ре живóтных. 1. *Жарг. угол. Шутл.-ирон. или Пренебр.* О деревенской жизни, деревенских жителях. Балдаев 1, 66. 2. *Жарг. арм. Шутл.-ирон.* О солдатах в бане. БСРЖ, 351. 3. *Жарг. шк. Шутл.* Об уроке зоологии. Максимов, 248. 4. *Жарг. шк. Шутл.-ирон.* О ситуации в школьном гардеробе. Максимов, 248.
Всем ми́ром. *Разг.* Все вместе, сообща. ФСРЯ, 250; ШЗФ 2001, 47; БМС 1998, 380.
Жить одни́м ми́ром. *Сиб.* Жить дружно, в согласии. ФСС, 112.
Ми́ром да собóром. *Волг., Прикам.* То же, что **всем миром.** МФС, 59; Глухов 1988, 85.
С ми́ром. 1. *Разг.* Без наказания, мирно (отпустить кого-л., уйти). ФСРЯ, 250. 2. *Разг.* Пожелание добра уходящему, уезжающему или остающемуся. ФСРЯ, 250. 3. *Сиб.* Сообща, все вместе. ФСС, 112.
Éздить пó миру. *Сиб Устар.* То же, что **идти/ ходить по миру.** ФСС, 68.
Идти́/ пойти́ (хóдить) пó миру. *Разг.* Нищенствовать, просить милостыню. ФСРЯ, 250; БТС, 545; СОСВ, 143; ЗС 1996, 140; Ф 2, 238; СПП 2001, 53.
От ми́ру отведённый. *Яросл.* О человеке, не подчиняющемся законам, принятым в обществе, нарушающем законы. ЯОС 7, 60.
Отпрáвить по ми́ру *кого. Кар.* Отпустить кого-л. на заработки. СРГК 3, 200.
Пó миру, а не пó лесу. *Пск.* Открыто, без утайки. СПП 2001, 53.
Пускáть/ пусти́ть пó миру *кого. Разг.* Разорять кого-л. ФСРЯ, 250; ЗС 1996, 46.
С ми́ру по ни́тке [гóлому] рубáшка. *Народн.* Отовсюду понемногу. Д 2, 331; ДП 2, 45, 114; Жук. 1966, 390.
Среди́ ми́ру. *Морд.* В центре селения. СРГМ 1986, 26.
МИ́РО * Одни́м ми́ром мáзаны. Об очень похожих, сходных по каким-л. качествам людях. ДП, 854; БТС, 513, 545; Ф 1, 289; Мокиенко 1989, 44; Глухов 1988, 116.
МИРОВÁЯ * Мировáя не берёт *кого. Ср. Урал.* О постоянных ссорах, вражде. СРГСУ 2, 132.
Трéтья мировáя. *Жарг. шк. Шутл.* Перемена. ВМН 2003, 86.
Идти́/ пойти́ на мирову́ю. *Разг.* Соглашаться на примирение. БМС 1998, 251; ЗС 1996, 301, 309; Ф 1, 219.
МИРÓН * Мирóн Ники́тич. *Жарг. угол. Устар.* Городской судья. Грачев 1997, 65; СРВС 2, 123, 191. // Мировой судья. Трахтенберг, 39.
МИРÓШКА * Мирóшка хвати́л *кого. Прост.* Кто-л. скоропостижно умер (об апоплексическом ударе, параличе). БМС 1998, 381.
Притвори́ться мирóшкой. *Прост. Устар.* Притвориться глупым, не понимающим чего-л. БМС 1998, 381.
МИСС * Мисс Амéрика. *Жарг. мол. Шутл.-ирон.* Невзрачная девушка с завышенной самооценкой. Максимов, 248.
Мисс Сáга. *Жарг. комп. Шутл.* Сообщение. < От англ. *message*. БСРЖ, 351.
МИ́ССИЯ * Ми́ссия невыполни́ма. *Жарг. шк. Шутл.* О срыве урока. (Запись 2003 г.). < По названию кинофильма.
МИ́СТЕР * Ми́стер Икс. *Жарг. шк. Шутл.* 1. Учитель математики. БСРЖ, 351. 2. Неизвестный ученик, разбивший окно. Максимов, 249. < По названию оперетты И. Кальмана.
Ми́стер Пи́ткин в тылу́ врагá. *Жарг. арм. Шутл.* О солдате в самовольной отлучке из части. Максимов, 249. < По названию кинофильма.
Ми́стер Тви́стер в тылу́ врагá. *Жарг. шк. Шутл.-ирон.* Учитель в окружении учеников. Максимов, 249.
МИ́СТЕЧКО * Пóлое ми́стечко. *Кар.* То же, что **полое место (МЕСТО) 1.** СРГК 3, 200.
МИТМИТÁГА * Ни митмитáги не понимáть. *Пск. Шутл.* Не понимать абсолютно ничего. СПП 2001, 53.
МИ́ТРИЙ * Хи́трый Ми́трий. *Прост. Неодобр.* Хитрец, пройдоха. Ф 1, 299.
МИТРЮ́НЯ * У Митрю́ни на ху́торе. *Новг. Шутл.* Очень далеко, неизвестно где. Сергеева 2004, 169.
МИТУ́З * Миту́з пустоголóвый. *Кар. Груб.* Рослый, сильный подросток. СРГК 3, 200.
Свои́ми миту́зами. *Кар.* Самостоятельно, своими силами. СРГК 3, 200.
МИ́ТЬКА * Ми́тька прял *[кого]. Волг., Кар., Перм., Яросл.* О неожиданно ис-

чезнувшем, убежавшем откуда-л. человеке. СРГК 3, 200; СРГК 5, 340; Подюков 1989, 115; Глухов 1988, 85; ЯОС 6, 48.

Ми́ткой (Ми́нькой) зва́ли *кого. Народн. Шутл.* О человеке, который исчез, скрылся, убежал откуда-л. БМС 1998, 380; ФСС, 81; ПОС 12, 280; Мокиенко 1989, 176-177; Ф 1, 207.

МИ́ТЯ * Ми́тя с мылзаво́да. *Волг. Пренебр.* О глупом, несообразительном человеке. Глухов 1988, 85.

МИФ * Миф для роди́телей. *Жарг. шк. Шутл.* Дневник. ВМН 2003, 86.

МИХАИ́Л * Михаи́л Шухери́нский. *Жарг. мол. Шутл.* Певец Михаил Шафутинский. Я — молодой, 1998, № 8.

МИ́ША * Ни Ми́ша ни Гри́ша. *Народн.* О чём-л. неопределённом или посредственном. ДП, 472; НОС, 5, 87.

МИ́ШКА * Сходи́ть к Ми́шкам. *Жарг. мол. Шутл.* Посетить туалет. Максимов, 249.

Лепи́ть Ми́шку. *Жарг. мол. Шутл.* Испражняться. Максимов, 221.

МЛА * Пусти́ть млу. *Курск.* Оговорить, очернить кого-л. БотСан, 111.

МЛАДЕ́НЕЦ * Госуда́рственные младе́нцы. *Книжн. Ирон. Устар.* О недалёких, неспособных чиновниках, зачисленных на государственную службу благодаря их знатному происхождению. < Выражение М. Е. Салтыкова-Щедрина. БМС 1998, 382.

МЛАДЕ́НСКОЙ * Младе́нской бьёт *кого. Сиб.* Об ознобе, лихорадке. ФСС, 112.

МЛАДЕ́НЧЕСТВО * Впада́ть в младе́нчество. *Разг.* 1. Терять рассудок в старости. 2. *Ирон.* Поступать глупо, неразумно. Ф 1, 80.

МЛАДЕ́НЧИК * Младе́нчик взял *кого. Орл.* О человеке с каким-л. физическим недостатком, оставшимся после перенесённой в детстве болезни, тяжёлых родов. СОГ-1994, 133.

МЛА́ДШИЙ * Поговори́ть с мла́дшим. *Жарг. мол. Шутл.* О мочеиспускании (у мужчин). h-98.

МЛАДШО́Й * Ки́нуть младшо́го *кому. Жарг. арм.* Присвоить кому-л. звание младшего офицера. Елистратов 1994, 248.

МЛЕ́КО * Кипе́ть мле́ком и мёдом. *Книжн.* Изобиловать чем-л. < Выражение из Библии. БМС 1998, 382; Мокиенко 1986, 217.

МНЕ. См. **Я.**

МНЕ́НИЕ * Остава́ться/ оста́ться при своём мне́нии. *Разг.* Не изменять своего мнения. БМС 1998, 382.

Обме́ниваться мне́ниями. *Жарг. шк. Шутл.* Списывать у кого-л. выполненную работу, задание. ВМН 2003, 86.

МНЕ́НЮШКИ * О́хти мне́нюшки! *Калуж.* То же, что **охти мнеченьки!** СРНГ 25, 54.

МНЕ́ЧЕНЬКИ * О́хти мне́ченьки (мне́ченько)! *Волог., Коми, Новг., Олон., Твер., Перм., Ср. Урал, Яросл.* Восклицание, выражающее досаду, удивление, сожаление. СРНГ 25, 54; ЯОС 7, 72; СРГСУ 3, 100; СФС, 17.

О́хти мне́шенько! *Волог.* То же, что **охти мнеченьки!** СРНГ 25, 54.

МНО́ГО * Не в мно́ге, не в ма́ле. *Арх.* Ни много, ни мало. СРНГ 18, 185.

Ни мно́го ни ма́ло. 1. *Разг.* Именно столько, ровно столько (как правило — о большом количестве чего-л.). БТС, 547. 2. *Прибайк.* Ничуть, нисколько. СНФП, 96.

Мно́го большо́. *Забайк.* О больших знаниях. СРГЗ, 66.

Мно́го хо́чешь — ма́ло полу́чишь. *Жарг. шк. Шутл.* О ситуации в школьной столовой. БСРЖ, 352.

МНОГОПАРТИ́ЙНЫЙ * Обложи́ть многопарти́йным *кого. Прост. Шутл.* Грубо, нецензурно обругать кого-л. Мокиенко, Никитина 2003, 210.

МНО́ЖЕСТВО * Мно́гое мно́жество. *Волог., Дон.* О большом количестве чего-л. СДГ 2, 138; СРНГ 18, 185.

МНО́ЖИТЬ * Мно́жено перемно́жено *чего. Урал.* О большом количестве чего-л. СРНГ 18, 188.

МНОЙ. См. **Я.**

МОГ * Что есть мога́. *Перм.* Изо всех сил. СРНГ 18, 189.

Мо́гом могу́щий. *Сиб.* Огромный, очень больших размеров. ФСС, 113.

МОГИКА́НЕ * После́дний из могика́н. *Разг.* Последний или старейший представитель какой-л. группы, поколения, отмирающего социального явления. < По названию романа Дж. Ф. Купера; **могикане** — вымершее племя индейцев Северной Америки. БМС 1998, 382.

МОГИ́ЛА * Бра́тская моги́ла. 1. *Жарг. мол. Шутл.* Консервы «килька в томатном соусе». Максимов, 43. 2. *Жарг. шк. Ирон.* Список класса в журнале. СШС, 2003. 3. *Жарг. авто. Шутл.-ирон.* Автобус. Максимов, 43. 4. *Жарг. арм. Шутл.* Спортивный городок. Максимов, 43.

Друга́я моя́ моги́ла. *Жарг. студ. (матем.). Шутл.* Расшифровка названия учебного предмета ДММ — детали машин и механизмов. БСРЖ, 352.

Дурна́я моги́ла. *Жарг. нарк.* Тайник, где хранятся наркотики. ТСУЖ, 107; Грачев 1994, 21; Грачев 1996, 45.

Моги́ла забрала́ *кого. Сиб.* Об умершем человеке. ФСС, 112.

Моги́ла испра́вит *кого. Разг. Шутл.-ирон. или Неодобр.* О человеке, который не может избавиться от своих вредных привычек, заблуждений. Ф 1, 300.

Тут моя́ моги́ла. *Жарг. студ. (матем.). Шутл.* Расшифровка названия учебного предмета ТММ — теория машин и механизмов. БСРЖ, 352.

За моги́лой. *Книжн. Устар.* В потустороннем мире. ФСРЯ, 250.

Вгоня́ть/ вогна́ть (загоня́ть/ загна́ть) в моги́лу *кого. Прост.* То же, что **сводить/ свести в могилу.** СПП 2001, 53; СОСВ, 71.

В моги́лу ного́й. *Сиб.* О человеке, близком к смерти. ФСС, 113.

Зале́зть в моги́лу. *Сиб.* Попасть в безвыходное положение. ФСС, 78.

Ложи́ться/ лечь в моги́лу. *Разг.* Умирать. ФСРЯ, 250.

Найти́ [себе́] моги́лу *где. Разг.* Умереть, погибнуть где-л. Ф 1, 314; ФСРЯ, 250.

Пиха́ться в моги́лу. *Кар.* То же, что **ложиться в могилу.** СРГК 4, 525.

Пойти́ спать в моги́лу. *Пск. Ирон.* Умереть. СПП 2001, 53.

Рыть могилу *кому. Разг.* Готовить чью-л. гибель. ФСРЯ, 250; Ф 2, 135.

Своди́ть/ свести́ в моги́лу *кого. Разг.* Доводить кого-л. до смерти. ФСРЯ, 250; Верш. 6, 180; ЗС 1996, 60; БТС, 549.

Смотре́ть в моги́лу. *Разг.* Быть близким к смерти. ФСРЯ, 250.

Сходи́ть/ сойти́ в моги́лу. *Разг.* То же, что **ложиться в могилу.** ФСРЯ, 250; Мокиенко 1990, 134.

Уноси́ть/ унести́ с собо́й в моги́лу *что. Разг.* Умирать, не передав, не сообщив чего-л., не избавившись от чего-л., не успев осуществить что-л. ФСРЯ, 496; БТС, 549, 1389.

До моги́лы. *Разг.* До самой смерти, до конца жизни. ФСРЯ, 250.

У моги́лы. *Сиб.* В преклонном возрасте. ФСС, 113.

Ходи́ть круго́м моги́лы. *Перм.* Быть близким к смерти. Подюков 1989, 222.

МОГИЛЁВ * Съéздить в Могилёв. *Перм., Пск. Шутл.-ирон.* Умереть. Подюков 1989, 213; СПП 2001, 53.

МОГИЛЁВО * Уйти́ в Могилёво. *Перм. Шутл.-ирон.* То же, что **съездить в Могилёв (МОГИЛЁВ).** Подюков 1989, 213.

МОГИЛЁВСК * Быть в Могилёвске (в Могилёвской). *Пск. Шутл.-ирон.* Быть мёртвым, умершим. СПП 2001, 53.

Уйти́ в Могилёвск. *Перм. Шутл.-ирон.* То же, что **съездить в Могилёв (МОГИЛЁВ).** Подюков 1989, 213.

МОГИЛЁВСКАЯ * Быть в Могилёвской. См. **Быть в Могилёвске (МОГИЛЁВСК).**

Пойти́ в Могилёвскую. *Пск. Шутл.-ирон.* То же, что **съездить в Могилёв (МОГИЛЁВ).** СПП 2001, 53.

МОГИ́ЛЬЩИК * Моги́льщики пролетариа́та. *Разг. Ирон.* Главное управление здравоохранения в Ленинграде (1970-е гг.). Синдаловский, 2002, 118. < От лозунга «Пролетариат — могильщик буржуазии (капитализма)», выдвинутого К. Марксом и Ф. Энгельсом в «Манифесте Коммунистической партии», 1848 г. Мокиенко, Никитина 1998, 1998, 339.

МОГОТА́ * Быть в моготé. *Прикам.* Иметь силу, способность, возможность делать что-л. МФС, 59.

Войти́ в моготу́. *Морд.* Выздороветь, набраться силы. СРГМ 1978, 83.

Не в моготу́ (не вмоготу) *кому. Прост.* О трудном, безвыходном положении; о невозможности терпеть что-л., об отсутствии сил для осуществления чего-л. Глухов 1988, 95.

Вы́биться из моготы́. *Дон.* Сильно устать. СДГ 2, 139.

Вы́класть моготы́. *Арх.* Потерять здоровье, силу. СРНГ 18, 193.

Нет моготы́ *у кого. Дон., Костром.* У кого-л. не хватает сил для чего-л. СДГ 2, 139; СРНГ 18, 192.

МОГУ́ТА * Вы́йти из могу́т. *Морд.* Утратить трудоспособность. СРГМ 1986, 27.

Быть в могу́те. *Горьк., Сиб.* Находиться в расцвете физических и духовных сил; иметь крепкое здоровье. БалСок., 25; ФСС, 20, 113; СФС, 31.

Быть в могута́х. *Морд.* Быть работоспособным. СРГМ 1986, 27.

По могу́тé *кому что. Яросл.* У кого-л. достаточно сил, возможностей для осуществления чего-л. ЯОС 8, 11.

Не в могуту́ *кому. Морд.* То же, что **не в моготу (МОГОТА).** СРГМ 1986, 27.

Вы́биться из могуты́. *Волг.* То же, что **выйти из могуты.** Глухов 1988, 17.

Вы́йти из могуты́. *Печор.* Сильно устать, утомиться. СРГНП 1, 422.

Не могуты́ *кому. Волг.* То же, что **не в моготу (МОГОТА).** Глухов 1988, 105.

Что есть могуты́. *Волг.* Старательно; изо всех сил. Глухов 1988, 173.

МОДА * Быть в [по́лной] мо́де. 1. *Сиб.* Активно использоваться, иметь применение. ФСС, 20; СРНГ 29, 85. 2. *Перм.* Быть в центре всеобщего внимания. СРНГ 18, 195.

Быть на мо́де. *Перм.* То же, что **быть в моде 2.** СРНГ 18, 195.

Не на мо́де. *Ср. Урал. Неодобр.* 1. О необщительном человеке. 2. О неловком, неуклюжем человеке. СРНГ 18, 195; СРГСУ 2, 200.

Брать/ взять мо́ду. *Разг. Неодобр.* Приобретать нежелательную, вредную привычку. Ф 1, 37; Глухов 1988, 85.

Держа́ть мо́ду. *Волг.* Зазнаваться, вести себя высокомерно. Глухов 1988, 33.

На другу́ю мо́ду. *Кар.* Иначе, по-другому. СРГК 3, 200.

Найти́ мо́ду. *Перм.* То же, что **брать/ взять моду.** Подюков 1989, 125.

На мо́ду. *Яросл.* Как обычно, как принято. ЯОС 6, 77.

Не де́лать мо́ду. *Арх.* Отвыкать от чего-л. АОС 10, 435.

Повести́ (пусти́ть) мо́ду. *Кар.* Ввести что-л. в привычку, в обыкновение. СРГК 3, 200.

Показа́ть мо́ду *кому. Урал.* Избить кого-л. СРНГ 18, 195.

Попада́ть/ попа́сть в мо́ду. *Разг. Устар.* Получать всеобщее признание, внимание, известность в данное время. Ф 2, 74.

Прояви́ть мо́ду. *Приамур.* Показать пример кому-л. СРГПриам., 228.

Снять мо́ду *с кого, с чего. Том.* Взять пример с кого-л., следовать какому-л. образцу. СРНГ 18, 195.

Вы́кинено из мо́ды. *Арх.* О чём-л., вышедшем из употребления, потерявшем популярность. АОС 7, 255.

Выходи́ть/ вы́йти из мо́ды. *Разг.* Устаревать, терять актуальность. ШЗФ 2001, 50; МФС, 22; СФС, 51; Ф 1, 102-103.

Говори́ть с мо́ды. *Кар.* Говорить на литературном языке. СРГК 3, 200.

Отойти́ из (от) мо́ды. *Сиб.* Устареть, выйти из активного употребления. ФСС, 129; СРНГ 18, 195; СБО-Д2, 58.

МОДЕ́ЛЬ * Для моде́ли. 1. *Прост.* Для вида, для видимости. Жиг. 1969, 270; СПСП, 66; СРНГ 18, 196. 2. *Кар.* В качестве украшения. СРГК 3, 200.

Не моде́ль. *Прост.* Не годится, не следует, не полагается делать что-л. ФСРЯ, 250; ЯОС 6, 123.

Шве́дская моде́ль. *Жарг. мол. Шутл.* Половое сношение женщины с тремя мужчинами. Балдаев 2, 157; УМК, 134; ББИ, 286. < Образовано на основе оборота **шведская модель [социализма].**

МОЁ * За моё моё. 1. *Морд.* С аппетитом, с удовольствием (есть). СРГМ 1986, 28. 2. *Перм.* Сильно, энергично. Подюков 1989, 115.

Моё пожива́ешь. *Влад.* Весело, с энтузиазмом (делать что-л.). СРНГ 28, 292.

МОЖА́Й * Загна́ть за Можа́й *кого.* 1. *Прост.* Очень далеко отправить, выслать кого-л. БМС 1998, 382; ЗС 1996, 488. 2. *Орл.* Наказать, проучить кого-л. СОГ-1994, 135. 3. *Орл.* Измучить, утомить кого-л. СОГ-1994, 135. 4. *Орл.* Превзойти кого-л. в работе. СОГ-1994, 135.

МОЖА́ХОМ (МОЖА́ХУ) * Е́ле можа́хом (можа́ху). 1. *Прост.* В состоянии сильного алкогольного опьянения. БМС 1998, 382; ФСРЯ, 251; ШЗФ 2001, 77. 2. В состоянии сильной усталости. БМС 1998, 382. 3. *Пск.* Очень медленно, еле передвигая ноги. СПП 2001, 53. < **Можаху, можахом** — формы имперфекта от глагола *мочь.*

МОЗГ (МОЗГА́) * Дёрнуло в мозг *кому что. Пск.* О внезапно появившемся желании. (Запись 2000 г.).

Мозг (мозга́) помеша́лся (перетеря́лся, помути́лся) *у кого. Пск.* Кто-л. сошёл с ума, начал вести себя подобно сумасшедшему. СПП 2001, 53.

Пу́тать мозг *кому. Перм.* Обманывать, вводить в заблуждение кого-л. Подюков 1989, 99.

До мо́зга косте́й. *Прост.* 1. Всем существом, целиком, полностью. 2. Основательно, по-настоящему. ФСРЯ, 251; БТС, 551; ЗС 1996, 26; БМС 1998, 383.

Конопа́тить мозга́ *кому. Сиб.* Дурачить кого-л. ФСС, 95.

Мозга́ бунту́ет *у кого. Перм.* О заболевании мозга. СРНГ 18, 201.

Мозга́ за мозгу́ заболта́лась *у кого. Пск. Шутл.* То же, что **мозга за мозгу заскочила.** ПОС 11, 29.

Мозга́ за мозгу́ заскочи́ла (захо́дит, зашла́) *у кого. Прост. Неодобр.* О том, кто утратил способность здраво рассуждать, действовать. Мокиенко 2003, 60; Ф 1, 301.

Мозга́ за мозгу́ не ула́живается *у кого. Прикам.* Кто-л. не может осознать что-л., смириться с чём-л. МФС, 59.

Мозга́ на мозгу́ нае́хала. *Перм. Неодобр.* О несообразительном, глупом человеке. Подюков 1989, 115.

Мозга́ помути́лась. См. **Мозг помешался.**

Мозга́ раска́лывается. *Сиб.* О сильной головной боли. Верш. 6, 60; СОСВ, 160.

Бить по мозга́м *кого. Прост.* Воздействовать на чей-л. разум, производить сильное впечатление на кого-л. НРЛ-82; Мокиенко 2003, 58.

Дава́ть/ дать по мозга́м. 1. *кому. Разг.* Наказывать, ругать кого-л. ТСУЖ, 44; ЗС 1996, 242. 2. *Прост.* Удивлять, ошарашивать кого-л. ФЛ, 105; Мокиенко 2003, 58. 3. *Жарг. нарк.* Курить гашиш. ТСУЖ, 44.

Е́здить по мозга́м *кому. Жарг. мол.* Надоедать кому-л. разговорами. Вахитов 2003, 53.

Прое́хать по мозга́м *кому. Жарг. мол.* Озадачить, ошеломить чем-л. собеседника. Вахитов 2003, 150.

Ша́рить по мозга́м. *Жарг. мол. Шутл.* Вспоминать что-л. СМЖ, 97.

Волнова́ть мозга́ми. *Кар., Пск.* То же, что **ворочать мозгами.** СРГК 3, 200; СПП 2001, 53.

Воро́чать мозга́ми. *Прост.* Выполнять какую-л. умственную работу, обдумывать что-л. Ф 1, 76; СПП 2001, 53.

Заброса́ть мозга́ми *кого. Жарг. мол.* 1. Удивить кого-л. знаниями. 2. Морально унизить кого-л. Максимов, 135.

Крути́ть/ покрути́ть мозга́ми. *Прост.* Думать, размышлять. НРЛ-82; Глухов 1988, 78; БТС, 897; Мокиенко 2003, 58.

Раски́нуть мозга́ми. 1. *Прост.* Подумать о чём-л., обдумать что-л. ФСРЯ, 251; Глухов 1988, 139; ЗС 1996, 240. 2. *Жарг. тур. Шутл.* Упасть со скалы. Максимов, 250.

Съе́хать мозга́ми. *Жарг. мол.* Сойти с ума. Максимов, 250.

Теря́ться мозга́ми. *Одесск.* Сходить с ума. КСРГО.

Тро́нутый мозга́ми. *Прост. Неодобр.* Сумасшедший, психически ненормальный. ФСРЯ, 251.

Тро́нуться мозга́ми. *Прост.* Сойти с ума. ФСРЯ, 251.

Шевели́ть мозга́ми. *Разг.* Думать, размышлять о чём-л. БТС, 551, 1493; ЗС 1996, 119, 238; Жиг. 1969, 234; ФСРЯ, 251; Вахитов 2003, 203.

Загреми́т в мозга́х *[у кого]. Пск.* О болезненных ощущениях, тяжести в голове. ПОС 11, 157.

Света́ет в мозга́х *у кого. Бурят., Прибайк.* Кто-л. приходит в сознание. СРНГ 36, 256; СНФП, 96.

Варга́нить мозги́ *кому. Орл. Неодобр.* Намеренно вводить в заблуждение, дурачить кого-л. СОГ-1994, 135.

Вкру́чивать/ вкрути́ть мозги́ *кому. Прост.* 1. Пытаться обмануть кого-л. 2. Активно, настойчиво, часто — насильно заставлять кого-л. запомнить что-л.; внушать кому-л. что-л. Мокиенко 2003, 59.

Вправля́ть/ впра́вить мозги́ *кому.* 1. *Прост.* Заставлять кого-л. образумиться, осознать свою ошибку. ФСРЯ, 251; БМС 1998, 383; ЗС 1996, 258. 2. *Жарг. мол.* Лгать, обманывать. 4. *Жарг. угол.* Доказывать свою правоту. Максимов, 70-71.

Втира́ть (клепа́ть, компости́ровать, конопатить, полоска́ть) мо́зги́ *кому. Жарг. мол., угол. Неодобр.* Обманывать кого-л. (обычно — о невыполняемых обещаниях); запутывать, сбивать с толку кого-л. Югановы, 132; СМЖ, 92; Мильяненков, 167; ББИ, 110, 141; Балдаев 1, 252; Б, 65; Вахитов 2003, 79, 83.

Вы́тряхнуть (повытря́хивать) мо́зги *кому. Новг., Пск.* Сильно избить кого-л. Сергеева 2004, 44; СПП 2001, 53.

Де́лать мо́зги *кому. Жарг. мол.* То же, что **ездить по мозгам.** Вахитов 2003, 45.

Достава́ть/ доста́ть мозги́ *[из кого]. Разг.* Выведывать, выпытывать что-л., допытываться до чего-л. НРЛ-78.

Дои́ть мозги́. *Жарг. мол. Шутл.* Напряжённо думать о чём-л., вспоминать что-л. (Запись 2004 г.).

Еба́ть/ заеба́ть мозги́ (мозгу́) *кому.- Нецензʼ. Неодобр.* 1. Заставлять кого-л. думать определённым образом. 2. Приставать к кому.-л., надоедать кому-л (обычно — длинными и нудными разговорами), пытаясь обмануть, заморочить. 3. Сбивать кого-л. с толку болтовней, всякими околичностями и оговорками. Мокиенко, Никитина 2003, 210.

Забива́ть [себе́] мозги́ *чем. Прост.* Перегружать, обременять память множеством сведений, знаний. Ф 1, 191.

Забра́ло за мо́зги *[кого]. Пск.* О том, кто утратил способность здраво мыслить. ПОС 11, 40.

Завива́ть/ зави́ть мозги́ *кому. Волог. Неодобр.* Обременять чье-л. сознание, память чем-л. ненужным. СВГ 2, 102.

Засоря́ть мозги́ *кому. Перс., Сиб. Неодобр.* Обманывать кого-л. Подюков 1989, 82; ФСС, 80.

Залата́нить мозги́ *кому. Забайк., Сиб.* Лишить кого-л. возможности ясно мыслить, соображать, запутать кого-л. СРГЗ, 130; ФСС, 81.

Затра́хать мо́зги *кому. Жарг. мол.* 1. Заставить кого-л. задуматься о чём-л. 2. Надоесть кому-л. разговорами. Вахитов 2003, 66.

Канифо́лить мозги́ *кому. Прост. Неодобр.* 1. Надоедать кому-л., изводить кого-л. просьбами, назойливыми разговорами и т. п. 2. Лгать, обманывать кого-л. Елистратов 1994, 186; Глухов 1988, 73; Вахитов 2003, 74.

Ка́пать на мозги́ *кому. Прост.* Постоянно твердить кому-л. об одном и том же, надоедать кому-л. разговорами. ФСРЯ, 194; Смирнов 2002, 87; Ф 1, 231; БТС, 651; ЗС 1996, 357; Вахитов 2003, 74.

Колупа́ть мозги *кому. Жарг. мол. Не одобр.* 1. Вводить в заблуждение кого-л. 2. Надоедать кому-л. разговорами. Вахитов 2003, 82.

Компости́ровать мозги́. См. **Втирать мозги.**

Крути́ть мозги́ *кому. Перм. Неодобр.* Обманывать, вводить в заблуждение кого-л. Подюков 1989, 99.

Кудря́вые мозги́ *у кого. Жарг. мол. Шутл.-одобр.* Об умном человеке. Максимов, 211.

Кури́ные (цыпля́чьи) мозги́ *у кого. Прост. Презр.* О глупом, ограниченном человеке. Ф 1, 301; БТС, 551; ЗС 1996, 246; Максимов, 214; Глухов 1988, 79.

Масси́ровать (наси́ловать) мозги́. *Жарг. шк., студ. Шутл.-ирон.* Зубрить, изучать что-л., прилежно учить уроки. Никитина, 1996, 116.

Мо́зги в голове́ зашевели́лись *у кого. Пск.* О состоянии сильного удивления, испуга. ПОС 7, 51.

Мозги́ в другу́ю сто́рону пошли́ *у кого. Кар.* Кто-л. ослабел, потерял силы. СРГК 3, 200.

Мозги́ зави́сают *у кого. Жарг. студ. Шутл.-ирон.* Об утрате способности усваивать знания, соображать от сильного перенапряжения. Максимов, 136.

Мозги́ набекре́нь *у кого. Прост.* О человеке с причудами, со странностями. ДП, 437; Ф 1, 301; БМС 1998, 383; БТС, 551; Мокиенко 1986, 64, 128; ЗС 1996, 244.

Мозги́ на ручнике́ рабо́тают. *Жарг. мол. Неодобр.* О глупом человеке. Максимов, 250.

Мозги́ не на ме́сте *у кого.* 1. *Горьк. Неодобр.* О несерьёзном человеке. БалСок., 43. 2. *Жарг. мол.* О психически ненормальном человеке. Вахитов 2003, 99.

Мозги́ не туда́ повёрнуты *у кого. Разг. Неодобр.* То же, что **мозги набекрень.** Ф 1, 301.

Мозги́ плыву́т *у кого. Жарг. мол. Шутл.-ирон.* О человеке, сходящем с ума. Максимов, 250.

Мозги́ тяжёлые *у кого. Сиб.* О психически ненормальном человеке. ФСС, 113.

Обсу́рливать/ обсурли́ть мозги́ *кому. Жарг. угол., мол. Неодобр.* 1. Надоедать кому-л. (нудными, пустыми и долгими разговорами). 2. Злить кого-л. < **Обсурливать/ обсурлить** — от **сурлять** — 1. Мочиться. 2. Испражняться.

Опра́вить мозги́. *Печор. Шутл.* Опохмелиться. СРГНП 1, 526.

Па́рить мозги́. 1. *[над чем]. Разг. Шутл.-ирон.* Долго и мучительно думать, пытаясь понять что-л. НРЛ-83. 2. *Жарг. мол.* Заниматься умственной работой. Вахитов 2003, 127. 3. *кому. Жарг. мол.* Обманывать, вводить в заблуждение кого-л. СМЖ, 92; Мильяненков, 167; Подюков 1989, 143; ББИ, 110, 141; Балдаев 1, 252. 4. *кому. Жарг. мол. Неодобр.* Надоедать кому-л. вопросами, утомлять кого-л. разговорами. Вахитов 2003, 127.

Пасть на мозги́ *кому. Кар.* Дать осложнение на мозг. СРГК 3, 200; СРГК 4, 404.

Пина́ть мозги́. *Жарг. мол. Шутл.* 1. Усиленно думать о чём-л. 2. *кому.* Заставлять кого-л. думать, искать ответ, какое-л. решение. Максимов, 250.

Покупа́ть (скупа́ть) мозги́. *Публ.* Создавать лучшие условия работы и жизни, способствовать переезду учёных, специалистов в другую страну. ТС XX в., 396.

Полоска́ть мозги́. См. **Втирать мозги.**

Потеря́ть мозги́. *Жарг. мол.* Сойти с ума. Максимов, 250.

Прове́тривать/ прове́трить мозги́. 1. *Прост.* Отдыхать, отвлекаться после какого-л. умственного напряжения. Ф 2, 96. 2. *кому. Жарг. мол.* Ударять кого-л. по голове. Мокиенко 2003, 59. 3. *кому. Жарг. угол.* Избивать кого-л. группой. Мокиенко 2003, 59.

Промыва́ть (прочища́ть) мозги́ *кому. Прост.* Воздействовать на психику человека с целью его идеологической обработки; долгими уговорами заставлять кого-л. принять свою точку зрения. БМС 1998, 383; Максимов, 250.

Просе́ивать мозги́. *Жарг. мол. Шутл.-ирон.* 1. Пытаться вспомнить что-л. 2. *кому.* Читать нравоучения кому-л. Максимов, 250.

Просуши́ть мозги́. *Жарг. мол. Шутл.-ирон.* Выспаться после пьянки. Максимов, 250.

Пудри́ть/ запу́дрить мо́зги *кому.* 1. *Прост.* Обманывать кого-л. (обычно — о невыполненных обязательствах). БТС, 340, 551; СМЖ, 92; Мильяненков, 167; ББИ, 110, 141; Балдаев 1, 252. НРЛ-70-78; Ф 1, 202; Глухов 1988, 136; НСЗ-84; Ф 2, 105; Вахитов 2003, 65, 152. 2. *Пск.* Ругать, отчитывать кого-л. СПП 2001, 53.

Развороши́ть мозги́ *кому. Яросл.* Заставить волноваться кого-л. ЯОС 8, 115.

Растрясти́ мозги́. *Сиб.* Сойти с ума. СОСВ, 161; Верш. 6, 84.

Расчеса́ть мозги́ *кому. Жарг. мол. Шутл.* Объяснить кому-л. что-л. Максимов, 250.

Сма́зать мозги́ *кому. Жарг. мол.* Избить кого-л. БСРЖ, 353.

Смени́ мозги́, *деаббр. Жарг. шк. Шутл.* Пометка «См.» в школьной тетради. ВМН 2003, 86.

Собра́ть мозги́ в пучо́к. *Жарг. мол. Шутл.* Сосредоточиться, задуматься о чём-л. Максимов, 250.

Суши́ть/ вы́сушить мозги́ *кому. Жарг. мол. Неодобр.* 1. Вводить в заблуждение кого-л. Вахитов 2003, 175; Глухов 1988, 156. 2. Надоедать кому-л. Мокиенко 2003, 59.

Тереби́ть (фа́кать) мозги́ *кому. Жарг. мол. Неодобр.* Надоедать кому-л., утомлять кого-л. разговорами. Вахитов 2003, 173, 187.

Тря́почные мо́зги. *Пск. Бран.-шутл.* О слабоумном человеке. СПП 2001, 53.

Утри́ мозги́! *Жарг. угол. Презр.* Не задирайся (ты ещё неопытен)! ББИ, 142. < По аналогии с **Вытри сопли!**

Чугу́нные мозги́. *Разг. Презр.* О крайне глупом человеке. Ф 1, 301; БТС, 1485.

Пораски́нуть мозго́й. *Прост. Шутл.* Обдумать, рассчитать что-л. Ф 2, 77.

Тряхну́ться мозго́й. *Том.* То же, что **тронуться мозгами.** СБО-Д2, 231.

Шевели́ть мозго́й. *Прост.* То же, что **шевелить мозгами.** Ф 2, 262.

Вы́плакать всю мо́згу. *Пск.* Много плача, довести себя до головной боли. СПП 2001, 53.

Мудри́ть мозгу́ *кому. Сиб. Неодобр.* То же, что **пудрить мозги.** ФСС, 115.

МОЗГА́ См. **МОЗГ.**

МО́ЗЕЛ * Мо́зел грошо́вый. *Жарг. угол. Устар.* Платок, в который завёрнуты деньги. ТСУЖ, 108.

МОЗО́ЛЬ * Мозо́ли на пя́тках *у кого. Жарг. мол. Шутл.* О человеке, давно занимающемся онанизмом. Максимов, 250.

Мозо́ль институ́та. *Жарг. студ.* Технологический факультет пединститута. Максимов, 250.

Наката́ть мозо́ль. *Горьк.* Изнурить себя тяжёлой работой. БалСок, 43.

Наступа́ть/ наступи́ть на люби́мую мозо́ль *кому. Прост.* Коснуться того, что особенно волнует кого-л., причиняет страдания кому-л. БТС, 551; ЗС 1996, 360; Ф 1, 319.

Трудова́я (боева́я, трудово́й, боево́й) мозо́ль. *Разг. Шутл.-ирон.* Большой живот. Елистратов 1994, 249; Максимов, 250.

Жить с мозо́ля. *Волг.* Честно зарабатывать себе на жизнь. Глухов 1988, 44.

Жить свои́ми мозо́лями. *Орл.* То же, что **жить с мозоля.** СОГ 1990, 124.

МОЙ * Ни да́же мой. *Волог.* Нисколько, ничуть. СРНГ 21, 213.

МО́ЙКА * Дава́ть/ дать мо́йку *кому. Орл.* Избивать, колотить кого-л. СРНГ 18, 206.

МО́КРАЯ * Накры́ться мо́крой. *Жарг. угол.* Умереть. Балдаев 1, 269; ББИ, 150.

Идти́ на мо́крую. *Жарг. угол.* Совершать убийство. ТСУЖ, 76. < **Мокрая** — убийство.

МОКРИ́ДА * Де́лать мокри́ду (мокри́дку). *Орл.* Обливать водой друг-друга. СОГ-1994, 137.

МОКРИ́ДКА * Де́лать мокри́дку. См. **Делать мокриду (МОКРИДА).**

МОКРИ́НА * Мокри́на оста́нется *от кого. Пск.* О результате расправы с кем-л. (угроза). СПП 2001, 53.

МОКРИ́ЦА * Мокри́ца Ковыря́лковна. *Жарг. шк. Пренебр.* Придирчивая, злобная учительница. (Запись 2003 г.).

Не оста́нется мокри́цы *от кого. Кар.* То же, что **мокрина останется (МОКРИНА).** СРГК 4, 257.

МОКРОТА́ * Разводи́ть мокроту́. *Волг.; Новг.* Плакать (чаще — от обиды). Глухов 1988, 138; Сергеева 2004, 59.

МОЛВА́ * Крыла́тая молва́. *Книжн.* О быстро распространяющихся слухах. < **Молва** — согласно древнему мифу, богиня с крыльями, тысячью глаз и тысячью голосов. БМС 1998, 383.

Молва́ отняла́сь *у кого. Костром.* О потере дара речи. СРНГ 18, 214.

Молву́ воло́чат. *Сиб.* Ходят слухи о чём-л., о ком-л. ФСС, 30; СФС, 106; СРНГ 18, 214.

МОЛЕ́БЕН * Дава́ть/ дать (петь/ пропе́ть) моле́бен *кому. Пск.* Ругать, отчитывать кого-л. СПП 2001, 53.

Пра́вить моле́бен *кому. Волг.* То же, что **давать молебен.** Глухов 1988, 132.

Сбро́дный моле́бен. *Сиб. Пренебр.* Толпа, сборище людей. ФСС, 113. // *Волг.* Сомнительная компания. Глухов 1988, 144.

Служи́ть моле́бен (моле́бна). Неотступно просить о чём-л. Пск., 1855. СРНГ, 18, 215.

Чита́ть моле́бен с aка́фистом *кому. Пск.* То же, что **давать молебен.** СПП 2001, 53. Ср. **aка́фист чита́ть**

МОЛЁК * Замори́ть молька́. *Кар.* Слегка утолить голод. СРГК 2, 159.

МОЛЕ́НЬЕ * Моле́нье калаче́й. *Яросл.* Молитва для освящения хлеба из первой муки нового урожая. ЯОС 6, 52.

МОЛИ́ТВА * Не дана́ моли́тва *кому, чему. Прикам.* Не время делать что-л. МФС, 59.

Пойти́ за моли́твой. *Кар.* Помолиться. СРГК 3, 200.

С моли́твой. *Сиб. Ирон.* Без начинки (о выпечке). ФСС, 113.

С по́стной моли́твой. *Вят.* То же, что **с молитвой.** СРНГ 30, 230.

Брать моли́тву. *Кар.* Молиться. СРГК 1, 108. 2. *Новг.* Исполнять церковный обряд с новорождённым. НОС 1, 83.

Дава́ть моли́тву. *Арх.* Читать молитву. СРНГ 18, 217.

Принима́ть моли́тву. *Новг.* Совершать обряд очищения после родов. НОС 9, 22.

Прочита́ть моли́тву над Дже́ком *Жарг. угол.* Заменить механизм в часах. СРВС 2, 53, 191. < **«Джек»** — известная марка часов. ТСУЖ, 108.

Сотвори́ моли́тву! *Ворон.* Не говори ерунды, пустяков. СРНГ 18, 217.

Моли́ть моли́твы. *Сиб.* Молиться. ФСС, 113.

МО́ЛНИЯ * Голуба́я мо́лния. *Жарг. комп.* Процессор фирмы IBM с утроенной частотой. Садошенко, 1996.

Светова́я мо́лния. *Кар.* Зарница. СРГК 5, 695.

МО́ЛОД * На *чьём* **мо́лоду.** *Сиб.* В молодости. ФСС, 113.

С-из мо́лоду. *Сиб.* С молодости, с молодых лет. ФСС, 113.

МОЛОДЁЖЬ * Золота́я молодёжь. *Разг.* О молодёжи из богатых слоев общества, проводящей жизнь в праздности и развлечениях. Ф 1, 302. < Калька с франц. *jeunesse dorée.* БМС 1998, 384; ШЗФ 2001, 84.

МО́ЛОДЕ́Ц * До́брый мо́лодец. *Народно-поэт. Одобр.* Молодой человек, удалец. БМС 1998, 384; Ф 1, 302.

Молоде́ц гре́ет *кого. Сиб. Ирон.* О старой женщине, повторно вышедшей замуж. ФСС, 113.

Пожило́й молоде́ц. *Олон.* Старый холостяк. СРНГ 28, 294.

По-ру́сски — молоде́ц, а по-по́льски — засра́нец. *Вульг.-прост. Ирон.* О человеке, совершающем что-л. не очень удачное, но напрашивающемся при этом на похвалы. Мокиенко, Никитина 2003, 210.

Хро́мый молоде́ц. *Сиб.* Заболевание коленных суставов. ФСС, 113.

Люблю́ мо́лодца за обы́чай. *Народн.* Одобрение чьего-л. поведения, поступка. БМС 1998, 384.

МОЛОДО́Й (МОЛОДА́Я) * Молода́, да настёгана. *Сиб. Ирон.* О молодой женщине, не по годам опытной, изворотливой. ФСС, 113.

Здра́вствуй, молода́я! *Моск.* Восклицание, выражающее удивление, недоумение, несогласие с собеседником. СРНГ 11, 237.

Ве́чно молодо́й, ве́чно пья́ный. *Жарг. студ. (филол.). Шутл.* Поэт А. С. Пушкин. (Запись 2003 г.). < Строка из песни рок-группы «Смысловые галлюцинации».

Молодо́й да ра́нний. *Разг. Шутл.* Не по годам умён, сообразителен. Глухов 1988, 85.

На молоду́. *Сиб., Яросл.* В новолуние. СФС, 115; ЯОС 6, 78.

Повива́ть (покрыва́ть) молоду́ю. *Дон.* В свадебном обряде — заменять девичью причёску на женскую. СДГ 3, 17, 18.

Покрыва́ть молоду́ю. *Дон.* 1. В свадебном обряде — класть подарки на плечо невесте. СДГ 3, 34. 2. В свадебном обряде — расплетать невесте косы перед пиром после венчания и надевать колпак в знак посвящения ее в замужнюю женщину. СРНГ 18, 227.

Страща́ть молоду́ю. *Моск.* В свадебном обряде — обычай, по которому родители жениха встречают свадебный поезд, нарядившись в старую одежду и измазав лицо сажей, с целью внушить молодой жене чувство уважения и страха. СРНГ 18, 227.

Запи́ть молоды́х. *Горьк.* Договориться о свадьбе. БалСок., 36.

Из молоды́х, да ра́нний [:петухо́м поёт (крычи́т)]. *Народн.* О молодом человеке, опытном, ловком, изворотливом не по годам. ФСРЯ, 252; БТС, 552; Глухов 1988, 57; Жиг. 1969, 127.

МО́ЛОДОСТЬ * Не пе́рвой мо́лодости. *Разг.* Немолодой, средних лет. ФСРЯ, 252; БТС, 552.

По мо́лодости лет. *Разг.* По неопытности, из-за недостаточной зрелости. ФСРЯ, 252; БТС, 494.

Втора́я мо́лодость. *Разг.* 1. Новый прилив физических и духовных сил, подъём творческой энергии в зрелом, пожилом возрасте. 2. Успех, признание, пришедшие снова через много лет. ФСРЯ, 252; БТС, 552.

Проща́й, мо́лодость. *Шутл.-ирон.* 1. *Жарг. угол.* Суконные зимние ботинки на резиновой подошве. Балдаев 1, 361. 2. *Жарг. мол.* Ботинки старого образца, элемент экипировки люберов — агрессивной молодёжной группировки из г. Люберцы (в первые годы существования группировки). АиФ, 1992, № 27.

МОЛОДУ́ХА * Пожила́я молоду́ха. *Смол.* Женщина, не вышедшая замуж. СРНГ 28, 294.

МОЛО́ДУШКА * С моло́душкой прие́хать. *Пск. Ирон.* Не поймать ни одной рыбы (о рыбаке). СРНГ 18, 229.

МОЛОДЯ́К * По молодяку́. *Курск.* В новолуние. БотСан, 103.

МОЛОКО́ * Есть всё опричь пти́чьего молока́. *Народн.* О разнообразии, изобилии. ДП, 862.

Молока́ не распле́щет. *Перм.* О безобидном, скромном человеке. Подюков, 164.

Родни́к молока́! *Яросл.* Приветственное пожелание человеку, доящему корову. ЯОС 8, 135.

То́лько пти́чьего молока́ нет (не хвата́ет) *кому. Народн.* О разнообразии, обилии чего-л. у кого-л.; о богатом человеке. Жиг. 1969, 293; БТС, 553; Мокиенко 1986, 21; СПП 2001, 53; ДП, 100.

Обжёгся (обжёгшись) на молоке́ — ду́ет на во́ду. *Народн.* Об излишней осторожности, перестраховке. БМС 1998, 385; ЗС 1996, 104.

Бри́тое молоко́. *Кар., Пск.* Молоко, с которого сняты сливки. СРГК 3, 251.

Гадю́чье молоко́. *Дон.* Одуванчик. СДГ 1, 93.

Гуся́чье молоко́. *Пск. Шутл.* Вода. СПП 2001, 53.

Дёргать молоко. *Яросл.* Доить корову, козу. СРНГ 8, 8.

Доит ши́бко, да молоко́ жи́дко. *Народн. Неодобр.* О человеке, который много обещает, рекламирует себя, но не выполняет обещаний, не добивается обещанных результатов. Жиг. 1969, 51.

Жени́ть молоко́. *Сиб.* Разводить молоко водой ФСС, 70.

Ка́дное молоко́. *Волог.* Простокваша. СВГ 3, 30.

Кипи́т твоё молоко́ на keroга́зе! *Жарг. мол. Бран.* Восклицание, выражающее негодование, гнев, раздражение. < Эвфемизм матизма. Вахитов 2003, 78.

Коро́вушкино молоко́. *Прибайк.* Мелкие сиреневые цветы. СНФП, 97.

Ку́рицыно молоко́. *Сиб. Шутл.-ирон.* То же, что **птичье молоко.** ФСС, 113.

Молодо́е молоко́. 1. *Волог., Кар., Яросл.* Простокваша, кислое молоко. СВГ 4, 89; СРГК 3, 251; ЯОС 6, 54. 2. *Кар.* Свежее молоко. СРГК 3, 251.

Молоко́ бе́шеной коро́вы. *Кар. Шутл.-ирон.* Спиртное, алкогольные напитки. СРГК 1, 145.

Молоко́ выпада́ет. *Орл.* О гречихе молочной спелости. СОГ-1994, 141.

Молоко́ глы́зками. *Арх.* Творог. СРНГ 6, 224.

Молоко́ гори́т. *Моск.* О съестных припасах, брошенных в костер. СРНГ 18, 236.

Молоко́ [ма́терино (матери́нское)] на губа́х не обсо́хло *у кого. Прост. Ирон.* О молодом, неопытном человеке. ДП, 359; БТС, 553; Ф 1, 302; ФСРЯ, 252; ЗС 1996, 215; Глухов 1988, 85; Жиг. 1969, 126.

Молоко́ на языке́ (на язычке́) [у коровы]. *Посл. Кар., Пск.* Количество молока зависит от качества корма. СРГК 3, 251; СПП 2001, 53.

Молоко́ (молочко́) от бе́шеной коро́вки. См. **МОЛОЧКО.**

Молоко́ реко́й (ручьём)! *Яросл.* Приветственное пожелание человеку, доящему корову. ЯОС 6, 54.

Молоко́ шестипроце́нтной жи́рности. *Жарг. мол. Шутл.* Сперма. ЖЭСТ-2, 59.

Обо́дранное молоко́. *Волог.* То же, что **бритое молоко.** СВГ 5, 125.

Отогре́ванное молоко́. *Волог.* Творог. СВГ 6, 94.

Пре́сное молоко́. *Прикам., Перм. Ирон.* Об очень молодом человеке. МФС, 59; СГПО, 62.

Пти́чье молоко́. 1. *Разг.* Нечто неслыханное, невозможное, предел желаний. ДП, 862; БМС 1998, 384; Мокиенко 1986, 20, 27. 2. *Жарг. мол. Шутл.* Сперма. Елистратов 1994, 251; Максимов, 350.

Сумасше́дшее молоко́. *Горьк. Шутл.* Прокисшее молоко. БалСок., 54.

Я тебе́ утру́ молоко́ на губа́х! *Народн.* Угроза расправы, наказания. ДП, 359.

Вса́сывать/ всоса́ть с молоко́м ма́тери *что. Разг.* Усваивать что-л. с детства. ФСРЯ, 252; БТС, 160, 526, 553; ШЗФ 2001, 47; Ф 1, 80; ЗС 1996, 28; БМС 1998, 385. **Вса́сывать/ всоса́ть с ма́ткиным (ма́териным) молоко́м** *что. Пск.* То же. ПОС 5, 53.

За молоко́м. *Разг. Шутл.-ирон.* Мимо, не в цель (выстрелить, пустить пулю). ФСРЯ, 252.

Молоко́м обли́ться. *Яросл.* Получить много молока от одной коровы. ЯОС 6, 54.

Одни́м (ста́рым) молоко́м дои́ть. *Кар.* О длительном периоде лактации у коровы. СРГК 3, 251; СРГК 4, 151.

МО́ЛОТ * Сбит мо́лотами. *Перм. Шутл.-одобр.* О физически сильном, здоровом человеке. Подюков 1989, 181.

Ме́жду мо́лотом и накова́льней. *Разг.* В положении, когда опасность грозит с двух сторон. ФСРЯ, 253; БТС, 529; БМС 1998, 385.

МОЛОТИ́ЛО * Молоти́ть в три моло́тила *кого. Прибайк.* Сильно ругать кого-л. СНФП, 96.

Сказа́ть молоти́ло. *Новг.* Внезапно заговорить о чём-л. НОС 5, 145.

МОЛОТО́К * С молотка́. *Разг.* С публичного торга (продать, пойти). ДП, 533; ФСРЯ, 253; БТС, 553; БМС 1998, 385.

Попадать/ попа́сть под молотки́. *Жарг. мол.* Подвергаться избиению. Митрофанов, Никитина, 118; Максимов, 252.

Пуска́ть/ пусти́ть под молотки́ *кого. Жарг. угол., мол.* Избивать кого-л. Балдаев 1, 364; h-98; Вахитов 2003, 152; Максимов, 252.

С молотко́м. *Жарг. арм. Устар. Шутл.* Инженер-механик. Кор., 264.

Отбо́йный молото́к. *Жарг. студ.* Указка. (Запись 2003 г.).

МОЛОТО́ЧЕК * С молото́чка. *Разг. Устар.* Совершенно новый, только что сделанный. ФСРЯ, 253.

МОЛОЧКО́ * Захоте́л молочка́ от бычка́. *Народн.* Категорический отказ кому-л. ДП, 251.

Молочко́ бо́жьей коро́вки. *Сиб.* Растение одуванчик. ФСС, 114.

Молочко́ (молоко́) от бе́шеной коро́вки. *Жарг. угол., Разг. Шутл.* Самогон. ТСУЖ, 108; Быков, 128; Мильяненков, 169; ББИ, 142; Балдаев 1, 253.

Тёплое молочко́. *Жарг. угол., мол. Шутл.* Сперма. ББИ, 243.

МОЛЧА́НИЕ * Молча́ние ягня́т. *Жарг. студ. Шутл.-ирон.* Практическое занятие, семинар. ВМН 2003, 87. < От названия кинофильма.

Храни́ть молча́ние. *Книжн.* Молчать. БМС 1998, 385.

Обходи́ть/ обойти́ молча́нием *что. Книжн.* Намеренно молчать о чём-л. БМС 1998, 385; Ф 2, 13.

МОЛЧА́НКА * В молча́нку. *Орл.* Молча. СОГ 1989, 58.

Игра́ть в молча́нку. *Разг.* Молчать, уклоняться от разговора. ФСРЯ, 253; Ф 1, 302; БТС, 554; ДП, 415, 515; ЗС 1996, 208; БМС 1998, 385.

Сиде́ть молча́нку. *Кар.* То же, что **играть в молчанку.** СРГК 3, 255.

МОЛЧА́НЫЙ * Дать молча́ного. *Вят.* В свадебном обряде — заплатить за молчание. СРНГ 18, 248.

МОЛЧО́К * Молчко́м молча́ть. *Сиб.* Молчать всегда, постоянно (о глухонемом человеке). ФСС, 114.

Молчо́к в то́рбу! *Одесск.* Требование молчать, замолчать. КСРГО.

Под молчо́к. *Кар.* Скрытно, украдкой. СРГК 3 255.

МОЛЬ * Епи́шкина моль! *Прост. Бран.* Выражение досады, раздражения, осуждения кого-л. Подюков 1989, 29; Мокиенко, Никитина 2003, 210.

Моль кафта́нная. *Морд. Бран.-шутл.* О человеке, вызывающем лёгкое раздражение, досаду. СРГМ 1986, 31.

Моль мо́ля ест. *Волг., Дон.* О людях, придирающихся друг к другу, ругающих друг друга. Глухов 1988, 85; СДГ 2, 141.

Моль почи́кала *кого. Жарг. мол. Шутл.-ирон.* О смерти кого-л. Максимов, 252.

Моль суко́нная. *Прикам. Пренебр.* О худощавом, бледном человеке. МФС, 59.

Моль чуло́чная. *Жарг. мол. Пренебр.* О робком, слабом человеке. Максимов, 252.

Одна́ моль в голове́. *Волог. Неодобр.* О несерьёзном человеке. СВГ 6, 30.

МОМЕ́НТ * Лови́ть/ улови́ть моме́нт. *Разг.* Стремиться использовать удобный случай, не пропустить счастливую возможность сделать что-л. БМС 1998, 386; Глухов 1988, 82; Ф 1, 282; Ф 2, 219; ЗС 1996, 473.

Под моме́нт. *Волг.* Вовремя, точно в нужное время. Глухов 1988, 125.

Сечь моме́нт. *Жарг. мол.* Смотреть внимательно, обращать внимание на что-л. Елистратов 1994, 427.

Улучи́ть моме́нт. *Разг.* Выбрать удобное время для исполнения задуманного. БМС 1998, 386.

МОНАСТЫ́РЬ * Поста́вить к монастырю́ *кого. Жарг. угол., арест.* Расстрелять кого-л. ТСУЖ, 142.

Беззабо́тный монасты́рь. *Дон.* 1. О беспечной, беззаботной жизни. 2. О беззаботном, беспечном человеке. СДГ 2, 141.

Де́вий (де́вичий, дево́чий) монасты́рь. *Арх. Ирон.* О наличии только женщин и отсутствии мужчин. АОС 10, 367.

Же́нский монасты́рь. 1. *Разг. Шутл.-ирон.* О месте, где живут или работают только женщины. Ф 1, 303. 2. *Жарг. студ. Шутл.-ирон.* Педагогический институт, университет. (Запись 2003 г.). 3. *Жарг. арест. Шутл.-ирон.* Камера-одиночка для бывших осведомителей. ТСУЖ, 55.

Мужско́й монасты́рь. *Жарг. арм. Шутл.-ирон.* Казарма. Максимов, 252.

Подвести́ под монасты́рь *кого. Разг.* Поставить кого-л. в затруднительное, трудное положение, подвести под наказание кого-л. ФСРЯ, 253; Ф 1, 302; ЗС 1996, 231, 356; БТС, 554, 860; Мокиенко 1990, 129; БМС 1998, 386; Янин 2003, 223.

Пойти́ в ершо́вый монасты́рь. *Пск.* Утонуть. Кузнецов, 1915; ПОС 10, 135.

Сова́ться (ходи́ть) в чужо́й монасты́рь со свои́м уста́вом. *Разг.* Устанавливать свои порядки в чужом обществе, компании. БМС 1998, 386; БТС, 1401.

Ста́вить свой монасты́рь. *Кар.* Делать по-своему, настаивать на своём. СРГК 3, 255.

Староде́вичий монасты́рь. *Жарг. мол. Шутл.-ирон.* Женское общежитие. Максимов, 252.

Уйти́ в монасты́рь. *Жарг. мол. Шутл.-ирон.* Попасть в психиатрическую больницу. Максимов, 252.

МОНА́ТКИ * Собира́ть/ собра́ть (сма́тывать/ смота́ть) мона́тки. *Прост.* Быстро уходить откуда-л. Глухов 1988, 150; Ф 2, 166.

МОНА́Х * Мона́х с ря́сой. *Тул. Шутл.* Четвертная бутыль с вином. СРНГ 18, 252.

Таи́нственный мона́х. *Жарг. шк. Шутл.* Завуч. Bytic, 1999-2000.

Мона́ха вызыва́ть. *Пск.* Играть в игру с поцелуями. СПП 2001, 53.

Бьют мона́хи в колокола́. *Жарг. шк. Шутл.* О школьном звонке. Максимов, 51.

Уе́хать к мона́хам. *Новг.* Отправиться искать лёгкой жизни. НОС 11, 88.

К мона́ху. 1. *Кар., Пск.* Прочь, вон, долой. СРГК 3, 255; СПП 2001, 53. 2. Восклицание, выражающее безразличие, уступку. СПП 2001, 53.

МОНА́ШКА * Мона́шки на прогу́лке. *Жарг. шк. Шутл.-ирон.* Ученики в школьной форме. (Запись 2003 г.).

МОНЕ́ТА * Милице́йская моне́та. *Жарг. угол.* Химическая ловушка (например, со стойким красителем). Балдаев 1, 251.

Фальши́вая моне́та. 1. *Пск. Неодобр.* О нечестном, непорядочном человеке. СПП 2001, 53. 2. *Жарг. Шк. Ирон.* Улыбка учителя. Golds, 2001.

Ходя́чая моне́та. *Разг.* Что-л. широко известное, распространённое, ставшее банальным. ФСРЯ, 253; БТС, 555.

Плати́ть той же моне́той *кому. Разг.* Отвечать тем же самым, таким же поступком, отношением. ФСРЯ, 253; БМС 1998, 386; БТС, 555, 839.

Заряжа́ть/ заряди́ть на моне́ту *кого. Жарг. мол.* Требовать от кого-л. выплаты определённой суммы. Максимов, 149.

Кова́ть моне́ту. *Жарг. мол. Шутл.* Зарабатывать деньги. БСРЖ, 355.

Принима́ть за чи́стую моне́ту *что. Разг.* Принимать что-л. всерьёз, считать что-л. истиной. ФСРЯ, 253; БТС, 555, 1481; БМС 1998, 386.

Не сто́ит ме́дной моне́ты. *Новг. Пренебр.* О чём-л. некачественном, скверном. Сергеева 2004, 201.

МОНО́КЛИК * Моно́клик в о́ба гла́за. *Жарг. мол. Шутл.* 1. О полном отсутствии чего-л. где-л. 2. Об абсолютной темноте. Митрофанов, Никитина, 118.

МОНСТРА́ * Монстру́ дави́ть. *Жарг. мол.* Вести себя грубо, агрессивно. Югановы, 143.

МОНТЕ́ККИ * Монте́кки и Капуле́тти. *Книжн. Неодобр.* О двух враждующих семействах, партиях. < Восходит к драме У. Шекспира «Ромео и Джульетта» (1595 г.). БМС 1998, 387.

МО́НЯ * Мо́ня про́дал ко́ня. *Кар. Неодобр.* О чьём-л. нежелательном, осуждаемом поступке. СРГК 3, 256.

МОПС * Брать/ взять на мо́пса *кого. Угол.* Грабить, предварительно усыпив жертву. ТСУЖ, 108; СРВС 2, 20, 166; СРВС 3, 80, 191; 211; СВЯ, 15; ББИ, 33, 43.

МОР * Бле́дный мор. *Жарг. мол. Шутл.* Папиросы «Беломорканал». Никитина 2003б, 348.

Мор ва́шим вшам! *Пск. Шутл.* Приветствие хозяевам при входе в дом. СПП 2001, 53.

Мо́ром мори́ть/ замори́ть *кого. Сиб.* 1. Плохо кормить кого-л., не давать есть кому-л. СБО-Д1, 272; Глухов 1988, 85; Мокиенко 1990, 156; СФС, 107. 2. Изводить кого-л. попрёками, придирками. ФСС, 79; СРНГ 18, 254. 3. Держать в помещении, не выпускать на свежий воздух кого-л. ФСС, 114.

МО́РА * Ядрёна мо́ра! *Пск. Бран.* Восклицание, выражающее раздражение, негодование. СПП 2001, 53.

МОРА́ЛЬ * Двойна́я мора́ль. *Публ. Неодобр.* О принципах поведения, допускающих расхождение между словом и делом, заведомо ложные и невыполнимые обещания. Мокиенко 2003, 60.

Носи́ть мора́ль. *Брян.* Ругать, бранить кого-л. СРНГ 21, 288.

Чита́ть мора́ль *кому. Разг.* Поучать, наставлять кого-л. Ф 2, 254.

МОРГ * Одни́м мо́ргом. *Народн.* Очень быстро, моментально. СРНГ 18, 254.

МОРГА́ * Гоня́ть моргу́. *Сиб.* Вести праздную жизнь, бездельничать. СРНГ 18, 254; СФС, 107.

МОРГА́ЛКИ * Хоть морга́лки выколи. *Орл. Бран.* О выражении крайней степени раздражения, неуважения к кому-л. СОГ-1994, 144.

МОРГА́ЛЫ * Нали́ть морга́лы. *Пск.* Напиться пьяным. СПП 2001, 53.

МОРГА́ТЬ * Морга́ть не вида́ть. *Волг. Шутл.* О полной темноте. Глухов 1988, 85.

МОРГОСА́ * Преподнести́ моргоса́ *кому. Пск.* Перестать оказывать внимание девушке. СПП 2001, 53.

МОРГУ́НЧИК * Де́лать/ сде́лать моргу́нчик *кому. Жарг. угол.* Щекотать ресницами половой член партнера. ТСУЖ, 108.

МО́РДА * Бе́лая мо́рда. *Жарг. авто. Шутл.* Автомобиль «ЗИЛ-130». БСРЖ, 356.

Бессту́жая мо́рда. *Яросл. Бран.* О бессовестном человеке. ЯОС 1, 57.

Бульдо́жья мо́рда. *Жарг. мол. Пренебр.* О человеке с выпирающей нижней челюстью. Максимов, 48.

Деревя́нная мо́рда. *Ворон.* Прялка. СРНГ 8, 17.

Ко́зья мо́рда. *Прост. Презр.* О человеке с неприятной, отталкивающей внешностью. Мокиенко, Никитина 2003, 211.

Мо́рда в поло́ску (за решёткой). *Жарг. мол. Шутл.-ирон. или Пренебр.* О морщинистом или покрытом шрамами лице. Максимов, 253.

Мо́рда лица́. *Разг. Шутл.-ирон.* Лицо. Елистратов 1994, 251; Югановы, 134.

Мо́рда ло́пнуть хо́чет *у кого. Пск. Презр.* О круглом, полном, лоснящемся лице. СПП 2001, 53.

Мо́рда про́сит кирпича́ *у кого. Прост. Груб.* О неприятном, вызывающем отвращение человеке. Вахитов 2003, 100; Ф 1, 303; Мокиенко, Никитина 2003, 211.

Мо́рда — семеро́м не объе́хать *у кого. Ирк. Ирон.* О большом, полном лице; о человеке с большим, полным, мясистым лицом. СРНГ 18, 258; ФСС, 125.

Мо́рда толста́, да кишка́ тонка́ *у кого. Смол. Шутл.-ирон.* О слабосильном человеке, который сердится, угрожает кому-л. СРНГ 18, 258.

Моя́ мо́рда. *Жарг. мол. Шутл.* Я, субъект речи. Максимов, 253.

Протоко́льная мо́рда. *Прост. Пренебр.* Наглый, бессовестный человек. Глухов 1988, 135.

Свиня́чья мо́рда. *Прост. Бран.* О наглом, нахальном, напористом человеке. Мокиенко, Никитина 2003, 211.

Су́чья мо́рда. *Жарг. Бран.* 1. Предатель, стукач. 2. Проститутка низкого пошиба. Мокиенко, Никитина 2003, 211.

Фуфлы́жная мо́рда. *Жарг. угол. Бран.* О человеке, не сдержавшем данного обещания. Максимов, 253.

Меня́ по мо́рде би́ли мо́крыми труса́ми. *Жарг. мол. Шутл.-ирон.* Вид женской причёски. Максимов, 245.

Мо́рдой доро́гу ровня́л. *Пск. Ирон.* О человеке с разбитым, в синяках и ссадинах лице. СПП 2001, 53.

Торгова́ть мо́рдой. *Жарг. мол. Шутл.-ирон. или Неодобр.* Сидеть без дела, глядя перед собой. Елистратов 1994, 472.

Хлопота́ть мо́рдой. *Жарг. театр. Шутл.* Делать лицо выразительным; работать мимически. Югановы, 239.

Влезть (вре́зать, въе́хать) в мо́рду *кому. Пск.* Ударить по лицу; побить кого-л. ПОС 4, 52; СПП 2001, 53.

В мо́рду то́ком. *Жарг. мол. Шутл.* Поп-дует «Модерн Токинг» (Modern Talking). Я — молодой, 1998, № 8.

Вороти́ть мо́рду. *Прост. Неодобр.* Брезгливо отворачиваться от чего-л., пренебрегать чем-л. БТС, 556; Ф 1, 76; Глухов 1988, 14.

Гнуть мо́рду. *Жарг. мол. Неодобр.* Выражать неуважение, презрение к кому-л. Максимов, 88.

Де́лать сви́нскую мо́рду. *Сиб. Неодобр.* Проявлять неблагодарность, быть неблагодарным. ФСС, 57; СРНГ 36, 286.

Де́лать/ заде́лать (сде́лать) ко́зью мо́рду *кому.* 1. *Прост.* Строго наказывать, избивать кого-л. Сергеева 2004, 47; Глухов 1988, 146. 2. *Новг.* Обманывать кого-л. Сергеева 2004, 231.

Задира́ть мо́рду. *Волг., Сиб.* Важничать, зазнаваться. Глухов 1988, 47; ФСС, 76.

Зае́хать в мо́рду *кому. Прост.* Ударить кого-л. Мокиенко 1990, 45.

Залеза́ть/ зале́зть в мо́рду *[кому]. Пск.* Бить, избивать кого-л. ПОС 11, 287.

Колупа́ть/ поколупа́ть мо́рду *кому. Волг.* То же, что **залезать в морду** *кому.* Глухов 1988, 76.

Мо́рду в три дня не оплюёшь *кому. Перм. Шутл.-ирон.* О тучном, раскормленном человеке. Подюков 1989, 138.

Наби́ть мо́рду *кому.* 1. *Прост.* Избить кого-л. Верш. 4, 27. 2. *Жарг. авто. Шутл.* Помыть переднюю часть автомобиля. Максимов, 254.

Налива́ть /нали́ть мо́рду. *Пск. Неодобр.* Напиваться пьяным. СПП 2001, 53.

Нажра́ть мо́рду. *Пск. Неодобр.* То же, что **наливать/ налить морду.** СПП 2001, 53.

Намочи́ть мо́рду. *Терск. Неодобр.* То же, что **наливать/ налить морду.** СРНГ 20, 42.

Начи́стить мо́рду *кому. Пск.* 1. Обругать, отчитать кого-л., устроить нагоняй кому-л. 2. Избить кого-л. СПП 2001, 53.

Не в мо́рду *кому. Смол.* Не по нраву кому-л. СРНГ 18, 258.

Плю́щить мо́рду. *Жарг. мол. Шутл.* Спать. Максимов, 254.

Поднима́ть мо́рду. *Морд.* Начинать важничать, зазнаваться. СРГМ 1986, 32.

Поровня́ть мо́рду *кому. Пск.* Избить кого-л. (до синяков на лице). СПП 2001, 54.

Устро́ить ко́зью мо́рду *кому. Прост.* Отомстить кому-л. НОС 11, 99.

МО́РЕ * Вы́сечь мо́ре. *Книжн. Неодобр.* Пытаться выместить свою злобу на ком-л., ему не подвластном. < Восходит к древнегреческой легенде. БМС 1998, 387.

Жите́йское мо́ре. *Книжн.* Жизнь с её заботами и волнениями. БТС, 556.

За мо́ре по ело́вы ши́шки. *Народн. Неодобр.* О действиях бестолкового человека. ДП, 452.

Иди́ мо́ре асфальти́руй! *Жарг. мол.* Требование удалиться, оставить в покое кого-л. Вахитов 2003, 70.

Кача́й мо́ре за верши́ну. *Кар. Шутл.-ирон.* Не сразу, не очень скоро, когда-нибудь. СРГК 1, 183; СРГК 3, 256.

Когда́ на мо́ре ка́мень всплывёт [да ка́мень траво́й порастёт, а на траве́

цветы́ расцвету́т]. *Народн. Шутл.-ирон.* Никогда. ДП, 293.

Мо́ре молока́ *[кому]*! *Яросл.* То же, что **море под кормилицей!** ЯОС 6, 58.

Мо́ре му́дрости, бе́здна прему́дрости. *Горьк. Ирон.* О человеке, который важничает, зазнаётся. БалСок., 43.

Мо́ре под корми́лицей (под кормилицу, под коро́вой, под коро́ву, под коро́вушкой, под коро́вушку, под бурёнушку)! *Народн.* Приветственное пожелание доящим корову. ЯОС 6, 58; СВГ 5, 3; СРНГ 14, 336, 356; ДП, 755; Балакай 1999, 261; 2001, 286.

Мо́ре под ма́тку (под ма́ткой)! *Волог., Яросл.* То же, что **море под кормилицей!** СВГ 5, 3; ЯОС 6, 58.

Мо́ре под мату́ху! *Перм., Ср. Урал.* То же, что **море под кормилицей!** СРГСУ 2, 140; СРНГ 18, 39; Балакай 1999, 261; 2001, 286.

Мо́ре по коле́но [, ло́жка по́ уши] *кому. Разг. Шутл.* Всё нипочём, ничто не страшно кому-л. ФСРЯ, 254; БТС, 556; БМС 1998, 386; ЗС 1996, 193; СПП 2001, 54. **Мо́ре по коле́ну** *кому. Сиб.* То же. Верш. 4, 353.

Мо́ре уби́ло *кого. Кар. Шутл.-ирон.* О проявлении морской болезни. СРГК 3, 256.

На мо́ре ови́н гори́т, по не́бу медве́дь лети́т. *Народн. Шутл.-ирон.* О действиях или словах бестолкового человека. ДП, 461.

Разлива́нное мо́ре *чего. Разг.* 1. Об обилии чего-л. БМС 1998, 387; БТС, 556. 2. *Шутл.* О попойке, пирушке. ФСРЯ, 254.

Я́сно мо́ре. 1. *Прибайк., Сиб.* Известное дело. СНФП, 97; ФСС, 114. 2. *Перм. Бран.-шутл.* Выражение лёгкого недовольства, досады, раздражения. Подюков 1989, 116; Мокиенко, Никитина 2003, 211.

По́ морю дура́к. *Пск. Шутл.* О человеке, утратившем способность ясно понимать и воспринимать происходящее. ПОС 10, 46.

Вы́йти из си́ня мо́ря. *Прикам.* О благоприятно сложившихся для кого-л. обстоятельствах. МФС, 22.

Ждать с [мо́ря] по́ветра (пове́трия). *Пск., Новг.* То же, что **ждать у моря погоды.** ПОС, 10, 174; СПП 2001, 54; Сергеева 2004, 206; НОС 2, 124.

Ждать у мо́ря пого́ды. *Разг.* Напрасно надеяться на что-л., не предпринимая ничего для исполнения желаемого, находиться в состоянии неопределённого ожидания. БМС 1998, 387; БТС, 301, 856; ШЗФ 2001, 74; ФСРЯ, 255. **Сиде́ть у мо́ря, ждать пого́ды.** *Разг.* То же. БТС, 856.

Жить без мо́ря не могу́ — обоссы́те мне тельня́шку! *Жарг. мол. Шутл.-ирон.* Выражение отказа кому-л. в чём-л. Вахитов 2003, 54.

С мо́ря ключ! *Обл.* То же, что **море под кормилицей!** Балакай 1999, 261; 2001, 286.

МОРЖ * Морж Майкл. *Жарг. мол. Шутл.* Певец Джордж Майкл. Я — молодой, 1997, № 38.

Коло́ть моржа́. *Арх.* Щекотать в носу спящего человека свёрнутой бумажкой или шерстяной ниткой. СРНГ 18, 262.

МОРЗЯ́НКА * Морзя́нка бьёт *кого. Жарг. мол.* У кого-л. руки трясутся с похмелья. Вахитов 2003, 100.

МОРКО́ВКА * Ве́шать морко́вки. *Жарг. мол. Шутл.* Давать обещания. Максимов, 60.

Ста́вить морко́вки *кому. Жарг. арест.* Избивать кого-л. скрученным полотенцем. Быков, 129.

Морко́вку вить. *Жарг. арест.* Скручивать полотенце для последующего избиения кого-л. Быков, 129.

МОРКО́ВЬ * Морко́вь беззу́бая. *Морд. Пренебр.* О старом, дряхлом человеке. СРГМ 1986, 33.

МОРО́ЖЕНОЕ * Ку́шать моро́женое. *Разг. Шутл.-ирон.* Иметь половое сношение. Флг., 169.

МОРО́З * Бе́лый моро́з. 1. *Брян.* Иней. СБГ 1, 45. 2. *Прикам.* Название комнатного цветка. МФС, 60.

Гнать моро́з. *Жарг. мол. Неодобр.* Говорить ерунду, чушь. Никитина 2003, 395.

Моро́з на па́лочке. *Жарг. мол. Шутл.-ирон.* 1. О фригидной девушке. 2. О глупой девушке. Максимов, 254.

Моро́з [по ко́же (по спине́, по шку́ре)] продира́ет (дерёт, пробежа́л). *Прост.* 1. Об ознобе от сильного холода. 2. О чувстве сильного страха, испуга, волнения. БМС 1998, 388; Ф 1, 303; БТС, 557; ЗС 1996, 449; ФСРЯ, 254; ДП, 272; СОГ-1994, 145; ЯОС 6, 59.

Моро́з по се́рдцу пошёл. *Сиб.* То же, что **мороз по коже продирает 2.** ФСС, 114.

Не пе́рвый моро́з (снег) на го́лову. *Новг.* О том, что не явилось неожиданностью. НОС 7, 116; Сергеева 2004, 27.

Упа́сть на моро́з. *Жарг. мол. Шутл.* Очень удивиться. Максимов, 254.

На со́рок моро́зов. *Кар.* В преддверии весенних морозов. СРГК 3, 258.

О́коло тех моро́зов. *Кар.* Неизвестно когда. СРГК 4, 180.

Моро́зом дерёт *кого. Яросл.* Об ознобе. ЯОС 6, 59.

Под моро́зом. *Сиб.* 1. Могучий, крепкий (о человеке). 2. До предела наполненный чем-л. ФСС, 114.

С моро́зу сорвало́сь. *Народн.* О каком-л. нелепом высказывании. ДП, 410.

Включа́ть/ включи́ть моро́зы. *Жарг. мол.* Притворяться непонимающим. Максимов, 64.

Рисова́ть моро́зы. *Жарг. мол.* Отрекаться, отказываться от чего-л. Максимов, 254.

МОРО́ЗЕЦ * Убра́ться спозара́нку по моро́зцу. *Народн.* Убежать откуда-л. ДП, 274.

МО́РОК * Натяга́ет мо́рок. *Сиб.* О наступлении ненастной погоды. ФСС, 120.

Коло́ть морока́. *Арх.* Шутить. СРНГ 18, 272.

Морока́ перегоре́ли. *Приамур., Сиб.* Закат солнца не в облако, что, по народным приметам, предвещает ясную погоду. ФСС, 114; СРГПриам., 198.

Пройти́ мо́роком. 1. *Арх., Сиб.* О туче, которая прошла стороной без дождя. 2. *Волог., Олон.* О грозившей беде, несчастье, которое чуть было не случилось. СРНГ 18, 272-273.

Чтоб мо́роком унесло́ *кого, что*! *Печор. Бран.* Восклицание, выражающее досаду, раздражение. СРГНП 1, 427. < **Морок** — ветер с моря, с Ледовитого океана.

МОРО́КА * Наводи́ть моро́ку. *Алт.* Вводить в заблуждение кого-л. СРГА 3-1, 89.

МО́РФИЙ * Де́лать/ сде́лать мо́рфий. *Жарг. студ. (филол.). Шутл.* Производить морфемный анализ слова. Никитина 1998, 255.

МОРФЛО́Т * Отпра́вить в морфло́т *кого. Разг. Шутл.-ирон.* Утопить (чаще — о котятах, щенках). Никитина 1998, 255.

МОСКВА́ * Москва́ слеза́м не ве́рит. *Разг.* Нет доверия чьим-л. жалобам и плачу. БМС 1998, 388; ЗС 1996, 305, 494.

В Москву́ за но́выми пе́снями. *Волг.* То же, что **в Москву разгонять тоску.** Глухов 1988, 12.

В Москву́ разгоня́ть тоску́. *Прост. Шутл.* О бесполезной, безрезультатной поездке. Глухов 1988, 12.

Е́здить/ съе́здить в Москву́. *Новг.* Рожать ребёнка. Сергеева 2004, 187.

Пока́зывать/ показа́ть Москву́ *кому. Жарг. мол. Шутл.* Больно тянуть кого-л. за уши. Вахитов 2003, 137.

Пое́дет до Москвы́ на языке́. *Сиб. Шутл.* О человеке, который всё может разузнать, найти. ФСС, 141.

Пое́хать в Москву́ за пе́снями. *Сиб. Неодобр.* Поехать, пойти куда-л. без определённой цели. ФСС, 141; СРНГ 28, 286.

Показа́ть Москву́ в решето́ *кому. Народн. Шутл.-ирон.* Обмануть, одурачить кого-л. ДП, 163.

Съе́здить в Москву́. 1. *Пск. Ирон.* О неудачной поездке куда-л., о слишком дорогой покупке. 2. *Новг.* Родить ребёнка. НОС 11, 16. // *Перм.* Родить мальчика. СГПО, 274.

До Москвы́ знать. *Пск.* Быть осведомлённым по многим вопросам, знать всё обо всех. СПП 2001, 54.

МОСО́Л * Два мосла́ и кру́жка кро́ви. *Жарг. мол. Шутл.-ирон.* Об очень худом человеке. Вахитов 2003, 44.

Шебурша́ть (шевели́ть) мосла́ми. *Жарг. мол. Шутл.* Быстро идти, шагать. Вахитов 2003, 203; Максимов, 486.

Ста́вить на мослы́ *кого. Жарг. мол.* Избивать кого-л. Максимов, 255.

МОСТ * За́дний мост. *Жарг. угол. Шутл.* Женские ягодицы. Мокиенко, 1995, 60; ТСУЖ, 61.

О́гненный мост. *Жарг. шк. Шутл.* Порог школы. (Запись 2001 г.). < По названию кинофильма.

Перебра́сывать/ перебро́сить (переки́дывать) мост *откуда куда. Разг.* Связывать, соединять кого-л., что-л. БТС, 794; Ф 2, 38, 39.

Полево́й мост. *Прикам.* Плотина. МФС, 60.

Сде́лать мост *кому. Новг.* Изменить кому-л. в любви, нарушить супружескую верность. Сергеева 2004, 240.

Смочи́ть мост. *Новг.* Угостить кого-л. НОС 10, 99.

Стро́ить золото́й мост отступа́ющему неприя́телю. *Книжн. Устар.* Создавать благоприятные условия для беспрепятственного отступления неприятеля. БМС 1998, 388.

Доро́же ка́менного моста́. *Разг.* О чём-л. очень дорогом. БМС 1998, 388.

Хоть с моста́ в во́ду. *Волг.* О крайне тяжёлом, безвыходном положении. Глухов 1988, 170.

Наводи́ть/ навести́ мосты́. 1. *Разг.* Разузнавать о чём-л. БТС, 572; НСЗ-84; СМЖ, 92. 2. *Жарг. мол.* Знакомиться с кем-л. Максимов, 255.

Сжига́ть/ сжечь мосты́. *Разг.* Делать невозможным возврат к чему-л., отрезав себе пути к отступлению. ФСРЯ, 255; ЗС 1996, 70; Ф 2, 155; БМС 1998, 389.

МО́СТИК * На мо́стик! *Жарг. арест.* Команда к началу изнасилования кого-л. из заключённых. Балдаев 1, 270.

МОСТИ́НКА * Ходи́ть по одно́й мости́нке. См. **Ходить по одной мостничине (МОСТНИЧИНА).**

МОСТНИ́ЧИНА * Ходи́ть по одно́й мостни́чине (мости́нке). *Пск. Ирон.* Быть в полном подчинении у кого-л. СПП 2001, 53.

МОСТОВА́Я * Грани́ть мостову́ю. *Разг. Неодобр.* Ходить, бродить без дела. БТС, 558; Мокиенко 1990, 65.

МО́СЬКА * Раскв́асить мо́ську *кому. Прос. Груб.* Избить кого-л. СПП 2001, 54.

МОТ * Хоть в мот лезь (иди́). См. **Хоть в моток лезь (МОТОК).**

Мота́ть мо́том *кого. Сиб.* Утомлять, изнурять кого-л. тяжёлой, нудной работой. ФСС, 114.

Гоня́ть мо́ты. *Новг.* Ударять палкой при игре в чижика. СРНГ 18, 295.

Кривы́е мо́ты мота́ть. *Народн. Неодобр.* Обманывать, лгать. ДП, 203.

Мо́ты мота́ть [, дни корота́ть]. 1. *Народн.* Праздно проводить время, бездельничать. Жиг. 1969, 221; ДП, 500; СГПО, 316; СРНГ 18, 295. 2. *Урал.* Тратить деньги попусту. СРНГ 18, 295. 3. *Печор.* Вести разгульный образ жизни. СРГНП 1, 430. 4. *Урал.* Плутовать. СРНГ 18, 295.

МОТИ́В * Моти́в на моти́в захо́дит *у кого. Сиб.* Кто-л. теряет способность здраво рассуждать, действовать. ФСС, 114.

Моти́в не дозволя́ет *[кому]* **(не подхо́дит** *у кого*). *Сиб. Ирон.* Об отсутствии музыкального слуха у кого-л. СФС, 107; ФСС, 114.

Снять моти́в. *Прикам.* Выучить мелодию песни. МФС, 93.

На моти́вы. *Сиб.* Без аккомпанемента (петь). ФСС, 115.

МОТИ́НА * В моти́ну [пья́ный]. *Жарг. мол. Шутл.-ирон.* О сильной степени опьянения. БСРЖ, 358.

МО́ТКА * Мо́тка порва́тая. *Жарг. угол. Неодобр.* 1. Обман, ложь. 2. Неудавшееся преступление. ББИ, 144; Балдаев 1, 255.

МОТНЯ́ * Трясти́ мотнёй. *Вульг.-прост. Ирон.* Вести себя излишне возбуждённо, беспокойно. Подюков 1989, 207; Мокиенко, Никитина 2003, 212. < **Мотня** — мошонка.

Скоси́ть мотню́. *Жарг. мол. Шутл.* Побриться. Максимов, 255.

Мотня́ редка́ *у кого. Волг.* О бедности, безденежье. Глухов 1988, 86.

МОТОВИ́ЛО * Двадца́тое мотови́ло. *Прикам. Шутл.–ирон.* О человеке, покачивающемся из стороны в сторону при ходьбе. МФС, 60.

Мотови́ло с галёшкой. *Костром. Шутл.* О молодом человеке высокого роста. Громов 1992, 58.

МОТО́К * Завива́ть мотки́. *Яросл.* Делать венки из разноцветных лоскутков и лент для украшения берёз. ЯОС 4, 59.

Мота́ть мотки́. *Волг., Дон., Перм.* Вести распутный образ жизни, нерасчётливо тратить деньги, кутить. Глухов 1988, 86; СРНГ 18, 296; СДГ 2, 143.

Мото́к пове́сить. *Орл.* Покончить жизнь самоубийством. < **Моток** — петля.

Хоть в мото́к (в мот) лезь (иди́). *Орл.* выражение отчаяния в безвыходной ситуации. СОГ 1990, 117; СОГ 1994, 148, 149.
< **Мот, моток** — петля.

Хоть мото́к на ше́ю. *Орл.* То же, что **хоть в моток лезь.** СОГ 1994, 149.

МОТЫ́ГА * Из моты́г моты́га. *Сиб. Презр.* Ленивый, не любящий работать человек. ФСС, 115.

Моты́гой не отскребёшь. *Волг. Пренебр.* О неряшливом, грязном человеке. Глухов 1988, 104.

МОТЫ́ЛЬ * Лови́ть на бе́лого мотыля́. *Жарг. мол. Шутл.* Пить водку. Максимов, 31.

МО́ТЯ * Мо́тя хрю́кнул. *Жарг. мол. Шутл.* Рок-группа «Motley Crue». Я — молодой, 1996, № 26.

МОХ * Ёлкин мох! *Прост. Эвфем. Шутл.-ирон.* Выражение лёгкого недовольства кем-л., чем-л. Мокиенко, Никитина 2003, 212.

Мох с боло́том. *Смол.* Чушь, вздор. СРНГ 18, 309.

Наговори́ть (рассказа́ть) мох и боло́то *кому. Пск. Шутл.* Наговорить много глупостей, небылиц, ерунды кому-л. СПП 2001, 54; СРНГ 18, 309.

Подня́ть (положи́ть, поста́вить) на мох *что. Кар.* Проконопатить мхом стены строящегося дома. СРГК 3, 265; СРГК 4, 650.

Провали́ться в ка́мский (ка́нский) мох. *Волог., Иркут., Перм.* Пропасть, бесследно исчезнуть. СРНГ 13, 29.

Не воня́ет и мо́хом. *Новг.* Об отсутствии имущества, бедности, нищете. НОС 5, 102.

Обраста́ть/ обрасти́ (зараста́ть/ зарасти́) мо́хом. 1. *Разг.* Отставая от жизни, коснеть, опускаться. ДП, 204; БТС, 560; ФСРЯ, 292. 2. *Новг.* Становиться старым, стареть. НОС 6, 106.

Подёрнуться мо́хом. *Омск.* Сильно похудеть, перестать соблюдать правила гигиены. СРНГ 28, 4.

Уходи́ть/ уйти́ во мхи. *Жарг. лаг., арест.* Совершать побег из лагеря, ИТУ в летнее время. Росси 1, 224; Балдаев 2, 97.

Зараста́ть/ зарасти́ мхом. *Пск.* Становиться грязным. СПП 2001, 54.

МОХОВО́Е * Идти́/ пойти́ на мохово́е. *Сиб. Ирон.* Умирать. ФСС, 86.

МОХНА́ТАЯ * Сиде́ть за мохна́тую. *Жарг. угол., арест.* Отбывать срок наказания за изнасилование. < **Мохнатая** — женские гениталии. Балдаев 2, 38.

МОХНА́ТКА * Мохна́тка дыми́тся *у кого. Жарг. мол. Шутл.* О желании женщины совершить половой акт. h-98; Вахитов 2003, 100. < **Мохнатка** — женские гениталии.

Охо́титься за мохна́ткой. *Жарг. угол.* Выслеживать жертву (о насильнике). Балдаев 1, 301.

Открыва́ть/ откры́ть мохна́тку. *Жарг. угол.* 1. Раздевать донага женщину, девушку. 2. Раздеваться во время медосмотра (о женщинах). Мокиенко, Никитина 2003, 212.

Оттопы́ривать/ оттопы́рить мохна́тку *кому. Жарг. угол.* То же, что **щупать мохнатку.** Балдаев 1, 300.

Щу́пать/ пощу́пать мохна́тку. *Жарг. угол., мол.* Насиловать кого-л., совершать изнасилование. Мокиенко, Никитина 2003, 212.

МОЧА́ * Бы́чья (верблю́жья) моча́. *Жарг. мол.* О слабо заваренном чае. Белянин, Бутенко, 29; Максимов, 52.

Кобы́лья моча́. *Жарг. угол.* Сильно разбавленное пиво. Балдаев 1, 191.

Моча́ в го́лову вступи́ла (уда́рила, сту́кнула) *кому;* **Моча уда́рила (вступи́ла) в го́лову** *кому. Прост. Неодобр.* 1. Кто-л. сошёл с ума, начал вести себя подобно сумасшедшему. Ф 1, 304; ЗС 1996, 59; Вахитов 2003, 100; Максимов, 73, 90; 2. Кто-л. стал вести себя глупо, неразумно. Максимов, 73, 90; Ф 1, 304.

Моча́ в котелке́ *у кого. Жарг. угол. Презр.* О глупом, несообразительном человеке. Мильяненков, 170; ББИ, 144; Балдаев 1, 257.

Моча́ до́хлого бегемо́та. *Жарг. мол. Пренебр.* То же, что **бычья моча.** Вахитов 2003, 100.

Моча́ инопланетя́нина. *Жарг. шк. Шутл.* Кисель в школьной столовой. ВМН 2003, 87.

Моча́ сиро́тки А́си. *Жарг. мол. Пренебр.* То же, что **бычья моча.** Вахитов 2003, 100.

Моча́ стару́хи Изерги́ль. *Жарг. шк. Шутл.* Компот в школьной столовой. ВМН 2003, 87.

МОЧА́ЛКА * Моча́лка с ру́чкой. *Жарг. мол. Шутл.* Мужские гениталии. Максимов, 256.

Жева́ть моча́лку. 1. *Разг. Неодобр.* Нудно и бестолково говорить, писать об одном и том же. ФСРЯ, 157; БТС, 301, 560. 2. *Жарг. угол.* Лгать на допросе. Балдаев 1, 128. 3. *Жарг. угол. Ирон.* Голодать. Балдаев 1, 128.

МОЧА́ЛО * Жева́ть моча́ло. *Разг. Неодобр.* То же, что **жевать мочалку 1. (МОЧАЛКА).** ЗС, 333; БТС, 560; Ф 1, 186; ФСРЯ, 157.

Класть на моча́ло. *Кар.* Погружать новую лодку в воду, чтобы она разбухла. СРГК 2, 360.

МО́ЧКА * Мо́чки мочи́ть. *Жарг. мол.* Шутить, веселить окружающих. (Запись 2001 г.).

Мы́кать мо́чки (мо́чку). *Ворон., Костром., Курск., Моск., Пенз., Смол., Тул., Яросл.* Расчёсывать лён или пеньку, подготавливая к прядению. СРНГ 19, 52.

МОЧЬ * Моче́й не хвата́ет *у кого. Сиб.* О слабом, больном человеке. СФС, 107.

Выбива́ет из мо́чи *кого. Печор.* О состоянии слабости, упадка сил. СРГНП 1, 96.

Вы́биться из мо́чи. *Волог., Курск.* Очень устать. СВГ 5, 8; БотСан, 87.

Изо всей мо́чи. *Прост.* 1. То же, что **что есть мочи.** 2. То же, что **во всю мочь.** Ф 1, 304; Мокиенко 1986, 50-51.

Сби́ться с мо́чи. *Пск.* То же, что **выбиться из мочи.** СПП 2001, 54.

Ско́лько мо́чи есть. *Прикам.* То же, что **что есть мочи.** МФС, 35.

Что есть мо́чи. *Разг.* Очень громко (кричать, вопить, орать, плакать и т. п.). ФСРЯ, 425; БМС 1998, 389.

Что есть мо́чи. Очень быстро (бежа́ть, е́хать, мча́ться и т. п.) ФСРЯ, 425; БМС 1998, 389.

Что есть мо́чи. *Разг.* Изо всех сил, с большой силой; очень сильно, в полной мере (делать *что-л.*). ФСРЯ, 425; БМС 1998, 389.

Во (на) всю мочь. *Прост.* Очень громко (кричать, петь и т. п.). ФСРЯ, 255; Ф 1, 304; Мокиенко 1986, 48–50; ЯОС 6, 76.

Как мочь. *Пск.* 1. О чём-л., обладающем положительными качествами, отвечающем чьим-л. требованиям. 2. О большом количестве чего-л. 3. Изо всех сил, с большой силой, в полной мере (делать что-л.). СПП 2001, 54.

Не мочь ды́хать *без чего. Ряз.* Испытывать постоянную потребность в чём-л. ДС, 159.

МО́ЧУШКА * Вы́йти из мо́чушки. *Курск.* Выбиться из сил, очень устать. БотСан, 96.

МОШЕ́ННИК * Отпе́тый моше́нник. *Жарг. шк.* Двоечник, второгодник. (Запись 2003 г.) < От названия известной поп-группы.

МОШНА́ (МОШНЯ́) * То́лстая (туга́я) мошна́. *Разг.* 1. *у кого.* Кто-л. очень богат, имеет много денег. 2. Богатство, большие деньги. Ф 1, 304; БТС, 560; ФСРЯ, 255.

Трясти́/ тряхну́ть мошно́й. *Прост.* Не жалеть денег на что-л., тратить деньги в большом количестве. БМС 1998, 389; ФСРЯ, 255; БТС, 560, 1350; ДП, 111. **Трясти́ мошнёю.** *Прост. Устар.* То же. Ф 2, 210.

Наби́ть мошну́. *Прост.* Обогатиться. БТС, 560.

Распуска́ть/ распусти́ть мошну́. *Прост.* Тратить деньги, входить в издержки. Ф 2, 120.

МО́ЩИ * Таска́ть моща́ми *кого. Народн.* Плохо говорить об умершем. СРНГ 18, 326.

Бро́сить мо́щи *куда. Жарг. мол.* 1. Лечь, прилечь. 2. Сесть, присесть куда-л. Максимов, 45.

Живы́е (ходя́чие) мо́щи. *Разг.* Об очень худом, измождённом человеке. ФСРЯ, 255; БМС 1998, 389; Ф 1, 304; Глухов 1988, 42; СПП 2001, 54.

Карача́ровские мо́щи. *Нижегор. Шутл.-ирон.* О чём-л. несбыточном. СРНГ 13, 78.

Ки́евские мо́щи. *Жарг. шк. Шутл.-ирон. или Пренебр.* Очень худой учитель. (Запись 2003 г.).

Ко́зьи (козе́льи) мо́щи. *Пск.*То же, что **живые мощи**. СРНГ 14, 60, 64.

Яви́лись мо́щи из оси́новой ро́щи. *Кар. Шутл.-ирон.* О человеке, пришедшем с опозданием. СРГК 4, 243.

МРАК * Мрак и жо́па. *Жарг. крим. Вульг.* О чём-л. неизвестном, неизученном. Хом. 2, 42.

Уйти́ в мра́ки. *Жарг. арм. (афг.).* Погибнуть. Афг.-2000.

Покры́то мра́ком [неизве́стности]. *Разг.* Совершенно неясно, неизвестно. ФСРЯ, 255; БМС 1998, 389; БТС, 897.

МСТИ́ТЕЛЬ * Неуловимые мсти́тели. *Жарг. угол., мол. Шутл.-ирон.* Лобковые вши. Балдаев 1, 278; ББИ, 154. 2. *Жарг. арм. Шутл.-ирон.* Солдаты, самовольно отлучившиеся из части. < От названия популярного советского приключенческого фильма («Мосфильм», 1966), снятого по мотивам повести П. Бляхина «Красные дьяволята» (1921). БСРЖ, 359.

МУДА́К * Три мудака́. *Жарг. мол. Презр.* Маркс, Энгельс, Ленин. Мокиенко, Никитина 2003, 213.

МУДЕ́ (МУДИ́) * Пове́сить муде́ [к бороде́] *кому. Прост. или Жарг. угол.* Обыграть кого-л. в карты. Мокиенко, Никитина 2003, 214.

Подвести́ муде́ к бороде́. *Жарг. мол.* Поставить кого-л. в безвыходное положение. (Запись 2004 г.).

Чеса́ть муде́. *Прост. Неодобр.* Бездельничать. Мокиенко, Никитина 2003, 214.

Дожи́ть до седы́х муде́й. *Жарг. мол. Шутл.* Состариться, достичь преклонного возраста. (Запись 2004 г.).

Коша́чьи муди́. *Волог. Шутл.* Растение ручейный гравилат. СРНГ 15, 140.

Трясти́ муд́ями. *Прост. Неодобр.* То же, что **чесать муде.** Мокиенко, Никитина 2003, 214.

МУДЕ́РА * Францу́зская муде́ра (маде́ра). *Жарг. арест.* Смесь мочи с калом, которую под угрозой смерти или зверского избиения заставляют есть унижаемого заключённого. < **Мудера** — *искаж.* **мадера** (по каламбурной ассоциации с **муде, мудня**). Мокиенко, Никитина 2003, 214.

МУДИ́ЛА * Муди́ла из Ни́жнего Таги́ла. *Разг. Пренебр.* Глупый, несообразительный человек. Елистратов 1994, 255.

МУДИ́ЛКА * Муди́лка карто́нная. *Жарг. мол. Вульг. Шутл.-ирон.* Глупый, нудный, надоедливый человек. Никитина, 1996, 118.

МУДНЯ́ * Разводи́ть/ развести́ (заводи́ть/ завести́) мудню́. *Вульг.-прост. Презр.* Долго и нудно говорить ерунду, болтать пустое. Мокиенко, Никитина 2003, 215.

МУДОБЛЯ́ДИН * Трипиздокля́тый мудобля́дин. *Неценз. Бран.* Подлый, непорядочный человек. Мокиенко, Никитина 2003, 215.

МУДРЕ́Ц * Восто́чный мудре́ц. *Нарк. Шутл.-ирон.* Человек, находящийся под воздействием выкуренного наркотика. ССВ-2000.

Неразу́мный мудре́ц. *Жарг. шк. Шутл.-ирон.* Отличник. (Запись 2003 г.).

МУ́ДРОСТЬ * Пройти́ все му́дрости. *Волг., Дон.* Иметь большой жизненный опыт, быть сведущим, знающим. Глухов 1988, 134; СДГ 3, 67.

МУ́ДРСТВУЯ * Не му́дрствуя лука́во. *Разг.* 1. Долго или много не раздумывая, не углубляясь в детали. ФСРЯ, 255; БМС 1998, 389. 2. Просто, бесхитростно. ФСРЯ, 255; БМС 1998, 389.

МУДУ́ШКИ * Бара́ньи муду́шки. *Сиб. Шутл.* Полевое растение с небольшими розовыми цветами. ФСС, 115.

Коку́шьи муду́шки. *Алт. Шутл.* Лекарственное растение. СРГА 2-II, 56. < **Кокушьи** — кукушкины.

МУЖ * [Был] муж [, да] объе́лся груш. *Прост. Шутл.-ирон.* О бывшем муже. Жук. 1991, 53; СНФП, 97.

Да́чный муж. *Разг. Шутл.-ирон.* Человек, который вынужден постоянно возить из города на дачу семье многочисленные покупки. БМС 1998, 389.

Ла́герный муж. *Жарг. лаг.* Заключённый, сожительствующий с заключённой; любовник в лагере. Мокиенко, Никитина 2003, 216.

Пристяжно́й муж. *Кар. Ирон.* Мужчина, состоящий в незарегистрированном браке. СРГК 3, 268.

Притама́нный муж. *Сиб. Ирон.* Сожитель, любовник. ФСС, 115.

Учёный муж. *Книжн. часто Ирон.* Научный работник, ученый. < Калька с лат. *vir doctus.* БМС 1998, 390.

Не знать му́жа. *Книжн. Устар.* Быть девственницей. < Выражение из Библии. Лука 1, 34.

Сверну́ть му́жем. *Арх.* Изменить мужу. СРНГ 36, 244.

МУ́ЖЕСТВО * Входи́ть в му́жество. *Одесск.* Взрослеть. КСРГО.

МУЖИ́К * И мужи́к и ба́ба. *Ряз.* Абсолютно все; все поголовно. ДС, 300.

Мужи́к в ю́бке. *Разг. Ирон.* Женщина, выполняющая мужскую работу. Ф 1, 305.

Мужи́к зовёт *кого. Жарг. мол. Шутл.* Кому-л. хочется в туалет. Максимов, 157.

Мужи́к с авторите́том. *Жарг. мол. Шутл.* О мужчине с большим животом. Максимов, 11.

Ни мужи́к ни ба́ба. *Кар. Неодобр.* О человеке, ничего не умеющем делать. СРГК 1, 33.

Умри́ ж, мой мужи́к! *Пск.* Клятвенное заверение в чём-л. СПП 2001, 54.

Взять из-за мужика́ *кого. Сиб.* Жениться на разведённой женщине. ФСС, 26.

Включа́ть/ включи́ть мужика́. *Жарг. мол.* Устраивать скандал, демонстрировать строптивость, непокорность. Максимов, 64.

Гуля́ть из-за мужика́. *Арх.* Изменять мужу. АОС 10, 147.

Держа́ть мужика́. *Печор.* Быть замужем. СРГНП 1, 172.

Испуга́ться мужика́. *Волог.* Осунуться, похудеть, выйдя замуж. СВГ 5, 9.

Оста́ться от мужика́. *Печор.* Овдоветь. СРГНП 1, 534.

Бе́гать по мужика́м. *Прост. Неодобр.* Развратничать, переходить из рук в руки, от одного мужчины к другому. Мокиенко, Никитина 2003, 216.

Поговори́ть с мужико́м. *Жарг. мол. Шутл.* Сходить в туалет (о мужчине). Максимов, 257.

Под мужико́м. *Коми.* Замужем. Кобелева, 67.

МУЖИЧО́К * Мужичо́к с ногото́к. 1. *Народно-поэт.* О человеке очень маленького роста. БМС 1998, 390; ЗС 1996, 512. 2. *Жарг. мол. Шутл.* Мужской половой орган небольшого размера. ЖЭСТ-2, 258. 3. *Жарг. шк. Шутл.* Стиральная резинка. (Запись 2003 г.).

МУ́ЗА * Деся́тая му́за. *Публ.* Об искусстве кинематографии. НРЛ-79; Мокиенко 2003, 60.

МУЗЕ́Й * Музе́й мара́зма КПСС. *Разг. Пренебр.* Музей В. И. Ленина в Мраморном дворце на ул. Халтурина (ныне Миллионная, 51) в Ленинграде (1970-е гг.), ныне филиал Русского музея. Синдаловский, 2002, 120.

МУЗЛИ́ * Свои́ми музля́ми. *Волг.* Собственным трудом (зарабатывать на жизнь). Глухов 1988, 145.

МУЗОРА́Д * Идти́/ уйти́ на музора́д. *Сиб. Шутл.* Умирать. ФСС, 86.

МУ́ЗЫКА * Блатна́я му́зыка. *Жарг. угол.* Воровской жаргон. ТСУЖ, 20-21; БТС, 562; Грачев, 1992, 114; СРВС 2, 18, 54, 166, 191; СРВС 3, 59, 104; СРВС 4, 101; Р-87, 433; ББИ, 29.

Друга́я (ина́я) му́зыка. *Прост.* 1. Нечто особое; не то, что было раньше. 2. Иначе, по-другому. ФСРЯ, 255; БТС, 562.

Жива́я му́зыка. *Жарг. мол.* Музыка, исполняемая непосредственно музыкантами без использования фонограммы. Мокиенко 2003, 60.

Коша́чья му́зыка. *Разг. Неодобр.* О неприятных, раздражающих слух звуках, плохой музыке. БМС 1998, 390.

Мясна́я му́зыка. *Жарг. мол.* Тяжёлый рок. Максимов, 257.

Игра́ть на му́зыке. *Жарг. мол., муз. Шутл.* Работать диск-жокеем. Никитина, 1998, 259.

Трёкать по му́зыке. *Жарг. угол.* Говорить на воровском жаргоне. Балдаев 2, 84.

Ходи́ть по му́зыке (под му́зыку). *Жарг. угол.* 1. Говорить на воровском жаргоне. 2. Воровать. 3. Принадлежать к преступному миру. Балдаев 2, 126; СРВС 1, 24, 41, 71, 207; СРВС 2, 69, 93, 203, 221; СРВС 3, 113, 131; СРВС 4, 46, 113, 145; ТСУЖ, 139, 191.

Погиба́ть, так с му́зыкой. *Разг.* О необходимости сохранять чувство личного достоинства в безвыходной ситуации. БТС, 855.

Вести́ му́зыку. *Жарг. угол.* Разговаривать на воровском жаргоне. Максимов, 59.

Де́лать (зака́зывать) му́зыку *в чем, где. Разг.* Играть важную, определяющую роль в чём-л., где-л. НРЛ-82; Мокиенко 2003, 60.

МУК * Ма́ленький Мук. *Жарг. шк. Пренебр.* Очень глупый, несообразительный ученик. Максимов, 236.

МУ́КА * Кроме́шная му́ка. *Разг.* То же, что **мука мученическая.** БТС, 472, 563.

Му́ка му́ченическая. *Книжн.* О сильных мучениях, страданиях. БТС, 565. < Восходит к религиозным текстам о святых мучениках. БМС 1998, 390.

На му́ках. *Морд.* На последнем месяце беременности. СРГМ 1986, 39.

Ба́бьи му́ки. 1. *Курск.* О чём-л. очень трудном. БотСан, 82. 2. *Прикам.* Болезнь, напущенная по наговору. МФС, 60.

Му́ку (му́ки) му́чить. *Кар., Коми.* Мучиться, страдать.СРГК 3, 269, 275; Кобелева, 67.

Му́ки сло́ва. *Книжн.* О сложностях писательского труда. < Выражение из стихотворения С. Я. Надсона «Нет на свете мук сильнее муки слова» (1882 г.). БМС 1998, 390.

Му́ки Танта́ла (Танта́ловы му́ки). *Книжн.* Мучения, вызываемые созерцанием желанной цели и сознанием невозможности ее достичь. < Восходит к древнегреческому мифу. ФСРЯ, 255; БТС, 1306; Мокиенко 1989, 153-154; Ф 1, 305; БМС 1998, 390.

Ни му́ки ни пова́лу *чему. Яросл.* О деле, далёком от завершения. ЯОС 6, 145.

Споко́йной му́ки, алкаши́. *Жарг. мол. Шутл.* Телепередача «Спокойной ночи, малыши!». БСПЯ, 200.

Стать на му́ки. *Кем.* Начать испытывать родовые схватки. СБО-Д2, 204.

МУКА́ * Мука́ посы́пала (посы́палась). *Ворон.* О чувстве безотчётного страха. СРНГ 18, 339; СРНГ 30, 257.

[Всё] переме́лется — мука́ бу́дет. *Народн.* Всё наладится, дела пойдут хорошо. ДП, 56, 295; БТС, 563, 811; Глухов 1988, 57; СПП 2001, 54.

Я́блочная мука́. *Сиб.* Крахмал. ФСС, 115.

Не из до́брой муки́ раство́ренный. *Пск. Неодобр.* О нечестном, непорядочном человеке. СПП 2001, 54.

Торгова́ть муко́й. *Кемер.* Высыпать из мешка снег на вечеринке (во время святочных игр). СРНГ 18, 339.

В муку́ пья́ный. *Жарг. мол. Шутл.-ирон.* О сильной степени опьянения. Елистратов 1994, 256.

Муку́ на ка́мне доста́нет. *Коми. Одобр.* О работящем, умелом человеке. Кобелева, 62.

Пуска́ть/ пусти́ть на муку́ *что. Волг.* Тратить (деньги) бесцельно, без надобности. Глухов 1988, 137.

МУ́ЛИК * Му́лики во́дят *кого. Одесск.* 1. *Шутл.* О человеке, страдающем белой горячкой. 2. *Неодобр.* О человеке, совершающем необдуманные поступки. < **Мулик** — черт. КСРГО.

МУ́ЛЬКА * Втира́ть му́льки. *Жарг. мол.* 1. Угрожать кому-л. 2. Лгать, обманывать кого-л. Максимов, 73.

Ха́вать му́льки. *Жарг. мол.* Верить вранью. Максимов, 258.

Цеди́ть му́льки. *Жарг. мол.* Делать что-л. очень медленно. Максимов, 258.

Гнать (гоня́ть, прогоня́ть, пуска́ть) му́льку (му́льки). *Жарг. мол.* Рассказывать (обычно — долго) что-л. неправдоподобное, вымышленное; рассказывать о чём-л. своём, не известном и не интересном для окружающих. Митрофанов, Никитина, 120; Максимов, 258.

Пульну́ть му́льку. *Жарг. мол.* Высказать какую-л. новую, оригинальную мысль. Максимов, 258.

МУЛЬКОПУСКА́ТЕЛЬ * Вы́ключить мулькопуска́тель. *Жарг. мол.* 1. Замолчать. 2. Перестать лгать, обманывать. Максимов, 76.

МУ́ЛЬТИК * Смотре́ть му́льтики. *Жарг. нарк.* 1. Галлюцинировать от действия наркотиков. Грачев 1994, 21; Грачев 1996, 45; Югановы, 136. 2. Употреблять галлюциногенные медицинские препараты в качестве наркотика. Балдаев 2, 48; ТСУЖ, 165.

МУ́ЛЯ * Гнать/ загна́ть/ загоня́ть (прогоня́ть) му́лю. *Жарг. мол.* Говорить ерунду, вздор; обманывать кого-л. Вахитов 2003, 39, 58, 149; Максимов, 87.

Запуска́ть/ запусти́ть му́лю *кому. Жарг. мол.* Обманывать кого-л. Максимов, 148; СИ, 1998, № 8.

Сха́вать му́лю. *Жарг. мол.* Поверить вранью. Максимов, 258.

Му́ля ста́рого Бараба́са (Караба́са). *Жарг. мол. Шутл.-ирон.* Ложь, враньё. Максимов, 259.

МУ-МУ́ * Валя́ть (ката́ть) Му-му́. *Жарг. мол. Шутл.* 1. Бездельничать, праздно проводить время. Sleng-99. 2. Обманывать, говорить ерунду. Никитина 2003, 401.

Гнать (поро́ть) му-му́. *Жарг. мол. Шутл.-ирон.* Обманывать кого-л., рассказывать небылицы. Никитина 2003, 401; Максимов, 259.

Притопи́ть Му-му́. *Жарг. нарк. Шутл.* Принять наркотик. Никитина 2003, 401.

Проспе́кт Му-му́. *Жарг. мол. Шутл.* Коровинское шоссе в Москве. МК, 14.03.98.

Топта́ть Му-му́. *Жарг. арм. Неодобр.* Надоедать кому-л., утомлять кого-л. наставлениями, нравоучениями. Кор., 286.

Тра́хать (сноша́ть) Му-му́. *Жарг. арм.* 1. также *Мол. Шутл.-ирон.* Медлить, затягивать какое-л. дело. h-98; Кор., 265. 2. *Неодобр.* Долго и нудно читать нравоучения кому-л., отчитывать кого-л. Кор., 265.

МУМЫ́РЯ * Глуха́я мумы́ря. *Орл. Пренебр.* О человеке, который плохо слышит. СОГ-1994, 156.

МУНДИ́Р * Запа́чкать (замара́ть, испа́чкать) мунди́р. *Книжн.* Совершить что-л., порочащее честь лица или организации, которую это лицо представляет. БТС, 563; Ф 1, 291.

В мунди́рах. См. **Картошка в мундирах (КАРТОШКА).**

Си́ние мунди́ры. *Разг. Устар.* Жандармы в дореволюционной России, носившие форму синего цвета. Ф 1, 305.

МУНДШТУ́К * Держа́ть на мундштуке́ *кого. Разг. Устар.* Сурово, деспотично обходиться с кем-л. Ф 1, 159.

МУ́НИ * Распусти́ть му́ни. *Кар.* Расплакаться. СРГК 5, 463.

МУР * Одни́м му́ром ма́заны. *Курск., Пск. Шутл.* Об одинаковых, очень похожих друг на друга людях. Ивашко, 1993; БотСан, 106. < **Мур** — глазурь для глиняной посуды. Ивашко, 1993.

МУРАШИ́ * Мураши́ по ко́же (по те́лу) [забе́гали]. *Новг., Сиб.* То же, что **мурашки по телу бе́гают.** НОС 5, 109; ФСС, 115.

МУРА́ШКИ * Мура́шками посы́пало *кого. Народн.* То же, что **мурашки по телу бе́гают.** ДП, 273.

Мура́шки одева́ет *[кому?]. Пск.* То же, что **мурашки по телу бе́гают.** СПП 2001, 54.

Мура́шки по те́лу (по спине́) бе́гают (забе́гали, пошли́). *Разг.* Об ощущении озноба, дрожи. ДП, 273; ФСРЯ, 255; ЗС 1996, 176; БМС 1998, 391.

МУРА́ШНИК * В мура́шнике купа́ться. *Кар.* Вставать ногами в муравейник в магических целях. СРГК 3, 59.

МУ́РКА * Жа́рить (вжа́ривать/ вжа́рить) му́рку (по му́рке). *Жарг. мол.* Говорить на жаргоне. Максимов, 61, 179.

Трепа́ть му́рку. *Жарг. мол. Шутл. или Неодобр.* Говорить лишнее. (Запись 2004 г.).

МУР-МУ́Р * Ни мур-му́р. 1. *Прост.* О человеке, который ничего не говорит, не подаёт признаков жизни. Ф 1, 305. 2. *Пск. Шутл.* Абсолютно ничего, нисколько. СПП 2001, 54.

МУРСА́ЛЫ * Дать по мурса́лам *кому. Обл.* Избить кого-л. Мокиенко 1990, 124.

МУРЦО́ВКА * Дать мурцо́вки (мурцо́вку) *кому. Перм., Сиб., Приамур.* Побить, наказать кого-л. Подюков 1989, 58, 221; ФСС 120; СРГПриам., 69.

Нахлеба́ться (хлебну́ть, хвати́ть) мурцо́вки (мурцо́вочки). *Сиб., Забайк., Приамур.* Испытать трудности, лишения, горе. ФСС, 120, 134; СФС, 195; СРГПриам., 315; СРГЗ, 215; СНФП, 97; Мокиенко 1990, 64.

Хлеба́ть мурцо́вку. *Сиб.* 1. Чрезмерно много и тяжело работать. СФС, 108. 2. Терпеть лишения, бедствовать, голодать. Ф 2, 234.

МУРЦО́ВОЧКА * Нахлеба́ться (хлебну́ть, хвати́ть) мурцо́вочки. См. **Нахлеба́ться (хлебну́ть, хвати́ть) мурцо́вки (МУРЦОВКА).**

МУ́РЫ * Петь му́ры. *Пск.* Мурлыкать (о коте). СПП 2001, 54.

МУРЫ́СЬ * Муры́сь берёт *кого. Морд.* 1. О сильном желании сделать что-л. 2. О чувстве недовольства, досады. СРГМ 1986, 41.

МУСА́ЛЫ * Дать по муса́лам *кому. Волг.* Ударить, побить кого-л. Глухов 1988, 31.

МУ́СКУЛ * Любо́вный му́скул. *Жарг. мол. Шутл.* Пенис. Максимов, 232.

Игра́ть му́скулами. *Публ.* Угрожать, демонстрировать готовность к войне. < Из речи спортсменов-культуристов. НРЛ-82; Мокиенко 2003, 60.

Ни оди́н му́скул не дро́гнул на лице́ *у кого. Разг.* Кто-л. нисколько не испугался или сделал вид, что не испугался. БТС, 564.

МУ́СОР * Де́лать / сде́лать му́сор *из кого. Жарг. угол.* Сильно избивать кого-л. Быков, 61.

Му́сор цветно́й. *Жарг. угол., арест.* Надзиратель в ИТУ; служащий внутренних войск. ББИ, 146; Балдаев 1, 259; Быков, 129.

Поменя́ть му́сора на мента́. *Жарг. арест. Шутл.-ирон.* О смене администрации ИТУ. Балдаев 1, 62. < **Мусор, мент** — сотрудник правоохранительных органов.

Убо́рка му́сора. *Жарг. бизн., комп.* Поиск информации, оставленной пользователем после работы с компьютером. БС, 267.

МУСОРШМИ́ДТ (МУСОРШМИ́Т) * Ментокры́лый мусоршми́дт (мусоршми́т). *Авто, мол. Шутл.-ирон.* Милицейский вертолёт, с которого наблюдают за движением на трассе. Раскин, 280; Щуплов, 23.

МУСС * Разводи́ть/ развести́ мусс. *Жарг. мол.* О поносе. Никитина, 1998, 260.

МУСТА́НГ * Оседла́ть бе́лого муста́нга. *Жарг. мол. Шутл.* Сесть на унитаз. Максимов, 31.

МУ́ТА * Де́лать му́ту. 1. *Пск.* Производить беспорядок. 2. *Пск.* Безобразничать. 3. *Олон.* Смущать, соблазнять кого-л. СРНГ 18, 367.

МУ́ТКИ * Гоня́ть му́тки. *Жарг. мол. Шутл.* Рассказывать, разговаривать о чём-л. своём, не известном, не интересном для окружающих. БСРЖ, 363.

МУТО́ВКА * Погла́дить муто́вкой по голове́ *кого. Волг.* То же, что **задать мутовку.** Глухов 1988, 118.

Дава́ть/ дать муто́вку *кому. Кар.* Отказывать жениху при сватовстве. СРГК 1, 424; СРГК 3, 274.

Зада́ть муто́вку *кому. Кар.* Побить, поколотить кого-л. СРГК 3, 274.

Не муто́вку облиза́ть. *Перм.* О непростом деле. Подюков 1989, 134.

МУТОСВЕ́Т * Га́жий мутосве́т. *Пск. Бран.* О непорядочном человеке. СПП 2001, 54.

МУТУ́ЗКА * Води́ть на муту́зке *кого. Волг.* Лишать самостоятельности, подчинять себе кого-л. Глухов 1988, 13.

МУТЬ * Голуба́я муть. *Прост. Неодобр.* Ерунда, чушь, что-л. непонятное. Вахитов 2003, 102.

Замути́ть муть. *Кар.* Сбить с толку, запутать кого-л. СРГК 2, 161.

Муть берёт *кого. Коми.* Кому-л. страшно, неприятно смотреть на что-л., на кого-л. Кобелева, 67.

МУ́ХА * Вари́ть мух. *Арх. Ирон.* Голодать. АОС 3, 49.

Вы́гнать мух из головы́. *Пск. Шутл.* Протрезветь (после состояния опьянения). СПП 2001, 54.

Гоня́ть мух. *Одесск.* В свадебном обряде — ходить в гости к приглашённым на четвертый день свадьбы (о действиях хозяев). КСРГО.

До бе́лых мух. *Разг.* До первого снега. БТС, 565; СОСВ, 30; Глухов 1988, 35.

Лови́ть мух. 1. *Ворон. Неодобр.* Бездельничать, изнывать от безделья. СРНГ 17, 101. 2. *Прост.* Бездействовать, ничего не предпринимать. Ф 1, 283. 3. *Дон. Неодобр.* Болтать, проводить время в пустых разговорах.

СРНГ, 272. 4. *Пск.* Внимательно следить за чем-л. СПП 2001, 54. 5. *Прост. Шутл.* Быть рассеянным, невнимательным. Ф 1, 283; Подюков 1989, 107.

Лови́ть мух ноздря́ми. *Волг. Неодобр.* То же, что **ловить мух 4.** Глухов 1988, 82.

Мух не лови́ть. *Новг. Неодобр.* Быть очень пьяным. НОС 5, 33; Сергеева 2004, 146.

Мух ртом лови́ть. *Сиб. Ирон.* Зевать. ФСС, 107.

Мух соси́! *Жарг. мол. Груб.* Требование прекратить разговор, какие-л. действия, оставить в покое кого-л. Вахитов 2003, 102.

Не отго́нит мух. *Волг. Неодобр.* Об очень ленивом человеке. Глухов 1988, 101.

Счита́ть мух. *Прост. Неодобр.* Бездельничать. БТС. 565; Глухов 1988, 157; Ф 2, 198.

Блага́я му́ха. *Самар.* Овод. СРНГ 19, 35.

Желе́зная му́ха. *Пск.* Самолёт. СПП 2001, 54.

Забода́й его́ му́ха! *Яросл.* Восклицание, выражающее изумление или досаду. ЯОС 4, 54.

Кака́я му́ха укуси́ла *кого? Разг. Неодобр.* О рассердившемся, хмуром человеке; о непонятном странном поведении. ФСРЯ, 256; БТС, 565, 1382; БМС 1998, 391.

Му́ха зелёная! *Перм. Бран.-шутл.* Выражение лёгкой досады, недовольства, раздражения. Подюков 1989, 118. < Выражение народное, образованное по активной эвфемистической модели с сущ. **муха** под влиянием оборота **ёлки зелёные**. Мокиенко, Никитина 2003, 216.

Му́ха крыло́м перешибёт *кого. Народн. Ирон.* О слабом, тщедушном человеке. Жиг. 1969, 253; ДП, 398.

Му́ха крыло́м пробьёт *что. Волг., Дон. Неодобр.* О чём-л. непрочном, лёгком, ненадёжном. Глухов 1988, 86; СДГ 2, 148.

Му́ха моги́льная! *Прост. обл. (Перм.) Бран.-шутл.* Выражение лёгкой досады, раздражения. Мокиенко, Никитина 2003, 216.

Му́ха на во́ду не падёт. *Кар.* О полной тишине. СРГК 3, 274.

Му́ха на нос не сади́сь. *Сиб. Шутл.-ирон.* О заносчивом, спесивом человеке. СРНГ 36, 27.

Му́ха на нос се́ла *кому. Перм. Шутл.* О желании выпить спиртного. Подюков 1989, 193.

Му́ха на́ руку не ся́дет *кому. Иркут. Одобр.* Об очень подвижном, работящем человеке. СРНГ 19, 35.

Му́ха (му́хи) не́воро́х. *Кар. Шутл.-ирон.* Об очень спокойном поведении человека. СРГК 3, 274.

Му́ха не пролети́т. 1. *Разг.* О бдительном стороже, охраннике, мимо которого никто не проскользнёт. (Запись 2006 г., С.-Петербург). 2. *Дон. Неодобр.* О грубой брани, сквернословии. СДГ 2, 148. 3. *Перм. Шутл.* О крайне интенсивном действии. Подюков 1989, 118.

Му́ха (му́хи) не сиде́ла (не сиде́ли, нс сади́лись). *Прост.* О совершенно новой вещи. СРГМ 1986, 43; Подюков 1989, 119; Максимов, 278.

Му́ха цеце́. *Жарг. шк. Презр. или Шутл.* Учитель биологии. Максимов, 261.

Мясна́я му́ха. *Жарг. угол. Ирон.* Работник мясокомбината, совершающий кражу продуктов. Балдаев 1, 262; ББИ, 147.

Наво́зная му́ха. 1. *Горьк. Презр.* Склочный, мелочный, надоедливый человек. БалСок., 24. 2. *Жарг. авто. Пренебр.* Автомобиль марки «Ока». Максимов, 261.

Неба́яный му́ха (шу́ха). *Яросл. Шутл.-ирон.* Молчун, неразговорчивый человек. ЯОС 6, 125. < Форма **шуха**, зафиксированное словарем ярославских говоров, видимо, является опечаткой. *Прим. ред.*

Не му́ха во́рохом. *Прибайк.* Сохраняя молчание, молча, неслышно. СНФП, 98.

Скоти́нная муха! *Прост. обл. (Ивановск.) Бран.-шутл.* Выражение лёгкой досады, недовольства, раздражения. Мокиенко, Никитина 2003, 216.

Со́нная муха. *Прост. Неодобр.* О вялом, апатичном человеке. ЗС 1996, 89.

Слы́шно, как му́ха пролети́т. *Разг.* О полной тишине. БТС, 565.

Ша, му́ха, я — дихлофо́с (кома́р)! *Жарг. мол. Шутл.* Требование замолчать. Максимов, 481, 482.

Ядрёна (едрёна) му́ха! *Перм. Бран.-шутл.* Выражение лёгкой досады, недовольства, раздражения. Подюков 1989, 118; Мокиенко, Никитина 2003, 216.

Ячме́нная му́ха! *Перм. Бран.-шутл.* То же, что **ядрёна муха!** Подюков 1989, 118; Мокиенко, Никитина 2003, 216.

Не му́хам во́рог. *Народн. Шутл.-ирон.* То же, что **мухи не обидит.** ДП, 252.

Му́хами зага́женный. *Прикам. Ирон.* Забытый, устаревший. МФС, 38.

С му́хами [в носу́]. *Прост. Неодобр.* О человеке со странностями, причудами, умственно неполноценном. БМС 1998, 391; СРГК 274.

Не́где му́хе сесть. *Новг.* О большом количестве чего-л. НОС 10, 48.

Ходи́ть на му́хе. *Жарг. авиа.* Летать на самолете. Максимов, 261.

Бе́лые му́хи. *Народн.* Снег, снежинки. ФСРЯ, 256; БТС, 71, 565; ЗС 1996, 444; Ф 1, 305; АОС 1, 59; СБГ 1, 45; Вахитов 2003, 14.

Де́лать из му́хи слона́. *Разг.* Сильно преувеличивать что-л., придавать чему-л. незначительному большое значение. ФСРЯ, 256; БТС, 565; Мокиенко 1989, 113; БМС 1998, 391.

Довести́ до бе́лой му́хи *кого. Новг.* Иссушить, сделать так, чтобы кто-л. зачах, заболел. НОС 2, 88.

Едя́т тебя́ (его́, вас, твою́, ва́шу и т. п.) му́хи! *Прост. Бран.-шутл.* Восклицание, выражающее досаду, возмущение, негодование или восхищение, восторг, удивление. ФСРЯ, 256; Вахитов 2003, 52; Подюков 1989, 73; Мокиенко, Никитина 2003, 216-217.

Ешь тебя́ (его́, вас и пр.**) му́хи [с комара́ми]!** *Прост. Бран.-шутл.* То же, что **едят тебя мухи!** Подюков 1989, 73; Мокиенко, Никитина 2003, 217.

Му́хи в голове́ *у кого. Прост. Неодобр.* О странном, глупом, легкомысленном человеке. БМС 1998, 391.

Му́хи во рту блудя́тся *у кого. Сиб. Пренебр.* О нерасторопном, застенчивом человеке. ФСС, 115. **Му́хи во рту во́дятся (жужжа́т, пу́таются).** *Перм.* То же. Подюков 1989, 119.

Му́хи до́хнут (мрут). *Прост.* Невыносимо скучно. ФСРЯ, 257; БТС, 281, 565.

Му́хи засра́ли (обга́дили, обка́кали, обосра́ли) *кого, что. Пск. Вульг.* 1. *Ирон.* О состарившемся, ослабевшем человеке. 2. *Неодобр.* О человеке, потерявшем добрую репутацию. СПП 2001, 54.

Му́хи не оби́дит. *Разг.* О тихом, скромном, беззлобном человеке. ФСРЯ, 257; БТС, 565; СПП 2001, 54.

Му́хи не тра́хались. *Жарг. мол. Вульг. Шутл.-ирон.* О чём-л. новом. Елистратов 1994, 258.

Му́хи обсе́ли *кого. Волг. Пренебр.* О неряшливом, грязном человеке. Глухов 1988, 86.

Му́хи (му́ху) с но́са не сго́нит. *Перм. Ирон.* О безобидном, не в меру скромном человеке. Подюков 1989, 193.

Чёрные му́хи в глаза́х лета́ют *у кого. Обл.* Кого-л. тошнит, мутит. Мокиенко 1990, 17.

Гоня́ться за му́хой с обу́хом. *Народн. Ирон.* Предпринимать чрезвычайные усилия по ничтожному поводу. ДП, 430.

Под му́хой. *Разг. Шутл.* В состоянии алкогольного опьянения (как правило — лёгкого). ФСРЯ, 257; БТС, 565; СОСВ, 115; ЗС 1996, 192; Мокиенко 1986, 31; БМС 1998, 391.

С му́хой. *Прост.* То же, что **под мухой.** ФСРЯ, 257.

Запусти́ть му́ху. *Жарг. шк. Шутл.* Отправить кого-л. разведать что-л. (Запись 2003 г.).

Задави́ть (заруби́ть, зашиби́ть раздави́ть, уби́ть) му́ху. *Прост.* Выпить спиртного. ДП, 792; БТС, 319; СРНГ 11, 8; СРНГ 19, 35; ФСРЯ, 379; Глухов 1988, 47, 52; Подюков 1989, 193; БМС 1998, 391.

Наскочи́ть на му́ху. *Жарг. мол. Шутл.* Раздобыть спиртного. Максимов, 261.

Пропа́сть за му́ху. *Кар.* Погибнуть напрасно, ни за что. СРГК 5, 284.

Согна́ть (стряхну́ть) му́ху [с но́са]. *Перм. Шутл.* Выпить спиртного. Подюков 1989, 193.

Уреза́ть/ уре́зать му́ху. *Прост. Устар.* Напиваться пьяным. Ф 2, 221.

МУХОМО́Р * В мухомо́ре. *Сиб. Шутл.-ирон.* В состоянии дурмана от ядовитых грибов; в состоянии алкогольного опьянения. СРНГ 19, 37.

МУХРЫ́ * Мухры́ пришли́ *[к кому]. Костром. Шутл.* Кому-л. захотелось спать. СРНГ 19, 39.

МУ́ЧЕНИК * Свято́й му́ченик. *Жарг. шк. Ирон.* Ученик у доски. ВМН 2003, 89.

Но́вые му́ченики. *Жарг. шк. Ирон.* Первоклассники. ВМН 2003, 89.

МУЧИ́ЦА * Ни мучи́цы ни крупи́цы *у кого. Обл. Шутл.-ирон.* О крайней бедности, нищете, жизни впроголодь. Мокиенко 1990, 100.

МУ́ЧКА * Бо́гова му́чка, да чёртовы ру́чки. *Яросл. Неодобр.* О неумелой хозяйке, которая портит хорошие продукты. ЯОС 2, 6.

Му́чки му́чить. *Кар.* Скакать на одной ноге до изнеможения. СРГК 3, 276.

МУ́ШКА * Бе́лые му́шки. *Народн.* То же, что **белые мухи.** ФСС, 115; СПП 2001, 54; СРГЗ, 216.

До му́шки *кому что. Разг. Неодобр.* Совершенно безразлично кому-л. НРЛ-78; Мокиенко 2003, 61.

Брать/ взять на му́шку *кого.* 1. *Пск.* Убивать кого-л. выстрелом. СПП 2001, 54. 2. *Разг.* Сосредоточивать внимание на ком-л. или на чём-л., наблюдать, следить за кем-л., за чем-л. ФСРЯ, 46; БТС, 565. 3. *Пск.* Подзадоривать, подбивать кого-л. на что-л. СПП 2001, 54.

Лови́ть/ пойма́ть на му́шку *кого. Пск.* То же, что **брать на мушку 1.** СПП 2001, 54.

Попада́ть/ попа́сть (попа́сться) на му́шку. *Разг.* Оказываться в поле зрения кого-л., становиться объектом внимания, наблюдения. БТС, 565; Ф 2, 74.

Дать му́шку *кому. Пск.* Причинить неприятности кому-л. ПОС 8, 133.

Де́лать му́шку. *Сиб.* Прицеливаться. ФСС, 56.

МУШКЕТЁР * Три мушкетёра. *Жарг. арм., курс. Шутл.* Патруль (состоящий, как правило, из одного офицера или прапорщика и двух солдат или курсантов). Кор., 291.

МЫ * [И] мы паха́ли. *Ирон.* О человеке, приписывающем себе чужие трудовые достижения, результаты чужого труда. БТС 566, 788. < Выражение из басни И. И. Дмитриева «Муха» (1803 г.). ФСРЯ, 257, 311; БМС 1998, 434.

Э́то, ка́жется, мы уже́ е́ли? *Жарг. мол. Шутл.* О рвотной массе. Максимов, 500.

Между на́ми говоря́. *Разг.* О чём-л. известном лишь узкому кругу лиц; о том, чего не следует разглашать. БТС, 529. < Калька с франц. *entre nous dit.* БМС 1998, 392.

Оста́нется ме́жду на́ми *что. Разг.* Не будет разглашаться, сохранится в тайне. Ф 2, 21.

МЫ́ЛИТЬСЯ * Не мы́лься, бри́ться не бу́дешь. *Жарг. мол.* О напрасной надежде на что-л., подготовке к чему-л.: не надейся, ничего не получится. Елистратов 1994, 259.

МЫ́ЛО[1] * Без мы́ла в буты́лку зале́зть. *Волг.* То же, что **без мыла в душу лезть.** Глухов 1988, 49.

Без мы́ла в ду́шу (в жо́пу) лезть/ влезть. *Прост.* Лестью, хитростью и т. п. добиваться расположения, доверия со стороны кого-л. ФСРЯ, 223; БТС, 290, 566; Мокиенко, Никитина 2003, 217.

Без мы́ла (без са́ла) в жо́пу вле́зет. *Вульг.-прост.* О хитром, сообразительном человеке. СПП 2001, 54; Мокиенко, Никитина 2003, 217.

Дать мы́ла *кому. Орл.* Побить, поколотить кого-л. СРНГ 19, 54.

Быть в мы́ле. *Разг.* Сильно вспотеть от быстрой ходьбы, бега; напряженной работы. БМС 1998, 392; ШЗФ 2001, 26; БТС, 566; Подюков 1989, 207.

Идти́ с мыла́ми. *Ряз., Свердл.* В свадебном обряде — идти к невесте с подарками накануне свадьбы или утром в день свадьбы. СРНГ 19, 55.

Кида́ть мы́лами. *Сиб.* Бросать мылом друг в друга в бане (вид гадания девушек накануне венчания одной из них — считается, что девушка, попавшая мылом в подругу, тоже выйдет замуж). ФСС, 92; СБО-Д1, 277.

Вози́ть мы́ло. *Морд.* Устраивать угощение у родственников невесты спустя некоторое время после свадьбы. СРГМ 1978, 82.

Гоня́ть мы́ло. *Жарг. морск.* Мыть пол с мылом. Максимов, 92.

Дава́ть/ дать на мы́ло. *Жарг. угол.* 1. *кого.* Убивать ножом, зарезать кого-л. 2. *[кому]* Уйти, сбежать от кого-л. СВЯ, 25.

Живо́е мы́ло. *Жарг. мол., крим.* Проститутка, обслуживающая клиентов в бане. WMN, 57.

Изойти́ на мы́ло. *Яросл.* Переволноваться. ЯОС 4, 140.

Мы́ло в коры́те! *Ср. Урал, Яросл.* Приветственное пожелание стирающим бельё. ЯОС 6, 70; СРНГ 19, 54; СРНГ 15, 37; СРГСУ 2, 150.

На мы́ло! *Прост.* Долой, вон (требование изгнать, выгнать кого-л. откуда-л. как не справляющегося со своими обязанностями. ФСРЯ, 257; БТС, 566.

Ро́жевое мы́ло. *Кар.* Туалетное мыло. СРГК 5, 550.

Сесть на мы́ло. *Жарг. угол.* Убежать откуда-л., скрыться. Максимов, 261.

Соба́чье мы́ло. *Курск., Одесск.* Луговая трава с мелкими розовыми цветами, которая мылится при растирании. БотСан, 114; КСРГО.

Тата́рское мы́ло. *Сиб.* Трава горицвет. Верш. 7, 33.

Тере́ть мы́ло *куда. Жарг. мол.* Намекать на что-л. ТНТ, 27.01.04.

Трясти́ за мы́ло *кого. Жарг. угол., арест.* Задавать кому-л. вопросы не по существу. Хом. 2, 433.

Ути́ное мы́ло. *Краснодар.* То же, что **собачье мыло.** СРНГ 19, 55.

Бить мы́лом го́лову *кому. Перм.* Наказывать, ругать кого-л. СРНГ 19, 54.

Е́хать/ пое́хать за мы́лом. *Южн. Урал.* Везти угощение невесте, которая идёт в баню с подружками. СРНГ 19, 54.

МЫ́ЛО[2] * Уйти́ в мы́ло. *Жарг. комп.* Перейти от общения в конференции к личной переписке. ETS, 1998. < **Мыло** — от англ *mail.* Садошенко, 1996.

Броса́ть/ бро́сить (кида́ть/ ки́нуть) мы́лом *в кого что. Жарг. комп. Шутл.* Передавать что-л. с помощью электронной почты. Holler 1995, 13.

МЫ́ЛЬЦЕ * Лягуша́чье мы́льце. *Волог.* Растение горицвет, кукушкин цвет. СРНГ 17, 257.

На мы́льце, бели́льце, на шелковом ве́ничке, на ли́повом па́ре! *Народн.* Благодарность за баню. ДП, 764.

На мы́льце-бели́льце, на шелковом ве́ничке, мали́новом па́ре! *Народн.* Форма благодарности хозяевам за баню (В некоторых областях хозяева на благодарность отвечают: «За баню не благодарят, не принято»). Балакай 2011, 346. Ср. **На пару́, на ба́не!**

МЫ́МРА * Мы́мра — нос вы́рван. *Ворон. Ирон.* О незаслуженной похвале. СРНГ 19, 57.

МЫМЫРА́ЛЬКА * Мымыра́лька Отры́жкина. *Жарг. мол. Презр.* О некрасивой девушке, вызывающей отвращение. Вахитов 2003, 102.

МЫСЛЕ́ТЕ * Писа́ть (выпи́сывать, выде́лывать) мысле́те. *Устар.* Идти нетвердым шагом, зигзагами (обычно — о походке пьяного). < **Мыслете** — старинное название буквы «М». ДП, 792; ФСРЯ, 257; Ф 2, 47; БТС, 566; ШЗФ 2001, 51; БМС 1998, 392.

МЫ́СЛЕЦА * По мы́слецам. *Твер. Одобр.* То же, что **по мысли (МЫСЛЬ).** СРНГ 19, 61.

МЫСЛЬ (МЫ́СЛЯ́) * Без за́дней мы́сли. *Разг.* Без скрытого смысла, тайных намерений. ЗС 1996, 57, 237, 291.

Лома́ть мы́сли. *Новг.* Думать, решать мысленно какой-л. вопрос. НОС 5, 38.

Мы́сли бьют *[у кого]. Пск.* Кто-л. способен здраво мыслить, разумно рассуждать; не утратил умственных способностей. СПП 2001, 54.

Навести́ мы́сли *кому. Кар.* Надоумить кого-л., подтолкнуть кого-л. к совершению чего-л. СРГК 3, 300.

Не по мы́сли. *Горьк., Волог., Яросл. Неодобр.* 1. Не так, как следует. 2. *кому.* Не по нраву. 3. Не по желанию, не по любви, не по доброй воле. СВГ 5, 13; БалСок., 47; ЯОС 6, 124.

Не своди́ть мы́сли *с кого, с чего. Прост. Устар.* Постоянно думать о ком-л., о чём-л. Ф 2, 145.

Отда́ть мы́сли *кому. Кар.* Поделиться жизненным опытом, дать совет кому-л. СРГК 4, 218.

Подводи́ть под свои́ мы́сли *кого. Яросл.* Убеждать кого-л. в чём-л. ЯОС 8, 23.

По мы́сли *кому. Твер., Смол. Одобр.* О том, что нравится, подходит кому-л. СРНГ 19, 62.

Прибра́ть на мы́сли *что. Омск.* Узнать что-л. СРНГ 31, 112.

Держа́ть мысль. *Перм.* Думать, предполагать что-л. Подюков 1989, 62.

За́дняя мысль. *Разг.* Тайное намерение, скрытый умысел. ФСРЯ, 257; ШЗФ 2001, 79; ЗС 1996, 237; БМС 1998, 392.

Класть мысль. *Кар.* Думать, размышлять о чём-л. СРГК 2, 359; СРГК 3, 279.

Мысль па́ла. *Волог., Сиб.* Что-л. вспомнилось, пришло в голову. СФС, 108; СБО-Д2, 68; СРНГ 25, 124.

Навести́ мысль *на что. Кар.* Подумать о чём-л. СРГК 3, 279.

Приходи́ть в (на) мысль *кому. Разг. Устар.* Возникать, появляться в сознании. Ф 2, 94.

Воспари́ть мы́слью. *Книжн. Устар.* Воодушевиться, вдохновиться. ФСРЯ, 78.

Раски́дываться мы́слью. *Книжн. Устар.* Размышлять, обдумывать что-л. ФСРЯ, 384.

Растека́ться мы́слью (мы́слию) по дре́ву. *Книжн.* Впадать в ненужное многословие, вдаваться в излишние подробности, отвлекаться от основной мысли. БТС, 283; Мокиенко 1986, 73.

Мысля́ заходи́ла *у кого. Перм.* Кто-л. начал думать о чём-л. СРНГ 19, 62.

Собира́ться с мы́слями. *Разг.* Сосредоточиваться на чём-л., пытаясь обдумать, решить что-л. ФСРЯ, 443.

Держа́ть в мы́слях *кого, что. Разг.* Постоянно помнить, думать о ком-л., о чём-л. ФСРЯ, 136.

МЫСЛЯ́. См. **МЫСЛЬ.**

МЫ́СОЧКИ * На мы́сочки. *Яросл.* На цыпочки. ЯОС 6, 78.

МЫТ * Мыт затяжно́й! *Твер. Бран.* Восклицание, выражающее гнев, негодование, возмущение. СРНГ 19, 63.

Мыт мы́том. *Влад., Яросл.* Взад и вперёд (бегать, ходить). ЯОС 6, 71.

Чтоб тебе́ мыт пал! *Смол. Бран.* Восклицание, выражающее гнев, негодование в чей-л. адрес. СРНГ 19, 63.

МЫ́ТО * Не мы́то не кры́то. *Ср. Урал. Неодобр.* О беспорядке, грязи в жилом помещении. СРГСУ 2, 200; СРНГ 15, 351.

МЫТЬЁ * Не мытьём, так ка́таньем. *Разг.* Тем или иным способом; любым способом, непременно. ФСРЯ, 358; БМС 1998, 393; Мокиенко 1990, 107, 128; СФС, 124.

МЫ́ТЬСЯ * Мы́ться да бели́ться. *Пск.* Приводить в порядок, украшать свой дом. СПП 2001, 54.

МЫЧА́ТЬ * Не (ни) мычи́т не (ни) те́лится. *Прост. Пренебр.* О том, кто бездействует, не может принять какого-л. решения. ДП, 472; СПП 2001, 54; СФС, 124; Мокиенко 1990, 11; Ф 1, 306; Подюков 1989, 120; Глухов 1988, 99; ФСС, 115.

МЫ́ЧКА * Мы́кать мы́чки. *Новосиб.* Расчёсывать лён или пеньку, подготавливая к прядению. СРНГ 19, 52.

МЫ́ШКА * Мы́шка на се́вере. *Жарг. комп. Шутл.* Конфета «Мишка на севере». Никитина 2003, 406.

Под мы́шкой (мы́шками). *Разг.* Под плечевым сгибом (нести, держать). ФСРЯ, 258.

Под мы́шку (мы́шки). *Разг.* Под плечевой сгиб. ФСРЯ, 258.

Сде́лать мы́шку. *Жарг. мол.* Раздобыть денег. Максимов, 262.

Дыша́ть под мы́шку. *Кар.* Молчать. СРГК 2, 17.

МЫШЛЕ́НИЕ * Но́вое мышле́ние. *Публ., Полит.* Система взглядов на мировые реальности ядерно-космического века, исходящая из приоритетов общечеловеческих ценностей и отказа от идеологических стереотипов. СП, 135; Нац, 131.

МЫШЬ (МЫШ) * Лови́ть мыше́й. 1. *Жарг. мол., угол. Одобр.* Быть расторопным, сообразительным. Перм. 2. *Жарг. муз. Одобр.* Хорошо разбираться в музыке. БСРЖ, 365. 3. *Жарг. угол.* Обворовывать пьяных. Балдаев 1, 229; ТСУЖ, 99.

Мыше́й не ло́вит. 1. *Прост. Пренебр.* О лентяе, бездельнике. ФСС, 107; НРЛ-70; НСЗ-84; Глухов 1988, 99. 2. *Прост. Пренебр.* Об одряхлевшем, состарившемся человеке. ДП, 357. 3. *Прост. Неодобр.* О несообразительном, нерасторопном, не разбирающемся в чём-л. человеке. Никитина 2003, 407.

Летýчие мы́ши в колокóльне завели́сь *у кого. Жарг. мол. Шутл.* О потере рассудка. Максимов, 56.

Мы́ши в амба́ре подо́хли. *Волг. Ирон.* О крайней бедности. Глухов 1988, 86.

Мы́ши кота́ погреба́ют. *Народн. Ирон.* О притворной печали. ДП, 657.

Мы́ши не едя́т *чего у кого. Прибайк. Шутл.* О большом количестве чего-л. (обычно — денег) у кого-л. СНФП, 98.

Голуба́я мышь. *Жарг. мол. Пренебр.* Пассивный гомосексуалист. Максимов, 90.

Забра́сывать мышь *кому. Жарг. угол., арест., мил.* Задавать допрашиваемому каверзные, прощупывающие вопросы. Хом. 1, 325.

Летýчая мышь. 1. *Спец.* Млекопитающее семейства рукокрылых, животное с перепончатыми крыльями, напоминающее мышь. Ф 1, 307. 2. *Разг.* Переносной керосиновый фонарь определенной конструкции. Ф 1, 307. 3. *Жарг. тур. Шутл.* Спелеолог. Максимов, 222.

Морска́я мышь (морско́й мыш). *Арх.* Зародыш ската, плавающий первоначально в плёнке. СРНГ 28, 41.

Мышь в рука́х *у кого. Жарг. мол. Шутл.-ирон.* О человеке, находящемся в дискомфортном состоянии. Максимов, 262.

Мышь подкопе́нная. *Орл., Твер. Бран.* О непорядочном человеке. < **Подкопенная** — живущая под копной. СРНГ 28, 41.

Мышь тебя́ (его́, вас и пр.**) заест!** *Перм. Бран.* Выражение лёгкого недовольства кем-л., чем-л., досады, раздражения. Подюков 1989, 120; Мокиенко, Никитина 2003, 217.

Палёна мышь! *Перм. Бран.-шутл.* То же, что **мышь тебя заест.** Подюков 1989, 102.

Что́бы мышь (мы́ши) не узна́ла (не узна́ли). *Разг. Устар.* Тщательно, не оставляя следов. Ф 1, 307.

Ядрёна (едрёна) мышь! *Прост. Эвфем. Бран.-шутл.* Выражение лёгкой досады, недовольства, раздражения. < Образовано эвфемизацией оборота **едрёна мать!** Мокиенко, Никитина 2003, 217.

МЭ́РИ * Крова́вая (кра́сная) Мэ́ри. *Жарг. мол.; Разг. Шутл.* Смесь водки с томатным соком. Балдаев 1, 208; Флг., 161; Б., 85.

Мэ́ри По́ппинз. *Жарг. шк. Шутл.* Учительница английского языка. (Запись 2003 г.).

МЭ́РИЛИН * Мэ́рилин Мэ́нсон. *Жарг. мол. Шутл.-ирон.* Об очень некрасивой девушке. < По имени известного рок-исполнителя. (Запись 2004 г.).

МЯГЧИ́НА * Под мягчи́ну. *Новг.* О чём-л. мягком. НОС 5, 116.

МЯКИ́НА * Мяки́на в голове́ *у кого. Прост. Пренебр.* О глупом, бестолковом человеке. БотСан, 85; Глухов 1988, 86.

На мяки́не не обманýть *кого. Сиб.* То же, что **на мякине не проведешь.** ФСС, 124.

На мяки́не не проведёшь *кого. Разг. Шутл.* Об опытном, бывалом человеке. ФСРЯ, 258; БТС, 567; Мокиенко 1990, 93; БМС 1998, 394.

Вы́бить мяки́ну из головы́ *у кого. Новг.* Наказать, образумить кого-л. 43.

МЯ́КИШ * Вороти́ть к себе́ мя́кишем *что. Новг., Перм.* Извлечь из чего-л. выгоду для себя в ущерб другим людям. СРНГ 19, 78.

МЯ́КОТЬ * Выта́скивать/ вы́тащить с мя́котью *что. Волг.* Настойчиво добиваться чего-л., отбирать у кого-л. что-л. Глухов 1988, 20.

Прикры́ть мя́котью *кого. Жарг. угол.* Удушить жертву, зажав дыхательные пути ладонью или подушкой. Балдаев 1, 351.

МЯ́ЛИЦА * Во всю мя́лицу. *Смол.* То же, что **во всю мялку (МЯЛКА).** Мокиенко 1986, 49.

МЯ́ЛКА * Мять мя́лки. *Сиб.* Выделывать кожу. ФСС, 115.

Во всю мя́лку. *Пск.* Очень громко, изо всех сил (кричать). СПП 2001, 54.

Дать мя́лку *кому. Ср. Урал.* Побить, поколотить кого-л. СРГСУ 2, 152; Мокиенко 1990, 46.

Драть (разева́ть /рази́нуть, ши́рить) мя́лку. *Пск. Груб.* Громко, изо всех сил кричать, орать. ПОС 7, 197.

Заткнýть мя́лку. *Прост. Груб.* Замолчать. СРНГ 11, 116; Глухов 1988, 51.

Наби́ть мя́лку. *Пск.* 1. *Груб.* Наесться, насытиться. 2. Устать говорить. СПП 2001, 54.

Попа́сть в мя́лку. *Сиб.* Оказаться в сложном, безвыходном положении. СОСВ, 116, 146.

Уйти́ под мя́лку. *Кем.* Превратиться в отходы (о плохом льне). СКузб., 214; СФС, 193.

МЯ́ЛО * Попа́сть в мя́ло. *Кар.* То же, что **попасть в мялку (МЯЛКА).** СРГК 5, 76.

МЯ́ЛЫ * Попа́сть в мя́лы. *Пск.* То же, что **попасть в мялку (МЯЛКА).** СПП 2001, 54.

МЯ́НЬГОРА * Чтоб тебе́ Мя́ньгора присни́лась! *Олон. Бран.* Восклицание, выражающее гнев, негодование в чей-л. адрес. < **Мяньгора** — гора на берегу Онежского озера, являющаяся, по народным поверьям, местом обитания нечистой силы. СРНГ 19, 86.

МЯСИ́НА * В мяси́ну пья́ный. *Жарг. мол.* О человеке в состоянии сильного алкогольного опьянения. БСРЖ, 366.

МЯ́СО * Расстрели́ твои́ мя́са! *Дон. Бран.* Восклицание, выражающее возмущение, негодование. СДГ 3, 86; СРНГ 34, 232.

Быть в мя́се. *Жарг. мол. Шутл.-ирон.* 1. Крепко спать. БСРЖ, 366. 2. Находиться в состоянии алкогольного опьянения. БСРЖ, 366.3. Восхищаться чем-л.; получать удовольствие от чего-л. БСРЖ, 366.

Вдо́вье мя́со. *Арх. Ирон.* Полнота, округлости, появляющиеся у стареющей женщины. АОС 3, 68.

Взять за [бе́лое] мя́со *кого. Жарг. мол.* Схватить, арестовать кого-л. Елистратов 1994, 260.

В мя́со. *Жарг. мол. Шутл.-ирон.* Очень, в высшей степени. Никитина 1996, 120; Максимов, 263.

Во́лчье мя́со. *Пск. Бран.* О домашнем животном. ПОС 4, 133.

Втыка́ть мя́со в мя́со. *Жарг. мол. Шутл.* Совершать половой акт. Максимов, 73.

Ди́кое (ди́чье) мя́со. *Перм.* Киста. СРНГ 8, 62. // *Пск.* Нарост на месте плохо заживающей раны. ПОС 9, 70.

Ди́кое мя́со дýшит *кого. Морд.* Об очень полном человеке. СРГМ 1986, 50.

Есть мя́со с мя́сом. *Орл. Шутл.-ирон.* Обильно питаться. СОГ-1994, 165.

Жёваное мя́со. *Жарг. мол. Шутл.* Мясной фарш. Максимов, 131.

Запусти́ть (сбро́сить) на мя́со *кого. Жарг. Спорт. (д/пл.).* Отправить в полёт (на дельтаплане) на разведку погоды. БСРЖ, 366.

Зло́е мя́со [га́дово]. *Бран.* 1. *Пск.* То же, что **волчье мясо**. СПП 2001, 54. 2. *Иркут.* О непорядочном человеке. СРНГ 19, 89.

Коле́лое мя́со. *Смол. Бран.* То же, что **волчье мясо**. СРНГ 19, 89.

Кури́ное мя́со. *Кар.* Пупырышки, появляющиеся на коже от холода, озноба. СРГК 3, 286.

Лесно́е (лесово́е) мя́со. *Новг., Яросл.* Грибы. НОС 5, 21; ЯОС 5, 128.

Мя́со не своло́чь *кому. Кар. Ирон.* О человеке, который не может сдвинуться с места. СРГК 3, 286.

Мя́со опа́ло (упа́ло) *у кого. Кар., Печор.* О похудевшем человеке. СРГК 3, 286; СРГНП 1, 523.

Мя́со с ды́ркой. *Жарг. мол. Жарг. мол. Шутл. или Пренебр.* Девушка. Максимов, 124.

Ни мя́со ни ры́ба. *Костром. Неодобр.* О плохом работнике. СРНГ 19, 89.

Падлю́чее мя́со. *Жарг. угол. Бран.* О человеке, вызывающем гнев, негодование, возмущение. < **Падлючий** — от **падла, падлюка.** Мокиенко, Никитина 2003, 218.

Переверну́ть мя́со на сто рядо́в. *Новосиб.* Приготовить много мясных блюд. СРНГ 26, 46.

По́длое мя́со. *Смол. Бран.* О человеке, вызывающем отвращение, омерзение. СРНГ 28, 72.

Пойти́ на мя́со. *Жарг. спорт.* (д/пл.). Отправиться в полёт на разведку погоды. БСРЖ, 366.

Пу́шечное мя́со. *Книжн.* О солдатах, насильственно или бессмысленно посылаемых на смерть. ФСРЯ, 258; ЗС 1996, 509; БТС, 568; БМС 1998, 394.

Расти́ть мя́со. *Кар.* 1. Выращивать скот. 2. Становиться здоровее, выздоравливать. СРГК 5, 478.

Све́жее мя́со. *Жарг. мол. Шутл.* Молодой человек. Максимов, 263.

Соба́чье мя́со. *Одесск. бран.* О человеке, поступившем непорядочно, подло. КСРГО.

С мя́сом. *Разг.* Вместе с кусочками материала (вырвать, оторвать что-л.). ФСРЯ, 258; БТС, 568.

Коло́ться по мя́су. *Жарг. нарк.* Вводить наркотик внутривенно. Максимов, 191.

Пусти́ть по мя́су. *Жарг. нарк.* Сделать укол под мышку. Максимов, 263.

МЯСОРУ́БКА * Попада́ть/ попа́сть в мясору́бку. *Жарг. угол., лаг. Неодобр.* Становиться объектом, жертвой тяжёлых испытаний, репрессий, пыток и т. п. Р-87, 225.

Проходи́ть/ пройти́ через мясору́бку *[чего]. Жарг. угол., лаг. Неодобр.* Переносить тяжёлые испытания, репрессии, пытки. Р-87, 225.

МЯ́ТА * Дать мя́ту. См. **Дать мятки (МЯТКА).**

МЯ́ТКА * Дать (зада́ть) мя́тки (мя́тку, мя́ту) *кому. Кар., Пск.* Избить, поколотить кого-л. СРГК 1, 424; СРГК 3, 287; СПП 2001, 54; Мокиенко 1990, 46.

Намя́ть мя́тку. *Кар.* То же, что **дать мятки.** СРГК 3, 287.

МЯ́У * Мяу сказа́ть не мо́жет. *Жарг. мол. Шутл.-ирон.* Об очень пьяном человеке. БСРЖ, 367.

МЯЧ * Гоня́ть мяч. *Разг.* Играть в футбол. Мокиенко 1990, 65.

НАБА́Т * Бить [в] наба́т. 1. *Разг.* Поднимать тревогу. ЗС 1996, 70, 360; ШЗФ 2001, 20; БМС 1998, 395. 2. *кому. Прибайк.* Беспокоить кого-л. жалобами о своих бедах. СНФП, 98.

Бухенва́льдский наба́т. *Жарг. шк. Шутл.* Звонок на урок. БМС 1998, 367.

НАБЕ́Г * С набе́га. *Разг. Устар.* Набрав скорость движения, с разгона. Ф 1, 308.

Прийти́ набе́гом. *Волог.* Войти в дом жениха без согласия родителей. СВГ 5, 19.

НА́БЕЛКИ * Бить (поби́ть) на́белками *Пск. Неодобр.* Быстро и много говорить, болтать. ПОС 2, 17.

Ло́скать на́белками. *Новг.* То же, что **бить набелками.** НОС 5, 11.

Хло́пать на́белками. 1. *Новг.* Шевелить губами. НОС 5, 121. 2. *Костром.* Сплетничать. СРНГ 19, 116. 3. *Костром.* Идти куда-л. СРНГ 19, 116.

Щёлкать на́белками. *Перм.* То же, что **бить набелками.** СГПО, 700; МФС, 113.

Бить на́белки. *Новг.* Сердиться. НОС 1, 38.

Оска́лить на́белки. *Пск. Неодобр.* Начать зло смеяться над кем-л. СПП 2001, 54.

Успоко́ить свои́ на́белки. *Новг.* Перестать браниться. НОС 11, 99.
< **Набелки** — губы.

НАБЛЮДЕ́НИЕ * Вести́ наблюде́ние. *Жарг. мол. Шутл.* Искать сексуального партнера. Максимов, 59.

НАБО́Й * Наби́ть набо́ем *что. Дон.* Набить битком, заполнить до отказа что-л. СДГ 2, 151.

С набо́ем. 1. *Кар.* Насильно. СРГК 3, 293. 2. *Новг.* С трудом. НОС 5, 124.

Дать набо́й *кому. Жарг. угол.* Намекнуть кому-л. о чём-л. Скачинский, 81.

НАБО́ЙКА * Гря́зная набо́йка. *Жарг. нарк.* Адрес продавца наркотиков. ТСУЖ, 111; Балдаев 1, 265; ББИ, 149.

НАБО́Р * Джентльменский набо́р (набо́р джентльме́на). *Жарг. мол. Шутл.* Подарок из бутылки шампанского, коробки конфет и букета цветов. Максимов, 264.

Набо́р для ю́ных те́хников. *Жарг. авто, Разг. Шутл.-ирон.* Старый автомобиль в плохом состоянии. Елистратов 1994, 469.

Набо́р кирпиче́й. *Жарг. шк. Шутл. или Пренебр.* Учебники. ВМН 2003, 90.

Набо́р косте́й. 1. *Жарг. угол. Шутл.* Кисть руки, ладонь. ТСУЖ, 111; Балдаев 1, 265; ББИ, 149. 2. **[и кру́жка кро́ви (пи́ва)].** *Жарг. мол. Шутл.-ирон.* Очень худой человек. Максимов, 264.

Набо́р сарде́лек. *Жарг. мол. Шутл.* Толстые пальцы на руках. Максимов, 264.

Набо́р слов. *Разг.* Сочетание слов, фраз, не имеющее смысла; полная бессмыслица. ФСРЯ, 260; ЗС 1996, 334.

Охо́тничий набо́р. *Жарг. арм. Шутл.* Три поллитровые бутылки спиртного: «*зубровка*», «*перцовка*» и «*зверобой*». Кор., 202.

Супово́й набо́р. *Жарг. мол. Шутл.* 1. То же, что **набор костей 2.** 2. Топмодель. Максимов, 264.

С набо́ром. *Кар.* Выборочно, не все сразу. СРГК 3, 294.

НАВА́Р * Быть в нава́ре. *Жарг. угол., мол.* Получать прибыль. Елистратов 1994, 261.

НАВЕДЕ́НИЕ * Наведе́ние мосто́в *между кем. Разг.* Установление дружеских и деловых связей. НСЗ-70; НРЛ-81.

НА́ВЕК * Из-под на́век веко́в. *Арх.* С давних пор, издавна. АОС 3, 85.

С на́веку. *Ленингр.* В течение жизни. СРНГ 19, 154.

С на́веку и ве́ку. *Пск.* То же, что **изпод навек веков.** СПП 2001, 55; СРНГ 19, 154.

НАВЕ́РХ * Всплыва́ть/ всплыть наве́рх. *Разг. Устар.* Обнаруживаться, раскрываться, становиться известным. Ф 1, 85.

Выходи́ть/ вы́йти наве́рх. *Волг.* То же, что **всплывать наверх.** Глухов 1988, 20.

Идти́ наве́рх. *Кар.* Становиться на дыбы (о медведе). СРГК 2, 267.

НАВЕРХУ́ * Весь наверху́. *Печор.* Об открытом, доверчивом человеке. СРГНП 1, 438.

НАВЕ́С * Держа́ть с наве́су. *Волж.* Направлять судно на определённый ориентир, чтобы миновать опасные места. СРНГ 19, 160.

НАВЕ́ТКА * Дава́ть наве́тки *кому. Волг., Горьк., Забайк., Сиб.* Говорить намёками; намекать кому-л. на что-л. Глухов 1988, 28; БалСок., 43; СНФП, 98; ФСС, 51; Верш. 4, 33; СРНГ 7, 257.

Загина́ть наве́тки. *Яросл.* 1. Задавать трудные вопросы. 2. То же, что **давать наветки.** ЯОС 4, 65.

НАВЕ́ШИВАНИЕ * Наве́шивание ярлыко́в *на кого. Разг. Неодобр.* Необоснованное приписывание кому-л. каких-л. свойств, качеств (обычно отрицательных). Ф 1, 309; Мокиенко 2003, 61.

НАВЗДЫ́М * Подня́ть навзды́м *что. Морд. Неодобр.* Привести что-л. в состояние большого беспорядка. СРГМ 1986, 59.

НА́ВЗНИЧЬ * Убиться на́взничь. *Жарг. мол. Шутл.* Глубоко задуматься. Максимов, 264.

НАВО́ДКА * Прямо́й наво́дкой. *Разг.* О стрельбе по видимой цели. Ф 1, 309; ЗС 1996, 360.

Дава́ть/ дать наво́дку *кому.* 1. *Жарг. угол.* Указать кому-л. на объект преступления. Росси 1, 226; ЕЗР, 110. 2. *Жарг. мол.* Подсказывать кому-л. что-л. БСРЖ, 368. 3. *Жарг. студ.* Задавать наводящий вопрос на экзамене (о преподавателе). (Запись 2001 г.).

НАВО́ДЧИК * Зря́чий наво́дчик. *Жарг. угол.* Сообщник преступления, действующий по предварительному сговору. ТСУЖ, 111; Балдаев 1, 265; ББИ, 149; СВЯ, 9.

Слепо́й (тёмный) наво́дчик. *Жарг. угол.* Случайный помощник преступника. ТСУЖ, 111; Балдаев 1, 265; ББИ, 149; СВЯ, 9.

НАВО́З[1] * Де́душкин наво́з. *Пск.* Подзолистая почва. СРНГ 7, 331, ПОС 8, 181.

Пойти́ на наво́з. *Прост. Неодобр.* Оказаться ненужным, бесполезным, абсолютно ни к чему не пригодным. Мокиенко, Никитина 2003, 218.

Ковыря́ться в наво́зе. *Прост. Пренебр.* 1. Заниматься тяжёлой и грязной работой. 2. Выяснять какие-л. интимные, сомнительные детали, порочащие чью-л. репутацию. Мокиенко, Никитина 2003, 218.

Загрести́ наво́зом *кого. Волг.* Унизить кого-л. Глухов 1988, 46.

НАВО́З[2] * Наво́зом вози́ть *что. Прикам.* Перевозить что-л. в несколько приёмов, в каком-л. количестве. МФС, 20.

НАВОРО́Т * Попа́сть в наворот. *Жарг. мол.* Оказаться в сложной, неприятной ситуации. АиФ, 1992, № 25.

Кле́ить наворо́ты. *Жарг. мол. Неодобр.* Демонстрировать силу, авторитет, богатство. Максимов, 182.

НА́ВЫК * От своего́ на́выка. *Кар.* Без чьей-л. помощи, опираясь на свой опыт. СРГК 4, 270.

НАГА́ДКА * Дава́ть нага́дку *кому. Кар.* Намекать кому-л. на что-л. СРГК 3, 306.

НАГА́Й * Дава́ть нага́я *кому. Одесск.* Бить, избивать кого-л. КСРГО.

НАГАЛУ́ХУ см. **ГАЛУХА.**

НА́ГЛУХО * На́глухо проби́тый. *Жарг. мол. Презр.* Об очень глупом человеке. Максимов, 265.

На́глухо уби́тый. *Жарг. нарк.* О человеке, принявшем большую дозу наркотика. Максимов, 265.

НАГЛЯ́К * В нагля́к. *Жарг. мол.* Нагло, нахально. Елистратов 1994, 264; ФЛ, 99.

НАГНУ́ТЬСЯ * Нагну́ться да вы́прямиться. *Обл.* Очень легко, не представляет труда. Ф 1, 310.

НА́ГОЛОВУ * Разби́ть на́голову. *Разг.* Победить противника полностью, окончательно. БМС 1998, 395; ЗС 1996, 509.

НАГО́Н * Наго́ном нагна́ть. *Ряз.* Пригнать кого-л. в большом количестве. ДС, 312.

НАГО́НКА * Дава́ть/ дать наго́нку. *Волг.* Строго наказать, побить кого-л. Глухов 1988, 30.

НАГО́НУШ * Дава́ть/ дать наго́нуша *кому. Обл.* Гнать, прогонять, выгонять кого-л. Мокиенко 1990, 110.

НА-ГОРА́ * Вы́дать на-гора́ *что.* 1. *Спец. шахт.* Поднять на поверхность из шахты. 2. Предъявить сделанную работу, произвести какую-л. продукцию. БМС 1998, 395; БТС, 575.

НАГОТА́ * Нагота́ и босота́. *Прост. Устар.* О крайней бедности, нищете. ФСС, 116; Ф 1, 310; БТС, 575.

Во всей наготе́. *Книжн.* 1. Открыто, ничего не скрывая. 2. В неприкрытом, неприглядном виде. Ф 1, 310.

Прикры́ть нагот́у. *Книжн.* Замаскировать убожество мысли или доводов. < Выражение из Библии. БМС 1998, 395.

НАГО́ТКА * В наго́тку. *Кар.* Донага. СРГК 3, 309.

НАГО́ШЕНЬКИЙ * Наго́ наго́шенек. *Сиб.* Совершенно голый, нагой. ФСС, 116.

НАГРЁБ * Нагреба́ть/ нагрести́ нагрёбом *что. Сиб.* Сгребая, собирать в кучу что-л. Верш. 4, 39.

НАГРУ́ЗКА * В нагру́зку. *Разг.* В придачу. БалСок., 27.

НА́ДВОЕ * Жить на́двое. *Курск., Прикам.* О бывших супругах, живущих отдельно. БотСан, 94; МФС, 37.

НАДЁЖА * Надёжа лы́са. *Морд. Ирон.* Сомнительно, вряд ли. СРГМ 1986, 65.

НАДЕ́ЖДА * Наде́жда Де́дкина. *Жарг. мол. Шутл.* Певица Надежда Бабкина. АиФ, 1999, № 25.

Льстить себя наде́ждой. *Книжн.* Надеяться, утешать себя надеждой. БМС 1998, 395; БТС, 577.

В наде́жду. *Кар.* Прочно, надёжно (делать что-л.). СРГК 1, 445.

Держа́ть наде́жду. *Кар.* Доверять кому-л. СРГК 3, 312.

Класть наде́жду. *Кар.* То же, что **питать надежду.** СРГК 2, 360.

Леле́ять наде́жду. *Книжн.* Горячо желать чего-л., вынашивать мечту о чём-л. БМС 1998, 395.

Наде́яться в наде́жду. *Новг.* Очень надеяться на кого-л., на что-л. Сергеева 2004, 206.

Пита́ть наде́жду. *Книжн.* Надеяться на что-л., на кого-л. БМС 1998, 395-396.

Обма́нутые наде́жды. *Жарг. арм. Шутл.-ирон.* О солдатском ужине. Максимов, 265.

Обма́нывать/ обману́ть наде́жды *чьи. Книжн.* Не оправдывать чьих-л. расчётов, предположений. Ф 2, 9.

НАДЕ́ТЬ * Ни наде́ть ни вздеть. *Ряз. Ирон.* Не иметь одежды, нуждаться в одежде. ДС, 82; СРНГ 19, 233.

НАДЕ́Я * **Плоха́я (худа́я) наде́я.** *Волог. Неодобр.* О ненадёжном человеке. СВГ 5, 34.

НА́ДО * **На́до быть.** *Прост.* Возможно, вероятно. ФСРЯ, 261; ЯОС 6, 91.

НА́ДОБНОСТЬ * **По на́добности.** *Разг. Эвфем.* Для естественных отправлений, опорожнения кишечника. Мокиенко, Никитина 2003, 219.

Есте́ственная (изве́стная, не́которая) на́добность. *Разг. Эвфем.* Опорожнение кишечника, естественные отправления. Мокиенко, Никитина 2003, 219.

НА́ДОЛБА * **О на́долбу голово́й не убьёшь** *кого. Народн.* О крепком, здоровом человеке. ДП, 397.

НАДО́ЛГО * **Моргну́ть надо́лго.** *Жарг. мол. Шутл.* Заснуть. Вахитов 2003, 100.

НАЕ́Д * **Не знать нае́ду.** *Калуж.* Не иметь чувства меры в еде. СРНГ 19, 261.

НАЕ́ДА * **Не дорога́ нае́да, до́рого раде́нье.** *Новг.* Ответ гостей хозяевам, если хозяева извиняются, что угощения было недостаточно. СРНГ 19, 26.

НАЕ́ЗД * **Кле́ить нае́зды.** *Жарг. мол. Неодобр.* Демонстрировать силу, авторитет, богатство. Максимов, 182.

Строить нае́зды. *Жарг. мол.* Придираться к кому-л., обвинять кого-л. в чём-л. Максимов, 266.

Чини́ть нае́зды. *Жарг. мол.* Угрожать кому-л. Максимов, 266.

НАЕ́ЗДНИК * **Меня́ться нае́здниками.** *Жарг. мол.* Менять партнёров при групповом половом сношении. Балдаев 1, 267; ТСУЖ, 112; УМК, 140; СРВС 4, 110.

НАЖИ́ВА * **Нажи́ва заугóльная.** *Арх. Пренебр.* О внебрачном ребёнке. СРНГ 11, 128.

Ходи́ть по нажи́вам. *Кар.* Ходить на побочный заработок. СРГК 3, 319.

В (на) нажи́ву. *Кар.* На заработки. СРГК 3, 318-319.

НАЖО́Р * **В нажо́ре.** *Разг. Презр.* В состоянии опьянения. БСРЖ, 371.

НАЗА́Д * **Наза́д себя́.** *Перм.* На спину, навзничь. СГПО, 331.

Огля́дываться наза́д. *Книжн.* Воспроизводить в памяти и оценивать прошлое. ФССРЛЯ 2004, 1. 717.

Сдать наза́д. *Жарг. мол.* Изменить свое поведение, свой образ мыслей. Максимов, 266.

НА́ЗВА * **Класть на́зву** *кому. Одесск.* То же, что **класть название.** КСРГО.

НАЗВА́НИЕ * **Класть/ накла́сть (наложи́ть) назва́ние (на́звище, назы́вку).** *Кар.* Давать имя, прозвище, кличку кому-л. СРГК 3, 333, 350.

Одно́ назва́ние. *Разг. Неодобр.* Что-л. недостаточно полное, ненадёжное. Глухов 1988, 116.

НА́ЗВИЩЕ * **Накла́сть на́звище.** См. **Класть название** (**НАЗВАНИЕ**). СРГК 3, 333.

НА́ЗДОР см. **ЗДОР.**

НАЗЁМ * **Хоть на назём вы́вали** *что. Сиб. Пренебр.* Об испорченной, ненужной вещи, пище. ФСС, 34.

Не в назёме на́йден. *Прост.* Кто-л. ничем не хуже другого; не так прост, как кому-л. кажется. Мокиенко 2003, 62.

< **Назём** — навоз, смесь помёта домашнего скота и подстилки.

НА́ЗИРКА * **В на́зирки (на́зирку).** *Дон.* Не теряя из виду, исподтишка, украдкой. СДГ 2, 160.

НАЗУБО́К * **Знать назубо́к** *что. Разг.* Выучить наизусть, твердо знать что-л. БМС 1998, 396; ШЗФ 2001, 84.

Что называ́ется. *Разг.* Как принято говорить. БМС 1998, 396.

НАЗЫ́ВКА * **Наложи́ть назы́вку.** *Кар.* То же, что **класть название** (**НАЗВАНИЕ**). СРГК 3, 350.

НАЗЬМЫ́ * **Назьмы́ назьми́ть.** *Сиб.* Удобрять почву. ФСС, 118.

НАИЗНА́НКУ * **Вывора́чивать/ вы́вернуть наизна́нку.** 1. *что. Разг.* Представлять что-л. в ином свете, обнаруживать истинную сущность чего-л. ФСРЯ, 92; Ф 1, 90–91; ЗС 1996, 227. 2. *кого. Сиб.* Узнавать абсолютно всё о ком-л. ФСС, 34. 3. *кого, безл. Разг.* О сильной беспрерывной рвоте. ФСРЯ, 91; Ф 1, 90.

Вывора́чиваться наизна́нку. *Разг.* Прибегать к любым средствам, уловкам, ухищрениям, чтобы добиться желаемого. ФСРЯ, 92; БТС, 168; Ф 1, 91;

Вы́воротить наизна́нку *что. Пск.* Рассказать всё, что знаешь, до конца. ПОС 5, 134.

Игра́ть наизна́нку. *Жарг. мол.* Обыгрывать кого-л. в карты при помощи шулерских приемов. Максимов, 160.

Перевора́чивать/ переверну́ть наизна́нку *кого, безл. Горьк.* То же, что **выворачивать наизнанку 3.** БалСок., 49.

НАЙТИЕ * **По найтию.** *Книжн.* Интуитивно, по вдохновению. ФСРЯ, 263.

НАЙТИ́ * **Ни найти́ ни потеря́ть.** *Волг.* О чём-л. посредственном, незначительном. Глухов 1988, 109.

НАКАЗА́НИЕ * **Отбыва́ть наказа́ние.** *Жарг. шк. Шутл.-ирон.* Учиться в школе. (Запись 2003 г.).

НАКА́Т * **С нака́том.** *Амур.* С лишним, с лишком. СРНГ 19, 308.

По нака́ту. 1. *Разг.* Известным порядком, обычным образом. НРЛ-81. < Из оборота **идти по накатанному пути.** Мокиенко 2003, 62. 2. *Жарг. мол.* По настроению, в настроение. Урал-98.

НАКИ́ДКА * **В наки́дку.** *Кар.* Наотмашь, изо всей силы. СРГК 3, 331.

НАКЛА́ДКА * **Наши́ть накла́дку** *кому. Жарг. угол.* Оклеветать кого-л. Балдаев 1, 275.

НАКЛА́ШКА * **Дать накла́шку** *кому. Ср. Урал.* Устроить нагоняй кому-л., расправиться с кем-л., наказать кого-л. СРГСУ 2, 170.

НАКО́ЛКА * **Дава́ть/ дать нако́лку** *кому на что. Жарг. угол., мол.* Подсказывать, советовать кому-л. что-л. ББИ, 150; Балдаев 1, 269; Югановы, 141.

Де́лать/ сде́лать нако́лку си́дора. *Жарг. угол.* Оценивать содержимое мешка. Р-87, 228.

НАКОПЛЕ́НИЕ * **Социалисти́ческие накопле́ния.** *Разг. Шутл.* О большом животе у мужчины. Максимов, 267.

НА́КОСЯ * **На́кося вы́куси!** *Прост. Груб.* Выражение категорического отказа кому-л. в чём-л. ЗС 1996, 295.

НАКРУ́ТКА * **Ходи́ть в накру́тках.** *Кар.* Одеваться ряженым. СРГК 3, 340.

НАЛ * **Вы́ставить на нал** *кого. Жарг. крим.* Собрать выручку у торговцев (о рэкетирах). h-98.

Карма́нный нал. *Жарг. мол. Шутл.* Телепередача «Карданный вал». БСПЯ, 2000.

НАЛЕ́ВО * **Говори́ть нале́во.** *Арх. Неодобр.* Говорить неправильно, с ошибками. СРНГ 20, 9.

Дава́ть/ дать нале́во *кому. Прост. шутл.-ирон.* Нарушать супружескую верность с кем-л. (о женщине). Мокиенко, Никитина 2003, 220.

Едри́ (едри́ть) твою́ (его́, ва́шу и пр.) **нале́во!** *Прост. Бран.* Выражение досады, раздражения, недовольства кем-л., чем-л. Мокиенко, Никитина 2003, 220.

Идти/ пойти́ (ходи́ть/ уходи́ть) нале́во. 1. *Жарг. угол.* Умирать, погибать. ББИ, 254. 2. *Жарг. угол.* Быть расстрелянным. СРВС 2, 145. 3. *Жарг. угол.* Прекращать воровать, порывать с преступным миром. ББИ, 254. 4. *Разг. Шутл.* Нарушать супружескую верность. Максимов, 268.

Пуска́ть/ пусти́ть нале́во *кого. Жарг. арест., угол., мол.* Расстреливать, убивать кого-л. ББИ, 220; Р-87, 77; Максимов, 268.

Пое́хать нале́во. *Жарг. ипподр. Шутл.* Придержать лошадь на дистанции (о жокее, которого подкупили). БСРЖ, 373.

НАЛИВА́ТЬ * Налива́ть по-бога́тому *кому. Жарг. угол.* Сильно избивать кого-л. Балдаев 1, 269; ББИ, 150; Мильяненков, 174.

НАЛЁТ * Кавалери́йский налёт. *Разг. Устар.* О резкой, неожиданной, но неглубокой критике кого-л. БМС 1998, 396.

С налёта (налёту). 1. *Разг.* Налетев, набежав. ФСРЯ, 264. 2. *Разг.* Сразу, легко, без затруднений. ФСРЯ, 264; Верш. 4, 66. 3. *Сиб.* По первому впечатлению, с первого взгляда. ФСС, 118; СФС, 172; СРНГ 20, 12.

Налётом лете́ть. *Сиб.* Быстро ехать, бежать. ФСС, 105.

Налётом налета́ть. *Неодобр. Пск.* Обрушиваться на кого-л. с руганью, оскорблениями, угрозами. СПП 2001, 55.

НАЛЁТНЫЙ * Налётный бы тебя́ (его и т. п.) **взял (не вида́л)!** *Морд. Бран.* Выражение досады, возмущения. СРГМ 1978, 76; СРГМ 1986, 81.

НАЛИЦО́ * Весь налицо́. *Печор.* Об открытом, доверчивом человеке. СРГНП 1, 451.

Говори́ть налицо́. *Ворон.* Высказываться откровенно, говорить правду открыто. СРНГ 20, 19.

НАЛО́Г * Абисси́нский нало́г. 1. *Жарг. угол.* Взятка; дача взятки. ТСУЖ, 12; ББИ, 16; БСРЖ, 374; СТРА 2003, 576. 2. *Жарг. угол.* Деньги, предназначенные для вымогателя. СТРА 2003, 576. 3. *Ред.-изд. Ирон.* Отчисление от авторского гонорара за предоставленную возможность напечататься. БСРЖ, 374.

Эфио́пский нало́г. *Ред.-изд.* То же, что **абиссинский налог 2.** БСРЖ, 374.

НАЛОМО́К * Идти́ (пере́ться) наломо́к. *Дон.* То же, что **идти напролом (НАПРОЛОМ).** СРНГ 26, 251; СДГ 2, 164.

НА́МБЭ * На́мбэ ван. 1. *Жарг. мол.* Первый; под номером один. МК, 11.09.90. 2. *Жарг. студ. Шутл.* Первокурсник. Максимов, 268. < Из англ.: *number one.*

На́мбэ ту. *Жарг. шк. Шутл.-ирон.* Двойка, неудовлетворительная оценка. < Из англ.: *number two.* БСРЖ, 374.

НАМЕ́РЕНИЕ * Дать наме́рение *кому. Перм.* Согласиться с кем-л. СГПО, 128.

НАМЁТ * Гробовы́е намёты. *Арх. Ирон.* О высоком, худом, болезненном человеке. АОС 10, 71.

НАМО́РДНИК * Снима́ть/ снять намо́рдник *с кого. Волг.* Ослаблять контроль, предоставлять свободу действий кому-л. Глухов 1988, 151.

НАМО́ЧЕННЫЙ * Упал намо́ченный. *Разг. Шутл.-ирон.* Уполномоченный. Елистратов 1994, 269.

НАМОЧИ́ТЬ * Чтоб тебя́ намочи́ло да не вы́сушило! *Прост. Бран.-шутл.* Восклицание, выражающее лёгкое раздражение, недовольство кем-л., чем-л. Мокиенко, Никитина 2003, 221.

НАОБУ́М * Наобу́м ла́заря. *Прост.* Не продумав, не рассчитав чего-л. ФСРЯ, 266.

НАПА́РЫШ * Де́лать напа́рыш. *Волог.* Потеть, устав от работы, беготни. СВГ 5, 57.

НАПЕ́В * Родны́е напе́вы. *Шутл.-ирон.* 1. *Жарг. мол.* Брань, ругань. Максимов, 268. 2. *Жарг. шк. Шутл.-ирон.* Скандал дома после родительского собрания. (Запись 2003 г.).

НАПЕРЕБО́Й * Е́хать на перебо́й. *Кар.* Отбивать у кого-л. невесту. СРГК 2, 30.

НАПЕРЕКО́С * Идти́/ пойти́ напереко́с (наперекося́к). *Прост.* Не получаться, не удаваться. Ф 1, 218.

НАПЕРЕКОСКИ́ * Лезть наперекоски́ *[кому]. Морд.* Противоречить, возражать кому-л. СРГМ 1986, 88.

НАПЕРЕКОСЯ́К * Идти́/ пойти́ наперекося́к. См. **Идти наперекос (НАПЕРЕКОС).**

НАПЕРЕТУ́РУ * Взять наперету́ру *кого. Ср. Урал.* Заставить, принудить кого-л. поступить определённым образом. СРГСУ 2, 177; СРНГ 20, 72.

НАПЁРСТОК * Игра́ть в напёрсток. *Жарг. мол. Шутл.* Мастурбировать, используя презерватив. Максимов, 160.

НАПИ́ЛЬНИК * Пролете́ть напи́льником над ста́ей. *Жарг. мол. Шутл.-ирон.* Замедленно отреагировать на что-л. Максимов, 347.

НАПИ́ТОК * Напи́ток Бо́ткина. *Жарг. мол. Шутл.-ирон. или Пренебр.* Любой напиток в заведении общепита. Югановы, 142; ЧП, 24.06.91.

НАПОПЕРЁК * Идти́ / пойти́ напоперёк *кому. Волг.* Проявлять непокорность, прекословить кому-л. Глухов 1988, 56.

НАПРА́ВО * Напра́во и нале́во. *Прост.* 1. Без разбору (взаимодействовать с кем-л.). 2. Безрассудно (тратить деньги). ФСРЯ, 267.

НАПРА́ВО-НАЛЕ́ВО * Закла́дывать напра́во-нале́во. *Сиб. Ирон.* Бессмысленно креститься. ФСС, 77.

НАПРА́СЛИНА * Вести́ напра́слину. *Курск. Неодобр.* То же, что **возводить напраслину.** БотСан, 85.

Взнести́ напра́слину. *Яросл.* То же, что **возводить напраслину.** ЯОС 3, 17.

Возводи́ть/ возвести́ напра́слину *на кого. Разг.* Клеветать, оговаривать кого-л. Глухов 1988, 13.

Нести́ напра́слину. *Курск., Прикам.* Терпеть, выслушивать необоснованные упрёки. БотСан, 105; МФС, 65.

НАПРА́СНАЯ * Гнуть напра́сную. *Дон.* Говорить вздор, чепуху. СРНГ 6, 251.

НАПРИХУ́ДЕ * Лежа́ть наприху́де. *Волог.* Быть при смерти, умирать. СВГ 5, 62.

НАПРОЛО́М * Идти́ напроло́м. *Разг.* Добиваться цели, действуя решительно, напрямик, ни с чем не считаясь. БМС 1998, 396; Ф 1, 220.

НАПРОПАДО́Н * Пропада́ть напропадо́н. *Алт.* Тяжело болеть. СРГА 3-I, 130.

НАПРОПАЛУ́Ю * Идти́ напропалу́ю. *Разг.* Действовать, не раздумывая, наугад. БМС 1998, 396; Мокиенко 1990, 83.

НАПРЯ́Г * В напря́г *кому. Жарг. мол.* Лень, не хочется делать что-л. ФЛ, 99; Югановы, 46.

Без напря́га. *Жарг. мол.* Легко, свободно, без напряжения. Югановы, 300.

Быть в напря́ге. *Жарг. мол.* 1. *с кем.* Находиться в состоянии ссоры, в напряжённых отношениях с кем-л. Геловани, Цветков, 52. 2. *с чем.* Ощущать нехватку чего-л. Елистратов 1994, 270.

НА́ПРЯМ * Сказа́ть на́прям. *Перм.* Грубо, непристойно выругаться. СРНГ 20, 798.

НАПРЯМКИ́ * Идти́ напрямки́. *Сиб.* Открыто говорить правду, быть прямым. ФСС, 86.

НАПУХО́ВКА * Дать напухо́вку *кому. Волог.* Выругать кого-л. СВГ 5, 63.

НАРАСПА́ШКУ * Говори́ть нараспа́шку. *Разг. Устар.* Откровенно, открыто высказываться о чём-л. БМС 1998, 396.

НАРЕВО́К * Зареве́ть нарево́к. *Ср. Урал.* Громко заплакать. СРГСУ 2, 181.

НАРЕ́З * С наре́зом. *Жарг. мол. Неодобр.* Сумасшедший; со странностями (о человеке). Лаз., 131.

НАРЕ́ЗКА * Сбить с наре́зки *кого. Жарг. мол.* Сильно удивить, шокировать кого-л. Максимов, 269.

Слете́ть с наре́зки. *Жарг. мол. Шутл.* Сойти с ума. Максимов, 269.

Нави́нчиваться на свою нарезку. *Разг.* Говорить в собственной манере на любимую тему. НРЛ-81. < Из технической речи. Мокиенко 2003, 62.

НАРЗА́Н * Изму́ченный нарза́ном. *Разг. Шутл.-ирон.* Об алкоголике, пьянице. < Реплика персонажа романа И. Ильфа и Е. Петрова «Двенадцать стульев». Дядечко 2, 101.

НАРИСОВА́ТЬСЯ * Нарисова́лся — не сотрёшь. *Жарг. мол. Неодобр.* О том, кто пришёл некстати. Максимов, 269.

НАРКО́З * Дать (ввести́) нарко́з (нарко́зу) *кому. Жарг. угол.* Оглушить кого-л. ударом по голове. ТСУЖ, 45; ББИ, 40.

Свали́ться в нарко́зе. *Жарг. угол.* Упасть, получив сильный удар в голову. Балдаев 2, 29.

НАРКО́ТИК * Украи́нский нарко́тик. *Жарг. мол. Шутл.* Сало. Максимов, 270.

НАРО́Д * Аму́рский наро́д. *Сиб.* Коренные жители Приамурья, потомки первых поселенцев. ФСС, 119.

Большо́й наро́д. *Волог.* Взрослые. СВГ 5, 65.

Выводи́ть на наро́д *что. Ср. Урал.* Сообщать, обнародовать что-л. СРГСУ 1, 99.

Выходи́ть на наро́д. *Морд.* Ходить в гости. СРГМ 1978, 102.

Диви́ть наро́д. *Жарг. мол. Неодобр.* Делать глупости. СИ, 1998, № 6.

Духо́вный наро́д. *Жарг. муз. Шутл.* Музыканты, играющие на духовых инструментах. Максимов, 123.

Идти́/ пойти́ в наро́д. *Разг.* Получать широкое распространение, популярность; распространяться. Мокиенко 2003, 62.

Молодо́й наро́д. *Прикам.* Молодёжь. МФС, 63.

На (во) весь наро́д. *Разг. Устар.* Во всеуслышанье, для всеобщего сведения. ФСРЯ, 267.

Наро́д тако́й. *Арх.* О большом количестве чего-л. СРНГ 20, 127.

Толка́ющий народ. *Новг.* Люди из разных мест, приезжие. НОС 11, 43.

Чёрный наро́д. *Прост. Устар.* Крестьяне, рабочие, ремесленники. ФСС, 119; Ф 1, 317.

В наро́де не ви́жу *чего. Сиб.* О вещи, вышедшей из обихода (чаще — об одежде). ФСС, 28.

При всём честно́м наро́де. *Разг.* В присутствии всех; всенародно. БТС, 1476.

Жить по наро́ду. *Волог.* Ничем не выделяться, не отличаться от других. СВГ 2, 19.

НАРО́К * В наро́к (внаро́к). *Кар.* Нарочно, специально, с определённой целью. СРГК 3, 366.

Наро́к бы тебя́ изныря́л! *Новг. Бран.* Восклицание, выражающее гнев, негодование, возмущение в чей-л. адрес. СРНГ 20, 129.

С наро́ком. *Сиб.* То же, что **в нарок.** ФСС, 119.

По (с) наро́ку. *Кар.* То же, что **в нарок.** СРГК 3, 366.

НАРО́СТ * Медици́нский наро́ст. *Жарг. мол. Шутл.* Маленькая женская грудь. Максимов, 243.

НАРУБА́ШНОЕ * Носи́ть наруба́шное. *Печор.* Иметь менструацию. СРГНП 1, 457.

НАРУ́ГА * По нару́ге. *Пск.* Со зла. СРНГ 20, 135.

НАРУ́ЖУ * Выходи́ть/ вы́йти нару́жу. *Разг.* Обнаруживаться, становиться явным.

НА́РЫ * Семь нар. *Жарг. студ. Шутл.* Семинар. Максимов, 382.

Ша по на́рам! *Жарг. арм.* Команда успокоиться. БСРЖ, 376.

Точи́ на на́рах заусе́нцы! *Жарг. угол.* Требование уйти, удалиться. Максимов, 425.

Загна́ть под на́ры *кого. Жарг. арест.* Унизить достоинство сокамерника. ТСУЖ, 60; Балдаев 1, 138.

НАРЯ́Д[1] * В наря́д. *Кар.* Нарядно одевшись. СРГК 3, 368.

Коку́шкин наря́д. *Яросл.* Растение ятрышник. ЯОС 5, 49.

Наря́д соко́лий, а похо́дка воро́нья. *Народн. Неодобр.* О человеке, преувеличивающем свои достоинства. ДП, 698.

Ра́йский наря́д. *Книжн. Устар. Шутл.* Нагота. БМС 1998, 396.

В Ада́мовом наря́де. *Разг. Шутл.* Голый, раздетый догола. Глухов 1988, 8.

НАРЯ́Д[2] * Давать наря́д. *Кар.* Давать указания, задания кому-л. СРГК 3, 368.

Отпра́виться в наря́д. *Жарг. мол. Шутл.* Пойти к любовнице. Максимов, 270.

НАСЕ́ДКА * Сесть в насе́дки (в насе́дку). *Ряз., Яросл.* Сесть на яйца (о курице-наседке). ДС, 499; ЯОС 2, 38.

НАСЕЛЕ́НИЕ * В настоя́щем населе́нии. *Новосиб.* В настоящее время. СРНГ 20, 157.

НА́СЕМЕРЕ * Е́хать на́семере. *Яросл.* Многократно меняться (о погоде). ЯОС 6, 113.

НАСЕ́РДИЕ * С насе́рдия. *Прикам.* То же, что **с насердки (НАСЕРДКА).** МФС, 63.

НАСЕ́РДКА * По насе́рдке. *Печор.* То же, что **с насердки (НАСЕРДКА).** СРГНП 1, 459.

По насе́рдкам. *Волг.* То же, что **с насердки (НАСЕРДКА).** Глухов 1988, 129.

С насе́рдки. *Дон., Кар., Сиб.* По злобе, будучи сердитым на кого-л. за что-л. СДГ 2, 170; СРГК 3, 373; ФСС, 120.

Вы́вести насе́рдку. *Волг.* Отомстить кому-л. Глухов 1988, 17.

НАСЕРЁДКА см. **СЕРЁДКА.**

НАСЕ́СТ * Сади́ться на насе́ст. *Пск. Шутл.* Отдыхать. СПП 2001, 55.

НАСКВО́ЗЬ * Видеть наскво́зь. 1. *кого. Разг.* Хорошо знать чьи-л. мысли, намерения или догадываться о них. ФСРЯ, 67; Ф 1, 63; Глухов 1988, 11; СРГМ 1986, 97; Верш. 4, 98; БТС, 130. 2. *что.* Хорошо знать, понимать что-л. ЖРКП, 93.

НАСКО́К * Кавалери́йский наско́к. *Публ.* Решительное нападение на кого-л., на что-л., решительная критика кого-л., чего-л. Мокиенко 2003, 62.

С наско́ка. *Разг.* 1. Наскочив, набежав, разогнавшись. 2. Не задумываясь, не размышляя. ФСРЯ, 268; Ф 1, 318.

НАСЛАЖДЕ́НИЕ * Ра́йское наслажде́ние. *Жарг. шк. Шутл.* Последний звонок. < Из текста популярной телерекламы. Максимов, 359.

НАСЛЕ́ДСТВО * Из насле́дства в насле́дство. *Печор.* От старшего поколения к молодому. СРГНП 1, 460.

НАСМА́РКУ * Идти́/ пойти́ насма́рку. 1. *Разг.* Пропасть напрасно, впустую, без положительного результата.

БМС 1998, 396; ФСРЯ, 268. 2. *Сиб.* Погибнуть напрасно, ни за что. ФСС, 143; СРНГ 20, 174; СРНГ 28, 362.

Посла́ть насма́рку *кого, что. Сиб.* Уничтожить кого-л., что-л. СБО-Д2, 17; СРНГ 20, 174; Мокиенко 1986, 91.

НА́СМЕРТЬ * Стоя́ть на́смерть. *Книжн.* Не отступать, не сдаваться. БМС 1998, 397; Ф 2, 190.

НА́СМЕХОМ * Брать на́смехом *кого. Кар.* Высмеивать кого-л. СРГК 3, 376.

НАСМЕ́ШКА * Отсмея́ть насме́шку *кому. Народн.* Высмеять кого-л. в ответ на его насмешку. ДП, 133; СРНГ 20, 175.

НАСМО́КА * Глазна́я насмо́ка. *Забайк.* Слёзы. СРГЗ, 236.

НА́СМОРК * Гуса́рский (пари́жский, францу́зский) на́сморк. *Жарг. мрол. Шутл.-ирон.* 1. Гонорея. Елистратов 1994, 272; СИ, 1998, № 12. 2. Сексуальное возбуждение. DL, 41.

Подцепи́ть на́сморк. *Жарг. мол. Шутл.* Заразиться венерическим заболеванием. Максимов, 270.

НАСО́С * Насо́с гуди́т *у кого. Жарг. нарк.* Кому-л. делают инъекцию наркотика. ТСУЖ, 115.

НАСТРОЕ́НИЕ * Чемода́нное настрое́ние *у кого. Разг. Шутл.* О человеке, готовом к отъезду, постоянно думающем, мечтающем об отъезде. Ф 1, 319; ЗС, 496; БТС, 1471.

НА́СТУП * Пойти́ в на́ступ. *Дон.* Начать решительные действия. СРНГ 28, 357; СДГ 2, 112.

НА́СТЯ * Швыдка́ На́стя напа́ла. *Одесск. Шутл.* О расстройстве желудка. КСРГО.

НАТА́ЧКА * По ната́чке. *Кар.* По приказу. СРГК 3, 385.

Дава́ть/ дать ната́чку *кому. Дон.* Давать указания, наставления кому-л. СДГ 1, 174.

НАТА́ША * Ната́ша Росто́ва. 1. *Жарг. мол. Шутл.* Робкая, застенчивая девушка. Максимов, 271. 2. *Жарг. мол.* Девушка лёгкого поведения. Максимов, 271. 3. *Жарг. шк. Шутл.* Молодая учительница русского языка. ВМН 2003, 91.

НАТОЩА́К * Не обойдёшь натоща́к *кого. Народн. Шутл.* Об очень полном, упитанном человеке. ДП, 313; Глухов 1988, 104.

Не сговори́шь натоща́к *кого. Волг.* Об упрямом, несговорчивом человеке. Глухов 1988, 104.

НА́ТРИЙ * По на́трию. *Жарг. мол.* Действительно, на самом деле. Вахитов 2003, 133.

НАТРУ́СКА * Дава́ть/ дать натру́ску *кому. Кар.* Делать выговор, ругать кого-л. СРГК 3, 387.

Жить в натру́ску. *Волг. Ирон.* Жить в бедности, нищете, постоянно экономить. Глухов 1988, 43.

НАТРЯХА́Л * Дава́ть/ дать натряха́ла *кому. Арх., Сиб.* Наказывать, побить кого-л. СРНГ 20, 233; СФС, 60.

НАТУ́Г * В нату́г. *Кар.* Прилагая усилия, напрягаясь. СРГК 3, 387.

НАТУ́РА * Втора́я нату́ра. *Разг.* Одна из существенных черт, особенностей, склонностей человека. ФСРЯ, 269.

Широ́кая нату́ра. *Разг.* Открытый, щедрый во всех своих проявлениях человек. ФСРЯ, 269.

В нату́ре. 1. *в функции вводного слова. Разг. Устар.* Без одежды, нагишом. ФСРЯ, 269. 2. *Жарг. угол., Разг.* Действительно, в самом деле. ТСУЖ, 115; Югановы, 45. 2. *в знач. междом.* Восклицание, выражающее отрицательные эмоции. Югановы, 46.

Брать/ взять нату́рой. *Жарг. мол.* Заставлять кого-л. расплачиваться телом, сексом. Мокиенко, Никитина 2003, 221.

Жить свое́й нату́рой. *Волог.* Не надеяться на кого-л., полагаться только на себя. СВГ 5, 80.

Идти́ нату́рой. *Сиб.* 1. Делать что-л. против воли окружающих. 2. Заставлять кого-л. делать что-л. ФСС, 89.

Распла́чиваться нату́рой. *Жарг. мол.* Платить, расплачиваться телом, сексом за что-л. Вахитов 2003, 157.

Набра́ться нату́ры. 1. *Ряз.* Стать упрямым, наглым. ДС, 329. 2. *Кар.* Решиться на что-л., набравшись смелости. СРГК 3, 388.

НАТУРАЛИ́СТ * Ю́ный натурали́ст. *Жарг. мол.* 1. *Пренебр.* Человек, который сожительствует с животными, зоофил. h-98. 2. *Шутл.-ирон.* Мужской половой орган. Щуплов, 54; Елистратов 1994, 663; ЖЭСТ-1, 142.

НАТУРЕ́ЛЬ * В натуре́ль. *Жарг. мол.* 1. Настоящий, подлинный. 2. По-настоящему, в самом деле. Митрофанов, Никитина, 128.

НАТЯ́Г * В натя́г. *Прост.* С трудом, еле-еле. НСЗ-80; Мокиенко 2003, 62.

НАТЯ́ЖКА * В натя́жку. *Горьк.* По принуждению (работать). БалСок., 27.

НАУБЕ́Л * Наубе́л бе́лый. *Печор. Флк.* Совершенно, абсолютно белый. СРГНП 1, 465.

НАУГА́Д * Науга́д по-вя́тски. *Прикам.* Невпопад, некстати, не то, что нужно (сказать, сделать). МФС, 64.

НАУГО́Н * Гнать науго́н. *Печор.* 1. *от кого.* Быстро бежать, убегать. 2. *кого.* Выгонять, прогонять кого-л. СРГНП 1, 465.

НАУ́КА * Мармазо́нская нау́ка. *Сиб. Пренебр.* Шарлатанство. ФСС, 120.

Нау́ка побежда́ть. *Книжн.* Искусство, умение добиваться успеха в каком-л. деле. БМС 1998, 397.

По нау́ке. *Разг.* Правильно, обоснованно, научно. Верш. 4, 102.

Превзойти́ все нау́ки. *Книжн. часто Ирон.* Быть разносторонне образованным человеком. БМС 1998, 397.

Учи́ться нау́кой. *Кар.* Изучать что-л., получать теоретические знания. СРГК 3, 392.

Точи́ть нау́ку. *Жарг. шк. Шутл.* Учиться в школе или другом учебном заведении. Максимов, 271.

НАУЛО́М * Ломи́ть науло́м. *Прикам.* Об ощущении сильной боли. МФС, 56.

НАУМЁТКА * Хвати́ть наумётку. *Смол.* Наказать, побить, поколотить кого-л. СРНГ 20, 249.

НАУСЕ́Д * Наусе́д седо́й. *Печор. Флк.* Совершенно, абсолютно седой. СРГНП 1, 465.

НАУСО́Х * Вы́сохнуть наусо́х. *Морд.* Сильно похудеть. СРГМ 1986, 103.

НАУ́ШНИК * Глухо́й нау́шник. *Арх. Шутл.-ирон. или Пренебр.* О слабослышащем человеке. АОС 9, 127.

НАФТАЛИ́Н * Па́хнуть нафтали́ном. *Разг. Неодобр.* Быть устаревшим, давно известным. НРЛ-79; Мокиенко 2003, 62–63.

НАХА́Л * Де́лать наха́л. *Арх. Неодобр.* Вести себя нагло, нахально. СРНГ 20, 255.

Брать /взять на наха́ла (наха́лом). *Коми, Пск.* Действовать нагло, бесцеремонно. Кобелева, 56; СПП 2001, 55.

НАХА́ЛКА * По наха́лке. *Жарг. мол.* Нагло, дерзко. Быков, 135.

Огуля́ть наха́лкой *кого. Жарг. угол.* Изнасиловать кого-л. Бен, 76.

Брать/ взять на себя́ наха́лку. *Жарг. угол.* Признаваться в чужом преступлении, брать на себя чужую вину. Бен, 76.

Шить наха́лку *кому. Жарг. угол., мол.* Обвинять кого-л. в несовершённом преступлении. Быков, 135; ББИ, 152; Мильяненков, 175.

НАХВА́Л * Быть в нахва́ле. *Сиб.* Пользоваться хорошей славой, иметь хорошую репутацию. ФСС, 20; СКузб., 38.

НАХВА́Т * Хвата́ть нахва́т *что. Новг.* 1. Быстро забирать, разбирать то, что пользуется большим спросом. 2. Быстро вникать во что-л., разбираться в чём-л. НОС 12, 9.

НАХЛОБУ́ЧКА * Дава́ть /дать нахлобу́чку *кому. Прост.* Ругать, бранить, наказывать кого-л. СПП 2001, 55; Глухов 1988, 28; Мокиенко 1990, 46.

НАХРА́П * Брать нахра́пом. *Прост.* Добиваться чего-л. грубой силой. Глухов 1988, 6.

Огуля́ть (обгуля́ть) нахра́пом *кого. Жарг. угол.* Изнасиловать. Мокиенко, Никитина 2003, 222. < **Нахрап** — грубый и неожиданный натиск; налёт, нападение.

НАХРАПО́К см. **ХРАПОК.**

НАЧА́ЛО * Ни нача́ла, ни конца́, хо́дит как вокру́г кольца́. *Народн. Неодобр.* О действиях бестолкового человека. ДП, 449.

От (с) нача́ла (начи́на) бы́та. *Пск.* То же, что **от начала века.** СПП 2001, 55.

От (с) нача́ла ве́ка. *Орл., Пск.* Издавна, с давних времён. СОГ 1989, 152; СПП 2001, 55.

На джентльме́нских нача́лах. *Книжн.* Подчёркнуто соблюдая правила вежливости, корректности, взаимного уважения и доверия. Мокиенко 2003, 63.

Вести́ нача́ло *от кого, от чего. Книжн.* Происходить, начинаться с кого-л., с чего-л. ФСРЯ, 61; БТС, 120.

Дава́ть/ дать (положи́ть) нача́ло *чему. Книжн.* Являться источником, отправным пунктом чего-л. ФСРЯ, 124.

Нача́ло жи́зни. *Жарг. шк. Шутл.* 1. Звонок с последнего урока; последний звонок. ВМН 2003, 91. 2. Последний звонок — праздник выпускников. (Запись 2003 г.).

Нача́ло конца́. *Разг.* Первые признаки упадка, развала чего-л. БМС 1998, 398.

С пе́рвых нача́лов. *Дон.* Сначала, сперва. СРНГ 20, 2784 СДГ 2, 176.

Под нача́лом *кого, чьим, у кого. Разг.* В подчинении у кого-л., под руководством кого-л. ФСРЯ, 270; СПП 2001, 55.

НАЧА́ЛЬНИК * Нача́льник дурдо́ма. *Жарг. шк. Шутл.-ирон.* Директор школы. (Запись 2003 г.).

Нача́льник ла́геря социали́зма. *Жарг. угол., арест. Ирон.* И. В. Сталин. ББИ, 153; Балдаев 1, 274.

Нача́льник по́ла. *Жарг. шк. Шутл.-ирон.* Школьная уборщица, техничка. (Запись 2003 г.).

Нача́льник по обуче́нию и развлече́нию. *Жарг. шк.* Представитель гороно, контролирующий учебную и воспитательную работу в школе. Усп., 1992, 11.

Ходи́ть (гуля́ть) в больши́х нача́льниках. *Разг.* Занимать высокий пост, быть большим начальником. ФСС, 50.

Целова́ться с нача́льником. *Жарг. мол. Шутл.-ирон.* О рвоте в унитаз. Максимов, 272.

Ходи́ть к нача́льнику. *Жарг. мол. Шутл.* Посещать туалет. Максимов, 272.

НАЧА́ЛЬНИЧЕК * Нача́льничек, брось ключи́ в ча́йничек! *Жарг. арест. Шутл.-ирон.* Просьба быть снисходительнее. Р-87, 232.

НАЧА́ЛЬСТВО * Под нача́льством. *Книжн. Устар.* То же, что **под началом.** ФСРЯ, 270.

НАЧА́ТИЕ * С нача́тия ве́ку. *Пск., Сиб.* То же, что **от начала века (НАЧАЛО).** СПП 2001, 55. ФСС, 120; СФС, 172.

НАЧА́ТЬ * Нача́ть и ко́нчить. *Разг. Ирон.* О не начатом, не сделанном деле. Ф 1, 321.

НАЧЕКУ́ * Быть начеку́. *Разг.* Быть бдительным, готовым к чему-л. БМС 1998, 398.

НАЧЕРТА́НИЕ * Начерта́ние ничерта́ния. *Жарг. шк. Шутл.* Письменная работа. Максимов, 272.

НАЧИ́Н * От начи́на ве́ка. *Пск.* То же, что **от начала века (НАЧАЛО).** СПП 2001, 55.

НАЧИ́НКА * Начи́нка для деревя́нного пирога́. *Жарг. угол. Шутл.-ирон.* Покойник. Хом. 2, 80.

НА́ЧКА * Вверх на́чкой. *Морд.* Навзничь. СРГМ 1986, 108.

НА́ЧУЖО * На́чужо чужо́й. *Печор.* Совершенно чужой. СРГНП 1, 468.

НАШ (НА́ША, НА́ШЕ) * На́ша (моя́, твоя́ и т. п.) **берёт/ взяла́.** *Разг.* О чьей-л. победе, перевесе сил в чью-л. пользу. ФСРЯ, 271; Мокиенко 1990, 96.

Где на́ше не пропада́ло. *Народн.* выражение решимости идти на риск. ФСРЯ, 364; БТС, 196; Глухов 1988, 21; ДП, 59, 186.

Ма́де ин наше. *Жарг. мол. Шутл.-ирон.* 1. О подделке, фальсифицированном товаре. 2. О некачественной импортной вещи. Максимов, 234.

На́ше всё. *Жарг. студ. (филол.).* Поэт А. С. Пушкин. (Запись 2003 г.). < Выражение — часть цитаты из сочинения А. А. Григорьева «Взгляд на русскую литературу со смерти Пушкина» (1859). Серов 2003, 615-616.

Жить на́шим-ва́шим. *Сиб.* То же, что **и нашим и вашим 1.** ФСС, 72.

И на́шим и ва́шим. 1. *Разг.* И той и другой враждующей стороне (служить, угождать). ФСРЯ, 271; ЗС 1996, 234; СПП 2001, 55; БМС 1998, 399. 2. *Пск.* Всем подряд, каждому, всякому. СПП 2001, 55. 3. О человеке, который постоянно находится в суете, в хлопотах. СПП 2001, 55.

И на́шим и ва́шим за копе́йку спля́шем. *Народн.* То же, что **и нашим и вашим 1.** Жиг. 1969, 219.

И с на́шим и с ва́шим. *Пск.* 1. То же, что **и нашим и вашим 1.** СПП 2001, 55.

Ни на́шим ни ва́шим. *Разг.* Ни тем ни другим, никому из них. ФСРЯ, 271; ДП, 257.

НАШЕ́СТ * Лете́ть с наше́ста. *Ворон. Шутл.* Возвращаться домой рано утром, проведя ночь вне дома. СРНГ 20, 296.

НАШЕ́СТВИЕ * Мама́ево наше́ствие. *Разг.* Неожиданное появление многочисленных и неприятных гостей, посетителей. Ф 1, 321; БТС, 518. < Выражение — языковая реминисценция опустошительного нашествия на Русь татарского хана Мамая в XIV веке. БМС 1998, 399.

Наше́ствие двуна́десяти языко́в. *Народн.* О войне 1812 года. ДП, 259.

Наше́ствие Наполео́на. *Жарг. шк. Шутл.-ирон.* Приход учителя в класс. Максимов, 272.

НАШТЫ́РКА * Ста́вить нашты́рки *кому. Ср. Урал.* Высмеивать кого-л. СРНГ 20, 303.

НАЯРУ́ГУ * Вы́йти наяру́гу. *Арх.* Стать общеизвестным (о каком-л. факте, новости). АОС 7, 240.

НЕА́ПОЛЬ * Ви́деть / увидеть Неа́поль и пото́м умере́ть. *Книжн.* О страстном желании увидеть что-л., побывать где-л. < От латинского оборота *videre Napoli et Mori,* который в европейских языках заимствован из итальянского Vedi Napoli e poi muori. БМС 1998, 399.

НЕБЕСА́ * Возноси́ть (превозноси́ть) до небе́с *кого, что. Книжн.* Непомерно расхваливать, восхвалять кого-л., что-л. ФСРЯ, 75; БМС 1998, 400.

До небе́с и всё ле́сом. *Сиб.* Очень много (наговорить, рассказать). Верш. 4, 114.

Поднима́ть/ подня́ть до (с) небе́с *что. Сиб. Неодобр.* Говорить что-л., не соответствующее действительности. ФСС, 141; СРНГ 28, 272.

Спуска́ть/ спусти́ть с небе́с на зе́млю *кого. Книжн.* Возвращать кого-л. к реальной жизни из мира грез, мечтаний. Ф 2, 179.

Спуска́ться/ спусти́ться с небе́с на зе́млю *кого. Книжн.* Возвращаться к реальной жизни из мира грёз, мечтаний. Ф 2, 179.

Полете́ть в небеса́ высо́кие. *Сиб.* Уехать далеко от семьи, родного дома. ФСС, 144.

Пари́ть в небеса́х. *Книжн. Ирон.* Пребывать в мечтательном состоянии, предаваясь фантазиям, не замечая окружающих. Ф 2, 35.

НЕ́БО (НЁБО) * Брать/ взять с не́ба *что. Разг. Неодобр.* Вымышлять, выдумывать, говорить что-л., не соответствующее действительности. ФСС, 26.

Между не́ба (не́бом) и земли́ (землёй) болта́ться (висе́ть). *Пск. Неодобр.* Бездельничать, слоняться, скитаться без дела. СПП 2001, 55.

Па́дать/ упа́сть с не́ба. *Разг.* То же, что **с неба свалиться 1.** Ф 2, 32.

С не́ба ка́мни ва́лятся. *Сиб.* Несмотря ни на что. ФСС, 22.

С не́ба не бро́сят *кому. Прикам.* Без труда, само собой ничего не получится у кого-л. МФС, 14.

С не́ба па́дает (па́ло) *кому что. Прикам.* О том, что достаётся легко, без труда. МФС, 72.

С не́ба свали́ться. *Прост. Шутл.* 1. Неожиданно появиться где-л. НОС 6, 31; СПП 2001, 55. 2. Не понимать того, что ясно всем. СПП 2001, 55.

Спусти́ться (упа́сть) с не́ба на зе́млю. *Разг.* Обрести трезвый взгляд на вещи; освободиться от иллюзий. БТС, 1391.

Хвата́ть с не́ба и с земли́. *Коми. Неодобр.* Проявлять жадность, алчность. Кобелева, 81.

Хвата́ть с не́ба звёзды. *Разг.* Быть очень способным. БМС 1998, 399.

Хоть с не́ба ка́мни вали́сь (кати́сь). *Сиб.* О чьём-л. предельном равнодушии, беззаботности. ФСС, 90; Верш. 4, 114.

Быть на второ́м (тре́тьем) не́бе. *Влад.* То же, что **быть на седьмом небе.** СРНГ 20, 319.

Быть на седьмо́м не́бе. *Разг.* Испытывать большую радость, счастье, блаженство. БМС 1998, 399; ЗС 1996, 170; Янин 2003, 46; ФСРЯ, 271.

Бу́дет не́бо в клéточку *кому. Прост.* Угроза кому-л. оказаться под арестом, в заключении. Ф 1, 322; Мокиенко 2003, 63.

Взлета́ть/ взлете́ть на седьмо́е не́бо. *Пск.* Испытывать чувство радости, счастья. СПП 2001, 55.

Ви́ться/ ввиться в не́бо (в нёбушку). *Коми, Новг. Шутл.* Вырастать очень высоким. НОС 1, 109; НОС 6, 31; Кобелева, 58.

Да́ться в не́бо. *Перм.* То же, что **виться/ ввиться в небо.** Подюков 1989, 211.

В не́бо дыра́. 1. *Горьк., Новг.* О ком-л., о чём-л. очень высоком (чаще — о лесе, человеке). БалСок, 27; НОС 6, 31. 2. *Перм.* О густом лесе; о глухом, заброшенном месте в лесу. Подюков 1989, 70.

В не́бо концо́м. *Кар. Шутл.* О человеке высокого роста. СРГК 2, 413.

Врасти в не́бо. *Коми* То же, что **виться/ ввиться в небо.** Кобелева, 58.

Гляде́ть в не́бо. *Перм.* Жить, быть живым. Подюков 1989, 43.

Голубо́е не́бо. *Жарг. угол. Ирон.* Тюрьма. Максимов, 91.

Говори́ть с не́бом. *Волг. Шутл.* То же, что **виться/ ввиться в небо.** Глухов 1988, 24.

Е́хать на не́бо тайго́й. *Жарг. угол. Неодобр.* Постоянно лгать, говорить неправду. ТСУЖ, 53.

Мути́ть не́бо. *Перм.* Вносить сумятицу, общее беспокойство. Подюков 1989, 118.

Не́бо в алма́зах. *Разг. Ирон.* О богатой, привольной жизни. < Выражение из пьесы А. П. Чехова «Дядя Ваня» (1897 г.). БМС 1998, 400; Ф 1, 321.

Не́бо и земля́. *Разг.* О ком-л., о чём-л. очень сильно различающемся, совершенно не сходном между собой. БМС 1998, 400.

Не́бо копти́ть. *Разг. Неодобр.* Вести праздный образ жизни, жить бесцельно, бесполезно. ФСРЯ, 272; БМС 1998, 400; Жиг. 1969, 221; Мокиенко 1989, 80; ЗС 1996, 151; ФСС, 96. **Не́бо копоти́ть.** *Перм., Яросл. Неодобр.* То же. СГПО, 246; ЯОС 6, 125.

Не́бо ло́пнуло. *Кар.* О громе, грозе. СРГК 3, 148.

Не́бо откры́лось. *Амур.* О сильной метели, пурге. СРНГ 20, 319.

Не́бо подогну́лось. *Р. Урал.* О продолжительных дождях. СРНГ 28, 111.

Не́бо (нёбушко) провали́лось. *Кар., Новг., Смол.* О продолжительном ненастье, дожде. СРНГ 20, 319; НОС 6, 31; СРГК 3, 401; СРГК 5, 237.

Не́бо продыря́вилось. *Горьк. Шутл.* О проливном дожде. БалСок., 45.

Не́бо с овчи́нку показа́лось (пока́жется) *кому. Прост.* Об ощущении сильной боли, страха. ДП, 222; ФСРЯ, 272; Верш. 4, 114; БТС, 893; Доп., 1858.

Под са́мое нёбо. *Волг.* 1. О ком-л., о чём-л. высоком. 2. О большом количестве чего-л. Глухов 1988, 126.

Покопти́ть не́бо. *Сиб. Шутл.-ирон.* Пожить; прожить долгую жизнь. СРНГ 28, 395; СФС, 144; СОСВ, 144; ФСС, 143.

Протыка́ть не́бо. *Кар. Шутл.* Класть грабли зубцами кверху. СРГК 5, 311.

Уби́ться в не́бо. *Приамур., Сиб. Шутл.* То же, что **увивать/ увиться в небо.** СРГПриам., 307; СФС, 41.

Увива́ться/ уви́ться в не́бо. *Перм., Сиб.* Вырастать очень высоким. ФСС, 202; СФС, 41; Подюков 1989, 210.

Вита́ть ме́жду не́бом и землей. *Разг. Неодобр.* Пребывать в мечтательном состоянии, не замечать ничего вокруг себя. ФСРЯ, 272; БТС, 133; БМС 1998, 400.

Кля́сться не́бом и землёй. *Твер.* Давать клятвенное заверение в чём-л. СРНГ 28, 102.

Ме́жду не́бом и землёй. *Разг.* 1. В состоянии неопределённости. 2. Без жилья. БМС 1998, 400; ЗС 1996, 134, 488; Мокиенко 1986, 28.

Не́бом крыт, све́том горо́жен. *Прибайк. Ирон.* О ветхом строении, помещении. СНФП, 98.

Под бе́лым не́бом. *Дон.* То же, что **под открытым небом.** СДГ 1, 24.

Под откры́тым не́бом. *Разг.* На открытом воздухе, вне помещения. ФСРЯ, 273; Верш. 4, 113.

Вопия́ть к не́бу. *Книжн. Устар.* О том, что вызывает крайнее возмущение, негодование. БМС 1998, 401.

К не́бу дира́. *Пренебр.* 1. *Волог.* О захолустье, населённом пункте в глухом лесу. СВГ 2, 69. 2. *Костром.* О необразованности, невежестве. СРНГ 20, 319.

Не́бу жа́рко. *Разг. Шутл.* О высшей степени интенсивности действия, какой-л. деятельности. ДП, 222; ФСРЯ, 156; БТС, 300; СПП 2001, 55; СБГ 5, 60.

НЕБОСКРЁБ * Небоскрёб твою́ мать! *Жарг. мол. Эвфем.* Восклицание, выражающее досаду, раздражение. Щуплов, 85.

НЁБОЧКА (НЁБОЧКО) * Подпры́гивать до нёбочки. *Волг.* 1. Испытывать радость, восторг. 2. Шалить, хулиганить. Глухов 1988, 126.

Под нёбочко. *Волг.* О человеке очень высокого роста. Глухов 1988, 126.

НЁБУШКО * В нёбушко дыра́. *Новг. Ирон.* О глухом, отдалённом месте. Сергеева 2004, 202.

Нёбушко обломи́лось. *Калил.* О продолжительной дождливой погоде. СРНГ 22, 108.

Нёбушко провали́лось. См. **Небо провалилось (НЕБО).**

Вви́ться в нёбушку. См. **Виться/ввиться в небо (НЕБО).**

НЕБЫЛИ́ЦА * Небыла́я небыли́ца. *Печор.* Выдумка, сказка. СРГНП 1, 470.

Небыли́ца в ли́цах. *Народн. Неодобр.* О болтуне, хвастуне. СРНГ 20, 323; Глухов 1988, 94; ЗС 1996, 355.

НЕБЫТИЁ * Уходи́ть/ уйти́ в небытиё. *Книжн.* Умирать. Ф 2, 225.

НЕВГО́ДА * Невго́ду слы́шать *на кого. Пск.* Предчувствовать чью-л. беду, несчастье. < **Невго́да** – беда, напасть, неудача, невзгода. СРНГ 20, 325.

НЕВДО́ЛГИ * Невдо́лги годя́. *Пск.* Вскоре, незамедлительно. СРНГ, 20, 328.

НЕВДОСО́Л * Жить то невдосо́л, то в недое́д. *Ворон.* Испытывать нужду, голодать. СРНГ 20, 328.

НЕВЕ́РКА * Неве́рка берёт *кого. Народн.* Кто-л. сомневается в чём-л. СРНГ 20, 332.

НЕВЕ́СТА * Бога́тая (наря́дная) неве́ста. *Дон.* Садовый цветок молочай декоративный. СДГ 2, 177.

Векове́чная неве́ста. *Прост.* Немолодая женщина, не бывшая замужем. Ф 1, 322.

Неве́ста без ме́ста. *Ирон.* 1. *Пск., Яросл.* О девушке, долго не выходящей замуж. СРНГ, 20, 334; ЯОС 6, 126. 2. О человеке, оставшемся ни с чем, не получившем чего-л. СПП 2001, 55.

Неве́ста с чу́дой. *Дон. Шутл.* Шутка невесты над родственниками и друзьями жениха. СДГ 2, 177.

Неве́ста неневе́стная. *Яросл.* Девушка, не имеющая жениха, не готовящаяся выйти замуж. ЯОС 6, 126.

Неве́ста прокис́ла. *Яросл. Шутл.-ирон.* То же, что **невеста без места 1.** ЯОС 6, 126.

Неотда́щная неве́ста. *Яросл.* Девушка, отказавшая мужчине при сватовстве. ЯОС 6, 136.

Переле́товая неве́ста. *Яросл.* То же, что **невеста без места 1.** ЯОС 7, 95.

Христо́ва неве́ста. 1. *Разг. Устар.* Монахиня. Ф 1, 322. 2. *Разг. Устар.* Об умершей девушке. Ф 1, 322; ФСРЯ, 272. 3. *Дон.* Женщина, давшая обет безбрачия. СДГ 2, 177. 4. *Разг. Устар.* Немолодая женщина, не бывшая замужем. ФСРЯ, 273.

Ца́рская неве́ста. 1. *Дон.* Садовый цветок молочай декоративный. СДГ 2, 177. 2. *Жарг. угол., арест. Шутл.* Заключённый, часто получающий передачи. Балдаев 2, 133; ТСУЖ, 192; ББИ, 153.

Гневи́ть/ погне́вать неве́сту. *Яросл.* В свадебном обряде — доводить невесту до слез заунывными песнями. ЯОС 3, 31; ЯОС 8, 18.

Залива́ть неве́сту. *Народн.* То же, что **запивать невесту.** ДП, 763.

Запива́ть/ запи́ть неве́сту. *Дон., Одесск., Яросл.* Отмечать выпивкой удачное сватовство. СДГ 2, 12; КСРГО; ЯОС 4, 92.

Продава́ть/ прода́ть неве́сту. 1. *Дон.* В свадебном обряде — получать выкуп за невесту. СДГ 3, 66. 2. *Кар.* Выдавать девушку замуж. СРГК 5, 250.

Пропива́ть/ пропи́ть неве́сту. *Кар., Сиб.* То же, что **запивать невесту.** СРГК 5, 285; СОСВ, 153; СБО-Д2, 134.

Пря́тать неве́сту. *Кар.* В свадебном обряде: скрывать лицо невесты за свадебным столом. СРГК 5, 340.

Разоря́ть неве́сту [в край]. *Кар.* В свадебном обряде — раздавать дары родственникам жениха (о родственниках невесты). СРГК 3, 7.

НЕВЕ́СТКА * Неве́стке на (в) отме́стку. *Прост. Ирон.* 1. Назло, наперекор кому-л.; мстя за что-л. Ф 1, 322; Глухов 1988, 94; ЗС 1996, 232, 510. 2. О человеке, который стремится навредить другому, но вредит лишь себе. Жук. 1991, 227.

НЕВЕ́СТЬ * Неве́сть как. *Разг.* 1. *Неодобр.* Не очень, не особенно хорошо. 2. Не очень, не особенно. 3. Очень, сильно (устать, наработаться и т. п.). ФСРЯ, 273.

Неве́сть како́й. *Разг.* 1. *Неодобр.* Не очень, не особенно хороший. 2. Очень большой, сильный, сложный. ФСРЯ, 273.

Неве́сть ско́лько. *Разг.* 1. Не очень, не особенно много, недостаточно. 2. Очень много. ФСРЯ, 273; БМС 1998, 401.

Неве́сть что. *Разг.* 1. Нечто странное, не соответствующее действительности (говорить, болтать). ФСРЯ, 273; ШЗФ 2001, 55; БМС 1998, 401. 2. Нечто очень важное, заслуживающее внимания. ФСРЯ, 273.

НЕ́ВОД * Пойти́ в не́вод. *Новг.* Отправиться на рыбную ловлю. НОС 8, 76.

Поперёд не́вода ры́бу лови́ть. *Ворон. Ирон.* Делать что-л. напрасно, впустую. СРНГ 17, 101.

Быть на неводу́. *Сиб.* Заниматься рыбной ловлей. ФСС, 21; СРНГ 20, 350.

НЕВИ́ННОСТЬ * Оскорблённая (угнетённая) неви́нность. *Разг. Ирон.* Человек, который представляет, изображает себя незаслуженно обиженным, оскорблённым. ФСРЯ, 273.

Проща́й, неви́нность. *Жарг. шк. Шутл.* Прыжки через козла на уроке физкультуры. ВМН 2003, 91.

НЕВО́ЛЮШКА * Нево́лить во нево́люшку. *Народн.* Отдавать девушку замуж в чужую семью. СРНГ 20, 355.

Под нево́люшку. *Яросл.* Против воли, насильно. ЯОС 8, 20.

НЕВО́ЛЯ * По большо́й нево́ле. *Сиб.* Очень сильно. СБО-Д2, 22.

Вы́нести из нево́ли. *Костром.* Выручить, сделать одолжение, помочь кому-л. СРНГ 20, 358.

Из-под нево́ли. *Народн.* Против воли, желания, насильно. СРНГ 20, 357.

НЕ́ГА * На не́ге. *Сиб.* В хороших условиях; в полном достатке. СФС, 115; ФСС, 121; СБО-Д2, 22.

НЁГОТЬ. См. **НОГОТЬ.**

НЕГЛИЖЕ́ * Неглиже́ с отва́гой. *Разг. Пренебр. Устар.* О развязном, вызывающем поведении. < Франц. *négligé* — небрежный. БМС 1998, 401.

НЕГР * Бе́лый негр. *Разг. Устар.* О бесправном, выполняющем непосильную работу (подобно неграм-рабам) человеке. Ф 1, 323.

Придави́ть не́гра. *Жарг. угол., арм. Шутл.* Немного поспать, вздремнуть; отдохнуть. Хом. 2, 83.

Не́грам сло́ва не дава́ли. *Жарг. мол.* Требование замолчать. Максимов, 273.

НЕДА́ВНИЙ * С неда́внего. *Кар.* Недавно, с недавних пор. СРГК 3, 402.

НЕДАЛЕКО́ (НЕДАЛЁКО) * Недалеко́ ходи́ть. *Разг.* Легко назвать, подтвердить, указать, доказать что-л. ФСРЯ, 274 БТС, 1448.

Недалёко скажу́. *Новосиб.* Заодно, кстати. СРНГ 21, 8.

Недалеко́ уйти́ *от кого. Сиб.* Не добиться больших успехов (в сравнении с кем-л.). Верш. 7, 138.

НЕДЕ́ЛЯ * На вся́кой неде́ле по три пя́тницы. *Народн. Неодобр.* То же, что **на одной неделе семь пятниц.** ДП, 462.

На одно́й неде́ле семь пя́тниц *у кого. Народн. Неодобр.* О непостоянном, часто меняющем свои решения человеке. ДП, 649. См. также **Семь пятниц на неделе (ПЯТНИЦА).**

На одно́й неде́ле четверга́ четы́ре и деревéнский ме́сяц с неделе́й де́сять *у кого. Народн. Ирон.* О бестолковом человеке. ДП, 462.

Не доходя́ две неде́ли в сто́рону. *Урал. Шутл.* Никогда. Мокиенко 1986, 210.

Три неде́ли по́сле ти́фа. *Жарг. мол. Шутл.-ирон.* О короткой женской стрижке. Максимов, 429.

Вести́ неде́лю. *Прикам.* Поочерёдно управлять хозяйством в течение недели. МФС, 17.

Поста́вить на неде́лю *кого. Приамур. Устар.* Определить невестке работу на неделю в большой семье. СРГПриам., 219.

С неде́лю ро́стом. *Новг. Шутл.* О человеке высокого роста. Сергеева 2004, 141.

Бли́нная неде́ля. *Ср. Урал.* То же, что **масляная неделя.** ЯОС 6, 34.

Весёлая неде́ля. *Новг.* Гулянья молодёжи на святки. НОС 6, 35.

Гро́зная неде́ля. *Волог.* Первая неделя после Ильина дня. СРНГ 7, 149.

Кра́сная неде́ля. *Новг., Сиб.* Праздничная пасхальная неделя. НОС 6, 35; СРНГ 21, 12.

Ма́сляная неде́ля. *Разг.* Последняя неделя мясоеда. БТС, 523; НОС 6, 35; СРНГ 21, 12; ЯОС 6, 34; СРНГ 18, 12.

Неде́ля неде́льская. *Дон.* Целая неделя. СДГ 2, 179.

Неде́ля сча́стья. *Жарг. шк. Шутл.* Осенние или весенние каникулы. (Запись 2003 г.).

Не твоя́ неде́ля. *Волог.* Не твоё де́ло. СВГ 5, 90.

Обжо́рная неде́ля. *Яросл.* То же, что **масляная неделя.** ЯОС 7, 9.

Пёстрая неде́ля. *Новг.* Неделя перед масленицей. НОС 7, 132. 2. *Дон., Ряз.* Неделя мясоеда с постными днями в среду и в пятницу. СДГ 3, 11; СРНГ 21, 12. СРНГ 21, 12.

Си́тцевая неде́ля. *Новг.* Гулянья молодёжи. НОС 10, 63.

То́лстая неде́ля. *Новг.* Неделя после Рождества. НОС 11, 45.

Хоро́шая неде́ля. *Кар.* Праздничный вечер, вечеринка. СРГК 3, 402.

НЕДЕРЖА́НИЕ * Слове́сное недержа́ние. *Жарг. мол. Шутл.-ирон.* Болтливость. Максимов, 273; Ф 1, 323; Мокиенко 2003, 63.

НЕДОБО́Р * С недобо́ром. *Сиб.* С упрёком, с чувством недовольства. СРНГ 21, 14.

НЕДОВО́ЛЬНЫЙ * Недово́льный собо́й. *Пск.* О человеке, который жалуется на здоровье. СПП 2001, 55.

НЕДОЕБИ́Т * Хрони́ческий недоеби́т. *Жарг. мол. Шутл.* Долгое отсутствие полового партнера. БСРЖ, 381.

НЕДО́ЛГА * И вся недо́лга. *Разг. Шутл.* Только и всего; этим и дело кончилось. ФСРЯ, 275; ЗС 1996, 484; АОС 4, 16; БМС 1998, 401; ДП, 497; Мокиенко 1990, 95; ПОС 3, 122.

НЕДО́ЛГИЙ * И вся недо́лгая. *Пск. Шутл.* То же, что **и вся недолга (НЕДОЛГА).** ПОС 3, 122.

НЕДОРАЗУМЕ́НИЕ * Добыва́ть недоразуме́ние. *Кар.* Выражать недовольство. СРГК 1, 466.

НЕДО́РОГО * Соврёт — недо́рого возьмёт. *Прост. Неодобр.* О плутоватом, лживом человеке. СПП 2001, 55.

НЕДОРО́СТОК * В недоро́стках. *Печор.* В подростковом возрасте. СРГНП 1, 472.

НЕ́ДОРОСТЬ * Быть в не́дорости (не́доростях). *Кар.* Быть несовершеннолетним, подростком. СРГК 3, 405.

НЕДОСТА́ТОЧНОСТЬ * Мужичко́вая недоста́точность. *Жарг. мол. Шутл.* Истерика у женщины. Максимов, 257.

Серде́чная недоста́точность. *Разг. Шутл.-ирон.* О нехватке доброты, сердечности в человеческих отношениях. < Обыгрывание медицинского термина. Мокиенко 2003, 63.

НЕДОХВА́Т * Име́ть недохва́т. *Сиб. Ирон.* Быть умственно неполноценным. СФС, 85.

НЕДОХВА́ТОК * С недохва́тком. *Дон. Пренебр.* О слабоумном человеке. СДГ 2, 179.

НЕДУ́Г * Сбей (убе́й) тебя́ недý́г! *Пск., Новг. Бран.* Восклицание, выражающее гнев, негодование. Опыт, 1852; СРНГ 21, 38.

НЕ́ДУХ * Иди́ ты (ну тебя́) к не́духам! *Курск. Бран.* Восклицание, выражающее гнев, негодование, раздражение в чей-л. адрес. БотСан, 97, 106.

НЕЖДА́НКА * По нежда́нке. *Жарг. угол.* Неожиданно. ТСУЖ, 139.

НЕ́ЖКА * Быть на не́жках. *Морд.* Жить, не зная труда и забот. СРГМ 1986, 115.

НЕ́ЖНОСТЬ * Теля́чьи не́жности. *Прост. Пренебр. или Шутл.* Чрезмерное или неуместное выражение нежных чувств. Ф 1, 323; Глухов 1988, 158; Мокиенко 2003, 63.

НЕЗДОРО́ВЬЕ * Зайти́ нездоро́вью. *Кар.* Заболеть. СРГК 2, 126.

Хлебну́ть нездоро́вья. *Перм.* Пробыть больным длительное время. СГПО, 663.

НЕЗНА́НКА * Уйти́ в незна́нку. *Жарг. угол.* Лгать, притворяться непонимающим на допросе. Балдаев 2, 97; Р-87, 234.

НЕ́КОГО * Бить не́кому *кого. Разг.* О человеке, который заслуживает порицания, осуждения. Ф 1, 23; ЗС 1996, 450.

Взя́ться не́кем. *Ряз.* Об отсутствии помощи со стороны. ДС, 84.

НЕКОШНО́Й * Некошно́й понёс *кого куда. Беломор. Неодобр.* Кто-л. пошёл, ушёл куда-л. Мокиенко 1986, 182.

НЕ́КРУТЬ * Не́круть берёт *кого. Морд.* Кому-л. становится тоскливо, грустно. СРГМ 1986, 116.

НЕКТА́Р * Некта́р и амбро́зия. *Книжн.* О напитке, пище, очень приятных на вкус. < Из древнегреческой мифологии. БМС 1998, 401.

НЕ́КТО * Не́кто в се́ром. *Разг. Шутл.-ирон.* О ком-л. таинственном, неизвестном. < Восходит к пьесе Л. Н. Андреева «Жизнь человека». БМС 1998, 401.

НЕ́КУДА * Да́льше [е́хать] не́куда. *Прост.* 1. *Неодобр.* Очень плохо, хуже не может быть. 2. Очень, сильно, в большой степени. ФСРЯ, 275; СРГБ 2, 105.

До са́мого (по са́мое) не́куда. *Горьк.* До предела. БалСок., 33.

Доходи́ть до не́куда. *Волг.* Попадать в крайне тяжёлое, бедственное положение. Глухов 1988, 35.

Плю́нуть не́куда. *Прост.* О тесноте, заполненности какого-л. пространства. Ф 1, 49.

НЕЛЁГКАЯ * Нелёгкая дёрнула (угора́здила) *кого. Разг.* О том, чего не следовало делать, что сделано напрасно или неуместно. БМС 1998, 401; Ф 1, 324; ЗС 1996, 366; ДП, 750; ФСРЯ, 275.

Нелёгкая несёт/ понесла́ *кого куда. Прост. Неодобр.* Неизвестно зачем, с какой целью кто-л. едет, отправляется куда-л. ФСРЯ, 521; Ф 1, 324; ДП, 61, 181.

Нелёгкая но́сит *кого где. Прост. Неодобр.* 1. Кто-л. долго отсутствует, находится неизвестно где. 2. Кто-л. не вовремя, некстати ходит где-л. ФСРЯ, 521.

Нелёгкая па́возит *кого. Вят. Неодобр.* О том, кто неосторожно разбил что-л. или допустил какую-л. другую оплошность. СРНГ 25, 111.

Нелёгкая понесла́ *кого куда. Прост. Неодобр.* Кто-л. не вовремя пошёл куда-л. Ф 1, 324.

Нелёгкая попу́тала *кого. Прост. Неодобр.* Кто-л. поддался соблазну совершить что-л. предосудительное. ФСРЯ, 522.

Нелёгкая принесла́ (занесла́, нанесла́) *кого куда. Прост. Неодобр.* Кто-л. не вовремя, некстати пришёл куда-л. Ф 1, 324; БТС, 335.

Побери́ (подери́) нелёгкая *кого*! *Пск. Бран.* Восклицание, выражающее гнев, негодование, досаду. СПП 2001, 55.

Пуска́ться во все нелёгкие. *Разг.* 1. Безудержно предаваться чему-л. предосудительному, обычно — пьянству, разгулу. ФСРЯ, 371. См. также **пускаться во все тяжкие (ТЯЖКИЙ).**

НЕЛЕ́ПАЯ * Нести́ неле́пую. *Оренб., Новг. Неодобр.* Говорить вздор, чушь. СРНГ 21, 72.

НЕЛЕ́ПИЦА * Нести́ неле́пицу. *Прост.* Говорить или делать глупости. Ф 1, 325.

НЕЛЁСНАЯ * Нелёсная но́сит *кого. Волог. Неодобр.* О человеке, пришедшем не вовремя, некстати. СВГ 5, 95.

НЕЛЬЗЯ́ * До са́мого нельзя́. *Сиб.* До предела, до последней степени. 2. До конца. СФС, 66; ФСС, 121.

Как нельзя́ лу́чше. *Разг. Одобр.* Очень хорошо, прекрасно, отлично. ФСРЯ, 275.

НЕ́ЛЮБО * Не́любо роди́лось. *Перм., Прикам.* Стало неприятно, не понравилось кому-л. что-л. СРНГ 21, 75; МФС, 86; СГПО, 544.

НЕМА́ЗАННЫЙ * Тако́й-сяко́й нема́занный [сухо́й]. *Разг. Бран.-шутл.* Отрицательная характеристика человека. БМС 1998, 402; ФСРЯ, 275; Глухов 1988, 158; Подюков 1989, 201.

НЕМЕ́ЛКА (НЕМЕ́ЛКАЯ) * Твори́ть неме́лку. *Смол.* Бурно проявлять гнев, раздражение, возмущение. СРНГ 21, 78.

НЕ́МЕЦ * Ру́сский не́мец. *Сиб.* О человеке, который не соблюдает русских религиозных обычаев, напр. постов. СРНГ 35, 272.

НЕМНО́ЖКО * Че́рез немно́жко. *Кар.* Спустя некоторое время. СРГК 3, 412.

НЕМО́Й * Говори́ть на немо́го. *Ср. Урал.* Произносить слова невнятно. СРГСУ 2, 175.

НЕ́МОЧЬ * Ба́бья не́мочь. *Прост. Ирон.* Беременность. Мокиенко, Никитина 2003, 223.

Бле́дная не́мочь. *Разг. Устар.* Малокровие. Ф 1, 324-325; БТС, 83.

Будь ты не́мочь! *Прикам.* Восклицание, выражающее неудовольствие, возмущение чем-л. МФС, 15.

Закида́ть в не́мочь. *Волог.* Заболеть. СВГ 2, 120.

Положи́ть не́мочь. *Прикам.* Заболеть или сказаться больным. МФС, 63.

Сбей тебя́ чёрная не́мочь! *Пск., Новг. Бран.* То же, что **сбей тебя недуг! (НЕДУГ).** Опыт, 1852; СРНГ 21, 38.

Сды́мная не́мочь! *Приамур., Сиб. Презр.* То же, что **чёрная немочь 4.** ФСС, 120; СФС, 201; СРГПриам., 323.

Чёрная не́мочь. 1. *Прост.* Эпилепсия. Ф 1, 325; СРГМ 1986, 116. 2. *Сиб.* Проказа. СФС, 201. 3. *Сиб. Бран.* О медведе. ФСС, 121; СФС, 201. 4. *Перм., Прикам. Шутл.* Суп из сухих грибов. СГПО, 360; МФС, 64. 5. *Перм., Прибайк., Прикам., Сиб.* Восклицание, выражающее досаду, раздражение, возмущение в чей-л. адрес. ФСС, 120; СФС, 201; СРГПриам., 323; СНФП, 99; Подюков 1989, 128; МФС, 64.

НЕМОЩА́ * Немоща́ стоя́ть. *Ср. Урал.* С трудом держаться на ногах. СРГСУ 2, 200.

НЕНА́СТЬЕ * Гуси́ное нена́стье. *Приамур.* Дождливая погода поздней осенью, когда гуси улетают на зимовку. СРГПриам., 171.

Ко́зье нена́стье. *Сиб., Забайк. Спец. охотн.* Дождливое время в августе, когда начинается охота на диких коз. СРНГ 14, 64; ФСРГС 121.

Омулёвое нена́стье. *Байкал.* Мелкий моросящий дождь в период омулёвой путины. СРНГ 23, 205.

Ту́чное нена́стье. *Приамур.* О летнем периоде, когда солнечные дни перемежаются с дождливыми. СРГПриам., 171.

НЕОБЪЯ́ТНОЕ * Объя́ть необъя́тное. *Книжн. Ирон.* Поставить нереальную задачу очень широкого охвата чего-л. НСЗ-70. < Часть афоризма Козьмы Пруткова «Никто не обнимет необъятного». Мокиенко 2003, 63.

НЕОКОЛЕ́СНАЯ * Нести́ неоколе́сную. *Дон., Морд.* Говорить вздор. СРГМ 1986, 118; СДГ 2, 181.

НЕОЛИ́Т * Неоли́т Ильи́ч. *Разг. Устар. Шутл.-ирон.* Леонид Ильич Брежнев, Генеральный секретарь ЦК КПСС. ЖЭСТ-2, 112.

НЕОТЁС * Неотёс сиби́рский. *Сиб. Презр.* Грубый невоспитанный человек. ФСС, 121.

НЕПОВИНОВЕ́НИЕ * Гражда́нское неповинове́ние. *Публ., Полит.* Демонстративный отказ населения или группы лиц от выполнения распоряжений властей в знак протеста против каких-л. их действий. Мокиенко 2003, 63.

НЕПОДХВА́Т * С неподхва́том. *Волг.* Без поддержки, без посторонней помощи. Глухов 1988, 151.

НЕПОНЯ́ТКИ * Гнуть непоня́тки. *Жарг. мол.* Притворяться не понимающем чего-л. Никитина 1998, 95.

Быть (ходи́ть) в непоня́тках. *Жарг. мол.* Не понимать сути происходящего, не видеть выхода из сложной ситуации. АиФ, 1992, № 25; Я — молодой, 1997, № 22; Максимов, 274.

НЕПОНЯ́ТНОЕ * Попа́сть в непоня́тное. *Жарг. угол.* Оказаться в сложной ситуации, затруднительном положении. Балдаев 1, 338.

НЕПРОМОКА́ЕМАЯ * Попа́сться в непромока́емую. *Кар., Пск. Шутл.* Попасть в затруднительное положение, сложную ситуацию. СРГК 5, 76; СПП 2001, 55.

НЕПРОТИВЛЕ́НИЕ * Непротивле́ние злу наси́лием. *Книжн.* Отказ от насильственного подавления зла, стремление к преодолению его покорностью, смирением. < Восходит к Евангелию. БМС 1998, 402.

НЕРВ * Зайти́ в нерв. *Пск.* Разволноваться, разнервничаться. ПОС 11, 216.

Измоча́лить нерв *кому. Кар.* Измучить кого-л. СРГК 4, 9.

Нерв заходи́л *у кого. Кар.* Кто-л. начал нервничать. СРГК 4, 9.

Нерв ки́нулся *во что. Пск.* О невралгической боли. ПОС 14, 124.

Нерв кре́нувши *у кого. Кар.* О нервном заболевании. СРГК 4, 9.

Нерв разошёлся *у кого. Кар.* О нервном расстройстве. СРГК 4, 9.

Нерв спы́льчастый *у кого. Пск.* О неуравновешенном человеке. (Запись 2000 г.).

Пасть на нерв *[кому]. Пск.* Произвести сильное впечатление, подействовать на нервную систему кому-л. СПП 2001, 55.

Расшиба́ть нерв. *Алт.* Очень много работать, отдавать всего себя работе. СРГА 3-I, 151.

Пойти́ по не́рвам. *Кар.* Начать нервничать. СРГК 4, 10.

Быть на не́рвах. *Разг.* Волноваться, нервничать. Максимов, 52.

Игра́ть на не́рвах *[у кого]. Разг.* Раздражать, нервировать кого-л. ФСРЯ, 276; БМС 1998, 402; СНФП, 101; ЗС 1996, 230.

Подержа́ть на не́рвах *кого. Кар.* Заставить кого-л. понервничать. СРГК 4, 9, 628.

Сиде́ть на не́рве *[у кого]. Пск.* То же, что **играть на нервах.** СПП 2001, 55.

Впада́ть в не́рвы. *Сиб.* Нервничать, расстраиваться. ФСС, 31.

Все не́рвы иссо́хли *у кого. Кар.* Прийти в плохое состояние, расшататься (о нервах). СРГК 2, 302.

Не́рвы игра́ют *у кого. Кар.* О расстройстве нервной системе. СРГК 4, 10.

Не́рвы подняли́сь *у кого. Кар.* Кто-л. сильно разнервничался. СРГК 4, 10.

Мота́ть (рвать, трепа́ть) не́рвы *кому. Прост.* То же, что **играть на нервах.** ФСПЯ, 276; СПП 2001, 55; Подюков 1989, 172; Ф 1, 304.

Па́дать на не́рвы *кому. Кар.* Беспокоить, заставлять нервничать кого-л. СРГК 4, 366.

Щекота́ть/ пощекота́ть не́рвы *кому.* 1. *Разг.* Возбуждать, будоражить кого-л. Ф 2, 267; ЗС 1996, 230. 2. *Жарг. угол. Шутл.* Сильно избивать жертву. Балдаев 1, 345.

Срыва́ть не́рвы *кому. Одесск.* Заставлять кого-л. нервничать. КСРГО.

НЕРО́ВНО * Неро́вно дыша́ть. *Разг. Шутл.* Испытывать симпатию, сексуальное влечение к кому-л. Максимов, 125.

Неро́вно ходи́ть. *Перм. Шутл.* Быть пьяным. Подюков 1989, 223.

НЕСВАРЕ́НИЕ * Несваре́ние головы́ *у кого. Жарг. мол. Шутл.-ирон.* или *Неодобр.* Кто-л. недоумевает, не понимает чего-л. БСРЖ, 382.

НЕСВО́ИЧКО * Несво́ичко говори́ть. *Прикам.* Бредить, говорить бессвязно в болезненном состоянии, при помешательстве. МФС, 25.

НЕСВО́ЙСКА (НЕСВО́ЙСКАЯ) * Нести́ несво́йску. *Сиб. Неодобр.* Говорить вздор, ерунду. ФСС, 137.

Плести́ (бару́здить и т. п.) **несво́йску.** *Свердл. Неодобр.* Говорить вздор, ерунду. СРНГ 21. 149.

НЕСОЗНА́НКА * Быть (чи́слиться) в несозна́нке. *Жарг. угол., мол.* Отрицать свою вину, причастность к чему-л. ТСУЖ, 32; БСРЖ, 382; Максимов, 274.

Игра́ть несозна́нку. *Жарг. угол.* Лгать на допросе. ББИ, 154; Балдаев 1, 278; Мильяненков, 178.

Идти́/ уйти́ в несозна́нку. *Жарг. угол., мол.* То же, что **быть в несознанке.** ТСУЖ, 76.

НЕСО́ЛОНО (НЕСО́ЛЕНО) * Не со́лено пое́вши. *Пск. Шутл.* То же, что **несолоно хлебавши.** СПП 2001, 55.

Несо́лоно похлеба́ть. *Сиб.* Обмануться в своих ожиданиях, не добиться желаемого. СОСВ, 148; Верш. 4, 139.

Несо́лоно (не со́лоно) хлеба́вши (нахлеба́вши, пое́вши). *Разг. Шутл.* Не добившись своего, не получив желаемого. ДП, 237; ЗС 1996, 222, 286; БТС, 1444; Мокиенко 1990, 132; СПП 2001, 55.

НЕСТУРЫ́КА * Пере́ть нестуры́ку. *Дон.* То же, что **болтать несусветицу (НЕСУСВЕТИЦА).** СРНГ 26, 251; СДГ 2, 183.

НЕСУСВЕ́ТИЦА * Болта́ть несусве́тицу. *Новг.* Говорить вздор, ерунду. НОС 6, 52.

НЕСЧА́СТНЫЙ * Сде́лать несча́стным *кого. Жарг. угол.* Привлечь кого-л. к уголовной ответственности за проживание по подложным документам. ТСУЖ, 117; Балдаев 2, 33.

НЕСЧА́СТЬЕ * Два́дцать два несча́стья. *Разг. Шутл.* О неудачнике, который постоянно попадает в неприятные ситуации. БМС 1998, 402; ШЗФ 2001, 61.

НЕТ * Идти́ на нет. *Пск.* Погибать (о растении). (Запись 1997 г.).

Изде́лать на нет *что. Прикам.* Привести что-л. в состояние негодности. МФС, 43.

Изойти́ на нет. *Сиб.* Погибнуть, умереть. ФСС, 87.

На нет. 1. *Прост.* Окончательно, совсем, полностью. БалСок., 27; Верш. 4, 143; Подюков 1989, 129; СПП 2001, 55; ФСС, 81, 122. 2. *Сиб.* Быстро, стремительно. ФСС, 65.

Своди́ться/ свести́сь на нет. *Разг.* Прекращать свое существование, исчезать, переводиться. Ф 2, 145.

Сходи́ть/ сойти́ на нет. *Разг.* 1. Постепенно уменьшаться, исчезать полностью, бесследно. 2. Разоряться. Ф 2, 195–196.

С не́том. *Прост. Устар.; Нов. Шутл.-ирон.* Без начинки, без приправы, пустой (о супе, пирогах и т. п.). Ф 1, 328; НОС 6, 53.

Довести́ до не́та (до не́ту) *кого.* 1. *Горьк.* Разорить кого-л. БалСок., 33. 2. *Кар.* Вывести кого-л. из состояния равновесия, довести до крайности кого-л. СРГК 1, 467.

Дойти́ до не́та (не́ту). 1. *Кар.* Потерять чувство меры в чём-л. СРГК 1, 473. 2. *Кар.* Прийти в состояние крайней усталости. СРГК 1, 473. 3. *Морд.* Обеднеть, разориться, испытать крайнюю нужду. СРГМ 1980, 26.

Возвраща́ться/ верну́ться на пусты́х не́тах. *Перм.* Не получив положенного, ожидаемого. Сл. Акчим. 3, 77.

Догна́ть до не́ту *что. Сиб.* Полностью завершить какое-л. дело. ФСС, 61.

До не́ту. 1. *Яросл.* Полностью, окончательно. ЯОС 4, 67. 2. *Морд.* Очень, в высшей степени. СРГМ 1986, 121.

За не́ту не найдёшь *чего. Сиб.* О полном отсутствии чего-л. ФСС, 118.

НЕТЕРПЯ́ЧКА * Нетерпя́чка берёт *кого. Волг. Неодобр.* О проявлении несдержанности, неуравновешенности. Глухов 1988, 105.

НЕ́ТИ * Сказа́ть до не́тей. *Новг.* Рассказать обо всем. НОС 6, 53.

Быть в не́тях (в не́тех). *Разг. Устар.* Отсутствовать, находиться неизвестно где. Янин 2003, 48. < Древнерусск. **нети** — ‘не находящиеся налицо’. БМС 1998, 402.

НЕТУЖИ́ЛКА * Нетужи́лка родила́ *кого. Морд. Шутл.* О беззаботном, легкомысленном человеке. СРГМ 1986, 122.

НЕТУНА́ВИНА * **Собира́ть нетуна́вину.** *Перм., Прикам. Неодобр.* Говорить вздор, бессмыслицу. СГПО, 589; МФС, 93.

НЕУГАСИ́МАЯ * **Неугаси́мую поста́вить.** *Нижегор.* Бескорыстно и самоотверженно сделать доброе дело. СРНГ 21, 185; СРНГ 30, 209.

НЕУДА́ЧА * **Неуда́ча с ква́сом.** *Пск. Ирон.* О несообразительном, неумелом человеке, растяпе. СПП 2001, 55; ПОС 14, 77.

НЕУДО́БНО * **Неудо́бно спать сто́я.** *Разг. Шутл.* Ответная реплика на фразу, содержащую слово «неудобно». (Запись 2001 г.).

НЕ́УМ * **Не́ум берёт/ взял** *кого. Кар.* О состоянии беспокойства, тревоги. СРГК 4, 17.

НЕ́ФИГ * **За де́лать не́фиг.** *Жарг. мол.* Очень просто, легко. Вахитов 2003, 55.

НЕ́ХОТЬ * **До не́хоти.** *Кар.* Чрезвычайно, до крайности. СРГК 4, 19.

С не́хотью. *Новг.* Без желания. НОС 6, 55.

НЕЧА́ЯННО * **За нечаянно бьют отча́янно.** *Прост. Шутл.-ирон.* Реплика на слово «нечаянно», произнесённое собеседником. Вахитов 2003, 56.

НЕ́ЧЕ * **Де́лать не́че.** *Арх.* Непременно, наверняка. АОС 10, 435.

НЕ́ЧЕГО * **Бреха́ть не́чего.** *Орл.* Подтверждение истинности сказанного. СОГ 1989, 94.

Де́лать не́чего. *Разг.* Иного выхода нет, иначе поступить нельзя; приходится примириться с чем-л. ФСРЯ, 131; ЗС 1996, 388.

Лови́ть не́чего. См. **Ловить нечто (НЕЧТО).**

Не́чего сказа́ть. *Разг.* 1. Выражение согласия, подтверждения чего-л., невозможности возразить против чего-л. 2. Выражение возмущения чем-л., кем-л. ФСРЯ, 426.

Носи́ть не́чего *[кому]. Кар. Ирон.* О крайне худом, истощённом человеке. СРГК 4, 45.

От не́чего де́лать. *Разг.* От безделья, от скуки. ФСРЯ, 131.

Теря́ть не́чего *кому. Разг.* О человеке, готовом пойти на любой риск ради чего-л. Ф 2, 81.

Взя́ться не́чем. *Ряз.* Об отсутствии материальной возможности сделать что-л. ДС, 84; СРНГ 21, 206.

Дохну́ть не́чем. *Горьк.* О большом количестве людей где-л. БалСок., 34.

Дыша́ть не́чем. 1. *Прост.* О крайне бедственном положении, о гнетущей, невыносимой обстановке где-л. Ф 1, 181; Глухов 1988, 107. 2. *Жарг. мол.* Об отсутствии денег у кого-л. Вахитов 2003, 52.

Задави́ться (задуши́ться, удуши́ться, заре́заться) не́чем. *Прост. Ирон.* О крайней бедности. ДП, 89; Глухов 1988, 48, 107, 163.

Крыть не́чем. *Прост.* Нечего сказать в ответ, нечего возразить. ФСРЯ, 216; Глухов 1988, 58, 78.

Стреля́ть не́чем. *Жарг. мол.* О полном отсутствии денег. Смирнов 2002, 135.

НЕ́ЧЕСТЬ * **Взять не́честью** *кого. Печор. Флк.* Силой, принуждением заставить кого-л. сделать что-л. СРГНП 1, 479.

НЕЧИ́СТАЯ * **Нечи́стая во́дит** *кого. Сиб.* О человеке, который где-то блуждает, заблудился. СФС, 126; ФСС, 122.

НЕЧИ́СТЫЙ * **Нечи́стый бы тебя́ (его́, вас** и пр.**) побра́л!** *Прост.* 1. *Бран.* Выражение возмущения, негодования, досады. Ф 1, 328. 2. *Одобр.* Выражение удивления, восхищения кем-л., чем-л. Мокиенко, Никитина 2003, 224.

Нечи́стый дёрнул (попу́тал). *Прост.* О невероятном, необъяснимом поступке. ЗС 1996, 210; Глухов 1988, 107.

Нечи́стый несёт *кого, куда. Прост. Неодобр.* Кто-л. отправляется куда-л. неизвестно зачем, с какой целью. Ф 1, 329.

Нечи́стый ткнул под бок *кого.* 1. *Прикам. Неодобр.* О человеке, поддавшемся соблазну. МФС, 66. 2. *Волг.* О человеке, совершившем невероятный, необъяснимый поступок. Глухов 1988, 107.

Зна́ться с нечи́стым. *Прост.* Заниматься колдовством, знахарством. Ф 1, 214.

НЕ́ЧИСТЬ * **Ба́нная (ба́енная) не́чисть.** 1. *Волог.* По суеверным представлениям — злой дух, который живет в бане. СВГ 5, 108. 2. *Новг.* Вид болезни, связанной, по суеверным представлениям, с действием нечистой силы. НОС 6, 55.

НЕ́ЧТО * **Лови́ть не́что (не́чего).** *Жарг. угол., мол. Неодобр.* О бесполезности, бесперспективности чего-л. ТСУЖ, 117; Смирнов 2002, 134.

НИ́ВА * **Голуба́я (ры́бная) ни́ва.** *Публ. Патет.* Водоем или акватория, используемые для промышленного лова рыбы. Новиков, 119.

Зелёная (лесна́я) ни́ва. *Публ. Патет.* Лес (обычно как хозяйственный объект). Новиков, 119.

Руби́ть/ разруби́ть ни́ву (ни́вья). *Кар.* Расчищать участок леса под пашню. СРГК 5, 434, 574.

НИ́ВКА * **Жить на чужо́й ни́вке.** *Пск.* Работать на кого-л. ПОС 10, 255.

НИДЕРЛА́НДЫ * **Отыме́ть по са́мые Нидерла́нды** *кого. Жарг. мол.* Сурово расправиться с кем-л. Вахитов 2003, 125.

НИ́ЗКО * **Ни́зко заезжа́ть.** *Перм.* Свататься к бедной девушке. СРНГ 21, 226.

Ни́зко кла́няется, а бо́льно куса́ет. *Народн. Неодобр.* О подхалиме. Жиг. 1969, 220.

Пасть (упа́сть) ни́зко. *Книжн. Неодобр.* Опуститься нравственно, стать недостойным общественного уважения. Ф 2, 220.

НИЗО́К * **По низку́ покло́н поста́вить** *кому. Онеж.* Передать низкий поклон кому-л. СРНГ 21, 229.

Чеса́ть на низо́к. *Жарг. карт., угол.* Применять шулерские приемы при игре в карты. Балдаев 2, 144.

НИ́ЗОСТЬ * **Пусти́ть (спусти́ть) в ни́зость** *кого. Кар.* Унизить кого-л. СРГК 4, 24.

НИКА́К * **За ника́к.** *Кар.* Без оплаты, задаром. СРГК 4, 25.

НИКАКО́Й * **Без никаки́х.** *Прост.* 1. То же, что **и никаких.** 2. Свободно, без всякого стеснения. ФСРЯ, 279.

И никаки́х. *Прост.* Без возражений, без каких-л. разговоров, рассуждений, беспрекословно. ФСРЯ, 279; БМС 1998, 402.

Никаки́х себе́. *Тамб.* О человеке, который не признаёт авторитетов, действует, ни на кого не обращая внимания. СРНГ 21, 230.

Соверше́нно никако́й. *Разг.* В состоянии сильного алкогольного опьянения. БСРЖ, 383.

НИКАКО́С * **Пья́ный в никако́с.** *Жарг. мол. Шутл.* О человеке в состоянии сильного алкогольного опьянения. Вахитов 2003, 153.

НИКАКУ́ШКА * **Никаку́шка с погрему́шкой.** *Жарг. мол. Шутл.-ирон.* Пьяная девушка. Максимов, 275.

НИКИЛИКО́ВУШКИ * **Нет никилико́вушки** *чего. Новг.* О полном отсутствии чего-л. НОС 6, 59.

НИКО́ЛА * **Нико́ла в путь, Христо́с по доро́жке!** *Народн.* Доброе пожелание отправляющимся в плавание. ДП, 755.

Нико́ле на бо́роду. *Иркут., Пенз.* Народный обычай оставлять на поле небольшой несжатый участок. СРНГ 21, 232.

НИКОЛА́Й * Свято́й Никола́й. *Жарг. карт.* Король (игральная карта). ТСУЖ, 185; Грачев 1997, 42. // Трефовый король. ББИ, 219; Балдаев 2, 31; Мильяненков, 228.

НИ́КОН * Два ни́кона. *Сиб.* Двукратно. < Обратная сторона монеты. СРНГ 21, 234.

НИКТО́ * Не́ту до́ма никого́. *Жарг. мол.* Выражение, обозначающее нежелание общаться. Максимов, 274.

Нике́м никого́. *Прост.* Совсем никого нет где-л. Ф 1, 329.

Никто́ и звать ника́к. *Разг. Пренебр. или Ирон.* О человеке незначительном, не имеющем авторитета, влияния. Ф 1, 329; СПП 2001, 55, 68.

Никто́ не забы́т, ничто́ не забы́то. 1. *Жарг. арм. Шутл.* Вечерняя проверка. 2. *Жарг. шк. Шутл.* Подсказка. Максимов, 275. < Афоризм из стихотворения в прозе О. Ф. Берггольц, высеченного на центральном памятнике Пискарёвского мемориального кладбища в Ленинграде-Петербурге, месте массового захоронения ленинградцев, умерших во время 900-дневной блокады города в 1941–1943 гг. БМШ 2000, 326.

Никто́ не хоте́л умира́ть. 1. *Жарг. арм. Шутл.* О кроссе на 2 км. БСРЖ, 383. 2. *Жарг. шк.* Тренировка; урок физкультуры. Максимов, 275. 3. *Жарг. шк.* Пропуск урока без уважительной причины. Bytic, 1999-2000.

Ста́вить/ поста́вить нике́м *кого. Ряз.* Не ценить, не уважать кого-л. СРНГ 30, 214; ДС, 447.

НИКУДА́ * Никуда́ не годи́тся. *Разг.* О чём-л. очень плохом, скверном. ФСРЯ, 279.

Никуда́ не упира́ется *что кому. Жарг. мол.* Абсолютно не нужно что-л. кому-л. Максимов, 287.

Свисте́ть в никуда́. *Жарг. мол. Шутл.-ирон.* Мечтать о чём-л. БСРЖ, 383.

НИ́НДЗЯ * Ни́нздя с подворо́тника. *Жарг. мол. Шутл.* Человек с синяком под глазом. Максимов, 275.

НИОТКУ́ДА * Ниотку́да возьми́сь (взя́лся). *Волг.* О внезапном, неожиданном появлении кого-л. где-л. Глухов 1988, 1988, 110.

НИРВА́НА * Погрузи́ться в нирва́ну. *Книжн.* Достичь состояния блаженного самозабвения. < **Нирвана** в буддизме — состояние высшего блаженства. БМС 1998, 403.

Улете́ть в нирва́ну. *Жарг. нарк.* Достичь наркотической эйфории. Максимов, 275.

НИ́ТЕНЬКА * До ни́теньки. *Пск.* Насквозь (мокрый, промокнуть). СПП 2001, 55.

НИ́ТКА * Дыря́вая ни́тка. *Жарг. нарк.* Место на границе, через которое нелегально перевозятся наркотики. ТСУЖ, 52.

Жива́я ни́тка. *Сиб.* Намётка в шитье. ФСРГС. 112.

Бе́гать за ни́тками. *Влад. Шутл.* Убегать домой (о солдатах-новобранцах). СРНГ 21, 241.

Маха́ть (перебира́ть) ни́тками. *Жарг. мол. Шутл.* Быстро идти, спешить. Вахитов 2003, 111; Максимов, 308.

Ши́то бе́лыми ни́тками (бе́лой ни́ткой). *Разг.* О чём-л., неумело скрываемом. БМС 1998, 403; БТС, 1499; ЗС 1996, 209; Жиг. 1969, 216.

Висе́ть на ни́тке. *Разг. Устар.* Быть в опасности, под угрозой гибели. Ф 1, 65.

Оста́ться на ни́тке. *Ряз.* Оказаться в ненадёжном положении. ДС, 345; СРНГ 21, 241.

Пляса́ть по ни́тке. *Разг. Устар. Неодобр.* Вести себя униженно, как угодно кому-л. Ф 2, 50.

Разбира́ть/ разобра́ть по ни́тке. *Разг. Устар.* Подробно, во всех деталях рассказать, обсудить что-л. ФСРЯ, 279.

Вы́тянуться на ни́тки. *Брян.* Приложить много усилий, затратить много сил, очень постараться при достижении чего-л. СРНГ 21, 241.

До ни́тки. *Разг.* 1. Насквозь, совсем (вымокнуть, промокнуть). 2. Абсолютно всё, до последней вещи (проиграть, пропить, отнять у кого-л. и т. п.). 3. Подробно, во всех деталях (рассказать о чём-л., знать что-л.). ФСРЯ, 279; ЗС 1996, 449.

Живо́й (сухо́й) ни́тки нет (не оста́лось). 1. *Прост.* О промокшем насквозь человеке. ПОС 10, 224; Жиг. 1969, 330; ФСРЯ, 280. 2. *Пск.* О ком-л. запачкавшемся, грязном. СПП 2001, 55.

Из ни́тки вон. *Костром.* То же, что **живой нитки нет 1**. СРНГ 21, 241.

Лезть из ни́тки. *Морд.* То же, что **тянуться из нитки.** СРГМ 1982, 120.

Мота́ть ни́тки. *Сиб. Пренебр.* Заниматься бесполезным делом, бездельничать. ФСС, 114.

Ни́тки в ход! *Жарг. мол. Шутл.* Призыв к началу обдумывания чего-л. Вахитов 2003, 114.

От ни́тки до ни́тки. *Волг.* Целиком, полностью. Глухов 1988, 120.

Отши́лись — и ни́тки в па́зуху. *Перм.* Об окончании дела, к которому не нужно возвращаться. Глухов 1988, 141.

Размота́ть ни́тки. *Жарг. мол.* Найти виновного. Максимов, 275.

Смота́ть ни́тки. *Жарг. мол.* Убрать руки, перестать трогать что-л. Вахитов 2003, 168.

С ни́тки до ни́тки. *Новг.* То же, что **до нитки 3**. НОС 6, 60.

С ни́тки с иго́лки. *Печор.* О чём-л., только что сшитом. СРГНП 1, 480.

Сухо́й ни́тки нет *на ком. Прост.* О насквозь промокшем человеке. СОСВ, 122; Верш. 4, 155.

Тяну́ться из ни́тки. *Морд.* Прилагать большие усилия для достижения цели. СРГМ 1982, 120.

За ни́ткой. *Жарг. угол.* За границей, за рубежом. ТСУЖ, 65.

Не худо́й ни́ткой подпоя́санный. *Кар.* Не хуже других. СРГК 4, 664.

Ни́ткой не свя́жешь. *Разг.* 1. О разбитой посуде. 2. О разошедшихся супругах. СРНГ 21, 241.

Бро́сить ни́тку. *Жарг. мол. Шутл.* Сходить в туалет. Максимов, 45.

Вытя́гивать суро́вую ни́тку. *Пск.* 1. Очень быстро скакать (о лошади). Чернышёв, 394. 2. Интенсивно, прикладывая много сил, делать что-л. СРНГ 21, 241.

Вытя́гиваться/ вы́тянуться в ни́тку. 1. *Курск., Омск.* Сильно худеть. СРНГ 21, 241; БалСок., 88. 2. *Пск., Ряз.* Много трудиться, прилагать много усилий для достижения цели. ПОС 6, 87; СРНГ 21, 241.

На живу́ю ни́тку. 1. *Разг.* Крупными стежками, слегка закрепив (сшить, пришить). ФСРЯ, 280; СБГ 5, 69. 2. *Разг. Неодобр.* Наскоро, небрежно. ПОС 10, 224; СБГ 5, 69; БМС 1998, 403; БТС, 305; Мокиенко 1990, 130. 3. *Пск. Одобр.* Быстро, ловко. ПОС 10, 224. 4. *Прост. Устар.* В нищете, бедности (жить). Ф 1, 330.

Привяза́ть ни́тку на соло́мину. *Новг.* Наказать, побить ребёнка. НОС 9, 10.

Прокля́тый че́рез ни́тку. *Краснояр.* Редко сотканный. СРНГ 21, 241; СФС, 153.

Растя́гиваться/ растяну́ться в ни́тку. *Пск., Сиб.* То же, что **вытягиваться/**

вытянуться в нитку 2. СПП 2001, 55; СОСВ, 122; Верш. 2, 155.

Рвать (ре́зать) ни́тку. *Жарг. угол., мол.* Нелегально переходить границу. ТСУЖ, 118, 143; СРВС 3, 107, 117; Елистратов 1994, 279; ББИ, 155.

Ста́вить не в ши́ту ни́тку. *Прикам.* Относиться к кому-л. с пренебрежением, не считаться с кем-л. МФС, 95. // *Волг.* Унижать, позорить кого-л. Глухов 1988, 154.

Тяну́ть в ни́тку. *Помор.* Плавно, ровно, безостановочно петь. ЖРКП, 96.

Тяну́ть одну́ ни́тку. *Волг.* Делать что-л. вместе, сообща. Глухов 1988, 162.

Тяну́ться в [то́нкую] ни́тку. 1. *Волг., Ряз.* То же, что **вытягиваться в нитку 2.** Глухов 1988, 162; ДС, 345; Ф 2, 213; СРНГ 21, 241. 2. *Пск.* Кое-как, с трудом справляться с материальными трудностями, жить бедно. СПП 2001, 55.

Хоть на ни́тку нижи́. *Волг.* О большом количестве чего-л. Глухов 1988, 169.

НИ́ТОЧКА * Ве́ситься на ни́точке. *Печор.* То же, что **висеть на ниточке.** СРГНП 1, 65.

Висе́ть на ни́точке. *Разг.* Оказываться в опасности, под угрозой гибели. ФСРЯ, 69.

Ходи́ть по ни́точке. *Разг.* Беспрекословно подчиняться, повиноваться кому-л., быть послушным, вышколенным. ФСРЯ, 509; ЗС 1996, 225; Мокиенко 1990, 109.

Без ни́точки. *Жарг. театр.* О периферийной, эпизодической, неперспективной роли. БСРЖ, 383.

Все ни́точки в рука́х *у кого. Прост.* Кто-л. располагает всеми возможностями руководить, управлять кем-л., чем-л. Ф 1, 330.

До ни́точки. 1. *Разг.* То же, что **до нитки 1. (НИТКА).** Сл. Акчим. 1, 177; СПП 2001, 55; СОСВ, 122. 2. *Одесск.* То же, что **до нитки 3. (НИТКА).** КСРГО.

С ни́точки. *Коми.* О новой одежде. Кобелева, 69.

Обрыва́ть/ оборва́ть после́днюю ни́точку. *Разг.* Окончательно порывать с кем-л., устранять последнюю возможность чего-л. Ф 2, 12.

НИТЬ * Держа́ть все ни́ти в свои́х рука́х. *Разг.* Полностью контролировать ситуацию. ШЗФ 2001, 65. < Калька с франц. *tenir tous les fils.* БМС 1998, 403.

Ни́ти не вяза́ть. *Перм. Шутл.-ирон. или Пренебр.* Быть не в состоянии сказать ни слова от сильного опьянения. СРНГ 21, 242.

Ариа́днина нить; нить Ариа́дны. 1. *Книжн.* Мысль, способ и т. п., помогающие разобраться в сложной обстановке, выйти из затруднительного положения. ФСРЯ, 280; Ф 1, 330; БТС, 46. 2. *Жарг. шк. Шутл.* Шпаргалка. Максимов, 276. < Из греческой мифологии. БМС 1998, 403.

Под одну́ нить. *Ср. Урал.* 1. Одинаковые, сходные. 2. Одинаково. СРГСУ 4, 59.

Пойма́ть нить де́ла. *Разг. Устар.* Уловить суть разговора, понять связь, последовательность событий. Ф 2, 63.

Потеря́ть нить. *Разг.* Забыть основную мысль (разговора, рассуждения и т. п.). БМС 1998, 403; ЗС 1996, 339.

Путево́дная нить. *Книжн.* То, что помогает найти правильный путь в какой-л. обстановке, при каких-л. обстоятельствах; то, чем руководствуются в чём-л. ФСРЯ, 280; БМС 1998, 404.

Проходи́ть кра́сной ни́тью. *Разг.* О какой-л. отчётливо выделяющейся, господствующей мысли где-л., в чём-л. ФСРЯ, 280; БМС 1998, 404; ЗС 1996, 378; Мокиенко 1990, 130.

НИХТ * Нихт ха́бе. *Жарг. шк.* Учительница немецкого языка. (Запись 2003 г.). < Подражание немецкой речи.

НИЧЕГО́ * Ничи́м ничего́. *Печор.* Совершенно ничего. СРГНП 1, 480.

НИЧЕГО́НЕДЕ́ЛАНИЕ * Сла́дкое ничего́неде́лание. *Разг. Ирон.* Безделье, доставляющее удовольствие, радость кому-л. < Калька с ит. *il dolce far niente.* БМС 2005, 472.

НИЦ * Па́дать ниц *перед кем. Разг. Устар.* 1. Умолять, просить кого-л. о чём-л., упав на колени. 2. Преклоняться перед кем-л., выражать преданность, почтение кому-л. Ф 2, 32.

НИЧЕ́Й * Жить себе́ ниче́й. *Орл. Шутл.* Не иметь забот, жить благополучно. СОГ 1990, 123.

НИ́ЧЕНКИ * Пу́таться в ни́ченках. *Перм. Неодобр.* Мешать кому-л. СРНГ 21, 247.

Гоня́ть ни́ченки. *Морд.* Ткать. СРГМ 1986, 124.

< **Ниченка** — деталь ткацкого станка.

НИ́ЧКА * Поджига́ть ни́чку. *Народн.* Начинать играть в бабки, бить первым (В. И. Даль). СРНГ 28, 9.

НИЧТО́ (НИЧЁ) * Без ничего́. *Прост.* Ни с чем (вернуться, прийти и т. п.). БМС 1998, 404.

Ни тым ничего́. *Олон.* Кое-что, кое о чем (говорить, болтать). СРНГ 21, 215.

Ничего́ до вот чего́. *Арх.* Абсолютно ничего. АОС 10, 178.

Ничего́ не попи́шешь. *Разг.* То же, что **делать нечего (НЕЧЕГО).** ФСРЯ, 343–344; Глухов 1988, 112.

Ничего не ска́жешь. *Разг.* Выражение согласия, подтверждения чего-л., невозможности возразить кому-л. ФСРЯ, 426.

Ничего́ не тро́гать. *Жарг. шк. Шутл.* Кабинет биологии. (Запись 2003 г.).

Ничего́ попа́ло. *Кар.* Без разбора, что попадётся. СРГК 5, 75.

Ничего́ себе́. *Прост.* 1. Неплохо, сносно, довольно хорошо. 2. Довольно хороший, неплохой. 3. Восклицание, выражающее удивление, возмущение. ФСРЯ, 280.

Ничё ни к чему́. *Прикам.* Напрасно, без видимой причины. МФС, 66.

Ниче́м никого́ *у кого. Сиб.* Об одиноком человеке. ФСС, 126.

Ниче́м ничего́ (ничего́шеньки). *Волг., Сиб.* Абсолютно ничего. Глухов 1988, 112; ФСС, 122. **Ничи́м чего́шеньки.** *Новг.* То же. Сергеева 2004, 166.

Нет ничто́. *Сиб.* Ничто не беспокоит кого-л., всё легко переносится кем-л. ФСС, 122.

Ничто́ попи́шешь. *Пск.* То же, что **делать нечего (НЕЧЕГО).** СПП 2001, 55.

Ста́вить в (за) ничто́ *кого, что. Разг. Устар.* Совсем не считаться с кем-л., с чем-л., относиться с пренебрежением, не придавать никакого значения кому-л., чему-л. Ф 2, 181.

НИЧТО́ЖЕ * Ничто́же сумня́ся (сумня́шеся). *Разг. Ирон. Устар.* Не задумываясь, не сомневаясь, без колебания. ФСРЯ, 463.

НИ́ША * Культу́рная ни́ша. *Публ.* Среда или место, где сохраняются культурные традиции. Мокиенко 2003, 64.

Экологи́ческая ни́ша. 1. *Спец.* Экологически чистая среда обитания, необходимая для какого-л. вида живых организмов. 2. *Публ.* Наиболее подходящая для кого-л. социальная среда, место жизни и деятельности. Мокиенко 2003, 64.

Занима́ть/ заня́ть экологи́ческую ни́шу. *Публ.* Устраиваться в наиболее подходящей для кого-л. среде, месте жизни и деятельности. Мокиенко 2003, 64.

НИ́ЩИЙ * Тащи́ть ни́щего за хвост. *Жарг. угол. Шутл.-ирон.* 1. Заунывно петь. 2. Надоедливо жаловаться на что-л. ТСУЖ, 173; Трахтенберг, 58; Балдаев 2, 75.

Тащить (тяну́ть) ни́щего (ни́щих) за хер. *Прост. Груб.* Заниматься бесполезным делом. УМК, 142.

Косу́линский ни́щий. *Ср. Урал. Ирон.* О человеке, который любит прибедняться, выпрашивать что-л. < Нищенство в деревне Косулино Белоярского района было отхожим промыслом. СРГСУ 2, 55.

Мака́рьевский ни́щий. *Народн. Пренебр.* Попрошайка, нищий. < Связано с ярмаркой в г. Макарьеве на Волге. БМС 1998, 404.

С ни́щими наряду́. *Прикам.* Очень бедно, в нищете (жить). МФС, 66.

НОВИ́НА * Ката́ть (руби́ть) нови́ну. *Волог.* Расчищать участок леса под пашню. СВГ 3, 46; СВГ 5, 110.

НОВИ́НКА * Но́вая нови́нка (но́вую нови́нку) на ста́рую брюши́нку. 1. *Сиб. Ирон.* Об обновке, которая надевается на какую-л. старую одежду или на её часть. ФСС, 122. 2. *Перм. Шутл.* Об употреблении в пищу ягод и других плодов нового урожая. Подюков 1989, 130. 3. *Волог. Шутл.* Поздравление за новогодним столом. СВГ 5, 110.

С нови́нкой. *Сиб.* С изъяном, с недостатком. ФСС, 138.

НО́ВЫЙ (НО́ВАЯ) * По но́вой. *Прост.* Снова, опять. Верш. 4, 161.

Но́вые ру́сские. *Жарг. мол. Шутл.* Деньги после денежной реформы, деноминации. Максимов, 276.

НОВЬ * На но́ви. *Кар.* На новом месте. СРГК 4, 30.

С но́ви до но́ви. *Пск.* От урожая до урожая. СПП 2001, 55.

НОВЬЁ * Новьё погна́ло старьё. *Жарг. мол. Шутл.* Кому-л. захотелось в туалет. Максимов, 276.

НОГА́ * Без за́дних ног. *Разг. Шутл.* Крепко, беспробудно (спать). БМС 1998, 404; БТС, 320, 286; ЗС 1996, 174; ФСРЯ, 281.

Без ног. 1. *Кар.* О человеке, который не может ходить из-за болезни ног. СРГК 4, 31. 2. *Пск.* Очень быстро, изо всех сил (бежать). СПП 2001, 56.

Бить с ног *кого. Арх.* Запутывать, сбивать с толку кого-л. АОС 2, 27.

Вали́ть с ног *кого. Волг. Неодобр.* Надоедать кому-л., назойливо приставать к кому-л. Глухов 1988, 8.

Вали́ться с ног. *Разг.* Чувствовать себя обессилевшим (от горя, усталости). СПП 2001, 56; Глухов 1988, 8.

Выбива́ть из ног глупоту́. *Волг. Ирон.* Много и без пользы ходить по каким-л. делам. Глухов 1988, 17.

Вы́гнать из ног глухоту́. *Калуж.* Утомить ноги ходьбой. СРНГ 6, 217.

До больши́х ног. *Арх.* До совершеннолетия. АОС 2, 70.

До студёных ног. *Прибайк.* До смерти, всю жизнь. СНФП, 102.

Изби́ться с ног. *Кар.* Устать от дел, хлопот. СРГК 2, 272.

Из-под ног ого́нь лети́т *у кого. Сиб.* О беспокойном, бойком, неусидчивом человеке. Верш. 4, 162; СОСВ, 104.

Мно́го ног *у кого. Пск.* О большом количестве гостей у кого-л. СПП 2001, 56.

Не ви́деть ног свои́х. *Волг.* Сильно располнеть. Глухов 1988, 95.

Не носи́ть ног. *Новг.* Быть слабым, немощным. Сергеева 2004, 192.

Не поволо́чь (не потяну́ть) ног. *Кар., Пск.* Устать, обессилеть, утомиться. СРГК 4, 596; СПП 2001, 56.

Не слы́шать (не чу́five) ног под собо́й. *Разг.* 1. Очень быстро идти, бежать. 2. Очень устать, утомиться от долгой ходьбы, бега. 3. Быть в приподнятом, восторженном настроении, состоянии от чего-л. ФСРЯ, 436; Верш. 6, 289; Глухов 1988, 104; ЗС 1996, 36, 169; БТС, 1485.

Не спуща́ть с ног *что. Морд.* Постоянно носить (об обуви). СРГМ 2002, 125.

Не хватая ног. *Прибайк.* Очень быстро (бежать). СНФП, 102.

Ног не́ту *у кого. Сиб.* О человеке, который не может стоять на ногах от боли, болезни, усталости. Верш. 4, 162.

Ног свои́х не ви́дит. *Курск., Прикам. Шутл.* Об очень полном, тучном человеке. МФС, 18; БотСан, 106.

Обира́ться с ног. *Новг.* Уходить откуда-л., покидать кого-л., что-л. НОС 6, 86.

Отрясти́ от [свои́х] ног прах *кого, чего, чей. Книжн.* Совершенно, окончательно порвать с кем-л., с чем-л.; отречься от кого-л., чего-л. ФСРЯ, 306; ДП, 267.

Отста́ть от ног. *Волг., Дон.* Сильно устать при ходьбе. СРНГ 21, 2624 СДГ 2, 215.

Пасть с ног. *Кар.* Очень устать, утомиться в поисках чего-л. СРГК 4, 33.

Перевора́чивать/ переверну́ть с ног на́ голову *что. Прост. Неодобр.* Искажать, извращать факты. Ф 2, 38.

По́лзать у ног *чьих. Разг.* Заискивать, унижаться, пресмыкаться перед кем-л. Ф 2, 68.

Помере́ть (умере́ть) с [со свои́х] ног. *Прикам., Коми.* Скоропостижно скончаться. МФС, 105; Кобелева, 69.

Ре́хнуть со всех ног. *Север.* Упасть, грохнуться (В. И. Даль). СРНГ 35, 79.

Сбива́ть/ сбить с ног *кого. Разг.* Ударом сваливать кого-л. Ф 2, 139.

Сбива́ться/ сби́ться с ног. *Прост.* Очень уставать, утомляться, обессилеть. ЗС 1996, 501; Ф 2, 140; СРГМ 1986, 72; СПП 2001, 56.

Скоси́ть с ног *кого. Сиб.* Довести кого-л. до состояния крайней усталости, утомить кого-л. СОСВ, 123; Верш. 4, 163.

Слете́ть с ног. *Морд.* Упасть, свалиться. СРГМ 2002, 79.

Смота́ть с ног *кого. Прост. Устар.* Измучить, довести кого-л. до сильной усталости, до изнеможения. Ф 2, 167.

Смота́ться с ног. *Прост. Устар.* То же, что **сбиваться с ног.** Ф 2, 167.

С ног да в гроб. *Арх., Кар.* О скоропостижной, внезапной смерти. АОС 10, 69; СРНГ 21, 262-263.

С ног до головы́. *Разг.* Целиком, полностью, совсем. БМС 1998, 405; СВГ 2, 126; СПП 2001, 56; Ф 1, 331; Верш. 4, 163; НОС 6, 160. // *Перм.* Снизу доверху. Сл. Акчим. 1, 210.

Со всех ног. *Разг.* Очень быстро, стремительно (бежать, нестись). ФСРЯ, 281; БМС 1998, 405; ЗС 1996, 496; Глухов 1988, 152.

Спать и ног не чу́five. *Горьк.* Очень крепко, беспробудно спать. БалСок., 53.

Среза́ть/ сре́зать с ног *кого. Разг. Устар.* 1. Вынуждать кого-л. лечь в постель (о болезни, недомогании). 2. Лишать кого-л. душевных сил, спокойствия. Ф 2, 180.

Среза́ться/ сре́заться с ног доло́й. *Разг. Устар.* Падать, не удержавшись на ногах. Ф 2, 180.

Ста́вить/ поста́вить с ног на́ голову *что. Разг.* То же, что **переворачивать с ног на голову.** Ф 2, 183.

Сшиба́ть/ сшиби́ть с ног *кого. Прост.* Сильным ударом валить кого-л. Ф 2, 198.

Бе́сова нога́. *Пск.* Отнявшаяся, парализованная нога. (Запись 1993 г.).

Болта́й нога́. *Пск. Ирон.* О хромом человеке. СПП 2001, 56.

Бо́льше нога́ *чья* **поро́г не перело́жит** *чей. Пск.* О прерывании дружеских, соседских и т. п. отношений с кем-л. СПП 2001, 56.

Вору́й нога́. *Жарг. угол.* То же, что **шлёп нога.** Белоус, 11.

Гуди́ нога́. *Арх. Шутл.* О веселье с танцами. АОС 10, 134.

Заплета́ть нога́ за́ ногу. *Волг.* Идти нетвердой походкой в состоянии опьянения или сильной усталости. Глухов 1988, 50.

Коро́вья нога́. *Ворон. Презр.* О недогадливом человеке. СРНГ 14, 351.

Крива́я нога́. *Смол. Шутл.* В свадебном обряде — обращение к невесте. СРНГ 21, 262.

Ли́шняя нога́ у тарака́на. *Жарг. мол. Бран.* О человеке, вызывающем резко отрицательные эмоции. Максимов, 224.

Ма́ткина нога́! *Пск. Эвфем. Бран.* Восклицание, выражающее негодование, гнев. СПП 2001, 56.

Не глезди́ нога́ *у кого. Пск. Неодобр.* О пассивном, бездеятельном человеке. СПП 2001, 56.

Нога́ в кали́тке. *Кар.* Кто-л. почти подошёл к своему дому, пришёл домой. СРГК 4, 31.

Нога́ в стре́мени *у кого. Перм.* О человеке, который собрался куда-л. СРНГ 21, 262.

Нога́ за́ ногу. *Разг.* Медленно, еле-еле (идти, передвигаться). ФСРЯ, 281.

Нога́ не ступа́ла *где, куда, чья. Разг.* Где-л. никто никогда не бывал, не жил. ФСРЯ, 281.

Нога́ но́гу едва́ мину́ет. *Кар. Ирон.* О человеке, еле передвигающемся от слабости. СРГК 4, 33.

Нога́ за́ ногу не переменя́ть. *Арх.* Еле передвигаться. СРНГ 26, 158.

Нога́ спит. *Пск. Одобр.* О мягкой, удобной обуви. СПП 2001, 56.

Нога́ сто́ит *у кого. Костром. Шутл.* Кому-л. очень хочется чего-л. СРНГ 21, 262.

Нога́ тупа́я (худа́я) *у кого. Кар.* О человеке, который медленно ходит. СРГК 4, 31-32.

Одна́ нога́ в гробу́, друга́я на берегу́ *у кого. Новг. Ирон.* То же, что **одна нога в яме.** Сергеева 2004, 193.

Одна́ нога́ в меду́, друга́я в па́токе *у кого. Новг., Пск.* О человеке, живущем богато, зажиточно. СПП 2001, 56; НОС 7, 105.

Одна́ нога́ в моги́ле *у кого. Разг.* То же, что **[стоять] одной ногой в могиле.** БТС, 549.

Одна́ нога́ в я́ме [друга́я на я́ме] *у кого. Кар.* О слабом здоровье и близкой смерти. СРГК 4, 33, 151.

Одна́ нога́ здесь, друга́я там. *Разг.* Очень быстро сходить, сбегать куда-л. ФСРЯ, 281; ЗС 1996, 109, 485; БТС, 285, 1305; БМС 1998, 405. **Одна нога́ здесь, друга́я на не́бе.** *Пск.* То же. (Запись 2000 г.).

Подтяни́ нога́. *Арх., Олон.* О щеголе, франте. СРНГ 28, 225.

Сиде́ть нога́ на́ ногу. *Пск. Неодобр.* Бездельничать, праздно проводить время. СПП 2001, 56.

Соба́чья нога́. 1. *Сиб.* Детская соска. ФСС, 122. 2. *Жарг. угол.* Револьвер. ТСУЖ, 165.

Сре́дняя нога́. *Жарг. мол. Шутл.* Мужской половой орган. Максимов, 276.

[То́лько] нога́ сви́щет (хви́щет). *Пск.* О быстро и легко идущем, бегущем человеке. СПП 2001, 56.

Тре́тья нога́. *Жарг. мол. Шутл.* То же, что **средняя нога.** Мокиенко, Никитина 2003, 224.

Цыпля́чья нога́. *Жарг. мол. Пренебр.* О худощавом человеке. Максимов, 276.

Чего́ (как) моя́ ле́вая нога́ хо́чет/ захо́чет. *Разг. Неодобр.* О вздорных, безрассудных поступках, действиях. БМС 1998, 405; БТС, 489, 1452; ФСРЯ, 281.

Что (ско́лько) нога́ заберёт. *Кар.* Очень быстро (бежать). СРГК 2, 86; СРГК 4, 33.

Шлёп нога. *Пск. Шутл.* Прозвище хромого мужчины. СПП 2001, 56.

Класть/ положи́ть к нога́м *чьим что. Книжн.* Отдавать, передавать что-л. в чьё-л. полное владение, распоряжение. Ф 1, 239.

Нога́м оби́дно. *Ворон. Ирон.* О большом расстоянии, которое надо пройти. СРНГ 22, 59.

Па́дать/ пасть к нога́м *кого, чьим. Разг. Устар.* Выражать преданность, любовь к кому-л., встав на колени. Ф 2, 32.

По но́гам и по рука́м. *Сиб.* Очень сильно (ненавидеть и т. п.). Верш. 4, 162; СОСВ, 123.

Прийти́ (прие́хать) к холо́дным нога́м. *Ворон., Морд., Сиб.* Не застать кого-л. живым. ФСС, 122; СРГМ 1986, 125; СРНГ 21, 262.

Бро́сить (срыть) кверх нога́ми *что. Пск.* Разрушить, разорить что-л. до основания. СПП 2001, 56.

Верте́ться под нога́ми. *Разг. Неодобр.* Мешать кому-л. своим присутствием, суетливыми действиями. БМС 1998, 405; ФСРЯ, 281; Ф 1, 55-56.

Весёлыми нога́ми. *Разг.* 1. *Одобр.* Радостно, с удовольствием (пойти куда-л.). ШЗФ 2001, 34. 2. *Шутл.* В состоянии лёгкого алкогольного опьянения. Янин 2003, 56; ЯОС 3, 8.

Ве́сить вверх нога́ми *кого. Арх. Не одобр.* Доставлять неприятности кому-л. АОС 3, 154.

Виля́ться (путля́ться) под нога́ми *[у кого]. Пск. Неодобр.* То же, что **вертеться под ногами.** СПП 2001, 56.

Вон нога́ми. *Арх.* Несмотря ни на что, при любых обстоятельствах. АОС 5, 78.

Выноси́ть/ вы́нести вперёд нога́ми [в бе́лых та́пках] *кого. Разг. Шутл.-ирон.* 1. Хоронить кого-л. БМС 1998, 405; ПОС, 5, 14; Глухов 1988, 19. 2. Жестоко расправляться с кем-л. (в формулах угрозы). БМС 1998, 405.

Голосова́ть нога́ми. *Нов. Разг.* Отказываться от участия в каком-л. мероприятии, выражать резкий протест, несогласие с чем-л. НСЗ-80; Мокиенко 2003, 64.

Держа́ться на свои́х нога́х. *Разг.* Быть самостоятельным, независимым. Ф 1, 162.

Драть нога́ми варе́нье. *Перм. Шутл.* Азартно плясать. СРНГ 8, 175.

Драть нога́ми коре́нья. *Волг. Шутл.-ирон.* Идти нетвёрдой походкой, спотыкаясь (в состоянии алкогольного опьянения). Глухов 1988, 38.

Еле-е́ле дви́гать нога́ми. *Разг.* Передвигаться с трудом (от усталости, болезни). БТС, 241.

Забра́ть нога́ми *что. Жарг. комп. Шутл.-ирон.* Получить информацию на дискете, придя за ней лично (а не по электронной почте). Мальчишник, 229.

За нога́ми тяга́ть *что. Пск. Шутл.* Носить (об обуви). СПП 2001, 56.

Исщу́пать нога́ми *что. Новг.* Пройти, преодолеть какое-л. расстояние пешком. НОС 3, 121.

Кве́рху нога́ми. *Кар.* В беспорядке; не так, как надо. СРГК 2, 337.

Лечь кверх нога́ми. *Пск.* Умереть. СПП 2001, 56; ПОС 14, 86.

Ляга́ть нога́ми. *Кар.* 1. Ходить, бродить. СРГК 3, 173. // Передвигаться самостоятельно. СРГК 4, 32. 2. Бежать, убегать. СРГК 3, 173. 3. Некрасиво, неумело плясать. СРГК 3, 173.

Метлеши́ться под нога́ми *у кого. Морд.* Постоянно находиться возле кого-л., надоедая своим присутствием. СРГМ 1986, 25.

Наколоти́ть нога́ми. *Пск. Шутл.* Без труда заработать деньги. СПП 2001, 56.

Перевёртывать/ переверну́ть вверх нога́ми *что. Разг.* Коренным образом изменять, делать совершенно иным что-л. ФСРЯ, 314.

Перевёртываться/ переверну́ться кве́рху нога́ми. *Разг.* Коренным образом изменяться, становиться совершенно иным. Ф 2, 38.

Пе́стовать нога́ми не́кошного. *Народн. Неодобр.* Сидя, качать ногами. ДП, 258. < **Некошный** — черт, дьявол.

Пиха́ть (толка́ть) нога́ми *кого. Пск. Неодобр.* Не оказывать уважения кому-л., перенебрегать кем-л. СПП 2001, 56.

Поднима́ть вверх нога́ми *что. Волг.* Всё перепутать, устроить беспорядок где-л. Глухов 1988, 125.

Под нога́ми *у кого. Коми.* В подчинении у кого-л. Кобелева, 69.

Пропади́ кве́рху нога́ми! *Прост. Обл. Бран.* Пожелание зла, проклятье. Мокиенко, Никитина 2003, 225.

Путля́ться под нога́ми. См. **Виляться под ногами.**

Све́сить нога́ми на буго́р. *Прибайк. Шутл.-ирон.* Умереть. СНФП, 102.

С го́лыми нога́ми. *Арх. Ирон.* Без приданого, не имея имущества. АОС 9, 262.

Скать нога́ми. *Перм.* Суетиться, спешить. Подюков 1989, 186.

С нога́ми. *Сиб.* О взрослом, самостоятельном человеке. ФСС, 122; СРНГ 21, 263.

С нога́ми и рога́ми. *Волог...* Полностью, целиком. СВГ 5, 111.

Срыть кверх нога́ми. См. **Бросить кверх ногами.**

Сука́ть нога́ми. *Пск.* То же, что **скать ногами.** (Запись 2001 г.).

Толо́чь нога́ми. *Пск. Шутл.* О большом количестве чего-л. СПП 2001, 56.

Топта́ть/ потопта́ть нога́ми *что. Дон.* Игнорировать что-л., не обращать внимания на что-л. СДГ 3, 49; СРНГ 30, 295.

Туды́ дожида́ют вперёд нога́ми. *Пск. Шутл.* О чьей-л. близкой смерти. СПП 2001, 56.

Хлеста́ться нога́ми-рука́ми. *Сиб.* Всеми силами противиться, сопротивляться чему-л. Верш. 4, 162; СОСВ, 123.

Хоть нога́ми ко́чкай. *Кар.* О большом количестве грибов.СРГК 3, 5.

Валя́ться в нога́х *у кого. Разг.* Униженно просить о чём-л. ФСРЯ, 55; БТС, 111.

Води́ть себя́ (держа́ться) на нога́х. *Кар.* Обслуживать себя самостоятельно, не прибегая к чьей-л. помощи. СРГК 1, 212; СРГК 4, 31.

Высо́кий на нога́х. *Волог.* О человеке высокого роста. СРНГ 6, 25.

Ла́зить в нога́х *у кого. Волг.* То же, что **валяться в ногах.** Глухов 1988, 80.

Меледи́ться в нога́х. *Кар.* Мешать кому-л. в чём-л. СРГК 3, 200.

На нога́х. 1. *Разг.* В стоячем положении. ФСРЯ, 281. 2. *Разг.* В бодрствующем состоянии, встав ото сна. ФСРЯ, 281. 3. *Разг.* В хлопотах, в заботах, в работе, без отдыха. ФСРЯ, 281; Верш. 4, 162. 4. *Разг.* О здоровом, не больном человеке. ФСРЯ, 281; Подюков 1989, 131. 5. *Разг.* О самостоятельном, не нуждающемся в чьей-л. помощи человеке. Ф 1, 331. 6. *Разг.* О человеке в состоянии полной готовности к чему-л. Ф 1, 331. 7. *Ср. Урал.* Живым весом (о продаже скота). СРНГ 21, 262.

На четырёх нога́х. *Прост.* Очень быстро, поспешно (убежать, уехать и т. п.). Ф 1, 331.

Ни на нога́х, ни на бока́х. *Перм. Шутл.* О бедном, плохо одетом человеке. Подюков 1989, 14.

Носи́ть на нога́х *кого. Новг.* Бить, обижать кого-л. Сергеева 2004, 185.

По́лзать в нога́х *у кого. Разг.* То же, что **валяться в ногах.** ЗС, 1996, 65; Ф 2, 68.

Свали́ться на нога́х. *Кар.* То же, что **умереть на своих ногах.** СРГК 4, 31.

Стоя́ть в нога́х *у кого. Волг.* То же, что **валяться в ногах.** Глухов 1988, 155.

Стоя́ть на [свои́х, со́бственных] нога́х. *Разг.* Быть взрослым, материально самостоятельным. БМС 1998, 406; СПП 2001, 57; СРНГ 21, 262.

То́лько в но́гах хви́щет. *Пск. Шутл.* О быстро бегущем, быстро идущем человеке. СПП 2001, 57.

Умере́ть (помере́ть) на свои́х нога́х. *Кар., Курск.* Скоропостижно скончаться. БотСан, 116; СРГК 4, 31.

Ходи́ть на свои́х нога́х. *Пск.* То же, что **стоять на ногах.** СПП 2001, 57.

Лёгкий на ноге́. *Прикам.* О человеке, который может быстро и много ходить, не уставая. МФС, 53.

На дру́жеской (прия́тельской) ноге́ *с кем. Разг.* В дружеских отношениях. Ф 1, 331; БТС, 286; ЗС 1996, 31; БМС 1998, 406.

На ноге́ растащи́ — не услы́шит. *Моск. Шутл.-ирон.* О крепко спящем человеке. СРНГ 21, 262.

На одно́й ноге́ [верте́ться, крути́ться]. 1. *Курск., Пск., Ряз., Сиб. Одобр.* Быстро, проворно (делать что-л.). БотСан, 103; СПП 2001, 56; СРНГ 21, 262; ДС, 346; ФСС, 24, 122. 2. *Кар. Неодобр.* Быть легкомысленным, ветреным. СРГК 1, 178.

На той же (э́той) ноге́. *Сиб.* Очень быстро. ФСС, 122; СРНГ 21, 262.

Не на тако́й ноге. *Разг. Устар.* Иначе, не так, по-иному. Ф 1, 331.

Смея́ться по ноге́. *Кар. Одобр.* Быть удобным (об обуви). СРГК 4, 31.

Стоя́ть на ра́вной ноге́ *с кем. Разг. Устар.* Быть равным кому-л. в каком-л. отношении. Ф 2, 190.

Чего́ ле́вой ноге́ хо́чется. *Волг.* О чьих-л. капризах. Глухов 1988, 171.

[Брать/ взять] но́ги в зу́бы. *Сиб. Шутл.* То же, что **брать ноги в руки 1.** ФСС, 122.

[Брать/ взять] но́ги в ру́ки. *Прост.* 1. Быстро отправляться куда-л. ФСС, 122; Ф 1, 39, 332. 2. Бежать, убегать откуда-л. Глухов 1988, 6, 112; Максимов, 276; Смирнов 2002, 31.

[Брать/ взять] но́ги на пле́чи. *Волг. Шутл.* То же, что **брать ноги в руки 1.** ФСС, 122.

Броса́ться/ бро́ситься в но́ги *кому. Книжн.* Умоляя, просить кого-л. о чём-л. Ф 1, 44.

Весёлые но́ги. *Жарг. мол. Шутл.* О пьяном человеке. Максимов, 59.

Взды́нуться (подня́ться) на́ ноги. *Пск.* Достигнуть определённого положения, стать самостоятельным, независимым. ПОС 3, 159.

В но́ги кла́няется, а за пя́ты куса́ет. *Народн. Неодобр.* О подхалиме, двуличном человеке. Жиг. 1969, 220.

Во (на) все но́ги. *Арх., Кар.* Очень быстро. АОС 1, 145; СРГК 4, 31; СРНГ 21, 262; Мокиенко 1986, 48–49.

Возможа́ться на но́ги. *Сиб., Приамур.* Обзавестись хозяйством, начать жить самостоятельно. ФСС, 29; СРГПриам., 44.

Всплыть нá ноги. *Кар.* Подняться после болезни. СРГК 1, 244.

Вставáть/ встать нá ноги. *Разг.* 1. Выздоравливать, оправляться от болезни. Ф 1, 86. 2. Улучшать, укреплять свое материальное состояние. Ф 1, 86. 3. Становиться взрослым, самостоятельным. БТС, 162; АОС 6, 57.

Вставáть/ встать не с той (с лéвой) ногú. *Разг. Шутл.-ирон. или Неодобр.* Быть недовольным, раздражённым, сердитым. БМС 1998, 406; БТС, 489; ЗС 1996, 59; ШЗФ 2001, 48; Ф 1, 86; ДП, 867; Янин 2003, 75; Мокиенко 1986, 144; СПП 2001, 56; Глухов 1988, 15.

Вставáть/ встать с прáвой ногú. *Волг. Шутл.-одобр.* Быть в хорошем настроении. Глухов 1988, 16.

Вставля́ть/ вставить нóги. *Жарг. угол., мол.* То же, что **делать ноги.** СМЖ, 93; ТСУЖ, 46; Балдаев 2, 33.

В три ногú. 1. *Пск.* Очень быстро (бегать, бежать). 2. *Морд., Перм., Ряз.* Азартно, с шумом, грохотом (плясать). Подюков 1989, 131; СРГМ 1986, 125; ДС, 346; СРНГ 21, 261. 3. *Пск.* Много, интенсивно (есть, работать). СПП 2001, 56.

Вы́здануть (вы́тянуть) нóги. *Арх.* Получить возможность ходить, передвигаться. АОС 7, 217; АОС 8, 337.

Вылáмывать/ вы́ломить из ногú *у кого что. Сиб.* Настойчиво просить, требовать от кого-л. чего-л. СОСВ, 44.

Выносúть/ вы́нести зá ноги *кого. Волг.* Хоронить кого-л. Глухов 1988, 19.

Вытирáть нóги *о кого. Обл.* Уничтожать кого-л., глумиться над кем-л. Ф 1, 100.

Вытя́гивать/ вы́тянуть нóги. *Прост. Ирон.* Умирать. Ф 1, 101; Глухов 1988, 20.

Вы́тянуть нá ноги *кого. Пск.* Вырастить, воспитать (о детях). ПОС 6, 89.

Вы́яснить, откýда нóги растýт *у кого. Нов. Разг.* Понять истину во всей её конкретности, суровой и неприкрытой реальности. НРЛ-89, 68.

Гиб в ногú *кому. Пск.* Просить, умолять кого-л. о чём-л. ПОС 6, 158.

Гнуть нóги. *Новг. Неодобр.* Лениться, отлынивать от работы. НОС 6, 64.

Готóв нóги мыть *кому* **и вóду пить.** *Волг., Курск.* О высшей степени преклонения перед кем-л. Глухов 1988, 26; БотСан, 90.

Две ногú с подхóдом *у кого. Твер.* О человеке, умеющем находить подход к людям. СРНГ 28, 239.

Дéлать/ сдéлать нóги *откуда. Разг. Шутл.* Убегать, совершать побег откуда-л. СМЖ, 93; ТСУЖ, 46; Балдаев 2, 33; СРГК 1, 444; СРГК 4, 32; Грачев, Мокиенко 2000, 129; Смирнов 2002, 55; Максимов, 276; Вахитов 2003, 45.

Доткнýли нóги до дна *у кого. Кар.* О человеке, набравшемся жизненного опыта, житейской мудрости. СРГК 1, 499.

Едвá нóги прикúнуть *куда. Кар.* С трудом дойти, добраться куда-л. СРГК 5, 167.

Éле нóги волочúть. *Разг.* 1. Очень медленно передвигаться. 2. Совершенно обессилеть (от болезни, усталости). Ф 1, 76; СПП 2001, 56.

Завалúть нóги. *Пск.* Бездельничать. ПОС 11, 55.

Заворáчивать/ завернýть нóги. 1. *куда. Кар.* Зайти куда-л. СРГК 4, 32. 2. *Яросл.* Ложиться спать. ЯОС 4, 62.

Загибáть/ загнýть нóги. *Пск.* То же, что **задирать ноги 1.** ПОС 11, 192; СРНГ 14, 362.

Задерю́чивать нóги в потолóк. *Морд. Неодобр.* Лежать, бездельничая. СРГМ 1986, 125.

Задирáть/ задрáть нóги. 1. *Волг., Калуж.* Умирать. СРНГ 21, 262. 2. *только в форме сов. вида. Сиб.* Заболеть. СОСВ, 123; Верш. 4, 162. 3. *Волг. Неодобр.* Бездельничать. Глухов 1988, 47.

Задирáть нóги в гóру. *Волг.* То же, что **задирать ноги 1-2.** Глухов 1988, 48.

Задирáть/задрáть нóги в потолóк. *Прибайк.* То же, что **задирать ноги 2.** СНФП, 102.

Замочúть нóги. *Жарг. угол.* Обнаружить себя при совершении преступления. Балдаев 1, 146; ТСУЖ, 64; ББИ, 155; Мильяненков, 179.

Затянýть нóги *куда. Кар.* То же, что **заворачивать/ завернуть ноги.** СРГК 4, 33.

Зелёные нóги. *Жарг. арест. Устар.* Беглый каторжанин. Гиляровский, 73.

Из ногú. *Ряз.* С наружной стороны ноги. ДС, 346.

Когдá нóги раздавáли, в óчереди за рукáми стоя́ла. *Жарг. мол. Ирон.* О кривоногой девушке. Вахитов 2003, 80.

Крестúть нóги. *Кар.* Спотыкаться. СРГК 3, 19.

Кудá нóги несýт/ понесýт. *Народн.* Наудачу, без определённого направления. ДП, 76.

Ломáть нóги. *Новг., Перм., Яросл.* Утруждать, утомлять ноги бесполезной ходьбой куда-л.; ходить куда-л. напрасно, зря. Сергеева 2004, 213; Подюков 1989, 108; ЯОС 6, 11.

Ломúть из ногú. *Прикам., Сиб.* Настойчиво добиваться чего-л. МФС, 56; Верш. 4, 162.

Макарóнные нóги. *Волог. Шутл.* О длинноногом, высоком человеке. СВГ 5, 111.

Мéрить нóги. *Кар.* 1. Ходить много, подолгу. СРГК 4, 32. 2. Утомлять себя ходьбой (как правило — напрасной). СРГК 3, 200, 287. 3. *кому.* Ругать, хулить кого-л. СРГК 4, 32.

Мыть нóги *кому* **и вóду пить.** *Волг. Шутл.-ирон.* Чрезмерно опекать кого-л., угождать кому-л. Глухов 1988, 86, 113.

Мять/ намя́ть нóги. 1. *Пск.* Идти, ходить пешком; гулять. СПП 2001, 56. 2. *Перм.* То же, что **ломать ноги.** Глухов 1988, 108.

Навихáть нóги. *Морд.* Утомиться при ходьбе. СРГМ 1986, 59.

На все нóги. См. **Во все ноги.**

Найтú нóги. 1. *Волог.* Быстро побежать. СРНГ 21, 262; СВГ 5, 40. 2. *Перм. Шутл.* Поспешно уйти откуда-л., скрыться. Подюков 1989, 125.

На молоды́е нóги. *Пск.* О желании беременной женщины. СПП 2001, 56.

На нóвые нóги. *Пск.* О внезапном желании. СПП 2001, 56.

Нарéзать нóги. *Жарг. мол.* 1. Убежать откуда-л. 2. Умереть. Максимов, 269.

Насмолúть нóги. *Кар.* Приготовиться к ходьбе, бегу. СРГК 4, 32.

Не вздымáть нóги. *Пск.* О состоянии крайней усталости, когда нет сил двигаться, ходить; о состоянии слабости. СПП 2001, 56.

Не давáть себé на нóги топóр уронúть. *Сиб.* Уметь постоять за себя. ФСС, 52.

Не с той ногú, кумá, плясáть пошлá. *Народн.* О человеке, который неумело взялся за дело и поэтому потерпит неудачу. Жук. 1991, 220; Жиг. 1969, 78.

Не собьёт ногú. *Пск. Неодобр.* О человеке ленивом, который не спешит выполнить какую-л. работу. СПП 2001, 56.

Нúзкий нá ноги. *Кар.* О человеке небольшого роста. СРГК 4, 24.

Нóги бóсы ещё *у кого. Кар.* О молодом человеке, способном делать что-л. СРГК 4, 32.

Нóги в задý *у кого. Волг. Шутл.* О быстро убегающем человеке. Глухов 1988, 10.

Но́ги в зу́бы. См. **Брать ноги в зубы.**

Но́ги в кресты́ (на́крест) *у кого. Кар.* О нетвёрдой, заплетающейся походке. СРГК 3, 338; СРГК 4, 32.

Но́ги в ру́ки. См. **Брать ноги в руки.**

Но́ги выгова́ривают *у кого. Волог.* О хорошем танцоре. СВГ 1, 90; СВГ 5, 111.

Но́ги гиб *у кого. Пск.* О внезапной слабости при испуге, потрясении. ПОС 6, 158; СПП 2001, 58.

Но́ги гудя́т *у кого.* 1. *Прост.* О человеке, утомлённом долгой ходьбой. Глухов 1988, 113. 2. *Кар.* О быстро и легко идущем человеке. СРГК 1, 411.

Но́ги до земли́ не достаю́т *у кого. Морд.* О быстро бегущем человеке. СРГМ 1986, 125.

Но́ги ещё бу́дешь таска́ть, а на бля́дки не потя́нет. *Прост. Вульг. Шутл.-ирон.* О слабом, изнурённом тяжёлой работой и плохими условиями жизни человеке. Мокиенко, Никитина 2003, 225.

Но́ги жи́дкие на во́де *у кого. Кар.* О человеке, не умеющем плавать. СРГК 2, 60; СРГК 4, 32.

Но́ги жмёт *кому, у кого. Новг.* О человеке, испытывающем нужду, лишения. Сергеева 2004, 222.

Но́ги за́ ноги завива́ть. *Морд.* Передвигаться с трудом. СРГМ 1980, 68.

Но́ги за собо́й волочи́ть. *Коми.* О больном человеке, передвигающемся с трудом. Кобелева, 69.

Но́ги игра́ют *у кого. Волог.* О быстром беге. СВГ 5, 111.

Но́ги из подмы́шек (от ше́и) расту́т *у кого. Разг.* О длинноногой стройной девушке. Смена, 1990, № 10; Елистратов 1994, 586.

Но́ги коро́ткие *у кого. Прикам.* У кого-л. нет достаточной силы в ногах вследствие старости, болезни. МФС, 66.

Но́ги на доро́ге (на доро́гу) *у кого. Кар., Новг.* О готовности пойти, уйти, убежать. СРГК 4, 32; НОС 6, 64.

Но́ги на́крест. См. **Ноги в кресты.**

Но́ги на пле́чи. См. **Брать ноги на плечи.**

Но́ги не волоку́тся *у кого. Пск.* О крайнем уставшем от ходьбы или больном, еле передвигающемся человеке. СПП 2001, 56.

Но́ги не воро́чаются *у кого. Морд.* То же, что **ноги не волокутся.** СРГМ 1986, 125.

Ноги́ не воткну́ть *куда. Ряз.* Не ходить куда-л., не появляться где-л. ДС, 346; СРНГ 21, 262.

Ноги́ не вы́нешь (не вы́тащишь). *Волг., Морд. Неодобр.* О сырой, грязной дороге. Глухов 1988, 96; СРГМ 1978, 99; СРГМ 1986, 125.

Но́ги не де́ржат *кого. Разг.* Кто-л. не может стоять от слабости, усталости. Ф 1, 332; Верш. 4, 162; СОСВ, 123; .

Ноги́ не наклада́ть (не накла́дывать). *Волг., Коми, Морд., Перм., Яросл.* То же, что **ноги не воткнуть.** Глухов 1988, 100; Кобелева, 69; СРГМ 1986, 76; Подюков 1989, 125; ЯОС 6, 149.

Но́ги не несу́т *кого куда. Кар.* У кого-л. нет сил, нет желания идти куда-л. СРГК 4, 32.

Но́ги не осты́ли *у кого. Кар.* Кто-л. недавно умер, скончался. СРГК 4, 32.

Ноги́ не покла́сть (не положи́ть) *куда. Сиб.* То же, что **ноги не воткнуть.** ФСС, 143; СФС, 207; СРНГ 21, 262.

Ноги́ не потяну́ть. *Сиб.* Обессилеть, ослабеть. СОСВ, 148; Верш. 4, 162.

Ноги́ не сто́ит. *Кар.* Не идёт ни в какое сравнение с кем-л. СРГК 4, 32.

Но́ги несу́т *кого. Кар.* Кто-л. быстро идет, бежит. СРГК 4, 14.

Ноги́ не хва́тит. *Кар.* О глубине, превышающей рост человека. СРГК 4, 32.

Но́ги ольхо́вые. *кар. Ирон.* О больном человеке со слабыми ногами. СРГК 4, 32.

Но́ги отва́ливаются (отла́мываются) *у кого. Прост.* О состоянии сильной усталости. БТС, 751; Глухов 1988, 113.

Но́ги отки́нуть. *Жарг. мол. Шутл.-ирон.* Умереть. Максимов, 276.

Но́ги отпа́ли *у кого. Кар.* То же, что **ноги отваливаются.** СРГК 4, 32.

Но́ги отстаю́т *у кого. Волг.* То же, что **ноги отваливаются.** Глухов 1988, 13.

Но́ги оттяну́ть. *Жарг. мол.* 1. Заснуть. 2. Отдохнуть. Максимов, 276.

Но́ги подкоси́лись (подломи́лись) *у кого. Прост.* 1. О состоянии сильного испуга. 2. О состоянии усталости после долгой работы. Ф 1, 332; ЗС 1996, 73; СПП 2001, 56.

Но́ги поднима́ются *у кого. Новг.* О желании плясать, танцевать. НОС 6, 64.

Но́ги подре́зало *кому. Кар.* О человеке, потерявшем способность ходить из-за болезни. СРГК 4, 32.

Но́ги подсека́ет *кому* **(подсека́ются** *у кого*). *Прикам., Том.* То же, что **ноги подломились 2.** СПСП, 96; МФС, 77.

Но́ги почеши́! *Жарг. угол.* Выражение недоверия человеку, который лжёт. СРВС 3, 107; ТСУЖ, 143.

Но́ги, ру́ки тя́нут *кого. Пск.* О дееспособном человеке. (Запись 2002 г.).

Но́ги (но́жки) сбря́кали *у кого.* 1. *Сиб. Шутл.-ирон.* Кто-л. сбежал, скрылся. ФСС, 122, 123. 2. *Прибайк.* Об умершем человеке. СНФП, 103.

Но́ги смею́тся *у кого. Морд. Шутл.* О замёрзших ногах. СРГМ 2002, 87.

Но́ги спят. *Разг. Шутл.-одобр.* Об удобной, мягкой обуви. Верш. 4, 162; СОСВ, 123; Максимов, 276.

Но́ги тоску́ют *у кого. Морд.* О боли в ногах. СРГМ 1986, 125.

Но́ги чужи́е. *Сиб.* О состоянии онемения в ногах. СОСВ, 123; Верш. 4, 162.

Ню́хай но́ги! *Жарг. мол.* Требование уйти, удалиться. Максимов, 279.

Обогре́ть но́ги. *Пск.* Прижиться где-л. СПП 2001, 56.

Обра́ть но́ги. 1. *Кар.* Уйти откуда-л. СРГК 4, 92, 108. 2. *Терск.* Твёрдо держаться на ногах. СРНГ 22, 65.

Обсуши́ть но́ги. *Волг.* Устать от ходьбы. Глухов 1988, 115.

Обува́ть/ обу́ть на о́бе ноги́ *кого. Прост. Устар.* Ловко обманывать, провести кого-л. Ф 2, 12.

О́коль ноги́. *Арх.* Об удобной обуви. СРНГ 23, 134.

Омыва́ть но́ги. *Печор.* Угощаться, выпивать по случаю рождения ребёнка. СРГНП 1, 522.

Осуши́ть но́ги *[кому]. Дон.* Ударить по ногам, отбить ноги. СДГ 2, 209.

Отбро́сить но́ги. *Кар.* Умереть. СРГК 4, 274.

Отки́нуть но́ги. *Жарг. мол.* То же, что **отбросить ноги.** Максимов, 276.

Отстава́ть от ноги́. *Ср. Урал.* Идти не в ногу. СРГСУ 3, 90.

Отсыпа́ть но́ги. *Кар.* Лежать, отдыхая. СРГК 4, 334.

Оттяну́ть но́ги. *Мол. Шутл.* 1. Заснуть. 2. Отдохнуть. Максимов, 276.

Па́дать/ упа́сть (пасть) в но́ги *кому. Прост.* Обращаться к кому-л. с просьбой, мольбой, покаянием. БТС, 1391; СРНГ 25, 120; Ф 2, 32.

Перелома́ть но́ги *кому. Прост.* Угроза избить, искалечить кого-л. Ф 2, 40.

Подве́сить но́ги. См. **Приделывать/ приделать ноги.**

Поднима́ть/ подня́ть на́ ноги *кого. Разг.* 1. Будить, заставлять проснуться кого-л. 2. Растить, воспитывать кого-л. Ф 2, 57.

Поднима́ться/ подня́ться на́ ноги. 1. *Разг.* Просыпаться. БТС, 873; ЗС 1996, 499. 2. *Разг. Устар.* Приходить в волнение, возбуждаться. Ф 2, 58. 3. *Прост.* Становиться состоятельным, независимым. Ф 2, 58.

Подрисова́ть но́ги. См. **Приделывать/ приделать ноги.**

Подхва́тывать/ подхвати́ть но́ги. *Пск. Шутл.* 1. Убегать, удирать откуда-л. 2. Очень быстро идти. СПП 2001, 56.

Показа́ть, отку́да но́ги расту́т *у кого. Смол.* Сурово наказать кого-л., жестоко расправиться с кем-л. СРНГ 21, 262.

Полома́ть но́ги. *Дон.* Сходить куда-л. напрасно. СРНГ 29, 110.

Посади́ть на́ ноги. *Дон.* Лишить лошадь возможности передвигаться. СДГ 3, 45.

Поста́вить на́ ноги *кого.* 1. *Разг.* Вырастить, воспитать кого-л. 2. *Разг.* Вылечить кого-л. 3. *Нижегор.* Направить по правильному пути кого-л. СРНГ 30, 209; ЗС 1996, 150; СОСВ, 123; Верш. 4, 162; Глухов 1988, 131.

Потеря́ть но́ги. *Кар., Одесск.* О заболевании ног, затрудняющем передвижение. СРГК 4, 32; КСРГО.

Приде́лывать/ приде́лать (подрисова́ть, подве́сить) но́ги *чему. Жарг. угол., мол., Прост. Шутл.* Красть что-л. Елистратов 1994, 280; БСРЖ, 384; НОС 9, 13; Ф 2, 89; Глухов 1988, 132; Мокиенко 2003, 64.

Протяга́ть но́ги. *Яросл.* Бездельничать. ЯОС 8, 102.

Протяну́ть но́ги. *Прост.* Умереть. БМС 1998, 406; ЗС 1996, 151; СРГБ 2, 110; Верш. 4, 162; СРГМ 1986, 125; СОСВ, 123; СПП 2001, 56.

Пуска́ть/ пусти́ть под но́ги *кого. Волг.* Втаптывать в грязь, порочить кого-л. Глухов 1988, 137.

Разби́тый на́ ноги. *Яросл.* О человеке с больными ногами. ЯОС 8, 112.

Разу́ть но́ги, обу́ть нос. *Смол. Шутл.* Стать внимательнее, наблюдательнее. СРНГ 34, 75.

Расправля́ть но́ги. *Кар.* 1. Приниматься за работу. СРГК 4, 32. 2. Умирать. СРГК 5, 460.

Растяну́ть но́ги. *Кар.* Упасть. СРГК 4, 33.

Рисова́ть/ нарисова́ть но́ги. *Жарг. мол.* 1. Уходить, убегать откуда-л. Вахитов 2003, 108; Максимов, 269. 2. *чему.* Красть, воровать что-л. СИ, 1998, № 6; БСРЖ, 384.

Сби́ться на́ ноги. *Кар.* Научиться ходить, передвигаться. СРГК 5, 642.

Сби́ться с ноги́. *Дон.* Сойти с правильного пути. СДГ 3, 106; СРНГ 21, 263.

Сбрести́ на́ ноги. *Сиб.* Выздороветь. СРНГ 21, 263; СФС, 162.

Сде́лать но́ги. *Жарг. мол.* Быстро убежать откуда-л., скрыться. Максимов, 276.

Сесть (посе́сть) на́ ноги. *Волог., Дон., Одесск., Пск.* О потере способности ходить, передвигаться (как правило — вследствие болезни). СПП 2001, 56; СДГ 3, 116; КСРГО; ДС, 511; СРНГ 21, 263.

Сиде́ть но́ги кресто́м. *Пск. Неодобр.* Бездельничать, праздно проводить время. СПП 2001, 56.

Склема́ться на́ ноги. *Ряз.* 1. Подрасти, вырасти. 2. Выздороветь. СРНГ 21, 263; ДС, 517.

Слома́ть но́ги. *Новг.* Сходить куда-л. напрасно. НОС 10, 91.

Сноси́ть но́ги до коле́н. *Пск.* Об очень силой усталости. ПОС 14, 359.

Собира́ть но́ги [в ку́чу]. *Жарг. мол. Шутл.* То же, что **рисовать ноги 1.** Вахитов 2002, 169; Максимов, 215.

Соси́ но́ги! *Жарг. мол.* Категорический отказ кому-л. в чём-л. Максимов, 398.

С пе́рвой ноги́. 1. *Пск.* С самого начала. СПП 2001, 56. 2. *Ворон., Прикам.* Сразу же, с первого раза. СРНГ 21, 263; МФС, 66.

Стопта́ть но́ги. *Волг.* Сильно устать, утомиться. Глухов 1988, 155.

Ступи́ть на́ ноги. *Кар.* Выздороветь, оправиться от болезни. СРГК 4, 31.

Суши́ть но́ги. *Обл. Неодобр.* Бездельничать. Мокиенко 1990, 65.

То́лько но́ги говоря́т (греми́т) *у кого. Кар.* О быстро бегущем, убегающем человеке. СРГК 1, 348, 392; СРГК 4, 33.

То́лько но́ги к земле́ не приста́ют *[у кого]. Пск.* То же, что **только ноги говорят.** СПП 2001, 56.

То́лько но́ги лета́ют *у кого. Новг.* Об азартно пляшущем человеке. НОС 7, 56.

Тряха́новы твои́ но́ги! *Пск. Бран.* О человеке, вызывающем крайне отрицательные эмоции. СПП 2001, 56.

Ты что так си́льно но́ги в штаны́ засу́нул? *Жарг мол. Шутл.* О коротких брюках. Вахитов 2003, 183.

Тяну́ть но́ги. 1. *Кар.* Передвигаться, идти с большим трудом. СРГК 4, 33. 2. *Новг.* Не работать, отдыхать, бездельничать. НОС 11, 81.

Убира́ть но́ги. *Костром.* Умирать. СРНГ 21, 263.

Уби́ть но́ги. 1. *Горьк., Новг.* Сильно устать. БалСок., 55; СРНГ 21, 263; Сергеева 2004, 243. 2. *Новг., Перм.* Сходить куда-л. напрасно. НОС 11, 83; Подюков 1989, 210. 3. *Коми.* Вернуться с охоты без добычи. Кобелева, 80.

Ударя́ться/ уда́риться в но́ги *кому. Разг.* То же, что **падать/ упасть в ноги.** БТС, 1373; Ф 2, 216.

Уноси́ть/ унести́ но́ги. *Прост.* Убегать, спасаться бегством. БТС, 1389; Глухов 1988, 163.

Упира́ться на все четы́ре ноги́. *Волг. Шутл.* Быстро бежать, убегать. Глухов 1988, 163.

Успева́ть то́лько но́ги переклада́ть. *Пск.* Очень быстро идти, бежать. СПП 2001, 56.

Утяну́ть но́ги в зе́млю. *Кар.* Умереть. СРГК 4, 33.

Хрома́ть на о́бе ноги́. *Разг. Ирон.* Иметь много недостатков, изъянов. БМС 1998, 406; БТС, 1454; Жиг. 1969, 81.

Ши́рить но́ги. *Кар.* Ходить. СРГК 4, 33.

Щу́пать но́ги. *Жарг. угол.* Готовиться к побегу. Трахтенберг, 68.

Бить ного́й. *Брян.* Идти широким размеренным шагом. СБГ 1, 54.

Болта́ть ного́й. *Пск. Шутл.* Бездельничать, праздно проводить время. СПП 2001, 56.

Боро́ть ного́й. *Пск. Пренебр.* То же, что **пиха́ть нога́ми.** СПП 2001, 56.

Живо́й ного́й. *Прост.* Очень быстро (прийти, сходить куда-л. и т. п.). Ф 1, 332; БТС, 305; Подюков 1989, 130; СПП 2001, 56.

Задави́ть ного́й *кого. Новг.* О невзрачном человеке небольшого роста. НОС 3, 23.

Одно́й ного́й в моги́ле. *Разг.* О человеке, близком к смерти. ЗС 1996, 478.

Одно́й ного́й пи́шет (рису́ет), друго́й зачёркивает. *Жарг. мол. Шутл.* 1. О некрасивой походке. 2. О походке пьяного человека. Максимов, 161, 285.

Ле́вой ного́й. *Прост. Неодобр.* Небрежно, кое-как. БТС, 489; Подюков 1989, 130; ЗС 1996, 378; СПП 2001, 56.

Ле́вой ного́й с посте́ли ступи́л. *Народн. Неодобр.* О сердитом, раздражённом человеке. ДП, 134.

Не́ быть ного́й *где. Дон., Пск., Ряз.* Не ходить куда-л., не бывать где-л. СПП 2001, 56; СРНГ 21, 262.

Не загляну́ть ного́й. *Пск.* То же, что **не быть ногой.** СПП 2001, 56.

Не ле́вой ного́й сморка́ется (за́ ухом че́шет). *Прост. Шутл.* Не хуже других. ЗС 1996, 30; Подюков 1989, 189.

Не пня ного́й. *Ср. Урал.* О бойком, непоседливом человеке. СРГСУ 2, 202; СРНГ 2, 262.

Не той ного́й поро́г переступи́л. *Народн.* То же, что **левой ногой с постели ступил.** ДП, 133.

Ни ного́й. *Прост.* Никогда не ходить, не заходить куда-л. ЗС 1996, 288; СРГК 5, 378.

Ного́й пиха́й. *Пск.* О большом количестве чего-л. СПП 2001, 56.

Одно́й ного́й. *Прикам.* Непрочно, непостоянно. МФС, 66.

Пе́шей ного́й. *Сиб.* Пешком. ФСС, 122.

Пня ного́й. 1. *Горно-Алт., Сиб.* Быстро и легко. ФСС, 138; СФС, 140; СРНГ 21, 262. 2. *Ср. Урал., Яросл.* Кое-как, небрежно. СРНГ 21, 262; ЯОС 3, 127.

Пясть ного́й. *Яросл.* Делать что-л. небрежно. ЯОС 8, 110.

С гря́зной ного́й. *Сиб.* О человеке, расчёты которого на хороший заработок не оправдались. ФСС, 122.

Скрести́ ного́й. *Яросл.* очень сильно хотеть, желать чего-л. ЯОС 6, 149.

Соба́чьей ного́й. *Урал.* Вид зимней охоты, когда наст держит собаку, а зверь проваливается в снег. СРНГ 25, 47.

Станови́ться/ стать на ра́вную но́гу. *Разг.* Вести себя с кем-л. как равный с равным (обычно — о зависимом, подчинённом человеке). Ф 2, 184.

Станови́ться/ стать твёрдой ного́й. *Разг. Устар.* Прочно закрепляться, обосновываться где-л. Ф 2, 185.

Сто́ять одно́й ного́й в моги́ле. *Разг.* Быть безнадежно больным, близким к смерти. БМС 1998, 406; БТС, 549, 1279; ЗС 1996, 179. **Сто́ять одно́й ного́й во гро́бе (в гробу́).** *Разг. Устар.* То же. Ф 2, 191.

Сухо́й ного́й. *Кар., Сиб.* По сухой дороге, не замочив ног. СФС, 183; СРГК 4, 33; ФСС, 122; СРНГ 21, 263.

Ука́зывать ле́вой ного́й. *Волг. Неодобр.* Капризно повелевать, распоряжаться. Глухов 1988, 163.

С соба́чьею ного́ю. *Сиб.* Об охоте с собакой на соболей. ФСС, 122.

Бо́йкий на́ ногу. *Новг., Печор.* То же, что **быстрый на ногу.** НОС 6, 63; СРГНП 1, 36.

Быстрый (ши́бкий) на́ ногу. *Пск.* О человеке, который много и быстро ходит. ПОС 2, 235; СПП 2001, 57.

Вздёрнуться (сдёрнуться) на́ ногу. *Пск.* 1. Вырасти, стать высоким. 2. Повзрослеть. СПП 2001, 57.

Ви́деть под но́гу. *Сиб.* Быть близоруким. ФСС, 27; СФС, 1424 СРНГ 21, 262.

В (с) кони́ную (соба́чью) но́гу. *Волг.* О чём-л. толстом, мощном. Глухов 1988, 12, 149.

В но́гу. 1. *Разг.* В такт, одновременно с другими, ступая то левой, то правой ногой. ФСРЯ, 283. 2. *Ряз.* С внутренней стороны ноги. ДС, 346.

В но́гу сверло́. *Жарг. мол. Шутл.* Панк-группа «Ногу свело». Я — молодой, 1997, № 46.

Во всю но́гу. *Арх.* То же, что **во все ноги.** АОС 4, 15.

В одну́ но́гу. *Кар.* О пространстве, где может пройти только один человек. СРГК 4, 31.

Встать на по́лную но́гу. *Горьк.* Почувствовать уверенность в своих силах. БалСок., 45.

Встать на твёрдую но́гу. 1. *Сиб.* Стать самостоятельным, независимым. ФСС, 32. 2. *Арх.* Встать на правильный путь. СРНГ 5, 213.

Вы́пить на одну́ но́гу́. *Кар.* Выпить немного чая, не напиться досыта. СРГК 4, 31.

Грузно́й на но́гу. *Пск.* О медленно, трудно передвигающемся человеке. ПОС 8, 53.

Задира́ть но́гу на доро́гу. *Кар.* Собираться в дорогу. СРГК 2, 115.

Занести́ но́гу *куда. Кар.* Поселиться где-л. СРГК 2, 163.

Игра́ть под но́гу. *Сиб.* Аккомпанировать в такт пляшущим. ФСС, 122; СРНГ 21, 262; СФС, 142.

Идти́ в но́гу со вре́менем. *Разг.* Придерживаться современных взглядов. ЗС 1996, 473.

Излома́ть но́гу [мо́жно]. *Сиб.* О беспорядке в доме. ФСС, 87.

Кома́р но́гу отдави́л *кому. Народн. Ирон.* О бестолковом человеке. ДП, 461.

Лёгкий (лёгок) на́ ногу. *Разг.* То же, что **быстрый на ногу.** ФСРЯ, 283; БМС 1998, 406; ЗС 1996, 497; Подюков 1989, 106; СПП 2001, 56.

Ло́вкий на́ ногу. *Сиб. Одобр.* Способный легко, без устали ходить. СФС, 100; ФСС, 107; Мокиенко 1990, 95.

Молодо́й на́ ногу. *Сиб.* 1. Способный много, без устали работать. СРНГ 21, 262. 2. С лёгкостью, с охотой отправляющийся куда-л., принимающийся за новое дело. ФСС, 113.

На бе́шеную но́гу. *Морд.* Очень быстро, стремительно. СРГМ 1986, 125.

На бога́тую но́гу. *Ряз.* То же, что **на широкую ногу.** ДС, 59; СРНГ 21, 262.

На большу́ю но́гу. См. **На широкую ногу.**

На бо́су но́гу. *Жарг. мол. Шутл. или Неодобр.* Плохо, неумело. Максимов, 41.

На всю но́гу. 1. *Волг.* Быстро (идти). Глухов 1988, 88. 2. *Дон.* То же, что **на широкую ногу.** СДГ 2, 187; СРНГ 21, 262.

На втору́ю но́гу. 1. *Пск.* Очень быстро. ПОС 5, 94. 2. *Кар., Пск.* О выпивании второй рюмки спиртного. СПП 2001, 56; СРГК 1, 278.

На городску́ю но́гу. *Пск.* По-городскому, как в городе. СПП 2001, 56.

На другу́ю но́гу. *Кар.* До полного удовлетворения (наесться, напиться). СРГК 4, 31.

Нала́дить ного́. *Пск. Шутл.* Пуститься бежать, побежать. СПП 2001, 56.

На лёгкую но́гу. *Дон.* То же, что **на широкую ногу.** СРНГ 21, 261; СДГ 2, 109.

Намы́лить но́гу. *Кар.* Натереть мозоль. СРГК 3, 355.

На на́шу но́гу. *Влад.* По-нашему. СРНГ 21, 262.

На одну́ но́гу хрома́ет. *Народн.* О чём-л., имеющем недостатки, изъяны. ДП, 484.

На ста́рую но́гу. *Пск.* По-старому, как в старину, как прежде. СПП 2001, 57.

Наступа́ть на́ ногу *кому. Волг.* Задевать чье-л. самолюбие, обижать кого-л. Глухов 1988, 92.

На то́нкую но́гу. 1. *Дон.* Бедно, в нищете (жить). СДГ 2, 187. 2. *Волг.* Бережно, экономно. Глухов 1988, 93.

На то́лстую но́гу. *Дон.* То же, что **на богатую ногу.** СРНГ 21, 262; СДГ 2, 187.

Натяну́ть но́гу. *Пск.* Собраться, приготовиться, намереваться уехать, уйти. СПП 2001, 57.

На холостя́цкую но́гу. *Разг.* По-холостяцки, неустроенно, неуютно. ФСРЯ, 284.

На широ́кую (на большу́ю) но́гу. *Разг.* Богато, зажиточно, не считаясь с затратами (жить). БМС 1998, 406; ЗС 1996, 152; БТС, 1498; СПП 2001, 56.

Не дава́ть себе́ на́ ногу наступи́ть. *Разг.* Уметь за себя постоять, не давать себя в обиду. БМС 1998, 406.

Не переложи́ть ного́. *Пск.* То же, что **не загляну́ть ного́й.** СПП 2001, 57.

Но́гу в доро́гу. *Кар.* О быстрых сборах в дорогу. СРГК 4, 33.

Но́гу с ноги́ перева́ливать. *Сиб.* 1. Еле идти от усталости. 2. *Ирон.* Быть ленивым. ФСС, 133.

Обу́ть на бо́су но́гу *кого. Народн.* Причинить кому-л. большие неприятности. ДП, 146.

Отряхня́ но́гу. *Печор. Неодобр.* Небрежно, беспечно. СРГНП 1, 546.

Па́дать в пра́вую но́гу *кому. Олон., Сиб.* Обращаться с просьбой к кому-л. СФС, 46; СРНГ 31, 62; СРНГ 25, 120.

Перее́хать через но́гу. *Ср. Урал.* Помешать кому-л. в чём-л. СРНГ 21, 262.

Подложи́ть но́гу *кому. Кар. Неодобр.* То же, что **переехать через ногу.** СРГК 4, 643.

Положи́ть но́гу *куда. Коми.* Прийти куда-л. Кобелева, 72.

Стать на боеву́ю но́гу. *Сиб.* Начать жить зажиточно, богато. СФС, 179; СРНГ 21, 262; СБО-Д2, 204.

Теря́ть/ потеря́ть но́гу. *Разг.* Утрачивать такт в ходьбе, ступать не той ногой. Ф 2, 203.

Ты́кать но́гу *куда. Пск.* Собираться, намереваться пойти куда-л. СПП 2001, 57.

Тяжёлый на́ ногу. 1. *Сиб.* Хромой. ФСС, 200. 2. *Курск., Прикам.* Невежливый, невоспитанный; неуступчивый. БотСан, 116; МФС, 103.

Упа́сть на но́гу (на но́ги). *Дон.* О заболевании ног. СДГ 3, 171.

Хлёсткий на́ ногу. 1. *Пск., Сиб.* То же, что **быстрый на ногу.** СФС, 196; СПП 2001, 57; Мокиенко 1990, 95. 2. *Сиб.* То же, что **молодой на ногу 1.** СРНГ 21, 263. 3. *Сиб.* То же, что **молодой на ногу 2.** СРНГ 21, 263.

Че́рез но́гу. *Волхов.* Об измерении расстояния шагами. СРНГ 21, 263.

Ши́бкий на́ ногу. См. **Быстрый на ногу.**

НОГОТО́К * С ноготко́м. *Разг. Устар.* О практичном, твёрдом, обладающем сильным характером человеке. Ф 1, 333; Подюков 1989, 131.

К ноготку́. *Кар.* Целиком, до основания, без остатка. СРГК 4, 34.

На си́ний ногото́к. *Перм.* Об очень малом количестве чего-л. Сл. Акчим. 3, 81.

Си́ний ногото́к. *Печор.* Совсем ничего, нисколько. СРГНП 1, 481.

НОГОТОЧЕК * Нет криво́го ноготочка *у кого. Прибайк. Одобр.* Без изъяна, без недостатков (о здоровом красивом человеке). СНФП, 102.

НО́ГОТЬ * Брать (забира́ть, подбира́ть, прибира́ть) под но́готь *кого. Прост.* Подчинять себе, ставить в зависимое положение кого-л. ФСРЯ, 283; БТС, 874.

Гнуть на свой но́готь. *Народн.* Отстаивать свое мнение, добиваться своего. Жиг. 1969, 152.

Зати́скать под свой но́готь *что. Пск.* Забрать себе что-л. ПОС 12, 180.

На оди́н но́готь. *Волг.* Очень мало, недостаточно. Глухов 1988, 91.

Ни на си́ний но́готь. *Пск. Шутл.* Нисколько, абсолютно ничего. СПП 2001, 57.

На си́ний но́готь. *Пск.* 1. То же, что **ни на синий ноготь.** 2. Чуть-чуть, очень мало. СРНГ 21, 6.

Но́готь бы тебя взял! *Вят. Бран.* Восклицание, выражающее гнев, негодование, возмущение. СРНГ 21, 266. < **Ноготь** — чёрт, нечистая сила.

Но́готь тебя задави́! *Тобол.* То же, что **ноготь бы тебя взял.** СРНГ 21, 266.

Но́готь залома́й! *Вят. Бран.* То же, что **ноготь бы тебя взял.** СРНГ 21, 266.

Прижима́ть под но́готь *кого. Волг.* То же, что **брать под ноготь.** Глухов 1988, 132.

Си́ний но́готь. *Пск. Шутл.* Об очень худом, болезненном человеке. СПП 2001, 57.

Хоть како́й но́готь. *Кар.* Абсолютно ничего. СРГК 2, 316.

До конца́ ногте́й. *Разг.* Всем существом, целиком, полностью. ФСРЯ, 204.

С (от) молоды́х ногте́й. *Разг.* Смолоду, с раннего возраста. ФСРЯ, 283; БТС, 552; БМС 1998, 407; Глухов 1988, 150.

Грызть но́гти. *Перм.* Выказывать досаду, растерянность. Подюков 1989, 54.

Жева́ть но́гти. *Пск., Сиб. Шутл.* Бездельничать, праздно проводить время; сидеть без дела. ПОС 10, 176; СРНГ 21, 266; Мокиенко 1990, 65.

Зала́мывать но́гти. *Перм.* Много трудиться, изнурять себя тяжёлой работой. Подюков 1989, 80.

Но́гти распу́хли *у кого. Народн. Шутл.* О человеке крупного телосложения, здоровом, крепком. ДП, 397.

Но́гти Хо Ши Ми́на. *Жарг. мол. Пренебр.* Вьетнамские сигареты. Максимов, 276.

Пойти́ к но́гтю. *Кар.* Разрушиться, развалиться. СРГК 4, 34.

Прибра́ть к но́гтю *кого. Пск.* То же, что **прижать к ногтю 1.** СПП 2001, 57.

Пригну́ть к но́гтю *кого. Народн.* То же, что **прижать к ногтю 2.** ДП, 146.

Прижа́ть к но́гтю *кого.* 1. *Прост.* Подчинить себе кого-л. СРНГ 21, 6; БМС 1998, 407; ЗС 1996, 209, 227; ДП, 834, 853. 2. *Сиб.* Жестоко расправиться с кем-л. СРНГ 31, 113.

Уйти́ к но́гтю. *Кар.* Умереть, скончаться. СРГК 4, 34.

До но́гтя. *Разг.* В полной мере (об овладении каким-л. свойством, качеством). БМС 1998, 407.

Напои́ть с медве́жьего но́гтя. *Волог.* Принести болезни, несчастья, нанести кому-л. вред колдовством. СВГ 5, 59.

Ни но́гтя нет. *Арх.* О полном отсутствия чего-л. где-л. СРНГ 21, 266.

Но́гтя [си́него] не сто́ит *[чьего]. Разг., Перм. Неодобр.* О ком-л., чём-л. ничтожном, незначительном, не заслуживающем никакого внимания по сравнению с кем-л. ФСРЯ, 457; Сл. Акчим. 3, 81.

Узна́ть по ногтя́м *кого. Новг.* Легко узнать кого-л. по какому-л. признаку. НОС 6, 35.

Ходи́ть на ногтя́х. *Пск.* Находиться в возбуждённом или напряжённом состоянии. СПП 2001, 57.

НОЕ́НЬЕ * Ныть ное́ньем. *Печор.* О сильной ноющей боли. СРГНП 1, 481.

НОЖ * Броса́ться на нож. *Кар.* Кончать жизнь самоубийством, зарезав себя. СРГК 1, 119.

На кой нож? *Обл.* Зачем, для чего? Мокиенко 1986, 179.

На нож дерёт *кого. Яросл.* О громком плаче. СРНГ 21, 268.

На нож пойдёт. *Курск.* Об отчаянном человеке. БотСан, 103.

Нож в се́рдце *кому. Разг.* О том, что причиняет кому-л. душевную боль, страдание. ФСРЯ, 284; ЗС 1996, 351; Мокиенко 1990, 96.

Нож в спи́ну *кому. Разг.* О предательском поступке, предательском поведении по отношению к кому-л. ФСРЯ, 284.

Нож ему́ (тебе́) в ад! *Перм. Бран.* То же, что **нож тебе в бок!** Сл. Акчим. 1, 39; СРНГ 21, 268. < **Ад** — рот, пасть, глотка.

Нож о́стрый *кому. Разг.* О чём-л.неприятном, мучительном для кого-л. ФСРЯ, 284; БМС 1998, 407; СФС, 128.

Нож тебе́ в бок! *Смол., Калуж.* Восклицание, выражающее гнев, негодование, возмущение. СРНГ 21, 268.

Нож о́стрый *кому что. Разг.* Крайне неприятно, мучительно, причиняет душевную боль кому-л. что-л. Ф 1, 333; Глухов 1988, 113.

Пойти́ под нож (но́жик). *Разг.* Согласиться на хирургическую операцию, подвергнуться операции. ФСС, 143; СРГК 4, 35.

Положи́ть нож *кому. Одесск.* То же, что **посадить на нож 1.** КСРГО.

Посади́ть на нож *кого. Сиб.* 1. Убить, зарезать кого-л. ФСС, 147. 2. Смутить чей-л. душевный покой, вызвать тревогу у кого-л. СРНГ 30, 134.

Пуска́ть/ пусти́ть под нож *кого. Прост.* Резать (птицу, скотину). Ф 2, 107.

Точи́ть/ поточи́ть нож. 1. *Прост.* Испытывать злобу против кого-л.; помышлять о мести. Глухов 1988, 160; Ф 2, 206; ЗС 1996, 229. 2. *Жарг. угол. Шутл.* Совершать половой акт с кем-л. УМК, 142; БСРЖ, 385.

Хоть на нож броса́йся. *Кар.* О состоянии крайнего отчаяния, безысходности. СРГК 1, 119.

Хоть нож под гло́тку. *Кар.* То же, что **хоть на нож бросайся.** СРГК 4, 35.

До ножа́. *Башк., Ворон.* Очень, в высшей степени. СРГБ 1, 51; СРНГ 21, 268.

Ни ножа́ ни топора́, ни помоли́ться, ни заре́заться. *Народн. Шутл.-ирон.* О крайней нищете, бедственном положении. ДП, 591.

Брать/ взять (прижа́ть) под ножи́ *кого. Прикам.* То же, что **резать без ножа.** МФС, 66.

Ре́зать/ заре́зать без ножа́ *кого. Разг.* Ставить кого-л. в очень трудное, безвыходное положение, причинять кому-л. большие неприятности. ФСРЯ, 388; ЗС 1996, 298, 351; ДП, 148; СВГ 2, 147.

Води́ть на ножа́х *кого. Горьк.* Ненавидеть кого-л. БалСок., 44.

На ножа́х *с кем. Разг.* В крайне враждебных отношениях. ФСРЯ, 284; ЗС 1996, 229, 299.

Подня́ть на ножи́ (на ножа́х) *кого. Ср. Урал.* Вызвать на драку кого-л. СРНГ 28, 99.

Ре́заться на ножа́х. *Волг.* Ссориться, браниться, драться. Глухов 1988, 141.

Закипе́ть на ноже́. *Волг.* Быть зарезанным. Глухов 1988, 48.

Лезть на ножи́. *Разг.* Быть готовым пойти на рискованную стычку, стремиться к ссоре, к бою. Ф 1, 277.

Точи́ть ножи́. *Жарг. мед. Шутл.* Готовиться к хирургической операции. Максимов, 276.

Ножо́м ре́жет. *Кар.* О сильном ветре. СРГК 4, 35.

Подступа́ть с ножо́м *к кому. Разг.* Настойчиво просить, требовать чего-л. Ф 2, 60.

Пристава́ть /приста́ть с ножо́м к го́рлу. *Разг. Неодобр.* Настойчиво, неотступно требовать чего-л. СПП 2001, 57; СНФП, 103.

С ножо́м мо́жно пройти. *Кар.* О крепко спящем человеке. СРГК 4, 35.

Ходи́ть по ножу́. 1. *Дон.* Подвергаться смертельной опасности. 2. *Народн.* Трепетать перед кем-л., подчиняться кому-л. (В. И. Даль). СРНГ 21, 268.

Хоть ножо́м режь *кого. Волг.* Об упрямом, непослушном человеке. Глухов 1988, 169.

НО́ЖИК * Встреми́ть но́жик в се́рдце *кому. Дон.* Ставить кого-л. в очень трудное, безвыходное положение. СДГ 2, 187; СРНГ 21, 269.

Пойти́ под но́жик. См. **Пойти под нож (НОЖ).**

Точи́ть/ поточи́ть но́жик. *Жарг. угол., мол. Шутл.* То же, что **точить/ поточить нож 2. (НОЖ).** УМК, 142; БСРЖ, 385.

Дожи́ть до но́жика. *Кар.* Оказаться в трудном, безвыходном положении. СРГК 4, 35.

Идти/ пойти́ на но́жики. *Кар.* Пускать в ход ножи при драке. СРГК 2, 267.

Носи́ть на но́жиках *кого. Кар.* Враждовать, ссориться с кем-л. СРГК 4, 35.

НО́ЖИЧЕК * В два (три) но́жичка. *Дон.* Очень быстро. СДГ 2, 187; СРНГ 21, 269.

НО́ЖКА * Воробе́жкина но́жка. *Пск.* Верхняя нитка (толщиной «с ножку воробья») при производстве холста. СПП 2001, 57.

Ко́зья но́жка. 1. *Спец.* Инструмент для удаления зубов. Ф 1, 333. 2. *Разг.* Особого рода самодельная папироса, самокрутка. Ф 1, 333. 3. *Жарг. шк.* Циркуль. (Запись 2003 г.).

Ку́рочья но́жка. *Сиб.* Гриб подберёзовик. ФСС, 1234 СРНГ 16, 129; СФС, 974 СБО-Д1, 231.

[Сиде́ть] но́жка на но́жке (на но́жку). *Пск. Неодобр.* Бездельничать; сидеть без дела. СПП 2001, 57.

Соба́чья но́жка. *Разг. Устар.* То же, что **козья но́жка 2.** Ф 1, 333.

Суха́я но́жка подбежа́ла. *Помор.* О смерти. ЖРКП, 155.

На ку́рьих но́жках. *Прост. Шутл.-ирон.* О небольшом ветхом, неприглядном строении. Ф 1, 333; СПП 2001, 57.

Повора́чивать на одно́й но́жке. *Сиб.* Делать всё очень быстро, проворно. СРНГ 21, 270; ФСС, 138; СОСВ, 123; СБО-Д2, 29.

Ходи́ть на одно́й но́жке. *Волг.* Осторожничать, вести себя крайне осмотрительно. Глухов 1988, 166.

Встать на но́жки. *Пск.* Прорасти, подняться (о побегах растений). СПП 2001, 57.

Вытя́гивать/ вы́тянуть но́жки. 1. *Морд. Шутл.* Долго спать. СРГМ 1978, 102. 2. *Кар.* Уставать, утомляться. СРГК 4, 31. 3. *Морд. Неодобр.* Бездельничать. СРГМ 1978, 102.

Кла́няться в но́жки *кому. Разг.* Униженно просить кого-л. о чём-л. ФСРЯ, 198; Глухов 1988, 75.

Клони́ться в но́жки *кому. Пск.* Заискивать перед кем-л. ПОС 14, 220.

Кома́рьи но́жки. *Печор. Неодобр.* 1. О чём-л. плохом, негодном. 2. О неумело выполненной работе. СРГНП 1, 328.

Ку́рьи но́жки. *Сиб.* Разновидность грибов. СОСВ, 123.

Мыши́ные но́жки. *Жарг. мол. Шутл.-ирон.* О девушке с медленной походкой. Максимов, 262.

На живы́е (на молоды́е) но́жки. *Кар.* О каком-л. внезапном желании беременной женщины. СРГК 2, 56; СРГК 4, 36.

Не хва́тит но́жки. *Кар.* Очень глубоко. СРГК 4, 36.

Но́жки Бу́ша. *Нов. Разг. Шутл.* Куриные окорочка, импортируемые из США. VSEA, 133; Максимов, 276.

Но́жки от роя́ля. *Жарг. мол. Шутл.-ирон.* О коротких и тонких ногах. Максимов, 277.

Но́жки отстаю́т *у кого. Курск.* О состоянии усталости. БотСан, 106.

Но́жки осты́ли *чьи. Сиб.* Кто-л. ушёл, уехал. ФСС, 123.

Но́жки подка́шиваются *под кем. Народн.* О состоянии сильного страха. ДП, 792.

Но́жки сбря́кали. См. **Ноги сбрякали (НОГА).**

Но́жки с подхо́дцем [ру́чки с подно́сом, се́рдце с поко́ром, голова́ с покло́нцем, язы́к с пригово́ром].

Народн. Неодобр. О подхалиме. Жиг. 1969, 229.

Обмыва́ть/ ы́ть но́жки. *Пск.* Праздновать с выпивкой рождение ребёнка, забой поросенка и т. п. (Запись 2001 г.).

Протя́гивать/ протяну́ть но́жки. *Сиб.* Умирать. СОСВ, 154.

Растяга́ть но́жки. *Коми.* Жить экономно. Кобелева, 75.

Рисова́ть/ нарисова́ть но́жки. *Жарг. мол.* То же, что **рисовать ноги 1. (НОГА).** Максимов, 269.

Скласть но́жки. *Кар. Ирон.* Умереть. СРГК 2, 105.

С но́жки на но́жку. *Дон.* Не спеша (идти). СДГ 2, 187; СРНГ 21, 270.

То́лько но́жки сверкну́ли. *Морд.* О быстро убежавшем человеке. СРГМ 1986, 125.

Францу́зские но́жки с италья́нским изги́бом. *Жарг. мол. Шутл.-ирон.* О кривых ногах. Максимов, 453.

Вва́зить но́жку. *Новг.* Утвердиться, занять прочно какое-л. место. НОС 1, 109.

Вста́вить но́жку *кому. Новг.* То же, что **подставить ножку.** НОС 6, 64.

Лёгонький на но́жку. *Онеж.* То же, что **лёгкий на ногу (НОГА).** СРНГ 16, 314.

Отряся́ но́жку. *Дон.* Не спеша (идти, двигаться). СДГ 3, 181; СРНГ 21, 270.

Па́дать (поклони́ться) в пра́вую но́жку *кому. Сиб.* 1. То же, что **падать в правую ногу (НОГА).** 2. Извиняться перед кем-л. ФСС, 131.

Пиха́ть под но́жку *кого. Пск.* Превосходить кого-л. в чём-л.; смотреть на кого-л. свысока. СПП 2001, 57.

Поднима́ть но́жку до аппе́ндикса. *Жарг. арм. Шутл.* Идти строевым шагом. Кор., 216.

Подста́вить но́жку *кому. Разг. Неодобр.* Помешать кому-л. в чём-л., навредить кому-л. СПП 2001, 57; Глухов 1988, 126.

Тяну́ть христо́вую но́жку. *Волог.* Хромать. СВГ 5, 111.

Хо́дить отряся́ но́жку. *Волг.* Осторожничать, быть крайне осмотрительным. Глухов 1988, 167.

Через но́жку [да впристёжку]. *Прибайк., Пск. Неодобр.* Кое-как, небрежно, нерегулярно (работать, делать что-л.). СНФП, 103; ПОС 5, 27.

НО́ЖНИЦЫ * Остри́чь (постри́чь) без но́жниц *кого. Народн. Шутл.-ирон.* 1. Избить кого-л. 2. Причинить кому-л. большие неприятности, поставить в трудное, безвыходное положение. ДП, 148, 260.

НОЗДРИ́НКА * На ноздри́нках (на ноздря́х). *Кар.* Ноздреватый, пористый. СРГК 4, 37.

НОЗДРЯ́ * Не по ноздре́ *кому что. Прост.* Не нравится кому-л. что-л. Ф 1, 333; ФСРЯ, 285; Подюков 1989, 132.

В но́здри вопхну́ть не́чего. *Ряз.* Об отсутствии пищи. ДС, 93.

Вы́кинуть но́здри. *Жарг. мол. Шутл.* Выйти подышать свежим воздухом. Щуплов, 194; СМЖ, 88.

Две ноздри́. *Жарг. мол. Шутл.* Автомобиль «БМВ». Я — молодой, 1995, № 15.

Завора́чивать (ши́рить) но́здри. *Печор.* Важничать, вести себя заносчиво. СРГНП 1, 482.

Мочи́ть но́здри. *Жарг. мол.* 1. Подсматривать, подслушивать. h-98. 2. Вмешиваться в чужие дела. Максимов, 256.

Но́здри засе́ли. *Волог.* О скоплении пыли в носу. СВГ 2, 149; СРГ 5, 111.

Но́здри то́чат во́згри *у кого. Обл. Шутл.* О человеке, страдающем насморком. Мокиенко 1990, 36.

По но́здри. *Дон.* Очень сильно, в большой степени, в большом количестве. СРГН 21, 272.

Разби́ть но́здри *кому. Дон.* Избить кого-л., наказать кого-л. СДГ 3, 70.

Раздува́ть но́здри по ве́тру. *Жарг. мол.* Часто переезжать, менять место жительства. Максимов, 60.

Распоря́ но́здри. *Р. Урал.* Очень быстро, стремительно (бежать, нестись). СРНГ 34, 189.

Уткну́ть но́здри. *Жарг. мол.* Замолчать. Максимов, 441.

Чи́стить но́здри. *Жарг. мол. Шутл.* Делать что-л. очень быстро. Максимов, 277.

Криви́ть/ скриви́ть ноздрю́. *Пск. Неодобр.* Зазнаваться, важничать. СПП 2001, 57.

Надува́ть/наду́ть ноздрю́. *Жарг. мол.* Обижаться на кого-л. Максимов, 266.

Ноздря́ в ноздрю́. *Разг.* 1. Близко, рядом (об идущих друг за другом, соревнующихся). СПП 2001, 57. 2. Дружно, в полном согласии (жить). Бен, 77; Мокиенко 2003, 64.

Ноздря́ начи́нена *у кого. Волог.* О пьяном человеке. СРНГ 21, 272.

Ноздря́ свисти́т *у кого. Перм. Шутл.* О человеке, испытывающем какое-л. сильное желание, вошедшем в азарт. Подюков 1989, 132.

**926.

Тарака́нья ноздря́. *Ряз. Шутл.* Пустяки, ерунда. СРНГ 21, 273.

Дава́ть ноздрям па́ру. *Ср. Урал.* Быстро идти, ехать. СРНГ 21, 272.

Дава́ть/ дать по ноздря́м *кому. Перм.* Бить кого-л. по лицу. Подюков 1989, 58.

Води́ть ноздря́ми. *Новг.* Испытывать раздражение, недовольство. ЗС 1996, 37.

Прохло́пать ноздря́ми. *Волг., Дон.* Упустить удобный момент, прозевать что-л. Глухов 1988, 136; СДГ 3, 70; СРНГ 21, 273.

Хло́пать ноздрями. *Волг., Дон. Неодобр.* 1. Слушая, не понимать чего-л. 2. Тратить время попусту. 3. Сердиться. СРНГ 21, 273; Глухов 1988, 166.

В ноздря́х сы́ро *у кого. Морд. Пренебр.* У кого-л. не хватает сил, способностей сделать что-л. СРГМ 2002, 187.

На ноздря́х. См. **На ноздринках (НОЗДРИНКА).**

НОЙМЯ́ * Ныть ноймя́. *Прикам.* Очень сильно ныть (о ноющей боли). МФС, 67; Мокиенко 1986, 106..

НОКА́УТ * Офо́рмить в нока́ут *кого. Жарг. мол. Шутл.* Сильно ударить кого-л. СИ, 1998, № 8.

НОКДА́УН * Выходи́ть/ вы́йти из нокда́уна. *Разг. Шутл.-ирон.* Приходить в себя, оправляться от испуга, замешательства. Мокиенко 2003, 64.

НО́ЛИК * Зацепи́ть но́лик. См. **Зацепить ноль (НОЛЬ).**

НОЛЬ * Абсолю́тный ноль (нуль). *Разг. Пренебр.* Ничтожный, незначительный человек. ФСРЯ, 288; БТС, 24; ЗС 1996, 33

В ноль. 1. *Жарг. мол. Шутл.-ирон.* О сильном опьянении. Югановы, 471; Вахитов 2003, 22. 2. *Жарг. муз.* Точно, в полном соответствии с оригиналом (копировать, воспроизводить какой-л. музыкальный образец). ЖЭМТ, 27.

Зацепи́ть ноль (но́лик). *Жарг. спорт (д/пл.). Шутл.-одобр.* О прекращении падения, нежелательного спуска, когда вариометр показывает «0». БСРЖ, 385.

Кру́глый ноль. *Жарг. мол. Неодобр.* 1. О безденежном человеке. 2. О пьяном человеке. 3. Об очень глупом человеке. Максимов, 207.

Ноль без па́лочки. *Разг. Пренебр.* Ничего не значащий, не стоящий человек. ФСРЯ, 285; ЗС 1996, 33.

Ноль внима́ния [фунт презре́ния]. *Разг.* Полное безразличие, равнодушие со стороны кого-л. к кому-л. или к чему-л. ФСРЯ, 285; Ф 1, 334; Верш. 4, 164; Глухов 1988, 113; Мокиенко 2003, 64.

Ноль две́сти. *Жарг. мол. Шутл.* О мочеиспускании. Максимов, 277.

Ноль и фа́за. *Жарг. мол. Шутл.* Певица Офра Хаза. Я — молодой, 1997, № 24.

Ноль ноль семь. *Жарг. мол. Шутл.* Сигареты «Бонд». Максимов, 277.

Ноль с па́лочкой. *Сиб.* То же, что **ноль без палочки.** Верш. 4, 164; СОСВ, 124.

Ноль це́лых [и] шиш (хер, хуй) деся́тых. *Вульг.-прост. Неодобр.* Абсолютно ничего. Мокиенко, Никитина 2003, 225.

Отстоя́ть на ноль. *Жарг. спорт.* Не пропустить ни одного мяча, шайбы за весь матч (о вратаре). БСРЖ, 385.

Под ноль. *Разг.* Наголо (стричь, остриженный). Ф 1, 334.

Два ноля́ (нуля́). *Прост. Шутл.* Туалет, уборная. Мокиенко, Никитина 2003, 225.

НО́МЕР * Глухо́й (ги́блый, го́лый, до́хлый, пусто́й) но́мер. *Жарг. мол. Ирон.* О чём-л. бесперспективном, неосуществимом. СМЖ, 88; Елистратов 1994, 90; Вахитов 2003, 37-38, 40, 50; Мокиенко 2003, 64-65.

Но́мер два на па́лочке. *Жарг. мол. Неодобр.* О чём-л. странном, ни к чему не пригодном. Вахитов 2003, 114.

Но́мер «люкс». *Жарг. шк. Шутл.* Школьный туалет. Максимов, 277.

Но́мер не пройдёт. *Разг.* Задуманное не осуществится, не исполнится. БМС 1998, 407; ЗС 1996, 209; Верш. 4, 165.

Но́мер не оторвётся. *Жарг. угол.* То же. СРВС 3, 107; ББИ, 155; ТСУЖ, 118.

Отколо́ть (отмочи́ть) но́мер. *Разг.* Совершить странный, неожиданный поступок. Вахитов 2003, 123; Глухов 1988, 119; ЗС 1996, 244, 372.

Отчебу́чить но́мер. *Волг.* То же, что **отколоть номер.** Глухов 1988, 120.

Подстро́ить но́мер. 1. *Волг.* Обмануть, провести, перехитрить кого-л. Глухов 1988, 126. 2. *Перм.* Доставить неприятности кому-л. МФС, 77.

Фе́нькин но́мер. *Жарг. угол., арест. Неодобр.* Бесполезное ухищрение. Р-87, 433.

Выки́дывать номера́. *Разг.* Совершать что-л. экстраординарное. ЗС 1996, 64; СОСВ, 44; Верш. 4, 165.

Выставля́ть номера́. *Арх.* То же, что **выкидывать номера.** АОС 8, 242.

На оди́ннадцатом но́мере. *Разг. Шутл.* Пешком. Ф 1, 334; ЗС 1996, 497; Глухов 1988, 91; СПП 2001, 57; Вахитов 2003, 103.

На своём но́мере. *Пск.* То же, что **на одиннадцатом номере**. СПП 2001, 57.

С но́мером. *Кар. Неодобр.* О человеке со странностями. СРГК 4, 38.

Идти́ (игра́ть) по пя́тому но́меру. *Жарг. угол.* Симулировать психическое заболевание. ТСУЖ, 76; Балдаев 1, 168.

Ремонти́роваться по пя́тому но́меру. *Жарг. угол.* Лечиться от алкоголизма (как правило — о принудительном лечении в лечебно-трудовом профилактории). Балдаев 2, 15.

НОМЕРО́К * Под номерко́м. *Кар.* В состоянии алкогольного опьянения. СРГК 2, 268.

Вы́лить номеро́к. *Новг.* Совершить что-л. необычное. НОС 6, 65.

НОРВЕ́Г * Норве́г его зна́ет. *Арх.* Абсолютно ничего не известно о ком-л., о чём-л. СРНГ 21, 278.

НО́РКА * Но́рка свисти́т *у кого. Волг., Сиб.* О сильном желании сделать что-л. Глухов 1988, 113; СФС, 128; ФСС, 123; СРНГ 21, 280.

Таба́чная но́рка. *Коми. Шутл.* О человеке, который любит нюхать табак. Кобелева, 79.

Не по но́рке *кому что. Сиб.* Слишком дорого для кого-л. ФСС, 123.

Драть/ задра́ть (подня́ть) но́рки (но́рку). *Приамур., Прибайк., Сиб. Неодобр.* Важничать, зазнаваться. СРГПриам., 93, 209; СРНГ 21, 281; СОСВ, 72; Мокиенко 1990, 26; СНФП, 103; Глухов 1988, 47; ФСС, 76; СФС, 75, 129.

Но́рки побеле́ли *у кого. Иркут.* О состоянии сильного гнева. СРНГ 21, 281.

Раздува́ть/ разду́ть но́рки. *Приамур.* Сердиться, обижаться на кого-л. СРГПриам., 232.

С но́ркой. *Сиб. Неодобр.* Вздорный, капризный. СФС, 173; ФСС, 123.

Высо́вывать/ вы́сунуть но́рку. *Сиб.* 1. Выйти на улицу. 2. *Неодобр.* Вмешиваться в чужие дела. ФСС, 39

Гнуть но́рку. *Арх. Неодобр.* То же, что **драть норки.** АОС 9, 166.

Драть (задира́ть) но́рку. См. **Драть норки.**

Но́рку на́ бок. *Сиб.* О спесивом, зазнавшемся человеке. ФСС, 123.

Но́рку на обо́рку. *Прибайк.* Об обидевшемся человеке. СНФП, 103.

Поднима́ть/ подня́ть но́рку. *Перм.* Начать противиться, возражать кому-л. Подюков 1989, 152.

Протере́ть но́рку. *Жарг. гом.* Совершить с кем-л. половой акт анальным способом. Кз., 57; ЖЭСТ-2, 264.

Тяну́ть но́рку. *Сиб.* Капризничать, обижаться на кого-л. без основания. СФС, 129; СРНГ 21, 281.

< **Норка** — 1. Ноздря. 2. Нос. 3. Задний проход.

НОРМА́ЛЬНОСТЬ * В норма́льности. *Кар.* В хорошем расположении духа, в хорошем настроении. СРГК 4, 40.

НО́РОВ * Показа́ть но́ров. *Прост.* Заупрямиться, настоять на своем. ФСС, 143.

НО́РТОН * Но́ртон гад. *Жарг. комп. Шутл.* Программный пакет Norton Guide. Шейгал, 207; Садошенко, 1995.

НОС * Бро́ситься в нос *кому.* 1. *Яросл. Одобр.* Привлечь внимание хорошим качеством (о вещи). ЯОС 2, 24. 2. *Перм.* Вспомниться, припомниться кому-л. Подюков 1989, 17. 3. *Перм.* Захотеться. Подюков 1989, 17.

Брунча́ть себе́ под нос. *Орл. Неодобр.* Говорить невнятно, тихо. СОГ 1989, 96.

Ве́шать / пове́сить нос [на кви́нту]. *Разг.* Приходить в уныние, поддаваться мрачному настроению. БМС 1998, 407-408; Ф 1, 335; БТС, 123, 852; ЗС 1996, 166, 191; ФСРЯ, 285; Мокиенко 1990, 118.

Вздеду́рить нос. *Волог.* То же, что **задирать/ задрать нос.** СВГ 1, 69.

Вздёрнуть нос. *Разг. Устар.* То же, что **задирать/ задрать нос.** Ф 1, 60.

Вздыма́ть /вздьі́нуть нос. *Арх., Пск. Неодобр.* 1. То же, что **задирать нос.** 2. Капризничать, привередничать, не соглашаться с чем-л. АОС 5, 21; СПП 2001, 57.

Води́ть за́ нос *кого.* 1. *Разг.* Обманывать, вводить в заблуждение, дурачить кого-л. БМС 1998, 408; БТС, 139; ЗС 1996, 296, 476; Мокиенко 1986, 55; СОСВ, 124; Верш. 4, 167; ШЗФ 2001, 40; ДП, 649; ФСРЯ, 285. 2. *Пск.* Командовать (в семье). СПП 2001, 57.

Вороти́ть нос *от кого, от чего. Разг. Неодобр.* 1. Относиться к кому-л., к чему-л. с презрением, пренебрежением. 2. С презрением отказываться от чего-л. ФСРЯ, 79; ЗС 1996, 36; Глухов

1988, 14. **Вороти́ть нос на сторону́.** *Пск.* То же. ПОС 4, 161.

Впра́вить нос *кому. Жарг. мол. Шутл.-ирон.* Ударить кого-л. по лицу. Вахитов 2003, 31.

В свой нос. 1. *Сиб.* Для себя, в свою пользу. ФСС, 123. 2. *Кар.* Самовольно, без разрешения. СРГК 4, 42.

Вти́снуть нос *куда. Пск.* Забраться куда-л. с целью украсть что-л. СПП 2001, 57.

Вы́ехало на́ нос. *Арх.* О большом сроке беременности. АОС 7, 201.

Вы́несло на́ нос. *Арх.* О беременности до свадьбы. АОС 8, 35.

Вы́сунуть нос *куда, откуда. Разг.* Выйти куда-л., показаться где-л. ФСРЯ, 97.

Вы́тереть нос *[кому]. Пск.* Действуя сурово, грубо, подчинить себе кого-л. СПП 2001, 57.

Вы́толкать (вы́толкнуть) нос. *Арх.* Высморкаться. АОС 8, 290.

Где нос ни воткнёшь. *Сиб.* Везде. СОСВ, 124; Верш. 4, 167.

Гнило́й нос. *Новг. Бран.* О человеке, вызывающем отрицательные эмоции. СРНГ 6, 245.

Гнуть на свой нос. *Пск.* То же, что **делать на свой нос.** ПОС 7, 29.

Гнуть нос. *Перм.* Выказывать пренебрежение к кому-л., к чему-л. Подюков 1989, 44.

Говори́ть в нос. *Прост.* Произносить слова невнятно, с носовым резонансом. СРГК 4, 57; Верш. 4, 167.

Де́лать в свой нос *что. Кар.* Поступать по своему желанию, делать что-л. по-своему. СРНГ 7, 341; СРНГ 21, 286; СРГК 1, 445.

Деревя́нный нос. *Дон. Устар. Шутл.* Соха. СДГ 2, 188.

Держа́ть нос по ве́тру. *Разг.* Приспосабливаться к обстоятельствам, беспринципно меняя свои убеждения. БМС 1998, 408; ЗС 1996, 67; ШЗФ 2001, 66; БТС, 122, 252; ФСРЯ, 285.

Держа́ть нос (но́сом) на волну́. *Жарг. морск.* Не унывать, не падать духом. Кор., 89.

Драть нос. *Прост. Неодобр.* То же, что **задирать нос.** БТС, 283; ФСС, 64.

Ду́нуть в нос не́чем. *Ряз.* О полном отсутствии чего-л. (чаще — о сыпучих веществах). ДС, 155.

Дуть в свой нос. *Сиб. Неодобр.* Быть упрямым, не слушать советов. ФСС, 66.

Желе́зный нос. *Жарг. арест.* 1. *Пренебр.* Политработник в ИТУ. Балдаев 1, 128; ТСУЖ, 55. 2. *Ирон.* Осуждённый за преступление против управленческого порядка. ТСУЖ, 55. // *Устар.* Политический заключённый. Грачев 1997, 131.

Жить, где нос угрева́ют. *Пск. Шутл.* Довольствоваться тем, что имеешь, не искать в жизни чего-то лучшего. СПП 2001, 57.

Заби́ть нос *кому. Сиб.* Превзойти кого-л. в чём-л. ФСС, 74.

Заверну́ть нос. *Волг.* 1. *кому.* Строго наказать кого-л. 2. Поспешно уйти. 3. Поспешно вернуться. Глухов 1988, 45.

Заворoти́ть нос. *Пск.* Выразить нежелание делать что-л. ПОС 11, 105.

Загиба́ть/ загну́ть нос. *Морд., Пск., Сиб.* То же, что **задирать/ задрать нос.** СРГМ 1980, 72; ПОС 11, 126; ПОС 11, 183; ФСС, 74.

Задерю́чить нос. *Морд.* То же, что **задирать/ задрать нос.** СРГМ 1980, 75.

Задира́ть/ задра́ть нос. *Прост.* Зазнаваться, важничать. ФСРЯ, 163; ЗС 1996, 36; ДП, 731; Мокиенко 1990, 26, 119.

Заканды́рить (закандю́рить) нос. *Дон.* Выразить недовольство, пренебрежение по отношению к кому-л., к чему-л. СДГ 1, 170; СРНГ 21, 286.

Закопы́лить нос. *Дон.* То же, что **задирать/ задрать нос.** СДГ 2, 6.

Заку́порчить нос. Выразить недовольство, несогласие с чем-л. СПП 2001, 57.

Заряжа́ть/ заряди́ть нос. *Разг. Устар. Шутл.* Нюхать табак. Ф 1, 203.

Зедерю́чить нос. *Яросл.* То же, что **задирать/ задрать нос.** ЯОС 4, 117.

Карто́фельный нос. *Твер. Шутл.* О человеке, нюхающем табак. СРНГ 13, 104.

Кати́ть и в нос и в ры́ло *кого. Новг.* Ругать, обличать кого-л. НОС 4, 32.

Кори́ть в нос. *Морд.* Укорять кого-л. открыто, в глаза. СРГМ 1982, 68.

Кра́сить нос. *Яросл. Шутл.* Пить спиртное. СРНГ 15, 177; ЯОС 5, 85.

Мо́крый нос. *Пск. Бран.* или *Ирон.* О слишком молодом, неопытном человеке. СПП 2001, 57.

Наду́ть нос *кому. Кар.* То же, что **натянуть нос 1.** СРГК 3, 316.

Налепи́ть нос *кому. Разг. Устар. Ирон.* Одурачить, перехитрить кого-л. Ф 1, 315.

На нос поно́с, на жо́пу на́сморк. *Вульг.-прост. Шутл.-ирон.* Оборот, выражающий сомнение в болезни жалующегося. Мокиенко, Никитина 2003, 225.

Напере́ть на свой нос. *Печор.* Настоять на своем. СРГНП 1, 483.

Наруби́ть на нос *кому что. Прост. Устар.* Приказать кому-л. запомнить что-л. Ф 1, 318.

Насанда́лить нос. *Разг. Устар. Шутл.* Напиться пьяным. Ф 1, 318.

На свой нос. 1. *Прикам.* Самовольно. МФС, 66. 2. *Сиб. Ирон.* Неудачно. ФСС, 123. 3. *Сиб.* На свою беду, себе во вред. ФСС, 14.

Насори́ть нос. *Новг.* Напиться пьяным. НОС 6, 68.

Наста́вить нос *кому. Прост.* То же, что **натянуть нос 1-2.** СРНГ 20, 188.

Наступи́ть на нос *кому. Новг.* Настойчиво потребовать чего-л., заставить кого-л. сделать что-л., подчинить своей воле кого-л. НОС 6, 18; Сергеева 2004, 184.

Натяну́ть нос. 1. *кому. Прост.* Обмануть, одурачить, провести кого-л. ФСРЯ, 270; ЗС 1996, 49. 2. *кому. Прост.* Опередить в чём-л., тем самым опозорив, посрамив кого-л. ФСРЯ, 270. 3. *кому. Морд.* Наказать кого-л. СРГМ 1986, 103. 4. *кому. Новг.* Изменить в любви кому-л. НОС 6, 68. 5. *Новг.* Рассердиться на кого-л. НОС 6, 68.

Начини́ть нос. *Кар. Шутл.-ирон.* Напиться пьяным. СРГК 3, 400.

Не вбра́ться в нос. *Кар.* То же, что **не пойти в нос.** СРГК 4, 41.

Не вки́нется (не вклю́нется) в нос *кому что. Волг., Дон.* Кому-л. трудно представить себе, осознать что-л., догадаться о чём-л. Глухов 1988, 95; СРНГ 21, 286; СДГ 1, 68.

Не вклю́нется в нос (в но́се) *кому. Дон.* О неумении сделать что-л. СРНГ 21, 286.

Не влете́ло в нос *кому. Новг.* Кто-л. не принял к сведению, не обратил внимание на кого-л. НОС 1, 129.

Не в нос *кому что.* 1. *Кар., Смол., Урал.* Не по нраву, не по вкусу кому-л. что-л. СРГК 4, 42; СРНГ 21, 286. 2. *Пск.* Неудобно, невыгодно кому-л. что-л. СПП 2001, 57.

Не ле́зет в нос *кому. Ср. Урал.* Кому-л. не нравится что-л. СРНГ 21, 285.

Не пойти́ (не поле́зть) в нос *кому. Пск.* Не понравиться, прийтись не по вкусу кому-л. СПП 2001, 57.

Нос в рю́мку смо́трит *у кого. Жарг. мол. Шутл.-ирон.* О длинном носе у кавказцев. Максимов, 277.

Нос в табаке́ *у кого. Волг.* О человеке, живущем в достатке, благополучии. Глухов 1988, 113.

Нос вспоте́л. *Жарг. мол. Шутл.* О насморке. Максимов, 72.

Нос до небе́с. *Сиб. Презр.* О зазнавшемся, высокомерном человеке. ФСС, 123.

Нос задира́ет, а в голове ве́тер гуля́ет *у кого. Народн. Неодобр.* О зазнавшемся, высокомерном человеке, который глуп, легкомыслен. Жиг. 1969, 210.

Нос закры́ло *кому. Кар.* О насморке. СРГК 4, 42.

Нос клюко́й не доста́ть *[чей]. Пск. Неодобр.* О гордом, заносчивом человеке. СПП 2001, 57.

Нос (но́сом) к но́су. *Разг.* Вплотную, близко один к другому. ФСРЯ, 286; Ф 1, 334; СПП 2001, 57; ДП, 313.

Нос лежи́т *у кого. Волог.* О затруднённом носовом дыхании. СВГ 4, 34.

Нос на́ бок *у кого. Волг.* То же, что **нос на сторону.** Глухов 1988, 113.

Нос на гвоздь. 1. *Новг.* То же, что **нос до небёс.** НОС 6, 68. 2. *Новг.* О человеке, который загрустил, приуныл. НОС 6, 68. 3. *Пск. Шутл.* Кто-л. исчез, скрылся. СПП 2001, 57.

Нос на двои́х рос [да одному́ доста́лся]. *Пск. Шутл.* О длинном носе. СПП 2001, 57.

Нос на́ сторону *у кого. Волг., Перм.* Кому-л. неприятно, не нравится что-л. Глухов 1988, 113; Подюков 1989, 132.

Нос на шнуро́к. *Пск. Неодобр.* То же, что **нос до небёс.** СПП 2001, 57.

Нос не доро́с *у кого. Прост. Неодобр. или Шутл.-ирон.* О слишком молодом для какого-л. дела, неопытном человеке. СПП 2001, 57; БТС, 276; Глухов 1988, 113; ФСРЯ, 285; Жиг. 1969, 237.

Нос (но́са) не пока́зывать *куда. Разг.* Не заходить куда-л., не бывать где-л. СПП 2001, 57.

Нос не тем концо́м приши́т *у кого. Волг.* Об очень глупом, несообразительном человеке. Глухов 1988, 105.

Нос не туда́ гляди́т. *Волг. Неодобр.* То же, что **нос на сторону.** Глухов 1988, 113.

Нос не туда́ затёсан *у кого. Волг. Неодобр.* О незначительном, ничтожном человеке. Глухов 1988, 113.

Нос об нос *с кем. Прост.* Совсем рядом, очень близко к кому-л. Ф 1, 335.

Нос подня́л, а сапоги на по́сохе. *Народн. Ирон.* О высокомерном, заносчивом человеке, явно переоценивающем себя. Жиг. 1969, 210.

Нос под себя́. *Смол.* О человеке, впавшем в уныние. СРНГ 21, 286.

Нос разъе́ло *кому. Влад.* Кому-л. не понравилось что-л. СРНГ 21, 286.

Нос свисти́т *у кого. Сиб. Шутл.* Кому-л. очень хочется чего-л. ФСС, 123.

Нос с но́сом. *Разг. Устар.* Непосредственно, вплотную (столкнуться, встретиться и т. п.). ФСРЯ, 285.

Нос — че́рез Во́лгу мост. *Народн. Шутл.* О длинном носе. ДП, 312.

Обвостри́ть нос. *Ср. Урал.* Сильно похудеть. СРГСУ 3, 16.

Огрева́ть нос. *Кар.* Уклоняться, отлынивать от работы. СРГК 4, 144.

Оди́н нос. *Сиб. Шутл.-ирон.* О крайне худом человеке. Верш. 4, 167.

О свой нос. *Коми.* По-своему. Кобелева, 76.

Оседла́ть нос очка́ми. *Разг. Шутл.* Надеть очки. Ф 2, 19.

О́стрый на нос. *Коми.* О человеке с хорошо развитым обонянием. Кобелева, 70.

Отруби́ть нос по са́мые я́йца *кому. Жарг. мол. Вульг.* Убить кого-л. Максимов, 277.

Пасть на нос. *Кар.* Сделать всё возможное, приложить все силы для достижения чего-л. СРГК 4, 42.

Перекрести́ свой нос, чтоб бо́льше не рос! *Народн. Неодобр.* Выражение недоверия собеседнику, говорящему неправду. ДП, 204.

Пиха́ть свой нос *куда. Сиб. Неодобр.* Вмешиваться в чужие дела. ФСС, 137.

Пова́живать за́ нос *кого. Прост. Устар.* Обманывать, дурачить кого-л. Ф 2, 50.

Пове́сить нос [на кви́нту]. См. **Вешать нос.**

Пове́сить нос на лу́ну. *Сиб. Неодобр.* Зазнаться, стать высокомерным, заносчивым. ФСС, 138.

Поговори́ть про свой нос. *Кар.* Сказать что-л. очень тихо. СРГК 4, 42.

Поднима́ть / подня́ть нос. *Прост.* То же, что **нос задирать.** СРНГ 21, 286; СРНГ 28, 113; БТС, 873; СПП 2001, 57.

Поднима́ть /подня́ть нос выше не́ба. *Пск.* То же СПП 2001, 57. **Поднима́ть нос кве́рху.** *Перм.* То же. Подюков 1989, 44.

Под нос. *Разг.* Очень тихо, невнятно (говорить, бубнить, бормотать). ФСРЯ, 285.

Подста́вить (сде́лать) нос *кому. Новг., Пск.* 1. Обойти, перегнать в чём-л. других. 2. Изменить в любви кому-л. НОС 6, 68; НОС 8, 56; СПП 2001, 57.

Подтира́ть /подтере́ть нос *кому.* 1. *Волог.* Снять нагар со свечи. СРНГ 21, 286. 2. *Пск.* Сказать кому-л. что-л. обидное. СРНГ 21, 286. 3. *Смол.* Превзойти кого-л. в чём-л. СРНГ 28, 215. 4. *Пск.* Успокоить, приструнить кого-л., пресечь чьи-л. действия. СПП 2001, 57. 5. *Пск.* Проявить свою власть, превосходство. СРНГ 21, 286.

Пока́зывать/ показа́ть нос. 1. *Прост.* Идти, ехать куда-л., появляться где-л. БТС, 893; Глухов 1988, 128. 2. *кому. Новг.* Изменить кому-л. в любви. НОС 6, 68; НОС 8, 76. 3. *Прост. Устар.* Дразнить кого-л. Ф 2, 65.

Попу́дрить нос. *Разг. Шутл.* Сходить в туалет. Максимов, 277.

Поту́пить нос. *Кар.* Загрустить. СРГК 4, 42.

Прикви́сить нос *кому. Обл.* Избить кого-л. Мокиенко 1990, 54.

Прикле́ить нос *кому. Дон.* Поставить в глупое положение кого-л. СРНГ 31, 247.

Притыка́ть/ приткну́ть нос *к кому. Волг., Дон.* Обращаться к кому-л. за помощью. Глухов 1988, 133; СРНГ 21, 286; СДГ 3, 62.

Притолкну́ть нос. *Кар.* Приютиться, устроиться где-л. СРГК 4, 42.

Прищемля́ть нос *кому. Волг.* Покорять, подчинять себе кого-л. Глухов 1988, 134.

Прове́сить нос. *Новг.* То же, что **вешать/ повесить нос.** НОС 9, 38.

Провести́ за́ нос *кого. Прост. Шутл.-ирон.* Перехитрить кого-л. Ф 2, 96.

Пусти́ть нос по ве́тру. *Жарг. угол.* Напасть на след преступника (при расследовании преступления). Максимов, 60.

Пья́ный и нос в табаке́. *Пск. Шутл.* 1. О наевшемся и выпившем спиртного человеке. 2. О человеке, живущем в достатке, сытости. СПП 2001, 57.

Раскви́сить нос *кому. Прост.* Избить кого-л. Мокиенко 1990, 53; Глухов 1988, 139.

Свари́ть нос. *Кар. Шутл.-ирон.* Напиться пьяным. СРГК 4, 42; СРГК 5, 649.

С гу́лькин нос. *Разг. Шутл.* 1. Об очень малом количестве чего-л. БМС 1998, 408; БТС, 234; ФСРЯ, 285; Глухов 1988, 146; АОС 10, 142; ПОС, 8, 81. 2. О ком-л., о чём-л. небольшом, невысоком. ФСРЯ, 285.

Сды́нуть нос. *Кар.* То же, что **задирать/ задрать нос.** СРГК 4, 42.

Скриви́ть нос. *Арх.* То же, что **задирать/ задрать нос.** СРНГ 21, 286.

Сова́ть /су́нуть [свой] нос *куда. Разг. Неодобр.* Вмешиваться не в свое дело. ФСРЯ, 444; Верш. 4, 167; Глухов 1988, 151; СОСВ, 124.

Су́нуться в нос *кому. Пск.* Прийти в голову кому-л. НОС 6, 68.

Су́нуться на́ нос. *Новг.* Умереть (как правило — скоропостижно). НОС 6, 68; Сергеева 2004, 200.

Ти́скать/ ти́снуть (ткать, то́рнуть) [свой] нос *куда. Пск. Неодобр.* То же, что **совать свой нос.** СПП 2001, 58.

Трёт и нос, и перепо́сицу, а несёт околёсицу. *Народн. Неодобр.* Об обманщике, лгуне, фантазёре. Жиг. 1969, 212.

Ударя́ть/ уда́рить в нос *кому. Прост.* Остро чувствоваться (о резком или неприятном запахе). Ф 2, 216.

Укры́ть нос. *Новг.* Отказаться от начатого, задуманного дела. НОС 6, 68; НОС 11, 91.

Утира́ть/ утере́ть нос *кому.* 1. *Разг.* Доказывать кому-л. своё превосходство, превзойти кого-л. в чём-л. ФСРЯ, 285; БТС, 1405; ЗС 1996, 30; БМС 1998, 408; Глухов 1988, 164. 2. *Пск.* Обманывать кого-л. СПП 2001, 58.

Ходи́ть нос кве́рху. *Пск. Неодобр.* То же, что **задирать нос.** СПП 2001, 57.

Ча́йный нос. *Кар. Шутл.* О любителе чая. СРГК 4, 42.

Через нос зари́ не ви́деть. *Пск. Шутл.* Быть сильно пьяным. ПОС 12, 105.

Шиба́ть/ шибану́ть в нос *кому. Прост.* 1. Неприятно пахнуть (о сильном, резком запахе). 2. Производить сильное впечатление, обращать на себя чьё-л. внимание. Ф 2, 263.

Дать но́са (носка́) *кому. Ворон., Сиб. Шутл.* Поздороваться с кем-л. ФСС, 54; СРНГ 7, 257; СРНГ 21, 286, 293.

До но́са кочерго́й не доста́ть. *Перм. Неодобр.* О заносчивом, высокомерном человеке. Подюков 1989, 65.

Из-под но́са *чьего, у кого. Прост.* С самого близкого расстояния от кого-л. (брать, хватать и т. п.). ФСРЯ, 285.

Ка́пнуло с но́са на гу́бы. *Арх. Шутл.-ирон.* О непродолжительном дожде. АОС 10, 124.

Нагрузи́ть но́са. *Кар. Шутл.* Расплатиться деньгами на водку за сделанную работу. СРГК 3, 311.

Не ви́деть да́льше своего́ [со́бственного] но́са. 1. *Разг. Неодобр.* Быть ограниченным, не замечать общего за частным. ФСРЯ, 67; БТС, 239. 2. *Сиб. Неодобр.* Не замечать своих недостатков. ФСС, 27.

Не каза́ть но́са *куда, к кому. Разг.* Не бывать где-л., не ходить куда-л., к кому-л. ФСРЯ, 286.

Ни но́са. *Кар.* Нисколько, ничуть. СРГК 4, 42.

Проме́ж но́са. *Перм. Шутл.* Рядом, очень близко. Подюков 1989, 132.

Проноси́ть ми́мо но́са *что. Прост. Шутл.-ирон.* Упускать что-л., не уметь воспользоваться чем-л. Ф 2, 100.

С но́са. *Прост.* С каждого, с одного человека. ФСРЯ, 286.

В но́се не кру́гло *у кого.* 1. *Волг., Дон. Неодобр.* О человеке, не умеющем, не способном сделать что-л. Глухов 1988, 12, 99; СРНГ 21, 285; СДГ2, 188. 2. *Волг.* О молодом, неопытном человеке. Глухов 1988, 12. 3. *Жарг. мол., крим.* Кто-л. не обладает достаточными средствами, качествами для осуществления чего-л. w-99; БСРЖ, 385.

В но́се сы́ро *у кого. Волг. Неодобр.* То же, что **в носе не кругло 1.** Глухов 1988, 55.

Не вклю́нется в но́се. См. **Не вклюнется в нос.**

Води́ть но́сом. *Разг.* 1. Принюхиваться. 2. Выведывать, разузнавать о чём-л. БТС, 139.

Буксова́ть но́сом. *Волг.* Падать. Глухов 1988, 7.

Взвести́ но́сом. *Арх.* Высморкаться. АОС 4, 60.

Загляда́ть но́сом *куда. Пск.* Проявлять любопытство. ПОС 11, 131.

Заны́рить но́сом. *Прибайк.* Напиться пьяным. СНФП, 104.

Запаха́ть но́сом. 1. *Волг.* Упасть. Глухов 1988, 50. 2. *Морд. Шутл.* Заснув, захрапеть. СРГМ 1980, 88.

Кле́вать но́сом. 1. *Разг. Шутл.* Дремать сидя, то опуская, то поднимая голову. БМС 1998, 408; ФСРЯ, 286; ЗС 1996, 175; СПП 2001, 58. 2. *Жарг. авиа.* Резко опускать нос самолета. Максимов, 182.

Клю́дать но́сом. *Ряз.* То же, что **клевать носом.** ДС, 224.

Копе́лить но́сом. *Дон.* То же, что **крутить но́сом.** СРНГ 21, 286; СДГ 2, 77.

Корми́ться свои́м но́сом. *Урал.* Самостоятельно добывать себе пищу (о птицах, животных). СРНГ 21, 286.

Крути́ть но́сом. *Разг.* Выражать недовольство, пренебрежение, несогласие с кем-л., чем-л. ФСРЯ, 286; БТС, 475; Верш. 4, 167; ЗС 1996, 37; Глухов 1988, 78; СОСВ, 124; БМС 1998, 408-409.

Лезть (пиха́ться) со свои́м но́сом *куда. Пск. Неодобр.* Проявлять излишнее любопытство, вмешиваться не в своё дело. СПП 2001, 58.

Лови́ть но́сом окуне́й. *Новг. Шутл.* Шататься, идти нетвёрдой походкой, падать в состоянии опьянения. Сергеева 2004, 144.

Лови́ть но́сом чекама́сов. *Волг. Шутл.* Быть рассеянным, невнимательным. Глухов 1988, 82.

Ми́мо но́сом не проведёт. *Кар.* О предприимчивом, хватком человеке. СРГК 3, 200.

Нато́ркать но́сом *кого. Смол.* Указать кому-л. на его провинность. СРНГ 20, 227.

Не вы́сохло (не обсо́хло) под но́сом *у кого. Волг. Пренебр.* О молодом, неопытном человеке. Глухов 1988, 96.

[Не] твои́м но́сом клева́ть про́со. *Волг. Пренебр.* 1. О крайне глупом, несообразительном человеке. 2. О неумелом, неловком человеке. Глухов 1988, 105.

Но́сом в зе́млю тя́нет *кого. Кар. Ирон.* Об очень старом человеке. СРГК 4, 42.

Но́сом к но́су. См. **Нос к носу.**

Но́сом окуне́й лови́ть. *Народн. Шутл.* Дремать сидя. ДП, 519.

Оставля́ть/ оста́вить с но́сом *кого. Разг.* Дурачить, обманывать кого-л., оставлять кого-л. без самого необходимого, без того, на что тот рассчитывал, надеялся. ФСРЯ, 287; ЗС 1996, 296.

Оста́ться (уйти́) с но́сом. *Разг.* Потерпеть неудачу, оказаться одураченным. ФСРЯ, 286; ЗС 1996, 105, 345; БМС 1998, 409.

Перед но́сом *у кого. Разг.* То же, что **под носом.** ДП, 554; СРГМ 1986, 126; ЗС 1996, 492.

Пить но́сом. *Сиб.* Нюхать табак. СРНГ 21, 286; СФС, 139.

Пиха́ться со свои́м но́сом. см. **Лезть со свои́м но́сом** (НОС).

Поводи́ть но́сом. *Разг.* Нюхать воздух, принюхиваться. Ф 2, 52.

Под но́сом *у кого.* 1. *Прост.* В непосредственной близости от кого-л., рядом с кем-л. ФСРЯ, 287. 2. *Кар.* О близких родах. СРГК 4, 41.

Под но́сом взошло́, а в голове́ не засе́яно. *Народн. Неодобр.* О повзрослевшем, но не поумневшем человеке. ДП, 314.

Поспева́ть /поспе́ть [со свои́м] но́сом. *Пск.* Быстро узнавать что-л., успеть принять участие в чём-л. СПП 2001, 58.

Подпира́ть но́сом потоло́к. *Волг.* 1. *Шутл.* Быть очень высоким (о человеке). 2. *Неодобр.* О высокомерном, заносчивом человеке. Глухов 1988, 126.

Пропаха́ть но́сом. *Волг.* Упасть, свалиться. Глухов 1988, 135.

Рыть но́сом. 1. *что, где. Прост.* Развивать кипучую деятельность для достижения чего-л. НРЛ-82; Мокиенко 2003, 65. 2. *Волг. Неодобр.* Капризничать, привередничать. Глухов 1988, 143.

С варёным но́сом. *Кар. Шутл.-ирон.* О пьяном человеке. СРГК 4, 42.

Свои́м но́сом. *Печор.* По-своему, на свой лад. СРГНП 1, 483.

Сме́рить но́сом *что. Народн. Шутл.-ирон.* Упасть где-л. ДП, 318.

С но́сом. *Кар. Неодобр.* О любопытном человеке. СРГК 4, 42.

Су́нуться но́сом. *Кар.* Умереть. СРГК 4, 42.

То́рнуть но́сом в землю́. *Пск. Пренебр.* Умереть. СПП 2001, 58.

Торча́ть но́сом. *Новг.* Вмешиваться во что-л. НОС 11, 52.

Ты́кать но́сом *кого во что. Прост.* Указывать кому-л. на что-л. в резкой форме. ФСРЯ, 484.

Тю́кнуть но́сом. *Кар.* Упасть, свалиться. СРГК 4, 42.

Угости́ть но́сом об ла́пу. *Сиб. Ирон.* Ничего не дать просящему. СФС, 129; СРГН 16, 260; СРНГ 21, 286.

Чу́ять но́сом *что. Разг. Шутл.* Предчувствовать что-л., проявлять интуицию. Ф 2, 258.

Ю́ркать но́сом. *Пск.* Спотыкаться (о пьяном). Доп., 1858.

Бли́же к но́су. *Новг.* О чём-л. своем, близком. НОС 6, 68.

Ве́ртит в носу *у кого. Сиб.* О насморке при гриппе. СФС, 35; ФСС, 24.

В носу́ не кру́гло *у кого. Морд.* То же, что **в носе не кругло 1.** СРГМ 1982, 89.

В носу́ не свисте́ло *у кого. Перм.* То же, что **в носе не кругло 1.** Подюков 1989, 182.

До но́су крюко́м не доста́нешь. *Яросл. Неодобр.* О гордом, заносчивом человеке. СРНГ 15, 358; ЯОС 4, 7.

До са́мого но́су пьян. *Пск. Неодобр.* О сильной степени опьянения. СПП 2001, 58.

Загляде́ть по но́су. *Печор.* Начать злиться, сердиться. СРГНП 1, 227.

Заруби́ть [себе́] на носу́. *Разг.* Запомнить что-л. крепко, навсегда. ФСРЯ, 287; БТС, 343; Мокиенко 1986, 35; ШЗФ 2001, 81; ЗС 1996, 203, 297; БМС 1998, 409.

Идти́ на носу́. *Волг., Сиб. Ирон.* О передвижении пьяного человека. Глухов 1988, 56; ФСС, 86.

Ковыря́ть в носу́. *Прост. Неодобр.* Ротозейничать (как правило — во время работы); бездельничать. ФСРЯ, 200; Мокиенко 1990, 64; Ф 1, 244.

Кра́сен с носу́. *Пск. Одобр.* О крепком, здоровом человеке. СРНГ 15, 190.

Наруби́ть на носу́. *Онеж.* То же, что **зарубить на носу.** СРНГ 20, 135.

На носу́. *Прост.* Очень скоро, в самое ближайшее время. ФСРЯ, 2874 ДП, 670; ЗС 1996, 478.

Не брать к но́су. *Кар.* Не пить спиртного. СРГК 4, 42.

Не к но́су *кому что. Морд.* То же, что **не по носу 2.** СРГМ 1986, 126.

Не по но́су *кому что.* 1. *Прост.* Не соответствует чьим-л. возможностям, превышает чьи-л. возможности. ФСРЯ, 287. 2. *Пск.* Не нравится, не подходит кому-л. что-л. СПП 2001, 58.

Не по но́су таба́к *кому. Прост.* То же, что **не по носу 2.** ЗС 1996, 217; НОС 11, 21.

Прибрести́ к но́су. *Кар., Новг.* Вспомниться, прийти в голову. СРГК 4, 42; НОС 9, 7.

Разъе́ло в носу́ *у кого. Кар. Шутл.* О сильном желании выпить спиртного. СРГК 5, 437.

Смотре́ть по но́су. 1. *Печор.* Идти с низко опущенной головой, смотреть вниз. СРГНП 1, 483. 2. *Кар.* Быть хитрым, расчётливым. СРГК 4, 42.

Уда́рить по́ носу *кого. Разг. Устар.* То же, что **щелкнуть по носу.** Ф 2, 216.

Ходи́ть на носу́. *Прибайк.* Быть пьяным, пьянствовать. СНФП, 104.

Что бли́же к но́су. *Пск. Неодобр.* То же, что **что к но́су прибрало.** СПП 2001, 58.

Что к но́су взбредёт. *Новг.* То же, что **что к носу прибрало.** НОС 1, 124.

Что к но́су прибра́ло (прибрело́, пришло́, придёт). *Кар., Пск. Неодобр.* Вздор, ерунда; необдуманные слова. СРГК 4, 42; ПОС 2, 163.

Щёлкнуть по́ носу *кого. Разг. Ирон.* Проучить, наказать кого-л. Ф 2, 267.

Нава́ривать носы́ для красы́. *Пск. Шутл.* Пить спиртное, напиваться пьяным. СПП 2001, 58.

НОСИ́ТЕЛЬ * Носи́тель психо́за. *Жарг. шк. Шутл.-ирон.* Школьный психолог. (Запись 2003 г.).

НОСИ́ТЬ * Ни но́шено, ни ро́жено, не знай отку́да. *Народн.* О приёмыше, подкидыше. ДП, 389.

НО́СКА * Но́ской вы́нести *кого. Пск.* Вынести на руках кого-л. СПП 2001, 58.

НОСКО́М * Носи́ть носко́м. 1. *что. Кар., Перм.* Носить, переносить что-л., кого-л. на руках. СРГК 4, 44; СГПО, 370. 2. *кого. Ряз.* Проявлять особое внимание, заботу, баловать кого-л. СРНГ 21, 288.

НОСО́К * Да́ть носка. См. **Дать носа (НОС).**

С носка́. *Печор.* Вид народной борьбы, в которой противники стараются ударом носка ноги сбить друг друга. СРГНП 1, 484.

Шевели́ть noска́ми. *Жарг. мол. Шутл.* Быстро идти, уходить откуда-л. Максимов, 486.

Шурша́тьноска́ми. *Жарг. мол. Шутл.* Танцевать. Максимов, 277.

На носка́х. *Кар. Одобр.* Быстро, проворно. СРГК 4, 47.

Крути́ть носки́. *Кар.* Блуждать, петлять в поисках дороги. СРГК 3, 37; СРГК 4, 47.

Наступа́ть на носки́ *кому. Новг.* Подчинять своей воле кого-л. Сергеева 2004, 184.

Не смеши́ мои́ носки́. *Жарг. мол. Шутл.-ирон.* Призыв не быть наивным, рассуждать здраво, реально оценивать ситуацию. Вахитов 2003, 111.

Носки́ на подтя́жках. *Жарг. мол. Шутл.* Родители дома. Максимов, 277.

Показа́ть носки́. *Кар.* Прорасти, показаться (о побегах). СРГК 5, 38.

Стира́ть (полоскать) носки́ [во рту]. *Жарг. мол. Шутл.* Жевать резинку. Митрофанов, Никитина, 131; Максимов, 277.

Не меня́я носко́в. *Жарг. мол. Шутл.* Очень быстро. Максимов, 245.

Носо́к есть *у кого. Пск.* О капризном, привередливом человеке. СПП 2001, 58.

Носо́к не поёт. *Волог. Неодобр. или Шутл.-ирон.* О чём-л. сделанном неправильно, некачественно. СВГ 5, 113.

Ночно́й носо́к. *Жарг. мол. Шутл.* Презерватив. Прокопенко, 187; Флг., 214.

НО́СОМ * Носи́ть но́сом. *Кар.* Носить долгое время (об одежде). СРГК 4, 45.

Но́сом не сноси́ть, во́зом не свози́ть. *Самар.* Пожелание большого урожая, достатка. СРНГ 21, 293.

НОСОРО́Г * Носоро́г мандари́новый. *Жарг. мол. Презр.* Кавказец. h-98.

Расти́ носоро́гом. *Жарг. мол. Неодобр.* Быть грубым, наглым. Максимов, 278.

НОТ * Нот ебу́к. *Жарг. комп. Шутл.* Компьютер Notebook. WMN, 60.

НО́ТА * Две (три) но́ты кресто́м. *Жарг. муз. Ирон.-пренебр.* О примитивной, несложной для исполнения музыке. БСРЖ, 386.

Попу́тать но́ты. *Жарг. угол.* Оказаться замешанным в выяснении чужих отношений. Максимов, 278.

Разводи́ть но́ты. *Кар.* Петь. СРГК 4, 48.

НОТА́ЦИЯ * Дава́ть/ дать нота́цию *кому. Волг., Морд.* То же, что **читать нотацию.** Глухов 1988, 30; СРГМ 1986, 127.

Чита́ть/ прочита́ть нота́цию *кому́. Разг.* Ругать, отчитывать кого-л. Мокиенко 1990, 47.

НО́У * Но́у про́блемз. *Жарг. мол. Одобр.* Всё в порядке, всё нормально, нет проблем. БСРЖ, 386.

НОЧЕВА́ТЬ * Здоро́во (здорове́нько) ночева́ли! *Сиб.* Приветствие при входе в дом. ФСС, 123.

НО́ЧЕР * В но́чер. *Жарг. мол.* В ночную смену (работать). БСРЖ, 386.

НОЧЁШНИЙ * Ночёшнего хо́чется/ захоте́лось *кому. Волог., Кар. Шутл.* О сонливости, желании поспать. СВГ 5, 113; СРГК 4, 49.

НО́ЧКА * Ря́бья но́чка. *Кар.* Зарница. СРГК 4, 45.

НОЧЛЕ́ЖКА * Бе́сова ночле́жка. *Пск. Презр.* Тюрьма. СРНГ 2, 269.

НОЧНИ́К * Ночни́к краснопёрый. *Жарг. угол. Презр.* Милиционер — участник засады, группы захвата. ББИ, 155; Мильяненков, 179.

НОЧНО́Е * Лечь в ночно́е. *Печор.* Лечь спать. СРГНП 1, 484.

Уйти́ в ночно́е (в ночну́ю). 1. *Жарг. студ. Шутл.* Готовиться к экзамену на протяжении всей ночи. Югановы, 148. 2. *Жарг. мол. Шутл.* Занимать очередь с вечера. Максимов, 160. 3. *Жарг. мол. Шутл.* Уйти гулять на всю ночь. Максимов, 278.

Быть в ночно́м. *Жарг. студ. Шутл.* То же, что **уйти в ночное 1-3.** Югановы, 148; Максимов, 278.

НОЧЬ * А́бы к но́чи. *Волг. Шутл.-ирон.* О ленивом, нерасторопном человеке. Глухов 1988, 1.

Бе́лые но́чи. *Жарг. мол. Пренебр.* О слабо заваренном чае. Митрофанов, Никитина, 17–18.

Не к но́чи будь ска́зано (помя́нуто). *Разг.* Не время, не следует говорить, упоминать о ком-л., о чём-л. ФСРЯ, 51; Мокиенко 1989, 137; СФС, 124.

Про́тив но́чи. *Волг., Дон.* Поздно вечером. Глухов 1988, 135; СДГ 2, 189.

Споко́йной но́чи. *Жарг. арм. Шутл.-ирон.* О политзанятиях в армии. Максимов, 400.

Брать/ взять ночь. *Кар.* Ночевать где-л. СРГК 1, 108.

Вальпу́ргиева ночь. *Книжн.* Неистовый разгул. < По средневековым поверьям, в ночь перед днем Св. Вальпургии (1 мая по католическому календарю) ведьмы и вся нечистая сила слетались на шабаш на гору Брокен в Германии. БМС 1998, 409–410; Ф 1, 336.

Варфоломе́евская ночь. 1. *Книжн.* Массовое жестокое избиение беззащитных людей. ФСРЯ, 286; БТС, 112. 2. *Жарг. арм.* О подъёме военнослужащих по команде «Тревога!». Максимов, 55. 3. *Жарг. студ. Шутл.-ирон.* Последняя ночь перед экзаменом.- Максимов, 55. 4. *Жарг. мол. Шутл.* Пьянка с дракой. Максимов, 55. < От исторического события — массового избиения протестантов-гугенотов, произведённого по приказу церкви и короля в Париже в ночь перед днём Св. Варфоломея (24 августа 1572 г.). БМС 1998, 410.

В ночь за ночь. *Дон.* С вечера до утра. СДГ 2, 189; СРНГ 21, 304.

Воробьи́ная ночь. *Разг.* Короткая летняя ночь с непрерывными грозами или зарницами. БМС 1998, 410; ШЗФ 2001, 43. // *Брян.* Беспокойная, тревожная ночь. СБГ 3, 49.

Дава́ть/ дать поко́йную ночь *кому. Вост.-Сиб.* Прощаться, желать спокойной ночи кому-л. СРНГ 21, 305; СРНГ 28, 390.

Дели́ть ночь. *Пск.* Спать. СПП 2001, 58.

Карау́лить ночь. *Орл.* Долго бодрствовать. СРНГ 21, 305.

Кому́ не спи́тся в ночь глуху́ю. *Жарг. арм. Шутл.* О дежурном по части. Максимов, 193.

Моли́лась (мочи́лась) ли ты на́ ночь, Дездемо́на? *Жарг. мол. Шутл.* Вопрос–угроза человеку, вызывающему досаду, раздражение. Максимов, 251, 256.

На́ ночь гля́дя. *Разг.* Перед самой ночью. ФСРЯ, 287; БТС, 211; ПОС 7, 11.

Ночь в по́лночь. *Волг.* Постоянно, в любое время. Глухов 1988, 113.

Спать бра́чную ночь с молодо́й жено́й. *Жарг. угол., арест. Устар.* Быть закованным в кандалы. Грачев 1997, 62.

Тёмная ночь. *Пск. Ирон.* О необразованном человеке. СПП 2001, 58.

Ты́сяча и одна́ ночь. *Разг.* 1. О чём-л. очень необычном и замечательном. БМС 1998, 578. 2. *Жарг. мол.* О большом количестве чего-л. (Запись 2003 г.).

НОЧЬЮ * Но́чью роди́лся. *Коми.* О необразованном, невежественном человеке. Кобелева, 75.

Пло́хо спать но́чью. *Прибайк.* Воровать. СНФП, 104.

НО́ША * Но́ша ду́рика. *Жарг. шк. Шутл.-ирон.* Ранец, портфель. (Запись 2003 г.).

НОЯ́НКА * Ноя́нка ки́евская. *Кар. Бран.* О человеке, вызывающем отрицательные эмоции. СРГК 4, 52.

НРАВ * Не по нра́ву *кому что. Разг.* Не нравится кому-л. что-л. ФСРЯ, 287; СРНГ 35, 107.

Канниба́льские нра́вы. *Публ. Неодобр.* Господствующая где-л. жестокость, кровожадность. БМС 1998, 410.

НУ́ДА́ * Ну́да́ подвене́чная. *Перм., Прикам.* По суеверным представлениям — болезнь невесты, причиняемая колдовством, наговорами. МФС, 67; СГПО, 371.

Спа́совская ну́да́. *Дон.* 1. Слепень. 2. *Бран.* О человеке, вызывающем отрицательные эмоции. СДГ 2, 189.

НУЖДА́ * Больша́я нужда́. *Разг. Эвфем.* Испражнение, опорожнение кишечника. Мокиенко, Никитина 2003, 225.

Ма́лая (ма́ленькая) нужда́. *Разг. Эвфем.* Испускание мочи. Мокиенко, Никитина 2003, 225.

Нужда́ берёт. *Волог.* Об остром недостатке средств к существованию. СВГ 5, 114.

Нужда́ нужду́ да́вит. *Приамур., Сиб.* О крайней нищете, бедности. ФСС, 123; СРГПриам., 174.

Нужда́ нужду́щая. *Кар.* Бедность, нищета. СРГК 4, 53.

Нужда́ припа́ла *кому. Сиб. Ирон.* У кого-л. совсем нет необходимости в чём-л. ФСС, 123.

Нужда́ пробива́ет. *Кар.* Об ухудшающемся материальном положении. СРГК 4, 53.

Не ся́ду ря́дом по нужде́ *с кем. Прост. Презр.* Не буду впредь иметь никаких дел с кем-л. (выражение крайнего презрения, неуважения к кому-л.). Подюков 1989, 185; Мокиенко, Никитина 2003, 225.

Ходи́ть / пойти́ (идти́/ сходи́ть) по большо́й нужде́ (за большо́й нуждо́й). *Разг. Эвфем.* Оправляться, испражняться. Мокиенко, Никитина, 2003, 225.

Ходи́ть/ пойти́ (идти́/ сходи́ть) по ма́лой (ма́ленькой) нужде́ (за ма́лой нуждо́й). *Разг. Эвфем.* Мочиться, испускать мочу. Мокиенко, Никитина 2003, 225.

Ходи́ть/ пойти́ (идти́/ сходи́ть) по нужде́ (за нуждо́й). *Разг. Эвфем.* Мочиться или испражняться. Мокиенко, Никитина 2003, 225, 226.

С нуждо́й. *Кар.* С трудом. СРГК 4, 53.

Гони́ть в нужду́ *кого. Сиб.* Притеснять, угнетать кого-л. ФСС, 46.

Нести́ нужду́. *Дон.* Бедствовать, жить в нищете. СДГ 2, 189.

Нужду́ на кула́к мота́ть. *Сиб.* То же, что **нести нужду.** ФСС, 114.

Отправля́ть/ отпра́вить (справля́ть/ спра́вить) большу́ю нужду́. *Разг. Эвфем.* То же, что **ходить по большой нужде.** Мокиенко, Никитина 2003, 226.

Отправля́ть/ отпра́вить (справля́ть/ спра́вить) ма́лую нужду́. *Разг. Эвфем.* То же, что **ходить по малой нужде.** Мокиенко, Никитина 2003, 226.

Отправля́ть/ отпра́вить (справля́ть/ спра́вить) нужду́. *Разг. Эвфем.* То же, что **ходить по нужде.** Мокиенко, Никитина 2003, 226.

Пасти́ нужду́. *Сиб.* То же, что **нести нужду.** ФСС, 132; СРНГ 25, 263.

Пома́хивать нужду́. *Сиб. Шутл.-ирон.* Не испытывать нужды ни в чём. СРНГ 29, 200; ФСС, 145.

Справля́ть нужду́. 1. *Разг.* Отправлять естественные потребности, ходить в туалет. 2. *Жарг. мол. Шутл.* Совершать половой акт с кем-л. Максимов, 278.

Трепа́ть нужду́. *Морд.* Жить в крайней бедности. СРГМ 1986, 128.

Трясти́ нужду́. *Прибайк.* То же, что **трепать нужду.** СНФП, 104; СФС, 129; СРНГ 21, 312.

Де́лать/ сде́лать из нужды доброде́тель. *Книжн.* Извлекать некоторую пользу из чего-л. неприятного. < Калька с нем. *aus der Not eine Tugend machen.* Мокиенко 2003, 65.

НУ́КАТЬ * Ну́кать да то́кать. *Кар.* Стучать, шуметь. СРГК 4, 45.

НУЛЁВКА * Под нулёвку. *Разг.* Наголо (постричь, постриженный). БСРЖ, 386.

НУЛЬ * Абсолю́тный нуль. См. **НОЛЬ.**

На нуль. *Жарг. мол.* То же, что **с нуля.** Никитина 2003, 436.

Своди́ть к нулю́ *что. Разг.* Лишать что-л. смысла, значения. ФСРЯ, 414.

Своди́ться к нулю́. *Разг.* Терять всякий смысл, значение. ФСРЯ, 141.

Дойти́ до нуля́. *Брян.* Обессилеть, ослабеть от сильного или длительного напряжения. СБГ 5, 27.

С нуля́. 1. *Разг.* С самого начала, на пустом месте. НСЗ-70; Мокиенко 2003, 65. 2. *Разг.* Не имея навыков, знаний о чём-л., не будучи предварительно подготовленным, обученным (приступать к чему-л.). Ф 1, 336. 3. *Жарг. мол.* О чём-л. новом, только что сделанном. СМЖ, 95.

Быть на нуля́х. *Жарг. мол.* 1. Ничего не потерять, не потерпеть убытка. 2. Не получить прибыли. БСРЖ, 386.

Висе́ть на нуля́х. *Жарг. спорт. (д/пл.).* О нулевой вертикальной скорости. БСРЖ, 386.

По нуля́м. *Жарг. мол.* Об отсутствии ожидаемого результата; о чём-л. безрезультатном. Максимов, 278.

НУ́МЕР * Тра-ля-ля́ ну́мер два нуля́. *Одесск. Шутл.-ирон. или Пренебр.* О глупом человеке. КСРГО.

НУТРО́ * Перетира́ться до чужо́го нутра́. *Кар.* Проявлять любопытство по поводу личной жизни других, лезть не в свои дела. СРГК 4, 55.

Не в нутре́. *Ряз.* То же, что **не по нутру.** ДС, 3494 СРНГ 21, 319.

Ве́ртит нутро́. *Забайк., Сиб.* О боли в животе. ФСС, 24; СРГЗ, 75.

Вытя́гивать нутро́ *у кого. Морд.* Тревожить, мучить кого-л. СРГМ 1978, 102.

Нутро́ топо́рщится. *Волог.* О болях в животе, скоплении газов в кишечнике. СВГ 5, 115.

Сходи́ть в нутро́. *Кар.* Узнать сокровенные мысли, тайные замыслы человека. СРГК 4, 55.

Не по нутру́ *кому что. Разг.* Не нравится кому-л. что-л. БМС 1998, 411; ДП, 71; Подюков 1989, 133; Мокиенко 1990, 92.

Прийти́сь по нутру́ *кому. Разг.* Понравиться кому-л. СПП 2001, 58; ДП, 71.

Не по нутрю́. *Морд., Ряз.* То же, что **не по нутру.** СРГМ 1986, 128; СРНГ 21, 319; ДС, 349.

НЫ * Вы́йти на ны. *Сиб.* Полностью разориться. СРНГ 21, 322.

НЫРО́К * На нырке́. *Сиб. Ирон.* 1. Об ухабистой дороге. 2. О тяжёлой жизни. ФСС, 123.

Идти́/ пойти́ в нырки́. *Кар.* Нырять. СРГК 2, 267; СРГК 4, 56.

НЫ́РОМ * Ны́ром ходи́ть. *Волог.* Нырять. СВГ 5, 115.

НЫ́ЧКА * Пойти́ на ны́чку. *Жарг. мол.* Спрятаться где-л. Максимов, 279.

НЮГА́Й * Дава́ть нюга́й в нос. *Кар.* Гнусавить, говорить с носовым резонансом. СРГК 4, 57.

НЮ́НИ * Распуска́ть / распусти́ть (разве́шивать / разве́сить, разводи́ть, развести́) ню́ни. 1. *Прост.* Начинать плакать. ФСРЯ, 385; СФС, 155; Мокиенко 1989, 198; Мокиенко 1990, 30, 74; Ф 2, 163; ЗС 1996, 140; СРНГ 34, 286; Вахитов 2003, 157; Максимов, 279. 2. *Вят., Влад.* Печалиться, тосковать. СРНГ 21, 328. 3. *Сиб., Ср. Урал.* Обижаться на кого-л. СРГСУ 2, 213; СРНГ 21, 328; Вахитов 2003, 152. 4. *Прост.* Сетовать, жаловаться на что-л. ФСРЯ, 385; ФСС, 81. 5. *Вят.* Ослабить контроль за чьими-л. действиями, работой. СРНГ 21, 328.

Тяну́ть/ растяну́ть ню́ни. *Вол., Урал.* Плакать. СВГ 5, 115; СРНГ 34, 286.

Вы́тереть ню́ню. *Жарг. мол.* 1. Успокоиться. 2. Прекратить жалобы. Максимов, 77.

НЮХ * На нюх *чего. Пск.* О небольшом количестве чего-л. СПП 2001, 58.

Ни за нюх табака́ (табаку́). *Разг. Устар.; Волог., Пск., Сиб.* Совершенно напрасно, зря, незаслуженно. Ф 1, 337; СВГ 6, 115; СПП 2001, 58; СРНГ 21, 213.

Отморо́зить (потеря́ть) нюх. 1. *Жарг. мол.* Перестать понимать что-л., разбираться в чём-л. Вахитов 2003, 142. 2. Переоценить свои силы. Максимов, 279.

Попу́тать нюх. *Жарг. мол.* 1. Перестать подчиняться кому-л. 2. Обнаглеть. Максимов, 279.

Ни ню́ху ни ду́ху *о ком, о чём. Разг. Устар. Ирон.* Никаких известий, сведений нет о ком-л., о чём-л. Ф 1, 337.

НЮ́ХАЛКА * Вешать/ пове́сить ню́халку. *Прост.* Приходить в уныние, отчаяние. Шевченко 2002, 115. Ср. **повесить нос.**

НЮХА́Ч * Нюха́ч звонко́вый. *Жарг. угол.* Человек, прослушивающий телефонные разговоры. Балдаев 1, 280; ББИ, 155.

НЮ́ША * Ню́ша се́льская. *Презр.* О нерасторопной, необразованной женщине (как правило — деревенской жительнице). (Запись 1998 г.).

НЯ́НЬКА * У семи́ ня́нек дитя́ без гла́зу. *Посл. Народн. Неодобр.* О деле, которое страдает из-за несогласованности действий исполнителей. Жук. 1991, 331; ДП, 580; ШСП 2002, 175–176.

О́БА * Брать в о́ба. *Кар.* То же, что **смотреть в оба.** СРГК 1, 108.

Слу́шай в о́ба, а зри в три! *Народн.* Призыв быть внимательным, бдительным. ДП, 317.

Смотре́ть (гляде́ть) в о́ба. *Разг.* Быть настороже, быть внимательным, бдительным. ФСРЯ, 289; БМС 1998, 412; ЗС, 1996, 163, 201; Мокиенко 1990, 96; ДП, 317; ПОС 7, 12.

ОБА́БОК * Ки́слый оба́бок. *Прикам. Неодобр.* О слабом, вялом ребёнке. МФС, 67. < **Обабок** — гриб подберёзовик.

ОБАГУ́ЛЫ. См. **ОБАКУ́ЛЫ.**

ОБАКУ́ЛЫ (ОБАГУЛЫ) * Разводи́ть обаку́лы (обагу́лы). *Волог., Новг. Неодобр.* Болтать, пустословить. СРНГ 21, 344; НОС 6, 78.

ОБАЛДА́ЙС * Быть в [по́лном] обалда́йсе. *Жарг. мол.* Сильно удивляться, поражаться чему-л. Елистратов 1994, 283.

ОБАЛДЕ́ТЬ * Обалде́ть — не встать. *Жарг. мол. Одобр.* О чём-л. отличном, превосходном. Максимов, 279.

ОББА́РКА * В обва́рку. *Орл.* Очень горячий (о только что приготовленной пище). СОГ 1989, 59.

ОБВЕРТА́Н * Дать обверта́на *кому. Перм.* Побить, избить кого-л. СРНГ 21, 357.

ОБГУ́Л * Идти́/ пойти́ в обгу́л. *Сиб.* Случаться с самцом (о животных). Верш. 4, 180.

ОБЕД * Бирю́чий обе́д. *Дон. Устар.* Угощение, пир, устраиваемый станичным правлением для казаков. СРНГ 22, 25; СДГ 1, 28.

Во́лчий обе́д. *Дон.* 1. *Устар.* То же, что **бирючий обед.** СРНГ 22, 25; СДГ 1, 75. 2. Угощение, устраиваемое вскладчину, на паях. СРНГ 22, 25; СДГ 1, 75.

Горя́чий обе́д. *Курск.* Угощение, устраиваемое после похорон, поминки. СРНГ 22, 26.

Дружко́в обе́д. *Ворон.* Угощение в доме молодожёнов на третий день после свадьбы. СРНГ 22, 26.

Жи́рный обе́д. *Ворон.* Угощение по случаю рождения ребёнка. СРНГ 22, 26.

На коша́чий обе́д *чего. Народн. Шутл.-ирон.* Об очень малом количестве чего-л. ДП, 398.

Обе́д за спино́й. *Онеж.* Еда, приём пищи во время работы. СРНГ 22, 25.

Повива́льный обе́д. *Курск.* Угощение в первое воскресенье после крестин. СРНГ 22, 26.

Улета́ть на обе́д. *Кар.* Исчезать, прекращать существование (о мошкаре, слепнях). СРГК 4, 74.

За обе́дом солове́й, а по́сле обе́да воробе́й. *Народн. Неодобр.* О двуличном человеке. Жиг. 1969, 208.

К по́зднему обе́ду. *Пск.* Ко времени около 5 часов дня. СРНГ 22, 26.

Обе́ды бегу́т. *Дон.* О движении воздуха в летний полдень. СДГ 2, 1914 СРНГ 22, 26.

ОБЕ́ДНЯ * Меж обе́дней и зау́треней. *Новг.* Об очень коротком промежутке времени. Сергеева 2004, 162.

Закрыва́ть обе́дню. *Кар.* Завершать, заканчивать какое-л. дело. СРГК 4, 74.

Замя́ть обе́дню. *Одесск. Неодобр.* Не сдержать какое-л. обещание. КСРГО.

По́ртить/ испо́ртить [всю] обе́дню *кому. Разг.* Причинять неприятности, огорчения кому-л., мешать, вредить кому-л. ФСРЯ, 345; Мокиенко 1990, 129.

Служи́ть обе́дню. *Калуж.* Начинать браниться, ссориться с раннего утра. СРНГ 22, 28.

ОБЕЗЬЯ́НА * Не мно́го ли обезья́н на одно́й ве́тке? *Жарг. мол. Неодобр.* О большом количестве людей где-л. Вахитов 2003, 111.

Обезья́на Да́рвина. *Жарг. шк. Шутл.* Учитель (учительница) биологии, зоологии. ВМН 2003, 93.

Обезья́на с гра́мотой. *Жарг. шк. Шутл.* Учитель (учительница) с указкой. ВМН 2003, 93.

Обезья́на у́чится говори́ть. *Жарг. студ. Шутл.-ирон.* Учебное занятие по иностранному языку. (Запись 2003 г.).

Ры́жая обезья́на. *Жарг. кинол. Шутл.* Эрдельтерьер. Максимов, 280.

Дрю́кать обезья́ну. *Жарг. угол.* Смотреть в зеркало. Хом. 2, 91.

ОБЕЗЬЯ́НКА * Пока́зывать обезья́нку *кому. Жарг. мол.* Пугать кого-л. Максимов, 280.

ОБЕЛИ́ТЬ * Ни обели́т ни очерни́т *[кого]. Новг.* О тихом, молчаливом человеке. НОС 6, 83.

О́БЕРЕЖЬ * Посади́ть о́бережь. *Арх.* Начать носить талисман (крест, цепочку и т. п.). СРНГ 22, 33.

ОБЕРЕ́МЯ * В обере́мя. *Курск.* В охапку. БотСан, 86.

ОБЕРУ́ЧНИКИ * На оберу́чниках. *Ср. Урал.* Вдвоём (делать что-л.). СРГСУ 2, 175.

ОБЕЩА́НИЕ (ОБЕЩА́НЬЕ) * Класть/ положи́ть обеща́ние. *Арх., Кар.* Давать обет. СРГК 4, 76; СРНГ 22, 42.

Корми́ть обеща́ниями *кого. Разг. Неодобр.* Давать кому-л. обещания и не исполнять их. БМС 1998, 412; Ф 1, 256.

Ходи́ть по обеща́нью. *Волог.* Совершать паломничество к святым местам. СРНГ 22, 42.

ОБЖИ́МКА * В обжи́мку. *Печор.* В обтяжку, по фигуре. СРГНП 1, 489.

ОБЖИРА́ЛО * Обжира́ло госуда́рево. *Кар.* Тот, кто много ест, обжора. СРГК 4, 78.

ОБИ́ВКИ * Бить и оби́вки в зад забива́ть *кому. Волг.* Строго наказывать, бить кого-л. Глухов 1988, 3.

ОБИ́ДА * Брать оби́ду. *Перм.* Считать что-л. обидным для себя, обижаться на кого-л. за что-л. Подюков 1989, 16.

Загна́ть в оби́ду *кого. Кар.* Обидеть, огорчить кого-л. СРГК 4, 80.

Кида́ть оби́ду. *Кар.* То же, что **класть обиду.** СРГК 2, 344; СРГК 4, 80.

Класть/ положи́ть в оби́ду *кому что. Ряз.* Обижаться на кого-л. за что-л. ДС, 383.

Склеи́ть оби́ду *на кого. Жарг. мол.* Обидеться на кого-л. Никитина 1998, 283.

ОБИ́ДКА * Оби́дки беру́т/ взя́ли *кого. Прост.* Кто-л. обижается. НРЛ-82. **Оби́дка берёт** *кого. Иркут.* То же. СРНГ 22, 59.

ОБИ́ДНО * Жить оби́дно. *Арх.* Терпеть нужду, горести, несчастья, обиды. СРНГ 22, 59.

ОБИДУ́ЛЬКА * Кида́ть обиду́льки *на кого. Жарг. мол. Шутл.* Обижаться на кого-л. Я — молодой, 1996, № 26.

ОБИ́ДУШКА * Скрепи́ть оби́душку на се́рдце. *Народн.* Перестать горевать, успокоиться. СРНГ 22, 61.

ОБИ́ЖЕНКА * Дави́ть (кле́ить) оби́женку. *Жарг. мол.* Обижаться на кого-л. Максимов, 100, 182.

ОБИ́ЖЕННЫЙ * Заде́лать оби́женного. *Жарг. мол.* Изнасиловать мужчину. Максимов, 139.

ОБИНЯ́К * Заки́нуть обиняка́. *Народн.* Сказать что-л. намёком. ДП, 483.

Говори́ть обиняка́ми. *Разг.* Говорить намёками, с помощью недомолвок, иносказаний. БМС 1998, 312.

Наки́дывать обиня́ки́ (обиняка́ми). *Сиб.* То же, что **говорить обиняками.** СФС, 129.

Говори́ть без обиняко́в. *Разг.* Высказываться открыто, прямо. ФСРЯ, 290; БМС 1998, 412.

ОБИХО́Д * Вести́ обихо́д. *Моск.* Вести домашнее хозяйство. СРНГ 22, 68.

Обихо́д нашёл *на кого. Ср. Урал.* У кого-л. появилось желание навести порядок. СРГСУ 3, 21.

Быть в обихо́де. *Сиб.* Содержаться в чистоте, в порядке. СРНГ 22, 68.

ОБКА́ТКА * Обка́тка цили́ндра см. **ЦИЛИНДР.**

ОБКУ́РКА * По обку́рке. *Жарг. нарк.* В состоянии наркотического опьянения (после курения анаши). Урал-98.

О́БЛАКО * Подстрига́ть облака́. *Жарг. авиа.* Лететь над нижней кромкой облаков (о самолёте). Лаз., 131.

Солута́новые облака́. *Жарг. нарк. Шутл.* Наркотики. Максимов, 280.

Вита́ть в облака́х. *Разг.* Предаваться несбыточным мечтам, не замечая окружающего. БМС 1998, 412; ФСРЯ, 290; ЗС 1996, 156, 344; БТС, 133; Ф 1, 65; ШЗФ 2001, 37; Мокиенко 1986, 28.

О́блако в штана́х. 1. *Жарг. шк. Шутл.* Завуч. 2. *Жарг. авто.* Шутл.-ирон. Автомобиль «Запорожец». Максимов, 280. < По названию поэмы В. В. Маяковского. Максимов, 280.

О́блако с перева́лом. *Яросл.* О периодически повторяющемся дожде. ЯОС 7, 17.

То́лстое о́блако. *Новг.* Дождевая туча. НОС 11, 45.

То́нкое о́блако. *Новг.* Облако без дождя. НОС 11, 46.

Спусти́ться с облако́в. *Разг.* Выйти из состояния мечтательности, увидеть реальную жизнь, действительность. БТС, 1253.

О́БЛАСТЬ * О́бласть внутримы́шечных инъе́кций. *Жарг. мол. Шутл.* Ягодицы. Максимов, 280.

Отходи́ть в о́бласть преда́ний. *Книжн.* Становиться далёким прошлым. Ф 2, 30.

ОБЛЕ́П * Обле́пу нет. 1. *[на ком]. Перм.* О человеке, одетом в ветхую, старую одежду. СРНГ 22, 94. 2. *кому.* Кому-л. нечем заняться, нечего делать. СВГ 5, 122.

ОБЛИ́В * Обли́в се́рдца. *Новг.* Заболевание сердца. НОС 6, 89.

ОБЛИВА * Ко́я обли́ва? *Обл.* Зачем, для чего? Мокиенко 1986, 179.

ОБЛИГА́ЦИЯ * Чита́ть облига́ции. *Новг.* Объявлять о бракосочетании кого-л. в церкви. НОС 12, 62.

О́БЛИЗЕНЬ * Дать о́близня. *Народн.* Потерпеть неудачу, крах. ДП, 61.

Пойма́ть о́близня. *Народн.* Остаться ни с чем, не получить желаемого. ДП, 237. // *Одесск.* Не получить еды. КСРГО. // *Курск.* Не получить дармовой выпивки, закуски. СРНГ 22, 100.

ОБЛИ́ЧЬЕ * Обли́чье нахо́дит *у кого, в кого. Сиб.* Кто-л. очень похож на кого-л. ФСС, 124.

Па́дать на обли́чье *с кем. Прикам.* Иметь сходство с кем-л. МФС, 72.

Обли́чьем нае́хать *на кого. Прибайк.* Родиться похожим на кого-л., походить на кого-л. СНФП, 105.

ОБЛОЕ́ЖА * Чёртова облое́жа. *Пск. Бран.* О пьянице. < **Облоежка** — обжора. СПП 2001, 58.

ОБЛО́ЖКА * Око́нная обло́жка. *Дон.* 1. Наличник. 2. Притолока. СДГ 2, 192.

Свали́ть обло́жку. *Жарг. угол.* Открыть форточку с целью проникновения в помещение. Хом. 2, 94.

ОБЛОЖНО́Е * Вы́пить обложно́е. *Кар.* Выпить спиртного по случаю закладки основания дома. СРГК 1, 278.

ОБЛОКО́ТЬЕ * В облоко́тье. *Ср. Урал.* Облокотившись, положив локти на стол. СРГСУ 1, 84.

ОБЛО́М * В обло́м *кому [что]. Жарг. мол.* 1. Кому-л. неприятно что-л., вызывает отрицательные эмоции, переживания. Митрофанов, Никитина, 132; Рожанский, 31–32. 2. Кому-л. не хочется делать что-л. Югановы, 150.

Быть в обло́ме. *Жарг. мол.* Испытывать депрессию, переживать отрицательные эмоции. Рожанский, 31–32.

ОБЛОМИ́СЬКА * Обломи́ська пришла́. *Жарг. мол. Шутл.-ирон.* О неудаче, невезении. Максимов, 281.

ОБЛО́МОВ (ОБЛО́МОВО) * Быть в обло́мове. *Жарг. мол.* Испытывать депрессию, переживать отрицательные эмоции. Никольский, 94.

ОБЛО́МОК * Обло́мок телевы́шки. *Жарг. мол. Шутл.-ирон.* О человеке высокого роста. Максимов, 281.

Обло́мок унита́за. *Жарг. мол. Пренебр.* Бездомный человек, бродяга. Максимов, 281.

ОБЛОМО́Т * Обломо́т пробежа́л. *Жарг. мол. Шутл.-ирон.* О ситуации неудачи, разочарования («облома»). Вахитов 2003, 117.

ОБЛО́МЧИК * Выгоня́ть обло́мчиков. *Жарг. студ. Шутл.* Размахивать мокрым полотенцем перед открытой форточкой (предэкзаменационный ритуал изгнания, отпугивания неудачи). Никитина 1996, 132.

ОБМА́Н * Брать/ взять на обма́н *кого. Ряз.* Добиваться чего-л. обманным путем. ДС, 65.

Обма́н мне́ниями. *Жарг. шк. Шутл.* Сочинение. Максимов, 281. Образовано искажением оборота **Обмен мнениями** (см.)

О́БМАШЬ * На о́бмашь. *Печор.* Очень громко (кричать, реветь). СРГНП 1, 492.

ОБМЕ́Н * Обме́н мне́ниями. *Жарг. шк. Шутл.* Списывание у кого-л. выполненной работы, задания. ВМН 2003, 94.

Обме́н тебя́ возьми́! *Пск.* Восклицание, выражающее гнев, негодование, раздражение. СПП 2001, 58.

О́БМОРОК (О́МОРОК) * Ввести́ в о́бморок *кого. Пск. Шутл.* Утомить, изнурить кого-л. чем-л. СПП 2001, 58.

Вда́рить (уда́рить, шибану́ть) в о́морок (о́мороком, о́бмороком). *Дон.* Потерять сознание. СДГ 2, 203.

Входи́ть в о́бморок. *Кар.* Начинать засыпать, дремать. СРГК 4, 91.

О́бморок в го́лову бьёт *кому. Пск.* У кого-л. кружится голова. ПОС 2, 18.

О́морок накры́л *кого. Дон.* То же, что **обморок ошибает.** СДГ 2, 203.

О́бморок (о́бмороком) ошиба́ет *кого. Сиб.* Об обморочном состоянии. СФС, 129; СБО-Д2, 62.

О́морок тебя́ (его́ и т. п.**) возьми́!** *Орл. Бран.* Восклицание, выражающее гнев, негодование, раздражение. СРНГ 23, 204.

ОБМО́ЧКА * В обмо́чку. *Сиб.* Обмакивая хлеб в молоко, масло, сметану и т. п. ФСС, 124.

ОБМЫ́В * Обмы́в косте́й. *Жарг. шк. Ирон.* Родительское собрание. ВМН 2003, 94.

ОБНИ́МОЧКА * В обни́мочку. *Кар.* Плотно облегая. СРГК 4, 94.

ОБНО́ВКА * Прийти́ с обно́вкой. *Горьк. Шутл.* Снести первое яйцо (о молодой курице). БалСок., 41.

Идти́ на обно́вку. *Жарг. угол.* Грабить кого-л. Балдаев 1, 169.

ОБНО́ЧЕК * На обно́чек (обно́чье). *Кар.* С ночлегом. СРГК 4, 95.

ОБНО́ЧЬЕ * На обно́чье. См. **На обночек (ОБНОЧЕК).**

О́БОД * Быть на ободу́. 1. *Новг.* Быть крепким, здоровым, упитанным. НОС 6, 97. // Быть крепким, недряхлым (о старике). СРНГ 22, 153. 2. *Новг.* Пребывать в весёлом, радостном настроении. СРНГ 22, 153. 3. *Кар.* Быть в силах, в состоянии сделать что-л. СРГК 4, 96.

ОБОДВО́РЕЦ * В ободво́рец. *Волог.* В обход. СВГ 5, 125.

ОБО́З * Здесь обо́з с моча́лами пропадёт. *Народн. Неодобр.* О нерадивом, беспечном хозяине. ДП, 582.

ОБО́И * Заби́ться за обо́и. *Жарг. мол. Шутл.-ирон.* Замолчать, уйти в себя. (Запись 2004 г.).

ОБО́ЙМА * Входи́ть/ войти́ в обо́йму *кого. Публ.* Занимать определённое место в ряду кого-л. (обычно — людей одной социальной или профессиональной группы). < Из военной сферы. НСЗ-70; Мокиенко 2003, 65.

Из пе́рвой обо́ймы. *Публ.* Относящийся к передовой, наиболее значительной и влиятельной социальной, политической, профессиональной группе, объединению. Мокиенко 2003, 65-66.

ОБО́Л * Ни обо́ла за душо́й *у кого. Прост. Устар.* О полном отсутствии денег у кого-л. ФСРЯ, 121.

ОБОНО́С * Свои́м обоно́сом. *кар.* По собственному почину. СРГК 4, 102.

ОБО́Р * Обо́ру нет (не́ было) *чего. Моск., Яросл.* О большом количестве чего-л. СРНГ 22, 171; ЯОС 7, 17.

Ходи́ть, распустя́ обо́ры. *Якут. Пренебр.* Быть неаккуратным, неряшливым. СРНГ 34, 188; СФС, 197.

ОБОРВИ́ЛА * Оборви́ла лега́вый. *Пск. Бран.* О хулигане. СПП 2001, 58.

ОБО́РКА * Ходи́ть по обо́ркам. *Волог., Перм.* Собирать ягоды на том месте, где их уже собирали ранее. СВГ 5, 127.

Поско́нные обо́рки. *Иркут. Пренебр.* О неопрятном, оборванном человеке. СРНГ 22, 176.

В обо́рку. *Сиб.* 1. *чего.* О малом количестве чего-л. 2. *кому.* По щиколотку. ФСС, 124.

ОБОРО́НА * Занима́ть/ заня́ть оборо́ну. *Разг.* Готовиться отразить атаку противника. БТС, 335.

ОБОРО́Т * Брать/ взять в оборо́т *кого. Разг.* Заставлять кого-л. поступать определённым образом, распекать, бранить кого-л. ФСРЯ, 291; ШЗФ 2001, 23; БМС 1998, 413; ЗС 1996, 227; Янин 2003, 37; Мокиенко 1986, 114.

Брать оборо́т. *Арх.* Выкручиваться, выходить из положения. АОС 2, 110.

Взять оборо́т обра́тно. *Печор.* Повернуть назад. СРГНП 1, 495.

Принима́ть оборо́т *какой. Разг.* Изменяться в ходе развития в какую-л. сторону (как правило — о необычном, непредвиденном развитии дела). Ф 2, 92.

Пуска́ть в оборо́т *что. Разг.* Вводить в обращение, задействовать денежные средства и товары в торгово-промышленных операциях с целью воспроизводства, получения прибыли. Ф 2, 106.

Мота́ть / намота́ть оборо́ты. *Жарг. мол.* Убегать откуда-л. Максимов, 255.

Набира́ть/ набра́ть оборо́ты. 1. *Разг.* Развиваться, продвигаться, прогрессировать. НРЛ-81. 2. *Жарг. мол.* Уходить откуда-л. Мокиенко 2003, 66.

ОБОРО́ТКА * Дать оборо́тку *кому. Угол.* Нанести ответный удар кому-л.; избить нападавшего. Быков, 59; Балдаев 1, 103; ББИ, 64; Вахитов 2003, 44.

ОБО́РЫШ * Ходи́ть по обо́рышам. *Вят.* То же, что **ходить по оборкам (ОБОРКА).** СРНГ 22, 182.

ОБО́ЧИНА * На обо́чине. *Разг.* В стороне от больших дел, важных событий. НРЛ-81; Мокиенко 2003, 66.

О́БРАЗ * Брать в о́браз *что. Жарг. мол.* Не принимать во внимание, не считать важным что-л. Максимов, 44.

О́браз врага́. *Публ., Полит.* Совокупность насаждаемых пропагандой представлений о ком-л., о чём-л. как о чуждой силе, представляющей непосредственную опасность и угрозу. СП, 138; Мокиенко 2003, 66.

О́браз жи́зни. *Разг.* Жизненный уклад. БМС 1998, 413.

Подови́нный о́браз. *Волог. Бран.* О некрасивом человеке. СРНГ 28, 109. < Ср. **подови́нный** — злой дух, нечистая сила, обитающие под овином; домовой.

Принима́ть а́нгельский о́браз. *Разг. Устар.* Постригаться в монахи, в монахини. Ф 2, 91.

Быть в о́бразе. *Жарг. мол.* Удивляться, изумляться чему-л. (Запись 2004 г.).

По о́бразу и подо́бию *чьему. Разг. Устар.* По какому-л. образцу, беря в пример кого-л., что-л. ФСРЯ, 292; БМС 1998, 413; БТС, 873.

ОБРАЗОВА́НИЕ * Бю́стовые образова́ния. *Жарг. мол. Шутл.* Женская грудь. Максимов, 53.

ОБРА́ТНЯ * Воро́чать в обра́тню. *Сиб.* Возвращаться назад. ФСС, 31.

ОБРА́ТЬ * Оберёшь не обери́. *Кар.* О большом количестве чего-л. СРГК 4, 108.

ОБРАЩЕ́НИЕ * Галантере́йное обраще́ние. *Разг. Ирон. Устар.* О галантном, изысканно-вежливом, любезном обращении. БМС 1998, 413.

ОБРЕ́З * В обре́з. *Разг.* Без какого-л. излишка; не больше, чем необходимо; очень мало. ФСРЯ, 292.

ОБРЕ́ЗКИ * Шевели́ть обре́зками. *Жарг. мол. Груб.* Идти быстрым шагом. Елистратов 1994, 288.

Ничего́ не понима́ть в колба́сных обре́зках. *Прост. Шутл.-ирон.* 1. Быть глупым, несообразительным. 2. Не разбираться в чём-л. Глухов 1988, 102; ЗС 1996, 187; Смирнов 2002, 93.

ОБРО́Н * Обро́н оброни́ть. *Север.* Понести утрату. СРНГ 22, 208.

Пойти́ на обро́н. *Арх.* Начать убывать. СРНГ 22, 208.

ОБРО́ТКА * Снять обро́тку *с кого. Латв.* Предоставить кому-л. свободу действий. СРНГ 22, 210.

ОБРУ́БОК * Обру́бок де́рева. *Жарг. шк. Шутл.* Школьная парта. ВМН 2003, 94.

О́БРУЧ * Ве́рхний о́бруч. *Арх.* Старшая дочь. АОС 3, 130.

Набива́ть/ наби́ть о́бручи *кому. Жарг. угол.* Избивать, бить кого-л. СРВС 3, 107; ТСУЖ, 111, 120.

О́бручи слете́ли (спа́ли) *у кого. Перм., Сиб. Шутл.* О закончившихся родах. Подюков 1989, 135; Мокиенко, Никитина 2003, 228.

О́бручи спа́дывают *у кого. Вят. Шутл.* О беременной женщине. СРНГ 22, 215. // *Сиб. Шутл.* О женщине на последнем месяце беременности. ФСС, 125.

ОБРУ́ЧА * Обру́ча с миндалём. *Жарг. крим.* Перстень с камнем. Хом. 2, 97.

ОБРЫ́В * Ходи́ть/ пойти́ в обры́в. *Жарг. угол.* Совершить побег. Быков, 139.

О́БРЫС * В о́брыс. *Забайк.* Рысью. СРГЗ, 255.

ОБРЯ́Д * Вести обря́д. *Кар.* Выполнять все хозяйственные работы по дому. СРГК 4, 114.

Снять с обря́ду *кого. Волог.* Освободить кого-л. от выполнения домашних дел по хозяйству. СВГ 6, 8.

ОБСА́Д * По обса́ду. *Жарг. нарк.* В состоянии наркотического опьянения (как правило — после курения гашиша). Урал-98.

ОБСЕ́ВОК * Не обсе́вок в по́ле. *Прост.* О человеке, пользующемся определённым авторитетом, уважением. ФСРЯ, 292; БМС 1998, 413; БТС, 898; Глухов 1988, 100.

Обсе́вок в по́ле. 1. *Народн. Неодобр.* Неудачник. ДП, 63. 2. *Волг.* Одинокий, покинутый всеми человек. Глухов 1988, 114.

ОБСЕДЛА́ЧКА * В обседла́чку. *Яросл.* Верхом. ЯОС 2, 38.

ОБСЕ́К * Без обсе́ку. *Сиб.* Несомненно, обязательно. ФСС, 125.

ОБСТАНО́ВКА * Смени́ть обстано́вку. *Жарг. мол. Шутл.* Выйти замуж и переехать к мужу. Максимов, 282.

ОБСТОЯ́ТЕЛЬСТВО * Пришли́ обстоя́тельства. *Разг. Шутл.* Началась менструация. Флг., 222; УМК, 145.

ОБСТРЕ́Л * Брать/ взять под обстре́л *кого, что. Разг.* Подвергать резкой критике кого-л., что-л. ФСРЯ, 46; ЗС 1996, 380.

ОБСУ́ДКА * Не в обсу́дку. *Сиб.* Не в обиду, не в укор кому-л. ФСС, 125.

ОБТЕКА́ЕМОСТЬ * Потеря́ть обтека́емость. *Жарг. мол. Шутл.* Впасть в депрессию, быть в плохом настроении. Максимов, 282.

ОБТЯ́ЖКА * В обтя́жку. 1. *Разг.* О плотно прилегающей одежде. БТС, 689; Верш. 4, 207. 2. *Жарг. угол.* Об узкой половой щели у женщины. ББИ, 45.

ОБУ́ВКА * Бить обу́вку. *Волг.* Бесцельно бродить; ходить куда-л. напрасно, зря. Глухов 1988, 3.

ОБУ́ЗДА * Без обу́зды. *Олон.* Необузданно, неудержимо. СРНГ 22, 250.

ОБУ́Й * Мо́крый обу́й. *Колым.* Непромокаемая обувь. СРНГ 22, 251.

ОБУ́ТКИ * Топта́ть обу́тки. *Перм.* То же, что **бить обувку (ОБУВКА).** Подюков 1989, 204.

ОБУ́ТЬ * Ни обу́ть, ни обе́ть, ни ло́жкой заде́ть. *Народн.* Об очень бедном, неимущем человеке. Жиг. 1969, 355.

О́БУХ * Подводи́ть/ подвести́ под о́бух *кого. Волг., Пск.* Погубить, довести до бедственного положения кого-л. Глухов 1988, 124; СПП 2001, 58.

Дать обуха́ *кому. Ленингр.* Сказать грубое или обидное слово кому-л. СРНГ 22, 256.

Добива́ться до о́буха́. *Волг.* Обнищать, попасть в бедственное положение. Глухов 1988, 35.

С обуха́. *Пск.* Силой, насильно. СПП 2001, 58.

На о́бухе́ рожь моло́тит (молоти́л), зерна́ не уро́нит (не урони́л). *Народн.* О бережливом, экономном хозяине. ДП, 109, 426, 590; Жиг. 1969, 45. **На о́буе́ рожь мола́чивал, зерна́ не утра́чивал.** *Народн.* То же. ДП, 590. **На о́буе́ рожь моло́тит, из мяки́ны кру́жево плетёт.** *Народн.* То же. ДП, 109.

На о́буе́ рожь молоти́ть. 1. *Прост. Устар.* Прибегать к самым крайним мерам, делать всё, чтобы обогатиться. ФСРЯ, 253. 2. *Волог.* Быть ловким, изворотливым. СВГ 4, 91.

Хоть на о́буе хле́ба доста́нет. *Пск. Шутл.* Об общительном, легко входящем в доверие человеке. СПП 2001, 58.

О́бухо́м не вы́шибешь *из кого что. Прост.* Невозможно добиться чего-л. от кого-л. Ф 1, 105.

ОБУ́ШЕК * На царёв обу́шек. *Яросл.* Немного, чуть-чуть (обрубить, стесать что-л.). ЯОС 6, 79; СРНГ 22, 257.

ОБХВА́Т * В обхва́т не обхвати́ть *кого. Горьк.* Об очень толстом, упитанном человеке. БалСок., 27.

ОБХВА́ТОЧКА * В обхва́точку. *Кар.* Обхватив руками. СРГК 4, 124.

ОБХО́Д * Брать/ взять обхо́д. *Кар.* Обеспечивать сохранность скота, совершая магические действия, принося жертвы. СРГК 4, 124.

Наложи́ть обхо́д *на кого. Яросл.* Принести кому-л. вред магическим взглядом, сглазить кого-л. ЯОС 6, 101.

ОБХО́ДЕЦ * С обхо́дцем. *Одесск.* О вежливом, обходительном человеке. КСРГО.

ОБШИ́РКА * По обши́рке. *Жарг. нарк.* В состоянии наркотического опьянения (после внутривенного введения наркотика). Урал-98.

О́БЩЕСТВО * О́бщество всех скорбя́щих о разруша́ющихся па́мятниках. *Разг. Ирон.* Общество охраны памятников истории и культуры (1960–1970-е гг.). Синдаловский, 2002, 130.

О́БЩИЙ * В о́бщем и це́лом. *Разг.* Не касаясь частностей, подробностей. ФСРЯ, 292; 414; БТС, 1460; Верш. 4, 211.

ОБЪЕ́ДКИ * Жать объе́дки. *Жарг. угол.* Жениться на проститутке. ББИ, 77.

ОБЪЯСНЕ́НИЕ * Объясне́ние для та́нков. *Жарг. шк., студ. Шутл.-ирон.* Объяснение для непонятливых. Максимов, 283.

ОБЪЯ́ТИЕ * Объя́тия Морфе́я. *Книжн.-поэт.; Разг. Ирон.* Сон. БМС 1998, 414; Мокиенко 1989, 156.

С распростёртыми объя́тиями. *Разг.* Приветливо, радушно. ФСРЯ, 293.

Быть в объя́тиях Морфе́я. *Книжн.-поэт.; Разг. Ирон.* Спать. < В греческой мифологии Морфей — крылатый бог сновидений. БМС 1998, 414.

Души́ть в объя́тиях *кого. Разг.* Крепко, горячо обнимать кого-л. ФСРЯ, 152.

ОБЫВАТЕЛЬ * Обыва́тель Голода́лкиной во́лости, села́ Обнищу́хина. *Народн. Ирон.* О неимущем, нищем человеке. ДП, 90.

ОБЫДЁНКА * В (на) обыдёнку. *Яросл.* В один день, за один день, на один день, в течение одного дня. ЯОС 6, 78.

На обыдёнках. *Влад.* То же, что **на обыдёнку.** СРНГ 22, 284.

О́БЫСК * Иска́ть с о́быском *что. Кар.* Очень тщательно искать, разыскивать что-л. СРГК 4, 128.

ОБЫ́ЧАЙ * Брать/ взять в обы́чай *что. Разг.* Привыкнуть к чему-л. Ф 1, 35.

Вести́ ста́рый обы́чай. *Орл.* Соблюдать традиции, обряды. СОГ 1989, 20.

В обы́чай *кому.* 1. *Новг.* Привычно. НОС 6, 120. 2. *Пенз.* Нравится, по вкусу кому-л. СРНГ 22, 289.

Зайти́ в обы́чай. *Кар.* Стать привычным, обычным. СРГК 2, 126.

Лёгкий обы́чай. *Яросл. Фольк.* О деликатном, приветливом, ласковом обращении. ЯОС 5, 123.

ОБЪЕДА́НИЕ * Кури́ное объеда́ние. *Прикам.* Цветок лютик. МФС, 68.

ОБЪЁМ * Взять в объём *что, кого. Сиб.* Полностью завладеть чем-л. СФС, 41.

В объём. *Сиб.* 1. По наружной стороне окружности. 2. Всё время, постоянно. ФСС, 125.

ОБЪЯ́ВКА * Дава́ть/ дать объя́вку. *Пск.* Извещать, предупреждать кого-л. о чём-л. СРНГ 7, 257.

ОВВЫ́ДЕНКА* На оввы́денку. *Ср. Урал.* То же, что **на обыденку (ОБЫДЕНКА).** СРГСУ 2, 175.

ОВЕРКИ́ЛЬ * Сыгра́ть оверки́ль. *Жарг. морск. Шутл.* Перевернуться (о шлюпке). Кор., 280.

ОВЁС * Заплы́ть в овёс. *Жарг. угол.* Крупно проиграться в карты. Балдаев, I, 148.

ОВЕ́Т * Положи́ть ове́т. *Арх.* Дать обет. СРНГ 22, 195.

По ове́ту. *Кар.* По знакомству, используя близкие отношения, связи. СРГК 4, 129.

ОВЕ́ЧКА * Заблу́дшая ове́чка. См. **Заблудшая овца (ОВЦА).**

Ове́чка До́лли. *Жарг. шк. Шутл.* Кудрявая учительница. (Запись 2003 г.).

ОВИ́Н * Залива́ть ови́н. 1. *Дон.* Свадебный обряд, совершаемый на третий день свадьбы. СДГ 2, 8. 2. *Новг.* Ритуал, символизирующий измену в любви. НОС 6, 120.

Наплести́ ови́н и ба́ню. *Яросл.* Много наговорить, рассказать. ЯОС 6, 107.

Оди́н да с ови́н. 1. *Кар. Одобр.* О толковом, разворотливом человеке. СРГК 4, 130, 151. 2. *Кар., Прикам.* О человеке, доставляющем много хлопот, чаще — о единственном ребёнке. СРГК 4, 151; МФС, 68.

От ови́на полови́на *от кого, от чего. Прибайк.* Мало пользы от кого-л., от чего-л. СНФП, 105.

О́ВНО * О́вно ковды́. *Волог.* Очень давно. СВГ 6, 17.

ОВО́ЛКА * Из-под ово́лки. *Пск.* Незаметно, быстро. СПП 2001, 58.

ОВЦА́ * Отделя́ть ове́ц от козли́щ. *Книжн.* Отделять хорошее от плохого. < Из Евангельской притчи. Ф 2, 25.

Ада́мова овца́. *Арх.* Верблюд. СРНГ 1, 206.

Белоло́бая овца́. *Жарг. мол.* 1. *Шутл.* Блондинка. 2. *Пренебр.* Девушка с отталкивающей внешностью. Максимов, 31.

Бессме́ртная овца́. *Народн. Устар.* Овца, которую помещик давал молодому крестьянину, когда он женился (крестьянин был обязан прокормить эту овцу и отдавать помещику каждый год по ягненку независимо от того, жива овца или нет. СРНГ 2, 277.

Блудли́вая овца́. *Волг. Неодобр.* О распутном, гулящем человеке. Глухов 1988, 4.

Заблу́дшая овца́ (ове́чка). *Разг.* О сбившемся с правильного пути человеке. ФСРЯ, 293; БТС, 310; ЗС 1996, 28; ШЗФ 2001, 77. < Восходит к Евангельской притче. БМС 1998, 414.

Кру́женая (шутоло́мная) овца́. *Прост. Неодобр.* О непостоянном, бестолковом человеке, совершающем необъяснимые поступки. Глухов 1988, 77, 115.

Уга́рная овца́. *Новг. Презр.* О бестолковом человеке. НОС 6, 123.

ОВЧИ́НКА * Овчи́нка вы́делки (вычинки) не сто́ит. *Народн.* О деле, которое не стоит потраченных на него средств. БТС, 696, 1271; ЗС 1996, 103; Жук. 1991, 233; ДП, 468.

ОГИ́БОМ * Оги́бом огиба́ть *что. Костром.* Бойко, быстро раскупать что-л. СРНГ 22, 314.

ОГЛО́БЛЯ * Выходи́ть/ вы́йти (выскочить) из огло́бель. 1. *Арх., Прикам.* Перестать повиноваться кому-л.; освободиться от стесняющих поведение обстоятельств. АОС 8, 206; МФС, 22. 2. *Перм.* Сильно раздражаться, сердиться, теряя контроль над собой. Подюков 1989, 37.

Выгля́дывать из-под огло́блей. *Пск. Неодобр.* Смотреть на кого-л. исподлобья, зло, сердито. ПОС 5, 139.

Зае́хать (зайти́) в рот огло́блей *кому. Народн.* Обмануть, провести кого-л. ДП, 161; СРГК 4, 136.

Не выходи́ть из огло́блей (огло́бель). 1. *Курск., Прикам.* Жить в постоянной нужде. БотСан, 104; МФС, 23. 2. *Волг.* То же, что **ворочать оглобли.** Глухов 1988, 96.

Огло́блей в рот зае́хали *кому. Сиб. Пренебр.* О человеке, который ходит с открытым ртом; о ротозее. ФСС, 77; СРНГ 35, 203.

Огло́блей не перешибёшь *кого. Волг.* Об очень полном, упитанном человеке. Глухов 1988, 101.

Вороти́ть огло́бли. См. **Поворачивать оглобли.**

Воро́чать огло́бли. *Волг.* Выполнять много тяжёлой физической работы. Глухов 1988, 14.

Вывора́чивать огло́бли. *Волог.* Торопиться, спешить. СВГ 6, 20.

Завести́ в огло́бли *кого, что. Яросл.* Привести в порядок, в норму кого-л., что-л. ЯОС 2, 38.

Завора́чивать/ заверну́ть огло́бли. *Прост. Ирон.* Уходить, уезжать откуда-л. ни с чем. Ф 1, 193; ФСС, 75.

Загоня́ть/ загна́ть в огло́бли *кого. Волг.* То же, что **запрягать в оглобли** 1. Глухов 1988, 46.

Запряга́ть/ запря́чь в (во все, в коро́ткие) огло́бли *кого.* 1. *Алт., Башк., Пск., Сиб.* Заставлять кого-л. выполнять тяжёлую работу. СРГА 2-1, 137; СРГБ 1, 146; РЩН, 1976; ФСС, 80; СОСВ, 75; СБО-Д1, 157. 2. *Новг.* Подчинять своей воле кого-л. Сергеева 2004, 182.

Запя́тить в огло́бли *кого. Кар.* То же, что **запрягать в оглобли 2.** СРГК 4, 136.

Куда́ огло́бли поверну́т. *Волг.* Необдуманно, наудачу. Глухов 1988, 78.

Повора́чивать / повороти́ть (вороти́ть, обороти́ть, поверну́ть) огло́бли. 1. *Пск.* Изменять направление движения. СППП 55. 2. *Прост. Шутл.* Уходить, уезжать, отправляться обратно. ФСРЯ, 326; СПП 2001, 58; БТС, 851; Ф 1, 76; Ф 2, 10. 3. *Прост. Шутл.* Отказываться, отступать от своих обещаний, убеждений. ФСРЯ, 326; Подюков 1989, 151; Мокиенко 1990, 129.

По́дле огло́бли в ряд. *Свердл. Ирон.* Без толку, напрасно, ни к чему. СРНГ 28, 60.

Туды́-сюды́ вернёт и вы́вернет — огло́бли вы́дернет. *Перм.* О бойком человеке. СГПО 641; МФС, 102.

Ходи́ть у огло́бли. *Забайк.* Заниматься извозом. СРГЗ, 443.

Хоть в огло́бли запряга́й *кого. Волг.* О здоровом, сильном человеке. Глухов 1988, 168.

Ввести́ в огло́блю *кого. Арх.* Образумить кого-л. АОС 3, 60.

Гляде́ть на огло́блю. *Арх.* Не имея своего мнения, смотреть на других. АОС 9, 139; Мокиенко 1990, 65.

Заворотя́ огло́блю. *Иркут.* Сразу же, без промедления. СРНГ 22, 318.

На огло́блю вороти́л, да окороти́л. *Перм. Ирон.* О высоком, худом человеке. СРНГ 5, 120.

С огло́блю вы́рос, а ума́ не вы́нес. *Народн.* О повзрослевшем, но не поумневшем человеке. Жиг. 1969, 239.

Тере́ть огло́блю. *Забайк.* Заниматься извозом, быть ямщиком. СРГЗ, 410.

Нескла́дная огло́бля. *Новг. Неодобр.* 1. О непривлекательном, угловатом человеке. 2. О неуклюжем, нерасторопном человеке. 3. О несообразительном человеке. НОС 6, 51, 126.

Огло́бля тебе́ (ему́, вам и пр.**) в рот!** *Прост. Бран.* 1. Пожелание зла, бедствий кому-л., злое заклятие. 2. Выражение крайнего недовольства, досады, раздражения. Мокиенко, Никитина 2003, 229.

Пою́щая огло́бля. *Жарг. муз. Шутл.* Фагот. БСРЖ 394.

На кривы́х огло́блях не объе́дешь *кого. Народн.* О человеке, которого трудно обмануть, перехитрить. ДП, 477; Мокиенко 1990, 83..

Объе́хать на кривы́х огло́блях *кого. Пск.* Обмануть, перехитрить кого-л. СРНГ 22, 277.

Спать в огло́блях. *Жарг. мол. Шутл.* Спать на ходу. Максимов, 284.

ОГЛЯ́Д * В два огля́да. *Башк.* Очень быстро. СРГБ 2, 119.

За (че́рез) два огля́да на тре́тий. *Волг. Ирон.* Бесплатно, даром. Глухов 1988, 47, 161.

ОГЛЯ́ДКА * Без огля́дки. *Разг.* 1. Очень быстро, изо всех сил, не оглядываясь (бежать, убежать). ФСРЯ, 2934 БМС 1998, 414. 2. Не раздумывая, не рассуждая, забывая обо всем. ФСРЯ, 294. 3. Решительно, без колебаний. ФСРЯ, 294; Веш. 4, 217.

На две огля́дки. *Морд.* На короткое время. СРГМ 1986, 117.

С огля́дкой. *Разг.* Осторожно, с опаской. Глухов 1988, 152.

ОГНЁВА * Кака́я огнёва? *Кар.* Зачем, для чего? СРГК 4, 136.

Огнёва палю́чая! *Арх.* Восклицание, выражающее гнев, досаду, раздражение в чей-л. адрес. СРНГ 25, 183.

ОГНЁВО * Не знать ни огнёва. *Арх.* Абсолютно ничего не знать. СРНГ 22, 325.

Кото́ро огнёво? *Кар.* То же, что **какая огнева (ОГНЁВА).** СРГК 4, 137.

ОГНО́ИЩЕ * Лежа́ть в огно́ище. *Яросл.* Быть в безнадёжном состоянии (о больном). ЯОС 5, 125.

ОГОВО́Р * Огово́р пал *на кого. Кар.* По суеверным представлениям: кто-л. заболел от оговора, дурного слова. СРГК 4, 138.

ОГОНЁК * Афга́нский огонёк. *Жарг. мол. Шутл.* То же, что **афганские огни.** Вахитов 2003, 10.

Голубо́й огонёк. 1. *Разг. Шутл.* Место сбора гомосексуалистов. Балдаев 1, 91; ББИ, 64. 2. *Жарг. мол.* Гомосексуалист. Вахитов 2003, 40. < Каламбурное переосмысление названия популярной телепередачи «**Голубой огонёк**» и слова **голубой**. УМК, 146.

Загна́ть огонёк. *Жарг. мол.* Дать прикурить кому-л. Максимов, 138.

Зайти́ на огонёк. *Разг.* Прийти в гости к знакомым, друзьям без предупреждения, запросто. БМС 1998, 415; ФСРЯ, 294; ШЗФ 2001, 79; ЗС 1996, 290.

Лета́ющий огонёк. *Кар.* Молния. СРГК 3, 117.

Ходи́ть на огонёк (по огонька́м). *Жарг. угол.* Совершать кражи из квартир, в которых не горит свет, т. е. отсутствуют хозяева. ТСУЖ, 114, 141; Балдаев 2, 125, 126. // Совершать кражи вечером. БСРЖ, 394; Максимов, 284.

Доста́ть огонька́. *Дон.* Разозлить кого-л. СДГ 2, 198.

Присе́чь (присеки́) огонька́ (огня́). *Вол., Прибайк., Яросл.* Об очень грязной одежде. СВГ 6, 22; СНФП, 105; ЯОС 8, 92.

С огонько́м. *Разг.* С увлечением, подъёмом. ФСРЯ, 294.

ОГО́НЬ * На огне́ горе́ть. *Пск.* Требовать немедленного исполнения (о работе, деле). ПОС 7, 106.

На огне́ не гори́т, на воде́ не то́нет. *Разг. Одобр.* О человеке, который в любых обстоятельствах умеет постоять за себя. Ф 1, 123.

Ме́жду (проме́ж) двух огнёв. *Пск.* То же, что **ме́жду двух огне́й.** СПП 2001, 58.

Ме́жду (меж) двух огне́й. *Разг.* В положении, когда опасность грозит с двух сторон. ФСРЯ, 294; БМС 1998, 415; БТС, 240, 529; Мокиенко 1990, 137.

Сто огне́й откры́лось *у кого. Дон.* То же, что **огни в глазах открылись.** СДГ 2, 198.

Гаре́дить огнём. *Пск.* Быть сильно занятым, много хлопотать (по хозяйству). ПОС 6, 139.

Горе́ть си́ним (я́сным) огнём. *Разг.* 1. Оказываться в незавидном положении, испытывать большие неприятности. 2. Находиться под угрозой срыва. НСЗ-70; Мокиенко 2003, 88.

Гори́ си́ним (я́сным) огнём. *Прост. Бран.* Выражение неудовольствия, желания избавиться от кого-л., чего-л. НСЗ-70; Ф 1, 123; Мокиенко 2003, 66.

Днём с огнём не найдёшь (не сыска́ть) *кого, что. Разг.* Очень трудно, невозможно отыскать, найти кого-л., что-л. ФСРЯ, 294; БМС 1998, 415; БТС, 1300; Мокиенко 1990, 149; Глухов 1988, 100.

Игра́ть (шути́ть) с огнём. *Разг. Неодобр.* Поступать неосмотрительно, неосторожно, не думая о последствиях. БМС 1998, 415; ФСРЯ, 294; Ф 2, 266; ЗС 1996, 111; БТС, 1508.

Иска́ть днём с огнём *что. Разг. Шутл.* Долго, напряжённо (часто — безрезультатно) искать что-л. ФСРЯ, 294; Глухов 1988, 127; ШЗФ 2001, 68; ФСС, 118; СПП 2001, 58.

Крести́ть огнём *кого. Разг.* Первый раз, впервые ставить кого-л. в положение участника боя, сражения. Ф 1, 261.

Огнём и мечо́м. *Книжн.* С беспощадной жестокостью, уничтожая всё. ФСРЯ, 294; БМС 1998, 415; ДП, 259.

Афга́нские огни́. *Жарг. арм. (афг.).* Любое виноградное вино со спиртом. Вахитов 2001, 26.

Дуть огни́. *Яросл.* Зажигать свет, электричество. ЯОС 4, 27.

Огни́ в глаза́х откры́лись (загоре́лись) *у кого. Дон.* Об ощущении сильной острой боли от удара. СДГ 2, 198.

Огни́ Кабу́ла. *Жарг. арм. (афг.).* Алкогольная смесь. Лаз., 104.

Огни́ коммуни́зма. *Жарг. угол., Разг. Ирон.* Крематорий. ББИ, 159.

Предава́ть/ преда́ть огню́ *что. Книжн.* Сжигать что-л. Ф 2, 86.

Предава́ть/ преда́ть огню́ и мечу́ *что. Разг.* Беспощадно разорять, уничтожая и сжигая все. ФСРЯ, 352; БМС 1998, 415.

Бери́ с огня́. *Волог. Одобр.* О бойкой, темпераментной женщине. СВГ 6, 28.

Горе́ть у огня́. *Пск.* Подвергаться сильному соблазну, искушению. ПОС 7, 106.

Добы́ть огня́. 1. *Ср. Урал.* Зажечь лампу. СРГСУ 1, 137. 2. *Жарг. угол.* Затеять ссору с целью облегчения карманной кражи. Балдаев 1, 112.

Доста́ть с огня́ и с мо́ря. *Новг.* Добиться чего-л., получить что-л., как бы трудно ни было. НОС 2, 98.

Из огня́ да в во́ду. *Народн.* То же, что **из огня да в полымя.** ДП, 159, 469.

Из огня́ да в по́лымя. *Разг.* Из одной неприятности в другую, ещё большую. БМС 1998, 416; ДП, 159, 453; Ф 2, 76; Жук. 1991, 134.

Огня́ присеки́. См. **Присечь огонька (ОГОНЁК).**

Рвать с огня́. 1. *Прост.* Быстро, азартно работать. Ф 2, 124; Подюков 1989, 172; СФС, 174; Верш. 6, 90. 2. *Арх., Сиб.* Быстро течь (о реке во время половодья). СРНГ 34, 356; СРНГ 36, 5.

Перед двум огня́м. *Пск.* То же, что **между двух огней**. СПП 2001, 58.

Анто́нов ого́нь. 1. *Горьк.* Горение гнилых дров, не дающее яркого пламени и особого тепла. БалСок., 21. 2. *Одесск.*

Высокая температура, сильный жар у больного. КСРГО. 3. *Народн.* Гангрена, заражение крови. БТС, 43; БотСан, 82; СБГ 1, 18. 4. *Одесск.* Рожистое воспаление на коже. КСРГО. 5. *Разг. Шутл.* О вспыльчивом, безрассудном человеке. Янин 2003, 15.

Беру́щий/ взя́вший ого́нь на себя́. *Жарг. шк. Ирон.* Ученик, добровольно вызвавшийся отвечать на уроке. (Запись 2003 г.).

Бро́сило в ого́нь *кого. Сиб.* Кто-л. покраснел. ФСС, 17.

Ве́чный ого́нь. *Жарг. мол. Шутл.* Зажигалка. Югановы, 43.

Вки́нуться в ого́нь. *Дон.* Заболеть гангреной. СДГ 1, 68; СДГ 2, 198.

Вызыва́ть/ вы́звать огонь на себя́. 1. *Разг. Разг.* Отвлекая внимание от главных сил, подвергаться обстрелу. Ф 1, 93. 2. Намеренно привлекать к себе чьё-л. внимание, чтобы отвлечь его от других. БМС 1998, 416; НСЗ-70. 3. *Жарг. шк. Шутл.-ирон.* Поднимать руку на уроке, вызываться отвечать. Максимов, 75. 4. *Жарг. арм.* Пререкаться с командиром. Максимов, 75.

Гори́т ого́нь. *Жарг. карт.* Идёт карточная игра с участием шулеров. ТСУЖ, 42.

Гре́ческий ого́нь. *Книжн. Устар.* Зажигательное средство. БМС 1998, 416

Деревя́нный ого́нь. *Волог., Кар.* Огонь, добываемый трением в магических целях. СВГ 6, 23; СРГК 4, 140.

Жечь ого́нь. *Новг.* Прощаться с девичеством. НОС 6, 129.

Идти́/ пойти́ (кида́ться) в ого́нь и в во́ду *за кого. Разг.* О человеке, готовом идти на любые испытания, рисковать, не раздумывая. ФСРЯ, 294; ШЗФ 2001, 30; Ф 1, 236; БМС 1998, 416.

Летучи́й ого́нь. 1. *Прикам.* Болезнь золотуха. МФС, 68. 2. *Алт.* Болезнь краснуха. СРГА 3-1, 27. 3. *Ряз.* Гнойничковое заболевание кожи лица. ДС, 274.

Летя́чий ого́нь. *Волог.* То же, что **деревянный огонь.** СВГ 6, 23.

Мы́ший ого́нь. 1. *Ряз., Перм.* Светящаяся в темноте гнилушка. 2. *Влад.* Растение семейства вьюнковых повой заборный. СРНГ, 19, 69-70.

Накла́сть ого́нь (огня́). *Волог.* Развести огонь. СВГ 5, 43.

Ого́нь да вода́. *Народн. Шутл.* Водка. ДП, 793.

Пройти́ [сквозь] ого́нь [и] во́ду [и ме́дные тру́бы]. *Разг.* 1. Многое испытать в жизни, приобрести жизненный опыт. 2. Иметь сложное, небезупречное прошлое, быть пройдохой. 3. Быть женщиной лёгкого поведения. ФСРЯ, 294; БТС, 139, 529, 1347; БМС 1998, 416–417; ДП, 477; Мокиенко 1990, 118.

Промете́ев ого́нь. *Книжн.* Дух благородства, неугасимое стремление к достижению высоких целей. < Из древнегреческой мифологии. ФСРЯ, 294; БМС 1998, 417-418.

Распали́ть ого́нь. *Волг.* Привести кого-л. в крайне возбужденное состояние. Глухов 1988, 139.

Хоть в ого́нь, хоть в во́ду. *Волг.* О смелом, решительном человеке. Глухов 1988, 168.

ОГОРО́Д * Городи́ть огоро́д. *Прост.* 1. Затевать какое-л. хлопотное и безуспешное дело. БМС 1998, 418; БТС, 221; ЗС 1996, 101; ФСРЯ, 294. 2. *Неодобр.* Говорить вздор, ерунду. ЗС 1996, 333; Глухов 1988, 26; ФСС, 47; СПП 2001, 58.

Хоть огоро́д подопри́, хоть в пря́сло клади *кого. Перм. Шутл.-ирон.* О послушном, согласном на всё человеке. Подюков 1989, 153.

В огоро́де бузина́, а в Ки́еве дя́дька. *Народн. Шутл.-ирон.* О полной бессмыслице, чепухе, нелогичности чьих-л. рассуждений. Жук. 1991, 59.

В чужо́м огоро́де капу́сту сади́ть. *Народн.* Заботиться о чужих делах. ДП, 623.

На́шему (моему́) огоро́ду двою́родный плете́нь. *Прост. Шутл.-ирон.* Об очень дальнем родственнике. ЯОС 6, 121; Максимов, 250.

ОГОРО́ДА * Выходи́ть за огоро́ду. *Арх.* Выходить замуж раньше старшей сестры. АОС 8, 370.

Пойти́ в огоро́ду. *Кар.* Нарушить уговор, слово. СРГК 4, 141.

ОГОРОЖЁНКА * Ходи́ть огорожёнкой. *Волог.* Участвовать в коллективной работе по изготовлению изгороди вокруг пастбища. СВГ 6, 24.

ОГРАНИЧИ́ТЕЛЬ * Ограничи́тели полёта души́. *Жарг. мол. Шутл.* Родители. (Запись 2004 г.).

ОГРЁБ * Брать огрёбом. *Волг.* Захватывать, присваивать что-л. Глухов 1988, 6.

ОГРЫ́ЗОК * Огры́зок сча́стья. *Жарг. арм. Шутл.-ирон.* Порция масла. Максимов, 284.

Соба́чий огры́зок. *Прост. Устар. Бран.* О ничтожном, не стоящем внимания человеке. Мокиенко, Никитина 2003, 230.

ОГУ́ЗЬЕ * Ки́сло огу́зье. *Печор. бран.* О ничтожном человеке. СРНГП 1, 507. < **Огу́зье** — задняя часть тела, ягодицы.

ОГУ́ЗЬЕЧКО * Ки́слое штаново́е огу́зьечко. *Печор. Бран.* О мерзком, негодном мужчине. СРНГП 1, 507; 2, 452. < **Огу́зьечко** — заднаяя часть тела, ягодицы.

ОГУ́Л * Под огу́л. *Калуж., Новг.* Оптом, всё сразу. СРНГ 22, 361; НОС 6, 132.

Не дава́ть /не дать огу́лу. *Пск.* Не говорить о чём-л., молчать, скрывая что-л. СПП 2001, 58.

ОГУРЕ́Ц * Ри́мский огуре́ц. *Книжн.* О чрезмерном преувеличении чего-л. < Восходит к басне И. А. Крылова «Лжец» (1812 г.).

Хвати́ть огурца́. *Пск. Шутл.* Захлебнуться при купании в водоёме. (Запись 2001 г.).

ОГУ́РЧИК * Хвати́ть огу́рчика. *Разг. Шутл.* То же, что **Хвати́ть огурца́.** (Запись 1976 г.).

ОДВА́ * Одва́ — не одва́. *Арх.* С трудом, еле-еле. СРНГ 23, 6.

ОДЕ́ЖДА (ОДЁЖДА) * Деревя́нная одёжда. *Брян. Ирон.* Гроб. СБГ 5, 16.

Ро́зовые оде́жды. *Книжн. Ирон.* О чём-л., выдаваемом за идеал, приукрашиваемом. Мокиенко 2003, 66.

ОДЕКОЛО́Н * Ходи́ть на одеколо́нах. *Прибайк.* Модничать, наряжаться. СНФП, 105.

Одеколо́ну наню́хаться. *Пск. Ирон.* Пожить в городе, приобщиться, привыкнуть к городской жизни. СПП 2001, 58.

ОДЁР * Одёр тебя́ одери́! *Алт. Бран.* Восклицание, выражающее гнев, негодование в чей-л. адрес. СРГА 3-1, 189.

ОДЕ́ССА * Оди́н в Оде́ссе. *Разг. Одобр.* Прекрасный, превосходный (г. Одесса). НВ, 1997, № 50, 48; Смирнов 2002, 148.

Приня́ть на Оде́ссу *кого. Жарг. арм., мол.* Ударить кого-л. головой в лицо. Лаз., 129.

ОДЕЯ́ЛО * Взять одея́ло на себя́. *Жарг. угол.* Признаться в совершенном преступлении. Балдаев 1, 63.

Тяну́ть (перетя́гивать, стя́гивать, тащи́ть) одея́ло на себя́. *Нов. Разг.* 1. Действовать в собственных интересах, с выгодой для себя. БСРЖ, 395; Ф 2, 213. 2. Привлекать излишнее внимание к себе. НРЛ-81; Мокиенко 2003, 66.

Под кра́сным одея́лом. *Разг. Шутл.* Женское общежитие фабрики «Красное знамя» в Ленинграде — Санкт-Петербурге (Барочная ул., 1). Синдаловский, 2002, 144.

ОДИ́Н * Би́ться оди́н об одного́. *Дон.* 1. Находиться в тесноте. 2. Мешая друг другу, ничего не делать. СДГ 1, 30; СРНГ 23, 22.

Есть оди́н одного́. *Сиб.* Вредить, постоянно причинять неприятности друг другу. ФСС, 68.

Оди́н в оди́н (в одного́). *Разг.* 1. Совершенно одинаковы (по величине, качеству и т. п.). ФСРЯ, 295. 2. Абсолютно точно, абсолютно одинаково. Житинский, 89.

Оди́н как есть. *Прост. часто Шутл.* Об очень одиноком человеке. БМС 1998, 419.

Оди́н к одному́. *Разг.* 1. *Одобр.* Об одинаковых по величине и качеству предметах, обычно хороших, крепких и т. п. 2. О полном тождестве каких-л. предметов. БМС 1998, 418; ФСРЯ, 295; Глухов 1988, 115; Мокиенко 1990, 107.

Оди́н на оди́н. *Разг.* 1. Наедине, без свидетелей. 2. Без союзников, без помощников. ФСРЯ, 295.

Оди́н на одине́. *Ряз.* Одиноко; отдельно. СРНГ 23, 22; ДС, 364.

Один на одно́. *Кар., Прикам.* Совсем один; в одиночку, в одиночестве. СРГК 4, 151; МФС, 68. **Оди́н на́одно.** *Печор.* То же. СРГНП 1, 508.

Оди́н об оди́н. *Кар.* Вплотную. СРГК 4, 151.

Оди́н одина́ковый. *Волог.* Не имеющий семьи, родственников, одинокий. СВГ 6, 30.

Оди́н-одинёхонек. *Прост.* То же, что **Один одинёшенек**. БТС, 700.

Оди́н-одинёхочек. *Ряз.* То же, что **Один одинёшенек**. ДС, 364.

Оди́н-одинёшенек. *Разг.* Совсем, совершенно один. БТС, 700.

Оди́н одни́м. *Волг.* То же, что **один одинёшенек.** Глухов 1988, 115.

Оди́н по одному́. *Кар.* Одному за другим, каждому. СРГК 4, 151.

Оди́н под оди́н. *Волг.* Об очень похожих, одинаковых предметах, людях. Глухов 1988, 116.

Оди́н под одни́м (под одного́). *Волг.* О множестве маленьких детей. Глухов 1988, 116.

Оди́н (оды́н), совсе́м оди́н (оды́н). *Жарг. шк. Шутл.* Оценка «единица». (Запись 2002 г.). < Фраза из популярного анекдота.

За одни́м. *Кар.* Вместе с чем-л. другим, попутно, заодно. СРГК 4, 150.

Одного́ не хвата́ет *[у кого]. Пск. Ирон.* О глупом, умственно неполноценном человеке. СПП 2001, 58.

Переска́кивать с одного́ на друго́е. *Разг.* Говорить бессвязно, непоследовательно. Ф 2, 41.

С одного́. *Волог.* Подряд. СВГ 6, 30.

К одному́. *Кар.* То же, что **за одним.** СРГК 4, 150.

Не по одному́. *Кар.* Неодинаково, поразному. СРГК 4, 150.

ОДИНА́РКА * В одина́рку. *Приамур., Сиб.* 1. В одну нитку, в одно полотно. 2. Одиноко. ФСС, 126; СРГПриам., 44.

ОДИНА́РНИК * Запряга́ть в одина́рник [мо́жно] *кого. Волг.* О сильном, здоровом человеке. Глухов 1988, 50.

Хоть в одина́рник запряга́й *кого. Волг.* То же, что **запрягать в одинарник.** Глухов 1988, 168.

ОДИНА́ЧЕСТВО * Не в одина́честве. *Кар.* Неодинаково. СРГК 4, 152.

По одина́честву. *Прикам.* В отдельности от других, поодиночке. МФС, 68.

ОДИНА́ЧКА * По одина́чке (оди́нке). *Кар.* По одному. СРГК 4, 152.

ОДИНА́ЧЬЕ * В одина́чье. *Кар.* Один раз. СРГК 4, 152.

ОДИ́НКА * На оди́нке. *Кар.* Поодаль, на отшибе. СРГК 4, 152.

По оди́нке. См. **По одиначке (ОДИНАЧКА).** СРГК 4, 152.

ОДИ́НЩИНА * За оди́нщину. *Кар.* Дружно, заодно. СРГК 4, 153.

ОДНА́ * Одна́ одина́чина. *Яросл.* Об одинокой женщине. ЯОС 7, 35.

Одна́ под одну́. *Сиб.* То же, что **один к одному 1. (ОДИН).** ФСС, 126.

Ни о́дной. *Пск.* 1. Абсолютно ничего, нисколько, ничуть. 2. Никогда, ни разу. СПП 2001, 58.

Ни одно́й не́тути. *Урал.* решительный отказ на просьбу дать что-л. СРНГ 21, 214.

Одну́ на одну́. *Прикам.* Наедине, без свидетелей. МФС, 69.

ОДНЁРКА * Однёрка по однёрке. *Кар.* По одному. СРГК 4, 154.

ОДНО́ * Вы́вести на одно́ то. *Арх.* Настоять на своём. АОС 6, 135.

Одно́ в одно́. 1. *Разг. Устар.* То же, что **одно к одному.** ФСРЯ, 295. 2. *Волг.* Одинаково. Глухов 1988, 116.

Одно́ за друго́е захо́дит. *Волг.* Об экономии, запасах, имеющихся у кого-л. Глухов 1988, 116.

Одно́ к одному́. 1. *Разг.* Заодно. ФСРЯ, 295; ЗС 1996, 392. 2. *Волг.* То же, что **одно за другое заходит.** Глухов 1988, 116.

Одно́ при одно́м. *Кар.* Одновременно. СРГК 4, 151.

Подгоня́ть/ подогна́ть под одно́. *Волг.* Выравнивать что-л.; объединять что-л. Глухов 1988, 124.

Одно́ва́ * Говори́ть с одно́ва. *Арх.* Повторять одно и то же. СРНГ 6, 256.

Однова́ дыхну́ть. *Пск.* Формула заклинания, клятвы. СРНГ 23, 37. < **Однова** — один раз.

С однова́. *Кар.* Заодно, попутно. СРГК 4, 151, 154.

ОДНОГЛА́ЗЫЙ * Одногла́зый размечта́лся. *Жарг. мол. Шутл.-ирон.* О безнадёжном деле. Максимов, 285.

ОДНО́ЙКА * По одно́йке. *Кар.* По одному. СРГК 4, 156.

ОДНОРУ́ЧКА * В одноручку. *Приамур.* С одной ручкой (об инструменте). СРГПриам., 44.

ОДНОРЯ́ДКА * В одноря́дку. *Кар.* 1. В один ряд; в один слой. 2. В небольшом количестве. СРГК 4, 157.

ОДНОРЯ́ДЬЕ * В одноря́дье. *Кар.* То же, что **в однорядку 1.** СРГК 4, 157.

ОДНОСУ́ТКИ * В односу́тки. *Кар.* В течение суток. СРГК 4, 158.

ОДНОЧА́СЬЕ * В одноча́сье. *Прост., Публ.* Очень быстро, мгновенно, сразу. СП, 150.

ОДОБРЯ́МС * По́лный (всео́бщий) одобря́мс. *Разг. Ирон.* Показное единодушие при одобрении любых решений КПСС и Советского правительства в доперестроечный период. СП, 140; Мокиенко 2003, 66.

ОДОЛИ́ * Одоли́ беру́т *кого. Олон.* О состоянии изумления, удивления. СРНГ 23, 58.

ОДР * Лежа́ть на одре́. 1. *Сиб.* Тяжело болеть. СРНГ 16, 330; СФС, 99; ФСС, 109. 2. *Новг.* Быть парализованным. НОС 5, 13. 3. *Алт., Сиб.* Быть при смерти. ФСС, 109; СРГА 3-1, 17.

На сме́ртном одре́. *Книжн.* При смерти; в состоянии, близком к смерти. ФСРЯ, 296.

ОДРИ́ЩЕ * Лежа́ть на одри́ще. *Яросл.* То же, что **лежать на одре (ОДР).** ЯОС 5, 125.

ОДУБЕ́Й * Пойма́ть одубе́я. *Курск.* Умереть. СРНГ 23, 65.

ОДУВА́НЧИК * Бо́жий одува́нчик. 1. *Разг. Ирон.* Старый, дряхлый, тихий и беззащитный человек (чаще — о кроткой, безобидной старой женщине). БТС, 88; СПП 2001, 58. 2. *Жарг. музейн. Шутл.-ирон.* Смотрительница музея (обычно интеллигентная старушка). БСРЖ, 395. 3. *Жарг. шк. Шутл.-ирон.* Студент-практикант. Максимов, 38. 4. *Жарг. мол. Шутл.* Девушка с химической завивкой волос. Максимов, 38.

Одува́нчик полево́й. *Жарг. шк. Шутл.* Учитель ботаники. (Запись 2003 г.).

ОДУ́М * Свои́м оду́мом. *Смол.* По своему решению, по собственной воле. СРНГ 23, 67.

О́ЖЕГ * Дава́ть о́жегу *кому. Кар.* Бить, избивать кого-л. СРГК 4, 163.

ОЖЕМУ́ЛЬКА * Дать ожему́льку *кому. Кар.* Ударить, шлепнуть кого-л. СРГК 4, 162.

ОЖИДА́НЬЕ * Пойти́ в ожида́нье. *Арх.* Ожидать кого-л., чего-л. СРНГ 23, 80.

Потеря́ть ожида́нье. *Тамб.* Перестать надеяться на что-л. СРНГ 23, 79.

ОЗВЕРИ́Н * Нае́сться озвери́ну. *Жарг. мол. Шутл.* Начать вести себя агрессивно, провокационно. Максимов, 266.

ОЗЁРКО * Нали́ть с озёрком. *Кар.* Налить в сосуд слишком много жидкости, перелить через край. СРГК 3, 349; СРГК 4, 165.

О́ЗЕРО * Лебеди́ное о́зеро. *Жарг. шк. Шутл.* Классный журнал успеваемости. < Ср.: **лебедь** — двойка, неудовлетворительная оценка. (Запись 2003 г.).

Окуну́ть в о́зеро *кого. Жарг. угол.* Утопить жертву в ванне. Балдаев 1, 290; ББИ, 160; Мильяненков, 182.

Разводи́ть лебеди́ное о́зеро. *Жарг. мол. Шутл.* Устраивать чаепитие. Максимов, 219.

Танцева́ть «Лебеди́ное о́зеро». *Жарг. мол. Шутл.-ирон.* О походке пьяного человека. Максимов, 219.

ОЗЯ́БЫШКИ * Игра́ть в озя́бышки. *Прост. Шутл.* Замерзать, зябнуть. БМС 1998, 419; Мокиенко 1990, 153.

ОКА́ЗИЯ * Сделать на ока́зию *что. Перм., Прикам.* Удивить, поразить кого-л. чем-л. необычным.СПГО, 390; МФС, 89; СРНГ 23, 107.

ОКА́Т * На ока́т. *Кар.* Покато, полого (о наклонной плоскости). СРГК 4, 171.

ОКЕА́Н * Возду́шный океа́н. *Публ.* Атмосфера, воздушное пространство. Ф 2, 17.

За океа́н. *Публ.* В Америку (особенно — в США). Мокиенко 2003, 67.

Пя́тый океа́н. *Публ.* 1. То же, что **воздушный океан.** 2. Космос, космическое пространство. Мокиенко 2003, 67.

За океа́ном. *Публ.* В Америке (особенно — в США). Мокиенко 2003, 67.

ОКЛА́Д * Окла́д в полтора́ у́ха. *Жарг. арм. Шутл.-ирон.* Высокий оклад офицера, который проходит службу на Севере. < По виду форменной зимней шапки. Югановы, 152.

ОКЛАДНО́Е * Пить окладно́е. *Кар.* Отмечать выпивкой закладку нового дома. СРГК 4, 174.

ОКЛЁВКИ * Ку́ричьи оклёвки. *Новг.* Растение куриная слепота. НОС 6, 150.

ОКЛЁВЫШИ * Кури́ные оклёвыши. *Новг.* То же, что **куричьи оклевки (ОКЛЕВКИ).** НОС 6, 150.

О́КЛИК * Сде́лать о́клик. *Горьк.* Созвать всех или многих на помощь. БалСок., 48.

Задава́ть о́клики. *Новг.* Уведомлять священника о предстоящей свадьбе. НОС 3, 23.

ОКНО́ * Грызть о́кна. *Народн.* То же, что **стоять под окном.** ДП, 96; СРНГ 7, 179.

Из окна́ прода́ть. *Волг., Прикам. Одобр.* О чём-л. очень красивом. Глухов 1988, 57, 134; МФС, 82.

Под о́кна подходи́ть. *Сиб. Устар.* То же, что **стоять под окном.** ФСС, 141; СРНГ 28, 240.

Посади́ть за кра́сные о́кна *кого. Дон.* Отправить кого-л. в тюрьму. СДГ 3, 45; СРНГ 30, 134.

Прогляде́ть все о́кна. *Кар.* Долго ждать кого-л., глядя в окна. СРГК 4, 177.

Окно́ в Евро́пу. 1. *Книжн.* О Санкт-Петербурге, с основанием которого Россия получила выход к Балтийскому морю. БМС 1998, 419; ЗС 1996, 114; БТС, 708. 2. *Жарг. арм. Шутл.-ирон.* Контрольно-пропускной пункт. Максимов, 126. 3. *Жарг. арм. Шутл.* Дыра в заборе. Максимов, 126. < Выражение из поэмы А. С. Пушкина «Медный всадник». БМС 1998, 419.

Окно́ в мир. *Жарг. арм. Шутл.-ирон.* То же, что **окно в Европу 2-3.** Максимов, 248.

Плю́дать в окно́. *Ряз. Неодобр.* Бездельничать. ДС, 405. < **Плюдать** — плевать.

Расконопа́тить окно́ *кому.* 1. *Жарг. угол., гом.* Совершить акт мужеложства с кем-л. 2. *Жарг. угол., мил.* Заставить кого-л. говорить правду. УМК, 146. ББИ, 206.

Стоя́ть под окно́м. *Народн.* Просить милостыню. ДП, 113.

Без о́кон, без двере́й, полна́ го́рница солда́т. *Жарг. арм. Шутл.* Казарма. Кор., 39.

О́КО * А́ргусово о́ко. *Книжн.* О бдительном, всевидящем стороже. < Восходит к греческой мифологии. БМС 1998, 419.

Всеви́дящее о́ко. *Книжн.* О человеку, которому все известно, от которого ничего нельзя утаить. БТС, 158; Янин 2003, 73; ШЗФ 2001, 46.< Восходит к христианской символике. БМС 1998, 419.

Недрема́нное о́ко. 1. *Книжн. Ирон.* О бдительном, неусыпном надзоре, наблюдении. БМС 1998, 419; Мокиенко 1986, 79. 2. *Жарг. студ. Шутл.-ирон.* О старосте учебной группы. Максимов, 273. < По названию сказки М. Е. Салтыкова-Щедрина.

О́ко за о́ко, зуб за зуб. *Книжн.* О мести, отплате за причиненное зло той же мерой. < Выражение из Библии. Жук. 1991, 237; БМС 1998, 420; ДП, 139; Мокиенко 1968, 77.

[Хоть] ви́дит о́ко, да зуб неймёт. *Разг. Шутл.* О чём-л. недоступном. Мокиенко 1986. < Выражение из басни И. А. Крылова «Лисица и виноград» (1808 г.). БМС 1998, 419; Жук. 1991, 68.

Ца́рское о́ко. *Книжн. Устар.* О царских наместниках. < Калька с греческого. БМС 1998, 420.

В оча́х. *Арх.* Явно, в присутствии кого-л. СРНГ 23, 131.

В оча́х не стои́т *у кого. Волг.* О чём-л., о ком-л. отсутствующем, забытом. Глухов 1988, 55.

Не снима́ть оче́й *с кого. Кар.* Долго и пристально смотреть на кого-л., на что-л. СРГК 4, 177.

Сокры́ться от оче́й *кого, чьих. Книжн.* Удалиться прочь от кого-л., исчезнуть, оставляя кого-л. Ф 2, 173.

В му́тны о́чи песку́ сы́пать *кому. Перм.* Смеяться над обескураженным человеком. СРНГ 19, 29.

Возвести́ о́чи горе́. *Книжн. Устар.* 1. Поднять глаза к небу. 2. Выражение ложного смирения, притворства. < В церковной литературе наречие **горе́** — 'вверх' (местный падеж сущ.

гора) приобрело значение 'устремляясь к небу, обители Бога'. БМС 1998, 420.

В óчи льсти́т, а за глаза́ кости́т. *Народн. Неодобр.* О двуличном человеке. Жиг. 1969, 216.

В óчи хвали́т, а за óчи хули́т. *Народн. Неодобр.* То же, что **в очи льстит, а за глаза костит.** Жиг. 1969, 207.

Закати́ть óчи под лоб. *Народн.* 1. Испугаться. обмереть.2. Умереть. ДП, 398.

Опуска́ть óчи дóлу. *Книжн.* 1. Опускать глаза. 2. Выражение притворной кротости, скромности. < В древнерусских памятниках слово **долу** имеет значение 'вниз'. БМС 1998, 420.

О́чи орли́ные, а кры́лья комари́ные *у кого. Народн. Неодобр.* О хвастуне. Жиг. 1969, 233.

Па́чкать óчи. *Кар. Неодобр.* Лгать, обманывать. СРГК 4, 416, 353.

Позади́ óчи. *Белом.* В отсутствие кого-л. (говорить, сказать что-л.). Мокиенко 1990, 26.

Представа́ть/ предста́ть перед óчи *кого, чьи. Книжн.* Являться, появляться перед кем-л. Ф 2, 86.

ОКОЛЕ́СИНА * Нести́ околе́сину. См. **Нести околесицу (ОКОЛЕСИНА).**

ОКОЛЕ́СИЦА * Дать околе́сицу. *Казан.* Проехать в обход, объехать что-л. СРНГ 23, 138.

Гну́ть околе́сицу. *Костром. Неодобр.* То же, что **нести околесицу.** СРНГ 23, 138.

Городи́ть околе́сицу (околе́сную). *Народн.* То же, что **нести околесицу.** СРНГ 23, 138; ДП, 411.

Коле́дить околе́сицу. *Урал. Неодобр.* То же, что **нести околесицу.** СРНГ 14, 122.

Нести́ околе́сицу (околе́сину, околе́сную). *Прост. Неодобр.* Говорить глупости, чепуху, вздор. БМС 1998, 420; ЗС 1996, 249, 332; Глухов 1988, 105; Мокиенко 1990, 84; ФСРЯ, 296.

Плести́ околе́сицу. *Прикам., Сиб. Неодобр.* То же, что **нести околесицу.** МФС, 75; СФС, 132; Ф 2, 49; СРНГ 23, 138.

Туру́сить околе́сицу. *Перм. Неодобр.* То же, что **нести околесицу.** СРНГ 23, 138.

ОКОЛЕ́СНАЯ * Городи́ть околе́сную. См. **Городить околесицу (ОКОЛЕСИЦА).**

Колеси́ть околе́сную. *Народн. Неодобр.* То же, что **нести околесицу (ОКОЛЕСИЦА).** СРНГ 14, 126.

Нести околе́сную. См. **Нести околесицу (ОКОЛЕСИЦА).**

ОКОЛЕ́ТЬЕ * Околе́тья нет *кому. Кар. Бран.* О человеке, вызывающем гнев, раздражение. СРГК 4, 180.

ОКО́ЛИЦА * Гляде́ть за око́лицу. *Морд.* Доживать жизнь. СРГМ 1978, 115.

Во всю око́лицу. *Обл.* Очеь громко (кричать). БТС, 708.

Дать око́лицу. *Обл.* Пройти лишнее расстояние. Мокиенко 1990, 111.

ОКОЛО́ТКА * Во всю околóтку. *Кар.* Очень громко. СРГК 4, 182.

ОКОЛО́ТНАЯ * Нести́ околóтную. *Яросл. Неодобр.* Тратить много времени, усилий, выполняя какую-л. работу. ЯОС 6, 141.

ОКОНЧА́НИЕ * Не́рвные оконча́ния. *Жарг. шк. Шутл.-ирон.* Выпускные экзамены. Максимов, 274.

ОКО́П * Око́п для стрельбы́ сто́я с ло́шади. *Жарг. арм. Шутл.-ирон.* Очень глубокая яма, которую заставляют рыть в качестве наказания. Кор., 195.

Сиде́ть в око́пах. *Жарг. шк. Шутл.-ирон.* Прятаться от взгляда учителя за спины сидящих впереди. (Запись 2003 г.).

ОКОРЕ́НЬЕ * В окоре́нье. *Алт.* Совершенно, совсем, окнчательно. СРГА 1, 165.

О́КОРОК * Шевели́ть окорока́ми. *Жарг. мол. Шутл.* Быстро бежать. (Запись 2004 г.).

ОКОРОЧО́К * Кури́ные окорочка́. *Жарг. мол. Шутл.* Проститутки. Максимов, 214.

Сде́лать окорочка́. *Жарг. мол. Шутл.* Уйти откуда-л. Максимов, 286.

Шевели́ть окорочка́ми. *Жарг. мол. Шутл.* Быстро идти, шагать. Вахитов 2003, 203.

ОКО́ШЕЧКО * Бра́тское око́шечко. *Жарг. карт.* Четвёрка (игральная карта). СРВС 3, 183.

ОКО́ШКО * Из-под око́шек. *Жарг. комп.* То же, что **под окошками.** Садошенко, 1995; Ваулина, 94.

Око́шка игра́ют. *Прикам.* Об отблесках солнца или огня в окне. МФС, 69.

Идти/ ходи́ть по око́шкам. *Ряз.* Побираться, нищенствовать. ДС, 205; СРНГ 12, 77.

Под око́шками. *Жарг. комп.* О работе в системе MS WINDOWS. < Англ. *windows* — 'окна'. Садошенко, 1995; Ваулина, 94.

Око́шки мелкомя́гкие. *Жарг. комп. Шутл.* Операционная система MS WINDOWS. Садошенко, 1996. < Англ. *windows* — окна.

Бра́тское око́шко. *Жарг. карт.* Шестёрка (игральная карта). ТСУЖ, 121; Балдаев 1, 290; ББИ, 160. // Шестёрка, которую используют для подделки. СРВС 3, 107; ТСУЖ, 23.

ОКРА́ИНА * На окра́инах Пари́жа. *Жарг. шк. Шутл.* На последней парте. Вахитов 2001, 135.

ОКРО́ШИНКА * Ни окро́шинки. *Кар.* Нисколько. СРГК 4, 189.

ОКРО́ШКА * Окро́шка из пома́ды. *Жарг. мол. Шутл.-ирон. или Пренебр.* Об очень глупой девушке. Максимов, 286.

О́КРУГ * Арба́тский вое́нный о́круг. *Жарг. жарн., полит.* Комплекс зданий Министерства обороны и Генштаба на Новом Арбате. 2. Министерство обороны РФ. МННС, 14.

ОКРУ́Г * Поста́вить на окру́г. *Арх.* Окружить кого-л. со всех сторон. СРНГ 23, 165; СРНГ 30, 209.

ОКРУ́ЖНОСТЬ * Брать/ взять окру́жность. *Дон.* 1. Идти дальним путем, в обход. 2. Окружать кого-л., что-л. СДГ 1, 39.

В окру́жности. *Кар.* Вместе, в совокупности. СРГК 4, 190.

ОКУ́ЛЬКА * На оку́льку. См. **На оку́лю (ОКУЛЯ).**

ОКУ́ЛЯ * На оку́лю (оку́льку). *Кар.* Неправильно, небрежно сложенный, с нижним краем, выступающим из-под верхнего (о платке). СРГК 4, 193.

Оку́ля беспя́тная. *Вят. Бран.* О женщине, вызывающей раздражение, досаду, негодование. СРНГ 23, 173.

О́КУНЬ * Лови́ть окуне́й. *Ворон. Шутл.* Дремать сидя. СРНГ 17, 101. Ср. **пойма́ть ры́бу**

Солёные о́куни. *Кар. Шутл.* Квас с хлебом. СРГК 4, 193.

ОКУ́РОК * Оку́рок жи́зни. *Жарг. мол.* 1. *Шутл.-ирон. или Презр.* Об умственно отсталом человеке. 2. *Бран.* О человеке, вызывающем досаду, раздражение, гнев. Максимов, 286.

Оку́рок сча́стья. *Жарг. мол. Пренебр.* О человеке маленького роста. Максимов, 286.

ОЛЁНКА * Не Олёнку в пелёнках оста́вила. *Прикам. Шутл.* 1. Об отсутствии обременяющих обстоятельств. 2. О ситуации, когда человеку нечего терять, не о чем сожалеть. МФС, 70.

ОЛЕ́НЬ * Оле́нь — золоты́е рога́. *Жарг. мол. Пренебр.* Об очень глупом человеке. Максимов, 287.

Оле́нь с разве́систыми рога́ми. *Жарг. угол. Ирон. или Пренебр.* Наивный, неопытный человек, не принадлежащий к преступному миру. Р-87, 245; УМК.

Оле́нь хвост обмочи́л. *Горьк.* О запрете купания после Ильина дня (2 августа). БалСок., 48.

Се́верный оле́нь. *Жарг. угол. Шутл.-ирон.* Представитель народностей Севера. Балдаев 2, 34.

Фарширо́ванный оле́нь. 1. *Жарг. угол. Пренебр.* Наивный интеллигент. УМК, 146; Быков, 141. 2. *Жарг. мол. Ирон.* Эрудит, знаток. Максимов, 287.

Проби́ть оле́ня. *Жарг. арм.* Ударить в лоб кого-л. Максимов, 287.

Е́хать на оле́нях. *Жарг. арест.* Тюремная игра, унижающая достоинство человека. ТСУЖ, 53.

О́ЛОВО * Лить о́лово. *Кар., Новг.* Гадать, пытаться предсказать судьбу с помощью расплавленного олова. СРГК 3, 131; НОС 6, 166.

О́ЛУХ * О́лух царя́ небе́сного. *Прост. Пренебр.* Глупец, простофиля, недотёпа. ФСРЯ, 29297; БМС 1998, 421; БТС, 1458; ДП, 437; СПП 2001, 58.

Спи́лись о́лухи. *Жарг. мол. Шутл.* Спелеологи. Максимов, 400.

ОМЁТ * Ходи́ть к омёту. *Моск.* Гадать, выдёргивая соломинку из стога (если соломинка с колосом — жених будет богатый, если без колоса — бедный). СРНГ 23, 200.

О́МЕХ * О́мех напха́ть. *Ряз. Неодобр.* О чрезмерной жадности к чему-л. ДС, 369.

ОМО́Н * ОМО́Н Менту́ровна. *Жарг. студ. Презр.* Вахтёрша в студенческом общежитии. Максимов, 287.

Шко́льный ОМО́Н. *Жарг. шк. Презр.* Педагогический коллектив школы. ВМН 2003, 95.

О́МОРОК См. **ОБМОРОК.**

О́МУТ * Броса́ться/ бро́ситься в о́мут с голово́й. *Прост.* Безрассудно решаться на какой-л. смелый, отчаянный поступок. Ф 1, 44.

В о́мут бо́ком *кого. Новг. Бран.* О нежелании продолжать общение с кем-л. Сергеева 2004, 23.

О́мут боло́тный! *Новг. Бран.* О человеке, вызвавшем гнев, негодование, раздражение. НОС 6, 169.

О́мут возьми! *Кар.* Восклицание, выражающее гнев, досаду, раздражение. СРГК 4, 200.

О́мут глубо́кий. *Новг. Пренебр.* О ничтожном, жалком человеке. НОС 6, 169.

Попа́сть в о́мут. *Сиб.* Оказаться в сложном, безвыходном положении. Мокиенко 1986, 115; Мокиенко 1990, 137.

Ти́хий о́мут. 1. *Разг. Неодобр.* О человеке скромном, спокойном, но способном обмануть это первое впечатление. БМС 1998, 421. 2. *Жарг. шк. Шутл.-ирон.* Урок. ВМН 2003, 95.

Хоть в о́мут бро́сься. *Новг.* О тяжёлом, безвыходном положении. Сергеева 2004, 217.

До о́мута. *Новг.* О большом количестве чего-л. НОС 6, 169; Сергеева 2004, 158.

Ни о́мута. *Пск.* Абсолютно ничего (не знать). Ивашко, 1979.

ОМЯ́ГА * Омя́га тебе́ в бок! *Олон. Бран.* Восклицание, выражающее гнев, негодование, раздражение в чей-л. адрес. СРНГ 23, 212.

Насказа́ть вся́кой омя́ги. *Олон. Шутл.-ирон. или Неодобр.* Наговорить глупостей, ерунды. СРНГ 23, 212. < **Омяга** — 1. Ядовитая трава; сорная трава. 2. Слежавшаяся солома.

ОН * Сказа́ть, чтоб довоева́ли без него́. *Арм. Ирон.* Погибнуть. Максимов, 387.

Ни в нём ни на нём. *Волг. Ирон.* О крайне бедном, неимущем человеке. Глухов 1988, 108.

ОНА́ * Вот она́ была́ и не́ту. *Жарг. арм. Шутл.-ирон.* О посылке из дома. Максимов, 51.

ОНАНИ́ЗМ * Занима́ться онани́змом. *Жарг. шк. Шутл.* Бездельничать на уроке. (Запись 2003 г.).

Занима́ться онани́змом головно́го мо́зга. *Жарг. студ. Шутл.* Усиленно изучать что-л. (обычно — в период сессии). Никитина 1998, 291.

ОНЁРЫ * Со все́ми онёрами. *Разг. Устар.* 1. Со всем, что полагается, что необходимо. 2. Со всеми подробностями. < **Онёры** — козырные карты от десятки до туза, которые в некоторых играх засчитываются особо. БМС 1998, 421; ФСРЯ, 297.

ОНИ́ * Они́ стоя́т на́смерть. *Жарг. арм. Шутл.* О грязных портянках. Максимов, 270.

О́НИК * С о́ника. *Разг. Устар.* Сразу же, тотчас, с первого шага. < Из терминологии карточных игр. БМС 1998, 422; Грачев, Мокиенко 2000, 146.

ОНУ́ЧИ * Бо́говы (Христо́вы) ону́чи. *Смол., Ворон.* Тонкие блины из пшеничной муки, которые пекут на Вознесенье. СРНГ 23, 227.

Суши́ть ону́чи. 1. *Перм. Шутл.* Отдыхать, лежать без дела. Подюков 1989, 200. 2. *с кем. Народн.* Быть в близких отношениях, дружить с кем-л. СРНГ 23, 227.

< **Онучи** — портянки; кухонные тряпки.

ОНУ́ЧКА * На одно́й ону́чке су́шены. *Народн.* О близких родственниках. ДП, 389; СРНГ 23, 288.

Ону́чки в ку́чки. *Кар.* 1. О сжавшемся, застывшем в неподвижности человеке. СРГК 3, 80. 2. О состоянии бессилия, крайней усталости. СРГК 4, 201.

Хоть ону́чки суши́. *Орл., Курск. Шутл.* О краснощёком, пышущем здоровьем человеке. СРНГ 23, 228.

Жева́ть ону́чку. *Курск. Шутл.-ирон.* 1. Болтать чепуху, ерунду. 2. Видеть странный, нелепый сон.

< **Онучка** — портянка; подстилка; кухонная тряпка.

ОПАКИ́ША * На опаки́шу. *Кар.* Неправильно, не так, как надо. СРГК 4, 202.

ОПА́С * Опа́с (опа́сная) на тебя́ (на него́ и т. п.**)!** *Сиб. Бран.* Восклицание, выражающее гнев, негодование, раздражение в чей-л. адрес. СРНГ 23, 239, 241; ФСС, 126. < **Опас, опасная** — сибирская язва.

ОПА́СНА * Опа́сны на тебя́ (на него́ и т. п.**) нет!** *Сиб. Бран.* То же, что **опас на тебя! (ОПАС). < Опасна** — сибирская язва. СРНГ 23, 241; ФСС, 127.

ОПА́СНАЯ * Опа́сная на тебя́ (на него́ и т. п.**)!** См. **Опас на тебя! (ОПАС).**

ОПА́СНЫЙ * Иди́ к опа́сному (к опа́сным)! *Сиб. Бран.* То же, что **опас на тебя! (ОПАС).** СРНГ 23, 241; ФСС, 126.

ОПА́РА * Ки́снуть на опа́ре. *Сиб. Неодобр. Пренебр.* Делать что-л. крайне медленно, лениво. ФСС, 93.

Прийти́ с опа́рой. *Кар.* Вернуться со сватовства с отказом. СРГК 4, 204.

Вали́ опа́ру под го́ру. *Арх. Шутл.* Об окончании поста. СРНГ 23, 235.

Нали́ть опа́ры [в сапоги́] *кому. Кар.* Отказать при сватовстве. СРГК 3, 349; СРГК 4, 203.

ОПА́ШКА * Иди́ на опа́шку! *Кар.* Убирайся, уходи прочь! СРГК 2, 267; СРГК 4, 208.

ОПЁНОК * Есть бе́шеные опёнки. *Морд.* Очень волноваться, нервничать. СРГМ 1980, 49.

Опёнок с опя́тами. *Жарг. угол.* Револьвер с патронами. < По аналогии с оборотом **маслёнок с маслятами**. Грачев 1997, 43.

О́ПЕРА * Мы́льная о́пера. *Публ. Ирон.* Сериал из цикла семейной мелодрамы, слащавая житейская история. < Калька с англ. *soap opera*. Шулежкова 1994, 4, 75–76; Мокиенко 2003, 67.

Из друго́й (не из той) о́перы. *Разг.* То, что не относится к делу, к теме данного разговора. ФСРЯ, 297; БТС, 285, 715; ЗС 1996, 339, 520.

ОПЕРА́ТОР * Опера́тор маши́нного дое́ния. *Жарг. мол. Шутл.-ирон.* Работник ГАИ-ГИБДД. БСРЖ, 398.

ОПЕРА́ЦИЯ * Идти́ на опера́цию. *Жарг. угол.* Идти на преступление. ТСУЖ, 114.

Опера́ция «Мо́крые штаны́». *Жарг. морск. Шутл.-ирон.* Имитация задержания иностранного судна патрульным кораблём с угрозой проведения досмотра. Кор., 196.

Опера́ция «Но́ги в ру́ки». *Жарг. шк. Шутл.* О срыве урока. (Запись 2003 г.).

Операция «Хрусталь». *Разг. Шутл.* Сдача стеклопосуды. Балдаев 1, 291; ББИ, 161; Елистратов 1994, 531; Юганова, 241.

Опера́ция «Ы». *Жарг. шк. Шутл.* О срыве урока. Максимов, 288.

Де́лать опера́цию. *Жарг. угол.* Воровать. БСРЖ, 398.

ОПИЗДЕНЕ́НИЕ *До опиздене́ния. *Жарг. мол. Неценз.* 1. Сильно, в высшей степени. 2. Много, в большом количестве. Мокиенко, Никитина 2003, 231.

ОПИ́ЛКИ * Жуй опи́лки! *Жарг. мол. Шутл.* До свидания, прощай! Максимов, 133.

О́ПИСЬ * Де́лать/ сде́лать о́пись иму́щества *у кого. Жарг. шк.* Списывать у кого-л. выполненное задание, домашнюю работу. ВМН 2003, 96.

О́пись иму́щества. *Жарг. шк.* Списывание у кого-л. выполненного задания, домашней работы. ВМН 2003, 96.

О́ПИУМ * О́пиум для наро́да. *Публ. Устар.* О религии. ШЗФ, 125.

ОПЛЕУ́ХА * Корми́ть оплеу́хами *кого. Яросл.* Бить, наказывать кого-л. ЯОС 5, 67.

Вшить оплеу́ху *кому. Пск. Шутл.* Дать пощёчину. ПОС 5, 106; Мокиенко 1990, 59.

Поднести́ оплеу́ху *кому. Новг.* Ударить кого-л. НОС 8, 41.

ОПЛЫ́В * В оплы́в. *Сиб.* До краёв, переполнив (налить). ФСС, 127.

ОПО́Й * Опо́й в но́ги спусти́лся *кому. Сиб., Ср. Урал.* Кто-л. сильно пьян, едва стоит на ногах. ФСС, 127; СРГСУ 3, 61.

ОПОЛО́ВНИК * На все ополо́вники горшо́к. *Нижегор. Шутл.-одобр.* Об умелом, мастеровитом человеке. СРНГ 23, 275.

ОПО́Р * Во весь опо́р. 1. *Разг.* Очень быстро. ФСРЯ, 297; БМС 1998, 422; Мокиенко 1986, 48; ЗС 1996, 496. 2. *Пск.* Очень сильно; интенсивно. СПП 2001, 58.

ОПО́РА * Ве́чная опо́ра. *Жарг. шк. Шутл.* Школьная парта. (Запись 2003 г.).

ОПОЧИ́В * Опочи́в держа́ть. *Алт.* Спать, отдыхать. СРГА 3-1, 196.

ОПРАВИ́ЛЫ * Оправи́лы хозя́ина. *Жарг. угол.* Подлинные документы. Балдаев 1, 292; ББИ, 161; Мильяненков, 183. < **Оправилы** — документы.

ОПРЕССО́ВКА * Опрессо́вка суши́лки. *Жарг. нефт. Шутл.* Отсутствие работы, когда бурильщики сидят в сушилке. БСРЖ, 399.

О́ПРИЧЬ * О́причь тебя́ (вас, его́ и пр.) возьми́ (побери́)! *Моск. Бран.* Злое пожелание, проклятье; выражение недовольства, раздражения. Войтенко 1993, 60. < **Опричь** — 1. Припадок, внезапный приступ. 2. Порча, сглаз. 3. Нечистая сила.

ОПРОКИ́Д * Идти́ в опроки́д. *Арх.* Делать что-л., преодолевая препятствия. СРНГ 23, 300.

ОПРОКИ́ДА * Опроки́да Кувырда́евна. *Яросл. Шутл.-ирон.* О женщине, переваливающейся из стороны в сторону при ходьбе. ЯОС 7, 52.

ОПРОКИ́ДКА * На опроки́дку. *Кар.* Об умершем человеке. СРГК 4, 224.

ОПРОКИДО́Н * Соверши́ть опрокидо́н. *Жарг. мол. Шутл.* Выпить спиртного. Максимов, 288.

О́ПРОМЕТЬ * Без о́промети. *Новг.* Очень быстро (бежать). НОС 7, 13.

ОПРОЩА́НИК * Опроща́ник ро́ду христиа́нскому. *Сиб.* Отшельник, нелюдимый человек. СФС, 132.

ОПРЯ́ЖКА * По опря́жкам. *Кар.* Урывками, непостоянно, бессистемно. СРГК 4, 228.

О́ПТОМ * Игра́ть о́птом. *Жарг. шк. (муз.). Шутл.* Играть, не различая, путая мелодию и аккомпанемент. (Запись 2003 г.).

О́птом в полтре́тьего. *Жарг. мол. Шутл.* Никогда. Максимов, 288.

ОПУ́Г * Дава́ть/ дать опу́г *кому. Горьк.* Пугать кого-л. БалСок., 48.

ОПУЗЫРЕ́НИЕ * До опузыре́ния. *Прост. Неодобр.* Излишне много, чрезмерно. НРЛ-81; Мокиенко 2003, 67-68.

ОПУ́ПОК * С опу́пком. *Сиб.* Полностью, до краев (наполнить, набрать). ФСС, 127.

О́ПУХ * Пойти́ в (на) о́пух. *Дон.* 1. Опухнуть. 2. Растолстеть. СДГ 2, 205.

О́ПУХОЛЬ * О́пухоль пя́той сте́пени. *Жарг. мол. Шутл.-ирон.* Большой живот. Максимов, 288.

ОПУ́ЧКА * До опу́чки. *Костром.* Досыта (наесться). < **Опучка** — вздутие, вспучивание. СРНГ 23, 318.

ОПУ́ШКА * Держа́ть за опу́шку *кого. Сиб. Ирон.* Любя жену и будучи ревнивым, всюду быть рядом с ней, следить за ней. ФСС, 59.

ОПЫ́КА * На опы́ку. *Забайк., Сиб.* Наоборот (сделать что-л.). ФСС, 127. < **Опыка** — изнанка. СРГЗ, 268.

О́ПЫТ * Брать/ взять на о́пыт *что. Новг.* Проверять что-л. НОС 7, 14.

На о́пыте. *Сиб.* Действительно, на самом деле. СРНГ 23, 323.

ОПЫ́ТОК * Взять опы́ток. *Кар.* Попробовать, проверить что-л. СРГК 1, 199.

ОРА́ЛЬНЯ * Открыва́ть ора́льню. *Яросл.* Начинать плакать. ЯОС 7, 65.

ОРБИ́ТА * Больша́я орби́та. *Жарг. угол.* Рынок, торговый центр. Балдаев 1, 42.

Ма́лая орби́та. *Жарг. угол.* Небольшой торговый центр. Балдаев 1, 239.

Орби́та перекоси́лась *у кого. Жарг. мол. Шутл.-ирон.* О потере рассудка. Максимов, 289.

Быть на орби́те. *Жарг. арм.* Получить более трёх нарядов вне очереди. Лаз., 131.

Вы́йти на орби́ту. *Публ.* Достичь высоких результатов. БМС 1998, 423; Мокиенко 1990, 129.

О́РГАН * Руководя́щий о́рган. *Жарг. мол. Шутл.* Мужской половой орган. БСРЖ, 399.

Рабо́тать в о́рганах. *Жарг. мед. Шутл.* Работать гинекологом. ОРТ, 03.01.98.

Рабо́тник о́рганов. *Жарг. мед. Шутл.* Врач-гинеколог. Мокиенко, Никитина 1998, 399.

Накры́ться же́нским половы́м о́рганом. *Разг. Шутл.* Не исполниться (о надеждах, ожиданиях, расчётах). Р-87, 283; УМК, 147.

ОРВА́ТЬ * Орви́ и брось. *Костром.* То же, что **оторви да брось 1. (ОТОРВАТЬ).** СРНГ 23, 330.

ОРДА́ * Тата́рская орда́. *Волг. Презр.* Хулиганы, сброд, сомнительная компания. Глухов 1988, 1.

О́РДЕН * О́рден дурака́ (дурако́в). *Жарг. мол., арм. Шутл.* Синяк на груди от удара кулаком. Афг.-2000; Максимов, 289.

ОРЁЛ * Двубро́вый орёл. *Разг. Шутл.-ирон.* О Генеральном секретаре ЦК КПСС Л. И. Брежневе. Балдаев 1, 105.

Золото́й орёл. *Ворон. Шутл.* О водке (САР, 1907). СРНГ 11, 333.

Ко́мнатный орёл. *Жарг. мол. Шутл.-ирон.* О физически слабом, больном человеке. Максимов, 289.

Пусти́ть орла́. *Дон., Жарг. горн.* Направить вагон под уклон без тормозов. СРНГ 23, 334.

Упа́сть на орла́. *Жарг. мол.* Упасть лицом вниз. Максимов, 289.

Быть под орло́м. *Нижегор. Шутл.-ирон. Устар.* Проводить время в питейном заведении. СРНГ 23, 334.

ОРЕО́Л * В орео́ле сла́вы. *Книжн.* Будучи известным, знаменитым. БМС 1998, 422.

ОРЕ́СТ * Оре́ст и Пила́д. *Книжн.* Двое неразлучных друзей. < Восходит к греческим мифам о двоюродных братьях, связанных тесной дружбой. БМС 1998, 422.

ОРЕ́Х * Азо́вский оре́х. *Дон.* Грецкий орех. СДГ 1, 3.

Разде́лать под оре́х *кого. Разг.* 1. Сильно отругать, раскритиковать кого-л. 2. Одержать полную победу в драке, сражении и т. п. < Из речи столяров. ФСРЯ, 297; БМС 1998, 423; ЗС 1996, 62, 211; БТС, 725; Мокиенко 1990, 57, 60.

Расколо́ть оре́х. *Жарг. мол. Шутл.* Выпить спиртного. Максимов, 289.

Черни́льный оре́х. *Бран. Устар.* О бюрократе. БМС 1998, 423.

Пое́хали с оре́хами. *Народн. Шутл.* Об уехавших (реплика провожающих). ДП, 277.

Пошло́-пое́хало с оре́хами. *Твер. Шутл.* Кто-л. начал говорить вздор, ерунду. СРНГ 28, 363.

Гре́цкие оре́хи. *Жарг. мол. Шутл.* Валюта. Я — молодой, 1996, № 26.

Дать на оре́хи *кому. Пск.* То же, что **разделать под орех.** СПП 2001, 58.

Доста́лось на оре́хи *кому. Прост.* О человеке, который был наказан, побит. ФСРЯ, 191; ДП, 145; Глухов 1988, 37.

Зарабо́тать на оре́хи. *Волг.* Быть наказанным. Глухов 1988, 50.

Оре́хи звеня́т *у кого. Жарг. мол. Шутл.* О чьём-л. сильном сексуальном возбуждении. Елистратов 1994, 298.

Показа́ть, на чём оре́хи расту́т. *Краснодар.* Жестоко расправиться с кем-л., наказать кого-л. СРНГ 28, 365.

Получи́ть на оре́хи. *Сиб.* Быть наказанным, избитым. ФСРЯ, 145.

ОРЕ́ШЕК * Кре́пкий оре́шек. 1. *Разг.* О трудной, неразрешимой задаче, труднодоступной цели. БМС 1998, 423; ЗС 1996, 227. 2. *Разг.* О несговорчивом человеке. БМС 1998, 423. 3. *Жарг. шк. Шутл.* Учитель математики. Максимов, 205. 4. *Жарг. студ.* Студент-математик. Максимов, 205.

Кре́пок оре́шек, да зе́лен. *Разг. Устар.* О ком-л., о чём-л., имеющем обманчиво привлекательный вид, но в действительности — плохом, некачественном и т. п. БМС 1998, 423.

Кома́рьи оре́шки. *Том.* Растение марьин корень, пион. СБО-Д1, 206.

ОРКЕ́СТР * Засла́ть в орке́стр. *Жарг. угол.* Внести денежный взнос при вступлении в воровскую группировку. Балдаев 1, 151.

Симфони́ческий орке́стр. *Жарг. арест., гом.* Групповое сношение минетчиков. ББИ, 223-224; Балдаев 2, 39.

О́РОМ * Гром ора́ть. *Перм.* Громко, надрывно кричать. Подюков 1989, 139.

ОРКЕ́СТРИК * Ма́ленький орке́стрик [музы́кантов]. *Жарг. RPG. Шутл.* Магнитофон, используемый для озвучивания ролевой игры. < От названия песни Б. Окуджавы «Надежды маленький оркестрик». БСРЖ, 400.

ОРМУ́ЗД * Орму́зд и Арима́н. *Книжн. Устар.* Доброе и злое начало, добродетель и порок. < **Ормузд** — древнегреческое божество добра, света; **Ариман** — бог тьмы, смерти. БМС 1998, 423.

ОРУ́ДИЕ * Нелюби́мое ору́дие труда́. *Жарг. шк. Шутл.* Авторучка. ВМН 2003, 96.

Ору́дие возме́здия (уби́йства). *Жарг. шк. Шутл.* Указка. (Запись 2003 г.).

Ору́дие ме́сти ученика́. *Жарг. шк. Шутл.* Кнопка. (Запись 2003 г.).

Ору́дие ме́сти учи́теля. *Жарг. шк. Шутл.* Авторучка с красной пастой. (Запись 2003 г.).

Первобы́тные ору́дия труда́. *Жарг. шк. Шутл.* Ручки, карандаши, линейки и т. п. ВМН 2003, 96.

ОРУ́ЖИЕ * Ору́жие заме́дленного де́йствия. *Жарг. шк. Шутл.* Авторучка. ВМН 2003, 96.

Поверну́ть ору́жие *на кого. Пск.* Начать ругать кого-л., наброситься с бранью, руганью на кого-л. СПП 2001, 59.

Поднима́ть/ подня́ть ору́жие *на кого. Книжн.* Начинать бой, войну против кого-л. Ф 2, 57.

Секре́тное ору́жие. *Жарг. шк. Шутл.* Расчёска. (Запись 2004 г.).

Хвата́ться/ схвати́ться за ору́жие. *Разг.* Начинать вооружённые действия, вооруженную борьбу. Ф 2, 232.

Холо́дное ору́жие. 1. *Разг.* Режущее, рубящее, колющее оружие для рукопашного боя. БТС, 1450. 2. *Жарг. шк. Шутл.* Циркуль. (Запись 2003 г.). 3. *Жарг. шк. Шутл.* Указка. (Запись 2003 г.).

Бряца́ть (потряса́ть) ору́жием. *Книжн.* Угрожать войной кому-л. ФСРЯ, 50; БМС 1998, 423.

ОРЬМЯ́ * Орьмя́ ора́ть. *Яросл.* Очень громко кричать. ЯОС 7, 65.

ОСА́Д * Оса́ди оса́д! *Курск. Бран.* Проклятие в чей-л. адрес. СРНГ 23, 350.

ОСА́ДКА * Оса́дка сде́лалась *у кого. Сиб.* О надорвавшемся человеке. ФСС, 127.

Дава́ть/ дать оса́дку. 1. *Кар.* Оставлять привкус во рту. СРГК 4, 236. 2. *Одесск.* Худеть. КСРГО.

Дать оса́дку спанью́. *Кар.* Выспаться. СРНГ 23, 350.

ОСА́ДОК * Выпада́ть/ вы́пасть в оса́док. 1. *Разг.* Очень удивляться, изумляться неожиданности происходящего. ЧП, 18.02.92; Я — молодой, 1995, № 15; Югановы, 53; СМЖ, 88; ФЛ, 101; НРЛ-81; DL, 143; Смирнов 2002, 33; СРГБ 2, 128; Вахитов 2003, 34. 2. *Жарг. мол.* Замолчать, смутившись. Максимов, 289. 3. *Жарг. мол. Одобр.* Получать большое удовольствие от чего-л. Югановы, 53.

Упа́сть в оса́док. *Жарг. мол.* То же, что **выпадать в осадок 3.** Максимов, 289.

Уйди́ в оса́док! *Жарг. мол.* Требование прекратить назойливые приставания, оставить в покое кого-л. h-98.

ОСА́ННА * Петь оса́нну *кому. Книжн. Устар.* Превозносить кого-л. < От древнеевр. «**Хошианна**» — 'спаси нас'. БМС 1998, 423; ЗС 1996, 41; БТС, 727, 829; ФСРЯ, 297.

ОСЕ́К * Засека́ть осе́к. *Новг.* Огораживать что-л. в поле, в лесу. НОС 7, 19.

Скака́ть за осе́к. *Новг.* Изменять кому-л. в любви. НОС 7, 19.
< **Осек** — изгородь, ограда.

ОСЁЛ[1] * **Бурида́нов осёл.** *Книжн.* О крайне нерешительном человеке, колеблющемся в выборе между двумя равносильными желаниями, двумя равноценными решениями. БТС, 104. < Выражение французского философа-схоласта Ж. Буридана (XIV в.). БМС 1998, 423.

Осёл и солове́й. *Жарг. шк. Шутл.-ирон.* Ученик и учитель. < По названию басни И. А. Крылова. Максимов, 289.

Сесть на осла́. *Сиб.* То же, что **сесть на осёлку (ОСЁЛКА).** СФС, 167.

ОСЁЛ[2] * **Зале́зть в осёл.** *Сиб.* Повеситься. ФСС, 78. < **Осёл** — капкан в виде петли. Мокиенко 1990, 137.

ОСЁЛКА * Сесть на осёлку (на осло́). *Новг.* О хлебе с закалом, с плотным, непропечённым слоем снизу. НОС-7, 202; НОС 10, 48.

ОСЁНОК * В осёнок. *Забайк., Сиб.* Осенью. СРГЗ, 270; ФСС, 127.

О́СЕНЬ * С о́сени зако́рмлен. *Прост. Шутл.* О человеке, который отказывается от пищи, ест плохо, не имеет аппетита. Ф 1, 198; Подюков 1989, 80.

Ба́бья о́сень. *Сиб.* Тёплые солнечные дни в начале осени. ФСС, 127.

Бо́лдинская о́сень. *Разг.* Особо плодотворный творческий период в жизни. < В основе выражения — осень 1830 г., которую А. С. Пушкин провёл в деревне Болдино, где много и плодотворно работал. Янин 2003, 36.

Дождёшься в о́сень лет че́рез во́семь. *Прост. Шутл.* О скупом человеке. ЗС 1996, 476.

ОСЁТР * Дать осетро́в *кому. Обл.* Избить кого-л. Мокиенко 1990, 61.

ОСЕ́ЧКА * Дава́ть/ дать осе́чку. *Разг.* Не срабатывать, не осуществляться (о плане), не оправдывать надежд. Ф 1, 139.

ОСИ́НА * Оси́на без верши́ны. *Горьк. Шутл.-ирон.* Неумелый, глуповатый человек. БалСок., 48.

Быть тебе́ (ему́ и т. п.) на оси́не! *Разг. Устар.* Пожелание гибели кому-л. БМС 1998, 424.

Чтоб тебя́ на оси́ну! *Народн.* То же, что **Быть тебе на осине!** ДП, 750.

Чтоб тебя́ пове́сили на сухо́й оси́не! *Новг.* То же, что **быть тебе на осине!** Сергеева 2004, 26.

Гнуть оси́ну. *Жарг. угол.* Работать на главаря группировки. Балдаев 1, 293; ББИ, 162.

Гнуть оси́ны. *Жарг. мол.* 1. Вести себя высокомерно, вызывающе. 2. Намеренно привлекать к себе внимание. Максимов, 289.

ОСИ́НКА * Замо́рская оси́нка. *Новг.* Тополь. НОС 7, 23.

ОСКА́Л * Звери́ный оска́л *кого, чего. Публ. Неодобр.* Проявление агрессивности, воинствующего духа. < Сокращённый вариант публ. штампа советского времени **звериный оскал капитализма.** Мокиенко 2003, 68.

ОСКО́ЛОК * Оско́лок унита́за. *Жарг. мол.* 1. *Бран.* О непорядочном, презираемом человеке. Вахитов 2003, 120; Максимов, 289. 2. *Пренебр.* О лишнем в компании человеке. Максимов, 289.

ОСКО́МИНА * Оско́мина берёт *кого. Волг. Неодобр.* Кому-л. надоело, неприятно что-л. Глухов 1988, 117.

Набива́ть/ наби́ть оско́мину. *Неодобр.* 1. *кому. Разг.* Очень сильно надоедать, приедаться. БТС, 569; ФСРЯ, 259; ЗС 1996, 116. 2. *Пск.* Уставать от повторения чего-л. СПП 2001, 59. 3. *Волг.* Наедаться досыта, много есть. Глухов 1988, 86.

Нагоня́ть оско́мину *кому. Волг.* То же, что **набивать оскомину 1.** Глухов 1988, 88.

О́СЛИК * О́слик тухлогру́дый. *Жарг. мол. Презр.* О непорядочном, неуважаемом человеке. Максимов, 289.

Привяза́ть о́слика. *Жарг. мол. Шутл.* Сходить в туалет. Максимов, 289.

ОСЛИ́ЦА * Валаа́мова ослица. 1. *Книжн.* Покорный, молчаливый человек, который неожиданно запротестовал или выразил свое мнение. 2. *Разг. Бран.* О глупой упрямой женщине. Янин 2003, 51. < Восходит к Библии. БМС 1998, 424; БТС, 110; ФСРЯ, 298.

ОСЛО́ * Сесть на осло́. См. **Сесть на осёлку (ОСЁЛКА).**

ОСНО́ВА * Лечь в осно́ву *чего. Книжн.* Стать исходным, основным для чего-л. БТС, 495.

ОСНОВА́НИЕ (ОСНОВА́НЬЕ) * Одно́ основа́нье. *Сиб. Ирон.* Об очень худом человеке. ФСС, 127.

Добива́ться до основа́ния. *Волг.* Беднеть, доходить до бедственного положения. Глухов 1988, 35.

Разруша́ть/ разру́шить до основа́ния *что. Разг.* Полностью уничтожать что-л. БМС 1998, 424; ФСРЯ, 298.

ОСО́БИНКА * На осо́бинку. *Кар.* Особенно. СРГК 4, 249.

ОСО́БИЦА * В осо́бицу. *Прост.* То же, что **на особицу 1-2.** БТС, 731.

На осо́бицу. 1. *Прост.* Особо. БТС, 731; СРГСУ 2, 175. 2. Отдельно от других. БТС, 731. // *Сиб., Яросл.* Отдельно от родителей, самостоятельно (жить). ФСС, 127; ЯОС 6, 78. 3. *Яросл.* Хорошо (в отличие от других). ЯОС 6, 78. 4. *Яросл. Одобр.* Особенный, выдающийся. ЯОС 6, 78.

ОСОБНЯ́К * Ходи́ть на особня́к. *Жарг. угол.* Совершать преступление в одиночку. ТСУЖ, 107, 114; Балдаев 2, 125.

ОСО́БОК * По осо́бкам. *Кар.* По отдельности, не вместе. СРГК 4, 249.

По осо́бку. *Кар.* От разных отцов. СРГК 4, 249.

О́СОБЬ * О́собь второ́го со́рта с непо́лным набо́ром хромосо́м. *Жарг. мол. Неодобр.* Об очень глупом или умственно неполноценном человеке. Максимов, 290.

ОСО́С * Дать осо́са *кому. Обл.* Избить кого-л. Мокиенко 1990, 49.

О́СПИЦА * О́спица клюёт *кого. Прикам.* Кто-л. болеет оспой. МФС, 70.

ОСТА́В * На оста́ве. *Яросл.* В стороне, на отшибе. ЯОС 6, 78.

О́СТАЛИ * На о́сталях. *Ср. Урал.* То же, что **на остаток (ОСТАТОК).** СРГСУ 2, 175.

ОСТАНО́В * Без остано́ву. *Яросл.* Безостановочно. ЯОС 1 46.

ОСТАНО́ВКА * Остано́вка в животе́. *Кар.* Несварение желудка. СРГК 4, 254.

Техни́ческая остано́вка. *Жарг. тур.* Посещение туалета. Максимов, 290.

ОСТА́ТОК * До оста́тка. *Прикам.* Без исключения. МФС, 70.

На оста́тке. *Кар.* 1. В стороне, обособленно от других. 2. В конце, на исходе чего-л. СРГК 4, 256.

В оста́тки. *Кар.* Окончательно, совсем. СРГК 4, 256.

Потеря́ть оста́тки души́. 1. *Пск.* Умереть. ПОС 10, 65; СРНГ 30, 277. 2. *Волг.* Лишиться надежды на что-л. Глухов 1988, 131. 3. *Волг. Неодобр.* Стать подлым, непорядочным человеком. Глухов 1988, 131.

На (под) оста́ток. *Кар.* В конце, в завершение чего-л., напоследок. СРГК 4, 256.

Оста́ток жи́зни проживёшь на табле́тки! *Жарг. мол.* Угроза расправы с кем-л. Максимов, 290.

Оста́ток от чёрта. См. **Отрывок от чёрта (ОТРЫВОК).**

ОСТЕРЁЖКА * На остерёжке. *Кар.* Настороже; в тревоге, беспокойстве. СРГК 4, 258.

ОСТОБУ́КА * Дать остобу́ку *кому. Кар.* Ударить кого-л. СРГК 4, 258.

ОСТОВ * Стоя́ть на остову́. *Прикам.* Быть в силе, обладать трудоспособностью. МФС, 97.

ОСТОЛБА́НЦИЯ * Дать остолба́нцию *кому. Перм.* Ударить кого-л. Подюков 1989, 58.

ОСТОЛБУ́ША * Дать остолбу́ши *кому. Кар.* Избить, поколотить кого-л. СРГК 4, 260.

ОСТОРО́ЖКА * Без осторо́жки. *Кар., Яросл.* Смело, без страха, без опасения. СРГК 4, 260; ЯОС 1, 46.

С осторо́жкой. *Кар.* Осторожно. СРГК 260.

ОСТРА́СТКА * Дать остра́стку *кому. Новг.* Поругать, сделать выговор кому-л., избить кого-л. НОС 2, 75; Мокиенко 1990, 47.

ОСТРЕГИ́ * Бежи́т с острего́в. *Волог.* О сильном дожде. СВГ 6, 81.

ОСТРИЁ * Быть на ножево́м остриё. *Прибайк.* Находиться в сложном, опасном положении. СНФП, 106.

Держа́ть на ножево́м остриё *кого. Сиб.* Держать кого-л. в страхе. ФСС, 59.

Ходи́ть по острию́ ножа́. *Разг.* Рисковать, делать что-л. предельно опасное. Ф 2, 238.

О́СТРОВ * О́стров льда и огня́. *Публ.* Об Исландии. Мокиенко 2003, 68.

О́стров невезе́ния (страда́ний). *Жарг. шк. Шутл.-ирон.* Первая парта в классе. Максимов, 290.

О́стров свобо́ды. 1. *Публ. Патет.* Куба (остров, государство). Мокиенко, Никитина 1998, 404. 2. *Жарг. шк. Шутл.-ирон.* Последняя парта в классе. Перемены, 2002.

О́стров сокро́вищ. 1. *Жарг. арм. Шутл.* Каптёрка, армейский склад. БСРЖ, 401. 2. *Жарг. арм.* Медицинский склад. Максимов, 290. 3. *Жарг. шк. Шутл.* Дневник. Bytic, 1999-2000. 4. *Жарг. шк. Шутл.* Последняя парта. Максимов, 290. 5. *Жарг. шк. Шутл.* Парта у окна. Максимов, 290. 6. *Жарг. шк. Шутл.* Карман ученика. Максимов, 290.

О́стров спасе́ния. *Жарг. шк. Шутл.* Школьный коридор. (Запись 2003 г.).

Кури́льские острова́. *Жарг. шк. Шутл.* Мужской туалет, где курят мальчики. СМЖ, 91.

С о́строва Ле́сбос. *Жарг. мол. Шутл.* О лесбиянке. Максимов, 290.

ОСТРО́ТА * Пло́ская остро́та. *Книжн.* Пошлая, грубая шутка. БМС 1998, 424.

ОСТУ́ДИНА * Бро́сить осту́дину. См. **Бро́сить остуду (ОСТУДА).**

ОСТУ́ДА * Дава́ть/ дать осту́ду. *Кар.* Во время свадьбы околдовывать жениха и невесту. СРГК 1, 424.

Броса́ть/ бро́сить (кида́ть/ ки́нуть) осту́ду (осту́дну, осту́дину, отсту́ду). *Кар.* Заставлять разлюбить, ссорить кого-л. посредством наговора, колдовства. СРГК 1, 119; СРГК 2, 344, 346; СРГК 4, 265.

ОСТУ́ДНА * Броса́ть/ бро́сить осту́дну *между кем. Печор.* То же, что **бросать остуду (ОСТУДА).** СРГНП 1, 536.

Дава́ть/ дать осту́дну. *Новг.* Охлаждать отношения между кем-л. НОС 7, 35.

ОСТРЯ́К * Попа́сть на остряки́. *Обл.* Оказаться в сложном, безвыходном положении. Мокиенко 1986, 115.

ОСУ́Д * В осу́д. *Сиб.* Заслуживая порицание, осуждение. ФСС, 128.

ОСЬ * На ось Бо́жью. *Кар.* Наугад, наудачу. СРГК 4, 268.

Ось попола́м. *Жарг. комп. Шутл.* Операционная система OS/2. Садошенко, 1996.

ОСЬМИНО́Г * Вы́ложить осьмино́га. *Жарг. мол. Шутл.* Об акте дефекации. h-98.

ОТ * От и до. *Разг.* О полном охвате каких-л. предметов. Верш. 4, 274; Подюков 1989, 140.

ОТАРА́ПОК * Окла́сть в отара́пок *[кого]. Новг. Шутл.-ирон.* О человеке небольшого роста. НОС 6, 150.

ОТА́РО * Ни ота́ро ни мода́ро. *Коми.* О чём-л. неопределённом, посредственном. СРНГ 21, 214.

ОТБЕЛИ́ТЬ * Не отбели́ть, не отчерни́ть *кого, что. Новг.* Промолчать, не высказать своего мнения по какому-л. поводу. НОС 7, 39.

ОТБИВНА́Я * Сде́лать отбивну́ю *из кого. Прост.* Строго наказать, побить кого-л. Глухов 1988, 146.

ОТБО́Й * Бить отбо́й. *Разг.* Отказываться, отступать от прежнего решения, мнения. ФСРЯ, 300; ШЗФ 2001, 20; Ф 1, 23; БМС 1998, 424.

Дава́ть/ дать отбо́й (отбо́ю) *кому. Кар.* Оказать сопротивление кому-л. СРГК 4, 273.

ОТБО́Р * Есте́ственный отбо́р. *Жарг. студ. Шутл.-ирон.* Экзаменационная сессия. (Запись 2003 г.).

ОТБРО́С * На отбро́с. *Сиб.* О широко раздвинутых в стороны лапах животного. Верш. 4, 277.

Отбро́сы о́бщества. 1. *Книжн. Презр.* Никчёмные, ничтожные люди; деклассированные элементы. 2. *Жарг. мол. Шутл.* Кал, испражнения. Максимов, 290.

ОТБЫВА́ЛОЧКА * Отбыва́ть отбыва́лочку. *Волг.* Работать с неохотой. Глухов 1988, 119.

ОТВА́ГА * Дать (сде́лать) отва́гу (отва́жку) *кому. Ряз.* Оказать уважение, проявить внимание к кому-л. ДС, 376.

ОТВА́ЖИНА * Дать отва́жины. *Кар.* Отважиться, решиться на что-л. СРГК 4, 275.

ОТВА́ЖКА * Дать (сде́лать) отва́жку. См. **Дать отвагу (ОТЫВАГА).**

ОТВА́Л * В отва́л. *Кар.* 1. В сторону. 2. На выброс. СРГК 4, 275.

До отва́ла. *Прост.* До пресыщения (кормить, наедаться и т. п.). ФСРЯ, 300.

Быть в отва́ле. *Жарг. мол.* Не присутствовать где-л., уйти откуда-л. Елистратов 1994, 300.

ОТВА́ЛОЧКА * На отва́лочку. *Кар.* Не торопясь, без спешки; в развалку. СРГК 4, 276.

ОТВА́ЛЬЕ * Пить отва́лье (отва́льню). *Кар.* Устраивать прощальное застолье, выпивку. СРГК 4, 276.

ОТВА́ЛЬНЫЙ * До отва́льного. *Пск.* То же, что **до отвала (ОТВАЛ).** СРНГ, 24, 130.

ОТВА́ЛЬНЯ * Пить отва́льню. См. **Пить отвалье (ОТВАЛЬЕ).**

ОТВА́Р * Не берёт ни отва́р ни присы́пка *кого. Народн. Шутл.-ирон.* О живучем человеке. ДП, 289.

ОТВЕРНУ́ТЬ * Отверну́ть и поверну́ть. *Кар.* Обмануть, перехитрить кого-л. СРГК 4, 583.

ОТВЁРТКА * Рабо́тать на отвёртке. *Жарг. угол.* Совершать кражи, пользуясь невнимательностью жертв. Балдаев 2, 5.

Дать отвёртку *кому. Жарг. угол.* 1. Украсть что-л., воспользовавшись невнимательностью продающего. ББИ, 64; Быков, 59. 2. Обмануть кого-л. ББИ, 64.

ОТВЕ́Т * Дава́ть/ дать отве́т ка́ждому сло́ву. *Коми.* Быть бойким, находчивым. Кобелева, 61.

Держа́ть отве́т. *Разг.* 1. Нести ответственность за что-л. 2. *перед кем.* Отчитываться перед кем-л. Ф 1, 160.

Отве́т при себе́. *Жарг. карт.* Об игре в карты в долг, честное слово. ТСУЖ, 123; Балдаев 1, 295; ББИ, 163; Мильяненков, 184.

Ни отве́та ни приве́та *от кого. Разг.* Об отсутствии известий от кого-л. ДП, 631; Глухов 1988, 110.

Быть в отве́те *за что, за кого. Книжн.* Отвечать, быть ответственным за что-л., за кого-л. БМС 1998, 425.

За отве́том за па́зуху не ла́зит. *Народн. Одобр.* О бойком, находчивом человеке. ДП, 463.

Не лезть за отве́том в карма́н. *Разг. Одобр.* Быть находчивым в беседе, разговоре, споре. Ф 1, 277.

ОТВЕ́ТКА * Гнать/ погна́ть отве́тку. *Жарг. арм.* Давать отпор старослужащим. Кор., 214.

ОТВО́Д * Дава́ть/ дать отво́д *кому. Жарг. угол.* Направлять кого-л. по неверному пути. Балдаев 1, 295; ББИ, 163; Мильяненков, 184.

Де́лать отво́д. *Прикам.* Отвлекать внимание от нежелательных мыслей. МФС, 32.

Де́лать/ сде́лать отво́д глаза́м. *Курск.* Обманывать кого-л. БотСан, 92.

Пульну́ть отво́д. 1. *Жарг. угол.* Отвлечь чьё-л. внимание. Балдаев 1, 363; ТСУЖ, 149. 2. *Волг.* Обманывать кого-л. Глухов 1988, 32.

Для отво́да глаз. *Разг.* С целью отвлечь чьё-л. внимание от чего-л.; для вида. ФСРЯ, 300; Жиг. 1969, 220; ШЗФ 2001, 67; ЗС 1996, 319; БМС 1998, 425.

На отво́де. *Кар.* На краю деревни. СРГК 4, 280.

Е́хать в отво́ды. *Орл.* Посещать родителей и родственников жены через несколько дней после свадьбы. СОГ 1990, 103.

ОТВО́ДА * Брать отво́ду. *Кар.* То же, что **делать отвод (ОТВОД).** СРГК 4, 280.

ОТВО́ДИНЫ * До отво́дин. *Кар.* Совершенно, совсем, до конца. СРГК 4, 280.

ОТВОРО́Т * До отворо́ту. *Горьк.* До отвращения (наесться, накормить и т. п.). БалСок., 44.

ОТВОРОТИ́ТЬСЯ * Отворотя́сь не нагляде́ться. *Пск. Шутл.-ирон. или Пренебр.* О ком-л., о чём-л. отвратительном, неприглядном. (Запись 2004 г.).

ОТВОРО́ТКА * Дава́ть/ дать отворо́тку *кому. Новг.* Отвечать ударом на удар или оскорбление. НОС 7, 43.

ОТВОРЯ́ЙЛО * Отворя́йло и затворя́йло. *Жарг. мол. Шутл.* Швейцар; вахтер. Максимов, 291.

ОТВЯ́З * Нет отвя́зу *от кого. Курск., Прикам.* Невозможно отделаться, отвязаться от кого-л. БотСан, 107; МФС, 65.

ОТГОВО́Р * Отгово́ры отгова́ривать. *Печ.* Произносить слова молитвы. СРГНП 1, 539.

ОТГО́Н * В отго́не. *Кар.* В отъезде, на заработках. СРГК 4, 285.

О́ТДАЛЬ * В о́тдали. *Новг.* Отдельно, раздельно, самостоятельно (жить, проживать, вести хозяйство). НОС 7, 44.

О́ТДАНЬ * Без о́тдани. *Кар.* Неизвестно куда и на неопределённое время (уйти, уехать). СРГК 4, 287.

ОТДА́ТЬ * Отда́й да ма́ло. *Сиб. Одобр.* О чём-л. превосходном, прекрасном, самом лучшем. ФСС, 128.

ОТДА́ЧА * В отда́чах. *Кар.* В продаже. СРГК 4, 288.

С по́лной отда́чей. *Разг. Одобр.* Отдавая делу все силы, умение, старание. НСЗ-70.

Не в отда́чу. *Сиб.* Безвозмездно. Верш. 4, 287.

ОТДЕ́Л * Бы́чий отде́л. *Жарг. арест. Презр.* Группа заключённых, добросовестно работающих в ИТУ. ББИ, 37; Балдаев 1, 52.

Отде́л ка́дров. *Жарг. гом., мол. Шутл.* Место встреч гомосексуалистов или проституток. УМК, 148; Балдаев 1, 296; ББИ, 163. // Общественный туалет, где обычно встречаются гомосексуалисты. Мильяненков, 184.

Отпра́вить в земе́льный отде́л *кого. Пск. Шутл.* Убить кого-л. СПП 2001, 59.

Пойти́ (уйти́) в земе́льный отде́л [в бе́лых та́пках]. *Пск. Шутл.* Умереть. ПОС 12, 318.

Пойти́ (уйти́) в (на) отде́л. *Ср. Урал., Сиб., Яросл.* Отделиться от семьи, начать жить отдельно. СРГСУ 3, 79; СРГСУ 4, 74; ЯОС 2, 38; СРНГ 28, 357.

Жить в отде́ле. *Кар., Ср. Урал, Прикам.* Вести самостоятельное хозяйство, жить отдельно. СРГК 4, 288; МФС, 37; СРГСУ 3, 79.

На отде́ле. *Кар.* Отдельно, на расстоянии. СРГК 4, 289.

ОТДИРА́ТЬ * Отдира́й, а то примёрзнет. *Новг. Шутл.* О быстрых действиях работающих. НОС 7, 44.

О́ТДЫХ * Ве́чный о́тдых. *Жарг. шк. Шутл.-ирон.* Обучение в школе. ВМН 2003, 97.

Доброво́льно-принуди́тельный культу́рный о́тдых. *Жарг. шк. Шутл.-ирон.* Общешкольное воспитательное мероприятие. ВМН 2003, 97.

ОТДЫХА́ТЬ * Отдыха́ть ро́вно, *чаще в форме повел. накл. Жарг. мол.* Перестать беспокоить кого-л., надоедать кому-л. Я — молодой, 1995, № 15.

ОТЕ́ЛЬ * Ночно́й оте́ль. *Жарг. мол. Шутл.-ирон.* Медицинский вытрезвитель. Максимов, 278.

ОТЕРЁБОК * Клока́стый отерёбок. *Яросл. Пренебр.* О линяющем весной звере с шерстью клочьями. ЯОС 5, 36.

ОТЕ́Ц * Богода́нный оте́ц. *Яросл.* 1. Крёстный отец. 2. Отчим. ЯОС 2, 6.

Крёстный оте́ц. 1. *Публ.* О главаре мафии. НРЛ-79; Дядечко 2, 164. 2. *Жарг. арм. Шутл.* Старшина роты. Максимов, 206. < Название кинофильма по одноименному роману М. Пьюзо (1969 г.). Дядечко 2, 164.

Лесно́й оте́ц. *Олон.* По суеверным представлениям — лесной дух, похищающий детей. СРНГ 16, 373-374.

Оте́ц за сы́на не отвеча́ет. *Жарг. студ. (филол.). Шутл.* О детском писателе А. Гайдаре. (Запись 2003 г.).

Оте́ц и учи́тель. *Публ. Устар.* То же, что **отец народов.** Мокиенко 2003, 68.

Оте́ц наро́дов. *Публ. Патет. или Ирон.* И. В. Сталин. Новиков, 127; Мокиенко 2003, 68.

Оте́ц люде́й и станко́в. *Разг. Ирон.* То же, что **отец народов.** Вайскопф, 2001, 346.

Оте́ц Ону́фрий. *Жарг. мол. Шутл.* Мужской половой орган. Щуплов, 53.

Оте́ц перестро́йки. *Публ. Патет или Ирон.* О М. С. Горбачеве. Мокиенко 2003,

Оте́ц родно́й. 1. *Разг. Устар. Ласк., уваж.* Обращение к И. В. Сталину. Lehfeldt 2001, 249. 2. *Жарг. арест.* Начальник ИТУ. Балдаев 1, 296; ББИ, 164;

Мильяненков, 185. 3. *Жарг. студ. Шутл.-ирон.* Декан. E-styleisp.-2003.

Оте́ц с сыновья́ми. *Жарг. угол., мол.* Пистолет с патронами. ТСУЖ, 123.

Свято́й оте́ц. *Жарг. шк. Шутл.* Классный руководитель — мужчина. Максимов, 291.

Изматери́ть из отца́ в мать. *Сиб.* Обругать кого-л. самыми грубыми ругательствами. ФСС, 87.

Иска́ть отца́. *Кар.* В свадебном обряде: символические поиски невестой-сиротой отца для получения благословения. СРГК 4, 293.

Прода́ст и отца́ и мать. *Прост. Презр.* Об алчном, коварном человеке. Ф 2, 98.

У отца́-ма́тушки за па́зушкой. *Обл. Одобр.* В благополучии и достатке. Мокиенко 1990, 29.

Семь отцо́в, восьмо́й ба́тюшко *у кого. Коми.* О ребёнке без отца. Кобелева, 76.

Отцы́ и де́ти. *Публ., Разг. иногда Шутл.* О конфликтах между представителями старого и молодого поколения. < Название романа И. С. Тургенева (1862 г.). БМС 1998, 425.

ОТЖИ́В * Жить на отжи́в. *Кар.* Завершать жизнь, доживать свой век. СРГК 4, 293.

О́ТЗЫВ * Идти́ на о́тзыв. *Кар.* Проявлять внимание, готовность помочь кому-л., просящему о помощи. СРГК 4, 295.

ОТЗИ́МЫ * Дава́ть отзи́мы (отзи́мье). *Сиб.* Быть предвестником зимы. СФС, 58; ФСС, 51.

ОТЗИ́МЬЕ * Дава́ть отзи́мье. См. **Давать отзимы (ОТЗИМЫ).**

ОТКА́З * Идти́/ пойти́ в отка́з. *Разг.* 1. Отказываться от своих слов. 2. Не сознаваться в чём-л. СРНГ 28, 357; ФСС, 142; Вахитов 2003, 70, 137.

До отка́за. *Разг.* Полностью, до предела (набить, напихать чего-л. куда-л.). ФСРЯ, 302.

Быть в отка́зе. 1. *Жарг. угол.* Отрицать соучастие или участие в преступлении. Быков, 142. 2. *Жарг. лаг.* Отказываться от работы. Бен, 80.

ОТКА́ЗИНКА * До отка́зинки. *Сиб.* 1. То же, что **до отказа (ОТКАЗ).** 2. То же, что **до отвала (ОТВАЛ).** СФС, 65.

ОТКА́ЗКА * Быть в отка́зке. *Жарг. мол.* 1. Отказываться от чего-л. 2. Получить отказ. Елистратов 1994, 301.

ОТКАЗНО́Й * Попа́сть в отказну́ю. *Жарг. угол.* Быть приговорённым к смерти по воровским законам. Максимов, 291.

ОТКА́Т * Чёрный отка́т. *Жарг. бирж.* Тайная коммерческая операция, когда часть от партии товара бесплатно получает одна из торгующих сторон либо посредник. БС, 320.

Быть в отка́те. *Жарг. мол.* 1. Находиться в каком-л. крайне эмоциональном состоянии — (веселья, удивления и т. п.). Елистратов 1994, 301. 2. Находиться в состоянии сильного алкогольного опьянения. Крысин 1996, 405.

ОТКИ́Д * Быть в отки́де. *Жарг. мол.* Сильно удивляться, восхищаться чем-л. Елистратов 1994, 302.

ОТКИ́ДКА * Быть в отки́дке. *Жарг. мол.* Спать. Елистратов 1994, 302.

ОТКИ́Н * На отки́не. *Кар.* В стороне от других, на отшибе. СРГК 4, 298.

О́ТКЛИК * Найти́ о́тклик *где, у кого. Публ., Разг.* Получить согласие, поддержку. < Калька с франц. *trouver écho.* БМС 1998, 425.

ОТКЛОНЕ́НИЕ * Джа́зовое отклоне́ние. *Жарг. муз. Шутл.-ирон.* О фальшивом, неточном исполнении музыки. БСРЖ, 404.

ОТКЛЮ́Ч * Быть в [по́лном, по́лной] отклю́че (отклю́чке). *Жарг. мол.* Чувствовать себя физически плохо; терять сознание (от удара, большой дозы спиртного или наркотика и т. п.). Аврора, 1988, № 2, 137; ТВ-Ост., 31.03.92.

ОТКЛЮ́ЧКА * Быть в по́лной отклю́чке. См. **Быть в полном отключе (ОТКЛЮЧ).**

ОТКО́Л * На отко́ле. *Кар.* Отдельно, самостоятельно. СРГК 4, 299.

ОТКО́ЛИНА * Отко́лина про́тив отко́лины. *Кар.* Друг против друга. СРГК 4, 299.

ОТКОРЯ́ЧКА * Откоря́чку слепи́ть. *Жарг. мол.* Доказать свою непричастность к чему-л. h-98.

ОТКО́С * Кати́ться под отко́с. *Разг. Неодобр.* Опускаться в нравственном, моральном отношении. Ф 1, 234.

Идти́/ пойти́ под отко́с. 1. *Разг.* Резко изменяться в худшую сторону (о делах, жизни в целом). СПП 2001, 59; Мокиенко 2003, 68. 2. Попадать в беду. Сергеева 2004, 215.

Пуска́ть/ пусти́ть под отко́с *что. Разг.* Вызывать полный провал чего-л. НРЛ-79; Мокиенко 2003, 68.

ОТКРЫ́ТАЯ * В откры́тую. *Разг.* Открыто, не скрывая своих намерений. Мокиенко 1990, 83.

ОТКРЫ́ТОСТЬ * По откры́тости. *Кар.* Прямо, в открытую. СРГК 4, 301.

ОТКУ́ДА * Отку́да ни возьми́сь. *Разг.* О ком-л., появившемся незапно, неожиданно. ФСРЯ, 75.

ОТКУ́ЛЬ * Ни отку́ль возьми́сь (взя́лся). *Дон.* То же, что **откуда ни возьмись (ОТКУДА).** СДГ 2, 213.

Отку́ль ни́ был (ни взя́лся). *Пск.* То же, что **откуда ни возьмись (ОТКУДА).** СРНГ, 24, 217.

О́ТКУП * Отда́ть на о́ткуп *что кому. Разг.* Дать кому-л. что-л. в полное распоряжение. БМС 1998, 425.

ОТЛЁТ * На отлёте. *Разг.* В стороне, в некотором отдалении от чего-л. ФСРЯ, 304.

ОТЛИ́ЧКА * На отли́чку. *Яросл.* Праздничный, нарядный (об одежде). ЯОС 7, 34.

ОТЛОЖЕ́НИЕ * Дать отложе́ние. *Кар.* Назначить день свадьбы. СРГК 1, 424.

ОТЛУ́П * Давать/ дать отлу́п *кому. Волг., Дон.* Отказывать кому-л. в чём-л. Глухов 1988, 30; СДГ 2, 213.

ОТМА́ЗКА * Стоя́ть на отма́зке. *Жарг. угол.* Прикрывать действия карманного вора. Балдаев 2, 62.

Гнилы́е отма́зки. *Жарг. мол.* То же, что **гнилой отмаз (ОТМАЗ).** Вахитов 2003, 39.

Кле́ить (лепи́ть) отма́зки (отмазо́ны). 1. *Жарг. угол., мол.* Оправдываться, лгать. Вахитов 2003, 91. 2. *Жарг. мол.* Уклоняться от выполнения какой-л. работы. Максимов, 182, 221.

На отма́зку. *Жарг. угол.* Для отвода глаз, с целью ввести в заблуждение кого-л. Бен, 81.

ОТМАЗО́Н * Лепи́ть отмазо́ны. См. **Клеить отмазки (ОТМАЗКА).**

ОТМАТРО́СИТЬ * Отматро́сить (поматро́сить) и бро́сить *кого. Разг. Шутл.* Добиться сексуальной близости и оставить женщину. Максимов, 292.

ОТМА́Х * Идти́ в отма́х. *Жарг. мол.* Отвечать ударом на удар. Вахитов 2003, 70.

На [весь] отма́х. *Яросл.* На спину, навзничь (упасть). ЯОС 6, 78.

ОТМА́ШКА * На отма́шку. *Ср. Урал.* По направлению от себя. СРГСУ 2, 175.

ОТМЕ́НА * Отме́на крепостно́го пра́ва. *Жарг. шк. Шутл.* Каникулы. Bytic, 1999-2000.

ОТМЕ́НКА * Де́лать отме́нку. *Волог.* Приводить в порядок, убирать дом. СВГ 6, 93.

На отме́нку. *Ср. Урал.* В отличие от кого-л. СРГСУ 2, 175.

ОТМЕ́СТКА * В отме́стку. *Разг.* Мстя за что-л. ФСРЯ, 304.

ОТМЫВА́НИЕ * Отмыва́ние [гря́зных] де́нег. *Публ.* Придание видимости законного происхождения преступно нажитым финансовым средствам, их легализации. СП, 146, 155; Мокиенко 2003, 69.

ОТНА́ЧКА * Отна́чку сде́лать. *Жарг. угол.* Украсть что-л., совершить кражу. Грачев 1992, 123.

ОТНИ́МОМ * Отни́мом отнима́ть. *Кар., Пск.* Отбирать силой что-л. СРНГ, 24, 248; СРГК 4, 309.

ОТНОШЕ́НИЕ * Хала́тное отноше́ние. *Разг. Неодобр.* Небрежное, невнимательное отношение к чему-л., к кому-л. СРГК 4, 309.

В бли́зких отноше́ниях. *Разг.* В любовной связи. ФСРЯ, 304.

ОТО́ПОК * Ото́пком щи хлеба́ть. *Народн.* Жить в нищете, бедности. ДП, 71; НОС 7, 54.

Ото́пок полево́й. *Новг. Пренебр.* О тёмном, необразованном человеке. НОС 7, 54.

ОТОРВА́ТЬ * Оторви́ да брось. 1. *Башк., Прибайк., Сиб. Презр.* Плохой, скверный (о человеке). СРГБ 2, 132; СНФП, 107; ФСС, 129; СФС, 134; Верш. 4, 306; СБО-Д2, 58. 2. *Кар. Неодобр.* Непоседа (о ребёнке). СРГК 2, 406. 3. *Волг. Одобр.* Чрезвычайно смелый, решительный, отчаянный человек. Глухов 1988, 120.

Оторви́ да вы́брось. *Прост* 1. *Презр.* То же, что **оторви да брось 1.** 2. *Одобр.* То же, что **оторви да брось 3.** Ф 2, 29.

ОТПА́Д * Быть в отпа́де. *Жарг. мол.* Крайне удивляться, изумляться чему-л., восхищаться чем-л. Рожанский, 37-38; Югановы, 158; Быков, 144; Елистратов 1994, 304.

ОТПЕЧА́ТОК * Наложи́ть отпеча́ток *на кого, на что. Книжн.* Оставить заметный след, оказать воздействие. ФСРЯ, 165.

Носи́ть отпеча́ток *чего. Книжн.* Иметь заметный след какого-л. воздействия. < Калька с франц. *porter l'empreinte.* БМС 1998, 426.

Отпеча́ток па́льца. *Жарг. шк. Шутл.* Подпись учителя или родителей. (Запись 2003 г.).

ОТПО́Р * Идти́ на отпо́р. *Печор.* Отказываться, не признавать чего-л. СРГНП 1, 544.

О́ТПУСК * Взять академи́ческий о́тпуск. *Жарг. шк. Шутл.* Заболеть. ВМН 2003, 97.

Декре́тный о́тпуск. *Жарг. студ., асп.* 1. Свободные от занятий 2–3 недели (или более), предоставляемые студентам для написания дипломной работы. 2. Ежегодный месячный отпуск, предоставляемый аспирантам-заочникам. ВМН 2003, 97.

Отпра́вить в о́тпуск *кого. Жарг. арм. Шутл.* Сбросить кого-л. с кровати. Максимов, 293.

Францу́зский о́тпуск. *Жарг. студ. Шутл.* Пропуск занятий без уважительной причины. Дубровина, 80; КТ, 164.

ОТПЯ́ТКА * Дава́ть/ дать отпя́тку. *Кар.* Отступать, отходить назад. СРГК 4, 320.

ОТПЯ́ТОК * В отпя́ток. *Прибайк.* 1. Назад. 2. На попятную, отказываясь от первоначального слова, обещания и т. п. СНФП, 107.

ОТРА́ВА * Соба́чья отра́ва. *Волг. Презр.* О зловредном, злонамеренном человеке. Глухов 1988, 151.

ОТРЕ́БЬЕ * Отре́бье челове́ка. *Прост. Неодобр.* О морально опустившихся, разложившихся людях. БМС 1998, 426.

ОТРИЦА́ЛА * Вы́дать отрица́лу за́муж. *Жарг. арест.* Избить и изнасиловать злостного нарушителя режима по указанию администрации ИТУ. Балдаев 1, 76. < Злостный нарушитель внутреннего распорядка в ИТУ. БСРЖ, 408.

ОТРО́Д * Ни в отро́д Бо́жий. *Влад.* Никогда, ни за что. СРНГ 21, 213.

ОТРО́ДЬЕ * Крыси́ное отро́дье. *Жарг. угол. Презр.* Дети работников правоохранительных органов. Максимов, 209.

Пау́тчее отро́дье. *Забайк. Презр.* Грабители, воры, разбойники. СРНГ 25, 284.

Ха́мово отро́дье. *Прост. Бран.* О грубом, ничтожном человеке. < Восходит к Библии. БМС 1998, 426.

ОТРУ́Б * Быть в [по́лном] отру́бе (в отруба́х). *Жарг. мол.* 1. Крепко спать. Югановы, 158. 2. Находиться в состоянии сильной усталости. БСРЖ, 408. 3. Находиться в состоянии сильного алкогольного опьянения, невменяемости, потери сознания. Митрофанов, Никитина, 140. 4. Находиться в каком-л. крайне эмоциональном состоянии. Елистратов 1994, 305; Быков, 144.

О́ТРУБИ * Быть в отруба́х. См. **Быть в отру́бе (ОТРУБ).**

ОТРЫ́В * Уходи́ть/ уйти́ в отры́в. 1. *Публ.* Обогнав кого-л., уходить вперёд. < Из речи спортсменов. НСЗ-70; НЗС-84; Мокиенко 2003, 69. 2. *Жарг. мол. Одобр.* Расслабиться, получить удовольствие. БСРЖ, 408.

Без отры́ва. *Сиб.* Постоянно. Верш. 4, 314.

Быть в отры́ве. *Жарг. мол. Одобр.* Приятно проводить время, получать удовольствие. БСРЖ, 408.

ОТРЫ́ВОК * Отры́вок (оста́ток) от чёрта. *Волг., Дон. Неодобр.* Об озорном, бесшабашном человеке. СДГ 2, 215; Глухов 1988, 120.

ОТРЫ́ЖКА * Отрыжка бегемо́та. *Жарг. шк. Пренебрю* Невкусная еда в школьной столовой. Максимов, 294.

Отры́жка динoза́вра. *Жарг. мол. Бран.* О человеке, вызывающем гнев, негодование. Максимов, 294.

Отры́жка пья́ного инду́са. *Разг. Пренебр.* Что-л. некачественное, неприятное. Елистратов 1994, 179.

Без отры́жки. *Кар.* Безвозвратно. СРГК 4, 326.

ОТРЯ́Д * Отря́д плодоро́дия. *Публ. Эвфем.* Бригада сельскохозяйственных работников, вывозящая удобрения на поля. Новиков, 128-129.

ОТРЯД * Шата́ловский отря́д. *Прибайк. Пренебр.* Бездельники, пьяницы. СНФП, 107.

ОТСЕ́К * Рогово́й отсек. *Жарг. мол. Шутл.* Переносица. Максимов, 294.

ОТСКО́К * Де́лать/ сде́лать отско́к *[откуда]. Жарг. мол.* Уходить откуда-л., покидать кого-л. VSEA, 141.

ОТСКОЧИ́ХА * На отскочи́хе. *Башк.* 1. В стороне от главной улице в деревне. СРГБ 1, 128. 2. В стороне от других. СРГБ 2, 133.

ОТСО́С * Заде́лать отсо́с *кому.* 1. *Жарг. арест.* Обмануть в чём-л. впервые осуждённого. 2. *Жарг. угол.* Не заплатить проститутке за услугу. Балдаев 1, 139.

Отсо́с, Парто́с и Арами́с. *Жарг. мол. Шутл.-ирон.* Неудача; провал, крах. Елистратов 1994, 306.

Отсо́с Петро́вич. 1. *Жарг. мол. Шутл.* Мужской половой орган. Щуплов, 53. 2. *Жарг. мол. Неодобр.* Неудача, провал; невезение. Елистратов 1994, 306. 3. *Жарг. студ. Презр.* Преподаватель, не пользующийся уважением. (Запись 2003 г.).

Пина́ться в отсо́с. *Жарг. мол.* Испытывать неудачу, разочарование. Вахитов 2003, 131.

Быть в отсо́се. *Жарг. мол.* Остаться ни с чем, потерпеть неудачу. Вахитов 2003, 23.

ОТСТА́В * На отста́в. *Кар.* В отдалении, в стороне, на отшибе. СРГК 4, 330.

На отста́ве. *Кар.* То же, что **на отстав.** СРГК 4, 330.

На отставу́. *Кар.* То же, что **на отстав.** СРГК 4, 330.

ОТСТА́ВКА * На отста́вке. *Прикам.* То же, что **на отстав.** МФС, 71.

ОТСТУ́ДА * Кида́ть/ ки́нуть отсту́ду. См. **Бросить остуду (ОСТУДА).**

О́ТСТУП * Идти́/ пойти́ в о́тступ. *Дон.* Отступать. СДГ 2, 215.

До отсту́пу. *Помор.* Досыта. ЖРКП, 106.

О́тступу нет *от кого. Дон., Кар.* О неотступно, неотвязно преследующем, пристающем человеке. СДГ 2, 215; СРГК 4, 333.

ОТСТУ́ПУШКА * До отсту́пушки. *Кар.* То же, что **до отступу (ОТСТУП).** СРГК 4, 333.

ОТСУ́ТСТВИЕ * Блиста́ть свои́м отсу́тствием. *Книжн. Ирон.* Намеренно отсутствовать где-л. БМС 1998, 426; ШЗФ 2001, 21.

ОТСЫ́ПАТЬ * Не отсы́пать, не завяза́ть *чего у кого. Курск.* О большом количестве чего-л. БотСан, 105.

О́ТСЫПЬ * На о́тсыпь. *Сиб.* Сухим пайком (получить продукты). ФСС, 130.

ОТТУ́ЛЬ * Ни отту́ль ни отсю́ль. *Волг., Дон.* О чём-л. неожиданном. Глухов 1988, 110; СДГ 2, 216.

ОТТЯ́Г * В оття́г. *Жарг. мол. Одобр.* Отлично, превосходно, прекрасно. Геловани, Цветков, 35.

ОТТЯ́ЖКА * Брать/ взять на оття́жку *кого. Жарг. угол.* 1. Добиваться своей цели угрозами, обманом. Балдаев 1, 45, 62. 2. Ругать, давать взбучку кому-л. Р-87, 262.

Дава́ть/ дать оття́жку *кому. Жарг. угол.* Устраивать кому-л. взбучку, нагоняй. Р-87, 421.

ОТХЛЫ́П * Не дава́ть отхлы́пу *кому. Волг.* Держать в напряжении, заставлять усиленно работать кого-л. Глухов 1988, 97.

ОТХО́Д * На отхо́дах. *Одесск.* То же, что **на отходе.** КСРГО.

На отхо́де. *Прикам.* На сезонных работах, на заработках. МФС, 71.

До отхо́ду. *Сиб.* 1. *чего.* О большом количестве чего-л. СФС, 65. 2. Вдоволь, досыта. ФСС, 130.

Ходи́ть по отхо́ду. *Волог.* Заниматься отхожим промыслом. СВГ 6, 103.

ОТХО́ДНИ * Уйти́ на отхо́дни. *Кар.* Отправиться на заработки. СРГК 4, 339.

ОТХОДНЯ́К * Лови́ть отходня́к. *Жарг. мол.* Отдыхать после пьянки. Максимов, 224.

Принима́ть отходня́к. *Пск. Шутл.* Лежать без движения (от усталости). СПП 2001, 59.

Быть в отходняке́. *Жарг. угол., мол.* Испытывать абстинентный синдром. Грачев 1994, 23; Грачев 1996, 49.

ОТЧЕРНИ́ТЬ * Ни отcherни́ть, ни отбели́ть. *Алт.* Не дать определённого ответа, ответить уклончиво. СРГА 3-1, 156.

ОТЧЁТ * Дава́ть/ дать себе́ отчёт *в чем. Разг.* Понимать, полностью осознавать что-л. ФСРЯ, 125.

Сдать отчёт. *Жарг. мол. Шутл.* Сходить в туалет. Максимов, 296.

ОТШЕ́ЛЬНИК * Вермо́нтский отше́льник. *Публ. иногда Ирон.* О писателе А. И. Солженицыне (поселившемся в годы эмиграции в штате Вермонт, США). Мокиенко 2003, 69.

ОТШИ́Б * На отши́бе. *Разг.* 1. В стороне, в некотором отдалении от чего-л. 2. Обособленно от других, отчуждённо. ФСРЯ, 307; БТС, 767.

ОТШИ́БИНА * На отши́бине. *Яросл.* Вдалеке от всех. ЯОС 6, 78.

ОТЪЕБА́ТЬ * Отъеба́ть и суши́ть пове́сить. *Неценз.* Очень сильно отругать. Мокиенко, Никитина 2003, 236.

ОТЫ́МОМ * Оты́мом отыма́ть. *Арх.* То же, что **отнимом отнимать (ОТНИМОМ).** СРНГ 25, 17.

ОФИГЕ́ТЬ * Офиге́ть не встать! *Жарг. мол.* Возглас удивления. Вахитов 2003, 125.

О́ФИС * Сходи́ть в о́фис. *Жарг. мол. Шутл.* Сходить в туалет. Максимов, 296.

ОФО́НЯ * Офо́ня прие́хал. *Яросл. Шутл.* О скисшем супе. ЯОС 7, 70.

ОХ * О́ха пойма́ть. *Народн.* 1. Натерпеться мучений, боли. БМС 1998, 426; МФС, 77. 2. Попасть в беду, в трудную ситуацию. СВГ 6, 105; Глухов 1988, 154.

О́хи да вздо́хи. *Разг.* Жалобы, сетования. БМС 1998, 426.

ОХА́БКА. См. **ОХА́ПКА.**

О́ХАЛЕНКИ (ОХАЛЁНКИ) * Есть о́ха́ленки (охалёнки). *Народн.* Охать (от боли, досады, сожаления и т. п.). СГПО, 414; БМС 1998, 426; МФС, 35; Мокиенко 1990, 153.

ОХА́ПКА (ОХА́БКА) * Оха́пками гра́бить де́ньги. *Пск.* Много зарабатывать, получать большой доход. ПОС 7, 165.

В оха́пке. 1. *Кар., Коми.* То же, что **в охапку 1.** СРГК 4, 342; Кобелева, 71. 2. *Кар.* То же, что **в охапку 2.** СРГК 4, 342.

Во все оха́пки. *Пск.* Очень быстро (бежать, мчаться). Мокиенко 1986, 48.

Оха́пкой гра́бить слёзы. *Пск.* Горько плакать, обливаться слезами. ПОС 7, 165.

Вы́палить оха́пкою. *Калуж.* Сказать что-л. необдуманно. СРНГ 5, 324.

В оха́пку (оха́бку). 1. *Арх., Горьк.* В обнимку, обнявшись. СРНГ 25, 22; БалСок., 28. 2. *Кар., Новг.* На руках, взяв на руки. СРГК 342; НОС 7, 65.

ОХА́ПОЧКА * Носить в оха́почке. *Кар.* Любить, холить, лелеять кого-л. СРГК 4, 342.

В оха́почку (оха́бочку). *Кар.* То же, что **в охапку 1.** СРГК 4, 342. // *Арх., Печора.* Обхватив друг друга руками (в борьбе). СРНГ 25, 22.

ОХВА́Т * В охва́т не хвата́ет. *Печор.* Невозможно обхватить руками. СРГНП 1, 549.

ОХВО́СТЬЕ * Оста́вить на охво́стье. *Арх.* Выйти замуж раньше старшей сестры. АОС 2, 135.

ОХЛЁБКА * Подбира́ть/ подобра́ть охлёбку. *Жарг. угол. Пренебр.* Жениться на женщине лёгкого поведения. < **Охлёбки** — остатки, объедки какого-л. жидкого кушанья. Мокиенко, Никитина 2003, 236.

ОХЛЮ́ПКА * В охлю́пку. *Дон.* То же, что **в охлябь (ОХЛЯБЬ).** СДГ 2, 217.

О́ХЛЯБЬ * В о́хлябь. *Народн.* Без седла. СРНГ 25, 38.

ОХЛЯ́НДА * Дава́ть/ дать охля́нды *кому. Кар.* Бить, избивать кого-л. СРГК 4, 346.

Получа́ть охля́нды *кому. Кар.* Бить, избивать кого-л. СРГК 4, 346.

ОХМЁЛ * С охмёла. *Кар.* С похмелья, в состоянии абстинентного синдрома. СРГК 4, 346.

О́ХОД * Ста́рый о́ход. *Влад. Бран.* Старик. СРНГ 25, 43.

ОХО́ТА * Охо́та бро́сила (шибну́ла) *кого на что. Дон.* Кому-л. захотелось сделать что-л. СРНГ 25, 46; СДГ 2, 217.

Охо́та к переме́не мест. *Разг. Шутл.-ирон.* О желании переехать, поменять место работы и т. п. < Из романа А. С. Пушкина «Евгений Онегин». БМС 1998, 426.

Охо́та на ведьм (за ве́дьмами). *Публ. Неодобр.* Преследование инакомыслящих в обществе. БМС 1998, 70; ЗС 1996, 512; ТС XX в., 125. < Калька с англ. *witch-hunt*, восходит к практике средневекового религиозного фанатизма. БМС 1998, 427.

Охо́та на дрозды́. *Публ.* О колонизаторской политике вывоза жителей одной страны для подневольного труда в другой. НРЛ-79; Мокиенко 2003, 69.

Охо́та на рабо́ту! *Орл.* Приветствие работающим. СРНГ 25, 46; Балакай 1999, 1, 309; 2001, 340.

Охо́та на у́ток. *Жарг. курс.* Придирки к курсантам с целью отправить их на гауптвахту. Кор., 202.

Охо́та пу́ще нево́ли. *Разг. Ирон.* О большом желании сделать что-л. БМС 1998, 427; ЗС 1996, 103..

Свобо́дная охо́та. *Жарг. арм., авиа. Устар.* Самостоятельный поиск и уничтожение самолётов или наземных объектов противника. Кор., 253; Лаз., 14.

Ти́хая охо́та. 1. *Разг. Шутл.* О сборе грибов. Мокиенко 2003, 70. 2. *Пск.* О рыбной ловле. (Запись 1997 г.).

Не в охо́те. *Сиб.* Об отсутствии какого-л. желания. СФС, 123.

Бро́сило в охо́ту *кого. Дон.* То же, что **охота бросила.** СДГ 2, 217.

Войти́ в охо́ту. *Арх.* Испытать большое желание, сильно захотеть чего-л. АОС 5, 31.

В охо́ту. *Ряз.* То же, что **в охо́тку (ОХОТКА).** ДС, 384.

Гоня́ть охо́ту. *Моск.* Охотиться. СРНГ 7, 15.

Держи́ охо́ту! *Сиб.* Приказ, призыв стрелять. ФСС, 60.

Отби́ть охо́ту *у кого. Разг.* Отучить кого-л. от каких-л. действий, желаний. ЗС 1996, 213.

Сходи́ть на охо́ту. *Жарг. мол. Шутл.* Выпить спиртного. Максимов, 296.

Не с охо́ты. *Олон.* Без желания. СРНГ 25, 46.

ОХО́ТКА * По охо́тке. *Вят., Кар.* То же, что **в охотку.** СРНГ 25, 47; СРГК 4, 348.

С охо́тки. *Новг., Урал.* То же, что **в охотку.** НОС 7, 73; МРНГ 25, 47.

В охо́тку (охо́ту). *Разг.* С удовольствием, с желанием; с аппетитом. БТС, 769; ДС, 384; ФСС, 130; БалСок., 28.

Отдёрнуть охо́тку. *Сиб.* Выполнить желаемое. ФСС, 129.

Охо́тку с хле́бом съесть. *Волог. Шутл.-ирон.* Перетерпеть голод. СРНГ 25, 47.

Сбить охо́тку. 1. *кому. Ряз.* То же, что **отбить охоту (ОХОТА).** СРНГ 25, 47. 2. *Костром., Сиб.* То же, что **стешить охотку.** СРНГ 25, 47; СФС, 161.

Те́шить/ сте́шить (отдёрнуть, сдёрнуть, снести́, сшиби́ть) охо́тку. *Костром., Ср. Урал., Сиб.* Получать удовлетворение, добившись чего-л. СРНГ 25, 47; СФС, 135; СРГСУ 3, 99, 100.

ОХО́ТНИК * Охо́тники за ве́дьмами. *Публ.* Люди, преследующие других по ложным и бессмысленным обвинениям. < Восходит к средневековым судам инквизиции. БМС 1998, 427.

Охо́тники за привиде́ниями. *Жарг. мол. Шутл.* 1. Пожарные. 2. Милиционеры. Максимов, 296.

ОХО́ТОЧКА * В охо́точку. *Ряз.* 1. *кому.* Кому-л. хочется чего-л. 2. То же, что **в охотку (ОХОТКА).** СРНГ 25, 48.

О́ХОТЬ * Не свое́й о́хотью. *Смол.* Не по собственному желанию (выйти замуж). СРНГ 25, 49.

ОХРА́ННИК * Охра́нник бере́менных же́нщин. *Жарг. шк. Шутл.* Учитель ОБЖ — основ безопасности жизнедеятельности. (Запись 2003 г.). < От шутливой расшифровки: **ОБЖ** — охрана беременных женщин.

ОХРЯ́ПКА * В охря́пку. 1. *Пск.* В обнимку, обнявшись. СПП 2001, 59. 2. *Пск.* Вдоволь, досыта (есть, наесться). СПП 2001, 59. 3. *Ряз. Пренебр.* Неопрятно, неряшливо. ДС, 384; СРНГ 25, 53.

ОХУ́Л * Попа́сться в оху́л. *Пск.* Подвергнуться осуждению. СРНГ 25, 55.

Класть оху́лы *на кого. Пск., Ряз.* Ругать кого-л. СРНГ 25, 55.

ОХУ́ЛКА * Не дава́ть (не класть) оху́лки на́ руку. 1. *Прост.* Не упускать своей выгоды. ФСРЯ, 307; БТС, 770; ДП, 427, 462; Ф 1, 140; БМС 1998, 427. 2. *Сиб.* Уметь постоять за себя. СФС, 135.

ОЦЕ́НКА * Госуда́рственная (междунаро́дная) оце́нка. *Жарг. студ. Шутл.-ирон.* Тройка, оценка «удовлетворительно». Дубровина, 97; Вахитов 2003, 97.

ОЧА́Г * Оча́г культу́ры. *Публ. Устар.* О каком-л. культурно-просветительном учреждении. БАС 8, 1786.

Оча́г просвеще́ния. *Публ. Устар.* Об учебном заведении. БАС 8, 1786.

ОЧЕ́РВЫ * Поде́лать оче́рвы. *Кар.* Вылечить кого-л. колдовством. СРГК 4, 352.

О́ЧЕРЕДЬ * В свое́й о́череди. *Кар.* На своем месте. СРГК 4, 353.

С како́й о́череди? *Кар.* Для чего? Зачем? СРГК 4, 353.

В на́шу о́чередь. *Кар.* В наше время. СРГК 4, 353.

Отбыва́ть (отводи́ть) о́чередь. *Прост. Неодобр.* Работать с неохотой. Глухов 1988, 113.

Пропусти́ть через о́чередь *кого. Разг.* Изнасиловать кого-л. группой. Флг., 285.

Пулемётная о́чередь. *Жарг. гом. Шутл.* Семяизвержение. Шах.-2000.

Ста́вить/ поста́вить на о́чередь *кого. Жарг. угол.* Насиловать кого-л. группой. Б, 129.

ОЧИ́СТКА * Для очи́стки со́вести. *Разг.* В своё оправдание, чтобы не раскаиваться, не обвинять себя потом. БМС 1998, 427; ШЗФ 2001, 67; ФСРЯ, 307.

ОЧКА́РИК * Влип, очка́рик. *Жарг. мол. Шутл.* О попадании в неприятную ситуацию. Максимов, 64.

Очка́рик в стиха́х. *Жарг. шк. Шутл.* Учитель русского языка и литературы. Максимов, 297.

ОЧКИ́ * В очка́х но́ги не потёют? *Жарг. мол. Шутл.* Угроза человеку в очках. Белянин, Бутенко, 28.

Очёк вдеть *кому. Пск., Смол.* То же, что **Втира́ть очки́** *кому.* СРНГ, 25, 60.

Втира́ть/ втере́ть очки́ *кому.* Обманывать кого-л., представляя что-л. в искажённом, неправильном, но в выгодном, желательном для себя свете. ФСРЯ, 87. Ср. **Очёк вдеть** *кому.*

Вставля́ть/ вста́вить очки. 1. *кому. Сиб. Шутл.* Ставить синяк под глазом кому-л. ФСС, 32. 2. *кому. Волог., Курск., Сиб., Жарг. угол.* Наказывать, ругать, бить кого-л. БотСан, 87; СРНГ 25, 70; ТСУЖ, 35; Мокиенко 1990, 53. 3. *кому. Прост.* Превосходить кого-л., показывать своё превосходство над кем-л. Ф 1, 86; Глухов 1988, 16. 4. *Жарг. угол.* Обманывать кого-л. ТСУЖ, 35. 5. *Сиб. Неодобр.* Проявлять себя не с лучшей стороны. ФСС, 32.

Вы́шибить очки́ *кому. Сиб.* Ударить в глаз; побить, поколотить кого-л. ФСС, 40.

Линко́вые очки́. *Жарг. угол.* Паспорт на чужое имя. Трахтенберг, 34; ТСУЖ, 126. < От **линкен** — фальшивый паспорт. Грачев 1997, 143.

Ли́повые очки́. *Жарг. угол.* То же, что **линковые очки.** Трахтенберг, 34.

Лома́ть очки́. *Жарг. угол.* Проверять документы. Балдаев 1, 301.

Наде́ть золоты́е очки́ *кому. Народн. Шутл.-ирон.* Дать взятку кому-л. ДП, 81.

Наста́вить очки́ и вьюны́. *Жарг. угол.* Внимательно смотреть и слушать. СРВС 3, 227.

Описа́ть очки́ *кому. Жарг. угол.* Порезать кому-л. глаза, лицо бритвой. Балдаев 1, 291; Мильяненков, 187.

Поста́вить очки́ *кому. Кар.* То же, что **вышибить очки.** СРГК 4, 354.

Смотре́ть сквозь ро́зовые очки́ *на кого, на что. Разг.* Не замечать недостатков, идеализировать кого-л., что-л. ФСРЯ, 307; ЗС 1996, 154; БМС 1998, 427.

Ста́вить очки́. *Печор. Шутл.-ирон.* Ударяться, ушибаться (до синяков). СРГНП 1, 552.

Тёмные (ли́повые, яма́нные) очки́. *Жарг. угол.* Поддельный паспорт; фальшивые документы. ТСУЖ, 126; Балдаев 2, 77, 128; Грачев 1997, 143; Мильяненков, 187.

ОЧКО́ * Быть на очке́. *Жарг. мол.* Бояться чего-л. Максимов, 52.

Втира́ть/ втере́ть очки́ *кому. Прост.* Обманывать кого-л., представить что-л. в выгодном свете. ФСРЯ, 307; ШЗФ 2001, 49; ЗС 1996, 48, 221, 319, 367; БТС, 772; БМС 1998, 427; Янин 2003, 76; Грачев, Мокиенко 2000, 131.

Набира́ть/ набра́ть очки́. *Публ.* Завоёвывать преимущества в чём-л. Мокиенко 2003, 70.

Перебра́ть гра́дусные очки́. *Кар. Шутл.* Выпить лишнего (о спиртном). СРГК 4, 430.

Бомби́ть очко́. *Жарг. мол. Шутл.* Страдать расстройством желудка. Максимов, 297.

Бра́тское очко́. *Жарг. карт.* Четвёрка (игральная карта). ТСУЖ, 23; Балдаев 1, 302; ББИ, 167; Мильяненков, 188.

Вста́вить очко́ (очка́) *кому. Жарг. угол.* 1. Обмануть кого-л. 2. Избить кого-л. ББИ, 167.

Дуть в очко́ *кого, кому. Жарг. угол., арест.* Совершать анугенитальный половой акт с кем-л. СВЯ, 30; ТСУЖ, 52.

Зажа́ть очко́. *Разг. Ирон.* Струсить, сильно испугаться. Смирнов 1993, 74, 179; ББИ, 84.

Запая́ть очко́ *кому. Жарг. арест., гом.* Совершить гомосексуальный половой акт анальным способом с кем-л. Балдаев 1, 147; ББИ, 87.

Заше́й очко́! *Жарг. мол., спорт. Бран.* Совет вратарю, пропустившему мяч между ног. Никитина 2003, 474.

Очко́ жим-жи́м у кого. *Жарг. угол., мол.* То же, что **очко играет.** Митрофанов, Никитина, 143; Вахитов 2003, 126.

Очко́ игра́ет/сыгра́ло [на ми́нус] *у кого. Жарг. мол. Ирон.* О сильно испугавшемся человеке. Волков, 66; Югановы, 300; Елистратов 1994, 310; Вахитов 2003, 126.

Очко́ на ноль *у кого. Жарг. угол., мол.* То же, что **очко играет.** Грачев 1992, 123; Быков, 146; ББИ, 167; УМК, 149.

Очко́ на нуле́ *у кого. Жарг. мол. Неодобр.* Об отсутствии внимания у собеседника. Максимов, 297.

Очко́ не желе́зное (не фе́ррум) *у кого. Жарг. угол., мол.* То же, что **очко играет.** Грачев 1992, 123; ТСУЖ, 126; Елистратов 1994, 310; УМК, 149; Балдаев 1, 302; ББИ, 167; Мильяненков, 188.

Очко́ отви́сло *у кого. Жарг. мол. Неодобр.* То же, что **очко сыграло.** Максимов, 291.

Очко сли́плось *у кого. Жарг. мол., угол.* То же, что **очко играет.** Грачев 1992, 123; Быков, 146; ББИ, 167; УМК, 149; Балдаев 1, 302.

Поджа́ть очко́. *Жарг. мол. Неодобр.* Испугаться. Максимов, 297.

Пойма́ть очко́. *Жарг. шк.* Получить положительную оценку. Максимов, 297.

Порва́ть очко́ *кому. Жарг. арест., угол., гом.* 1. Совершить насильственный акт мужеложства с кем-л. ББИ, 167; ТСУЖ, 126; Быков, 146. 2. *в форме ед.ч., буд. вр.* Жестоко расправиться с кем-л. (угроза). DL, 88.

Пропусти́ть в очко́. *Жарг. спорт. (футб.). Неодобр.* Пропустить мяч между ног (о вратаре). Никитина 2003, 474.

Просу́нуть в очко́. *Жарг. спорт.* Протолкнуть, провести мяч между ног соперника. Максимов, 297.

Расконопа́тить очко́ *кому.* 1. *Жарг. угол., арест., гом.* Совершить акт мужеложства. 2. *Жарг. угол.* Заставить кого-л. говорить правду. ББИ, 206.

Расписа́ть очко́ *кому. Жарг. угол.* Разрезать задний брючный карман кому-л. (при краже). Мокиенко, Никитина 2003, 237.

Рвать очко́. 1. *Жарг. арест., угол., гом.* Предлагать себя гомосексуалисту в качестве пассивного партнера, чтобы получить наркотик и т. п. ТСУЖ, 126. 2. *Жарг. мол.* Сильно волноваться. h-98. 3. *Жарг. мол. Ирон. или Неодобр.* Очень стараться при выполнении какой-л. работы. БСРЖ, 413. 4. *Жарг. арест. Пренебр.* Заниматься тяжёлым физическим трудом. УМК, 149. 5. *[перед кем]. Жарг. арм. Неодобр.* Выслуживаться, заискивать перед начальством. УМК, 149. Быков, 146; Балдаев 1, 302; ББИ, 167; Мильяненков, 188.

Свисте́ть в очко́. *Жарг. мол. Неодобр.* Лгать, обманывать. Максимов, 297.

Сесть на очко́. *Жарг. мол. Неодобр.* 1. Струсить, сильно испугаться. БСРЖ, 413. 2. Опозориться. Максимов, 297.

Шпо́нить (щу́пать) очко́ *кому. Жарг. угол., гом.* То же, что **дуть очко.** ББИ, 296-297; УМК, 149.

Дава́ть/ дать де́сять (сто) очко́в вперёд *кому. Разг.* Значительно превосходить кого-л. в чём-л. БМС 1998, 59; ФСРЯ, 307; ШЗФ 2001, 59; Ф 1, 139; ЗС 1996, 30; СПП 2001, 59.

Очко́м гво́зди дёргать. *Жарг. угол. Шутл.-ирон.* 1. Трусить, бояться чего-л. 2. Отпираться от содеянного. Балдаев 1, 302; ББИ, 167.

< **Очко** — 1. Глаз. 2. Анальное отверстие. БСРЖ, БСРЖ, 413.

ОШЕЙНИК * Пенько́вый бы на тебя́ оше́йник! *Народн.* Восклицание, выражающее гнев, негодование в чей-л. адрес. ДП, 749.

О́ШЕРОК * О́шерок берёт. См. **Вошероп берёт (ВОШЕРОП).**

ОШИ́БКА * Оши́бка пья́ной акуше́рки (акуше́ра). *Жарг. мол. Презр.* 1. Об очень глупом человеке. 2. О человеке с отвратительной внешностью. Максимов, 297.

Оши́бка резиде́нта. *Жарг. арм. Шутл.-ирон.* О встрече солдата в увольнении или самовольной отлучке с патрулем. < От названия кинофильма. Максимов, 297.

ОШМЁТКИ * Ошмётки пове́сить. *Горьк.* Оставить любимую девушку. БалСок., 49.

ОШО́РОК * Взять за ошо́рок *кого. Ленингр.* Силой принудить кого-л. к чему-л. СРНГ 25, 95.

ПА́ВА * Ни па́ва ни воро́на. *Разг. Неодобр.* О человеке, который по своим взглядам, интересам и т. п. отошёл от одних и не примкнул к другим. < Из басни И. А. Крылова «Ворона» (1825 г.). ФСРЯ, 307; БТС, 150; БМС 1998, 428; Мокиенко 1990, 92.

ПА́ВЕЛ * Павел Мака́ров. *Жарг. мол. Шутл.* Член рок-группы «Битлз» Пол Маккартни. АиФ, 1999, № 25.

Па́вел Семёнов. *Жарг. мол. Шутл.* Певец Пол Саймон. АиФ, 1999, № 25.

Свято́й Па́вел. *Жарг. карт.* Валет (игральная карта). Балдаев 2, 31; ТСУЖ, 158; ББИ, 219; Грачев 1997, 42; Мильяненков, 228.

ПАВИА́Н * Заплесневе́лый павиа́н. *Жарг. мол. Пренебр.* Ловелас преклонного возраста. Максимов, 148.

Половозре́лый павиа́н. *Жарг. мол.* Подросток – член агрессивной молодёжной группировки. Максимов, 298.

ПАВУ́К * Паву́к ползу́чий. *Сиб., Забайк. Бран.* О человеке, вызывающем негодование, резкое осуждение. СРГЗ, 283; ФСС, 131.

ПА-ДЕ-ДЕ́ * Па-де-де́ из бале́та «Апре́льские те́зисы». *Жарг. мол. Шутл.* Памятник В. И. Ленину на Московской площади. < Фигура Ленина напоминает танцующего человека. Синдаловский, 2002, 134.

ПА-ДЕ-БУРЕ́ * Сде́лать (отстрочи́ть) па-де-буре́ *кому. Жарг. гом.* Совершить оральное сношение с кем-л. Кз., 58.

ПАДЕЖ * До па́дежа (падежа́, падежу́). 1. *Кар.* До изнеможения, до полной потери сил. СРГК 4, 366. 2. *Ср. Урал.* О большом количестве чего-л. СРГСУ 1, 142.

ПАДЕ́Ж * Склоня́ть/ просклоня́ть во всех падежа́х (по всем падежа́м) *кого. Разг.* Часто упоминать, много говорить о ком-л. с неодобрением, осуждением. ФСРЯ, 428; БТС, 774.

ПА́ДЛА * Па́дла (па́длой) бу́ду! *Жарг. арест., угол.* Клятвенное заверение в истинности сказанного. УМК, 151; Грачев 1992, 126; Р-87, 35.

Па́дла гребна́я. *Пск. Бран.* Об упрямой корове. СПП 2001, 59.

В па́длу (в па́дло) *кому что. Жарг. мол.* Не хочется, лень кому-л. делать что-л. Елистратов 1994, 312; СМЖ, 87.

ПАДЛО́ * В падло. См. **В падлу (ПАДЛА).**

Су́чье па́дло. *Прост. Бран.* Ненадёжный, не заслуживающий доверия человек. Мокиенко, Никитина 2003, 239.

ПАДЬМА́ * Падьма́ пасть *на что. Кар.* Жадно припасть к чему-л. СРГК 4, 406.

ПАЁК * Вы́дать паёк. См. **Выдать пайку (ПАЙКА).**

Бухенва́льдский паёк. *Жарг. арест., мол. Ирон.* Скудный обед. ББИ, 36.

Дополни́тельный паёк. *Жарг. арм. Шутл.-ирон.* Добавленные дни наказания на гауптвахте. Суворов, 18.

Сажа́ть/ посади́ть на голо́дный паёк. 1. *кого.* Заставлять кого-л. голодать. 2. *что.* Резко сократить снабжение предприятий, учреждений и т. п. Мокиенко 2003, 70.

Держа́ть на голо́дном пайке́. 1. *кого.* Заставлять кого-л. голодать, жить впроголодь. 2. *кого, что.* Ограничивать кого-л., что-л. в чём-л. БТС, 215; Мокиенко 2003, 70.

Сиде́ть на голо́дном пайке́. *Прост.* 1. Голодать. 2. Испытывать острую нехватку, дефицит чего-л. НРЛ-79; Мокиенко 2003, 71.

ПА́ЖИВА * Уйти́ на па́живу. *Кар.* Отправиться на заработки. СРГК 4, 369.

ПА́ЗЛО * Драть па́зло. *Волог.* Громко кричать, грубо ругаться. СРНГ 25, 146.

ПА́ЗУХА (ПА́ЗУХ) * Бо́жья пазуха. *Сиб.* Природные богатства. СФС, 27; ФСС, 131.

В па́зухе. *Печор.* В утробе матери. СРНГП 2, 5.

В па́зухе малова́то *у кого. Прост. Шутл.-ирон.* О маленькой женской груди. Мокиенко, Никитина 2003, 239.

Жить криво́й па́зухой. *Печор. Неодобр.* Жить хитростью, обманом. СРНГП 2, 5.

За па́зухой. *Печор.* То же, что **в пазухе.** СРНГП 2, 5.

Под па́зухой. *Сиб.* Под мышкой. СБО-Д2, 64. **Под па́зухом.** *Кар.* То же. СРГК 4, 370. **Под па́зухами.** *Перм.* То же. СРНГ 25, 148.

Нагре́ть па́зуху. *Волог.* Нечестным путем получить выгоду, нажиться на каком-л. деле. СВГ 5, 33.

Окуси́ да в па́зуху. *Прикам.* О необходимости жить экономно. МФС, 69.

Плева́ть в па́зуху. *Прост. Устар.* Стараться предохранить себя от всяческих бед. БМС 1998, 428.

Под па́зуху. *Кар.* О росте до плеча. СРГК 4, 370.

Хоть за па́зуху лей. *Сиб.* Об изобилии, о большом количестве чего-л. СОСВ, 105.

ПА́ЗЫК * Класть в па́зык *что. Ряз.* Запоминать что-л. СРНГ 25, 151. < **Пазык** – напуск на груди рубахи. ДС, 387.

ПАЙ * Отпе́ть свой пай. *Кар. Ирон.* Прожить положенное время. СРГК 4, 316.

Пай отошёл *чей. Сиб. Ирон.* О состарившемся человеке. ФСС, 131.

Попа́сть в пай. *Пск. Одобр.* Прийтись кстати, в самый раз. СРНГ, 25, 152.

Дать па́ю *кому. Каро.* Наказать, побить кого-л. СРГК 4, 371.

Вы́йти (отойти́) из (от) па́я. *Сиб. Ирон.* Состариться. ФСС, 36, 129.

ПА́ЙКА * Вы́дать (прописа́ть, всади́ть) па́йку (паёк) *кому. Разг.* Ударить, пнуть, толкнуть кого-л. Елистратов 1994, 312.

Ха́вать па́йку. *Жарг. угол., арест.* Отбывать срок наказания в ИТУ. Балдаев 2, 117. < **Хавать** – есть, поедать.

ПА́КИ * Па́ки доло́й. *Пск.* Чьи-л. дела совсем плохи. СПП 2001, 59.

ПАКИ́ША * На паки́шу. 1. *Новг. Неодобр.* Неправильно, не так, как следует (сделать что-л.). 2. *Кар.* Используя диалектные, просторечные слова (говорить). СРГК 4, 373. 3. *Новг.* Наизнанку (надеть что-л.). НОС 7, 89. 4. *Кар.* Левой рукой. СРГК 4, 373. 5. *Новг.* О левше. НОС 7, 90. 6. *Новг. Неодобр.* О человеке, делающем всё не так, как нужно, наоборот. НОС 7, 90.

ПА́КЛЯ * Суха́я па́кля. *Прикам. Бран.* О неловком, неумелом человеке. МФС, 72.

Разма́хивать па́клями. *Жарг. мол.* Активно жестикулировать при разговоре. Вахитов 2003, 96.

ПА́КОСТЬ * Выгоня́ть/ вы́гнать с па́кости *кого. Кар.* Прогонять животное, портящее посевы, пастбища. СРГК 4, 374.

Ходи́ть по па́костям. *Кар. Неодобр.* Вредить кому-л. СРГК 4, 374.

В па́кость забра́ться (попа́сть, ходи́ть). 1. *Новг. Неодобр.* Портить, повреждать что-л. НОС 7, 89 // *Кар.* Портить огороды, покосы (о животных). СРГК 4, 374. 2. *Кар. Неодобр.* Совершать неблаговидные поступки. СРГК 2, 232.

Па́кость де́яти (твори́ти). *Книжн. Устар.* Делать зло, совершать преступления. БМС 1998, 428.

ПАЛ * Пря́тать пал (па́лы). *Кар.* Очищать выжженный участок леса или лесосеку от веток, мусора. СРГК 4, 375.

Горе́ть па́лом. *Сиб.* Выделяться ярким цветом. ФСС, 47.

За одни́м па́лом. *Ряз.* Сразу, за один приём. СРНГ 25, 163; ДС, 387.

Па́лом загоре́ться. *Южн. Урал.* Ярко вспыхнуть. СРНГ 25, 163.

Па́лом пали́ть. *Кар.* Быстро работать. СРГК 4, 379.

Палы́ хо́дят. *Сиб.* О лесном пожаре. ФСС, 131.

Пуска́ть па́лы. *Алт.* Выжигать траву, лес. СРГА 3-2, 8.

ПАЛА́ТА * Пала́та № 6. 1. *Жарг. шк. Шутл.-ирон.* Учительская. ВМН 2003, 98. 2. *Жарг. мол. Презр.* О глупом, слабоумном человеке. Максимов, 299.

ПАЛА́ТКА * Подня́ть пала́тку. *Жарг. торг.* Открыть торговую точку. Лихолитов 1997, 62.

Разби́ть пала́тку с центра́льным ко́лышком посереди́не. *Жарг. мол. Шутл.* Сексуально возбудиться (о мужчине). Максимов, 357.

Строить палатку. См. **Строить вигвам (ВИГВАМ).**

ПА́ЛЕВО * Попада́ть/ попа́сть в па́лево. *Жарг. мол.* Оказываться в сложной, опасной ситуации. Максимов, 299.

ПА́ЛЕЦ * Вдо́вий (золото́й) па́лец. *Арх.* Безымянный палец руки. АОС 3, 69; СРНГ 11, 332.

Гнуть под свой па́лец. *Арх.* Дела́ть что-л. по-своему, действовать в своих интересах. АОС 9, 166.

Два́дцать пе́рвый па́лец. *Разг. Шутл.* Мужской половой орган. Флг., 236; VSEA, 48; УМК, 151; Елистратов 1994, 313; ЖЭСТ-1, 141.

Держа́ть па́лец в у́хе. *Диал. Неодобр.* Бездельничать. Мокиенко 1990, 64.

Де́ржит шесто́й па́лец. *Волог.* О человеке, способном украсть что-л. СВГ 2, 22.

На большо́й (на весь, на пе́рвый) палец. *Разг. Одобр.* 1. Отлично, превосходно. 2. Отличный, превосходный. ФСРЯ, 308; БМС 1998, 428; Глухов 1988, 87.

На ка́ждый па́лец ня́нька. *Кар.* О женщине, которая нянчит много детей. СРГК 4, 376.

Наложи́ть па́лец. *Ряз.* Прикоснуться к чему-л. ДС, 387.

Облизну́ть па́лец. *Пск. Шутл.-Ирон.* Начать голодать. СПП 2001, 59.

Отре́жь па́лец – и кровь не пойдёт. *народн. Ирон.* Об очень худом человеке. Жиг. 1969, 253.

Па́лец в рот! *Жарг. угол.* Приказ молчать. ТСУЖ, 127; СВЖ, 10; Балдаев 1, 306; ББИ, 168; Мильяненков, 189.

Па́лец на ладо́ни *у кого. Кар. Шутл.-ирон. или Пренебр.* О неловком, неумелом человеке. СРГК 4, 378.

Па́лец о па́лец колоти́ть. *Пск. Неодобр.* Бездельничать, праздно слоняться. СПП 2001, 59.

Па́лец об па́лец не бить. *Пск. Неодобр.* Бездельничать, бездействовать. СПП 2001, 59.

Па́лец о па́лец не ко́кнуть. *Новг.* То же, что **палец о палец не ударить.** НОС 4, 74.

Па́лец о па́лец не колону́ть (не сту́кнуть). *Народн., Волг., Волог., Новг., Перм., Печор., Пск.* То же, что **палец о палец не ударить.** Жиг. 1969, 221; НОС 7, 90; СВГ 6, 121; Мокиенко 1990, 64; Подюков 1989, 92; СРГНП 1, 326; Сл. Акчим. 4, 8; СПП 2001, 59.

Па́лец о па́лец не уда́рить. *Прост. Неодобр.* Ничего не предпринять, не приложить ни малейшего усилия. Жиг. 1969, 221; БТС, 1373; Мокиенко 1990, 64; Глухов 1988, 106.

Па́лец о па́лец не уме́ет уда́рить. *народн. Неодобр.* О неловком, неумелом человеке. ДП, 427; Жиг. 1969, 79.

Па́лец о па́лец не щёлкнуть (не щелкну́ть). *Кар.* То же, что **палец о палец не ударить.** СРГК 4, 377.

Под па́лец полага́ть *что. Кар.* Экономить, копить деньги. СРГК 4, 377.

Хоть бы па́лец о (об) па́лец уда́рил. *Пск. Неодобр.* То же, что **палец о палец не ударит.** СПП 2001, 59.

Хоть па́лец в глаз. *Диал.* О полной темноте. Мокиенко 1990, 54.

Чёртов па́лец. 1. *Пск.* Камыш. СПП 2001, 59. 2. *Яросл.* Небольшая трубочка, получившаяся из сплавившихся от удара молнии песчинок. ЯОС 3, 109.

Шесто́й па́лец *у кого. Волог., Костром.* Страсть к воровству. СРНГ 25, 169.

Выса́сывать/ вы́сосать из па́льца *что. Разг.* Выдумывать, говорить что-л. без всяких оснований. ФСРЯ, 308; БТС, 183; ШЗФ 2001, 52; ЗС 1996, 221, 355; Мокиенко 1986, 55; БМС 1998, 428; Глухов 1988, 19; Жиг. 1969, 220; ДП, 432.

Гляде́ть со своего́ па́льца. *Арх.* Поступать по своему усмотрению. АОС 9, 139.

Два па́льца в жо́пу и скачка́ми. *Жарг. мол. Вульг. Шутл.* Очень быстро идти. Вахитов 2003, 44.

Корми́ть с па́льца. См. **Кормить с пальчика (ПАЛЬЧИК).**

Не вста́вить (не просу́нуть) па́льца. *Волг.* О большом количестве чего-л., заполненности какого-л. пространства чем-л. Глухов 1988, 96, 103.

Не кла́сть (не накла́дывать) па́льца *на кого. Ряз.* Никогда не бить, не трогать кого-л. ДС, 387.

Не наклада́ть па́льца *на кого. Новг.* Не причинять ни малейшего вреда кому-л. НОС 5, 147.

Не суй па́льца в рот – отку́сит. *Перм. Неодобр.* То же, что **пальца в рот не клади.** СРНГ 28, 125.

Обвести́ вокру́г па́льца *кого. Разг.* Ловко обмануть, перехитрить кого-л. ФСРЯ, 308; ЗС 1996, 221; БМС 1998, 428-429; Глухов 1988, 114; СПП 2001, 59.

Обви́ть вокру́г па́льца *кого. Перм.* Легко подчинить себе кого-л., справиться с кем-л. Подюков 1989, 133.

Оберну́ть (окрути́ть) вокру́г па́льца *кого. Прост.* То же, что **обвести вокруг пальца.** Ф 2, 6, 18.

Обойти́ круго́м па́льца. *Курск.* То же, что **обвести вокруг пальца.** БотСан, 99.

Обмота́ть вокру́г (о́коло) па́льца *что. Народн. Одобр.* Быстро и ловко выполнить какую-л. работу. ДП, 567.

Па́льца в рот не клади́ *кому. Разг.* О человеке, который не упустит случая воспользоваться оплошностью других. ФСРЯ, 308; ДП, 477; Мокиенко 1990, 26, 93; БМС 1998, 429.

Па́льца не подня́ть. *Диал. Неодобр.* То же, что **палец о палец не ударить.** Мокиенко 1990, 64.

Па́льца не прико́рчить. *Арх. Неодобр.* То же, что **палец о палец не ударить.** СРНГ 31, 258.

Па́льца не сто́ить *чьего. Народн.* Значительно уступать кому-л. во всём. ДП, 427.

Прогуля́ть вокру́г па́льца *кого. Прост.* То же, что **обвести вокруг пальца.** НРЛ-82; Мокиенко 2003, 71.

С па́льца сыт. *Кар. Шутл.* О человеке, который насытился, пробуя пищу. СРГК 4, 377.

По па́льцам мо́жно пересчита́ть (сосчита́ть) *кого, что. Разг.* О небольшом количестве кого-л., чего-л. ФСРЯ, 309; БМС 1998, 429; БТС, 822; СПП 2001, 59.

Раз по па́льцам, два по я́йцам. *Шутл.-ирон. или Пренебр.* 1. *Разг.* О неумелом, неловком работнике. 2. *Жарг. муз.* О неумелой, нетехничной игре на гитаре. 3. *Жарг. муз.* О нетехничном барабанщике. Никитина 2003, 478.

Двумя́ па́льцами забра́ть не́чего. *Пск.* Очень мало. ПОС 11, 37–38.

Проска́кивать ме́жду па́льцами. *Прост.* Ускользать, быстро и незаметно убегать, исчезать. Ф 2, 101.

Объясня́ть/ объясни́ть на па́льцах *кому что. Разг.* Растолковывать кому-л. что-л. просто, доступно. НРЛ-81; Мокиенко 2003, 71.

За пять па́льцев да за ладо́нь. *Пск. Ирон.* За бесценок, очень дёшево (отдать, продать что-л.). СПП 2001, 59.

Гляде́ть меж па́льцев. *Яросл. Неодобр.* Относиться к чему-л. недобросовестно, халатно. ЯОС 3, 80.

Купи́ть за пять па́льцев *кого, что. Новг.* Добиться чего-л. голосованием (подняв руку). НОС 4, 179.

Купи́ть на пять па́льцев. *Калуж. Неодобр.* Украсть что-л. СРНГ 25, 169.

Па́льцев не подобьёшь. *Кар.* О жёсткой земле. СРГК 4, 377.

Проме́ж па́льцев проскочи́ло. *Народн. Ирон.* О неудаче. ДП, 63.

Плыть (уплыва́ть, уходи́ть, проходи́ть) ме́жду па́льцами. *Народн.* Быстро и незаметно расходоваться, тратиться (о деньгах). БТС, 876, 1410; ФСРЯ, 324; БалСок, 42.

С пяти́ па́льцев. *Волг.* За счёт своего труда (жить). Глухов 1988, 163.

Ускольза́ть/ ускользну́ть из-под па́льцев *у кого. Разг.* Утрачиваться или не доставаться кому-л. Ф 2, 222.

Говори́ть с па́льцем во рту́. *Волг.* Говорить тихо, невнятно, неразборчиво. Глухов 1988, 24.

Грози́ть па́льцем *кому. Разг.* Выражать неудовольствие в чей-л. адрес, неодобрение чьих-л. действий, поступков, предупреждать против этого. БМС 1998, 429.

Кива́ть/ кивну́ть па́льцем *кому. Разг. Устар.; Пск.* Звать, подзывать кого-л. движением пальца. Ф 1, 235; ПОС 14, 106.

Не ба́ливать никаки́м па́льцем. *Кар.* Никогда ничем не болеть. СРГК 4, 25.

Не ворохну́ть па́льцем. *Волг. Неодобр.* То же, что **палец о палец не ударить.** Глухов 1988, 95.

Не задева́ть па́льцем *кого. Сиб.* Не причинять ни малейшего вреда, не бить, не трогать кого-л. СОСВ, 135. **Не задёвывать па́льцем** *кого. Волог.* То же. СВГ 2, 113; СВГ 6, 121.

Не заде́ивать па́льцем. *Кар.* То же, что **не задёвывать пальцем.** СРГК 2, 114.

Не па́льцем де́ланный. *Разг. Шутл.-ирон. или Одобр.* Кто-л. разбирается в чём-л., умеет делать что-л. не хуже других. Флг., 236; Подюков 1989, 60; ЗС 1996, 30. **Не па́льцем стру́ган.** *Перм. Шутл.-одобр.* То же. Подюков 1989, 60.

Не покриви́т па́льцем. *Волг. Неодобр.* О ленивом, неповоротливом человеке. Глухов 1988, 102.

Не пошевели́т (не пошевельнёт) па́льцем. *Разг. Неодобр.* О предельно равнодушном к чему-л., ничего не предпринимающем человеке. Ф 2, 83.

Не шевели́ть (не шеве́ливать) па́льцем *кого. Алт., Кар.* Никогда не бить, не трогать кого-л. СРГА 3-2, 9; СРГК 4, 376.

Па́льцем в не́бо. 1. *Разг. Шутл.-ирон.* Памятник В. И. Ленину (с поднятой вперёд-вверх рукой). РТР, 09.12.98. 2. *Жарг. шк. Шутл.* Астрономия (учебный предмет). ВМН 2003, 98. < Образовано каламбурным обыгрыванием фразеологизма **попасть пальцем в небо** – ответить невпопад, объяснить что-л. несуразно, бестолково.

Па́льцем де́ланный. *Разг. Ирон.* Растяпа; наивный, неразумный человек. Росси 2, 270; Балдаев 1, 306; Флг., 236; ББИ, 169; Глухов 1988, 32, 121.

Па́льцем не погну́ть. *Диал. Неодобр.* То же, что **пальцем не пошевелить.** Мокиенко 1990, 64.

Па́льцем не поколоти́ть (не ткнуть). *Волог. Неодобр.* То же, что **пальцем не пошевелить.** СВГ 6, 121.

Па́льцем не покриви́ть. *Горьк. Неодобр.* То же, что **пальцем не пошевелить.** БалСок, 49.

Па́льцем не пошевели́ть (не дви́нуть, не шевельну́ть). *Разг. Неодобр.* Не сделать ни малейшего усилия для чего-л. ФСРЯ, 309; БТС, 1493; БМС 1998, 429; Мокиенко 1986, 127; Мокиенко 1990, 64.

Пока́зывать па́льцем *на кого. Разг.* Относиться к кому-л. как к необычному, обращающему на себя внимание; высмеивать, осуждать кого-л. ФСРЯ, 309; БМС 1998, 429.

Пока́зывать па́льцем в не́бо. *Волг.* То же, что **попадать пальцем в небо.** Глухов 1988, 128.

Попада́ть/ попа́сть па́льцем в не́бо. *Разг. Неодобр.* Говорить или делать что-л. невпопад. ФСРЯ, 342; ДП, 61, 480, 641; Жиг. 1969, 314.

Пошевели́ть па́льцем. *Кар.* Дотронуться до чего-л., прикоснуться к чему-л. СРГК 4, 377.

С па́льцем де́сять [с огурцо́м пятна́дцать]. *Разг. Устар.* Шутливое приветствие. < Из речи уличных парикмахеров. БМС 1998, 429.

Ты́кать па́льцем *на кого, в кого. Прост.* Открыто, во всеуслышание осуждать, упрекать, стыдить кого-л. Ф 2, 212; Глухов 1988, 161.

Ука́зывать одни́м па́льцем. *Волг. Неодобр.* Капризно повелевать, распоряжаться. Глухов 1988, 163.

Выгля́дывать сквозь па́льцы. *Курск.* Быть материально зависимым от кого-л. БотСан, 88.

Гнуть па́льцы. *Жарг. мол. Неодобр.* 1. Зазнаваться. БСРЖ, 417. 2. Искусно, изощрённо лгать, обманывать. h-98.

Загиба́ть/ загну́ть па́льцы. *Жарг. мол.* Отказываться выполнить чьи-л. требования. Максимов, 138.

Заверни́ (сверни́) па́льцы, [а то боти́нки порву́тся]! *Жарг. мол.* Требование вести себя скромнее. Максимов, 136.

Испе́чь себе́ па́льцы. *Волг.* Потерпеть неудачу. Глухов 1988, 60.

Кида́ть па́льцы. *Жарг. мол. Неодобр.* То же, что **гнуть пальцы 1.** Круто 2003, № 20, 34.

Па́льцы ве́ером [со́пли пузырём, зу́бы ши́фером]. *Жарг. мол.* 1. О человеке, бахвалящемся своим богатством и демонстративно транжирящем деньги. < Первоначально – о человеке с пальцами, унизанными дорогими кольцами. БСРЖ, 417; Вахитов 2003, 127. 2. О человеке, чаще — о преуспевающем бизнесмене, связанном с криминальными структурами. Никитина 1998, 308. 3. *Неодобр.* О гордом, заносчивом человеке. Белянин, Бутенко, 119. 4. *Ирон.* О намерении что-л. сделать. Максимов, 300.

Па́льцы огло́жешь. *Кар. Одобр.* То же, что **пальцы проглотишь.** СРГК 4, 377.

Па́льцы прогло́тишь. *Пск. Одобр.* Об очень вкусной пище. (Запись 2001 г.).

Пропуска́ть сквозь па́льцы *что. Разг.* 1. То же, что **смотреть сквозь пальцы.** 2. Упускать что-л., лишаться чего-л. по своей невнимательности. ФСРЯ, 365; Ф 2, 101.

Процеди́ть сквозь па́льцы. *Дон., Рост. Неодобр.* Сделать что-л. небрежно, кое-как, нехотя. СРНГ 25, 169; СДГ 3, 70.

Разброса́ть (раски́нуть) па́льцы. *Жарг. мол., крим.* Начать важничать, зазнаваться, демонстрировать свою принадлежность к мафиозным структурам. w-99; Максимов, 300.

Смотре́ть (гляде́ть) сквозь па́льцы *на что, на кого. Разг.* Сознательно не замечать чего-л. предосудительного, непозволительного. ФСРЯ, 309; БТС, 211; ДП, 215; ЗС 1996, 212, 226, 258; БМС 1998, 430.

Собра́ть па́льцы. *Жарг. мол.* Прекратить хвастаться, зазнаваться. Sleng-99.

То́лько па́льцы в рука́х. *Кар.* Об отсутствии помощи со стороны. СРГК 4, 377.

ПА́ЛКА * Во́лчья па́лка. *Пск.* Камыш. СПП 2001, 59.

Молоти́льная па́лка. *Горьк. Неодобр.* Болтун, пустомеля. БалСок, 43.

Неуде́льная па́лка. *Перм., Прикам. Неодобр.* О неловком, неумелом, ни к чему не приспособленном человеке. МФС, 72; СГПО, 420.

О́гненная па́лка. *Кар.* Молния. СРГК 4, 137.

Па́лка об па́лку не переломи́ть. *Пск. Шутл.* То же, что **палки не перекласть.** СПП 2001, 59; Мокиенко 1990, 64.

Па́лка о двух конца́х. *Разг.* О том, что может иметь и положительный и отрицательный исход, и положительные и отрицательные последствия. ФСРЯ, 308; БТС, 240, 776; БМС 1998, 430.

Па́лка пла́чет *по ком. Разг. Неодобр.* О том, что заслуживает наказания, кого нужно побить. ФСРЯ, 308; БТС, 837; БМС 1998, 430.

Хоро́шая па́лка говно́ меша́ть. *Жарг. мол. Вульг. Неодобр.* О человеке высокого роста. Вахитов 2003, 196.

Чёртова па́лка. *Сиб.* Растение аир. СОСВ, 199.

Ядрёна па́лка! *Прост. Бран.-шутл.* Восклицание, выражающее досаду, лёгкое раздражение. СРГК 4, 381; Мокиенко, Никитина 2003, 239.

Не о па́лке ходи́ть. *Яросл.* Быть ещё не старым, не беспомощным. ЯОС 6, 124.

Бараба́нной па́лки не́где вы́резать. *Народн.* Об отсутствии леса, безлесье. ДП, 939.

Вставля́ть (ста́вить, сова́ть) па́лки в колёса *кому, чему. Разг. Неодобр.* Намеренно мешать кому-л. в каком-л. деле. ФСРЯ, 308; ЗС 1996, 65; ШЗФ 2001, 48; Янин 2003, 74; Ф 2, 171, 181; БМС 1998, 430; БТС, 1258.

Зелёны па́лки! *Перм. Бран.-шутл.* Восклицание, выражающее лёгкое раздражение, досаду. Подюков 1989, 142.

Из-под па́лки. *Разг.* По принуждению, под страхом наказания, не по своей воле. ФСРЯ, 308; БМС 1998, 430; ЗС 1996, 219; СПП 2001, 59.

Наро́зно на па́лки. *Кар.* О тех, кто поссорился. СРГК 4, 381.

Па́лки зелёные! *Прост. обл.* 1. *Неодобр.* Выражение порицания, досады или недоумения. 2. *Одобр.* Выражение восторга, восхищения. Мокиенко, Никитина 2003, 239.

Не переки́нуть па́лки *кому. Волг. Неодобр.* Не оказать помощи кому-л. Глухов 1988, 101.

Не перекла́сть па́лки. *Кар.* Ничего не сделать, не предпринять. СРГК 4, 381.

Па́лки не ло́мит (не перело́мит, не слома́ет, не сло́мит). *Пск. Неодобр.* О бездельнике, лентяе. СПП 2001, 59.

Пиха́ть па́лки в колёса *кому. Сиб. Неодобр.* То же, что **вставлять палки в колеса.** СОСВ, 135.

Сова́ть па́лки в колёса *кому. Пск. Неодобр.* То же, что **вставлять палки в колеса.** СПП 2001, 59.

Хоть па́лки подставля́й *кому. Кар.* О том, кто неразборчив, не привередничает в еде. СРГК 4, 381.

Чёртовы па́лки. 1. *Новг.* Камыш. НОС 12, 54. 2. *Сиб.* Растение рогоз широколистный. Верш. 7, 269.

Доки́нешься па́лкой *до чего. Новг.* О небольшом расстоянии до чего-л. Сергеева 2004, 157.

Нельзя́ почеса́ть коря́вой па́лкой. *Волг.* О заносчивом, высокомерном человеке. Глухов 1988, 132.

Оде́ть па́лкой (пру́том, плёткой). *Перм.* Избить, поколотить кого-л. СРНГ 23, 9.

Па́лкой (дуби́ной) бро́сить (ки́нуть, доки́нешь) *до кого, до чего. Пск.* Очень близко (о небольшом расстоянии до чего-л.). ПОС 2, 197; ПОС 9, 118.

Па́лкой не доки́нешь. 1. *до чего. Влад., Перм.* О том, что наступит нескоро. СРНГ 8, 98; Подюков 1989, 64. 2. *до кого. Волг. Ирон.* О богатом, недоступном человеке. Глухов 1988, 97.

Па́лкой ша́пки не доста́ть. *Волг. Ирон.* То же, что **палкой не докинешь 2.** Глухов 1988, 97.

Броса́ть/ бро́сить (вбива́ть/ вбить, вправля́ть/ впра́вить, вставля́ть/ вста́вить, забива́ть/ заби́ть, засо́вывать/ засу́нуть, ста́вить/ поста́вить) па́лку кому. *Прост.* Совершать половой акт с кем-л. Елистратов 1994, 313; DL, 43; Раскин, 310; Белянин, Бутенко, 75, 89; ТСУЖ, 24, 35; УМК, 151; Югановы, 161; Росси 2, 270; Балдаев 1, 306; ББИ, 169; Мильяненков, 189; Вахитов 2003, 21, 32, 77.

Броса́ть (кида́ть) па́лку вперёд. *Дон.* Заранее готовиться к чему-л. СДГ 2, 220; СРНГ 25, 174.

Вбива́ть/ вбить па́лку. См. **Бросать палку.**

Вправля́ть/ впра́вить па́лку. См. **Бросать палку.**

Вставля́ть/ вста́вить па́лку. См. **Бросать палку.**

Едри́ твою па́лку! *Прост. Бран.* Выражение раздражения, досады, возмущения в чей-л. адрес. Подюков 1989, 71; Мокиенко, Никитина 2003, 239.

Забива́ть/ заби́ть па́лку. См. **Бросать палку.**

Загну́ть па́лку. *Жарг. мол.* Солгать, дезинформировать кого-л. Максимов, 138.

Засо́вывать/ засу́нуть па́лку. См. **Бросать палку.**

Кида́ть/ки́нуть па́лку вперёд. *Волг. Шутл.* Разведывать, разузнавать о чём-л. Глухов 1988, 74.

Лома́ть / облома́ть па́лку *об кого. Прост.* Бить, колотить кого-л. Ф 2, 8; СРНГ 17, 118.

Па́дать че́рез па́лку. *Моск.* Быть старым, слабым. СРНГ 25, 120.

Перегиба́ть/ перегну́ть па́лку. *Разг.* Впадать в излишнюю крайность в поступках, поведении. БТС, 798; ФСРЯ, 315; ЗС 1996, 227.

Переки́нуть па́лку. *Сиб. Ирон.* Поработать мало и недобросовестно. ФСС, 133.

Руби́ть па́лки. *Жарг. мил.* Выполнять план по раскрываемости преступлений. Максимов, 299.

Ста́вить/ поста́вить па́лку. См. **Бросать палку.**

Отката́ть на па́лках *кого. Горьк.* Отомстить кому-л. БалСок, 45.

Чуть ли что не на па́лках е́дет. *Кар. Ирон.* О худой, тощей лошади. СРГК 4, 381.

ПА́ЛОЧКА * Бараба́нная па́лочка. *Жарг. арест., мол. Ирон.* Женщина, заражённая венерической болезнью. УМК, 151; СВЯ, 6; ББИ, 24.

Волше́бная па́лочка. 1. *Жарг. шк. Шутл.* Карандаш. ВМН 2003, 98. 2. *Жарг. мол. Шутл.* Пенис. Макси-мов, 68.

Никоти́новая па́лочка. *Жарг. мол. Шутл.* Сигарета. БСРЖ, 417.

Па́лочка здоро́вья. *Жарг. мол. Шутл.-ирон.* То же, что **никотиновая палочка.** Максимов, 299.

Свята́я па́лочка. *Жарг. мол. Шутл.-ирон.* То же, что **никотиновая палочка.** Максимов, 299.

Эстафе́тная па́лочка. *Жарг. мол. Шутл.-ирон.* Девушка лёгкого поведения. СИ, 1998, № 8.

Е́здить верхо́м на па́лочке. *Волг. Шутл.* Ходить пешком. Глухов 1988, 127; ЗС 1996, 497.

Гно́мские па́лочки. *RPG. Шутл.* Сигареты. (Запись 2004 г.).

Чёртовы па́лочки. *Сиб.* То же, что **чёртовы палки 1.** Верш. 7, 269; СОСВ, 199.

За па́лочку. 1. *Сиб.* За отметку о трудодне (работать). ФСС, 131. 2. *Кар. Ирон.* За бесценок, очень дёшево (продавать). СРГК 4, 382.

ПА́ЛТУС * Я́сный па́лтус! *Пск.* Восклицание, выражающее удивление, раздражение, восхищение). Никитина 2002, 423.

ПА́ЛУБА * Втере́ть в па́лубу *кого. Жарг. арм., мол.* Жестоко расправиться с кем-л. (угроза). БСРЖ, 417.

Дра́ить па́лубу. *Жарг. арест.* Мыть пол в камере. ТСУЖ, 127.

ПА́ЛЬМА * Па́льма в Антаркти́де. *Жарг. мол. Шутл.* О том, что вызывает сильное удивление. Максимов, 300.

Па́льма пе́рвенства. *Книжн.* Первое место, превосходство в чём-л. над всеми другими. ФСРЯ, 308; БТС, 777; БМС 1998, 430.

Отдава́ть/ отда́ть па́льму [пе́рвенства] *кому. Книжн. Устар.* Признавать чьё-л. превосходство в чём-л. над кем-л. Ф 2, 24.

Уступа́ть/ уступи́ть па́льму пе́рвенства *кому. Книжн.* 1. Переставать быть первым в чём-л. 2. Становиться вторым в каком-л. соревновании. БМС 1998, 431; Ф 2, 224.

ПАЛЬМИ́РА * Се́верная Пальми́ра. *Публ.* Образное название Санкт-Петербурга. < **Пальмира** – город в Сирии, основанный в I тыс. до н. э. в оазисе среди бесплодной пустыни. БМС 1998, 431; ЗС 1996, 412.

ПАЛЬТО́ * Горо́ховое пальто́. *Разг. Устар.* О сыщике, агенте тайной полиции. < Восходит к А. С. Пушкину: в «Истории села Горюхина» упоминается сочинитель Б. «в гороховой шинели», известный связью с тайной полицией. БМС 1998, 431.

Пальто́ из лино́леума. *Жарг. мол. Шутл.-ирон.* Старомодный плащ. Максимов, 223.

ПА́ЛЬЧИК * Про́бовать па́льчик. *Жарг. арест., гом., мол.* Заниматься лесбийской любовью. УМК, 151; Балдаев 1, 355.

Уда́рить па́льчик о па́льчик. *Сиб.* Сделать что-л. СОСВ, 135.

Корми́ть с па́льчика (с па́льца) *кого. Твер., Яросл.* Ухаживать за маленьким ребёнком, нянчить кого-л. СРНГ 14, 337; СРНГ 25, 182.

Бе́гать на одни́х па́льчиках. *Горьк.* Угождать кому-л., подхалимничать. БалСок, 22.

Ходить на па́льчиках. *Волг.* Осторожничать, опасаться чего-л. Глухов 1988, 166.

Да́мские па́льчики. *Жарг. мол. Шутл.* Презерватив. Щуплов, 229.

Лома́ть па́льчики. *Кар.* Выполнять много тяжёлой работы. СРГК 4, 385.

Обли́зывать па́льчики. *Волг.* Завидовать кому-л. Глухов 1988, 114.

Оста́вить па́льчики. *Жарг. мил., угол.* Оставить отпечатки пальцев на месте преступления. Балдаев 1, 294; ТСУЖ, 122; ББИ, 169.

Па́льчики Бу́ша. *Жарг. мол. Шутл.* Куриные окорочка, импортируемые из США. Максимов, 300.

Па́льчики не шевеля́тся *у кого. Кар. Ирон. или Пренебр.* О пьяном человеке. СРГК 4, 386.

Па́льчики обли́жешь. *Разг. Одобр.* О чём-л. очень вкусном. БТС, 777; ДП, 814; ФСРЯ, 309; ЗС 1996, 190.

Па́льчики свистя́т *у кого. Волг.* О сильном желании чего-л. Глухов 1988, 121.

Распря́сть па́льчики. *Кар.* Утомить пальцы прядением. СРГК 4, 385.

Смотре́ть сквозь па́льчиков *на кого, на что. Сиб.* Быть безразличным, равнодушным к кому-л. СФС, 172.

ПА́МЖА * Па́мжа возьми́ *кого! Пск. Бран.* Восклицание, выражающее гнев, негодование. СПП 2001, 59.

Па́мжа его́ зна́ет (ве́дает). *Пск. Бран.* То же, что **памжа возьми!** СРНГ, 25, 184; Мокиенко 1986, 181.

Па́мжа обобра́ла *кого. Пск.* Кто-л. умер. СПП 2001, 59.

Па́мжа разбира́ет *кого. Пск. Неодобр.* О громко кричащем человеке. СПП 2001, 59.

К па́мже! *Пск.* 1. Прочь, вон, долой! 2. *Бран.* То же, что **памжа возьми!** СПП 2001, 59.

< **Па́мжа** – нечистая сила, чёрт, дьявол.

ПА́МОРОК * Заби́ть па́морок (па́мороки) *кому. Дон., Курск.* Лишить кого-л. сознания, памяти. СДГ 2, 220; СРНГ 25, 185; БотСан, 94.

Заби́ло все па́мороки *кому. Сиб.* О человеке, который не может ничего вспомнить. ФСС, 74.

Па́мороки забива́ются *у кого. Сиб.* Об утрате способности здраво рассуждать. ФСС, 131.

Па́мороки отши́бло *кому. Волг.* О человеке, который перестал соображать, понимать что-л. Глухов 1988, 120.

ПА́МОРОТКИ * Па́моротки отби́ло *кому. Сиб.* 1. То же, что **забило все памороки (ПАМОРОК).** СРНГ 25, 186. 2. О человеке, потерявшем рассудок. ФСС, 128.

ПА́МХА * Па́мха бы тебя́ взяла́ (вздёрнула)! *Кар. Бран.* То же, что **памжа возьми! (ПАМЖА).** СРГК 4, 387.

Па́мха возьми́ (дери́, побери́, схвати́) *кого! Новг. Бран.* то же, что **памжа возьми! (ПАМЖА).** НОС 7, 95; Сергеева 2004, 25.

Па́мха навали́лась *на кого. Новг.* О больном человеке, который никак не может выздороветь. Сергеева 2004, 192.

Па́мхи но́сят *кого. Кар. Неодобр.* О человеке, совершающем неблаговидные поступки. СРГК 4, 387.

Ухвати́ли тебя́ па́мхи! *Новг. Бран.* То же, что **памжа возьми! (ПАМЖА).** НОС 7, 95.

Провали́лся бы ты к па́мхам! *Кар. Бран.* То же, что **памжа возьми! (ПАМЖА).** СРГК 4, 387.

П

ПАМПА́СЫ * Уйти́ в пампа́сы. *Жарг. мол. Шутл.* 1. Опьянеть. 2. Скрыться, спрятаться от кого-л. СМЖ, 96.

ПА́МЯТКА * В па́мятках (в памяту́хах) нет *чего, кого. Ср. Урал.* О полном отсутствии чего-л., кого-л. СРГСУ 1, 96; СРНГ 25, 189.

В па́мятку *кому. Печор. Фольк.* Как кто-л. помнит, вспоминает. СРНГП 2, 7-10.

Зада́ть па́мятку *кому. Народн.* Избить, поколотить кого-л. ДП, 145; СРНГ 25, 188.

ПА́МЯТНИК * Па́мятник на твое́й моги́ле бу́дет пла́кать! *Жарг. крим.* Угроза расправы. Хом. 2, 137.

Па́мятник Пищевико́ву. *Разг. Шутл. Устар.* Памятник В. И. Ленину во дворе Дома культуры работников пищевой промышленности в Ленинграде, где вождь Октября изображён маленьким и толстеньким, как настоящий пищевик (в настоящее время снят). Синдаловский, 2002, 135.

ПАМЯТУ́ХА * В памяту́хах *чьих. Кар.* При чьей-л. сознательной жизни, на чьей-л. памяти. СРГК 4, 388.

В памяту́хах нет. См. **В памятках нет (ПАМЯТКА).**

ПА́МЯТЬ * Без Бо́жьей па́мяти. *Пск. Ирон.* Крепко, беспробудно (спать). СПП 2001, 59.

Без па́мяти. *Разг.* 1. Очень сильно, страстно, до самозабвения. 2. Очень быстро, стремительно. 3. *от кого, от чего.* В восхищении, в полном восторге. ФСРЯ, 309; БотСан, 83; ДС, 388.

Без Христо́вой па́мяти. *Дон.* Не смущаясь, не стыдясь, без зазрения совести. СРНГ 25, 191; СДГ 2, 220.

Блаже́нной (незабве́нной, све́тлой) па́мяти. 1. *Книжн. Устар.* Об умершем, покойном, которого вспоминают с уважением, любовью. 2. *Разг. Ирон.* Некогда процветавший, широко распространённый, но затем отживший, исчезнувший, о котором вспоминают с сожалением. ФСРЯ, 309.

Вести́ в па́мяти *что. Арх.* Помнить о чём-л. долгое время. АОС 4, 10.

В па́мяти *чьей. Дон.* То же, что **в память.** СДГ 2, 220.

Всплыва́ть/ всплыть в па́мяти. *Разг.* Вспоминаться. ФСРЯ, 309; ЗС 1996, 239.

Выжива́ть/ вы́жить из па́мяти. *Разг.* Становиться забывчивым в старости. ФСРЯ, 309.

Выки́дываться/ вы́кинуться из па́мяти. *Кар., Новг.* То же, что **выходить из памяти 1-2.** СРГК 1, 268; СРНГ 5, 290.

Выпада́ть/ вы́пасть из па́мяти. *Разг.* Забываться. ФСРЯ, 309; ЗС 1996, 238; Подюков 1989, 36.

Вы́стегнуться из па́мяти. *Алт.* Забыться. СРГА 1, 196.

Выходи́ть/ вы́йти из па́мяти. 1. *Алт., Ряз.* Впадать в бессознательное состояние. СРГА 1, 186; ДС, 388. 2. *Волог., Кар., Курск., Ряз.* То же, что **выпадать из памяти.** СВГ 1, 93; БотСан, 87; СРГК 4, 388; ДС, 388.

Вы́шибило из па́мяти. *Арх.* 1. *что.* О том, что забылось, не вспоминается. 2. *кого.* О человеке, потерявшем сознание. АОС 8, 407.

Дать (зада́ть) па́мяти *кому. Алт., Новг., Пск.* Выругать, наказать кого-л. СРГА 2-1, 11; НОС 3, 23; СПП 2001, 59; Мокиенко 1990, 48.

Держа́ться на па́мяти. *Горьк.* Молчать. БалСок, 33.

Дожи́ть до па́мяти. *Смол.* Осознать что-л. СРНГ 25, 191.

До па́мяти *чьей. Кар.* Очень давно, до чьего-л. рождения. СРГК 4, 388.

Зада́ться в па́мяти. *Морд.* Запомниться кому-л. СРГМ 1980, 74.

Зары́ться в па́мяти. *Кар.* Потерять сознание. СРГК 2, 195.

Из па́мяти [вон] кида́ет (вы́кинуло) *кого. Новг., Кар.* О потере сознания. СРГК 4, 388; НОС 1, 148.

На [большо́й (вели́кой)] па́мяти *чьей. Народн.* При чьей-л. жизни. БалСок, 44; ФСС, 131; СКузб., 126-127, 170; ФСРЯ, 309.

Остава́ться/ оста́ться в па́мяти. *Разг.* Запоминаться. Ф 2, 20.

Отойти́ от па́мяти. *Дон.* 1. Забыть что-л. 2. Потерять сознание. 3. Потерять рассудок, сойти с ума. СДГ 2, 220.

Па́мяти нет *чему. Кар.* О чём-л. очень давнем, старинном. СРГК 4, 388.

Печа́льной (недо́брой) па́мяти. 1. *Книжн. Устар.* Об умершем, покойном, которого вспоминают с неприязнью, ненавистью. 2. *Ирон.* Некогда существовавший, широко распространённый, но затем отживший, исчезнувший. ФСРЯ, 309-310; БТС, 829.

По ста́рой па́мяти. *Разг.* Под влиянием воспоминаний о прошлом, о прежнем. ФСРЯ, 310; ЗС 1996, 238.

Прийти́ к па́мяти. 1. *Дон.* Вспомнить что-л. СДГ 2, 220. 2. *Дон., Кар., Курск.* Прийти в сознание, очнуться. СДГ 2, 220; СРГК 4, 389; БотСан, 110.

При свое́й па́мяти. *Сиб.* Будучи в полном сознании. ФСС, 131.

Ры́ться в па́мяти. *Разг.* Пытаться вспомнить что-л. Ф 2, 135.

Сбить с па́мяти *кого. Кар.* Лишить кого-л. сознания, привести к потере сознания. СРГК 5, 642.

Сби́ться с па́мяти. 1. *Пск.* Обезуметь, потерять рассудок, начать вести себя как сумасшедший. СПП 2001, 59. 2. *Новг.* Прийти в замешательство, в растерянность; запутаться. НОС 10, 14.

Сойти́ с па́мяти. *Кар.* Потерять сознание. СРГК 4, 389.

Сшиба́ет с па́мяти *кого. Кар.* Об ослаблении памяти. СРГК 4, 389.

Теря́йся (тусу́йся), пока́ в (при) па́мяти. *Жарг. мол.* Требование уйти, удалиться с угрозой расправы. Максимов, 420; Вахитов 2003, 183.

Ввести́ в па́мять *кого. Кар., Новг.* Привести кого-л. в сознание. СРГК 1, 166; НОС 1, 109.

Вда́ться (взя́ться) в па́мять *кому. Перм., Прикам.* Запомниться кому-л. СГПО, 64, 74; МФС, 16.

Взойти́ в па́мять. *Орл.* Прийти в сознание, опомниться. СОГ 1989, 41.

Взять в (на) па́мять *что. Арх., Кар., Сиб.* Запомнить что-л. АОС 4, 84; СРГК 1, 199; СРГК 4, 388; ФСС, 26; СКузб., 127.

Взять па́мять. 1. *Перм., Прикам.* Очнуться, прийти в сознание. СГПО, 74; МФС, 18. 2. *у кого. Кар.* Лишить кого-л. памяти. СРГК 1, 199.

Вложи́ть в па́мять. 1. *что. Дон.* Запомнить что-л. СДГ 1, 68. 2. *кому. Волг.* Отчитать, выругать кого-л. Глухов 1988, 12.

Вороби́ная па́мять. *Сиб. Неодобр.* То же, что **куриная память.** СРНГ 25, 189.

В па́мять *чью. Кар.* При чьей-л. сознательной жизни, в чью-л. бытность. СРГК 4, 388.

Впасть в па́мять *кому. Кар.* Запомниться кому-л. СРГК 4, 388.

Вста́вить в па́мять *что. Арх.* Крепко запомнить что. АОС 6, 55.

Всходи́ть на па́мять. 1. *Пск.* Протрезвляться. ПОС 5, 80. 2. *Ряз.* Приходить в сознание. ДС, 388.

Входи́ть/ войти́ в па́мять. 1. *Алт., Арх., Кар., Сиб.* Приходить в сознание. СРГА 1, 165; АОС 5, 31; АОС 6, 87; ФСС, 30; СРГК 1, 221. 2. *Кар.* Вспоминаться. СРГК 1, 221.

Вы́вести на па́мять *что. Арх.* Напомнить кому-л. что-л. АОС 6, 135.

Горо́ховая па́мять *у кого. Пск. Шутл. или Ирон.* То же, что **дырявая память.** ПОС 7, 1324 СРНГ 7, 69.

Дать (зада́ть) па́мять *кому. Волг., Перм.* То же, что **дать памяти.** Глухов 1988, 47; Подюков 1989, 58.

Да́ться в па́мять *кому. Арх.* Запомниться, долго держаться в памяти. АОС 10, 290.

Де́вичья па́мять. *Разг. Неодобр. или Шутл.-ирон.* О человеке с плохой, слабой памятью. БМС 1998, 431; Жиг. 1969, 238; ДП, 448, 744; ЗС 1996, 239;ШЗФ 2001, 62; СПП 2001, 59.

Де́лать/ сде́лать па́мять. *Дон.* Праздновать годовщину чего-л. СДГ 2, 220.

Дыря́вая па́мять. *Разг. Неодобр.* О забывчивом человеке. ЗС 1996, 239; СПП 2001, 59.

Забива́ет па́мять *кому, у кого. Сиб.* О человеке, который не может вспомнить чего-л. ФСС, 74.

Задава́ть/ зада́ть па́мять *кому. Пск.* Ругать, отчитывать, наказывать кого-л. ПОС 11, 168.

Замши́ло па́мять *кому. Пск.* О человеке, который не может вспомнить чего-л. ПОС 11, 345.

Замыка́ет па́мять *кому. Волог.* О плохой, притупившейся памяти. СВГ 2, 132.

За па́мять *чью. Одесск.* То же, что **в память.** КСРГО.

Заходи́ть/ зайти в па́мять. 1. *Приамур.* То же, что **входить в память 1.** СРГПриам., 93. 2. *Кар.* То же, что **входить в память 2.** СРГК 2, 126. 3. *Кар.* Запоминаться кому-л. СРГК 2, 126.

Класть (твори́ть) па́мять *кому. Волг.* Ругать, бранить, проклинать кого-л. Глухов 1988, 158.

Кури́ная па́мять. *Народн. Неодобр.* О плохой, слабой памяти. ЗС 1996, 239; ДП, 448; СПП 2001, 59.

Куку́шкина па́мять. *Кар. Неодобр.* То же, что **куриная память.** СРГК 4, 388.

Лёгок на па́мять. *Кар.* О человеке, который появляется в тот момент, когда о нём говорят. СРГК 4, 388.

Лешако́вская па́мять. *Волог. Одобр.* То же, что **лошадиная память.** СВГ 4, 39.

Лошади́ная па́мять. *Вят. Одобр.* Об очень хорошей памяти. СРНГ 25, 189.

На па́мять. *Разг.* Наизусть, не смотря в текст (знать, читать и т. п.). ФСРЯ, 310.

Находи́ть на па́мять. *Ворон.* Вспоминаться. СРНГ 25, 189.

Не вложи́ть в па́мять *что. Дон.* Не припомнить, не вспомнить что-л. СДГ 1, 68.

Не в па́мять пасть. *Кар.* Не запомниться, забыться. СРГК 4, 388.

Ове́чья па́мять. *Сиб. Неодобр.* То же, что **куриная память.** ФСС, 131.

Отби́ть (отшиби́ть) па́мять *кому. Народн.* Лишить кого-л. памяти (как правило – о результате побоев). ДП, 447; СРНГ 25, 9.

Па́дать на па́мять *кому. Прикам.* Вспоминаться кому-л. МФС, 72.

Па́мять вы́шибло *кому. Арх., Сиб.* То же, что **память отшибло.** АОС 8, 406; ФСС, 40; СРНГ 25, 189.

Па́мять закры́лась *у кого. Кар.* О потере памяти. СРГК 2, 144.

Па́мять намозо́лить. *Народн. Ирон.* Стать забывчивым в старости. ДП, 448.

Па́мять отобра́ло *у кого. Новг.* То же, что **память отшибло.** НОС 7, 52.

Па́мять отши́бло *кому. Разг.* О человеке, который не может вспомнить чего-л. СПП 2001, 59. **Па́мять подши́бло** *кому. Кар.* То же. СРГК 5, 12.

Па́мять прочь *у кого. Новг.* То же, что **память отшибло.** НОС 7, 96.

Па́мять упа́ла. *Яросл. Ирон.* О человеке, который стал забывчивым. ЯОС 7, 80.

Приводи́ть/ привести́ в па́мять *кого. Разг.* Выводить кого-л. из обморочного состояния. Ф 2, 88.

Приходи́ть/ прийти́ в па́мять. *Разг.* Выходить из обморочного состояния. Ф 2, 94.

Приши́ть па́мять *кому. Новг.* Заставить кого-л. запомнить что-л. НОС 7, 96.

Прожи́ть па́мять. *Кар.* Стать забывчивым в старости. СРГК 4, 388.

Прямая па́мять. *Сиб.* Например (в роли вводного слова). ФСС, 132.

Уйти́ в па́мять. *Жарг. мол. Шутл.* Оставить в покое кого-л., перестать надоедать кому-л. < Из компьютерного жаргона. Никитина 2003, 479.

За па́мятью *чьей. Дон.* То же, что **на па́мяти.** СДГ 2, 220.

Сла́зить за па́мятью. *Пск. Шутл.* Постараться вспомнить что-л. СПП 2001, 59.

На па́мятях *чьих. Алт., Дон., Прикам., Сиб.* То же, что **на памяти.** СРГА 3-1, 124; СДГ 2, 220; МФС, 73; СГПО, 421; СБО-Д2, 65; СФС, 115; СПСП, 90.

Не в свои́х па́мятях. *Дон.* О человеке, потерявшем рассудок, сумасшедшем. СДГ 2, 220.

При па́мятях *чьих. Кар.* Прежде, при чьей-то молодости. СРГК 4, 388.

ПАН * Ли́бо (или) пан, ли́бо (или) пропа́л. *Разг.* О ситуации, связанной с большим риском, когда можно добиться всего желаемого или всё потерять. БМС 1998, 431; ЗС 1996, 111; БТС, 777; ДП, 77; СРНГ 25, 192.

Пан королю́. *Волг., Сиб. Шутл.-одобр.* О человеке, живущем в достатке, богато. Глухов 1988, 43; ФСС, 132.

ПАНДА́Н * В панда́н *к кому, к чему. Книжн. Устар.* Под стать, в пару кому-л., чему-л. БТС, 777. < Из фр. *pendant* – соответствие, пара, парный предмет. Крысин 2005, 559.

ПАНДЫ́РА * Вы́йти с панды́рой. *Кар. Шутл.* Опьянеть. СРГК 1, 267.

ПАНЕГИ́РИК * Произноси́ть панеги́рики. *Книжн.* Чрезмерно восхвалять кого-л., что-л. < **Панегирик** – в Древней Греции – похвальная речь. БМС 1998, 431.

ПАНЕ́ЛЬ * Брать/ взять с пане́ли *кого.* 1. *Разг.* Воспользоваться услугами проститутки. 2. *Жарг. угол.* Иметь дело с незнакомым, случайным человеком. Балдаев 1, 64.

Рабо́тать на пане́ли. *Разг.* Заниматься проституцией. Мокиенко, Никитина 2003, 241.

С пане́ли. *Жарг. угол. Неодобр.* О случайном, непроверенном человеке. Балдаев 2, 54.

Ходи́ть по пане́ли. *Разг.* То же, что **работать на панели.** Мокиенко, Никитина 2003, 241.

Выбра́сывать/ вы́бросить на пане́ль *кого. Разг.* Заставлять кого-л. стать проституткой. Мокиенко, Никитина 2003, 241.

Идти́ /вы́йти на пане́ль. *Разг.* Становиться проституткой. Мокиенко, Никитина 2003, 241; БТС, 778.

ПАНИБРА́ТА * Быть за панибра́та *с кем. Прост.* Быть с кем-л. в приятельских отношениях, на «ты». БМС 1998, 432.

ПА́НИКА * Впада́ть/ впасть в па́нику. Паниковать. Шевченко 2002, 296.

Наводить/ навести панику. Паниковать. Шевченко 2002, 296.

ПАНИХИ́ДЫ * Заводи́ть/ завести́ панихи́ду. *Прост.* 1. Петь грустные песни. 2. Вести утомительный, неинтересный разговор. Ф 1, 192.

Петь панихи́ды. *Книжн. Неодобр.* 1. Оплакивать кого-л. 2. Быть слишком слезливым. БМС 1998, 432.

ПАНКРУ́Т * Пойти́ (пасть) в панкру́т. *Кар.* Обеднеть, разориться. СРГК 4, 390.

ПАНТАЛЫ́Г. См. **ПАНТАЛЫК.**

ПАНТАЛЫ́ГА. См. **ПАНТАЛЫК.**

ПАНТАЛЫ́К (ПАНТАЛЫ́Г, ПАНТАЛЫ́ГА) * Сбива́ть /сбить с панталы́ку *кого. Разг.* Приводить в замешательство, сбивать с толку, путать кого-л. ФСРЯ, 310; БТС, 778; Ф 2, 139; БМС 1998, 432. **Сбива́ть/ сбить с панталы́ги** *кого. Сиб.* То же. СФС, 162. **Сбива́ть/ сбить с панталы́гу** *кого. Влад.* То же. СРНГ 25, 199.

Сбива́ться /Сби́ться с панталы́ку. *Разг. Неодобр.* Приходить в замешательство, путаться. БМС 1998, 432; ЗС 1996, 118, 258, 501. // *Пск.* Сбиваться с правильной линии поведения. СПП 2001, 59. **Сби́ться с панталы́ги.** *Пск.* То же. СПП 2001, 59.

ПАНТЕЛЕ́Й * Пантеле́й чистодо́рский. *Кар. Бран.* О человеке, вызывающем резко отрицательные эмоции. СРГК 4, 390.

ПА́НТЕР * Без па́нтера. *Кар.* Очень крепко (спать). < Искаж. **без панцыря.** СРГК 4, 390.

ПАНТЕ́РА * Панте́ра из ботани́ческого са́да. *Жарг. шк. Шутл. или презр.* Учительница зоологии. Golds, 2001.

ПАНТЫ́ * Крути́ть панты́. *Жарг. угол.* Приставать к кому-л., надоедать кому-л. Балдаев 1, 211.

ПА́НЦИРЬ * Бе́лый па́нцирь. *Публ.* Об арктических льдах. НРЛ-78; Мокиенко 2003, 71.

Без па́нциря. 1. *Кар.* Без сил, в состоянии полного изнеможения. СРГК 4, 390. 2. *Курск.* Не раздумывая, необдуманно. СРНГ 25, 201.

ПА́НЫЧ * Кру́ченый па́ныч. *Одесск.* Растение вьюнок с голубыми или фиолетовыми цветами. КСРГО.

ПА́ПА * Для пап и мам. *Жарг. театр. Шутл.* Прогон спектакля. Pulse, 2000, № 9, 11.

[Кра́сный] па́па (папа́ша) Зю. *Жарг. мол. Ирон.* Г. А. Зюганов, лидер российских коммунистов. WMN, 63; ЖЭСТ-2, 171.

Лу́чше бы его́ па́па на сте́нку слил. *Жарг. мол. Пренебр.* О крайне глупом, никчёмном человеке. Максимов, 231.

Па́па Джо́нсон. *Жарг. мол. Шутл.* Пенис. Максимов, 301.

Па́па Ди́ма (Во́ва, Же́ня и т. п.). *Жарг. шк. Шутл.* Директор школы с соответствующим именем. ВМН 2003, 99.

Па́па – зо́на, ма́ма – ла́герь. *Жарг. мол. Шутл.-ирон.* О человеке, выдающем себя за представителя криминальных структур. Максимов, 301.

Па́па и ма́ма (с ма́мой). *Жарг. техн.* Электрический разъём, штепсель и розетка (в том числе телефонная). БСРЖ, 418. Ср. **мама и папа.**

Па́па Ка́рло. 1. *Разг. Шутл.-ирон.* Карл Маркс. Елистратов 1994, 314. 2. *Разг. Шутл.-ирон.* Человек, который много работает. Елистратов 1994, 314. 3. *Жарг. шк. Презр. или Шутл.-ирон.* Учитель. ВМН 2003, 99. 4. *Жарг. шк. Презр. или Шутл.-ирон.* Учитель труда. ВМН 2003, 99. 5. *Жарг. мол. Шутл.* Сигареты марки «Монте-Карло». Максимов, 301.

Па́па ри́мский [и ма́ма ри́мская]. *Жарг. мол. Шутл.-ирон.* 1. Неизвестно кто. Елистратов 1994, 314. 2. Непьющий человек. Максимов, 365.

Па́па у Ва́си силён в матема́тике. *Жарг. шк. Шутл.* О чьих-л. влиятельных, состоятельных родителях. < Из рассказа В. Драгунского «Где это видано», экранизированного в популярном тележурнале «Ералаш». (Запись 2003 г.).

Едва́ па́пу с ма́мой выгова́ривает. *Перм. Шутл.-ирон.* О полностью обессилевшем человеке. Подюков 1989, 186.

Ни па́пу ни ма́му. *Перм. Ирон.* О человеке, потерявшем дар речи (от страха, опьянения и т. п.). Подюков 1989, 210.

Па́пы-ма́мы не вспо́мнишь (не узна́ешь)! *Перм.* Угроза расправы. Подюков 1989, 33.

ПАПА́ША * [Кра́сный] папа́ша Зю. См. **Красный папа Зю (ПАПА).**

ПА́ПОРОТКИ (ПА́ПОРТКИ) * Опусти́ть па́пороткu (па́портки). *Яросл.* Прийти в уныние, отчаяние. ЯОС 7, 80.

Попра́вить па́пороткu. *Яросл.* Улучшить свое положение. СРНГ 25, 208; СРНГ 29, 286; ЯОС 7, 80.

ПАР * Выпуска́ть/ вы́пустить пар. 1. *Разг.* Давать выход раздражению, снимать нервное напряжение, выражая свои отрицательные эмоции, ругая, отчитывая кого-л. НРЛ-85; Мокиенко 2003, 71. 2. *Жарг. мол. Ирон.* Умирать. Максимов, 76. 3. *Жарг. мол. Шутл.* Ходить в туалет. Максимов, 76.

Вы́пустить пар изо рта́. *Жарг. угол.* Случайно проговориться о чём-л. ТСУЖ, 37.

Пар в ба́ню (в ба́не)! *Кар.* То же, что **Пар вам (тебе** и т. п.) **лёгкий)!** СРГК 4, 392; Балакай 2011, 346.

Пар в ба́ню – чад за ба́ню! *Кар.* Благодарный отзыв на пожелание или ответное пожелание идущего в баню (С. Максимов). Балакай 2011, 346.

Пар вам, боя́ре! *Народн. Устар.* То же, что **Пар вам (тебе** и т. п.) **лёгкий)!** Балакай 2011, 346.

Пар вы́шел [весь] *[из кого].* 1. *Прост.* О том, кто устал, ослабел. 2. *Кар.* О том, кто скончался, умер. СРГК 4, 392.

Пар вон *[из кого]. Кар.* То же, что **пар вышел.** СРГК 1, 226.

Пар вам (тебе и т. п.) **лёгкий)!** *Разг.* Приветствие тому, кто парится или собирается париться в бане. Балакай 2011, 346.

Пар па́ровать. *Кар. Шутл.-одобр.* Жить зажиточно. СРГК 4, 398.

Пердя́чий пар. *Жарг. арест. Шутл.-пренебр.* 1. Тяжёлый физический труд. Балдаев 1, 313; ББИ, 172; Мильяненков, 192. 2. Человеческая энергия, заменяющая механизацию. УМК, 152.

Спуска́ть пар. *Прост.* То же, что **выпускать пар 1.** НРЛ-85; Мокиенко 2003, 71.

Не выпуска́ть па́ра изо рта́. *Волг.* Сдержанно молчать. Подюков 1989, 96.

Под пара́ми. *Прост.* В нетрезвом состоянии. ФСРЯ, 311.

На всех пара́х. *Разг.* Очень быстро. ФСРЯ, 311; БМС 1998, 432; Мокиенко 1986, 33.

Вы́йти из паро́в. *Ворон.* Разориться, обеднеть. СРНГ 25, 250.

Жить па́ром. *Кар. Ирон.* Голодать, жить впроголодь. СРГК 4, 392.

С лёгким па́ром! *Разг.* Приветственное пожелание доброго здоровья тому, кто только что помылся в бане. ФСРЯ, 311; БМС 1998, 432; ЗС 1996, 438; БТС, 490.

С лёгким па́ром, с молоды́м жа́ром! *Разг.* То же, что **с лёгким паром!** Балакай 2011, 346.

С тёплым па́ром! *Кар.* То же, что **с лёгким паром!** СРГК 4, 392; . 2011, 346.

Дать золото́го па́ру *кому. Орл.* Дать выкуп за невесту. СОГ 1990, 45.

Задава́ть/ зада́ть па́ру *кому. Разг.* Сильно ругать, бранить кого-л. ФСРЯ, 162; БТС, 319; Мокиенко 1990, 47.

Зайти́сь с па́ру. *Морд.* Сильно замёрзнуть, озябнуть (о руках). СРГМ 1980, 77.

Лёгкого вам (тебе и т. п.) **па́ру [без уга́ру]!** *Разг.* То же, что **с лёгким паром!** ЗС 1996, 438; Балакай 2011, 346.

На пару́, на ба́не! *Обл.* Форма благодарности хозяевам за баню (в некоторых областях хозяева на благодарность отвечают: «За баню не благодарят, не принято»). Балакай 2011, 346. Ср. **На мыльце-белильце...**

С лёгкого па́ру, без уга́ру! *Разг.* То же, что **с лёгким паром!** Балакай 2011, 346.

Сойти́ из па́ру. *Волх.* Вспотеть. СРНГ 25, 212.

Пары́ вы́шли *[из кого]. Кар.* То же, что **пар вышел 1.** СРГК 4, 392.

Спусти́ть пары́. *Жарг. угол.* Отойти от воровской жизни. Максимов, 303.

ПА́РА * Втора́я па́ра глаз. *Жарг. шк. Шутл.* Очки. (Запись 2003 г.).

Го́левая па́ра. *Кар. Ирон.* О неудачном выборе жениха. СРГК 4, 393.

Па́ра да ро́вня – коро́ва да хавро́нья. *Перм. Шутл.-ирон.* О близких по духу, неразлучных друзьях. Подюков 1989, 144.

Па́ра кори́чневых. *Жарг. мол. Ирон.* О супругах пожилого возраста. Максимов, 301.

Па́ра па́лок ча́я. *Жарг. мол. Шутл.* Сексуальное общение (под предлогом чаепития). Максимов, 301.

Па́ра пустяко́в. *Разг.* 1. Очень легко, без особых усилий. 2. *для кого.* Не составляет труда. ФСРЯ, 310; БТС, 780.

Узна́ть, почём па́ра гребешко́в. См. **Узна́ть, почём сотня гребешков (СО́ТНЯ).**

Быть в па́ре *с кем. Кар.* Быть близнецами. СРГК 4, 393.

На па́ре не дого́нишь *кого. Морд. Шутл.-ирон.* О быстро бегущем человеке. СРГМ 1980, 24. < **Пара** – экипаж, запряжённый парой лошадей.

На свое́й родно́й па́ре. *Народн. Шутл.-ирон.* Пешком. ДП, 104. < **Пара** — экипаж, запряжённый парой лошадей. Зд. — шутливо о паре ног. Ср. **На своих двоих.**

Подскочи́ть на па́ре. *Жарг. угол.* Приехать на такси. Балдаев 1, 330.

Переки́нуться па́рой слов *с кем. Разг.* Поговорить с кем-л. недолго. Ф 2, 39.

Па́рой: то ле́вой, то пра́вой. *Сиб. Шутл.-ирон.* Пешком. ФСС, 132.

Влепи́ть (всы́пать) па́ру горя́чих *кому. Прост.* Выпороть кого-л. Ф 1, 67; ЗС 1996, 211.

Вы́крутить па́ру лапте́й. *Жарг. арест., угол.* Купить две пачки чая. Мильяненков, 99. // Приобрести недорого две пачки чая. Хом. 1, 205.

Идти́ на па́ру оплеу́х. *Волог.* Идти для короткого разговора. СВГ 6, 62.

На па́ру *с кем. Разг.* Вдвоём, вместе с кем-л. ФСРЯ, 311.

На па́ру слов. *Разг.* Для короткого разговора. ФСРЯ, 311; ЗС 1996, 331.

Не в па́ру *кому.* 1. *Волг., Горьк.* О несоответствии кому-л., чему-л. Глухов 1988, 95; БалСок, 46. 2. *Кар.* О том, кто не годится для женитьбы, замужества кому-л. СРГК 4, 393.

Под па́ру *кому.* 1. *Разг.* Соответствующий другому в каком-л. отношении, по каким-л. качествам. ФСРЯ, 311. 2. *Яросл.* Вместе, вровень. ЯОС 8, 20.

Сказа́ть па́ру ла́сковых. *Прост. Шутл.* Высказать кому-л. неодобрение в резкой форме. НРЛ-81; Мокиенко 2003, 71.

Утра́тить па́ру ша́риков. *Жарг. угол. Ирон.* Сойти с ума. Грачев 1992, 170.

ПАРА́Д * Пара́д суверените́тов. *Публ.* Принятие деклараций о государственном суверенитете республик и автономий в составе СССР и РСФСР. СП, 150; МННС, 97-98.

В по́лном (во всём) пара́де. *Разг.* В праздничной или официальной одежде. ФСРЯ, 310; БТС, 780.

Не в по́лном пара́де. *Горьк.* Необычно, не так, как всегда. БалСок, 46.

Кома́ндовать пара́дом. *Волг.* Верховодить, распоряжаться, руководить. Глухов 1988, 76.

Кома́ндовать пара́дом бу́ду я. *Разг.* 1. О самовыдвижении на главную роль в каком-л. деле. 2. Об истинном руководителе дела. < Любимая фраза Остапа Бендера из романа И. Ильфа и Е. Петрова «Золотой теленок» (1931 г.). Дядечко 2, 152.

ПАРАЛИ́К (ПРАЛИ́К) * Како́й паралик! *Ряз. Бран.* Восклицание, выражающее досаду, гнев, раздражение. ДС, 389.

На парали́к. *Ряз. Неодобр.* О чём-л. ненужном. ДС, 389.

Ни оди́н парали́к. *Ряз.* Никто. СРНГ 21, 214.

Парали́к (прали́к) возьми́ (слома́й, убе́й) *[кого]*! *Брян., Орл., Ряз., Твер. Бран.* Восклицание, выражающее негодование в чей-л. адрес. ДС, 389-390; СРНГ 31, 66; Мокиенко 1986, 182. ДС, 389; СРНГ 31, 66. Ср. **паралич разбей (ПАРАЛИЧ).**

Парали́к зна́ет. *Ряз., Моск.* 1. *что.* Абсолютно ничего не известно о ком-л., о чём-л. 2. *Бран.* То же, что **какой паралик!** ДС, 389; СРНГ 11, 312; СРНГ 31, 66; Мокиенко 1986, 181.

Парали́к накати́л *кого. Ряз. Неодобр.* О несвоевременном появлении кого-л. ДС, 389.

Парали́к покати́л (понёс) *кого. Ряз. Неодобр.* О несвоевременном, нежелательном уходе, исчезновении кого-л. ДС, 390; СРНГ 28, 372.

Парали́к (прали́к) разбе́й (расшиби́) *кого*! *Калуж., Орл., Ряз., Твер. Бран.* То же, что **паралич разбей (ПАРАЛИЧ).** СРНГ 25, 216; СРНГ 31, 66.

До паралика́. *Сиб.* То же, что **до паралича (ПАРАЛИЧ).** Мокиенко 1986, 170.

Како́го паралика́! *Ряз. Бран.* То же, что **какой паралик!** ДС, 389; Мокиенко 1986, 179.

Не́ паралика́. *Ряз.* Нечего. ДС, 389.

Ни паралика́. *Ряз.* То же, что **ни паралича (ПАРАЛИЧ).** СРНГ 21, 214; ДС, 389.

Накла́сть (насажа́ть) парaлико́в. *Ряз.* Обругать, выругать кого-л. (как правило – употребляя слово *паралик*). ДС, 389.

К паралику́! *Раз.* 1. Прочь, вон, долой. 2. Полностью, окончательно. ДС, 389.

Ни к паралику́ [не годи́тся] *Ряз. Неодобр.* О чём-л. крайне скверном, никуда не годном. ДС, 389; СРНГ 21, 214.

ПАРАЛИ́Ч * Парали́ч вла́сти. *Публ.* Состояние безвластия, когда не действуют органы управления по вертикали, деятельность законодательных и исполнительных органов не взаимосвязана. СП, 151; Мокиенко 2003, 71.

Парали́ч разбе́й (расколоти́) *кого! Пск. Бран.* Эмоциональное восклицклицание, выражающее гнев, негодование, проклятие в чей-л. адрес. СПП 2001, 60.

Парали́ч излома́й *кого*! *Сиб. Бран.* То же, что **паралич разбей!** ФСС, 132.

До паралича́ *чего. Сиб.* Очень много. ФСС, 132; СРНГ 25, 216; СОСВ, 135.

Како́го паралича́? *Орл. Неодобр.* Зачем, для чего? СОГ-1992, 10.

Ни паралича́. *Сиб.* Абсолютно ничего. СОСВ, 135.

ПАРАЛЛЕ́ЛЬНО * Стро́го паралле́льно *кому что. Жарг. мол.* Безразлично, всё равно кому-л. Никитина, 2003, 482.

ПАРАНДЖА́ * Оде́ть паранджу́. *Прикам. Шутл.* наложить на лицо косметику. МФС, 68.

ПАРАСЫ́ТОМ * Сиде́ть парасы́том. *Яросл.* Голодать, жить впроголодь. ЯОС 7, 81.

ПАРАФИ́Н * Лить парафи́н. *Жарг. угол.* Оскорблять кого-л. Максимов, 223.

Нали́ть парафи́ну *кому, на кого. Жарг. угол.* Оклеветать, оговорить кого-л. ТСУЖ, 113.

ПАРА́ША * Блево́тная пара́ша. *Разг. Устар. Презр.* Ленинградское отделение ТАСС (1960–1980-е гг.), официальные сообщения которого вызывали у слушателей соответствующую реакцию. Синдаловский, 2002, 25.

Ленингра́дская пара́ша. *Разг. Устар. Презр.* Редакция газеты «Ленинградская правда» в 1970-е гг. Синдаловский, 2002, 104.

Пара́ша гуля́ет (хо́дит). *Жарг. угол.* О ложных слухах. ТСУЖ, 128; Росси, II, 271.

Просиде́ть на пара́ше. *Жарг. арест. Шутл.* Отсидеть относительно небольшой или остающийся срок заключения. УМК, 152.

Сиде́ть на пара́ше. *Жарг. арест. Презр.* Быть презираемым, подвергаться унижениям, оскорблениям со стороны сокамерников. Балдаев 2, 38.

Вози́ть пара́шу. *Жарг. арм. Ирон.* Нести караульную службу в одном наряде с прапорщиком. Максимов, 66.

Загну́ть пара́шу. *Пск.* Соврать, обмануть кого-л. ПОС 11, 137.

Заткну́ть пара́шу. *Жарг. мол. Груб.* Замолчать. Максимов, 150.

Пуска́ть/ пусти́ть (распусти́ть, толкну́ть) пара́шу. *Жарг. угол.* Распространять ложный слух, дезинформацию о ком-л., о чём-л. Балдаев 2, 80; ТСУЖ, 149, 152; Грачев, Мокиенко 2000, 132.

Сажа́ть/ посади́ть на пара́шу *кого. Жарг. арест.* 1. Совершать насильственный гомосексуальный половой акт с кем-л. 2. Морально и физически унижать, оскорблять сокамерника. УМК, 152.

< **Параша** – *Жарг.* 1. Ёмкость для нечистот в тюремной камере. 2. Помойка. 3. Туалет. 4. Сплетни, ложные слухи. 5. Что-л. скверное, отвратительное, оцениваемое резко отрицательно.

ПАРАШЮ́Т * Золото́й парашю́т. *Жарг. бизн.* Обещание выплатить менеджерам крупные суммы в случае увольнения, заключение договоров с очень высокими выходными пособиями. БС, 11.

Натя́рить парашю́т. *Жарг. мол.* Надеть презерватив. Хом. 2, 140.

Пузыри́ть парашю́т. *Жарг. мол.* Пользоваться презервативом. Хом. 2, 140.

ПАРДО́Н * Миль пардо́н. *Разг. Шутл.-ирон.* Формула извинения. < Из франц.: *mille pardons.* Мокиенко 2003, 71/

Не знать пардо́ну. *Новг.* Работать без отдыха. НОС 7, 99.

ПА́РЕВО * Дать па́рева *кому. Орл.* То же, что **дать парки (ПАРКА).** СОГ 1990, 45.

ПА́РЕНИЦА * Дать па́реницы. *Пск.* То же, что **дать парки (ПАРКА).** ПОС, 2, 192.

ПА́РЕНЬ * Давно́шный (давны́шный) па́рень. *Волог.* То же, что **старый парень.** СВГ 2, 5.

Домово́й па́рень. *Яросл.* То же, что **старый парень.** ЯОС 4, 13.

Дура́цкий па́рень. *Жарг. мол. Шутл.-ирон.* Молодая, неопытная девушка с наклонностями активной лесбиянки. (Запись 2004 г.).

Па́рень – руба́ха, а ум на портки́ (а развернёшь – брю́ки). *Новг. Ирон.* О простодушном человеке. НОС 7, 99; НОС 9, 153.

Па́рень с горя́чего по́ля. *Новг.* Вспыльчивый, неуравновешенный человек. НОС 7, 99; НОС 8, 84.

Па́рень солове́цкий. *Кар. Неодобр.* Хулиган. СРГК 4, 395.

Пожило́й па́рень. *Горьк.* Мужчина 30 лет. БалСок, 50.

Свой па́рень. *Разг. Одобр.* 1. Человек с близкими кому-л. убеждениями, взглядами, настроениями; надёжный товарищ. Ф 2, 35. 2. Решительная, смелая, верная в дружбе девушка. БМС 1998, 432; Мокиенко 2003, 72.

Ста́рый па́рень. 1. *Кар., Новг., Пск. Ирон.* Холостой мужчина; старый холостяк. СРГК 4, 395; НОС 7, 99; СПП 2001, 60. 2. *Кар.* Вдовец. СРГК 4, 395.

Тёплый па́рень. *Жарг. мол. Шутл.* Гомосексуалист. Максимов, 302.

Вы́йти в па́рни. *Влад.* Повзрослеть (о юноше). СРНГ 25, 223.

Па́рни в зелёных фуражках. *Публ.* О российских пограничниках. Мокиенко 2003, 72.

За себя́ и за того́ па́рня. *Разг. Шутл.-ирон.* О вынужденной работе за других. < Из песни М. Фрадкина на стихи Р. Рождественского «Минута молчания» (1971 г.). БМС 1998, 432; Дядечко 2, 82.

На себя́ и на того́ па́рня. *Разг. Ирон.* Работать, получая большую материальную выгоду, двойную оплату. < Трансф. **За себя и за того парня.** Мокиенко 2003, 72.

Побежа́ть за парня́ми. *Кар.* Стать взрослой девушкой. СРНГ 25, 223.

Быть (жить, гуля́ть, ходи́ть) в парня́х. *Костром., Сиб., Яросл.* Быть холостым. ФСС, 20; ЯОС 2, 38; СРНГ 25, 223.

Два с полови́ной па́рня. *Жарг. шк. Шутл.-ирон.* Класс, в котором три юноши, один из которых отличник. ВМН 2003, 99.

ПАРИ́ * Держа́ть пари́. *Книжн.* Спорить, биться об заклад. ФСРЯ, 311; БТС, 252; ШЗФ 2001, 66; БМС 1998, 432.

ПАРИ́Ж * Позвони́ть в Пари́ж. *Жарг. мол. Шутл.* Сходить в туалет. МК, 24.06.91; БСРЖ, 420.

ПА́РИК * Задува́ть/ заду́ть (па́рить) па́рик. *Жарг. нарк. Шутл.* То же, что **пускать паровоз (ПАРОВОЗ).** Вахитов 2003, 127; Максимов, 140.

ПА́РКА * Дать (зада́ть) па́рки (па́рку) *кому. Народн.* Выпороть, побить, наказать кого-л. ДП, 219; СРГК 4, 396; Мокиенко 1990, 47; СПП 2001, 60.

ПАРКЕ́Т * Лощи́ть парке́т. *Разг. Устар.* Танцевать. Ф 1, 286.

ПАРЛА́МЕНТ * Парла́мент КПСС. *Разг. Устар. Шутл.* Психиатрическая больница № 5 в бывш. Ленинграде (ул. Академика Лебедева, 39). Синдаловский, 2002, 136.

Су́чий парла́мент. 1. *Жарг. арест. Презр.* Собрание заключённых-общественников. 2. *Разг. Устар. Пренебр.* Исполком, горком (КПСС) и другие властные структуры. УМК, 153.

ПАРЛЕ́ * О чём парле́! *Жарг. мол.* Выражение согласия: конечно, а как же, о чём разговор! Елистратов 1994, 316. < От франц. *parler* – говорить.

ПАРНА́С * Взойти́ (взобра́ться) на Парна́с. *Книжн.* Стать поэтом, заговорить стихами. ЗС 1996, 381. **< Парнас** – в древнегреческой мифологии – гора, где жили музы, покровительницы искусства и наук. БМС. 432.

ПАРНЯ́К * Два парняка́. *Жарг. угол.* Пятьдесят рублей. Хом. 1, 260.

ПАРОВО́З * Копи́ть на парово́з. *Жарг. мол. Ирон.* 1. Заниматься бессмысленным накопительством. h-98. 2. Собирать большую сумму денег. Максимов, 196.

Игра́ть в парово́з. *Жарг. нарк.* То же, что **пускать паровоз.** Грачев 1994, 23; Грачев 1996, 50.

Парово́з перее́хал *кого. Жарг. мол. Ирон.* О чьей-л. неудаче, провале. Максимов, 303.

Парово́з ушёл. *Жарг. мол. Шутл.* Кто-л. промедлил, не успел вовремя сделать что-л. БСРЖ, 420.

Пуска́ть/ пусти́ть парово́з. *Жарг. нарк.* Брать сигарету с наркотиком горящим концом в рот и пускать дым, чтобы могли затянуться другие. Рожанский, 39.

Брать (идти́/ пойти́, кана́ть, тащи́ть) за парово́за (парово́зом). 1. *Жарг. угол., мол.* Брать вину на себя; быть основным обвиняемым по уголовному делу. Балдаев 1, 170; ТСУЖ, 77; УМК, 153; Максимов, 303. 2. *Жарг. мол., Разг.* Брать на себя всю ответственность за всех. Елистратов 1994, 316.

Запева́ть парово́зом. *Жарг. угол.* Идти по делу в качестве главаря. ТСУЖ, 65.

Оттра́хать парово́зом *кого. Жарг. арест.* Совершить групповое изнасилование. УМК, 153.

ПАРОВО́ЗИК * С парово́зиком. *Жарг. угол. Шутл.* Со взломом. ТСУЖ, 167.

ПАРО́К * Паро́к бы тебя́ изнуря́л! *Новг. Бран.* Восклицание, выражающее негодование, досаду, раздражение в чей-л. адрес. СРНГ 25, 239.

ПАРОХО́Д * Бе́лый пароход. *Жарг. морск. Шутл.* Круизный лайнер. Никитина 1998, 312. < Основано на реминисценции названия популярного романа Ч. Айтматова «Белый пароход».

ПА́РОЧКА * Влюблённая па́рочка. *Жарг. мол. Шутл.* Упаковка с двумя вафлями в шоколаде «Твикс». Максимов, 65.

Па́рочка – бара́н да я́рочка. *Перм. Шутл.* О людях, которые всегда вместе, неразлучны. Подюков 1989, 144.

Сла́дкая па́рочка. 1. *Жарг. мол. Шутл.* Скульптура В. Мухиной «Рабочий и колхозница». МК, 14.03.98. 2. *Жарг. шк. Шутл.-ирон.* Директор и завуч. ВМН 2003, 100. 3. *Жарг. мол. Шутл.* Лесбиянки. Максимов, 303. 4. *Жарг. шк. Шутл.-ирон.* Оценка «неудовлетворительно», двойка. Никитина, 2003, 484. 5. *Жарг. арм. Шутл.* Принцип непосредственного огневого контакта: два выстрела подряд и смена положения, чтобы противник не попал в стреляющего. Кор., 263. < Шутливое переосмысление навязчивой телерекламы шоколада «Твикс».

ПАРТЕ́С * Сбиться с парте́су (с парте́сов). *Орл.* Запутаться, сбиться с толку. СРНГ 25, 243.

ПАРТИЗА́Н * Кра́сный партиза́н. 1. *Жарг. угол. Шутл.-ирон.* Клоп. Балдаев 1, 207. 2. *Жарг. мол. Шутл.* Мужской половой орган. БСРЖ, 421.

Партиза́н на допро́се. *Жарг. шк. Шутл.-ирон.* Об ученике, молчащем у доски. ВМН 2003, 100.

Партиза́ны в тылу́ врага́. *Жарг. шк. Шутл.-ирон.* Ученики в учительской. Максимов, 303.

ПА́РТИЯ * Де́лать/ сде́лать хоро́шую па́ртию. *Разг. Устар.* Удачно жениться, выйти замуж. ШЗФ 2001, 63. < Калька с франц. *faire un bon parti.* БМС 1998, 433.

Вступи́ть в па́ртию. *Жарг. мол. Шутл.* Наступить в дерьмо. Максимов, 73.

ПА́РУС * Беле́ет па́рус одино́кий. 1. *Разг.* Об одиночестве. Дядечко 1, 46. 2. *Разг.* О том, что выделяется по цвету. Дядечко 1, 46. 3. *Жарг. шк. Шутл.-ирон.* Об учителе, идущем на занятия. Максимов, 30. 4. *Жарг. шк. Шутл.-ирон.* Об отличнике. Никитина 1998, 312. 5. *Жарг. курс.* Оценка «отлично» в журнале. Кор., 40. 6. *Жарг. шк. Ирон.* О единице (неудовлетворительной оценке) в классном журнале. Максимов, 30.

А́лые паруса́. 1. *Книжн.* Символ высокой мечты, надежды на счастье. ШЗФ 2001, 15. 2. *Жарг. шк. Шутл.-ирон.* Дневник после проверки. ВМН 2003, 100. < От названия повести А. Грина «Алые паруса» (1923 г.).

Паруса́ (па́русы) бегу́т. *Дон.* О движении воздуха в жаркий день. СДГ 2, 221.

На всех пару́сах. 1. *Разг.* Очень быстро, полным ходом. ФСРЯ, 311; БМС 1998, 433. 2. *Арх., Горьк. Шутл.-ирон.* В состоянии сильного алкогольного опьянения. СРНГ 25, 245; СРНГ 31, 199.

ПАРЧУ́ГА * Мета́ть парчу́гу. *Жарг. мол.* Вкусно, сытно есть. Елистратов 1994, 317.

ПА́СЕК * В па́сек. *Кар.* Вдоволь, досыта. СРГК 4, 401.

ПАСКА́ЛЬ * Паска́ль напа́л (хо́дит). *Ряз.* Об эпидемии. СРНГ 25, 255.

ПА́СМА́ (ПА́СМО) * Дать па́сма *кому. Новг.* Сильно ударить кого-л. СРНГ 25, 259.

Ди́кая па́сма́. *Бран.* 1. *Арх., Сиб.* О глупом, бестолковом человеке. СФС, 62; ФСС, 132; СРНГ 8, 57. 2. *Арх., Сиб.* О сумасбродном, взбалмошном человеке. СФС, 62; ФСС, 132; СРНГ 8, 57. 3. *Арх.* О неряхе. СРНГ 8, 57.

Ди́кое па́смо. *Перм. Бран.* То же, что **дикая пасма 1.** Подюков 1989, 144; СРНГ 8, 57.

ПАССАЖИ́Р * Ле́вый пассажи́р. *Жарг. угол.* Посторонний человек. Максимов, 220.

Кре́пкий (це́лый) пассажи́р. *Жарг. карт.* Жертва, ещё не сталкивавшаяся с шулерами. СРВС 1, 157; ТСУЖ, 129, 192; Балдаев 1, 309; ББИ, 170.

Рва́ный (по́рченый) пассажи́р. *Жарг. карт.* Жертва, сталкивавшаяся ранее с шулерами. ТСУЖ, 129, 152; Балдаев 1, 309; ББИ, 170.

Гото́вить/ подгото́вить пассажи́ра. *Жарг. карт.* Искать жертву для шулерской игры. ТСУЖ, 42, 129; Балдаев 1, 309; ББИ, 170.

Стреля́ть по пассажи́ру. *Жарг. угол.* Просить милостыню, попрошайничать. ТСУЖ, 140; Балдаев 2, 63; ББИ, 236; Мильяненков, 240.

ПАССИ́В * Ста́вить в пасси́в *кому. Книжн. Устар.* Ставить в вину кому-л. что-л. БМС 1998, 433.

Отдыха́ть в пасси́ве. *Жарг. гом. Шутл.-ирон.* Выполнять роль «женщины» в гомосексуальном акте. Кз., 59.

ПА́СТА * Дави́ть па́сту. *Жарг. мол. Шутл.* Испражняться. h-98.

ПАСТИ́ * Паси́ сюда! *Жарг. мол.* Слушай внимательно; обрати внимание! Н-НI, 2000, № 3, 20.

ПАСТУ́Х * Де́вий пасту́х. *Горьк. Ирон.* То же, что **девичий пастух.** БалСок, 32.

Де́вичий пасту́х. *Сиб. Ирон.* Юноша, мальчик, проводящий много времени с девочками. СФС, 60-61; ФСС, 132; СОСВ, 135.

И пасту́х и квашня́ *у кого. Пск. Шутл.* О хозяйке, которая много суетится, хлопочет по хозяйству (обычно — ничего не успевая). СПП 2001, 60.

Коро́вий пасту́х. *Сиб. Шутл.* То же, что **девичий пастух.** ФСС, 132.

Пасту́х с ду́дкой. *Жарг. гом., арест. Ирон.* Пассивный лагерный гомосексуалист. Кз., 133; Бсн, 86; УМК, 153.

В пастуха́х не быть. *Новг.* Жить в достатке, не бедно. СРНГ 25, 265.

Ходи́ть под пастухо́м. *Прикам.* Пастись под надзором пастуха. МФС, 107.

ПА́СТЫРЬ * Оста́ться на па́стырях. *Пск. Ирон.* Быть покинутым, остаться без подруги, друга. СПП 2001, 60.

ПАСТЬ * Во́лчья пасть. *Прост. Бран.* О прожорливом человеке. СРНГ 25, 269.

Во всю пасть. *Прост.* Очень громко. Мокиенко 1986, 49.

Деревя́нная пасть. *Ленингр.* Мышеловка. СРНГ 8, 17.

Драть пасть. *Прост.* 1. Громко кричать. 2. Громко плакать. СРНГ 25, 269.

Жа́дная пасть. *Кар. Презр.* О скупом, жадном человеке. СРНГ 25, 269.

Заби́ть пасть. *Пск. Груб.* То же, что **заткнуть пасть.** СРНГ, 11, 270; ПОС, 2, 102; СПП 2001, 60.

Завали́ть пасть. *Жарг. мол.* То же, что **заткнуть пасть.** СМЖ, 89; Вахитов 2003, 128.

Закры́ть пасть. *Прост.* Замолчать, прекратить разговор. Вахитов 2003, 62.

Заткну́ть пасть. *Пск. Груб.* Замолчать. СПП 2001, 60.

Пасть порву́! *Жарг. угол.* Угроза расправы. ТСУЖ, 129; Максимов, 304; Мокиенко, Никитина 2003, 243.

Разева́ть/ рази́нуть пасть. 1. *Пск. Неодобр.* Начинать громко кричать. СПП 2001, 60. 2. *на кого. Жарг. мол.* Начинать грубить, возражать кому-л. Вахитов 2003, 155.

Раздира́ть/ разодра́ть пасть. *Пск. Шутл.* Зевать. СПП 2001. 60.

Распуска́ть/ распусти́ть) (растворя́ть/ раствори́ть) немшо́ную пасть. *Яросл., Перм.* Начать громко кричать. СРНГ 34, 188; Подюков 1989, 198. **Растворя́ть/ раствори́ть немшо́ную пасть.** *Перм.* То же. Подюков 171.

Храпе́ть во всю пасть. *Влад.* Крепко спать. СРНГ 25, 269.

ПА́СХА * Моли́ть Па́сху. *Новг.* В свадебном обряде – созывать родственников в дом тестя есть пасху, разрезанную на мелкие части. СРНГ 18, 218.

На туре́цкую Па́сху. *Разг. Шутл.* Никогда. БМС 1998, 433; Мокиенко 1986, 209.

ПАТРА́Й * Патра́й Патра́ич. *Сиб. Презр.* Прозвище грязнули. ФСС, 133.

ПАТРИО́Т * Квасны́е патрио́ты. *Книжн. Неодобр.* Люди, восхваляющие всё своё и огульно порицающие всё чужое. БМС 1998, 433.

ПАТРИОТИ́ЗМ * Квасно́й патриоти́зм. *Книжн. Неодобр.* Огульное восхваление всего своего, отечественного и порицание всего чужого. БМС 1998, 433.

ПАТРО́Н * До после́днего патро́на. *Разг.* Не жалея жизни, до самого конца (биться, защищаться). Ф 2, 35; ЗС 1996, 508.

ПА́УЗА * Рекламная па́уза. *Жарг. шк. Шутл.* Перемена. СШС, 2003.

Сиде́ть на па́узе. *Жарг. мол. Шутл.* Бездельничать. Максимов, 304.

Сде́лать па́узу. *Жарг. шк. Шутл.* Не подготовиться к уроку. ВМН 2003, 100–101.

ПАУ́К * Морско́й пау́к. *Арх.* Зародыш ската, плавающий первоначально в пленке. СРНГ 18, 278.

ПАУТИ́НА * Зараста́ть/ зарасти́ паути́ной. *Разг. Неодобр.* Пребывать в бездействии; жить, избегая нововведений. НРЛ-82; Мокиенко 2003, 72.

Глота́ть паути́ну (паути́нку). *Дон. Ирон.* О девушке, на которую парни не обращают внимания. СРНГ 25, 284; СДГ 2, 272.

Натяну́ть паути́ну на окно́. *Жарг. угол.* Установить наблюдение за квартирой. Максимов, 271.

Разводи́ть паути́ну. *Жарг. угол., арест.* Ломать решётки на окнах камеры. Грачев 1997, 115.

Ре́зать паути́ну. *Жарг. угол.* То же, что **снимать паутину 1.** Трахтенберг, 52.

Снима́ть/ снять паути́ну. *Жарг. угол.* 1. Срывать у кого-л. с шеи цепочку. 2. Совершать кражу белья, вывешенного для просушки. ТСУЖ, 129; Мильяненков, 191.

ПАУТИ́НКА * Глота́ть паути́нку. См. **Глотать паутину (ПАУТИНА).**

ПА́УТЫ * Па́уты Проко́пьевичи. *Иркут.* Об оводах, которые пропадают с Прокопьева дня (21 июля). СРНГ 25, 283.

ПАХ * В са́мый пах. *Арх.* Очень точно, в самый раз. СРНГ 25, 285.

И па́хом не па́хнет. *Смол.* То же, что **и паху нет.** Глухов 1988, 28.

[И] па́ху нет *чьего. Пск.* О отсутствии чего-л., кого-л. где-л. СРНГ 25, 285.

ПАХА́ЛКА * Каба́цкая паха́лка. *Олон. Пренебр.* О пьяном человеке. СРНГ 25, 286.

ПАХА́Н * Паха́н стола́. *Жарг. арест. Ирон.* Осуждённый, отвечающий за уборку стола. ТСУЖ, 129; Балдаев 1, 310; ББИ, 171.

Паха́н посте́ли. *Жарг. арест. Ирон.* Осуждённый, отвечающий за заправку постелей. ТСУЖ, 129; Грачев, Мокиенко 2000, 134-35.

ПА́ХАРЬ * Возду́шный па́харь. *Публ. Устар. Патет.* Лётчик сельскохозяйственной авиации. Новиков, 132.

Па́харь мо́ря. *Публ. Устар. Патет.* Рыбак. Новиков, 132.

Стально́й па́харь. *Публ. Устар. Патет.* Трактор. Новиков, 132.

ПАХА́ТЬ * Ни па́хано ни ма́хано *где. Пск.* О большом количестве предстоящих дел. (Запись 2002 г.).

[И] мы пахали. *См.* МЫ.

Паха́ть мо́жно *на ком. Прост. Шутл.* О сильном, здоровом, обычно — не работающем физически человеке. СОГ 1996, 127; СПП 2001, 60.

ПА́ХВИ * Сбить (сшиби́ть) с па́хвей *кого. Разг. Устар.* Привести кого-л. в замешательство, в состояние растерянности. БМС 1998, 434; ФСРЯ, 311; Ф 2, 198.

Сби́ться с па́хвей. 1. *Народн.* Запутаться, сбиться с толку. ДП, 450, 493. 2. *Новг.* Сильно устать. Сергеева 2004, 242.

С па́хвей доло́й. *Пск.* О состоянии крайней усталости, когда человек не может двигаться. СПП 2001, 60.

< **Па́хви** – часть конской упряжи, поддерживающая седло.

ПА́ХМИ * Сби́ться с па́хмей. *Новг.* 1. Очень сильно устать. 2. Изменить линию своего поведения, обычно в плохую сторону. 3. Потерять мысль изложения. НОС 10, 14. < **Пахми** – трансф. **пахви**.

ПАХО́М * Пахо́м – вся ро́жа в оди́н ком. *Народн. Пренебр.* О человеке по имени Пахом. ДП, 312.

ПА́ХОТА * Бе́лая па́хота. *Публ. Устар. Патет.* Снегозадержание на полях, проводимое механизированным способом. Новиков, 132.

Ржана́я па́хота. *Кар.* Осенняя вспашка поля под озимую рожь. СРГК 5, 525.

Умира́ть в па́хоте. *Жарг. арм.* Напряжённо работать (физически). Максимов, 305.

Переводи́ть на мя́гкую па́хоту. *Кар.* Понимать чьи-л. слова по-своему, не так, как подразумевалось. СРГК 4, 414.

ПА́ХТИ * С пахте́й доло́й. *Новг.* Об упавшем человеке. НОС 2, 93. < **Пахти** – трансф. **пахви.**

ПАЦА́Н * Паца́н зелёный. *Жарг. угол. Пренебр.* Молодой, начинающий вор. Балдаев 1, 310; ББИ, 171; Мильяненков, 191.

Паца́н золото́й. *Жарг. угол. Одобр.* Молодой вор, успешно совершающий кражи. Балдаев 1, 310; ББИ, 171; Мильяненков, 191.

ПА́ЧЕ * Тем па́че. *Разг. Устар.* Тем более. < **Паче** – форма сравнительной степени от общеслав. **пакъ** – опять, ещё. БМС 1998, 434.

ПА́ЧКА * Дать (надава́ть) па́чек *кому. Прост.* Избить кого-л. Смирнов 1993, 179; Балдаев 1, 311; ББИ, 171; Смирнов 2002, 50.

Ни па́чки-но́чки. *Урал.* О чём-л. очень чистом, об отсутствии грязи где-л. СРНГ 21, 214.

Вы́писать па́чку *кому. Сиб.* То же, что **дать пачку 1.** ФСС, 38.

Дать па́чку *кому. Жарг. угол.* Ударить по лицу кого-л. ТСУЖ, 45; Грачев, 1995, 23; Балдаев 1, 311; ББИ, 171. // Избить ногами кого-л. Балдаев 1, 103.

Па́чку ду́ста тебе́ в рот! *Жарг. мол. Бран.* Восклицание, выражающее гнев, негодование, возмущение в чей-л. адрес. Максимов, 305.

ПАЧКУ́ЛЯ * Роня́ть пачку́лю. *Кар. Неодобр.* Мусорить. СРГК 5, 560.

ПА́ША * Па́ша Мака́ров (Мака́ренко). *Жарг. мол. Шутл.* Пол Маккартни. Никитина, 1998, 314.

ПА́ШКА * На па́шку. *Дон.* Нараспашку. СРНГ 25, 306.

ПА́ШНЯ * Брать под па́шню *что. Жарг. угол.* Продавать товар, который ещё не украден, который предполагается украсть в будущем. ТСУЖ, 24; Балдаев 1, 45.

Лома́ть па́шню. *Яросл.* Пахать. ЯОС 6, 11.

На лёгкую па́шню. *Кар.* На поиски лёгкой, беззаботной жизни (уехать). СРГК 3, 418.

Сдать под па́шню *что. Жарг. арест., угол.* 1. Продать что-л. Балдаев 2, 32. // Продать ещё не полученный паёк. СРВС 3, 112. 2. Обменять что-л. Балдаев 2, 32. 3. Проиграть в карты паёк. Балдаев 2, 32.

Ба́бья па́шня. *Кар. Неодобр.* О чём-л. скверном, сделанном некачественно, небрежно. СРГК 4, 418.

Лёгкая па́шня. *Волог. Неодобр.* О ленивом, не желающем трудиться человеке. СРНГ 16, 311.

ПАШТЕ́Т * Дави́ть паштет. *Жарг. мол. Шутл.* Испражняться. (Запись 2004 г.).

Мета́ть паште́т. *Жарг. мол. Шутл.* О приступе рвоты. (Запись 2004 г.).

ПА́ЮС * Водяно́й (ча́йный) па́юс. *Помор. Шутл.* О человеке, который пьёт много воды, чая. ЖРКП, 108. < **Паюс** – волдырь, пузырь.

ПАЯ́ЛЬНИК * Пая́льником щёлкать. *Жарг. мол. Неодобр.* Быть невнимательным, не ориентироваться в ситуации. СМЖ, 93.

ПЕ́БЕКИ * Все пе́беки отби́ть (оттрясти́). См. **[Все] бебеки отбить (БЕБЕКИ).**

ПЕГА́С * Седла́ть/ оседла́ть Пега́са. *Книжн.* Начинать писать стихи, становиться поэтом. < **Пегас** – в древнегреческой мифологии крылатый конь Зевса, ставший символом поэтического вдохновения. ФСРЯ, 312; БМС 1998, 434.

ПЕДА́ЛЬ * Жать (нажима́ть/ нажа́ть) на все педа́ли. 1. *Прост.* Использовать все возможности для достижения чего-л. ФСРЯ, 312; БТС, 789; БМС 1998, 434; Мокиенко 1990, 129. 2. *Жарг. мол. Шутл.* Убегать. Максимов, 129. 3. *Разг.* Подчёркивать, выделять что-л., привлекать усиленное внимание к чему-л. Ф 1, 313.

Крути́ педа́ли, пока́ не да́ли, [а как даду́т – педа́ли отпаду́т]! *Жарг. мол. Шутл.-ирон.* Требование удалиться, уйти откуда-л.: уходи, убирайся! VSEA, 145; Вахитов 2003, 86; Максимов, 208.

Паркова́ть педа́ли. *Жарг. мол.* 1. Останавливаться. 2. Садиться. Максимов, 302.

Гнила́я педа́ль. *Жарг. угол.* 1. Хитрость, уловка. 2. Отговорка, увёртка. Максимов, 88.

Педа́ль, ру́чка и полу́чка. *Жарг. авиа. Шутл.* О лётчике; о жизни лётчика. БСРЖ, 425.

Пья́ный в педа́ль. *Жарг. мол. Шутл.-ирон.* О человеке в состоянии сильного алкогольного опьянения. Никитина 1996, 145.

Сесть на блатну́ю педа́ль. *Жарг. мол.* Начать говорить на жаргоне. Я — молодой, 1992, № 3.

Кла́цнуть педа́лью. *Жарг. комп. Шутл.* Нажать клавишу на клавиатуре компьютера. Максимов, 182.

Шевели́ть педа́лями. *Жарг. мол.* Спешить, торопиться. Елистратов 1994, 319.

ПЕДЕРИ́К * Педери́к шате́н. *Жарг. муз. Шутл.* Фредерик Шопен. БСРЖ, 425.

Педери́к шате́н. Два́дцать четы́ре при лю́дях на фортепиа́но. *Жарг. муз. Шутл.* Фредерик Шопен. 24 прелюдии для фортепиано. БСРЖ, 425.

ПЕЙДЖЕР * Пе́йджер зазвони́л *у кого. Жарг. мол.* О желании сходить в туалет. Максимов, 141.

Па́дать /упа́сть на пе́йджер *кому. Жарг. мол. Шутл.* Пить в долг или за чужой счёт. Никитина 2003, 490.

Ни́же пе́йджера. *Жарг. мол. Шутл.* Об ударе ниже пояса. Максимов, 275.

ПЕКА́РНЯ * Кра́сная пека́рня. *Жарг. крим.* Прокуратура. Хом. 1, 470.

ПЕ́КЛО * Лезть/ поле́зть в пе́кло. *Разг.* Стремиться туда, где грозит опасность. Ф 1, 276.

ПЕ́КОМ * Печь пе́ком. *Смол.* Обжигать, обдавать жаром. СРНГ 25, 315.

ПЕЛЁВА * Пелёва в голове́ *у кого. Горьк. Неодобр.* О глупом, бестолковом человеке. СРНГ 25, 322. < **Пелёва** — мякина.

ПЕЛЕНА́ * От (с) пелён. *Разг. Устар.* С раннего детства. БТС, 790.

Пелена́ с глаз упа́ла *у кого. Разг.* Кто-л. внезапно узнал правду, понял, что до сих пор ошибался, заблуждался. БТС, 790.

По́днятая пелена́. *Жарг. шк. Шутл.* Роман М. Шолохова «Поднятая целина». БСПЯ, 2000.

ПЕЛЁНКА * Пелёнка менто́вская. *Жарг. угол., арест.* Усмирительная рубашка с длинными рукавами из плотной ткани с подвязками. Балдаев 1, 311; ББИ, 172.

В пелёнках. *Разг.* 1. В раннем детстве. 2. На ранней стадии развития. ФСРЯ, 312; БТС, 790.

Вы́йти из пелёнок. *Разг.* Стать взрослым, самостоятельным. БТС, 790.

С пелёнок. *Разг.* С раннего детства. ФСРЯ, 312.

ПЕЛИО́Н * Громозди́ть Пелио́н на О́ссу (О́ссу на Пелио́н). *Книжн.* 1. Совершать какое-л. грандиозное дело. 2. *Ирон.* Затрачивать огромную энергию на что-л. незначительное. < Восходит к «Одиссее» Гомера. БМС 1998, 435.

ПЕ́ЛЬКИ * Брать/ взять за пе́льки *кого. Ворон., Курск., Яросл.* 1. Хватать кого-л. за одежду на груди. 2. Хватать кого-л. за горло. СРНГ 25, 333; ЯОС 3, 19.

Перестáть носи́ть крáсные пéльки. *Ворон.* Состариться. СРНГ 25, 333.

ПЕЛЬМÉНЬ * Раскатáть пельмéни. *Жарг. мол. Шутл.* 1. Сексуально возбудиться (о женщине). 2. Необоснованно надеяться на что-л. Желать слишком многого. Максимов, 306.

Поимéть пельмéнь. *Жарг. карт.* Выиграть в карты ухо или оба уха и отрезать их на виду у свидетеля. Балдаев 1, 332.

Свистя́щий пельмéнь. *Жарг. мол. Пренебр.* О крайне глупом человеке. Максимов, 306.

ПÉНА * Бить пéной. *Ворон.* Пениться. СРНГ 25, 336.

Взять с пéной *что. Сиб.* Получить сполна, сверх того, что положено. ФСС, 26.

С пéной у рта. *Разг.* Горячо, азартно, в крайнем возбуждении. ФСРЯ, 312; БТС, 790.

Взбить пéну. *Жарг. мол. Шутл.* Сказать что-л. смешное. Максимов, 61.

Гнать пéну. *Жарг. мол. Неодобр.* 1. Устраивать показуху. БСРЖ, 426. 2. Лгать, обманывать. Максимов, 87.

Давáть/ дать пéну. *Разг. мол. Неодобр.* Допускать грубую ошибку. НРЛ-80; Мокиенко 2003, 72.

Перéть в бéлую пéну. *Ленингр.* Делая что-л., сильно измучиться. СРНГ 2, 233.

Поднимáть пéну. *Жарг. мол.* Скандалить, шуметь. Максимов, 307.

Ни пéны (ни пéнки) ни пузыря́ (ни пузырéй, ни пузы́рьев). *Волг., Ср. Урал., Сиб.* О ком-л., чём-л. бесследно исчезнувшем; об отсутствии кого-л., чего-л. Глухов 1988, 110; СРНГ 21, 214; СРНГ 25, 336, 341; СРГСУ 2, 209; ФСС, 109.

ПЕНÁТЫ * Верну́ться (возврати́ться) к свои́м (родным) Пенáтам (в родны́е Пенáты). *Книжн.* Вернуться в родной дом. < **Пенаты** – в античной мифологии – домашние духи. БМС 1998, 435; ШЗФ 2001, 41.

ПÉНДЕЛЬ * Волшéбный пéндель. *Жарг. мол. Шутл.* Стимул, толчок к действию. (Запись 2004 г.).

Давáть/ дать (отвéсить) пéнделя (пéнделей) *кому. Разг.* Сильно бить ногой, давать пинка кому-л. УМК, 154; Елистратов 1994, 320; ФСС, 140.

Давáть/ дать волшéбного пéнделя *кому. Жарг. мол. Шутл.* Торопить кого-л. (Запись 2004 г.).

ПЕНДЮ́РОЧКА * Настрóить пендю́рочку. *Жарг. спорт. Шутл.* 1. Подготовиться (морально и технически) к выступлению. 2. Пребывать в хорошем настроении после победы. БСРЖ, 426.

ПЕНЁК * Оси́новый пенёк. *Прост. Презр.* О крайне глупом человеке. ЗС 1996, 246.

Пенёк с бая́ном. *Жарг. шк. Пренебр.* Учитель пения. ВМН 2003, 102.

Пенёк с глазáми. 1. *Прост. Презр.* То же, что **осиновый пенёк**. Глухов 1988, 121. 2. *Жарг. мол. Шутл.* Китаец. Максимов, 85.

Сесть на пенёк. *Жарг. мол.* Начать ругаться. Максимов, 306.

Стáрый пенёк. *Жарг. авто. Шутл.-одобр.* Опытный водитель. Максимов, 306.

Сшиби́ть пенёк. *Жарг. угол.* Обворовать пьяного. Балдаев 2, 69.

Ки́нуть пенькá. *Жарг. угол.* Обворовать пьяного. Мильяненков, 192.

Пенькáм Бóгу мóлится. *Прост.* О нелюдимом человеке. БМС 1998, 435.

Сбивáть пеньки́. *Дон. Неодобр.* Бездельничать, праздно проводить время. СРНГ 25, 339.

Сшибáть пеньки́. *Жарг. мол.* Брать деньги в долг у кого-л. Максимов, 307.

ПÉНИЕ * Пéние сирéн. *Книжн. Неодобр.* Льстивые речи, которыми кто-л. старается обмануть легковерного человека. БМС 1998, 435.

Хоровóе пéние. *Жарг. мол.* Групповой секс. Аврора, 1990, №11, 123, 126.

ПÉНИС * Пéнис мя́гкий. *Жарг. мол. Шутл.* Певец Тынис Мяги. ЖЭМТ, 21.

ПÉНКА * Мóдная пéнка с ки́слых щей. *Сиб. Презр.* О зазнавшемся человеке. ФСС, 133.

Нéжная пéнка. *Сиб.* 1. *Неодобр.* Об изнеженном человеке. 2. *Шутл.* О человеке, который мало ест. Верш. 4, 124.

Нéжная пéнка с ки́слых щей. *Волг. Шутл.-ирон.* О чём-л. несуразном, невкусном, не пригодном к употреблению. Глухов 1988, 98.

Пéнка на глазá навáливается. *Кар.* Темнеет в глазах у кого-л. СРГК 3, 297.

Мочи́ть пéнки. *Жарг. мол.* То же, что **бросать пенку.** Максимов, 256.

Ни пéнки ни пузырёв. См. **Ни пены ни пузыря (ПЕНА).**

Сбирáть пéнки. *Волг.* То же, что **снимать пенки.** Глухов 1988, 144.

Снимáть пéнки *с чего. Разг. Неодобр.* Брать себе самое лучшее, наиболее выгодное, не прилагая собственного труда и не имея на это достаточного права. ДП, 469; ФСРЯ, 312; БТС, 790; Ф 2, 170; Мокиенко, 1990, 26; Глухов 1988, 151; ЗС 1996, 93; БМС 1998, 435.

Бросáть/ брóсить (выдавáть/ вы́дать, отмочи́ть) пéнку. *Жарг. мол.* 1. Шутить, рассказывать забавную историю. Митрофанов, Никитина, 147. 2. *Неодобр.* Оконфузиться. Югановы, 164; Елистратов 1994, 321.

Пускáть/ пусти́ть пенку. 1. *Жарг. угол. Неодобр.* Обманывать кого-л. Балдаев 1, 363, 312; ББИ, 172. 2. *Жарг. угол. Неодобр.* Льстить. Балдаев 1, 363, 312; ББИ, 172. 3. *Жарг. спорт. (баск.). Неодобр.* Совершить бросок мимо кольца, не попасть в кольцо. БСРЖ, 426.

ПÉНОЧКА * Верховáя пéночка. *Жарг. арм.* Пуля, пролетевшая над головой. Лаз., 129.

ПЕНЬ * Брехáть на пень. *Волг. Неодобр.* Неприкрыто лгать, обманывать кого-л. Глухов 1988, 7.

[Вали́ть] чéрез пень колóду. *Прост. Неодобр.* 1. Делать что-л. недобросовестно, кое-как. 2. Без разбора, беспорядочно. 3. Несогласованно, с перебоями. ФСРЯ, 312; БТС, 110; БМС 1998, 436; Жиг. 1969, 93.

В пень. *Жарг. мол.* Очень, в высшей степени. КП, 04.12.98.

В пень головóй. *Перм. Ирон.* О человеке, потерпевшем неудачу, погибшем. Подюков 1989, 48.

Вы́рубить в пень. *Арх.* Уничтожить, убить всех. СРНГ 25, 346.

Ёлкин (елóвый) пень! *Прост. Эвфем. Бран.-шутл.* Выражение досады, удивления, раздражения и т. п. Мокиенко, Никитина 2003, 245.

Задéл за пень и простоя́л весь день. *Сиб. Ирон.* О человеке, которому ничего не удалось сделать за весь день. ФСС, 76; СРНГ 25, 436; СФС, 75.

Знать пень да колóду. *Кар.* Быть неграмотным, необразованным (как правило – о деревенском жителе). СРГК 4, 424.

Иди́ (пошёл) в пень! *Жарг. мол.* Требование уйти, удалиться откуда-л.: уходи, убирайся. Максимов, 336.

Колоти́ть [в] пень. *Диал. Неодобр.* Бездельничать; заниматься бесполезным делом. Мокиенко 1990, 65.

Лишь бы пень колоти́ть да день проводи́ть. *Прикам. Неодобр.* Работать недобросовестно, вполсилы. МФС, 48.

Ни в пень ни в колоду́. *Пск.* 1. *кому что.* Не нравится, не подходит кому-л. что-л. 2. *Неодобр.* Неумелый, нерасторопный. СПП 2001, 60.

Пень берёзовый. *Прост.* О глупом, несообразительном человеке. ФСРЯ, 312; Мокиенко 1990, 106, 112; Глухов 1988, 121.

Пень Бо́жий. *Моск. Ирон.* Об ограниченном, недалёком человеке. СРНГ 25, 346.

Пень в два (три) обхва́та. *Сиб. Презр.* То же, что **пень берёзовый.** ФСС, 133; Мокиенко 1990, 106.

Пень горе́лый. *Сиб. Пренебр.* О невежественном, необразованном иногда — грубом человеке. СРНГ 25, 345.

Пень да коло́да. *Яросл.* О буреломе. СРНГ 25, 346.

Пень дыми́т *у кого. Жарг. мол. Шутл.* Об эрекции. h-98.

Пень дыря́вый. *Диал. Пренебр.* То же, что **пень берёзовый.** Мокиенко 1990, 106, 112.

Пень колоти́ть да день проводи́ть. *Сиб.* 1. Работать непроизводительно, впустую. 2. Жить вольготно, без забот. СРНГ 25, 346; Мокиенко 1990, 65.

Пень подколо́дный. *Горьк. Бран.* О человеке, вызывающем резко отрицательные эмоции. БалСок, 49.

Пень по коло́де. *Сиб. Одобр.* Об аккуратном ведении хозяйства. ФСС, 133.

Пень пригоня́ть *на кого. Горьк.* Обвинять кого-л. в чём-л. СРНГ 31, 172.

Пень смолёвый. *Жарг. мол. Пренебр.* Башкир. Максимов, 307.

Пень – соба́кам ссать. *Вульг.-прост. Бран.* О некрасивой, уродливой, не возбуждающей похоти женщине. Мокиенко, Никитина 2003, 245.

Пень стари́нного ле́су. *Нижегор.* Об уважаемом пожилом человеке. СРНГ 25, 346.

Пень стоеро́совый [с глаза́ми]. *Прост. Бран.* О крайне глупом человеке. Мокиенко, Никитина 2003, 245.

Поня́тный пень. *Жарг. мол.* То же, что **ясен пень.** Круто 2003, № 14, 22.

Сесть на пень. *Пск.* Опечалиться, сникнуть. СПП 2001, 60.

Ста́вить в пень *кого. Волг.* Утомлять, приводить в изнеможение кого-л. Глухов 1988, 154.

Ста́рый пень. *Прост. Ирон. или Презр.* О старике. СПП 2001, 60; Мокиенко, Никитина 2003, 246.

Стать в пень. 1.*Морд., Твер.* Остановиться, стать неподвижным, замереть в замешательстве, растерянности. СРГМ 2002, 137; СРНГ 25, 346. 2. *Волг.* Сильно устать, утомиться. Глухов 1988, 154.

Че́рез пень коло́ду. *Прост. Неодобр.* Недобросовестно, небрежно, кое-как. ЗС 1996, 481.

Я́сен (я́сный) пень. *Жарг. мол.* Понятно, само собой разумеется. БСРЖ, 427; Вахитов 2003, 210.

Копа́ть пни. *Перм. Ирон.* Мучиться на тяжёлой работе. Подюков 1989, 94.

Буро́вить по пням. *Орл. Неодобр.* Лгать, обманывать, говорить ерунду. СОГ 1989, 111.

ПЕНЬЁ * Лома́ть пеньё. *Перм.* Корчевать пни. СГПО, 286.

Пеньё да коре́нье. *Кар. Неодобр.* Дрова плохого качества. СРГК 2, 425.

ПЕ́НЯ * Ста́вить в пе́ню *кому что. Прикам.* Говорить что-л. с целью обидеть, упрекнуть кого-л. в чём-л. МФС, 35.

ПЕ́ПЕКИ * Пе́пеки отбить (откла́сть). См. **[Все] бебеки отбить (БЕБЕКИ).**

ПЕ́ПЕЛ * Взя́ться на пе́пел. *Кар.* Сгореть до основания. СРГК 1, 199.

Обраща́ть/ обрати́ть в пе́пел *что. Книжн.* Уничтожать, сжигать что-л. Ф 2, 11.

Пересыпа́ть пе́пел. *Диал. Неодобр.* Бездельничать. Мокиенко 1990, 65.

Возрожда́ться/ возроди́ться (восстава́ть/ восста́ть) из пе́пла. *Книжн. Высок.* Представать в прежнем своём виде, качестве (о чём-л. уничтоженном, разрушенном). Ф 1, 71, 77.

Посыпа́ть пе́плом го́лову. *Книжн.* Предаваться крайней скорби, печали по случаю какой-л. утраты, бедствия. ФСРЯ, 312; БТС, 205; БМС 1998, 436.

ПЁР * Пёр стои́т *кому. Жарг. мол.* Кому-л. везёт, кому-л. сопутствует удача. Югановы, 166.

ПЕ́РВЫЙ * В пе́рвую. *Новг.* Первый раз, впервые. НОС 7, 116.

Пе́рвый среди́ ра́вных. 1. *Книжн.* О главном, выдающемся среди остальных. 2. *Публ. Устар. Патет.* О русском народе по отношению к другим народам СССР. Хан-Пира, 1999. < Калька с лат. *primus inter pares.* БМС 1998, 436.

ПЕ́РВИ́НА * На пе́рви́ну. *Кар.* Сначала, вначале. СРГК 4, 426.

В перви́ны. *Кар.* Впервые. СРГК 4, 426.

ПЕРВИ́НКА * С перви́нки. *Кар.* То же, что **на первину (ПЕРВИНА).** СРГК 4, 426.

ПЕРВИ́НОЧКА * С перви́ночки. *Новг.* То же, что **на первину (ПЕРВИНА).** НОС 7, 115.

ПЕ́РВО * Не пе́рво, не по́сле. *Волог.* Не вовремя. СРНГ 26, 8.

ПЕРВОПЕЧА́ТНИК * Первопеча́тник Фёдоров. *Жарг. мол. Шутл.* Мужской половой орган. Щуплов, 53; ЖЭСТ-1, 141. < Образовано шутливой ассоциацией слова **первопечатник** с **печатать** – совершать половой акт с кем-л.

ПЕРДУ́Н * Ста́рый перду́н. *Вульг.-прост. Шутл.-ирон.* О старом человеке. Мокиенко, Никитина 2003, 246.

ПЕРДУ́НЬЯ * Ста́рая перду́нья . *Вульг.-прост. Шутл.-ирон.* О старой женщине. Мокиенко, Никитина 2003, 246.

ПЕРЕБИРУ́ШКИ * Перебира́ть перебиру́шки (погрему́шки, погрому́шки). *Ряз. Неодобр.* Заниматься пустыми разговорами, болтать. СРНГ 26, 27.

ПЕРЕБО́Й * Идти́/ пойти́ на перебо́й. *Кар., Яросл.* Соперничать в любви с кем-л. СРГК 2, 267; СРГК 4, 430; ЯОС 4, 1334; 8, 44.

ПЕРЕБО́Р * Взять в перебо́р *кого. Арх.* Выругать, отчитать кого-л. СРНГ 26, 324 АОС 4, 84.

Дать перебо́р *кому. Печор.* То же, что **взять в перебор.** СРГНП 1, 166.

ПЕРЕБО́РКА * Дать перебо́рку *кому. Волг., Коми.* То же, что **взять в перебор (ПЕРЕБОР).** Глухов 1988, 30; Кобелева, 61.

ПЕРЕБО́РОЧКА * Игра́ть в перебо́рочку. *Прост. Устар.* Бездельничать. ДП, 501; БМС 1998, 437; Мокиенко 1989, 70-71; Мокиенко 1990, 65.

ПЕРЕБЯ́КА * Дать перебя́ку *кому. Прост. Устар.* Ударить кого-л. БМС 1998, 437.

ПЕРЕВА́ЛЕЦ * С перева́льцем. *Разг.* Переваливаясь с боку на бок при ходьбе, вразвалку. БТС, 794.

ПЕРЕВА́ЛКА * Дать (зада́ть) перева́лку *кому. Диал.* Избить кого-л. Мокиенко 1990, 46, 110.

ПЕРЕВЁРТ * Перевёрт кишко́в. *Сиб.* Непроходимость кишечника. СФС, 138.

Пойти́ в три перевёрта. *Сиб.* Завертеться от боли. ФСС, 142.

ПЕРЕВЁРТЫШ * Дать перевёртыша *кому. Диал.* То же, что **задать перевалку (ПЕРЕВАЛКА).** Мокиенко 1990, 46.

ПЕРЕВЕСНЫ́ * С перевесны́. *Ряз.* Весной. ДС, 394.

ПЕРЕВО́ЗКА * Перево́зка во́здуха. *Жарг. авто, ж/д.* О неполном использовании грузоподъёмности транспортных средств при перевозке грузов. НРЛ-81; Мокиенко 2003, 73.

ПЕРЕВЫШЕ́НИЕ * Превыше́ние кро́ви. *Сиб.* Гипертоническая болецнь. ФСС, 133.

ПЕРЕГОРО́ДКА * Выводи́ть из-за перего́ро́дки *кого. Горьк.* Выдавать замуж с соблюдением всех ритуальных особенностей. БалСок, 29.

ПЕРЕГРО́МКА * Дать перегро́мку. *Диал.* То же, что **задать перевалку (ПЕРЕВАЛКА).** Мокиенко 1990, 47.

ПЕРЁД * Взять перёд. *Разг. Устар.* Обойти, обогнать кого-л. Ф 1, 61.

Отня́ть перёд. *Сиб.* Забежать вперёд преследуемого зверя. СФС, 134.

Жить за гото́вым передо́м. *Новг.* Жить беззаботно, на всем готовом. Сергеева 2004, 218.

Для переду́. *Кар.* Заранее. СРГК 1, 462.

К переду́. *Новг.* Впрок, про запас. НОС 7, 118.

ПЕРЕДА́ЧА * Не в переда́чу. *Кар.* По секрету. СРГК 4, 439.

ПЕРЕДВИ́ЖКА * Передви́жкой передвига́ться. *Сиб.* Передвигаться с большим трудом из-за болезни ног. ФСС, 133; СРНГ 26, 81.

ПЕРЕДЕ́ЛКА * Переде́лки переде́лать. *Кар.* Сделать все дела, выполнить всю работу. СРГК 4, 440.

Вы́йти в переде́лку. *Сиб.* Измениться. ФСС, 35.

Пойти́ (пое́хать) на переде́лку. *Сиб.* Отправиться на операцию аборта. СРНГ 28, 286; ФСС, 141.

ПЕРЕДЁР * Дать (зада́ть) передёру *кому. Диал.* Избить кого-л. Мокиенко 1990, 46, 110.

ПЕРЕДО́К * Брать/ взять на передо́к *[кого]. Вульг.-прост.* Добиваться цели, обольщая женщину. Мокиенко, Никитина 2003, 246.

Слаб на передо́к. *Разг. Шутл.-ирон.* О похотливом мужчине, бабнике. Мокиенко, Никитина 2003, 247.

Слаба́ на передо́к. 1. *Разг. Шутл.-ирон.* О легкодоступной, часто соглашающейся на случайные половые связи женщине. БСРЖ, 428; Глухов 1988, 149. 2. *Жарг. мед. Ирон.* О женщине с хроническими заболеваниями мочеполовой системы. БСРЖ, 428.

ПЕРЕДРЯ́ЗГИ * Плести́ передря́зги. *Пск.* Сплетничать. СРНГ 26, 96.

ПЕРЕЖИ́ТОК * Пережи́тки про́шлого. *Публ. Неодобр.* Отрицательные явления, обусловленные исторически. Мокиенко 2003, 73.

ПЕРЕЖИ́ТЬЕ * По пережи́тью лет. *Сиб.* С годами, с течением времени. СРНГ 26, 107.

ПЕРЕКАТИ́ * Перекати́-поле. *Неодобр.* О человеке, постоянно переходящем, переезжающем с места на место. ФМ 2005, 227.

ПЕРЕКА́ЧКА * Перека́чка мозго́в (умо́в). 1. *Публ. Неодобр.* Переманивание ведущих специалистов, ученых, деятелей культуры и искусства на Запад. Мокиенко 2003, 73. 2. *Жарг. шк. Шутл.-ирон.* О переводе отличника в другую школу. Максимов, 308.

ПЕРЕКЛАДНЫ́Е * На перекладны́х. *Разг.* Используя разные виды транспорта, разные способы передвижения. < **Перекладные** – экипаж с лошадьми, сменяемыми на почтовых станциях. БТС, 805; Мокиенко1990, 83.

ПЕРЕКРО́Й * На перекро́е. *Сиб.* После полнолуния. ФСС, 134.

ПЕРЕКО́С * На переко́с. *Кар.* К разладу, к раздору, к ссоре. СРГК 4, 451.

ПЕРЕКРЁСТ * Пойти́ на перекрёст. *Сиб.* Измениться в худшую сторону. ФСС, 142.

ПЕРЕКРЁСТНАЯ * Попада́ть/ попа́сть в перекрёстную. *Прост. Устар.* Оказываться в сложном, неприятном или опасном положении. Ф 2, 74.

ПЕРЕКРЁСТОК * Крича́ть на всех перекрёстках *о чём. Разг. Неодобр.* Широко оповещать о чём-л., распространять какие-л. сведения, информацию. ЗС, 353; Ф 1, 262.

На перекрёстки. *Кар.* Крест-накрест. СРГК 4, 451.

ПЕРЕКРУ́Т * Сде́лать перекру́т *кому. Волг.* Строго наказать, избить кого-л. Глухов 1988, 146.

ПЕРЕКУ́Р * Переку́р с дремото́й. *Прост. Шутл.* Очень длительный, расслабленный отдых (для перекура). Р-87, 276; Мокиенко 2003, 73; Глухов 1988, 122; ЗС 1996, 89.

ПЕРЕЛЁТ * Ту́шинские перелёты. *Разг. Устар. Презр.* О двуличных людях, переходящих из одного лагеря в другой. < От названия бояр, перешедших на сторону «тушинского вора» – Лжедмитрия II в летописях XVI в. БМС 1998, 437.

ПЕРЕЛО́М * Ве́тряной перело́м. 1. *Сиб.* Простуда. ФСС, 134. 2. *Арх.* Покраснение белков глаз, конъюнктивит. АОС 4, 24. // *Новг.* Болезнь глаз от сглаза. НОС 7, 122.

Ветряно́й перело́м головы́. *Сиб.* Простудная головная боль. СФС, 374 ФСС, 134.

ПЕРЕМЕ́НА * Больша́я переме́на. *Жарг. шк. Шутл.* Пропуск урока без уважительной причины. (Запись 2003 г.).

Переме́на декора́ций. *Разг. Шутл.* Изменение обстановки, положения дел, общего вида чего-л. БТС, 810.

Переме́на (переменéнье) све́та. *Арх.* 1. Светопреставление, конец света. 2. Чья-л. смерть, кончина. СРНГ 26, 156.

ПЕРЕМЕНЕ́НЬЕ * Перемененье све́та. См. **Перемена света (ПЕРЕМЕНА).**

ПЕРЕМО́Т * Положи́ть перемо́та. *Прикам.* 1. Заставить замолчать кого-л. 2. Насплетничать о ком-л. СРНГ 26, 166; МФС, 78; СГПО, 434.

Вить перемо́ты. *Волог.* Вести пустые, бесполезные разговоры. СРНГ 26, 167. < **Перемот** – перепутавшаяся нить.

ПЕРЕМЫВА́ХА * Перемыва́ха да руба́ха. *Сиб., Приамур.* О небогатой, скромной одежде. ФСС, 134; СРНГ 26, 169; СРГПриам., 198.

ПЕРЕМЫ́ВКА * Не бела́, да перемы́вка. *Прикам.* О старой, но чистой одежде. МФС, 11.

На перемы́вку. *Кар.* На смену. СРГК 4, 457.

ПЕРЕМЯ́ЛЬЕ * Попа́сть в перемя́лье. *Сиб.* Оказаться в сложной ситуации, безвыходном положении. Мокиенко 1990, 137.

ПЕРЕНО́С * Не в перено́с. 1. *Дон., Яросл.* Невыносимо, не нравится кому-л. СДГ 3, 8; ЯОС 6, 123. 2. *Волг., Дон.* По секрету. Глухов 1988, 95; СДГ 3, 8.

Без перено́су. *Сиб.* То же, что **не в перенос.** ФСС, 134.

ПЕРЕНО́СЧИК * Перено́счик грани́та. *Жарг. шк. Шутл.* Портфель, школьный ранец, рюкзак. (Запись 2003 г.).

ПЕРЕОЦЕ́НКА * Переоце́нка це́нностей. *Книжн.* Пересмотр своих убеждений, взглядов, господствующих в науке теорий и т. п. БМС 1998, 437.

ПЕ́РЕПИСЬ * Пе́репись тушо́нки. *Жарг. угол., мил. Шутл.* Органы, занимающиеся расследованием экономических преступлений. DL, 118; Никольский, 104.

ПЕРЕПИХНИ́Н * Перепихни́н с повтори́ном. См. Перепихон с повторином (ПЕРЕПИХОН).

ПЕРЕПИХО́Н * Перепихо́н (перепихни́н) с повтори́ном. *Жарг. мол. шутл.* Двукратный половой акт. Мокиенко 1995, 74; Быков, 149.

ПЕРЕПЛЁТ * Брать/ взять в переплёт *кого. Прост.* Решительно воздействовать на кого-л. Ф 1, 36; Мокиенко 1986, 112.

Дешёвый переплёт. *Жарг. мол. Пренебр.* Плохая одежда. Вахитов 2003, 47.

Попада́ть/ попа́сть в переплёт. *Разг.* Оказываться в трудном, опасном или неприятном положении. ФСРЯ, 317; БМС 1998, 437; ЗС 1996, 204; Мокиенко 1986, 111; Мокиенко 1990, 141; АОС 5, 144.

Держа́ть в переплёте *кого. Волг.* Строго обращаться с кем-л. Глухов 1988, 124.

ПЕРЕПОДВЫ́ВЕРТ * С переподвы́вертом. *Мол. Шутл.-ирон. или Неодобр.* О чём-л. сложном для понимания. БСРЖ, 429.

ПЕРЕПОЛО́Х * Вылива́ть переполо́х. *Дон.* Лечить магическими действиями от испуга. СДГ 1, 88.

ПЕРЕПО́НКА * Бабаба́нные перепо́нки ло́паются *у кого. Разг.* О сильном шуме, громком звуке. БТС, 59.

Нагна́ло перепо́нку. *Кар.* О появлении бельма на глазу. СРГК 3, 307.

ПЕРЕПУ́ТЬЕ * На перепу́тье. *Разг.* В состоянии сомнений, колебаний, в нерешительности перед выбором. ФСРЯ, 317; БТС, 815.

ПЕРЕРЕ́З * На три перере́за. *Кар.* Слишком полный, толстый. СРГК 4, 466.

ПЕРЕСА́ДА * До переса́д *чего. Кар.* О слишком большом количестве чего-л. СРГК 4, 467.

Чтоб тебя́ (его́ и т. п.) переса́дой хвати́ло! *Курск. Бран.* Восклицание, выражающее гнев, негодование, возмущение кем-л. БотСан, 118.

ПЕРЕСА́ДКА * Без переса́дки. *Разг.* Прямо к цели, не задерживаясь где-л., на чём-л. ФСРЯ, 317.

ПЕРЕСЁЛКИ * Быть на пересёлках. *Дон.* Быть переселённым по решению суда. СДГ 26, 217.

ПЕРЕСЁМЫ * Пересёмы беру́т *кого. Яросл.* О человеке, которого охватывает беспокойство, нетерпение, что выражается в суетливости, нервозности. ЯОС 7, 98; СРНГ 26, 218.

ПЕРЕСМЕ́Х * Брать/ взять в пересме́х *кого. Прост. Устар.* Осмеивать кого-л. Ф 1, 36.

ПЕРЕСО́Л * Де́лать пересо́л. *Нижегор.* Класть под подушку смесь воды, соли и хлеба в наперстке, чтобы во сне увидеть невесту (вид гадания). СРНГ 26, 225.

ПЕРЕСОЛИ́ТЬ * Пересоли́ть да вы́хлебать. 1. *Сиб.* Испытать нужду. ФСС, 134. 2. *Перм.* Упрямо придерживаться своих принципов; поступить по-своему вопреки здравому смыслу. Подюков 1989, 146.

ПЕРЕСТА́В * Без переста́ву. *Пск.* Не переставая. СРНГ 26, 227.

ПЕ́РЕСТКИ * Ходи́ть на пе́рестках. *Кар.* Ходить на цыпочках. СРГК 4, 471.

Встаава́ть/ встать на пе́рестки. *Кар.* Вставать на цыпочки. СРГК 4, 471.
< **Перестки** – пальцы ноги.

ПЕРЕСЫ́ПКА * С пересы́пкой. 1. *Сиб.* О наказании розгами с некоторыми промежутками между отдельными ударами. 2. *Ср. Урал.* О беге лошади с переменой аллюра. СРНГ 26, 236.

ПЕРЕТРУ́СКА * Дава́ть/ дать (задава́ть/ зада́ть) перетру́ску *кому. Волг., Дон.* Ругать, отчитывать кого-л. Глухов 1988, 28; СРНГ 26, 245; СДГ 3, 9; Мокиенко 1990, 46.

ПЕРЕТЯ́ГИВАНИЕ * Перетя́гивание кана́та. *Разг. Шутл.* Стремление решить какой-л. вопрос в свою пользу, деятельность, направленная на достижение этой цели. ТС XX в., 283.

ПЕРЕУ́ЛОК * Колба́сный переу́лок. *Жарг. морск. Шутл.* Каюта буфетчиц. БСРЖ, 429.

ПЕРЕУ́ЧКА * Па́хнет переу́чкой. *Ср. Урал. Ирон.* О долго учившемся, но непонятливом человеке. СРНГ 25, 291; СРНГ 26, 256.

ПЕРЕХВА́Т * Без перехва́та. *Яросл.* Об очень полном человеке. ЯОС 1, 46.

ПЕРЕХО́Д * Подзе́мный перехо́д. *Жарг. гом. Шутл.* Анальное отверстие. ЖЭСТ-2, 258.

ПЕ́РЕЦ * Лесно́й пе́рец. *Яросл.* Растение молочай лозный. ЯОС 5, 128.

Трепа́ть пе́рец. *Жарг. мол. Шутл.* Онанировать. Декамерон 2001, № 3; Никитина 2003б, 437.

Я́сный пе́рец (пе́рчик). *Жарг. мол.* Конечно, понятно, безусловно. Елистратов 1994, 325; Вахитов 2003, 210.

Всы́пать (дава́ть/да́ть, задава́ть/ зада́ть) пе́рцу *кому. Прост.* Ругать, наказывать кого-л. БТС, 822; СРНГ 26, 269; БМС 1998, 438; ФСРЯ, 318; ЗС 1996, 211; Мокиенко 1990, 51, 60, 161; Ф 1, 194; ШЗФ 2001, 78.

Подсы́пать бе́лого пе́рцу *кому. Народн. Эвфем.* Отравить кого-л. ДП, 278; СРНГ 2, 233.

Показа́ть пе́рцу *кому. Пск.* Наказать кого-л., расправиться с кем-л. СПП 2001, 60.

Посы́пать пе́рцу на хвост *кому. Прост.* Проучить кого-л. Ф 2, 80.

ПЕРЕЧЁС * Ху́же перечёсу. *Вят. Неодобр.* Крайне скверно, отвратительно. СРНГ 26, 273.

ПЕ́РЕЧНИЦА * Ста́рая пе́речница. *Прост. Бран.* О старой женщине. БТС, 823; СПП 2001, 60; Мокиенко, Никитина 2003, 247; Арбатский, 366.

ПЁРКА * Дать пёрку *кому. Пск.* Выгнать, прогнать кого-л. откуда-л. СПП 2001, 60; Мокиенко 1990, 46.

ПЕРКАШЕ́РЬЕ * На перкаше́рье. *Сиб.* Наперекор кому-л. ФСС, 134.

ПЕРЛ * Возводи́ть/ возвести́ в перл создания *что. Книжн.* 1. Достигнуть высшей степени совершенства в своем искусстве. 2. Делать что-л. незначительное значительным, превращать пустяк в нечто существенное. < Из поэмы Н. В. Гоголя «Мертвые души». БМС 1998, 438; ФСРЯ, 317.

ПЕРО́ * Выходи́ть/ вы́йти из-под пера́ *чьего. Книжн.* Быть написанным (о литературном произведении). Ф 1, 103.

Догна́ть до кури́ного пера́ *кого. Орл.* Разорить, довести до нищеты кого-л. СОГ 1990, 62.

Не добы́ть ни пера́. *Колым.* Не поймать ни одной рыбы. СРНГ 21, 214.

Ни пера́ ни жу́чки! *Народн.* Пожелание удачи рыбаку. СРНГ 21, 214.

Писа́ть в два (в три) пера́. *Вят.* Быстро писать, переписывать что-л. СРНГ 26, 287.

Проскочи́ть и пера́ не оста́вить. *Народн.* Поспешно скрыться, убежать откуда-л. ДП, 274.

Срыва́ться/ сорва́ться с пера́ *у кого. Книжн.* Быть написанным кем-л. случайно, неожиданно, непроизвольно. Ф 2, 180.

Три пера́. *Жарг. мол. Шутл.-ирон.* Триппер. УМК, 155.

Бо́йкое перо́ *у кого. Разг. Одобр.* Кто-л. с лёгкостью пишет, сочиняет, излагает свои мысли. ФСРЯ, 317; ЗС 1996, 379; БТС, 826.

Бра́ться/ взя́ться за перо́. *Разг.* 1. Начинать писать о чём-л. 2. Начинать литературную деятельность. Ф 1, 62.

В одно́ перо́. *Народн.* Об одинаковом оперении птиц. СРНГ 26, 288.

Вста́вить перо́ *кому.* 1. *Жарг. угол.* Прогнать, изгнать кого-л. откуда-л. Балдаев 1, 73; Балдаев 1, 314; ББИ, 173. 2. *Жарг. угол.* Пырнуть кого-л. ножом, зарезать. БСРЖ, 430. 3. *Сиб. Устар.* Отказать кому-л. в просьбе, отклонить чьё-л. ходатайство. ФСС, 32.

Выходи́ть на перо́. *Кар.* Колоститься (о злаках). СРГК 1, 311.

Дать перо́ *кому. Калуж.* Уволить кого-л. с работы. СРНГ 26, 287.

Золото́е перо́. *Твер.* Растение золотарник, золотая роза. СРНГ 11, 333.

Ложи́ться под перо́. *Книжн.* Излагаться письменно (о выражении своих мыслей). ФСРЯ, 318.

Перо́ на перо́. *Жарг. угол.* Поединок на ножах. Быков, 149.

Посади́ть на перо́ *кого. Жарг. угол.* Зарезать кого-л. Максимов, 76.

Пусто́е перо́. *Сиб.* 1. *Неодобр.* Ложь, дезинформация. 2. *Пренебр.* О чём-л. малоценном. 3. *Пренебр.* О скверном, никчёмном человеке. ФСС, 134; СРНГ 26, 287-288; СБО-Д2, 141; СОСВ, 156.

Сади́ться за перо́. *Книжн.* Начинать писать, заниматься литературным трудом. Ф 2, 136.

Свято́е перо́. *Сиб.* Спинной плавник у рыбы. ФСС, 135.

Владе́ть перо́м. *Книжн.* Обладать способностью писать выразительно, искусно, уметь свободно излагать свои мысли. ФСРЯ, 71; ЗС 1996, 379.

Перо́м земе́лька *кому*! *Пск.* Пожелание покойнику. Шт., 1978.

Перо́м не вести́. *Кар.* О полной тишине, спокойствии. СРГК 1, 185.

Под перо́м *кого, чьим. Книжн.* О чём-л. сочинённом, написанном кем-л. ФСРЯ, 318.

Принадлежа́ть перу́ *кого, чьему. Книжн.* Быть написанным кем-л. ФССРЛЯ, 821.

Вобра́ться (войти́) в пе́рья. *Пск.* Разбогатеть, начать жить благополучно, зажиточно. ПОС 4, 106; Мокиенко 1990, 109.

Вы́пустить пе́рья. *Жарг. мол.* 1. Возмутиться. 2. Начать вести себя заносчиво. Максимов, 76.

Засуши́ть пе́рья (пёрышки) *кому. Курск.* Помешать кому-л. в осуществлении чего-л. СРНГ 11, 77.

Ощипа́ть пе́рья *кому. Прост.* Указать зазнавшемуся, высокомерному человеку на то, что он представляет собой в действительности. СПП 2001, 60.

Пе́рья посы́пались *[из кого]. Пск. Шутл.* Кто-л. получил нагоняй, выговор, подвергся наказанию. СПП 2001, 60.

Распуска́ть/ распусти́ть пе́рья. *Разг.* Красиво, нарядно одевшись, держаться важно, гордо. Глухов 1988, 139; Подюков 1989, 211.

Ряди́ться в павли́ньи (чужи́е) пе́рья. *Разг. Неодобр.* Пытаться показать себя более значительным, чем есть на самом деле. < Из басни И. А. Крылова «Ворона» (1825 г.). БМС 1998, 438.

В одни́х пе́рьях. *Сиб.* Без изменений. ФСС, 87.

В пе́рьях. *Пск. Шутл.-одобр.* Об умном, сообразительном человеке. СПП 2001, 60.

Изваля́ть в пе́рьях *кого. Волг.* Опорочить, опозорить кого-л. Глухов 1988, 57.

ПЕРПЕ́ТУУМ * Выду́мывать перпе́туум-мо́биле. *Разг.* Заниматься бессмысленным делом, решать невыполнимую задачу. < **Перпетуум-мобиле** — вечный двигатель. БМС 1998, 439.

ПЕРСО́НА * Персо́на гра́та. *Книжн.* Уважаемый, всегда желанный человек. БМС 1998, 439; БТС, 825.

Персо́на нон гра́та. 1. *Книжн. Неодобр.* Не пользующийся доверием, нежелательный человек. БМС 1998, 439; БТС, 825. 2. *Жарг. угол. Ирон.* Человек, болеющий сифилисом в открытой форме. ББИ, 173. < Из лат. *persona non grata* — букв. "нежелательная личность".

ПЕРСТ * Перст Бо́жий. *Книжн. Устар.* Что-то таинственное, мистическое, предопределяющее судьбу. < Из Библии. БМС 1998, 439.

Перст о перст не уда́рить (не колону́ть). *Кар., Прикам., Печ., Сиб. Неодобр.* Ничего не сделать, не предпринять. СРГК 2, 403; МФС, 48; СРНГП 1, 102; СРНГ 26, 290; Мокиенко 1990, 64.

Круг перста́. *Перм.* Очень быстро. СРНГ 15, 296.

Нет ни перста́ *у кого. Новг.* О крайней бедности, нищете. НОС 6, 53.

Одного́ перста́ не сто́ит *чьего. Коми.* Значительно уступает кому-л. Кобелева, 70.

Ни пёрсто́м не шевельну́ть. *Коми. неодобр.* То же, что **перст о перст не ударить.** Кобелева, 71.

Персто́м не заде́ть *кого. Прикам.* Не причинить кому-л. ни малейшего вреда. МФС, 38.

Вложи́ть персты́ в я́звы. *Книжн. Устар.* Не доверяя другому, самому убедиться в чём-л. на опыте. < Из Евангелия. БМС 1998, 439.

Персты́ на во́лю. *Яросл.* Об открытой обуви, босоножках. ЯОС 7, 100.

ПЕ́РСТЕНЬ * Владе́ть пе́рстнем Гиле́я. *Книжн. Устар.* Быть всемогущим человеком. < Восходит к греческой мифологии. БМС 1998, 439.

Владеть пе́рстнем Поликра́та. *Книжн. Устар.* Быть очень счастливым, везучим человеком. < Восходит к греческой мифологии. БМС 1998, 439.

ПЕРСТЕНЬКИ́ * На перстенька́х. *Кар.* То же, что **на перстках (ПЕРСТОК).** СРГК 4, 481.

ПЕ́РСТИК * Два пе́рстика запа́су. *Арх. Шутл.-ирон.* Об очень малом количестве чего-л. СРНГ 26, 292.

Ходи́ть на пе́рстиках. 1. *Олон.* Передвигаться тихо, неслышно. СРНГ 26, 292. 2. *Коми.* Подчиняться кому-л. Кобелева, 81.

На пе́рстики. *Кар., Яросл.* То же, что **на перстки (ПЕРСТОК).** СРГК 4, 471; ЯОС 3, 45; ЯОС 6, 78.

На пе́рстиках (пе́рсиках). *Кар.* То же, что **на перстках (ПЕРСТОК).** СРГК 4, 481, 481.

ПЕ́РСТО́К * На пе́рстках. *Кар.* На цыпочках. СРГК 4, 481.

Ходи́ть на перстка́х. *Пск. Неодобр.* Важничать, зазнаваться. СПП 2001, 60.

На перстки́. *Пск.* На цыпочки. СПП 2001, 60.

ПЁРСТЫШКИ * На пёрстышках. *Арх., Кар.* То же, что **на перстках (ПЕРСТОК).** СРГК 4, 481; СРНГ 26, 292.

ПЕРУ́Н * Каб тебя́ (его́ и т. п.) перу́н тре́снул! *Народн. Бран.* То же, что **перун тебя забей!** СРНГ 26, 234.

Како́й там перу́н ласка́ет? *Народн. Неодобр.* Что за шум, что за грохот? СРНГ 26, 234.

Перу́н тебя́ (его́ и т. п.) забе́й (возьми́, сбей)! *Пск., Смол.* Восклицание, выражюащее гнев, негодование, возмущение кем-л. СПП 2001, 60; СРНГ 26, 294; Мокиенко 1986, 159.

Сгоре́ть с перуна́. *Латв.* Загореться, сгореть от удара молнии. СРНГ 26, 294.

Уда́рить с перуна́. *Латв.* Об ударе молнии. СРНГ 26, 294.

Схвати́ тебя́ перуно́м! *Твер.* Пожелание болезни кому-л. СРНГ 26, 294.

Чтоб тебя́ перуно́м уби́ло! *Смол. Бран.* То же, что **перун тебя забей!** СРНГ 26, 294.

Мета́ть перуны́. *Книжн.* Сердиться, сильно ругать кого-л., неистовствовать. ФСРЯ, 318; БМС 1998, 440; Мокиенко 1986, 158.

ПЕ́РХОТЬ * Пе́рхоть Бурати́но. *Жарг. мол. Шутл.* Опилки. Максимов, 310.

ПЕРЧА́ТКА * Боксёрская перча́тка. *Жарг. гом.* Мужской половой орган нетрадиционной формы. Шах.-2000.

Желе́зная перча́тка. *Пск.* Кастет. ПОС 10, 182.

Бро́сить перча́тку *кому. Книжн.* Вступить в борьбу с кем-л., вызвать кого-л. на спор, состязание. ФСРЯ, 318; ЗС 1996, 63; Янин 2003, 39; БТС, 826; БМС 1998, 440.

Подня́ть перча́тку. *Книжн.* Принять вызов, вступить в борьбу с кем-л. ФСРЯ, 318; БМС 1998, 440.

ПЕ́РЧИК * Я́сный перчик. См. **Ясный перец (ПЕРЕЦ).**

ПЕ́РША * Вставля́ть пе́ршу. *Пск.* Противоречить кому-л., не соглашаться с кем-л. ПОС 5, 69.

ПЁРЫШКО * Засуши́ть пёрышки. См. **Засушить перья (ПЕРО).**

Общипа́ть пёрышки *кому. Горьк.* Обмануть кого-л. БалСок, 28.

Собира́ться на пёрышки. *Дон.* 1. Собираться для ощипывания битой на зиму птицы (о девушках). 2. Собираться на вечеринки, посиделки. СРНГ 26, 298.

Чи́стить пёрышки. *Прост. Шутл.* Приводить себя в порядок. Ф 2, 254.

Плавно́е пёрышко. *Дон.* Плавник возле головы рыбы. СДГ 3, 13.

Прави́льное пёрышко. *Дон.* Спинной плавник рыбы. СДГ 3, 52.

Пощекота́ть пёрышком *кого. Жарг. угол.* Ударить ножом кого-л. Балдаев 1, 345.

ПЁС * Беспла́тный пёс. *Жарг. угол. Пренебр.* Член ДНД, оперотряда. ББИ, 27.

На кой пёс? *Прост. Бран.* Зачем, для чего? ФСРЯ, 318; БТС, 826; Мокиенко, Никитина 2003, 248.

Ни пёс ни бара́н. 1. *Сиб. Пренебр.* О чём-л. неопределённом, посредственном. ФСС, 135; СРНГ 26, 299. 2. *Волг. Презр.* О никчёмном, не пригодном к делу человеке. Глухов 1988, 110.

Пёс водяно́й. *Яросл. Бран.* О человеке, вызывающем резкое неодобрение, возмущение. ЯОС 7, 100.

Пёс дери́ (задери́, раздери́) *кого*! *Прост. Бран.* Восклицание, выражающее гнев, негодование в чей-л. адрес. ЯОС 7, 10; Мокиенко, Никитина 2003, 248.

Пёс его́ зна́ет. *Прост.* Абсолютно ничего не известно о ком-л., о чём-л. ФСРЯ, 318; БТС, 826.

Пёс на се́не. *Диал.* То же, что **собака на сене (СОБАКА).** Мокиенко 1990, 26.

Пёс на хвосте́ унёс *кого. Новг.* О ком-л. пропавшем, исчезнувшем. Сергеева 2004, 40.

Пёс но́сит (таска́ет) *кого. Сиб. Неодобр.* О чьём-л. нежелательном отсутствии, пребывании неизвестно где. ФСС, 135; СРНГ 26, 299.

Пёс перебе́глый. *Костром. Бран.* О непостоянном мужчине. СРНГ 26, 23.

Пес смердя́щий. *Разг. Устар. Презр. или Бран.* О низком, подлом, мерзком человеке. Мокиенко, Никитина 2003, 248.

Пес тебя́ (вас, его́ и т. п.**) возьми́ (бери́, побери́), дери, задери, раздери)**! *Прост.* 1. Выражение возмущения, негодования или досады. 2. Выражение удивления, восхищения кем-л., чем-л. Мокиенко, Никитина 2003, 248.

Побира́й пёс *кого. Пск. Бран.* То же, что **пёс задери.** СПП 2001, 60.

Солёный пёс. *Жарг. арм. Пренебр.* Ефрейтор. Кор., 267.

До пса *чего. Нижегор.* О большом количестве чего-л. СРНГ 26, 299.

На пса не го́ден. *Смол. Пренебр.* О ничтожном, никчёмном человеке. СРНГ 26, 299.

Пса из до́ма не вы́гонят. *Разг.* О холодной, ненастной погоде. Ф 1, 91.

Крути́ть псам хвост. *Кар. Неодобр.* Бездельничать, праздно проводить время. СРГК 3, 37.

Всéми пса́ми тра́влен. *Народн.* Об опытном, бывалом человеке. ДП, 477.

Из псов пёс. *Смол. Бран.* О непорядочном, подлом человеке. СРНГ 26, 299.

Псу под хвост. *Прост. Груб.* 1. Впустую, зря, напрасно. 2. О чём-л., не заслуживающем внимания, вызывающем пренебрежение. ФСРЯ, 506; Вахитов 2003, 151; БТС, 1441..

Беспла́тные псы. *Разг. Устар. Презр.* 1. Добровольная народная дружина. 2. Городской штаб Добровольной народной дружины в бывш. Ленинграде (Невский пр., 41). Синдаловский, 2002, 24.

В чём псы не ла́чут. *Яросл. Неодобр.* О грубой брани. ЯОС 2, 38.

На чём псы не ла́чут. *Кар.* Очень сильно, интенсивно. СРГК 3, 92.

ПЕ́СЕНКА * Пе́сенка (пе́сня) спе́та *чья. Разг.* Об окончании чьей-л. жизни, чьего-л. благополучия. ФСРЯ, 318; БТС, 1247; ЗС 1996, 478; БМС 1998, 440-441.

Доведётся и нам свою пе́сенку спеть. *Народн.* О надежде на лучшее будущее. ДП, 117.

ПЕСКА́РЬ * Прему́дрый песка́рь. *Разг. Ирон. или Неодобр.* О трусливом обывателе, приспособленце. БТС, 827. < От названия сатирической сказки М. Е. Салтыкова-Щедрина (1883 г.). БМС 1998, 440-441.

ПЕСНЬ * До́лгая песнь. *Пск.* То же, что **долгая песня 1-2.** ПОС 9, 130; СПП 2001, 60.

Лебеди́ная песнь. См. **Лебединая песня (ПЕСНЯ).**

«Песнь о Гайава́те»? *Жарг. гом. Шутл.* Вопрос, имеющий целью выяснить гомосексуальность собеседника. < По созвучию с **гееватый** — склонный к гомосексуализму. Кз., 60.

Песнь пе́сней. *Книжн.* Вершина творчества какого-л. автора, замечательное произведение. < По названию одной из частей Библии. БМС 1998, 441.

ПЕ́СНЯ * Вы́пить до пе́сен. *Кар.* Выпить достаточное количество спиртного. СРГК 1, 278.

Дать (накла́сть) пе́сен. *Кар.* Много и с удовольствием попеть. СРГК 1, 424; СРГК 3, 333.

Не на́до [петь вое́нных] пе́сен! *Жарг. мол.* Призыв перестать обманывать, говорить вздор. Никитина, 1998, 319.

Говори́ть (расска́зывать) пе́сни (пе́сню). *Жарг. мол. Шутл.* Лгать, обманывать. Максимов, 89, 310.

Драть пе́сни. *Брян.* То же, что **играть песни.** СРНГ 26, 305.

Игра́ть пе́сни. *Народн.* Петь. МФС, 42; БМС 1998, 441; СРГСУ 1, 198.

Лежа́ть да пе́сни петь. *Кар. Неодобр.* Бездельничать. СРГК 3, 107.

Пе́сни и пля́ски наро́дов Аля́ски. *Жарг. шк. Шутл.* О школьной художественной самодеятельности. Максимов, 310.

Петь сла́дкие (сла́денькие) пе́сни. *Разг.* 1. Льстить кому-л. 2. Обещать кому-л. что-л. Ф 2, 44.

Попе́ть пе́сни. *Пск.* Поплакать, наплакаться. СПП 2001, 60.

Петь ста́рую (ту же) пе́сню. *Разг. Неодобр.* Говорить что-л. всем известное, твердить одно и то же. БМС 1998, 441; Ф 2, 45.

Поднима́ть/ подня́ть пе́сню. *Сиб.* Запевать, начинать петь. ФСС, 140; СРНГ 28, 99.

Глубо́кая пе́сня. *Дон.* То же, что **долгая песня 1.** СРНГ 26, 305.

Далека́ пе́сня. *Арх.* О том, что произойдет нескоро. АОС 10, 251.

До́лгая пе́сня (песнь). 1. *Разг.* О чём-л. продолжительном. ДП, 499, 566; ФСРЯ, 318; БТС, 271; СРНГ 26, 305; СРГНП 1, 183; ПОС, 9, 130. 2. *Пск.* О долгой, нелёгкой жизни. СПП 2001, 60. 3. *Сиб.* О каком-л. деле, отложенном на долгое время. ФСС, 135.

Казённая пе́сня. *Влад. Ирон.* О крике «Караул!». СРНГ 12, 318.

Лебеди́ная пе́сня (песнь). *Разг.* О последнем, обычно наиболее значительном произведении, последнем проявлении таланта писателя, художника. ФСРЯ, 318; ДП, 497; ЗС 1996, 375, 526; БМС 1998, 441.

Пе́сня Ке́саря. *Жарг. муз. Шутл.* «Песня косаря» (П. И. Чайковский). БСРЖ, 430.

Пе́сня Менструе́ля. *Жарг. муз. Шутл.* «Песня менестреля» (А. К. Глазунов). БСРЖ, 430.

Пе́сня молодо́го ло́ся. *Жарг. мол. Шутл.-ирон.* О рвоте после попойки. Максимов, 310.

Пе́сня про войну́. *Жарг. мол. пренебр.* О человеке с неприятной внешностью. Максимов, 310.

Пе́сня спе́та. См. **Песенка спета (ПЕСЕНКА).**

Приба́сная пе́сня. *Дон.* Частушка. СДГ 3, 11.

Ста́рая пе́сня [на но́вый лад]. *Разг.* О повторении чего-л., иногда — с незначительными изменениями. ДП, 300; Глухов 1988, 154.

Така́я пе́сня. *Сиб. Ирон.* Об отсутствии изменений в чём-л. ФСС, 135.

Пое́хал в Москву́ за пе́снями. *Народн. Неодобр.* О бездельнике, праздно проводящем время. ДП, 255.

ПЕСНЯ́К * Валя́ть (дуть, игра́ть) песняка́. *Ряз.* то же, что **давать песняка.** СРНГ 26, 305.

Дава́ть (задава́ть) песняка́. *Алт., Пск., Сиб.* Громко, весело петь. СФС, 58; СРГА 2-1, 6; СРГА 3-2, 50; СБО-Д1, 109; ПОС 11, 168; СРНГ 7, 257; СРГСУ 4, 23; ФСС, 51.

Дави́ть песняка́. *Жарг. мол. Шутл.* То же, что **давать песняка.** Максимов, 100.

Драть песняка́. *Перм., Сиб.* То же, что **давать песняка.** Подюков 1989, 65; СОСВ, 64; СФС, 67; ФСС, 64; СРГПрикам., 200.

ПЕСО́К * Вить из песка́ (из песку́) верёвку (верёвки). 1. *Народн.* Проявлять скупость, изворотливость, из всего извлекать выгоду. ДП, 426, 590; СРНГ 26, 306; ДП, 109; БМС 1998, 442. 2. *Новг. Одобр.* Быть хорошим мастером, умельцем. НОС 10, 24. 3. *Пск.* Интенсивно, энергично делать что-л. СПП 2001, 60. 4. *Пск., Урал. Неодобр.* Заниматься бессмысленной работой. ПОС, 4, 28; СРНГ 26, 306. 5. *Новг. Неодобр.* Говорить неправду. НОС 1, 127-128.

Стро́ить на песке́ [дом, зда́ние]. *Разг. Неодобр.* В своих планах, рассуждениях опираться на недостаточно надёжные и проверенные данные. БМС 1998, 441; Глухов 1988, 155.

Изруга́ть в пески́ *кого. Яросл.* Грубо выругать, оскорбить кого-л. СРНГ 12, 169.

Броса́ть песко́м в глаза́. *Перм. Неодобр.* Обманывать кого-л. Подюков 1989, 17.

Брать/ взять с песко́м *кого. Арх.* Ругать, отчитывать кого-л. АОС 4, 83.

Песко́м глаза́ засыпа́ть *кому. Пск.* Похоронить кого-л. СПП 2001, 60.

Пробира́ть (продира́ть) с песко́м (с песо́чком) *кого. Разг.* Сильно ругать, отчитывать кого-л. БМС 1998, 442.

Бро́сить (наложи́ть) песку́ на глаза́ *кому. Арх.* То же, что **песком глаза засыпать.** АОС 2, 135; АОС 9, 82.

Взять на песо́к *кого. Жарг. угол.* Продать кому-л. медные опилки вместо золотого песка. ТСУЖ, 131.

Второ́й песо́к. *Жарг. арм. Шутл.-ирон.* Медаль «За безупречную службу в Вооруженных Силах» II степени. Кор., 67.

Жёлтый песо́к. *Прост. Шутл.* Испражнения, кал. Мокиенко, Никитина 2003, 248.

Когда́ песо́к на ка́мне (по ка́мню) взойдёт. *Народн. Шутл.-ирон.* Никогда. ДП, 240, 293, 561; Мокиенко 1986, 212.

Морско́й песо́к. *Жарг. угол.* Соль. Максимов, 254.

Пе́рвый песо́к. *Жарг. арм. Шутл.-ирон.* Медаль «За безупречную службу в вооруженных силах» I степени. Лаз., 130.

Песо́к в глаза́х *у кого. Волг.* О рези в глазах в состоянии сильной усталости. Глухов 1988, 146.

Песо́к сы́плется 1. *из кого. Разг. Ирон.* О дряхлом, старом, слабом человеке. БМС 1998, 442; БТС, 827, 1299; ФСРЯ, 318; Глухов 1988, 122; СПП 2001, 60; Мокиенко, Никитина 2003, 248. 2. *Жарг. угол. Устар.* Идёт полицейский солдат (предупреждение вору). СРВС 1, 26.

Печно́й песо́к. *Яросл.* Зола. ЯОС 7, 104.

Пойти́ песо́к карау́лить. *Народн. Ирон.* Умереть. СРНГ 13, 78.

Се́ять песо́к по ка́мню. *Народн. Шутл.-ирон.* Заниматься заведомо бесполезным делом. Д 2, 80; Мокиенко 1986, 212.

Тре́тий песо́к. *Жарг. арм. Шутл.-ирон.* Медаль «За безупречную службу в Вооруженных Силах» III степени. Кор., 290.

Уходи́ть/ уйти́ в песо́к. *Разг. Неодобр.* Исчезать, не оставляя следов и не принося никакой пользы. Мокиенко 2003, 73.

ПЕСО́ЧЕК * Дра́ить/ продра́ить с песо́чком *кого. Волг. Шутл.-ирон.* Ругать, отчитывать кого-л. Глухов 1988, 37.

Драть/ продра́ть с песо́чком *кого. Прост.* 1. Строго ругать, отчитывать кого-л. 2. Строго наказывать, бить кого-л. ЗС 1996, 211; Янин 2003, 239; Глухов 1988, 134.

ПЕСТ * Семью́ песта́ми в сту́пе не утолчёшь *кого. Морд.* О сильном, здоровом человеке. СРГМ 1980, 125.

Песто́м в сту́пе не пойма́ть *кого. Новг.* О находчивом, изворотливом человеке. НОС 7, 131.

Песто́м погла́дить кого-л. *Диал.* Избить, поколотить кого-л. Мокиенко 1990, 56.

ПЕ́СТЕРЬ * Глухо́й пе́стерь. *Кар., Сиб. Презр.* О человеке, потерявшем слух, плохо слышащем. ФСС, 135; СФС, 55; СРГК 4, 484.

ПЕ́СТИК * Воро́ний пе́стик. *Прикам.* Хвощ. МФС, 74.

Свиня́чий пе́стик. *Прикам.* Растение чистец болотный. МФС, 74.

На пе́стиках. *Кар.* На цыпочках. СРГК 4, 484.

ПЕСТИЦИ́Д * Пестици́д тебе́ в рот! *Жарг. мол. Груб.* Выражение раздражения, досады. Шуплов, 85. < Эвфемизм от нецензуной брани.

ПЕ́СТИШКИ * На пе́стишки. *Кар.* На цыпочки. СРГК 4, 485.

ПЕСТРИ́НЫ * Одни́ми пестри́нами пестри́ть. *Кар.* Жить по ранее установленному порядку. СРГК 4, 486.

ПЕСТО́К * Ходи́ть на пестка́х. *Пск.* Нервничать, сердиться на кого-л. СПП 2001, 60.

ПЕСТРУ́ШКА * Пестру́шка голуба́я. *Жарг. гом.* Гомосексуалист. УМК, 156; Балдаев 1, 315; ББИ, 174; Мильяненков, 193; Мокиенко, Никитина 2003, 249.

ПЕСТУ́НЬЯ * Пойти́ по песту́ньям. *Кар.* Начать работать няней. СРГК 5, 263.

ПЕСТЬ * Получи́ть песть гря́зи. *Кар. Неодобр.* Не получить плату за работу. СРГК 4, 489.

ПЕСЦЫ́ * Вы́тянуть песцы́. *Кар.* Умереть. СРГК 4, 484.

ПЕТЁЛКА * Вскочи́ть в петёлку. *Пск.* Повеситься. СПП 2001, 60.

ПЕ́ТКА * Зада́ть пе́тку *кому. Диал.* Избить, поколотить кого-л. Мокиенко 1990, 49.

ПЕТЛЯ́ * Пови́снуть в петле́. *Кар.* Покончить жизнь самоубийством, повесившись. СРГК 4, 491.

Вымётывать пе́тли. *Обл.* Говорить уклончиво, намёками. Ф 1, 96.

Вяза́ть пе́тли. *Прост. Неодобр.* Хитрить, изворачиваться. Ф 1, 105.

Мета́ть пе́тли. *Разг. Неодобр.* Обманывать, стараться запутать кого-л. ФСРЯ, 318; ДП, 792; БТС, 828; Мокиенко 1990, 128; Ф 1, 298; БМС 1998, 442.

Сня́ться с петли́. *Жарг. угол., арест.* Быть освобождённым условно-досрочно. Балдаев 2, 48.

Вить пе́тлю *кому. Волг.* Готовить расправу, угрожать расправой кому-л. Глухов 1988, 12.

Влеза́ть/ влезть в пе́тлю. *Разг. Устар.* Оказываться в трудном, опасном положении. Ф 1, 67.

Вогна́ть (всу́нуть) в пе́тлю *кого. Пск.* Довести кого-л. до самоубийства. СПП 2001, 60.

Вороти́ть мёртвую петлю́. *Новг.* Выполнять много тяжёлой физической работы. НОС 1, 138.

Зайти́ (уйти́) в петлю́. *Кар.* То же, что **повиснуть в петле.** СРГК 4, 491.

Затя́гивать пе́тлю на ше́е *чьей. Разг.* Ставить кого-л. в крайне сложное, безвыходное положение. Глухов 1988, 52.

Лезть в пе́тлю. 1. *Разг.* Заведомо рисковать жизнью. ФСРЯ, 224; СОСВ, 103. 2. *Пск.* Кончать жизнь самоубийством, повесившись. СПП 2001, 60.

Надева́ть/ наде́ть [на себя́] петлю́. *Разг.* Оказываться в трудном, безвыходном положении. БТС, 577; НОС 5, 138.

Наки́нуть петлю *на кого. Жарг. угол.* Арестовать кого-л. ТСУЖ, 113.

Находи́ть пе́тлю. *Волг.* То же, что **надевать петлю.** Глухов 1988, 93.

Пиха́ть в пе́тлю *кого.* 1. *Сиб.* Делать чью-л. жизнь невыносимой. ФСС, 137. 2. *Кар.* Посылать, направлять кого-л. на трудную работу. СРГК 4, 523.

Пойти́ в пе́тлю. *Кар.* То же, что **повиснуть в петле.** СРГК 5, 38.

Попада́ть/ попа́сть в пе́тлю. *Прост.* Оказываться в безвыходном положении. Ф 2, 75.

Сесть (се́сти) в петлю́. *Коми., Печор.* То же, что **повиснуть в петле.** Кобелева, 76; СРНГП 2, 267.

Сова́ться в ка́ждую петлю́. *Кар. Неодобр.* Вмешиваться не в свои дела. СРГК 4, 491.

Тере́ть мёртвую пе́тлю. *Кар.* Жить сравнительно неплохо. СРГК 4, 491.

Хоть в пе́тлю лезь (лезть, залеза́й)! *Разг.* Восклицание, выражающее отчаяние, безысходность. ФСРЯ, 319; БТС, 491; Глухов 1988, 168; Ф 1, 198; СПП 2001, 60.

Горбачёва петля́. *Разг. Шутл.-ирон.* Очередь в винный магазин (во времена антиалкогольной кампании М. Горбачёва). ФЛ, 104; ЖЭСТ-2, 114.

Петля́ пла́чет *по кому. Волг.* Кто-л. заслуживает строгого наказания. Глухов 1988, 122.

ПЁТР * Пётр Ива́нович. *Разг. Шутл.* Управление московского уголовного розыска на ул. Петровке, 38. Кз., 60.

Встрево́жить Петра́ Ива́новича. *Угол. Шутл.* Совершить преступление. Максимов, 72.

Поговори́ть о Петре́. *Жарг. мол. Шутл.* Покурить сигарет «Петр–I» («Петр Великий»), Максимов, 310.

При Петре́-косаре́. *Пск. Шутл.* Очень давно или никогда. СПП 2001, 60.

ПЕТРО́ВКА * Петро́вка три́дцать во́семь. *Жарг. шк. Шутл.-ирон.* Кабинет директора школы. (Запись 2003 г.).

ПЕТРОПА́ВЛОВКА * Пора́ на Петропа́вловку *кому. Новг. Ирон.* О человеке, близком к смерти. Сергеева 2004, 192.

ПЕТРУ́ШКА * Погоре́ть на петру́шке. *Жарг. угол.* Быть задержанным, арестованным; попасться на месте преступления. Балдаев 1, 323; ТСУЖ, 134.

Дерба́нить петру́шку. *Жарг. мол. Шутл.* Совершать половой акт с девушкой. < **Петрушка** – шутливая трансформация слова **подружка.** Никитина 2003, 438.

ПЕТУ́Н * Пету́н положи́л. *Кар. Шутл.* О маленьком яйце. СРГК 4, 493.

С петуна́ (с петуно́м). *Пск.* То же, что **с петухами (ПЕТУХ).** СПП 2001, 60.

С петуна́ до петуна́. *Пск.* С раннего утра до позднего вечера. СПП 2001, 60.

По петуна́м. *Кар.* То же, что **с петухами (ПЕТУХ).** НОС 7, 116; СРГК 4, 493.

С [пе́рвыми] петуна́ми. *Новг., Пск.* То же, что **с петухами (ПЕТУХ).** СПП 2001, 60.

До [вторых] петуно́в. *Пск.* До утра, до рассвета. СПП 2001, 60.

ПЕТУ́Х * Га́лльский пету́х. *Книжн.* Перифрастическое наименование Франции и французов. БМС 1998, 442.

Га́мбургский пету́х. 1. *Разг. Неодобр.* Модно одетый пижон, зазнайка. Елистратов 1994, 326. 2. *Жарг. мол.* Вспыльчивый человек. Максимов, 80. 3. *Жарг. мол.* Прыткий, проворный человек. Максимов, 80. 4. *Жарг. угол. Презр.* Мужчина, подвергшийся изнасилованию. Максимов, 80. 5. *Жарг. мол. Бран.* Непорядочный, заслуживающий презрения человек. Митрофанов, Никитина, 148; Волков, 70.

Ду́мает то́лько инде́йский пету́х да генера́лы. *Разг. Шутл. Устар.* Говорится в ответ на оправдание «Я думал…». БМС 1998, 443.

[Ещё] жа́реный пету́х [в жо́пу] не клева́л *кого. Вульг.-прост. Шутл.-ирон.* Кто-л. ещё не испытал настоящих бедствий, лишения, горя. Верш. 4, 335; ЗС 1996, 150; СОСВ, 138; Мокиенко, Никитина 2003, 249.

Жа́реный пету́х в го́лову клю́нул *кого. Пск. Шутл.* Кому-л. срочно понадобилось что-л. СПП 2001, 60. **Жа́реный пету́х в за́дницу клю́нул** *кого. Жарг. мол. Шутл.* То же. Максимов, 129.

Когда́ пету́х яйцо́ снесёт. *Диал. Шутл.-ирон.* Никогда. Мокиенко 1986, 212.

Кра́сный пету́х. *Разг.* Пожар, поджог. ФСРЯ, 319; БТС, 828.

Откры́тый пету́х. *Жарг. мол.* Гомосексуалист, о сексуальной ориентации которого известно окружающим. Максимов, 292, 311.

Пету́х в го́рле засе́л *у кого. Народн. Ирон.* Об охрипшем человеке. ДП, 312.

Пету́х в жо́пу клю́нул *кого. Жарг. мол. Вульг. Шутл.* О неожиданно пришедшей идее, решении проблемы. Вахитов 2003, 130.

Пету́х не поёт *кому, у кого. Кар.* О бедном, неимущем человеке. СРГК 4, 493, 494.

Пету́х поёт, а дня нет. *Пск.* О тяжёлой жизни, бедственном положении кого-л. Шт., 1978.

Пету́х положи́л. *Кар. Шутл.* О маленьком курином яйце. СРГК 5, 58.

Сел пету́х на ха́ту. *Жарг. угол.* 1. О поджоге. 2. Об установленном за квартирой наблюдении. Балдаев 2, 35.

Взять под петуха́ *что. Жарг. угол.* Ограбить и поджечь (помещение и т. п.). Хом. 1, 171.

Дава́ть/ дать петуха́ (петушка́) *кому. Жарг. угол.* Протягивать, давать руку кому-л. для рукопожатия. Быков, 58; Балдаев 1, 316; ББИ, 174; Мильяненков, 193; Росси 2, 282.

До петуха́. *Пск.* То же, что **с петухами.** СПП 2001, 60.

Корми́ть петуха́. *Кар.* Рождественское гадание: Перед кучками зерна стоят девушки; к которой подойдёт петух, та выйдет замуж. СРГК 2, 431.

Посади́ть кра́сного петуха́ на кры́шу. *Народн.* То же, что **пустить красного петуха.** ДП, 929; БМС 1998, 443.

Пуска́ть/ пусти́ть (подпусти́ть) кра́сного петуха́ *кому. Народн.* Поджигать чей-л. дом. ДП, 133; БМС 1998, 433; БТС, 828; Ф 2, 59; Мокиенко 1986, 160; ФМ 2002, 340; СПП 2001, 60.

Пуска́ть/ пусти́ть петуха́. *Разг.* 1. Срывать голос при пении. БМС 1998, 443; ФСРЯ, 319; ЗС 1996, 119, 381; Ф 2, 106; СПП 2001, 60. 2. *Шутл.* Выпускать газы из кишечника. Мокиенко, Никитина 2003, 249. 3. *Шутл.* Соглашаться на совокупление. Мокиенко, Никитина 2003, 249.

Жить с петуха́ми. *Волг.* Постоянно хлопотать, суетиться, мало спать, рано вставать утром. Глухов 1988, 44.

С [пе́рвыми] петуха́ми. *Народн.* Очень рано утром (просыпаться. вставать). БМС 1998, 444; ЗС 1996, 481; СПП 2001, 60.

С петуха́ми вставать, с ку́рами ложи́ться. *Народн.* Рано ложиться спать и рано вставать. ДП, 923.

В пе́рвом (второ́м) петухе́ (петуха́х). *Сиб., Приамур.* То же, что **с петухами (ПЕТУХ).** ФСС, 32; СРГПриам., 47-48.

В петухи́. *Яросл.* На рассвете. ЯОС 2, 38.

Петухи́ поют. *Сиб. Шутл.* О гостях, гуляющих по деревне и поющих песни на второй день свадьбы. ФСС, 135.

Разодра́ть в петухи́. *Волог.* Сильно исцарапать, изранить кожу. СВГ 3, 15.

Ра́нние петухи́. *Сиб.* В свадебном обряде – песни подруг и родственников невесты, которые провожают ее утром. ФСС, 135.

Буди́ть петухо́в. *Прикам.* Один из ритуалов свадебного обряда. МФС, 15.

Выть петухо́в. *Перм.* Плакать, причитать. СРНГ 6, 44.

До петухо́в. *Народн.* То же, что **с петухами.** БМС 1998, 444; ДП, 923; Глухов 1988, 15.

Кружа́ть (покружа́ть) петухо́в. *Прикам.* Вид святочного гадания. МФС, 51.

С петухо́в. *Пск.* То же, что **с петухами.** СПП 2001, 60.

Петь петухо́м. *Сиб. Шутл.-ирон.* Очень радоваться чему-л. ФСС, 135.

Не́куда петуху́ клю́нуть. *Кар.* О большом количестве чего-л., заполняющем определённое пространство. СРГК 2, 375; СРГК 3, 410; СРГК 4, 493.

Петуху́ задави́ться. *Новг.* Об очень малом количестве чего-л. НОС 3, 23.

Петуху́ хвост (хвоста́) крути́ть (верте́ть). *Жарг. угол. Шутл.-ирон.* Совершать кражи в общественном транспорте. СРВС 4, 113, 144; Балдаев 1, 211; ТСУЖ, 132; СВЖ, 10.

ПЕТУШО́К * Дава́ть/ дать петушка́. См. **Давать петуха (ПЕТУХ).**

Петушка́ подложи́ть [под кры́шу]. *Пск.* То же, что **пустить красного петуха (ПЕТУХ).** СПП 2001, 60.

Пусти́ть петушка́. *Прост.* То же, что **пустить красного петуха (ПЕТУХ).** Ф 2, 107.

Пусти́ть петушка́ на мокру́хе. *Жарг. угол.* Совершить поджог с целью скрыть убийство. Балдаев 1, 364.

На петушка́х. *Новг. Неодобр.* Небрежно, некачественно, кое-как (сделано). НОС 10, 32.

Тата́рский петушо́к. *Сиб.* Удод. ФСС, 135.

ПЕТЬ * Ни петь ни ла́ять. *Яросл. Неодобр.* О неумелом, ни к чему не способном человеке. ЯОС 6, 145.

ПЁХОМ * Пиха́ть пёхом *кого.* 1. *Новг., Сиб.* С силой толкать кого-л. НОС 7, 135; ФСС, 135. 2. *Сиб.* Энергично побуждать кого-л. к чему-л., насильно заставлять делать что-л. ФСС, 137.

ПЕЧА́ЛЬ * Не́ было печали [так че́рти накача́ли]. *Разг.* Восклицание, выражающее огорчение, досаду. ФСРЯ, 53; Мокиенко 1986, 183; ДП, 159.

Держа́ть печа́ль *за кого. Арх.* Заботиться о ком-л. СРНГ 26, 344.

ПЕЧА́ТЬ * Ка́инова печа́ть. *Книжн.* Отпечаток, след, внешние признаки преступности. < Восходит к Библии. ФСРЯ, 319; БМС 1998, 444.

Класть/ положи́ть печа́ть *на кого, на что. Книжн. Устар.* Оставлять на ком-л., на чём-л. след какого-л. воздействия, влияния. Ф 1, 240.

Короле́вская печа́ть. *Жарг. угол. Шутл.* Рана от удара частью разбитой бутылки. Балдаев 1, 199.

Наложи́ть печа́ть на уста́ *чьи. Книжн. Устар.* Принудить кого-л. замолчать. Ф 1, 315.

Печа́ть молча́ния. *Книжн.* О молчании, сохранении тайны. БМС 1998, 444.

С печа́тью Магоме́та. *Жарг. угол. Шутл.-ирон.* О человеке с ярко выраженной семитской наружностью. Балдаев 2, 55.

ПЕЧЁНКА * Печёнка трясётся *у кого. Жарг. мол. Ирон.* О тяжёлом похмелье. Максимов, 311.

Все́ми печёнками. *Прост.* Очнь сильно, страстно (ненавидеть, презирать). ФСРЯ, 319; БМС 1998, 444; ШЗФ 2001, 47; БТС, 829.

Все́ми печёнками вперёд. *Горьк.* Несмотря ни на что. БалСок, 28.

Засе́сть в печёнках *у кого. Разг.* Сильно надоесть кому-л. БТС, 344.

Сиде́ть в печёнках *у кого. Разг. Неодобр.* Надоедать, раздражать, нервировать кого-л. ФСРЯ, 319; ЗС 1996, 116; БТС, 829; СПП 2001, 60.

Влеза́ть/ влезть в печёнки *кому. Разг.* Становиться предметом чьих-л. постоянных дум, забот. Ф 1, 67.

Въеда́ться/ въе́сться в печёнки *кому. Прост.* Производить неприятное впечатление, надоедать кому-л. Ф 1, 89.

Отби́ть печёнки. *Народн.* Повредить внутренние органы. ДП, 313.

Отсади́ть печёнки. *Брян.* То же, что **отбить печенки.** СРНГ 26, 348.

Печёнки трясу́тся *у кого. Перм. Шутл.* О сильном волнении, возбуждении. Подюков 1989, 147.

Прое́сть печёнки *кому. Прост. Неодобр.* Крайне надоесть кому-л. Подюков 1989, 164.

Разби́ться в печёнки. *Кар.* Сильно удариться, ушибиться; разбиться в кровь. СРГК 4, 498; СРГК 5, 395.

Говори́ть печёнкой. *Народн.* Сердиться, гневаться. СРНГ 26, 348.

Чу́вствовать печёнкой *что. Прост.* Внутренне ощущать что-л. Ф 2, 257.

Чу́ять печёнкой *что. Прост.* Воспринимать что-л. чутьём, интуицией. Ф 2, 257.

Берёт за печёнку *кого. Курск.* Очень обидно, досадно кому-л. БотСан, 83.

Есть печёнку. *Жарг. мил.* Выезжать на место преступления с трупом. БСРЖ, 432.

Лезть в печёнку *к кому. Прост. Неодобр.* Неотвязно, настойчиво приставать к кому-л. с разговорами, требованиями, собственными интересами. Ф 1, 276.

Пострели́ в печёнку *кого*! *Урал. Бран.* Восклицание, выражающее гнев, раздражение, досаду в чей-л. адрес. СРНГ 26, 348.

Туды́ тебя́ (вас, его́ и пр.**) в печёнку!** *Прост. обл. Бран.* Выражение крайнего раздражения, пожелание избавиться от кого-л. Подюков 1989, 208; Мокиенко, Никитина 2003, 249.

Дойти́ до печёнок. *Прост.* 1. Надоесть, опротиветь кому-л. ФСС, 62. 2. Сильно, глубоко воздействовать на кого-л. Ф 1, 166.

Доста́ть до печёнок. См. **Достать до печени (ПЕЧЕНЬ).**

ПЕЧЁНЫЙ * Зада́ть печёного. *Нижегор.* Отказаться от какого-л. намерения, условия. СРНГ 26, 348.

ПЕ́ЧЕНЬ * Со всех печене́й. *Вят.* Очень громко (вздыхать, кричать). СРНГ 26, 348.

Доста́ть до пе́чени (до печёнок). *Жарг. мол.* Очень надоесть кому-л. Вахитов 2003, 50.

Падёт пе́чень на рети́вое серде́чушко *у кого. Олон.* Кому-л. станет грустно, тоскливо. СРНГ 26; 348-349.

Пе́чень боли́т *у кого. Жарг. мол. Шутл.* О сильном сексуальном влечении. Максимов, 38.

Пе́чень рассы́палась на а́томы *у кого. Жарг. мол. Шутл.-ирон.* О состоянии похмелья. Щуплов, 125.

ПЕЧЕ́НЬЕ * Отби́ть (отсади́ть) пече́нье. *Брян.* То же, что **отбить печенки (ПЕЧЕНКА).** СРНГ 26, 349.

Перебира́ть пече́нье. *Жарг. лаг. Ирон.* Заниматься очень лёгкой, приятной работой. < Когда заключённый, признанный годным лишь к лёгкому труду, просит о соответствующей работе, ему обычно отвечают: «Послал бы тебя *перебирать печенье*, но печенья нет, а котлован выкопать надо» или т. п. Р-87, 282.

Пече́нье в кле́точку. *Жарг. мол. Шутл.* Вафли. h-98.

ПЕЧЕ́НЬКА * Зуба́стая пече́нька. *Жарг. мол. Шутл.* Крекер. Максимов, 158.

ПЕЧЕРИ́К * Жа́рить печери́ки с долото́м. *Волг., Дон. Шутл.-ирон.* 1. Жарить грибы без масла, на воде. 2. Питаться скудно, жить впроголодь. Глухов 1988, 41; Об отсутствии пищи. СРНГ 26, 349; СДГ 1, 135.

ПЕ́ЧЕЧКИ * На пе́чечках. *Кар.* На цыпочках. СРГК 4, 498.

ПЕ́ЧКА * Со всех пе́чек хлеба поку́шать. *Пск.* Многое испытать в жизни, приобрести жизненный опыт. СПП 2001, 60.

На пе́чке блуди́ться. *Сиб. Ирон.* Быть нерасторопным, бестолковым. ФСС, 13, 74.

И пе́чки и ла́вочки. *Народн.* 1. *кому.* Особый почёт, уважение. 2. [**всё вме́сте**] *у кого.* О дружных, любящих друг друга супругах. Д 3, 108; Мокиенко 1986, 13.

Не с одно́й пе́чки хле́ба есть. *Кар.* То же, что **со всех печек хлеба покушать.** СРГК 4, 150.

Ни спечь, ни свари́ть, ни с пе́чки свали́ть. *Волг. Пренебр.* О неумелом, неприспособленном к жизни человеке. Глухов 1988, 111.

Пе́чки и ла́вочки (пе́чки-ла́вочки). *Народн.* О чём-л. домашнем, родном, привычном, обыденном. ФСРЯ, 320; БМС 1998, 444; Д 3, 108; Мокиенко 1986, 13; ФМ 2002, 342.

Танцева́ть от пе́чки. *Разг.* Делать что-л., начиная с привычного места, с начала. ФСРЯ, 320; БМС 1998, 445; ЗС 1996, 116; Ф 2, 201; БТС, 830; Мокиенко 1986, 10-12; Жиг. 1969, 264; Глухов 1988, 158.

Сиде́ть на пе́чке, моли́ться кирпича́м. *Диал. Неодобр.* Бездельничать. Мокиенко 1990, 64.

С пе́чки на го́лбец [е́здить, быва́ть]. *Яросл. Шутл.-ирон.* О человеке, нигде не бывавшем. СРНГ 6, 286.

То́лько пе́чкой не бит. *Ирон.* О человеке, который постоянно терпит издевательства, побои. Сергеева 2004, 185. **То́лько пе́чкой не бьют** *кого. Волг., Кар. Ирон.* То же. Глухов 1988, 160; СРГК 4, 499.

Брысь под пе́чку! 1. *Разг. Бран.-шутл.* Приказ, требование уйти, удалиться. ДП, 237. 2. *Пск. Ирон.* О зависимом, несамостоятельном человеке. ПОС 2, 187.

Дави́ть пе́чку. См. **Давить печь (ПЕЧЬ).**

На пе́чку босико́м сла́зить. *Пск. Шутл.* Простудиться в тёплую погоду. СПП 2001, 60.

На пе́чку не перекида́ть *что, чего. Новг.* О большом количестве чего-л. НОС 7, 121.

ПЕ́ЧКИ-ЛА́ВОЧКИ * Отошли́ пе́чки-ла́вочки *кому. Народн.* Прошло хорошее для кого-л. время. Мокиенко 1986, 13.

ПЕЧУРА́ * Коро́вья печура́. *Волог.* Гриб моховик зелёный. СРНГ 14, 352.

ПЕЧУ́РКА * Смотре́ть печу́рки. *Морд.* В свадебном обряде: осматривать имущество жениха. СРГМ 2002, 89.

ПЕЧЬ * Есть из сорока́ пече́й. *Морд. Неодобр.* Питаться за чужой счёт, часто бывая в гостях у разных людей. СРГМ 2002, 109.

В гря́зной печи́. *Кар.* В бедности. СРГК 4, 502.

Лежа́ть на печи́ [да есть калачи́]. *Прост. Неодобр.* Бездельничать, жить без забот и труда. ФСРЯ, 320; БМС 1998, 445; СПП 2001, 60–61; Мокиенко 1990, 64; Подюков 1989, 104.

На печи́ дойду́т. *Сиб. Шутл.-ирон.* О детях, которые растут без присмотра. ФСС, 62.

На печи́ по дрова́ пое́хал. *Народн. Неодобр.* О бездельнике, отлынивающем от работы. ДП, 258.

На печи́ прое́зду не́ту *где.* 1. *Кар. Шутл.-ирон.* О беспорядке, захламленности где-л. СРГК 4, 502; СРГК 5, 256; Мокиенко 1990, 129. 2. *кому. Перм. Ирон.* О человеке, с которым обращаются не в меру строго. Подюков 1989, 147.

Не с одно́й пе́чи хлеб ел. *Волг.* Об опытном, бывалом человеке. Глухов 1988, 111.

Пригова́риваться к пе́чи. *Нижегор. Неодобр.* Сидеть дома, не работать. СРНГ 12, 278.

Сиде́ть на печи́. *Прост. Неодобр.* Бездельничать, бездействовать, вести себя беспечно. Ф 2, 155.

Уе́хать с пе́чи на пола́ти [на хле́бной лопа́те]. *Прикам. Ирон.* Отменить поездку в силу каких-л. обстоятельств, никуда не уехать. МФС, 104; Подюков 1989, 147.

Щу́пать пе́чи. *Жарг. угол.* Готовиться к грабежу. ТСУЖ, 205.

Дави́ть печь (пе́чку). *Арх. Ирон.* Долго и много лежать, отдыхать. АОС 10, 212.

Едри́ (едри́ть) твою́ (ва́шу, его́ и пр.**) на печь!** *Прост. обл. Шутл.-ирон.* Выражение лёгкого раздражения, досады, недовольства. Мокиенко, Никитина 2003, 250.

Ку́тать/ заку́тать печь. *Сиб., Яросл.* Закрывать вьюшкой трубу. ФСС, 78; ЯОС 5, 111.

Одна́ печь не ходи́ла *по кому. Кар. Ирон.* О человеке, которого часто избивают чем попало. СРГК 4, 502.

Соло́на печь. *Кар. Шутл.* Об очень тёплом дне. СРГК 4, 503.

Хоть в печь. *Сиб.* О большом количестве, избытке чего-л., о том, излишек чего не жалко сжечь. ФСС, 136.

Сиде́ть за пе́чью [в золе́]. *Диал. Неодобр.* Бездельничать. Мокиенко 1990, 64.

Си́дя за пе́чью, хо́чет огоро́д вы́строить ре́чью. *Народн. Неодобр.* О краснобае. Жиг. 1969, 212.

ПЕШЕДРА́НЬ * На пешедра́ни. *Кар. Шутл.* Пешком. СРГК 4, 503.

ПЕ́ШИЙ * И с пе́шим, и с ко́нным, и с ле́шим. *Кар. Неодобр.* О непостоянном, ветреном человеке. СРГК 4, 504.

Пе́шим по-ко́нному. *Жарг. арм. Шутл.* Попеременно бегом и шагом. Афг.-2000.

ПЕ́ШКА * Точи́ть пе́шки. *Прост. Устар.* Болтать пустое, рассказывать небылицы. Ф 2, 206.

ПЕШКА́РУС * Е́хать на пешка́русе. *Жарг. мол. Шутл.* Идти пешком. Вахитов 2003, 53.

ПЕШКУ́РЬ * Де́лать пешкуря́. *Пск.* Идти пешком. СПП 2001, 61.

ПЕШКО́М * Бежа́ть пешко́м. *Сиб.* Очень быстро идти, ехать. ФСС, 11.

Прибежа́ть пешко́м. *Кар.* Прийти куда-л. СРГК 5, 144.

ПЕЩЕ́РА * Пеще́ра драко́на. *Жарг. шк.* Кабинет директора. (Запись 2003 г.).

Приходи́ ко мне в пеще́ру, бу́дем ма́монтов пина́ть (пуга́ть). *Жарг. мол. Шутл.* Предложение вступить в интимные отношения. Максимов, 343.

ПИА́ЛА * Входи́ть не в свою́ пиа́ла. *Кар.* Вмешиваться не в свое дело. СРГК 4, 505.

ПИАНИ́НО * Де́лать пиани́но. *Жарг. мол. Шутл.* Нервно барабанить пальцами по чему-л. БСРЖ, 433.

Игра́ть на [милице́йском, ментóвском, му́сорском] пиани́но (на роя́ле). *Жарг. мил., угол.* Подвергаться дактилоскопированию. ТСУЖ, 75-76; Балдаев 1, 168; Елистратов 1994, 328; Вахитов 2003, 70.

ПИ́ВО * Пива не сва́ришь *с кем* **[а сва́ришь – не разольёшь].** *Прост. Неодобр.* О человеке, с которым невозможно договориться, сделать дело. ДП, 457; БМС 1998, 445; БТС, 830; ФМ 2002, 343; ЗС 1996, 284; ФСРЯ, 320.

Берёзовое пи́во. *Волог. Шутл.-ирон.* Розги, порка розгами. СРНГ 2, 254.

Лы́сое пи́во. *Жарг. мол. Неодобр.* Пиво без пены. Щуплов, 306; WMN, 65.

Пи́во сва́рится *без кого. Народн.* О человеке, от которого не зависит успех дела. ДП, 647.

Сто́я пи́во пить. *Кар.* Находиться в тесноте. СРГК 4, 505.

Напои́ть кра́сным пи́вом *кого. Коми.* Избить кого-л. до крови. Кобелева, 68.

ПИВЦО́ * Хлебну́ть пивца́. *Диал.* Испытать лишения, бедствия. Мокиенко 1990, 84.

ПИГА́Н * Вложи́ть пигану́. *Пск.* Быстро побежать. СПП 2001, 61.

ПИ́ГИ * Пи́ги дава́ть/ дать *кому. Жарг. угол., арест.* Избивать кого-л. Мильяненков, 194. // Бить по лицу кого-л. Балдаев 1, 318; ББИ, 174.

ПИГМАЛИО́Н * Пигмалио́н и Галате́я. *Книжн.* О человеке, влюблённом в свое творение. < Восходит к древнегреческому мифу. БМС 1998, 446.

ПИДЖА́К * Пи́син пиджа́к. *Жарг. мол. Шутл.* Презерватив. Никитина 2003, 501.

Закуси́ть пиджака́. *Жарг. угол.* Совершить карманную кражу. ТСУЖ, 62; Балдаев 1, 144.

Лезть (вылеза́ть) из пиджака́. *Прост. Неодобр.* Усердствовать, стараться изо всех сил. НРЛ-79; Мокиенко 2003, 74.

Прики́нуться пиджако́м. *Жарг. угол.* Изображать непонимание чего-л., непричастность к чему-л. БСРЖ, 434.

ПИДЖАЧО́К * В пиджачка́х. *Пск. Шутл.* О неочищенном варёном картофеле. СПП 2001, 61.

Прики́нуться пиджачко́м. *Жарг. угол., арест.* Притвориться простаком, непонимающим. Балдаев 1, 318; ББИ, 174; Мильяненков, 194.

ПИ́ДОР * Пи́дор пе́рвый. *Жарг. шк. Шутл.* Русский царь Петр I. (Запись 2003 г.).

ПИЖО́Н * Пижо́н кре́пкий (це́лый). *Жарг. карт.* Жертва, не сталкивавшаяся ранее с шулерами. СРВС, 98, 132; ТСУЖ, 132; Балдаев 1, 318; ББИ, 175.

Пижо́н рва́ный (по́рченый). *Жарг. карт.* Жертва, сталкивавшаяся ранее с шулерами. ТСУЖ, 132; Балдаев 1, 318; ББИ, 175.

Гото́вить пижо́на. *Жарг. карт.* Искать жертву для шулерской игры. ТСУЖ, 132; Балдаев 1, 318; ББИ, 175.

Запусти́ть пижо́на. *Жарг. угол.* Залезть в карман жертвы. ТСУЖ, 67; СРВС 3, 91. < **Пижон** — От франц. *pigeon* — 'жертва вора-карманника; простак' (Ларин Б. А.). Грачев 1997, 74.

ПИЗДА́ * Задри́панная (заёбанная) пизда́. *Нецենз. Презр.* О неряшливой, худой и некрасивой женщине. Мокиенко, Никитина 2003, 252.

Засу́шенная пизда́. *Неценз. Презр.* Об очень худой, костлявой, некрасивой и немолодой женщине. Мокиенко, Никитина 2003, 252.

Лени́вая (лени́ва) пизда́. *Печор. Неценз. Бран.* О ленивой, распущенной девушке или девочке. СРНГП 2, 275.

Ло́пнула пизда́, пропа́ли де́нежки. *Неценз. Ирон.* О плохо идущих делах, неудачно окончившихся планах. Мокиенко, Никитина 2003, 252.

Пизда́ гори́т *у кого. Неценз. Ирон.* О женщине, испытывающей сильное половое влечение. Мокиенко, Никитина 2003, 252.

Пизда́ ёбанная! *Неценз. Бран.* 1. О распущенной, продажной, неразборчивой в половых отношениях женщине. 2. О негодяе, мерзавце. Мокиенко, Никитина 2003, 252.

Пизда́ кобы́лья! *Неценз. Бран.* 1. О грубой, массивной и некрасивой женщине. 2. О подлом, непорядочном человеке. Мокиенко, Никитина 2003, 252.

Пизда марино́ванная! *Неценз. Бран.* 1. О некрасивой, капризной и закомплексованной женщине. 2. О закомплексованном, капризном человеке. Мокиенко, Никитина 2003, 252.

Пизда́ мхом поросла́ *у кого. Нецenз.* О женщине, долгое время не ведущей половой жизни. Мокиенко, Никитина 2003, 252.

Пизда́ не просыха́ет *у кого. Неценз.* О непрерывно и беспорядочно совокупляющейся женщине. Мокиенко, Никитина 2003, 252.

Пизда́ рыбий глаз! *Неценз. Бран.* Восклицание осуждения, удивления. Мокиенко, Никитина 2003, 252.

Пизда́ тебя́ родила́ [а не ма́ма (а не же́нщина)]! *Неценз. Бран.* О негодяе, мерзавце, изначально порочном человеке. Мокиенко, Никитина 2003, 252.

Пизда́ [ты] немы́тая! *Неценз. Бран.* О неаккуратной, неряшливой и некрасивой женщине. Мокиенко, Никитина 2003, 252.

Пизда́ [ты] попере́чная! *Неценз. Бран.* О сварливой, злобной, перечащей во всём кому-л. женщине. Мокиенко, Никитина 2003, 252.

Пизда́ усо́хла [вся] *у кого. Неценз.* То же, что **пизда мхом поросла.** Мокиенко, Никитина 2003, 252.

Пизда́ ху́я про́сит *у кого. Неценз.* То же, что **пизда чешется.** Мокиенко, Никитина 2003, 252.

Пизда́ че́шется *у кого. Неценз.* О сексуальном желании женщины. Мокиенко, Никитина 2003, 252.

Пизда́ — шля́пой не прикро́ешь *у кого. Неценз.* Об очень большом женском половом органе. Мокиенко, Никитина 2003, 252.

В пизде́! *Неценз.* Грубый ответ на вопрос «Где?»: нигде. Мокиенко, Никитина 2003, 252.

Ещё в пизде́ у ма́мы сиде́л, когда́... *Неценз. Ирон.* О ком-л. очень молодом и неопытном, не испытавшем лишений и трудностей. Мокиенко, Никитина 2003, 252.

Ну тебя́ (вас, его́ и пр.**) к пизде́!** *Неценз. Бран.* То же, что **ну тебя в пизду!** Мокиенко, Никитина 2003, 252.

Пизде́ пить подава́ть. *Неценз. Шутл.-ирон.* Заниматься бесполезным и бессмысленным делом. Мокиенко, Никитина 2003, 254.

По пизде́ меша́лкой *кого. Неценз.* 1. Решительно и грубо выгонять, прогонять кого-л. откуда-л. 2. Отказывать кому-л. в чём-л. Мокиенко, Никитина 2003, 254.

Верте́ть пиздо́й *[перед кем-л.]. Неценз. Ирон.* Грубо флиртовать, кокетничать с кем-л. Мокиенко, Никитина 2003, 254.

Еба́ться не пиздо́й, а мо́згом. *Неценз. Шутл.-ирон. или Неодобр.* О женщине, демонстрирующей свою начитанность и рассматривающей половую жизнь как нечто низменное, излишнее. Мокиенко, Никитина 2003, 252.

Мелька́ть/ мелькну́ть пиздо́й. *Неценз.* Быстро проходить, исчезать. Мокиенко, Никитина 2003, 252.

Пиздо́й мух лови́ть. *Неценз. Неодобр. или Ирон.* Зевать, упускать благоприятный случай. Мокиенко, Никитина 2003, 252.

Пиздо́й накры́ться. *Неценз..* 1. Умереть, прекратить существование. 2. Потеряться, исчезнуть или разрушиться, перестать существовать. 3. *Неодобр.* Не исполниться, не осуществиться (о надеждах, ожиданиях, расчетах). 4. Потерпеть крах, полностью разрушиться. Мокиенко, Никитина 2003, 252.

Торгова́ть пиздо́й. *Неценз. Презр.* Заниматься проституцией. Флг., 259.

В пизду́ во́ду лить. *Неценз. Ирон.* Заниматься пустым, бесполезным или заведомо не приносящим результата делом. Мокиенко, Никитина 2003, 253.

В пизду́ на переде́лку! *Неценз.* 1. Никуда, не твоё дело – куда. < Ходовой ответ заключённому, который спрашивает, куда его ведут. 2. *Ирон.* Безразлично куда, куда-либо. 3. *Неодобр.* О чём-л. абсолютно ненужном, не пригодном ни к чему. 4. *Бран.* То же, что **иди в пизду!** Мокиенко, Никитина 2003, 254.

Иди́ (убирайся) в пизду! *Неценз. Бран.* Требование уйти, удалиться откуда-л. Мокиенко, Никитина 2003, 254.

Ну тебя́ (вас, его́ и пр.**) в пизду́!** *Неценз. Бран.* Восклицание, выражающее раздражение, досаду, нежелание общаться с кем-л. Мокиенко, Никитина 2003, 254.

Подставля́ть/ подста́вить пизду́ *кому. Неценз.* Напрашиваться на половое сношение (о женщине). Мокиенко, Никитина 2003, 253.

Посыла́ть/ посла́ть в пизду́ *кого. Неценз. Бран.* 1. Грубо ругать кого-л. 2. Прогонять кого-л. откуда-л. Мокиенко, Никитина 2003, 254.

Посыла́ть/ посла́ть в пизду́ на переде́лку *кого. Неценз. Бран.-шутл.* Выражение неодобрения (применительно к бездарному или мешающему кому-л. человеку). Мокиенко, Никитина 2003, 254.

Пошёл [ты] в пизду́! *Неценз. Бран.* Восклицание, выражающее раздражение, негодование, нежелание продолжать общение с кем-л. Мокиенко, Никитина 2003, 254.

Смеши́ть/ насмеши́ть пизду́. *Неценз. Ирон. или Презр.* Говорить явные глупости. Мокиенко, Никитина 2003, 254.

За три пизды́. *Жарг. мол. Неценз.* Очень далеко, в отдалённое место. Vologda-2004.

Ни одно́й живо́й пизды́. *Жарг. мол. Неценз.* Абсолютно никого (нет). Мокиенко, Никитина 2003, 254.

Посла́ть, где де́сять лет живо́й пизды́ не уви́дишь. *Неценз. Шутл.-ирон.* Отправить очень далеко, сослать в отдалённые места заключения. Мокиенко, Никитина 2003, 254.

С пизды́ сорва́ться. *Жарг. мол. Неценз. Неодобр.* Потерять самообладание, начать вести себя грубо, агрессивно. < Трансформация выражения **как с цепи сорвался.**

ПИЗДЁЖ * Без пиздежа́. *Неценз.* Без подвоха, всерьёз. < **Пиздёж** – болтовня, вздор, ерунда. Мокиенко, Никитина 2003, 255.

ПИЗДЕ́Ц * Пизде́ц котёнку, бо́льше срать не бу́дет! *Неценз. Шутл.-ирон.* Всё кончено с кем-л.; кто-л. обречен. Мокиенко, Никитина 2003, 255.

Пизде́ц пришёл *кому. Неценз.* 1. Кому-л. конец, кто-л. умер, обречён. 2. Кто-л. разорился, чьи-л. дела крайне плохи. Мокиенко, Никитина 2003, 255.

ПИЗДОПРОЁБИНА * Промудобля́дская (хуебля́дская, промудохуебля́дская) пиздопроёбина. *Жарг. мол. Неценз. Бран.* О непорядочном, подлом человеке. 256.

ПИЗДОПРОУ́ШИНА * Тримандобля́дская пиздопроу́шина. *Жарг. мол. Неценз. Бран.* То же, что **Промудобля́дская пиздопроёбина (ПИЗДОПРОЕБИНА).** Мокиенко, Никитина 2003, 256.

ПИЗДОРВА́НЕЦ * Пиздорва́нец ху́ев. *Неценз. Бран.* О дрянном, негодном человеке, мерзавце. Мокиенко, Никитина 2003, 256.

ПИ́ЗДРИК * Попусти́ть (распусти́ть) пи́здрики. *Пск.* Расплакаться. СППП. 61.

ПИЗДЮ́ЛЬ (ПИЗДЮ́ЛЯ) * Вста́вить (воткну́ть, навтыка́ть) пиздюле́й *кому. Неценз.* То же что **навешать пиздюлей.** Мокиенко, Никитина 2003, 257.

Наве́шать (отве́шать, понаве́шать, надава́ть, наложи́ть) пиздюле́й) *кому. Неценз.* Избить, сильно отколотить кого-л. Мокиенко, Никитина 2003, 258.

Дать пиздю́ль *кому. Вульг.-прост.* Ударить кого-л. Мокиенко, Никитина 2003, 258.

ПИЗДЯ́ТИНА * Пиздя́тиной па́хнет. *Неценз.* О наличии доступных женщин где-л., о возможности совокупления. Мокиенко, Никитина 2003, 258.

ПИК[1] * Пик коммуни́зма. *Жарг. мол. Шутл.* Мужской половой орган. Щуплов, 53.

ПИК[2] * Ни пик. *Пск.* Абсолютно ничего, нисколько. СПП 2001, 61.

До пи́ку. *Кар.* До предела, до крайности. СРГК 4, 506.

Ни пи́ку ни ги́ку. *Брян.* 1. То же, что **ни пик.** 2. О невозможности издать звук, сказать что-л., закричать. СРНГ 21, 214.

ПИ́КА * Стоя́ть на пи́ке. *Жарг. угол., мол.* Наблюдать за обстановкой и предупреждать соучастника об опасности. Максимов, 312.

Дави́ть на пи́ки. *Жарг. мол.* Пристально смотреть на кого-л., на что-л. Максимов, 100.

В пи́ку *кому. Разг.* С целью досадить кому-л., назло. ФСРЯ, 320; ШЗФ 2001, 31; Глухов 1988, 15; БМС 1998, 446; СДГ 3, 12.

Пойти́ под пи́ку. *Разг. Устар.* Продаваться с публичного торга, с аукциона. < От древнеримского обычая ставить торчком пику на месте распродажи. БМС 1998, 446.

Нарва́ться (сесть, налете́ть) на пи́ку (пи́калку, пи́кало). *Жарг. угол., мол.* Быть зарезанным, раненным ножом. Елистратов 1994, 330.

Подпуска́ть/ подпусти́ть пи́ку *кому. Прост. Устар.* Говорить колкие, язвительные слова, чтобы досадить кому-л. Ф 2, 59.

Посади́ть (поста́вить) на пи́ку *кого. Жарг. угол.* Ударить ножом; зарезать кого-л. Балдаев 1, 341, 343.

Ста́вить пи́ку *кому. Жарг. угол.* Наносить ножевое ранение кому-л. ТСУЖ, 168.

ПИ́КАЛКА * Нарва́ться (сесть, налете́ть) на пи́калку. См. **Нарваться на пику (ПИКА).**

ПИ́КАЛО * Нарва́ться (сесть, налете́ть) на пи́кало. См. **Нарваться на пику (ПИКА).**

ПИКЕ́ * Входи́ть в пике́. *Жарг. авиа.* Совершать половой акт с женщиной. Кор., 68.

Сорва́ться в пике́. *Жарг. авиа. Шутл.-ирон.* Начать пить спиртное в большом количестве, уйти в запой. БСРЖ, 435.

ПИКЕ́Т * Попа́сть на три́дцать второ́й пике́т. *Жарг. угол.* Умереть. < Т. е. туда, где закапывают мёртвых зэков. Р-87, 121.

ПИ́КША * Суха́я пи́кша. *Коми. Пренебр.* Сухая, худая женщина. Кобелева, 79.

ПИЛА́ * Деревя́нная пила́. *Волг. Неодобр.* О надоедливом человеке. Глухов 1988, 33.

Дома́шняя пила́. *Волг., Горьк. Шутл.-ирон.* Об одном из супругов. Глухов 1988, 36; БалСок, 33.

Пили́ть лещи́новой пило́й. *Ворон.* Просить подаяние, побираться. Ворон. СРНГ 17, 37.

ПИЛОРА́МА * Сиде́ть на пилора́ме. *Жарг. мол. Шутл.* Ругать, отчитывать кого-л. Максимов, 313.

ПИЛО́ТКА * Накры́ться рва́ной пило́ткой. *Жарг. мол. Шутл.-ирон.* Умереть. Максимов, 268.

Прокана́ть за пило́тку. *Жарг. мол.* Обмануть, ввести в заблуждение кого-л. Максимов, 313.

ПИЛЮ́ЛЯ * Ядови́тые пилю́ли. *Жарг. бизн.* Разводнение, то есть разукрупнение акционерного капитала путём выпуска новых акций без права голоса. БС, 342.

Накача́ть пилю́ль *кому. Кар.* Наказать кого-л. СРГК 3, 330.

Подноси́ть/ поднести́ (преподнести́) пилю́лю *кому. Разг.* Делать что-л. неприятное, обидное для кого-л. ФСРЯ, 320; БТС, 872; БМС 1998, 446; Глухов 1988, 125.

Позолоти́ть (подсласти́ть) пилю́лю. *Разг.* Смягчить какую-л. неприятность, обиду, огорчение, причиняемое кому-л. ФСРЯ, 320; БМС 1998, 446; Мокиенко 1990, 117.

Проглоти́ть пилю́лю. *Разг.* Молча снести обиду, оскорбление. ФСРЯ, 320; БМС 1998, 446; Глухов 1988, 134; ДП, 143.

Го́рькая пилю́ля. *Разг.* Что-л. неприятное, оскорбительное для кого-л. ФСРЯ, 320; ЗС 1996, 329; ДП, 143.

Позоло́ченная пилю́ля. *Народн.* Лесть. ДП, 663.

ПИМ * Пошёл (подь) ты в дыря́вый пим! *Сиб. Бран.-шутл.* Требование уйти, удалиться. СРНГ 28, 361; ФСС, 141.

Ста́рый (дыря́вый) пим. *Сиб. Бран.-шутл.* О старике. ФСС, 136.

ПИНГВИ́Н * Пингви́н на а́йсберге. *Жарг. мол. Шутл.-ирон.* О фригидной, сексуально холодной женщине. Максимов, 12.

ПИНКА́РЬ * Дава́ть/ дать пинкаря́ *кому. Прост.* 1. Бить, толкать кого-л. ногой. СРГК 4, 513; Мокиенко 2003, 74. 2. Грубо прогонять кого-л. откуда-л. НРЛ-83.

ПИНО́К * Дава́ть/ дать пинка́ *кому.* 1. *Разг.* Ударять, пинать ногой кого-л. Ф 1, 139. 2. *Жарг. мол. Шутл.* Давать кому-л. послушать запись рок-группы «Пинк-Флойд». Никитина 1998, 321.

Получи́ть пинка́ *от кого. Жарг. мол. Шутл.* Взять у кого-л. послушать запись рок-группы «Пинк-Флойд». Никитина 1998, 321.

Вы́пинать пинко́м. *Кар.* Выгнать, вытолкать кого-л. откуда-л. СРГК 4, 513.

ПИОНЕ́Р * Ве́чный пионе́р. *Жарг. журн., полит. Шутл.-ирон.* С. В. Кириенко, полномочный представитель Президента РФ в Приволжском федеральном округе. МННС, 175.

ПИОНЕРКА́ * Сза́ди пионе́рка, спе́реди пенсионе́рка. *Прост. Шутл.-ирон.* О женщине с некрасивым, пожилым лицом, но стройной фигурой (выглядящей на первый взгляд моложн своих лет). Мокиенко, Никитина 2003, 258.

ПИ-ПИ́ * Де́лать/ сде́лать (ходи́ть/ сходи́ть) пи-пи́. *Детск. Эвфем.* Мочиться, писать. БТС, 833; Мокиенко, Никитина 2003, 250.

ПИПИ́РКА * Дрочи́ть пипи́рку. *Жарг. Мол.* Угрожать кому-л. Вахитов 2003, 51.

ПИПЛ * Се́рый пипл. *Жарг. мол.* О глупом, неразвитом человеке. Максимов, 314.

Хэй ю пипл! *Жарг. мол. (хиппи).* Обращение к хиппи, приветствие хиппи. Митрофанов, Никитина, 241.

ПИР * Валтаса́ров пир. *Книжн.* Пиршество, веселье накануне неминуемой гибели. < Восходит к Библии. БМС 1998, 447.

И в пир, и в мир, и в до́брые лю́ди. *Народн. Шутл.* На все случаи жизни. ДП, 477; Жиг. 1969, 353; ЗС 1996, 98; СПП 2001, 61.

Кня́жий (кня́жеский, княжно́й, княжо́вый, княжо́й) пир. *Яросл.* Обед на второй день после свадьбы в доме молодых. ЯОС 5, 40.

Луку́ллов (Лукулловский) пир. *Книжн.* Необыкновенно богатое, изысканное пиршество. < От имени знатного римского полководца, консула Люция Лициния Лукулла (1 в. до н. э.), прославившегося роскошными пирами. БМС 1998, 447.

Ни в пир, ни в мир, ни в до́брые лю́ди. *Народн. Неодобр.* О ком-л., о чём-л. скверном, никуда не годном. ДП, 257, 472; СПП 2001, 61; ФСС, 136; Глухов 1988, 108; Кобелева, 71.

Пир во вре́мя чумы́. *Книжн.* Веселье во время общественного бедствия. < По названию драматических сцен А. С. Пушкина, основой для которых послужил пассаж из поэмы английского поэта Дж. Вильсона «Чумной город» (1816). БМС, 447; БТС, 1486.

Пир горо́й. *Разг.* О шумном, веселом пире с обильным угощением. БМС 1998, 447; ЗС 1996, 197.

Прийти́ в пир на ошу́рки. *Народн. Ирон.* Опоздать. < **Ошурки** – шкварки. СРНГ 25, 99; ДП, 642.

Что в пир, что в мир. *Народн.* То же, что **и в пир, и в мир, и в добрые люди.** ДП, 90.

Ни пи́ром, ни ми́ром. *Кар.* Никак, никаким способом. СРГК 4, 514.

В чужо́м пиру́ похме́лье. *Народн. Неодобр.* Неприятности из-за других, по вине кого-л. ДП, 192; ФСРЯ, 320; БТС, 1486; ШЗФ 2001, 32; ЗС 1996, 120, 306; БМС 1998, 447.

Ни пи́ру ни ми́ру. *Волг. Неодобр.* О постоянных ссорах, конфликтах. Глухов 1988, 110.

ПИРАМИ́ДА * Еги́петская пирами́да. *Жарг. шк. Шутл.* Кабинет истории. (Запись 2003 г.).

ПИРА́Т * Одногла́зый пира́т. *Жарг. мол. Шутл.* Пенис. Максимов, 285.

Пира́ты двадца́того ве́ка. *Жарг. шк. Шутл.* Дежурные по школе. Максимов, 314.

ПИРО́Г * Броса́ть (класть) на пиро́г. *Башк., Сиб.* Одаривать подарками молодых во время свадебного пира. СРНГ 3, 196; СФС, 29; СРГБ 2, 28; ФСС, 93.

Дели́ть пиро́г. *Публ. Неодобр.* Враждовать, ссориться из-за разделения территории, имущества, власти, полномочий и т. п. Мокиенко 2003, 74.

Деревя́нный пиро́г. *Жарг. угол. Шутл.-ирон.* Гроб. Хом. 2, 162.

Казённый (обще́ственный) пиро́г. *Книжн.* О государственном имуществе, собственности. БМС 1998, 448.

Наде́ть (оде́ть) деревя́нный пиро́г. *Угол. Шутл.-ирон.* Умереть. Хом. 2, 162.

Ни с чем пиро́г. 1. *Волг., Перм., Сиб., Ср. Урал. Ирон. или Пренебр.* О пустом, никчёмном человеке. Глухов 1988, 111; Подюков 1989, 148; ФСС, 136; СРГСУ 2, 209; СРНГ 36, 8. 2. *Волг., Калуж., Перм. Шутл.-ирон.* О простоватом, несообразительном человеке. СРНГ 21, 215; Глухов 1988, 122.

Переломи́ть пиро́г. *Яросл.* В обряде сватовства: сват переносит пирог трижды через руки родителей невесты, ломает и даёт им по куску. ДП, 763.

Пиро́г без начи́нки. *Сиб. Пренебр.* То же, что **ни с чем пирог 1.** ФСС, 136.

Пиро́г с ами́нем (с моли́твой). 1. *Перм., Яросл. Шутл.-ирон.* То же, что **пирог с таком 1.** СРНГ 18, 217; ЯОС 7, 106. 2. *Перм. Неодобр.* То же, что **ни с чем пирог 1.** Глухов 1988, 148.

Пиро́г с гриба́ми. *Разг. Устар. Ирон.* О царских милостях. БМС 1998, 448.

Пиро́г с казённой начи́нкой. *Книжн.* То же, что **казённый пирог.** БМС 1998, 448.

Пиро́г с ниче́м. *Волг. Шутл.-ирон.* То же, что **пирог с таком 1.** Глухов 1988, 122.

Пиро́г со сча́стьем. *Яросл.* Пирог с запечённой копеечной монетой. ЯОС 7, 106.

Пиро́г с та́ком. 1. *Новг.* Пирог без начинки. НОС 11, 22. 2. *Волг.* О бедной, скудной пище. Глухов 1988, 122.

Состря́пать пиро́г во весь бок *кому. Диал. Шутл.* Избить кого-л. Мокиенко 1990, 60.

Стря́пать пиро́г. *Жарг. мол.* Обвинять кого-л. в чём-л. Максимов, 314.

Пироги́ с гвоздя́ми. *Волг. Ирон.* То же, что **пирог с таком 2.** Глухов 1988, 122.

ПИРО́ЖНОЕ * Междуно́жное пиро́жное. *Разг. Шутл.* Женские гениталии. Фзг., 193; УМК, 161.

ПИРОЖО́К * Зайти́ в пирожки́. *Кар.* Развиваясь, превратиться в стручок (о цветке). СРГК 4, 517.

Армя́нский пирожо́к. *Жарг. нарк., мол.* Гуталин, намазанный на чёрный хлеб (употребляется как наркотик). Елистратов 1994, 332

ПИСАНИ́НА * По писани́не. *Кар.* Официально, по документам. СРГК 4, 518.

ПИ́САРЬ * Сади́ться в писаря́. *Разг. Устар.* Учиться. СФС, 46.

ПИСА́ТЕЛЬ * Сове́тский писа́тель. *Жарг. мол. Пренебр.* Неумелый, бездарный художник-граффитист. Никитина, 2003, 505.

ПИСА́ТЬ * Пиши́ пропа́ло. *Разг.* О неизбежном провале, неудаче, потере. ДП, 67; ФСРЯ, 321; ЗС 1996, 105, 500; ФМ 2002, 345; Мокиенко 1990, 93; БМС 1998, 448.

ПИСЁЦ * По́лный писе́ц. *Жарг. мол. Неодобр.* Крах, неудача, провал. Елистратов 1994, 333. < Эвфем. от нецензурного выражения **полный пиздец.**

ПИСТОЛЕ́Т * По пистоле́ту *кому что. Жарг. мол.* Безразлично, всё равно. БСРЖ, 437.

ПИСТО́Н * Запусти́ть писто́н. *Жарг. угол.* Совершить карманную кражу. ТСУЖ, 133.

Пя́лить писто́н *кому. Жарг. арест., гом.* Совершать акт мужеложства (как правило, насильственный) с кем-л. УМК, 161; Балдаев 1, 319; ББИ, 175; Мильяненков, 195.

Ста́вить/ поста́вить (вставля́ть/ вста́вить, кида́ть/ ки́нуть) писто́н *кому. Жарг. угол., мол.* 1. Совершить половой акт с кем-л. ТСУЖ, 133; Волков, 74; СРВС 4, 144; DL, 46; h-98; Югановы, 168; Балдаев 1, 319; ББИ, 175; Мильяненков, 195. 2. Наказать, отчитать, обругать кого-л. БСРЖ, 438; Вахитов 2003, 32.
< **Пистон** – 1. Карман брюк. 2. Мужской половой орган. 3. Половой акт.

ПИ́СЬКА * Дрочи́ть пи́ську. *Вульг.-прост. или Жарг. мол.* 1. *на кого.* Вести себя с кем-л. вызывающе, задирать кого-л. 2. *кому.* Критиковать кого-л. более авторитетного. Мокиенко, Никитина 2003, 259.

ПИСЬМЕНА́ * Неразга́данные письмена́ дре́внего пле́мени. *Жарг. шк. Шутл.* Тетрадь. (Запись 2003 г.).

ПИСЬМО́ * Ни письма́ ни гра́моты. *Волг., Дон., Кар.* Абсолютно ничего не известно о ком-л., нет известий от кого-л. Глухов 1988, 110; СДГ 3, 13; СРГК 4, 521. **Ни письма́ ни гра́мотки.** *Печор.* То же. СРГНП 1, 152.

Пи́шите пи́сьма [кру́пным (ме́лким) по́черком]. *Жарг. мол.* До свидания (как фраза, завершающая разговор, встречу). Максимов, 315.

Деревя́нное письмо́. *Жарг. угол., арест.* Посылка. Хом. 1, 274.

Брать/ взять письмо́м *что. Жарг. угол.* Совершать кражу из кармана или сумки, используя бритву или другой режущий инструмент. Балдаев 1, 45, 63; ТСУЖ, 24. < **Письмо** – лезвие безопасной бритвы.

ПИСЮ́К * Бе́лый писю́к. *Жарг. шк. Шутл.* Мел. (Запись 2003 г.).

ПИСЮ́ХА * Ю́зать писю́ху. *Жарг. шк. Шутл.* Работать с компьютером на уроке информатики. (Запись 2003 г.). < **Писюха** – персональный компьютер (PC).

ПИ́СЯ * Пи́си сиро́тки А́си. *Жарг. мол. Пренебр.* Слабозаваренный, жидкий чай. Максимов, 314.

Пися́ спу́кер. *Жарг. комп.* Встроенный динамик (PC Speaker). Садошенко, 1996.

ПИТА́НИЕ * По пита́нию. *Кар.* По внешнему виду, по комплекции. СРГК 4, 521.

ПИТКО́М * Пить питко́м. *Сиб.* Пить запоем, постоянно пьянствовать. ФСС, 136.

ПИТЬ * Не пи́то не е́дено. *Яросл.* О большом расходе денег. ЯОС 6, 124.

Пить дать. *Прикам. Одобр.* О чём-л. хорошем, заслуживающем внимания. МФС, 75.

ПИТЬЁ * Запива́ть в питьё. *Яросл.* Начинать пьянствовать, много пить спиртного. ЯОС 4, 92.

ПИХТИ́НКА * Ни пихти́нки. *Кар.* Нисколько, абсолютно ничего. СРГК 4, 526.

ПИ́ЦЦА * Кида́ть (мета́ть) пи́ццу. *Жарг. мол. Шутл.-ирон.* О рвоте. Никитина 2003, 507.

Пища * Пи́ща бого́в. 1. *Разг.* О чём-л. очень вкусном. 2. *Жарг. арм.* О гречневой каше. Максимов, 315.

Ра́йская пи́ща. *Разг. Одобр.* О чём-л. Очень вкусном. БМС 1998, 448.

Сиде́ть на пи́ще свято́го Анто́ния. *Книжн.* Голодать. ФСРЯ, 321; БМС 1998, 448; СПП 2001, 61; ДП, 805.

Вкуша́ть/ вкуси́ть от пи́щи свято́го Анто́ния. *Книжн.* То же, что **сидеть на пище святого Антония.** БМС 1998, 449; ШЗФ 2001, 37; ФСРЯ, 321.

Дава́ть/ дать пи́щу *для чего. Разг.* Способствовать возникновению, развитию интереса, любопытства к чему-л., размышлять о чём-л. Ф 1, 133.

Снабди́ть пи́щу. *Кар.* Сдобрить, прибавить что-л. во что-л. СРГК 4, 527.

ПИЩЕБЛО́К * Разбомби́ть пищебло́к. *Жарг. мол.* Съесть все имеющиеся в доме продукты. Максимов, 315.

Уда́рить по пищебло́ку. *Жарг. мол Шутл.* Плотно поесть. Максимов, 315.

ПИ́ЩИК * Брать/ взять за пи́щик *кого.* Неожиданно хватать за горло; душить кого-л. Балдаев 1, 45; ТСУЖ, 23, 31. < **Пищик** – горло.

ПИЯ́ВКА * Отпусти́ть пия́вку *кому. Жарг. угол., карт. Шутл.* Щёлкнуть по лбу пальцем. Быков, 151.

ПЛАВ * Держа́ться на плаву́. *Публ.* Выдерживать должный уровень, сохраняться, выстаивать в трудной ситуации. БТС, 836; Мокиенко 2003, 74.

ПЛА́ВАНИЕ * В да́льнем пла́ванье. *Жарг. шк. Шутл.-ирон.* Об ответе ученика у доски. Максимов, 100.

ПЛА́ВАТЬ * Глубоко́ пла́вать. *Обл. Одобр.* Быть в чём-л. опытным, знающим или иметь способности к чему-л. СРНГ 6, 207.

Ме́лко пла́вать. *Разг. Неодобр.* 1. Не иметь достаточных способностей, сил, знаний, чтобы совершить что-л. значительное. 2. Занимать незначительное служебное или общественное положение. ФСРЯ, 3214 БМС 1998, 449.

ПЛАВЕЖО́М * Пла́вить плавежо́м. *Сиб.* Сплавлять что-л. по течению реки; сплавлять на вёслах. ФСС, 137.

Плыть плавежо́м. *Сиб.* Плыть по течению реки. ФСС, 137.

ПЛАВКО́М * Пла́вать плавко́м. *Кар.* Еле двигаться, очень медленно передвигаться. СРГК 4, 528.

Плыть плавко́м. *Кар.* Плыть в большом количестве (о рыбе). СРГК 4, 528.

ПЛАВНИ́К * Дава́ть плавни́к *кому. Жарг. мол.* Давать кому-л. руку при прощании, встрече)., 334.

Держи́ плавни́к. *Жарг. мол.* Говорится при рукопожатии в знак согласия. Елистратов 1994, 334.

Шурша́ть плавника́ми. *Жарг. мол. Шутл.* Быстро идти, шагать. Вахитов 2003, 208.

ПЛА́ВНО * Пла́вно пла́вать. *Кар.* Сильно лить (о дожде). СРГК 4, 528.

ПЛАКУ́НЧИК * Плаку́нчиков пойма́ть. *Сиб. Шутл.-ирон.* Замёрзнуть, озябнуть. ФСС, 141.

ПЛА́МЯ * Взя́ться пла́менем. *Кар.* Загореться. СРГК 1, 109.

Горе́ть си́ним пла́менем. *Разг.* Оказываться в трудном, незавидном положении, испытывать большие неприятности; находиться под угрозой срыва. НСЗ-70; Смирнов 2002, 46; Мокиенко 2003, 74.

Гори́ си́ним пла́менем! *Разг. Неодобр.* Выражение неудовольствия, пожелание избавиться от кого-л., чего-л. НСЗ-70; БТС, 220; Мокиенко 2003, 74.

ПЛАН[1] * Пла́ны планова́ть. *Горьк.* Планировать что-л., строить планы. БалСок, 49.

ПЛАН[2] * План «аэропла́н». *Жарг. нарк. Шутл.-ирон.* Слабый, медленно действующий гашиш. ССВ-2000.

План «Ма́ршал ГОЭЛРО́». *Жарг. нарк. Одорб.* Гашиш высокого качества. ССВ-2000.

Плыть по пла́ну. *Жарг. нарк.* 1. Испытывать наркотическую эйфорию от курения гашиша. Скачинский, 187. 2. Курить гашиш. Балдаев 1, 322. < **План** – гашиш.

ПЛАНЕ́ТА * Шара́хнуть о плане́ту. *Жарг. авиа. Шутл.* Тяжело посадить самолет, удариться о землю при посадке. Максимов, 316.

ПЛАНИ́ДА * Небе́сная плани́да. *Перм.* О сильной грозе. СРНГ 20, 316.

Счастли́вая плани́да вы́пала *кому. Книжн. Устар.* Кому-л. очень повезло. БМС 1998, 449.

ПЛА́НКА * Пла́нка съе́хала (слете́ла) *у кого. Жарг. мол. Шутл.-ирон.* Кто-л. сошел с ума, ведёт себя неадекватно. WMN, 66; Вахитов 2003, 132.

Пла́нка упа́ла *у кого. Жарг. мол. Неодобр.* 1. О проявлении глупости. 2. О потере самообладания. 3. Об ослаблении эрекции, снижении сексуального влечения к кому-л. Максимов, 316.

По слете́вшей пла́нке. *Жарг. мол.* По причине крайнего возбуждения, невменяемости. w-99.

Брать/ взять пла́нку. 1. *чего. Разг.* Преодолевать уровень чего-л., достигать успехов в чём-л. < Из речи спортсменов (прыгунов в высоту). Мокиенко 2003, 75. 2. *Жарг. арм. Ирон.* Погибнуть. Афг.-2000.

Сбить пла́нку. *Жарг. мол. Неодобр.* Совершить глупый поступок. Максимов, 316.

Сорва́ло (снесло́) пла́нку *кому. Жарг. мол.* То же, что **планка съехала.** Вахитов 2003, 170.

ПЛА́НОЧКА * Пла́ночка с ба́ном. *Жарг. нарк. Шутл.* Баночка с планом — гашишем. Югановы, 168.

ПЛАНТ * Крути́ть планты́ *кому. Жарг. угол. Неодобр.* Надоедать кому-л. с расспросами, вопросами. ТСУЖ, 117.

ПЛАСТ * Вали́ться на пласт. *Прикам.* Падать вследствие сильной усталости или болезненного состояния. МФС, 16; СГПО, 443.

Гро́знуться всем пласто́м. *Морд.* Упасть навзничь. СРГМ 1978, 128.

Сде́лать пласт. *Жарг. мол.* 1. *Шутл.* Упасть. Никитина, 1996, 149. 2. *кому.* Сильным ударом сбить с ног кого-л. Митрофанов, Никитина, 150. < Образовано перифрастическим развёртыванием глагола **распластаться**.

Лежа́ть на пласту́. 1. *Алт., Сиб., Ср. Урал.* Тяжело болеть, быть при смерти. СРГА 3-1, 17; ФСС, 104; СОСВ, 139; СРГСУ 2, 89, 177. 2. *Прикам.* Лежать неподвижно. МФС, 53.

ПЛАСТИ́НКА * Ста́рая пласти́нка. *Разг. Неодобр.* О том, что давно известно, неоднократно повторялось, надоело. Глухов 1988, 154.

Лежа́ть на пласти́нках. *Алт. Ирон.* Быть погребённым, лежать в могиле. СРГА 3-1, 64.

Заводи́ть/ завести́ пласти́нку. *Прост. Неодобр.* Начинать надоедливо приставать к кому-л., повторяя одно и то же. Ф 1, 192; Глухов 1988, 45.

Заложи́ть пласти́нку. *Курск. Шутл.-ирон.* Начать говорить, болтать. БотСан, 95.

Меня́ть/ перемени́ть (смени́ть) пласти́нку. 1. *Кар.* Отказываться от чего-л. ранее принятого, усвоенного. СРГК 4, 455. 2. *Разг.* Изменять тему разговора. БМС 1998, 449; Ф 2, 40, 166.

ПЛА́СТОЧКА * На четы́ре пла́сточки. *Кар.* Вчетверо (сложить). СРГК 4, 533.

По пла́сточкам. *Кар.* Последовательно, по порядку. СРГК 4, 533.

ПЛА́СТЫРЬ * Брать/ взять на пла́стырь *[кого, что]. Жарг. угол.* Совершать кражу, проникая в помещение через бесшумно выдавленное оконное стекло. ТСУЖ, 24; Балдаев 1, 45; ББИ, 33.

Наве́сить ше́йный пла́стырь *кому. Жарг. угол.; Разг.* Избить, наколотить. Незнанский, 297.

Ше́йный пла́стырь. *Жарг. угол. Шутл.-ирон.* Удар по шее. ТСУЖ, 200; Балдаев 2, 157.

Подве́сить ше́йного пла́стыря. *Сиб.* То же, что **навесить шейный пластырь.** ФСС, 139.

Получи́ть ше́йного пла́стыря. *Разг. Шутл.* Подвергнуться побоям, избиению. СПП 2001, 61.

ПЛАТИ́ТЬ * Плати́ и вези́. *Жарг. бизн. Шутл.* Торговая операция, при которой покупатель оплачивает товар наличными на месте покупки, вывозя его на своем транспорте. БС, 204.

ПЛАТО́К * Дава́ть/ дать плато́к *кому. Кар.* Соглашаться на брак с кем-л. СРГК 1, 420.

Набро́сить плато́к на рото́к *кому, чей. Прост.* Заставить кого-л. замолчать. < От пословицы **На чужой роток не набросишь платок.** Мокиенко 2003, 75.

Снять плато́к *с кого. Народн.* Публично пристыдить, опозорить кого-л. ДП, 218; БМС 1998, 635.

ПЛАТО́ЧЕК * Пусти́ть кра́сные плато́чки. *Жарг. угол., арест.* 1. *кому.* Нанести кому-л. ножевое ранение. 2. Сорвать флаг, лозунг, транспарант. Балдаев 1, 363.

ПЛАТФО́РМА * Стоя́ть на платфо́рме *чего, какой. Книжн.* Быть сторонником чего-л. ФСРЯ, 322; БМС 1998, 450.

ПЛА́ТЬЕ * Бело́ на пла́тье! *Яросл.* Приветственное пожелание стирающим белье. ЯОС 1, 49.

В одно́м пла́тье. *Пск.* Без изменений, без перемен. СПП 2001, 61.

Куку́шкино пла́тье. 1. *Волог.* Полевой цветок пальчато-коренник пятилистый. СВГ 4, 15. 2. *Прикам.* Травянистое растение ятрышник пятнистый. МФС, 75.

Лягу́шечье пла́тье. *Перм.* Растение калужница болотная. СРНГ 17, 257.

Пожи́ть, так на́до пла́тье заложи́ть. *Кар.* Многое испытать в жизни. СРГК 5, 24.

Дожи́ть до непло́тна пла́тья. *Кар. Ирон.* Потерять всё своё имущество, обнищать. СРГК 4, 535.

ПЛА́ТЬИЦЕ * Отда́ть пла́тьице. *Волог.* Умереть. СВГ 6, 88.

ПЛА́ХА * Пла́ха му́зыки. *Жарг. угол., арест.* Плитка чая. Мильяненков, 195.

Потащи́ть на пла́ху *кого. Угол., арест.* Конвоировать кого-л. в суд. Балдаев 1, 343.

ПЛАЧ (ПЛАЧЬ) * Вавило́нский плач. *Книжн.* О сильной печали, тоске. < Восходит к Библии. БМС 1998, 450.

Плачь неутоли́мая. *Ср. Урал.* Сильная печаль, горе. СРГСУ 4, 33.

ПЛАЩ * Чёрный плащ. *Жарг. мол.* 1. Милиционер. 2. *Жарг. шк. Шутл.* Учитель труда. < По прозвищу героя американского мультсериала. Максимов, 475.

ПЛЕВА́ЛО * Заткни́ плева́ло! *Прост. Груб.* То же, что **заткни плевательницу (ПЛЕВАТЕЛЬНИЦА).** Мокиенко, Никитина 2003, 260.

ПЛЕВА́ТЕЛЬНИЦА * Заткни́ плева́тельницу! *Разг. Груб.* Замолчи, заткнись! Р-87, 285.

ПЛЕВА́ТЬ * Плева́ть хоте́л *на кого, на что. Прост.* О полном безразличии к кому-л., к чему-л. Глухов 1988, 123; Ф 2, 240.

ПЛЕ́ВЕЛЫ * Отделя́ть/ отдели́ть пле́велы от пшени́цы (пшени́цу от пле́вел). *Книжн.* Отделять вредное от полезного, хорошее от плохого. < Восходит к Евангелию. БМС 1998, 450; Ф 2, 30; Мокиенко 1989, 184.

ПЛЕВО́К * Наска́ть плевко́в. *Кар.* Наколдовать. СРГК 3, 374.

Плевко́м мо́жно перешиби́ть (уби́ть) *кого. Народн. Ирон.* О слабом, тщедушном человеке. ДП, 398.

Плево́к приро́ды (судьбы́). *Жарг. мол. Презр.* Никчёмный человек, ничтожество. Максимов, 316.

ПЛЕ́МЯ * Племена́ гаи́. *Жарг. мол. Шутл.* Сотрудники ГАИ-ГИБДД. Никитина 2003, 510.

Бра́тское пле́мя. *Ср. Урал.* Племянники. СРГСУ 1, 55.

ПЛЕМЯ́ННИК * Ца́рский племя́нник. *Сиб. Устар. Ирон.* Богач. ФСС, 134.

ПЛЕН * Еги́петский плен (плен еги́петский). *Книжн.* О тяжёлой неволе. < Восходит к Библии. БМС 1998, 450.

Попада́ть/ попа́сть в плен *чего. Книжн.* Оказываться в полной зависимости от обстоятельств. Ф 2, 74.

В плену́ *чего. Книжн.* В полной зависимости от чего-л. < Военная метафора. Мокиенко 2003, 75.

ПЛЕНЕ́НИЕ * Вавило́нское плене́ние. *Книжн.* То же, что **египетский плен (ПЛЕН).** < Восходит к Библии. БМС 1998, 450.

ПЛЁНКА * Брать/ взять на плёнку. *Кар.* Фотографировать. СРГК 1, 108.

Попа́сть на плёнку. *Дон.* Оказаться в неловком положении. СДГ 3, 41.

ПЛЕ́ННИК * Кавка́зский пле́нник. 1. *Жарг. арм. Шутл.* Солдат на гауптвахте. БСРЖ, 440. 2. *чаще мн. Жарг. шк. Шутл.-ирон.* Родители на родительском собрании (Запись 2003 г.).

ПЛЕ́ННИЦА * Кавка́зская пле́нница. *Жарг. студ. Шутл.* Студентка. (Запись 2003 г.).

ПЛЕ́СЕНЬ * Заби́ть в пле́сень *кого. Жарг. мол.* Сильно избить кого-л. Вахитов 2003, 56.

Пле́сень дья́вольская. *Кар. Бран.* О человеке, вызывающем возмущение, гнев. СРГК 4, 540.

Покрыва́ться пле́сенью. *Жарг. мол. Пренебр.* Долго не выходить замуж. Максимов, 317.

ПЛЕ́СКИ * Надава́ть пле́сков *кому. Яросл.* Побить кого-л. ЯОС 6, 90.

ПЛЕТЕ́НИЕ * Плете́ние слове́с. *Книжн. Ирон.* О многословном, вычурном стиле; о гладкой по форме, но пустой и бессодержательной речи. БМС 1998, 451; БТС, 842; Мокиенко 1986, 33; ФСРЯ, 322.

ПЛЕТЕ́НЬ * Держа́ться за плете́нь. *Волг.* Находясь в состоянии сильного опьянения, идти нетвёрдой походкой. Глухов 1988, 34.

Заплета́ть плете́нь. *Алт.* Плести венки. СРГА 3-2, 70.

Плести́ плете́нь. 1. *Дон.* Водить хоровод. СДГ 3, 14. 2. *Разг. Неодобр.* Пустословить, говорить вздор. ДП, 203; БМС 1998, 451; Глухов 1988, 123.

Плете́нь без ко́льев. *Волг. Шутл.-ирон.* О болтуне, любителе приврать. Глухов 1988, 123.

Худо́й плетень. *Яросл. Неодобр.* О болтливом, лживом человеке. ЯОС 8, 7.

Обнима́ть плетни́. *Волг. Шутл.* Держаться за что-л. в состоянии опьянения. Глухов 1988, 114.

[Гуля́ть] до косо́го плетня́. *Курск.* Водить хоровод змейкой. БотСан, 90, 103.

ПЛЕТЕШО́К * Дать плетешка́ *кому. Кар.* Наказать ремнём кого-л. СРГК 4, 543.

ПЛЁТКА * Есть (пое́сть) плётки. *Пск.* Подвергаться порке, избиению плёткой. ПОС 10, 137.

Одева́ть/ оде́ть плёткой *кого. Перм.* Бить, колотить кого-л. СРНГ 23, 9.

ПЛЕТЬ * Идти́ по пле́ти. *Пск. Одобр.* Складно, гладко (о песне, рассказе). СПП 2001, 61.

Ки́нуть (наре́зать) плеть. *Жарг. угол., арест.* Совершить побег из мест заключения. ТСУЖ, 94, 114, 134; Балдаев 1, 215.

Покупа́ть/ купи́ть плеть. *Жарг. угол.* Бежать от преследователей. ТСУЖ, 138; СРВС 3, 194, 229.

Ша́ркать пле́тью. *Новг. Неодобр.* Бездельничать. НОС 7, 152.

ПЛЕ́ЧИКО * Не по пле́чику *кому что. Народн.* То же, что **не по плечу (ПЛЕЧО)**. ДП, 683.

ПЛЕЧИ́НЫ * Плечи́ны снести́ (сноси́ть). *Кар.* Устать от тяжёлой работы. СРГК 4, 545.

ПЛЕЧО́ * Вздохну́ть со всех плеч. *Волог.* Тяжело вздохнуть. СРГ 2, 167.

Дыша́ть со всех плеч. *Волог.* Задыхаться. СВГ 2, 69.

Свали́ть со свои́х плеч. *Горьк.* Выдать замуж, женить кого-л. БалСок, 52.

Со свои́х плеч. *Сиб.* Своими силами. СФС, 175; ФСС, 137.

Спи́хивать с плеч *кого, что. Прост.* Освобождаться от тягот, забот о ком-л., о чём-л. Глухов 1988, 153; Ф 2, 177.

С плеч [да] в печь. *Пск.* Использовать сразу всё имеющиеся продукты при приготовлении пищи. СПП 2001, 61. // *Кар.* О нежелании заготовить что-л. впрок. СРГК 4, 502; ДП, 586.

С плеч доло́й. *Разг.* Об окончании чего-л. трудного, тяжёлого, об освобождении от чего-л. тяжёлого, трудного. БТС, 272.

Со всего́ плеча́. *Разг.* Сильно, резко (ударить). ФСРЯ, 322.

С плеча́. 1. *Разг.* Сразу, не подумав, быстро. ФСРЯ, 323; ЗС 1996, 108, 360. 2. *Кар., Пск.* Напряжённо, изо всех сил. СРГК 4, 546; СПП 2001, 61. 3. *чьего. Разг.* Ранее принадлежавший другому, ношенный другим (обычно – об одежде). ФСРЯ, 323.

Стрясти́/ стряхну́ть с плеч *что. Прост.* Избавляться от чего-л. неприятного, мучительного. Ф 2, 193.

Не по плеча́м епанча́. *Народн.* О человеке, которому что-л. не подходит, не соответствует. ДП, 683; ЗС 1996, 517.

По плеча́м *кому что. Кар.* Подходит, по размеру. СРГК 4, 546.

За плеча́ми не доне́сть *чего, что. Кар.* О слишком большом количестве чего-л. СРГК 4, 546.

За плеча́ми но́сит. *Пск. Шутл.* О горбуне. СПП 2001, 61.

Пожима́ть плеча́ми. *Разг.* Выражать свое недоумение. БМС 1998, 451; Мокиенко 1990, 133; Ф 2, 62.

Стоя́ть за плеча́ми *у кого. Разг.* 1. Быть в прошлом. 2. Находиться в непосредственной близости, позади кого-л. БТС, 842.

Висе́ть на плеча́х *у кого. Разг.* Обременять, отягощать кого-л. Ф 1, 65.

Войти́ на плеча́х. *Жарг. мил.* Ворваться в помещение вслед за человеком, открывшим ключом дверь. ОРТ, 11.03.01.

Выноси́ть на свои́х плеча́х. *Разг.* Справляться с работой, трудностями без чьей-л. помощи. ПОС 6, 23; БМС 1998, 451; Подюков 1989, 146.

Держа́ть на свои́х плеча́х. *Горьк.* Содержать семью. БалСок, 33.

Зарабо́тать на плеча́х. *Кар.* Разбогатеть ценой больших усилий. СРГК 4, 546.

На плеча́х *у кого. Разг.* Следуя в непосредственной близости за отступающим врагом, противником. ФСРЯ, 323; ДП, 259.

Сиде́ть на плеча́х *у кого. Разг.* Преследовать кого-л., находясь в непосредственной близости. ДП, 626; ФСРЯ, 423.

На ле́вом плече́ ле́ший унёс *кого. Кар.* О человеке, который исчез, быстро ушёл в неизвестном направлении; долго задерживается где-л. СРГК 3, 104; 121.

Взва́ливать/ взвали́ть на пле́чи *чьи что. Разг.* Обременять кого-л. чем-л. ФСРЯ, 64.

Лома́ть пле́чи. *Кар.* Утомлять себя тяжёлой работой. СРГК 3, 143.

Перекла́дывать/ переложи́ть на пле́чи *чьи что. Разг.* Освобождая себя от ответственности, работы, заботы, обременять этим другого. ФСРЯ, 316; БМС 1998, 451.

Пле́чи прочь. *Пск.* О состоянии крайней усталости. СПП 2001, 61.

Пригина́ть пле́чи. *Кар.* Надоедать, одолевать кого-л. просьбами. СРГК 4, 546.

Расправля́ть/ распра́вить пле́чи. *Разг.* Чувствуя прилив сил, подъём настроения, проявлять в полной мере свои способности. Ф 2, 119.

Сади́ться/ сесть на пле́чи *чьи, кому.* 1. *Спец. воен. Устар.* Неотступно преследовать противника, не давая ему возможности оторваться, уйти. Ф 2, 136. 2. *Пск.* Оказаться на чьём-л. попечении. СПП 2001, 61.

Слома́ть пле́чи. *Пск.* Потерять здоровье от тяжёлой работы. СПП 2001, 61.

Щу́пать пле́чи. *Жарг. угол.* Готовиться к ограблению, краже. Балдаев 2, 176.

Дли́нное плечо́. *Жарг. авто.* Грузовые перевозки на дальние расстояния. БСРЖ, 440.

Коро́ткое плечо́. *Жарг. авто.* Грузовые перевозки на небольшое расстояние, напр. внутри города. БСРЖ, 440.

Мять плечо́. *Кар.* Печалиться. быть невесёлым. СРГК 3, 287.

Обби́ть плечо. *Горьк. Ирон.* Получить ответный удар. БалСок, 48.

Плечо́ в плечо́. *Разг.* 1. Рядом, в непосредственной близости. НОС 7, 153. 2. Вместе, сообща. ФСРЯ, 323.

Плечо́ (плечо́м) к плечу́. *Разг.* 1. В непосредственной близости, рядом с кем-л. 2. Вместе с кем-л. ФСРЯ, 323; БТС, 842; ФМ 2002, 346.

Подставля́ть плечо́ *кому. Разг.* Приходить на помощь кому-л. в трудные для него моменты жизни. Ф 2, 60.

Подпира́ть плечо́м *кого. Волг.* Помогать, содействовать кому-л. Глухов 1988, 126.

Жить по плечу́. *Брян.* Правильно рассчитывать свои силы, возможности. СБГ 5, 74.

Не по плечу́ *кому. Разг.* О чём-л. недоступном для выполнения с не соответствующем силам, возможностям кого-л. ФСРЯ, 323.

По плечу́ *кому что. Разг.* О чём-л. доступном для выполнения, соответствующем силам, возможностям кого-л. ФСРЯ, 323; БТС, 842.

ПЛЕША́К * Когда́ плеша́к покудря́веет. *Диал. Шутл.* Никогда. Мокиенко 1986, 211.

ПЛЕШЬ * На его́ плеши́ хоть кол теши́. *Волг.* О крайне глупом, упрямом человеке. Глухов 1988, 89.

[Всю] плешь прое́сть *кому [с] чем. Прост.* Утомить кого-л. рассказами, просьбами и т. п. НРЛ-82; БТС, 842; СПП 2001, 61; Максимов, 317. **Всю плешь пере́есть** *кому. Волг.* То же. Глухов 1988, 121.

Ешь твой плешь! *Прост. обл. Бран.* Выражение крайнего раздражения, досады, недовольства кем-л. Мокиенко, Никитина 2003, 261.

Плешь безу́мная. *Жарг. шк. Шутл.-ирон. или Презр.* Лысый учитель. (Запись 2003 г.).

Плешь тебя́ (его́, вас) возьми́! *Перм. Бран.* Выражение возмущения, негодования, досады на кого-л., что-л.; пожелание избавиться от кого-л., чего-л. Подюков 1989, 150; Мокиенко, Никитина 2003, 261.

Сажа́ть/ посади́ть на плешь *кого. Жарг. угол.* Совершать мошенничество. СРВС 3, 114; Балдаев 1, 341; Мокиенко, Никитина 2003, 261.

Сде́лать на плешь *что. Жарг. угол. Одобр.* Сделать что-л. качественно, хорошо. Балдаев 2, 33.

ПЛИ́НТУС * Лови́ть (пойма́ть) [ры́бу] пли́нтус (пли́нтуса). *Жарг. мол., нарк.* Испытывать состояние наркотической эйфории. Никитина 2003, 511.

Опуска́ть/ опусти́ть ни́же пли́нтуса *кого. Жарг. мол.* 1. Позорить, унижать кого-л. Вахитов 2003, 120. 2. Пугать кого-л. Максимов, 288. 3. Избивать кого-л. Максимов, 288.

Стать вы́ше пли́нтуса. *Жарг. мол. Ирон.* Начать важничать, зазнаваться. Вахитов 2003, 198.

ПЛИ́ТКА * Ба́нная пли́тка. *Сиб.* Экзема, полученная после посещения грязной бани. ФСС, 137.

ПЛОВ * Ко́зий плов. *Жарг. мол. Шутл.* Салат из овощей. Максимов, 187.

ПЛОД * Запре́тный плод. *Разг.* О чём-л. недозволенном, недоступном, а поэтому особенно заманчивом, желанном. БТС, 843; ШЗФ 2001, 80. < Восходит к Библии. ФСРЯ, 324; БМС 1998, 451.

Плодо́м плоди́ться. *Кар.* Быстро размножаться. СРГК 4, 548.

Вкуша́ть (пожина́ть) плоды́ *чего. Книжн.* Пользоваться результатами сделанного, достигнутого. БМС 1998, 452; ФСРЯ, 342; БТС, 888; ШЗФ 2001, 37.

ПЛО́СКОСТЬ * Кати́ться (пойти́) по накло́нной пло́скости. *Разг. Неодобр.* Быстро опускаться морально, нравственно. БМС 1998, 452; БТС, 844, 892.

ПЛО́ТНИК * Хотя́ и не пло́тник, а стуча́ть охо́тник. *Разг. Ирон.* О доносчике, «стукаче». Росси, т. 2, 399.

ПЛОТЬ * Во плоти́. 1. *Книжн.* Воплощенный в материальном образе. БТС, 845. 2. *Кар. Одобр.* О физически крепком, здоровом человеке. СРГК 4, 550.

Входи́ть/ войти в плоть и кровь *кого, чего. Книжн.* Оказываться прочно усвоенным кем-л. ФСРЯ, 324; БМС 1998, 452; БТС, 145; ЗС 1996, 28.

Гуси́ная плоть. *Орл.* Узор на домотканной скатерти в виде квадратов, заполненных кружочками, расположенными в шахматном порядке. СОГ 1990, 38.

Кото́ва плоть. *Яросл. Шутл.* Менструация. ЯОС 5, 80.

Кра́йняя плоть. *Жарг. мол. Шутл.* Оболочка колбасы, сосиски. Максимов, 203.

Облека́ть/ обле́чь в плоть *что. Книжн.* Воплощать, выражать что-л. в определённой, конкретной форме. Ф 2, 7.

Облека́ться/ обле́чься в плоть [и кровь]. *Книжн.* Воплощаться в определённой, конкретной форме. Ф 2, 7.

Плоть на плоть. *Сиб.* Вплотную. ФСС, 138.

Плоть от пло́ти *чьей. Книжн.* О кровном или идейном родстве. < Из Библии. ФСРЯ, 324; БМС 1998, 452; БТС, 845; ЗС 1996, 28.

ПЛО́ХО * Брать, что пло́хо лежи́т. *Разг. Неодобр.* Красть что-л. СПП 2001, 61.

Пло́хо держа́ть. *Сиб. Неодобр.* 1. Недобросовестно относиться к делу. 2. Морально опускаться. ФСС, 60.

Пло́хо лежи́т. *Разг.* О том, что легко можно украсть, присвоить. БТС, 491.

ПЛОХО́Й * Па́хнуть плохи́м. *Кар. Неодобр.* Быть непорядочным, вести себя неподобающим образом. СРГК 4, 413.

ПЛО́ШКА * Вы́ставить пло́шки. *Сиб. Пренебр.* Выпучить, вытаращить глаза. ФСС, 39.

ПЛОЩА́ДКА * Взлётная площа́дка. *Публ.* Начало подъёма, развития чего-л. НРЛ-82; Мокиенко 2003, 75.

Поса́дочная площа́дка. *Жарг. арм. Шутл.* Лысина. Кор., 223.

Ста́ртовая площа́дка. *Публ.* 1. То, что даёт толчок, импульс к новой успешной работе, деятельности. 2. Место, откуда начинается что-л. НСЗ-70; ФМ 2002, 348; Мокиенко 2003, 75-76.

ПЛО́ЩАДЬ * Пло́щадь кру́глых дурако́в. *Разг. Шутл.-ирон.* Площадь Пролетарской Диктатуры в Ленинграде – Санкт-Петербурге. Синдаловский, 2002, 143.

Пло́щадь Ле́ннона. *Жарг. мол., муз. Шутл.* Станция метро «Площадь Ленина». Синдаловский, 2002, 143.

Пло́щадь соображе́ний. *Жарг. крим.* Место встречи. Хом. 2, 166

ПЛЫТЬ * Ни плыть ни е́хать. *Кар.* 1. *Ирон.* О старом, немощном человеке. 2. О крайней степени проявления чего-л. СРГК 4, 563.

ПЛЮ́НУТЬ * Плю́нуть да растере́ть. *Прост. Пренебр.* О чём-л., о ком-л., не заслуживающем внимания, ничтожном, никчёмном. БТС, 846; Глухов 1988, 123. **Плюнь да разотри́.** *Горьк. Пренебр.* То же. БалСок, 50.

ПЛЮС * Быть в плю́се (в плюса́х). *Жарг. мол. Одобр.* Быть в выигрыше; получать прибыль. Елистратов 1994, 337.

ПЛЮХ * С плю́хом. *Жарг. авиа.* Неровно; с ударом о землю (о посадке самолета). Кор., 270.

ПЛЮ́ХА * Дать (закати́ть) плю́ху *кому.* 1. *Сиб.* Ударить кого-л. кулаком по лицу. СФС, 140; ФСС, 54. // *Кар.* Ударить по туловищу. СРГК 1, 424. // *Волг.* Ударить кого-л. Глухов 1988, 30. 2. *Кар.* Наказать, поколотить кого-л. СРГК 3, 318.

ПЛЮШ * Нагру́дный плюш. *Разг. Шутл.* Волосы на груди. Елистратов 1994, 337.

Чеса́ть нагру́дный плюш. *Жарг. мол. Шутл.-ирон.* Бездельничать. Елистратов 1994, 337.

ПЛЮ́ШКА * Ба́ловаться плю́шками. *Жарг. мол. Шутл.-ирон.* Развлекаться, дурачиться. < Из кинофильма «Малыш и Карлсон». ФЛ, 92.

Дать плю́шку *кому. Кар.* Ударить кого-л. СРГК 4, 555.

ПЛЯЖ * Магада́нский пляж. *Жарг. угол., арест. Ирон.* ИТУ на берегу Охотского моря. Балдаев 1, 238.

ПЛЯСА́К * Дать плясака́. *Сиб.* Начинать азартно плясать, пускаться в пляс. ФСС, 54; СФС, 60; СБО-Д1, 110.

ПЛЯ́СКА * Ви́ттова пля́ска. *Спец.* Заболевание центральной нервной системы, хорея. БТС, 133. **Пля́ска свято́го Ви́тта.** *Спец.* То же. БТС, 847.

Пля́ска сме́рти. *Жарг. угол., мол. Шутл.-ирон.* Смесь водки с глазными каплями. Грачев 1997, 148.

Така́я пля́ска. *Сиб. Ирон.* Об отсутствии каких-л. изменений в ситуации. ФСС, 138.

ПЛЯСНЯ́ * Пляса́ть по плясни́. *Кар.* Плясать под старинные плясовые песни. СРГК 4, 556.

ПО-БА́ННОМУ * Крыт по-ба́нному. *Перм. Пренебр.* О глупом, несообразительном человеке. Подюков 1989, 100.

Покры́тый по-ба́нному. *Волг.* О бедном, неимущем человеке. Глухов 1988, 128.

ПОБА́С * Для поба́су (поба́сов, поба́ски). *Кар.* Для красоты. СРГК 4, 562.

ПОБА́СКА * Корми́ть поба́сками *кого. Волг.* Давать пустые обещания. Глухов 1988, 76.

Для поба́ски. См. **Для побасу (ПОБАС).**

ПОБАТУ́ХА * Надава́ть побату́х *кому. Яросл.* Избить, побить кого-л. ЯОС 6, 90.

ПОБАТУ́ШКА * Дать побату́шку *кому. Яросл.* Ударить по голове кого-л. ЯОС 3, 121.

ПОБЕ́Г * Бежа́ть в побе́г. *Арх.* Самовольно уходить, убегать откуда-л. АОС 1, 145.

В побе́г. *Кар.* Очень быстро (бежать, убегать). СРГК 4, 563.

Дать побе́г. *Диал.* Убежать откуда-л. Мокиенко 1990, 110.

Побе́г на рыво́к. *Жарг. арест.* Побег из мест лишения свободы на глазах у охраны. Грачев 1992, 130.

Побе́г с конца́ми. *Жарг. арест.* Удачный побег из мест лишения свободы. Грачев 1992, 130.

Пасть в побе́ги. *Сиб.* То же, что **дать побег.** СФС, 136; ФСС, 132; СОСВ, 134; СБО-Д2, 68.

Без побе́гу. *Кар.* Вместе, неразлучно. СРГК 4, 563.

Быть в побе́гах. *Сиб.* Скрывать своё местонахождение. ФСС, 21.

ПОБЕГА́ЛКИ * Рабо́тать на побега́лках. *Алт. Неодобр.* Бездельничать. СРГА-4, 3.

ПОБЕГУ́ШКИ * На побегу́шках. *Разг.* 1. Для мелких, несложных поручений. 2. *у кого.* В зависимом положении, исполняя чьи-л. поручения, приказания. ФСРЯ, 325.

ПОБЕ́ДА * Пи́ррова побе́да. *Книжн.* Победа, стоившая слишком больших жертв, а потому равносильная поражению. БТС, 833, 848. < Из античной истории. БМС 1998, 452; ЗС 1996, 236.

Оде́рживать/ одержа́ть побе́ду. *Книжн.* Побеждать. БМС 1998, 452.

До побе́ды. *Прикам.* О большом количестве чего-л. МФС, 76.

Не все дожи́ли до побе́ды. *Жарг. арм. Шутл.* О демобилизации. Максимов, 71.

ПОБЕ́ЖКА * Быть в побе́жке. *Забайк. Арест.* То же, что **быть в побегах (ПОБЕГ).** СРГЗ, 301.

ПОБИВА́ЛО * Поби́ть побива́лом *кого. Диал.* Сильно избить кого-л. Мокиенко 1990, 58.

ПОБИРА́ХА * На побира́ху. *Пск.* Сильно, основательно (избить, поколотить кого-л). СПП 2001, 61.

ПОБИРО́ШКА * В побиро́шки [идти́]. *Ряз.* Нищенствовать, побираться. ДС, 408.

ПОБЛА́ЖКА * Жить побла́жкой. *Кар.* Пользоваться чьим-л. расположением, заботой, результатами чужого труда. СРГК 4, 568.

ПОБО́И * Бить побо́ями *кого. Диал.* Избивать кого-л. Мокиенко 1990, 58.

ПОБО́ИЩЕ * Ледо́вое побо́ище. *Жарг. шк. Шутл.-ирон.* Родительское собрание. (Запись 2003 г.).

Мама́ево побо́ище. *Разг.* Крупная ссора, драка; беспорядок, разгром. ДП, 582; ФСРЯ, 325; БТС, 518; ЗС 1996, 352; Мокиенко 1986, 33-34; БМС 1998, 453.

ПОБО́ЧЕНЬ * Сшить побо́чень *кому. Сиб. Шутл.* Ударить кого-л. кулаком в бок. СФС, 183.

ПОБРАТИ́М * Запра́вить побрати́ма. *Кар.* Завести любовника. СРГК 4, 571.

ПО́БЫТ * Быть осы́панным нехоро́шим по́бытом. *Пск.* Жить очень тяжёлой, безрадостной жизнью. СПП 2001, 61.

Каки́м по́бытом. *Кар.* По какой причине, каким образом. СРГК 4, 574.

Таки́м по́бытом. *Кар.* Таким образом, таким способом. СРГК 4, 574.

ПОВА́ДКА * Дава́ть/ дать пова́дку *кому.* 1. *Прост.* Предоставлять свободу действий кому-л. Ф 1, 135; ФСС, 54. // *Перм.* Потворствовать кому-л. МФС, 30. 2. *Перм.* Пожалеть, выразить сочувствие кому-л. СГПО, 128.

ПОВАЛ * Пова́лом повали́ть *что. Кар.* Сломать, растоптать что-л. СРГК 4, 577.

ПОВА́ЛИКА * До пова́лики. *Яросл.* Очень сильно (опьянеть). ЯОС 4, 7.

ПОВАРЁНКА * Получить поварёнку. *Кар.* Получить согласие девушки на брак при сватовстве. СРГК 4, 579.

ПОВЕДЕ́НИЕ * Назо́йливое поведе́ние. *Комп.* Передача по электронной почте (постинг) сообщений с целью досадить читателям, напр., многократное повторение глупого анекдота. Садошенко, 1996.

Ста́вить в плохо́е поведе́ние *кому. Морд.* Упрекать, не одобрять кого-л. СРГМ 2002, 131.

ПОВЕРНУТЬ * Поверну́ть да не подня́ть *[кого]. Сиб.* Об очень полном человеке. ФСС, 138.

ПОВЕ́РХНОСТЬ * Лежа́ть на пове́рхности. *Книжн.* Быть очевидным, видимым, заметным, понятным. НСЗ-70; Мокиенко 2003, 76.

Всплыва́ть/ всплыть на пове́рхность. *Разг.* Становиться очевидным, заметным, понятным. ЗС 1996, 366.

Ознако́миться пове́рхностью. *Кар.* Завести знакомство, познакомиться с кем-л. СРГК 4, 585.

ПОВЕС * Пове́с головы́. *Волг., Дон.* Строгое наказание. Глухов 1988, 123; СДГ 3, 17.

Сде́лать пове́с головы́ *кому. Волг.* Строго наказать кого-л. Глухов 1988, 146.

ПОВЕ́СТКА * Дать (пода́ть) пове́стку *кому. Жарг. угол.* Сообщить кому-л. что-л.; предупредить кого-л. о чём-л. Балдаев 1, 322; ББИ, 177; Мильяненков, 196. // Дать кому-л. знать о себе. ТСУЖ, 134.

ПОВЕ́ТЕРЬЕ * Ждать (дожидаться) поветра (по́ветерья, пове́трия). *Новг.* Напрасно надеяться на что-л., не предпринимая ничего для исполнения желаемого, находиться в состоянии неопределенного ожидания. НОС 2, 124.

ПО́ВЕТРА * Ждать по́ветра. См. **Ждать поветерья (ПОВЕТЕРЬЕ).**

ПОВЕ́ТРИЕ * Ждать пове́трия. См. **Ждать поветерья (ПОВЕТЕРЬЕ).**

ПОВИДА́НЬЕ * И в повида́нье нет *чего. Кар.* О чём-л. исчезнувшем, отсутствующем. СРГК 4, 591.

ПОВИДА́НЬИЦЕ * До повида́ньица. *Ср. Урал.* До свидания. СРГСУ 1, 142.

ПОВИЛЮ́ШКА * Быть на повилю́шках. *Неодобр. Пск.* Бездельничать, увиливать от работы. СПП 2001, 61.

ПОВИ́НКА * С пови́нкой. *Сиб.* С изъяном, с недостатком. СФС, 176.

ПОВИТУ́ШКА * На повиту́шку. *Яросл.* Способ завязывания платка, при котором закрывается лоб, а концы завязываются сзади. ЯОС 6, 78.

ПО́ВОД * В по́вод *чего. Кар.* По ходу чего-л. СРГК 4, 592.

Заку́сывать/ закуси́ть повода́. *Разг. Устар.* Действовать, не считаясь с обстоятельствами. Ф 1, 198.

Натя́гивать/ натяну́ть (подтяну́ть, подобра́ть) повода́. *Волг.* Подчинять себе кого-л. Глухов 1988, 93, 125.

Пуска́ть/ пусти́ть во все повода́. *Народн.* Действовать решительно, смело. ДП, 270.

Попуска́ть/ попусти́ть (отпуска́ть/ отпусти́ть, распуска́ть/ распусти́ть) повода́. *Волг., Дон.* 1. Уступать кому-л., перестать противиться чему-л. СРНГ 30, 17. 2. Давать повод, основание кому-л. поступить определённым образом. СДГ 3, 43; Глухов 1988, 130, 140.

Держа́ть на повода́х *кого. Волг., Дон.* Строго обращаться, воспитывать кого-л. в строгости. Глухов 1988, 33; СДГ 3, 17.

Каки́м по́водом? *Кар.* Зачем, по какой причине? СРГК 4, 592.

Недо́брым по́водом. *Кар.* 1. Из-за какого-л. несчастья, неприятности. СРГК 4, 592. 2. Очень сильно. СРГК 3, 402.

Таки́м по́водом. *Кар.* Таким образом. СРГК 4, 592.

Вести́ в поводу́ *что. Сиб. Ирон.* Катить вручную велосипед, мотоцикл. ФСС, 25.

Вести́ на поводу́ *кого. Разг.* Заставлять кого-л. повиноваться, держать кого-л. в абсолютном подчинении. ФМ 2002, 349.

Идти́ на поводу́ *у кого. Разг.* Действовать по чьей-л. указке, несамостоятельно, быть зависимым в своих поступках от кого-л. ФСРЯ, 326; БТС, 853; ФМ 2002, 350; ЗС 1996, 66; БМС 1998, 453.

По по́воду. *Кар.* В зависимости от обстоятельств. СРГК 4, 592.

Ходи́ть на поводу́ *у кого. Разг.* Ставить своё поведение, какие-л. действия в зависимость от кого-л. ФССРЛЯ 2004, 2, 691.

ПОВОДО́К * Держа́ть на поводке́ *кого. Жарг. нарк.* Удерживать члена группы наркоманов в рабской зависимости за большие деньги. Личко, Битенский, 290.

Дава́ть/ дать дли́нный поводо́к *кому. Прост.* Предоставлять кому-л. свободу действий. НРЛ-82; Мокиенко 2003, 76.

Дава́ть/ дать коро́ткий поводо́к *кому. Прост.* Стеснять чью-л. свободу действий. НРЛ-82; Мокиенко 2003, 76.

Дава́ть/ дать поводо́к *кому.* 1. *Курск.* Баловать кого-л. БотСан, 91. 2. *Волг.* Покровительствовать кому-л. Глухов 1988, 30.

Ни́тный поводо́к. *Дон.* Леска. СДГ 2, 186.

Опуска́ть (спуска́ть) поводо́к. *Волг.* Ослаблять контроль, предоставлять кому-л. свободу действий. Глухов 1988, 153.

ПОВО́ЗКА * Кра́сная пово́зка. *Кар.* Торговая лавка. СРГК 4, 594.

ПОВО́ЛКА. См. **ПОВОЛЬКА.**

ПОВОЛО́ЧКА * Зада́ть поволо́чку *кому. Диал.* Избить, поколотить кого-л. Мокиенко 1990, 46.

Пить в поволо́чку. *Кар. Неодобр.* О всеобщем пьянстве. СРГК 4, 596.

ПО-ВО́ЛЧЬИ * Выть по-во́лчьи. *Прост.* Горько жаловаться, сетовать на что-л., страдая от чего-л. Ф 1, 100.

Хоть по-во́лчьи вой. *Волг.* О крайне тяжёлом, бедственном положении. Глухов 1988, 169.

ПОВО́ЛЬКА (ПОВО́ЛКА) * Дава́ть/ дать пово́льку (пово́лку) *кому. Кар.* 1. Разрешать, предоставлять свободу действий, не препятствовать кому-л. в чём-л. 2. Баловать кого-л., потакать кому-л. СРГК 1, 420; СРГК 4, 596.

ПОВОРО́Т * Впи́сываться/ вписа́ться в поворо́т. *Разг.* Управляя автомобилем, совершать поворот в соответствии с изгибом дороги. БТС, 155.

Дава́ть/ дать (де́лать/ сде́лать) поворо́т на сто во́семьдесят гра́дусов. *Разг.* Решительно отказываться от прежнего мнения, желания, принимать противоположное решение. Ф 1, 139, 145.

Де́лать поворо́т к ста́рому. *Кар.* Возрождать прежние традиции, обычаи. СРГК 4, 597.

Поворо́т со́лнца. *Дон.* Садовый цветок гайлардия крупноцветная. СДГ 3, 18.

Ле́гче (поле́гче) на поворо́тах. *Разг.* Призыв, совет быть осмотрительнее, осторожнее в словах (говорится обычно в ответ на чью-л. резкость, грубость). БТС, 490, 853; ЗС 1996, 234; Глухов 1988, 80; Жук. 1991, 158; ФСРЯ, 327.

Тормози́ть на поворо́тах. *Разг.* Действовать осмотрительно, не слишком напористо, грубо при осуществлении чего-л., выполнении какой-л. работы. БМС 1998, 453.

ПОВОРО́ТНИК * Поворо́тник слома́лся *у кого. Жарг. мол. Шутл.* О пьяном человеке, идущем без определённой цели и делающем неожиданные повороты. Максимов, 319.

ПОВОРУ́ШКА * Лежа́ть без повору́шки. *Кар.* Лежать неподвижно. СРГК 4, 599.

ПОВЫШЕ́НИЕ * Идти́/ пойти́ на повыше́ние. *Разг.* Получать повышение по службе. БМС 1998, 453.

ПОВЯ́ЗКА * Спа́ла (упа́ла) повя́зка с глаз *у кого. Разг.* Кто-л. внезапно узнал правду, понял, что до сих пор ошибался, заблуждался. БТС, 855.

Носи́ть повя́зку на глаза́х. *Разг.* Заблуждаться, не понимать, на знать чего-л. БТС, 655; Ф 1, 335.

Снять (сорва́ть) повя́зку с глаз *у кого, чьих. Разг.* Раскрыть, прояснить, сделать известным кому-л. что-л. БТС, 855; Ф 2, 170.

ПОГА́НИК * Пога́ник верете́льный (вя́лый, кустово́й, подкусто́вный, рябо́й, ря́бый, я́сный). *Пск. Бран.* О человеке, вызывающем отрицательные эмоции, неприязнь. СПП 2001, 61.

ПОГА́НИЦА * Пога́ница вя́лая (я́сная). *Пск. Бран.* О женщине, вызывающей отрицательные эмоции, неприязнь. СПП 2001, 61.

ПОГА́НКА * Бле́дная пога́нка. *Жарг. арест., угол. Ирон.* Венерически больная женщина. Балдаев 1, 39.

Пога́нка совка́. *Разг. Пренебр.* Редакция газеты «Ленинградский рабочий» (1970-е гг.). Синдаловский, 2002, 144.

Чёрная пога́нка. *Жарг. угол.* 1. *Ирон.* Старая цыганка. 2. *Презр.* Осведомительница МВД или КГБ. Балдаев 1, 142.

Крути́ть (гнать/ прогна́ть) пога́нку. *Жарг. угол. Неодобр.* 1. Заниматься чем-л. непристойным. 2. Доставлять кому-л. неприятности. ТСУЖ, 93, 134; Балдаев 1, 211, 356.

ПОГА́НКИН * Пога́нкин зна́ет *кого, что. Пск.* Абсолютно неизвестно что-л. о ком-л., о чём-л. (Запись 1997 г.). < **Поганкин** – чёрт, дьявол.

ПОГИ́Б * Жить в поги́бе. *Сиб.* Много трудиться, выполнять тяжёлую физическую работу. ФСС, 71.

ПОГИ́БЕЛЬ * Быть на поги́бели. *Прикам.* О сильной усталости или болезненном состоянии. МФС, 76.

Согну́ть в три поги́бели *кого, что. Разг.* 1. Сильно согнуть, нагнуть или заставить нагнуться книзу кого-л., что-л. 2. Принудить, заставить кого-л. быть покорным, смирить кого-л. строгостью, притеснениями. БМС 1998, 453; БТС, 212, 855; ЗС 1996, 60, 227; ФСРЯ, 327; ДП, 398.

Согну́ться в три поги́бели. *Разг.* Сильно согнуться, сгорбиться. БТС, 855, 1345; ШЗФ 2001, 31; СПП 2001, 61.

Жива́я поги́бель. *Сиб.* Об опасной, неприятной ситуации. ФСС, 138; СФС, 71.

Пошло́ в поги́бель. *Кар.* О невзгодах, несчастьях. СРГК 4, 604.

ПОГЛЯ́Д * На погля́д. 1. *Кар., Сиб.* На вид, по внешнему виду. СРГК 4, 605; ФСС, 138. 2. *Прикам.* Напоказ, для видимости. МФС, 76. 3. *Сиб.* С целью посмотреть что-л., показать что-л. ФСС, 138.

ПОГЛЯ́ДКА * Дать на погля́дки *кому что. Сиб.* Разрешить кому-л. посмотреть на что-л. ФСС, 55.

Для погля́дки. *Прикам.* То же, что **на погляд 2. (ПОГЛЯД).** МФС, 76.

На погля́дки. *Сиб.* То же, что **на погляд 3. (ПОГЛЯД).** ФСС, 138; СРНГ 28, 358.

На погля́дку. *Ср. Урал.* То же, что **на погляд 2. (ПОГЛЯД).** СРГСУ 4, 44.

ПОГЛЯДЕ́ТЬ * Жаль погляде́ть. *Кар.* 1. *Одобр.* О чём-л. красивом, приятном на вид. 2. *кому.* О чувстве зависти. СРГК 4, 605.

ПОГЛЯЖЕ́НЬЕ * На погляже́нье. *Кар.* На память. СРГК 4, 605.

ПОГОВО́РОЧКА * Лебезли́вая погово́рочка. *Орл. Шутл.* О любезном, обходительном в разговорах человеке. СРНГ 16, 304.

ПОГО́ДА * Больша́я пого́да. *Волог., Прикам.* Буря, ненастье. СВГ 1, 38; МФС, 76.

Дурна́я пого́да. *Пск.* Плохое настроение. ПОС 10, 52.

Ли́сья пого́да. *Арх., Сиб.* Дождь с солнцем. СРНГ 17, 61.

Несёт пого́да. *Яросл.* Идёт снег. ЯОС 6, 141.

Омулёвая пого́да. *Сиб.* Пасмурное осеннее время с моросящим дождем (во время ловли омуля). СРНГ 23, 205.

Пе́рвая пого́да. *Кар.* О первом снеге. СРГК 4, 609.

Пого́да лома́ется (слома́лась). *Прикам., Яросл.* Об ухудшении погоды. МФС, 76; ЯОС 8, 19.

Пого́да пла́чет. *Кар.* Идёт дождь. СРГК 4, 530.

Пого́да сдо́хла. *Жарг. спорт. (д/пл.).* О прекращении термической активности, прекращении действия восходящих потоков. БСРЖ, 443.

Пого́да сине́ет. *Сиб.* Собирается дождь. ФСС, 139.

Пого́да снег не заду́ла. *Сиб.* Совсем недавно, только что. ФСС, 139.

Пого́да помира́ет. *Пск.* Об очень сухой, жаркой погоде без дождей. СПП 2001, 61.

На пого́де. *Кар.* На улице, на открытом воздухе. СРГК 4, 609.

Не бьёт пого́дой. *Кар. Ирон.* Не стоит спешить, торопиться. СРГК 1, 93.

Де́лать пого́ду. 1. *Разг.* Иметь решающее значение в каком-л. деле, определять его ход, влиять на его течение. БМС 1998, 454; БТС, 856; ШЗФ 2001, 63; ФСРЯ, 327. 2. *Жарг. угол.* Воровать. Балдаев 1, 106. 3. Совершать частые кражи. Балдаев 1, 106.

Залива́ть пого́ду. *Кар.* Устраивать обед с целью магического воздействия на погоду. СРГК 2, 149.

Лома́ть пого́ду. *Жарг. авиа.* Распивать спиртное с тостами за улучшение погодных условий. (Запись 2001 г.).

На пого́ду. *Кар.* К сырой, дождливой погоде. СРГК 4, 608.

Определя́ть пого́ду. *Разг.* То же, что **делать погоду 1.** Ф 2, 18.

Попа́сть под пого́ду. *Новг.* Испортиться. НОС 8, 115.

Не де́лать пого́ды. *Разг.* Не иметь никакого значения для чего-л. БМС 1998, 454.

ПОГОЛО́СКА * Пошла́ поголо́ска *о чём. Волг.* Стало известно о чём-л. тайном. Глухов 1988, 123.

ПОГО́Н[1] * Ме́рить на свой пого́н *кого. Разг. Устар.* Судить о ком-л. односторонне, субъективно. Ф 1, 295.

Пого́н со звёздами. *Жарг. угол.* Офицер милиции. Максимов, 154, 319.

Прико́рмленный пого́н. *Жарг. угол. Ирон.* О подкупленном работнике милиции. Максимов, 319.

С пого́нами. *Разг. Шутл.* В положении, когда ноги женщины находятся на плечах партнера (о совершении полового акта). УМК, 162.

ПОГО́Н[2] * Гнать/ погна́ть на пого́н *кого. Сиб.* Грубо выгонять кого-л. ФСС, 43, 139.

ПОГО́НКА * Дава́ть/ дать пого́нку *кому. Диал.* Гнать кого-л. куда-л. Мокиенко 1990, 110.

ПОГО́НЩИК * Пого́нщик ослов. *Жарг. шк. Ирон. или Пренебр.* Учитель физкультуры. БСРЖ, 443.

ПОГОРЕ́ЛО * Дать на погоре́ло *кому. Кар.* Оказать помощь погорельцам. СРГК 4, 612.

ПО-ГО́РНИЧНОМУ * Ка́шлять пого́рничному. *Новг. Ирон.* Жить по городским обычаям в деревне. НОС 4, 35.

ПОГО́СТ * Пого́ст на плече́ стои́т *у кого. Яросл.* Об очень старом человеке. ЯОС 8, 19.

Выводи́ть/ вы́вести к пого́сту *кого. Кар.* Выдавать замуж девушку в деревню с церковью. СРГК 4, 613.

Выходи́ть/ вы́йти к пого́сту. *Кар.* Выходить замуж в деревню с церковью. СРГК 4, 613.

ПО́ГРЕБ[1] * **А́томный (я́дерный) по́греб.** *Публ.* О запасах ядерного оружия на какой-л. территории и связанных с этим опасностях. НРЛ-81; Мокиенко 2003, 76.

Порохово́й по́греб. *Публ.* О том, что грозит неожиданной катастрофой, военными бедствиями. Ф 2, 53; Мокиенко 2003, 77.

Из по́греба видне́е. *Волг. Ирон.* О плохом, поверхностном знании чего-л. Глухов 1988, 57.

ПО́ГРЕБ[2] * **По́гребу нет** *чему. Яросл.* О большом количестве чего-л. ЯОС 8, 19.

ПОГРЕМУ́ШКА * Перебира́ть погрему́шки (перебиру́шки). См. **ПЕРЕБИРУШКА.**

ПОГРОМУ́ШКА * Перебира́ть погрому́шки (перебиру́шки). См. **ПЕРЕБИРУШКА.**

ПОГУ́ДКА * Ста́рая погу́дка. *Разг. Устар.* О чём-л. давно известном, повторяемом. ЗС 1996, 339.

ПОДА́ЛЬШЕ * Иди́ (пошёл ты) куда́ [-нибудь] пода́льше! *Прост. Бран.* Требование уйти, удалиться. Мокиенко, Никитина 2003, 262.

Посыла́ть/ посла́ть [куда́] пода́льше *кого. Прост. Шутл.-ирон.* Ругать, бранить кого-л., выражать желание избавиться от кого-л. Глухов 1988, 131; Мокиенко, Никитина 2003, 262.

ПОДА́ЛЬШЕ * Посла́ть пода́льше *кого. Прост.* Грубо обругать кого-л. ФСРЯ, 346.

ПОДА́РОК * Не пода́рок. *Разг. Неодобр.* 1. О человеке с неуживчивым, трудным характером. 2. О чём-л. неприятном, скверном. НСЗ-80; Мокиенко 2003, 77.

Подари́ть це́нный пода́рок *кому. Разг. Шутл.-ирон.* Дать взятку кому-л. Немировская, 481.

Це́нный пода́рок. *Разг. Шутл.-ирон.* Взятка. Немировская, 481.

ПОДА́ЧА * Быть в пода́че. *Разг.* Ожидать окончания оформления документов на выезд из страны, поданных в ОВИР. Елистратов 1994, 338.

С пода́чи *чьей, кого.* 1. *Жарг. мол., Разг.* По чьему-л. совету, указанию (делать что-л.). Югановы, 208. < Первонач. – от спортивных игр (теннис, волейбол, хоккей и др.), где *подача* - введение мяча в игру или передача мяча партнёру. 2. *Жарг. шк.* По чьей-л. подсказке, благодаря чьей-л. подсказке. Никитина 2003, 515.

ПОДБЕ́Г * С подбе́гом. *Дон.* Чередуя ходьбу с бегом. СДГ 3, 20.

ПОДВА́Л * Завали́ть подва́л. *Жарг. мол.* Замолчать. Максимов, 136.

ПОДВЕ́СКА * Подве́ски с волоса́ми. *Жарг. мол. Шутл.* Мошонка. УМК, 163; Балдаев 1, 324; ББИ, 178.

ПОДВЕЧЁРКИ * По́здние подвечёрки. *Дон.* Шесть – семь часов вечера. СДГ 3, 21.

Ра́нние подвечёрки. *Дон.* Три – четыре часа дня. СДГ 3, 21.

ПО́ДВИГ * По́двиг разве́дчика. *Жарг. шк. Шутл.* 1. Подсказка на контрольной работе; подсказка на уроке в присутствии директора. ВМН 2003, 106. 2. Списывание. Максимов, 320. 3. Срыв урока кем-л. из учеников. Максимов, 320.

Соверши́ть по́двиг. *Жарг. мол. Шутл.* Сходить в туалет. Вахитов 2003, 169.

Геркуле́совы по́двиги. *Книжн.* То же, что подвиги Геракла. БМС 1998, 454.

По́двиги Гера́кла (Геркуле́са). 1. *Книжн.* Работа, требующая неимоверных усилий. < Из древнегреческой мифологии. БМС 1998, 454. 2. *Жарг. арм. Шутл.-ирон.* Об упражнениях солдата на спортивной перекладине. Максимов, 320.

ПОДВО́Д * Де́лать/ сде́лать подво́д. *Жарг. угол.* 1. Указать на объект кражи. Балдаев 1, 324; ББИ, 178. 2. Заручаться поддержкой властей в каком-л. деле. Хом. 2, 326.

ПОДВО́ДА * Нереза́ть подво́ду *кому. Яросл.* Назначать отбывание натуральных повинностей. ЯОС 6, 110; СРНГ 20, 123.

Гоня́ть в подво́ды. *Кар.* Посылать, перевозить грузы на телегах. СРГК 4, 617.

ПОДВОРО́ТНЯ * Революцио́нная подворо́тня. *Жарг. мол. Шутл.* Арка Главного штаба, из-под которой революционные матросы бросились на штурм Зимнего дворца в 1917 г. Синдаловский, 2002, 157.

ПОДВЯ́ЗКА * Подвя́зка для помидоров. *Жарг. мол. Шутл.* Бюстгалтер. Максимов, 320.

За́ячьи подвя́зки. *Перм.* Растение плаун булавовидный. СГПО, 455.

Не той подвя́зки. *Кар.* Не похожий на кого-л., не такой, как кто-л. СРГК 4, 619.

ПОДГОЛО́СКИ * Брать/ взять на подголо́ски. *Одесск.* Петь песню на разные голоса. КСРГО.

ПОДДАВКИ́ * Игра́ть в поддавки́. *Разг.* Сознательно уступать кому-л. в чём-л. Мокиенко 1990, 153; ЗС 1996, 368; СФС, 46; Ф 1, 216.

ПОДДЕ́РЖКА * Для подде́ржки штано́в. *Перм. Шутл.* В качестве минимальной помощи, поддержки. Подюков 1989, 233.

Де́лать подде́ржку *кому. Кар.* Оказывать материальную помощь кому-л. СРГК 1, 444.

ПОДДУВА́ЛО * Закро́й поддува́ло, [кишки́ просту́дишь]! *Прост. Груб.* Требование замолчать. Быков, 154; Глухов 1988, 48.

Заткну́ть поддува́ло. *Прост. Груб.* Замолчать. СПП 2001, 61; Мокиенко, Никитина 2003, 262.

Прочища́ть/ прочи́стить поддува́ло *кому. Прост.* Прибегать к крайним мерам воздействия, заставляя кого-л. изменить образ мыслей. Ф 2, 103.

ПОДДЫ́РОК * Надава́ть поддырков *кому. Кар.* Избить кого-л. СРГК 4, 628.

ПОДДЫ́ШКА * На подды́шку. *Яросл.* На горячие угли во время топки печи. ЯОС 6, 78.

ПОДЁРГ * С подёргом. *Разг.* 1. Резкими движениями, рывками. 2. Резко, отрывисто (кричать – о птицах). БТС, 865.

ПОДЕРГУ́ШКИ * Быть на подергу́шках. *Прикам.* Выполнять чьи-л. мелкие поручения. СРНГ 28, 3.

ПОДЖИ́В * Идти́ на поджи́в. *Р. Урал.* Заживать (о ране). СРНГ 28, 8.

ПОДЖИВО́ТНИК * Дать подживо́тника *кому. Сиб.* Ударить кого-л. в живот. СРНГ 28, 8.

ПО́ДЖИ́ЛКИ * По́джи́лки дрожа́т (дры́гают). 1. *Прост.* То же, что **поджилки трясутся.** ЗС 1996, 63; ПОС 10, 20; Ф 2, 56. 2. *Пск.* О состоянии сильной усталости. СПП 2001, 61.

Поджи́лки трясу́тся *у кого. Разг.* О состоянии сильного страха, испуга. ФСРЯ, 329; СПП 2001, 61.

Поджи́лки че́шутся *у кого. Новг.* О том, кто собирается в дорогу. НОС 8, 31.

ПОДЖИМ * С поджи́мом. *Ленингр.* Об облегающей одежде. СРНГ 28, 10.

ПОДЗАДО́Р * На подзадо́р. *Кар.* На условиях пари, на спор. СРГК 4, 630.

ПОДЗАЛЁТ * Уходи́ть/ уйти́ в подзалёт. *Жарг. мол.* Начинать пить спиртное в большом количестве. Аврора, 1988, № 12, 74.

ПОДЗЕМЕ́ЛЬНЫЙ * Всё подземе́льное. *Калуж.* Все подробности (узнать). СРНГ 28, 16.

ПОДЗО́Р * С подзо́ром. *Сиб.* Подозрительно. СРНГ 28, 19.

ПОДЗУБА́ЛЬНИК * Щёлкать подзуба́льником. *Жарг. мол. Неодобр.* Упускать шанс, быть растяпой. Елистратов 1994, 340. < **Подзубальник** – челюсть.

ПОДЗУ́БНИК * Дава́ть подзу́бники *кому. Смол.* Бить, колотить кого-л. СРНГ 28, 21.

ПОДКЛЕ́Т * Вести́ (класть) на подкле́т *кого. Прикам., Сиб.* Провожать жениха и невесту на брачное ложе. МФС, 17; ФСС, 93.

ПОДКО́ВА * Класть на подко́ву. *Смол.* Дарить что-л. невесте на свадьбу. СРНГ 28, 38.

Найти́ подко́ву. *Волг.* О везении, неожиданной удаче. Глухов 1988, 90.

ПОДКОВЫ́РКА * С подковы́ркой. *Прост. Неодобр.* Со стремлением задеть, уязвить кого-л. словом. БМС 1998, 454.

ПОДКОЛЕ́ННИК * Дать подколе́нника *кому. Диал.* Ударить кого-л. Мокиенко 1990, 47.

ПОДКО́ЛКА * Сади́ть подко́лки. *Жарг. мол.* Иронизировать, издеваться, шутить над кем-л. Елистратов 1994, 341.

ПОДКОП * Подкопа́ть подко́п. *Беломор.* Навредить кому-л. интригами, происками. СРНГ 28, 43.

ПОДЛЕ́ЩИК * Дать подле́щика *кому. Пск. Шутл.* Ударить кого-л., дать затрещину кому-л. СПП 2001, 61; Мокиенко 1990, 61, 159.

ПОДЛИ́ВА * Гоня́ть подли́ву. *Жарг. мол.* Фантазировать, рассказывать небылицы. Кор., 76.

ПО́ДЛОСТЬ * Примени́тельно к по́длости. *Книжн.* Беспринципно, приспособленчески. < Из сатирической сказки М. Е. Салтыкова-Щедрина «Либерал» (1885 г.). БМС 1998, 454.

ПОДЛЯ́К * В подля́к *кому что. Жарг. мол.* Кому-л. не хочется делать что-л., противоречащее его моральным установкам. БСРЖ, 447.

ПОДЛЯ́НА * Подля́на на подля́ну. См. **Подлянка на подлянку** (**ПОДЛЯНКА**).

ПОДЛЯ́НКА * Подля́нка (подля́на) на подля́нку (подля́ну). *Жарг. угол.* Месть за нанесённое оскорбление, обиду. Мильяненков, 198; Хом. 2, 177.

Де́лать/ сде́лать (гнуть, кида́ть/ ки́нуть, подкла́дывать/ подложи́ть) подля́нку *кому. Жарг. мол. Неодобр.* Доставлять кому-л. неприятности. Никитина 1998, 329; Югановы, 172.

Спуска́ть/ спусти́ть подля́нку на подля́нку. *Жарг. арест.* Стравливать две группы заключённых. Балдаев 2, 57.

Сыгра́ть подля́нку *с кем. Жарг. мол. Неодобр.* Обмануть, предать кого-л. Елистратов 1994, 341.

ПОДМА́З * Подма́з бли́нный. *Оренб.* Льстивый, угодливый человек. СРНГ 28, 73.

ПОДМА́ЗКА * Без подма́зки в ду́шу влезет. *Народн.* О лицемерном, льстивом человеке. ДП, 661.

ПОДМЁТКА * В подмётки не годи́тся *кому. Разг.* Значительно хуже в сравнении с кем-л., уступает кому-л. в каком-л. отношении. ФСРЯ, 330; БТС, 213, 871; ШЗФ 2001, 31; ЗС 1996, 30; ДП, 232, 427; Янин 2003, 49; БМС 1998, 455.

На подмётки не годи́тся. *Яросл. Презр.* О незначительном, никчёмном человеке. СРНГ 28, 80.

Подмётки не сто́ит *чьей. Разг.* То же, что **в подметки не годится.** ДП, 471; ФСРЯ, 330.

Рвать подмётки. *Пск. Прост. Шутл.* Быстро убегать откуда-л. СПП 2001, 61.

ПОДМО́СТКИ * Вступа́ть/ вступи́ть на подмо́стки. *Разг.* Начинать деятельность актёра. Ф 1, 86.

ПОДНОГО́ТНАЯ * Узнава́ть/ узна́ть всю подного́тную. *Разг.* Узнавать все тщательно скрываемые мельчайшие подробности чего-л. ДП, 200; ШЗФ 2001, 84; ФМ 2002, 351; БМС 1998, 455; СРГК 1, 204; Ф 2, 217; Мокиенко 1989, 54-55; Мокиенко 1990, 82.

ПОДНО́ЖКА * Дава́ть/ дать подно́жку *кому. Разг.* Исподтишка, с умыслом вредить, мешать кому-л. ФСРЯ, 124.

ПОДНО́ЖЬЕ * Ходи́ть по подно́жью. *Сиб. Неодобр.* Распутничать. Мокиенко, Никитина 2003, 263.

ПОДНО́С * Находи́ться (быть) на подно́се. *Жарг. угол.* Истратить все деньги. ТСУЖ, 116.

Носи́ть с подно́сом *что. Ряз.* Снабжать, обеспечивать кого-л. чем-л. СРНГ 28, 104.

ПОДНЯ́ТЬ * Подня́ло бы да шлёпнуло *кого! Свердл. Бран.* Недоброе пожелание, проклятие в чей-л. адрес. СРНГ 28, 99.

ПОДНЯ́ТЬСЯ * Подня́ться жить. *Беломор.* Стать зажиточным. СРНГ 28, 100.

ПОДО́БИЕ * Бле́дное подо́бие ге́ния. *Жарг. шк. Шутл.-ирон.* Об ученике, который всё заучивает наизусть. Максимов, 36.

ПОДОВИ́ННИК * Ста́рый подови́нник. *Перм. Ирон. или Пренебр.* Немолодой холостой мужчина. СГПО, 460; СРНГ 28, 109; МФС, 76. < **Подовинник** – длинное сухое полено, используемое для отопления овина.

ПОДОГРЕ́В * Подогре́в медве́жий. *Жарг. арест., нарк.* Гашиш, употребляемый осуждёнными в лесных ИТУ. ТСУЖ, 136.

ПОДОЖДА́НКА * На подожда́нку. *Кар.* Перед отъездом, перед расставанием. СРГК 4, 652.

ПОДОЖО́К * Выпить на подожо́к. *Костром.* О выпивании последней рюмки спиртного перед уходом. СРНГ 28, 112.

ПОДОЙТИ́ * Не подошло́, не подвело́. *Коми.* О несложившейся семейной жизни супругов. Кобелева, 72.

ПОДО́К * Поста́вить оси́новый подо́к *кому. Забайк.* Окончательно обезвредить кого-л., покончить с кем-л. СРНГ 28, 110.

ПОДОКО́ННИК * Пойти́ по подоко́ннику. *Пск. Ирон.* Начать нищенствовать, просить милостыню. СПП 2001, 61.

ПОДОКО́НЬЕ * Ходи́ть/ пойти́ по подоко́нью. *Нов., Олон., Перм., Ср. Урал., Сиб.* Попрошайничать, просить милостыню. НОС 8, 44; СРНГ 28, 115; Подюков 1989, 223; СРГСУ 4, 60; СФС, 197.

ПОДО́Л * Крути́ть/ крутну́ть подо́лом. *Прост.* Флиртовать, кокетничать вести себя легкомысленно. Ф 1, 266.

Мелька́ть подо́лом. *Морд. Неодобр.* Бездельничать, ходить без дела. СРГМ 1986, 22.

Мести́ подо́лом. *Прост. Неодобр.* Вести себя легкомысленно или распутно. Ф 1, 296.

Намочи́ть подо́л *кому. Народн. Неодобр.* Обесчестить девушку, лишить её невинности. Мокиенко, Никитина 2003, 263.

[Подобра́ть] подо́л в зу́бы. *Волг., Перм.* О быстром, стремительном уходе, побеге откуда-л. Глухов 1988, 126; СРНГ 28, 116; СГПО, 461; Ф 2, 59.

Подо́л не чи́стый *у кого. Р. Урал.* О супружеской неверности. СРНГ 28, 116.

Расподтыка́ть подо́л. *Кар.* Много работать, заниматься тяжёлым трудом. СРГК 5, 457.

Трепа́ть подо́л. *Прост. Презр.* Вести распутный образ жизни; распутничать (о женщине). Мокиенко, Никитина 2003, 263; Ф 2, 208.

Приноси́ть/ принести́ в подо́ле. 1. *Прост. Неодобр.* Рожать ребёнка не будучи замужем. СРНГ 28, 116; СРНГ 35, 108; СПП 2001, 61; Ф 2, 92; Глухов 1988, 133; Подюков 1989, 162; БотСан, 110. 2. *Жарг. мол.* Совершать неожиданный, удивляющий окружающих поступок. Никитина 2003, 520.

Быть с гря́зным подо́лом. *Р. Урал. Неодобр.* Иметь плохую репутацию. СРНГ 28, 116.

Вы́пахать подо́лом *что. Пск.* Полностью собрать ягоды, грибы на какой-л. территории. ПОС 6, 29.

Кади́ть гря́зным подоло́м. *Пск. Неодобр.* Распространять ложные слухи, сплетничать. ПОС 13, 375.

Корми́ться подо́лом. *Кар.* Жить милостыней, подаянием. СРГК 2, 431.

Крути́ть/ крутну́ть подо́лом. *Прост. Пренебр.* Флиртовать, кокетничать с кем-л. Мокиенко, Никитина 2003, 263.

Мести́ подо́лом. *Прост. Пренебр.* Вести себя легкомысленно или распутно (о женщине). Мокиенко, Никитина 2003, 263–264; Подюков 1989, 113.

Сиде́ть под подо́лом. *Арх., Пск.* Не проявлять самостоятельности, во всём подчиняться женщине (жене, матери). СРНГ 28, 116.

Трясти́ подо́лом. *Р. Урал.* Вести себя предосудительно (о женщине). СРНГ 28, 116; Подюков 1989, 206; Мокиенко, Никитина 2003, 264.

Ходи́ть за подо́лом. *Р.Урал.* Ухаживать за девушкой. СРНГ 28, 116.

ПОДОПЛЕ́ЧЬЕ * **Ове́чье подопле́чье.** *Новг., Олон. Бран.* О человеке, вызывающем отрицательные эмоции. СРНГ 28, 120. < **Подоплечье** – подкладка под верхнюю часть мужской рубахи; крестьянский кафтан.

ПОДОРО́ЖНАЯ * **Пора́ получа́ть подоро́жную** *кому. Новг.* О слабом, близком к смерти человеке. Сергеева 2004, 194.

ПОДО́ШВА * **Отби́ть подо́шву.** *Сиб.* Устать, утомиться от долгой ходьбы. ФСС, 128.

До подо́швы. *Пск.* Всё до конца, всю правду (рассказать). СПП 2001, 61.

На подо́швы не годи́тся *кому. Волог.* То же, что **в подметки не годится (ПОДМЁТКА).** СРНГ 28, 126.

Нача́ть с подо́швы. *Костром.* Начать с самого начала. СРНГ 28, 126.

Оторви́ подо́швы. *Р. Урал. Шутл.* О большом любителе плясать, танцевать. СРНГ 28, 126.

С подо́швы. *Моск.* С младенчества. СРНГ 28, 126.

ПОДПЕ́КАННИК * **Дать подпе́канников** *кому. Олон.* Отхлестать по щекам, надавать пощечин кому-л. СРНГ 28, 133. < **Подпеканник** – пирог, пирожок.

ПОДПЕРЕ́ШНИК * **Отпусти́ть подпере́шник.** *Р. Урал.* Потревожить спящего, чтобы он перестал храпеть. СРНГ 28, 134. < **Подперешник** – ремень, поддерживающий оглобли.

ПОДПИ́НКА * **С подпи́нкой.** *Забайк.* О хитром, ловком, предприимчивом человеке. СРНГ 28, 136.

ПОДПЛЯ́СКА * **В подпля́ску.** *Алт.* В одном ритме с другими (бить цепом). СРГА 1, 69.

ПОДПО́ЛЬЕ * **Уходи́ть/ уйти́ в подпо́лье.** 1. *Разг.* Переходить на нелегальное положение. Ф 2, 225. 2. *Разг. Шутл.-ирон.* Скрыться, спрятаться от кого-л., законспирироваться. Вахитов 2003, 185. 3. *Жарг. шк. Шутл.* Какое-то время не посещать школу по болезни. Максимов, 322. 4. *Жарг. гом. Шутл.* Забраться под одеяло для совершения орального сношения. Кз., 61.

ПОДПО́РИНА * **Подпо́рина (подпо́рица) каба́цкая.** *Олон. Неодобр.* Завсегдатай кабака, пьяница. СРНГ 28, 146.

ПОДПО́РКИ * **Подпо́рки щу́пать.** *Жарг. арест.* Готовиться к побегу из мест лишения свободы. Балдаев 1, 328; ББИ, 181; Мильяненков, 198.

ПОДПОРУ́ЧИК * **Подпору́чик Киже́.** *Книжн. Ирон.* 1. О человеке, в действительности не существующем, но принимаемом за реальное лицо вследствие какого-л. недоразумения или обмана. 2. Символ холодного, казённого отношения к окружающей жизни. < Восходит к историческому анекдоту, связанному с ошибкой Павла I при чтении приказа. БМС 1998, 455.

ПОДПРУ́ГА * **Подпру́га отстегну́лась.** *Жарг. ипподр. Шутл.* О внезапной эрекции у коня в самый неподходящий момент. БСРЖ, 449.

Отпуска́ть подпру́ги. *Волг.* Ослаблять контроль, требования к кому-л. Глухов 1988, 1988, 120.

Подтяну́ть подпру́ги. *Волг.* Усилив контроль, ограничив свободу действий, добиться покорности, послушания от кого-л. Глухов 1988, 126.

ПОДПЫ́Л * **Подда́ть подпы́лу.** *Смол.* Вывести из себя, разозлить кого-л. СРНГ 28, 153.

ПОДРУ́ГА * **Подруга дней мои́х суро́вых.** *Жарг. шк.* Тетрадь. (Запись 2003 г.).

Подру́га жи́зни. *Книжн.* Жена, супруга. ФСРЯ, 332; БТС, 306.

Жить в подру́гах. *Арх., Волог.* Жить с мужем без регистрации. СРНГ 28, 164.

ПО́ДРУКИ * **За по́друки.** *Кар.* Под руку (вести, идти). СРГК 4, 666.

ПОДРУ́ЧНИК * **Стоять в подру́чниках** *у кого. Енис.* Пользоваться чьей-лю протекцией, покровительством. СРНГ 28, 166.

ПОДРУ́ЧНЫЙ * **Подру́чный Иу́ды Тро́цкого.** *Публ. Презр.* О Н. И. Бухарине. Купина, 76.

ПОДРЯ́Д * **Лома́ть подря́д.** *Кар.* Интенсивно работать. СРГК 3, 142.

С подря́дом. *Кар.* Усердно. СРГК 4, 667.

ПОДРЯ́СИВКА * **С подря́сивкой.** *Новг.* Больше, чем следует (получить). НОС 8, 100.

ПОДСЕЛЁННАЯ * **Во всю подселённую.** *Яросл.* Очень громко (кричать). ЯОС 2, 37; Мокиенко 1986, 49.

Обойти́ всю подселённую. *Прикам.* Много путешествовать, побывать во многих местах. МФС, 67.

ПОДСЕМЕ́НЬКИ * **Подсеме́ньки беру́т.** *Новг.* 1. О состоянии сильного волнения, страха. 2. О состоянии зависти. НОС 8, 53.

ПОДСМЕ́ХИ * **Поднима́ть на подсме́хи** *кого. Смол.* Высмеивать кого-л. СРНГ 98, 185.

ПОДСМЕ́ШКИ * **Держа́ть на подсме́шках** *кого. Кар.* То же, что **поднимать на подсмехи (ПОДСМЕХИ).** СРГК 4, 672.

ПОДСО́ЛНУШЕК * **Бе́ленький подсо́лнушек.** *Одесск.* Ромашка. КСРГО.

ПОДСО́С * **Сиде́ть (быть) на подсо́се.** 1. *Жарг. угол., арест.* Голодать. Балдаев 2, 38. Быков, 157; Р-87, 290; Росси 2, 290. 2. *Жарг. угол., арест., мол.* Испытывать недостаток чего-л. Балдаев 1, 271; Максимов, 132. // *Жарг. нарк.* Испытывать острую нехватку наркотика. Бен, 90. 3. *Жарг. мол.* Играть второстепенную роль в чём-л.; быть подручным. Елистратов 1994, 343.

ПОДСТА́ВОК * Свиня́чий подста́вок. *Дон. Пренебр.* О человеке маленького роста. СДГ 3, 104.

ПОДСТАНО́ВКА * Ла́вочная подста́новка. *Пск.* Шутл. О женщине маленького роста. СПП 2001, 61.

ПОДСТИ́ЛКА * Неме́цкая подсти́лка. *Жарг. лаг. Презр.* Девушка или женщина, сожительствовавшая с немцем во время войны либо подозреваемая в этом. < Сроки осуждения таких заключённых — 10 лет «за сотрудничество с оккупантом». Мокиенко, Никитина 2003, 264.

Тата́рская подсти́лка. *Жарг. Презр.* О некрасивой и распущенной женщине. Мокиенко, Никитина 2003, 264.

Христо́ва подсти́лка. *Сиб.* Трава Antennoria dionica Gartn. ФСС, 141.

ПОДСУДИ́МЫЙ * Подсуди́мый в суде́. *Жарг. шк. Шутл.-ирон.* Ученик, сидящий на первой парте. Максимов, 323.

ПОДСУ́МОК * Подсу́мок технаря́. *Жарг. угол.* Поясная сумка для воровских инструментов и отмычек, иногда со взрывчаткой. Балдаев 1, 331; ББИ, 181.

ПОДТЕ́ЧЬ * Дожи́ть до подте́чи. *Р. Урал.* Разориться. СРНГ 28, 215.

ПОДТИ́РКА * Подти́рка сковоро́дная. *Новг. Бран.* О человеке, вызывающем отрицательные эмоции, неприязнь. СРНГ 28, 216.

ПОДУ́МУШКА * Поду́мушки не ду́мать. *Сиб.* Удивляться, недоумевать по какому-л. поводу. СРНГ 11, 312.

Поду́мушки не знать. *Курган.* Теряться в догадках, ничего не знать о чём-л. СРНГ 28, 228.

ПОДУ́ШКА * Свали́ться с поду́шек. *Арм., курс. Шутл.* Встать с постели. Кор., 252.

Поду́шка не просыха́ет *у кого. Разг.* О человеке, который постоянно расстраивается, нервничает, плачет. Глухов 1988, 126.

Поду́шка под голово́й не ве́ртится *у кого. Народн.* О человеке с чистой совестью. ДП, 305; Подюков 1989, 153.

Везти́ поду́шки. *Дон.* Перевозить приданое невесты в дом жениха. СДГ 3, 29.

От поду́шки до поду́шки. *Рост.* С раннего утра до позднего вечера. СРНГ 28, 231.

Дави́ть/ придави́ть поду́шку. *Прост. Шутл.* Спать. Ф 2, 89.

Лома́ть поду́шку. *Прост.* То же, что **мять подушку 1**. ФСРЯ, 232; Максимов, 263; Ф 1, 285.

Мять поду́шку. 1. *Прост.* Спать, отдыхать лёжа. ФСРЯ, 232; Максимов, 263. 2. *Яросл.* Кататься по неокрепшему льду, который прогибается под ногами. ЯОС 6, 75.

Придавить поду́шку. *Прост. Шутл.* Поспать какое-то время. Ф 2, 89.

Уда́риться в поду́шку. *Жарг. мол. Шутл.* Заплакать. Вахитов 2003, 185.

ПОДХВА́Т * Быть на подхва́те. 1. *Прост.* Быть готовым к выполнению любого поручения, задания. БТС, 885. 2. *Прост.* Играть второстепенную роль в чём-л. Мокиенко 2003, 77. 3. *Жарг. угол.* Быть помощником авторитетного вора. Р-87, 291.

ПОДХО́Д * Подойти́ подхо́дом *к кому. Волг., Дон.* Найти общий язык с кем-л., расположить кого-л. к себе, уладить дело. Глухов 1988, 126; СДГ 3, 29; СРНГ 28, 239.

На подхо́де. *Разг.* Совсем близко. Ф 2, 61; Мокиенко 2003, 77.

Подхо́ду не име́ть. *Сиб. Неодобр.* 1. Быть нетактичным. 2. Быть бестолковым. ФСС, 88.

ПОДШИ́Б * На подши́бе. *Амур.* На подённой работе. СРНГ 28, 255.

ПОДШИ́ПНИК * Головно́й подши́пник гре́ется *у кого. Перм. Ирон.* О состоянии похмелья. Подюков 1989, 205.

ПОДЪЕ́ЗД * Раскры́ть подъе́зд. *Прост. Неодобр.* Смотреть на кого-л. с раскрытым ртом; стоять, раскрыв рот. УМК, 164.

ПОДЪЁМ * Выезжа́ть на подъём. *Алт.* Выходя замуж, уезжать в дом жениха. СРГА 1, 185.

Лёгок на подъём. *Разг.* 1. О человеке, с лёгкостью, охотой отправляющегося куда-л. 2. О человеке, с лёгкостью, охотно принимающемся за что-л. ФСРЯ, 221; БТС, 490; ЗС 1996, 498.

Набра́ть подъём. 1. *Жарг. карт.* Иметь на руках выигрышные карты. Балдаев 1, 331; ББИ, 181; Мильяненков, 199. 2. *Жарг. угол.* Иметь успех, быть удачливым. Балдаев 1, 331; ББИ, 181; Мильяненков, 199.

Тяжёлый (тяжёл) на подъём. *Разг.* 1. О человеке, с трудом, с неохотой отправляющемся куда-л. 2. О человеке, с трудом, с неохотой принимающемся за что-л. ФСРЯ, 485; БТС, 1359; ЗС 1996, 490; ДП, 493.

Не пойти́ по подъёму. *Сиб.* Не удаться, не сложиться (о жизни, замужестве и т. п.). ФСС, 142.

ПОДЫ́М * Не в поды́м. *Одесск.* Об очень тяжёлом грузе, ноше. КСРГО.

ПОЕ́Д * Заеда́ть на пое́д *кого. Сиб.* То же, что **есть поедом**. ФСС, 77.

Есть/ зае́сть (съесть) по́едом *кого. Прост. Неодобр.* Изводить кого-л. бесконечными попрёками, замечаниями, непрестанно бранить кого-л. БМС 1998, 456; БТС, 887; ШЗФ 2001, 73; ФСРЯ, 333; ФСС, 77; СПП 2001, 61; Мокиенко 1986, 104; Глухов 1988, 41; СФС, 183.

ПО́ЕЗД * Держа́ть по́езд. *Жарг. угол.* Совершать кражи в поездах. ТСУЖ, 47.

Кра́сный по́езд. *Яросл.* 1. Свадебный поезд жениха в дом невесты в день свадьбы. 2. Свадебный поезд, везущий новобрачных. ЯОС 5, 86.

Лени́вый по́езд. *Влад. Шутл.-ирон.* Товарно-пассажирский поезд. СРНГ 16, 353.

Обжо́рный по́езд. *Смол.* Свадебный поезд невесты с приданым, прибывающий в дом жениха во время венчания молодых в церкви. СРНГ 22, 49.

По́езд ушёл. *Разг. Шутл.-ирон.* О ситуации, когда поздно что-л. предпринимать. НСЗ-70; Вахитов 2003, 137; Мокиенко 2003, 77–78.

Хра́брый по́езд. *Дон.* Вереница повозок с участниками свадебного обряда. СДГ 3, 182.

Отстава́ть/ отста́ть от по́езда. *Спорт. (л/атл.).* Отставать от основной группы бегунов. РТР, 12.07.97.

На сквозном по́езде. *Горьк.* Не меняя лошадей (преодолевать какое-л. расстояние). БалСок, 35.

Тяну́ть/ протяну́ть по́ездом *кого. Жарг. угол.* Совершить групповое изнасилование. УМК, 165; Балдаев 2, 92.

ПОЕ́СТЬ * Есть на пое́ст *кого. Сиб.* То же, что **есть поедом (ПОЕД)**. ФСС, 68.

ПОЖА́ЛУЙСТА * Скажи́ пожа́луйста! *Разг.* Выражение удивления, негодования. ФСРЯ, 426.

ПОЖА́Р * Залива́ть пожа́р. *Дон.* 1. В свадебном обряде – тушить водой зажжённые платки, облитые водкой. 2. Играть в карты. СДГ 2, 7.

Не на пожа́р. *Прост.* Незачем или некуда торопиться, спешить. ФСРЯ, 333.

Пожа́р в джу́нглях. *Жарг. мол. Шутл.* Яркий оранжевый галстук (у стиляг и неостиляг). МК, 13.08.92.

Туши́ть пожа́р. *Жарг. мол.* 1. Утолять жажду с похмелья. Вахитов 2003, 110. 2. Заканчивать разговор, замолкать. Максимов, 433.

По́сле пожа́ра да за водо́й (да по́ воду). *Народн. Ирон.* О запоздалой реакции, запоздалом ответном действии. ДП, 640.

Быть в пожа́ре. *Жарг. нарк., мол.* Находиться в состоянии наркотической эйфории или сильного алкогольного опьянения. Грачев 1994, 25; Грачев 1996, 53; Крысин 1996, 405.

Взя́ло пожа́ром. *Новг.* О чём-л. загоревшемся, сгоревшем на пожаре. НОС 1, 125.

ПОЖА́РНИК * Сдава́ть на пожа́рника. *Прост. Шутл.* Крепко и много спать. Глухов 1988, 146.

ПО́ЖЕНЬКА * Лежа́ть на по́женьке. *Пск. Неодобр.* Бездельничать. (Запись 2001 г.).

ПОЖИ́ВА * Не дава́ть пожи́вы *кому. Кар.* Мешать кому-л. жить спокойно, не давать житья кому-л. СРГК 5, 22.

ПОЖИ́ЗНЬ * На пожи́знь. *Сиб.* Пожизненно. ФСС, 141.

ПО́ЗА * По́за бегу́щего египтя́нина. *Жарг. арм.* Один из видов традиционных наказаний молодых солдат старослужащими (молодой солдат наклоняется буквой «Г» и получает сзади удар сапогом) Юность, 1991, № 7, 95.

По́за во́дного тури́ста. *Жарг. спорт. (байд.). Ирон.* Положение в полунаклоне спиной к костру. БСРЖ, 452.

Встава́ть/ встать (станови́ться) в по́зу. *Разг.* 1. Принимать нарочито эффектное положение. 2. Отказываться делать что-л. БТС, 889; Ф 1, 85; Ф 2, 184.

ПОЗАГЛА́З * Дава́ть/ дать позагла́з *что. Сиб.* Давать кому-л. что-л. во временное пользование. ФСС, 54.

ПОЗВО́ЛЬЕ * Позво́лье не позволя́ет *кому что. Сиб. Ирон.* Кому-л. не хочется что-л. делать. ФСС, 141.

ПОЗВО́ННОЕ * На позво́нное. *Брян.* Пожелание скорой смерти кому-л. СРНГ 28, 324. < **Позвонное** – плата звонарю за колокольный звон по умершему.

ПОЗВОНО́К * Гнуть позвоно́к. *Жарг. мол. Ирон.* Работать. Елистратов 1994, 345. < Образовано по модели *гнуть спину.*

ПОЗВОНО́ЧНИК * С ги́бким позвоно́чником. *Прост. Презр.* или *Ирон.* Об угодливом, льстивом человеке. НРЛ-81.

ПО́ЗДА * До по́здого по́зда. *Новг.* Допоздна. СРНГ 28, 329.

При по́зде. *Новг.* С опозданием (делать что-л.). СРНГ 28, 330.

Са́мые позды́. *Приамур., Сиб.* В самый поздний срок. СРГПриам., 212; ФСС, 141.

ПОЗДНЯ́К * Поздня́к дёргаться (мета́ться). *Жарг. мол. Шутл.-ирон.* То же, что **поезд ушел (ПОЕЗД).** Вахитов 2003, 137.

ПОЗЁМ * Тот же позём, да далеко́ везён. *Сиб. Ирон.* О том, что не стоит внимания, траты сил. СФС, 187. < **Позём** – навоз.

ПОЗИ́ЦИЯ * Сдава́ть/ сдать свои́ пози́ции. *Книжн.* Отступать, отказываться от своих принципов, мнений, слов под давлением обстоятельств. Ф 2, 146.

ПО́ЗОВ * Звать по́зовом *кого куда. Кар.* Усиленно приглашать кого-л. куда-л. СРГК 5, 33.

ПОЗО́Р * Выставля́ть/ вы́ставить на позо́р *кого, что. Разг.* Обличать кого-л. (как правило – ставя в унизительное положение). БМС 1998, 456; ШЗФ 2001, 52.

Позо́р головы́. *Ряз. Неодобр.* О чём-л. порочащем кого-л. ДС, 119.

Позо́р семьи́. *Жарг. авто. Шутл.-ирон.* 1. Автомобиль «Ока». 2. Автомобиль «Запорожец». Максимов, 324.

Заклейми́ть позо́ром *кого. Публ.* Резко обличить кого-л. (как правило – публично, призывая наказать обвиняемого). БМС 1998, 456.

Идти́ позо́ром. *Кар.* Складываться неудачно (о жизни, замужестве и т. п.). СРГК 2, 268.

Покрыва́ть/ покры́ть позо́ром *кого. Разг. Устар.* Опозоривать кого-л. Ф 2, 67.

Покрыва́ться/ покры́ться позо́ром. *Разг. Устар.* Оказываться опозоренным, обесчещенным. Ф 2, 67.

Выставля́ть на вся́кие позо́ры *кого. Сиб.* Ругать, бранить кого-л. ФСС, 39; СРНГ 28, 336.

ПОЗО́РА * Позо́ру позо́рить. *Арх.* Испытывать сильные муки. < **Позора** – мучение, беда, неприятность. СРНГ 28, 337.

ПОЗЫ́МКА * Взять на позы́мки *кого. Пск., Твер.* Поймать, схватить кого-л. СРНГ 28, 342. < **Позымка** – поимка.

ПО́ИСК * И в по́иске нет *чего. Кар.* О чём-л. полностью отсутствующем. СРГК 5, 36.

Иска́ть [с] по́иском *кого, что. Кар., Олон., Сиб.* Усиленно, тщательно, но, как правило, безуспешно искать что-л. СРГК 5, 36; СФС, 176; СРНГ 28, 350; ФСС, 141.

С по́иском не найдёшь (не найти́) *что, чего. Кар., Сиб.* О полном отсутствии чего-л. где-л. СРГК 5, 36; ФСС, 118.

ПО́ЙКО * Не по́йко ни е́дко. *Дон. Неодобр.* О невкусной пище. СРНГ 28, 353; СДГ 3, 32.

ПО́ЙЛО * Вда́ться в по́йло. *Прост. Неодобр.* Начать пьянствовать. СРНГ 28, 353.

Коро́вье по́йло. *Волг., Горьк. Пренебр.* О невкусной пище. Глухов 1988, 76; БалСок, 50.

Пить по́йло. *Прост. Неодобр.* Пьянствовать. СРНГ 28, 353.

По́йло одоле́ло *кого. Твер.* Кто-л. испытывает жажду. СРНГ 28, 353.

Пья́ное по́йло. *Дон.* Крепкий алкогольный напиток. СРНГ 28, 353.

ПОЙТИ́ * Поди́ зна́й (ищи́). *Калин., Кар.* О каких-л. неточных сведениях, о чём-л. неизвестном. СРНГ 28, 23; СРГК 4, 633.

Поди́ пожа́луй! *Кар.* Приветствие при встрече. СРГК 4, 634.

Пойди́ пове́дай. *Кар.* О чём-л. непонятном. СРГК 4, 581.

Пойти́ жить. 1. *Олон.* Остаться в живых. 2. *Перм.* Начать богатеть, становиться зажиточным. СРНГ 28, 362.

Пойти́ почита́ть. *Жарг. мол. Шутл.* 1. Выпить спиртного. Максимов, 325. 2. Отправиться в туалет. Максимов, 325.

И пошло́ и повезло́. *Кар.* То же, что **и пошло-поехало 1.** СРГК 4, 581.

И пошло́-пое́хало. *Разг.* 1. О начале какого-л. интенсивного действия, процесса. 2. *Неодобр.* О начале многословного, продолжительного и пустого разговора. Ф 2, 83.

ПОКА́КАТЬ * Пока́кает и огля́нется. *Волг. Шутл.-ирон.* Об очень жадном, скупом человеке. Глухов 1988, 128.

ПО́КАСТЬ * Де́лать на по́касть *кому что. Волог. Неодобр.* Вредить кому-л., делать что-л. во вред кому-л. < **Покасть** – вред, зло, порча. СРНГ 28, 370.

ПОКА́Т * В пока́т. Хорошо, отлично. Елистратов 1994, 345.

Говори́ть в пока́т. *Арх. Неодобр.* Пустословить; говорить лишнее. СРНГ 28, 371.

Жить в пока́т (пока́ть). *Арх. Одобр.* Жить в достатке и согласии (о супругах). СРНГ 28, 371, 375..

Пойти́ на пока́т. *Том.* О заходе солнца. СРНГ 28, 370.

Пошло́ в пока́т. *Пск. Твер.* О громком, безудержном смехе. СРНГ 28, 374.

Смея́ться в пока́т. *Арх.* Громко, весело смеяться, хохотать. СРНГ 28, 371.

По́катом ката́ться. *Пск.* То же, что **смеяться в покат.** СПП 2001, 61.

ПОКАТУ́ШКА * В покату́шку. *Арх., Кар., Пск.* На земле, на полу, не на кровати (лежать, спать). АОС 3, 38; СРГК 1, 239; СПП 2001, 61.

Смеяться в покату́шку. *Кар.* То же, что **смеяться в покат (ПОКАТ).** СРГК 1, 239.

ПОКАТУ́ЩАЯ * Смея́ться в покату́щую. *Пск.* То же, что **смеяться в покат (ПОКАТ).** СПП 2001, 61.

ПОКА́ТЬ * Жить в пока́ть. См. **Жить в покат (ПОКАТ).**

На тех покатя́х. *Сиб.* 1. Скоро, в недалёком будущем. ФСС, 143. 2. О засыпающем ребёнке. СРНГ 28, 375.

ПОКИ́Д * Без поки́ду. *Кар.* Непрерывно, безостановочно. СРГК 5, 40.

ПОКИДУ́ХА * Пойти в покиду́ху. *Пск., Твер.* Быть взъерошенным. СРНГ 28, 379.

ПОКЛА́Д * С покла́дом. *Пск., Твер.* С удовольствием (делать что-л.). СРНГ 28, 380.

ПОКЛАДА́НЬЕ * Би́ться до поклада́нья рук. *Новг.* Много работать. НОС 8, 78.

ПОКЛА́ДКА * Пойти́ на покла́дку. *Яросл.* Помириться; договориться с кем-л. о чём-л. мирным путем. ЯОС 8, 44.

ПОКЛО́Н * Вы́вести покло́н. *Печор. Флк.* Поклониться кому-л. СРГНП 1, 98.

Дава́ть/ дать покло́н *кому. Перм.* Низко кланяться кому-л. (во время церемонии, обряда). СРГПриам., 69.

Защи́пывать покло́н. *Кар.* Кланяться. СРГК 2, 243.

Земно́й покло́н. *Разг.* 1. Очень низкий поклон. 2. *кому.* Глубокая благодарность кому-л. МАС 3, 246.

Земляно́й покло́н. *Влад.* То же, что **земной поклон.** СРНГ 11, 259.

Идти́ на покло́н *к кому. Разг. Устар.* 1. Выражать своим приходом, присутствием преданность, покорность кому-л. МАС 3, 246. 2. Обращаться с просьбой к кому-л. БТС, 894; Глухов 1988, 56. 3. Посещать родственников впервые после свадьбы (о молодоженах). СРНГ 28, 385.

Идти́ на покло́н головы́. *Волг.* То же, что **идти на поклон 1.** Глухов 1988, 166.

Класть покло́н (покло́ны). *Разг. Устар.* То же, что **отбивать поклоны.** Ф 1, 240.

Отдава́ть/ отда́ть после́дний покло́н *кому. Разг. Устар.* Прощаться с умершим, присутствовать на его похоронах. Ф 2, 24.

Относи́ть покло́н *кому. Разг. Устар.* Навещая кого-л., передавать поклон. Ф 2, 28.

Пока́зывать покло́н *кому. Яросл.* Здороваться, приветствовать кого-л. ЯОС 8, 45.

Принести́ (положить) на покло́н *что. Пенз.* Вручить подарок кому-л.; вручить свадебный подарок молодым. СРНГ 28, 385.

Ходи́ть на покло́н *к кому. Прост. Устар.* Просить у кого-л. помощи, содействия. Ф 2, 237.

Идти́ с покло́ном *к кому. Сиб.* Извиняться, просить прощения, просить о примирении кого-л. СФС, 83; СРНГ 28, 385.

Бить покло́ны *кому. Разг. Устар.* 1. Почтительно кланяться, приветствуя кого-л. 2. Выражать чувство глубокого уважения, почтения, благодарности за что-л. ФСРЯ, 336; БМС 1998, 457; ЗС 1996, 121.

Ве́сить покло́ны. *Арх.* То же, что **отбивать поклоны.** АОС 3, 154.

Воздава́ть покло́ны *кому. Арх.* То же, что **бить поклоны 1.** АОС 5, 18.

Отбива́ть покло́ны. *Разг.* Кланяться во время молитвы. Ф 2, 22.

Отве́шивать покло́ны *кому. Разг. Устар.* Церемонно кланяться кому-л. Ф 2, 23.

Отме́ривать покло́ны *кому. Разг.* То же, что **бить поклоны 1.** Ф 2, 28.

ПОКЛО́ННИК * Покло́нник Ба́хуса (Ва́кха). *Книжн.* О том, кто любит выпить спиртного. < В греческой мифологии **Вакх** (в римской – **Бахус**) – бог растительности, покровитель виноградарства и виноделия. БМС 1998, 457.

ПОКО́Й * На поко́е. *Разг.* На отдыхе (по причине преклонного возраста). ФСРЯ, 336.

В поко́й *кому что. Свердл.* Нравится кому-л. что-л. СРНГ 28, 389.

Отпра́виться (пойти́, уйти́) на поко́й. *Разг.* 1. Пойти отдыхать, оставив работу. 2. Умереть, скончаться. ФСРЯ, 336; БТС, 895, 1379.

Поко́й дорого́й. *Волог.* О спокойной обстановке где-л. СРНГ 28, 389.

Сходи́ть/ сойти́ на поко́й. *Книжн.* Умирать. Ф 2, 196.

ПОКО́ЙНИК * Непутно́й поко́йник. *Волог.* Преждевременно, неожиданно умерший человек. СВГ 5, 103.

Поко́йники су́шатся. *Кар. Шутл.* О дожде при солнце. СРГК 5, 43.

Доста́лось мыть поко́йников *кому. Пск.* О старой деве, которой уже никогда не выйти замуж. ПОС 9, 179.

ПОКОЛЕ́НИЕ * Поте́рянное поколе́ние. *Книжн.* Люди, малополезные для общества, сформировавшиеся в годы общественно-политического упадка в какой-л. стране, склонные к аполитичности, нравственным заблуждениям. < Калька с французского *génération perdue.* БМС 1998, 457.

Из поколе́ния в поколе́ние. *Разг.* 1. По наследству от родителей к детям. 2. По традиции от старших к младшим. БТС, 895.

ПОКО́Н * Поко́н ве́ку. *Смол.* До кончины, до смерти. СРНГ 28, 394.

С поко́ну ве́ка (ве́ку). *Нижегор., Сиб.* С давних пор, издавна. СРНГ 28, 394; СФС, 176; ФСС, 143.

ПОКОПЫ́ТНОЕ * Пить покопы́тное. *Арх.* Пить спиртное после продажи лошади. СРНГ 28, 398.

ПОКО́Р * Брать во поко́р *кого. Олон.* Покорять кого-л. СРНГ 28, 396.

Держа́ть поко́р. *Олон.* Покоряться, признавать власть над собой. СРНГ 28, 396.

Поко́р не берёт *кого. Р. Урал.* Кто-л. не хочет покоряться кому-л. СРНГ 28, 396.

Положить (наложи́ть) поко́р. *Волг., Дон.* То же, что **поставить на покор.** Глухов 1988, 128; СДГ 3, 36.

Поста́вить (отда́ть) на поко́р *кого. Арх.* Опозорить кого-л. СРНГ 28, 396.

ПОКО́РА * Отнести́ поко́ру *кому. Кар.* Поклониться в знак уважения, покорности. СРГК 4, 309.

ПОКРА́СА * На покра́су. *Арх.* Для красоты. СРНГ 29, 6.

ПОКРО́В * Под покро́вом *чего. Разг.* Пользуясь чем-л. как прикрытием, защитой, маскируясь чем-л. ФСРЯ, 337.

ПОКРО́Й * На оди́н покро́й. *Разг.* Очень похожи друг на друга, одинаковы в каком-л. отношении. ФСРЯ, 337; ФМ 2002, 353.

Шить на свой покро́й. *Разг.* Делать что-л. по-своему, на свой образец. ФМ, 355; Ф 2, 263.

Одного́ покро́я. *Разг.* То же, что **на один покрой.** ФСРЯ, 337.

ПОКРЫВА́ЛО * Покрыва́ло Изи́ды. *Книжн.* О сокровенной тайне, скрываемой истине. < **Изида** – древнеегипетская богиня производительных сил природы, обладающая глубокой мудростью и знанием сокровенных тайн. БМС 1998, 457.

ПОКРЫ́ТЫЙ * Покры́тый по-ба́нному. *Новосиб. Пренебр.* Бедно, плохо одетый. СРНГ 29, 37.

ПОКРЫ́ШЕЧКА * Жить на бо́льшее с покры́шечкой. *Пск. Одобр.* То же, что **жить с покрышкой (ПОКРЫШКА).** СПП 2001, 61.

ПОКРЫ́ШКА * Не знать ни покры́шки, ни ве́рхней доски́. *Новг.* О нежелании помочь кому-л. в чём-л. НОС 8, 82.

Жить с покры́шкой. *Горьк. Одобр.* Быть зажиточным, жить богато, в достатке, благополучии. БалСок, 54.

На большо́й с покры́шкой. *Кар.* Плотно, досыта поесть. СРГК 5, 47.

ПОКУ́ЛЬ * Поку́ль (поту́ль) и ви́дели (ви́девши) *кого. Пск.* О быстро скрывшемся, исчезнувшем из поля зрения человеке. СПП 2001, 61.

ПОКУ́ПКА * Гру́бая (пра́вильная) поку́пка. *Жарг. угол. Одобр.* Удачная кража. ТСУЖ, 144; Балдаев 1, 333; ББИ, 183; Мильяненков, 200. **Дармова́я поку́пка.** *Жарг. угол.* Лёгкая кража. Балдаев 1, 333; ББИ, 183; Мильяненков, 200.

Зря́чая (зря́шная) поку́пка. *Жарг. угол.* Случайная, неподготовленная кража. Балдаев 1, 333; ББИ, 183; Мильяненков, 200.

Поку́пка со скалы́. *Жарг. угол.* Кража, совершаемая из внутреннего бокового кармана сюртука или пальто. СРВС 1, 105.

Вы́купить поку́пку. *Жарг. угол.* В случае опасности положить краденый кошелек в карман жертвы (действия карманного вора). Балдаев 1, 333; ББИ, 183; Мильяненков, 200.

Сде́лать поку́пку. *Жарг. угол.* Совершить карманную кражу. Балдаев 1, 333; ББИ, 183; Мильяненков, 200.

ПОКУРИ́ТЬ * Покури́ть оста́лось *чего. Жарг. угол.* О небольшом количестве чего-л. оставшегося. ТСУЖ, 138.

ПОКУ́ШКА * На поку́шку. *Кар.* На один приём пищи. СРГК 5, 49.

ПОЛ[1] * Мести́ пол. *Моск.* Обряд, сопровождающий или завершающий свадьбу. СРНГ 29, 29.

Подпахну́ть пол. *Сиб.* Подобрать, подтянуть нижнюю юбку, чтобы её не было видно. ФСС, 140.

Поровня́ть пол. *Пск. Шутл.* Поплясать, потанцевать. СПП 2001, 61.

Сори́ть пол. *Том.* В свадебном обряде – бросать на пол деньги (вместе с соломой, щепками и т.д.), которые подметает невеста. СРНГ 29, 29.

Хоть пол грызи́. *Новг. Ирон.* О безвыходном, сложном, тяжёлом положении. НОВ 2, 64; Сергеева 2004, 196.

Взять с по́лу *что. Перм., Сиб.* Солгать, выдумать что-л. СРГП 42; ФСС, 26.

Вози́ть по́ полу. *Перм. Пренебр.* Унижаться, выражать подобострастие. Подюков 1989, 28.

Ходи́ть вдоль по́лу. *Вят.* Игровая пляска, по окончании которой парень с девушкой целуются и выбирают новых партнеров. СРНГ 29, 29.

ПОЛ[2] * Прекра́сный пол. *Книжн.* О женщинах. ЗС 1996, 261. < Из «Случайных размышлений» Р. Бойля. Уолш, Берков, 165.

Си́льный пол. *Книжн.* О мужчинах. ФСРЯ, 337.

Сла́бый пол. *Книжн.* О женщинах. ЗС 1996, 261. < Восходит к древнеримскому писателю Апулею. БМС 1998, 457; ФСРЯ, 337.

ПОЛ[3] * По́лом пыла́ть. *Курск.* О румянце на щеках. БотСан, 109.

ПОЛ[4] * Пол Нака́ркал. *Жарг. мол. Шутл.* Рок-музыкант Пол Маккартни. Я — молодой, 1997, № 24.

ПОЛА́ * Ада́мова пола́. *Арх.* Парус. СРНГ 1, 206.

Под поло́й. *Пск.* В обнимку, обнявшись. СПП 2001, 61.

Прикрыва́ть поло́й *что. Волг.* Утаивать, присваивать что-л. Глухов 1988, 133.

Из-под полы́. *Разг.* 1. Украдкой, незаконно (продавать или покупать что-л.). 2. Втихомолку, тайком (делать что-л.). ФСРЯ, 339.

Из полы́ в полу́. *Прост.* Непосредственно от одного к другому, из рук в руки (отдать, передать что-л.). БМС 1998, 458; СРНГ 29, 30.

Обреза́ть по́лы да наставля́ть други́е. *Кар. Ирон.* Бесцельно проводить время, заниматься бесполезным делом. СРГК 4, 321.

Отре́зать по́лы да пойти́. *Новг.* Уйти от какой-л. неприятности. НОС 7, 56.

По́лы в оха́пку. *Пск. Шутл.* О человеке, который быстро оделся, собираясь уйти. СПП 2001, 61.

ПОЛА́ВОЧЬЕ * С пола́вочья да в подла́вочье. *Народн. Ирон.* О переменах к худшему. ДП, 469.

ПОЛБУ́КВЫ * Не сказа́ть полбу́квы. *Новг.* 1. О состоянии сильного страха. 2. О состоянии сильного опьянения. Сергеева 2004, 63.

ПОЛГО́РЯ (ПОЛА́ГОРЯ) * В полго́ря (пола́горя). *Арх.* Легко, без труда. АОС 9, 338.

Жить с пола́горя. *Волог.* Быть беззаботным. СРНГ 29, 32.

ПО́ЛДЕНЬ * По́лдни игра́ют. *Дон.* О движении воздуха в жаркий день. СДГ 3, 35.

Свини́ные (свиня́чьи) по́лдни. *Дон.* То же, что **свиные полдни 1.** СДГ 3, 35.

Свины́е по́лдни. 1. *Дон.* 9–10 часов утра (время кормления свиней). СДГ 3, 35. 2. *Влад.* Время после полудня. СРНГ 29, 41.

На по́лднях. *Яросл.* В зените (о солнце). ЯОС 6, 78.

ПОЛДОРО́ГИ * Остановиться на полдоро́ги. *Разг.* Перестать заниматься чем-л., не доведя дело до конца. Ф 2, 21.

ПО́ЛЕ * В по́ле. *Жарг. арм. (афг.).* На боевом задании, на боевой операции. Афг.-2000.

В по́ле обсе́вок. *Перм. Ирон.* О несчастном человеке, горемыке. Подюков 1989, 136.

В по́ле поли́сто, в ле́се леси́сто. *Кар.* Везде есть своя специфика. СРГК 5, 52.

В по́ле тебе́ лебеды́ да в дом три беды́! *Народн. Бран.* Недоброе пожелание кому-л. ДП, 750.

В чи́стом по́ле. *Пск.* 1. Без крыши над головой, на улице. 2. В сельской местности. СПП 2001, 61.

Ди́кое по́ле. *Ряз., Сарат., Тамб.* Степь. СРНГ 8, 62.

Дурако́во по́ле. 1. *Яросл. Ирон. или Пренебр.* О землях, занятых дачами. ЯОС 4, 26. 2. *Жарг. студ. Шутл.* Актовый зал. (Запись 2003 г.). 3. *Пск. Бран.* О несообразительном, нерасторопном человеке. СПП 2001, 61.

Ма́рсово по́ле. *Разг. (Ленингр.).* Арена деятельности и убежище людей, сил, стоящих вне закона (в Ленинграде). Ларин 1977, 188.

Ми́нное по́ле. *Жарг. шк. Шутл.-ирон.* Место у доски. ВМН 2003, 107.

На Ма́рсовом по́ле потолки́ кра́сить. *Жарг. угол. Шутл.-ирон.* Быть безработным, сидеть без работы. < Контаминация трёх «обертонов смысла»: **Марсово поле, потолки красить** – «специальность, с которой не разживёшься», **потолки Марсова поля** – «небо». Ларин 1977, 188.

На одно́м по́ле срать не ся́ду *с кем. Вульг.-прост. Презр.* Никаких больше общих дел не имею, не хочу знаться с кем-л. Мокиенко, Никитина 2003, 266.

На по́ле бра́ни. *Книжн.* На месте битвы, сражения. БМС 1998, 458.

Не в одно́м по́ле. *Пск.* В разных местах, далеко друг от друга, не вместе. СПП 2001, 61.

Не в по́ле обсе́вок. *Народн.* О человеке не хуже других. ЗС 1996, 30.

Не в по́ле подо́бран. *Перм.* То же, что **не в поле обсевок.** Подюков 1989, 153.

Не на том по́ле трава́ вы́росла. *Народн. Ирон.* О несоответствии чему-л. ДП, 858.

Ни в по́ле ни в до́ме. *Дон.* О незначительном человеке с посредственными способностями. Мокиенко 1990, 11; СДГ 3, 35.

Оди́н в по́ле не во́ин. *Жарг. шк. Шутл.-ирон.* 1. Об ученике, вызванном в кабинет директора. Максимов, 285. 2. Об ученике, отвечающем у доски. ВМН 2003, 107.

По́ле бо́я. 1. *Жарг. шк. Шутл.* Спортивный зал. ВМН 2003, 107. 2. *Жарг. мол. Шутл.* Лицо после драки. Максимов, 325.

По́ле дурако́в. 1. *Жарг. арм. Шутл.-ирон.* Площадка для занятий по тактике. Максимов, 325. 2. *Жарг. шк. Шутл.-ирон.* Школьный двор. (Запись 2004 г.).

По́ле зре́ния. *Книжн.* 1. Пространство, обозримое глазом. 2. Круг интересов, забот. ФСРЯ, 337.

По́ле пла́чет. *Новг.* О незасеянном поле. НОС 8, 84.

По́ле полева́ть. *Смол.* 1. Охотиться. 2. Воевать. СРНГ 29, 46.

По́ле развито́го социали́зма. *Разг. Шутл.-ирон.* Богословское кладбище в Ленинграде – Санкт-Петербурге. Синдаловский, 2002, 146.

По́ле чуде́с [в стране́ дурако́в]. 1. *Жарг. арм. Шутл.-ирон.* Плац. БСРЖ, 454. 2. *Жарг. арм. Шутл.-ирон.* Стрельбище. Максимов, 325. 3. *Жарг. шк. Шутл.-ирон.* Школьный двор. Максимов, 326. 4. *Жарг. шк. Шутл.* Последняя парта. Максимов, 326. 5. *Разг. Шутл. Устар.* Советский Союз. Елистратов 1994, 346. < Название поля, где зарыт клад, из повести-сказки А. Н. Толстого «Золотой ключик, или Приключения Буратино» и популярного фильма по этому сюжету.

Попо́во по́ле. *Яросл.* Земли, отведённые духовенству. ЯОС 8, 64.

Разве́й по́ле. *Курск. Неодобр.* О легкомысленном человеке. БотСан, 111.

Ржано́е по́ле. *Яросл.* В свадебном обряде – хлеб. ЯОС, 8, 132.

Сесть (упа́сть) на по́ле. *Жарг. нарк.* Стать наркоманом. Урал-98.

Ча́йное по́ле. *Жарг. спорт. (д/пл.).* Место под горой, где приземляются начинающие дельтапланеристы («чайники»), которые не могут летать далеко. БСРЖ, 454.

Дурако́ва по́ля. *Яросл. Пренебр.* О глупом, бестолковом человеке. ЯОС 4, 26.

Выпада́ть/ вы́пасть из по́ля зре́ния *кого. Разг.* Лишаться внимания, интереса со стороны кого-л. Ф 1, 96.

Исходи́ть поля́ и моля́. *Пск. Шутл.* Много странствовать, многое повидать.СПП 2001, 61.

На́шего по́ля я́года. *Народн.* О человеке, сходном, похожем на говорящего. ДП, 465; БТС, 899, 1531; ЗС 1996, 30, 518.

Не того́ по́ля (бо́ру) я́года. *Народн.* О несоответствии чему-л. ДП, 779.

Одного́ по́ля я́года (я́годы). *Разг.* Одинаковый, сходный с кем-л. ФСРЯ, 337; БТС, 1531; ЗС 1996, 30, 284, 518; Верш. 7, 351; СПП 2001, 61.

Отпра́виться в Елисе́йские поля́. *Книжн. Устар.* Умереть. < В грекоримской мифологии **Елисейские поля** – часть загробного мира, где обитают праведники. БМС 1998, 459.

Потопта́ть поля́. *Кар. Ирон.* Пожить в чужих краях, далеко от родных мест. СРГК 5, 111.

Со всего́ по́ля. *Пск. Одобр.* О смелом, решительном человеке. СПП 2001, 61.

Едри́ть твою́ (их, ва́шу и пр.) **по поля́м!** *Прост. обл. Бран.* Восклицание, выражающее гнев, негодование, возмущение кем-л. Мокиенко, Никитина 2003, 266.

ПО-ЛЁГКОМУ * Ходи́ть по-лёгкому. *Коми. Неодобр.* Бездельничать. Кобелева, 81.

ПОЛЕ́НО * Берёзовое поле́но. *Перм. Пренебр.* О чужом человеке, не родственнике. Подюков 1989, 155.

Поле́но (чу́рка) дров. *Сиб. Презр.* О глупом человеке. ФСС, 144.

Поле́но мельче́нько изруби́ – съест. *Перм. Шутл.-ирон.* О неразборчивом в пище, неприхотливом человеке. Подюков 1989, 200.

Броса́ть поле́нья под но́ги *кому. Новг. Неодобр.* Препятствовать, мешать кому-л. в чём-л. НОС 1, 90.

Есть поле́нья. *Новг. Шутл.* О хорошем аппетите. НОС 2, 118.

ПОЛЁТ * На пти́чий полёт. *Сиб.* На большое расстояние. ФСС, 144.

Полёт Ика́ра. *Книжн.* Смелые, рискованные, но тщетные дерзания. < Из греческой мифологии. БМС 1998, 459.

Полёт куку́шки. *Жарг. студ. Ирон.* Исключение из вуза. Максимов, 326.

Соверши́ть полёт. *Жарг. угол.* 1. Выпрыгнуть в окно при аресте. 2. Убежать, скрыться. Балдаев 2, 50.

Одного́ полёта пти́цы. *Пск.* То же, что **одного́ по́ля я́годы (ПОЛЕ).** СПП 2001, 61.

ПОЛЗКО́М * Сходи́ть ползко́м. *Жарг. мол. Шутл.* Съездить куда-л. на поезде. Максимов, 326.

ПОЛЗО́М * Ползо́м ползти́. *Сиб.* Униженно просить, умолять кого-л. о чём-л. ФСС, 144.

ПОЛЗТИ́ Ни ползти́ ни е́хать. *Пск. Шутл.* Не подрастать, не увеличиваться в росте. ПОС 10, 139.

ПОЛЗУНИ́КА * Собира́ть ползуни́ку. 1. *Разг. Шутл.* Совершать половой акт с женщиной. СРВС 3, 23; УМК, 165; Балдаев 1, 334; ББИ, 183. 2. *Жарг. мол. Шутл.* Быть сильно пьяным. Максимов, 326.

ПОЛЗУНО́К * По́лзать ползунко́м. *Кар.* С трудом передвигаться на собственных ногах. СРГК 5, 53.

ПОЛЗУ́Н-ТРАВА́ * Нащипа́ться ползу́н-травы. *Жарг. мол. Шутл.-ирон.* Напиться пьяным. Вахитов 2003, 110.

ПОЛИЗУ́ШКИ * Сиде́ть на полизу́шках. *Кар.* Питаться сладостями. СРГК 5, 54.

На полизу́шки. *Сиб. Ирон.* Об очень малом, недостаточном количестве пищи. ФСС, 144; СФС, 117; СОСВ, 145.

ПО́ЛИК * Притопи́ть до по́лика. *Жарг. авто. Шутл.* Ехать на предельной скорости, дав полный газ. Максимов, 326.

ПОЛИ́НА * Поли́на Ива́новна (Фёдоровна). 1. *Разг. Шутл.* Политура, спиртовой лак с добавлением смолистых веществ, используемый токсикоманами как наркотическое вещество. Елистратов 1994, 347; VSEA, 154. 2. *Жарг. угол.* Раствор политуры с водой и солью. Балдаев 1, 334; ББИ, 183; Мильяненков, 200.

ПОЛИ́П * Поли́п Фарфо́ров. *Жарг. мол. Шутл.* Певец Филипп Киркоров. АиФ, 1999, № 25.

ПОЛИ́ТИКА * Поли́тика большо́й дуби́нки. *Публ. Неодобр.* Политика угроз и запугивания. НРЛ-79; БТС, 286; Мокиенко 2003, 78.

Поли́тика выкру́чивания рук. *Публ.* Политика грубого нажима, давления на кого-л., на что-л. с целью добиться выгодного решения вопроса. НСЗ-70; НРЛ-81.

Поли́тика завя́зывания (затя́гивания) поясо́в. *Публ. Ирон.* Политика, ведущая к сокращению потребления жизненно необходимых продуктов, крайнему обнищанию населения. Мокиенко 2003, 78.

Поли́тика кнута́ и пря́ника. *Публ.* Чередование жёстких и мягких мер при обращении с кем-л., при ведении какой-л. политики. БМС 1998, 267; ЗС 1996, 91.

Поли́тика кра́сного карандаша́. *Публ.* Сокращение государственных расходов на социальные нужды. НРЛ-81; Мокиенко 2003, 79.

Поли́тика откры́тых двере́й. *Публ.* Открытость всем политическим направлениям, международным контактам, торговым отношениям. НРЛ-82. < Калька с англ. *open-door policy*. Мокиенко 2003, 79.

Поли́тика пы́шек и ши́шек. *Публ. Шутл.-ирон.* То же, что **политика кнута и пряника.** Мокиенко 2003, 79.

Поли́тика твёрдой руки́. *Публ.* Политика диктаторского правления. НРЛ-82; Мокиенко 2003, 79.

Стра́усова поли́тика. *Публ.* Трусливое стремление уйти от действительности, не замечать её. БМС 1998, 459; Мокиенко 1989, 102.

ПОЛИЦЕ́ЙСКИЙ * Лежа́чий полице́йский. *Жарг. авто.* Валик поперек дороги, вынуждающий водителя снижать скорость. Максимов, 220.

ПОЛИ́ЦИЯ * Поли́ция нра́вов. *Жарг. шк. Шутл.-ирон. или Презр.* Завуч. (Запись 2003 г.).

ПОЛИ́ЧЬЕ * Одно́ поли́чье. *Дон.* Об очень похожих людях. СДГ 3, 36.

ПОЛК * На́шего (в на́шем) полку́ при́было. *Разг. Шутл.* Нас стало больше, наших единомышленников стало больше (говорится при появлении в каком-л. обществе, коллективе человека таких же взглядов, склонностей. Жук. 1991, 198; БМС 1998, 459; ЗС 1996, 503; ФМ 2002, 357; ФСРЯ, 338.

ПО́ЛКА * Лежа́ть на по́лке. *Разг.* Не выпускаться в прокат, как правило – по политическим причинам (о кинокартинах). Немировская, 499.

Вали́ть с ве́рхней по́лки. *Коми.* Говорить вздор, ерунду. Кобелева, 57.

Изыма́ть/ изъя́ть с по́лки *что. Публ.* Запрещать чтение какой-л. литературы по цензурным соображениям. Мокиенко 2003, 79.

Сы́пать с ве́рхней по́лки. *Арх.* Быстро, бойко говорить. АОС 3, 131.

Класть/ положи́ть на по́лку *что.* 1. *Публ.* Не выпускать в прокат, на широкий экран (о кинокартинах). Немировская, 499. 2. *Публ.* Запрещать для издания (о литературе). Мокиенко 2003, 79. 3. *Жарг. комп.* Оставить файл для адресата. Садошенко, 1996.

ПОЛКА́Н * Нав́есить полка́на *кому. Жарг. арм.* Присвоить звание полковника кому-л. Лаз., 127.

Спусти́ть полка́на *[на кого]. Пск. Шутл.* Выругать, отчитать кого-л. СПП 2001, 61.

ПОЛКО́ВНИК * Коро́вий полко́вник. *Онеж. Шутл.-ирон.* Пастух. СРНГ 14, 351.

Ли́бо полко́вник, ли́бо поко́йник. *Народн.* О большом риске. ДП, 67.

ПОЛЛИ́ТРА (ПОЛ-ЛИ́ТРА) * Дои́ть поллитру. *Жарг. мол. Шутл.* Пить водку. Щуплов, 61.

Без пол-ли́тры (пол-ли́тра) не не разобра́ться (не разберёшься). *Прост. Шутл.* О трудно разрешимой, сложной проблеме, ситуации. ЗС 1996, 102; Мокиенко 2003, 79.

ПОЛМЕНЯ́ * Полменя́ не́ту. *Диал.* О больном, старом человеке. Мокиенко 1986, 184.

ПОЛНО́ * Располны́м-полно́. *Кар.* О большом количестве чего-л. СРГК 5, 458.

ПОЛНО́ГТЯ * Полно́гтя не сто́ит. *Прикам. Пренебр.* О чём-л., о ком-л., не заслуживающем уважения, внимания. МФС, 96.

ПОЛНОТА́ * От полноты́ души́ (сердца). *Разг.* От избытка чувств. ФСРЯ, 338.

ПО́ЛНОЧЬ * По по́лночах. *Одесск.* Поздно, ночью. КСРГО.

ПО́ЛНЫЙ * Идти́ в по́лную. *Жарг. угол.* Признаваться в совершении преступления. Балдаев 1, 169.

Два по́лных, тре́тий не це́лый. *Новг. Ирон.* О небольшом количестве людей где-л. НОС 2, 76.

ПОЛ-ОБОРО́ТА * Заводи́ться/ завести́сь с пол-оборо́та. См. **Заводиться с полуоборота (ПОЛУОБОРОТ).**

ПОЛО́ВА * Поло́ва в голове́ *у кого. Одесск. Неодобр.* О легкомысленном человеке. КСРГО. < **Поло́ва** – мякина.

ПОЛОВИ́НА * Дража́йшая полови́на. *Разг. Шутл. или Ирон.* О супруге. ФСРЯ, 338; БМС 1998, 459.

Золота́я полови́на серебра́. *Пск. Одобр.* Об очень положительном, самом лучшем человеке. ПОС 13, 93.

Кра́сная полови́на. *Яросл.* Часть дома, в которой жили только летом. ЯОС 5, 86.

Нелёгкая полови́на! *Кар. Бран.* Выражение досады, раздражения. СРГК 5, 55.

Полови́на дурака́. *Пск., Сиб. Шутл. или Пренебр.* О глупом, непонятливом человеке. СПП 2001, 61; ФСС, 144.

Нечи́стая полови́на. *Пск. Бран.* О человеке, вызывающем раздражение, гнев. СПП 2001, 61.

Войти́ в ту полови́ну. *Пск.* Умереть. ПОС 4, 106.

Вы́нуть полови́ну се́рдца *у кого. Коми. Неодобр.* Измучить кого-л. Кобелева, 59.

Полови́ну дели́ть, да и ту не раздели́ть. *Арх.* Заниматься бесполезным делом. АОС 10, 442.

ПОЛОВИ́ЦА * По одно́й полови́це не пройдёт. *Народн. Шутл.-ирон.* О пьяном человеке. ДП, 792.

ПОЛОВИ́ЧИНА * Ходи́ть по одно́й полови́чине. *Кар., Пск.* Быть послушным, полностью подчиняться кому-л. СРГК 5, 56; СПП 2001, 53.

ПОЛОВИ́ЧИНКА * Ходи́ть по одно́й полови́чинке. *Кар.* То же, что **ходить по одной половичине (ПОЛОВИЧИНА).** СРГК 4, 151.

ПО́ЛОГОМ * Лежа́ть по́логом. *Пск.* Расстилаться по земле (о льне). СПП 2001, 62.

ПОЛОЖЕ́НИЕ * Взойти́ (зайти́) в положе́ние. *Кар., Приамур., Сиб.* То же, что **входить / войти в положение 2.** СРГК 2, 126; СРГК 5, 57; СРГПриам., 41, 44, 93; ФСС, 30.

Входи́ть/ войти́ в положе́ние. 1. *чьё. Разг.* Относиться в участием к кому-л. Ф 1, 87. 2. *Кар., Приамур., Сиб.* Беременеть. СРГК 2, 126; СРГК 5, 57; СРГПриам., 41, 44, 93; ФСС, 30.

Интере́сное положе́ние. *Разг.* Беременность. ФСРЯ, 338.

Пи́ковое положе́ние. *Разг.* Затруднительная, неприятная ситуация. БМС 1998, 460; БТС, 831; ШЗФ 2001, 31.

Положе́ние ху́же губерна́торского. *Разг. Шутл.* О крайне затруднительном, сложном, неприятном положении, ситуации. БМС 1998, 460.

Пусто́е положе́ние. *Перм.* Выкидыш. СГПО, 476.

Соба́чье положе́ние. *Разг. Неодобр.* О тяжёлой ситуации, незавидном положении. БМС 1998, 460.

Быть в [интере́сном] положе́нии. *Разг.* О беременности. ФСРЯ, 338; НОС 8, 90; Глухов 1988, 15; Мокиенко, Никитина 2003, 267.

Выходи́ть/ вы́йти из положе́ния. *Разг.* Находить способ избавиться от трудностей. БТС, 172; Ф 1, 103.

Дойти́ до положе́ния. *Волг.* 1. Оказаться в сложной, безвыходной ситуации. 2. Поссориться, подраться с кем-л. Глухов 1988, 36.

До положе́ния риз. *Разг. Шутл.* До крайней степени опьянения. < Восходит к Библии. ФСРЯ, 338; БТС, 905; ДП, 793; БМС 1998, 460.

До положе́ния рук. *Горьк. Неодобр.* Очень плохо, скверно. БалСок, 33.

ПОЛОЖИ́ТЕЛЬНО * Относи́ться положи́тельно *к кому, чему. Разг. Шутл.-ирон.* О безразличном, равнодушном, наплевательском отношении к кому-л. < Образовано каламбурной контаминацией нареч. **положительно** с жарг. глаг. **положить** *на кого, что* – ‘перестать интересоваться чем-л., кем-л., перестать делать что-л.’. БСРЖ, 456.

ПО́ЛОЗ * Быть на полозу́ *чьём. Новг.* Испытать что-л. одинаковое с кем-л. НОС 8, 91.

Е́здить на одно́м полозу *с кем.* 1. *Моск.* Быть в одинаковом положении с кем-л. 2. *Калуж.* Вместе, одновременно с кем-л. делать, переживать, испытывать что-л. СРНГ 29, 104.

Загну́ть полозы́ *кому. Пск.* 1. Наказать кого-л., загибая ноги за голову. Мокиенко 1990, 128. 2. Расправиться с кем-л. СПП 2001, 62.

Подъезжа́ть на поло́зьях *к кому. Разг. Устар. Шутл.-ирон.* Льстить кому-л. с корыстными целями. Ф 2, 61.

ПОЛО́Й * Вы́йти на поло́й. *Горьк.* Разлиться, выйти из берегов (о реке). СРНГ 29, 107.

Не в поло́й несёт *кого. Прикам.* Кому-л. не следует спешить. МФС, 65.

ПОЛОСА́ * Взлётная полоса́. 1. *Публ.* Начало подъёма, развития чего-л. НРЛ-82. 2. *Жарг. арм. Шутл.* Проход между кроватями в казарме. БСРЖ, 456.

Полоса́ ляга́ется. *Кар. Шутл.-ирон.* Об отставании от других при жатве. СРГК 3, 173.

Полоса́ не стои́т *у кого. Новг.* О безразличном отношении к чему-л. НОС 8, 93.

Догна́ть ба́тькину по́лосу до са́мого ле́су. *Диал. Ирон.* Растратить всё состояние, разориться. Мокиенко 1990, 128.

Попа́сть в худу́ю полосу́. *Новг.* Оказаться в трудном положении. НОС 8, 115.

ПОЛО́СКА * Поло́ска вы́пала *кому. Новг.* О судьбе человека. НОС 8, 94.

ПОЛО́ТНИЩЕ * Нескла́дное поло́тнище. *Новг.* О человеке, говорящем что-л. не к месту, невпопад. НОС 8, 94.

ПО́ЛОЧКА * Раскла́дывать/ разложи́ть по по́лочкам *что. Разг.* Объяснять, обсуждать что-л. с излишним педантизмом, упрощая суть дела и исходя из привычных стереотипов, стандартов. Ф 2, 118; НСЗ-70; Мокиенко 2003, 80.

ПОЛПИНКА́ * С полпинка́. *Жарг. мол.* Легко, без труда (делать что-л. СМЖ, 95.

ПОЛРО́ТИКА * С полро́тика. *Кар.* Тихо, вполголоса (говорить). СРГК 5, 61.

ПОЛСАНДА́ЛИ * Отскочи́ на полсанда́ли! *Жарг. мол. Шутл.* Просьба немного подвинуться. h-98.

ПОЛСОХИ́ * На полсохи́ нет (не́ту) *чего у кого. Сиб.* О полном отсутствии чего-л. ФСС, 144; СРНГ 29, 132; СФС, 117.

ПОЛТВИ́КСА * Показа́ть полтви́кса *кому. Жарг. мол. Шутл.* Показать кому-л. средний палец (жест отказа или оскорбления). Вахитов 2003, 137.

ПОЛТИ́ННИК * Вы́лупить полти́нники. *Волг.* 1. Смотреть на кого-л. зло, враждебно. 2. Сильно удивиться. Глухов 1988, 19.

Разу́ть полти́нники. *Прост. Груб.* Посмотреть внимательно. Бен, 92; Мокиенко 2003, 80.

ПОЛТО́НА * Взять на полто́на ни́же. *Разг.* Перестать кричать, начать говорить спокойно. ЗС 1996, 349.

ПОЛУГЛА́З * И в полугла́зе нет. *Кар.* Об отсутствии желания спать. СРГК 5, 62.

ПОЛУМЕ́СЯЦ * Золото́й полуме́сяц. *Жарг. бизн., крим.* 1. Зона, в которой производится основная масса наркотиков, — от восточных районов Турции через Иран к афгано-пакистанской границе. БС, 76. 2. Об азиатских странах-экспортёрах наркотиков. НРЛ-80; Мокиенко 2003, 80.

ПОЛУ́НДРА * Грести́ полу́ндру. *Жарг. угол.* Воровать. ТСУЖ, 43.

ПОЛУОБОРО́Т * Заводи́ться/ завести́сь с полуоборо́та (с пол-оборо́та). *Разг. Ирон.* 1. Быстро приходить в состояние возбуждения, эмоционального напряжения. 2. Будучи несдержанным, остро и болезненно реагировать на замечания, критику, сердиться из-за пустяков. НСЗ-70; БМС 1998, 461; Глухов 1988, 45; ЗС 1996, 60; Ф 1, 193.

ПОЛУСМЕ́РТЬ * До полусме́рти. *Прост.* Очень сильно (испугать, избить и т. п.). БТС, 910.

ПОЛУСО́ГНУТЫЙ * Ходи́ть на полусо́гнутых. *Прост. Ирон.* 1. Передвигаться с трудом, не спеша (о пьяном человеке). 2. Проявлять угодливость, подобострастие. < Эллипсис оборота **на полусогнутых ногах**. Мокиенко 2003, НСЗ-80; Мокиенко 2003, 80; Глухов 1988, 166.

ПОЛЧЁРТА * До полчёрта. *Сиб.* О большом количестве чего-л. ФСС, 145.

ПОЛШЕСТО́ГО * На полшесто́го [сто́ять]. 1. *Разг. Шутл.-ирон.* Об отсутствии эрекции. Югановы, 143; УМК, 166; ЖЭСТ-2, 304. 2. *Жарг. мол.*

Неодобр. О подавленном состоянии, депрессии. Pulse, 2000, № 9, 9. < Ответ некоторых насмешников, которые демонстрируют свою «остроумие», отвечая на вопрос «Который час?» — «*Полшестого,* энергию берегу», посмотрев предварительно на ширинку. Флг., 266; ББИ, 151.

ПОЛШТАНИ́НЫ * На полштани́ны. *Перм. Шутл.* На небольшое расстояние. Подюков 1989, 156.

ПОЛЫ́НЬ * Чёрная полы́нь. *Жарг. арест., угол.* Чай. Балдаев 2, 142.

ПО́ЛЬЗА * По́льза пришла́. *Кар. Одобр.* О выздоровлении больного. СРГК 5, 69.

В по́льзу. *Кар.* Для удовольствия. СРГК 5, 69.

В каку́ю по́льзу? *Пск.* Зачем? (Запись 1991 г.).

Дава́ть/ дать по́льзу *кому. Кар.* Облегчать страдания, помогать кому-л. СРГК 5, 69.

Наноси́ть/ нанести́ по́льзу *кому. Жарг. мол. Шутл.-ирон.* Приносить пользу, помогать кому-л. БСРЖ, 457.

ПОЛЯ́НА * Я́сная поля́на. *Новг.* Ровное, гладкое место. НОС 8, 102.

Застрига́ть (подстрига́ть) поля́ну. См. **Стричь поляну.**

Кромса́ть поля́ну. См. **Стричь поляну.**

Накры́ть поля́ну. *Жарг. мол.* Устроить банкет, вечеринку с угощением. Никитина 1998, 338.

Пасти́ поля́ну. *Жарг. мол.* Стоять на страже. h-98.

Сечь поля́ну. *Жарг. угол., мол.* Понимать что-л.; обращать внимание на что-л. Балдаев 2, 37; Балдаев 1, 335; ББИ, 222; 184; Мильяненков, 200, 230.

Стричь (застрига́ть, подстрига́ть, кромса́ть) поля́ну. *Жарг. мол.* Собирать информацию, разузнавать о чём-л. Елистратов 1994, 349.

ПОМА́ЗАННИК * Пома́занник Бо́жий. *Книжн. Устар.* О царе, императоре. БМС 1998, 461.

ПОМА́ЗАТЬ * И пома́жут и пока́жут. *Волг. Ирон.* О пустых обещаниях. Глухов 1988, 59. < Вероятно, выражение образовано на основе старой частушки: «Завтра праздник – воскресенье/ Мать лепёшек напечёт./ И помажет, и покажет, / И обратно уберёт». Прим. ред.

ПОМАТРО́СИТЬ * Поматро́сить и бро́сить. 1. *Прост. Шутл.* Быстро расстаться с любимой девушкой. 2. *Волг. Шутл.* Быстро испортить, сломать что-л. Глухов 1988, 129.

ПОМА́Х * За одни́м пома́хом. *Пск.* Заодно, сразу, вместе. СПП 2001, 62.

ПОМЕЛО́ * Вы́мести помело́м *кого. Прост.* Выпроводить, выгнать кого-л. Ф 1, 95.

Круто́м помело́м. *Волг. Неодобр.* О болтливом, не умеющем хранить секреты человеке. Глухов 1988, 77.

Не помело́м де́лать *что. Кар. Одобр.* Работать добросовестно, делать что-л. качественно. СРГК 1, 445.

Следи́ть за помело́м. *Жарг. мол.* Быть осторожным в выражениях, следить за своей речью. h-98.

ПОМЕРЕ́ТЬ * Помрём не уживёмся *до чего. Пск. Шутл.* О долгом сроке, большом промежутке времени до чего-л. СПП 2001, 62.

ПО́МЕСЬ * По́месь не́гра с мотоци́клом (с чемода́ном). *Жарг. мол. Шутл.-ирон.* О чём-л. абсурдном, несуразном. БСРЖ, 380.

ПОМЁТ * На оди́н помёт. *Иркут.* Об одинаковых предметах, похожих друг на друга людях. СРНГ 20, 34.

Помёт Вальки́рии. *Жарг. муз. Шутл.* «Полёт Валькирии», пьеса Р. Вагнера. БСРЖ, 458.

ПОМЕ́ШНЯ * Прийти́ на поме́шню. *Кар. Неодобр.* Стать помехой кому-л. в чём-л. СРГК 5, 165.

ПОМИДО́Р * Кра́сный помидо́р. *Жарг. угол. Пренебр.* Коммунист. Балдаев 1, 207.

Шевели́ть помидо́рами (тома́тами). *Жарг. мол. Шутл.* Идти быстрым шагом. Елистратов 1994, 350, 472.

Моро́чить помидо́ры *кому. Жарг. мол. Шутл.* Вводить в заблуждение кого-л. Флг., 268; УМК, 166.

Си́ние помидо́ры. *Одесск.* Баклажаны. КСРГО.

ПОМИ́Н * И поми́н просты́л. *Разг. Устар.* О ком-л. бесследно исчезнувшем. ФСРЯ, 339; Глухов 1988, 59.

И в поми́не нет *кого, чего.* 1. Не говорят, не вспоминают о ком-л., о чём-л. 2. Нет никаких признаков существования кого-л., чего-л. БМС 1998, 461; ФСРЯ, 340; Верш. 4, 143; СПП 2001, 62.

Лёгок на поми́не. *Разг. Шутл.* О том, кто появляется в тот момент, когда о нём говорят. ДП, 294; БТС, 490; ЗС 1996, 329, 503; ФСРЯ, 340; БМС 1998, 461; Мокиенко 1989, 137; СПП 2001, 62.

И в поми́нах нет *кого, чего.* 1. *Арх.* То же, что **и в помине нет 1.** 2. *Р. Урал.* То же, что **и в помине нет 2.** СРНГ 29, 214.

И поми́ну нет *о ком, о чем. Прост.* То же, что **и в помине нет 1-2.** ФСРЯ, 277; СПП 2001, 62.

Ни поми́ну ни позво́ну. *Волг., Дон.* 1. *кому.* Об отсутствии почестей. 2. *о ком, о чём.* То же, что **и в помине нет 1.** Глухов 1988, 110; СДГ 3, 39.

ПОМИНА́ТЬ * Помина́й как зва́ли *[кого, что]. Разг. Шутл.* О бесследном исчезновении кого-л., чего-л. ФСРЯ, 339-340; ЗС 1996, 500; СОСВ, 146; БМС 1998, 461-462; ДП, 67; НОС 10, 98.

ПОМИ́НКИ * И в поми́нках нет *кого, чего. Коми.* То же, что **и в помине нет** 2. Кобелева, 73.

Лёгонький на поми́нках. *Сиб.* То же, что **легок на помине (ПОМИН).** ФСС, 104; СРНГ 16, 314.

ПОМИ́НОК * Лёгкий на поми́нок. *Перм.* То же, что **лёгок на помине (ПОМИН).** Сл. Акчим. 4, 92.

ПОМИРУ́ЩАЯ * Смея́ться в помиру́щую. *Пск.* Громко, весело смеяться, хохотать. СПП 2001, 62.

ПОМО́ГА * Де́лать помо́гу. *Кар.* Помогать кому-л. СРГК 1, 444.

ПОМО́И * Облива́ть/ обли́ть (оката́ть) помо́ями *кого. Разг. Неодобр.* Незаслуженно оскорблять, порочить кого-л. ФСРЯ, 291; Ф 2, 17.

ПОМО́ЙКА * Помо́йка коммуня́к. *Разг. Пренебр.* Корреспондентский пункт газеты «Правда» в Ленинграде (1970-е гг.). Синдаловский, 2002, 147.

Пара́шная помо́йка коммуня́к. *Разг. Пренебр.* Редакция и типография газеты «Правда». Балдаев 2001, 162.

Захло́пнуть помо́йку. *Прост. Груб.* Замолчать. Никитина 1998, 339.

Развести́ помо́йку. *Жарг. угол.* Дойти до сути чего-л. Балдаев 2, 8.

Разгреба́ть помо́йку. *Жарг. мил.* Разбирать семейный скандал (об участковом). БСРЖ, 458.

ПО́МОЧИ * Быть на по́мочах. *Сиб.* Помогать кому-л. в каком-л. деле. ФСС, 20.

Води́ть (держа́ть) на по́мочах *кого. Разг. Неодобр.* Постоянно опекать, не давая свободы действий. ФСРЯ, 340; БТС, 139; БМС 1998, 462.

ПОМО́ЩНИК * Помо́щник сме́рти. *Жарг. арест. Ирон.* Врач в ИТУ. Балдаев 1, 336; ББИ, 184.

Ста́рший помо́щник мла́дшего сле́саря. *Прост. Шутл.-ирон.* О крайне низкой должности, малозначительной работе. Мокиенко 2003, 80.

Разлива́ть по помо́щнику машини́ста. *Жарг. мол. Шутл.* Разливать спиртное, отмеряя его уровень спичечным коробком (по ширине). Урал-98.

ПО́МОЩЬ * Венча́ться без Бо́жьей по́мощи. *Горьк.* Вступать в брак без согласия и благословения родителей. БалСок, 26.

Гуманита́рная по́мощь. *Жарг. шк. Шутл.* Подсказка. (Запись 2003 г.).

Оказа́ть (дать) по́мощь *кому. Разг.* Помочь кому-л. БМС 1998, 462; СРГПриам., 69.

По́мощь голода́ющим Пово́лжья. *Жарг. шк. Шутл.* То же, что **гуманитарная помощь.** (Запись 2003 г.).

Ско́рая по́мощь. 1. *Жарг. морск. Шутл.* Буфетчица. БСРЖ, 459. 2. *Жарг. шк. Шутл.* Классная руководительница. ВМН 108. 3. *Жарг. шк. Шутл.* Учебник. (Запись 2003 г.).

ПО́МЫТ * Каки́м по́мытом? *Ряз.* 1. Почему? 2. Каким образом? ДС, 437; СРНГ 29, 237.

Не свои́м по́мытом. *Ряз.* 1. Не по своему желанию. 2. Очень сильно, интенсивно. ДС, 437.

ПОНЕДЕ́ЛЬНИК * В понеде́льник лю́бит, а во вто́рник гу́бит. *Народн. Неодобр.* О непостоянном человеке. Жиг. 1969, 219.

В понеде́льник по́сле середы́. *Диал. Шутл.-ирон.* Никогда. Мокиенко 1986, 210.

Ма́сляный понеде́льник. *Яросл.* Первый день масленицы. ЯОС 6, 34.

Чёрный понеде́льник. *Жарг. шк.* Первый день после каникул. Bytic, 1999-2000.

Чи́стый понеде́льник. *Новг.* Первый понедельник после масленицы. НОС 8, 108.

Доживём до понеде́льника. *Разг.* Призыв немного подождать, проявить терпение, чтобы пережить невзгоды, найти выход из сложного положения. НРЛ-81. < Название кинофильма студии им. М. Горького, 1968 г.). Дядечко 2, 25.

ПОНИМА́ЛКА * Шевели́ть понима́лкой. *Разг. Шутл.* Думать над чем-л. Елистратов 1994, 350.

ПОНОРО́ВОЧКА * С поноро́вочкой. *Ряз.* Без большого усердия, не торопясь. ДС, 438.

ПОНО́С * Говори́ть в поно́с. *Ср. Урал.* Неодобрительно отзываться о ком-л. (как правило – незаслуженно), поносить кого-л. СРГСУ 1, 96.

Евкли́дов поно́с. *Жарг. шк. Шутл.-ирон. или Пренебр.* Учитель математики. (Запись 2004 г.).

Понести́ поно́с. *Сиб.* Забеременеть. ФСС, 145; СФС, 146.

Поно́с на мо́зги *у кого. Жарг. мол. Шутл.-ирон.* О временной потере рассудка. Смирнов 2002, 168.

Поно́с слов, запо́р мы́слей *у кого. Прост. Ирон.* О чьих-л. эмоциональных и обильных словоизвержениях при пустоте содержания. Мокиенко, Никитина 2003, 268.

Слове́сный поно́с. *Разг. Неодобр.* Многословие. Вахитов 2003, 168.

Быть в поно́се. *Сиб.* О состоянии беременности. СФС, 46; ФСС, 46.

Быть на поно́се. 1. *Сиб. Неодобр.* Быть на плохом счету, иметь плохую репутацию. ФСС, 145. 2. *Перм.* Иметь недружелюбное, враждебное окружение. СГПО, 163. 3. *Народн.* Быть беременной. Мокиенко, Никитина 2003, 268.

Быть на поно́сах. *Дон.* О последней стадии беременности. СДГ 3, 40.

Ходи́ть в тру́дные поно́сы. *Дон.* Быть беременной. СДГ 3, 40.

ПОНО́СКА * Жить в поно́ске. *Перм.* То же, что **быть в поносе 2.** (**ПОНОС**). МФС, 37.

ПОНРА́В * В понра́в *кому. Ср. Урал. Одобр.* Нравится кому-л., заслуживает одобрение, симпатию. СРГСУ 1, 96.

ПОНТОЛЫ́ГА * Сбить с понтолы́ги *кого. Ср. Урал.* То же, что **сбить с панталыку (ПАНТАЛЫК).** СРГСУ 4, 92.

ПОНТ * Бить понт. *Жарг. угол.* 1. Возмущаться вместе с жертвой по поводу совершённой кражи. ТСУЖ, 20. 2. Заниматься саморекламой, преувеличивать свои достоинства. Быков, 160. 3. Обманывать кого-л. Балдаев 1, 337; ББИ, 185; Мильяненков, 202.

Брать/ взять на понт *кого. Жарг. угол., мол.* Действовать по отношению к кому-л. обманом, хитростью, угрозами. Балдаев 1, 62; Незнанский, 251; НСЗ-70; АиФ, 1998, № 15; Югановы, 176; ТСУЖ, 31, 114; Вахитов 2003, 20.

Дави́ть (коло́ть) понт (понты́). *Жарг. угол., мол.* Лгать, обманывать. Митрофанов, Никитина, 156; Гелована, Цветков, 74.

Коря́вый понт. См. **Корявые понты.**

Крути́ть понт. *Жарг. угол.* То же, что **давить понт.** Балдаев 1, 211.

Наводи́ть понт. *Жарг. угол.* Создавать видимость чего-л. ТСУЖ, 140, 166.

Понт кре́пкий. *Жарг. угол., карт.* Жертва, не сталкивавшаяся ранее с шулерами. СРВС 3, 114; Балдаев 1, 337; ББИ, 185.

Разби́ть понт. *Жарг. угол.* 1. *кому.* Помешать кому-л. в чём-л. 2. Разойтись, разбежаться в случае опасности. СРВС 4, 182; Балдаев 2, 7; Балдаев 1, 337; ББИ, 185; Мильяненков, 202.

Раски́нуть понт. *Жарг. угол.* 1. Создать благоприятные условия для совершения карманной кражи. 2. Обмануть кого-л.; создать видимость чего-л. Балдаев 2, 10.

Ры́жий понт. *Жарг. мол. Шутл.-ирон.* Преуспевающий бизнесмен, близкий к криминальным структурам, «новый русский». Максимов, 329.

Урва́ть понт. *Жарг. угол.* 1. Обмануть кого-л. 2. *Жарг. арест.* Получить лёгкую работу (как правило, обманным путем). Балдаев 2, 100; ТСУЖ, 183.

Для по́нта́. *Жарг. мол.* Для видимости. Вахитов 2003, 48.

С по́нтом [де́ла]. *Жарг. мол.* 1. Выдавая себя за осведомлённого в чём-л., опытного человека. Митрофанов, Никитина, 158; СМЖ, 95. 2. Нарочно, специально. ТСУЖ, 162.

С по́нтом под зо́нтом. *Жарг. мол. Шутл.-ирон.* Выражение недоверия к сказанному собеседником. Елистратов 1994, 351.

С по́нту. *Жарг. угол.* Обманным образом; будто бы. СРВС 3, 24; 190.

База́рить на понта́х. *Жарг. мол.* Преувеличивать что-л. в разговоре. Максимов, 21.

На понта́х. *Жарг. мол.* 1. О человеке, ведущем себя уверенно, выглядящем солидно. Я — молодой, 1994, № 10. 2. О человеке с завышенной самооценкой. Максимов, 59.

Возводи́ть (крутить) понты. *Жарг. мол.* Возмущаться чем-л. Вахитов 2003, 30, 87.

Воро́ньи понты́. *Жарг. мол. Неодобр.* Неоправданное высокомерие. Максимов, 69.

Ггать (гнуть, кида́ть, прожига́ть) понты́ [коря́вые]. *Жарг. мол. Неодобр.* Хвастаться, рисоваться перед кем-л. h-98; БСРЖ, 459; Вахитов 2003, 39; Максимов, 87.

Клéить понты́. *Жарг. мол.* 1. Вести себя высокомерно. 2. Упорно настаивать на своем. Максимов, 182.

Колоти́ть понты́ [коря́вые]. *Жарг. мол.* 1. Бояться чего-л., кого-л. Вахитов 2003, 82. 2. Дурачиться, кривляться. Вахитов 2003, 82. 3. Бездельничать. Максимов, 190. 4. Вести себя вызывающе. Максимов, 190. 5. Придираться к кому-л. Максимов, 190. 6. Хвастаться. Максимов, 190, 191.

Коря́вить понты́. *Жарг. мол.* Вести себя вызывающе, демонстрировать свое превосходство. Вахитов 2003, 84.

Коря́вые понты́. *Жарг. мол. Неодобр.* 1. Хвастовство. Максимов, 199. 2. Неудачные попытки показать себя в лучшем свете. Вахитов 2003, 84.

Лимóнить понты́. *Жарг. мол.* Лгать, оправдываясь; выкручиваться. h-98.

Понты́ коря́вые. *Жарг. мол. Неодобр.* О поведении высокомерного, важничающего человека. Я — молодой, 1997, № 27.

Просади́ть понты́. *Жарг. мол.* Ошибиться, сделать что-л. неправильно. Максимов, 330.

Раски́нуть понты́ коря́вые. *Жарг. мол. Неодобр.* Совершить неудачную попытку показать себя с лучшей стороны. Вахитов 2003, 155.

Сшибáть дешёвые (дёшево) понты́. *Жарг. мол. Неодобр.* Обращать на себя внимание дерзкими выходками, вызывающим поведением. Никитина 1998, 339.

< **Понт** – 1. Обман. 2. Вызывающее, самоуверенное поведение. 3. Выгода, преимущество. 4. Жертва шулера.

ПÓНТИЙ * От Пóнтия к Пилáту [посылáть] *кого. Книжн. Неодобр.* Отправлять кого-л. по инстанциям, не решая дела, не давая ответа. < Восходит к Евангелию. БМС 1998, 462.

ПОНЮ́Х * На оди́н поню́х. *Волг.* Об очень малом количестве чего-л. Глухов 1988, 91.

Ни за поню́х табаку́. См. Ни за понюшку табаку (ПОНЮШКА).

ПОНЮ́ШКА * Ни за понюшку (понюх) табаку. *Прост.* Совершенно зря, напрасно (пропадать, погибать, губить кого-л.). ФСРЯ, 341; ЗС 1996, 93; БТС, 1301.

ПÓНЯЛ * Брать/ взять на пóнял *кого. Прост.* Обманом добиваться желаемых результатов. Балдаев 1, 45; Росси 2, 300; ФСС, 16; Р-87, 300; Мокиенко 2003, 81.

ПОНЯ́ТИЕ * Быть без поня́тия. *Жарг. мол.* Не иметь ясного представления о чём-л. Вахитов 2003, 14.

Говори́ть по поня́тиям. *Жарг. мол.* Объяснять кому-л. что-л. Максимов, 89.

Жить по поня́тиям. 1. *Жарг. угол.* Соблюдать законы преступного мира. БСРЖ, 460. 2. *Жарг. мол.* Вести себя в соответствии с правилами группировки, компании. Максимов, 133.

Не знать поня́тия *о ком, о чём. Кар.* Абсолютно ничего не знать о ком-л., о чём-л. СОГК 2, 255.

Не имéть поня́тия *о чём. Разг.* Не быть сведущим, не разбираться в чём-л. Ф 1, 223.

ПОНЯ́ТКИ * Быть не в поня́тках. *Жарг. мол.* Не понимать, не иметь представления о чём-л. Вахитов 2003, 110.

Не в поня́тку *что кому. Жарг. мол.* То же, что **быть не в понятках.** Вахитов 2003, 110.

ПОП * Даровóй поп крестил *кого. Арх. Шутл.-ирон.* О состоянии праздности, безделья. АОС 10, 268.

Механизи́рованный поп. *Сиб. Шутл.* Барометр. ФСС, 145.

Поп крáсный. *Амур., Сиб.* Гриб подосиновик. СРНГ 29, 292; ФСС, 146.

Поп на си́вой кобы́ле éздит. *Пск. Шутл.* О тёмной ночи. СПП 2001, 62.

Туту́рский поп. *Сиб. Шутл.* Самец кукушки. ФСС, 145.

Что ни поп, то бáтька. *Волг. Шутл.* 1. О чём-л. повторяющемся, одинаковом. 2. *кому.* О безразличии к чему-л. Глухов 1988, 173.

Вы́просить у попá кобы́лу. *Новг.* Быть смелым, напористым. НОС 8, 114.

Гоня́ть попá. *Арх., Кар., Яросл.* Играть в чижика, в рюхи. СРГК 1, 365; СРГК 5, 74; ЯОС 3, 96; СРНГ 29, 292.

Держáть попá в подóле. *Волг., Прикам.* Помнить о девичьей чести. Глухов 1988, 33; МФС, 33; СРНГ 29, 291; СГПО, 483.

Емý про попá, а он про Емéлю-дуракá. *Народн.* О глупом, непонятливом, упрямом человеке. ДП, 457.

Захотéли от кáменного попá желéзной просви́ры. *Народн. Ирон.* О скупом человеке. ДП, 110.

Мéрить попá. *Сиб.* Договариваться в церкви о венчании. СРНГ 18, 118; СРНГ 29, 291.

Носи́ть попá в жóпе. *Пск. Шутл.* Бояться чего-л. ПОС 10, 270.

Послéдняя у попá женá. *Народн.* Говорится в ответ на реплику собеседника со словом «Последняя». Жук. 1991, 262.

Рабóтать на попá. *Кар., Урал. Ирон.* Выполнять какую-л. работу бесплатно. СРГК 5, 386; СРНГ 29, 291.

Стáвить (постáвить) на попá. 1. *что. Разг.* Приводить что-л. в вертикальное положение, ставить вертикально, стоймя, торчком. ФСРЯ, 341; БМС 1998, 462. 2. *Жарг. угол.* Грабить кого-л. Балдаев 1, 342. 3. *Жарг. угол.* Задерживать, останавливать жертву для совершения кражи. Балдаев 2, 58.

Угадáть попá в ря́се. *Волг. Ирон.* Ошибиться в предположениях. Глухов 1988, 162.

У попá телёнка вы́просит. *Перм. Шутл.* О настырном, настойчивом, предприимчивом человеке. Глухов 1988, 37.

Хоть попá корми́. *Новг. Шутл.-одобр.* О душистом, качественном сене. Сергеева 2004, 204.

Я – про попá, ты про попадью́, а он про попóву дóчку. *Народн. Шутл.-ирон.* Об отсутствии понимания среди собеседников. ДП, 457.

И попý и чёрту. *Волг. Неодобр.* О слишком услужливом, лицемерном человеке. Глухов 1988, 59.

Ни попý ни наймúту. *Брян.* Никому. СРНГ 21, 214; СРНГ 29, 291.

Ни попý ни чёрту. *Волг.* О чём-л. бесполезном, бесперспективном. Глухов 1988, 110.

ПÓПА * Пóпа с ру́чкой. *Жарг. мол.* 1. *Шутл.* Ночной горшок. 2. *Пренебр.* О непорядочном человеке. Максимов, 330.

Пóпа с ушáми. *Жарг. мол. Шутл.-ирон. или Пренебр.* Непорядочный человек; человек, совершивший непорядочный поступок. БСРЖ, 460.

Бря́кать пóпой по асфáльту. *Жарг. мол. Шутл.-ирон.* Испытывать неудачи, невезение, оставаться ни с чем. Максимов, 17.

Тарахтéть пóпой. *Жарг. арм. Шутл.-ирон. или Презр.* Бояться, трусить. Кор., 281.

Искáть на свою́ пóпу приключéний. *Прост. Шутл.-ирон.* Рисковать, поступать авантюрно, вмешиваться в опасные события. Мокиенко, Никитина 2003, 269.

Лизáть пóпу *кому. Прост. Презр.* Угодничать, подхалимничать перед кем-л. Мокиенко, Никитина 2003, 269.

Мо́рщить по́пу. *Жарг. мол.* 1. *Шутл.* Зря, напрасно расстраиваться. h-98. 2. *Неодобр.* Проявлять упрямство. Максимов, 254.

По́пу с горсть (в го́рстку). *Перм. Шутл.-ирон.* О сильно испугавшемся человеке. Подюков 1989, 157.

Про́ще вста́вить в по́пу па́лку, чем вруби́ться в начерта́лку. *Жарг. студ. Шутл.* О сложности начертательной геометрии. ВМН 2003, 108.

Сплю́щить по́пу. *Жарг. мол. Шутл.* Сесть. Максимов, 400.

ПОПАДЕ́ЙКИ * Иска́ть на попаде́йках *что. Яросл.* Разыскивать что-л. бессистемно, наугад. СРНГ 12, 214; ЯОС 4, 143.

ПОПАДЬЯ́ * Попадье́ не зали́ть. *Прикам.* О сильном огне, который трудно потушить. МФС, 39.

Попадья́ немо́йская. *Пск. Бран.* О ленивой, неряшливой женщине. СПП 2001, 62.

ПОПАНА́ЙКС * Всё попана́йкс. *Жарг. морск. Одобр.* О благоприятной обстановке, удачном стечении обстоятельств, положении дел. БСРЖ, 460.

ПОПЕНГА́ГЕН * Е́хать в Попенга́ген. *Жарг. мол. Шутл.* Совершать половой акт анальным способом. Никитина 1998, 340.

ПО́ПЕЛ * Сесть в (на) по́пел. *Ряз.* Рассыпаться, истлеть. СРНГ 29, 301; ДС, 439.

Погоре́ть с по́пелом. *Дон.* Сгореть дотла, до основания. Мокиенко 1986, 86.

ПОПЕРЁК * Говори́ть/ сказа́ть (ба́ять) поперёк. *Арх., Дон., Моск.* Спорить, перечить, возражать кому-л. АОС 1, 136; СДГ 3, 120; СРНГ 6, 256.

Поперёк бо́льно. *Влад.* О боли во всем теле. СРНГ 29, 305.

ПОПЕРЕ́ЧКА * Дава́ть попере́чку. *Ряз.* Возражать кому-л., запрещать что-л. СРНГ 29, 308.

ПО́ПЕРХ * По́перх захвати́л *кого. Кар.* О человеке, который поперхнулся. СРГК 2, 231.

ПОПЕХО́НИ * Быть на попехо́нях *у кого. Вят.* Прислуживать кому-л., исполнять чьи-л. мелкие просьбы. СРНГ 29, 312.

ПО́ПКА * По́пка рассерди́лась *у кого, чья. Жарг. мол. Шутл.* Кто-л. выпустил газы из кишечника, пукнул. Максимов, 331.

По́пка язы́к отъе́ла *у кого. Волг. Шутл.-ирон.* О неожиданно замолчавшем человеке. Глухов 1988, 130.

Тарахте́ть по́пкой. *Жарг. мол. Шутл. или Неодобр.* Лгать, обманывать. Максимов, 331.

Греть по́пку. *Волг.* 1. *Неодобр.* Бездельничать, праздно проводить время. 2. *кому.* Строго наказывать кого-л. Глухов 1988, 27.

Жить на свою́ по́пку. *Волг.* Не имея семьи жить богато, вольготно. Глухов 1988, 42.

Загля́дывать в по́пку *кому. Волг. Шутл.* Угождать кому-л., заискивать, лицемерить. Глухов 1988, 46.

Смо́рщить по́пку. *Жарг. мол. Шутл.* Подвинуться (о сидящем человеке). Вахитов 2003, 168.

ПОПЛЕВА́ТЬ * Поплева́ть да бро́сить. *Народн. Пренебр.* О чём-л. некачественном, скверном. ДП, 468.

ПОПОЛА́М * В попола́м. *Жарг. мол. Шутл.* Очень пьяный. СМЖ, 87.

Попола́м да на́двое. 1. *Орл. Неодобр.* Не так, как следует, как полагается. СРНГ 29, 329. 2. *Волг.* Об экономном ведении хозяйства. Глухов 1988, 130.

Быть в попола́ме. *Мол. Шутл.-ирон.* 1. О состоянии алкогольного опьянения. 2. О состоянии усталости. WMN, 68.

Находи́ться в попола́ме. *Жарг. комп.* Работать на OS/2. Садошенко, 1996.

ПОПОЛЗКИ́ * На поползка́х. *Алт.* Ползком, на четвереньках. СРГА 3-1, 128.

ПОПРА́ВА * Пойти́ в попра́ву. *Приамур.* Начать выздоравливать. СРГПриам., 213.

ПОПРЫ́ * Во все попры́. *Пск.* Очень быстро, стремительно, во весь дух. СПП 2001, 62.

ПОПУГА́Й * Корми́ть попуга́ев. *Жарг. мол. Шутл.* Заниматься онанизмом. Декамерон 2001, № 3.

Три́дцать во́семь попуга́ев. *Жарг. шк. Шутл.* Ученики на уроке иностранного языка. < По названию мультфильма. Максимов, 429.

Попуга́ям ма́ло пла́тят. *Жарг. мол. Шутл.* О человеке, повторяющем чужие слова. Максимов, 236.

ПО́ПУСК * Дава́ть/ дать по́пуск *кому. Волг.* Щадить, жалеть, прощать, покровительственно относиться к кому-л. Глухов 1988, 28.

ПОПУ́ТА * На попу́те. *Кар.* Попутно, одновременно с чем-л. СРГК 5, 79.

ПОПУ́ТЬЕ * Попу́тья не ста́ло *кому. Сиб.* Пути разошлись у кого-л. с кем-л. ФСС, 146.

С попу́тья. *Арх.* По пути, заодно. СРНГ 30, 21.

ПОПЫ́РКА * Дать попы́рку *кому. Прост.* Наказать побоями, устроить выволочку кому-л. СРНГ 30, 24.

Быть на попы́рках *у кого. Народн.* Быть в подчинении, прислуживать кому-л. СРНГ 20, 24.

ПОПЫ́ТКА * Моя́ попы́тка но́мер пять. *Жарг. студ. Шутл.-ирон.* О зачете или экзамене. (Запись 2003 г.). < Строка из песни поп-группы «Виагра».

ПОПЯ́ТКА * Наза́д попя́тками. *Прикам.* Задом наперед. МФС, 62.

Идти́ (пойти́) в попя́тку. *Перм.* То же, что **идти на понятный (ПОПЯТНЫЙ).** СРНГ 30, 27.

Попя́тку отка́зывать. *Сиб.* То же, что **идти на попятный (ПОПЯТНЫЙ).** ФСС, 129.

ПОПЯ́ТНЫЙ (ПОПЯ́ТНАЯ) * Идти́/ пойти́ на попя́тный (на попя́тную). *Разг. Неодобр.* Отказываться от своих планов, намерений, обещаний. СРНГ 30, 27; БМС 1998, 463; Мокиенко, 1990, 82; Ф 1, 220.

ПОРА́ * Дойти до тех пор. *Костром., Том.* Сильно измениться в худшую сторону, похудеть, подурнеть. СРНГ 30, 33.

С тех пор как свет сто́ит. *Разг.* С давних пор, издавна. СПП 2001, 69.

Встава́льная пора́. *Сиб.* Раннее утро. ФСС, 146; СРНГ 30, 29.

Глуха́я пора́. *Волг., Калуж., Прикам.* Время перед полуночью. Глухов 1988, 22; СРНГ 30, 28; МФС, 79.

Дарова́я (проста́я) пора́. *Перм., Прикам.* Досуг, свободное время. МФС, 79; СРНГ 30, 28.

Жа́ркая пора. *Твер., Новг.* Время интенсивных летних полевых работ. СРНГ 30, 28; НОС 2, 122.

Пуста́я пора́. *Р. Урал.* Голодное время до сбора нового урожая. СРНГ 30, 29.

Быть (ходи́ть) на тех пора́х. *Ср. Урал., Прикам.* О последнем месяце беременности. МФС, 79; Подюков 1989, 158; СРГСУ 2, 188.

На пе́рвых пора́х. *Разг.* Вначале, в первое время. ФСРЯ, 344.

На тех пора́х. *Прост. обл.* О состоянии беременности. Мокиенко, Никитина 2003, 270.

В одно́й поре́. *Прост.* Без перемен. Глухов 1988, 13; СРНГ 30, 29.

В (на) [са́мой] поре́. *Влад., Волг., Моск.; Горьк., Перм., Сиб.; Разг. Устар.*

В зрелом возрасте, в расцвете сил, здоровья. СРНГ 30, 33; Глухов 1988, 15; СФС, 46; БалСок, 28; Подюков 1989, 158; ФСРЯ, 344.

Ме́жду пора́ми. 1. *Ср. Урал.* Иногда, время от времени. 2. *Онеж.* В течение одного года. СРНГ 30, 29, 31.

Поро́й да вре́менем. *Арх.* То же, что **между порами 1.** АОС 6, 25.

Во всю по́ру. *Арх.* Сильно, интенсивно. СРНГ 30, 33.

Войти в по́ру. *Кар., Новг., Ср. Урал., Твер.* Повзрослеть, возмужать. СРГК 1, 221; НОС 8, 124; СРГСУ 1, 96; СРНГ 30, 33.

В по́ру. 1. *Вят.* Много, достаточно. СРНГ 30, 29. 2. *чью. Ряз.* Одного возраста с кем-л. СРНГ 30, 33. 3. *чью. Горьк.* Во время чьей-л. жизни. БалСок, 27.

В ко́ю по́ру. *Сиб., Ср. Урал.* 1. Когда, в какое время? 2. Очень быстро. 3. Очень редко, иногда. СРНГ 30, 29, 32.

В одну́ по́ру. 1. *Перм.* Редко, иногда. СРНГ 30, 29. 2. *Кар.* Недолго. СРГК 4, 150.

В ту по́ру. *Ворон.* Сразу, тотчас. СРНГ 30, 30.

Вы́йти в по́ру. *Арх.* Выздороветь. АОС 7, 240.

Забра́ть по́ру. *Волог.* То же, что **войти в пору.** СВГ 2, 96.

За по́ру перевали́ло. *Новг.* О человеке преклонного возраста. Сергеева 2004, 143.

Не (ни) в ко́ю по́ру. 1. *Новг.* Спустя много времени. СРНГ 21, 213. 2. *Новг.* Когда-нибудь; когда-то. СРНГ 21, 213. 3. *Вят.* Очень скоро. СРНГ 21, 213. 4. *Сиб., Ср. Урал., Прикам.* Очень быстро, тотчас. ФСС, 147; СРГСУ 2, 194; СГПО, 487.

Нову́ пору́. *Печор.* Иногда. СРГНП 1, 481.

О просту́ю по́ру. *Сиб.* Некогда, нет времени. ФСС, 147; СРНГ 30, 29.

[По] ину́ю по́ру. *Смол., Сиб.* Иногда. СРНГ 30, 30, 31.

По пору́. *Народн.* До определённого момента, пока не случилось беды. СРНГ 30, 31.

Без поры́. *Костром.* В неподходящее время. СРНГ 30, 29.

Без поры́, без вре́мени. *Народно-поэт.* Преждевременно, до срока. СРНГ 30, 32.

Вы́йти из поры́. 1. *Перм.* Ослабеть, выбиться из сил. СРНГ 30, 33; СГПО, 486. 2. *Волг.* Состариться (о человеке). Глухов 1988, 18. 3. *Волг.* Прийти в негодность, испортиться. Глухов 1988, 18. 4. *Перм.* Прийти в состояние крайнего раздражения. МФС, 22. 5. *Курск.* Опоздать. БотСан, 88.

До поры́ до вре́мени. *Разг.* До определённого момента; на время. БМС 1998, 463; БТС, 157; ФСРЯ, 346.

До сяко́вой поры́. *Яросл.* На долгий срок. ЯОС 4, 7.

Не знать поры́. *Свердл.* Поздно возвращаться домой. СРНГ 11, 312.

Не от просто́й поры́ *кому. Ср. Урал., Сиб.* Некогда, нет времени. СРГСУ 2, 202; СРНГ 30, 29.

От просто́й поры́. *Перм., Сиб.* На досуге, в свободное время. ФСС, 147; Подюков 1989, 158.

Проме́ж поры́. *Волог.* В промежутках между основными занятиями, между делом. СНГ 30, 32.

По те поры́. *Яросл.* 1. Раньше. 2. Давно. ЯОС 8, 11.

С поры́ на́ пору. *Онеж.* Иногда, время от времени. СРНГ 30, 32.

ПОРА́НКИ * На пора́нки. *Смол.* Рано утром. СРНГ 30, 43.

ПОРЁЖ * Дать порежа́ *кому. Дон.* Наказать побоями кого-л. СДГ 3, 43.

ПОРИБО́Н * Дать порибо́н. *Кар.* Отправиться куда-л. СРНГ 30, 60.

ПО́РКА * Дать по́рку. *Кар.* Сильно политься (о дожде). СРГК 1, 424.

Зада́ть по́рку *кому. Прост.* Выпороть, наказать кого-л. БМС 1998, 463.

ПОРМА́ * Порма́ поро́ть. 1. *Сарат.* Торопливо распарывать сшитую вещь. 2. *Сарат.* Быстро идти, бежать, скакать на лошади. 3. *Нижегор., Тамб.* Быстро говорить, читать вслух. СРНГ 30, 61.

ПОРНОГРА́ФИЯ * Ходя́чая порногра́фия. *Жарг. гом. Шутл.* Жеманный, кокетливый пассивный гомосексуалист. Кз., 61.

ПО́РОВНУ * Подели́ть по́ровну. *Жарг. мол. Шутл.-ирон.* Украсть у кого-л. что-л. Максимов, 320.

ПОРО́Г * Вон поро́г на семь доро́г! *Народн.* Уходи, убирайся! (говорится, когда кого-л. выгоняют или хотят подчеркнуть, что его присутствие где-л., участие в каком-л. деле нежелательно. Жук. 1991, 73.

Идти́ /пойти́ за поро́г. *Пск.* Идти в туалет. СПП 2001, 62.

Наступа́ть на поро́г. 1. *Волг.* Появляться где-л., у кого-л. Глухов 1988, 92. 2. *Дон.* Требовать чего-л., принуждать кого-л. к чему-л. СДГ 2, 173; СРНГ 30, 65.

Не появля́ться на поро́г. *Разг.* Не приходить в чей-л. дом. Ф 2, 84.

Перекла́дывать/ переложи́ть поро́г. *Пск.* Приходить, входить в дом. СПП 2001, 62.

Переступа́ть за поро́г *чего. Разг.* Уходить откуда-л. Ф 2, 41.

Поро́г бе́дности. *Спец. (экон.) или Публ.* Признаваемый государством предельный уровень личного благосостояния, ниже которого невозможно поддерживать нормальное физическое существование. СП, 165; Мокиенко 2003, 81.

Поста́вить на поро́г [да в ше́ю до воро́т] *кого. Смол., Яросл.* Прогнать кого-л. из дома. СРНГ 30, 65, 209.

Поста́вить поро́г. *Кар.* Настоять на своем. СРГК 5, 95.

Свекро́вушкин поро́г. *Кар.* Балка над дверью. СРГК 5, 652.

Указа́ть поро́г – семь доро́г *кому. Брян.* Выгнать, прогнать кого-л. откуда-л. СБГ 5, 32.

Не знать поро́га *чьего. Ворон.* Прекратить знакомство с кем-л. СРНГ 30, 65.

От поро́га до Бо́га, от Бо́га до поро́га. *Дон.* Во всём доме. СРНГ 30, 65; СДГ 3, 14.

С поро́га. *Разг.* 1. Сразу же после прихода в дом. 2. Не обдумывая долго, сразу же. Мокиенко 2003, 81.

У поро́га. *Разг.* То же, что **на пороге.** ФСРЯ, 344.

Стоя́ть над поро́гами. *Народн.* Нищенствовать, побираться (В. И. Даль). СРНГ 30, 65.

На поро́ге *чего. Разг.* В период, непосредственно предшествующий чему-л. ФСРЯ, 344; НРЛ-81; Мокиенко 2003, 81.

Споткну́ться на поро́ге. *Разг.* Совершить ошибку, промах в самом начале какого-л. дела. БМС 1998, 464.

Стоя́ть в поро́ге. 1. *Книжн.* Приближаться, наступать (о неизбежных событиях ближайшего будущего). Ф 2, 190. 2. *Волг.* Унижаясь, просить кого-л. о чём-л. Глухов 1988, 155.

Крича́ть поро́ги. *Моск.* Свадебный обычай, когда жених одаривает подруг невесты. СРНГ 30, 65.

Обива́ть (окола́чивать, ота́птывать) поро́ги. *Прост. Неодобр.* Беспрестанно ходить куда-л. (как правило – безрезультатно). ДП, 626; ЗС 1996, 69, 222,

342; ФСРЯ, 344; СРНГ 23, 135; Ф 2, 22; Глухов 1988, 114; СПП 2001, 62.

Перешóркать порóги *чьи. Кар.* Надоесть кому-л. частыми визитами. СРГК 4, 478.

Под порóгом. *Сиб.* Без присмотра (обычно – о детях). СРНГ 30, 65; ФСС, 147; СФС, 143; СОСВ, 147.

До порóгу [пáмять] *у кого. Сиб. Неодобр.* О плохой, слабой памяти. ФСС, 147.

ПОРÓДА * Волчи́ная порóда. *Ряз.* О людях с агрессивным поведением, сеющих раздоры и ссоры. СРНГ 30, 67.

Жеребя́чья порóда. *Разг. Устар. Пренебр.* О служителях церкви. ФСРЯ, 344.

Лешакóвская порóда. *Костром. Бран.* О человеке, вызывающем возмущение, досаду. СРНГ 17, 31.

Матери́нская порóда. *Кар.* Основной слой почвы. СРГК 5, 82.

Медвéжья порóда. *Прост. Ирон.* О людях, постоянно портящих воздух, выпуская газы из кишечника. Мокиенко, Никитина 2003, 270.

Нáша порóда. *Дон.* О родственниках. СДГ 3, 44.

Пустáя порóда. *Разг. Пренебр.* О бесполезном, ни на что не пригодном человеке. БМС 1998, 464; СРНГ 30, 68.

ПОРÓДЬЕ * Сýчье порóдье. *Сиб. Бран.* О подлых, непорядочных людях. СРНГ 30, 69; СФС, 183.

ПОРÓЖЕК * Считáть порóжки. *Волг. Шутл.-ирон.* Падать, ушибаться. Глухов 1988, 157.

ПОРОЖНЯ́К * Гнать/ гоня́ть (прогоня́ть, толкáть) порожня́к. *Жарг. угол., мол.* 1. Болтать попусту. 2. Лгать, сообщать ложную информацию. 3. Говорить на воровском языке. Быков, 52; СМЖ, 88; Балдаев 1, 89; ТСУЖ, 40, 141; ФЛ, 103, 141; ББИ, 56; Вахитов 2003, 39-40.

Ходи́ть по порожнякáм. *Жарг. мол. Неодобр.* Делать что-л. бесполезное. Максимов, 332.

ПÓРОЗ * Гоня́ть пóроза. *Арх.* 1. *Неодобр.* Бездельничать. 2. Игнорировать девушек во время вечеринки, народного гулянья. АОС 9, 303, 316.

ПÓРОЗНИ * С порозня́ми (на порозня́х). *Пск.* С пустыми руками, ни с чем. СПП 2001, 62.

ПОРÓК * Положи́ть порóк *на кого. Дон.* Опозорить, осрамить кого-л. СРНГ 30, 76.

ПОРОНÉЦ * Задáть поронцá *кому. Яросл.* Наказать побоями, поркой кого-л. ЯОС 4, 68.

Получи́ть поронцá. *Яросл.* Быть наказанным побоями, поркой. ЯОС 8, 56.

ПОРОСЁНОК * Три поросёнка. *Разг. Шутл.* Винный магазин. МК, 14.03.98.

Мóкрый поросёнок. *Волг., Горьк. Пренебр.* О пьяном. Глухов 1988, 85; БалСок, 43.

Поросёнок нескоблёный. *Пск. Бран.* О ленивом или неряшливом человеке. СПП 2001, 62.

Разводи́ть пухóвых порося́т. *Жарг. мол.* Дурачиться; совершать странные поступки. Урал-98.

Хоть порося́т об лоб бей *кому. Волг. Шутл.* О крепком, сильном, здоровом человеке. Глухов 1988, 169.

Шестимéсячных порося́т о лоб бить мóжно. *Прост. Шутл.-ирон.* О крепком, здоровом человеке. < Выражение приписывается В. Шукшину. Мокиенко 2003, 82.

ПОРОСЯ́ * [Из] порося́ [превращáть] в карася́. *Разг. Шутл.* Выдавать желаемое за действительное. БМС 1998, 464.

ПÓРОХ * Держáть пóрох сухи́м. *Разг.* Быть всегда бдительным, готовым к защите, обороне. БМС 1998, 464; ШЗФ 2001, 66; ФСРЯ, 345.

Есть ещё пóрох в пороховни́цах *у кого. Разг.* У кого-л. есть силы, энергия для совершения чего-л. Мокиенко 1989, 24, 46; ШЗФ 2001, 72. < Слова Тараса, героя повести Н. В. Гоголя «Тарас Бульба» (1842 г.). ФМ 2002, 358.

Ни за синь пóрох не брáться. *Орл. Неодобр.* Бездельничать, абсолютно ничего не делать. СРНГ 21, 213.

Подня́ть синь пóрох. *Курган.* Всё переворошить, пересмотреть. СРНГ 28, 99.

Синь пóрох. *Разг. Устар.* Самая малость, мельчайшая частица. БМС 1998, 464.

Синь пóрох в глазý. *Разг. Устар.* 1. Очень близкий, дорогой человек. 2. *Неодобр.* Очень назойливый, мешающий своим постоянным присутствием человек. ФСРЯ, 345.

Трáтить пóрох. *Прост.* Зря стараться. Глухов 1988, 160.

Нагнáть пóроха. *Кар.* Запугать кого-л. СРГК 3, 307.

Ни пóроха. *Кар.* Абсолютно ничего, нисколько. СРГК 5, 84.

Ни синь пóроха [нет] *у кого. Разг. Устар.; Ряз., Влад.* О полном отсутствии чего-л. СРНГ 21, 214; СРНГ 30, 83; БМС 1998, 465; ФСРЯ, 345.

Пóроха не вы́думает. *Разг. Ирон.* О человеке, не отличающемся сообразительностью. ФСРЯ, 93.

Си́ня пóроха во рту нé было *у кого. Разг. Устар.* О человеке, который давно не ел, испытывает чувство голода. ДП, 474.

Обкури́ться пóрохом. *Народн.* Побывать в сражении, в бою. СРНГ 22, 76.

Понюхаться с пóрохом. *Пск.* То же, что **обкуриться порохом.** СПП 2001, 62.

Дать пóроху. *Яросл.* 1. *кому.* Устроить скандал. 2. *чему.* Износить, привести в негодное состояние (об одежде, обуви). ЯОС 3, 121.

Не хватáет пóроху *у кого. Прост. Ирон.* Кто-л. недостаточно силён, не имеет достаточных возможностей для осуществления чего-л. ЗС 1996, 507; ДП, 106, 826.

Ни пóроху ни си́него. *Волг.* То же, что **ни синь пороха.** Глухов 1988, 110.

Понюхать пóроху. *Народн.* Испытать трудности, приобрести опыт в опасных, сложных ситуациях. ЗС 1996, 507.

Пóроху не нюхал. *Народн.* О неопытном, не испытавшем трудностей, лишений человеке.. ДП, 259; Мокиенко 1990, 128; СПП 2001, 62.

Хватáет пóроху *у кого. Прост.* Кто-л. достаточно силён, имеет достаточно возможностей для осуществления чего-л. ДП, 106, 826; Ф 2, 230.

ПОРОХНЯ́ * Порохня́ сы́плется *из кого. Диал. Пренебр.* О старом, дряхлом человеке. СРНГ 30, 84.

ПОРОШИ́НКА * Ни пороши́нки. *Смол., Яросл.* Абсолютно ничего. СРНГ 30, 86; ЯОС 6, 145.

ПОРОШÓК * Бéлый порошóк. 1. *Жарг. нарк.* Кокаин. 2. *Жарг. шк. Шутл.* Мел. (Запись 2003 г.).

Рвóтный порошóк. *Разг. Презр.* О чём-л., о ком-л. неприятном. Мокиенко, Никитина 2003, 270.

Стерéть в порошóк *кого. Разг.* Жестоко расправиться с кем-л. ФСРЯ, 455; Мокиенко 1990, 60..

ПОРТЁЖ * Класть/ положи́ть портёж *на кого. Кар.* По суеверным представлениям – посылать порчу на человека. СРГК 2, 360.

Портёж пал *на кого. Кар.* На кого-л. нашла порча. СРГК 4, 406.

ПОРТКИ́ * Те же портки́, да напере́д узлы́ (да узлы́ назади). *Народн. Шутл.-ирон.* То же самое, но названное или сделанное по-другому. ДП, 856.

Те же портки́, то́лько вниз га́шником. *Пск. Шутл.-ирон.* То же, что **те же портки, да наперед узлы.** СПП 2001, 62.

Оставля́ть/ оста́вить без портóк *кого. Прост.* Разорять кого-л. Глухов 1988, 117.

Остава́ться/ оста́ться без портко́в. *Прост.* Разоряться, растрачивать деньги. СРНГ 31, 234.

Ходи́ть без порто́к. *Волг.* Испытывать нужду, быть очень бедным. Глухов 1988, 166.

ПОРТНИ́ХА * Портни́ха Я́ниха. *Пск. Шутл.* О человеке, допустившем оплошность, сделавшем что-л. неумело. СПП 2001, 62.

ПОРТРЕ́Т * Портре́т тёщи. *Разг. Шутл.-ирон.* Сигареты «Лайка», «Друг». Балдаев 1, 340; ББИ, 187; Мильяненков, 203.

Портре́т участко́вого. *Жарг. угол., мол. Шутл.-ирон.* Сигареты «Друг». Балдаев 1, 340; ББИ, 187.

Смыть портре́т. *Жарг. мол.* Уйти откуда-л. Максимов, 392.

Настуча́ть по портре́ту *кому. Жарг. мол.* Избить кого-л. Никитина 2003, 539.

ПОРТЫ́ * Верте́ть порты́. *Пск. Шутл.* Искать выход из трудного положения. СПП 2001, 62.

ПОРТЯ́НКА * Кра́сная портя́нка. *Разг. Шутл.-ирон.* Фабрика «Красное знамя» в Ленинграде (1970-е гг.). Синдаловский, 2002, 95.

Портя́нка гря́зная. *Жарг. нарк.* Портфель, в котором находятся наркотики. ТСУЖ, 141.

Нюхать портя́нки. *Жарг. мол.* Получать удары по лицу. Максимов, 279.

Суши́ть портя́нки. *Перм. Шутл.* Отдыхать, лежать без дела. Подюков 1989, 200.

Жева́ть портя́нку. *Перм. Неодобр.* Невразумительно отвечать на вопрос. Подюков 1989, 75.

Молча́ть в портя́нку. *Прост. Груб.* Не высказывать вслух свое мнение, суждение. Мокиенко 2003, 82; Ф 1, 302.

ПОРУ́КА * Кругова́я пору́ка. *Разг.* Взаимное укрывательство, взаимная выручка. БМС 1998, 465; ЗС 1996, 206, 220.

Брать/ взять на пору́ки *кого. Разг.* Поручаться за кого-л., брать на себя ответственность за кого-л. БМС 1998, 465.

Пору́кой запору́чено. *Яросл.* О чём-л. закреплённом ручательством, договором. ЯОС 8, 67.

ПОРУНЕ́Ц * Дать порунцо́в *кому. Волг., Дон.* Выпороть кого-л. Глухов 1988, 31; СДГ 3, 44.

ПО-РУ́ССКИ * По-ру́сски не сговори́шь *с кем. Народн. Неодобр.* Об упрямом, несговорчивом человеке. ДП, 328.

ПОРУЧЕ́НИЕ * Брать/ взять на поруче́ние *кого. Дон.* То же, что **брать на поруки.** СДГ 3, 45.

ПО́РЧА * По́рча ядрёная! *Перм. Бран.* О человеке. доставляющем неприятности. СГПО, 488; МФС, 79.

ПО́РШЕНЬ * Переобу́ть из поршне́й в ла́пти *кого. Народн. Ирон.* Обмануть, перехитрить кого-л. ДП, 638.

Поршня́ дымя́тся *[у кого]. Жарг. мол.* О боли в ногах. Максимов, 124.

Опусти́ть поршня́. *Жарг. авто.* Находиться в подавленном состоянии. Максимов, 288.

Дви́гать (шевели́ть) поршня́ми, *чаще в форме повел. накл. Жарг. мол.* Идти, передвигаться быстро. Я — молодой, 1996, № 26; Вахитов 2003, 203; Максимов, 486.

Ходи́ть в поршня́х. *Волг.* То же, что **ходить без порток (ПОРТКИ).** Глухов 1988, 166.

ПОРШО́К * Поршо́к перепели́ный. *Жарг. авиа. Шутл.-ирон.* Вертолётчик. Кор., 223.

ПОРЯ́Д * Всё в поря́де. *Жарг. крим., мол.* Дела идут хорошо. Никитина 2003, 540.

ПОРЯ́ДНЯ * Испо́ртить всю поря́дню *кому. Пск.* Помешать кому-л. в осуществлении чего-л. важного. СПП 2001, 62.

ПОРЯ́ДОК * Из поря́дка не вы́кинешь *кого. Морд.* О человеке не хуже других. СРГМ 1978, 97.

Не знать за собо́й поря́дка. *Кар.* Быть неряшливым, не следить за собой. СРГК 5, 87.

Вести́ на поря́дках *что. Кар.* Содержать что-л. в чистоте и порядке. СРГК 5, 87.

В поря́дках. *Сиб.* Трезвый. ФСС, 147; СФС, 46.

В пожа́рном поря́дке. *Разг. Шутл.* Экстренно, спешно. ФСРЯ, 346.

В поря́дке веще́й. *Разг.* Нормально, обычно. ФСРЯ, 346.

В поря́дке живо́й о́череди. 1. *Офиц.* О способе обслуживания покупателей, когда они стоят в очереди, не отлучаясь даже на короткое время. 2. *Жарг. угол., мол.* О способе группового изнасилования, при котором каждый участник стоит в очереди. Мокиенко, Никитина 2003, 270.

Не в поря́дке. *Разг. Ирон.* О слабоумном, недоразвитом человеке. ФСС, 147; СОСВ, 147; Глухов 1988, 95.

Бе́шеным поря́дком. *Дон.* Очень быстро. СДГ 1, 27; СРНГ 30, 127.

До́брым поря́дком. *Урал.* Сильно, интенсивно. СРНГ 30, 127.

Свои́м поря́дком. *Разг.* В привычной последовательности. ФСРЯ, 346.

Перебира́ть (сла́вить) по поря́дку *кого. Горьк.* Ругать, поносить всех подряд. БалСок, 50; СРНГ 30, 127.

Призыва́ть к поря́дку. *Разг.* Заставлять кого-л. прекращать незаконные, неправильные действия. Ф 2, 90.

Дава́ть/ дать поря́док (поря́дки). *Дон., Яросл.* Распоряжаться, давать указание. СДГ 3, 45; ЯОС 3, 121.

Не в поря́док де́ла. *Сиб. Неодобр.* Непорядочно, неправильно (поступать). СРНГ 28, 204.

ПОРЯ́ДОВКА * На поря́довку. *Помор.* Наравне с кем-л., с чем-л. ЖРКП, 121.

ПОСА́Д * Сиде́ть на посаде. *Пск.* Готовить приданое к свадьбе. СПП 2001, 62.

ПОСА́ДКА * Мя́гкая поса́дка. *Разг. Шутл.* Об удачном падении без ушибов. БМС 1998, 465.

Соверши́ть мя́гкую поса́дку. *Разг. Шутл.* Удачно упасть, не ушибиться. БМС 1998, 465.

ПО́СВИСТ * С по́свистом в голове́. *Жарг. мол. Шутл.-ирон.* О глупом, несообразительном человеке. Максимов, 90.

ПО-СВО́ЕМУ * Причеса́ть по-сво́ему *кого. Диал.* Избить кого-л. Мокиенко 1990, 57.

ПОСЕ́ДКИ * Идти́ в посе́дки. *Яросл.* Отправляться в гости к соседям с целью отдохнуть. ЯОС 2, 39.

Сиде́ть в посе́дках. *Яросл.* Праздно проводить время в гостях у соседей. ЯОС 2, 38.

ПОСЕЛЕ́ННАЯ * Вся поселе́нная. *Ряз.* Все, очень многие. СРНГ 30, 148; ДС, 444.

На всю поселённую. *Ряз.* Изо всех сил. СРНГ 30, 148.

ПОСЁЛОК * Соба́чий посёлок. *Жарг. арест. Ирон.* Место жительства сотрудников лесного ИТУ. Балдаев 2, 49.

ПО-СЕ́РОМУ * Говори́ть по-се́рому. *Пск.* Разговаривать на диалекте. (Запись 1996).

ПОСИ́ДКИ * Ба́бьи посиде́лки. *Жарг. шк.* Учительская; учителя в учительской. (Запись 2003 г.).

Отпра́вить на поси́дки *кого. Жарг. арест. Устар.* Заключить кого-л. в тюремный карцер. СРВС 1, 44.

ПОСИНЕ́НИЕ * До посине́ния. *Прост.* До полной потери сил, до изнеможения. НСЗ-80; Ф 2, 79.

ПОСКАКА́ТЬ * Ни поскака́ть, ни поплеса́ть, ни в ду́дочку поигра́ть. *Народн. Неодобр.* О неумелом, неуклюжем человеке. ДП, 472.

ПОСКО́ТИНА * Перемахну́ть поско́тину. *Сиб. Шутл.* Уехать за границу. < **Поскотина** – изгородь вокруг пастбища. СРНГ 30, 169.

ПОСЛЕ́Д * Партиза́нский после́д. *Прост. Бран.* Ребёнок, родившийся неизвестно от кого. Мокиенко, Никитина 2003, 270.

До [са́мого] после́ду. 1. *Ср. Урал., Приамур.* До самого конца. СРГСУ 1, 142; СРГПриам., 218. 2. *Сиб.* До смерти. СФС, 65.

ПОСЛЕ́ДНИЙ * До после́днего. *Разг.* Самоотверженно, отдавая всё, на что способен, до последней возможности (бороться, работать, не отступать). ФСРЯ, 346; БМС 1998, 465; ШЗФ 2001, 66; СДГ 3, 46.

Отпра́виться в после́дних. *Кар.* Умереть. СРГК 4, 319.

ПОСЛЕ́ДОК * До после́дка (после́дку). *Дон., Кар.* До конца. СДГ 3, 46; СРГК 5, 12.

Дойти́ до после́дка (после́дку). 1. *Дон. Неодобр.* Морально опуститься. СРНГ 30, 176; СДГ 3, 46. 2. *Волг.* Оказаться в крайне сложном положении. Глухов 1988, 36.

При после́дке. *Сиб.* В самом конце; в конце концов. СБО-Д2, 111.

Под после́док. *Кар.* В конце, в заключение чего-л. СРГК 5, 92.

ПОСЛЕ́ДСТВИЕ * Чрева́то после́дствиями. *Разг.* О том, что может повлечь за собой неприятности. БМС 1998, 465.

ПОСЛО́ВИЦА * Войти́ в посло́вицу. *Разг.* 1. Стать общепризнанным, общеизвестным. 2. *чем.* Прославиться чем-л. ФСРЯ, 76.

ПОСЛЫ́ХАНЬЕ * Нет в послы́ханье *чего. Кар.* О чём-л. давно не говорят, ничего не известно. СРГК 5, 92.

ПОСО́БА * Посо́бы нет. *Свердл.* О состоянии крайней усталости, бессилия. СРГСУ 4, 104; СРНГ 30, 190. < **Пособа** – помощь.

ПОСО́БИЕ * Учёбное посо́бие. *Жарг. студ. Шутл.* Шпаргалка. (Запись 2003 г.).

ПОСОВУ́ШКИ * Быть на посову́шках *у кого. Яросл.* Прислуживать кому-л., выполнять чьи-л. мелкие поручения. ЯОС 6, 78.

ПОСО́Л * Ни посла́ ни восла́. *Пск. Шутл.* О том, кто надолго ушёл, исчез. СПП 2001, 62. **Ни посла́ ни вёсла́.** *Кар.* То же. СРГК 5, 93.

Ты посо́л, проли́л рассо́л и опе́ть ушёл. *Печор. Шутл.* Прибаутка о быстром и неуместном уходе кого-л. СРНГП 2, 121.

ПОСОЛИ́ТЬ * Посоли́вши мо́жно есть. *Волг. Шутл.-ирон.* О невкусной пище. Глухов 1988, 131.

ПО́СОЛОНЬ * На по́солонь. *Печор.* По движению солнца. СРНГП 2, 121.

ПО́СОХ * О по́сохе. *Печор.* О старом, много пожившем человеке. СРНГП 2, 121.

ПОСОШО́К * Вы́пить на посошо́к. *Прост.* Выпить спиртного на прощание, перед дорогой. ЗС 1996, 429; Глухов 1988, 91.

ПОСТ[1] *** Держа́ть пост.** 1. *Дон.* Стоять на посту. СДГ 1, 128. 2. *Ср. Урал.* Соблюдать диету. СРГСУ 4, 106.

Наипа́че поста́ и моли́твы. *Одесск.* О чём-л. крайне важном. КСРГО.

В Петро́вом посту́ разорва́лся на льду. *Пск. Шутл.* О том, чего не было, не существовало в действительности. СПП 2001, 62.

ПОСТ[2] *** Пойти́ (пройти́) по поста́м.** *Жарг. мол.* Сходить в гости к знакомым женщинам. Максимов, 325.

Быть на посту́. *Диал.* Быть готовым к чему-л., быть наготове. Мокиенко 1986, 89.

Прове́рить посты́. *Жарг. мол. Шутл.* Сходить в туалет. Вахитов 2003, 149.

ПОСТА́В * Поста́вить на поста́в *кого. Дон.* Довести до изнеможения, утомить кого-л. СРНГ 30, 207.

Стать на поста́в. *Волг., Дон.* Сильно устать, утомиться, дойти до изнеможения. СРНГ 30, 207; Глухов 1988, 154; СДГ 3, 46.

Рабо́тать в два поста́ва. *Калуж. Шутл.* Пить чай из двух чашек. СРНГ 30, 207.

ПОСТА́ВИТЬ * Хоть (что) поста́вь, хоть (что) положи́. *Волг., Сиб. Шутл.* Об упитанном, очень полном человеке. Глухов 1988, 169; ФСС, 149.

ПОСТАНО́ВКА * Поста́вить постано́вку. *Сиб.* Рассердиться, начать скандалить, разбушеваться. СРНГ 30, 213.

ПО́СТАТЬ * Гнать по́стать. *Сиб.* Важничать, зазнаваться. ФСС, 43.

ПОСТЕ́ЛЬ * Лежа́ть на Бо́жьей постее́ли. *Волг.* То же, что **лежать на мёртвой постели.** Глухов 1988, 87.

Лежать на мёртвой постели. *Алт., Волог., Ворон., Горьк.* Быть при смерти. СРГА 3-1, 17; СРНГ 16, 330; СРНГ 18, 123; СВГ 4, 82; БалСок, 41.

Поднима́ться/ подня́ться с посте́ли. *Разг.* Выздоравливать. Ф 2, 58.

Прико́вывать/ прикова́ть к посте́ли *кого. Разг.* Становиться причиной тяжёлой болезни кого-л. Ф 2, 90.

Выкупа́ть посте́ль. 1. *Дон., Сиб.* В свадебном обряде – выкупать приданое невесты. СДГ 3, 48; ФСС, 36. 2. Перм. В свадебном обряде – платить участникам свадьбы, занявшим место на постели молодых с тем, чтобы освободить её. СРНГ 5, 299.

Застели́ть посте́ль. *Жарг. угол.* Перейти реку по мосту. Балдаев 1, 343; ББИ, 189.

Мять посте́ль. *Сиб. Неодобр. или Ирон.* Быть лежебокой, любить понежиться в постели. ФСС, 115.

Недо́лгая посте́ль. *Кар.* Быстрая смерть. СРГК 3, 403.

Сбере́чь пе́рвую посте́ль. *Сиб.* Сохранить девственность до замужества. СРНГ 26, 17.

Убра́ть посте́ль. *Жарг. угол.* Перейти реку вброд. Балдаев 1, 343; ББИ, 189.

Е́хать за посте́лью. *Орл.* В свадебном обряде: за день-два до свадьбы забирать приданое невесты и увозить в дом жениха. СОГ 1990, 103.

ПОСТЕ́Н * Посте́н ба́енный! *Пск. Бран.* О человеке, вызывающем гнев, раздражение. СПП 2001, 62.

Посте́н навали́лся *на кого. Тул., Твер.* Об ощущении тяжести, удушья. СРНГ 30, 225.

< **Посте́н** – 1. Тень. 2. Чёрт, домовой.

ПОСТЛА́ТЬ * Ни постла́ть, ни укры́ться, ни головы положи́ть. *Народн.* Об отсутствии жилья. Жиг. 1969, 355.

ПОСТОРО́ННАЯ * Посторо́нная бьёт *кого. Сиб.* О припадке, судорогах, сопровождающихся потерей сознания. СРНГ 30, 233.

ПОСТРА́М * Страми́ть на пострáм *кого. Сиб.* Сильно ругать, срамить, позорить кого-л. СРНГ 30, 236.

ПОСТРЕ́Л * Постре́л возьми́ (пострели́) тебя́ (его́ и т. п.**)!** *Оренб.* Восклицание, выражающее гнев, негодование в чей-л. адрес. СРНГ 30, 237.

ПОСТРО́МКА * Постро́мки не перервёт. *Новг. Неодобр.* О ленивом, нерадивом человеке. НОС 7, 125; НОС 8, 130.

ПОСУ́ДА * То́лько посу́ду опога́нить. *Пск. Ирон.* Прожить неудавшуюся, несчастливую жизнь. СПП 2001, 67.

ПОСУ́ДИНА * Ко́лотая посу́дина. *Волог. Ирон. или Пренебр.* О девушке, потерявшей девственность до замужества. СРНГ 30, 247.

ПОСУЛИ́ТЬ * Посули́ть да осоли́ть. *Прикам.* Не выполнить обещание. МФС, 80.

ПОСЫ́ЛКА * Получи́ть посы́лку. *Жарг. мол. Ирон.* Быть отвергнутым (в плане сексуального партнерства). Максимов, 328.

ПОСЯ́Д * Не знать посяду. *Алт., Кар.* Вести себя беспокойно, вертеться. СРГА 3-2, 141; СРГК 5, 106.

ПОТ * Вгоня́ть в пот *кого. Разг.* 1. Заставлять кого-л. много, интенсивно работать. 2. Пугать, волновать кого-л. ФСРЯ, 57; БТС, 139; Глухов 1988, 9.

Выжима́ть/ вы́жать пот *из кого. Разг.* Изнурять кого-л. непосильной работой. ФСРЯ, 93.

Вы́нять/ вы́гнать пот *из кого. Сиб.* Загнать, утомить до пота. ФСС, 37.

Избе́гать весь пот. *Сиб.* Пройти пешком по многим местам, много ходить. СРНГ 36, 165.

Крова́вый пот. *Разг.* Полное изнурение, изнеможение от непосильной работы. ФСРЯ, 347.

Пролива́ть пот. *Разг.* Усердно, напряжённо работать. Ф 2, 99.

Утира́ть пот. 1. *Сиб.* Отдыхать. СФС, 149. 2. *Перм.* Выполнять тяжёлую физическую работу. Подюков 1989, 217.

Цыга́нский пот. *Разг.* Озноб, дрожь от холода. ФСРЯ, 347; СФС, 200; Глухов 1988, 170.

Цыга́нский пот про́нял (проши́б) *кого. Разг.* 1. Об ознобе, дрожи от холода. 2. О сильном испуге. БМС 1998, 466; Глухов 1988, 136; ДП, 348; ЗС 1996, 449.

До по́та лица́. *Арх., Пск.* То же, что **до седьмого пота.** СРНГ 17, 86; СПП 2001, 62.

До седьмо́го по́та. *Разг.* До крайнего утомления, до полного изнеможения. ФСРЯ, 347; Мокиенко 1989, 62; БМС 1998, 466.

Три по́та (сто пото́в) вы́шло *с кого. Пск.* То же, что **семь потов сошло.** СПП 2001, 62.

В по́те лица́. *Разг.* С большим усердием, напряжением, прилагая все силы (работать). ФСРЯ, 348; ШЗФ 2001, 31; Мокиенко 1989, 62; БМС 1998, 466.

В по́те мо́рды. *Жарг. мол. Шутл.* То же, что **в поте лица.** ТК-2000.

В по́те рабо́тать (труди́ться и т. п.**).** *Перм.* Работать с большим усердием, напряжением, прилагая все силы. Сл. Акчим. 4, 113.

Держа́ть в по́те *кого. Кар.* Заставлять кого-л. напряжённо работать. СРГК 5, 106.

Проли́ть (спусти́ть) сто (семь) пото́в *Прост.* Устать, утомиться, перенапрячься в процессе тяжёлой работы. СПП 2001, 62; Ф 2, 99, 179.

Семь пото́в сошло́ *с кого. Разг.* Кем-л. затрачено много усилий для выполнения, осуществления чего-л. ФСРЯ, 448; ЗС 1996, 97.

Согна́ть семь пото́в *с кого. Прост.* Изнурить, измучить кого-л. тяжёлой, непосильной работой. Ф 2, 172.

Облива́ться по́том и кро́вью. *Разг.* Терпеть невыносимые страдания, муки; изнемогать от непосильного труда. Ф 2, 8.

Облива́ться холо́дным по́том. *Разг.* Испытывать чувство сильного страха. Ф 2, 8.

По́том бро́ситься. *Кар.* Вспотеть. СРГК 1, 120.

По́том и кро́вью. *Книжн.* Ценой величайших усилий, тяжёлым трудом. ФСРЯ, 348; БТС, 472.

По́том умыва́ться. *Перм.* Работать с большим усердием, напряжением, прилагая все силы. Сл. Акчим. 4, 113.

Умыться крова́вым по́том. *Разг.* Быть избитым до крови. БТС, 1388.

Не боя́ться по́ту. *Кар.* Не уклоняться от работы. СРГК 5, 106.

Сиде́ть в поту́. *Кар.* Усердно и много работать. СРГК 5, 107.

ПОТА́Й * В пота́й. *Дон.* Тайно. СДГ 3, 49.

Притаи́ться в пота́ях. *Горьк.* Спрятаться. БалСок, 28.

ПОТА́КА * Дава́ть/ дать пота́ку *кому. Кар.* То же, что **давать пота́чку (ПОТАЧКА).** СРГК 5, 107.

ПОТА́ПЫЧ * Зайти́ к Пота́пычу. *Жарг. мол. Шутл.* Сходить в туалет. БСРЖ, 466.

ПОТАСО́ВКА * Дава́ть/ дать (задава́ть/ зада́ть) потасо́вку *кому. Диал.* Избивать, колотить кого-л. Мокиенко 1990, 46.

ПОТА́ЧКА * Дава́ть/ дать пота́чку *кому. Разг.* Потворствовать, попустительствовать кому-л. БМС 1998, 466; ШЗФ 2001, 59; НОС 8, 152.

ПОТЁМКИ * Блужда́ть (ходи́ть) в потёмках. *Разг.* Плохо разбираться в чём-л., плохо понимать что-л.; действовать вслепую, наугад. ФСРЯ, 38; Глухов 1988, 166.

В потёмках. *Разг.* В полном неведении, не имея точного представления, понятия о чём-л. ФСРЯ, 348.

ПОТЁМНИЧКА * Потёмничка с Бели́нским. *Жарг. арест.* Похлёбка с белым хлебом. Хом. 2, 219.

ПОТЕРЁБКА * Дать (зада́ть) потерёбку [с вы́волочкой] *кому. Горьк., Новг., Твер.* Побить, поколотить кого-л. БалСок, 49; НОС 8, 152; СРНГ 30, 275; Мокиенко 1990, 46.

ПОТЕ́РЯ * До поте́ри пу́льса (и́мпульса). *Разг. Шутл.* До предела возможностей; до крайней степени. СМЖ, 88; Вахитов 2003, 48; Мокиенко 2003, 82.

До поте́ри моби́льника. *Жарг. мол. Шутл.* До крайней степени опьянения. (Запись 2004 г.).

До поте́ри созна́ния. *Разг.* До крайней степени, до предела. ФСРЯ, 348; Вахитов 2003, 48.

Нашла́сь ба́бушкина поте́ря у де́душки в портка́х. *Арх. Шутл.* О нашедшемся пропавшем предмете. АОС 10, 419.

Быть в поте́рях. *Жарг. мол.* Чувствовать безысходность положения, пребывать в отчаянии. (Запись 2004 г.).

ПОТИ́НА * Не одну́ поти́ну вы́бьешь. *Пск.* О тяжёлой, изнурительной физической работе. ПОС 5, 113.

ПОТО́К * Отда́ть на пото́к и разграбление *что. Книжн. Неодобр.* Отдать на полное разорение, разрушение, истребление. БМС 1998, 466-467; ФСРЯ, 348.

Ста́вить/ поста́вить на пото́к *что. Публ.* Начинать широкое применение, налаживать или осваивать массовое производство чего-л. НРЛ-81; Мокиенко 2003, 82.

ПОТОЛО́К * Брать/ взять с потолка́. *Разг.* Говорить что-л. наобум, сообщать что-л. без надёжно проверенных данных, достаточных оснований; выдумывать что-л. СП, 166; ФСРЯ, 348; ЗС 1996, 221; Мокиенко 2003, 83.

До потолка́. *Сиб.* Очень высокий. ФСС, 149.

Дости́чь потолка́. *Разг.* Достичь наибольшей возможной нормы, предела чего-л. < Из речи авиаторов. БМС 1998, 467.

Ни потолка́ ни мо́ста. *Кар.* Абсолютно ничего (не осталось). СРГК 5, 110.

Не ви́деть потолка́. *Курск., Прикам.* Мучительно страдать от какой-л. болезни, боли, горя и т. п. МФС, 18; БотСан, 110.

Пры́гать (скака́ть, подпры́гивать) до потолка́. *Прост.* Быть в приподнятом, радостном настроении. Глухов 1988, 148; Ф 2, 59.

Спи́сывать с потолка́. *Волг.* То же, что **брать с потолка.** Глухов 1988, 153.

Неудо́бно спать на потолке́ – одея́ло спада́ет. *Жарг. мол. Шутл.* Ответ на реплику собеседника, начинающуюся словом «неудобно». Вахитов 2003, 112.

Бить в ве́рхний потоло́к. *Жарг. угол.* Воровать из верхнего кармана. Балдаев 1, 37.

Буржу́ев потоло́к. *Пск. Шутл.* О чрезмерно высоком уровне зарплаты, о высокой должности. ПОС 2, 217.

Ве́рхний потоло́к. *Жарг. угол.* Нагрудный карман. Смирнов 1993, 1993, 178.

Зева́ть на потоло́к. *Прост. Неодобр.* Бесцельно глазеть на что-л., ротозейничать, быть невнимательным, рассеянным. Мокиенко 2003, 83.

Пи́сать в потоло́к. *Жарг. мол. Шутл.* Громко, заразительно смеяться, хохотать. Максимов, 314.

Плева́ть в потоло́к. *Разг. Неодобр.* Бездельничать. ФСРЯ, 348; БМС 1998, 467; БТС, 840; Мокиенко 1990, 107; ЗС 1996, 88, 152; СПП 2001, 62.

Потоло́к вида́ть. *Новг. Неодобр.* О чём-л. очень жидком. НОС 1, 126.

ПОТОЛО́ЧИНА * Взять (набра́ть) с деся́той (с девя́той) потоло́чины *что, чего. Пск. Шутл.* Сказать что-л. наобум, не подумав; выдумать что-л. ПОС 3, 168; ПОС 8, 176.

ПОТО́П * Всеми́рный пото́п. *Разг. Шутл.-ирон.* О сильном и длительном дожде, наводнении, плохой погоде. БМС 1998, 467.

Но́ев пото́п. *Кар. Шутл.-ирон.* О проливном дожде. СРГК 4, 34.

Пото́п в ло́жке. *Народн.* Спор, шум, сильное волнение по незначительному поводу, по пустякам. ДП, 516.

До пото́па. *Разг.* Очень давно. БМС 1998, 467.

[От] ста́рого пото́па. *Сиб.* То же, что **С Ноева потопа 2.** Верш. 6, 378.

С Но́ева пото́па. 1. *Новг.* Очень давно. НОС 8, 155. 2. *Пск. Ирон.* О чём-л. очень старом, ветхом. СПП 2001, 62.

ПО-ТОПО́РНОМУ * Пла́вать по-топо́рному. *Народн. Шутл.-ирон.* Не уметь плавать, плохо держаться на воде. ДП, 428, 515.

ПО́ТРОХ (ПОТРОХА́) * Соба́чий по́трох. *Кар. Бран.* То же, что **сучий потрох.** СРГК 5, 114.

Су́чий по́трох. *Вульг.-прост. Презр.* О подлом, непорядочном человеке. Мокиенко, Никитина 2003, 271.

Вытря́хивать потроха́ *из кого. Волг.* 1. Строго наказывать, бить кого-л. 2. Настойчиво добиваться чего-л., отбирать у кого-л. что-л. Глухов 1988, 20.

Купи́ть с потроха́ми *что. Жарг. бизн.* Купить ценные бумаги и уплатить наличными в полном размере. БС, 209.

С потроха́ми. *Прост.* Целиком, полностью, со всем, что есть. ФСРЯ, 348; ЗС 1996, 202.

Сха́вать с потроха́ми и каблуки́ вы́сереть. *Прост. Вульг.* То же, что **съесть со всеми потрохами.** Мокиенко, Никитина 2003, 271.

Съесть (сожра́ть) со все́ми потроха́ми *кого. Прост.* Наказать кого-л., жестоко расправиться с кем-л. ЗС 1996, 60; Ф 2, 173; СПП 2001, 62.

До са́мых потрохо́в. *Прост.* Очень сильно; до глубин, до основания. ФСРЯ, 348.

ПОТРЯ́С * Быть в потря́се. *Жарг. мол.* Быть в восторге от чего-л. Елистратов 1994, 359.

ПО́ТУХ * В по́тух. *Забайкал.* В предвечерние сумерки. СРНГ 30, 317. < **По́ту́х** — угасание, потухание (зари).

До по́тух (по́тухи, по́ту, петух) [бе́лой] зари́. *Алт., Яросл.* До позднего вечера. СРНГ 11, 14; 30, 317; ЯОС 4, 7.

На пот́ух заре́. *Якут.* В предвечерние сумерки. СРНГ 30, 317.

По поту́х заре́. *Арх.* В предвечерние сумерки. СРНГ 30, 317.

ПОТУЛЕ́Ц * С потульца́. *Пск.* Украдкой, незаметно, исподтишка (взглянуть на кого-л., на что-л.). СПП 2001, 62.

ПОТУ́ЛЬ * Поту́ль и ви́девши. См. **Покуль и видели (ПОКУЛЬ).**

ПОТФЕ́Й (ПОТФЕ́Я) * Сби́ться с потфе́я (потфе́й). *Южн. Сиб.* Запутаться, сбиться с толку. < **Потфей** — часть конской упряжи. СРНГ 30, 318.

ПОТЫКА́Н * Дать потыка́на (потыка́ну) *кому. Дон.* Ударить, толкнуть кого-л. СРНГ 30, 319; СДГ 3, 50.

Хвати́ть потыка́на. *Дон.* Подвергнуться избиению. СРНГ 30, 319.

ПОТЫ́ЛИЦА * Писану́ть в поты́лицу *кому. Диал.* Ударить, избить кого-л. Мокиенко 1990, 56.

ПОТЫ́ЧКА * Брать на поты́чки *кого. Волг.* Решительно требовать чего-л., привлекать к ответу кого-л. Глухов 1988, 6.

Быть на поты́чках *у кого.* 1. *Новг., Сиб.* Выполнять чьи-л. мелкие поручения. СРНГ 30, 322-323; СФС, 117. 2. *Сиб.* Находиться в зависимом положении, терпеть зависимость от кого-л. ФСС, 20. 3. *Арх.* Подвергаться укорам, брани. СРНГ 30, 322–323.

Пить в поты́чку. *Кар.* Напиваться до сильной стадии опьянения. СРГК 4, 522; СРГК 5, 115.

ПОТЬМА́ (ПОТЬМО́) * От (с) потьма́ (потьмы́) до потьма́ (потьмы́, потьмо́). *Алт., Яросл.* С утра до вечера. СРГА 4, 115; ЯОС 7, 61.

ПОТЯГО́ТКА * Пойти́ в потяго́тку. *Арх.* Начать потягиваться, зевать. СРНГ 30, 326.

ПОТЯ́ПАТЬ * Ни потя́пать ни поля́пать. *Арх. Неодобр.* О неумелом, нерасторопном человеке. СРНГ 30, 330.

ПО́УТРУ * Что по́утру что спозара́нку. *Народн.* Об отсутствии изменений в чём-л. ДП, 855.

ПО-УШНО́МУ * Протяну́ть по-ушно́му. *Жарг. мол.* Подслушать чей-л. разговор. Максимов, 349.

ПО́ХАЛКА * Каба́цкая по́халка. *Олон. Бран.* О пьяном человеке. < **Похалка** – гнойный прыщ. СРНГ 25, 285-86.

ПОХВА́Т * На похва́т (напохва́т). *Новг., Пск.* Быстро, поспешно, нарасхват (разобрать, раскупить что-л.). НОС 8, 159; СПП 2001, 62.

ПОХЛЁБКА * Дать похлёбку в три охлёбка *кому. Народн.* Избить, поколотить кого-л. ДП, 260.

Прода́ться за чечеви́чную похлёбку. *Книжн. Неодобр.* Предать кого-л., получив незначительное материальное вознаграждение. БТС, 1479; Ф 2, 98. < Восходит к Библии. БМС 1998, 467.

ПОХМЕ́ЛЬЕ * Сби́ться с похме́лья. *Ворон., Орл.* Запутаться, сбиться с толку. СРНГ 30, 352.

ПОХМЕЛЮ́ШКИ * В похмелю́шках. *Амур.* В состоянии похмелья. СРНГ 30, 352.

ПОХМУРА́ * С похмуры́. *Жарг. мол.* С похмелья. Урал-98.

ПОХО́Д * Ильи́нский похо́д. *Кар.* Ход рыбы косяком в начале августа (в Ильин день). СРГК 5, 120.

Кресто́вый похо́д. *Жарг. мол. Шутл.* Посещение венерологического диспансера. Максимов, 206.

Петро́вский похо́д. *Кар.* Ход рыбы косяком в июне (в Петров день). СРГК 5, 121.

Чу́вствует похо́д в рот. *Кар. Шутл.* О падающих из рук продуктах питания. СРГК 5, 567.

За похо́дом. *Кар.* Попутно, между делом. СРГК 5, 121.

Идти́ кресто́вым похо́дом. *Книжн.* Начинать беспощадную борьбу с кем-л., с чем-л. БМС 1998, 467.

С похо́дом. *Разг.* С превышением веса (при покупке товара); с лишком, сверх меры. Глухов 1988, 153; СФС, 177.

ПОХО́ДКА * Измени́ похо́дку, трусы́ жуёшь! *Жарг. мол. Шутл.* Приглашение познакомиться. Щуплов, 392.

ПОХО́ДОК * За одни́м похо́дком. *Пск.* Попутно, заодно. СРНГ 30, 359.

ПОХО́ДОЧКА * В похо́дочку. *Новг.* На ходу, не останавливаясь. НОС 8, 160.

ПОХОДУ́ШКА * Быть в походу́шках. *Кар.* Ходить за чем-л. СРГК 5, 122.

ПО́ХОДЯ * Ходи́ть по́ходя. *Кар.* Много, без остановки ходить. СРГК 5, 122.

ПОХО́ЖИЙ * Ни на что не похо́же. *Разг. Неодобр.* О чём-л. скверном, очень плохом. ФСРЯ, 349.

Ни на́ что похо́же. *Яросл.* То же, что **Ни на что не похоже.** ЯОС 6, 323.

ПО́ХОРОНЫ * Устро́ить пышные по́хороны *кому, чему. Жарг. мол. Шутл.* Съесть целиком, ничего не оставив (напр., курицу и т. п.). Максимов, 354.

ПО-ХРИСТИА́НСКИ * Раздели́ть по-христиа́нски *что. Жарг. митьк. Шутл.* Митёк всё выпивает сам (о спиртном). Митьки 1990, 97.

ПОХУ́Л * Не класть похýлы на́ руку. *Разг.* Не упускать выгоды, всячески соблюдать свои интересы. ФСРЯ, 199.

ПОЦЕЛУ́Й * Иу́дин поцелу́й (поцелу́й Иу́ды). *Книжн.* Предательский поступок, лицемерно прикрываемый проявлением любви, дружбы. < Восходит к Евангелию. БМС 1998, 468.

ПОЧА́ТОК * Лущи́ть поча́ток. *Жарг. мол. Шутл.* Онанировать. Декамерон 2001, № 3; Никитина 2003б, 461.

Чтоб у тебя поча́ток отсох! *Жарг. мол. Бран.-шутл.* Выражение негодования, досады. БСРЖ, 468.

< **Початок** – мужской половой орган.

ПО́ЧВА * По́чва коле́блется под нога́ми *у кого. Разг.* То же, что **почва уходит из-под ног.** ФСРЯ, 349.

По́чва ухо́дит из-под ног *у кого. Разг.* Чьё-л. положение становится ненадежным, шатким; кто-л. теряет уверенность в своём положении или успехе. ФСРЯ, 349; БТС, 1379.

На не́рвной по́чве. *Разг.* По причине тяжёлых переживаний, нервных перегрузок, потрясений. Ф 2, 82; Мокиенко 2003, 83.

Выбива́ть/ вы́бить (вышиба́ть/ вы́шибить) по́чву из-под ног *у кого. Разг.* Лишать кого-л. уверенности, поддержки, опоры в каком-л. деле. ФСРЯ, 89; БТС, 188; ЗС 1996, 230.

Зонди́ровать/ прозонди́ровать по́чву. *Разг.* Заранее выяснять что-л. БМС 1998, 468; ЗС 1996, 367.

Име́ть под собо́й по́чву. *Книжн.* Быть обоснованным, иметь основания. Ф 1, 223.

Подгота́вливать/ подгото́вить по́чву *для кого, для чего. Книжн.* Создавать условия для осуществления чего-л. кем-л. Ф 2, 56.

Почу́вствовать по́чву под нога́ми. *Разг.* Достичь прочного положения. Ф 2, 83.

Пробива́ть/ проби́ть по́чву. *Жарг. мол.* То же, что **зондировать почву.** Максимов, 336.

Теря́ть/ потеря́ть по́чву из-под ног (под нога́ми). *Разг.* Терять уверенность в своём положении. ФСРЯ, 349.

Падать/ упа́сть на до́брую по́чву. *Книжн.* Давать хорошие результаты. БМС 1998, 468.

Взять с по́чвы. *Сиб.* Начать делать что-л. с самого начала. ФСС, 26.

ПОЧЁМ * Почём зря. 1. *Прост.* Очень сильно, интенсивно. ФСРЯ, 349; СРНГ 30, 379; Мокиенко 1990, 53, 118. 2. *Урал.* В большом количестве. СРНГ 30, 379. 3. *Урал.* С большим желанием, очень охотно. СРНГ 30, 379. 4. *Прост.* Напрасно, без пользы. БМС 1998, 468.

ПОЧЕМУ́ * Сто ты́сяч почему́. *Разг.* Множество вопросов (обычно употребляется при характеристике любознательности). < Восходит к стихотворению Р. Киплинга «Шесть слуг». БМС 1998, 468.

Че́рез почему́? *Жарг. мол. (Одесск.).* По какой причине? Смирнов 2002, 248.

ПО-ЧЁРНОМУ * Говори́ть по-чёрному. *Пск.* Разговаривать на диалекте. (Запись 1996 г.).

Жить по-чёрному. *Морд.* Испытывать лишения, бедствия, жить в нужде. СМГР 1980, 60.

Руга́ться по-чёрному. *Дон. Неодобр.* Употреблять слово «чёрт» при выражении отрицательных эмоций. СДГ 3, 51.

ПОЧЁТ * Зайти́ в почёт. *Кар.* Стать уважаемым. СРГК 2, 126.

ПОЧИ́Н * Держа́ть почи́н. *Кубан.* Спать, отдыхать. СРНГ 31, 12.

Сиде́ть без почи́ну. *Ворон. Ирон.* О девушке, к которой никто не сватается. СРНГ 31, 12.

Вели́кий почин. *Книжн.* О начале какого-л. важного и большого дела, о важной общественной инициативе. < По названию работы В. И. Ленина (1919 г.). ШЗФ 2001, 33.

ПО́ЧКА * По́чки выдра́чивать *кому. Жарг. мол. Неодобр.* Долго и безрезультатно объяснять что-л. кому-л. Я — молодой, 1997, № 27.

ПО́ЧТА * Зо́льная (локшёвая, локшо́вая) по́чта. *Жарг. арест.* Плохая новость, весть. Хом. 2, 222.

Сарафа́нная по́чта. *Прост. Неодобр.* Пересуды, сплетни. ЗС 1996, 354; СРГК 5, 129; Подюков 1989, 160.

Фи́рменная по́чта. *Жарг. арест.* Хорошая весть, новость. Хом. 2, 222.

Вози́ть (гоня́ть) по́чту. *Дон., Сиб. Шутл.* Страдать расстройством желудка. СДГ 1, 107; ФСС, 29, 46; СРНГ 31, 18.

Гоня́ть по́чту. *Волг. Ирон.* Много и без пользы ходить. Глухов 1988, 25.

Иди́ по́чту разноси́! *Жарг. мол.* Требование удалиться, оставить в покое кого-л. Вахитов 2003, 70.

Принести́ по́чту. *Пск.* Вид народной игры с поцелуями. Ивашко, 1993.

ПОЧТЕ́НИЕ * Дава́ть/ дать почте́ние *кому. Морд.* Здороваться с кем-л. СРГМ 1980, 11.

Отпусти́ть с на́шим почте́нием *кого. Жарг. угол., арест., мил.* Освободить кого-л. из-под стражи, но оставить под наблюдением. Балдаев 1, 298; Балдаев 2, 48; ТСУЖ, 125.

ПОШИ́Б * Ни́зкого поши́ба. *Разг. Неодобр.* О чём-л. некачественном, достойном осуждения. БМС 1998, 468.

Одного́ поши́ба. *Разг. Неодобр.* О ком-л., о чём-л. сходном по отрицательным характеристикам. БМС 1998, 468.

ПОШИ́БКА * Поши́бку пошиби́ть. *Яросл.* Бросить палкой, камнем в кого-л., во что-л. ЯОС 8, 79.

ПОЯ́В (ПОЯ́ВА) * В поя́ве (в поя́ву) нет *кого, чего. Волг., Сиб., Сев.-Двин.* Об отсутствии кого-л., чего-л. где-л. Глухов 1988, 1988, 55; СРНГ 31, 44; СФС, 46.

ПОЯ́ВЫШКИ * В поя́вышках нет *кого, чего. Р. Урал.* То же, что **в появе нет (ПОЯВ).** СРНГ 31, 44.

ПО́ЯС * Завя́зывать/ завяза́ть (затя́гивать/ затяну́ть) по́яс [поту́же]. *Прост. или Публ.* Вынужденно ограничивать себя в питании, сокращать потребление жизненно необходимых продуктов. Мокиенко 2003, 83.

Задёрнуть за по́яс *кого. Сиб., Приамур.* То же, что **заткнуть за пояс.** СРГПриам., 92; ФСС, 76; СРНГ 31, 47.

Заткну́ть за по́яс *кого. Разг.* Значительно превзойти кого-л. в чём-л. ФСРЯ, 350; ШЗФ 2001, 82; ФМ 2002, 361; Янин 2003, 113; ЗС 1996, 30; СОСВ, 76; БМС 1998, 468; СПСП, 46; СПП 2001, 62; Жиг. 1969, 76.

Зато́ркать за поя́с. *Пск.* То же, что **заткнуть за пояс.** СРНГ 11, 102.

Кра́сный по́яс. *Публ.* Регионы России, где в органах местной власти преобладают коммунисты. МННС, 67.

Поклони́ться в по́яс *кому. Разг. Устар.* Выразить кому-л. глубокую благодарность (низко поклонившись). Ф 2, 66.

По по́яс деревя́нный. *Жарг. мол. Пренебр. или Шутл.-ирон.* О глупом, несообразительном человеке. h-98; Никитина 1998, 104; Вахитов 2003, 46.

По́яс шахи́да. *Жарг. шк. Шутл.* Школьный ранец, рюкзак. (Запись 2003 г.).

Широ́кий по́яс. *Жарг. мол.* Миниюбка. Максимов, 337.

Из-за по́яса. *Прикам.* Очень скудно, скупо (кормить). МФС, 80.

И наг (на́го), и бос (бо́со), и без по́яса. *Народн. Ирон.* О бедном, бездомном человеке. Жиг. 1969, 369; ДП, 92.

ПРА́ВДА * Была́ пра́вда у Петра́ и Па́вла. *Народн. Устар. Ирон.* О месте пыток. < Выражение связано с церковью Петра и Павла, при которой были дыба для пыток и виселица. БМС 1998, 469.

Го́лая пра́вда. *Разг.* Абсолютно чистая правда, без прикрас. БМС 1998, 469; ШЗФ 2001, 55.

Подного́тная пра́вда. *Разг.* Истинная сущность чего-л. < Восходит к одному из видов пыток в Древней Руси. БМС 1998, 469; ЗС 1996, 361.

Сермя́жная пра́вда. *Разг.* Глубокая народная мудрость. < **Сермяжный** – одетый в сермягу – крестьянскую рубаху из грубого полотна. БМС 1998, 469-470.

Си́дорова пра́вда [да Шемя́кин суд]. *Народн. Устар.* 1. Взятки. 2. Неправый суд, поизвол. ДП, 205; БМС 1998, 470.

Су́чья пра́вда. *Жарг. арест.* Газета для заключённых. Максимов, 337.

Все́ми пра́вдами и непра́вдами. *Разг.* Любыми средствами, ничем не брезгуя. БТС, 122; ШЗФ 2001, 47. < Калька с лат. *per fas et nefas.* ФСРЯ, 350; БМС 1998, 470.

Гляде́ть пра́вде в лицо́. *Разг.* То же, что **смотреть правде в глаза.** БТС, 211.

Смотре́ть пра́вде в глаза́. *Разг.* Трезво оценивать действительное положение дел. ФСРЯ, 439; Ф 2, 168; ЗС 1996, 69.

Состоя́ть в пра́вде. *Костром.* Делать что-л. честно, справедливо. СРНГ 31, 50.

Всегда́ говори́т пра́вду, когда́ лжёт. *Народн. Ирон.* Об обманщике, лгуне. Жиг. 1969, 228.

Жить не в пра́вду. *Волог.* Проживать где-л. временно. СВГ 2, 89.

Идти́ на пра́вду. *Кар.* Отстаивать справедливое решение. СРГК 2, 267.

Пра́вду ска́жет только на свято́го Касья́на. *Народн. Шутл.-ирон.* Об обманщике, лгуне. ДП, 204.

Ре́зать пра́вду [-ма́тку] [в глаза́] *кому. Прост.* Говорить всю правду открыто, прямо; смело отстаивать правоту в каком-л. деле. БМС 1998, 470; ЗС 1996, 69; Ф 2, 125.

О́коло пра́вды. *Кар.* Почти правильно. СРГК 5, 135.

По́дле пра́вды. *Арх.* В самом деле, подлинно. СРНГ 28, 60.

ПРАВЁЖ * Ста́вить на правёж *кого. Разг. Устар.* Допрашивать кого-л. с применением силы. < **Правёж** – наказание за неуплату долгов в Московской Руси XV–XVIII вв. БМС 1998, 470.

ПРАВЕ́Ц * Чтоб тебя́ правцо́м поста́вило! *Волг. Бран.* Выражение негодования, проклятие в чей-л. адрес. Глухов 1988, 173.

ПРА́ВИЛО * По всем пра́вилам иску́сства. *Разг.* Искусно, мастерски, соблюдая все правила. ФСРЯ, 351.

Пра́вило ле́вой ноги́. *Жарг. шк. Шутл.* 1. Правило левой руки. 2. Любое невыученное правило. (Запись 2003 г.).

Ста́вить/ поста́вить на пра́вило *что, кого. Жарг. угол.* Выносить на суд сходки. Балдаев 2, 58; Грачев, 1992, 138; ТСУЖ, 168.

Заверну́ть по всем пра́вилам. *Горьк.* Грубо выругаться. БалСок, 36.

ПРА́ВНУК * Пра́внуки Ле́нина. *Публ. Патет.* О советских коммунистах, комсомольцах, последователях В. И. Ленина. Мокиенко, Никитина 1998, 467.

ПРА́ВО * Кача́ть права́. 1. *Жарг. угол., Разг.* Скандалить; отстаивать свою позицию, грубо подавляя волю другого; выдвигать свои условия и требовать их исполнения. ТСУЖ, 83, 143; ФСС, 92; Балдаев 1, 346; ББИ, 191; Мильяненков, 206; СРГК 5, 137; Глухов 1988, 74; НСЗ-70; ТС XX в., 291; ЗС 1996, 70; Грачев, Мокиенко 2000, 139; Вахитов 2003, 75. 2. *Жарг. угол.* Разбирать конфликты между ворами на сходке. Балдаев 1, 346; ББИ, 191; Мильяненков, 206.

Обрета́ть права́ гражда́нства. *Публ.* Становиться общепризнанным, узаконенным. Ф 2, 12.

На пти́чьих права́х. *Разг.* Не имея прочного положения, прав, обеспечения. ФСРЯ, 350; БМС 1998, 470; ЗС 1996, 488; Жиг. 1969, 359; СБГ 5, 73.

На че́стных Бо́жьих права́х. *Новг.* Честно, справедливо. СРНГ 31, 59.

Не в права́х. *Дон.* Несправедливо. СДГ 3, 52.

Прода́ть пра́во перворо́дства. *Книжн.* Поступиться чем-л. значительным (обычно ради ничтожной выгоды). < Восходит к Библейскому рассказу. БМС 1998, 470.

Телефо́нное пра́во. *Разг. Ирон.* Возможность влиятельных лиц получать что-либо в обход общепринятых правил и законов — по знакомству, через сеть «старых друзей», «по звонку» (с 70-х гг.). СIН, 142; СП, 214.

За гото́вым пра́вом. *Пск.* На пенсионном обеспечении. СПП 2001, 62.

ПРА́ДЕД * В пра́дедах. *Пск.* Очень давно, в старину. СПП 2001, 62.

ПРА́ЗДНИК * Ба́бий пра́здник. *Смол.* День жён-мироносиц – второе воскресенье после Пасхи. СРНГ 2, 18.

Ко́нский пра́здник. *Ряз., Тул., Сиб.* День Георгия Победоносца (29 апр. по ст. ст.). СРНГ 14, 269.

Коро́вий пра́здник. *Яросл.* То же, что **конский праздник.** ЯОС 5, 69.

Пра́здник де́тства. *Жарг. шк. Шутл.* Выходные, свободные от занятий дни. (Запись 2003 г.).

Пра́здник унита́за (унита́зу). *Жарг. мол. Шутл.-ирон.* О рвоте после большого количества съеденного, выпитого. Вахитов 2003, 144.

По́сле пра́здника в четве́рг. *Диал. Шутл.-ирон.* Никогда. Мокиенко 1986, 210.

Сиде́ть у пра́здника. *Обл. Устар. Ирон.* Находиться в бедственном положении. Ф 2, 156.

ПРАЙМ * Прайм тайм. *Жарг. ТВ, Публ.* Самое удобное время в эфире. Нau, 221. < Из англ. *prime time.* Мокиенко 2003, 84.

ПРА́КТИКА Пройти́ всю пра́ктику. *Пск.* Набраться жизненного опыта. КПОС.

ПРАЛИ́К. См. **ПАРАЛИК.**

ПРА́НКА * Дать (зада́ть) пра́нки (пра́нку) *кому. Пск.* Наказать, выпороть кого-л. Мокиенко 1990, 46; СПП 2001, 62.

ПРА́НЕЦ * Пра́нец ди́кий. *Смол. Бран.* О человеке, вызывающем негодование, раздражение. СРНГ 31, 67.

Пра́нец (пра́нцы) тебя́ (его и т. п.**) заточи́!** *Смол.* Эмоциональное восклицание, выражающее негодование, гнев, раздражение, досаду, недоброе пожелание в чей-л. адрес. СРНГ 31, 67-68.

Есть пра́нцы. *Смол. Ирон.* Терпеть голод. СРНГ 31, 68.

Пра́нцы взя́ли б *кого*! *Пск.* То же, что **пранец тебя заточи!** СПП 2001, 62.

Пранцы́ зна́ют *кого, что. Пск.* Абсолютно ничего не известно о ком-л., о чём-л. СПП 2001, 62.

Чтоб тебя́ (его́ и т. п.**) пра́нцы е́ли!** *Смол.* То же, что **пранец тебя заточи!** СРНГ 31, 68.

< **Пранец, пранцы** – 1. Парша, сыпь. 2. Сифилис. От **фра́нцы, францу́зская болезнь** «сифилис».

ПРАОТЦЫ́ * Отправля́ть/ отпра́вить к праотца́м *кого. Разг. Ирон.* Губить, доводить до смерти кого-л. ФСРЯ, 351; ЗС 1996, 63.

Отправля́ться к праотца́м. *Разг. Шутл.-ирон.* Умирать. ФСРЯ, 351.

ПРА́ПОРКИ * Отшиби́ть пра́порки *кому. Яросл.* Лишить кого-л. главенства в управлении хозяйством. ЯОС 8, 80.

ПРАСКО́ВЬЯ * Праско́вьи гря́зные. *Перм.* Церковный праздник – День св. Прасковьи (25 окт.). СРНГ 31, 68.

Праско́вья Ива́новна (Фёдоровна). *Жарг. арест. Ирон.* Туалет, отхожее место; ёмкость для испражнений в камере. ТСУЖ, 144; УМК, 169; Балдаев 1, 347; ББИ, 191; Мильяненков, 206. < Каламбурная переделка слова **параша.**

ПРАХ * В прах. *Кар., Сиб.* Очень сильно, до предела; совсем, полностью. СРГК 1, 295; СРНГ 31, 70.

На кой прах? *Прост.* Зачем, почему? ФСРЯ, 351; СРНГ 31, 70; Мокиенко 1986, 179.

Идти/ пойти́ на прах. 1. *Дон., Кар.* То же, что **идти прахом.** СРНГ 28, 358; СРГК 5, 139. 2. *Пск.* Умереть. СПП 2001, 62.

Обраща́ться/ обрати́ться (превраща́ться/ преврати́ться) в прах. *Книжн. Устар.* Прекращать свое существование. Ф 2, 11, 85.

Отряхну́ть прах от ног свои́х. *Книжн.* Окончательно порвать отношения с кем-л. БТС, 760.

Пасть во прах. *Книжн. Устар.* Погибнуть. Ф 2, 35.

Прах тебя́ дери́! *Волог. Бран.* Восклицание, выражающее гнев, раздражение, негодование в чей-л. адрес. СРНГ 31, 70.

Прах тебя́ (его́ и т. п.**) секани́!** *Смол.* То же, что **прах тебя дери!** СРНГ 31, 70.

Разня́ть свой прах. *Пск. Неодобр.* Начать говорить. СПП 2001, 62.

Растрясти́ в прах *кого. Волг.* Сильно избить, поколотить кого-л. СРНГ 34, 279.

Восстава́ть из пра́ха. *Книжн.* Возрождаться после разорения, пожара. Ф 1, 77.

До пра́ха. 1. *Кар., Новг., Яросл.* Очень много, в большом количестве. НОС 9, 4; СРГК 5, 139; Мокиенко 1986, 170; ЯОС 4, 7. 2. *кому что. Новг.* Безразлично кому-л. НОС 9, 4.

Како́го пра́ха? *Кар.* То же, что **на кой прах?** Мокиенко 1986, 179. **От како́го пра́ха?** *Яросл.* То же. СРНГ 31, 70.

Ни пра́ха. *Кар., Новг.* Абсолютно ничего, нисколько. СРГК 5, 139; НОС 9, 4.

Куда́ к праха́м. *Волог. Неодобр.* Неизвестно куда. СРНГ 31, 70.

Взять пра́хом *что, кого. Арх.* Уничтожить что-л., погубить кого-л. АОС 4, 83.

Взяться пра́хом. *Ср. Урал, Сиб.* Исчезнуть. СРНГ 31, 70; СРГСУ 4, 119.

Идти́ (пойти́, пройти́) пра́хом (пу́хом-пра́хом). *Прост.* Разрушаться, закончиться безрезультатно. *Волг.*, СПП 2001, 62.

Побра́ть пра́хом *что. Кар.* Испортить что-л. СРГК 4, 571.

Пуска́ть пра́хом *что. Волг. Неодобр.* Тратить бесцельно, без надобности (деньги, средства). Глухов 1988, 137.

Быть в праху́. *Твер.* О возбуждённом, сердитом человеке. ДП, 654; СРНГ 31, 70.

Пра́ху нет. 1. *чего, чьего. Прикам., Сиб.* Об отсутствии чего-л., кого-л. где-л. МФС, 65; СФС, 150. 2. *кому, чему. Арх.* О чём-л. прочном, крепком, долговечном; о ком-л. здоровом, крепком в преклонном возрасте. СРНГ 31, 70.

ПРЕВРАЩЕ́НИЕ * Превраще́ние обезья́ны. *Жарг. шк. Шутл.* Урок труда, технологии. (Запись 2003 г.).

Превраще́ние Са́вла в Па́вла. *Книжн.* О резком изменении чьих-л. убеждений, взглядов на диаметрально противоположные. < Восходит к библейской легенде об апостоле Павле. БМС 1998, 471.

ПРЕДВЕ́К * С предве́ку. *Сиб.* С давних пор. СФС, 177.

ПРЕДЕ́Л * Преде́л, его́ же не прейде́ши. *Книжн. Устар.* О рубеже, который нельзя переступить. < Восходит к церковно-славянскому тексту Библии. БМС 1998, 471.

ПРЕДЛО́Г * Дава́ть/ дать предло́г *кому. Новг.* То же, что **делать предложение (ПРЕДЛОЖЕНИЕ).** НОС 9, 4.

Дела́ть/ сде́лать предло́г *кому.* 1. *Дон.* Предлагать кому-л. что-л. СДГ 3, 53. 2. *Дон.* То же, что **делать предложение (ПРЕДЛОЖЕНИЕ).** СДГ 3, 53. 3. *Волг.* Находить повод для уклонения от работы. Глухов 1988, 32.

ПРЕДЛОЖЕ́НИЕ * Де́лать/ сде́лать предложе́ние *кому. Разг.* Просить кого-л. стать своей женой. ФСРЯ, 131.

На все предме́ты. *Иркут. Одобр.* Об умельце, мастере. СРНГ 31, 77.

ПРЕДМЕ́Т * Предме́т обожа́ния. *Жарг. шк. Шутл.* Отменённый урок. ВМН 2003, 109.

Свистя́щий предме́т. *Жарг. шк. Шутл.-ирон.* Литература (учебный предмет). Максимов, 337.

ПРЕДОВО́ЛЬСТВИЕ * Быть в предово́льствии. *Кар.* Испытывать большую радость. СРГК 5, 140.

ПРЕ́ДОК * Из пре́дков. *Кар.* Издавна, с давних пор. СРГК 5, 140.

ПРЕДСТАВИ́ТЕЛЬНИЦА * Представи́тельница древне́йшей (са́мой дре́вней) профе́ссии. *Публ. Шутл.-ирон.* Проститутка. Мокиенко 2003, 84.

ПРЕДСТАВЛЕ́НИЕ * Устра́ивать представле́ние. *Разг. Неодобр.* Скандалить, устраивать истерику. Ф 2, 224.

ПРЕДЪЯ́ВА * Кида́ть предъя́вы. *Жарг. мол.* Предъявлять претензии к кому-л. Вахитов 2003, 76.

ПРЕЗЕРВАТИ́В * Натяну́ть презервати́в. *Жарг. комп.* Установить антивирусную программу в компьютер. Никитина 2003, 547.

Стекля́нный презервати́в. *Жарг. шк. Шутл.* Пробирка. ВМН 2003, 109.

Што́паный презервати́в. *Жарг. мол. Ирон.* Старый, списанный на металлолом и отправленный в качестве гуманитарной помощи в Россию автобус «Мерседес» (как правило – белого цвета, длинный). БСРЖ, 470.

ПРЕЗИДЕ́НТ * Президе́нт рабо́чих и крестья́н. *Публ. Устар. Патет.* Председатель Президиума Верховного Совета СССР. Протченко 1975, 115.

Позвони́ть президе́нту. *Жарг. мол. Шутл.* Сходить в туалет. Никитина 2003, 547.

ПРЕ́ЗИК * Надý́тый пре́зик. *Жарг. мол. Шутл.-ирон.* О человеке с завышенной самооценкой. Максимов, 266.

ПРЕЗРЕ́НИЕ * Облива́ть/ обли́ть пре́зрением *кого. Книжн.* Выражать презрение по отношению к кому-л. Ф 2, 8.

ПРЕ́ЛКИ * Впры́снуть в пре́лки *кому. Прост. Груб.* Совершить половой акт с кем-л. УМК, 169. < **Прелки** – женские гениталии. СРНГ 31, 96.

ПРЕ́МИЯ * Дармова́я пре́мия. *Жарг. угол.* Побои, избиение. Балдаев 1, 348; ББИ, 191.

ПРЕЛЮ́ДИЯ * Без прелю́дий. *Разг.* Без лишних долгих вступлений, кратко, по-деловому. БМС 1998, 471.

ПРЕСНУ́ХА * Надава́ть пресну́х *кому. Пск. Шутл.* Избить, поколотить кого-л. СПП 2001, 62. < **Преснуха** – пресная лепёшка.

ПРЕСС * Загна́ть под пресс *кого. Жарг. мол.* Запугать кого-л. Максимов, 138.

Положи́ть под пресс *кого. Разг. Шутл.* Подвергнуть кого-л. половому акту. АиФ, 1996, № 1.

Попада́ть/ попа́сть под пресс. *Жарг. мол.* 1. Получать нагоняй, подвергаться избиению. h-98. 2. Оказываться в неприятной ситуации при денежных расчётах. Максимов, 330.

Пусти́ть под пресс *кого. Жарг. мол.* Избить кого-л. Никитина 2001, 547.

Созда́ть пресс *кому. Жарг. угол.* Постоянно ущемлять права определённого лица; притеснять, угнетать кого-л. ТСУЖ, 144; Балдаев 1, 348; ББИ, 191; Мильяненков, 206.

Ти́хий пресс *чего. Жарг. мол.* О большом количестве чего-л. Никитина 2003, 547-548.

ПРЕ́ССА * Жёлтая пре́сса. *Публ. Неодобр.* О низкопробной лживой, падкой на дешёвые сенсации печати. ЗС 1996, 380. < Калька с англ. *yellow press.* БМС 1998, 471; Мокиенко 2003, 84.

ПРЕ́ССИНГ * Под пре́ссингом *чьим, каким. Публ.* Под чьим-л. нажимом, давлением. Мокиенко 2003, 84.

Сиде́ть на престо́ле. *Разг. Устар.* Править государством, быть монархом. Ф 2, 155.

ПРЕСТУПЛЕ́НИЕ * Преступле́ние и наказа́ние. *Жарг. шк. Шутл.-ирон.* Дневник. (Запись 2003 г.).

ПРЕТ * Прийти́ во прет *кому. Олон.* Не понравиться кому-л., вызвать неприятные ощущения у кого-л. СРНГ 31, 234.

ПРЕТЕ́НЗИЯ * Быть в прете́нзии *на кого. Разг.* Обижаться на кого-л., быть недовольным кем-л. ФСРЯ, 353.

Входи́ть в прете́нзию. *Разг.* Начинать испытывать недовольство кем-л., обиду на кого-л. ФСРЯ, 353.

ПРЕЦЕНДУ́РА * Стро́ить из себя́ прецендý́ру. *Волг. Неодобр.* Вести себя высокомерно, зазнаваться. Глухов 1988, 155.

Вся́кие прецендý́ры. *Сиб. Шутл.-ирон. или Пренебр.* 1. Чепуха, ерунда, вздор. 2. Дешёвые, мелкие, малоценные вещи. СФС, 48.

ПРИБАБА́Х * С прибаба́хом (с прибаба́хами). *Жарг. мол. Неодобр.* О человеке со странностями. ЕЗР, 162; Елистратов 1994, 363; СМЖ, 95.

ПРИ́БЕРЕГ * Без при́берегу. *Кар.* 1. Без присмотру. 2. Как попало, в беспорядке. СРГК 5, 144.

ПРИБО́Й * Прибо́ю нет *к кому, к чему. Пск., Твер.* Нет доступа, невозможно подступиться к кому-л., к чему-л. СРНГ 31, 116.

ПРИБО́Р * Не в прибо́р *чего. Р. Урал.* О большом количестве чего-л. СРНГ 31, 119.

Стира́тельный прибо́р. *Жарг. шк. Шутл.* Стиральная резинка. Максимов, 339.

Класть/ положи́ть с прибо́ром *на кого, на что. Прост. Пренебр.* Пренебрегать, игнорировать, демонстративно не считаться с кем-л., с чём-л. УМК, 169; Грачев 1992, 139; Балдаев 1, 187; Глухов 1988, 128; Елистратов 1994, 364. < **Прибор** – мужской половой орган.

ПРИ́БЫЛЬ * Бо́жья при́быль. *Сиб.* О новорождённом. СРНГ 31, 135.

С при́былью. *Народн., Костром. Шутл.-ирон.* О беременной женщине. Мокиенко, Никитина 2003, 274; ЖКС 2006, 281-282.

ПРИБЫ́Т * С весёлым прибы́том! *Арх.* Приветствие пришедшим, приехавшим куда-л. АОС 3, 152.

ПРИБЫ́ТЬ * Чтоб тебя́ (его́ и т. п.) при́было! *Яросл. Бран.* Восклицание, выражающее гнев, негодование в чей-л. адрес. СРНГ 31, 124.

ПРИВЕСТИ́ * Не приведи́ возьми́. *Обл.* Пусть этого не случится. Ф 2, 88.

Не приведи́ и не уведи́ (не сотвори́). *Волг. Ирон.* О лишнем, никому не нужном человеке, без которого легко можно обойтись. Глухов 1988, 102.

ПРИВА́Л * Пойти́ на прива́л. *Башк.* Опуститься, повалиться (о колосьях на поле). СРГБ 2, 83.

ПРИВЕ́Т * Переда́ть приве́т Джо́нсону. *Жарг. мол. Шутл.* Сходить в туалет. Никитина 1998, 107.

Приве́т из глуби́ны души́ (от желýдка). *Жарг. мол.* 1. Отрыжка. 2. Рвота. Максимов, 339.

Приве́т с кла́дбища. *Жарг. угол., Разг. Шутл.-ирон.* 1. Дешёвая суконная зимняя обувь на резиновой подошве. 2. Документ о посмертной реабилитации. 3. Свидетельство о смерти. 4. Гроб. Балдаев 1, 349; ББИ, 192; Мильяненков, 207.

Приве́т с того све́та. *Жарг. шк. Шутл.-ирон.* 1. Возвращение после вызова к директору. ВМН 2003, 109. 2. Урок истории. Максимов, 339.

Приве́т, Ши́шкин! *Жарг. арест. Шутл.* Об удачном побеге из мест лишения свободы. Балдаев 1, 349; ББИ, 192; Мильяненков, 207.

С [больши́м] приве́том. *Прост. Шутл.* О чудаковатом, странном человеке. НСЗ-70; Ф2, 88; Мокиенко 2003, 85.

ПРИВИ́ВКА * Мичу́ринскаяециви́вка. *Жарг. угол. Ирон.* Членовредительство. ТСУЖ, 107; Балдаев 1, 349; ББИ, 192.

ПРИ́ВОЛОКА * Наде́лать при́волоки (при́волоку) *кому. Кар.* Доставить много неприятностей кому-л. СРГК 5, 150.

ПРИВЫКА́ТЬ * Не привыка́ть кулю́кать *кому. Волг. Шутл.-ирон.* Об одиноком, привыкшем к одиночеству человек. Глухов 1988, 102.

ПРИВЫ́ЧКА * Сесть на привы́чку. *Жарг. нарк.* Стать наркозависимым (как правило, о наркоманах, употребляющих наркотики, зависимость от которых растёт медленно). Урал-98.

ПРИВЯ́З * Привяза́ться без привя́зу *к кому. Ряз.* Пристать, сильно докучать кому-л. СРНГ 31, 153.

ПРИ́ВЯЗЬ * Держа́ть на при́вязи *кого. Разг.* 1. Не давать кому-л. или лишать кого-л. свободы в поступках, действиях. 2. Постоянно иметь кого-л. около себя в качестве поклонника. ФСРЯ, 136; Ф 1, 161.

Держа́ть себя́ на при́вязи. *Разг.* Уметь управлять собой. Ф 1, 161.

Сорва́ться с при́вязи. *Волг.* Неожиданно рассердиться, разгневаться. Глухов 1988, 152.

ПРИГЛЯ́Д * На пригля́д. *Ср. Урал.* Приблизительно, на глаз. СРГСУ 2, 179.

ПРИГОВО́Р *Жарг. студ., шк. Шутл.-ирон.* Объявление результатов экзамена. Елистратов 1994, 364.

Сме́ртный пригово́р. *Жарг. Шк. Шутл.-ирон.* Классный час. ВМН 2003, 109.

ПРИ́ГОРШНЯ * Во все при́горшни. *Яросл.* Очень сильно, громко (кричать, петь). ЯОС 2, 37.

ПРИДА́НОЕ * Прикры́ть прида́ное. *Р. Урал.* В свадебном обряде – преподнести подарок невесте, положив его на приданое. СРНГ 31, 263.

ПРИДЫХА́НИЕ * С придыха́нием. *Разг. Шутл.-ирон.* С выражением восторга, восхищения, преклонения. Мокиенко 2003, 85.

Без придыха́ния. *Прост.* Без выражения восторга, восхищения, преклонения. НРЛ-81; Мокиенко 2003, 85.

ПРИЕ́ЗЖИЙ * Прие́зжий из Во́лги. *Жарг. угол., арест.* Беглец. ТСУЖ, 145; Балдаев 1, 350; ББИ, 192; Мильяненков, 207.

ПРИЁМ * Сто пе́рвый приём карате́. *Жарг. мол. Шутл.* Спасение бегством. Максимов, 405.

Быть на приёме. *Жарг. мол. Шутл.* Пить спиртное в компании. БСРЖ, 473.

ПРИЁМКИ * Приня́ться в приёмки. *Новг.* Перейти жить в дом жены (о муже). НОС 9, 22.

ПРИЖИ́ТОК * Деви́чий прижи́ток. *Прикам.* Ребёнок, рожденный до замужества. МФС, 81.

ПРИЗ * Быть в приза́х. *Жарг. спорт.* Быть призёром соревнований. БСРЖ, 473.

Попа́сть в призы́. *Жарг. спорт.* Занять призовое место на соревнованиях. БСРЖ, 473.

ПРИЗЕ́Т * Снять призе́т. *Жарг. угол.* Заметить, приметить что-л. (как правило, об объекте преступления). < От диал. **призетить** – 'заметить'. ТСУЖ, 144.

ПРИ́ЗМА * Сквозь (че́рез) при́зму *чего. Разг.* С определенных позиций (смотреть на что-л., оценивать что-л.). ФСРЯ, 354.

Пропусти́ть че́рез при́зму *что. Жарг. мол. Шутл.* Подумать о чём-л., обдумать что-л. Максимов, 339.

ПРИ́ЗНАК * Не подава́ть при́знаков жи́зни. *Разг.* Казаться мертвым. Ф 2, 54.

ПРИ́ЗРАК * При́зрак в за́мке. *Жарг. арм. Шутл.* Дежурный по части. Максимов, 145.

При́зрак коммуни́зма. *Публ. Ирон.* Пугающие представления о коммунизме. < Часть цитаты из «Манифеста коммунистической партии» К. Маркса и Ф. Энгельса. Мокиенко 2003, 85.

ПРИЙТИ́ * Пришёл, нажра́лся и ушёл. *Жарг. шк. Шутл.-ирон.* О школьной дискотеке. (Запись 2003 г.).

ПРИК * Ни прика́ себе́! *Жарг. мол.* Выражение удивления. Рожанский, 41; Никольский, 113. < **Прик** – мужской половой орган.

ПРИКА́З * Положи́ть (приказа́ть) прика́з. *Кар.* Назначить срок свадьбы. СРГК 5, 165.

ПРИКАЗА́ТЬ * Приказа́ть до́лго жить. *Разг.* 1. Умереть. 2. Прекратить своё существование (о вещи). ФСРЯ, 354–355; БТС, 307.

Прика́зано вы́жить. *Жарг. арм. Шутл.-ирон.* 1. Кросс на 2 км. БСРЖ, 473. 2. О солдатах первого года срочной службы. Максимов, 339.

ПРИКЛА́Д * Дать прикла́да *кому. Диал.* Избить кого-л. Мокиенко 1990, 49.

ПРИКО́Л * Брать/ взять на прико́л *кого.* 1. *Прост.* Строго, сурово обращаться с кем-л., ограничивая его свободу. Мокиенко 2003, 85. 2. *Одесск.* Заставать кого-л. при совершении чего-л. предосудительного. КСРГО.

Замочи́ть прико́л. *Жарг. мол.* Удачно пошутить. Максимов, 146.

Не в прико́л *кому что. Жарг. мол.* Неинтересно, не привлекает кого-л. что-л. Вахитов 2003, 110.

Попада́ть в прико́л. *Жарг. мол.* Удачно, остроумно шутить. Никитина 1996, 164.

Быть (стоя́ть) на прико́ле. 1. *Спец. морск.* На причале, не выходя в море (быть, стоять). 2. В бездействии, не в эксплуатации (находиться). < **Прикол** 1. Свая, вбитая в землю для причала судов (спец. морск.). 2. Кол, вбитый в землю для привязывания животных (народн.). Ф 2, 90; Мокиенко 2003, 85.

Прико́л на нако́лку. *Жарг. крим.* Стравливание двух преступных группировок друг с другом. Смирнов 1993, 182.

Фиоле́товый прико́л. *Жарг. мол. Неодобр.* Банальная, пошлая шутка. Максимов, 340.

Кусо́к прико́ла. *Жарг. мол.* Что-л. очень смешное. Елистратов 1994, 367.

Быть на прико́ле. *Одесск.* Находиться под подозрением. КСРГО.

Сиде́ть на прико́ле. *Новг.* Не работать. НОС 10, 53.

По прико́лу. *Жарг. мол.* В силу прихоти, каприза. Югановы, 183.

Коси́ть прико́лы. *Жарг. мол.* Шутить. Максимов, 199.

Прико́лы на́шего городка́. *Жарг. шк. Шутл.* Ответы учеников на вопросы учителя. ВМН 2003, 110. < По названию рубрики в популярной телепередаче «Городок».

ПРИ́КОЛОТКА * Дать при́колотку *кому. Волог.* Избить, поколотить кого-л. СРНГ 31, 254.

ПРИКО́РМКА * Прико́рмка Ихтиа́ндра. *Жарг. мол. Шутл.* Акт дефекации, мочеиспускания. (Запись 2004 г.).

ПРИКОРО́Т * Дать прикоро́т *кому.* 1. *Дон.* Укротить, утихомирить кого-л. СДГ 3, 58. 2. *Волг.* Строго наказать кого-л. Глухов 1988, 31.

ПРИКУКО́РКИ * На прикуко́рках. *Ср. Урал.* На корточках. СРГСУ 4, 129.

ПРИКУ́СКА * Говори́ть в прику́ску. *Народн.* Разговаривать чопорно, осторожно. ДП, 415.

ПРИЛА́ВОК * Из-под прила́вка. *Разг. Неодобр.* О покупке дефицитного товара, отсутствующего в продаже, при помощи связей, знакомств. Ром-Миракян, 91.

ПРИЛЕ́ПУШЕК * На приле́пушках. *Сиб.* О чём-л. непрочном, находящемся в плохом состоянии. СОСВ, 149.

На приле́пушке (прили́пушке). *Волг., Сиб., Ср. Урал.* Сбоку, на краю. Глухов 1988, 91; СФС, 118; СРГСУ 4, 130.

На приле́пушки. *Сиб.* Сбоку, на краешек.СОСВ, 149.

ПРИЛИ́К * Для прили́ку. *Сиб.* Для приличия. СФС, 63.

ПРИЛИ́ПУШЕК * На прили́пушках. *Кар.* Непрочно, ненадёжно, еле-еле (держаться, быть прикреплённым). СРГК 5, 175.

На прили́пушке. См. **На прилепушке (ПРИЛЕПУШЕК).**

Сиде́ть на прили́пушках. *Кар.* Испытывать состояние крайнего волнения, нервного возбуждения, беспокойства. СРГК 5, 175.

ПРИЛОЖЕ́НИЕ * Беспла́тное приложе́ние. *Жарг. мол.* 1. *Пренебр.* О никчёмном, незначительном человеке. 2. *Неодобр.* О человеке, который не был приглашён, но пришёл с кем-л. из гостей. Максимов, 232; Мокиенко 2003, 85.

ПРИМЕ́Р * Брать/ взять приме́р. 1. *с кого. Разг.* Поступать подобно кому-л., подражать кому-л. БМС 1998, 472; ШЗФ 2001, 23; ФСРЯ, 356. 2. *Печор.* Пристально всматриваться, вглядываться куда-л. СРГНП 1, 42.

Не в приме́р. *Разг.* 1. *кому, чему.* В отличие от кого-л., от чего-л.; не так, как кто-л. 2. Гораздо, несравненно лучше или хуже, чем кто-л. ФСРЯ, 356.

ПРИМЕ́С * Без приме́су. *Волг. Шутл.-ирон.* О глупом, недалеком человеке. Глухов 1988, 2.

ПРИМЕ́Т * Брать/ взять на приме́т *кого,что. Кар.* То же, что **брать на примету** *кого, что.* СРГК 5, 179.

ПРИМЕ́ТА * Держа́ть на приме́те *кого, что. Разг.* Иметь в виду кого-л., что-л. ФСРЯ, 356.

Брать на приме́ту *кого, что. Прост.* Замечать, иметь в виду кого-л., что-л. Ф 1, 39.

Не в приме́ту *кому. Прост.* Неясно, незаметно, неизвестно кому-л. что-л. ФСРЯ, 356; СДГ 3, 59.

Приме́ты вре́мени. *Книжн.* Общественные явления, характерные для данного времени. БМС 1998, 472.

ПРИМО́ЧКА * Примо́чка на пуп. *Жарг. угол. Устар.* Самосуд крестьян над конокрадом Грачев 1992, 139; Балдаев 1, 351; ББИ, 193; Мильяненков, 208.

Дать с примо́чкой *кому. Сиб.* Высечь кого-л. розгами, вымоченными в солёной воде. ФСС, 54.

Поста́вить примо́чку *кому. Жарг. угол.* Ударить кого-л. Быков, 165.

ПРИ́МУС * Держа́ть под при́мусом *кого. Жарг. угол.* Угрожать физической расправой кому-л. Быков, 62.

ПРИНУ́ДА * Быть на прину́де. *Волг.* Работать нехотя, недобросовестно относиться к нелюбимому делу. Глухов 1988, 8.

Отбыва́ть прину́ду. *Волг.* То же, что **быть на принуде.** Глухов 1988, 119.

ПРИНЦ * Принц и ни́щий. *Жарг. Шк.* Отличник и отстающий ученик. Bytic, 1999-2000.

Принц У́эльский. *Жарг. шк. Шутл.* Учитель английского языка. (Запись 2003 г.).

ПРИНЦЕ́ССА * Принце́сса и людое́д. *Жарг. шк. Шутл.-ирон.* Отстающий ученик в кабинете директора школы. Максимов, 341.

Принце́сса на горо́шине. *Разг. Неодобр.* Капризный, изнеженный, избалованный человек. < От названия сказки Г.-Х. Андерсена. БМС 1998, 472.

ПРИ́НЦИП * Пойме́ть при́нцип. *Яросл.* Стать принципиальным. ЯОС 8, 90.

При́нцип разу́мной доста́точности. *Публ., полит.* Исходное положение новой военной доктрины, военной реформы, в соответствии с которым страна должна иметь вооружённых сил не более, чем необходимо для её обороны. СП, 174; Мокиенко 2003, 85.

При́нцип сне́жного ко́ма. *Публ.* Возрастание, постоянное увеличение чего-л. Мокиенко 2003, 85.

Не могу́ поступи́ться при́нципами. *Публ. Ирон.* О человеке, упорно не желающем отказываться от традиционного идеологического мышления, стереотипных догм. < Крылатая фраза – название статьи Н. Андреевой в газете «Советская Россия» 13.03.88, где дана негативная оценка изменений в идеологии и политической жизни СССР. Эта крылатая фраза образована на основе общеизвестного выражения *поступаться принципами.*

Не поступа́ться/ не поступи́ться при́нципами. *Публ. Ирон.* Не менять отживших взглядов, догматических стереотипов. СП, 132. < Образовано на базе выражения *не могу поступиться принципами.* Мокиенко 2003, 86.

ПРИПА́РКА * Дава́ть/ дать (зада́ть) припа́рки (припа́рку). 1. *Пск.* С силой, интенсивно действовать. ПОС 8, 133. 2. *чему. Пск.* Энергично, напряжённо работать. СПП 2001, 63. 3. *Кому. Прост.* Пороть, наказывать кого-л. СРНГ 31, 334; Глухов 1988, 28; Мокиенко 1990, 47.

Пропи́сывать/ Прописа́ть берёзовую припа́рку *кому. Прост.* То же, что **давать припарки 3.** ЗС 1996, 211.

ПРИПЁКА * Сбо́ку припёка. *Прост.* 1. *Шутл.* О ком-л. постороннем, чужом; о чём-л. лишнем, ненужном. 2. Без достаточного основания, без видимых причин (сделать что-л.). ФСРЯ, 358, 409; БМС 1998, 472; Глухов 1988, , 144; Мокиенко 1990, 149; ЗС 1996, 281; СПП 2001, 63.

ПРИПЁР * До са́мого припёра. *Горьк.* До крайности. БалСок, 34.

ПРИПЯ́ТЫШКИ * На припя́тышках. *Кар.* На цыпочках. СРГК 5, 114.

ПРИРО́ДА * Приро́да отдыха́ла *на ком. Разг. Ирон.* О бездарном человеке. (Запись 2001 г.).

В приро́де веще́й. *Разг.* Так и положено, свойственно, присуще кому-л. ФСРЯ, 358.

Идти́ по приро́де. *Кар.* Иметь судьбу, сходную с судьбой родителей. СРГК 2, 268.

Перелива́ться из приро́ды в приро́ду. *Сиб.* Переходить, передаваться из поколения в поколение. ФСС, 134; СРНГ 26, 143.

Свози́ть на приро́ду *кого. Жарг. мол.* Убить кого-л. Максимов, 342.

Соблюда́ть приро́ду. *Одесск.* Придерживаться старинных обычаев, традиций. КСРГО.

От приро́ды. *Разг.* От рождения, по прирождённому свойству. ФСРЯ, 358.

С приро́ды. *Сиб.* С рождения, в момента появления. СПСП, 107.

ПРИСЕ́Д * За оди́н присе́д. *Кар.* То же, что **за один присест (ПРИСЕСТ).** СРГК 5, 199.

ПРИСЕ́СТ * В (за) оди́н присе́ст (съесть, вы́пить, написа́ть *что* и т. п.). *Разг.* Сразу, за один раз. ФСРЯ, 358; СОВРЯ, 309.

На оди́н присе́ст. *Пск.* На один раз. (Запись 2001 г.).

ПРИСПОСОБЛЕ́НИЕ * Приспособле́ние для борода́вок. *Жарг. мол. Шутл.* Бюстгалтер маленького размера. Максимов, 401.

ПРИ́СТАВ * Встре́тить при́става. *Арх. Ирон.* Погибнуть. АОС 6, 59.

ПРИ́СТАЛЬ * До при́стали. *Кар.* До изнеможения. СРГК 5, 206.

Быть на [больши́х] присталя́х. *Сиб., Ср. Урал.* Очень устать. СРГСУ 2, 179; СФС, 109.

ПРИСТА́ТОК * До приста́тку. *Прикам.* Очень сильно. МФС, 82.

ПРИСТА́ТЬ * Ни приста́ть ни отста́ть. *Кар.* О замкнутом человеке. СРГК 5, 207.

ПРИСТЁГ * С пристёгом. *Жарг. мол. Неодобр. или Шутл.* О человеке с отклонениями в психике. Вахитов 2003, 161.

ПРИСТЁЖКА * Держа́ть на пристёжке *кого. Кар.* Строго обращаться с кем-л. СРГК 5, 207.

ПРИСТО́Л * Приста́вить на по́лный присто́л. *Сиб.* Об избыточном количестве еды на столе. СРНГ 31, 406.

ПРИ́СТУП * Брать на при́ступ *кого. Дон.* Назойливо просить кого-л. о чём-л., неотступно, настойчиво требовать чего-л. СРНГ 31, 424; СДГ 1, 39.

Зэ́ковский серде́чный при́ступ. *Жарг. арест.* Стандартный врачебный диагноз, по которому медчасть ИТУ списывает умершего от побоев, убитого во время разборок между заключёнными или при попытке к бегству. Балдаев 2001, 159.

Идти́ (приста́ть) на при́ступ. *Дон.* То же, что **брать на приступ.** СРНГ 31, 424; СДГ 3, 61.

Ла́ять на при́ступ. *Сиб.* С оглушительным лаем подниматься на задние лапы (о собаке). СРНГ 31, 424.

Приступа́ть на при́ступ. *Волг.* Надоедать постоянными просьбами кому-л. Глухов 1988, 133.

ПРИСТУ́ПОЧКА * Сде́лать присту́почку. *Кар.* Наступить кому-л. на ногу – как условный знак влюблённости. СРГК 5, 210.

ПРИСТЯ́ЖКА * На пристя́жке. *Разг.* Сбоку от коренника, не в оглоблях. ФСРЯ, 358.

ПРИ́СТЯЖЬ * На при́стяжи бежи́т, а в ко́рень не годи́тся. *Народн.* О человеке, который не может быть главным в каком-л. деле. ДП, 248.

ПРИСУ́ТСТВИЕ * Прису́тствие ду́ха. *Книжн.* Полное самообладание, выдержка. ФСРЯ, 358.

ПРИСЫ́П * На все сто с присы́пом. *Волг.* О чём-л. превосходном, высшего качества. Глухов 1988, 88.

ПРИСЫ́ПКА * С присы́пкой. *Прост. Шутл.-одобр.* О чём-л. отличном, превосходном. НРЛ-82.

ПРИ́ТКА * При́тка [лиха́я] тебя́ (его́, вас и пр.) **возьми́ (побери́)!** *Прост. Устар. Бран.* Выражение возмущения, негодования, досады на кого-, что-л.; пожелание избавиться от кого-л., чего-л. Мокиенко, Никитина 2003, 275.

При́тка принесла́ *кого. Перм. Неодобр.* О человеке, пришедшем не вовремя. Мокиенко 1986, 182.

При́тка с ним (с тобо́й и т. п.). *Новг.* Выражение уступки, утраты интереса к чему-л. НОС 9, 31.

ПРИТО́Н * Прито́н наркома́нов. *Жарг. шк. Шутл.* Школьный гардероб, раздевалка. Максимов, 343.

ПРИТУГА́Н * Брать/ взять на притуга́н *кого. Жарг. мол.* Начать притеснять, угнетать, прижимать кого-л. БСРЖ, 478.

ПРИТУЖА́ЛЬНИК * Брать/ взять на притужа́льник *кого.* 1. *Сиб.* Строго, с пристрастием допрашивать кого-л. СФС, 38; ФСС, 26. 2. *Сиб.* Грозить кому-л., пугать кого-л. СФС, 38; ФСС, 26. 3. *Волг., Кар., Перм., Сиб.* Принуждать кого-л. к чему-л. Глухов 1988, 11; СРГК 5, 216; Ф 1, 39; Подюков 1989, 25; СФС, 38; ФСС, 26.

Попа́сть на притужа́льник. *Сиб.* Оказаться в безвыходном положении. ФСС, 146.

Держа́ть на притужа́льнике *кого. Жарг. угол.* Подозрительно относиться к кому-л. Грачев, 1992, 140.

ПРИТУ́ЗОК * Упо́тчевать притý́зком *кого. Народн.* Ударить, побить кого-л. ДП, 145.

ПРИ́ТЧА * При́тча во язы́цех. *Разг. Неодобр.* Предмет всеобщих разговоров, постоянных пересудов. БТС, 1532. < Выражение из Библии. ФСРЯ, 358; БМС 1998, 473; ДП, 180.

С при́тчи. *Сиб.* Внезапно, неожиданно. СФС, 177.

На при́тчу. *Ср. Урал.* Как назло. СРГСУ 2, 179.

ПРИ́УХ * Жить с при́ухом. *Пск. Одобр.* О благополучной жизни. ПОС 10, 254.

ПРИХВА́Т * Брать/ взять на прихва́т *кого. Жарг. угол.* Неожиданно нападать сзади, хватая кого-л. за горло. ТСУЖ, 31; Мокиенко 2003, 86.

Прихва́т на банза́й (бонза́й). *Жарг. угол.* Разбойное нападение на большую группу людей. Балдаев 1, 353; ББИ, 194; Мильяненков, 209.

С прихва́та. *Жарг. угол.* Со взломом. ТСУЖ, 167.

С прихва́тами. *Жарг. мол.* Со странностями (о человеке). Мазурова. Сленг, 134.

ПРИХО́Д[1] * Горба́тый прихо́д. 1. *Жарг. нарк.* Многократное переживание состояния наркотической эйфории; длительное состояние наркотической эйфории. Югановы, 60. 2. *Жарг. мол.* Многократный оргазм. БСРЖ, 479.

Золото́й прихо́д. *Жарг. нарк.* Смерть от передозировки наркотика. Максимов, 157.

Пойма́ть (залови́ть) прихо́д. 1. *Жарг. нарк.* Испытать состояние наркотической эйфории. ТСУЖ, 63; Балдаев 1, 354; ББИ, 194; Мильяненков, 209. 2. *Жарг. арест., мил.* Конфисковать переброшенные в зону ИТУ запрещённые предметы. Балдаев 1, 354; ББИ, 194. 3. *Жарг. мол.* Испытать оргазм. Никитина 1998, 357.

Прихо́д ма́рки. *Жарг. крим.* Остановка троллейбуса. Хом. 2, 239.

Быть на одина́ковых прихо́дах. *Жарг. нарк.* Испытывать одинаковые ощущения, находиться под воздействием одного и того же наркотика. БСРЖ, 479. **Быть на ра́зных прихо́дах.** *Жарг. нарк.* Находиться под воздействием наркотиков различных групп, по-разному влияющих на сознание. БСРЖ, 479.

На прихо́де. 1. *Кар.* О скором наступлении чего-л. СРГК 5, 222. 2. *Жарг. мол.* Перед семяизвержением, перед оргазмом. Урал-98.

< **Приход** — 1. Состояние наркотической эйфории. 2. Оргазм.

ПРИХО́Д[2] * Не зде́шнего (не на́шего) прихо́ду. *Разг.* О чужом человеке; о человеке с чуждыми взглядами и интересами. БМС 1998, 473.

ПРИХО́Д[3] * Прихо́д ла́йбы. *Жарг. крим.* Автостоянка. Хом. 2, 239.

ПРИХОДИ́ТЬ * Уже́ приходя́ *кому. Сиб. Ирон.* Об очень старом человеке. ФСС, 153.

ПРИЦЕ́Л * Брать/ взять на прице́л *кого, что. Разг.* Сосредоточивать внимание на ком-л., на чём-л., внимательно наблюдать, следить за кем-л., за чем-л. ФСРЯ, 46; ЗС 380; Ф 1, 40.

Далёкий (да́льний) прице́л. *Разг.* Далеко идущие замыслы, планы. ФСРЯ, 360; БТС, 238; ЗС 1996, 290.

Держа́ть на прице́ле *кого, что. Разг.* Иметь в виду кого-л., что-л. Ф 1, 159.

Наводи́ть прице́лы. *Жарг. мол. Шутл.* Пытаться познакомиться с кем-л. Максимов, 205.

ПРИЦЕ́П * В прице́п. *Жарг. радио.* О подаче в эфир какой-л. музыкальной композиции без объявления вслед за другой. Радио «НВ», 07.08.99.

С прице́пом. *Разг. Шутл.* 1. С небольшим добавлением. Мокиенко 2003, 85. 2. Удлинённый (о киносеансе). СФС, 177. 3. С добавлением водки (о пиве). БСРЖ, 479.

ПРИЧЁСКА * Попо́ртить причёску *кому. Прост.* Побить, оттаскать за волосы кого-л. Ф 2, 76.

Попра́вить причёску *кому. Диал. Ирон.* То же, что **попортить прическу.** Мокиенко 1990, 59.

ПРИЧЕСО́Н * Нулево́й причесо́н. *Жарг. мол. Шутл.* Лысая голова. Елистратов 1994, 371.

ПРИЧЁТ * Отдава́ть причёт. *Кар.* Громко плакать, жалуясь на что-л., оплакивая кого-л.; причитать. СРГК 4, 286.

Навы́ться в причёты. *Сиб.* Много и долго проплакать, причитая. ФСС, 116.

ПРИ́ЧЕТЬ * Пла́кать в при́четь. *Кар.* Причитать. СРГК 5, 227.

ПРИЧИ́НА * Причи́на (причи́ною) бьёт *кого. Дон.* 1. Об ознобе, лихорадке. 2. О приступе эпилепсии. СДГ 3, 64.

Причи́на напа́ла *на кого.* То же, что **причина бьёт 1-2.** СДГ 3, 64.

Пусть причи́на возьмёт *кого! Дон. Бран.* Восклицание, выражающее негодование, гнев в чей-л. адрес. СДГ 3, 65.

Чтоб причи́на поби́ла *кого. Дон.* То же, что **пусть причина возьмёт.** *кого!* СДГ 3, 65.

Ходи́ть по техни́ческим причи́нам. *Жарг. мол. Шутл.* Посещать туалет. Максимов, 420.

На причи́не. *Ряз.* Перед отелом. ДС, 461.

За причи́ной в карман не поле́зет. *Народн.* О бойком, задиристом человеке. ДП, 181.

За причи́ной де́ло не ста́нет *у кого. Народн.* То же, что **за причиной в карман не полезет.** ДП, 181.

С причи́ной. *Сиб. Неодобр.* О человеке с плохой репутацией; о провинившемся человеке. СБО-Д2, 131; СФС, 177.

Все причи́ны в одно́й го́рсти *у кого. Народн.* То же, что **за причиной в карман не полезет.** ДП, 181.

ПРИЧИ́НКА * Причи́нка бьёт *кого. Дон.* То же, что **причина бьет 1. (ПРИЧИНА).** СДГ 3, 64.

ПРИШЕ́СТВИЕ * Второ́е прише́ствие. *Разг. Шутл.-ирон.* Отдаленное будущее, время, которое неизвестно когда наступит, неопределённо далёкий срок. ФСРЯ, 360; БМС 1998, 473; БТС, 164.

До второ́го прише́ствия. *Разг. Шутл.-ирон.* Неопределённо долго. ДП, 567; БМС 1998, 473; ШЗФ 2001, 68.

ПРИШИПА́РКА * Дать пришипа́рку *кому. Кар.* Рассердившись, отругать, наказать кого-л. СРГК 5, 230.

ПРИШИ́ТЬ * Ни прише́й ни пристегни́. *Разг. Неодобр.* Ненужный, лишний; неуместный; не имеющий определённого положения. ФСРЯ, 360; НОС 9, 29; Мокиенко 1990, 11, 64; СПП 2001, 63. **Ни прише́й ни пристеба́й.** *Пск. Неодобр.* То же. СПП 2001, 63.

Ни приши́ть ни прилата́ть. *Волг.* 1. О нужде, крайней бедности. 2. То же, что **ни пришей ни пристегни.** Глухов 1988, 110.

ПРИЩЕБА́НЧИК * Прищеба́нчик с прице́пчиком зара́зы. *Жарг. нарк.* Спортивная сумка, в которой находится свёрток с наркотиками. ТСУЖ, 146.

ПРИЩЕ́МКА * Прище́мка ди́зеля. *Жарг. крим.* Конечная остановка автобуса. Хом. 2, 241.

ПРИЩУ́РКА * Гляде́ть в прищу́рку. *Перм.* Скептически оценивать что-л. Подюков 1989, 43.

ПРИЮ́Т * Прию́т забве́ния. 1. *Жарг. мол., разг. Шутл.-ирон.* Психиатрическая больница. Кз., 62; ЖЭСТ-2, 276. 2. *Жарг. гом. Шутл.* Общественный туалет. Кз., 62.

ПРИЯ́ТНЫЙ * Соединя́ть/ соедини́ть прия́тное с поле́зным. *Разг.* Делать интересное, приятное, но одновременно и приносящее пользу дело. < Выражение из «Искусства поэзии» Горация. БМС 1998, 473.

ПРО * Про и ко́нтра. *Книжн.* То, что подтверждает, предопределяет, обосновывает какое-л. решение, утверждение в сопоставлении с тем, что его отрицает. ФСРЯ, 360.

ПРО́БА * Про́ба пера́. *Книжн.* О первом литературном произведении, опыте. ФСРЯ, 360; БМС 1998, 474; Янин 2003, 239; ФМ 2002, 362.

Высо́кой (вы́сшей) про́бы. *Разг. Одобр.* Очень высокой квалификации, качества. БМС 1998, 474; ФСРЯ, 361.

Не́где про́бы ста́вить. *Разг. Неодобр.* О развратной женщине. БМС 1998, 474.

Ни́зкой (ни́зшей) про́бы. *Разг. Неодобр.* Характеризующийся очень низким качеством. ФСРЯ, 361.

ПРОБА́ЦИЯ * Наводи́ть проба́цию. *Кар.* Пробовать что-л., делать пробу. СРГК 5, 233.

ПРОБЕ́Г * Бежа́ть в пробе́г. *Арх., Яросл.* Быстро бежать, нестись. АОС 1, 145; ЯОС 2, 38. **Бежа́ть в пробе́ги.** *Кар.* То же. СРГК 5, 233.

Бежа́ть на пробе́г. *Кар.* Бежать, не останавливаясь. СРГК 5, 233.

ПРОБЕ́ЖКА * Бежа́ть в пробе́жку. 1. *Пск.* То же, что **бежать в пробег (ПРОБЕГ).** СПП 2001, 63. 2. *Новг.* Бежать неторопливо, трусцой. НОС 9, 36.

ПРОБИ́РКА * Раствори́ть в проби́рке *кого. Студ. (хим.).* Расправиться с кем-л. (Запись 2002 г.).

ПРО́БКА * Про́бки вы́било *кому. Жарг. мол. Шутл.-ирон.* О пьяном человеке. Максимов, 74.

Наступи́ть на про́бку. *Разг. Шутл.-ирон.* Напиться пьяным. СРНГ 20, 202; НОС 6, 18; СРГК 5, 234; Глухов 1988, 93.

Сде́лать про́бку. *Кар.* Погрузить кого-л. в воду, нажимая на голову. СРГК 5, 234.

ПРОБЛЕ́МА * Име́ть пробле́мы. *Жарг. мол. Шутл.-ирон.* Быть психически ненормальным. Вахитов 2003, 71.

Лома́ть пробле́мы. *Жарг. угол., мол.* Спорить, дискутировать. Балдаев 1, 230, 355; ТСУЖ, 99; ББИ, 195. // *Жарг. мол. Ирон.* Вести научные споры. Мильяненков, 210.

ПРО́БЛЕСК * Зелёный с про́блеском. *Волг. Шутл.-ирон. или Пренебр.* О молодом неопытном человеке. Глухов 1988, 53.

ПРОБО́Й * Поцелова́ть [в] пробо́й [да пойти́ домо́й]. *Прост. Шутл.* Придя к кому-л., не застать никого дома. ФСРЯ, 361; СПП 2001, 63.

Поцелу́й пробо́й, да и ступа́й домо́й! *Народн.* Отказ кому-л. в чём-л. ДП, 238.

ПРОБО́Р * Брать/ взять на пробо́р *кого. Волг.* Ругать, привлекать к ответственности кого-л. Глухов 1988, 11.

ПРОБО́РКА * Дава́ть/ дать пробо́рку *кому. Волг., Горьк.* То же, что **давать проборцию (ПРОБОРЦИЯ).** Глухов 1988, 28; БалСок, 32.

ПРОБО́РЦИЯ * Дава́ть/ дать пробо́рцию *кому. Кар., Яросл.* Сильно ругать, наказывать кого-л. СРГК 1, 424; СРГК 5, 235; ЯОС 3, 121.

ПРОБО́СКА * На пробо́ску. *Новг.* На босую ногу. НОС 9, 37.

ПРОВА́Л * Идти́ на прова́л. *Кар.* Складываться крайне неудачно (о делах). СРГК 5, 237.

Прова́л бы взял (возьми́) *кого***!** *Прост. Бран.* Восклицание, выражающее досаду, раздражение, недоброе пожелание в чей-л. адрес. БМС 1998, 474; ЯОС 8, 96; СПП 2001, 63.

Прова́л взял *кого. Перм.* Кто-л. умер. Глухов 1988, 163.

Попа́сться в прова́л. *Пск.* Оказаться в невыгодном, неприятном положении, сложной ситуации. СПП 2001, 63.

Прова́л во вре́мени. *Жарг. шк. Шутл.-ирон.* О нерегулярном заполнении дневника. (Запись 2003 г.).

Прова́л тебя́ (вас, его́ и пр.**) возьми́ (побери́)!** *Прост. Устар. Бран.* Выражение недовольства, возмущения, негодования, досады или удивления и т. п.

Прова́ла на тебя́ (на вас, на него́ и пр.**) нет!** *Прост. Устар. Бран.* 1. Выражение порицания кому-л. 2. Выражение недовольства из-за надоедливости кого-л. Мокиенко, Никитина 2003, 276.

Быть в прова́ле. *Кар.* 1. Отставать в чём-л. от других. 2. Быть не в порядке, иметь какие-л. неполадки. СРГК 5, 237.

Провали́сь прова́лом! *Кар.* Эмоциональное восклицание, выражающее желание избавиться от кого-л. СРГК 5, 237.

ПРОВЕ́РКА * Прове́рка на вши́вость. *Разг.* Испытание человека на честность, порядочность. Максимов, 74; Мокиенко 2003, 86.

ПРОВЕСТИ́ * Проведёт и вы́ведет. *Волг.* О ловком, находчивом, изворотливом человеке. Глухов 1988, 134.

ПРО́ВОД * Натяну́ть про́вод (провода́). *Жарг. арест.* Установить контакт с преступниками, находящимися на воле. Балдаев 1, 273; ТСУЖ, 115; ББИ, 195; Мильяненков, 210.

Обрыва́ть/ оборва́ть провода́. *Разг. Шутл.* Беспрестанно звонить кому-л. Ф 2, 12.

Быть на про́воде. *Разг.* О разговоре по телефону (чаще – официальном). Ф 2, 96; Мокиенко 2003, 87.

ПРОВО́ДКА * Дать прово́дку *кому. Кар.* Прогнать кого-л. откуда-л. СРГК 5, 242.

ПРОВОЖА́ТКА * Пойти́ в провожа́тку. *Кар.* Отправиться куда-л. с девушкой. СРГК 5, 242.

ПРОВО́З * Тяжёл в прово́зе. *Ряз.* О человеке, которому трудно поехать или пойти куда-л. ДС, 592.

ПРО́ВОЛОКА * То́нкая про́волока. *Жарг. угол.* Об опытном, ловком карманном воре. ТСУЖ, 147; Балдаев 2, 81; ББИ, 195; Мильяненков, 210.

ПРО́ВОЛОЧКУ * В про́волочку. *Кар.* Ставя ступню перед ступней (идти). СРГК 5, 243.

ПРОВО́РОТ * Без прово́роту. *Сиб.* О большом количестве чего-л. СФС, 21.

Нет проворо́ту *где. Кар.* Об отсутствии свободного места, тесноте где-л. СРГК 5, 244.

ПРОГИ́Б * Зафикси́ровать проги́б. *Жарг. мол.* Лицемерно поддержать кого-л., продемонстрировать лояльность. Максимов, 151.

ПРОГЛОТНУ́ТЬ * Проглотну́ть и вы́кусить. *Кар.* Смолчать, не показать виду в случае обиды. СРГК 5, 246.

ПРОГО́Н * Во весь прого́н. *Пск.* Очень громко, изо всех сил. СПП 2001, 63.

Гнать прого́ны. *Жарг. угол.* Обманывать сообщников при дележе добычи. Балдаев 1, 355; ББИ, 195; Мильяненков, 210.

Пуска́ть прого́ны. *Жарг. мол.* Рассказывать небылицы, фантазировать. Никитина 2003, 562.

ПРОГРА́ММА * Програ́мма зави́сла. *Жарг. мол. Шутл.* О задумавшемся человеке. Максимов, 136.

По по́лной програ́мме. *Жарг. мол.* В полной мере, в высшей степени. Панорама, 1999, № 29.

Дви́гать продово́льственную програ́мму. *Жарг. угол. Шутл.-ирон.* Совершать кражи продуктов. Балдаев 1, 104.

ПРОДАВЕ́Ц * Продаве́ц во́здуха. *Разг. Ирон.* или *Презр.* Коммерсант, занимающийся сомнительными сделками. Мокиенко 2003, 87.

ПРОДУ́КТ * Му́тный проду́кт. *Разг.* Неочищенный самогон. Елистратов 1994, 374.

Переводи́ть проду́кт. *Разг. Неодобр.* Много пить, а затем страдать рвотой. Елистратов 1994, 374.

Чи́стый проду́кт. *Разг.* Очищенный самогон. Елистратов 1994, 374.

ПРОЁБ * Еби́сь оно́ [мне] злоебу́чим проёбом [через залупа́стую пиздопроу́шину]! *Нецենз. Бран.* 1. Выражение раздражения, негодования. 2. Выражения безразличия к чему-л. Мокиенко, Никитина 2003, 276.

Разъеби́сь ты злоебу́чим (троебу́чим) проёбом! *Неценз. Бран.* Выражение раздражения, негодования, возмущения. Мокиенко, Никитина 2003, 276.

ПРОЕ́Д * В прое́д. *Дон.* До полного насыщения (наесться). СДГ 3, 67.

ПРОЕ́ЗД * Держа́ть прое́зд. *Жарг. угол.* Воровать в городском транспорте. Балдаев 1, 357; ББИ, 195; Мильяненков, 211.

Что [есть] на прое́зд *у кого. Жарг. гом. Шутл.* Вопрос о размере полового члена. ЖЭСТ-2, 276; Кз., 62.

Е́здить прое́здом. 1. *на ком. Сиб. Неодобр.* Использовать кого-л. в собственных интересах, эксплуатировать кого-л. ФСС, 68. 2. *Жарг. угол.* Совершать кражи в городском транспорте. ТСУЖ, 53; СВЖ, 5; ББИ, 76; Балдаев 1, 124.

ПРОЕ́КТ * Прое́кт прики́нуть. *Жарг. угол.* Подготовиться к краже. Балдаев 1, 357; ББИ, 195.

ПРОЖИ́В * Не дава́ть прожи́ву *кому. Кар.* Быть слишком навязчивым, добиваясь чего-л. СРГК 5, 258.

Нет прожи́ву *кому. Кар.* 1. О беспокойстве, доставляемом кем-л. 2. О болезненной слабости. СРГК 5, 258.

ПРОЖИ́ТОК * Жить в прожи́тке (в прожи́тках). *Волог., Кар., Пск. Одобр.* Жить в достатке, богато, зажиточно. СВГ 2, 89; СРГК 5, 259; СПП 2001, 63.

ПРОЗВО́Н * С прозво́ном. *Жарг. угол.* Со взломом. Балдаев 2, 56.

ПРО́ЗЕЛЬ * В про́зель. *Кар.* О несозревших плодах. СРГК 5, 261.

ПРОИЗВО́ДНАЯ * Брать произво́дную. *Жарг. студ. Шутл.* Заваривать чай повторно. Никитина 2003, 564.

ПРОИЗВО́ДСТВО * Произво́дство кирпича́ по систе́ме Ильича́. *Разг. Ирон. Устар.* Кирпич от взорванных церквей. Синдаловский, 2002, 150.

ПРОИЗВО́Л * На произво́л судьбы́. *Разг.* Без помощи, поддержки, присмотра, без внимания и опеки. ФСРЯ, 363; БТС, 894; СПП 2001, 63.

ПРОКЛА́Д * С прокла́дом. *Кар.* Не спеша, спокойно. СРГК 5, 265.

ПРОКЛА́ДКА * Прокла́дка ме́жду рулём и сиде́ньем. *Жарг. авто. Шутл.-ирон.* О неквалифицированном шофёре. Максимов, 346.

ПРОКЛА́ДОЧКА * Проложи́ть прокла́дочку. *Жарг. мол. Шутл.* Выпить пива или вина между двумя приёмами водки. Щуплов, 64.

ПРОКЛАМА́ЦИЯ * Дать проклама́цию с мешко́м *кому. Пск. Шутл.* Выругать, отчитать кого-л. ПОС 8, 133.

ПРОКЛЁН * Клёнуть на проклён *кого. Кар.* То же, что **проклинать на проклин (ПРОКЛИН).** СРГК 2, 363.

ПРОКЛИ́Н * Проклина́ть на (в) прокли́н *кого. Ряз.* Сильно ругать, проклинать кого-л. ДС, 463.

ПРОКЛЯ́ТЫЙ * Будь ты [три́жды] про́клят! *Прост.* Восклицание, выражающее негодование, проклятие в чей-л. адрес. ФСРЯ, 363; МФС, 15.

ПРОКО́Л * Допуска́ть/ допусти́ть прокол. *Прост. Неодобр.* Нарушить какое-л. заведенное правило, совершить какое-л. нарушение, упущение в чём-л. ФМ 2002, 363; Мокиенко 2003, 87.

На проко́л. *Помор.* О сильной колющей боли. ЖРКП, 127.

Проко́л ка́меры. *Жарг. мол. Шутл.* Рок-группа «Прокол харум». БСРЖ, 483.

До проко́лу. *Кар.* До боли, до коликов (смеяться, хохотать). СРГК 5, 267.

ПРОКРУ́ТКА * Прокати́ть прокру́тку *кому. Жарг. угол.* 1. Обмануть кого-л. 2. Не поддержать главаря на сходке. Балдаев 1, 358.

ПРОКУРО́Р * Бе́лый прокуро́р. *Жарг. арест.* О побеге зимой. Росси 2, 314.

Бе́лый прокуро́р освободи́л *кого. Жарг. арест.* Кто-л. совершил побег зимой. Росси 2, 314.

Зелёный прокуро́р. *Жарг. арест. Шутл.* 1. Весна. 2. Время подготовки к побегу из ИТУ. 3. Побег из ИТУ в весеннее время. ТСУЖ, 72.

Зелёный прокуро́р освободи́л *кого. Жарг. арест.* О побеге из ИТУ весной, летом. Росси 2, 314.

Дружить с бе́лым прокуро́ром. *Жарг. арест.* Совершить побег из ИТУ зимой. Балдаев 1, 115.

Дружи́ть с зелёным прокуро́ром. *Жарг. арест.* Совершать побег из ИТУ в летнее время. Балдаев 1, 115.

ПРОКУРА́Т * Га́жий прокура́т. *Пск. Бран.* О человеке, вызывающем гнев, негодование. СПП 2001, 63.

ПРОЛЁТ * В пролётс. *Жарг. мол.* В проигрыше, ни с чем (быть, остаться). Мы, 1991, № 2, 71; Елистратов 1994, 376; Югановы, 187.

ПРОЛЕТА́РИЙ * Пролета́рии всех парт, соединя́йтесь! *Жарг шк. Шутл.* О контрольной работе. Максимов, 347.

ПРОЛЁТКА * Бить пролётку. *Жарг. угол., мол. Неодобр.* Ходить, слоняться без дела; гулять. ТСУЖ, 20; Балдаев, I, 357; ББИ, 197; Мильяненков, 211; Максимов, 34.

ПРОЛО́В * Быть в проло́ве. *Волго-Касп.* Не поймать рыбы. Копылова, 19.

ПРО́МАХ * В про́мах. *Дон.* Об оплошности. СДГ 3, 68.

Не про́мах. *Разг.* О ловком, сообразительном человеке. ДП, 476; ФСРЯ, 363.

ПРОМА́ШКА * Дава́ть / дать прома́шку. *Разг.* Ошибаться в чём-л., терпеть неудачу. ФСРЯ, 125.

ПРОМЁЖКА * Оржаны́е промёжки. *Прикам.* Созвездие Орион. МФС, 82.

ПРОМЫВА́НИЕ * Промыва́ние мозго́в. *Публ. Неодобр.* Воздействие на психику людей с целью идеологической обработки. НРЛ-82; Мокиенко 2003, 87.

ПРО́МЫСЕЛ * Аку́лий про́мысел. *Жарг. бизн., крим.* Вид мафиозного ростовщичества в мире организованной преступности — взимание с должника быстро нарастающих процентов. БС, 6.

Лесно́й про́мысел. *Тобол.* Охота. СРНГ 16, 373.

ПРОНО́С * Не в проно́с. *Разг. Устар.* По секрету. БМС 1998, 474.

ПРОПАГА́НДА * Пропуска́ть пропага́нду. *Сиб. Пренебр.* Говорить неправду, лгать. СРНГ 32, 212.

ПРО́ПАД * Побери́ про́падом *кого*! *Кар. Бран.* То же, что **пропади пропадом!** СРГК 4, 571; СРГК 5, 282.

Пропади́ (пропада́й) ты про́падом! *Разг.* Восклицание, выражающее сильное раздражение, досаду. ФСРЯ, 364; Глухов 1988, 135; Ф 2, 100; СФС, 153.

Про́паду нет *на кого. Яросл. Неодобр.* То же, что **пропасти нет (ПРОПАСТЬ).** ЯОС 8, 100.

ПРО́ПАСТЬ * Дойти́ до про́пасти. *Коми.* Быть близким к смерти. Кобелева, 74.

До про́пасти. *Волг., Курск., Сиб.* О большом количестве чего-л. Глухов 1988, 37; БотСан, 92; СФС, 65; Мокиенко 1986, 170.

Плю́нуть на все про́пасти. *Сиб.* Проявить безразличие, презрение к кому-л.; не посчитаться с кем-л. ФСС, 138.

Про́пасти напа́ли *на кого. Волг.* О большом аппетите, чрезмерном желании чего-л. Глухов 1988, 135.

Про́пасти нет *на кого. Прост. Неодобр.* О человеке, вызывающем отрицательные эмоции, осуждение. ФСРЯ, 365; ДС, 465.

На про́пасть. *Ряз.* Зря, без пользы. ДС, 465.

Окая́нная про́пасть! *Кар. Бран.* Выражение раздражения, неудовлетворения чем-л. СРГК 5, 284.

Попа́сть в про́пасть. *Сиб.* Оказаться в сложном, безвыходном положении. Мокиенко 1986, 115; Мокиенко 1990, 137.

Про́пасть зна́ет *кого, что. Том.* Абсолютно ничего не известно о ком-л., о чём-л. СОСВ, 153; Мокиенко 1986, 181; СБО-Д2, 134.

Чёртова про́пасть. *Прост.* О большом количестве чего-л. ФСРЯ, 364.

Провали́сь всё про́пастью! *Ряз.* Выражение безразличия к чему-л. ДС, 465.

Пропади́ ты (он и т. п.**) про́пастью!** *Прост. Бран.* То же, что **пропади пропадом (ПРОПАД).** ДС, 465; Ф 2, 100.

Пропа́сть про́пастью. *Ряз.* 1. Исчезнуть, уйти неизвестно куда. 2. Израсходоваться без пользы. ДС, 465.

Чтоб ты про́пастью пропа́л! *Ряз. Бран.* То же, что **пропади пропадом! (ПРОПАД).** ДС, 465.

ПРО́ПИЗД * Разъеби́сь ты злоебу́чим (тризлоебу́чим) про́пиздом! *Нецենз. Бран.* Выражение раздражения, негодования. Мокиенко, Никитина 2003, 277.

ПРОПИ́СКА * Име́ть постоя́нную пропи́ску *где. Разг.* Быть в постоянном хождении, иметь распространение где-л. Мокиенко 2003, 87.

Получа́ть/ получи́ть постоя́нную пропи́ску *где. Разг.* Входить в обиход, занимать постоянное место где-л. НРЛ-60; БМС 1998, 474-475; ФМ 2002, 364.

ПРО́ПИСЬ * Брать про́писью. 1. *что. Жарг. угол.* Совершать кражу с помощью разрезания одежды, сумки. БСРЖ, 485. 2. *кого.* Резать, убивать кого-л. холодным оружием. Елистратов 1994, 378. < Ср. жарг. **писа́ть** – резать, разрезать что-л.

ПРОПО́Й * Пропи́ть сухи́м пропо́ем *что. Кар.* Расплатиться водкой, вином за что-л. СРГК 5, 286.

На пропо́й души́. *Прост. Шутл.-ирон.* На выпивку. ФСРЯ, 364.

ПРО́ПУСК * Про́пуск на тот свет. *Горьк. Шутл.-ирон.* Церковная бумажка на лбу покойника. БалСок, 51.

Про́пуск при себе́? *Жарг. мол. Шутл.* Вопрос о наличии спиртного человеку, пришедшему в гости, на вечеринку. Максимов, 347.

ПРОРА́Б * Прора́б перестро́йки. *Публ. Патет.* О непосредственном руководителе и вдохновителе перестроечных процессов (чаще — о М. С. Горбачеве, Б. Н. Ельцине). СП, 175; Мокиенко 2003, 87.

ПРОРЕ́З * Проре́зу нет. *Сиб.* О большом количестве чего-л. СФС, 153; СБО-Д2, 135.

ПРОРЕ́ХА * Затыка́ть проре́хи. *Прост.* Наспех или на время устранять недостатки, пробелы. ФСРЯ, 171.

ПРОРУ́ХА * Попа́сть в прору́ху. 1. *Сиб.* Оказаться в сложном, безвыходном положении. Мокиенко 1986, 115. 2. *Пск.* Утратить способность понимать, соображать. СПП 2001, 63.

ПРОРЫ́В * Проры́в блока́ды. *Жарг. мол. Шутл.* Понос. Максимов, 347.

ПРОСВЕ́Т * Не знать просве́ту. *Волг.* Быть в постоянных хлопотах, заботах. Глухов 1988, 98.

ПРОСДО́Х * Нет просдо́ху (просду́ху, просды́ху, просду́шины) *где. Кар.* О сильном запахе, затрудняющем дыхание. СРГК 5, 292-293.

ПРОСДУ́Х * Нет просду́ху. См. **Нет просдо́ху (ПРОСДО́Х).**

ПРОСДУ́ШИНА * Нет просду́шины. См. **Нет просдо́ху (ПРОСДО́Х).**

ПРОСДЫ́Х * Нет просды́ху. См. **Нет просдо́ху (ПРОСДО́Х).**

ПРО́СЕКА * Сходи́ть на про́секу. *Жарг. мол. Шутл.* О мочеиспускании. Максимов, 348.

ПРОСИ́ТЕЛЬ * С проси́телем ши́бко, с нача́льством ги́бко. *Народн. Ирон.* О подхалиме. Жиг. 1969, 221.

ПРОСИ́ТЬ * Прошу́ люби́ть и жа́ловать. *Разг.* В речевом этикете – слова, употребляемые при представлении кого-л. кому-л. Ф 2, 104.

ПРОСКО́М * Проси́ть проско́м *что. Кар.* Настойчиво выпрашивать у кого-л. что-л. СРГК 5, 295.

ПРОСМЕ́Х * Брать/ взять на просме́х *кого, что. Перм.* Высмеивать кого-л., что-л. СГПО, 74.

ПРО́СО * Куропа́тиное про́со. *Дон.* Растение подорожник ланцетолистый. СДГ 2, 102.

ПРОСО́ВКА * Бежа́ть в просо́вку. *Пск.* Быстро бежать, спешить куда-л. СПП 2001, 63.

ПРОСО́Л * Держа́ть на просо́л. 1. *что. Волг.* Оставлять в запасе, не использовать что-л. Глухов 1988, 33. 2. *кого. Дон. Шутл.-ирон.* Долго не отдавать замуж. СДГ 3, 69.

ПРО́СОМ * Про́сом проси́ть. *Забайк., Пск., Сиб.* Убедительно, настойчиво просить, умолять кого-л. о чём-л. СПП 2001, 63; СБО-Д2, 136; СФС, 153-154; СРГЗ, 337.

ПРОСТИ́ * Сказа́ть после́днее прости́ *кому, чему. Разг.* Навсегда проститься с кем-л., с чем-л. Ф 2, 158.

ПРОСТИ́НА * С прости́ной. *кар. Шутл.-ирон.* О простоватом, несообразительном человеке. СРГК 5, 299.

ПРОСТИ́НОК * Идти́ на прости́нок. *Сиб.* Просить прощения у родителей за вступление в брак без их согласия. СФС, 118; СБО-Д2, 136.

ПРОСТИТУ́ТКА * Полити́ческая проститу́тка. *Публ. Презр.* О продажном, беспринципном, легко меняющем убеждения и ориентацию политике. Мокиенко 2003, 88

ПРОСТИТУ́ЦИЯ * Супру́жеская проститу́ция. *Книжн. Ирон.* Брак без любви. Флг., 88.

ПРОСТКИ́ * Быть в простка́х *с кем. Пск.* Быть в расчёте с кем-л. СПП 2001, 63.

ПРО́СТО * За вся́ко про́сто. 1. *Приамур.* В бедности, не имея излишков продуктов питания и одежды (жить). СРГПриам., 87. 2. *Яросл.* Запросто, не стесняясь. ЯОС 4, 52.

ПРОСТО́Й * Идти́ на простых. *Сиб.* Ехать без груза. ФСС, 86.

ПРОСТОКВА́ША * Пое́сть простоква́ши. 1. *Жарг. арест.* Совершить побег из ИТУ и скрыться в сельской местности. 2. *Разг. Шутл.-ирон.* Совершить орально-генитальный половой акт с кем-л. УМК, 170; Балдаев 1, 331; ББИ, 182.

ПРОСТОКВА́ШИНО * Тро́е из Простоква́шино. *Жарг. арм. Шутл.* О солдатах в кухонном наряде. < По названию мультипликационного фильма. Максимов, 429.

ПРОСТОКИ́ШКА * Пое́сть простоки́шки. *Жарг. угол.* Совершить побег из острога и быть пойманным через несколько дней. Трахтенберг, 49.

ПРОСТО́Р * Родны́е просто́ры. *Жарг. угол. Ирон.* Тюрьма. Максимов, 348.

ПРОСТО́РА * С просто́рой. *Кар.* О чём-л. большом. СРГК 5, 301.

ПРОСТОТА́ * Свята́я простота́. *Разг. Ирон.* О наивном, простодушном, бесхитростном человеке. < Калька с лат. *sancta simplicitas.*БМС 1998, 475; ФСРЯ, 365.

ПРОСТРЕ́Л * Простре́л мне в поясни́цу! *Прост. обл.* Клятвенное уверение в чём-л. Мокиенко, Никитина 2003, 278.

ПРОСЫ́П * Без просыпа (просы́пу). *Разг.* Постоянно, непрерывно, не протрезвляясь (пьянствовать). ФСРЯ, 366.

ПРО́СЬБА * С про́сьбой проси́ть. *Пск.* Настойчиво просить, умолять кого-л. о чём-л. СПП 2001, 63.

ПРОСЯ́ДКА * В прося́дку (с прося́дкой). *Сиб.* Не спеша. СФС, 46.

ПРОТИВОФА́ЗА * Быть в противофа́зе *с кем. Жарг. техн., мол. Шутл.* Постоянно не совпадать с кем-л. по настроению, местонахождению, интересам. Югановы, 49; Елистратов 1994, 380.

ПРОТОКО́Л * По протоко́лу. *Полит.* С соблюдением всех формальностей, выражая соответствующее почтение к кому-л. < Из речи дипломатов. Мокиенко 2003, 88.

Знать все протоко́лы. *Дон.* Быть очень осведомлённым, многое знать. СДГ 3, 70.

ПРОТУ́РЫШ * Дать проту́рыша *кому. Кар.* Заставить кого-л. убегать, спасаться бегством. СРГК 5, 311.

ПРОТЯ́Г * С протя́гом. *Кар.* Издавая протяжный звук. 2. Напевно, растягивая слова (говорить). СРГК 5, 312.

ПРОТЯ́ЖКА * С протя́жкой. *Кар.* То же, что **с протягом 2. (ПРОТЯГ).** СРГК 5, 312.

В протя́жку. *Кар.* То же, что **с протягом 2. (ПРОТЯГ).** СРГК 5, 312.

ПРОУ́ЛОК * Ма́ткин проу́лок! *кар. Бран.* Выражение досады, раздражения. СРГК 5, 313.

ПРОФЕ́ССИЯ * Втора́я древне́йшая профе́ссия. *Публ. Шутл.-ирон.* 1. Журналистика. 2. Политика. Душенко 1997, 324; Мокиенко 2003, 88-89.

Горизонта́льная профе́ссия. *Жарг. мол. Шутл.-ирон.* Проституция. Елистратов 1994, 97.

[Са́мая] дре́вняя (древне́йшая) профе́ссия. *Публ. Шутл.- ирон.* Проституция. Мокиенко 2003, 89.

ПРОФЕ́ССОР * Профе́ссор ки́слых щей. *Разг. Ирон.* О самоуверенном глупце, выскочке. БМС 1998, 475; Глухов 1988, 136; Смирнов 2002, 178.

ПРОФСОЮ́З * Свобо́дный профсою́з. *Жарг. угол.* Компания проституток, гомосексуалистов или бродяг. УМК, 172; Балдаев 2, 31.

Цыга́нский профсою́з. *Жарг. угол. Ирон.* Сборище, компания бродяг. УМК, 172; Балдаев 2, 136.

ПРОХА́ВА * Проха́ва коробе́йницкая. *Кар. Бран.* О человеке, который легко и без пользы тратит деньги. СРГК 5, 314.

ПРОХВА́Т * Без прохва́ту. *Кар.* Очень крепко, беспробудно (спать). СРГК 5, 316.

ПРОХЛА́ДА * С прохла́дой (работать). *Кар. Неодобр.* Неторопливо, без усердия СРГК 5, 317. См. **с прохладцей.**

ПРОХЛАДЕЦ * С прохладцем (работать). *Неодобр.* Вяло, без большого усердия. ОШ, 646. См. **с прохладцей.**

ПРОХЛА́ДЦА * С прохла́дцей (работать). *Неодобр.* Вяло, без большого усердия. ОШ, 646. См. **с прохладцем.**

ПРОХО́Д * За́дний прохо́д. *Карт. Шутл.* Очко (в игре в очко). Балдаев 1, 140.

На прохо́д. *Кар.* Для ежедневной носки, на каждый день (об одежды). СРГК 5, 318.

Че́рез за́дний прохо́д. *Разг.* 1. Неодобр. Неловко, неумело, неправильно. 2. *Шутл.-ирон.* Используя связи, по протекции. УМК, 172; Балдаев 2, 141; ББИ, 278.

Не дава́ть прохо́да *кому. Разг.* Неотступно, назойливо преследовать кого-л. вопросами, просьбами, разговорами. ФСРЯ, 126.

Быть на прохо́де. *Кар.* Заканчиваться, проходить. СРГК 5, 318.

Ковыря́ть в за́днем прохо́де. *Прост. Презр.* Заниматься грязным и пустым делом. Мокиенко, Никитина 2003, 279.

Не дава́ть прохо́ду *кому. Прост.* Назойливо приставать к кому-л., надоедать кому-л. Глухов 1988, 97.

ПРОХОДНО́Й * В проходну́ю. *Сиб.* Без отдыха. СФС, 46.

ПРОХОДНЯ́ * Искать проходню́. *Алт. Неодобр. Бродить*, слоняться без дела. СРГА 2-1, 189.

ПРОЦЕ́НТ * На́ сто́ проце́нтов. *Разг.* О высшей степени проявления какого-л. признака, качества. СПП 2001, 63.

ПРОЦЕ́СС * Необрати́мый проце́сс. *Разг.* О том, что будет развиваться далее, без возврата к прошлому состоянию. БМС 1998, 475; ФМ 2002, 366.

Проце́сс пошёл. *Разг. Шутл.-ирон.* Движение в какую-л. сторону уже началось (независимо от чьей-л. воли, команды); возврата к чему-л. нет. < Одно из любимых выражений М. С. Горбачева в конце 80-х—нач. 90-х гг. Возникло на основе стереотипа *необратимый процесс.* БМШ 2000, 410-411; Мокиенко 2003, 89.

ПРО́ЧНОСТЬ * Испы́тывать на про́чность *кого. Разг.* Проверять выносливость человека. < Из профессиональной речи металлистов. БМС 1998, 475; ФМ 2002, 367.

ПРОЧЬ * Петля́ть прочь. *Новг.* Отказываться от своих слов, уходить от ответа. НОС 7, 134.

ПРОШЕ́НЬЕ * По моему́ проше́нью, по щу́чьему веле́нью. *Народн.* Об удаче, исполнении желаний. ДП, 69.

ПРО́ШКА * Будь ты про́шка! *Кар. Бран.* Выражение гнева, негодования, проклятие в чей-л. адрес. СРГК 5, 325.

Пить (тяну́ть, ши́ркать) про́шку. *Сиб. Шутл.* Нюхать табак. ФСС, 137; СФС, 139, 154.

ПРОЯ́КОРЬ * Проя́корь тебя́ (его́ и т. п.) **возьми́!** *Сиб. Бран.* Восклицание, выражающее досаду, раздражение. СБО-Д2, 138; Мокиенко 1990, 27; СФС, 154.

ПРУД * [Хоть] пруд пруди́. *Разг. Шутл.* О большом количестве чего-л. ФСРЯ, 367; БМС 1998, 476; Мокиенко 1990, 107, 145; СПП 2001, 63.

ПРУ́ДЕВО * Дать пру́дева *кому. Курск.* Отхлестать, выпороть кого-л. БотСан., 91.

ПРУЖИ́НА * Нажима́ть на все пружи́ны. *Разг. Устар.* Прилагать все усилия для быстрого выполнения чего-л. Ф 1, 313.

Сня́ться с пружи́ны. *Жарг. мол. Шутл.* Сойти с ума. Максимов, 350.

ПРУЖИ́НКА * Волше́бная пружи́нка. *Жарг. студ. Шутл.* Энергичная преподавательница. (Запись 2003 г.).

ПРУЗЫ́ * Во все прузы́. *Пск.* Очень быстро, стремительно (мчаться, ехать). ПОС, 3, 122; Мокиенко 1986, 48.

ПРУСА́К * Прусаку́ не напи́ться. *Новг. Шутл.* О малом количестве воды в водоёме. ЗС 1996, 166.

ПРУТ * Дать берёзового прута́ *кому. Диал.* Выпороть кого-л. Мокиенко 1990, 161.

Ни прута́, ни лесипки, ни бараба́нной па́лки. *Народн.* Об отсутствии зеленых насаждений, леса где-л. ДП, 326.

ПРЫГМА́ * Пры́гать прыгма́. *Ряз.* Бежать вприпрыжку. Мокиенко 1986, 106.

ПРЫЖО́К * Дать прыжка́. 1. *Кар., Пск.* Прыгнуть. СРГК 5, 331; СРНГ 7, 257-258. 2. *Пск.* Быстро побежать, броситься бежать. СРНГ 7, 257-258.

Прыжки́ вле́во. *Разг. Шутл.-ирон.* Измены жене или любовнице. ББИ, 199.

ПРЫСК * В [са́мом] прыску́. *Волг., Сиб., Ср. Урал.* В расцвете физических сил, здоровья. Глухов 1988, 15; ФСС, 157; СФС, 46; СРГСУ 1, 97.

ПРЫТО́К * Пры́ток его́ (тебя́ и т. п.) **возьми!** *Яросл.* Восклицание, выражающее раздражение, досаду в чей-л. адрес. < **Прыток** — чёрт. ЯОС 8, 104.

ПРЫТЬ * С пры́ти. *Алт.* С разбега. СРГА 3-1, 182.

Во всю прыть. *Разг.* Очень быстро (бежать, ехать, мчаться). ФСРЯ, 367; Мокиенко 1986, 48; СРГК 5, 332.

Показа́ть прыть. *Яросл.* Осмелиться, решиться на что-л. СРНГ 28, 365.

ПРЫЩ * Мохна́ткин (лохма́ткин) прыщ. *Жарг. угол. Презр.* Мужчина, взявший фамилию жены. УМК, 172; Балдаев 1, 232, 256.

Прыщ на плеча́х. *Жарг. мол. Шутл.* Голова. Максимов, 350.

ПРЯ́ЖА * Втора́я пря́жа. *Яросл.* Время работы на пашне после полудня. ЯОС 3, 46.

Пе́рвая пря́жа. *Яросл.* Время работы на пашне до полудня. ЯОС 7, 90.

ПРЯ́ЖКА * Боро́ться под пря́жки. *Дон.* Бороться, держа друг друга за пояс. СДГ 3, 71.

Вложи́ть пря́жки *кому. Волг.* Выпороть кого-л. Глухов 1988, 12.

Угости́ть пря́жкой *кого. Волг.* То же, что **вложить пряжки.** Глухов 1988, 162.

Бра́ться за пря́жку. *Волг.* 1. Угрожать расправой кому-л. 2. Жестоко расправляться с кем-л. Глухов 1988, 7.

Дать пря́жку. *Сиб.* Проработать без отдыха определённое время (о пахаре). ФСС, 54.

Начи́стить пря́жку *кому.* 1. *Разг. Устар.* Отругать, отчитать кого-л. БМС 1998, 476; Грачев, Мокиенко 2000, 128. 2. *Новг.* Побить, избить кого-л. Сергеева 2004, 184.

Почи́стить пря́жку *кому. Диал.* Избить, выпороть кого-л. Мокиенко 1990, 45, 60.

ПРЯМА́Я * Выходи́ть/ вы́йти на фи́нишную пряму́ю. *Разг.* Начинать завершающий этап работы, подходить к завершению работы, какого-л. дела. НСЗ-70; НРЛ-84; ФМ 2002, 368; БМС 1998, 476.

ПРЯМЬ * До пря́ми. *Ср. Урал.* 1. Ровно, выпрямив (делать что-л.). 2. Откровенно, открыто (говорить). СРГСУ 1, 142.

В одну́ прямь. *Кар.* 1. В одном направлении. 2. Без изменений; не меняясь. 3. Без остановки, за один приём. СРГК 4, 150; СРГК 5, 337.

ПРЯ́НИК * Вломи́ть на пря́ник *кому. Пск. Шутл.* Сильно избить, наказать кого-л. ПОС 4, 54.

Печа́тать у́мный пря́ник. *Жарг. студ. Шутл.-ирон.* 1. Учиться. 2. Делать умный вид. Максимов, 311.

Пря́ник тебе́ в ду́шу! *Прост. Бран.* Выражение недовольства, раздражения, возмущения кем-л., чем-л. Флг., 287.

На пяти́десяти пяти́ пря́никах. *Пск. Шутл.* В лаптях. СПП 2001, 63.

Зарабо́тать на пря́ники. *Пск.* Быть побитым. ПОС 10, 83.

Лома́ть пря́ники. *Разг. Устар.* Вид детской игры: встав спинами друг к другу и сцепившись руками около локтей, поочередно поднимать друг друга, взвалив на спину. Ф 1, 255.

Перебира́ть пря́ники. *Кар. Шутл.-ирон.* Заниматься чем-л. несерьёзным, незначительным. СРГК 4, 428.

ПРЯНИК * Пря́ник тебе́ (вам, ему́ и пр.) в ду́шу! *Прост. Бран.* Выражение недовольства, раздражения, возмущения кем-л., чем-л. Мокиенко, Никитина 2003, 279.

Соверше́нно пря́ники. *Жарг. угол. Шутл.-одобр.* Всё правильно. Балдаев 2, 50.

ПРЯСТЬ * Ни прясть, ни ткать, ни вя́зье вяза́ть. *Курск. Неодобр.* 1. О неумелом человеке. БотСан, 106. 2. О бездельнике. Мокиенко 1990, 64.

ПРЯ́ТКИ * Игра́ть в пря́тки. *Разг.* Обманывать кого-л., скрывать, утаивать что-л. от кого-л. ФСРЯ, 179; ФМ 2002, 368; ЗС 1996, 503; Мокиенко 1996, 153.

ПСАЛТЫ́РЬ * Чита́ть псалты́рь. 1. *по кому. Разг.* Отпевать умершего. СРНГ 6, 256. 2. *кому. Пск.* Ругать, отчитывать кого-л., читать нравоучения кому-л. СПП 2001, 63.

ПСИХ * Псих на во́ле. *Жарг. шк. Шутл.-ирон.* Учитель физкультуры. ВМН 2003, 111.

Быть на пси́хе. *Жарг. мол.* Нервничать, сердиться; находиться в возбуждённом состоянии. Вахитов 2003, 103.

Пси́хи на во́ле. *Жарг. шк. Шутл.-ирон.* Ученики на уроке физкультуры. Bytic, 1999–2000.

ПСИ́ХИКА * Дави́ть на пси́хику *кому. Разг. Неодобр.* Оказывать на кого-л. психологическое воздействие. НРЛ-81; Мокиенко 2003, 90.

ПСУЛ * Ни псула́. *Жарг. угол.* Ничего подобного (категорическое отрицание, опровержение чего-л.). < **Псул** – мужской половой орган. Грачев, 1992, 142.

ПСЯ́ЧИНА * Вся́кая пся́чина. *Пск. Шутл.* О совокупности, большом количестве мелких, незначительных предметов. СППП 63.

ПТА́ШЕЧКА * Ра́но пта́шечка запе́ла. *Народн. Ирон.* О преждевременной радости успеху до завершения какого-л. дела. < Выражение – часть пословицы **Рано пташечка запела, как бы кошечка не съела.** БМС 1998, 476.

ПТА́ШКА * Во́льная пта́шка. См. **Вольная птицца (ПТИЦА).**

ПТЕНЕ́Ц * Желторо́тый птене́ц. *Разг. Пренебр.* О молодом, наивном, неопытном человеке. ФСРЯ, 358; ЗС 1996, 124, 313.

Птенцы́ гнезда́ Петро́ва. *Книжн. Устар.* О соратниках какого-л. видного деятеля. < Цитата из поэмы А. С. Пушкина «Полтава» (1828-1829 гг). БМС 1998, 476.

ПТЕ́НЧИК * Желторо́тый пте́нчик. *Волг. Пренебр.* То же, что **желторотый птенец (ПТЕНЕЦ).** Глухов 1988, 42.

Пте́нчик в гнёздышко (в гнёздышке). *Разг. Шутл.* О половом акте. Елистратов 1994, 383.

ПТИ́ЦА * О́коло птиц *кому что. Жарг. мол. Шутл.* Абсолютно безразлично, всё равно. Вахитов 2003, 119.

Ва́жная пти́ца. *Разг. Ирон.* О человеке, занимающем высокое общественное положение. БТС, 109; ЗС 1996, 31, 219; СПП 2001, 358.

Во́льная пти́ца (пта́шка). *Разг.* О свободном, независимом человеке. ФСРЯ, 368; БМС 1998, 476; ШЗФ 2001, 42.

О́гненная пти́ца. *Пск.* Самолёт. СПП 2001, 63.

Перелётная пти́ца. *Разг.* О человеке, который не задерживается нигде надолго. ЗС 1996, 490.

Пролете́ла пти́ца обломи́нго [с больши́м клю́вом]. *Жарг. мол.* О неудаче, крушении планов («обломе»). Вахитов 2003, 152.

Пти́ца высо́кого полёта. *Разг.* Влиятельный человек, занимающий высокое положение в обществе. ФСРЯ, 368; ЗС 1996, 31.

Пти́ца лунь. *Жарг. мол.* Образ галлюцинации – небольшой крокодил с крыльями и когтями, который садится на голову и питается мозгом. Вахитов 2003, 151.

Пти́ца лунь прилете́ла. *Жарг. мол. Шутл.* О наступлении наркотического опьянения. Вахитов 2003, 152.

Пти́ца на лету́ мёрзнет. *Прост.* Об очень холодной погоде. ЗС 1996, 448.

Пти́ца ни́зкого (невысо́кого) полёта. *Разг.* Человек, не занимающий высокого, значительного положения в обществе. ФСРЯ, 368.

Пти́ца (пти́чка) обломи́нго. *Жарг. мол. Неодобр.* 1. О человеке, который не выполняет своих обещаний. Вахитов 2003, 152. 2. О неудаче, невезении. Максимов, 350.

Ре́дкая пти́ца. *Разг.* Исключительный, необыкновенный человек. БМС 1998, 476.

Си́няя пти́ца. *Разг.* Символ счастья; прекрасная, но недоступная мечта. < От названия пьесы М. Метерлинка (1908 г.). БМС 1998, 477.

Стре́ляная (обстре́лянная) пти́ца. *Разг.* О бывалом, опытном человеке. ФСРЯ, 368; СПП 2001, 63.

Гоня́ться за си́ней пти́цей. *Разг.* Искать счастья. БМС 1998, 477.

Ви́деть пти́цу лунь. *Жарг. мол. Шутл.* Галлюцинировать. Вахитов 2003, 184.

Ви́дно пти́цу по полёту. *Разг.* Видно, каков человек, по его поступкам, делам, поведению. ФСРЯ, 368.

Догна́ть пти́цу в не́бе. *Новг.* Преодолеть трудности, достичь желаемого результата. Сергеева 2004, 209.

ПТИ́ЧКА * Бо́жьева пти́чка. *Арх.* Голубь. АОС 2, 50.

Пти́чка на у́хо се́ла *кому. Перм.* О невнимательном человеке. Глухов 1988, 122.

Пти́чка обломи́нго. См. **Птица обломинго (ПТИЦА).**

Кста́ти о пти́чках. *Разг.* К слову. Максимов, 211.

Где на́ши пти́чки не лета́ют. *Пск.* Очень далеко, в отдалённом месте. СПП 2001, 63.

Пойма́ть пти́чку. *Жарг. мол. Шутл.* Заразиться венерической болезнью. Максимов, 325.

ПТИ́ЧКА-ХИМИ́ЧКА * Пти́чка-хими́чка прилётная. *Жарг. арест.* Осуждённая, бежавшая со строек народного хозяйства, спасаясь от изнасилований, грабежа, избиений, чинимых мужчинами-уголовниками, прибывшими по условно-досрочному освобождению, и вернувшаяся добровольно отбыть свой срок в женскую ИТК, где она находилась до условно-досрочного освобождения. Балдаев 2001, 163.

ПУ * Желе́зный Пу. *Жарг. журн., полит. Шутл.* Президент РФ В. В. Путин. МННС, 198.

ПУ́БЛИКА * Рабо́тать на пу́блику. *Разг. Неодобр.* Стараться понравиться зрителям. НСЗ-70.

ПУГ * Нагна́ть пу́гу *на кого. Кар.* Сильно напугать кого-л. СРГК 3, 307.

ПУ́ГАЛО * Пу́гало воро́нье. *Волг., Горьк. Пренебр.* Неряшливый человек. Глухов 1988, 136; БалСок, 51.

Пу́гало горо́ховое. *Прост. Шутл.* О пустом человеке, служащем всеобщим посмешищем. ФСРЯ, 536; ПОС 7, 132.

Пу́гало огоро́дное. *Прост.* 1. Глупый никчёмный человек. 2. Нелепо или неряшливо одетый человек. Глухов 1988, 115.

ПУ́ГОВИЦА * Застегну́ть пу́говицу. *Жарг. карт.* Вовлечь кого-л. в шулерскую игру. ТСУЖ, 67, 149; Балдаев 1, 152, 362; ББИ, 199; Мильяненков, 213.

Крути́ть пу́говицу. *Жарг. угол.* Лгать на допросе. Балдаев 1, 211, 362; ББИ, 199; Мильяненков, 213; ТСУЖ, 149.

Оста́вить пу́говицу. *Волог.* Сделать кого-л. беременной. СВГ 6, 79.

Приши́й (пристегни́) пу́говицу на лоб. *Жарг. мол.* Призыв не рассчитывать на что-л., не надеяться на что-л. Максимов, 342.

Застёгнутый на все пу́говицы. *Разг.* Держащийся корректно, строго официально, холодно. БМС 1998, 477.

Крути́ть пу́говицы *кому. Волг., Сиб.* 1. Кокетничать с кем-л. 2. Находиться в любовной связи с кем-л. Глухов 1988, 78; СОСВ, 97; ФСС, 99; СРНГ 15, 327; СБО-Д1, 224.

ПУ́ГОВКА * Перебива́ться с пу́говки на пе́телку. *Народн. Ирон.* Жить в крайней бедности, нищете. ДП, 89.

ПУД * Пуд грузно́й! *Пск. Бран.* О лошади. СПП 2001, 63.

Пуд со́ли съесть *с кем. Разг.* Очень хорошо знать кого-л. ФСРЯ, 368; БМС 1998, 477; ФМ 2002, 369; Мокиенко 1986, 28.

Узна́ть, почём пуд со́ли. *Пск.* Испытать многое в жизни. СПП 2001, 63.

Сто пудо́в. *Жарг. мол. Шутл.* Наверняка, точно, стопроцентно. Я — молодой, 1997, № 22; Вахитов 2003, 172.

ПУ́ДРА * Бе́лая пу́дра. 1. *Жарг. нарк.* Кокаин. БСРЖ, 489. 2. *Жарг. арм.* Новое высокотоксичное химическое оружие. (Запись 2004 г.).

ПУ́ДЕЛЬ * Де́лать пу́дели. *Охотн. Шутл.* Не попадать в цель. СРНГ 7, 257.

Пу́дель Артемо́н. *Жарг. шк. Шутл.* Учитель с вьющимися волосами. ВМН 2003, 112.

ПУЗА́Н * Пуза́н ненаеду́щий. *Кар. Неодобр.* Обжора. СРГК 5, 344.

ПУЗЁНКО * Пузёнко нашла́. *Пск. Шутл.* О забеременевшей незамужней женщине. СПП 2001, 63.

ПУ́ЗО * До пу́за. *Пск.* То же, что **от пуза.** СПП 2001, 63.

От пу́за. *Волг., Пск., Сиб.* До пресыщения, вволю, до отвала (наесться). ЗС 1996, 189; Глухов 1988, 120; СПП 2001, 63; СФС, 134.

Оттолкну́ться от пу́за. *Жарг. угол., арест.* Наесться досыта. Балдаев 1, 300.

Отдыха́ть на пу́зе. *Жарг. мол.* Перестать донимать, утомлять, оставить в покое кого-л. Вахитов 2003, 121.

Ползти́ на пу́зе. *Перм.* Работать с перенапряжением, до изнеможения. СПСП, 111.

Барка́нное (мяки́нное) пу́зо. *Пск. Бран.* Обжора. СРНГ 3, 100; ПОС 1, 123; СПП 2001, 63. < **Барка́нный** – морковный.

Вы́тряхнуть пу́зо *кому. Пск. Груб.* Убить кого-л. ПОС 6, 84.

Карто́фельное пу́зо. *Волог., Костром., Пск., Твер. Шутл.* О любителе картофеля. СРНГ 13, 104.

Лу́ковое пу́зо. *Пск. Шутл.* О любителе лука, о том, кто ест много лука. СПП 2001, 63.

Майо́рское пу́зо. *Народн. Шутл.-ирон.* Об упитанном, полном человеке. ДП, 309.

Набе́гать пу́зо. *Волг.* То же, что **нагуливать/ нагулять пузо.** Глухов 1988, 86.

Набива́ть/ наби́ть (накрути́ть, сде́лать) пу́зо. *Прост.* 1. Сытно наедаться, много есть. Глухов 1988, 86. 2. *кому.* Делать кого-л. беременной. Мокиенко, Никитина 2003, 280.

Нагу́ливать/ нагуля́ть (нака́чивать/ накача́ть) пу́зо *с кем. Прост.* Беременеть от кого-л. вне брака. СПП 2001, 63; Мокиенко, Никитина 2003, 280.

На пу́зо плечи́стый. *Пск. Шутл.* О человеке, который очень много ест. СПП 2001, 63.

Нара́щивать (наеда́ть) пу́зо. *Прост.* Полнеть от сытой, беззаботной жизни. ФСС, 119.

Ове́чье пу́зо. *Кар.* О полном, неповоротливом человеке. СРГК 5, 344.

Приде́лать пу́зо *кому. Волг. Шутл.* То же, что **набивать/ набить пузо 2.** Глухов 1988, 132.

Пу́зо вы́ше но́са *у кого.* 1. *Сиб. Шутл.* О беременной женщине. ФСС, 158. 2. *Пск. Неодобр.* О гордом, заносчивом человеке. СПП 2001, 63.

Пу́зо до но́са *у кого. Кар.* То же, что **пузо выше носа 1.** СРГК 4, 42.

Пу́зо на но́с (на лоб) ле́зет *у кого. Волг.* О беременной женщине. Глухов 1988, 136, 344.

Пу́зо на́ сторону. *Пск. Шутл.* О состоянии сытости. СПП 2001, 63.

Сесть на пу́зо. *Жарг. авто.* Увязнуть в грязи по днище автомобиля. Максимов, 351.

Чеши́ пу́зо, блатна́я сырое́жка! *Жарг. Мол.* Требование уйти, удалиться. Максимов, 474. **Чеши́ пу́зо пая́льной ла́мпой (ра́шпилем, совковой лопатой, ла́мпой Аладди́на)!** *Жарг. мол. Шутл.* То же. Максимов, 747. **Чеши́ пу́зо об забо́р!** *Жарг. моло. Шутл.* То же. Максимов, 474. **Чеши́ пу́зо об асфа́льт (об забо́ры)!** Максимов, 474.

С пу́зом. *Прост.* Беременная. ФСС, 158.

Рвать пу́зу. *Урал.* Громко ругаться, скандалить. СРНГ 34, 356.

ПУЗЫРЁК * Загна́ть в пузырёк *кого. Жарг. угол.* 1. Уличить кого-л. во лжи, сконфузить кого-л. Трахтенберг, 24.

2. Довести до неистовства, вывести из равновесия кого-л. ТСУЖ, 35, 60.

Лезть в пузырёк. *Жарг. угол. Прост.* Сердиться без причины. ТСУЖ, 35; ЗС 1996, 352. < Трансформация выражения **лезть в бутылку.**

Че́рез пузырёк. *Волг. Шутл.* Незаконно, по знакомству (устроить что-л., добиться чего-л. Глухов 1988, 171.

ПУЗЫ́РЬ * Быть в пузыре́. *Жарг. угол.* Быть изобличённым во лжи. ТСУЖ, 35.

Вста́ть на пузыри́. *Кар.* Получить солнечный ожог. СРГК 1, 247.

Гоня́ть пузыри́. *Жарг. комп. Шутл.* Инсталлировать операционную систему OS/2. Садошенко, 1995.

Лезть в пузы́рь. *Прост.* Сердиться, раздражаться. Сергеева 2004, 175.

Надува́ть пузыри́. *Жарг. мол. Шутл.* Пользоваться презервативом. Максимов, 351.

Пуска́ть мы́льные пузыри́. *Разг. Презр.* Заниматься чем-л. бесполезным, несерьёзным. Ф 2, 106; Ф 2, 136.

Пуска́ть пузыри́. 1. *Прост. Шутл.* Тонуть. СПП 2001, 63; Ф 2, 107; ЗС 1996, 119; . 2. *Жарг. мол. Шутл.* То же, что **надувать пузыри.** Максимов, 351.

Вы́йти на мы́льный пузы́рь. *Волг., Дон.* Оказаться напрасным, безрезультатным. Глухов 1988, 18; СДГ 2, 148.

Гоня́ть пузы́рь. *Прост. Шутл.* Играть в футбол. Мокиенко 2003, 90.

Дождево́й пузы́рь. 1. *Кар. Пренебр.* О пьянице. СРГК 5, 345. 2. *Пск. Шутл. или Ирон.* О высокомерном, надменном человеке. СПП 2001, 63.

Ду́тый пузы́рь. *Прост. Ирон.* Человек с преувеличенно положительной, хорошей репутацией, не соответствующей тому, что он представляет собой на самом деле. ФСРЯ, 368; Глухов 1988, 39.

Ду́ться в пузы́рь. *Морд.* Упрямиться, упорствовать в чём-л. СРГМ 1980, 42.

Лезть в пузы́рь. *Прост. Неодобр.* Приходить в состояние раздражения, злобы на кого-л. из-за пустяков, несуществующих причин. Ф 2, 105; Мокиенко 2003, 90.

Моло́чный пузы́рь. *Кар. Шутл.* О человеке, который пьёт много молока. СРГК 5, 345.

Мочево́й пузы́рь. *Жарг. авиа. Шутл.-ирон.* Нелётная погода. Кор., 178.

Мы́льный пузы́рь. *Разг. Ирон.* 1. О чём-л. неустойчивом, эфемерном, легко разрушающемся. 2. О человеке, производящем самое положительное впечатление и оказывающемся ничтожным, незначительным. ФСРЯ, 369; БТС, 566.

Накача́ть пузы́рь *кому. Прост. Эвфем.* Сделать кого-л. беременной. Флг., 206; Мокиенко 2003, 90.

Пузы́рь не всплыл *где. Сиб.* Всё осталось неизвестным, нераскрытым. СОСВ, 156; Верш. 6, 350.

Пузы́рь Петро́вич. *Жарг. угол. Шутл.* Бутылка спиртного. Грачев 1997, 162.

Пузы́рь пога́ный. *Пск. Бран.* О пустом, никчёмном человеке. СПП 2001, 63.

Свесть на мы́льный пузы́рь *что. Дон.* Испортить, свести на нет что-л. СДГ 2, 148; СРНГ 36, 251.

Пусти́ть пузыря́. *Жарг. арм., мол.* Потерять ориентировку, заблудиться. Лаз., 228; Максимов, 351.

Шевели́ть пузыря́ми (ша́риками). *Жарг. мол. Шутл.* Думать, соображать. Елистратов 1994, 565.

ПУК * Заблуди́вшийся пук. *Жарг. мол. Шутл.* 1. Отрыжка. Никитина 1998, 366; Вахитов 2003, 56. 2. Икота. Максимов, 157.

Не пук соло́мы. *Пск. Шутл.-одобр.* О чём-л. значительном, не пустяковом. СПП 2001, 63.

ПУЛЕМЁТ * Крупнокали́берный пулемёт. *Жарг. мол. Шутл.* Мужской половой орган большого размера. БСРЖ, 489.

ПУ́ЛЬВЕР * Пу́львер с ды́ркой. *Жарг. угол., арест.* Пассивный гомосексуалист. ББИ, 200.

ПУ́ЛЯ * Сиде́ть на пу́ле. *Кар. Ирон.* Быть убитым. СРГК 5, 347.

С пу́лей в голове́. *Жарг. мол. Шутл.* О легкомысленном, ветреном человеке. Максимов, 90.

Лить (отлива́ть/ отли́ть) пу́ли (пу́лю). *Разг.* 1. Хвастливо лгать, рассказывать что-л. неправдоподобное. 2. Говорить или что-л. необычное, неожиданное или смешное. ДП, 735; ФСРЯ, 369; БМС 1998, 478; Ф 2, 27; Мокиенко 1990, 37, 113; Глухов 1988, 82, 119; ЗС 1996, 356.

Завора́чивать (разводи́ть) пу́ли. *Пск.* 1. *Шутл.* Много говорить, болтать, пустословить. 2. *Неодобр.* То же, что **заряжать пули.** ПОС 11, 103.

Заряжа́ть пу́ли. *Жарг. угол. Шутл.-ирон.* Лгать, обманывать кого-л. ТСУЖ, 149; Балдаев 1, 362; ББИ, 199; Мильяненков, 213.

Спать до зелёной пу́ли. *Кар. Шутл.* Очень крепко, беспробудно спать. СРГК 5, 347.

Пу́ли в носу́ *у кого. Кар. Неодобр.* О несовершеннолетнем, не достигшем зрелого возраста человеке. СРГК 4, 42. < **Пули** – сопли.

Брать/ взять на пу́лю *кого. Жарг. угол.* Обмануть мошенническим способом кого-л. ТСУЖ, 114.

Гвоздану́ть (зали́ть, макну́ть) пу́лю. *Пск. Шутл.* Удачно пошутить, сказать острое, меткое слово. ПОС 1, 300.

Заби́ть пу́лю *кому. Жарг. мол. Шутл.* Совершить половой акт с кем-л. Мокиенко, 1995, 86.

Отборони́ть пу́лю. *Пск.* Сказать глупую остроту. Доп., 1858.

Пусти́ть пу́лю. *Прост. Неодобр.* Соврать, выдумать что-л. нелепое. СРГК 5, 347; СПП 2001, 63; Подюков 1989, 166.

Пусти́ть себе́ пу́лю в лоб. *Разг.* Застрелиться. ФСРЯ, 369.

Согну́ть пу́лю. *Кар.* Обмануть кого-л. СРГК 5, 347.

Сыгра́ть пу́лю. *Пск.* Застрелить кого-л. СПП 2001, 63.

Хоть пу́лю в лоб. *Разг.* Выражение отчаяния, бессилия, невозможности выйти из затруднительного положения. ФСРЯ, 369; Глухов 1988, 169.

Банди́тская пу́ля. *Жарг. мол. Шутл.* Ответ не по существу о причине ранения, травмы. Белянин, Бутенко, 18. < Реплика героя кинокомедии «Старики-разбойники» («Мосфильм», 1972 г.). Дядечко 1, 40.

Золота́я пу́ля. *Жарг. нарк.* Смертельная доза наркотика в инъекции. Максимов, 157.

Ко́жаная пу́ля. *Жарг. мол. Шутл.* Презерватив. Максимов, 186.

Крива́я пу́ля. *Прикам. Презр. или Ирон.* О человеке с повреждённым глазом. МФС, 83.

Кла́няться пу́лям. *Разг.* Проявлять трусость на поле боя. Ф 1, 238.

ПУ́ЛЬКА * Слить пу́льку да подпусти́ть козю́льку. *Влад. Шутл.* Запугать кого-л. заведомой ложью. СРНГ 14, 80.

ПУНКТ * Кульминацио́нный пункт. *Книжн.* Момент наивысшего напряжения в развитии чего-л., высшая точка чего-л. БМС 1998, 478.

Перегово́рный пункт. *Жарг. студ. Шутл.* Стол экзаменатора. (Запись 2003 г.).

Пункт вы́лета. *Жарг. студ. Шутл.* Деканат. (Запись 2003 г.).

Пункт капитуля́ции. *Жарг. шк. Шутл.-ирон.* Кабинет директора. ВМН 2003, 112.

Пя́тый пункт. *Разг.* 1. Пункт, графа в паспорте, анкете, в которой указывалась национальность человека. Ром-Миракян 1998, 90, 95; Сарнов, 360. 2. *Ирон.* О принадлежности к еврейской национальности. Ром-Миракян, 90; Веллер 1994, 74.

Самопра́вный пункт. *Кар.* Местный орган власти. СРГК 5, 630.

Случно́й пункт. *Жарг. угол., Разг. Пренебр. или Шутл.-ирон.* 1. Дворец бракосочетания. 2. Притон с проститутками. Балдаев 2, 47.

ПУ́НТИК * Залива́ть пу́нтики. *Пск. Шутл.* Рассказывать небылицы, привирать. СПП 2001, 63.

Отлива́ть пу́нтики. *Дон.* Говорить лишнее. СДГ 2, 213.

ПУНШ * Завари́ть пунш. *Жарг. угол., нарк.* Смешать наркотик с вином. ТСУЖ, 59.

Напи́ться сухо́го пу́нша. *Вят. Шутл.-ирон.* Отравиться угарным газом. СРНГ 20, 76.

ПУ́НЯ * Набива́ть /наби́ть (натка́ть) пу́ню. *Пск. Шутл.* Наедаться, много съедать чего-л. < **Пуня** – сарай, хлев.

ПУП * Вздёрнуть пуп. *Прикам.* То же, что **надрывать/ надорвать пуп 2.** МФС, 89.

Воро́чать че́рез пуп. *Пск.* Выполнять тяжёлую физическую работу. СПП 2001, 63.

Вски́нуть пуп. *Кар.* То же, что **надрывать/ надорвать пуп 2.** СРГК 5, 348.

Вывора́чивать пуп. *Волг.* То же, что **надрывать/ надорвать пуп 1.** Глухов 1988, 17.

Глуп по са́мый пуп, а что вы́ше, то пу́ще. *Народн. Ирон.* Об очень глупом человеке. ДП, 436.

Иди́ пуп козе́ цара́пай. *Жарг. мол. Бран.* Требование уйти, удалиться: уходи, отстань. Максимов, 160.

Крича́ть на пуп. *Волг.* Громко кричать, рыдать, плакать. Глухов 1988, 77.

Нагры́зть пуп. *Кар.* О появлении грыжи. СРГК 5, 348.

Надрыва́ть/ надорва́ть (надса́живать/ надсади́ть, подрыва́ть/ подорва́ть, рвать/ порва́ть, сорва́ть) пуп (пупо́к). *Прост. Неодобр.* 1. Усиленно, с неимоверным напряжением сил работать. 2. Надрываться, выполняя тяжёлую физическую работу. Мокиенко 2003, 91; СРГМ 2002, 108; Ф 1, 312; Ф 2, 174; БотСан, 111; Сергеева 2004, 21; Глухов 1988, 89; ФСС, 117.

Надса́живать/ надсади́ть пуп. См. **Надрыва́ть/ надорва́ть пуп.**

На кой (како́й) пуп. *Перм.* Зачем, для чего. Подюков 1989, 166; Мокиенко, Никитина 2003, 280.

Натяну́ть пуп. *Печор.* То же, что **надрывать/ надорвать пуп 2.** СРГНП 1, 465.

Подрыва́ть/ подорва́ть пуп. См. **Надрыва́ть/ надорва́ть пуп.**

Пуп вски́нут *у кого. Кар.* О появлении грыжи. СРГК 1, 243.

Пуп земли́. 1. *Разг. Ирон.* О ком-л., о чём-л., являющемся (а чаще – считающем себя) центром, средоточием чего-л., самым важным на свете. ФСРЯ, 369; ЗС 1996, 219. 2. *Жарг. морск.* Точка на земле, где начинается отсчёт градусов. Кор., 236.

Пуп на́ бок сверну́ло *кому. Кар. Шутл.* О человеке, озябшем в холодную погоду. СРГК 5, 348.

Пуп пал *у кого. Кар., Новг.* О надорвавшемся человеке, повреждении внутренних органов поднятием тяжестей. СРГК 4, 404; СРГК 5, 348; НОС 9, 61.

Пуп (пупо́к) развя́зывается *у кого. Прост. Шутл.* О большом напряжении сил. Глухов 1988, 136; Подюков 1989, 166.

Пуп с ме́ста сошёл (сдвинулся) *у кого. Пск., Печор.* То же, что **пуп пал.** СПП 2001, 63; 259.

Пуп трещи́т *у кого. Сиб. Шутл.* О состоянии чрезмерной сытости. СОСВ, 156.

Рвать/ порва́ть (сорва́ть) пуп. См. **Надрыва́ть/ надорва́ть пуп.**

Рони́ть/ строни́ть (стряхну́ть) пуп. *Кар.* То же, что **надрывать пуп 2.** СРГК 5, 348.

Цара́пать пуп. *Перм. Шутл.* Выказывать возбуждение. Подюков 1989, 225.

Завива́ть пупа́ *кому. Кар.* Лечить кого-л. колдовством. СРГК 5, 26.

Ни пупа́ себе́! *Жарг. мол.* Восклицание, выражающее крайнее удивление. Максимов, 351.

Сорва́ться с пупа́. *Сиб.* То же, что **надрывать/ надорвать пуп 1.** СФС, 177.

Покати́ться пу́пом. *Новг.* Упасть. НОС 9, 61.

ПУПО́К * Вывора́чиваться с пупка́. *Сиб.* Громко, надрывно плакать. ФСС, 34.

Из пупка́. *Кар.* С самого начала, полностью, подробно (рассказывать). СРГК 5, 349.

Ката́ться без пупка́. *Кар.* То же, что **выворачиваться с пупка.** СРГК 5, 349.

С пупка́ до корешка́. *Кар.* От начала до конца. СРГК 5, 349.

Пупки́ завя́зывать. *Сиб.* Выполнять акушерскую работу. ФСС, 75.

Гря́зный пупо́к. *Волг. Пренебр.* О неряшливом, неопрятном человеке. Глухов 1988, 27.

Дыша́ть в пупо́к *кому. Прост.* 1. Быть ниже кого-л. ростом. 2. Быть моложе кого-л. Максимов, 124.

Зары́т пупо́к *чей где. Моск.* О родных местах, родине человека. СРНГ 11, 14.

Надрыва́ть/ надорва́ть пупо́к. См. **Надрывать пуп (Пуп).**

Пока́зывать пупо́к. *Жарг. мол. Ирон.* Слишком ревностно выполнять служебные обязанности. Максимов, 325.

Посмотре́ть на пупо́к. *Жарг. мол. Шутл.* Проверить сообщения на пейджере. Вахитов 2003, 142.

Пупо́к развя́зывается. См. **Пуп развязывается (ПУП).**

Рва́ть/ порва́ть пупо́к. См. **Надрывать пуп (ПУП).**

ПУПО́ЧЕК * Бы́чьи пупо́чки. *Жарг. мол. Шутл.* Любая закуска. Максимов, 52.

ПУ́ПСИК * Пу́псика цара́пнуть. *Жарг. угол.* Похитить малолетнего ребёнка у богатых родителей и требовать у них выкуп. Балдаев 1, 363; ББИ, 200; Мильяненков, 214.

ПУРГА́ * Гнать (нести́) пургу́. 1. *Жарг. угол., мол. Неодобр.* Говорить, писать вздор, ерунду, что-л. абсурдное; вводить в заблуждение кого-л. Я — молодой, 1994, № 2, № 4; Балдаев 1, 89, 363; ББИ, 200; Мильяненков, 214; Югановы, 189; Вахитов 2003, 39. 2. *Жарг. шк. Пренебр.* Объяснять новый материал. ВМН 2003, 112.

Мести́ пургу́. *Жарг. мол. Шутл.* 1. Отвлекать внимание от основной проблемы. 2. Сплетничать. Максимов, 245.

ПУСТИ́ТЬСЯ * Пусти́ться жить. *Прикам.* Остаться в живых. МФС, 83.

ПУ́СТО * С пу́ста на поро́жно. *Кар. Неодобр.* Впустую, без толку. СРГК 5, 354.

Бро́сить в пу́сто. *Кар. Неодобр.* Перестать делать что-л., оставить дело неоконченным. СРГК 1, 119.

Пу́сто тебя́ (его́, вас и пр.) побери́! *Прост. Устар. обл. Бран.* Восклицание возмущения, недовольства кем-л., чем-л.; пожелание избавиться от кого-л., чего-л. Мокиенко, Никитина 2003, 280.

Чтоб тебе́ пу́сто бы́ло! *Прост.* Восклицание, выражающее гнев, раздражение, злобу, досаду в чей-л. адрес. ФСРЯ, 371; БМС 1998, 478.

ПУСТО́Й (ПУСТО́Е, ПУСТА́Я) * Ла́хать из пусто́го в поро́жнее. *Кар. Неодобр.* То же, что **переливать из пустого в порожнее.** СРГК 3, 102.

Перегоня́ть из пусто́го в поро́жнее. *Смол. Неодобр.* То же, что **переливать из пустого в порожнее.** СРНГ 26, 70; СРНГ 30, 71.

Перекла́дывать из пусто́го в поро́жнее. *Разг. Устар.* То же, что **переливать из пустого в порожнее.** Ф 2, 39.

Перелива́ть из пусто́го в поро́жнее. *Разг. Неодобр.* 1. Вести пустые разговоры, болтать. 2. Заниматься бесполезным делом, без пользы тратить время. ФСРЯ, 371; БТС, 808; БМС 1998, 479; Жиг. 1969, 108; Мокиенко 1990, 117; ДП, 408; СРНГ 30, 71; НОС 1, 31.

Перелива́ть пусто́е в поро́жнее. *Пск. Неодобр.* То же. ПОС 7, 35; ПОС 2, 91.

Пересыпа́ть из пусто́го в поро́жнее. *Разг. Устар. Неодобр.* То же, что **переливать из пустого в порожнее.** Ф 2, 41.

Бря́кать в пусто́е, в поро́зное. *Пск. Неодобр.* Говорить вздор. СРНГ 30, 74.

Взять на пусту́ю *кого. Жарг. угол., мил.* Арестовать по подозрению, не имея достаточных улик. Хом. 1, 170.

ПУСТОЛО́ГИЯ * Занима́ться пустоло́гией. *Алт.* Много говорить, болтать, пустословить. СРГА 302, 187.

ПУСТОТА́ * Положи́ть пустоту́ *на кого. Ряз.* Оговорить, очернить кого-л. ДС, 472.

ПУСТЫ́ННИК * Ферне́йский пусты́нник. *Книжн. Устар.* О Вольтере (который жил в замке Ферне на границе Франции и Швейцарии. БМС 1998, 479.

ПУСТЫ́НЯ * Болта́ть пусты́ню. *Пск. Неодобр.* Говорить ерунду, вздор. РЩН, 1976.

Идти́ пусты́ню пылесо́сить! *Жарг. мол. Шутл.* Оставить в покое, отстать, перестать надоедать кому-л. Никитина 1998, 367; Вахитов 2003, 90.

Пролета́рская пусты́ня. *Разг. Ирон.* Правый берег Невы в Ленинграде – Санкт-Петербурге. Синдаловский, 2002, 150.

ПУСТЫ́ШКА * Раскуси́ть пусты́шку. *Прост. Устар.* Оказаться в глупом положении; ничего не получить, делая что-л. Ф 2, 119.

Тяну́ть пусты́шку. 1. *Жарг. угол.* Идти по ложному следу при расследовании преступления. Максимов, 352. 2. *Жарг. мол.* Работать напрасно, зря. Максимов, 352.

ПУСТЯ́К * Два пустяка́. *Сиб. Шутл.* О чём-л. незначительном, несложном. СФС, 60; ФСС, 55.

С пустяка́ми. *Пск.* С пустыми руками, не имея ничего при себе. СПП 2001, 64.

ПУТЁВКА * Путёвка в жизнь. 1. *Публ.* Знания, науки, дающие возможность хорошо трудиться. БМС 1998, 479; ФСРЯ, 371; ЗС 1996, 252; ФМ 2002, 370. 2. *Публ. Патет.* То, что открывает дорогу кому-л., чему-л. для дальнейшего применения, использования. БМС 1998, 479; ФСРЯ, 371. 3. *Разг. Устар. Ирон.* Письменный приказ выехать из данной местности или прибыть в указанную местность. Росси 2, 320. 4. *Жарг. шк. Шутл.* Шпаргалка. Максимов, 132. 5. *Жарг. шк. Шутл.-ирон.* Исключение ученика из школы. Максимов, 132. < От названия кинофильма (1931 г.), в котором показан путь беспризорников к сознательному участию в социалистическом строительстве.

Получи́ть путёвку. *Жарг. угол. Ирон.* Умереть. Грачев 1997, 148.

ПУТЕШЕ́СТВИЕ * Отпра́вить в эроти́ческое путеше́ствие *кого. Жарг. мол. Шутл.* Грубо выругать кого-л. Максимов, 293.

ПУТЬ * На путе́. *Прикам.* Удобно (о расположении чего-л.); под рукой, поблизости. МФС, 83.

Пойти́ по плохо́й путе́. *Горьк.* Начать пить спиртное, вести разгульный образ жизни. СРНГ 28, 360.

По после́дней путе́. *Прикам.* Перед наступлением весны. МФС, 83.

По путе́. *Сиб.* 1. Между делом, кстати. 2. *Одобр.* Как следует, правильно. СФС, 147.

По путе́ со́лнца. *Сиб.* С восхода до заката, с востока на запад. СФС, 147.

Де́вять путе́й. *Арх.* О долгой дороге, нелёгком пути. АОС 10, 403.

Нет путе́й. *Сиб.* Не нужно, незачем идти куда-л. СФС, 127; СБО-Д2, 142.

Не до́брым путём. *Пск.* Неестественной смертью (умереть). СПП 2001, 64.

Непова́дным путём. *Яросл.* Необычно, неестественно. ЯОС 6, 137.

Путём да ладом. *Кар. Одобр.* Вовремя; как надо. СРГК 5, 361.

Путём-доро́гой здра́вствуйте! *Белом.* Поморское приветствие. Балакай 2001, 435.

То путём, то доро́гой. *Кар.* Очень долго, разными путями (добираться куда-л.). СРГК 5, 361.

Ба́рхатного пути́! *Жарг. ж/д.* Пожелание удачи в рейсе. ОРТ, 07.10.99.

Без пути́. 1. *Прост.* Зря, напрасно (ругать, бранить и т. п.). ФСРЯ, 371; СФС, 21; СПСП, 111. 2. *Сиб.* Безрезультатно. СФС, 21. 3. *Кар., Пск. Неодобр.* Как попало, не соблюдая каких-л. правил, порядка. СРГК 5, 361; СПП 2001, 64. 4. *Кар. Неодобр.* Неправильно. СРГК 5, 361.

Говори́ть по пути́. 1. *Ср. Зауралье.* Соглашаться с кем-л., поддакивать кому-л. 2. *Свердл.* Высказывать правильные, ценные мысли. СРНГ 6, 256.

Идти́ по пути́ наиме́ньшего сопротивления. *Разг.* Выбирать легчайший способ действий, уклоняясь от трудностей, избегая препятствий. ФСРЯ, 182.

Колоко́лить без пути́. *Сиб. Пренебр.* 1. Болтать, пустословить. 2. Врать. ФСС, 94.

Неисповеди́мы пути́ госпо́дни. *Книжн.* О невозможности предугадать все повороты судьбы, предопределить будущее. < Восходит к Библии. БМС 1998, 479.

Не по пути́. *Сиб. Неодобр.* Не так, как нужно. СБО-Д2, 142.

Не с пути́. *Сиб.* Неудобно. СФС, 126; СБО-Д2, 142.

Ни вон пути́. *Пск.* 1. О плохой погоде, грязи, слякоти на улице. 2. *кому.* Нет возможности выйти из дома, пойти куда-л. 3. *кому.* Очень трудно, тяжело приходится в жизни кому-л. СПП 2001, 64.

Пойти́ не по той пути́. *Пск. Неодобр.* Поступить неправильно, несправедливо. СПП 2001, 64.

По пути́. *Горьк., Кар., Сиб. Одобр.* Правильно, как нужно. БалСок, 28; СРГК 5, 361; СБО-Д2, 142.

Сбива́ть/ сбить с пути́ *кого. Разг.* Побуждать кого-л. изменить поведение в худшую сторону, толкать кого-л. на что-л. плохое. ФСРЯ, 408.

Сбива́ться/ сби́ться с пути́. *Разг.* Изменять линию своего поведения в худшую сторону. ФСРЯ, 408; СОСВ, 168; Верш. 6, 169; ЗС 1996, 259, 499.

Свихну́ться с пути́. *Разг.* То же, что **сбиваться/ сбиться с пути.** Ф 2, 144.

Своди́ть/ свести́ с пути́ *кого. Дон.* То же, что **сбивать с пути.** СДГ 3, 108.

Совле́чь с пути́ *кого. Книжн. Устар.* То же, что **совращать/ совратить с пути истинного** Ф 2, 172.

Совраща́ть/ соврати́ть с пути́ и́стинного *кого. Книжн.* Заставлять отступать от верных мыслей, убеждений, толкать на что-л. дурное. Ф 2, 172. < Из старославянского языка. БМС 1998, 479.

Станови́ться на пути́ *у кого, чьем. Разг.* Мешать, препятствовать кому-л. в чём-л. ФСРЯ, 453.

Стоя́ть на пути́ *у кого, чьем. Разг.* Мешать кому-л., быть препятствием. ФСРЯ, 459.

Счастли́вого пути́! *Разг.* То же, что **в добрый путь!** ДС, 473; Балакай 2001, 435.

Сшиби́ться с пути́. *Прикам. Неодобр.* То же, что **сбиваться/ сбиться с пути.** МФС, 98.

Баты́ев путь. *Дон.* Млечный путь. СДГ 1, 18.

Взять в путь. *Сиб.* Надумать что-л., принять какое-л. решение. ФСС, 26.

В после́дний путь. 1. *Книжн.* О похоронах. 2. *Алт.* На сельскохозяйственные работы в конце сезона (идти, отправляться). СРГА 3-2, 188. 3. *Жарг. шк. Шутл.* О выпускном вечере. (Запись 2003 г.).

В путь не в путь. *Ряз.* Без должных оснований, напрасно, зря. ДС, 473.

В до́брый путь! *Разг.* 1. Доброе пожелание тому, кто уезжает. 2. Доброе пожелание тому, кто начинает какое-л. дело, мероприятие. БМС 1998, 479; Балакай 2001, 435.

Встать на путь *чей. Кар.* Стать чьим-л. последователем. СРГК 5, 361.

Вста́вший на путь. *Жарг. арест. Презр.* Доносчик, осведомитель. Балдаев 1, 73.

Держа́ть путь *куда. Нар.-поэт.* Идти, ехать куда-л. Ф 1, 160.

Наставля́ть на путь *кого. Разг. Одобр.* Побуждать кого-л. изменить поведение в лучшую сторону. ФСРЯ, 268; Ф 1, 318.

Находи́ть на путь. *Курск.* Исправляться. БотСан, 103.

Направлять/ напра́вить (обраща́ть/ обрати́ть) на путь и́стинный *кого. Книжн. Устар.* Воздействуя каким-л. образом, побуждать кого-л. изменить своё поведение в лучшую сторону. Ф 1, 317; Ф 2, 11.

Обраща́ться/ обрати́ться на путь и́стинный. *Книжн. Устар.* Под воздействием кого-л. изменять своё поведение в лучшую сторону. Ф 2, 11.

Пойти́ в путь. *Сиб.* Принести пользу кому-л. ФСС, 142.

Провожа́ть/ проводи́ть в после́дний путь *кого. Книжн.* Хоронить кого-л. Ф 2, 97.

Путь да доро́га! Путь-доро́га! *Народн.* То же, что **В добрый путь!** Балакай 2001, 435. **Путём-доро́га! Путём-доро́жкой!** То же. Балакай 2001, 435.

Путь зэка (зе́ка, з. к.) в све́тлое бу́дущее. *Жарг. арест. Ирон.* Дорога на лагерное кладбище. Балдаев 2001, 163.

Путь из варя́г в гре́ки. 1. *Книжн.* В Древней Руси: торговый путь из Скандинавии в Византию, пролегавший через Северную Русь, Прибалтику и Киевскую Русь. 2. *Разг. Шутл.* О приходе на руководящую работу в незнакомое место. БТС, 112.

Путь не в путь. 1. *Пск.* Когда нужно и когда не нужно, в любом случае. СПП 2001, 64. 2. *Кар., Курск.* О чём-л., вызывающем сомнение. БотСан, 111; СРГК 5, 361.

Све́тлый путь. *Жарг. шк. Шутл.-ирон.* 1. Дорога из школы. БСРЖ, 491. 2. Уход с урока. Максимов, 352.

Соба́чий путь. *Жарг. мол.* Маршрут путешествия методом пересадки с одной электрички («собаки») на другую, напр.: Москва–Харьков–Симферополь, Москва–Питер. Лапшин-2000.

Ста́вить/ поста́вить на путь и́стинный *кого. Разг.* Воздействуя на кого-л., изменять чьё-л. поведение в лучшую сторону. Ф 2, 182.

Станови́ться на путь *чего. Разг.* Начинать действовать или развиваться в каком-л. направлении. ФСРЯ, 453.

Счастли́вый путь! *Разг.* То же, что **добрый путь 1-2.** БМС 1998, 479; Балакай 2001, 435.

Терни́стый путь. *Книжн.* О тяжёлом жизненном пути. ЗС 1996, 499; БМС 1998, 479.

Устила́ть путь ро́зами *чей. Книжн.* Делать чью-л. жизнь приятной, радостной, счастливой. Ф 2, 223.

Широ́кий путь – во́льная доро́жка (доро́женька)! *Народн.* Пожелание счастливого пути. Балакай 2001, 435.

Не пу́тью. *Ряз. Неодобр.* Не так, как следует, неправильно. ДС, 473.

К путю́, к поря́дку. *Ряз.* Как следует, как полагается. СРНГ 30, 127; ДС, 473.

Ни к путю́, ни к го́роду. *Ряз.* Не вовремя, некстати. ДС, 473.

Ни к путю́, ни к числу́. *Твер.* Безосновательно, без причины. СРНГ 21, 214.

Без путя́. *Волг. Неодобр.* О глупом, несамостоятельном человеке. Глухов 1988, 2.

Довести́ до путя́ *кого. Брян., Курск.* Помочь кому-л. стать самостоятельным, занять стабильное положение в жизни. СБГ, 25; БотСан, 92.

Ни путя́. *Сиб.* Нисколько. СФС, 127; СРНГ 21, 214.

С вели́кого путя́. *Арх.* Очень давно, с давних пор. АОС 3, 97.

Быть в путя́х. *Кар. Одобр.* Нравиться кому-л. СРГК 5, 361.

ПУХ * В пух и дре́безги. *Волг., Кубан.* То же, что **в пух и прах 1.** Глухов 1988, 15; СРНГ 8, 178.

В пух [и в прах]. *Разг.* 1. Совершенно, окончательно, полностью (разбить, разгромить, разориться и т. п.). ДП, 259, 262; ФСРЯ, 372; БМС 1998, 480; Мокиенко 1990, 95; ЗС 1996, 236, 509. 2. Модно, изящно, нарядно (одеться, одетый). ФСРЯ, 372; СПП 2001, 64.

На пух пра́ха. *Пск.* То же, что **в пух и в прах 1.** СПП 2001, 64.

Озорно́й пух. *Волог.* Семенные пушинки камыша. СВГ 6, 39.

Пух и пе́рья летя́т *от кого. Разг.* Кому-л. основательно достаётся, попадает (в ссоре, в споре). ФСРЯ, 372.

Расчеса́ть в пух. *Нижегор.* 1. *что.* Раскидать, разбросать что-л. 2. *кого.* Полностью разгромить противника. СРНГ 34, 312.

До пу́ха. *Дон.* Абсолютно всё. СДГ 3, 73.

Ни пу́ха ни пера́! 1. *Разг.* Пожелание удачи в чём-л. ФСРЯ, 372; БМС 1998, 480; ЗС 1996, 429. 2. *Жарг. курс. Шутл.* Постель курсанта. БСРЖ, 491. 3. *Жарг. мол., арм. Шутл.-ирон.* Подушка в общежитии, казарме. Максимов, 353. 4. *Горьк. Шутл.-ирон.* Раскладушка. БалСок, 47. 5. *у кого. Волг.* О крайней бедности, нужде. Глухов 1988, 110.

С пу́ха на прах. *Кар.* То же, что **в пух и в прах 1.** СРГК 5, 139.

Взять пу́хом. *Новг.* Растолочь до мякоти что-л. НОС 1, 125.

Пойти́ пу́хом и пра́хом. *Дон.* Разрушиться, исчезнуть, закончиться безрезультатно.СДГ 3, 52; СРНГ 31, 70.

ПУХ-ПРАХ * Отпра́вить на пух-пра́х *что. Верхнелен.* Израсходовать, истратить, промотать (деньги, состояние). СРНГ 31, 70.

ПУ́ЧА * Напи́ться до пу́чи. *Кар.* Сильно опьянеть. СРГК 4, 553.

Сиде́ть до пу́чи. *Новг.* Находиться где-л. до последнего момента. НОС 10, 53.

ПУЧИ́НА * Пучи́на донима́ет *кого. Перм.* О чувстве голода. Сл. Акчим., 251.

ПУЧО́К * Всё пучо́к (пучко́м)! *Жарг. мол.* Всё в порядке, дела идут хорошо. Мазурова. Сленг, 135; h-98; DL, 142.

ПУШИ́НКА * Не дава́ть пуши́нке сесть *на кого. Волг.* Чрезмерно опекать кого-л., заботиться о ком-л. Глухов 1988, 97.

ПУ́ШКА * Яга́нова пу́шка свои́х побива́ет. *Книжн. Устар.* О вреде, наносимом своим. < Выражение связано с разрывом большой пушки у неприятеля при осаде Порхова Витовтом в 1431 г. БМС 1998, 480.

Из пу́шки не прошибёшь *кого. Разг.* О человеке, которого трудно убедить в чём-л., на которого трудно воздействовать. ФСРЯ, 367.

Пу́шки вме́сто ма́сла. *Книжн. Неодобр.* О подготовке к войне; о милитаристской политике. < Лозунг, появившийся в фашистской Германии в 1936 г. БМС 1998, 480.

Лить (залива́ть) пу́шки (пу́шку). 1. *Пск.* Лгать, обманывать, говорить вздор, ерунду. Шт., 78; ПОС 11, 295; ПОС 6, 9, 295; Грачев, Мокиенко 2000, 144. // *Кар.* Хвастливо врать, рассказывая небылицы. СРГК 2, 149. 2. *Пск.* Говорить что-л. остроумное, удачно шутить. СПП 2001, 64.

Лить пу́шки на себя́. *Морд.* Причинять вред себе. СРГМ 1982, 127.

Стреля́ть (пали́ть) из пу́шки по воробья́м. *Разг.* Предпринимать чрезвычайные усилия по ничтожному поводу. ФСРЯ, 373; БМС 1998, 480; ЗС 1996, 380, 506

Пу́шкой не прошибёшь *кого. Пск. Шутл.* Об очень тепло одетом человеке. СПП 2001, 64.

Брать/ взять на пу́шку *кого.* 1. *Жарг. угол., Разг.* Добиваться чего-л. обманом, запугиванием. ФСРЯ, 373; БМС 1998, 480; ШЗФ 2001, 23; СПП 2001, 64; ТСУЖ, 24, 31; Мокиенко 1986, 33; ЗС 1996, 62; Грачев, Мокиенко 2000, 100; Вахитов 2003, 20, 27. 2. *Жарг. кино, ТВ.* Снимать кого-л. на видеокамеру с микрофоном. БСРЖ, 492.

Вы́лить пу́шку. *Пск. Неодобр.* Солгать, выдумать что-л. СПП 2001, 64.

Залива́ть пу́шку. См. **Лить пушки.**

Заряжа́ть/ заряди́ть пу́шку. *Жарг. угол.* То же, что **брать на пушку 1.** ТСУЖ, 67.

Лови́ть /пойма́ть на пу́шку *кого. Пск. Шутл.* Напоминать кому-л. о чём-л. обещанном. СПП 2001, 64.

Пусти́ть пу́шку. *Прост.* Обмануть кого-л. СОСВ, 157; Смирнов 2002, 179.

ПУ́ШКИН * Ай-да Пу́шкин, ай-да су́кин сын! *Разг. Шутл.-одобр.* Похвала самого себя. < Цитата из письма, написанного А. С. Пушкиным П. А.Вяземскому после окончания работы над трагедией «Борис Годунов». Дядечко 1, 23.

За счёт Пу́шкина. *Разг. Ирон.* Без оплаты. Грачев, Мокиенко 2000, 142.

Получи́те с Пу́шкина. *Разг. Шутл.* Отказ заплатить, дать что-л. кому-л. БМС 1998, 480; Грачев, Мокиенко 2000, 142.

Обрати́тесь к Пу́шкину. *Разг. Шутл.* То же, что **получите с Пушкина.** Грачев, Мокиенко 2000, 142.

ПФЕ́ФЕР. См. **ФЕФЕР.**

ПЧЕЛА́ * Погна́ть пчёл в Оде́ссу. *Жарг. мол.* 1. Начать делать что-л. энергично. 2. Быстро пойти куда-л. Максимов, 319.

У мёртвых пчёл мёду захоте́л. *Народн. Ирон.* О бестолковом человеке. ДП, 460.

ПЧЁЛОЧКА * Бо́жья пчёлочка. *Пск. Ласк.* О кроткой, трудолюбивой женщине. СПП 2001, 64.

ПШЕНИ́ЦА * Примя́тая пшени́ца. *Кар.* Слабохарактерный, безвольный человек. СРГК 5, 366.

ПШЕНИ́ЧКА * Жёлтая пшени́чка. *Жарг. угол.* 1. Золотой песок. 2. Золотые изделия. 3. Контрабандное золото. Балдаев 1, 128, 365; ББИ, 201; Мильяненков, 215; СРВС 2, 212; СРВС 3, 181.

Ярова́я пшени́чка. *Жарг. угол.* 1. Осведомительница, доносчица. 2. Предательница. Балдаев 1, 366; ББИ, 202; Мильяненков, 215; Мокиенко, Никитина 2003, 281.

ПШИК * Два пши́ка. *Жарг. мол.* Коктейль — пиво, заправленное аэрозолем (дихлофосом). Щуплов, 221; Мокиенко 2003, 91.

ПЫЖ * Попа́сть в пыж. *Волго-Касп. Рыб.* Оказаться в сильном течении, которое создается идущем судном. Копылова, 83.

Пык * Ни пык. *Пск.* Абсолютно ничего (не знать). СПП 2001, 64.

ПЫЛ * Войти́ в пыл. *Новг.* Раскраснеться. НОС 1, 132.

Горе́ть пы́лом. *Новг.* Сердиться на кого-л. НОС 9, 72.

С пы́лу, с жа́ру. *Разг.* 1. О только что приготовленной пище. 2. *Шутл.* О чём-л. новом, только что созданном. БТС, 299; ЗС 1996, 190.

ПЫЛИ́НКА * Обдува́ть пыли́нки. См. **Обдувать пыль (ПЫЛЬ).**

С пыли́нкой. *Перм. Шутл.-ирон.* О глуповатом человеке. Подюков 1989, 167.

ПЫЛЬ * Дать пы́ли *кому. Перм.* Отругать, наказать, избить кого-л. Мокиенко 1990, 49; Подюков 1989, 58.

Напусти́ть пы́ли в глаза́ *кому. Пск. Неодобр.* Обмануть, обхитрить кого-л. СПП 2001, 64.

Нахлеба́ться пы́ли. *Волг., Ворон.* Испытать много горя. СРНГ 20, 260; Глухов 1988, 93.

Подпуска́ть/ подпусти́ть пы́ли *кому. Прост. Устар.* То же, что **пускать пыль в глаза 1.** Ф 2, 59.

Блатна́я пыль на́ уши се́ла *кому. Жарг. мол. Неодобр.* О человеке, ведущем себя заносчиво, высокомерно. БСРЖ, 493; Вахитов 2003, 16.

Вы́бить пыль из хвоста́ *кому, у кого. Волг.* Строго наказать, побить кого-л. Глухов 1988, 17.

Небе́сная (сере́бряная) пыль. *Жарг. нарк.* 1. Кокаин. 2. Гашиш. Грачев 1996, 55.

Обдува́ть (сдувать) пыль (пыли́нки) *с кого. Прост.* Баловать кого-л., излишне заботиться о ком-л. Ф 2, 6.

Отря́хивать/ отряхну́ть пыль доро́г. *Книжн.* Завершив поездку, путешествие, приводить себя в порядок. < Образовано на базе оборота из Библии **отрясти прах от ног своих.** Мокиенко 2003, 91.

Подня́ть на пыль *кого. Коми.* 1. Взволновать кого-л. 2. Сильно отругать, отчитать кого-л. Кобелева, 72.

Поднима́ть/ подня́ть пыль. *Прост. Устар.* 1. *также Арх.* Устраивать скандал, ссориться с кем-л. СРНГ 28, 99. 2. Предавать огласке какие-л. неблаговидные факты. Ф 2, 57.

П

Попа́сть в пыль. *Жарг. ипподр. Неодобр.* Отстать на старте. БСРЖ, 493.

Пробива́ть на пыль. *Жарг. нарк.* Растирать и просеивать коноплю, получая концентрированный наркотик. ССВ-2000.

Пуска́ть пыль в глаза́ *кому.* 1. *Разг. Неодобр.* Создавать ложное впечатление о себе у кого-л., представляя себя, своё положение лучше, чем на самом деле. ФСРЯ, 373; ДП, 163; ЗС 1996, 48, 208, 221; Мокиенко 1989, 50; Глухов 1988, 137; Жиг. 1969, 220. 2. *Пск. Неодобр.* Хитрить, обманывать кого-л. СПП 2001, 64.

Пыль да ко́поть, а не́чего ло́пать. *Народн. Ирон.* О жизни бедняка. ДП, 88.

Пыль столбо́м. 1. *Разг.* О шуме, суматохе, неразберихе. ФСРЯ, 373; БТС, 1272; БМС 1998, 481; ЗС 1996, 192. 2. *Волг.* О громкой ругани, брани. Глухов 1988, 167. 3. *Волг. Одобр.* О дружной работе. Глухов 1988, 1. 4. *Сиб.* О высшей степени интенсивности действия. Верш. 6, 394.

Дым столбом, дым коромыслом не то от та́ски, не то от пля́ски. *Народн.* То же, что **дым столбом 1**. ДП, 255, 517; Жиг. 1969, 259.

Стряхну́ть пыль с уше́й *кому. Жарг. мол.* Показать зазнавшемуся человеку, что он представляет собой в действительности. Вахитов 2003, 174.

То́лько пыль клуби́тся. *Пск.* О быстром беге. (Запись 2001 г.).

Зарасти́ (порасти́) пы́лью. *Разг. Неодобр.* Стать грязным. СРГК 5, 368; СПП 2001, 64.

Пы́лью охва́ченный. *Волг., Горьк. Неодобр.* О глуповатом человеке, человеке со странностями. Глухов 1988, 137; БалСок, 51.

ПЫ́ЛЬЧИК * С пы́льчику. *Сиб.* Быстро, наспех. СФС, 177.

ПЫХ * Сиде́ть на пы́хе (на пыха́лове). *Жарг. нарк., мол.* Регулярно курить наркотики. СМЖ, 95; Запесоцкий, Файн, 170; Я — молодой, 1992, № 3; Геловани, Цветков, 80.

Заня́ться пы́хом. *Сиб.* Быстро вспыхнуть, загореться. ФСС, 19.

Сба́вить пы́ху *с кого. Волг.* Привести в покорность, укротить кого-л. Глухов 1988, 144.

ПЫ́ХАЛО * Где пы́хало, там и ды́хало. *Новг.* О человеке небольшого роста. НОС 2, 113.

ПЫХА́ЛОВО * Сиде́ть на пыха́лове. См. **Сидеть на пыхе (ПЫХ).**

ПЫ́ХНУТЬ Ни пы́хнуть ни ды́хнуть. *Пск.* О жизни в стесненных обстоятельствах. (Запись 1996 г.).

ПЫ́ШКА * Пойти на свои́ пы́шки. *Волг.* Стать взрослым, самостоятельным. Глухов 1988, 127.

ПЬЕ́ДЕСТАЛ * Упа́сть с пьедеста́ла. *Книжн.* Потерять признание, престиж. Ф 2, 220.

ПЬЯ́НИЦА * Ча́йный пья́ница. *Пск. Шутл.* Любитель чая. (Запись 1996 г.).

Да́ться в пья́ницу. *Приамур.* Стать пьяницей. СРГПриам., 69.

Игра́ть в пья́ницу. *Волг. Неодобр.* Проводить время в безделье. Глухов 1988, 55.

Пья́ницы шмато́к. *Курск. Бран.* О пьянице, алкоголике. БотСан, 82, 111.

ПЬЯ́НКА * По ста́рой пья́нке. *Кар.* По знакомству, используя личные связи. СРГК 5, 372.

Зашиба́ть с пья́нкой. *Сиб. Неодобр.* Часто пить спиртное, напиваться пьяным. ФСС, 81.

Бро́ситься (спусти́ться) в пья́нку. *Кар.* Начать пьянствовать. СРГК 1, 120; СРГК 5, 373.

Сда́ться в пья́нку. См. **СДАТЬСЯ.**

Смотре́ть в пья́нку. *Кар.* Пить спиртное, пьянствовать. СРГК 5, 373.

ПЬЯ́НЫЙ * Распья́но (спья́ну) пья́ный. *Кар., Пск. Неодобр.* О человеке, находящемся в состоянии сильного алкогольного опьянения. СРГК 5, 374; СПП 2001, 64.

ПЬЯНЬ * Пьянь го́рький. *Ряз. Пренебр.* о хроническом алкоголике. ДС, 476.

ПЭЦЭ́ * Пэцэ́ хри́пер. *Жарг. комп. Шутл.* Встроенный динамик (PC Speaker). Садошенко, 1996.

ПЯДЕ́НЬ * Две пяде́ни от зе́ни. *Новг., Пск. Шутл.-ирон.* О человеке маленького роста. НОС 9, 76; СПП 2002, 64. < **Зень** – земля.

ПЯ́ДУШКА * Ни на одну́ пя́душку. *Кар.* Ничуть, нисколько СРГК 5, 375.

ПЯДЬ * Семи́ пя́дей (пяде́ней) во лбу. *Разг. Одобр.* Об очень умном человеке. ФСРЯ, 373; БМС 1998, 481; ФМ 2002, 374; ЗС 1996, 242.

ПЯЛ * Сажа́ть на пял *кого. Ряз.* Заставлять кого-л. мучиться, страдать. ДС, 476.

ПЯ́ЛО * Сова́ться не в свои́ пя́ла. *Кар.* Вмешиваться не в свои дела. СРГК 5, 375.

Побыва́ть и в пя́лах и в мя́лах. *Пск.* Многое испытать в жизни. СПП 2001, 64.

И в пя́ло и в мя́ло. *Пск. Шутл.* На все случаи жизни. СПП 2001, 64.

Одни́ пя́лы оста́лись. *Кар.* О сильно похудевшем человеке. СРГК 5, 375.

ПЯ́ЛЫЙ * Пя́лый и мя́лый. *Кар. Шутл.* Податливый, уступчивый, сговорчивый. СРГК 5, 377.

ПЯ́СТКА * Брать/ взять (забра́ть) в пя́стку *кого.* 1. *Новг., Пск.* Подчинять кого-л. себе; начинать сурово, строго обращаться с кем-л. Сергеева 2004, 182; ПОС 3, 169. 2. *Новг.* Наказывать кого-л. Сергеева 2004, 43.

Дать пя́стку костени́ц *кому. Пск.* Ударить кого-л. СПП 2001, 64.

ПЯТА́ * Из-под пят ко́жу ре́жет. *Пск. Шутл.* О хитром, предприимчивом человеке. СПП 2001, 64.

Ахилле́сова пята́. *Книжн.* Самая слабая, уязвимая (нередко единственная) сторона кого-л. < Восходит к древнегреческой мифологии. ФСРЯ, 373; БМС 1998, 482; БТС, 53; ШЗФ 2001, 16.

Дверна́я пята́. *Горьк. Презр.* О глупом, слабоумном человеке. БалСок, 32.

Желе́зная пята́. *Книжн. Неодобр.* О промышленных верхах американского общества; о капитализме, империализме вообще. < От названия романа Дж. Лондона. БМС 1998, 482.

По пята́м *кого, чьим. Разг.* Неотступно, не отставая. ФСРЯ, 374; БМС 1998, 482; ШЗФ 2001, 54; Ф 2, 238; ЗС 1996, 497

По пя́ткам, в по́чки, в селезёнку мать! *Вульг.-прост.* Выражение чувства острого недовольства, злобы, ожесточения. Мокиенко, Никитина 2003, 281.

Взад (на́зад) пята́ми. *Пск.* 1. В обратном направлении (идти, вести кого-л.). 2. Об изменении своего мнения, решения, отказе от своих слов. СПП 2001, 64.

Го́лыми пя́тами глы́зу меси́ть. *Пск.* Жить бедно, в нищете. ПОС 7, 7.

За пята́ми. *Кар.* То же, что **по пятам.** СРГК 5, 378.

Быть на пя́тах *у кого. Ср. Урал.* Преследовать, догонять кого-л. СРГСУ 2, 181.

Карау́лить в пята́х *кого. Пск.* Ходить следом за кем-л. ПОС 13, 494.

Не стоя́ть на пяте́. *Прикам.* Постоянно открываться и закрываться входящими (о двери); о большом количестве гостей, визитеров. МФС, 96.

Под пято́й. *Разг.* Под властью, под гнётом кого-л. БМС 1998, 482-483.

В пяту́. *Сиб.* Непосредственно следуя за кем-л. СФС, 46.

На [всю, са́мую] пяту́. *Новг., Прикам., Пск.* Настежь (об открытом окне, двери). НОС 7, 48; НОС 9, 76; МФС, 83; СПП 2001, 64.

Встава́ть /вста́ть на пя́ту *кому. Пск.* Обижать, унижать, задевать кого-л. СПП 2001, 64.

До пяты́. *Прикам.* Досконально, подробно (рассказать, разузнать что-л.). МФС, 83.

На пя́ты. *Кар.* То же, что **по пятам.** СРГК 5, 378.

От пяты́ до пяты́. *Сиб.* От начала до конца. СФС, 135.

Только пя́ты блестя́т *у кого. Коми.* О человеке, который быстро бежит, убегает. Кобелева, 79.

[То́лько] пя́ты в жо́пу ту́кают. *Пск. Шутл.* То же, что **только пяты щёлкают.** СПП 2001, 64.

То́лько пя́ты говоря́т (скрипя́т). *Пск.* О быстро идущем человеке. СПП 2001, 64.

То́лько пя́ты засверка́ли (замига́ли). *Кар., Пск.* То же, что **только пятки засверкали.** СРГК 2, 157; ПОС, 11, 328.

Только пя́ты щёлкают *у кого. Перм. Шутл.* О человеке, который быстро бежит, убегает. МФС, 93; СГПО, 524.

ПЯТА́К * Дать в пята́к *кому. Волг.* Ударить, побить кого-л. Глухов 1988, 29.

Начи́стить пята́к *кому. Жарг. мол.* Избить кого-л. Максимов, 272.

ПЯТАЧО́К * Собира́ть пятачки́. *Кар. Шутл.* Сутулиться, горбатиться при ходьбе. СРГК 5, 379.

Куда́ идём мы с Пятачко́м? *Разг. Шутл.* О цели предстоящего совместного пути. 2. О стремлении скрыть направление движения. < Из песенки Винни-Пуха, героя популярного мультфильма (1971 г.). Дядечко 2, 178-179.

ПЯТЕРИ́К * С како́го пятерика́? *Волг., Дон.* Почему, с какой стати? Глухов 1988, 148; СДГ 3, 75.

ПЯТЁРКА * Золота́я пятёрка. *Жарг. угол.* Авторитетный адвокат. Балдаев 1, 159.

Пе́рвая пятёрка. *Жарг. арест.* Группа наиболее авторитетных воров в колонии. Балдаев, 312.

Перевёрнутая пятёрка. *Жарг. шк. Шутл.* Неудовлетворительная оценка, двойка. ВМН 2003, 113.

Пятёрка вверх торма́шками. *Жарг. шк. Шутл.* То же, что **перевернутая пятёрка.** ВМН 2003, 113.

ПЯ́ТКА * Ро́вная пя́тка. *Кар.* Плоскостопие. СРГК 5, 535.

Чёрствая пя́тка. *Прикам. Пренебр.* О неуклюжем, неповоротливом человеке. МФС, 83.

Бить пя́тками. *Курск.* Быстро бежать. СРНГ 3, 26.

Сверка́ть пя́тками. *Прост.* Быстро бежать, убегать откуда-л., от кого-л. Ф 2, 141.

Ша́ркать пя́тками. *Жарг. мол.* Быстро уходить откуда-л. Максимов, 484.

Выходи́ть на пя́тках. *Кар.* Показываться над поверхностью земли, всходить (о растениях). СРГК 1, 311.

Дойти́ на пя́тках. *Яросл.* Дойти до готовности, будучи снятой с огня (о готовящейся пище). ЯОС 6, 78.

Крути́ться на одно́й пя́тке. *Сиб.* Быть сообразительным, энергичном человеке. ФСС, 99.

Ни в пя́тке, ни в голове́ *у кого. Волг. Шутл.-ирон.* О крайне глупом человеке. Глухов 1988, 108.

[Аж] пя́тки блестя́т *у кого. Горьк., Кар.* О быстро бегущем человеке. БалСок, 23; СРГК 1, 76.

Бро́сить под пя́тки. *Ряз. Пренебр.* О чём-л. бесполезном, ненужном. ДС, 476.

Взад пя́тки. *Народн.* 1. Повернувшись, быстро уйти. 2. Отказаться от своего мнения, обещания. ДП, 251; СРГК 5, 381; СФС, 37.

Востри́ть пя́тки. *Жарг арест.* Готовиться к побегу. < Вероятно, образовано от выражения **навострить лыжи.** ББИ, 202.

Дави́ть пя́тки *кому. Ряз.* Неотступно следовать за кем-л. ДС, 476.

Жа́рить пя́тки. *Коми.* Убегать откуда-л. Кобелева, 63.

Жать на пя́тки *кому. Прост.* Догонять кого-л. Ф 1, 185.

Зачи́стить пя́тки. *Волг. Шутл.* Убежать, скрыться. Глухов 1988, 52.

Лиза́ть пя́тки *кому. Прост. Неодобр.* Унижаться, заискивать, лицемерить. ЗС 1996, 65; БТС, 496.

Моро́чить пя́тки *кому. Жарг. мол.* Вводить в заблуждение кого-л. Флг., 403; УМК, 174; Мокиенко 2003, 92.

Наговори́ть на пя́тки *кому. Новг.* Заставить убежать кого-л. НОС 5, 136.

Нажима́ть/ нажа́ть на пя́тки. *Прост.* 1. Быстро бежать. 2. *кому.* То же, что **жать на пятки.** Ф 1, 313.

Намы́ливать /намы́лить пя́тки. 1. *Пск. Шутл.* Очень быстро бежать, убегать. СПП 2001, 64. 2. *Волг., Кар.* Готовиться пойти куда-л., уйти откуда-л. Глухов 1988, 125; СРГК 3, 355; СРГК 5, 382.

Насанда́ливать/ насанда́лить пя́тки. *Яросл.* 1. Быстро убегать откуда-л. 2. Собираться пойти, побежать куда-л. ЯОС 6, 112.

Насмоли́ть пя́тки. *Кар.* Быстро побежать, броситься бежать. СРГК 3, 377; СРГК 5, 381.

Обли́зывать пя́тки *кому. Волг. Неодобр.* То же, что **лизать пятки.** Глухов 1988, 114.

Обмыва́ть пя́тки. *Волог.* Отмечать выпивкой рождение ребёнка. СВГ 5, 124.

Окола́чивать пя́тки *чьи. Кар. Неодобр.* Неотступно следовать за кем-л. СРГК 4, 179; СРГК 5, 382.

Подбира́ть/ подобра́ть пя́тки. *Новг., Пск.* Быстро убегать откуда-л. НОС 8, 43; Сергеева 2004, 233; СПП 2001, 64.

Подма́зывать/ подма́зать пя́тки *кому.* 1. *Волг., Пск.* То же, что **намыливать пятки 1.** Глухов 1988, 125; СПП, 2001, 64. 2. *за что. Пск.* Наказывать, привлекать к ответственности кого-л. СПП 2001, 64.

Подреза́ть/ подре́зать пя́тки *кому. Разг.* Догонять кого-л. при косьбе косой. Ф 2, 60.

Пока́зывать/ показа́ть пя́тки *кому. Прост.* Поспешно убегать от кого-л. БТС, 893; Глухов 1988, 128.

Пя́тки во́ют (вую́) *у кого. Новг.* 1. О быстром беге. 2. О сильной усталости. НОС 1, 140; НОС 3, 16; НОС 9, 77.

Пя́тки горя́т *у кого.* 1. *Волг., Сиб.* Кто-л. испытывает чувство стыда. Глухов 1988, 137; СФС, 155. 2. *Новг.* Кто-л. быстро бежит, убегает. НОС 9, 77. 3. *Волг.* Кто-л. сильно устал, утомился. Глухов 1988, 137.

Пя́тки домо́й. *Пск.* То же, что **взад пятами 1. (ПЯТА).** СПП 2001, 64.

Пя́тки за́дницу коло́тят. *Новг.* О быстро бегущем человеке. Сергеева 2004, 233.

Пя́тки кве́рху. *Новг.* О человеке в состоянии усталости, полного бессилия. НОС 9, 77.

Пя́тки оплёваны *у кого. Новг.* О человеке, которого много ругают, незаслуженно обижают. ЗС 1996, 177.

Рвать пя́тки. *Новг.* О работе большого количества косцов на небольшой территории. НОС 9, 77.

Смота́ть пя́тки. *Кар.* Быстро уйти, уехать откуда-л. СРГК 5, 382.

Суши́ть пя́тки. *Перм. Шутл.* Отдыхать, лежать без дела. Подюков 1989, 200.

То́лько пя́тки в жо́пу толка́ть. *Пск. Шутл.* О быстро бегущем, убегающем человеке. СПП 2001, 64.

То́лько пя́тки мига́ют (замига́ли). *Волг., Пск.* То же, что **только пятки засверкали.** Глухов 1988, 137; СПП 2001, 64.

То́лько пя́тки сверка́ют (засверка́ли) *у кого. Разг.* О человеке, бросившемся бежать, пустившемся убегать откуда-л. НОС 7, 162; СПП 2001, 64; Глухов 1988, 160.

То́лько пя́тки свиста́ют *у кого. Новг. Шутл.* То же, что **только пятки сверкают.** СРНГ 36, 298.

Стуча́ть пя́ткой в грудь. *Жарг. мол.* Хвастаться, хвалиться, бахвалиться. Максимов, 97.

Толка́ть (топта́ть) под пя́ткой *кого, что. Сиб.* Не обращать внимания, игнорировать кого-л., что-л. СФС, 187; СБО-Д-2, 227; СОСВ, 186.

Чеса́ть пя́ткой я́годицы. *Жарг. мол. Шутл.* Быстро уходить, убегать откуда-л. Вахитов 2003, 199.

Загна́ть под пя́тку *кого. Сиб.* 1. Обогнать кого-л. в работе, в соревновании. 2. Угнетая кого-л., полностью подчинить своей воле. ФСС, 76.

Напря́сть в веретённую пя́тку. *Дон.* Некачественно, грубо напрясть. СДГ 3, 75.

Наступи́ть на пя́тку *кому. Новг.* Обидеть, задеть кого-л. Сергеева 2004, 184.

Ра́ненный в пя́тку. *Жарг. мол. Пренебр.* О глупом, несообразительном человеке. Максимов, 355.

Скласть под пя́тку *что. Сиб.* Растоптать, уничтожить что-л. СБО-Д2, 144; СФС, 142; СОСВ, 158.

Стопта́ть под пя́тку *кого. Курск.* Доказать свое превосходство над кем-л. БотСан, 108.

Из-под пя́ток вы́резать *что. Пск. Неодобр.* Украсть, достать где угодно, любым путем. СПП 2001, 64.

ПЯ́ТНИЦА * Семь пя́тниц на неде́ле *у кого. Разг. Неодобр.* О непостоянном, часто меняющем свои взгляды, намерения человеке. ДП, 462; ФСРЯ, 374; БМС 1998, 483; ФМ 2002, 376; Мокиенко 1986, 154, 162; ЗС 1996, 67; Мокиенко 1990, 108; Глухов 1988, 147; Жиг. 1969, 219.

После́дняя пя́тница на неде́ле. *Жарг. мол. Шутл.* О надуманном поводе для выпивки. Максимов, 334.

На одну́ пя́тницу (моло́же). *Пск. Шутл.* Немного, чуть-чуть моложе. СПП 2001, 64.

До пя́тницы я соверше́нно свобо́ден. *Жарг. студ. Шутл.* О каникулах. (Запись 2003 г.). < Фраза из популярного мультфильма о Винни Пухе.

Из-под пя́тницы суббо́та (четве́рг) [видна́, торчи́т] *у кого. Народн. Шутл.-ирон.* О неряшливо одетом человеке. Жиг. 1969, 271; ЗС 1996, 77; Глухов 1988, 57; ФСС, 192. **Из-под пя́тницы суббо́ту ви́дно** *у кого. Сиб. Шутл.-ирон.* То же. ФСС, 27.

По́сле пя́тницы в четве́рг. *Разг. Шутл.* Никогда. БМС 1998, 484; Мокиенко 1986, 162.

ПЯТНО́ * Бе́лое пятно́. *Разг.* О чём-л. неизученном, неизвестном. ФСРЯ, 384; ШЗФ 2001, 19; БМС 1998, 484; ЗС 1996, 526.

Класть пятно́ *[на кого]. Сиб.* Приобретать плохую репутацию, испытывать позор. ФСС, 93.

Под одно́ пятно́. *Волог.* Сплошь, полностью (покрытый чем-л.). СВГ 6, 30.

Роди́мое пятно́ *чего. Разг.* Недостаток, являющийся пережитком чего-л. ФСРЯ, 374.

Роди́мое пятно́ (роди́мые пя́тна) капитали́зма. *Книжн. Осуд.* Негативные явления в общественной жизни. которые, по мнению коммунистических идеологов, являлись наследием буржуазного прошлого; пережитки прошлого в сознании человека социалистического общества. < Калька с немецкого. Из «Критики Готской программы» К. Маркса (1875 г.), где он пишет, что социализм «сохраняет ещё родимые пятна старого общества». ШЗФ, 125.

Чёрное (тёмное) пятно́. *Разг.* О чём-л. позорном, порочащем. БМС 1998, 484.

Шокола́дное пятно́ (пя́тнышко). *Жарг. гом., угол.* Анальное отверстие, задний проход. УМК, 174; Быков, 169; Балдаев 1, 367; ББИ, 202; Мильяненков, 216; СРВС 3, 182, 190; ТСУЖ, 151; СВЯ, 85.

ПЯ́ТНЫШКО * Шокола́дное пя́тнышко. См. **Шоколадное пятно (ПЯТНО).**

ПЯ́ТЫЙ (ПЯ́ТОЕ) * С пя́того на деся́тое. *Разг.* 1. Бессвязно, непоследовательно (рассказывать, говорить). 2. Кое-как, беспорядочно, небрежно (делать что-л.). ФСРЯ, 374; Ф 2, 41; ЗС 1996, 333.

Че́рез пя́тое на деся́тое. *Разг.* То же, что **с пятого на десятое 1-2.** ФСРЯ, 374; Ф 1, 285.

ПЯТЬ * Без пяти́ болта́ется. *Прост. Ирон.* Грубый ответ на вопрос «Который час?» (с намёком на то, что мужской половой орган «спит»). Мокиенко, Никитина 2003, 282.

Дава́ть/ дать пять *кому. Прост.* Приветствовать кого-л. рукопожатием. Ф 1, 134.

Пять ми́нус пять. *Жарг. угол.* Сигнал: опасности нет. Балдаев 1, 367; ББИ, 202; Мильяненков, 216.

Пять – нельзя взять, что это? *Жарг. шк. Шутл.* Загадка об оценке «отлично», пятёрке. (Запись 2003 г.).

ПЯТЬСО́Т * Пятьсо́т весёлый. *Прост. Шутл.-ирон.* О плохо оборудованном и медленно идущем поезде. Ф 2, 110; Мокиенко 2003, 93.

Пятьсо́т шесть. *Жарг. мил.* Пьяный (от кода милиции «506»). БСРЖ, 495.

РАБ * Раб Бо́жий. *Разг. Устар.* 1. Человек как существо, созданное Богом и находящееся в полной его власти. 2. *Шутл.-ирон.* Человек вообще. ФСРЯ, 375; БТС, 88; БМС 1998, 485.

Выда́вливать из себя́ раба́. *Книжн.* Постоянно работать над собой, чтобы преодолеть раболепие, почувствовать себя свободным человеком. < Цитата из письма А. П. Чехова А. С. Суворину (7 янв. 1889 г.). Дядечко 1, 127.

РАБА́ * Раба́ Бо́жья. *Разг. Устар.* Женщина как существо, созданное Богом. Верш. 6, 15.

РАБИНДРАНА́Т * Рабиндрана́т Таго́р! *Жарг. мол. Бран.* Восклицание, выражающее раздражение, гнев, негодование. Максимов, 356.

РАБО́ТА * Геркуле́сова рабо́та (труд). *Книжн.* Работа, требующая неимоверных усилий. < Восходит к древнегреческой мифологии. БМС 1998, 454.

Еги́петская рабо́та (труд). *Книжн.* Очень тяжёлая, изнурительная работа. БМС 1998, 485; ДП, 513; ШЗФ 2001, 72; БТС, 294, 1348.

Же́нская рабо́та. *Разг. Ирон.* Проституция. Флг., 111.

Мо́края рабо́та. *Жарг. угол.* Убийство. Р-87, 221.

Рабо́та Дана́ид. *Книжн.* Неоконченная, бесплодная работа. < Восходит к древнегреческой мифологии. БМС 1998, 485.

Рабо́та на земля́чку. *Жарг. угол.* Квартирная кража, в которой наводчиком является домработница. Балдаев 2, 5; ББИ, 203; Мильяненков, 216.

Рабо́та на серьге́ (на соба́чке). *Жарг. угол.* Способ обвешивания покупателей, при котором серьга чашечных весов ставится наперекос по отношению к призме коромысла. Балдаев 2, 5; ББИ, 203; Мильяненков, 216.

Рабо́та не бей лежа́чего. *Прост.* Работа, не требующая больших усилий. ЗС 1996, 94, 152; Сл. Акчим. 1, 71.

Рабо́та (рабо́тка) не пы́льная. *Прост. Шутл.-одобр.* О нетрудной, удобной и достаточно выгодной работе. Мокиенко 2003, 93; БСРЖ, 495.

Рабо́та не лего́та. *Прикам.* То же, что **работа не бей лежачего.** МФС, 84.

Рабо́та па́льчиком. *Жарг. мол., гом.* 1. Женский онанизм. 2. Действия активной лесбиянки. Балдаев 2, 5; ББИ, 203; Мильяненков, 216.

Рабо́та Пенело́пы. *Книжн.* Продолжительная нескончаемая работа. БМС 1998, 485.

Рабо́та под напо́ром. *Жарг. арест. Ирон.* 1. Абсурдное тюремно-лагерное социалистическое соревнование, выдуманное коммунистами, где передовикам-уголовникам, состоящим из хулиганов, воров, грабителей, мошенников, насильников и убийц, и их бригадирам присуждаются места (1, 2, 3-е) и вручаются Красные вымпелы с текстами о необходимости повышать производительность труда и портретами В. И. Ленина. Балдаев 2001, 163.

Рабо́та с па́льчиком. *Жарг. угол.* Кража путем подбора ключей, с помощью отмычки. Балдаев 2, 5; ББИ, 203; Мильяненков, 216.

Рабо́та с поло́мкой. *Жарг. угол.* Вид мошенничества, при котором водитель, взяв пассажиров, инсценирует в пути поломку и просит подтолкнуть машину (когда пассажиры выходят, он уезжает с их вещами). Балдаев 2, 5; ББИ, 203; Мильяненков, 216.

Рабо́та с ро́списью. *Жарг. угол.* Кража с прорезом одежды, сумки. СВЖ, 12; Балдаев 2, 5; ББИ, 203; Мильяненков, 216.

Самолежа́тельная (самосидя́чельная) рабо́та. *Жарг. шк. Шутл.* Самостоятельная работа. ВМН 2003, 114.

Topо́рная рабо́та. *Разг. Неодобр.* О грубой, неаккуратной работе. ДП, 428; ЗС 1996, 127; БМС 1998, 485.

У́личная рабо́та. *Жарг. угол., мол. Шутл.-ирон.* Проституция. Флг., 111; Балдаев 2, 98; УМК, 175.

Цыга́нская рабо́та. *Пск. Неодобр.* Работа непостоянная, урывками. СПП 2001, 64.

Быть в рабо́те *у кого.* 1. *Разг.* Находиться в процессе обработки, создания, производства. Мокиенко 2003, 93. 2. *Приамур.* Работать у богатых, батрачить. СРГПриам., 34.

Жить в рабо́те. *Печор.* Работать по найму. СРГНП 1, 212.

В рабо́те «ох», а ест за трёх. *Народн. Ирон.* О тунеядце, бездельнике. Жиг. 1969, 226.

Весели́ться одно́й рабо́той. *Сиб.* Очень много работать, не видеть в жизни ничего, кроме работы. ФСС, 25.

Брать/ взять в рабо́ту *кого. Разг.* 1. Решительно воздействовать на кого-л., заставлять поступать определённым образом. 2. Ругать, отчитывать кого-л. ФСРЯ, 44; НОС 1, 125; Сергеева 2004, 179; Ф 1, 36; Глухов 1988, 5.

Взять рабо́ту в ру́ки. *Арх.* Приняться за дело, начать работать. АОС 4, 83.

Вы́вернуть рабо́ту. *Жарг. угол.* Обокрасть кого-л. СРВС 4, 165; Балдаев 4, 6; ББИ, 203; Мильяненков, 217.

Вя́зкий на рабо́ту. *Влад. Одобр.* Трудолюбивый, старательный. СРНГ 6, 75.

Дёрнуть в рабо́ту *кого. Волог.* Заставить кого-л. работать. СВГ 2, 23.

До́лгий на рабо́ту. *Прикам.* Не боящийся труда, привыкший к труду. МФС, 34.

Зави́дный на рабо́ту. *Печор. Одобр.* Трудолюбивый. СРГНП 1, 222.

Идти́/ пойти́ в рабо́ту. *кар.* Начать батрачить. СРГК 5, 386.

Ложи́ть рабо́ту. *Арх.* То же, что **ломать работу.** СРНГ 17, 109.

Лома́ть рабо́ту. *Прикам.* Выполнять много тяжёлой физической работы. МФС, 55.

Моло́ть рабо́ту. *Волог.* Много и энергично работать. СВГ 4, 91.

Мять рабо́ту. *Прикам.* То же, что **ломать работу.** МФС, 61; СГПО, 322.

Нало́жен на рабо́ту. *Яросл.* Прилежный, ловкий в работе. ЯОС 6, 101.

На рабо́ту – спина́ боли́т, а на еду́ — за уша́ми трещи́т. *Народн. Ирон.* О бездельнике, тунеядце. Жиг. 1969, 226.

Рабо́тать рабо́ту. *Алт., Приамур., Сиб.* Выполнять какую-л. работу. 231; СБО-Д2, 145; СРГА-4, 3.

Хво́рый на рабо́ту. *Одесск. Неодобр.* Ленивый, нерадивый. КСРГО.

Ходи́ть на рабо́ту. *Жарг. студ. Шутл.* Посещать учебные занятия. Дубровина, 79.

Кро́вельные рабо́ты. *Мол. Шутл.* 1. Психиатрия; психиатрическое лечение. Югановы, 115. 2. Психология. Югановы, 10. 3. Навязчивое воздействие на сознание. Югановы, 115. < Ср. **крыша** – голова, разум.

Принуди́тельные рабо́ты. *Жарг. шк. Шутл.-ирон.* 1. Обучение в школе. 2. Урок труда. ВМН 2003, 114.

РАБО́ТНИК * Попо́вский рабо́тник. *Сиб. Неодобр.* Лентяй. СФС, 147; СРНГ 29, 325.

Рабо́тник из ча́шки ло́жкой. *Сиб. Неодобр. или Ирон.* О ленивом, но любящем поесть человеке. СФС, 155; СРНГ 17, 109.

Рабо́тник кооперати́ва «О́тдых». *Жарг. мол. Шутл.-ирон.* Человек, нигде не работающий. Максимов, 356.

Рабо́тник о́коло краю́шки. *Волг., Горьк. Ирон.* То же, что **работник из чашки ложкой.** Глухов 1988, 138; БалСок, 51.

Вы́йти из рабо́тников. *Кар.* Стать нетрудоспособным. СРГМ 1978, 97.

Вы́пасть из рабо́тников. *Арх.* Перестать выполнять какую-л. работу. АОС 8, 61.

РАБО́ТНИЦА * Рабо́тница горизонта́льной профе́ссии. *Жарг. мол. Шутл.* Проститутка. Максимов, 356.

Брать за рабо́тницы. *Сиб.* Относиться сухо, проявлять черствость по отношению к чужой дочери. ФСС, 16.

РАБО́ЧИЙ * Оди́н рабо́чий – де́сять полномо́чий. *Одесск. Ирон.* О большом количестве начальников над кем-л. КСРГО.

РАБФА́К * Рабфа́к трудя́щихся. *Жарг. угол. Ирон.* Тюрьма, ИТУ. Балдаев 2, 6; ББИ, 204.

РАБЫ́НЯ * Рабы́ня се́кса. *Жарг. шк. Шутл.* 1. Девушка лёгкого поведения; проститутка. 2. Учительница этики и психологии семейной жизни. Максимов, 356.

Держа́ть равне́ние *на кого. Публ.* Следовать чьему-л. примеру, принимать кого-л. за образец. НСЗ-70.

РАВНИ́НА * Пересели́ться на се́рые равни́ны. *Жарг. мол.* Умереть. Максимов, 309.

РАВНОВЕ́СИЕ * Выводи́ть/ вы́вести из равнове́сия *кого. Разг.* Возбуждать, раздражать кого-л. Ф 1, 90.

Выходи́ть/ вы́йти из равнове́сия. *Разг.* Не сдерживать себя в проявлении чувств, терять спокойствие. Ф 1, 103.

РАВНОТА́ * Де́лать равноту́. *Кар.* Выравнивать что-л. по длине. СРГК 1, 444.

РА́ВНЫЙ * На ра́вных. *Разг.* На одинаковых условиях, как равные. ФСРЯ, 375; БМС 1998, 486; Мокиенко 2003, 93.

РАД * Рад не рад. *Разг.* Поневоле, по необходимости. БМС 1998, 486.

Рад стара́ться. *Разг. часто Ирон.* 1. О человеке, готовом делать что-л. с радостью, с охотой. 2. О человеке, очень увлеченном чем-л. БМС 1998, 486.

РАДА́РЫ * Пойма́ть рада́рами *что. Жарг. мол. Шутл.* Услышать что-л. Елистратов 1994, 391.

РАДИА́ТОР * Зали́ть радиа́тор. *Разг. Шутл.* Напиться пьяным. Никитина, 1996, 174.

Слить радиа́тор (с радиа́тора). *Жарг. мол.* Сходить в туалет, помочиться. Максимов, 356.

РА́ДИО * Армя́нское ра́дио. *Разг.* Популярный приём построения анекдота (как правило – антисоветского). Немировская, 470.

Беспро́волочное ра́дио. *Волг. Неодобр.* Болтливый человек, распространяющий ложные слухи, сплетни. Глухов 1988, 138.

Слу́шать ра́дио. *Жарг. мол. Шутл.* 1. Ходить в туалет. 2. Делать бесполезное дело. Максимов, 334.

Сарафа́нное ра́дио. *Прост.* 1. Сплетни, слухи (как правило — распускаемые женщинами). ЗС 1996, 354; Верш. 6, 20; БалСок, 52. 2. Источник ложных слухов. ББИ, 216; Глухов 1988, 143; Мокиенко 2003, 93.

Сове́тское ра́дио. *Жарг. мол. Шутл.* О человеке с громким голосом. Максимов, 357.

Уба́вить ра́дио. *Жарг. мол.* Говорить тише. Максимов, 435.

РАДИ́СТКА * Ради́стка Кэт. *Жарг. шк. Шутл.* 1. Ученица, которая подсказывает отвечающему. (Запись 2003 г.). 2. Доносчица. Максимов, 357.< По имени героини кинофильма «Семнадцать мгновений весны».

РА́ДОСТЬ * Со всех ра́достей. *Пск.* С большой силой, интенсивно. ПОС 3, 123.

Ра́дости по́лные штаны́ *у кого. Разг. Шутл.-ирон.* О человеке, испытывающем большую, неудержимую радость. Мокиенко, Никитина 2003, 282.

С како́й ра́дости? *Разг.* Зачем? Почему? По какой причине? ФСРЯ, 375.

Ни в ра́дости ни в коры́сти. 1. *Дон.* Безрадостно. СДГ 3, 76. 2. *Волг.* О тяжёлом, безвыходном положении. Глухов 1988, 108.

Ба́бья ра́дость. *Разг. Шутл.* 1. Мужской половой орган большого размера. УМК, 175. 2. Деньги. Балдаев 1, 24.

Лошади́ная ка́ша. *Жарг. угол., арм. Шутл.* Овсяная каша. Максимов, 229.

Марты́шкина ра́дость. *Жарг. мол. Шутл.* Маленькое удовольствие. Максимов, 285.

Не в ра́дость *кому что. Разг.* О том, что не доставляет удовлетворения, не приносит радости, счастья. ФСРЯ, 375.

Одна́ ра́дость в глазу́ *у кого. Разг.* Единственное утешение. ФСРЯ, 375.

Ра́дость куре́ния. *Жарг. шк. Шутл.* Перемена. (Запись 2003 г.).

Роди́лся (родила́сь) всем на ра́дость. *Жарг. мол. Шутл.-ирон.* О крайне глупом человеке. Максимов, 71.

Сла́дкая ра́дость. *Жарг. мол. Шутл.* Леденец на палочке. Максимов, 357.

Соба́чья ра́дость. *Разг. Шутл.-ирон. или Пренебр.* 1. Ливерная колбаса; дешёвая колбаса самого низкого сорта. ФСРЯ, 375; БМС 1998, 486; Балдаев 2, 49. 2. Студень. Балдаев 2, 49. 3. Субпродукты. ФСРЯ, 375; Балдаев 2, 49. 3. Галстук. Грачев 1992, 144.

На ра́достях. *Разг.* По случаю какой-л. удачи, какого-л. радостного события. ФСРЯ, 375.

РА́ДУГА * Бе́лая ра́дуга. *Кар.* Северное сияние. СРГК 5, 391.

Ра́дуга с о́зера во́ду пьёт. *Кар.* О состоянии атмосферы, когда радуга кажется выходящей из воды. СРГК 4, 523.

РА́ДЬ * Из како́й ра́ди? *Орл.* То же, что **с какой радости (РАДОСТЬ).** СОГ, 1992, 10.

РАЖ * Входи́ть/ войти́ (прийти́) в раж. *Прост.* Приходить в сильное возбуждение, неистовство. БМС 1998, 486; ШЗФ 2001, 41; Ф 1, 88. < Франц. *rage* – ярость, бешенство. Мокиенко 1986, 62.

РАЗ * В но́вый раз. *Кар.* Иногда. СРГК 5, 392.

В са́мый раз. *Разг.* 1. Своевременно, в нужный момент. 2. *кому.* Подходит, соответствует, впору кому-л. ФСРЯ, 375; ЗС 1996, 389; Глухов 1988, 15; Мокиенко 1986, 102.

Друго́й раз. *Разг.* Иногда, порой. ФСРЯ, 376.

Кажи́нный раз на э́том ме́сте. *Разг. Шутл.* О повторении какой-л. неприятной ситуации. < Выражение из произведения И. Ф. Горбунова (1831-1895/96) «На почтовой станции». БМС 1998, 486.

На раз. *Новг.* Сразу. НОС 9, 80.

Но́вый (но́во́й) раз. 1. *Кар., Печор., Сиб.* Иногда, иной раз. СРГК 4, 30; СРГНП 1, 481; СБО-Д2, 28. 2. *Кар.* Опять, снова. СРГК 5, 392.

По оди́н раз. *Кар.* Однажды. СРГК 5, 392.

Раз в раз. 1. *Разг.* В такт, четко (идти, двигаться). ФСРЯ, 376; Мокиенко 1986, 101; Глухов 1988, 138. 2. *Прост.* Совершенно точно (сказать, рассчитать). ФСРЯ, 376; СПП 2001, 65. 3. *Пск.* Вовремя, в нужный момент. СПП 2001, 65.

Разгова́ривать че́рез раз. *Жарг. мол. Шутл.-ирон.* Заикаться. Максимов, 357.

Раз-два и в да́мки. *Разг.* Очень быстро, без каких-л. раздумий. БМС 1998, 486; Глухов 1988, 138.

Раз-два и гото́во. *Разг.* Очень быстро, без промедления (всё сделано, будет сделано). ФСРЯ, 376; БМС 1998, 486.

Раз-два и обчёлся. 1. *Разг.* О незначительном, недостаточном количестве чего-л. БТС, 690; ФСРЯ, 376. 2. *Волг.* О неудаче, промахе. Глухов 1988, 138.

Раз за ра́зом. *Разг.* 1. Снова и снова, много раз подряд. 2. Последовательно, один за другим. ФСРЯ, 376.

Раз и навсегда́. *Разг.* Окончательно, решительно, бесповоротно. БМС 1998, 486; ФСРЯ, 376.

Раз на раз. 1. *Новг.* Часто. НОС 9, 80. 2. *Дон.* Без доплаты (обменять). СДГ 3, 76.

Раз от ра́зу. *Разг.* С каждым новым, последующим повторением. ФСРЯ, 376.

Раз плю́нуть. *Разг.* Очень просто, легко. БТС, 846; Верш. 6, 22; СПП 2001, 65; Глухов 1988, 139; Вахитов 2003, 154.

Раз по раз. *Волг.* Точно, одинаково. Глухов 1988, 139.

В два ра́за попола́м. *Волг., Дон.* Наполовину. Глухов 1988, 9; СДГ 3, 76.

Два ра́за мать (оте́ц). *Орл.* Вдвое старше матери (отца). СОГ 1990, 46.

Дать раза́ *кому. Прост.* Ударить, избить кого-л. Мокиенко 1986, 102; Мокиенко 1990, 46; Ф 1, 140.

Наверну́ть раза́ *кому. Яросл.* Ударить наотмашь, со злобой. ЯОС 6, 84.

Пойма́ть раза́. *Новг.* Больно удариться обо что-л. НОС 8, 76.

Сверну́ть в два ра́за *кого. Новг.* Подчинить кого-л. своей воле. Сергеева 2004, 186.

В разу́. *Кар.* В трезвом состоянии, не пьяный. СРГК 5, 392.

Наде́ть ра́зу не́чего. *Волг.* О крайней бедности. Глухов 1988, 89.

Не в разу́. *Новг.* Задорно, с азартом. НОС 9, 80.

Одного́ ра́зу. *Новг.* Очень быстро. НОС 9, 60.

По ра́зу. *Кар.* Часто, постоянно. СРГК 5, 392.

С са́мого ра́зу. *Кар.* Сначала. СРГК 5, 392, 533.

Все разы́. *Яросл.* Всегда, каждый раз. ЯОС 3, 9.

РАЗБО́Й * Денно́й разбо́й. *Прикам.* Самоуправство. МФС, 84.

Пушно́й разбо́й. *Жарг. угол. Шутл.* Изнасилование. Балдаев 1, 365; УМК, 175; ББИ, 201.

РАЗБО́ЙНИКИ * Три́дцать два разбо́йника. *Жарг. угол. Шутл.* Игральные карты без шестёрок. ТСУЖ, 178.

РАЗБОЛО́ЧКА * В разболо́чку. *Сиб.* Раздевшись. СФС, 46.

РАЗБО́Р * Выходи́ть на разбо́р. *Жарг. угол.* Подвергаться разбирательству (в преступной среде). ТСУЖ, 37.

Разбо́р (разбо́рка) полётов. 1. *Разг. Шутл.* Выяснение всех обстоятельств какого-л. события, чьего-л. поведения. Югановы, 191. < Из речи военных лётчиков, где термин обозначает анализ специалистами результатов полётов. Мокиенко 2003, 93. 2. *Жарг. шк. Шутл.-ирон.* Классный час. (Запись 2003 г.). 3. *Жарг. шк. Шутл.-ирон.* Педсовет. (Запись 2003 г.).

Поднести́ (съе́здить) в разбо́р. *Диал.* Избить кого-л. Мокиенко 1990, 55.

При ша́почном разбо́ре. *Разг. Устар.* В самом конце чего-л. (быть, присутствовать). ФСРЯ, 377.

К ша́почному разбо́ру. *Разг.* Слишком поздно, к самому концу, завершению чего-л. (прийти). ФСРЯ, 377; БМС, 486; ЗС 1996, 482, 528; Глухов 1988, 132; ФМ 2002, 377.

Кле́ить разбо́ры. *Жарг. мол.* Выяснять недоразумение, разбираться в сложной ситуации. СМЖ, 90.

РАЗБО́РКА * Разбо́рка зава́лов. *Публ.* Освобождение пути каким-л. прогрессивным силам, поддержка позитивных тенденций в жизни общества. Мокиенко 2003, 93.

Разбо́рка полётов. См. **Разбор полётов (РАЗБО́Р).**

Кле́ить (наводи́ть) разбо́рки. *Жарг. мол.* 1. Выяснять отношения, ссориться. 2. Драться. Максимов, 182.

РАЗБРО́Д * В разбро́де. *Сиб.* Отдельно друг от друга (жить). СКузб., 77.

РАЗБРО́СКА * В разбро́ске. *Ср. Урал.* То же, что **в разброде (РАЗБРОД).** СРГСУ 1, 97.

РАЗВА́Л * В разва́л. *Приамур.* Вкруговую, оставляя в центре незаваленную борозду (пахать). СПГП, 196.

По разва́лу. *Жарг. мол.* Об уходе откуда-л. ТК-2000.

РАЗВА́ЛИНА * Ста́рая разва́лина. *Прост. Ирон.* О старом, дряхлом человеке. ЗС 1996, 314.

На гра́фских разва́линах. *Жарг. шк. Шутл.* Об уборке класса. Максимов, 95.

Гра́фские разва́лины. 1. *Жарг. шк. Шутл.* Класс после генеральной уборки. ВМН 2003, 114. 2. *Жарг. мол. Шутл.* Неубранная квартира. Максимов, 95. 3. *Жарг. шк. Шутл.* Содержимое портфеля, сумки. Максимов, 95.

РАЗВА́ЛКА * В разва́лку. *Яросл.* То же, что **в развал (РАЗВАЛ).** ЯОС 6, 78.

РАЗВАЛЮ́ХА * Воню́чая развалю́ха. *Жарг. шк. Пренебр.* Школьная уборщица. ВМН 2003, 114.

РАЗВЕ́ДКА * Разве́дка бо́ем. *Публ.* Попытка выяснить что-л. в результате непосредственных действий. НСЗ-70; Мокиенко 2003, 93.

В разве́дку не пойдёшь (не пошёл бы) *с кем. Разг. Неодобр.* О ненадёжном человеке. Мокиенко 2003, 94.

РАЗВЕЗИ́ * Быть на развезя́х. 1. *Сиб. Шутл.* Быть в лёгкой степени опьянения. ФСС, 20. 2. *Волг.* Быть в ослабленном состоянии (от болезни, опьянения). Глухов 1988, 168.

РАЗВИ́ТИЕ * Сде́лать разви́тие. *Волг.* Развлечься, развеяться, погулять. СРГК 5, 403.

РАЗВО́Д * Де́лать разво́д (разво́дку). *Жарг. крим., мол.* Разрешать спор между кем-л. БСРЖ, 497.

Разво́д, або́рт и де́вичья фами́лия. *Жарг. мол. Шутл.* О ссоре молодых супругов. Максимов, 358.

Разводи́ть разво́ды. *Прост.* Говорить пространно, многословно. ФСРЯ, 376.

РАЗВО́ДКА * Де́лать разво́дку. См. **Делать развод (РАЗВОД).**

РАЗВОЛО́ЧКА * Дать разволо́чку *кому. Приамур., Сиб.* Наказать кого-л. СРГПриам., 69; ФСС, 54.

РАЗВЯ́ЗКА * Донска́я развя́зка. *Волг. Шутл.-одобр.* Ловкий, умелый, смелый человек. Глухов 1988, 37.

Каза́чья развя́зка. 1. *Дон.* Удаль, ловкость. СДГ 3, 78. 2. *Волг. Шутл.-одобр.* То же, что **донская развязка.** Глухов 1988, 61.

РАЗГОВО́Р * Брать разгово́р. *Кар.* Разговаривать. СРГК 1, 108.

Войти́ в разгово́р. *Дон.* Разговориться. СДГ 3, 79.

Де́лать разгово́р. *Яросл.* Разговаривать. ЯОС 3, 127.

Разгово́р в по́льзу бе́дных. *Разг. Ирон.* Показное, лицемерное сочувствие чужим несчастьям. БМС 1998, 487; ЗС 1996, 338..

Разгово́р на Во́лге. *Жарг. гом. Ирон.* Пустой, ничего не значащий разговор. Кз., 63.

Разгово́р о гуся́х. *Жарг. мол. Ирон.* О важной беседе. Максимов, 100.

Разгово́р с доско́й. *Жарг. шк. Шутл.-ирон.* Объяснение нового материала учителем, увлечённым своим предметом, не обращающим внимания на учеников. (Запись 2003 г.).

Быть на разгово́рах. *Кар.* Находиться в гостях у кого-л. СРГК 5, 406.

Без да́льних разгово́ров. *Разг.* Не рассуждая много, не теряя времени на разговоры. ФСРЯ, 431.

Срабо́тать с разгово́ром. *Жарг. угол.* Совершить преступление с перестрелкой. ТСУЖ, 168.

Не к разгово́ру. *Курск., Прикам.* Некстати. МФС, 84; БотСан, 104.

Привяза́ться к разгово́ру. *Яросл.* Вмешаться в чей-л. разговор. ЯОС 8, 24.

Топта́ть разгово́ры в нога́х. *Волг.* Поступать вопреки договору о чём-л. Глухов 1988, 131.

Разводи́ть разгово́ры. *Сиб.* Говорить пространно, не по теме. Верш. 6, 31.

Разгово́ры разгова́ривать. *Прост.* Говорить, беседовать. ЯОС 8, 115.

РАЗГОВО́РЕЦ * Хвати́ть разгово́рцу. *Пск.* Выпить немного водки. Доп., 1858; СРНГ 33, 306.

РАЗГОВО́РЧИК * Разгово́рчики в строю́! *Прост. Шутл.* Требование замолчать, прекратить возражать кому-л. Мокиенко 2003, 94.

РАЗГО́Н * Дава́ть/ дать разго́н (разго́ну). 1. *Прост.* Заставлять двигаться кого-л., что-л. НОС 9, 88. 2. *Прост.* Ругать, отчитывать кого-л. СРГК 1, 420. 3. *Сиб.* Делать что-л. интенсивно, энергично. СРНГ 7, 258. 4. *Сиб.* То же, что **идти в разгон.** ФСС, 54.

Держа́ть разго́н. *Жарг. угол.* Совершать разбойные нападения. ТСУЖ, 47.

Идти́/ пойти́ в разго́н. *Разг.* Уйти в многодневный запой, загул. Елистратов 1994, 393.

С разго́на. *Разг.* Разогнавшись, набрав большую скорость. ФСРЯ, 379.

Быть в разго́не. *Разг.* Не на месте (о людях, отправленных куда-л.). ФСРЯ, 379; Верш. 6, 36.

Дава́ть/ дать разго́ну *кому. Прост.* Строго наказывать, бить кого-л. Глухов 1988, 31.

РАЗГО́НКА* Дать разго́нку *кому. Диал.* Прогнать, выгнать кого-л. откуда-л. Мокиенко 1990, 110.

РАЗГУ́ЛКА * Идти́/ пойти́ в разгу́лку. *Сиб.* 1. Прогуливаться где-л. ФСС, 142. 2. Гулять по деревенской улице среди своих сверстников. ФСС, 86.

РАЗДА́ЧА * Разда́ча слоно́в. 1. *Разг. Шутл.-ирон.* Вручение подарков; массовое премирование, поощрение. Югановы, 192; WMN, 85. 2. *Жарг. арм. Шутл.-ирон.* Назначение на нештатные должности. Лаз., 131. 3. *Разг. Шутл.-ирон.* Критические замечания в адрес каждого из присутствующих. НРЛ-82.

Попа́сть под разда́чу. *Жарг. мол.* Подвергнуться избиению, наказанию, выговору. БСРЖ, 498.

РАЗДЕВА́НИЕ * Публи́чное раздева́ние. *Публ. Неодобр.* Открытое, откровенное и детальное самообличение, признание каких-л. недостатков в политической, социальной, экономической жизни страны. Мокиенко 2003, 94.

РАЗДЁЖКА * Раздёжкой разде́ться. *Сиб.* Раздеться догола. СФС, 156.

РАЗДЕ́Л * В разде́ле. *Кар., Прикам.* Отдельно от родителей (жить). СРГК 5, 409; МФС, 84.

По разде́лу. *Кар.* То же, что **в разделе.** СРГК 5, 309.

РАЗДЕЛЯ́ТЬ * Разделя́й и вла́ствуй. *Книжн.* О принципе управления каким-л. обществом путем разжигания вражды между его членами. < Калька с лат. *Divide et impera.* БМС 1998, 487.

РАЗДУ́ТЫЙ * На всех разду́тых. *Пск. Шутл.* Очень быстро, стремительно. ПОС 3, 123. < Образовано усечением оборота **на всех раздутых парусах.**

РАЗЖО́ГА * На разжо́гу. *Новг.* Спешно, поспешно (делать что-л.). НОС 9, 90.

РАЗЗЯ́ВА * Лови́ть/ пойма́ть раззя́ву. *Волг., Дон. Шутл.-ирон. или Неодобр.* Быть рассеянным. Глухов 1988, 82; СДГ 2, 118.

Рази́нуть раззя́ву. *Дон. Неодобр.* Недосмотреть, пропустить что-л. СДГ 3, 80.

РА́ЗИК * Из ра́зика в ра́зик. *Кар.* Каждый раз. СРГК 5, 416.

РАЗИ́НЯ * Лови́ть/ пойма́ть рази́ню. *Дон.* То же, что **ловить раззяву (РАЗЗЯВА).** СДГ 2, 118; СРНГ 28, 355.

РАЗЛИ́В * В Разли́в к Ле́нину. *Разг. Шутл.* В винный магазин. < По ассоциации с «**розлив**». Синдаловский, 2002, 34.

РАЗЛО́М * С разло́му. *Сиб.* Под гору. СФС, 177.

РАЗЛУ́КА * Двойна́я разлу́ка. *Сиб.* Игра в горелки. СБО-Д1, 111.

Бе́гать (гоня́ть) [в] разлу́ки. *Сиб.* Играть в горелки, в пятнашки. ФСС, 10; СФС, 20, 56; СБО-Д1, 98

Бро́сать/ бро́сить разлу́ку. *Арх.* Разлучать кого-л. с кем-л. АОС 2, 135.

Дава́ть/ дать разлу́ку. *Ворон.* То же, что **бросать разлуку.** СРНГ 7, 258.

РАЗМА́Х * На весь разма́х. *Кар.* То же, что **с размаху.** СРГК 5, 422.

С разма́ху. *Разг.* С большой силой (бить, ударять). ФСРЯ, 381.

РАЗМА́ШКА * На разма́шку. *Новг.* Широко открытый (об окне, двери). НОС 9, 93.

РА́ЗНИЦА * Одна́ ра́зница. *Кар.* Одно и то же. СРГК 5, 426.

Ра́зная ра́зница. *Сиб.* То же, что **разные разности (РАЗНОСТЬ).** СРНГ 34, 37.

На ра́знице (ра́зницу). *Ср. Урал.* Раздельно. СРГСУ 2, 180.

Без ра́зницы. *Прост.* Несущественно, не имеет никакого значения. НСЗ-70, 610.

Две больши́е ра́зницы. *Прост. Шутл.* Об абсолютно разных, несовместимых вещах, понятиях. Мокиенко 2003, 94.

РАЗНОЛЕ́ТНИК * Разноле́тник тебя́ (вас, его́ и пр.) расшиби́! *Народн. Бран.* Проклятие, пожелание зла кому-л. или выражение недовольства, раздражения кем-л., чем-л. **< Разнолетник** – 1. Один из видов чёрта. 2. Сердечный удар. Мокиенко, Никитина 2003, 284.

РАЗНООБРА́ЗИЯ * Ра́зная разнообра́зия. *Дон.* О совокупности, смешении каких-л. предметов. СДГ 3, 81.

РА́ЗНОСТЬ * Ра́зные ра́зности. 1. *Разг.* Самые разные вещи, явления, события, обстоятельства. ФСРЯ, 381. 2. *Жарг. мол.* Мелочи, пустяки, не достойные внимания. Максимов, 377.

РАЗНОПУ́ТИЦА * Пойти́ в разнопу́тицу. *Кар.* Начать вести аморальный образ жизни, пуститься в разврат. СРГК 5, 426.

РАЗО́Р * Пуска́ть в разо́р *кого. Прост. Устар.* Разорять кого-л. Ф 2, 126.

Разори́ть в разо́р *кого. Волг.* Лишить кого-л. состояния, имущества, истратить чьи-л. средства. Глухов 1988, 139.

РАЗО́РВА * Разо́рва возьми́ *кого*! *Твер. Бран.* Выражение негодования, возмущения в чей-л. адрес. СРНГ 34, 53.

Разо́рва с перёрвой! *Влад.* Восклицание, выражающее досаду, негодование. СРНГ 26, 205.

РАЗОРВА́ТЬСЯ * Хоть разорви́сь. *Разг.* 1. О крайне тяжёлом, безвыходном положении. 2. О невозможности сделать все многочисленные дела. БМС 1998, 487; Глухов 1988, 169.

РАЗОРЕ́НЬЕ * Разоре́нье головы́. *Волг.* О трудном, безвыходном положении. Глухов 1988, 139.

РАЗРАБО́ТКА * Брать/ взять в разрабо́тку *что. Жарг. мил., журн.* Начинать оперативные мероприятия в отношении объекта. МННС, 27-28.

РАЗРЕ́З * В разре́з *с кем, с чем. Разг.* Наперекор кому-л., чему-л. (действовать, поступать). ФСРЯ, 382.

В разре́зе *чего, каком. Разг.* С каких-л. позиций. ФСРЯ, 383.

РАЗРУ́ШКА * Пойти́ в разру́шку. *Кар.* Прийти в упадок. СРГК 5, 434.

РА́ЗУМ (РО́ЗУМ) * Взойти́ в ра́зум. 1. *Сиб.* Повзрослеть, поумнеть. ФСС, 26. 2. *Волог., Сиб.* Прийти в сознание. СФС, 38; СВГ 1, 70.

Взять в ра́зум. *Горьк.* Начать понимать что-л. БалСок, 26.

Входи́ть в ра́зум. *Разг. Устар.* Взрослеть, становиться умнее. ФСРЯ, 88.

Вы́сший ра́зум. *Жарг. шк. Шутл.-ирон.* 1. Авторитарный учитель, учительница. 2. Учитель инофрматики. ВМН 2003, 114.

Класть в ра́зум *что. Ряз.* Думать о чём-л., предполагать что-л. ДС, 223.

Коллекти́вный ра́зум. *Публ., Полит.* Совместное, лишённое узких эгоистических устремлений решение глобальных проблем. Мокиенко 2003, 94.

Наставля́ть на ра́зум *кого. Прост.* Давать разумные советы кому-л., поучать кого-л. ФСРЯ, 268.

Прийти́ в ра́зум. 1. *кому. Олон.* Вспомниться кому-л. 2. *Курган.* То же, что **взойти в разум 1.** СРНГ 31, 234.

Прода́жный ра́зум. *Народн. Шутл.-ирон.* Водка. ДП, 793.

Проща́й, ра́зум, встре́тимся за́втра. *Жарг. мол.* Выражение, употребляемое перед началом пьянки. Вахитов 2003, 154.

Меша́ться/ помеша́ться с ра́зума. *Кар.* Терять рассудок, становиться психически больным. СРГК 3, 200.

Набира́ться/ набра́ться ра́зума. *Разг. Одобр.* То же, что **входить в разум.** ФСРЯ, 383.

Не приста́вить ра́зума *кому. Волг. Неодобр.* О глупом, несообразительном человеке. Глухов 1988, 103.

Не с кре́пкого ра́зума. *Яросл.* Об умственно отсталом человеке. ЯОС 6, 124.

Смеша́ться с ра́зума (с ра́зуму). *Морд.* Сойти с ума. СРГМ 2002, 87.

Быть в ра́зуме. *Сиб.* Быть в нормальном психическом состоянии, понимать что-л. СРНГ 34, 70.

Не во всём ра́зуме. *Арх.* То же, что **не с крепкого разума.** АОС 4, 15.

Потряхну́ться в ра́зуме. *Яросл.* То же, что **повредиться разумом.** ЯОС 8, 76; СРНГ 30, 312.

Жить свои́м ра́зумом. *Разг.* Придерживаться своих взглядов, убеждений, быть самостоятельным в своих действиях, поступках. ФСРЯ, 158.

Жить чужи́м ра́зумом. *Разг. Неодобр.* Придерживаться чужих взглядов, убеждений, не быть самостоятельным в своих действиях, поступках. ФСРЯ, 158.

Повреди́ться ра́зумом. *Сиб.* Лишиться рассудка, сойти с ума. ФСС, 138.

Свихну́ться ра́зумом. *Прост.* Потерять рассудок. Ф 2, 144.

Дойти́ до ро́зума. *Смол.* Понять, осознать что-л. СРНГ 35, 166.

РАЗУМО́К * Разумко́м расхо́женький. *Костром., Яросл. Ирон.* О слабоумном человеке. СРНГ 34, 302; ЯОС 8, 119.

РАЗЪЁБ * Дава́ть/ дать разъёб *кому. Неценз.* Устраивать нагоняй кому-л. Мокиенко, Никитина 2003, 284.

РАЙ * В рай не съездить *на ком. Кар. Неодобр.* О человеке, который никому не помогает. СРГК 5, 438.

Земно́й рай. *Разг. Одобр.* Необыкновенно красивое место, где можно счастливо и безмятежно жить. ФСРЯ, 383; БМС 1998, 487.

Нало́говый рай. *Публ.* Оффшорная зона. МННС, 83.

Ни в рай, ни в му́ку, ни на сре́днюю ру́ку. *Народн. Неодобр.* О бестолковом никчёмном человеке. ДП, 472.

Попа́сть за рай. *Жарг. арест.* Быть осуждённым, отбывать наказание за содержание притона воров, наркоманов. Балдаев 1, 338; ТСУЖ, 140.

Рай Христо́в *кому. Пск. Одобр.* Хорошо, приятно (о благополучной жизни). СПП 2001, 65.

Собира́ться в рай. *Волг. Шутл.-ирон.* Быть близким к смерти. Глухов 1988, 144.

Жить в растворённом раю́. *Орл.* Жить благополучно, без забот. СОГ 1990, 124.

Из све́тлого ра́я да на тру́дную зе́млю. *Народн. Ирон.* О резком изменении ситуации в худшую сторону. ДП, 289.

РАЙО́Н * Говённый демократи́ческий райо́н. *Разг. Шутл.-ирон.* Район Гражданского проспекта (Гражданки) в бывшем Ленинграде < Деаббр. ГДР. Синдаловский, 2002, 48.

Райо́н трёх (четырёх) дурако́в (идио́тов). *Разг. Ирон.* Район проспектов Ударников, Наставников, Энтузиастов (и Передовиков) в Санкт-Петербурге. Синдаловский, 2002, 156.

Райо́н убие́нных. *Разг. Ирон.* Весёлый Поселок (район Санкт-Петербурга), улицы которого названы именами репрессированных, а затем реабилитированных деятелей партии и государства. Синдаловский, 2002, 156.

Са́мый Са́мый Сра́ный Райо́н. *Разг. Пренебр.* Приморский район в Ленинграде – Санкт-Петербурге. <Деаббр. **СССР**: Союз Советских Социалистических Республик. Синдаловский, 2002, 162.

РАЙТ * В по́лном ра́йте. *Жарг. мол. Одобр.* В полном порядке. Розин. Последствия, 160.

РАК[1] * Когда́ рак [на горе́] сви́стнет. *Шутл.* Никогда; неизвестно когда. ФСРЯ, 384; СПП 2001, 65; ДП, 293; ЗС 1996, 477; Мокиенко 1986, 210; Глухов 1988, 76.

Сесть на рак. *Ряз.* Потерпеть неудачу, крах. СРНГ 34, 87.

Знать, где ра́ки зиму́ют. *Разг.* Быть хитрым, проницательным; знать, как поступить наилучшим образом, наиболее выгодно. ФСРЯ, 384; Мокиенко 1989, 135; БМС 1998, 488; ЗС 1996, 211.

Показа́ть, где ра́ки зиму́ют. *Разг.* Расправиться с кем-л. ФСРЯ, 384; ЗС 1996, 63; Глухов 1988, 127; Мокиенко 1990, 51; БМС 1998, 488.

Узна́ть, где ра́ки зиму́ют. *Разг.* 1. Испытать настоящие трудности. 2. Подвергнуться жестокой расправе, наказанию. ФСРЯ, 384; ЗС 1996, 204.

Дави́ть ра́ков. *Разг. Шутл.* 1. Плавать по мелководью. 2. Садиться на мель. Мокиенко 1989, 134. < Из речи моряков. БМС 1998, 488.

Корми́ть ра́ков. *Прост. Шутл.-ирон.* То же, что **ловить раков.** Мокиенко 1989, 131.

Лови́ть/ пойма́ть ра́ков. *Прост. Шутл.-ирон.* Тонуть. Мокиенко 1989, 131. **Лови́ть/ пойма́ть ра́ков на дне.** *Волг. Шутл.-ирон.* То же. Глухов 1988, 82.

Напе́чь ра́ков. *Южн. Шутл.* Покраснеть, покрыться румянцем. СРНГ 20, 68.

Ра́ком к це́ли. *Жарг. мол. Шутл.* Вино «Ркацители». Вахитов 2003, 155.

РАК[2] * Рак головы́. *Разг. Ирон.* О какой-л. трудности, проблеме, препятствии. Елистратов 1994, 95.

РАКЕ́ТКА * Скре́щивать/ скрести́ть раке́тки. *Нов. Спорт.* Играть в теннис с соперником. (Передача радио «Эхо Москвы», 27.03.2006). < Образовано по модели оборота **скрестить шпаги.**

Зачехли́ть раке́тку. 1. *Жарг. спорт. (тенн.).* Выбыть из теннисного турнира. КП, 13.11.98. 2. *Жарг. мол. Шутл.* Надеть презерватив. < Ср. **чехол** — презерватив. БСРЖ, 500.

РА́КОМ * Дава́ть/ дать ра́ком. *Прост. Груб.* Соглашаться на совокупление с задней стороны. Мокиенко, Никитина 2003, 285.

Еба́ть/ вы́ебать (сноша́ть) ра́ком *кого. Неценз. Груб.* Совершать половое сношение, поставив партнёршу на четвереньки. Мокиенко, Никитина 2003, 285.

Ста́вить/ поста́вить ра́ком *кого. Прост.* или *Жарг. угол., мол. Груб.* 1. Ставить партнёршу на четвереньки для совокупления. 2. Насиловать кого-л.; совершать насильственный половой акт с кем-л. 3. Совершать акт мужеложства. 4. Заставлять кого-л. подчиниться, смириться. 5. Ставить кого-л. в неприятное, затруднительное положение; причинять кому-л. неприятность. Мокиенко, Никитина 2003, 285.

Стоя́ть ра́ком. *Прост. Груб.* 1. Стоять, наклонясь вперед и выставив вверх зад (особенно — при совокуплении). 2. *перед кем.* Униженно подчиняться, угождать кому-л. Мокиенко, Никитина 2003, 285.

РАКУ́ШКА * Туполо́бая ракýшка. *Жарг. мол. Пренебр.* О глупой, несообразительной девушке. Вахитов 2003, 182.

РА́КУШКИ * Ла́зить на ра́кушках. *Волг.* 1. С трудом передвигаться (о больном или уставшем человеке). 2. Униженно просить кого-л. о чём-л. Глухов 1988, 80.

По́лзать на ра́кушках. *Волг.* То же, что **лазить на ракушках 1.** Глухов 1988, 128.

Посади́ть на ра́кушки *кого. Ворон.* Обидеть кого-л. СРНГ 34, 92.

РА́МА * Бана́новая ра́ма. *Жарг. мол. Шутл.* Поп-группа «Бананарама». Я — молодой, 1997, № 38.

Проста́я ра́ма. См. **Простая рамка (РАМКА).**

Вы́нести ра́му на уша́х. *Жарг. угол.* Совершать прыжок в окно, убегая от погони, избегая расправы. Балдаев 1, 77; ТСУЖ, 36.

Вста́вить ра́мы. *Жарг. угол. Шутл.* Надеть очки. Елистратов 1994, 397.

Выходи́ть из ра́мы. *Сиб.* Переставать подчиняться кому-л. СРНГ 34, 94.

Зи́мние ра́мы. *Жарг. угол. Шутл.* Очки. ТСУЖ, 73; Балдаев 2, 10; ББИ, 206.

РА́МЕС. См. **РАМС.**

РА́МКА * Проста́я ра́мка (ра́ма). *Жарг. угол.* Отмычка для внутреннего замка. СРВС 4, 183; ТСУЖ, 148; Балдаев 1, 359; Балдаев 2, 10; ББИ, 205; Мильяненков, 218.

Быть в ра́мках. 1. *Жарг. угол.* Соблюдать воровской закон. Балдаев 1, 51. 2. *Жарг. нарк.* Не превышать норму приёма наркотика. ТСУЖ, 35.

Держа́ть в во́льных ра́мках *кого. Сиб.* Предоставлять свободу действий кому-л. ФСС, 59.

Держа́ть в ра́мках *кого. Волг., Сиб.* Воспитывать в строгости. Глухов 1988, 33; ФСС, 62; СБО-Д1, 116.

Держа́ть себя́ (держа́ться) в ра́мках. *Разг.* Соблюдать нормы, правила поведения. ФСРЯ, 137; Глухов 1988, 34.

Взять себя́ в ра́мки. *Арх.* Заставить себя делать что-л., собраться с силами. СРНГ 34, 97.

Выходи́ть/ вы́йти за ра́мки *чего. Разг.* Приобретать более важное значение, расширять сферу своего функционирования. Ф 1, 102.

Выходи́ть/ вы́йти (вы́скочить) из ра́мки. *Волг., Дон.* То же, что **выходить из рамок.** Глухов 1988, 18; СДГ 1, 86.

Сиде́ть в ра́мке. *Пск. Неодобр.* Бездельничать, праздно наблюдать за происходящим (как портрет в рамке). СПП 2001, 65.

Выпуска́ть/ вы́пустить из ра́мок *кого. Сиб.* Предоставлять кому-л. свободу действий, терять контроль над кем-л. ФСС, 38.

Выходи́ть/ вы́йти из ра́мок. *Разг..* Нарушать нормы поведения, выходить из границ приличия. Ф 1, 103; Глухов 1988, 18; СДГ 1, 86.

РА́МОЧКА * Дойти до ра́мочки. *Сиб.* Оказаться в безвыходном положении. ФСС, 62.

РАМС (РА́МЕС) * Пу́тать ра́мес. *Жарг. мол. Неодобр.* Вмешиваться не в свое дело. Вахитов 2003, 152.

Гоня́ть рамс. *Жарг. мол.* Разговаривать. Максимов, 72.

Попу́тать рамс (рамсы́). *Жарг. мол.* 1. Потерять контроль над собой. 2. Сойти с ума. 3. Обнаглеть. 4. Ошибиться. Максимов, 332.

Раска́чивать рамс. *Жарг. мол.* 1. Сильно преувеличивать что-л. 2. Доводить начатое дело до конца. Максимов, 360.

Гнать (гнуть, кидать, качать) рамсы́. *Жарг. мол.* Объясняться, доказывать что-л., выяснять отношения с кем-л. Вахитов 2003, 39, 75-76.

Навести́ (развести́) рамсы́. *Жарг. мол.* Разузнать о чём-л., разведать что-л. Елистратов 1994, 397.

Попу́тать рамсы́. *Жарг. мол.* Ошибиться, случайно допустить оплошность. h-98; Вахитов 2003, 141.

Разложи́ть рамсы́. *Жарг. мол.* Убедить кого-л. в чём-л. БСРЖ, 500.

Раски́дывать рамсы́. *Жарг. мол.* 1. Долго рассказывать, объяснять что-л. Никитина 1998, 376; Вахитов 2003, 155. 2. Думать, размышлять о чём-л. Вахитов 2003, 155. 3. *Неодобр.* Хвастаться. Вахитов 2003, 155.

Своди́ть (соединя́ть) рамсы́. *Жарг. мол.* Устранять результаты чужой или своей глупости, ошибки. Урал-98.

< **Рамс** – разновидность игры в карты.

РА́НА * Жива́я ра́на. *Брян., Волг.* Острое, не проходящее со временем страдание, горе. СБГ 5, 68; Глухов 1988, 42.

Хоть к ра́нам приклада́й. *Новг.* О нежном, душевном человеке. НОС 12, 23.

Береди́ть ра́ну (ста́рые ра́ны) *чью, чьи, в ком. Разг.* То же, что **растравлять рану.** ФСРЯ, 384; ЗС 1996, 325.

Ковыря́ть ра́ны. *Волг.* То же, что **растравлять рану.** Глухов 1988, 75.

Наложи́ть на себя́ ра́ну. *Кар.* Зарезаться. СРГК 3, 350.

Растравля́ть / растрави́ть ра́ну. *Разг.* Напоминать о том, что причиняет душевную боль, вызывает огорчение. БМС 1998, 488.

Посыпа́ть / посы́пать ра́ны со́лью *чьи. Разг.* То же, что **растравлять рану.** ЗС 1996, 325.

Хоть до ра́ны приклада́й *кого. Волг.* О добром, милосердном человеке. Глухов 1988, 168.

РАНГ * Возводи́ть/ возвести́ в ранг *чего, какой. Публ.* Признавать, считать что-л. чем-л. Мокиенко 2003, 94.

В пе́рвый ранг. *Прикам.* В первую очередь. МФС, 85.

РА́НЕЦ * Наби́ть ра́нец. *Жарг. мол.* Плотно поесть. Максимов, 264.

РАНЖИ́Р * Подводи́ть под оди́н ранжи́р *кого, что. Разг.* Уравнивать, пренебрегая индивидуальными отличиями; нивелировать. БМС 1998, 489.

По ранжи́ру. *Разг. Устар.* 1. По размерам, по росту. 2. По старшинству, по чину; по значению, по важности. РБФС, 427.

РА́ННИЦА * В ра́нницу. *Кар.* Очень рано утром. СРГК 5, 442.

РА́НЬЕ (РАНЬЁ) * От ранья́ до смерка́нья. *Волг.* То же, что **с ранья до тёмна.** Глухов 1988, 120.

С ра́ннего ранья́. *Кар.* С утра. СРГК 5, 443.

С тёмного ранья́. *Волг.* С раннего утра. Глухов 1988, 154.

С ра́нья до тёмна. *Пск.* С утра до ночи. СПП 2001, 65.

РАСКА́Т * Идти́ в раска́т. *Жарг. угол., мил.* Признаваться в совершении преступления. Балдаев 1, 169.

Кати́ться под раска́т. *Волг.* 1. Разоряться, беднеть, опускаться морально. 2. Сорваться, (о планах), завершиться неудачно (о делах). Глухов 1988, 73.

Широ́кий раска́т. *Новг.* О рахите ног. НОС 12, 94.

РАСКА́ЧИВАНИЕ * Раска́чивание [госуда́рственной] ло́дки. *Публ.* 1. Об усложнении, обострении какой-л. конфликтной ситуации. НРЛ-82. 2. О расшатывании каких-л. структур власти, ведущем к ослаблению государства. Мокиенко 2003, 94.

РАСКЕ́П * Пойти́ в раске́п. *Курск.* Расстроиться (о планах), не завершиться успешно (о делах). СРНГ 34, 115.

РАСКЛА́Д * Дава́ть/ дать раскла́д. *Жарг. мол.* Объяснять кому-л. что-л. Вахитов 2003, 44.

РАСКЛА́ДКА * Дать раскла́дку. *Жарг. угол.* Чистосердечно признаться в совершении преступления. Балдаев 1, 103.

РАСКЛАДУ́ШКА * Разъездна́я раскладу́шка. *Разг. Шутл.-ирон.* Секретарша крупного руководителя, которая сопровождает и обслуживает его в поездках. Балдаев 2, 9.

РАСКЛО́Н * Без раскло́ну. *Горьк.* Напряжённо, не отдыхая (работать). Верш. 6, 64.

РАСКО́Л * Акти́вный раско́л. *Жарг. угол., мил.* Допрос с избиением и обливанием водой при потере сознания допрашиваемого. Балдаев 2, 10; ББИ, 206.

Идти́ в раско́л. *Жарг. угол., мил.* Признаваться в совершении преступления. Балдаев 1, 169.

Раско́л тре́тьей сте́пени. *Жарг. угол., арест.* Допрос арестованного с избиением и применением орудий, инструментов и технических средств для пыток, пока жертва не признает любое абсурдное обвинение, например шпионаж в пользу буржуазных государств Антарктиды, Сириуса, Монблана, Ла-Манша, Апеннин, Везувия, Евфрата, Босфора, Сьерра-Невады, Кордильер, Атлантиды и т. д. Балдаев 2001, 164.

РАСКОРЯКА * Ходи́ть на раскоря́ки. *Сиб.* Широко расставлять ноги при ходьбе. СПСП, 114.

РАСКО́С * Идти́/ пойти́ в раско́с. *Казан.* Становиться разбойником. СРНГ 34, 133.

РАСКРА́СКА * Боева́я раскра́ска. *Жарг. мол. Шутл.* О большом количестве макияжа, косметики на лице. Максимов, 37.

РАСКРУ́ТКА * Дава́ть/ дать раскру́тку *кому. Волг., Смол.* Ругать, отчитывать, наказывать кого-л. Глухов 1988, 28; СРНГ 34, 140.

Пойти́ в раскру́тку. *Жарг. угол.* Возобновить преступную деятельность после возвращения из ИТУ. Балдаев 1, 332.

РАСПА́ШКА * В распа́шку. *Кар.* В разные стороны, врозь. СРГК 5, 454.

На распа́шку. *Новг.* Очень быстро. НОС 9, 112.

РАСПЕ́ВКА * Распе́вка мозго́в. *Жарг. шк. Пренебр.* Урок музыки. (Запись 2003 г.).

РАСПЕРЕМА́ТЬ (РАСПЕРЕМА́ТЕРЬ) * Распереима́ть (расперема́терь) тебя́ (вас, его́ и пр.)**!** *Прост. Бран.* Выражение крайнего недовольства, гнева, раздражения. Мокиенко, Никитина 2003, 285.

РАСПИЗДОБЛЯ́ДСТВО * Наивыебе́нещее распиздобля́дство. *Неценз. Неодобр.* Вызывающая непорядочность, подлость. Мокиенко, Никитина 2003, 286.

РАСПИСА́НИЕ * По расписа́нию. *Кар.* Чётко, логично, на литературном языке (говорить). СРГК 5, 455.

РАСПЛА́ТА * Жи́дкий на распра́ву. *Волг. Неодобр.* 1. О скупом человеке, который не любит отдавать долги. 2. О человеке, который боится наказания, стремится его избежать. Глухов 1988, 42.

Хлипа́вый на распла́ту. *Волг. Неодобр.* О человеке, который не выполняет своих обещаний. Глухов 1988, 165.

РАСПОЛОЖЕ́НИЕ * Расположе́ние ду́ха. *Разг.* Душевное состояние. ФСРЯ, 385.

РАСПОЛО́Х * Положи́ть располо́х *[на кого]. Одесск.* Встревожить, испугать кого-л. КСРГО.

С располо́ху. *Сиб.* Врасплох. Верш. 6, 69.

РАСПОРЯ́ДОК * Вести́ распоря́док. *Кар.* Руководить, главенствовать где-л. СРГК 5, 459.

РАСПУ́Т * Пойти́ в распу́т. *Ворон.* Начать вести разгульный образ жизни. СРНГ 28, 360.

РАСПУ́ТЬЕ * На распу́тье. *Разг.* В состоянии нерешительности, в сомнениях, раздумьях. ФСРЯ, 386.

РАСПЫ́Л * Води́ть на распы́л *кого. Дон.* Расстреливать кого-л. СРНГ 34, 196.

Пуска́ть/ пусти́ть на распы́л. 1. *кого. Дон.* То же, что **водить на распыл.** СРНГ 34, 196. 2. *что. Прост. Неодобр.* Нерасчетливо тратить, расходовать деньги, средства. Ф 2, 106; Глухов 1988, 137; СРНГ 34 196.

РАСПЯ́ТИЕ * Впасть в распя́тие. *Жарг. угол. Шутл.* Задуматься. ББИ, 48.

РАССВЕ́Т * Дожи́ть до рассве́та. *Жарг. арм. Шутл.* Об ужине. БСРЖ, 503-504.

РАССВЕ́ТКИ * В рассве́тки. *Кар.* Рано утром. СРГК 5, 466.

РАССКА́З * Рассказ но́мер раз. *Жарг. мол. Шутл.* О неправдоподобном сообщении. Смирнов 2002, 184.

Оста́ться на расска́зах. *Новг. Ирон.* Не добиться желаемого. НОС 7, 29.

Расска́зывать расска́зы. *Кар.* Лгать, рассказывать небылицы. СРГК 5, 467.

РАССЛАБО́Н * Расслабо́н хиля́ет (хля́бает). *Разг. Одобр.* О релаксации, полном расслаблении во время отдыха. Никитина 1998, 379.

РАССО́ЛЬЧИК * Кре́пкий рассо́льчик. *Жарг. угол. Шутл.-ирон.* Нецензурная брань. Балдаев 2, 12; ББИ, 207; Мильяненков, 220.

Слива́ть/ слить рассо́льчик *на кого. Жарг. угол. Шутл.-ирон.* 1. Нецензурно ругаться в чей-л. адрес. Балдаев 2, 12; ББИ, 207; Мильяненков, 220. 2. Срывать злость на ком-л. Балдаев 2, 12; ББИ, 207.

РАССТО́Н * Рассто́н тебя́ расстана́й! *Орл. Бран.* Восклицание, выражающее гнев, негодование, возмущение в чей-л. адрес. СРНГ 34, 230.

РАССТОЯ́НИЕ * Пионе́рское расстоя́ние. *Жарг. мол.* Положение, когда парень и девушка идут далеко друг от друга. Максимов, 314.

Держа́ть на почти́тельном расстоя́нии *кого. Разг.* Избегать, не допускать близости, близких отношений с кем-л. ФСРЯ, 386; БМС 1998, 489; ШЗФ 2001, 65.

Держа́ться (находи́ться) на благоро́дном расстоя́нии *от кого, от чего. Народн. Ирон.* Бояться чего-л. БТС, 82; ДП, 272.

РАССТРЕ́Л * Зелёный расстре́л. 1. *Жарг. арест. Ирон.* Работа на лесоповале в ИТУ. Балдаев 1, 158; Р-87, 335. 2. *Жарг. шк., студ. Ирон.* Работа на уборке лука. Максимов, 155.

Расстре́л в рассро́чку. *Жарг. угол. Ирон.* Пожизненный срок наказания. Хом. 2, 286.

Расстре́л солёными огурца́ми. *Жарг. шк. Шутл.-ирон.* Вызов ученика к доске. (Запись 2003 г.).

Расстре́л тебя́ расстреля́й! *Елец. Бран.* Восклицание, выражающее досаду, раздражение, возмущение кем-л. СРНГ 34, 231.

Сухо́й расстре́л. *Жарг. арест. Ирон.* Изнурительная физическая работа в ИТУ. Балдаев 2, 67; Грачев 1992, 145.

РАССТРО́Й * Приводи́ть/ привести́ в расстро́й *кого. Разг. Устар.* Расстраивать, огорчать кого-л. Ф 2, 88.

РАССУ́ДОК * Выходи́ть/ вы́йти из рассу́дка. *Волог.* То же, что **лишиться рассудка.** СВГ 1, 93.

Лиша́ться/ лиши́ться рассу́дка. *Книжн.* Сходить с ума, становиться психически больным. ФСРЯ, 386.

В по́лном рассу́дке. *Разг.* В нормальном психическом состоянии. ФСРЯ, 386.

Меша́ться в рассу́дке. *Разг. Устар.* То же, что **лишаться рассудка.** ФСРЯ, 386.

Не во всём рассу́дке. *Арх.* О слабоумном человеке. АОС 4, 15; СРНГ 34, 235.

Тро́нуться в рассу́дке (рассу́дком). *Разг.* То же, что **лишаться рассудка.** ФСРЯ, 386.

Вы́жить из рассу́дков. *Сиб.* Потерять в старости способность здраво мыслить, рассуждать. ФСС, 35.

Вы́било из рассу́дку *кого. Арх., Сиб.* О человеке, сошедшем с ума. ФСС, 344; СРНГ 5, 251.

После́днего рассу́дку. *Дон. Пренебр.* О глупом человеке. СРНГ 30, 176.

Сбива́ться/ сби́ться с рассу́дку. *Кар.* То же, что **лишаться рассудка.** СРГК 5, 642.

Рассуди́ть рассу́док. *Моск.* Посоветоваться, обсудить что-л. СРНГ 34, 235.

Растлева́ть рассу́док *кому. Разг. Устар.* Морально разлагать, развращать кого-л. Ф 2, 122.

РАСТАТУ́Р * Пойти́ на растату́р. *Краснодар. Неодобр.* Разладиться, измениться в худшую сторону (о ситуации, делах, планах). СРНГ 34, 248.

Взять на растату́ры *кого. Сиб.* 1. Отругать, отчитать кого-л. 2. Начать активно расспрашивать кого-л. о чём-л. СРНГ 34, 248.

Го́ден на все растату́ры. *Костром.* 1. Об очень способном, талантливом человеке. 2. О человеке, способном как на хорошие, так и на дурные поступки. СРНГ 34, 248.

Гуля́ть на все растату́ры. *Костром.* Веселиться, праздновать, отмечать что-л. с размахом, тратя на это много средств. СРНГ 34, 249.

РАСТАТУ́РА * Сде́лать на растату́ру *кому. Прибайк.* Разобщить, рассорить, довести до разлада. СНФП, 111. < **Растатура** – беспорядок, неразбериха.

РАСТВОРИ́ТЬ * Раствори́ть да не замеси́ть. *Перм. Неодобр.* Начав какое-л. дело, оставить его незаконченным. СРНГ 34, 252. **Раствори́ть-то раствори́л, а замеси́ть не́чем.** *Костром. Неодобр.* То же. СРНГ 34, 253.

РАСТЕ́НИЕ * Тепли́чное расте́ние. *Разг. Шутл.-ирон.* Слабый, изнеженный, не приспособленный к жизни человек. ФСРЯ, 386; ЗС 1996, 59; БМС 1998, 489.

РАСТЕРЯ́ГА * Идти́ на растеря́гу. *Прикам.* Разрушаться, разваливаться, погибать. МФС, 42.

РАСТРА́ТА * Растра́та с кри́ком. *Жарг. угол.* Грабёж, разбойное нападение. Балдаев 2, 12; ББИ, 207; Мильяненков, 220.

РАСТИ́ТЕЛЬНОСТЬ * Расти́тельность на уша́х *у кого. Жарг. мол. Шутл.-ирон.* О глупом человеке. Максимов, 362.

РАСТЫ́РКИ * На растырка́х. *Кар.* У чужих людей, вне дома. СРГК 5, 484.

РАСТЯ́Г * Лежа́ть в растя́г. *Кар.* Лежать в постели не вставая (о больном человеке). СРГК 1, 241; СРГК 5, 485.

РАСТЯ́ЖКА * Лежать в растя́жку. *Горьк.* То же, что **в растяг (РАСТЯГ).** БалСок, 41.

РАСТЯ́ПА * Ма́мина растя́па. *Яросл. Ирон.* Об изнеженном, избалованном ребёнке. ЯОС 6, 31.

РАСХВА́Т * На оди́н расхва́т. *Кар.* О крайне малом количестве чего-л. СРГК 5, 488.

РАСХО́Д * Выводи́ть в расхо́д *кого. Разг.* Расстреливать кого-л. ФСРЯ, 387.

Идти́ в расхо́д. *Кар.* Использоваться, употребляться. СРГК 5, 489.

Попа́сть в расхо́д. *Жарг. угол.* Погибнуть, быть убитым на месте преступления. Балдаев 1, 338; ТСУЖ, 140.

Пусти́ть (списа́ть) в расхо́д. 1. *что. Волг.* Истратить без надобности (о деньгах, средствах), Глухов 1988, 136. 2. *кого. Разг.* Убить, расстрелять кого-л. ЗС 1996, 204, 506; БТС, 1249; Р-87, 77; Росси 2, 334; ТСУЖ, 167.

Сде́лать расхо́д. *Жарг. арест.* Уступить место (напр., на нарах) кому-л. Балдаев 2, 33.

В расхо́де. *Приамур.* Отделившись от родителей (жить). СРГПриам., 47.

Горловы́е расхо́ды. *Орл.* Затраты, связанные с удовлетворением насущных потребностей. СОГ 1990, 16.

РАСХО́ЖА * Де́лать/ сде́лать расхо́жу. *Прикам.* Расходиться. МФС, 32.

РАСЧЁСКА * Расчёска есть – чеши́ отсю́да! *Жарг. мол.* Требование уйти, удалиться откуда-л. Максимов, 363.

РАСЧЁТ * Брать/ взять в расчёт. *Разг.* 1. *кого.* Считаться с кем-л., учитывать чьё-л. мнение. 2. *что.* Принимать к сведению что-л. Ф 1, 40.

Потеря́ть расчёты. *Ворон.* Лишиться рассудка, сойти с ума. СРНГ 34, 313.

РАСЧЁТЧИК * Расчётчик дьявола. *Жарг. угол.* 1. Смерть. 2. Палач. Балдаев 2, 13; ББИ, 207.

РАСШИВА́НИЕ * Расша́тывание (расши́вка) у́зких мест. *Публ.* Ликвидация недостатков в слабых звеньях производственного процесса, ведения хозяйства и т. п.; устранение слабых сторон чего-л. НСЗ-70; НРЛ-81; Мокиенко 2003, 95.

РАСШИ́ВКА * Расши́вка у́зких мест. См. **Расшивание узких мест (РАСШИВАНИЕ).**

РАТА́ФИЙ * Хлеба́ть рата́фий. *Калуж. Неодобр.* Бродить без дела. СРНГ 34, 337.

РАТУ́М * Рату́м (рату́нку, [на всю] рату́ньку) кричать (выть, плакать). *Пск.* 1. Очень громко, изо всех сил кричать. 2. Громко крича призывать на помощь кого-л. Козырев, 1912; СПП 2001, 65.

РАТУ́НКА * Рату́нку крича́ть. См. **Ратум кричать (РАТУМ).**

РАТУ́НЬКА * На всю рату́ньку кричать. См. **Ратум кричать (РАТУМ).**

РА́ТУША * Ра́туша мусоро́в. *Жарг. угол. Презр.* 1. Министерство внутренних дел. 2. Здание КГБ. Балдаев 2, 13; ББИ, 207.

РАТЬ * Храбр по́сле ра́ти, как зале́з на пола́ти. *Народн. Шутл.-ирон.* О хвастливом трусливом человеке. Жиг. 1969, 226.

Вся короле́вская рать. *Разг.* О чьём-л. ближайшем окружении; о лидере и его команде. < Цитата из английской детской песенки в переводе С. Маршака «Шалтай-Болтай» (1923 г.). Дядечко 1, 125.

Желе́зная рать. *Публ. Патет.* О роботах. НРЛ-81; Мокиенко 2003, 95.

РАХУ́БА * Навести́ раху́бу (раху́бы). *Дон.* Призвать к порядку кого-л. СДГ 3, 89; СРНГ 34, 346.

Дать раху́бы (раху́ны, раху́нки) *[чему]. Дон.* Привести что-л. в надлежащий вид, в порядок. СРНГ 34, 346.

РАХУ́НА * Дать раху́ны. См. **Дать рахубы (РАХУБА).**

РАХУ́НКА * Дать раху́нки. См. **Дать рахубы (РАХУБА).**

РАЦЕ́Я * Прочита́ть раце́ю *кому. Книжн. Устар.* Произнести длинную назидательную речь. < Из речи семинаристов; **рацея** – искаж. лат. *ratio* – ‘рассуждение, доказательство; разум’ или *oratio* – ‘речь’. БМС 1998, 489.

РА́ЧКИ * Ла́зить ра́чки. *Курск.* Ползать на четвереньках. БотСан, 112.

В ра́чках. *Сиб.* В середине между сидящими или лежащими людьми. СФС, 47; СРНГ 34, 350.

На ра́чках. *Дон.* На четвереньках. СДГ 3, 89.

На ра́чки. *Дон.* На четвереньки. СДГ 3, 89.

Ста́вить/ поста́вить на ра́чки *кого.* 1. *Дон.* Наказывать кого-л. СДГ 3, 89; СРНГ 34, 350. 2. *Волг.* Покорять, подчинять себе кого-л. Глухов 1988, 154.

Станови́ться ра́чки. *Волг. Шутл.-ирон.* Сильно утомляться, уставать. Глухов 1988, 154.

Ходи́ть ра́чки. *Южн.* Двигаться назад, пятиться. СРНГ 34, 350.

РАШН * Рашн колба́шн. *Жарг. шк. Шутл.* 1. Русский язык (учебный предмет). 2. Урок русского языка. (Запись 2003 г.).

Рашн пара́шн. *Жарг. шк. Шутл.-ирон.* 1. Урок русского языка. 2. Неудовлетворительная оценка, двойка по русскому языку. ВМН 2003, 114.

РВАНЬ * Дать рва́ни (рвань) *кому. Яросл.* Побить, выпороть кого-л. ЯОС 3, 121.

Липе́товая рвань. *Кар. Бран.* О человеке, вызывающем возмущение, гнев. СРГК 3, 125.

РВАТЬ * Рвать и мета́ть. *Разг.* Раздражаться, неистовствовать в состоянии негодования, озлобленности. ФСРЯ, 387; БТС, 537; Глухов 1988, 141; Верш. 6, 90; СПП 2001, 65.

РВА́ЧКА * Дать рва́чку *кому. Влад., Волг., Яросл.* Побить, поколотить, наказать кого-л. СРНГ 7, 258; СРНГ 34, 358; Глухов 1988, 31; ЯОС 3, 121.

РЕ * Ре мажо́р. *Жарг. мол. Шутл.-одобр.* Состояние радости, блаженства. БСРЖ, 506.

Наводи́ть ре мажо́р. *Жарг. гом. Шутл.* Наводить внешний лоск, подкрашивать губы и т. п. Кз., 63; ЖЭСТ-2, 277.

Ре мино́р. *Жарг. мол. Шутл.-ирон.* Тоска, депрессия. БСРЖ, 506.

Быть в ре мино́ре. *Жарг. мол.* Испытывать состояние депрессии. БСРЖ, 506.

РЕАКТИ́В * Взрывно́й реакти́в. *Жарг. шк. Шутл.-ирон.* Слишком раздражительная учительница химии. ВМН 2003, 115.

РЕА́КЦИЯ * Цепна́я реа́кция. *Разг.* О непрекращающемся, бесконтрольном процессе вовлечения кого-л., чего-л. во что-л. БМС 1998, 489; БТС, 1462.

РЕА́Л * В реа́ле. *Жарг. мол.* На самом деле, в реальности. Вахитов 2003, 24.

РЕ́БЕЗ * До ре́безу. *Курск.* Абсолютно всё (потратить, израсходовать, употребить). СРНГ 34, 359.

Ни ре́беза́ (ни ре́безу). *Пск., Новг.* Абсолютно ничего, нисколько. НОС 10, 100; СПП 2001, 65.

РЕБЁНОК * Выгоня́ть/ вы́гнать ребёнка. *Ворон., Курск.* Делать аборт. СРНГ 34, 360; БотСан, 87.

Выжива́ть/ вы́жить ребёнка. *Сиб.* То же, что **выгонять ребёнка.** СФС, 51.

Ребёнка об пол. *Перм.* О разрыве супружеских отношений. Подюков 1989, 173.

Заму́читься ребёнком. *Кар.* Умереть при родах. СРГК 2, 161; СРГК 5, 502.

РЕБРО́ * Мо́жно рёбра пересчита́ть *[кому]. Пск. Шутл.* Об очень худом человеке. СПП 2001, 65.

Нае́сть рёбра. *Морд.* Располнеть, растолстеть. СРГМ 1986, 69.

Нalgomáть (облома́ть, перелома́ть) рёбра. 1. *[кому]. Прост.* Побить, наказать кого-л. Ф 2, 40; Мокиенко 1990, 54. 2. *Пск.* Сильно устать. СПП 2001, 65.

Пересчита́ть (посчита́ть) рёбра *кому. Прост. Шутл.* То же, что **наломать ребра.** ДП, 260; Ф 2, 198; Мокиенко 1990, 25, 60; Глухов 1988, 122, 157.

Пройти́ сквозь рёбра *кому. Пск.* Измучить, утомить кого-л., надоесть кому-л. СПП 2001, 65.

Растуды́т твою в рёбра! *Вульг.-прост. Бран.* То же, что **еби тебя в ребро!** Мокиенко, Никитина 2003, 287.

Чеса́ть рёбра *кому. Волг.* Строго наказывать, бить кого-л. Глухов 1988, 172.

На ребре́. *Новг.* О фазе луны. НОС 9, 119.

Бе́сово ребро́ игра́ет *в ком. Народн.* О человеке, совершающем неблаговидные поступки. ДП, 178.

Еби́ тебя́ (вас, его́ и пр.**) в ребро́!** *Прост. Бран.* Выражение крайнего раздражения, гнева, негодования. Мокиенко, Никитина 2003, 288.

Заде́ть за (под) девя́тое ребро́ *кого. Волг., Курск., Сиб.* Вызвать раздражение, озлобленность у кого-л.; обидеть кого-л. Глухов 1988, 47; БотСан, 95; ФСС, 76.

Насади́ть под ка́ждое ребро́ *кому. Сиб.* Жестоко расправиться с кем-л. Верш. 6, 91.

Подхвати́ть под ребро́ *кого. Горьк.* То же, что **задеть за девятое ребро.** БалСок, 50.

Ребро́ за ребро́ захо́дит *у кого. Волг., Перм., Урал.* Кому-л. очень тяжело, трудно (от напряжённой работы, душевных страданий). СРНГ 34, 362; Подюков 1989, 173; Глухов 1988, 141.

Ста́виться на ребро́. *Пск.* Угрожать, внушать страх кому-л. СПП 2001, 65.

Станови́ться ребро́м. *Пск.* Выступить против кого-л., не согласиться с чем-л. СПП 2001, 65.

Ходи́ть ребро́м. 1. *Ряз.* Модно, красиво одеваться. 2. Пребывать в весёлом настроении. СРНГ 34, 362.

Брать/ взять за рёбры *кого. Волг., Курск., Прикам.* 1. Подчинять себе кого-л. 2. Принудить кого-л. к чему-л. Глухов 1988, 5; БотСан, 96; МФС, 18.

РЁБРУШКО * Ходи́ть рёбрушком. *Нижегор., Пск., Твер., Яросл.* Важничать, зазнаваться. СРНГ 34, 363.

РЕБЯ́ТА * Выдава́ть на ребя́т *кого. Кар.* Отдавать замуж за вдовца с детьми. СРГК 1, 258.

Весёлые ребя́та. 1. *Жарг. шк. Шутл.* Отстающие ученики. Bytic, 1999-2000. 2. *Жарг. арм. Шутл.* Солдаты, готовящиеся к демобилизации. Максимов, 59. 3. *Жарг. курс. Шутл.* Курсанты 4-го курса военного училища. Максимов, 59. 5. *Жарг. мол. Шутл.* Килька в томате (консервы). Максимов, 59. < По названию кинофильма.

Голубы́е ребя́та. *Жарг. угол. Шутл.-ирон.* Работники госбезопасности. < Выражение основано на скрещении ассоциаций с цветом милицейской формы и жаргонного обозначения гомосексуалистов — **голубые**. Бен, 36.

Зубарёвы ребя́та. *Яросл. Шутл.* Зубы. ЯОС 4, 128.

РЕБЯТИ́ШКИ * Ребяти́шкам на молочи́шко. *Разг. Шутл.* Очень немного (получить, заработать); о крайне малых доходах. ФСРЯ, 253. Ср. **дети́шкам на молочи́шко**

РЕБЯ́ЧЕСТВО * Ма́лое ребя́чество. *Кар.* Раннее детство. СРГК 5, 504.

РЁВ * Реве́ть в (на) рёв. *Кар., Новг.* Громко плакать, причитать. СРГК 5, 505; НОС 9, 120.

Рёвом реве́ть. *Волг., Кар., Курск., Пск., Новг., Сиб., Яросл.* Громко плакать, рыдать. Глухов 1988, 141; СРГК 5, 505; БотСан, 112; НОС 9, 120; СПП 2001, 65; СФС, 157; СОСВ, 162; ЯОС 8, 129; Мокиенко 1990, 156. **Рёвом рыча́ть.** *Кар.* То же. СРГК 5, 598.

Хоть рёвом реви́. *Волг.* О крайне тяжёлом, безвыходном положении. Глухов 1988, 159.

На коро́вьем реву́. *Ворон.* Рано утром. СРНГ 14, 351; СРНГ 34, 366.

РЕВА́К * Дава́ть/ дать ревака́. *Алт., Новг.* Громко и долго плакать. СРГА 2-1, 11; НОС 9, 120; Сергеева 2004, 58.

РЕВА́НШ * Брать/ взять рева́нш. *Разг.* Отыгрываться, побеждать после поражения. БМС 1998, 489–490; ШЗФ 2001, 36; Ф 1, 40.

РЕ́ВЕРС * Сде́лать ре́верс. *Жарг. муз., мол. Шутл.-ирон.* О рвоте. БСРЖ, 506.

РЕВИЗО́Р * К нам е́дет ревизо́р. *Разг. Шутл.* 1. Предупреждение в связи с предстоящей проверкой. 2. О приезде важного лица. < Слова городничего из комедии Н. В. Гоголя «Ревизор» (1836 г.). Дядечко 2, 148.

РЁВКА * Дать (зада́ть) рёвку. *Влад., Дон.* Громко заплакать. СРНГ 35, 8, 10.

РЕВКО́М * Ревко́м реве́ть. *Пск.* То же, что **рёвом реветь (РЁВ)**. СПП 2001, 65.

РЕВМЯ́ * Ревмя́ реве́ть. *Дон., Перм., Сиб.* То же, что **рёвом реветь (РЁВ)**. СДГ 3, 90; Подюков 1989, 173; Мокиенко 1986, 105; СПСП, 116.

РЁВНО * Рёвно реве́ть. *Новг.* То же, что **рёвом реветь (РЁВ)**. НОС 9, 120.

РЕ́ВНОСТЬ * Ре́вность не по ра́зуму. *Книжн. Неодобр.* Чрезмерное усердие, рвение, приносящие не пользу, а вред. < Восходит к высказыванию Петра I о событиях Северной войны (1712 г.). БМС 1998, 490.

РЕВНЯ́ * Ревня́ реве́ть. *Пск.* То же, что **рёвом реветь (РЁВ)**. СПП 2001, 65.

РЕВОЛЮ́ЦИЯ * Ба́рхатная революция. *Публ., Полит.* О бескровной революции, резкой смене политической ориентации и правительства без военных конфликтов (особснно — о смене правительства в ЧССР). Лилич 200, 393-396; Мокиенко 2003, 95.

РЕВУ́Н * Пойма́ть реву́на. *Пск.* Заплакать. СПП 2001, 65.

РЁВУШКА * Рёвушкой реве́ть. *Горьк., Сиб.* То же, что **рёвом реветь (РЁВ)**. БалСок, 27; СБО-Д2, 157; Верш. 6, 93.

Рёвушку обреве́ть. *Алт.* То же, что **рёвом реветь (РЁВ)**. СРГА-4, 25.

РЁВУШКОМ * Рёвушко́м реве́ть. *Кар., Пск., Перм., Сиб.* То же, что **рёвом реветь (РЁВ)**. СРГК 3, 21; СПП 2001, 65; СГПО, 537; МФС, 85; СФС, 157.

РЕ́ДЕНЬ * В ре́день. *Сиб.* Очень редко. СРНГ 35, 15.

РЕДИ́СКА * Мочи́ть реди́ску. *Жарг. мол.* 1. *Шутл.* Бездельничать. 2. Избивать кого-л. Максимов, 256.

РЕ́ДКО * Из ре́дка в ре́дко. *Сиб.* Очень редко. Верш. 6, 96.

Ре́дко на ре́дко. *Орл.* То же, что **из редка в редко**. СРНГ 35, 19.

РЕ́ДКОСТЬ * Изре́дка в ре́дкость. *Пск.* Очень редко. СПП 2001, 65.

Музе́йная ре́дкость. *Разг. Шутл.-ирон.* Что-л. устаревшее, вышедшее из употребления, не имеющее практического применения. РАФС, 411; ФСРЯ, 388.

На ре́дкость. *Разг.* 1. Исключительно, в высшей степени. 2. О чём-л. исключительно качественном, отличном. ФСРЯ, 388.

РЕ́ДЧИНА * Дава́ть/ дать ре́дчину *кому. Новг.* 1. Бить, наносить удар кому-л. 2. Угощать кого-л. водкой. 3. Отказывать сватам. 4. Нарушать верность в любви. НОС 2, 73, 122; Сергеева 2004, 235.

Заби́ть ре́дчину. *Новг.* Вложить последний ком глины при постройке печи. НОС 3, 6; НОС 9, 123.

РЕ́ДЬКА * Го́рькая ре́дька. *Горьк. Неодобр.* О человеке с несносным характером. БалСок, 31.

Дря́блая ре́дька. *Вят. Бран.* О старике. СРНГ 8, 225.

Не сто́ит па́реной ре́дьки. *Морд. Пренебр.* О чём-л., не имеющем никакой ценности, никакого значения. СРГМ 2002, 143.

Поня́ть ре́дьки вкус. *Прикам.* Разобраться в чём-л., понять толк в чём-л. МФС, 79.

Надое́сть ху́же го́рькой ре́дьки. *Прост.* Очень сильно, невыносимо надость кому-л. БМС 1998, 490; БТС, 222; ФМ 2002, 378. **Напроку́теть ху́же го́рькой ре́дьки** *кому. Пск. Шутл.* То же. < **Напроку́теть** – надоесть. СПП 2001, 65.

Знать с ре́дькой де́сять. *Тамб.* Абсолютно ничего не понимать, не разбираться в чём-л. СРНГ 8, 37.

С ре́дькой де́сять. 1. *Тамб. Шутл.-ирон.* О человеке, который важничает, зазнаётся. СРНГ 35, 24. 2. *Морд. Пренебр.* О глуповатом человеке. СРГМ 1980, 20.

Сади́ть ре́дьку. *Народн. Ирон.* Приседать на ходу. ДП, 315; СРНГ 35, 24.

РЕЖИ́М * Режи́м твёрдой руки́. *Публ.* Диктаторское правление в стране. Мокиенко 2003, 95.

РЕЖИССЁР * Сам себе́ режиссёр. *Жарг. шк. Шутл.* Классная руководительница. (Запись 2003 г.). < По названию популярной телепередачи.

РЕЗЕ́РВ * Желе́зные резе́рвы. *Жарг. бизн.* Часть оборотного капитала, которая финансируется за счёт долгосрочных средств. БС, 65.

РЕЗЕ́Ц * Вы́йти из-под резца́ *чьего. Разг.* Быть вылепленным, высеченным кем-л. (о произведении скульптора). ФСРЯ, 93.

РЕ́ЗИКИ * Смешно́й до ре́зиков. *Коми.* Очень смешной. Кобелева, 75.

РЕЗИ́НА * Сиде́ть на рези́не. 1. *Жарг. угол.* Совершать кражи в общественном транспорте. Балдаев 2, 37. 2. *Жарг. мол.* Пользоваться презервативом. Мокиенко 1995, 89; Балдаев 2, 37.

Дать рези́ну (рези́нку) *кому. Жарг. угол.* Поздороваться с кем-л. за руку. Балдаев 1, 103; ТСУЖ, 45; ББИ, 64

Идти́ на рези́ну. *Жарг. угол.* То же, что **сидеть на резине 1**. Балдаев 1, 169.

Линя́ть в рези́ну. *Жарг. угол.* Лгать, выкручиваться, оправдываться. Балдаев 1, 227.

Сесть на рези́ну. *Жарг. мол.* Начать пользоваться презервативом. Мокиенко 1995, 89; Балдаев 2, 37.

Тяну́ть рези́ну. 1. *Разг. Неодобр.* Затягивать какое-л. дело, медлить. БМС 1998, 490; Мокиенко 1990, 107; ЗС 1996, 476; Глухов 1988, 162. 2. *Жарг. шк. Шутл.* Отвечать урок. (Запись 2003 г.).

РЕЗИ́НКА * Рези́нка от трусо́в. *Жарг. мол. Презр.* О непорядочном человеке. Максимов, 364.

Гоня́ть рези́нку. *Жарг. мол. Шутл.* Совершать половой акт. Югановы, 195.

Дать рези́нку. См. **Дать резину (РЕЗИНА).**

Жева́ть рези́нку. *Разг. Шутл.* То же, что **тянуть резину (РЕЗИНА).** БТС, 301.

РЕ́ЗКА * Сказа́ть в ре́зке. *Сиб.* Резко высказаться, резко отказать кому-л. СФС, 177.

РЕЗКО́М * Резко́м ре́зать. *Новг.* О сильной режущей боли. НОС 9, 125.

РЕ́ЗКОСТЬ * Наводи́ть/ навести́ ре́зкость. 1. *Жарг. мол.* Рассматривать что-л. 2. Щуриться. Максимов, 264.

РЕ́ЗОМ * Ре́зом ре́зать. 1. *Арх.* То же, что **резком резать (РЕЗКОМ).** 2. *Нижегор.* Уверенно, быстро, без запинки читать, говорить. СПНГ 35, 38.

РЕЗО́Н * Брать в резо́н *что.* 1. *Кар., Приамур., Сиб.* Обращать внимание на что-л., брать в расчёт что-л. СРГК 5, 511; СРГПриам., 30; ФСС, 16. 2. *Волг.* Понимать что-л., разбираться в чём-л. Глухов 1988, 5.

Дать резо́н *кому.* 1. *Дон.* Урезонить кого-л. 2. *Волг.* Помочь кому-л. понять что-л., разобраться в чём-л. Глухов 1988, 31.

Произвести́ резо́н. *Моск.* Энергично потребовать чего-л. СРНГ 35, 38.

РЕЗОНА́НС * Име́ть (вы́звать) резона́нс *[на что]*. *Книжн.* Получить ответное действие, отголосок. БМС 1998, 490; ФМ 2002, 380.

РЕЗЬБА́ * Резьба́ по ко́сти. *Жарг. мол. Шутл.* О худом, костлявом человеке. Максимов, 200.

Пойти́ не по резьбе́. *Жарг. мол.* 1. Случиться, произойти неожиданно. 2. Сойти с ума. Максимов, 336.

С ле́вой резьбо́й. *Жарг. мол. Неодобр.* 1. О глупом человеке. 2. О психически ненормальном человеке. Максимов, 220.

РЕЙ * Наговори́ть рей и ба́ню *кому. Пск.* Рассказать много небылиц, вымышленных историй. СПП 2001, 65. < **Рей** – строение для сушки снопов, овин.

РЕЙС * Баклажа́новый рейс. *Жарг. авиа. Шутл.* Полёт на юг. Максимов, 22.

Ко́жаный рейс. *Жарг. авиа. Шутл.* Рейс за границу. Максимов, 187.

РЕ́ЙТИНГ * Ре́йтинг упа́л. *Жарг. мол. Шутл.-ирон.* Об ослаблении эрекции; об импотенции. ЖЭСТ-1, 167.

РЕКА́ * Голуба́я река́. *Публ. Патет.* Поток транспортируемого по трубам газа. НРЛ-81; Мокиенко 2003, 95.

Река́ бежи́т. *Прикам.* О большом количестве чего-л. МФС, 85.

Река́ молока́! *Яросл.* Приветственное пожелание при доении коров. СРНГ 18, 236; ЯОС 8, 131.

Река́ плывёт. *Жарг. угол.* Идёт поток пассажиров. ТСУЖ, 134.

Река́ приплыла́. *Жарг. угол.* Подошёл поезд к перрону. ТСУЖ, 145.

Рукотво́рная река́. *Книжн. Патет.* 1 Канал. 2. Водовод. Новиков, 144.

По реке́ волна́ пошла́. *Жарг. угол. (волжск.).* Погоня послана. < Из жаргона волжских разбойников. Грачев 1994, 174-175.

Умере́ть на реке́. *Кар.* Утонуть. СРГК 5, 512.

Лить ре́ки река́м. *Новг.* Много плакать, горевать. Сергеева 2004, 221.

Моло́чные ре́ки и кисе́льные берега́. *Разг.* 1. Сказочное изобилие; символ достатка и благополучия. 2. Символ несбыточного, невероятного. БМС 1998, 490; ФСРЯ, 389; ЗС 1996, 183, 341; ФМ 2002, 381; БТС, 71, 554; Мокиенко 1986, 20, 215, 233.

Ни у реки́, ни у бе́рега, ни у до́му, ни у те́рема. *Прикам.* О чём-л. неопределённом. МФС, 85.

С пу́ста реки́. *Кар.* Без причины, попусту. СРГК 5, 354, 512.

За реко́й. *Якут.* На противоположной стороне улицы, дороги, комнаты и т. п. СРНГ 35, 45.

Встреча́ть реку́. *Кар.* Стоять против течения реки. СРГК 5, 512.

Ка́нуть в реку забве́ния. *Книжн.* Быть забытым, бесследно исчезнувшим. Ф 1, 231.

РЕКО́РД * Выдержать реко́рд. *Сиб.* Сохранить девственность до замужества. ФСС, 35; СРНГ 35, 46..

РЕЛИ́ГИЯ * Держа́ть рели́гию. *Дон.* Придерживаться религиозных взглядов. СДГ 1, 129.

РЕ́ЛЬСЫ * Сойти́ с ре́льсов. *Разг. Неодобр.* Нарушая обычный образ жизни, загулять, запить. ФСРЯ, 445; ФМ 2002, 383.

Соскочи́ть с ре́льсов. *Прост.* Временно утратить привычный, установившийся порядок, ход жизни, режим работы. Ф 2, 175.

Встава́ть/ встать (станови́ться/ стать) на ре́льсы. 1. *чего. Книжн.* Начинать развиваться в каком-л. направлении, каким-л. образом. ФМ 2002, 382; Ф 2, 185. 2. *Жарг. арм. Шутл.* Получить звание майора, первое из числа званий старшего офицерского состава. < По знаку различия – погоны с двумя продольными полосками (так называемыми просветами). НРЛ-83; Мокиенко 2003, 95.

Переводи́ть *что* **на ре́льсы** *чего, какие. Книжн.* Организовывать, направлять, преобразовывать что-л. определённым образом. ФСРЯ, 315; ФМ 2002, 384.

Переходи́ть/ перейти́ на ре́льсы *чего, какие. Книжн.* Принимать какой-л. новый путь, новое направление развития. ФМ 2002, 383.

РЁМ * Вы́браться из глухо́го рёму в боло́тное око́шко. *Урал.* Попасть из одной беды, сложной ситуации в другую. СРНГ 35, 51. < **Рём** – лес на болоте.

РЕМА́РКИ * Де́лать рема́рки. *Жарг. угол.* Изготавливать фальшивые деньги. Балдаев 1, 106.

РЕМБА́ЗА * Ремба́за болто́в и мохна́ток. *Жарг. угол., Разг. Вульг.* Кожновенерологический диспансер, профилакторий. УМК, 178.

РЕМЕ́ННИК * Дать реме́нник. *Пск.* То же, что **дать ремня (РЕМЕНЬ).** СПП 2001, 65.

РЕМЕ́НЬ * Завя́зывать/ завяза́ть (затя́гивать/ затяну́ть) реме́нь [поту́же]. *Разг.* Вынужденно ограничивать себя в питании, сохраняя потребление жизненно важных, необходимых продуктов. Мокиенко 2003, 96; Ф 1, 206.

Напа́рить реме́нь. *Пск.* То же, что **дать ремня (РЕМЕНЬ).** СПП 2001, 65.

Недосто́ин развяза́ть реме́нь у сапо́г его́. *Книжн.* О том, кто неизменно хуже кого-л. БМС 1998, 491.

Реме́нь пла́чет *по кому. Волг.* Кто-л. заслуживает порки, наказания. Глухов 1988, 141.

Надра́ть ремне́й на шле́и *[кому]. Волг.* Побить, выпороть кого-л. Глухов 1988, 89.

Обтеса́ть ремнём *кого. Кар.* То же, что **дать ремня.** СРГК 4, 120.

Обшива́ть ремнём подо́л *кому. Р. Урал.* Настойчиво добиваться согласия на брак, несколько раз получив отказ девушки. СРНГ 35, 54.

Погла́дить ремнём *кого. Прост. Шутл.-ирон.* То же, что **дать ремня.** Глухов 1988, 123.

Драть ремни́ *с кого. Волг., Дон.* То же, что **дать ремня.** Глухов 1988, 123; СРНГ 35, 54.

Дать ремня́ *кому. Разг.* Выпороть, наказать поркой кого-л. СПП 2001, 65.

Нажа́рить (накласть) ремня́ *кому. Кар.* То же, что **дать ремня.** СРГК 3, 318, 333.

Насы́пать ремня́ *кому. Пск.* То же, что **дать ремня.** СПП 2001, 65.

РЕМЕСЛО́ * Его́ ремесло́ водо́й унесло́. *Народн. Ирон.* О человеке, утратившем профессиональные навыки (как правило, в результате злоупотребления алкоголем). Жиг. 1969, 47.

Слеса́рное ремесло́. *Жарг. угол. Шутл.* Обворовывание квартир, квартирная кража. < Ср. **слесарь** – 'квартирный вор'. Бен, 109.

РЕМЕШО́К * Крои́ть ремешки́ из чужо́й спины́. *Разг.* Мучить, истязать кого-л. ради своей выгоды. БМС 1998, 491.

Понужа́ть ремешко́м *кого. Сиб. Ирон.* Бить ребёнка за непослушание. ФСС, 145.

Ходи́ть по ремешку́. *Волг.* Находиться в зависимом положении. Глухов 1988, 137.

Наки́нуть ремешо́к *на кого. Жарг. угол.* Задушить кого-л. Балдаев 2, 14; ББИ, 207; Мильяненков, 221.

РЕ́МКА * Держа́ть (име́ть) ре́мку *на кого. Нижегор.* Испытывать чувство неприязни к кому-л., злиться на кого-л. СРНГ 35, 57.

РЕМНЮ́ГА * Ровня́ть под одну́ ремню́гу *кого. Пск.* Уравнивать, обезличивать кого-л. СПП 2001, 65.

РЕМО́К * Трясти́ ремка́ми. *Сиб. Неодобр.* Носить рваную, грязную одежду, ходить в лохмотьях. СРНГ 35, 59.

Гря́зный ремо́к. *Арх. Бран.* О человеке, вызывающем резко отрицательные эмоции, осуждение. АОС 10, 117.

Ремо́к на ремке́. *Сиб. Пренебр.* 1. О рваной одежде. 2. О человеке, одетом в лохмотья. ФСС, 166; СОСВ, 162; СРНГ 35, 59.

РЕМО́НТ * Де́лать ремо́нт. *Жарг. гом.* Избивать, грабить гомосексуалиста. Кз., 63; ЖЭСТ-2, 279.

Приходи́ть де́лать ремо́нт вме́сте со свои́ми гвоздя́ми. *Жарг. нарк.* Приходить куда-л. курить наркотики со своими сигаретами. ССВ-2000.

РЕ́МУС * Взять за ре́мус *кого. Смол.* Оказать давление на кого-л., принудить кого-л. к чему-л. СРНГ 35, 61.

РЕ́НКА (РЁНКА) * Гнать (держа́ть, име́ть, сгоня́ть) ре́нку *на ком, на кого. Ворон., Калуж., Орл., Пск.* 1. Сердиться на кого-л. 2. Мстить кому-л. за что-л. СРНГ35, 46, 65; СПП 2001, 65.

РЕ́НТА * Снима́ть/ снять ре́нту *с чего. Публ.* Получать с чего-л. доход. Мокиенко 2003, 96.

РЕ́ПА * Едрёна (ядрёна) ре́па! *Прост. обл. Шутл.* 1. *Бран.* Выражение лёгкого недовольства, досады, раздражения. 2. *Одобр.* Восклицание удивления, восхищения, похвалы. Мокиенко, Никитина 2003, 288.

Колю́чая ре́па. *Кар.* Растение чертополох. СРГК 5, 515.

Коро́вья ре́па. *Кар.* Растение турнепс. СРГК 5, 515.

Ни ре́па ни мя́со. *Пск. Неодобр.* О чём-л. посредственном, неопределённом. СПП 2001, 65.

Ре́па на голове́ вы́растет *у кого. Волг. Пренебр.* О неопрятном, неряшливом человеке. Глухов 1988, 19.

Дать по ре́пе *кому. Жарг. мол.* Избить кого-л. Митрофанов, Никитина, 179.

Получи́ть по ре́пе. *Жарг. мол.* Подвергнуться избиению. Митрофанов, Никитина, 180; Никольский, 121.

Дава́ть/ дать в ре́пу *кому. Жарг. мол.* Ударить кого-л. по лицу. Никитина 1998, 182.

Залива́ть/ зали́ть ре́пу. *Жарг. мол.* Пить спиртное. Максимов, 144.

Мо́рщить ре́пу. *Жарг. угол., мол. Шутл.-ирон.* 1. Хмуриться, проявлять недовольство. 2. Думать, соображать. ББИ, 143; Балдаев 2, 144.

Накати́ть (начи́стить) ре́пу *кому. Жарг. угол.* Ударить в лицо, по лицу кого-л. Елистратов 1994, 404.

На свою́ ре́пу. *Жарг. мол. Шутл.-ирон.* Себе во вред. Супер 2003, № 7.

Па́рить ре́пу. *Жарг. мол. Шутл.* 1. Делать паровую ванночку для лица. Елистратов 1994, 404. 2. *кому.* Лгать, обманывать кого-л. БСРЖ, 508.

Плю́щить ре́пу. *Жарг. мол. Шутл.-ирон.* Спать. БСРЖ, 508.

Се́ять ре́пу. *Вят. Шутл.* О рвоте. СРНГ 35, 66.

Хоть ре́пу сади́ (сей). *Волг., Перм. Шутл.* То же, что **репа на голове вырастет.** Глухов 1988, 169; Подюков 1989, 180.

Сплю́щить ре́пу. *Жарг. арм., курс. Шутл.* Заснуть (как правило — на занятиях). Кор., 270.

Тяну́ть ре́пу. *Жарг. мол., крим. Неодобр.* Медлить с чем-л., затягивать выполнение какого-л. дела. БСРЖ, 508.

Чеса́ть/ почеса́ть ре́пу. *Жарг. угол., мол. Шутл.* Задуматься над чем-л., обдумать что-л. Балдаев 2, 144; Югановы, 195.

Деше́вле па́реной ре́пы. *Разг.* О чём-л. очень дешёвом. ФСРЯ, 389; ФМ 2002, 384; ЗС 1996, 149; БТС, 256, 781.

Мя́гче па́реной ре́пы. *Волг.* О добром, податливом, незлобивом человеке. Глухов 1988, 86.

Про́ще па́реной ре́пы. *Разг.* О чём-л. очень простом, несложном. ФСРЯ, 389; Жиг. 1969, 291; БМС 1998, 491; ФМ 2002, 385; Мокиенко 1986, 54; ЗС 1996, 114, 337.

РЕПЕ́Й * Влепи́ть репья́ *кому. Новг.* Наказать кого-л. НОС 1, 129; Мокиенко 1990, 142.

РЕПЕТИ́ЦИЯ * Генера́льная репети́ция. *Разг.* Последняя проверка готовности перед каким-л. решающим делом. БМС 1998, 491.

РЕ́ПКА * Из ре́пки не вы́резать. *Волог.* Об очень похожих людях, лицах. СРНГ 35, 70.

Пойти́ хоть в ре́пки. *Новг.* Доказать кому-л. что-л. НОС 9, 136.

Хоть ре́пку пой. *Дон., Сиб.* О крайне затруднительном положении. СДГ 3, 11; ФСС, 141.

РЕПОРТА́Ж * Репорта́ж мёртвого корреспонде́нта. *Жарг. шк. Шутл.-ирон.* То же, что **репортаж с петлей на шее.** ВМН 2003, 115.

Репорта́ж с петлей на ше́е. *Жарг. шк. Шутл.-ирон.* 1. Ответ ученика у доски. ВМН 2003, 115. 2. Экзамен. Максимов, 364. < По названию книги чешского публициста Ю. Фучика.

РЕПРОДУ́КТОР * Ржа́вый репроду́ктор. *Жарг. мол. Пренебр.* Рот. Максимов, 364.

РЕПУТА́ЦИЯ * Подмо́ченная репута́ция. *Разг.* Отрицательное, неблагоприятное общественное мнение о человеке, известном чем-л. предосудительным. БМС 1998, 491.

РЕ́ПУШКА * Хоть ре́пушку пой. *Волг.* То же, что **хоть репку пой (РЕПКА).** Глухов 1988, 169.

РЕСНИ́ЦА * Наступи́ть на ресни́цы *кому. Жарг. мол. Шутл.-ирон.* Уличить кого-л. во лжи. Вахитов 2003, 109.

РЕСПЕ́КТ (РЕШПЕ́КТ) * Держа́ть в respе́кте (в решпе́кте) *кого.* 1. *Книжн. Устар.* 1. Заставлять себя уважать, вызывать почтение к себе. РКФС, 475. 2. *Разг. Устар.* Уважать кого-л. Ф 1, 158.

РЕСПУ́БЛИКА * Бана́новая респу́блика. *Публ.* О некоторых государствах Центральной Америки, ставших в результате политики США сельскохозяйственным придатком последних. НРЛ-79; Мокиенко 2003, 96.

РЕССО́РЫ * Рессо́ры горя́т *[у кого]. Мол. Шутл.-ирон.* О жажде при похмелье. БСРЖ, 509.

РЕСТОРА́Н * Зелёный рестора́н. *Жарг. мол. Шутл.* Пьянка на природе, пикник. Максимов, 155.

Рестора́н кита́йской ку́хни. *Жарг. шк. Шутл.-ирон.* Школьная столовая. ВМН 2003, 115; Никитина 2003а, 7.

Рестора́н «Плаку́чая и́ва». *Жарг. шк. Шутл.-ирон.* То же, что **ресторан китайской кухни.** Максимов, 365.

РЕТУ́Н * Крича́ть, (выть, пла́кать) ретуна́ (рету́нгу, в рету́нку, рету́ньки). *Пск.* 1. Очень громко, изо всех сил кричать. 2. Громко крича призывать на помощь кого-л. Козырев, 1912; СПП 2001, 65.

РЕТУ́НГА * Выть в рету́нгу. См. **Кричать ретуна (РЕТУН).**

РЕТУ́НКА * Пла́кать в рету́нку. См. **Кричать ретуна (РЕТУН).**

РЕТУ́НЬКИ * Крича́ть рету́ньки. См. **Кричать ретуна (РЕТУН).**

РЕЦЕ́ПТ * Прописа́ть реце́пт *кому. Жарг. мол.* Избить кого-л. Максимов, 347.

РЕ́ЧКА * Вися́чая ре́чка. *Р. Урал.* Радуга. СРНГ 35, 82.

За ре́чкой. *Жарг. угол.* Далеко от дома. ТСУЖ, 66.

Перее́дет ре́чку на языке́. *Волг. Шутл.* Об очень болтливом человеке. Глухов 1988, 122.

РЕЧЬ * Не приста́ть к реча́м *чьим. Олон.* Не обращать внимания на чьи-л. слова, не слушать кого-л. СРНГ 31, 404.

Реча́ми тих, да се́рдцем лих. *Народн. Неодобр.* О двуличном человеке, подхалиме. Жиг. 1969, 221.

Меша́ться в реча́х. *Курск.* Путаться, запинаться, заговариваться. БотСан, 86, 101.

Вышиба́ться из рече́й. *Печ.* Временно терять способность говорить, терять дар речи. СРНГ 35, 84.

Не найти́ рече́й. *Сиб., Яросл.* Потерять способность говорить (от смущения, растерянности); молчать, не суметь ответить кому-л.; не суметь повести разговор на какую-л. тему, в каком-л. русле. СФС, 158; ЯОС 8, 132; ФСС, 118.

Благонаме́ренные ре́чи. *Книжн. Ирон.* О высказываниях, согласующихся с политикой правящих кругов. < Заглавие сборника сатирических очерков (1872–1876) М. Е. Салтыкова-Щедрина. БМС 1998, 491.

Лови́ть ре́чи. *Орл.* 1. Внимательно слушать говорящего. 2. Запоминать содержание разговора. 3. Записывать содержание разговора. СОГ-1994, 58.

Не принима́ть к ре́чи *кого, что. Кар.* Не иметь желания разговаривать с кем-л., говорить о чём-л. СРГК 5, 175.

Не пристава́ть к ре́чи. *Пск.* Молчать. (Запись 1998 г.).

Отобра́ть ре́чи *у кого. Яросл.* Потребовать объяснений у кого-л. ЯОС 8, 132.

Ре́чи са́харные, а за па́зухой ка́мень *у кого. Народн. Неодобр.* О подхалиме. Жиг. 1969, 221.

Ста́виться на ре́чи. *Олон.* Вступать в разговор с кем-л. СРНГ 35, 84.

Твои́ бы ре́чи да Бо́гу в у́ши. *Народн.* Ответная реплика на добрые пожелания и предсказания. ДП, 55, 751.

Ввести́ в речь *кого. Сиб.* Вовлечь кого-л. в разговор. ФСС, 23.

Води́ть речь (ре́чи). *Арх.* Разговаривать, обсуждать что-л. АОС 4, 158; Мокиенко 1990, 36.

Лить речь. *Кар.* Говорить много и складно. СРГК 3, 131.

Переводи́ть речь. *Ряз. Неодобр.* Лгать, распространять ложные слухи, сплетни. СРНГ 35, 84.

Разводи́ть/ развести́ речь. *Яросл.* То же, что **водить речь.** ЯОС 8, 132.

Речь кру́то живёт *у кого. Помор.* О человеке, с большим трудом говорящем по-русски. СРНГ 15, 329.

Родна́я речь. *Ирон.* 1. *Разг.* Мат, нецензурная брань. Мокиенко 1995, 89. 2. *Жарг. угол.* Воровской жаргон. Балдаев 2, 18; УМК, 178; ББИ, 211.

РЕША́ЛКА * Бурли́ть реша́лкой. *Жарг. мол.* Интенсивно думать над чем-л. Елистратов 1994, 405.

РЕШЕНО́ * Решено́ и подпи́сано. *Разг.* Окончательно принято, не подлежит пересмотру и изменению. ФСРЯ, 389.

РЕШЕТО́ * В решете́ не вы́сеешь *кого. Прикам.* О человеке, с присутствием которого приходится мириться. МФС, 23.

Держа́ться на решете́. *Кар. Шутл.-ирон.* Жить очень бедно. СРГК 5, 522.

Пи́сано на решете́ с подкла́дкой полоте́нца. *Народн. Шутл.-ирон.* Неразборчиво. ДП, 420.

Класть в решето́. *Пск.* Хранить, копить (деньги). ПОС 14, 172.

При́было решето́ *чего. Кар.* О резком увеличении чего-л. СРГК 5, 522.

Пройти́ сквозь решето́ и си́то. *Волг.* Приобрести опыт, многое испытать в жизни. Глухов 1988, 136.

У́было решето́ *чего. Кар.* О резком уменьшении чего-л. СРГК 5, 522.

Не оки́нуть решето́м *чего. Новг.* О большом количестве чего-л. ЗС 1996, 165.

Решето́м в воде́ звёзд лови́ть. *Народн. Ирон.* Выполнять крайне непроизводительную, ненужную, напрасную работу. ДП, 453.

Се́ять решето́м. *Юго-Зап. Шутл.* Проявлять скупость. СРНГ 35, 90.

РЕШЁТОЧКА * В решёточку. *Кар.* С редким переплетением нитей (о ткани). СРГК 5, 522.

РЕ́ШКА * Навести́ ре́шку. 1. *Волг.* Испортить, уничтожить что-л. Глухов 1988, 87. 2. *Перм.* Убить, погубить кого-л. Подюков 1989, 122.

Хоть в ре́шку игра́й. *Сиб. Шутл.* О просторном, пустом, свободном месте. СРНГ 35, 91.

РЖА́ВЧИНА * Слить ржа́вчину. *Жарг. мол. Шутл.* Сходить в туалет, помочиться. Максимов, 365.

РИБА́НЬЕ * Трясти́ риба́ньем. *Кар. Пренебр.* Ходить в старой, поношенной одежде; плохо, небрежно одеваться. СРГК 5, 526.

РИ́БУШКА * Ри́бушка на ри́бушке. *Кар. Пренебр.* 1. О старой, поношенной одежде. 2. О человеке, одетом неряшливо, небрежно. СРГК 5, 527.

РИ́ГА * Ри́га сгоре́ла *у кого. Новг.* Об измене в любви. НОС 10, 30; Сергеева 2004, 239.

Е́хать / пое́хать (съе́здить, звони́ть) в Ри́гу [че́рез Го́рловку]. *Разг. Шутл.* О приступе рвоты. ФСРЯ, 389; БМС

1998, 492; Вахитов 2003, 176; Максимов, 154.

Сыгра́ть в Ри́гу. *Жарг. мол. Шутл.* То же, что **съездить в Ригу.** Вахитов 2003, 176.

РИГОЛЕ́ТТО * Игра́ть/ сыгра́ть риголе́тто. *Жарг. мол. Шутл.* О рвоте. Вахитов 2003, 176; Максимов, 160.

РИ́ЗА * Ри́за нетле́нная. *Кар. Пренебр.* О неряшливом, плохо одетом человеке. СРГК 5, 529.

Раздира́ть (изодра́ть) на себе́ ри́зы. *Книжн. Ирон.* Впадать в крайнее отчаяние, выражать глубокое огорчение. Ф 1, 222; Ф 2, 115.

РИКОШЕ́Т * Де́лать рикоше́та. *Арх.* Добиваться каких-л. выгод. СРНГ 35, 103.

Стро́ить рикоше́ты. *Р. Урал.* Шутить, проказничать. СРНГ 35, 102.

РИМ * Быть в Ри́ме и не ви́деть па́пы. *Книжн.* Не видеть самого главного где-л., в чём-л. БМС 1998, 492.

РИ́НГО * Ри́нго Ста́лин. *Жарг. мол. Шутл.* Ринго Стар, ударник рок-группы «Битлз». ЖЭМТ, 23.

РИ́О * Лы́сый Ри́о. *Жарг. мол. Шутл.* Поп-группа «Лос дель Рио» (Los del Rio). Я — молодой, 1997, № 24.

РИП * За одни́м ри́пом. *Кубан.* Сразу, за один приём. СРНГ 35, 103.

На рипу́. *Брян.* О чём-л. скрипящем. СРНГ 35, 103.

РИС * Ко́нский рис. *Жарг. лаг. Шутл.* Овсяная каша. Р-87, 166.

РИСК * Брать на риск. *Сиб.* Рисковать. ФСС, 16.

Риск взял *кого. Дон.* О появлении какого-л. желания у кого-л. СРНГ 35, 105.

РИСО́ВКА * Бить тупы́е рисо́вки. *Жарг. мол. Неодобр.* То же, что **строить рисовки.** Максимов, 34.

Стро́ить рисо́вки. *Жарг. мол.* Стараться вызвать интерес к себе, показать себя с выгодной стороны, рисоваться перед кем-л. БСРЖ, 510.

РИ́ФМА * Брать/ взять в ри́фму *кого. Жарг. угол., мил.* Проводить опознание по приметам; опознавать кого-л. Балдаев 1, 44; ББИ, 33, 43; ТСУЖ, 31.

РИ́ЧАРД * Ри́чард Льви́ное се́рдце. *Жарг. шк. Шутл.* Учитель английского языка. (Запись 2003 г.).

РО́БА * Вби́ться в ро́бу. *Жарг. угол.* Одеться. СРВС 4, 164. < От франц. арготического *robe* - одежда каторжника (Ларин Б.А.). Грачев 1997, 74. Общее значение французского слова – ‘платье, одежда’, ‘тога’, ‘судейская мантия‘ и т. п.

РОБИНЗО́Н * Святы́е Робинзо́ны. *Жарг. комп.* Фирма Santa Cruz Operation. Садошенко, 1996.

РО́ВЕНЬ * Опусти́ть свой ро́вень. *Новг.* Остаться холостым или незамужней. НОС 7, 14.

РОВЕ́СНИЦА * В рове́сницу *кому. Кар.* Вровень, на одном уровне с кем-л. СРГК 5, 534.

РОГ * Амалте́ин (Амалфе́ин) рог. *Книжн.* То же, что **рог изобилия.** < Калька с греческого. БМС 1998, 492.

Гнуть/ согну́ть в бара́ний рог *кого. Разг.* Смирять, подчинять себе кого-л. строгостью, притеснением. ФСРЯ, 389; БМС 1998, 492; Ф 2, 161; БТС, 212.

Гнуть в кози́ный рог *кого. Смол.* То же, что **гнуть в бараний рог.** СРНГ 14, 65.

Засо́хнуть в ту́рий рог. *Кар.* Сильно похудеть. СРГК 5, 536.

Навари́ть рог. *Пск. Шутл.* Упав, больно удариться. СПП 2001, 65.

Не в рог и лить *что. Кар.* О том, чего нужно не очень много. СРГК 3, 131.

Рог зо́ны. *Жарг. арест.* Активный заключённый-общественник; начальник рабочей группы в лагере, ИТУ; председатель совета воспитателей в воспитательно-трудовой колонии. Грачев 1992, 146.

Рог изоби́лия. *Книжн.* О богатстве, изобилии чего-л. < Калька с лат. *cornu copiae.* БМС, 492; Мокиенко 1989, 212.

Рог к ро́гу. *Дон.* О большой скученности, тесноте. СДГ 3, 94; СРНГ 35, 118.

Рог с ро́гом. *Дон.* То же, что **рог к рогу.** СДГ 3, 94; СРНГ 35, 118.

Свело́ в бара́ний рог *кого. Новг.* О сильно похудевшем больном человеке. Сергеева 2004, 194.

Сгина́ть в ко́зий (кози́ный) рог *кого. Волг.* То же, что **гнуть в бараний рог.** Глухов 1988, 146.

Скру́тить в бара́ний рог *кого.* 1. *Прост.* То же, что **гнуть/ согнуть в бараний рог.** БТС, 59; Ф 2, 161; ЗС 1996, 230. 2. *Пск.* Сильно избить кого-л. СПП 2001, 65.

Согну́ться (скрути́ться) в бара́ний рог. *Пск.* Заболеть, обессилеть от болезни. СПП 2001, 65.

Ввести́ (пусти́ть) в рога́ *что. Олон.* Продать, обменять, пустить в оборот что-л. СРНГ 35, 117.

Воткну́ть рога́ в зе́млю. *Сиб.* Умереть. СОСВ, 163.

Встава́ть/ встать на рога́. 1. *Прост.* Резко выражать свое несогласие, протест, возмущение. НСЗ-80; Мокиенко 2003, 97. 2. *Жарг. мол.* Испытывать сильное удивление. Максимов, 72.

Загоня́ть / загна́ть в ко́зьи рога́ *кого. Волг.* Ставить в неловкое, безвыходное положение кого-л. Глухов 1988, 46.

Заломи́ть рога́. *Жарг. угол. Ирон.* Бежать, убегать в страхе. Балдаев 1, 144; ТСУЖ, 63.

Замочи́ть рога́. *Жарг. угол. Неодобр.* 1. Попасть в неприятную ситуацию. 2. Скомпрометировать себя, потерять авторитет. Балдаев 1, 146; ТСУЖ, 64; ББИ, 210; Мильяненков, 221.

За рога́ – и в сто́йло на уко́л. *Жарг. мол. Шутл.* О приглашении девушек к половому контакту. Максимов, 336.

Идти́/ пойти́ на рога́. 1. *Горьк.* Враждовать с кем-л. БалСок, 37. 2. *Волг.* Смело, решительно вступать в борьбу с кем-л. Глухов 1988, 56.

Мочи́ть рога́. *Жарг. арест.* 1. Отбывать наказание в ИТУ. ТСУЖ, 109; h-98; Балдаев, 257. 2. *Пренебр.* Добросовестно работать в ИТУ. Балдаев, 257. 3. Совершать побег, скрываться. Балдаев, 257.

Лезть на рога́. *Новг., Ряз.* То же, что **лезть на рожон (РОЖОН).** ДС, 489; СРНГ 16, 340; НОС 5, 15.

Лома́ть / полома́ть (сшиби́ть) рога́ *кому. Жарг. угол.* 1. Сильно избивать кого-л. ТСУЖ, 119, 138. // Избивать за провинность перед соучастниками. ТСУЖ, 154. 2. Запугивать, подчинять себе кого-л. Балдаев 2, 69; ТСУЖ, 119.

Наста́вить (приста́вить, прикле́ить, наде́ть) рога́ *кому. Разг. Шутл.-ирон.* 1. Изменить мужу. 2. Стать любовником чьей-л. жены. ФСРЯ, 390; БМС 1998, 493; Глухов 1988, 92; Ф 2, 93, 183; ЗС 1996, 272.

Не доста́ть ро́га. *Дон.* Об очень высоком человеке или животном. СДГ 1, 137.

Не доста́ть ро́га па́лкой. *Волг. Шутл.-ирон.* О богатом, недоступном человеке. Глухов 1988, 97.

Носи́ть рога́. *Прост. Шутл.-ирон.* Быть обманутым (о муже, которому изменила жена). Мокиенко, Никитина 2003, 288; Ф 1, 335.

Обла́мывать/ облома́ть рога́ *кому.* 1. *Разг.* То же, что **гнуть в бараний рог.** ФСРЯ, 390; Ф 2, 8; ЗС 1996, 227; Глухов 1988, 114. 2. *Жарг. угол.* То же, что **ломать рога.** Балдаев 2, 69; ТСУЖ, 119.

Подпи́ливать/ подпили́ть (подре́зать) рога́ *кому. Волг.* То же, что **гнуть в бараний рог.** Глухов 1988, 126.

Пойти́ на рога́. *Новг.* Выступить против кого-л., начать сопротивляться. СРНГ 28, 362.

Посади́ть на рога́ *кого. Волг.* Строго наказать, побить кого-л. Глухов 1988, 130.

Поста́вить рога́ *кому. Новг.* То же, что **наставить рога.** НОС 8, 146.

Рога́ (рога́ми) в зе́млю. 1. *Волг., Помор., Сиб. Ирон. или Пренебр.* О человеке, находящемся в состоянии сильного алкогольного опьянения. ЖРКП, 134; Максимов, 146; СОСВ, 163; Верш. 4, 81; СРНГ 35, 118. Глухов 1988, 141. 2. *Урал, Сиб.* О воинственно настроенном, упорно настаивающем на своём человеке. СРНГ 35, 118; Верш. 6, 110.

Рога́ и копы́та. *Разг. Ирон. или Неодобр.* О ловко организованных мошеннических предприятиях. < По названию 15-й главы романа И. Ильфа и Е. Петрова «Золотой теленок» (1931 г.). БМС 1998, 492.

Рога́ на спине́ расту́т *у кого. Волг.* Об агрессивном, вздорном человеке. Глухов 1988, 141.

Рога́ не́бо протыка́ют *у кого. Жарг. мол. Ирон.* О муже, которому часто изменяет жена. Максимов, 272.

Рога́ отсо́хли *у кого. Жарг. студ. Шутл.* О состоянии усталости после занятий. Вахитов 2003, 158.

Сбива́ть рога́ *кому. Волг.* То же, что **гнуть в бараний рог.** Глухов 1988, 130, 144.

Сдать рога́ в каптёрку. *Жарг. арест., угол. Шутл.-ирон.* Прекратить спор, разговор; стать смирным. Росси 2, 341; ТСУЖ, 154; Балдаев 2, 53; Смирнов 1993, 182. < **Каптёрка** – склад (обычно огороженный) в лагере, внутри жилой зоны. Р-87, 341.

Сова́ть рога́ *во что. Жарг. угол. Неодобр.* Вмешиваться в чужие дела. Балдаев 2, 49; ББИ, 210; Мильяненков, 221.

Сшиба́ть/ сшиби́ть рога́ *кому.* 1. *Прост.* То же, что **гнуть в бараний рог.** Глухов 1988, 157; Ф 2, 198. 2. *Жарг. мол.* Избивать кого-л. Максимов, 366.

Дать (надава́ть) по рога́м *кому. Жарг. угол., мол. Ирон.* 1. Сбить спесь, проучить кого-л. Быков, 59; Балдаев 1, 103. 2. Избить кого-л. Вахитов 2003, 44, 105.

Накла́сть по рога́м *кому. Новг.* Сильно избить кого-л. НОС 5, 147.

Получи́ть по рога́м. *Жарг. мол.* Подвергнуться избиению. Вахитов 2003, 139.

Шибану́ть по рога́м. *Жарг. мол.* Выпить спиртного. Максимов, 366.

Води́ть (шевели́ть) рога́ми. *Жарг. мол. Шутл.* Пытаться разобраться в чём-л., искать ответ, решение проблемы. Максимов, 65, 366.

[Не] вписа́ться рога́ми (рогом). *Жарг. мол.* Удариться лбом обо что-л. СМЖ, 62.

Не рога́ми врос. *Прикам.* О возможности без сожаления оставить какую-л. работу, место жительства. МФС, 21.

Рога́ми в зе́млю. См. **Рога в землю.**

Рога́ми в мольбе́рт. *Жарг. худ. Шутл.* То же, что **рогами в стенку.** Максимов, 252.

Рога́ми в сте́нку. *Жарг. мол. Шутл.* Об очень пьяном человеке. Максимов, 366.

С рога́ми. *Пск. Неодобр.* О злом, привередливом человеке. СПП 2001, 65.

Упира́ться/ упере́ться рога́ми. 1. *Жарг. лаг. Ирон.* Выполнять тяжёлую физическую работу. Росси 2, 341; Быков, 172. 2. *Жарг. арест., Разг. Ирон.* Добросовестно работать на производстве. ТСУЖ, 183. 3. *Жарг. мол.* Молчать, сдерживая себя. Максимов, 440.

Шевели́ть рога́ми. 1. *Разг. Шутл.-ирон.* Быть скрытным, хитрым, не обнаруживать своих намерений. Р-87, 341. 2. *Жарг. мол. Шутл.* Думать, размышлять о чём-л. Вахитов 2003, 203.

На рога́х. *Кар.* В ссоре с кем-л. СРГК 5, 536.

Бы́ли ро́ги в торгу́. *Новг.* Что-то произошло, что-то случилось с кем-л. НОС 1, 104.

Вставля́ть /вста́вить ро́ги *кому. Пск.* 1. Бить, наказывать побоями кого-л. ПОС 5, 69. 2. Мешать, препятствовать кому-л. в чём-л. СПП 2001, 65.

Влезть в ро́ги *[кому]. Пск.* Помешать кому-л. в чём-л., расстроить чьи-л. дела. СПП 2001, 65.

Де́лать ро́ги *между кем. Пск.* Ссорить кого-л., настраивать друг против друга. СПП 2001, 65.

Наде́ть ро́ги. 1. *Волг. Дон.* Зазнаться, начать важничать, вести себя высокомерно, агрессивно. Глухов 1988, 89. 2. *кому. Дон.* Опозорить кого-л. СДГ 3, 94. 3. *кому. Дон.* То же, что **наставить рога.** СДГ 3, 94; СРНГ 35, 118.

Наки́нуть ро́ги *кому. Дон.* То же, что **надеть роги 2.** СДГ 3, 94.

Подве́сить (подста́вить) ро́ги *кому. Новг.* То же, что **наставить рога.** Сергеева 2004, 236.

Распусти́ть ро́ги. *Дон.* Рассердиться, разъяриться. СДГ 3, 85; СРНГ 34, 188.

Ро́ги сто́нут. *Жарг. мол. Шутл.* Рок-группа «Роллинг Стоунз». АиФ, 1999, № 25.

Сбива́ть /сбить ро́ги. См. **Сбивать рожки (РОЖКИ).**

Не доста́ть ро́гом. *Дон.* 1. О человеке, живущем в большом достатке. 2. О недоступном человеке. СДГ 3, 94; СРНГ 35, 118.

Пере́ть (паха́ть) ро́гом. *Жарг. арест., мол. Ирон.* 1. Стараться, добросовестно работать. ТСУЖ, 131; Балдаев 2, 16; ББИ, 210; Мильяненков, 221. 2. Сопротивляться. Балдаев 2, 16; ББИ, 210; Мильяненков, 221.

Пойти́ ро́гом в зе́млю. *Кар.* Исчезнуть, пропасть. СРГК 5, 563.

Упира́ться / упере́ться ро́гом. 1. *Перм.* Напряжённо работать. Подюков 1989, 216. 2. *Жарг. мол. Ирон.* Проявлять упрямство, не соглашаться с кем-л. Елистратов 1994, 406.

Шевели́ть (шеруди́ть) ро́гом (рога́ми). *Жарг. угол., мол. Шутл.* 1. Действовать в личных интересах запретным путём; быть себе на уме. Быков, 172. // Действовать в обход закона. ТСУЖ, 200; Росси 2, 341; Балдаев 2, 16; ББИ, 210; Мильяненков, 221. 2. Думать, соображать. Балдаев 2, 16; ББИ, 210.

РОГА́ТКА * Ста́вить рога́тки *кому, чему. Разг.* Намеренно мешать, чинить препятствия кому-л., чему-л. БМС 1998, 493; Ф 2, 183.

Дава́ть / да́ть рога́тку *кому. Пск.* 1. Отказывать жениху. Ивашко, 1979. 2. Изменять в любви кому-л. СПП 2001, 65.

Получи́ть рога́тку. *Пск.* Узнать об измене любимой девушки. СПП 2001, 65.

РОГА́Ч * Рога́ч беспреде́льный. *Жарг. угол.* Злостный хулиган. УМК, 179; Балдаев 2, 17; ББИ, 210.

Дава́ть /да́ть рогача́ *кому. Ворон.* Строго накывазать кого-л. СРНГ 35, 123; Мокиенко 1990, 49.

РОГО́ЖА * Трёпаная рого́жа. *Жарг. угол.* Опустившаяся проститутка. УМК, 179; Балдаев 2, 17; ББИ, 210.

РОГО́ЖКА * Рого́жка за хвост *кому! Р. Урал.* Недоброе пожелание ушедшему. СРНГ 35, 125.

Печь рогóжки. *Жарг. крим.* Подделывать документы. Хом. 2, 158.

РÓГОЗА * Рóгозы разводúть. *Пск. Неодобр.* Сплетничать. СПП 2001, 65.

РОД * Давáть род. *Одесск.* Плодоносить. КСРГО.

Паýтчий род. *Забайк. Презр.* 1. Об эксплуататорах (в воспоминаниях о дореволюционном периоде). 2. О священниках. 3. О грабителях, ворах. СРНГ 25, 284; СРГЗ, 258. < **Паут** – овод.

Ни рóда ни порóды. *Пск.* 1. *[у кого].* Об отсутствии родственников у кого-л. 2. *Неодобр.* Об опустившемся, никчёмном человеке. СПП 2001, 65.

От рóда (рóду) жúзни. 1. *Дон.* С рождения, с детских лет. СДГ 3, 95. 2. *Волг.* Всегда. Глухов 1988, 120. 3. *Дон.* Никогда. СДГ 3, 95.

С рóда вон. *Пск.* Об очень дальнем родственнике, родстве. СПП 2001, 65.

В нéкотором рóде. *Разг.* В определённой степени, в том или ином отношении. ФСРЯ, 390.

Богáтых родóв. *Дон.* Богатый, родом из богатой семьи. СДГ 3, 95.

Нáших родóв. *Дон.* Родственник. СДГ 3, 95.

От родóв рóда. *Перм., Сиб.* Никогда. Подюков 1989, 175; СФС, 135.

Кля́сться [и] рóдом и плóдом. *Сиб.* Давать зарок. ФСС, 94; Мокиенко 1986, 152; СРНГ 35, 130; СФС, 89.

Такúм рóдом. *Сиб.* Так, таким образом. СФС, 185.

Без рóду, без порóду. *Волг.* То же, что **ни роду ни племени.** Глухов 1988, 2.

Без рóду и плéмени. *Разг.* То же, что **ни роду ни племени.** ФСРЯ, 390; Мокиенко 1986, 150.

В родý мéста не постáвить. *Ряз.* Сквернословить, сильно браниться. ДС, 292.

Из-под рóду вон. *Кар.* Резко, грубо (выругать, отчитать кого-л.). СРГК 5, 543.

На родý напúсано. *Народн.* О предопределенности в судьбе. БМС 1998, 493; ДП, 57; ФМ 2002, 386.

Ни рóду ни плéмени. *Разг.* О человеке без родины, без родственных связей; об одиноком человеке. ФСРЯ, 391; БМС 1998, 493; ДП, 359; СРГК 1, 52; Мокиенко 1986, 150.

Ни рóду ни плóду. *Волг., Сиб.* То же, что **ни роду ни племени.** Глухов 1988, 110; СФС, 127; СРНГ 21, 214; СРНГ 35, 130.

От рóду родя́щего (обычно – с отриц.). *Пск.* То же, что **от родов рода.** СПП 2001, 65.

С рóду родéнского (родúнного, рóдского). *Пск.* 1. С давних пор, издавна. 2. (обычно с отриц.). То же, что **от родов рода.** СПП 2001, 65.

С рóду родóв. *Пск., Сиб.* Всегда; от рождения. СФС, 178; СПП 2001, 65.

РОДÚЛКА * Снять родúлку [да сушúть повéсить]. *Прост. обл. Шутл.* Потерять способность рожать (о женщине). < **Родилка** – женские детородные органы. Мокиенко, Никитина 2003, 289.

РОДÚМЕЦ * Кой родúмец? *Диал.* Зачем, для чего? Мокиенко 1986, 179.

Родúмец взял (хватúл) *кого. Дон.* О состоянии припадка. СДГ 3, 95.

Родúмец несёт *кого куда. Тамб. Неодобр.* Кто-л. идёт, приходит не вовремя. СРНГ 35, 133.

Родúмец сидúт *в ком. Волг. Неодобр.* О неуравновешенном, непоседливом человеке. Глухов 1988, 141.

Родúмец тебя́ (егó и т. п.) поднимú (подхватú, расшибú, сломáй)! *Ряз., Сиб., Яросл. Бран.* Восклицание, выражающее досаду, возмущение, негодование. ДС, 490; СРНГ 28, 230; ЯОС 8, 135.

Подсевáть родúмцами. *Смол. Неодобр.* Сквернословить, сильно браниться. СРНГ 28, 175.

< **Родúмец** – 1. Эпилепсия. 2. Нечистая сила, чёрт.

РОДÚМИЦА * Родúмица тебя́ (егó и т. п.) уходú! *Сиб. Бран.* То же, что **родимец тебя подними!** СБО-Д2, 161.

РÓДИНА * Вернýть на рóдину *что. Жарг. мол. Шутл.* Отдать, возвратить какую-л. вещь хозяину. Максимов, 58.

Онú срáжались за рóдину. *Жарг. арм. Шутл.* О солдатах на занятиях по тактике. Максимов, 287.

С чегó начинáется рóдина. *Разг. Шутл.-ирон.* 1. О водке (сопровождающей многие стороны русской жизни). Мокиенко 2003, 97. 2. Тюрьма № 1 в Ленинграде–Санкт-Петербурге (Арсенальная наб., 1). Синдаловский, 2002, 161. < Название и рефрен патриотической песни из популярного советского фильма «Щит и меч» (70-е гг.).

И спать охóта, и рóдину жáлко. *Жарг. арм. Шутл.-ирон.* О смене наряда, караула. БСРЖ, 511.

Порá собирáться на рóдину *кому. Новг. Ирон.* О человеке, близком к смерти. Сергеева 2004, 195.

Вдалú от рóдины. *Шутл.-ирон.* 1. *Шк.* Об ученике, отвечающем у доски. Максимов, 56. 2. *Шк.* Об ученике в кабинете директора. Bytic, 1999-2000. 3. *Студ.* О студенте в деканате. Максимов, 56.

РÓДИНКА * Потеря́ть рóдинку. *Перм. Шутл.* Утратить способность к деторождению. Подюков 1989, 190.

РОДИÓН * Родиóн родúт. *Яросл.* О чём-л., дающем прибыль, прирост. ЯОС 8, 135.

РОДИÓНОВНА * Ядрёна Родиóновна, Пýшкина мать! *Жарг. мол. Бран.* Выражение негодования, раздражения. Sleng-99.

РОДÚТЕЛЬ * Чужúми мя́гкими своúх родúтелей поминáть. *Сиб. Ирон.* Делать что-л. на средства других, за чужой счёт. ФСС, 145; СРНГ 29, 214.

Большúе родúтели. *Брян.* День поминовения умерших. СБГ 1, 70.

Писáть к родúтелям [о скóрой встрéче]. *Разг. Устар. Ирон.* Готовиться к смерти. Ф 2, 46.

Родúтелям глáзы опáхивать. *Пск. Ирон.* Висеть низко над землёй, задевать землю (о белье на верёвке). < В Троицу принято берёзовым веником обметать могилы родителей. СПП 2001, 65.

РОДÚТЬ * Хоть родú да подáй. *Волг.* О настойчивом требовании, просьбе. Глухов 1988, 169.

РОДÚТЬСЯ * Как родúлся, так и заразúлся. *Прикам. Шутл.-ирон.* О приобретении дурных наклонностей или привычек с малых лет. МФС, 86.

И родúться и годúться. *Пск. Шутл.* Странствовать, скитаться, многое испытать в жизни. СПП 2001, 65.

Родúтся не родúтся. *Сиб.* Несмотря ни на что, обязательно. СРНГ 35, 137.

РОДÚХА * Родúхе на зубóк. *Сиб.* Обычай делать подарки новорождённому. СФС, 158.

РОДНÚК * Молóчный роднúк. *Кар.* Вымя коровы. СРГК 3, 254; СРГК 5, 546.

Роднúк знáний. *Жарг. шк. Шутл.-ирон.* Учебник. ВМН 2003, 116.

Роднúк молокá! *Костром.* Благопожелание доярке во время дойки. ЖКС 2006, 191.

РÓДНО * Не рóдно и не бóльно. *Волг., Сиб.* О полном безразличии к судьбе других людей. Глухов 1988, 104.

РОДНЫ́Е * Положúть к родны́м *кого. Новг.* Похоронить кого-л. Сергеева 2004, 199.

РОДНЯ́ * Родни́ до городни́ *у кого. Пск. Шутл.* О большом количестве родственников у кого-л. СПП 2001, 65.

Води́ть/ вести́ родню́. *Кар.* 1. *с кем.* Дружить с кем-л. 2. *с чем.* Заниматься, увлекаться чем-л. СРГК 5, 547.

Далеко́ не родня́ *чему. Курск.* Совсем не подходит к чему-л. БотСан, 91.

РОДО́С * Здесь Родо́с, здесь и пры́гай! *Книжн.* Призыв сделать что-л., доказать что-л. на деле, а не на словах. < Выражение из басни Эзопа (VI в. до н. э.) «Хвастун». БМС 1998, 494.

РО́ДСТВЕННИК * Бе́дный ро́дственник. *Разг. Ирон.* О человеке, неравном кому-л. по материальному положению, состоянию или достоинствам. БТС, 64.

Бе́дные ро́дственники. *Разг. Шутл.-ирон.* Общество дружбы с народами зарубежных стран. Балдаев 1, 32.

РО́ДСТВО * Не помнящий родства. *Разг. Неодобр.* 1. Порвавший все связи с воспитавшей его средой, с родными и близкими людьми. 2. Отказавшийся от своих прежних убеждений, прошлой деятельности. 3. Относящийся с пренебрежением или безразличием к своим предшественникам, к прошлому своей родины. БМС 1998, 494.

На *чьём* **родстве́.** *Прикам.* При чьей-л. жизни, при чьей-л. памяти. МФС, 86.

РО́ЖА * Банди́тская ро́жа. *Прост.* 1. *Пренебр.* О чьей-л. очень некрасивой, преступной и свирепой физиономии. 2. *Бран.* Бандит, разбойник. Мокиенко, Никитина 2003, 289.

Кисели́чная ро́жа. *Печор. Неодобр.* Об угрюмом человеке. СРГНП 1, 312.

Ма́сляная ро́жа. *Петрогр. Шутл.* О радостном, улыбающемся человеке. СРНГ 18, 12.

Нетума́нная ро́жа. *Печор. Шутл.* О весёлом человеке. СРГНП 1, 479.

Облечи́ная ро́жа. *Перм. Пренебр.* О глупом, бестолковом человеке. СГПО, 375. < **Облеч** – глупец.

Порося́чья (свина́я) ро́жа. *Прост. Бран.* Об отвратительном, мерзком человеке. Мокиенко, Никитина 2003, 289.

Ро́жа бры́знуть (пры́снуть) хо́чет. *Волг., Сев.-Двин., Сиб. Презр.* О полном лице. Глухов 1988, 142; СРНГ 35, 146; СФС, 158.

Ро́жа – на семеро́м не объе́дешь. *Сиб. Презр.* О мясистом, очень полном лице. ФСС, 167; СФС, 158; СРНГ 35, 146.

Ро́жа про́сит кирпича́ *у кого. Прост. Пренебр.* О человеке с неприятной внешностью. Максимов, 367.

Ро́жа – хоть ре́пу сей (морко́вь сажа́й). *Народн. Ирон.* О лице с неровностями на коже. ДП, 310.

Эй, ро́жа. *Жарг. мол. Шутл.* Поп-группа «Erasure». Я — молодой, 1997, № 45.

Эта́пная ро́жа. *Жарг. арест. Презр.* Новый заключённый в местах лишения свободы. Максимов, 367.

Ни ро́жи, ни ко́жи, [ни ви́денья]. *Народн. Неодобр.* О невзрачном человеке. ДП, 310; ЗС 1996, 33.

Ко́рчить (стро́ить) ро́жи (ро́жу). *Разг.* Гримасничать, намеренно искажать лицо. Ф 1, 145, 257; Ф 2, 193.

Вы́пялить ро́жу. *Яросл.* Нарядиться, одеться напоказ. ЯОС 3, 56.

Дать в ро́жу *кому. Прост.* Избить кого-л. Мокиенко 1990, 50.

Испрохвати́ в ро́жу *кого! Сиб. Бран.* Восклицание, выражающее гнев, возмущение. ФСС, 89.

Наводи́ть ро́жу. *Волог.* То же, что **наедать рожу**. СРНГ 19, 172.

Наеда́ть/ нае́сть ро́жу. *Прост.* Полнеть. Подюков 1989, 124.

Носи́ть ро́жу. *Волог. Неодобр.* Слоняться без дела. СРНГ 21, 288.

Отвора́чивать (отверта́ть) ро́жу. *Волг.* Пренебрежительно относиться к чему-л., отказываться от чего-л. Глухов 1988, 119.

РОЖДЕ́НИЕ * От рожде́ния Госпо́дня. *Кар.* Всегда, всю жизнь. СРГК 5, 550.

РО́ЖЕН * Как ро́жен, так и заморо́жен. *Народн. Пренебр.* О глупом, бестолковом человеке. ДП, 436.

РО́ЖКИ * Брать/ взять в ро́жки *кого. Кар.* Ловить (напр., змей), прижимая рогатиной. СРГК 5, 551.

Бра́ться (хвата́ться) в ро́жки. *Волг.* Вступать в борьбу, драться с кем-л. Глухов 1988, 7, 165.

Име́ть ро́жки. *Волг.* Проявлять агрессивность. Глухов 1988, 58.

Кида́ть рожки́ *кому. Пск.* Пускать кровь, делать кровопускание кому-л. ПОС 14, 108.

Ро́жки да но́жки [оста́лись] *[от чего]. Разг. Шутл.-ирон.* Очень мало, почти ничего не осталось. БМС 1998, 494; ФСРЯ, 391; ФМ 2002, 388; Мокиенко 1990, 149; Глухов 1988, 142.

Сбива́ть /сбить ро́жки (ро́ги) *кому. Пск.* 1. В свадебном обряде: разбивать посуду, кирпичи и т. п. в доме невесты или в доме молодожёнов. 2. Пировать, праздновать на второй день свадьбы. Ивашко 1993, 1979; СРНГ 35, 153.

РОЖО́Н * Во́строго рожна́! *Влад.* Пожелание неудачи, чего-л. дурного кому-л. СРНГ 5, 150.

Идти́ проти́в рожна́. *Пск.* Сопротивляться, противостоять какой-л. большой силе. СПП 2001, 65.

Како́го рожна́? *Прост. Груб.* 1. Чего ещё (нужно, не хватает)? 2. Зачем, почему? ФСРЯ, 391; БМС 1998, 494.

На рожна́? *Ворон.* Зачем, для чего? СРНГ 35, 156.

Ни рожна́. *Прост.* Абсолютно ничего. СРНГ 21, 214; БМС 1998, 495; СРНГ 35, 156.

Пере́ть про́тив рожна́. *Прост.* То же, что **лезть на рожон 1.** ФСРЯ, 391; БМС 1998, 495; БТС, 820; Ф 2, 41, 85.

Ро́жны свали́ (завали́) *кого! Пск. Бран.* Восклицание, выражающее гнев, досаду, проклятие в чей-л. адрес. Шт., 1978.

Лезть (пере́ть) на рожо́н. 1. *Прост.* Предпринимать что-л. заведомо рискованное, обречённое на неудачу. ФМ 2002, 389; ЗС 1996, 163, 298; БТС, 821. 2. *Пск. Неодобр.* Действовать нагло, нахально. СПП 2001, 65.

На кой (на како́й) рожо́н? *Прост.* То же, что **какого рожна?** Мокиенко, Никитина 2003, 290.

Рожо́н у ры́ла *чьего. Смол.* О человеке, ничего не получившем. СРНГ 35, 156. < **Рожон** – 1. Зострённый кол. 2. Народное наименование чёрта.

РОЖЬ * Рожь дре́млет. *Кар.* О созревающем хлебе. СРГК 5, 553.

РО́ЗА * Кра́сная ро́за. *Одесск.* Сорт картофеля. КСРГО.

Обстру́ганная ро́за. *Жарг. шк. Шутл.* Добродушная, симпатичная учительница. (Запись 2003 г.).

Ро́за Шко́льникова. *Жарг. мол. Шутл.* Молодая девушка с лесбийскими наклонностями. Pulse, 2000, № 9, 9.

РО́ЗВЯЗЬ * Дать ро́звязь *кому. Влад.* Освободить кого-л. от чего-л. СРНГ 35, 160.

Сде́лать ро́звязь. *Новг.* Закончить, завершить что-л. СРНГ 35, 160.

На ро́звязях. *Сиб.* О пьяном человеке. СРНГ 35, 160.

РОЗГАЧИ́ * Вкати́ть розгаче́й *кому. Вят.* Выпороть кого-л. СРНГ 35, 160.

РО́ЗМЫСЛ * Ро́змыслу нет *у кого. Свердл.* О глупом, бестолковом человеке. СРНГ 35, 162.

РО́ЗНЫ * Лезть в ро́зны. *Пск.* Быстро полнеть, набирать вес. СПП 2001, 65.

РОЗОВИНА́ * Под розовину́. *Новг.* Светло-розовый. НОС 9, 149.

РО́ЗОЧКА * Расцвела́ ро́зочка *у кого. Жарг. угол. Шутл.* О заражении венерической болезнью. ТСУЖ, 152.

Де́лать ро́зочку *кому. Жарг. угол.* Наносить удар полуотбитой бутылкой кому-л. Быков, 61.

Купи́ть ро́зочку. *Жарг. угол. Шутл.* 1. Украсть драгоценности. Балдаев 1, 215. 2. Заразиться венерической болезнью. Балдаев 1, 215; ТСУЖ, 94; ББИ, 121.

РОЙ * Рои́ться ро́ем. *Волг.* О большом количестве людей, насекомых, мелких животных где-л. Глухов 1988, 142.

Ходи́ть ро́ем *вокруг кого. Волг. Не одобр.* Надоедливо приставать к кому-л. Глухов 1988, 166.

РОК-Н-РОЛЛ * Рок-н-ро́лл под одея́лом. *Жарг. мол. Шутл.* Половой акт. Максимов, 367.

РОК * Слепо́й рок. *Книжн. Высок.* О судьбе (обычно – злой, грозящей бедами, несчастьями). БМС 1998, 495.

РОЛЬ * Игра́ть (разы́грывать) роль *кого, чью, какую. Разг.* Изображать кого-л., воспроизводя манеры, поведение; притворяться кем-л. БМС 1998, 495; ФСРЯ, 391; Ф 2, 118; Верш. 6, 119.

Своя́ роль игра́ет *у кого. Пск. Неодобр.* О гордом, самолюбивом, заносчивом человеке. СПП 2001, 65.

РО́МА́Н * Крути́ть рома́н *с кем. Разг.* Флиртовать, находиться в любовной связи с кем-л. ФСРЯ, 215.

Ти́скать/ ти́снуть ро́ман. *Жарг. угол., арест.* Увлекательно, интересно рассказать о чём-л. Грачев 1992, 146, 165; Балдаев 2, 18; Р-87, 408; Бен, 104; ББИ, 211.

РОМА́ШКА * Сходи́ть к рома́шкам. *Жарг. мол. Шутл.* Побывать в туалете. Максимов, 368.

РОМЕ́О * Роме́о и Джулье́тта. *Книжн.* О юных влюблённых. БМС 1998, 495.

Танцева́ть Роме́о. *Жарг. гом.* Играть роль активного партнёра. Кз., 64.

РО́МУЛ * От Ро́мула до на́ших дней. *Книжн.* О рассказе, начатом издалека. < Выражение из романа А. С. Пушкина «Евгений Онегин» (1823–1831 гг.). БМС 1998, 495.

РОСА́ * Вечёрняя роса́. *Яросл.* Время после ужина. ЯОС 3, 13.

Всё Бо́жья роса́ *кому. Разг. Ирон.* Кого-л. абсолютно ничего не волнует, всё кому-л. безразлично. < Выражение образовано усечением поговорки **ему плюй (ссы / нассы́) в глаза́, [а] он [ска́жет] — Бо́жья роса́.** Мокиенко, Никитина 2003, 290.

Желе́зная роса́. *Кар.* Иней. СРГК 5, 561.

Полу́денная роса́. *Жарг. мол. Шутл.* Доза спиртного для снятия похмельного синдрома. Максимов, 328.

По росе́. *Сиб.* Рано утром. СРНГ 35, 181.

За росу́. *Яросл.* За одно утро. ЯОС 4, 52.

Идти́/ пойти́ на росу́. *Влад.* Отправляться на сенокос. СРНГ 35, 182.

Отрясти́ ро́су. *Новг.* Дать отпор кому-л. в чём-л. НОС 7, 58.

Под Ива́нову ро́су. *Ср. Урал.* Накануне Иванова дня. СРГСУ 4, 54.

Поло́ть росу́. *Кар.* Гада́ть о замужестве. СРГК 5, 561.

Топта́ть росу́. *Перм.* Жить. Подюков 1989, 204.

Не отряхну́ть росы́. *Новг.* О тихом, смирном, беззащитном человеке. НОС 7, 58.

Оббива́ть ро́сы. *Смол.* Летать рано утром (о птицах). СРНГ 35, 181.

От росы́ до росы́. *Прост.* С утра до вечера, весь день. НРЛ-81; СПП 2001, 65.

Росы́ топта́ть не бу́дет. *Курск.* Умрёт, не будет жить. БотСан, 112.

РОСИ́НКА * Хоть бы ма́кова роси́нка. *Пск.* То же, что **ни маковой росинки.** СПП 2001, 65.

Ма́ковой роси́нки во рту не́ было *у кого. Разг.* Кто-л. ничего не ел. ФСРЯ, 52; БТС, 514.

Ни ма́ковой роси́нки. *Прост.* Абсолютно ничего (не дать, не сделать и т. п.). ФСРЯ, 391.

Ни роси́нки. *Ряз.* То же, что **ни маковой росинки.** ДС, 492.

Ни роси́нки ни пыли́нки. *Волг.* Об идеальной чистоте где-л. Глухов 1988, 110.

[Ни] на ма́ковую роси́нку. *Разг.* Ничуть, нисколько. ФСРЯ, 391.

РО́СКОШЬ * Убо́гая ро́скошь [наря́да]. *Книжн. Ирон.* О попытках представить что-л. бедное, убогое в праздничном, нарядном виде. < Цитата из стихотворения Н. А. Некрасова «Убогая и нарядная» (1860 г.). БМС 1998, 496.

РО́СОЧКА * Ни ро́сочки. *Брян.* Абсолютно ничего нет. СРНГ 35, 189.

РОСТ * Во весь рост. *Разг.* 1. Выпрямившись, не сгибаясь. 2. Полностью, целиком. 3. Со всей остротой, очевидностью. ФСРЯ, 392.

Войти́ в рост. *Арх.* Начать усиленно расти. АОС 5, 32.

В по́лный рост (по по́лному ро́сту). *Жарг. мол.* В высшей степени; целиком и полностью. Митьки, 1990, 8; Житинский, 317; Югановы, 299. // *Одобр.* В высшей степени хорошо; превосходно. СМЖ, 87; Югановы, 49; WMN, 78.

В рост. 1. *Разг.* Под проценты (давать, отдавать). ФСРЯ, 392. 2. *чей. Моск.* В годы чьей-л. юности. СРНГ 35, 195.

Вы́йти в рост. *Арх., Кар.* Стать взрослым, вступить в пору зрелости. АОС 7, 240; СРГК 1, 267.

На рост. *Разг.* В расчёте на увеличение в размерах, с запасом (шить, покупать и т. п.). ФСРЯ, 396; СРНГ 35, 195.

Пусти́ть в рост *кого, что. Кар.* Дать возможность расти кому-л., чему-л. СРГК 5, 564.

Рост в рост. *Разг.* Одинакового роста. ФСРЯ, 392.

Вы́йти из ро́ста. *Сиб.* 1. Заметно вырасти, так, что одежда становится не впору. ФСС, 36. 2. Быть значительно выше среднего роста, быть очень рослым. СРНГ 35, 194.

При ма́лых роста́х. *Перм.* То же, что **в росту 1.** СРНГ 35, 195.

В ро́сту. 1. *Кар.* В детстве. СРГК 5, 564. 2. *чьем. Прикам.* Среди людей какого-л. возраста. МФС, 86.

Вы́нести ро́сту. *Арх.* Вырасти. АОС 8, 35.

Ни ро́сту, ни приго́рсту. *Новг. Пренебр.* О невзрачном человеке, маленького роста. НОС 9, 12.

Ни ро́сту ни тя́гу. 1. *Дон.* Об отсутствии роста. СДГ 3, 96; СРНГ 35, 195. 2. *Волг.* О чём-л. незначительном, неподходящем кому-л. Глухов 1988, 110.

Пасть с ро́сту. *Кар.* Потерять сознание. СРГК 4, 406.

При ма́лых роста́х. *Прикам.* В детские годы, в детстве. МФС, 86; СГПО, 546.

РОСТО́В * Вы́ехать в Росто́в. *Разг. Устар.* Умереть, не оставив яркого следа. БМС 1998, 496.

РО́ССЫПЬ * На ро́ссыпь. *Новг.* О чём-л. рассыпчатом. НОС 9, 151.

РОСТО́К * Пода́ть росто́к. *Новг.* Прорасти. НОС 8, 20.

РО́СХМЕЛЬ * В ро́схмель. *Сиб.* В состоянии лёгкого алкогольного опьянения. СФС, 47; СРНГ 35, 166, 201.

РО́СЧЕРК * Одни́м ро́счерком пера́. *Разг.* Не вникая в суть дела, мгновенно, быстро (отдавать приказ, давать распоряжение). ФСРЯ, 392; ФМ 2002, 390.

По одному́ ро́счерку пера́. *Разг.* По произвольному, поспешному, часто бюрократическому решению. ФМ, 2002, 392.

РОТ * Большо́й рот *у кого. Кар., Пск. Шутл.* О хорошем аппетите, о способности много съесть. СРНГ 35, 202; СПП 2001, 65.

Брать/ взять в рот *что. Разг.* Использовать что-л. в пищу; пробовать на вкус. СБГ 3, 26; АОС 2, 24.

Во весь рот. *Разг.* 1. Очень громко (кричать). СВГ 1, 118; ФСРЯ, 392; Мокиенко 1986, 48. 2. Широко, приветливо (улыбаться). ФСРЯ, 392; СРНГ 35, 202. 3. *Арх.* О большом количестве съеденного. АОС 4, 15.

В по́лный рот. *Сиб.* С аппетитом. СФС, 117.

В рот [, в ду́шу]! *Прост. Груб.* То же, что **в рот тебя ебать!** Мокиенко, Никитина 2003, 290.

В рот еба́ть твои́ костыли́! *Неценз. Бран. Редк.* То же, что **в рот тебя ебать!** Мокиенко, Никитина 2003, 290-291.

В рот ебу́т (долба́ют), а он спаси́бо говори́т. *Неценз. Презр.* О готовом на крайние унижения, подловатом человеке. Мокиенко, Никитина 2003, 290.

В рот зале́зет да и но́ги (но́жки) около́тит. *Волог., Перм. Неодобр.* О бесцеремонном, наглом человеке. СВГ 6, 44; Подюков 1989, 80.

В рот зале́зть да повороти́ться. *Кар.* 1. Изменить, переиначить сказанное. СРГК 4, 598. 2. Проявить изворотливость, хитрость. СРГК 2, 148. 3. Разузнать, выяснить что-л. СРГК 5, 566.

В рот зева́ль въе́хал *[кому]. Пск. Шутл.* О зевающем человеке. Сб.Ром. 1, 216; СПП 2001, 66.

В рот и в нос натолка́ть *кому. Кар.* Грубо выругать кого-л. СРГК 5, 566.

В рот меня́ еба́ть (долба́ть) [горя́чим пирожко́м]! *Неценз. Бран.* Клятвенное уверение в истинности сказанного. Мокиенко, Никитина 2003, 291.

В рот не въе́хало *кому. Новг.* Кто-л. не догадался о чём-л. НОС 1, 145.

В рот не ле́зет *кому что. Разг.* У кого-л. нет желания съесть что-л. БТС, 491.

В рот попа́ло *кому. Пск.* Кто-л. выпил спиртного. СПП 2001, 66.

В рот портя́нку *кому. Прост. Груб.* Заставить замолчать кого-л. Мокиенко, Никитина 2003, 291.

В рот тебе́ (вам, ему́ и пр.) **бра́ги!** *Перм. Бран.-шутл.* Выражение лёгкого раздражения, недовольства досады кем-л., чем-л. Подюков 1989, 16; Мокиенко, Никитина 2003, 291.

В рот тебе́ (вам, ему́ и пр.) **ды́шло!** *Перм. Бран.* То же, что **в рот тебе браги!** Подюков 1989, 71.

В рот тебе́ (вам, ему́ и пр.) **кило́ пече́нья!** *Вульг.-прост. Бран.-шутл.* Выражение лёгкого раздражения, досады. Мокиенко, Никитина 2003, 291.

В рот тебе́ но́ги, кол тебе́ в нос! *Новг. Бран.* То же, что **в рот тебе́ бра́ги!** СРНГ 35, 203.

В рот тебя́ (вас, его́ и пр.) **еба́ть/ вы́ебать (долба́ть, ха́рить)!** *Неценз. Бран.* Выражение крайнего презрения к кому-л. Мокиенко, Никитина 2003, 291.

Га́ять рот. 1. *Кар. Неодобр.* Говорить ерунду, болтать попусту. СРГК 1, 331. 2. *Волог. Неодобр.* Бездельничать. СРНГ 6, 156. 3. *кому. Волг.* Заставлять молчать кого-л. Глухов 1988, 21.

Гляде́ть в рот. См. **Смотреть в рот.**

Держа́ть рот на замке́. *Разг.* Молчать, не разглашать чего-л. Ф 1, 160; СПП 2001, 66.

До́лбаный в рот! *Вульг.-прост. Бран.* То же, что **ёбаный в рот!** Мокиенко, Никитина 2003, 291.

Драть рот. *Сиб.* Зевать. ФСС, 64; СРНГ 35, 203.

Дыря́вый рот *у кого.* 1. *Пск. Неодобр.* О невоздержанном на язык человеке. ПОС 10, 85. 2. *Волг. Пренебр.* Об очень неаккуратном человеке. Глухов 1988, 40.

Ёбаный в рот! *Неценз. Бран.* 1. Оскорбительное выражение крайнего презрения. 2. Восклицание, выражающее недовольство, возмущение, раздражение. 3. Восклицание, выражающее досаду, разочарование и т. п. Мокиенко, Никитина 2003, 291.

Жале́ть себе́ в рот. *Сиб.* Быть крайне скупым. СФС, 71; ФСС, 70.

Завали́ть рот капу́стой (ши́шками). *Жарг. мол.* Замолчать. Максимов, 136.

Завя́зывать/ завяза́ть рот *кому.* 1. *Сиб.* То же, что **затыкать рот.** ФСС, 75. 2. *Кар.* Вызывать вяжущие ощущения во рту. СРГК 5, 566.

Зае́хать в рот с огло́блями да повороти́ться и вы́вернуть. *Кар. Неодобр.* Солгать, обмануть кого-л. СРГК 2, 120; СРГК 4, 598.

Зажану́ть рот. *Хакас.* Замолчать. СРНГ 35, 203.

Зажима́ть/ зажа́ть рот *кому. Прост.* То же, что **закрывать рот 2.** Глухов 1988, 48.

Закле́ить рот. *Прост.* Замолчать на некоторое время. Ф 1, 197.

Закрыва́ть/ закры́ть рот. 1. *Разг.* Замолкать. БТС, 329; Ф 1, 198. 2. *кому. Разг.* Заставлять замолчать кого-л. БТС, 329. 3. *Жарг. арм. Шутл.* Сдавать дела (о замполите). Кор., 246.

Залеза́ть в рот с нога́ми. *Ворон. Неодобр.* Быть бесцеремонным. СРНГ 21, 262; СРНГ 35, 203.

Зама́зывать/ зама́зать рот *кому.* То же, что **закрывать рот 2.** БТС, 331; Глухов 1988, 49.

Занести́ в рот *что. Кар.* Съесть что-л. СРГК 2, 163.

Засо́вывать в рот и в нос. *Волг. Неодобр.* Жадно есть. Глухов 1988, 51.

Застегну́ть рот. *Прост.* Замолчать. Ф 1, 204.

Зати́скать (зати́снуть) рот. 1. *Пск.* Прекратить брань, болтовню. 2. *кому. Новг., Пск.* То же, что **затыкать/ заткну́ть рот.** Сергеева 2004, 182; ПОС, 12, 182.

Затка́ть рот *кому. Пск.* То же, что **затыкать/ заткну́ть рот.** ПОС 12, 184.

Затыка́ть/ заткну́ть рот *кому. Прост. Груб.* Заставлять замолчать кого-л. ФСРЯ, 392; ДП, 517; Глухов 1988, 51; СОСВ, 76; Ф 1, 205.

Зева́ть рот. *Пск. Неодобр.* Попусту говорить, рассуждать. ПОС 12, 308.

И в рот, и в сра́ку! *Неценз. Бран.* Очень сильно, интенсивно (бить, погонять, сношать кого-л.). Мокиенко, Никитина 2003, 291.

Коси́ть рот. *Кар.* Зевать. СРГК 5, 566.

Куси́ть во весь рот. *Волг.* Наесться досыта. Глухов 1988, 82.

Ми́мо рот суётся. *Печор.* Не вспоминается что-л. СРНГП 2, 232.

Мочи́ть рот. *Кар.* Пить что-л. СРГК 5, 566.

Набра́ть в рот воды́. *Разг.* Молчать, замолчать. ДП, 414.

Набра́л по́лный рот ока́тышей. *Жарг. мол. Шутл. или Пренебр.* О человеке с дефектами речи. Максимов, 264.

На весь рот. *Пск., Смол.* То же, что **во весь рот 1.** СПП 2001, 66; СРНГ 35, 203; Мокиенко 1986, 48.

На по́лный рот. 1. *Волг.* С большим аппетитом (есть). Глухов 1988, 91. 2. *Сиб.* Досыта. СРНГ 35, 202.

Напи́ть в рот воды́. *Яросл.* То же, что **набрать в рот воды.** ЯОС 6, 106.

Напиха́ть (насова́ть) и в рот, и в нос. *Смол.* Наговорить кому-л. дерзостей. СРНГ 20, 76.

Насули́ть в рот и в нос. *Сиб. Неодобр.* Много наобещать и не выполнить своих обещаний. ФСС, 120.

Натолка́ть в рот и в нос *кому. Кар.* Грубо обругать кого-л. СРГК 4, 42.

Не бира́ть в рот *чего. Печор.* Совсем не употреблять чего-л. СРГНП 1, 33.

Не вотрёшь в рот *кому что. Морд.* Трудно заставить кого-л. съесть что-л. СРГМ 1978, 91.

Не въёхало в рот *кому что. Новг.* Безразлично, неинтересно кому-л. что-л. Сергеева 2004, 52.

Не въе́дешь в рот *кому. Волг.* О несговорчивом человеке. Глухов 1988, 96.

Не в рот, так в сра́ку. *Вульг.-прост.* Не одним способом, так другим. < Пародийная трансформация народного выражения **не в лоб, так по лбу.** Мокиенко, Никитина 2003, 291.

Не ложи́ть в рот *чего. Пск.* Не есть, не пить чего-л. (Запись 2001 г.).

Не́чего в рот положи́ть. 1. *Сиб.* О полном отсутствии пищи. СРНГ 35, 203. 2. *Волг.* О крайней бедности, нищете. Подюков 1989, 155.

Ни в рот ного́й. *Сиб. Шутл.* Об отсутствии спиртного. СРНГ 35, 202.

Обу́вшись в рот вле́зет. *Народн. Неодобр.* О напористом, предприимчивом человеке. ДП, 161.

Отворя́ть/ отвори́ть рот. *Кар.* 1. Сказать что-л.; заговорить. 2. Зевать. 3. Внимательно, с интересом слушать кого-л., что-л. СРГК 4, 283; СРГК 5, 567.

Открыва́ть/ откры́ть рот. 1. *Разг.* Начинать говорить что-л.; высказывать, выражать свое мнение. ФСРЯ, 303. 2. *Жарг. арм. Шутл.* Принимать дела (о замполите). Кор., 246.

Отъе́сть в рот. *Кар.* Наесться досыта. СРГК 5, 566.

Пали́ть рот. *Кар. Неодобр.* Бездействовать, зевать. СРГК 4, 379.

Па́рить рот. *Ворон.* Говорить много, не останавливаясь. СРНГ 25, 226.

Пога́нить рот. *Пск. Неодобр.* Пить спиртное, пьянствовать. СПП 2001, 65.

Пога́ный рот. 1. *Пск. Неодобр.* О человеке, который часто сквернословит, ругается. СПП 2001, 66. 2. *Яросл. Пренебр.* Об алкоголике, пьянице. ЯОС 8, 137; СРНГ 35, 202.

По́лный рот *у кого. Волг. Неодобр.* О косноязычном человеке. Глухов 1988, 128.

Поро́ть рот. 1. *Пск. Шутл.* Зевать. СПП 2001, 66. 2. *Новг.* Громко кричать. Сергеева 2004, 177.

Пя́лить рот. 1. *Сиб.* Много и громко кричать. СФС, 155; СОСВ, 158. 2. *Новг., Сиб. Неодобр.* Вести пустые разговоры. НОС 9, 152; СФС, 155. 3. *Новг.* Смеяться попусту. НОС 9, 75. 4. *Новг.* Удивленно смотреть на что-л. НОС 9, 75.

Рабо́чий рот. *Жарг. угол. Шутл.-ирон.* Минетчица. УМК, 181; Балдаев 2, 6.

Разга́ять рот. *Кар.* 1. То же, что **разевать/ разинуть рот 7.** 2. Внимательно, с интересом слушать. СРГК 5, 405.

Разде́ть рот. 1. *Яросл.* Разговориться. ЯОС 8, 137; СРНГ 35, 203. 2. *Яросл.* Начать кричать, браниться. ЯОС 8, 137. 3. *Коми.* Зазеваться, пропустить что-л. важное. Кобелева, 74.

Разева́ть/ рази́нуть рот. 1. *Прост.* Начинать говорить (часто — в неподходящий момент). ФСРЯ, 380; СРНГ 35, 203; Глухов 1988, 139. 2. *Пск.* Начать громко кричать (о животном). СПП 2001, 66. 3. *Пск.* Начинать громко петь. СПП 2001, 66. 4. *Пск. Неодобр.* Возражать, перечить кому-л.; ругать кого-л. СПП 2001, 66. 5. *Пск.* Сильно напрягаться при выполнении тяжёлой работы. СПП 2001, 66. 6. *Прост. Неодобр.* Быть невнимательным, рассеянным. ФСРЯ, 380; Глухов 1988, 139. 7. *Прост.* Удивляться, раскрывать рот от удивления, растерянности, непонимания. Верш. 6, 42; Мокиенко 1990, 87, 133. 8. *Моск.* Уставать, терять силы. СРНГ 35, 203. 9. *Пск. Шутл.* Разрываться (об обуви или какой-л. другой вещи). СПП 2001, 66.

Разева́ть/ рази́нуть рот во все глаза́. *Курск. Шутл.* Сильно удивляться чему-л. БотСан, 111.

Разжёвывать/ разжева́ть и в рот класть (положи́ть) *кому. Разг.* Подробно растолковывать, объяснять что-л. в самой доступной форме. ДП, 458; Жиг. 1969, 213; 226; ФСРЯ, 381.

Раззя́вить рот. 1. *Прост. Неодобр.* То же, что **разевать/ разинуть рот 6.** Ф 2, 116. 2. *Курск.* Громко кричать, закричать. БотСан, 112; Мокиенко 1990, 87.

Разодра́ть рот и гла́зы. *Пск.* Очень удивиться, изумиться, увидев что-л. СПП 2001, 66.

Распе́лить рот. *Прикам.* Быть крайне невнимательным, нерасторопным. МФС, 85.

Распусти́ть рот. *Кар.* Наговорить лишнего. СРГК 5, 567.

Распя́лить рот. *Сиб.* 1. Начать громко кричать. Мокиенко 1990, 87. 2. Сильно увлечься, слушая кого-л., проявить интерес к чему-л. СРНГ 34, 198.

Расстегну́ть рот. *Прост. Груб.* 1. *кому.* Заставить кого-л. заговорить. 2. Начать говорить, кричать, петь и т. п. ФСРЯ, 386.

Растара́щить (расщеперить) рот. *Диал.* То же, что **распялить рот 1.** Мокиенко 1990, 87.

Растворя́ть рот. *Разг. Устар.* Начинать говорить, высказываться. Ф 2, 121.

Расти́ (рость/ проро́сть) в рот. *Брян., Ряз.* Быть молчаливым, неразговорчивым (о простоватом, робком человеке). ДС, 493; СРНГ 34, 257; СРНГ 35, 201.

Расши́рить рот. *Новг.* То же, что **распялить рот 2.** Сергеева 2004, 50.

Рот до уше́й *у кого. Разг. Шутл.* Об улыбающемся человеке. Глухов 1988, 142.

Рот на задви́жке (на крючке́) *у кого. Перм. Шутл.* О чьём-л. молчании. Подюков 1989, 175.

Рот на огоро́д. *Кар.* Широко раскрыв рот. СРГК 4, 141; СРГК 5, 567.

Рот на растопа́шку, язы́к на огоро́д *у кого. Сиб. Шутл.* О растерявшемся человеке. СРНГ 35, 203.

Рот не зама́рывать *обо что. Кар.* Не употреблять что-л. в пищу, для питья. СРГК 2, 154.

Рот фронт (рот-фронт). *Жарг. мол. Шутл.* Мужской половой орган. Щуплов, 83; Елистратов 1994, 663; ЖЭСТ-1, 142.

Рот широ́кий *у кого. Кар.* Об откровенном, правдивом, прямом человеке. СРГК 5, 567.

Смотре́ть (гляде́ть) в рот *кому. Разг.* 1. Очень внимательно или подобострастно слушать кого-л. 2. Будучи голодным, очень внимательно следить за тем, кто ест, завидуя ему. ФСРЯ, 439; ЗС 1996, 40; Глухов 1988, 23.

Сова́ться меж рот. *Кар., Свердл.* То же, что **болтаться мимо рта.** СРНГ 18, 78; СРГК 5, 566.

Что в рот, то спаси́бо. *Вят. Одобр.* О вкусной пище. СРНГ 35, 203.

Что на рот нале́зет. *Волг. Неодобр.* Необдуманно, несдержанно (сказать что-л.). Глухов 1988, 173.

Я тебя́ (вас, его́ и пр.) в рот еба́л (долба́л)! *Неценз.* 1. *Бран.* Выражение крайнего презрения. 2. *Презр.* Выражение крайнего равнодушия к кому-л. Мокиенко, Никитина 2003, 291.

Тебе́ в рот не поссать, чтобы мо́рем па́хло? *Жарг. мол. Вульг. Шутл.* Выражение отказа кому-л. в чём-л. Вахитов 2003, 177.

Вы́пасть из ро́та (ро́ту). *Сиб.* 1. Забыться. СФС, 52. 2. Быть случайно сказанным, сорваться с языка. ФСС, 38; СРНГ 35, 202.

Торчи́т с ро́та *у кого. Волг. Шутл.* 1. О человеке, наевшемся досыта. 2. *Неодобр.* О невкусной пище. Глухов 1988, 153, 160.

В ро́те портя́нки помо́ет и вы́сушит. *Курск. Неодобр.* О пройдохе. БотСан, 87.

Застрева́ет в ро́те *у кого что. Волг. Неодобр.* О невкусной пище. Глухов 1988, 154.

Помочи́ть (промочи́ть) в ро́те. *Волг.* Выпить вина. Глухов 1988, 129.

Гляде́ть ро́том. *Яросл., Коми.* Быть невнимательным, рассеянным. Кобелева, 60; ЯОС 3, 80; СРНГ 35, 203.

Треща́ть ро́том. *Коми.* Много и быстро говорить. Кобелева, 80.

До ро́ту ло́жку не донести́. *Сиб.* Очень быстро сделать что-л. ФСС, 63.

Ни от ро́ту, ни от но́су. *Новг.* О чьём-л. молчании. СРНГ 35, 203.

Приме́рить к ро́ту *что. Смол.* Попробовать на вкус что-л. СРНГ 35, 203.

Болта́ть ми́мо рта. *Брян.* Тщетно пытаться вспомнить что-л. СРНГ 18, 165.

Болта́ться (мота́ться) ми́мо рта. *Брян., Ворон.* Не вспоминаться, не воспроизводиться в памяти, несмотря на прилагаемые усилия. СБГ 1, 68; СРНГ 35, 203.

Выгля́дывать из чужо́го рта *Сиб.* Жить впроголодь, голодать. ФСС, 34.

Выпуска́ть /вы́пустить со рта. *Пск. Неодобр.* Сквернословить, ругаться матом. ПОС 6, 43.

Вырыва́ть/ вы́рвать изо рта *у кого, что. Прост.* Настойчиво добиваться чего-л., отбирать что-л. у кого-л. Глухов 1988, 19, 141.

Гляде́ть изо рта́. *Волг.* Быть в зависимом положении, в подчинении у кого-л. Глухов 1988, 23.

Из одного́ рта и тепло́ и хо́лодно. *Народн.* О двуличном человеке. Жиг. 1969, 208.

Из рта в рот. 1. *Пск.* Без обиняков, прямо, открыто (говорить). СПП 2001, 66. 2. *Кар.* Лично, без посредников. СРГК 5, 566.

Изо рта́ живы́е соро́ки летя́т *у кого. Кар. Ирон.* О лживом человеке, обманщике. СРГК 5, 566.

Лить (нести́) ми́мо рта. *Горьк.* Делать что-л. наспех. БалСок, 42.

Не лить ми́мо рта. *Коми.* Пить много спиртного, быть алкоголиком. Кобелева, 75.

Рвать изо рта́ кусо́к хле́ба *у кого. Разг. Неодобр.* Брать что-л. чужое, отнимать у кого-л. что-л. Ф 2, 123.

Сова́ться ми́мо рта (ро́ту). *Кар., Ср. Урал., Перм.* То же, что **болтаться мимо рта.** СРКГ 3, 200; СРГК 5, 566; СРГСУ 2, 132; СГПО, 589; МФС, 94.

Сова́ться окру́т рта. *Волог.* То же. СВГ 6, 48.

Бо́льшим ртом. *Ср. Урал.* Очень громко. СРГСУ 1, 51.

Гляде́ть ртом. 1. *Морд. Шутл.-ирон.* Быть глуповатым, несообразительным. СРГМ 1978, 115. 2. *Волг., Морд., Перм. Шутл.-ирон.* Быть рассеянным, невнимательным. Глухов 1988, 23; СРГМ 2002, 89; Подюков 1989, 43. 3. *Кар. Шутл.* Постоянно держать рот открытым. СРГК 5, 566.

Зева́ть ртом. *Пск.* Находиться в состоянии оцепенения при сильном испуге. ПОС 12, 308.

Пить ртом табак. *Сиб.* Курить. СРНГ 35, 203.

Ха́пать ртом и за́дницей (по́пой). *Волг. Неодобр.* Проявлять жадность, алчность. Глухов 1988, 165.

Во рту ка́ка, в глаза́х бя́ка. *Жарг. мол. Шутл.-ирон.* О тяжёлом похмелье. Максимов, 368.

Во рту ко́шки насра́ли (коро́ва ночева́ла). *Жарг. мол. Пренебр.* О дурном запахе изо рта. Вахитов 2003, 29.

Во рту му́хи блу́дят *у кого. Сиб. Шутл.-ирон.* О глупом человеке. СРНГ 35, 203.

Во рту ску́чно. *Жарг. мол. Шутл.* То же, что **во рту ходит.** Вахитов 2003, 29.

Во рту хо́дит *у кого. Пск.* Кто-л. голоден. СПП 2001, 66.

Не помеща́ется (растёт) во рту *что. Волг.* О невкусной, грубой пище. Глухов 1988, 102, 140.

Помо́ет во рту портя́нки и вы́сушит. *Волг. Шутл.* О ловком, изворотливом человеке. Глухов 1988, 129.

Ска́лить во рту. *Пск. Неодобр.* Хохотать, смеяться. СПП 2001, 66.

Та́ять во рту. *Разг. Одобр.* Об очень вкусной пище. СОСВ, 185; Ф 2, 202.

Чу́яться ми́мо рту. *Прикам.* МФС, 111.

РО́ТА * Дыря́вая ро́та. *Прост. Шутл.-ирон.* Цех, в котором работают женщины, женская бригада. Мокиенко, Никитина 2003, 292.

Золота́я ро́та. *Жарг. угол.* 1. Бродяги. ТСУЖ, 73. 2. Нищие. ТСУЖ, 73. 3. *Разг. Шутл.-ирон.* Бригада ассенизаторов. УМК, 181.

Чёртова ро́та. *Жарг. угол.* 1. Спецвойска МВД, КГБ. Балдаев 2, 144; УМК, 181; ТСУЖ, 154; ББИ, 212; Мильяненков, 223. 2. Уголовный розыск. ТСУЖ, 195.

Шестна́дцатая ро́та. *Жарг. лаг. Шутл.-ирон.* 1. Кладбище. 2. Могила. СРВС 3, 70. < Так называли кладбище на Соловках в начале 20-х гг. Р-87, 455.

Попа́сть в шестна́дцатую ро́ту. *Жарг. угол. Шутл.-ирон.* Умереть. СРВС 3, 60. < В начале 20-х гг. на Соловках заключённые были распределены по *ротам,* которых было сначала 15.

РОТА́Н * Завали́ть рота́н. *Жарг. мол. Груб.* Замолчать. Вахитов 2003, 57.

РО́ТИК * Льви́ный ро́тик. *Дон.* Цветок львиный зев. СДГ 2, 124.

РОТО́К * Дава́ть/ дать ротка́ (ро́точка) *кому. Кар.* Целовать кого-л. СРГК 1, 424; СРГК 5, 567; СРНГ 35, 206.

РО́ТОР * Гоня́ть ро́тор. *Жарг. арест., угол.* Симулировать психическое заболевание. Балдаев 1, 89; ТСУЖ, 41; ББИ, 57.

РОТО́ЧЕК * Дава́ть ро́точка. См. **Давать ротка (РОТОК).**

РОТЯ́РА * Соси́ в ротя́ру. *Жарг. мол. Шутл.* Певица София Ротару. ЖЭМТ, 28.

РО́ХЛО * Говори́ть с рохла́. *Олон.* Резко, грубо говорить с кем-л. СРНГ 35, 207.

В ро́хло. *Кар.* Быстро, торопливо. СРГК 5, 569.

РО́ЩА * Мое́й (на́шей и т. п.) **ро́щи.** *Сиб.* О чьём-л. сверстнике, ровеснике. СРНГ 35, 210.

В ро́щу. *Кар. Одобр.* Согласованно, в лад (о пении). СРГК 5, 570.

Де́лать ро́щу. *Жарг. угол., мол.* Разбрасывать нападающих. Быков, 61.

Не в ро́щу. *Кар.* Несогласованно, фальшиво (петь). СРГК 4, 495.

Пойти́ в [зелёную] ро́щу. *Олон., Сиб.* Умереть. СРНГ 28, 361; СРНГ 35, 211.

РОЯЛИ́СТ * Быть бо́лее рояли́стом, чем коро́ль. *Книжн.* О людях, идущих дальше того, чьи взгляды или интересы они представляют. < Выражение возникло во времена правления Людовика XVI. БМС 1998, 496.

РОЯ́ЛЬ[1] * Игра́ть/ поигра́ть (сыгра́ть) на рояле. *Жарг. угол., мил.* Снимать отпечатки пальцев, подвергнуться дактилоскопированию. Балдаев 1, 168; Р-87, 342; Бен, 54; ТСУЖ, 75-76; Грачев 1992, 146; Грачев, Мокиенко 2000, 81; Росси 2, 342.

РОЯ́ЛЬ[2] * Игра́ть/ поигра́ть на роя́ле. *Жарг. мол. Шутл.* Выпить спирта «Royal». Митрофанов, Никитина, 182.

Дви́гать роя́ль. *Жарг. мол. Шутл.* 1. Пить спирт марки «Royal». 2. Пить спиртное. Югановы, 66.

Роя́ль Бая́нович. *Жарг. шк. Шутл. или Пренебр.* Учитель музыки, пения. (Запись 2003 г.).

РУБ * Руб на ру́бе да ру́ба кли́чет. *Казан. Ирон.* Об одежде в заплатках. СРНГ 35, 212.

Ру́ба руба́щего не оста́лось. *Горьк.* О полностью износившейся одежде. БалСок, 52.

РУБА́ХА * Сто руба́х в коры́то! *Свердл.* Пожелание богатства, зажиточной жизни стирающей женщине. СРНГ 15, 37.

Руба́ха нашла́. *Олон.* О менструации. СРНГ 35, 216.

Руба́ха да перемыва́ха; руба́ха-перемываха. *Печор.* Одна-единственная рубашка; одна пара рубашек, которые носят на смену. СРНГП 2, 233.

На руба́хе (руба́шке). *Олон., Ряз., Печор.* О менструации. СРНГ 35, 216; ДС, 494; СРНГП 2, 233.

На руба́хе носи́ть. *Печор.* Иметь менструации. СРНГП 2, 233.

Бли́же руба́хи. *Кар.* Очень близко. СРГК 5, 571.

Вылеза́ть с руба́хи. *Пск.* Очень стараться, прикладывать много усилий. СПП, 66.

Гнои́ть руба́хи. *Пск.* Выполнять тяжёлую физическую работу. СПП 2001, 66.

Обка́тывать с руба́хи. *Арх.* О знахарском способе лечения: лить воду за ворот рубахи кому-л. СРНГ 22, 72.

С руба́хи вон. *Пск.* Громко, изо всех сил. СПП 2001, 66.

Выкупа́ть руба́ху. *Ворон.* В свадебном обряде – платить за свадебный наряд жениха, сшитый подругами невесты. СРНГ 5, 299.

Запаса́ть бе́лую руба́ху. *Перм. Ирон.* Готовиться к смерти. Подюков 1989, 82.

Обши́ть в руба́ху *что. Коми.* Обшить досками. Кобелева, 70.

Отдаст после́днюю руба́ху. *Прост. Одобр.* Об отзывчивом, щедром человеке. ЗС 1996, 103; СПП 2001, 66.

Пришло́ на руба́ху. *Волог.* О начале менструации. СРНГ 35, 216.

Рвать [на себе́] руба́ху. *Разг.* Бурно проявлять какие-л. чувства. НСЗ-80; Мокиенко 2003, 97.

Снима́ть/ снять руба́ху (руба́шку). *Ряз.* Об окончании менструации. ДС, 494; СРНГ 35, 216.

РУБА́ШКА * Руба́шка да фура́жка *у кого. Новг. Шутл.-ирон.* О крайней бедности. Сергеева 2004, 224.

Цветна́я руба́шка. *Жарг. угол. Презр.* Милиционер. Максимов, 368.

В свое́й руба́шке. *Пск.* В здравом рассудке. СПП 2001, 66.

На руба́шке. См. **На рубахе (РУБАХА).**

Не в свое́й руба́шке. *Курск.* В плохом настроении. БотСан, 104.

Не помеща́ется в руба́шке. *Волг. Шутл.* 1. Об очень полном человеке. 2. О непоседливом, озорном человеке. Глухов 1988, 102.

Остава́ться/ оста́ться в одно́й руба́шке (без руба́шки). *Разг.* Беднеть, доходить до крайней нужды, оставаться без средств существования. БалСок, 48; ФСРЯ, 393; Мокиенко 1986, 58.

Оставля́ть/ оста́вить в одно́й руба́шке (без руба́шки) *кого. Разг.* Доводить кого-л. до бедственного положения, крайней нужды. ФСРЯ, 393.

Роди́ться в руба́шке (в соро́чке). *Разг.* Быть удачливым, везучим. ДП, 73; ФСРЯ, 393, 447; ЗС 1996, 158; ФМ 2002, 467; Верш. 6, 114; БМС 1998, 496; Мокиенко 1986, 31, 57. **Роди́ться в счастли́вой руба́шке.** *Пск.* То же. СПП 2001, 66. < **Рубашка, сорочка** – околоплодный пузырь; по суеверным представлениям, тот, кто родился в такой оболочке, будет счастливым. БМС 1998, 544.

Выска́кивать с руба́шки. *Брян.* Работать с предельным напряжением сил. СБГ 3, 81.

Дойти́ до после́дней руба́шки. *Волг.* То же, что **остаться в одной рубашке.** Глухов 1988, 36.

Из руба́шки вон. *Новг.* 1. О подвижном, озорном ребёнке. НОС 9, 153. 2. О человеке в состоянии нервного возбуждения. Сергеева 2004, 43. 3. Старательно. НОС 1, 136.

Лезть из руба́шки вон. *Новг.* 1. *Неодобр.* Баловаться (о ребёнке). НОС 1, 136. 2. *Неодобр.* Важничать, зазнаваться. НОС 5, 15. 3. Расстраиваться, волноваться, нервничать по какому-л. поводу. НОС 1, 136; Сергеева 2004, 56.

Пусти́ть без руба́шки *кого. Прост.* Разорить кого-л. ЗС 1996, 210.

Загля́дывать под руба́шку *кому. Волг.* Строго наказывать, бить кого-л. Глухов 1988, 46.

Надева́ть смири́тельную (усмири́тельную) руба́шку *на кого. Разг.* Укрощать, заставлять кого-л. подчиняться, повиноваться; ограничивать свободу действий, выражения мыслей для кого-л. ФСРЯ, 261; БТС, 1400.

Нести́ руба́шку. *Морд.* В свадебном обряде: нести подарки от невесты в дом жениха накануне свадьбы. СРГМ 1986, 126.

Пить под оста́тнюю руба́шку. *Пск. Неодобр.* Пропивать абсолютно всё. ПССС, 66.

Снима́ть/ снять после́днюю руба́шку *с кого. Разг.* То же, что **оставлять в одной руба́шке.** ДП, 189; ФСРЯ, 393.

Снима́ть/ снять руба́шку. См. **Снимать рубаху (РУБАХА).**

Снима́ть/ снять с себя́ после́днюю руба́шку. *Разг.* Отдавать всё, делиться последним с кем-л. БМС 1998, 496; Мокиенко 1986, 28; Глухов 1988, 151; ЗС 1996, 46.

РУБЕ́Ж * Об рубе́ж. *Ряз.* Рядом, близко с кем-л. ДС, 494.

После́дний рубе́ж. *Жарг. студ. Шутл.* Экзамен. (Запись 2003 г.).

Не чини́ть рубежа́. *Новг.* Решать дела на месте, не переносить суда и расправы. СРНГ 35, 219.

РУБЕЗО́К * Подпоя́саться рубезко́м. *Нижегор. Ирон.* Разориться, обеднеть. СРНГ 35, 222.

РУБЕРО́ИД * Пья́ный в рубeróид. *Жарг. мол. Шутл.-ирон.* В состоянии сильного алкогольного опьянения. Никитина 1998, 387.

РУБЕ́Ц * Ни рубца́. *Новг.* Абсолютно ничего (нет). НОС 9, 153.

Уда́рить по рубцу́ *кому. Жарг. угол.* Совершить половой акт с кем-л.; изнасиловать кого-л. УМК, 181; Балдаев 2, 96.

РУБИКО́Н * Перейти́ [че́рез] Рубико́н. *Книжн.* Принять бесповоротное решение, сделать решительный шаг. < Калька с лат.; восходит к историческому событию 49 г. до н. э., когда вопреки запрету римского сената Юлий Цезарь со своими легионами перешёл пограничную реку Рубикон. БМС 1998, 497; БТС, 804; Мокиенко 1989, 151-152.

РУБИ́ЛЬНИК * Включи́ть руби́льник. *Жарг. мол.* Задуматься о чём-л. Максимов, 64.

РУБЛЬ * Держа́ться на рубле́. *Одесск.* Стоить дорого. КСРГО.

Сто рубле́й в карма́н! *Пск.* Ответ на пожелание успеха в работе. СПП 2001, 66.

Сто рубле́й на ме́лкие расхо́ды! *Народн.* Пожелание после чихания. ДП, 752.

Бить рублём *кого. Разг.* О финансовых взысканиях за какие-л. упущения. БМС 1998, 497; Мокиенко 2003, 97; Ф 1, 23.

За дли́нным рублём. *Разг. Неодобр.* За большим и лёгким заработком (ехать, гнаться, охотиться). ФСРЯ, 393; БТС, 218, 263; СРНГ 22, 53; БМС 1998, 497; Глухов 1988, 26; ФМ 2002, 393.

За до́лгим рублём (на до́лгие рубли́). *Пск. Неодобр.* То же, что **за длинным рублем.** СПП 2001, 66.

Рублём одари́ть *кого. Сиб.* Доставить радость, привести в восхищение кого-л. Верш. 6, 124.

Деревя́нные рубли́. *Разг. Пренебр.* Советские (и позднее – российские) деньги, быстро обесценивающиеся в результате инфляции. СП, 63; Мокиенко 2003, 98.

Закури́ть рубли́. *Волог.* Заработать деньги перегонкой дегтя. СВГ 2, 126.

Выгоня́ть рубль. *Пск.* Хорошо зарабатывать. ПОС 5, 143.

За рубль со́рок четы́ре (со́рок пять, со́рок шесть, со́рок семь) [мота́ть]. *Жарг. угол., арест.* Об отбывании наказания по статье УК № 144 (145, 146, 147). Балдаев 1, 150; Грачев 1997, 183.

Купи́ть за рубль, за два́дцать *кого. Волг. Ирон.* Перехитрить наивного, доверчивого человека. Глухов 1988, 79.

Неразме́нный ру́бль. 1. *Фольк.* Волшебный рубль, всегда остающийся у владельца. 2. *Разг.* О таланте, способностях человека. 3. *Разг. Одобр.* О неоскудевающей доброте. БМС 1998, 497.

Рубль два́дцать. *Жарг. муз. Шутл.* Размер 4/4. Никитина 1998, 388. < По сходству ритмического рисунка словосочетания с размером 4/4.

Стекля́нный рубль. *Разг. Шутл.* Бутылка со спиртным, предлагаемая кому-л. в качестве оплаты каких-л. услуг. БСРЖ, 515.

Два рубля́ одно́й моне́той. *Жарг. мол. Шутл.* О чём-л. несуразном, абсурдном. h-98.

До рубля́ семь гри́вен не хвата́ет *у кого. Сиб. Ирон.* О крайне глупом или психически ненормальном человеке. СРНГ 35, 227.

Жить с рубля́. *Волг.* Жить честно, на свой заработок. Глухов 1988, 44.

За рубь ежо́м. *Разг. Шутл.* Еженедельник «За рубежом». Митрофанов, Никитина, 183.

Рубь коры́то. *Пск. Шутл.* О чём-л. дешёвом, имеющемся в большом количестве. СПП 2001, 66.

Рубь пучо́к. *Пск. Пренебр.* О людях, не заслуживающих уважения. СПП 2001, 66.

РУ́ГАНИНА * Дать ру́ганину *кому. Твер.* Выругать, отчитать кого-л. СРНГ 35, 230.

РУ́ГАНКА * Кида́ться в ру́ганку. *Сиб.* Ссориться, ругаться. ФСС, 92.

РУ́ГМЯ * Ру́гмя руга́ть *кого. Волог., Яросл.* То же, что **ругом ругать (РУГОМ).** СРНГ 35, 232.

РУ́ГОМ * Ру́гом руга́ть *кого. Яросл.* Очень сильно ругать, бранить кого-л. ЯОС 8, 139.

РУДА́ * Жива́я руда́. *Сиб.* Кровь. СФС, 71.

Вынима́ть руду́. *Тул.* Останавливать кровь. СРНГ 5, 318.

Мета́ть руду́. *Сиб.* Пускать кровь. СФС, 159.

РУЖЬЁ * Взять в ружьё *кого. Кар.* Застрелить кого-л. СРГК 1, 198.

В ружьё. *Разг.* 1. В строй с ружьём в руках (встать, становиться). 2. Команда быть готовым принять бой. ФСРЯ, 393-394.

На ружьё гляди́т, а от воробья́ бежи́т. *Народн. Пренебр.* О трусоватом, ненадёжном, плутоватом человеке. Ф 1, 112.

Под ружьё. 1. *Разг.* В состояние мобилизационной или боевой готовности (ставить, призывать и т. п.). ФСРЯ, 394. 2. *Разг.* В полном вооружении, с полной выкладкой. ФСРЯ, 394. 3. *Сиб.* Под вооружённую охрану. Верш. 6, 126.

Под ружьём. *Разг.* 1. На военном положении, в состоянии мобилизационной готовности. 2. В полной боевой готовности. 3. В полном вооружении, с полной выкладкой. ФСРЯ, 394.

Ру́жья в ко́зна. *Кар.* Команда о прекращении работ и начале отдыха. СРГК 5, 577.

То́лько из пога́ного ружья́ застрели́ть *кого. Морд. Презр.* О человеке, вызывающем резкое неприятие. СРГМ 1980, 95.

Уби́ть из пога́ного ружья́ *кого. Волг.* О справедливом возмездии, заслуженном наказании кого-л. Глухов 1988, 162.

РУКА́ * Бе́гать от свои́х рук. *Кар.* Лениться, бездельничать. СРГК 5, 577.

Без рук. *Р. Урал.* В состоянии сильной усталости от тяжёлой физической работы. СРНГ 35, 239.

Без рук без ног. *Волг.* 1. О состоянии сильной усталости, крайнего утомления. 2. *Неодобр.* О неумелом, неловком человеке. Глухов 1988, 2.

Боя́ться свои́х рук. *Яросл.* Не драться, никого не обижать. ЯОС 8, 139.

Вали́ться из рук *у кого. Разг.* Не удаваться, не ладиться из-за отсутствия соответствующего настроения, желания, сил и т. п. ФСРЯ, 54; НОС 6, 38; СПП 2001, 66.

Вы́вестись из рук *чьих. Пск.* То же, что **выходить/ выйти из рук 1-2.** ПОС 5, 177; СППП. 66.

Вы́пасть из рук *чьих. Печор.* Перестать слушаться кого-л. СРГНП 1, 114.

Выпуска́ть/ вы́пустить из рук. *Разг.* 1. *кого.* Терять власть над кем-л. 2. *что.* Лишаться чего-л. Глухов 1988, 19; Ф 1, 97.

Выпуска́ть / вы́пустить с рук. 1. *что. Разг.* Упускать, не уметь воспользоваться чем-л. ФСРЯ, 96. 2. *что. Пск.* Отдавать кому-л. что-л., резрешать пользоваться чем-л. СПП 2001, 66. 3. *кого. Пск.* Потерять силу воздействия на кого-л. при воспитании. ПОС 6, 42.

Выходи́ть/ вы́йти из-под рук *чьих. Разг.* Изготовляться кем-л. Ф 1, 103.

Выходи́ть/ вы́йти из (с) рук *чьих.* 1. *Кар., Новг., Пск., Сиб. Неодобр.* Перестать подчиняться кому-л., слушаться кого-л.; освобождаться от власти, влияния кого-л. СРГК 1, 261, 267; НОС 1, 136; НОС 9, 155; ПОС 5, 170; СРНГ 35, 243. 2. *Пск.* Начать жить самостоятельно. СПП 2001, 66. 3. *Сиб.* Оставаться безнаказанным. ФСС, 40.

Гляде́ть (смотре́ть) из рук. 1. *Народн.* Угождать кому-л. ДП, 314. 2. *чьих. Прост.* Зависеть от кого-л. материально. ЗС 1996, 222–223; Глухов 1988, 23; БотСан, 97; СРНГ 35, 243; ДС, 495.

Добива́ться/ доби́ться до рук. *Сиб.* Оказываться в крайней нужде, в бедственном положении. Глухов 1988, 35; ФСС, 60; СФС, 66; СРНГ 8, 74.

До рук положе́ния. *Башк., Сиб.* Окончательно, сильно, в высшей степени. СРГБ 2, 95; СФС, 66; СРНГ 29, 99.

Доходи́ть/ дойти́ до рук. 1. *Морд.* То же, что **добиваться до рук.** СРГМ 1980, 26. 2. *Волг.* Ссориться, драться с кем-л. Глухов 1988, 36.

Дошло́ до рук, до ног, не на́до замо́к. *Кар. Ирон.* Всё пришло в запустение, в упадок. СРГК 4, 33.

Жить из-за рук *чьих. Сиб.* Жить за чужой счёт. СРНГ 35, 239.

Завылётывать из рук. *Кар. Одобр.* О быстрой и успешной работе. СРГК 2, 100.

Идти́ из рук. *Кар. Одобр.* Удаваться, получаться.СРГК 2, 268.

Идти́ с рук. *Прост.* Легко продаваться, находить сбыт. Ф 1, 217.

Из вторы́х (тре́тьих) рук. *Разг.* Через посредников (узнать, получить и т. п.). ФСРЯ, 394; ЗС 1996, 354; БТС, 1343.

Из пе́рвых рук. *Разг.* Непосредственно от кого-л., без посредников (узнать, получить и т. п.). ФСРЯ, 394.

Из рук в ру́ки. *Разг.* Непосредственно от одного к другому. ДП, 614; ФСРЯ, 394; БМС 1998, 497; Верш. 6, 127.

Из рук вон [пло́хо]. *Разг. Неодобр.* 1. Очень плохо, никуда не годится. 2. Очень плохой, скверный. ДП, 470; БТС, 148, 845; АОС 5, 79; ФСРЯ, 394; БМС 1998, 66; НОС 1, 136.

Из рук не ва́лится *что у кого. Сиб. Одобр.* То же, что **из рук [ничего] не выпадывает.** Верш. 6, 127.

Из рук не вы́валится *что у кого.* 1. *Новг. Одобр.* То же, что **из рук [ничего] не выпадывает.** НОС 1, 146. 2. *Волг.* О жадном, скупом. человеке. Глухов 1988, 58. 3. *Волг.* Об экономном хозяине. Глухов 1988, 58.

Из рук [ничего́] не выпа́дывает/ не вы́падет *у кого. Курск., Перм., Прикам., Сиб. Одобр.* О ловком, умелом, работящем человеке. БотСан, 97; СГПО, 95; МФС, 23; Подюков 1989, 36; ФСС, 37; СРНГ 35, 240.

Из рук не вы́рвется *что у кого. Сиб. Одобр.* То же, что **из рук [ничего] не выпадывает.** СРНГ 35, 240.

Из рук ничего́ не отва́лится *у кого. Волог. Одобр.* То же, что **из рук [ничего́] не выпадывает.** СВГ 6, 85.

Из рук ничего́ не уйдёт *у кого. Печор.* Об умелом, искусном во всех делах человеке. СРНГП 2, 235.

Из свои́х рук. *Кар., Сиб.* Собственного изготовления. СРГК 5, 578; Верш. 6, 127.

Не без рук. *Перм. Одобр.* Об умелом, мастеровитом человеке. Подюков 1989, 177.

Не ви́деть рук. *Сиб. Шутл.-ирон.* Быть в состоянии сильного опьянения. СРНГ 35, 241.

Не вы́здынуть рук. *Арх.* Потерять работоспособность от сильной усталости. АОС 7, 224.

Не выходи́ть с рук (с руки́) *[у кого]. Пск.* Быть в постоянном пользовании, употреблении. СПП 2001, 66.

Не дава́ть рук развести́ *кому. Казан.* Требовать от кого-л. постоянного внимания, заботы, ухода. СРНГ 35, 241.

Не́ за что рук заложи́ть *кому. Волг.* О крайне бедном, неимущем человеке. Глухов 1988, 98.

Не клада́я рук. *Пск.* То же, что **не покладая рук.** СПП 2001, 66.

Не класть рук. *Кар., Перм.* Не иметь перерыва в работе, отдыха. СРГК 2, 360; Подюков 1989, 91.

Не оки́нуть рук. *Кар.* Уклониться от работы. СРГК 4, 173.

Не отсека́ть рук *от чего. Кар.* Усердно, не переставая делать что-л. СРГК 4, 328.

Не покида́я рук. *Горьк., Пск.* То же, что **не покладая рук.** БалСок, 47; СРНГ 28, 378; СРНГ 35, 240; СПП 2001, 66.

Не поклада́ть (не покла́дывать) рук. *Разг. Одобр.* Усердно, прилежно работать. БТС, 894; СФС, 159; СРНГ 28, 382; СБО-Д2, 99; СОСВ, 166; ФСС, 143.

Не поклада́я рук. *Разг.* Усердно, напряжённо, без отдыха (работать). ФСРЯ, 394; БМС 1998, 498; БТС, 804; ЗС 1996, 371; Мокиенко 1989, 172; СБО-Д2, 98–99; СОСВ, 166; СПП 2001, 66. **Не покладя́ рук.** *Сиб.* То же. СРНГ 28, 381.

Не положа́ича рук. *Урал.* То же, что **не покладая рук.** СРНГ 29, 99.

Не прикладая рук. *Прост. Шутл.-ирон.* О человеке, который работает плохо, лениво, неохотно. < Игра слов, образованная контаминацией выражений **не прикладать рук** *к чему* (см.) и **не покладая рук** (см.). ЗС 1996, 371.

Не приклада́ть рук *к чему. Волг.* Бездействовать, не начинать работу, дело. Глухов 1988, 103.

Не расклада́я рук. *Прикам.*То же, что **не покладая рук.** МФС, 85.

Ни рук ни ног. *Волг.* То же, что **без рук без ног 1.** Глухов 1988, 110.

Ничего́ не вы́пускать из рук. *Коми. Неодобр.* Быть скупым. Кобелева, 59.

О двух рук. *Приамур.* Двумя руками. СРГПриам., 259.

Опри́чь рук. *Пенз. Неодобр.* Кое-как, небрежно. СРНГ 23, 298; СРНГ 35, 244.

Остава́ться/ оста́ться без рук. *Прост.* Оказываться в безвыходном положении, потеряв помощника или какие-л. орудия труда. Ф 2, 20.

Отбива́ться/ отби́ться от рук. *Разг.* Переставать подчиняться кому-л., слушаться кого-л. ФСРЯ, 299; ЗС 1996, 226, 258.

Отби́ться от рук и от ног. *Пск.* Устать от тяжёлой, изнурительной работы. СПП 2001, 66.

Отва́ливаться (отнима́ться) от рук. *Кар.* Не удаваться, не получаться. СРГК 5, 578.

Отвести́ от рук *кого. Сиб.* 1. Воспитать кого-л. 2. Предоставить возможность жить самостоятельно, выделив долю из общего хозяйства. 3. Отвлечь от дурного поступка, дела. ФСС, 128.

Отдава́ть/ отда́ть с рук *кого, что. Разг. Устар.* То же, что **сбывать с рук 2.** Ф 2, 24.

От свои́х рук. *Прикам.* Вручную. МФС, 87.

Отста́ть от рук. *Прикам.* Сильно устать, утомиться, выполняя какую-л. работу. **Отста́ть от рук от ног.** *Волг.* То же. Глухов 1988, 120; МФС, 71.

Отходи́ть/ отойти́ от рук. *Сиб.* 1. Достигнув совершеннолетия, начать жить самостоятельно. 2. *Неодобр.* То же, что **отбиваться от рук.** ФСС, 129; СРНГ 35, 240.

Пойти́ с рук. *Ворон.* Начать хорошо раскупаться. СРНГ 35, 244.

Поперёк рук. *Сиб. Неодобр.* Кое-как, небрежно, недобросовестно. СРНГ 29, 305.

Пройти́ ме́жду (проме́ж) рук. *Кар.* Истратиться без пользы (о деньгах, средствах). СРКГ 35, 240; СРГК 5, 578.

Проме́ж рук. *Ряз.* Между прочим, без применения больших усилий, особых затрат; в промежутках между основными занятиями. СРНГ 35, 244; ДС, 495.

Пропуска́ть ми́мо рук *что. Разг.* Упускать что-л., лишаться чего-л., вовремя не заметив. ФСРЯ, 364.

Рвать из рук *у кого что. Прост.* Стремиться завладеть чем-л. Глухов 1988, 141; Ф 2, 123.

Рук не ви́дит. *Сиб. Ирон.* О человеке в состоянии сильного алкогольного опьянения. ФСС, 27.

Сба́грить с рук *кого, что. Прост.* То же, что **сбывать/ сбыть с рук 2.** ЗС 1996, 274.

Сбива́ть/ сбить с рук *что, кого. Кар.* То же, что **сбывать/ сбыть с рук 2.** СРГК 5, 642.

Сбыва́ть/ сбыть с рук. 1. *что. Разг.* Продавать что-л. ФСРЯ, 410. 2. *кого, что. Разг.* Избавляться от чего-л. ФСРЯ, 410; ЗС 1996, 265. 3. *кого. Горьк. Ирон.* Выдавать замуж, женить кого-л. БалСок, 54.

Свали́ться с рук. *Пск.* Не получиться, не удастся; быть некачественно, неправильно сделанным. СПП 2001, 66.

Сдава́ть с рук *что.* 1. *Ворон.* В свадебном обряде: преподносить подарки. СРНГ 35, 245. 2. *Волг.* То же, что **сбывать с рук 2.** Глухов 1988, 146.

Сжива́ть/ сжить (спи́хивать/ спихну́ть) с рук *кого. Прост. Устар.* Избавляться от кого-л., кто доставляет беспокойство, докучные хлопоты, заботы. Ф 2, 154, 177.

Смотре́ть из рук. См. **Глядеть из рук.**

С обе́их рук. 1. *Сиб.* Обеими руками. Верш. 6, 128. 2. *Ряз.* Со стороны мужа и со стороны жены (о родственниках). ДС, 495. 3. *Ворон.* По обе стороны. СРНГ 35, 239.

С одне́х рук. *Сиб.* В один приём. Верш. 6, 128.

Спуска́ть/ спусти́ть с рук *что.* 1. *кому. Разг.* Оставлять безнаказанным что-л., не взыскивать строго с кого-л. за что-л. 2. *Прост.* Избавляться от чего-л. ненужного. 3. *Прост. Устар.* Растрачивать богатство, деньги. Ф 2, 179; Сергеева 2004, 53.

С рук. 1. *Разг.* Не через торговую сеть (покупать, приобретать). ФСРЯ, 394. 2. *Сиб.* Вручную. СРНГ 35, 242.

С рук да с ног. *Сиб. Неодобр.* Небрежно, кое-как. СРНГ 35, 245.

С рук доло́й. *Разг.* Об избавлении от чего-л., кого-л. ФСРЯ, 394; БТС, 272; Мокиенко 1990, 131..

С рук на́ руки. *Разг.* Непосредственно кому-л. (передавать, сдавать и т. п.). ДП, 582; ФСРЯ, 394.

Сходи́ть/ сойти́ с рук. 1. *Сиб.* Начать ходить (о ребёнке). СРНГ 35, 241. 2. *кому. Разг.* Оставаться безнаказанным, не получая огласки; проходить безнаказанно. ДП, 72, 315; ФСРЯ, 465; ЗС 1996, 205; Ф 2, 196.

С чужи́х рук. *Волг.* Даром, за чужой счёт. Глухов 1988, 157.

То́лько Бо́жьих рук не ви́деть. *Кар. Одобр.* Жить, ни в чём не нуждаясь. СРГК 5, 579.

Умере́ть от свои́х рук. *Прикам.* Кончить жизнь самоубийством. МФС, 105.

Уплыва́ть из рук *чьих. Разг.* 1. Быстро и незаметно тратиться, расходоваться. 2. Становиться собственностью другого человека, попадать под власть, зависимость другого человека. Ф 2, 221.

Упуска́ть/ упусти́ть из рук *что. Разг.* Лишаться чего-л. по оплошности, непредусмотрительности. Ф 2, 222.

У рук *чьих. Кар.* Под чьим-л. надзором, присмотром. СРГК 5, 579.

У рук не́ было *чего, что. Сиб.* Кому-л. не приходилось делать чего-л., пользоваться чем-л. ФСС, 19, СФС, 192; СРНГ 35, 241. См. **Не бывало в руках.**

Ускольза́ть/ ускользну́ть из рук *чьих.* 1. Спасаться от кого-л., от чего-л. в последний момент, будучи почти застигнутым, захваченным. 2. Утрачиваться для кого-л. или не доставаться кому-л. Ф 2, 225.

Уходи́ть/ уйти́ с рук *кого, чьих. Разг.* То же, что **выходить с рук 1.** Ф 2, 226.

Уходи́ть/ уйти́ с рук. *Сиб.* То же. СРНГ 35, 243.

Бить (шлёпнуть) рука́ о́б руку. *Дон.* То же, что **бить по рукам.** СДГ 3, 98.

Больша́я рука́. 1. *Разг.* Влиятельный, значительный по своему положению человек. ФСРЯ, 395; Мокиенко 1990, 133; ЗС 1996, 122. *Пск. Неодобр.* О нечестном, вороватом человеке. СПП 2001, 66.

Вручи́ться рука́ в ру́ку. *Сиб.* Обручиться. ФСС, 32.

Бриллиа́нтовая рука́. *Жарг. арм. Шутл.* Солдат-хлеборез. Максимов, 44.

Втора́я рука́. 1. *Дон.* О самом близком помощнике кого-л. СДГ 1, 83. 2. *Пск.* О чём-л. не лучшего качества, второсортном. СПП 2001, 66. 3. *Пск.* Об остатках чего-л. ПОС 5, 93.

Го́рькая рука́. *Пск. Неодобр.* О пьянице. СПП 2001, 66; СРНГ 7, 81; СРНГ 35, 244.

До́лгая рука́. 1. *Сиб.* О вороватом человеке. СРНГ 35, 239. 2. *Печор.* О человеке, имеющем власть, влияние. СРГНП 1, 183.

Желе́зная рука́. 1. *Разг.* О чьём-л. твёрдом, решительном, целеустремленном характере, способе действий. 2. *Разг.* Твердое, решительное, однонаправленное руководство. 3. *Полит.* Единоличная власть, диктатура. СП, 71; Мокиенко 2003, 98.

Жива́я рука́. *Приамур.* Очень быстро. СРГПриам., 259; СРНГ 35, 239.

Ле́вая рука́. *Кар.* Левая сторона. СРГК 3, 102.

Лёгкая рука́ *у кого. Разг.* 1. О том, кто приносит удачу, счастье. 2. О том, кто удачно начинает и ведёт дело. ДП, 72, 313; БТС, 490; ФСРЯ, 395; БМС 1998, 498; СОСВ, 103.

Лиха́я рука́. *Волг.* О суровом, жестоком человеке. Глухов 1988, 82.

Мёртвая рука. *Орл. Устар.* О том, чьи действия приносят неудачу. СОГ-1994, 127.

Мохна́тая рука́. *Разг. Шутл.-ирон.* Высокий руководитель, оказывающий протекцию кому-л. НСЗ-80; Мокиенко 2003, 98; ЗС 1996, 217.

Не рука́ *кому что. Перм.* Неудобно кому-л., нет возможности у кого-л. делать что-л. Подюков 1989, 177.

Оборо́нная рука́ *у кого. Волг.* О человеке, умеющем защитить себя, постоять за себя. Глухов 1988, 58.

Одна́ рука́ в меду́, друга́я в са́харе (в па́токе, в пуху́) *у кого. Народн.* О богатом человеке. ДП, 82, 100; Подюков 1989, 177.

Оста́лась рука́ *чья, где. Кар.* О чьих-л. следах, уликах, оставленных где-л. СРГК 4, 256.

Пе́рвая рука́. *Пск. Одобр.* О чём-л. качественном. СПП 2001, 66.

Поднима́ется рука́ *у кого. Разг.* У кого-л. хватает решимости сделать что-л. Ф 2, 130.

Пра́вая рука́ *чья, кого. Разг.* Ближайший помощник в чём-л., главное доверенное лицо. ДП, 313; ФСРЯ, 395; БМС 1998, 498.

Протяга́й рука́. *Прикам.* Очень близко, рядом. МФС, 82.

Рука́ в ру́ку. *Разг.* 1. *Устар.* Взявшись за руки или под руку. 2. Вместе, дружно. ДП, 371; ФСРЯ, 395; БМС 1998, 498.

Рука́ гуди́т *у кого. Кар.* О желании что-л. сделать. СРГК 1, 411.

Рука́ дру́жбы. *Жарг. авто. Шутл.* Поломка автомобиля, при которой шатун поршня пробивает блок двигателя и выходит наружу. Максимов, 369.

Рука́ испо́ртилась *у кого. Новг.* Кто-л. перестал быть удачливым, везучим. СРНГ 12, 239.

Рука́ к руке́. *Пск.* Близко, рядом. ПОС 2, 104.

Рука́ Москвы́. *Публ.* 1. О политике СССР (в западной прессе). Мокиенко 2003, 98. 2. О деятельности советской агентуры за рубежом. Катанян, 349.

Рука́ на́ руку. *Разг. Устар.* 1. Один на один (в карточной игре). 2. Поодиночке, порознь. БМС 1998, 498.

Рука́ не была *на ком. Ряз.* Кто-л. никогда не подвергался побоям. ДС, 495.

Рука не дро́гнет *у кого. Разг.* У кого-л. хватит решительности, мужества сделать что-л. ФСРЯ, 395.

Рука́ Немези́ды. *Книжн.* О справедливом возмездии, правосудии. БМС 1998, 498. < В древнегреческой мифологии Немезида – богиня мести и карающего правосудия.

Рука́ не налега́ет *у кого. Разг.* То же, что **рука не поднимается 1.** ФСРЯ, 395; Глухов 1988, 142.

Рука́ не поднима́ется *у кого. Разг.* 1. У кого-л. не хватает решительности сделать что-л. 2. *на кого.* У кого-л. не хватает решимости побить, наказать, убить кого-л. ФСРЯ, 395; БТС, 872.

Рука́ несёт. *Сиб.* О том, что получается непроизвольно, само собой. Верш. 6, 128.

Рука́, нога́ по ни́тке *у кого. Костром. Ирон.* Об очень худом, измождённом человеке. СРНГ 21, 241.

Рука́, нога́ по пу́ду, рабо́тать не бу́ду. *Новг. Шутл.-ирон.* О ленивом человеке. НОС 9, 155.

Рука́ о́б руку. *Разг.* 1. Взявшись за руки или под руку. 2. Вместе, как единомышленники. ДП, 314; ФСРЯ, 396; ЗС 1996, 282; БМС 1998, 498; Ф 1, 220.

Рука́ о́б руку не сту́кнуть (не уда́рить). *Ряз. Неодобр.* Бездельничать, ничего не делать. ДС, 495; Мокиенко 1990, 64; СРНГ 35, 240.

Рука́ отсе́чь! *Яросл.* Клятвенное уверение в чём-л. ЯОС 8, 139.

Рука́ по руке́. *Р. Урал.* Держа кого-л. под руку. СРНГ 35, 239.

Рука́ развила́сь *у кого. Новг.* О боли в кистевом суставе от непосильной работы. НОС 9, 156.

Рука́ ру́ку мину́ет. *Бурят.* О вражде, ссоре между кем-л. СРНГ 35, 244.

Рука́ ру́ку мо́ет. *Разг. Неодобр.* Об укрывательстве друг друга в каком-л. предосудительном деле. ДП, 314; БМС 1998, 499; БТС, 566; Мокиенко 1990, 120.

Рука́ с руко́й. *Разг. Устар.* То же, что **рука об руку 1-2.** ФСРЯ, 396; СРНГ 35, 244.

Рука́ с я́щиком. *Перм. Неодобр.* О жадном, алчном человеке. Подюков 1989, 176.

Рука́ ходи́ла *где. Кар.* О чём-л. сделанном своими руками. СРГК 5, 578.

Своя́ рука́. *Разг.* Единомышленник, помощник. ФСРЯ, 396.

Своя́ рука́ влады́ка. *Разг.* О возможности поступать по своему усмотрению, желанию. ФСРЯ, 499.

Сиде́ть рука́ на руке́. *Кар. Неодобр.* Бездельничать. СРГК 5, 579; Мокиенко 1990, 64.

Си́льная рука́. *Разг.* 1. Влиятельный покровитель. ФСРЯ, 396. 2. Диктаторская, авторитарная форма правления. ТС XX в., 551.

Спи, рука́, спи, нога́. *Р. Урал.* 1. Об удобной постели. 2. Об очень спокойном, тихом человеке. СРНГ 21, 263.

Твёрдая рука́. 1. *Разг.* То же, что **сильная рука 2.** ТС XX в., 551; ЗС 1996, 226. 2. *Жарг. комп. Шутл.* Процессор Strongarm. < Дословный перевод с англ. Садошенко, 1996.

Тяжёлая рука́ *у кого. Разг.* 1. О человеке, который сильно и больно бьёт. 2. О человеке, который может принести несчастье, болезнь кому-л., сглазить кого-л. ДП, 313; БТС, 1359; СПП 2001, 66.

Чи́стая рука́. *Кар. Одобр.* О честном человеке. СРГК 5, 579.

Бить (ударя́ть/ уда́рить) по рука́м. 1. *Разг.* Заключать сделку, соглашение. ДП, 314, 497; БТС, 1373; ФМ 2002, 402; Ф 2, 216; НОС 11, 86; СРГСУ 4, 100; ФСРЯ, 397; БМС 1998, 499. 2. *кого. Волг.* То же, что **вязать по рукам и ногам.** Глухов 1988, 4.

Би́ться по рука́м. *Сиб., Яросл.* То же, что **бить по рукам 1.** ФСС, 12; СБО-Д1, 32; СФС, 25; СРНГ 35, 240; ЯОС 1, 61.

Всё к рука́м *у кого. Новг. Одобр.* Об умелом человеке. НОС 9, 155.

Вяза́ть/ связа́ть по рука́м и нога́м *кого. Прост.* Ограничивать свободу действий, лишать кого-л. самостоятельности. Глухов 1988, 21; Ф 1, 105.

Гуля́ть по рука́м. *Разг.* Передаваться от одного человека к другому с целью осмотра, ознакомления. ФСРЯ, 122.

Дава́ть/ дать по рука́м. *Разг.* Решительно пресекать какие-л. действия, предупреждая нежелательные последствия. ФСРЯ, 124.

Идёт к рука́м *чьим. Перм.* Всё удаётся кому-л., получается у кого-л. Подюков 1989, 176.

К рука́м не приста́нет *что. Новг.* О необходимости выполнить какую-л. работу (от работы не случится ничего плохого). НОС 9, 28, 156.

Не к рука́м [пришло́сь] *кому что. Народн.* Не принесло пользы, не пошло впрок кому-л. ДП, 314; МФС, 87.

Не к рука́м куде́ля. *Волг., Прикам., Ср. Урал.* 1. О неудаче. 2. О чём-л. неуместном, не приносящем пользы. 3. О неумелом человеке. Глухов 1988, 99; СРГСУ 2, 198; СРНГ 16, 8; МФС, 52; СРНГ 35, 243.

Отда́ть тёплым рука́м *кого, что. Кар.* Передать близким людям, в надёжные руки. СРГК 4, 288.

Пойти́ по рука́м. 1. *Разг. Неодобр.* Стать неразборчивой в половых связях; стать проституткой (о женщине). БТС, 892; СОСВ, 143; ЗС 1996, 262, 377; Верш. 6, 128. 2. *Пск.* Подвергнуться разорению, разворовыванию. СПП 2001, 66.

По рука́м. *Разг.* Выражение согласия: решено, договорились. ФСРЯ, 397; Верш. 6, 128.

По рука́м да за слёзы. *Прикам. Ирон.* О свадебном обряде, совершающемся в короткий срок. МФС, 87.

Приби́ться к рука́м. 1. *Дон. Одобр.* Исправиться, стать послушным, порядочным. СРНГ 31, 111; СДГ 3, 53. 2. *Волг.* Найти пристанище где-л. Глухов 1988, 132.

Прибра́ть к рука́м *что, кого. Разг.* Подчинить себе кого-л., взять себе, захватить что-л. ДП, 220; ФСРЯ, 397; БМС 1998, 500; ЗС 1996, 226; Верш. 6, 128; Глухов 1988, 132.

Прилипа́ет к рука́м *чьим. Прост. Ирон.* О том, что незаконно присваивается, похищается. Ф 2, 91.

Пускáть / пустúть по рукáм *что. Разг.* Отдавать для прочтения что-л. написанное, неопубликованное, интересующее многих. Ф 2, 122.

Свя́зывать (спýтывать) по рукáм и ногáм *кого. Разг.* Лишать кого-л. возможности свободно действовать. ДП, 314, 648; БТС, 1253; ФСРЯ, 415.

Ударя́ть по рукáм. См. **Бить по рукам 1.**

Ударя́ться/ удáриться по рукáм. *Разг. Устар.; Сиб.* То же, что **бить по рукам 1.** Ф 2, 217; СФС, 190; СБО-Д2, 237.

Хлóпать/ хлопнуть по рукáм. *Прост.* То же, что **бить по рукам 1.** Ф 2, 235.

Ходúть по рукáм. 1. *Разг.* То же, что **гулять по рукам.** ФСРЯ, 122. 2. *Пск.* Жить, воспитываться у разных людей. СПП 2001, 66.

Бить (шлёпнуть) рукáми. *Дон.* То же, что **бить по рукам 1.** СДГ 3, 98.

Брать/ взять гóлыми рукáми *кого, что. Разг.* Овладевать, захватывать без особого труда, без особых усилий что-л. ФСРЯ, 44; БТС, 217.

Возьмúте меня́ гóлыми рукáми. *Пск.* Клятвенное заверение в чём-л. ПОС 3, 169.

Вскúнуть рукáми. *Горьк.* То же, что **всплеснуть руками.** БалСок, 28.

Всплеснýть рукáми. *Разг.* В знак удивления вскинуть руки, слегка хлопнуть в ладоши. БМС 1998, 500; ШЗФ 2001, 48; Ф 1, 85.

Голосовáть обéими рукáми *за что. Разг.* То же, что **подписываться обеими руками.** БМС 1998, 500; БТС, 216; ШЗФ 2001, 56.

Гóлыми рукáми не возьмёшь *кого. Разг.* О человеке, с которым непросто справиться. БТС, 217; Ф 1, 71.

Двумя́ рукáми свой хуй согнýть (положúть) не мóжет. *Неценз. Ирон.* О сильно ослабевшем, бессильном человеке. Мокиенко, Никитина 2003, 292.

Дéлать [с] рукáми *что. Волог., Сиб. Одобр.* Выполнять работу, делать что-л. добросовестно, качественно. СБО-Д1, 114; СВГ 2, 18.

Дёргать рукáми. *Коми.* Драться, бить кого-л. Кобелева, 61.

Держáться обéими рукáми *за кого. Разг.* Высоко ценить кого-л., постоянно прибегать к помощи, защите кого-л. Глухов 1988, 34; Ф 1, 162.

Ест рукáми, а рабóтает брюхом. *Народн. Шутл.-ирон.* О лентяе, любящем поесть. Жиг. 1969, 213.

Идтú рукáми. *Кар.* Начинать драться. СРГК 2, 268.

Не задёвывать рукáми *кого. Коми.* Не обижать, не трогать кого-л. Кобелева, 63.

Не обоймёшь двумя́ рукáми. *Волг. Шутл.* 1. *кого.* Об очень полном человеке. 2. *что.* О большом количестве, изобилии чего-л. Глухов 1988, 100.

Ни рукáми, ни ногáми. *Курск. Неодобр.* О неумелом человеке. БотСан, 106.

Отбивáться (отбры́киваться, упирáться) рукáми и ногáми *от чего. Народн.* Решительно отказываться от какого-л. предложения, не соглашаться на что-л. ДП, 240, 314; Ф 2, 22; Глухов 1988, 59.

Подпúсываться обéими рукáми *под чем. Разг.* Охотно и полностью соглашаться с чем-л. ФСРЯ, 332; ФМ 2002, 398; Ф 2, 59.

Под рукáми. 1. *Кар., Пск.* Рядом, близко. СРНГ 35, 240; СПП 2001, 66. 2. *Прикам.* Взяв под руки. МФС, 87. 3. *Сиб.* Взяв на руки. Верш. 6, 128.

Прикасáться гря́зными рукáми *к чему. Разг.* Относиться к чему-л. неуважительно, без должного внимания; делать что-л. небрежно. БМС 1998, 500.

Проскáльзывать/ проскользнýть мéжду рукáми *у кого. Прост.* Быстро и незаметно убегать, исчезать. Ф 2, 101.

Разбрáсываться рукáми. *Жарг. мол.* Бурно жестикулировать. Максимов, 357.

Разводúть/ развестú рукáми. *Разг.* Недоумевать, удивляться. ФСРЯ, 397; БМС 1998, 500; Мокиенко 1990, 133; ЗС 1996, 488; ФМ 2002, 402.

Размéривать рукáми. *Кар.* То же, что **рассуждать руками. СРГК 5, 422.**

Рассуждáть рукáми. *Яросл.* Жестикулировать. ЯОС 8, 139; СРНГ 35, 240.

Рвать (отрывáть/ оторвáть) с рукáми *что. Разг.* 1. Нарасхват разбирать, раскупать что-л. ФСРЯ, 305, 387. 2. С большим удовольствием брать у кого-л. что-л. Верш. 4, 306.

Рукáми не скласть *чего. Кар.* О невозможности исправить положение, справиться с чем-л. СРГК 5, 578.

Рукáми тúну ловúть. *Пск. Ирон.* Тонуть. СПП 2001, 66.

С гóлыми рукáми. *Арх.* 1. То же, что **с пустыми руками.** 2. Без приданого (о невесте). АОС 2, 260, 262.

С длúнными рукáми под цéркву идтú. *Краснодар. Ирон.* Идти просить милостыню. СРНГ 35, 244.

Сплúсывать рукáми. *Морд.* Разводить руки в стороны в знак удивления, недоумения. СРГМ 2002, 118.

С простыми рукáми. *Сиб.* Налегке. СРНГ 35, 244.

С пусты́ми рукáми. *Разг.* Ничего не имея при себе; ничего не получив; ничего не добившись. ФСРЯ, 397.

[С] рукáми и ногáми. *Разг.* 1. Охотно, с удовольствием. 2. Целиком, полностью. БМС 1998, 500; ФСРЯ, 397; СОСВ, 123; Верш. 4, 163.

Упирáться руками и ногами. См. **Отбиваться руками и ногами.**

Ухватúться обéими рукáми *за что. Разг.* С большой охотой, желанием, с удовольствием воспользоваться чем-л. ФСРЯ, 500.

Хватáть гóлыми рукáми *кого. Разг.* То же, что **брать голыми руками.** Ф 2, 231.

Чужúми рукáми. *Разг.* Не самостоятельно, используя труд, усилия, энергию других. ФСРЯ, 397.

Чужúми рукáми жар загребáть. *Разг. Неодобр.* Пользоваться результатами труда других в своих корыстных целях. ФСРЯ, 162; БТС, 299, 318, 1486; Мокиенко 1990, 95.

Чужúми рукáми своúх родúтелей поминáть. *Сиб. Неодобр.* То же, что **чужими руками жар загребать.** СФС, 203.

Чужúми рукáми ýголье из печú грáбить. *Арх. Неодобр.* То же, что **чужими руками жар загребать.** АОС 10, 15.

Шевелúть рукáми. *Пск.* Работать, выполнять физическую работу. СПП 2001, 66.

Быть в рукáх *кого, чьих. Разг.* 1. Находиться в зависимом положении. 2. Находиться во владении, в распоряжении, в подчинении кого-л. ДП, 220; ФСРЯ, 397; БМС 1998, 500.

Быть в своúх рукáх. *Яросл.* Контролировать ситуацию, быть хозяином положения. ЯОС 2, 38; СРНГ 35, 242.

Вúдный в рукáх. *Пск. Одобр.* То же, что **на все рýки 1.** СПП 2001, 67.

В рукáх. *Кар., Ряз.* Ручным способом, вручную. ДС, 495; СРГК 5, 577; СРНГ 35, 242.

В рукáх игрáет *у кого что. Одобр. Ряз.* Об умелом мастере, работящем человеке. ДС, 204.

В рукáх не бывáло *у кого. Перм. Неодобр.* О человеке, не имеющем умения, сноровки в каком-л. деле. Подюков 1989, 19.

В рука́х не шеве́лится *у кого. Кар.* Об отсутствии сил, возможности работать. СРГК 5, 577.

Всё в рука́х кружа́ется *у кого. Печор.* То же, что **всё в руках родится.** СРГНП 1, 354-355.

Всё в рука́х [роди́тся] *у кого. Арх., Волог., Печор, Ср.Урал. Одобр.* Об умелом мастере, работящем человеке. АОС 6, 33; СРНГ 35, 137.

Вы́растить на одни́х рука́х *кого. Кар.* Самостоятельно, без посторонней помощи воспитать кого-л. СРГК 1, 285.

Горе́ть в рука́х. *Разг. Одобр.* Быстро и качественно выполняться (о какой-л. работе, деле). СОСВ, 55; Ф 2, 26.

Держа́ть в рука́х. 1. *кого. Разг.* Воспитывать кого-л. в строгости, держать кого-л. в подчинении, ограничивать чью-л. свободу действий. БТС, 252; Верш. 6, 127; Глухов 1988, 124; СПП 2001, 66. 2. *что. Сиб.* Иметь в своём хозяйстве что-л. ФСС, 59.

Держа́ть на рука́х *кого. Пск.* Нежить, баловать кого-л. ПОС 9, 41.

Держа́ть себя́ в рука́х. *Разг.* Сохранять самообладание, сдерживать порывы своих чувств. ФСРЯ, 137; БТС, 252.

Жить на свои́х рука́х. *Дон.* Зарабатывать себе на жизнь. СДГ 3, 98.

Кипе́ть в рука́х *у кого. Волг., Новг. Одобр.* То же, что **гореть в руках.** Глухов 1988, 74; НОС 4, 42.

На рука́х. *Разг.* 1. (делать *что*). *Печор.* Вручную. СРНГП 2, 235. 2. *чьих, у кого.* На попечении, на иждивении у кого-л. 3. *чьих, у кого.* Во владении, в распоряжении кого-л. 4. *чьих, у кого.* В присутствии кого-л. (умереть). ФСРЯ, 398; СДГ 3, 98; СРГНП 1, 458; БМС 1998, 500-501; СРНГ 35, 242; СРГК 5, 578; Верш. 6, 127.

Не быва́ло в рука́х *у кого, что. Арх.* То же, что **у рук не было.** АОС 2, 205.

Носи́ть в рука́х *кого. Коми.* Уважать кого-л., относиться с почтением к кому-л. Кобелева, 69.

Носи́ть на рука́х *кого. Разг.* 1. Высоко ценить кого-л., дорожить кем-л. 2. Баловать кого-л., выполняя все желания, прихоти. ФСРЯ, 398; БМС 1998, 501; Глухов 1988, 113.

Переноси́ть на рука́х *кого. Кар.* Воспитать, вырастить (ребёнка). СРГК 4, 458.

Петь в рука́х *чьих. Кар.* Слушаться, легко подчиняться чьей-л. воле. СРГК 4, 495.

Поддержа́ть в рука́х *кого. Кар.* Оказать помощь, содействие кому-л. СРГК 4, 625.

Спит в рука́х *у кого что. Прикам., Перм. Неодобр.* О медленно, неумело выполняемой работе. СГПО, 596; МФС, 94.

Ходит в рука́х *у кого что. Арх. Одобр.* Об умелом мастере. АОС 6, 33.

Бежа́ть по руке́. *Жарг. спорт.* Участвовать в забеге с ручным хронометрированием. БСРЖ, 515.

В (на, по) ле́вой руке́. *Кар., Коми, Новг., Сиб.* Слева, с левой стороны. СРГК 3, 103; Кобелева, 66; НОС 9, 155; СФС, 40, 114; СРНГ 16, 309; СРНГ 35, 238; СБО-Д2, 164.

В (на) пра́вой руке́. *Коми., Сиб.* С правой стороны, справа. Кобелева, 73; СРНГ 35, 238.

В свое́й руке́. *Сиб. Одобр.* О здоровом, крепком человеке среднего возраста. ФСС, 168; СРНГ 35, 242.

Дать по право́й руке́ *кому. Пск.* Поздороваться с кем-л. ПОС 8, 133.

К руке́. *Ряз.* То же, что **по руке 1-2.** ДС, 495.

На руке́. 1. *Ряз.* То же, что **по руке 1.** ДС, 495. 2. *Ряз.* То же, что **по руке 2.** ДС, 495. 3. *чьей. Сиб.* На чьём-л. попечении, на иждивении у кого-л. СРНГ 35, 243.

Пожа́ловать к руке́ *кого. Разг. Устар.* Разрешить поцеловать руку кому-л. в знак милости, расположения к кому-л. Ф 2, 61.

Пойти́ не по той руке́. *Новг.* Начать вести неподобающий образ жизни. Сергеева 2004, 214.

По криво́й руке́. *Пск. Неодобр.* Нечестным путём, по блату. СПП 2001, 66.

По руке́ *кому что. Разг.* 1. Вполне подходит, удобно, соответствует кому-л. что-л. 2. О том, что удобно держать. ФСРЯ, 398; БМС 1998, 501.

Прийти́сь по руке́ *кому. Народн.* Подойти кому-л. ДП, 314.

Бира́ть (би́рывать) в ру́ки *что. Арх.* То же, что **брать в руки 1.** АОС 2, 24.

Большо́й руки́. 1. *Разг.* Обладающий каким-л. качеством в высшей степени его проявления. ФСРЯ, 398; ДП, 437; БМС 1998, 501. 2. *Арх.* Очень крупный, очень большой. АОС 2, 70.

Брать /взять (забира́ть/ забра́ть) в ру́ки. 1. *что. Арх.* Пользоваться чем-л., использовать что-л. АОС 2, 24. 2. *кого. Разг.* Подчинять себе кого-л., начинать командовать, руководить кем-л. ПОС 2, 153; ФСРЯ, 398; Глухов 1988, 5, 44. 3. *что. Разг.* Завладевать чем-л. БТС, 311; Глухов 1988, 44. 4. *Арх.* Прикладывать усилия для осуществления чего-л. АОС 4, 83.

Брать/ взять на бе́лы ру́ки *кого. Новг.* Заставлять, принуждать кого-л. делать что-л. Сергеева 2004, 179.

Брать/ взять себя́ в ру́ки. *Разг.* Добиваться полного самообладания. ФСРЯ, 47; Верш. 6, 206; ЗС 1996, 166.

Бра́ться в ру́ки. *Арх.* О желании сделать что-л. АОС 2, 111.

Валя́ть ру́ки *о кого, обо что. Пск.* Ввязываться в какое-л. неприятное дело. ПОС 3, 31.

Вздыма́ть ру́ки *на кого. Пск.* Действуя силой, заставлять кого-л. подчиниться. СПП 2001, 66.

Взять на себя́ ру́ки. *Арх.* Кончить жизнь самоубийством. АОС 4, 83.

Взя́ться в ру́ки. *Кар.* Начать выполнять какую-л. работу. СРГК 1, 109.

Во все ру́ки. *Пск.* Интенсивно, напряжённо (работать). СПП 2001, 66.

В одни́ ру́ки. *Разг.* Одному лицу (продавать, отпускать и т. п.). ФСРЯ, 398.

Вокру́т руки́. *В. Урал.* О крайне малом количестве чего-л. СРНГ 35, 239.

В ру́ки. *Новг., Орл., Яросл.* Вручную. НОС 9, 155; СОГ 1989, 95; ЯОС 2, 38.

Все ру́ки вы́дергать. *Пск.* Сильно натрудить руки. ПОС 5, 151.

В со́бственные ру́ки. *Разг.* Непосредственно, лично кому-л. ФСРЯ, 398.

Встава́ть/ встать на́ руки. *Р. Урал.* Переходить с подножного корма на фуражное содержание. СРНГ 35, 243.

Вставля́ть ру́ки. *Пск.* Работать, делать что-л., прикладывать усилия. СПП 2001, 66.

Второ́й руки. *Народн.* Не самый лучший, второсортный. ДП, 314.

В три руки́. 1. *Дон.* Очень быстро. СДГ 3, 98. 2. *Волг.* Дружно, сообща. Глухов 1988, 16.

Вы́воротило бы тебе́ ру́ки! *Сев. Двин. Бран.* Восклицание, выражающее гнев, негодование, возмущение в чей-л. адрес. СРНГ 5, 259.

Выкру́чивать (выла́мывать) ру́ки *кому. Разг.* Насильно заставлять кого-л. делать что-л. НРЛ-81; Ф 1, 94.

Выходи́ть/ вы́йти из-под руки́ *чьей. Горьк.* Переставать подчиняться, повиноваться кому-л. БалСок, 29.

Вяза́ть ру́ки *кому. Арх.* Лишать кого-л. возможности действовать свободно, стеснять, связывать кого-л. АОС 8, 432.

Горо́ховые ру́ки *[у кого]. Пск. Бран.-шутл.* О неловком, неумелом или сделавшем что-л. неправильно, неаккуратно человеке. ПОС 7, 132.

Греть/ нагре́ть (погреть) ру́ки *на чём. Разг.* Нечестно наживаться, богатеть на каком-л. деле. ФСРЯ, 398; БТС, 227, 575; ДП, 528; ЗС 1996, 200; БМС 1998, 501; Ф 1, 127.

Дава́ться в ру́ки *кому. Сиб.* Удаваться, получаться. Верш. 6, 127.

Дать руки́ *кому.* 1. *Дон.* Ударить кого-л. рукой, побить кого-л. СРНГ 7, 256; СДГ 3, 98. 2. *Ворон.* Договориться с кем-л. о чём-л. СРНГ 35, 239.

Две руки́ к се́рдцу. *Пск.* Ничего не имея при себе, оставшись без средств существования. ПОС 8, 139.

Держа́ть ру́ки кве́рху. *Кар.* Драться с кем-л. СРГК 1, 454.

Держа́ть ру́ки покоро́че. *Пск.* Вести себя скромно, не позволять лишнего. ПОС 9, 41.

Держа́ть ру́ки по швам. *Разг.* Дрожать, трепетать перед кем-л. ФСРЯ, 137; ФМ 2002, 395; ЗС 1996, 225, 505; Ф 1, 160.

Держа́ться руки́ *чьей. Перм.* Идти вслед за кем-л., действовать в интересах кого-л. Подюков 1989, 62.

До́лгий на ру́ки. *Неодобр. Пск.* О вороватом, нечестном человеке. СПП 2001, 66.

Доложи́ть ру́ки. *Пск.* Постараться сделать что-л. добросовестно. ПОС 9, 138.

Есть ру́ки. *Кар.* Досадовать, сожалеть о непоправимом, потерянном. СРГК 5, 578.

Жить из-под руки́ *чьей. Сиб.* Находиться на чьем-л. иждивении. ФСС, 72.

Зажа́ть в ру́ки *кого. Пск.* Полностью подчинить себе кого-л. ПОС 11, 201.

Заца́пить ру́ки. *Волг.* Сильно устать. Глухов 1988, 52.

Золоты́е ру́ки *[у кого]. Разг. Одобр.* О человеке, который справляется с любой работой, умело, искусно всё делает. Жиг. 1969, 240; ФСРЯ, 398; СОСВ, 78; БМС 1998, 501.

Игра́ть на две руки́. *Волг., Дон. Неодобр.* Быть двуличным, двурушничать. Глухов 1988, 56; СДГ 1, 123.

Идти́ в ру́ки *кому. Горьк.* Легко, без труда достаётся кому-л. Ф 1, 217; БотСан, 37.

Изверте́ть ру́ки. *Башк.* Устать от тяжёлой работы. СРГБ 1, 161.

Из-под ле́вой руки́. *Кар.* Не соответствующий предъявляемым требованиям, плохой. СРГК 3, 103.

Из рук в руки. *Разг.* Непосредственно от одного человека другому. ФСРЯ, 399.

Иссуши́ мне ру́ки! *Влад.* Клятвенное заверение в истинности сказанного. СРНГ 35, 238.

К руки́. *Печор.* Попутно, заодно. СРНГП 2, 235.

Калёные ру́ки. *Прикам. Неодобр.* О неловком, нерасторопном человеке. МФС, 87.

Класть ру́ки на́крест. *Кар.* Умирать. СРГК 2, 360.

Короти́ть ру́ки *кому. Волг.* Приводить кого-л. в покорность. Глухов 1988, 77.

Кудря́вые ру́ки *у кого. Жарг. мол. Шутл.-ирон.* О неловком, неумелом человеке. Максимов, 211.

Лома́ть ру́ки. 1. *Прикам.* Выполнять тяжёлую работу вручную. МФС, 55. 2. *Прост.* Горевать, расстраиваться, волноваться о чём-л. Ф 1, 285; Глухов 1988, 83.

Ломи́ть ру́ки (ру́ченьки). *Пск.* Каяться, сожалеть о содеянном. СПП 2001, 66.

Ма́лой руки́. *Разг.* О чём-л. незначительном, неважном, невысокого качества. БМС 1998, 502.

Мара́ть (па́чкать) ру́ки *об кого, обо что. Прост. Неодобр.* Ввязываться в невыгодное или грязное дело, в неприятную историю; позорить себя каким-л. поступком. БМС 1998, 502; ФСРЯ, 399; БТС, 520, 788.

Мыть ру́ки. *Новг.* Готовиться к молебну. НОС 5, 116.

Наве́шивать на себя́ ру́ки. *Сиб.* Кончать жизнь самоубийством. ФСС, 116; СРНГ 35, 241.

На все ру́ки. 1. *Народн. Одобр.* Умелый, работящий. ДП, 426; Жиг. 1969, 260; Кобелева, 58, 81; Верш. 6, 127; АОС 4, 16. 2. *Коми.* Очень быстро (бежать). Кобелева, 58.

На все ру́ки го́дный (гож). *Сиб., Пск. Одобр.* То же, что **на все руки 1.** СФС, 110; ФСС, 45; СБО-Д1, 95; СПП 2001, 66; СРНГ 35, 240.

На все ру́ки дото́шный. *Пенз. Одобр.* То же, что **на все руки 1.** СРНГ 8, 156.

На все ру́ки от ску́ки. *Разг. Шутл.* То же, что **на все руки 1.** БотСан, 102; СПП 2001, 66; Глухов 1988, 88.

На го́лые ру́ки. *Пск.* На пустом месте, без материальной базы. СПП 2001, 66.

На две руки́. 1. *Ворон., Дон.* В обе стороны. СРНГ 35, 238; СДГ 3, 98. 2. *Дон., Горьк.* Очень быстро, проворно (работать). СДГ 3, 98; БалСок, 44. 3. *Волг.* Изменчиво, пытаясь угодить нескольким лицам. Глухов 1988, 89.

Надсади́ть ру́ки. *Сиб.* Лишиться трудоспособности в результате многолетней тяжёлой работы. ФСС, 117.

Накла́дывать/ наложи́ть ру́ки. 1. *на кого. Разг. Устар.* Умерщвлять, убивать кого-л. ФСРЯ, 264. 2. *на кого. Пск.* Призывать к ответу кого-л., доказать чью-л. вину. СПП 2001, 66. 3. *на что. Кар.* Делать то, что необходимо, выполнять какую-л. работу. СРГК 5, 579.

Накла́дывать/ наложи́ть на себя́ ру́ки. *Разг.* Кончать жизнь самоубийством. ФСРЯ, 399.

На ле́вой руки́. *Кар.* По левую руку, слева. СРГК 3, 289.

Налега́ть на свои́ ру́ки. *Новг.* То же, что **накладывать на себя руки.** НОС 5, 151.

На одни́ ру́ки. *Коми., Костром., Печор.* В одиночку, без чьей-л. помощи. Кобелева, 70; СРНГ 35, 243; СРНГП 2, 235.

На ру́ки му́ки. *Смол. Ирон.* О тяжёлых испытаниях, трудностях. СРНГ 35, 243.

На свои́ ру́ки. *Кар.* Самостоятельно, своими руками. СРГК 5, 578.

На свои́ ру́ки топора́ не уро́нит. *Народн. Шутл.-ирон.* О расторопном, умелом, предприимчивом человеке. ДП, 476; Жиг. 1969, 87.

Не бира́ть в ру́ки *что, чего. Печор.* Не заниматься чем-л., не уметь чего-л. СРГНП 1, 32-33.

Не к руки́ ли? *Печор.* Не нужно ли? СРНГП 2, 235.

Некруто́й руки. *Кар.* О спокойном, неагрессивном человеке. СРГК 5, 578.

Не пойти́ в ру́ки. *Волг.* Не удаться, сорваться (о планах, делах). Глухов 1988, 102.

Не с руки́ *кому что. Разг.* Неудобно, не подходит кому-л. что-л. БМС 1998, 502; ФСРЯ, 399; Глухов 1988, 105.

Не туда́ ру́ки повёрнуты *у кого. Волг. Неодобр.* О неумелом, неловком человеке. Глухов 1988, 106.

Нехи́трой руки́. *Новг.* О недалёком, простоватом человеке. НОС 9, 156.

Обагри́ть ру́ки кро́вью. *Книжн.* Совершить убийство или быть причастным к убийству, казни. БТС, 661.

Обби́ть ру́ки. *Пск. Шутл.* Устать от бесполезных поисков чего-л. СПП 2001, 66.

Обира́ть ру́ки. *Яросл.* Закреплять рукобитием заключение сделки, договора. ЯОС 7, 10; СРНГ 35, 240.

Обмыва́ть ру́ки. 1. *Дон.* Дарить подарки повитухе. СДГ 2, 193. 2. *Волг.* То же, что **омывать руки.** Глухов 1988, 114.

Оборва́ть ру́ки. *Кар.* Устать от работы, перетрудиться. СРГК 4, 102.

Омыва́ть/ омы́ть ру́ки. *Разг. Устар.* Отстраняться от чего-л., избегать чего-л., уклоняться от чего-л. Ф 2, 18.

Опуска́ть/ опусти́ть ру́ки. *Разг.* Утрачивать способность или желание действовать, делать что-л. ФСРЯ, 297; Глухов 1988, 117; ЗС 1996, 258.

Оставля́ть/ оста́вить ру́ки-[но́ги]. *Кар., Р. Урал.* Оставлять где-л. следы, улики. СРГК 4, 253; СРНГ 35, 240.

Отбира́ть/ отобра́ть ру́ки *у кого. Р. Урал., Сиб.* Предлагать кому-л., заставлять кого-л. подписать официальный документ. ФСС, 129; СРНГ 35, 240, 244.

Отдава́ть/ отда́ть в ру́ки *чьи кого, что. Разг.* Предоставлять в чьё-л. распоряжение, отдавать под чью-л. власть кого-л., что-л. БМС 1998, 502.

Отдава́ть/ отда́ть на́ руки *кому кого, что. Кар.* Передавать под чью-л. ответственность кого-л., что-л. СРГК 4, 288.

Отдава́ться/ отда́ться в ру́ки *чьи, кого. Разг.* Покоряться, оказываться во власти кого-л. Ф 2, 25.

Отру́блены ру́ки по ло́коть *у кого. Новг. Презр.* О неумелом и ленивом человеке. НОС 9, 155.

От руки́. *Разг.* Написано вручную, рукой. ФСРЯ, 399; БМС 1998, 502.

Отряса́ть ру́ки. *Волг.* Освобождаться от дел, забот. Глухов 1988, 120.

Отсо́хни [у меня] ру́ки и но́ги! *Разг.* Клятвенное заверение в чём-л. ФСРЯ, 399; ДП, 654.

Па́кульи ру́ки. *Помор. Пренебр.* О человеке, который не умеет работать. ЖРКП, 107. < **Пакуль** – 1. Кулёк, пакет. 2. Снежный ком.

Пасть на ру́ки *чьи. Сиб.* Оказаться на чьём-л. попечении, иждивении. ФСС, 132; СРНГ 35, 243

Патра́ть ру́ки *с кем, с чем. Арх.* 1. То же, что **марать руки.** 2. Бороться с недругами. СРНГ 25, 274.

Па́чкать ру́ки. См. **Марать руки.**

Пе́рвой руки́. *Разг. Одобр.* Обладающий высшей степенью какого-л. качества. ФСРЯ, 399; БМС 1998, 502.

Перелома́ть ру́ки-но́ги *кому. Разг.* Расправиться с кем-л., наказать, побить кого-л. СПП 2001, 66.

Плыть в ру́ки *кому. Разг.* Доставаться кому-л. случайно, без приложения особых усилий. БМС 1998, 502; БТС, 846; Ф 2, 49.

Пода́ть на́ руки *кому, что. Новг.* Показать кому-л. что-л. НОС 9, 155.

Пода́ть ру́ки. *Кар.* Проголосовать за кого-л., за что-л. СРГК 4, 616.

Поджима́ть ру́ки. *Народн.* Ничего не делать. СРНГ 28, 10.

Поднима́ть/ подня́ть на себя́ ру́ки. *Сиб.* Кончать жизнь самоубийством. ФСС, 190; СРНГ 35, 241.

Поле́чь на свои́ ру́ки. *Новг.* То же, что **накладывать/ наложить на себя руки.** НОС 8, 87.

Положи́ть на себя́ ру́ки. *Разг. Устар.* То же, что **накладывать/ наложить на себя руки.** Ф 2, 70.

Положи́ть ру́ки *на что.* 1. *Сиб.* Отдать все силы какому-л. делу. ФСС, 144; СРНГ 35, 241. 2. *Пск.* Украсть что-л. СПП 2001, 66.

Помы́ть ру́ки. *Волг.* Освободиться от дел. Глухов 1988, 129.

Попадать/ попа́сть на́ руки *кому. Разг.* Оказываться в чьём-л. распоряжении, владении. Ф 2, 74.

По рука́ да по хвалы́. *Пск.* Понаслышке зная друг о друге, не будучи знакомыми лично. СПП 2001, 66.

Поле́чь на свои́ ру́ки. *Новг.* То же, что **поднимать/ поднять на себя руки.** Сергеева 2004, 198.

Посе́сть на свои́ ру́ки. *Пск.* То же, что **поднимать/ поднять на себя руки.** СПП 2001, 66.

Посягну́ть на свои́ руки. *Новг.* То же, что **поднимать/ поднять на себя руки.** Сергеева 2004, 198.

Потира́ть ру́ки. *Разг.* Выражать радость по поводу какой-л. сделки или удачи. БМС 1998, 503; Ф 2, 81.

Потяну́ть ру́ки на Бо́га. *Разг. Устар.* Снять для клятвы икону. ДП, 653.

Прижима́ть ру́ки. *Пск.* Сдерживать себя, не вступать в драку. СПП 2001, 66.

Прикла́дывать/ приложи́ть ру́ки *к чему.* 1. *Разг.* Быть причастным к чему-л. (обычно – предосудительному). ФСРЯ, 356. 2. *Разг.* Проявлять особое старание в чём-л. ФМ 2002, 399; СРНГ 31, 246. 3. *Костром.* Помогать кому-л. СРНГ 31, 246.

Принима́ть на бе́лые ру́ки *кого. Пск.* Серьёзно относиться к кому-л. СПП 2001, 66.

Приста́вить ру́ки. *Курск. Одобр.* Постараться добросовестно выполнить какую-л. работу. СРНГ 35, 241.

Присяга́ть/ присягну́ть на свои́ ру́ки. *Кар., Новг.* То же, что **поднимать/ поднять на себя руки.** СРГК 5, 106; НОС 9, 30.

Пришивны́е ру́ки. *Пск. Неодобр.* О неловком, неумелом, нерасторопном человеке. СПП 2001, 66.

Пройти́ проме́ж руки́. *Кар.* Оказаться потерянным, утраченным. СРГК 5, 263.

Пропуска́ть/ пропусти́ть сквозь [свои́] ру́ки. 1. *что. Разг.* Испытать что-л. лично, проверить что-л. самому. НРЛ-81. 2. *кого. Жарг. угол.* Избивать кого-л. Мокиенко 2003, 99. 3. *кого. Жарг. угол.* Совершать групповое изнасилование. Мокиенко 2003, 99. 4. *Пск.* Растратить, израсходовать (о деньгах). СПП 2001, 66.

Проси́ть руки́ *чьей. Книжн.* Предлагать кому-л. выйти замуж. ЗС 1996, 275.

Проходи́ть че́рез ру́ки *кого, чьи. Разг.* Быть определённое время в ведении, в работе у кого-л. ФСРЯ, 367.

Пусть ру́ки отсо́хнут *у кого! Разг. Бран.* Проклятие в адрес вора или человека, сломавшего что-л. Кобелева, 75.

Развя́зывать/ развяза́ть ру́ки *кому. Разг.* Предоставлять полную свободу действий кому-л. ФСРЯ, 379; Глухов 1988, 138; Верш. 6, 34, 128.

Развяза́ть себе́ ру́ки. *Разг.* Получить полную свободу действий. Ф 2, 114.

Размыва́ть/ размы́ть ру́ки. 1. *Дон.* Обмывать роженицу после родов. ДС, 495. 2. *Дон.* Вознаграждать повитуху за благоприятный исход родов. ДС, 495. 3. *Брян.* Помогать роженице при родах, получая за это пищу, угощение. СРНГ 35, 244. 4. *Дон.* Отмечать какое-л. событие выпивкой. СДГ 3, 80. 5. *Волг.* Отстраняться, избегать участия в чём-л. предосудительном. Глухов 1988, 139. 6. *Сиб.* Заканчивать какое-л. дело. СРНГ 34, 90. 7. *Сиб.* Втираться в доверие к кому-л. СФС, 156; СРНГ 34, 30; СРНГ 35, 244.

Распроста́ть ру́ки *кому. Кар.* Освободить, избавить кого-л. от чего-л. СРГК 5, 461.

Распуска́ть/ распусти́ть ру́ки. 1. *Разг.* Начинать драку. Глухов 1988, 140; Ф 2, 120. 2. *Кар.* Умирать. СРГК 5, 579.

Расставля́ть/ расста́вить ру́ки. *Ворон.* Выражать недоумение. СРНГ 34, 224.

Растяжи́мой руки́. *Кар.* Требующий длительного времени для исполнения, решения. СРГК 5, 485.

Рвать ру́ки. *Пск.* Выполнять тяжёлую физическую работу, работать не по силам. СПП 2001, 66.

Ру́ки в бо́ки, глаза́ в потоло́ки. *Диал. Неодобр.* То же, что **руки в брюки 1.** Мокиенко 1990, 64.

Ру́ки в брю́ки. 1. *Разг. Неодобр.* О бездельнике, стоящем, засунув руки в карманы брюк. БМС 1998, 503; БТС, 99; Мокиенко 1990, 64. 2. *Волг. Неодобр.* О безделье. Глухов 1988, 142.

Ру́ки вися́ отболта́лись *у кого. Народн. Неодобр.* О лентяе, бездельнике. ДП, 501.

Ру́ки в карма́н. *Волг.* То же, что **руки в брюки 2.** Глухов 1988, 142.

Ру́ки в кресте́ *у кого. Кар.* О человеке, близком к смерти. СРГК 3, 19.

Ру́ки в укла́дке. *Перм. Неодобр.* То же, что **руки в брюки 1.** Подюков 1989, 176.

Ру́ки вя́нут *[у кого]. Пск.* У кого-л. нет сил, желания делать что-л. (от отчаяния, огорчения). ПОС 6, 119.

Ру́ки горя́т *у кого. Разг.* Кто-л. испытывает неодолимое желание сделать что-л. ФСРЯ, 399.

Ру́ки грабу́щие *у кого. Пск. Неодобр.* Кто-л. падок до чужого, жаден. ПОС 7, 169.

Ру́ки дли́нные (длинны́) *у кого. Разг.* 1. *Неодобр.* О вороватом человеке. ДП, 313; СРНГ 35, 240. 2. О влиятельном, могущественном человеке. ДП, 313; БМС 1998, 503.

Ру́ки длинну́щи, глаза́ завиду́щи. *Кар. Неодобр.* О жадном, алчном и завистливом человеке. СРГК 1, 462.

Ру́ки до́лгие *у кого. Народн.* То же, что **руки длинные 1-2.** ДП, 313; Кобелева, 75; СПП 2001, 66.

Ру́ки загребу́щие *у кого. Разг. Неодобр.* О жадном, алчном человеке. ЗС 1996, 319.

Ру́ки за́ руки. *Сиб.* Взявшись за руки. Верш. 6, 128.

Ру́ки зудя́тся *у кого. Сиб.* О человеке, который не доверяет зрительному восприятию, стремится всё потрогать руками. СФС, 159; СРНГ 35, 240.

Ру́ки к жо́пе (за́ду, за́днице) приде́ланы (приста́влены) *у кого. Вульг.-прост. Ирон.* То же, что **руки не оттуда растут.** Мокиенко, Никитина 2003,

Ру́ки коротки́ *у кого. Разг.* О человеке, не имеющем достаточной власти, возможностей, прав сделать что-л. ФСРЯ, 399; БМС 1998, 503; Жиг. 1969, 236; СРНГ 35, 240.

Ру́ки к себе́ гну́тся *у кого. Кар.* О человеке, который из всего стремится извлечь выгоду для себя, обогатиться. СРГК 1, 348; СРГК 5, 578.

Ру́ки к се́рдцу. 1. *Прикам.* О человеке, сидящем без дела, сложив руки. МФС, 87. 2. *Приамур.* Об отдыхающем человеке. СРГПриам., 259; СРНГ 35, 240. 3. *Сиб.* Об умершем. СРНГ 35, 241.

Ру́ки на заты́лке *у кого. Кар. Неодобр.* О ленивом человеке, не любящем работать. СРГК 3, 222.

Ру́ки на спаси́бе. *Новг. Шутл.-ирон.* О человеке, который ничего не делает. НОС 9, 156.

Ру́ки не беру́т (не де́ржат) *у кого. Волг. Неодобр.* О неловком, неумелом человеке. Глухов 1988, 142.

Руки́ не вбить. *Кар.* О чём-л. очень твёрдом. СРГК 5, 578.

Ру́ки не ве́рнутся *чьи. Пск.* У кого-л. нет сил работать, делать что-л. ПОС 3, 93.

Ру́ки не дохо́дят *у кого до чего, до кого. Разг.* У кого-л. нет времени, возможности заняться чем-л., кем-л., сделать что-л. ДП, 314; ФСРЯ, 400; ЗС 1996, 484; ПОС 9, 187; Верш. 6, 127.

Ру́ки не крю́ки *у кого. Яросл. Одобр.* Об умелом, ловком человеке. ЯОС 8, 139.

Руки́ не накла́дывать *на кого. Морд.* Никогда не бить, не подвергать побоям кого-л. СРГМ 1986, 76.

Ру́ки не налега́ют *у кого на что. Ряз.* Кто-л. не решается сделать что-л. ДС, 495; СРНГ 35, 241.

Ру́ки не отва́лятся *у кого. Прост.* Кому-л. не составит большого труда сделать что-л. ФСРЯ, 400; Глухов 1988, 142.

Руки не отту́да (не с того́ ме́ста) расту́т *у кого. Прост., Новг. Ирон.* О неумелом, немастеровом, неловком и ленивом человеке. Мокиенко, Никитина 2003, 293; НОС 9, 112.

Ру́ки не по ци́ркулю *у кого. Перм. Шутл.* О неловком, неумелом человеке. Подюков 1989, 226.

Ру́ки не пристаю́т *у кого. Кар.* У кого-л. нет желания делать что-л. СРГК 5, 205.

Руки́ не пробьёшь (не пропихнёшь). *Горьк., Перм.* О большом скоплении народа, тесноте где-л. СРНГ 35, 241; Подюков 1989, 163.

Руки́ не проточи́ть. *Горьк.* О большом скоплении народа где-л. БалСок, 52.

Ру́ки не так глядя́т *у кого. Арх.* О неопытном, неумелом человеке. АОС 9, 139.

Ру́ки не тем конц́ом вста́влены (приши́ты) *у кого. Разг. Неодобр.* О неумелом, неловком человеке. НОС 9, 155; БалСок, 52; Глухов 1988, 105; Подюков 1989, 177; Мокиенко, Никитина 2003, 293. **Ру́ки не э́тим конц́ом вста́влены.** *Горьк. Неодобр.* То же. СРНГ 35, 241.

Ру́ки-ноги в ходу́ *у кого. Сиб.* О человеке, склонном к скандалу. СОСВ, 123; Верш. 4, 162.

Ру́ки опуска́ются *у кого. Разг.* У кого-л. нет сил, желания делать что-л. из-за бесполезности усилий, неверия в успех дела. ФСРЯ, 400; БМС 1998, 503; ДП, 273, 314.

Ру́ки отва́ливаются *у кого. Разг.* Кто-л. очень устал от работы руками. ФСРЯ, 400; ДП, 273.

Ру́ки отняли́сь *у кого. Разг.* У кого-л. нет сил, желания делать что-л. БТС, 754.

Ру́ки отпа́дывают *у кого. Сиб.* О состоянии сильной усталости от какой-л. работы. Верш. 6, 128.

Ру́ки отпа́ли *у кого. Ряз.* Об отсутствии желания делать что-л. ДС, 495; СРНГ 35, 241.

Ру́ки по швам, го́лову в карма́н. *Народн. Ирон. Устар.* О жизни солдата, военной службе. Жиг. 1969, 371.

Ру́ки по швам [держа́ть]. *Разг.* 1. Стоять по стойке «смирно», прижав руки к туловищу. 2. *Неодобр.* Испытывать чувство полной зависимости, покорности, приниженности; дрожать, трепетать перед кем-л. БМС 1998, 503.

Ру́ки прочь *от кого, от чего. Книжн.* Требование невмешательства в чьи-л. дела, сохранения неприкосновенности кого-л., чего-л. БМС 1998, 503; ФСРЯ, 400.

Ру́ки свя́ли *у кого. Пск.* Кто-л. очень утомлён чем-л. СПП 2001, 67.

Ру́ки с па́ру сошли́сь *у кого. Волг., Сиб.* О замёрзших руках; о боли в кистях на морозе. Глухов 1988, 142; СРНГ 35, 241.

Ру́ки (ру́чки) с подно́сом *у кого. Волог., Костром., Олон., Перм.* О человеке, умеющем давать взятки, делать подношения. СРНГ 28, 103.

Ру́ки с я́щиком *у кого. Вят.* О вороватом человеке. СРНГ 35, 241.

Ру́ки упа́ли *у кого. Новг.* Об обессилевшем человеке. НОС 11, 93.

Ру́ки че́шутся *у кого. Разг.* 1. О желании, намерении подраться с кем-л. 2. О сильном желании сделать что-л. ФСРЯ, 400; СПП 2001, 67; ЗС 1996, 126, 307; Глухов 1988, 142; Жиг. 1969, 204.

С бли́зкой руки́. *Орл.* Используя знакомства, связи. СОГ 1989, 77.

Свое́й руки́. *Сиб.* Собственного изготовления. СРНГ 35, 241.

Свя́зывать/ связа́ть ру́ки *кому, чьи. Разг.* Ограничивать чью-л. свободу действий. ФСРЯ, 400; СПП 2001, 67.

Серя́ные ру́ки *у кого. Кар.* О человеке, склонном к воровству. СРГК 5, 579.

Сесть на свои́ ру́ки. *Пск.* Начать вести единоличное хозяйство. СПП 2001, 67; СРНГ 35, 245.

Сиде́ть (стоя́ть) поджа́в ру́ки. *Народн. Неодобр.* То же, что **сидеть сложа руки.** ДП, 314; Мокиенко 1990, 64.

Сиде́ть поджо́мши ру́ки. *Новг. Неодобр.* То же. СРНГ 28, 10.

Сиде́ть ру́ки в кресты́. *Ленингр. Неодобр.* То же, что **сидеть сложа руки.** СРНГ 35, 240.

Сиде́ть скла́вши ру́ки. *Новг., Пск.* То же, что **сидеть сложа руки.** НОС 10, 70; СПП 2001, 67; Мокиенко 1990, 64.

Сиде́ть складя́ (сжо́мши, сложи́вши, сца́павши) ру́ки. *Пск. Неодобр.* То же, что **сидеть сложа руки.** СПП 2001, 67.

Сиде́ть сложа́ ру́ки. *Разг. Неодобр.* Бездельничать, бездействовать. БМС 1998, 503-504; Жиг. 1969, 202; Ф 2, 156; Мокиенко 1986, 127; Мокиенко 1989, 172.

Сиде́ть соща́пивши ру́ки. *Диал. Неодобр.* То же, что **сидеть сложа руки.** Мокиенко 1990, 64.

Склада́ть ру́ки. *Пск.* Умирать. СПП 2001, 67.

С кото́рой руки́? *Печор.* С какой стороны? СРНГП 2, 235.

[С] криво́й руки́. *Пск.* То же, что **по кривой руке.** СПП 2001, 67.

С лёгкой руки́ *кого, чьей. Разг.* По чьему-л. почину, примеру, послужившему началом ряда каких-л. действий. ФСРЯ, 400; БМС 1998, 503; ДП, 72.

Сложи́ть ру́ки. *Прост.* Перестать работать, начать бездельничать. Мокиенко 1990, 64. **Сложи́ть ру́ки кресто́м.** *Перм. Неодобр.* То же. Подюков 1989, 188.

Слома́ть ру́ки. *Новг.* Выполнить много тяжёлой работы. НОС 10, 91.

Смотре́ть в ру́ки *кому. Кар.* Ждать помощи от кого-л. СРГК 5, 579.

Собра́ть ру́ки. *Прикам.* Подготовить все необходимые документы для получения чего-л. МФС, 93.

С одно́й руки́. *Кар.* О свежезаваренном крепком чае. СРГК 4, 151.

С пе́рвой руки́. *Урал.* Сразу, с первого раза. СРНГ 35, 244.

С пра́вой руки́. *Коми.* Справа. Кобелева, 73.

С прямо́й руки́. *Пск.* Честно, открыто, не прибегая к каким-л. уловкам, ухищрениям. СПП 2001, 67.

Сре́дней руки́. *Разг.* Посредственный, ничем не выдающийся, среднего качества. ФСРЯ, 400; БМС 1998, 504; БТС, 1256; Глухов 1988, 153.

С руки́. 1. *Сиб.* Знакомый, свой. СФС, 178. 2. *чьей. Ряз.* Со стороны чьих-л. родственников, какой-л. группировки. ДС, 495. 3. *кому что. Сиб. Одобр.* Подходящий, удобный. СОСВ, 166. 4. *кому кто. Сиб.* Является родственником. СРНГ 35, 245.

С руки́ на́ руки. *Коми.* Непосредственно от одного человека другому. СРНГ 35, 239.

Укороти́ть ру́ки *кому. Разг.* Запретить кому-л. бесчинствовать, драться. БТС, 1381; Ф 2, 218.

Уме́лые ру́ки. *Жарг. мол. Шутл.* Папироса-самокрутка. Максимов, 439.

Умере́ть от свое́й руки́. *Горьк.* Покончить жизнь самоубийством. БалСок, 49.

Умыва́ть/ умы́ть ру́ки. 1. *Разг.* Отстраняться от чего-л., снимать с себя ответственность за что-л. ФСРЯ, 401; БТС, 1388. 2. *Жарг. мол.* Скрываться, незаметно исчезать, уходить, убегать откуда-л. Максимов, 369. < От древнего обряда: судьи и обвинители в знак своей беспристрастности совершали символическое умывание рук. БМС 1998, 504.

Чтоб ру́ки отсо́хли *у кого! Разг. Бран.* Восклицание, выражающее гнев, негодование, проклятие в чей-л. адрес. СПП 2001, 67.

Чтоб тебе́ ру́ки свело́ и ко́рчем поста́вило! *Курск. Бран.* То же, что **чтоб руки отсохли!** БотСан, 118.

Ши́рить ру́ки пошире. *Новг.* Работать много и добросовестно. НОС 12, 94.

Бить чужо́й руко́й (руко́ю) *кого-л. Народн.* Пользоваться результатами чужого труда в корыстных целях. ДП 314, 610, 664.

Быть под руко́й (под руко́ю). 1. *Разг.* Находиться в непосредственной близости, рядом с кем-л. БМС 1998, 504; ФСРЯ, 401. 2. *чьей. Пск.* Принадлежать кому-л., быть в чьей-л. собственности.СПП 2001, 67. 3. *чьей. Разг. Устар.* Находиться в подчинении у кого-л., под властью кого-л. ДП, 313.

Го́лой руко́й. *Арх.* Без труда, без особых усилий. АОС 9, 261.

Живо́й руко́й. *Разг.* Очень быстро. БМС 1998, 504; СРГК 2, 56; СПСП, 38; СПП 2001, 67; СОСВ, 69.

Кивну́ть руко́й. *Сиб.* То же, что **махнуть рукой 2.** ФСС, 92.

Махну́ть руко́й. *Разг.* 1. *кому.* Попрощаться с кем-л. 2. *на кого, на что.* Перестать интересоваться, заниматься чем-л., убедившись в бесплодности своих усилий. БМС 1998, 505; ДП, 487; ЗС 1996, 500; ФМ 2002, 397; ФСРЯ, 401.

Мыть руко́й ру́ку. *Разг.* Не выдавать, покрывать друг друга. Ф 1, 306.

Небога́той руко́й. *Тамб.* Экономно, скромно, без больших затрат (жить). СРНГ 20, 320.

Ни руко́й ни ного́й. 1. *Волг. Неодобр.* О лентяе, бездельнике. Глухов 1988, 110. 2. *Кар. Одобр.* О крепком, закалённом человеке, который ничем не болеет. СРГК 5, 578.

Обнима́ться с пра́вой руко́й. *Жарг. мол. Шутл.* Онанировать. Максимов, 281.

Одно́й руко́й. *Кар.* Наскоро. СРГК 4, 151.

Одно́й руко́й даёт, друго́й отнима́ет. *Народн. Неодобр.* О двуличном человеке. ДП, 661; Жиг. 1969, 208.

Одно́й руко́й кре́стится, а друго́й в чужу́ю па́зуху ле́зет. *Народн. Неодобр.* То же, что **одно́й руко́й даёт, друго́й отнима́ет.** Жиг. 1969, 208.

Плехну́ть руко́й. *Кар.* То же, что **махнуть рукой 2.** СРГК 4, 545.

Под руко́й. 1. *Разг.* Рядом, близко. ФСРЯ, 401; Верш. 6, 128. 2. *Разг. Устар.; Перм.* В подчинении, во власти, в распоряжении кого-л. НРЛ-82; Подюков 1989, 177. 3. *Разг.* Под непосредственным руководством кого-л. НРЛ-82. 4. *Жарг. мол. Шутл.* Место встречи у памятника В. И. Ленину (с вытянутой вперед-вверх рукой). Синдаловский, 2002, 145.

Пойти́ с протя́нутой руко́й. *Разг.* Начать нищенствовать, просить милостыню. Ф 2, 64.

Рабо́тать с руко́й. *Ворон. Одобр.* Охотно, с желанием делать что-л. СРНГ 35, 244.

Руко́й не доста́ть. *Волг., Перм.* О недоступном, недосягаемом человеке (как правило – богатом). Глухов 1988, 97; Подюков 1989, 65.

Руко́й не сложи́ть. *Новг.* О невозможности изменить что-л. НОС 9, 156.

Руко́й пода́ть *до чего. Разг.* О небольшом расстоянии до чего-л. ФСРЯ, 401; ДП, 314; БТС, 858; БМС 1998, 505; ЗС 1996, 498.

Руко́й сняло́. *Пск.* О быстром выздоровлении кого-л. СПП 2001, 67.

Свое́й руко́й. *Перм. Ряз.* Без спросу, не спрося никого. ДС, 495; Подюков 1989, 177; СРНГ 35, 245.

Сиде́ть за руко́й. *Кар.* Готовить приданое (о невесте). СРГК 5, 578.

С пусто́й руко́й. *Ряз.* То же, что **с пустыми руками.** ДС, 495.

Стоя́ть с протя́нутой руко́й. *Жарг. мол. Шутл.* Постоянно испытывать сексуальное влечение. Максимов, 349.

Ходи́ть с протя́нутой руко́й. *Разг.* Нищенствовать, просить милостыню. ФСРЯ, 401. **Ходи́ть с протя́нутой руко́й по це́ркви.** *Волг.* То же. Глухов 1988, 167.

Ходи́ть с руко́й. *Смол.* То же, что **Ходить с протянутой рукой.** ССГ 11, 64.

Ще́дрой руко́й. *Разг.* Не скупясь, не жалея (давать, раздавать что-л.). ФСРЯ, 401.

Ах да руко́ю мах. *Волг. Ирон.* О человеке, который поздно спохватился, задумался о чём-л. Глухов 1988, 1.

Бро́ский на́ руку. *Пск.* Драчливый. ПОС 2, 180.

Вести́ ру́ку *с кем. Пск.* Сотрудничать с кем-л., помогать кому-л. СПП 2001, 67; СРНГ 35, 244.

Взя́ть в одну́ ру́ку *что. Новг.* Делать что-л. одновременно. НОС 1, 125.

В ле́вую ру́ку. *Дон.* Налево, в левую сторону. СДГ 2, 109.

В пра́вую ру́ку. *Арх., Дон., Сиб.* Направо, в правую сторону. СРНГ 31, 61; СДГ 3, 52.

В ру́ку. 1. *Разг., Устар; Ряз.* В пользу, на пользу кому-л. ФСРЯ, 401; ДС, 495; БМС 1998, 505; Мокиенко 1990, 95. 2. *Разг. Устар.* В качестве взятки. НРЛ-82. 3. *Разг.* Слаженно, ритмично передавая что-л. из рук в руки. Мокиенко 2003, 99. 4. *Разг.* О вещем, сбывшемся сне. ДП, 236; ФСРЯ, 401.

Вста́вить ру́ку в со́лнышко. *Пск.* Смотреть из-под руки. (Запись 1994 г.).

Вы́купить пра́вую ру́ку. *Народн.* Выполнить данное обещание (как правило – о свадьбе). ДП, 651.

Гну́ть на свою́ ру́ку. *Кар.* Извлекать из чего-л. выгоду для себя. СРГК 1, 348.

Говори́ть на́ руку. *Пск.* 1. *чью.* Высказываться в чью-л. пользу. ТФ, 365. 2. *кому.* Гадать, предсказывать судьбу по руке кому-л. ПОС 7, 35.

Говори́ть по́д руку *кому. Разг.* Мешать кому-л., отвлекая разговором; говорить что-л. некстати, не вовремя, мешая сосредоточиться кому-л. ФСРЯ, 403; ДП, 647.

Дава́ть/ дать в ру́ку *кому. Р. Урал.* Давать взятку кому-л. СРНГ 35, 242.

Дава́ть/ дать ру́ку. 1. *кому. Народн.* Соглашаться на брак; соглашаться на брак дочери во время сватовства. АОС 10, 210, 285; СГПО, 128; МФС, 31; БМС 1998, 505. 2. *Вят.* Заключать договор, сделку, что сопровождается рукобитием. СРНГ 7, 258. 3. *Урал.* Ставить свою подпись под каким-л. документом. СРНГ 35, 241. 4. *кому. Разг.* Помогать кому-л. Ф 1, 140; Глухов 1988, 31. 5. *кому. Разг.* Мириться с кем-л. Глухов 1988, 31.

Дава́ть ру́ку на отсече́ние. *Разг.* Клятвенно заверять кого-л. в чём-л. ДП, 654; ФСРЯ, 505; ЗС 1996, 364.

Держа́ть ру́ку. 1. *чью. Разг. Устар.* Поддерживать кого-л., быть заодно с кем-л. ФСРЯ, 401; БМС 1998, 505; СРНГ 35, 242. 2. *на чем. Кар.* Постоянно заниматься чем-л. СРГК 5, 578.

Держа́ть ру́ку на пу́льсе *чего. Публ.* Быть в курсе происходящих событий, текущих дел, следить за их развитием. НСЗ-70.

Де́рзкий на́ руку. *Пск., Яросл.* Драчливый. ПОС 9, 47; ЯОС 3, 130; СРНГ 35, 239.

Ёрзок на́ руку. *Волг.* То же, что **дерзкий на руку.** Глухов 1988, 41, 92.

Займе́ть ру́ку. *Яросл.* Заручиться чьей-л. поддержкой в чём-л. ЯОС 8, 139; СРНГ 35, 244.

Заложи́ть пра́вую ру́ку. *Народн.* Дать какое-л. обещание кому-л. ДП, 651.

Запуска́ть/ запусти́ть ру́ку *во что. Разг. Неодобр.* Присваивать, красть (обычно – что-л. казённое, государственное, общественное). ФСРЯ, 401; Ф 1, 202.

Золоти́ть ру́ку *кому. Волг.* Давать взятку кому-л.; щедро оплачивать что-л. Глухов 1988, 53.

Игра́ть в одну́ ру́ку *с кем. Разг. Устар. Неодобр.* Быть заодно с кем-л. (как правило – о мошенниках). ДП, 164; БМС 1998, 506.

Игра́ть/ сыгра́ть на́ руку *кому. Разг.* Косвенно помогать, содействовать своим поведением, своими действиями кому-л. ФСРЯ, 172; БМС 1998, 506; Ф 1, 216; Грачев, Мокиенко 2000, 81.

Идти́/ пойти́ в ру́ку. 1. *Кар., Ряз.* Приживаться, привыкать к новому месту (чаще – о домашнем скоте). СРГК 5, 38, 577; СРНГ 35, 242. 2. *кому. Одесск.* Легко удаваться кому-л., складываться удачно. КСРГО. 3. *кому. Дон., Курск.* Принести выгоду, пользу кому-л. БотСан, 109; СДГ 3, 32.

Идти́ на́ руку (на ру́чку). 1. *Кар.* Хорошо ловиться (о рыбе). СРГК 2, 267. 2. *чью. Пск.* Повиноваться кому-л., поступать так, как хочет кто-л. СПП 2001, 67. 3. *Пск.* То же, что **идти в руку 1.** СПП 2001, 67. 4. *Дон., Курск.* То же, что **идти в руку.** 3. БотСан, 109; СДГ 3, 32.

Класть ру́ку. *Ворон.* Вкладывать свой труд в общее дело. СРНГ 35, 241.

Круто́й на́ руку. *Вят.* Безжалостный, жестокий. СРНГ 15, 331.

Лёгок на́ руку. 1. *Разг.* Удачлив в начинаниях. ФСРЯ, 401. 2. *Волг.* То же, что **дерзкий на руку.** Глухов 1988, 41, 92.

Лови́ть/ пойма́ть за́ руку *кого. Разг.* Уличать кого-л. в чём-л., захватывать кого-л. с поличным. Ф 1, 282.

Ло́вкий на́ руку. *Сиб. Неодобр.* О человеке, склонном к воровству. СРНГ 35, 240.

Ложи́ть в ру́ку *кому. Сиб.* Точно угадывать, предсказывать кому-л. что-л. ФСС, 107.

Лома́ть ру́ку. *Перм., Прикам.* Отказываться от согласия на брак дочери. СГПО, 286; МФС, 55; СРНГ 17, 118.

Махова́т на́ руку. *Кар.* О человеке, склонном к быстрой и жестокой физической расправе. СРГК 3, 200.

Набива́ть/ наби́ть ру́ку *в чём, на чём. Разг.* Приобретать опыт, сноровку в чём-л. ДП, 490; ФСРЯ, 401; ЗС 1996, 129..

На го́лую ру́ку. *Арх.* То же, что **на живую руку.** АОС 9, 262.

На другу́ю ру́ку. *Печор.* Наоборот, в противоположность кому-л., чему-л. СРНГП 2, 235.

На живу́ю ру́ку. *Разг.* Наскоро, наспех, кое-как. БМС 1998, 506; ФСРЯ, 401.

Накла́дывать/ наложи́ть ру́ку. 1. *на что. Разг.* Захватывать, присваивать что-л. ФСРЯ, 264; БМС 1998, 506. 2. *на кого. Разг.* Полностью подчинять кого-л. своему влиянию своей воле. ФСРЯ, 264; БМС 1998, 506. 3. *на кого. Пск.* Убивать кого-л. СПП 2001, 67.

На круту́ю ру́ку. *Волог., Кар.* То же, что **на живую руку.** СВГ 4, 7; СРГК 5, 578.

На ле́вую ру́ку. 1. *Башк., Коми., Сиб.* Налево, в левую сторону. СРГБ 2, 83; Кобелева, 66; Верш. 6, 127. 2. *Башк.* Нечестно (жить). СРГБ 1, 128.

Нalома́ть ру́ку *в чём. Волг., Дон., Ряз.* То же, что **набивать/ набить руку.** СДГ 2, 164; Глухов 1988, 91; СРНГ 20, 8; СРНГ 35, 240.

На пожилу́ю ру́ку. *Печор.* В пожилом возрасте. СРНГП 2, 81.

На (о) пра́вую ру́ку. *Башк., Коми, Пск., Сиб.* Вправо, на правую сторону. СРГБ 2, 83; Кобелева, 73; СФС, 117, 132; СРНГ 31, 62; СБО-Д2, 119.

На пра́вую ру́ку перешёл, с ле́вой сбился. *Пск. Шутл.* О человеке, нетвёрдо знающем что-л. Шт., 1978.

На́ руку. 1. *кому. Разг.* Устраивает кого-л., совпадает с желаниями кого-л. ФСРЯ, 402; ДП, 71; БМС 1998, 506; ЗС 1996, 233; ДС, 495. 2. *чью. Кар.* В соответствии с чьим-л. укладом, образом жизни, обычаями, привычками. СРГК 5, 578. 3. *Кар.* Сбоку, со стороны от кого-л., от чего-л. 4. *Кар.* Мимоходом, по пути (зайти куда-л.). СРГК 5, 578.

На свою́ ру́ку. *Сиб.* По-своему. СФС, 119; СОСВ, 166; СРНГ 35, 243.

На ско́рую ру́ку. 1. *Разг.* Наспех, наскоро и, как правило, некачественно (делать что-л.). ФСРЯ, 402; Жиг. 1969, 206; ЗС 1996, 108, 480; НОС 9, 156. 2. *Сиб.* Очень быстро (идти). СФС, 83; СРНГ 35, 243; Верш. 6, 262.

На сре́днюю ру́ку. *Сиб.* О чём-л. посредственном, невысокого качества. СФС, 119; СРНГ 35, 243.

Настеба́ть ру́ку *[в чём]. Пск.* То же, что **набивать/ набить руку.** СПП 2001, 67.

На ти́хую ру́ку. *Новг.* Тайно, скрываясь от посторонних. НОС 9, 156; СРНГ 35, 243.

Нахвата́ть ру́ку. *Прикам.* Повредить руку от чрезмерных усилий (во время жатвы). МФС, 64; СГПО, 349.

На широ́кую ру́ку. *Разг.* Щедро, с размахом (делать что-л.). ФСРЯ, 402; БТС, 1498.

Не в ру́ку *кому что. Ворон., Ср. Урал.* Неудобно, не подходит кому-л. что-л. СРГСУ 2, 194; СРНГ 35, 243.

Не на́ руку. *Печор.* Не по силам (делать *что*). СРНГП 2, 235.

Не на ру́ку ла́поть обува́ет. *Народн. Шутл.-одобр.* Об опытном, предприимчивом, неглупом человеке. ДП, 476; Подюков 1989, 189.

Не плю́нуть на́ руку. *Волг., Новг.* Ничего не дать кому-л., не отблагодарить кого-л. Глухов 1988, 58, 101; НОС 7, 159.

Не по́д руку *кому что. Прикам.* То же, что **не в руку.** МФС, 87.

Нечи́стый (нечи́ст) на́ руку. *Разг. Неодобр.* О человеке, склонном к воровству. ДП, 261, 698; СРГК 4, 19; ФСРЯ, 402; ЗС 1996, 198; СОСВ, 166.

Ока́зывать/ оказа́ть ру́ку. 1. *кому. Волг., Ворон.* Помогать кому-л., выручать кого-л. Глухов 1988, 117; СРНГ 35, 244. 2. *Курск.* Показывать своё мастерство, умение делать что-л. БотСан, 106.

Опра́вить ру́ку *кому. Кар.* Оказать помощь кому-л. СРГК 4, 222; СРГК 5, 578.

О пра́вую ру́ку. См. **На правую руку.**

Отдава́ть/ отда́ть ру́ку *чью кому. Разг. Устар.* Соглашаться выдать замуж кого-л. ФСРЯ, 301.

Отдава́ть/ отда́ть ру́ку и сердце (с се́рдцем) *кому. Разг. Устар.* Соглашаться выйти замуж за кого-л. ФСРЯ, 302; Ф 2, 24.

Плохо́й (пога́ный, худо́й) на́ руку. *Пск. Неодобр.* То же, что **нечистый на руку.** СПП 2001, 67; СРНГ 35, 240.

Плю́нуть на́ руку *[кому]. Пск. Ирон.* Дать, подарить кому-л. что-л. небольшое, в небольшом количестве. СПП 2001, 67.

Пога́ный на́ руку. См. **Плохой на руку.**

Подава́ть/ пода́ть ру́ку [по́мощи] *кому. Разг.* Помогать кому-л., поддерживать кого-л. СПП 2001, 67; Ф 2, 54.

Под весёлую ру́ку. 1. *Разг.* В состоянии радостного возбуждения, подъёма (делать что-л.). ФСРЯ, 402. 2. *Пск. Шутл.* Немного выпив, в состоянии лёгкого алкогольного опьянения, навеселе. СПП 2001, 67.

Под горя́чую ру́ку. *Разг.* В состоянии раздражения, гнева, злости (делать что-л.). ФСРЯ, 402; ДС, 495; БТС, 222; ЗС 1996, 59.

Под ле́вую ру́ку. *Пск.* С левой стороны. СРНГ 35, 239.

Поднима́ть/ подня́ть ру́ку *на кого.* 1. *Разг.* Замахиваться на кого-л.; бить кого-л. ФСРЯ, 331. 2. *Разг.* Покушаться на кого-л., пытаться убить кого-л. ФСРЯ, 331; Ф 2, 57. 3. *Волг.* Оказывать сопротивление кому-л., проявлять непокорность. Глухов 1988, 125.

Подписа́ть ру́ку. *Кар.* Проголосовать за кого-л. СРГК 4, 661.

Под пра́вую ру́ку. *Пск.* С правой стороны. СРНГ 35, 239.

Под пья́ную ру́ку. *Разг.* В состоянии алкогольного опьянения (делать что-л.). ФСРЯ, 402.

Под ру́ку *чью. Кар.* Прикрываясь чужим именем. СРГК 5, 578.

Позолоти́ть ру́ку *кому.* 1. *Прост.* Заплатить кому-л. за услугу. Ф 2, 63. 2. *Сиб.* Выдать первую часть причитающегося заработка кому-л. СФС, 159; ФСС, 141; СРНГ 28, 336.

Пойти́ в (на́) ру́ку. См. **Идти в руку.**

Положа́ ру́ку на́ сердце. *Разг.* Откровенно, искренно. ФСРЯ, 403; БМС 1998, 506; Верш. 6, 221; ЗС 1996, 361; ФМ 2002, 398.

Попада́ть/ попа́сть по́д руку *кому. Разг., Урал. (Яицк.).* Случайно оказываться около, возле кого-л. Верш. 6, 128; Глухов 1988, 130.

Попада́ть/ попа́сть под весёлую ру́ку *кому. Волг.* Подвергаться побоям. Глухов 1988, 130.

Попа́сть в ру́ку *кому. Пск.* Сложиться удачно, пойти на пользу кому-л. (Запись 1996 г.).

Приклада́ть ру́ку *к чему. Олон.* Ставить свою подпись. СРНГ 31, 244.

Прикла́дывать/ приложи́ть ру́ку. 1. *к чему. Разг.* Принимать участие в чём-л. БМС 1998, 507; ФСРЯ, 403; ЗС 1996, 377; ФМ 2002, 400; Ф 2, 90; Глухов 1988, 133. // *Пск.* Браться за какое-л. дело, сделать что-л. своими руками. СПП 2001, 67. 2. *к чему, под чем. Разг.* Подписываться, ставить свою подпись под чем-л. ФСРЯ, 403; ДП, 314.

Пропусти́ть через ру́ку (ру́ки) *кого. Жарг. угол.* Избить кого-л. Балдаев 1, 359; ТСУЖ, 148.

Протяга́ть ру́ку. *Прост.* Просить милостыню. Ф 2, 103; МФС, 82.

Протя́гивать ру́ку по́мощи *кому. Книжн.* То же, что **подавать руку.** Ф 2, 103.

Расхвата́ть ру́ку. *Кар.* Растянуть сухожилия кисти руки. СРГК 5, 488; СРНГ 35, 240.

Ру́ку-но́гу не оста́вить. *Сиб. Шутл.*

Прийти и уйти незамеченным. СОСВ, 123; Верш. 4, 162.

Ру́ку подава́ть/ пода́ть. *Печор.* Быть готовым появиться на свет (о ребёнке в утробе матери). СРНГП 2, 235.

Сгуби́ть ру́ку. *Урал.* Ошибиться в счёте. СРНГ 35, 244.

Сдыма́ть ру́ку *на кого. Новг.* То же, что **поднимать руку 1.** Сергеева 2004, 186.

Ско́рый на́ руку. *Волг.* 1. *Одобр.* О деловом, предприимчивом человеке. 2. *Неодобр.* О драчуне, забияке. Глухов 1988, 149.

Спада́ть на́ руку *чью. Пск.* Быть выгодным, приносить пользу кому-л. Доп., 1858.

Тяжёлый (тяжёл) на́ руку. *Разг.* О человеке, обладающем большой силой удара, больно и сильно бьющем; склонном к физической расправе с людьми. ФСРЯ, 485; Глухов 1988, 161.

Тяну́ть ру́ку. 1. *Волг.* Стремиться завладеть чем-л. Глухов 1988, 162. 2. *чью. Арх.* То же, что **держать руку 1.** СРНГ 35, 245.

Хвата́ть/ схвати́ть за́ руку *кого. Разг.* Вовремя останавливать того, кто занимается какой-л. порочной деятельностью. Ф 2, 231.

Хлёсткий на́ руку. *Пск.* Склонный к рукоприкладству, быстрый на расправу. СПП 2001, 67.

Хоть пра́вую ру́ку отруби́ть. *Народн.* Клятвенное заверение в чём-л. ДП, 654.

Хоть ру́ку прочь по ло́коть. *Народн.* То же, что **хоть правую руку отрубить.** ДП, 654.

Худо́й на́ руку. См. **Плохой на руку.**

Ца́пкий на́ руку. *Курск. Неодобр.* То же, что **нечистый на руку.** БотСан, 117.

РУКА́В * В рука́в. *Разг. Устар.* Скрытно, тайно (смеяться, злословить). ФСРЯ, 396.

Жева́ть рука́в. 1. *Пск. Шутл.* Ничего не понимать, не соображать. СПП 2001, 67. 2. *Дон.* Молчать, быть не в состоянии сказать ни слова. СДГ 1, 150. 3. *Дон. Неодобр.* Быть косноязычным, не уметь выражать свои мысли. СРНГ 35, 245. 4. *Волг. Неодобр.* Говорить медленно, невнятно. Глухов 1988, 42.

Рабо́тать спусти́в в рука́в. *Жарг. мол. Шутл.* Работать недобросовестно, лениться. Мокиенко, Никитина 2003, 293. < Вульгарный каламбур, образованный контаминацией глагола **спустить** ('извергнуть сперму') и фразеологизма **спустя рукава.**

Хвата́ть/ схвати́ть за рука́в *кого. Прост.* Намеренно мешать, задерживать, препятствовать кому-л. в его деятельности. Ф 2, 231.

Заска́в рукава́. *Морд.* То же, что **засучив рукава.** СРГМ 1980, 94.

Засука́вши рукава́. *Пск.* То же, что **засучив рукава.** ПОС 12, 160.

Засука́ть рукава́. *Курск.* Начать усердно, энергично делать что-л. БотСан, 96.

Засучи́в рукава́. *Разг. Одобр.* Усердно, старательно, энергично (работать). ФСРЯ, 396; БМС 1998, 507; ЗС 1996, 150, 482; Ф 1, 204; ФМ 2002, 403.

Засу́чивать/ засучи́ть рукава́. *Разг.* Энергично браться за дело. Ф 1, 204.

Опустя́ рукава́. *Дон. Неодобр.* То же, что **спустя рукава 1.** СРНГ 23, 314.

Рабо́тать спустя́ рукава́. *Жарг. гом. Шутл.* Мастурбировать. ЖЭСТ-2, 277.

Спусти́вши рукава́. *Пск. Одобр.* Беззаботно, в благополучии, достатке (жить). СПП 2001, 68.

Спустя́ рукава́. 1. *Разг. Неодобр.* Небрежно, кое-как (делать что-л.). ФСРЯ, 396; БМС 1998, 507; ФМ 2002, 405; ДП, 487. 2. *Пск. Неодобр.* В безделье, в праздности (жить). СПП 2001, 68.

Держа́ть в ежо́вых рукава́х *кого. Новг.* То же, что **держать в ежовых рукавицах (РУКАВИЦА).** НОС 2, 85.

Сухи́х рукаво́в *кому! Жарг. пожарн.* Пожелание пожарным. НТВ, 20.12.2000.

Заку́сывать/ закуси́ть рукаво́м. *Прост.* Ничем не закусывать, выпив спиртного. НСЗ-70; Мокиенко 2003, 99; Глухов 1988, 49; СРГК 5, 579.

Разнести́ (растрясти́) рукаво́м *что. Самар.* Растратить без пользы (деньги). СРНГ 34, 44, 279.

РУКАВИ́ЦА * Брать/ взять (забра́ть) в ежо́вые рукави́цы *кого. Разг.* Подчинять кого-л. себе, начинать строго обращаться с кем-л. БТС, 295; СПП 2001, 68.

Держа́ть в ежо́вых рукави́цах *кого. Разг.* Обходиться с кем-л. строго, сурово; воспитывать кого-л. в большой строгости. ДП, 219; БТС, 252; ФСРЯ, 396; БМС 1998, 507; ЗС 1996, 227; СРГК 3, 173; Ф 1, 157; СОСВ, 67.

Приложи́ться рукави́цей. *Диал. Шутл.* Избить кого-л. Мокиенко 1990, 55.

Жева́ть рукави́цу. *Волг. Неодобр.* То же, что **жевать рукав 4. (РУКАВ).** Глухов 1988, 42.

Брать/ взять в ежо́вые рукави́цы *кого. Разг.* Решительно и строго воздействовать на кого-л. Ф 1, 35.

Рукави́цы о́ пол. *Курган.* С воодушевлением, увлечённо (рассказывать о чём-л.). СРНГ 35, 245.

РУКАВО́К * Рукавки́ спуска́ть. *Пск. Неодобр.* Жить в праздности и безделье. СПП 2001, 68.

РУКОВЯ́ТКА * Не руковя́тка *кому что. Яросл.* Не подходит, не нравится кому-л. что-л. СРНГ 35, 250.

РУКОПРОТЯ́ЖНАЯ * Рабо́тать в рукопротя́жной. *Жарг. угол. Шутл.-ирон.* Быть нищим, заниматься попрошайничеством. Ларин 1977, 188.

РУЛА́ДЫ * Выводи́ть рула́ды. *Волг. Ирон.* Громко плакать. Глухов 1988, 17.

РУЛЬ * Вы́вернуть руль. *Жарг. спорт.* Сломать нос. Максимов, 74.

Оси́новый руль. *Новг. Шутл.* Подойник. НОС 7, 23.

Потеря́ть руль. *Жарг. мол. Шутл.* Сойти с ума. Максимов, 335.

Руль бестолко́вый. *Горьк. Бран.* О глупом, несообразительном человеке. СРНГ 35, 257.

Слома́ть руль. *Жарг. мол.* Потерять ориентировку, заблудиться. Максимов, 369.

Без руля́ и ветри́л. *Книжн. Неодобр.* Без руководящей идеи, без основного направления. ШЗФ 2001, 17; БТС, 122. < Цитата из поэмы М. Ю. Лермонтова «Демон» (1842 г.). БМС 1998, 507; ФСРЯ, 403.

Стоя́ть у руля́ *чего. Книжн.* Управлять, руководить чем-л. Ф 2, 191.

На руля́х. *Жарг. мол.* О передвижении пьяного человека, который по интуиции находит дорогу в нужное место. Урал-98.

РУМЯ́НЕЦ * Водяно́й румя́нец. *Кар.* Водоросль бодяга. СРГК 5, 583.

РУНО́ * Золото́е руно́ [Язо́на]. *Книжн.* О богатстве, предмете завоевательских стремлений. < Восходит к древнегреческому мифу. БМС 1998, 508.

РУ́СА См. **РУ́ССА**

РУСА́Л * Руса́л и Дельфи́нка. *Жарг. мол. Шутл.* Дуэт И. Николаев и Н. Королева, исполнители шлягера «Дельфин и Русалка». Щуплов, 427; ЖЭМТ, 24; ЖЭСТ-2, 75.

РУСА́ЛКА * Провожа́ть руса́лку (руса́лок). *Ряз.* Составная часть обрядового гулянья с переодеванием (в доколхозной деревне). ДС, 496.

РУСИ́ЧКА * Доста́ть руси́чку. *Жарг. шк. Шутл.* О школьном сочинении. ВМН 2003, 117.

РУСКАРТО́Н * Рускарто́н на глю́чной копе́йке. *Жарг. шк. Шутл., эвфем.* Число 9, номер 9. ПНН, 1999.

РУСКАРТО́НЕР * Двойно́й рускарто́нер. *Жарг. шк. Шутл., Эвфем.* Число 10, номер 10. ПНН, 1999.

РУ́СЛО * Войти́ в ру́сло. *Разг.* Вернуться в привычное состояние, положение. БТС, 145; ЗС 167.

Наставля́ть на ру́сло *кого. Кар.* Поучать кого-л. СРГК 5, 584.

РУСОЛА́ДОГА * Объе́хать всю Русола́догу. *Кар. Шутл.* Проехать большое расстояние. СРГК 5, 584.

РУ́ССА (РУ́СА) * Обойти́ (обе́гать) Ру́су и (на) Ла́догу. *Новг.* 1. Пройти большое расстояние. 2. Многое познать в жизни, приобрести большой жизненный опыт. 3. Испытать много горя, страданий. НОС 6, 99; СРНГ 22, 260.

РУ́ССКИЙ * Но́вый ру́сский. 1. *Разг.* Представитель российской бизнес-элиты. 2. *Жарг. студ. Шутл.* Современный русский язык (учебный предмет). БСРЖ, 516.

Ру́сским по бе́лому. *Жарг. мол. Шутл.* Чётко, ясно, недвусмысленно. Радио «Норд-вест», 28.04.01. < Контаминация: **русским языком + черным по белому.**

РУСЬ * Кому́ на Руси́ жить хорошо́. 1. *Жарг. арм. Шутл.* О поваре в солдатской столовой. ЖЭСТ-1, 235. 2. *Жарг. шк. Шутл.* О школьной буфетчице, работнице столовой. ВМН 2003, 117. < По названию поэмы Н. А. Некрасова.

На Руси́. *Твер.* На открытом месте, на виду. СРНГ 35, 274.

Вы́вести на Русь *что. Кар., Твер.* Рассказать что-л. тайное, скрываемое. СРГК 5, 585; СРНГ 35, 274.

Вы́йти на Русь. 1. *Арх.* Покинуть родное село. АОС 7, 240. 2. *Новг., Орл., Перм., Прикам.* Родиться. НОС 1, 148; Сергеева 2004, 187; СГПО, 92; МФС, 22; СРНГ 5, 286; СРНГ 35, 273.

РУЧЕ́Й * Ма́сленые ручьи́. *Арх.* Блины и другие угощения, посылаемые тёщей зятю в качестве приглашения на масленицу. СРНГ 18, 12.

Послу́шать, как журча́т ручьи́. *Жарг. мол. Шутл.* Сходить в туалет. Максимов, 334.

Гора́здо да́льше ручья́. *Разг. Шутл.-ирон.* Район Гражданского проспекта (Гражданки) в бывшем Ленинграде < Деаббр. ГДР. Синдаловский, 2002, 49.

Залива́ть в три ручья́. *Сиб. Шутл.-ирон.* Лгать, обманывать кого-л. ФСС, 78.

Пла́кать (рыда́ть) в три ру́чья. *Разг.* Много, долго, проливая большое количество слез (плакать). СПП 2001, 68; Глухов 1988, 82.

По ручья́м. *Прикам.* Весной. МФС, 88.

РУ́ЧЕНЬКА * Из ру́ченек ничего́ не вы́падет *у кого. Сиб.* Об умелом, мастеровитом человеке. СРНГ 35, 279.

Лома́ть ру́ченьки. *Пск.* То же, что **ломать руки (РУКА).** СПП 2001, 68.

РУ́ЧКА * Богоро́дицына ру́чка. *Кар.* Лечебная трава (желудочное средство). СРГК 5, 586.

Золота́я ру́чка. *Жарг. угол., Прост.* Ловкая мошенница, аферистка. Мокиенко 2003, 99.

Отда́ть тёплыми ру́чками *что. Волог.* Охотно, с удовольствием отдать кому-л. что-л. СВГ 6, 88.

Встреча́ть (здоро́ваться) по ру́чке *кого. Ср. Урал, Сиб.* Здороваться за руку с кем-л. СФС, 47; ФСС, 32; Верш. 6, 133; СРГСУ 4, 100; СРНГ 35, 283.

Дать по ру́чке *кому. Кар.* Попрощаться с кем-л., пожав руку. СРГК 1, 424.

Подходи́ть/ подойти́ к ру́чке. *Разг. Устар.* В дореволюционном дворянском этикете: целовать руку знакомой девушке при встрече. Ф 2, 61.

Бе́лые ру́чки. *Одесск. Ирон.* Об изнеженном, не привыкшем к труду человеке. КСРГО.

Брать/ взять под бе́лы ру́чки *кого. Разг. Шутл.-ирон.* Привлекать к ответственности кого-л. Глухов 1988, 6.

Доби́ться до ру́чки. *Брян., Новг.* То же, что **доходить/ дойти до ручки.** СБГ 5, 23; НОС 2, 87.

Доводи́ть/ довести́ до ру́чки *кого. Прост.* Приводить кого-л., что-л. в крайне тяжёлое, безвыходное положение. Ф 1, 165; Мокиенко 2003, 99; Глухов 1988, 35.

Доходи́ть/ дойти́ до ру́чки. *Прост.* Оказываться в безвыходном, крайне тяжёлом положении. ФСРЯ, 403; СПП 2001, 68; СПСП, 118; Ф 1, 166; Мокиенко 1990, 98; ЗС 1996, 141, 349; СОСВ, 166; СОГ 1990, 64.

Золоти́ть ру́чки у двере́й. *Волг.* Быстро и непомерно богатеть. Глухов 1988, 53.

Из-под (с-под) ру́чки погляде́ть (посмотре́ть). *Пск., Сиб. Одобр.* О чём-л., о ком-л. очень красивом. СПП 2001, 68; ФСГСФ, 118.

Крути́ть ру́чки. *Жарг. муз.* Работать звукорежиссером. БСРЖ, 516.

Очуме́лые ру́чки. 1. *Жарг. шк. Шутл.* Учитель труда. Никитина 2003в, 217. 2. *Жарг. шк. Шутл.* Урок труда. ВМН 2003, 117. 3. *Жарг. студ. (пед.). Шутл.* Кабинет трудового обучения, технологии. (Запись 2003 г.) < По названию популярной телепередачи «Умелые руки».

Ру́чки в брю́чки. *Волг. Неодобр.* То же, что **руки в брюки 2. (РУКА).** Глухов 1988, 143.

Ру́чки (ру́чушки) не вздыма́ются *у кого, чьи. Пск.* Кто-л. ослабел, лишился сил. ПОС 3, 157.

Ру́чки с подно́сом. См. **Руки с подносом (РУКА).**

Скласть ру́чки. *Диал. Неодобр.* Прекратить работать начать бездельничать. Мокиенко 1990, 64.

То́лько из-за́ (из-под) ру́чки погляде́ть. *Олон. Одобр.* Об очень красивом человеке. СРНГ 35, 283.

Сде́лать ру́чкой *кому. Разг.* 1. Попрощаться с кем-л. 2. Уйти, оставить, покинуть кого-л. Максимов, 370; Ф 2, 148.

Хло́пнуть ру́чкой. *Новг.* Подать руку для рукопожатия. СРНГ 35, 281.

В ру́чку. *Бурят.* Друг за другом. СРНГ 35, 282.

Вы́бить ру́чку из рук *у кого. Сиб.* Сделать что-л. наперекор кому-л., поступить вопреки чьей-л. воле. ФСС, 34.

Вы́дать на ру́чку *кому что. Кар.* Выплатить кому-л. весь заработок наличными. СРГК 1, 258.

Есть (хлеба́ть) в одну́ ру́чку. *Волг. Ирон.* О крайней бедности, жизни впроголодь. Глухов 1988, 40, 165.

Здоро́ваться за ру́чку *с кем. Перм.* С уважением относиться к кому-л. Подюков 1989, 13.

Идти́ на ру́чку. См. **Идти на руку (РУКА).**

Осеребри́ть ру́чку *кому. Кар.* Одарить кого-л. чем-л. СРГК 4, 241.

Пода́л ру́чку, а подста́вил но́жку. *Народн. Неодобр.* О двуличном человеке. Жиг. 1969, 208.

Позолоти́ть ру́чку *кому. Разг.* 1. Дать кому-л. (как правило – цыганке) денег за гадание. ФСРЯ, 333; Ф 2, 63; ЗС 1996, 202. 2. Заплатить кому-л. за услугу; дать взятку кому-л. Мокиенко 2003, 99.

Сде́лать ру́чку *[кому]. Костром.* Поздороваться за руку с кем-л. СРНГ 35, 283.
РУЧНИ́К * Включа́ть/ включи́ть ручни́к. *Жарг. мол. Шутл.* Замедлять ходьбу. Максимов, 64.
Заводи́ться с ручника́. *Жарг. мол. Неодобр.* Быть глупым, несообразительным. Максимов, 137.
Сня́ться (сли́ться) с ручника́. *Жарг. мол.* 1. Выйти из состояния задумчивости и оцепенения. Максимов, 370, 394. 2. Понять что-л., догадаться о чём-л. Елистратов, 412.
Спусти́ть с ручника́ *кого. Жарг. мол.* Перестать предъявлять претензии к должнику после возвращения или отработки долга. Максимов, 370.
РУ́ЧУШКА * Ру́чушки не вздыма́ются. См. **Ручки не вздымаются (РУЧКА).**
РЫ́БА * Корми́ть рыб. *Разг. Ирон.* Утонув, остаться погребённым в воде. Ф 1, 256.
Бе́лая рыба. *Жарг. арм. Шутл.-ирон.* Рыбные консервы в масле. Кор., 40; Лаз., 20.
Го́рная рыба. *Печор. Шутл.* О грибах. СРГНП 1, 149.
Жа́ркая рыба. *Волго-Касп.* Рыба, которую ловят летом, в летнюю путину. Копылова, 29.
Заливна́я рыба. *Жарг. мол. Шутл.* Водка. Максимов, 144.
Кра́сная рыба. *Жарг. арм. Шутл.-ирон.* Килька в томате (консервы). БСРЖ, 517.
Лета́ющая рыба. *Жарг. спорт. (авиа, д/пл.). Шутл.* Дельтапланерист в подвеске. < По внешнему сходству. БСРЖ, 517.
Лету́чая рыба. 1. *Арх.* Куропатка. СРНГ 17, 26. 2. *Жарг. спорт.* То же, что **летающая рыба.** БСРЖ, 517.
Ни ры́ба ни мя́со [ни кафта́н ни ря́са] [ни пест ни ло́жка]. *Разг. Неодобр.* О чём-л. не имеющем отличительных характеристик, индивидуальных свойств. ФСРЯ, 403; БМС 1998, 508; БТС, 568; Мокиенко 1989, 130; Мокиенко 1990, 11, 100, 150; ДП, 473; СОГ 1989, 130; СРГК 1, 163
Ры́ба на океа́нском дне. *Жарг. бизн.* Промышленный шпион, внедрившийся в фирму. БС, 4.
Ры́ба об лёд. *Жарг. шк. Шутл.-ирон.* Ответ ученика на уроке. (Запись 2003 г.).
Гнать по ры́бе *что. Жарг. мол.* Копировать что-л. по образцу. Slang-2000.
Не па́хни ры́бой! *Жарг. мол.* Требование замолчать: молчи, заткнись! Белянин, Бутенко, 107.
Броди́ть ры́бу. *Дон.* Ловить рыбу бреднем. СДГ 1, 41.
Едри́ твою ры́бу! *Перм.* Восклицание, выражающее досаду, раздражение. Подюков 1898, 71.
Жа́рить ры́бу. *Жарг. мол. Шутл.* Совершать половой акт с кем-л. Максимов, 129.
Лови́ть ры́бу. 1. *Пск.* На сельской вечеринке ловить упавшее веретено у девушки, которая прядёт (за это следовало поцеловать парня). СПП 2001, 68. 2. *Жарг. мол. Шутл.* Бездельничать. Я — молодой, 1996, № 18-19; Максимов, 224.
Лови́ть ры́бу (ры́бку) в му́тной воде́. *Разг. Неодобр.* Пользоваться трудностями, паникой, замешательством, распрями и т. п. для достижения личных целей. ФСРЯ, 403; ФМ 2002, 405; БТС, 139, 502; БМС 1998, 508-509.
Лови́ть ры́бу в тёплой лу́нке. *Жарг. мол. Шутл.* Совершать половой акт с девушкой. (Запись 2004 г.).
Лови́ть ры́бу на сухо́м берегу́. *Разг. Устар. Ирон.* Воровать, совершать кражи. Ф 1, 283.
Лома́ть ры́бу. *Дон.* 1. Выгружать рыбу из невода. 2. Вынимать рыбу из рассола. СДГ 2, 119; СРНГ 17, 118.
Опя́ть за ры́бу де́ньги. *Разг. Неодобр.* О чём-л. повторяющемся и уже надоевшем. БотСан, 107; МФС, 32; Глухов 1988, 117; Подюков 1989, 60; Жук. 1991, 238.
Петь в ры́бу. *Жарг. муз.* О пении с округлённым, вытянутым по вертикали ртом (бас, баритон). БСРЖ, 517.
Пойма́ть ры́бу. *Пск. Шутл.* Начать дремать сидя. СПП 2001, 68. Ср. **лови́ть окуне́й.**
Пусти́ть ры́бу лови́ть *кого. Жарг. угол. (поволжск.).* Утопить кого-л. < Из жаргона поволжских разбойников. Грачев 1994, 174.
Ры́бу ло́вит, а муж ва́рит. *Кар. Ирон.* О незадачливом рыбаке. СРГК 3, 274.
Сде́лать ры́бу. *Жарг. крим.* Договориться с кем-л. о чём-л. к общей выгоде. Хом. 2, 326.
Уди́ть ры́бу. 1. *Кар. Шутл.* В игре на вечерних гуляниях молодежи: целовать парня, взявшего веретено у девушки. СРГК 5, 588. 2. *Пск. Шутл.* Спать, дремать сидя. СРНГ 35, 292.
От ры́бы до ры́бы. *Кар.* В период от одной путины до другой. СРГК 5, 587.
РЫБА́ЛКА * Зи́мняя рыба́лка. *Жарг. студ. (ист.).* Ледовое побоище. (Запись 2003 г.).
Пойти́ на рыба́лку. 1. *Жарг. мол. Шутл.* Пойти в туалет. Максимов, 325. 2. *Разг. (Одесск.). Шутл.* Пойти к любовнице. Смирнов 2002, 126.
Сходи́ть на рыба́лку. *Жарг. мол. Шутл.* Выпить спиртного. Максимов, 371.
РЫ́БИНА * Гнила́я ры́бина. *Жарг. угол. Ирон.* Изворотливый, хитрый, опытный человек. ББИ, 57.
РЫ́БКА * Бо́гова ры́бка. *Одесск.* Растение тысячелистник. КСРГО.
Золота́я ры́бка. 1. *Арест. Шутл.* Указ об амнистии. *2. Угол. Ирон.* Взяткодатель. *3. Карт. Ирон.* Жертва шулеров. Балдаев 1, 159; ББИ, 92.
И ры́бка не уплывёт, и я́года не уйдёт *от кого. Сиб. Одобр.* О хватком, предприимчивом человеке. Верш. 7, 153.
Ры́бка на у́дку! *Яросл.* Пожелание рыбакам. ЯОС 8, 142.
Ры́бка ха́риус. *Жарг. мол. Шутл.* Проститутка. Я — молодой, 1996, № 13. < Каламбур, основанный на созвучии слов **хариус** и **харить** *кого.*
Жа́рить ры́бку. *Жарг. угол.* Совершать половой акт с кем-л. Балдаев 2, 21; ББИ, 213; Мильяненков, 224.
Как бы ры́бку съесть, и на хуй не сесть. *Вульг.-прост. Ирон.* О действиях человека, стремящегося к компромиссам. Мокиенко, Никитина 2003, 293.
Лови́ть ры́бку в му́тной воде́. См. **Ловить рыбу в мутной воде (РЫБА).**
Обма́нывать ры́бку. *Яросл. Шутл.* Заниматься рыбной ловлей, чередуя её с другой работой. ЯОС 7, 13.
Полови́ть ры́бку. *Пск.* Провести ночь с мужчиной. СПП 2001, 68.
РЫ́БКИН * Толку́й, Ры́бкин! *Жарг. угол., арест.* Не признавайся ни в чём. Хом. 2, 420.
РЫВО́К * Взять на рыво́к *что.* 1. *Жарг. угол.* Вырвать у жертвы вещи или деньги и скрыться бегством. 2. *Жарг. арест.* Совершить побег из ИТУ. Балдаев 1, 63.
РЫГАЛЕ́ТЫ * Ста́вить рыгале́ты. *Разг. Шутл.* О приступе рвоты. СПП 2001, 68.
РЫ́ЖИК * Соба́чий ры́жик. *Кар.* Гриб поганка. СРГК 5, 591.
Дать (наде́лать, наста́вить, поднести́, сде́лать, сы́пать /насы́пать,

подсы́пать) ры́жики (ры́жиков) *кому. Новг., Пск. Шутл.* Изменить в любви кому-л. СПП 2001, 68; НОС 2, 130; НОС 8, 58; Сергеева 2004, 238.

Жечь ры́жики *кому.* 1. *Новг.* Изменять кому-л., нарушать верность в любви. НОС 2, 130. 2. *Пск.* Делать известной измену одного из влюблённых, сжигая бумагу, гребёнку в присутствии всех. ПОС 10, 218. 3. *Новг.* Беседовать, разговаривать с кем-л. НОС 2, 130.

Печь ры́жики *кому. Пск.* То же, что **жечь рыжики 2.** ПОС 10, 218.

С каки́х ры́жиков? *Кар., Перм.* 1. Почему, с какой стати? 2. Решительный отказ на чью-л. просьбу. СРГК 2, 316; СРГК 5, 591; Подюков 1989, 178.

РЫК * Воло́вий рык. *Яросл.* Мера расстояния, равная 1/2–2 версты (расстояние, на котором можно слышать мычание быка в стаде). ЯОС 3. 30.

На коро́вий рык. *Волог.* На расстояние, с которого можно слышать мычание коровы. СРНГ 14, 351.

Крича́ть на рык. *Кар.* Громко плакать, рыдать. СОГК 3, 21.

Подня́ть рык. *Кар.* Громко замычать (о корове). СРГК 5, 593.

Ры́ком реве́ть (рыча́ть). *Кар.* 1. Издавать громкие звуки (о животных). СРНГ 35, 307. 2. Громко, навзрыд плакать. СРГК 5, 592.

РЫ́КОВКА * Дава́ть/ дать ры́ковку. *Кар.* Долго и громко плакать. СРГК 1, 424.

РЫЛЁНКО * Взды́нуть рылёнко. *Пск.* Рассердиться на кого-л., выразить неудовольствие по какому-л. поводу. СПП 2001, 68.

РЫ́ЛО * Не знать ни ры́ла ни но́су. *Арх. Пренебр.* О человеке с распухшим лицом. СРНГ 11, 312.

С ры́ла. *Прост. Груб.* С каждого, с одного человека. ФСРЯ, 403.

Вороти́ть ры́ло *от кого, от чего. Прост. Груб.* 1. Отворачиваться. 2. Относиться с презрением, пренебрежением к кому-л., к чему-л. 3. С пренебрежением отказываться от чего-л., отказывать кому-л. ФСРЯ, 79.

Выставля́ть ры́ло. *Перм.* 1. Неожиданно появляться где-л. 2. Обращаться к кому-л. с каким-л. требованием. Подюков 1989, 37.

Дать в ры́ло *кому. Прост.* Избить кого-л. Мокиенко 1990, 50.

Дуть ры́ло. *Яросл.* Быть недовольным, сердиться. ЯОС 8, 143; СРНГ 35, 303.

Жить в одно́ ры́ло. *Волг.* Богато и благополучно жить без семьи. Глухов 1988, 42.

Зае́хать в ры́ло *кому. Прост.* Ударить кого-л. Мокиенко 1990, 55.

Залопа́тить ры́ло. *Жарг. мол. Неодобр.* Принять высокомерный вид. СИ, 1998, № 7.

Замочи́ть ры́ло. *Жарг. мол. Шутл.* Умыться. Максимов, 146.

Кувши́нное ры́ло. *Прост. Пренебр.* 1. О вытянутом вперёд, безобразном лице. 2. О чиновниках-взяточниках (лица которых как бы «кувшинообразно вытянуты» для получения взяток. < Выражение народное, приобрело особую популярность благодаря его употреблению в «Мёртвых душах» (т. 1, гл. 7) Н. В. Гоголем. Мокиенко, Никитина 2003, 294.

Мара́ть/ замара́ть ры́ло. *Прост. Груб.* Запятнать, опорочить себя чем-л. Ф 1, 291.

Ма́сленое ры́ло. *Вят.* О льстивом человеке. СРНГ 18, 12.

Меня́ть ры́ло на ры́ло. *Народн. Шутл.* О невыгодном обмене. ДП, 535.

Мочи́ть ры́ло. *Жарг. мол. Неодобр.* Вмешиваться не в свое дело. Я — молодой, 1998, № 8.

Наруби́ть ры́ло. *Жарг. мол.* Напиться пьяным. Максимов, 270.

На ры́ло. *Прост. Груб.* Каждому, на каждого. ФСРЯ, 404.

Начи́стить ры́ло *кому. Жарг. мол.* Избить кого-л. Максимов, 272.

Невы́мытое ры́ло. *Яросл. Шутл.-ирон.* Передняя часть русской печи. ЯОС 6, 128.

Немы́тое (неумы́тое) ры́ло. *Прост. Устар. Бран.* Характеристика человека из простого народа: крестьян, дворовых, мастеровых и т. п. Мокиенко, Никитина 2003, 294.

Отвора́чивать ры́ло *от кого, от чего. Прост. Груб.* То же, что **воротить рыло 3.** ФСРЯ, 404.

Поднима́ть ры́ло *на кого. Пск.* Выступать против кого-л. СПП 2001, 68.

Положи́ть ры́ло на запря́г. *Яросл.* Обидеться на кого-л. ЯОС 8, 143; СРНГ 35, 303.

Пропо́йное ры́ло. *Прост. Презр.* О горьком пьянице. Мокиенко, Никитина 2003, 294.

Свиня́чье (свино́е, соба́чье) ры́ло. *Прост.* 1. *Презр.* О чьём-л. ожиревшем, раскормленном, толстом лице. 2. *Бранн.* Оскорбительная форма обращения к человеку (обычно — низшему по социальному положению, зависимому). Мокиенко, Никитина 2003, 294.

Суко́нное ры́ло. *Прост. Презр.* О человеке низкого происхождения, положения. < Первоначально – о купце, торговце. БСРЖ, 1288.

Вороти́ть ры́лом. *Прост. Пренебр.* То же, что **воротить рыло 2.** АОС 5, 107, 116; ЗС 1996, 36.

Заста́вить ры́лом хрен копа́ть *кого. Сиб.* Жестоко наказать, побить кого-л. ФСС, 81.

Наткну́ться ры́лом на кула́к. *Народн. Ирон.* Подвергнуться побоям, избиению. ДП, 260.

Роди́ться с мо́крым ры́лом. *Перм. Презр.* Быть неисправимым пьяницей, хроническим алкоголиком. Подюков 1989, 175.

Ры́лом не вы́шел. *Прост.* Не годится по тем или иным параметрам для чего-л., не соответствует тем или иным требованиям. ДП, 61; ФСРЯ, 100; ЗС 1996, 33; Глухов 1988, 96.

С суко́нным ры́лом да в кала́чный (колашный) ряд. *Прост.* О человеке, пытающемся занять незаслуженно высокое положение, проникнуть в высшее общество. БМС 1998, 509; БТС, 1288; Ф 1, 277.

По ры́лу помело́м *кому. Перм.* О необходимости с позором выгнать, выставить кого-л. Подюков 1989, 196.

РЫ́ЛЬЦЕ * Ры́льце в пуху́ (в пушку́) *у кого. Разг. Неодобр.* О человеке, причастном к чему-л. неблаговидному. ФМ 2002, 407. < Выражение из басни И. А. Крылова «Лисица и Сурок» (1813 г.). ФСРЯ, 404; БМС 1998, 509; Мокиенко 1990, 92; Глухов 1988, 143.

РЫ́НОК * Блоши́ный ры́нок. *Разг.* Место, где торгуют подержаными дешёвыми товарами, старыми вещами, безделушками. < Калька с англ. *fleamarket.* ТСРЯ XX в., 103.

Кре́пкий ры́нок. *Жарг. бирж.* Высокий уровень цен, показывающий тенденцию к повышению. БС, 136.

Лени́вый ры́нок. *Жарг. бирж.* Отсутствие торговли, отсутствие активности на бирже. БС, 141.

Медве́жий ры́нок. *Жарг. бирж.* Рынок, на котором курсы падают. NWB, 15. < Ср. **медведь** – ‘брокер, играющий на понижение’.

Се́рый ры́нок. *Жарг. бирж.* Проведение коммерческими банками операций с неконвертируемыми валютами. БС, 231.

Чёрный ры́нок. 1. *Разг.* Перепродажа дефицитных товаров по повышенным по сравнению с официально установлеными ценам. Немировская, 480. 2. *Публ.* Неофициальный, нелегальный рынок. Мокиенко 2003, 100.

Проти́виться ры́нку. *Жарг. бирж.* Действовать вопреки тенденциям на бирже. БС, 219.

РЫП * За одни́м ры́пом. 1. *Дон.* Открыв дверь один раз. СРНГ 35, 313. 2. *Волг.* Вместе, разом, дружно. Глухов 1988, 50.

На рыпа́х. *Курск.* Со скрипом (о двери). СРНГ 35, 313. **На рыпу́.** *Курск.* То же. СРНГ 35, 313.

РЫСА́К * Задава́ть рысака́. *Пск. Шутл.* Бежать очень быстро. ПОС 11, 168.

Рысако́м не сомнёшь. *Морд. Шутл.-одобр.* О крепком, здоровом человеке. СРГМ 2002, 92.

РЫСКИ́ * На рыска́х. *Новг.* То же, что **изо всех рысей (РЫСЬ).** НОС 9, 164.

РЫСЬ * Изо всех рысе́й. *Сиб.* Очень быстро. СФС, 84; Мокиенко 1986, 48.

Приба́вить ры́си *кому. Яросл.* Проучить кого-л. СРНГ 31, 103.

Би́тая рысь. *Жарг. угол.* Опытный, ловкий, надёжный человек. Балдаев 1, 36.

Нагна́ть рысь *на кого. Сиб.* Запугать, устрашить кого-л. ФСС, 116; СРНГ 35, 313.

Рысь непутя́вая. *Жарг. мол. Презр. или Бран.* О женщине. h-98.

РЫ́ЦАРЬ * Бе́лый ры́царь. *Жарг. бизн.* Альтернативный контрагент, покупающий предприятие по просьбе руководства вместо враждебно настроенного покупателя. БС, 17.

Ры́царь А́рктики. *Публ. Высок.* И. Д. Папанин, полярный исследователь, руководитель первой советской дрейфующей станции Северный полюс — 1 (1937–1938 гг.). Новиков, 146.

Ры́царь без стра́ха и упрёка. *Книжн.* О человеке мужественном, высоких нравственных достоинств. < Прозвище французского рыцаря Пьера дю Террайля Баярда (1476–1524 гг). БМС 1998, 509; ФСРЯ, 404.

Ры́царь на час. *Книжн.* О слабовольном человеке, живущем благородными порывами, но не способном к длительной борьбе. Мокиенко 1989, 32; Мокиенко 1990, 70. < От названия стихотворения Н. А. Некрасова «Рыцарь на час» (1863 г.). БМС 1998, 510; ФСРЯ, 404.

Ры́царь печа́льного о́браза. 1. *Книжн.* О наивном, бесплодном мечтателе. ФСРЯ, 404; БМС 1998, 510. 2. *Жарг. мол. Шутл.-ирон.* Мужской половой орган. Елистратов 1994, 663; Щуплов, 53.

Ры́царь плаща́ и кинжа́ла. *Публ. Ирон.* Агент Центрального разведывательного управления США. Новиков, 147; Мокиенко 2003, 100.

Ры́царь револю́ции. *публ. Патет.* О Ф. Э. Дзержинском, советском государственном и политическом деятеле, председателе ВЧК, наркоме внутренних дел. Новиков, 147–148.

Скупо́й ры́царь. 1. *Книжн.* Скупец, скряга. БМС 1998, 510. 2. *Жарг. арм. Пренебр.* Каптёрщик, ротный кладовщик. Кор., 261. 3. *Жарг. шк. Ирон.* Завхоз. Bytic, 1999-2000. < От названия драмы А. С. Пушкина «Скупой рыцарь» (1836 г.).

Ску́чный ры́царь. *Жарг. арм. Ирон.* Старшина. Кор., 261.

Стра́нствующий ры́царь. *Жарг. арм. Ирон.* Дежурный по части. Максимов, 372.

Тупо́й ры́царь. *Жарг. шк. Шутл.-ирон.* Поэма «Скупой рыцарь» А. С. Пушкина. БСПЯ, 2000.

РЫЧА́Г * Архиме́дов рыча́г. *Книжн.* Двигательная сила, самое могучее средство для выполнения той или иной задачи. БМС 1998, 510; Янин 2003, 17.

Рыча́г демокра́тии. *Разг. Ирон.* Милицейская резиновая дубинка. Балдаев 2, 21; ББИ, 213; Мильяненков, 224.

Рыча́г перестро́йки. *Жарг. мол. Ирон.* Милицейская резиновая дубинка. Максимов, 372.

РЭ́МБО * Пятна́дцать Рэ́мбо. *Жарг. мол. Ирон.* О тщедушном, крайне слабом человеке. < По имени американского киногероя-супермена. Максимов, 355.

Сушёный (в сушёном ви́де) Рэ́мбо. *Жарг. мол. Шутл.-ирон.* Об очень худом человеке. < По имени американского киногероя-супермена. Максимов, 372.

РЮКЗА́К * Ката́ться на рюкзаке́. *Жарг. мол. Шутл.* О неумелом катании, частых падениях при катании на лыжах. Никитина 2003, 610.

РЮМА́Ш * Разми́ночный рюма́ш. *Разг. Шутл.* Рюмка, выпиваемая перед началом основной части какого-л. мероприятия со спиртным. ТВ-Ост., 12.04.92.

РЮ́МКА * Похо́дная (похо́жая) рю́мка. *Ср. Урал.* Рюмка, которую выпивают перед уходом. СРГСУ 4, 114.

Рю́мка ча́я. *Жарг. мол. Шутл.* Порция водки. Максимов, 372.

Лома́ться рю́мками. *Кар.* Слегка ударять своей рюмкой о рюмку другого в знак приветствия, чокаться. СРГК 5, 599.

Закида́ть рю́мки. *Курск.* Пить спиртное, пьянствовать. БотСан, 95.

Собира́ть рю́мки. 1. *Пск. Неодобр.* Искать выпивки, напрашиваться на угощение спиртным. СПП 2001, 68. 2. *Волг., Сиб.* То же, что **собирать чужие рюмки**. Глухов 1988, 151; СФС, 160.

Собира́ть чужи́е рю́мки. *Кар.* Пить спиртное за чужой счёт. СРГК 5, 600.

Сшиба́ть рю́мки. *Прост. Неодобр.* Напрашиваться на выпивку, стремиться выпить за чужой счёт. Ф 2, 198.

За рю́мкой. *Коми.* В состоянии алкогольного опьянения. Кобелева, 75.

Гляде́ть в рю́мку. *Волг., Кар.* Пить спиртное, пьянствовать; иметь склонность к употреблению алкоголя. Глухов 1988, 23; СРГК 5, 599. **Гля́дывать в рю́мку.** *Пск. Шутл.* То же. СПП 2001, 68.

Загля́дывать/ загляну́ть в рю́мку. *Разг.*То же, что **глядеть в рюмку**. ФСРЯ, 404; Сл. Акчим. 1, 103.

Золоти́ть рю́мку. *Пск.* В свадебном обряде: бросать деньги в рюмку жениха и невесты. ПОС 13, 90.

Облиза́ть рю́мку. *Пск. Шутл.* Выпить спиртного. СПП 2001, 68.

Пи́сать в рю́мку. *Жарг. мол. Шутл.* Волноваться, испытывать страх. Вахитов 2003, 132.

Тяну́ть рю́мку. *Кар.* Иметь склонность к употреблению спиртного. СРГК 5, 599.

РЮ́МОЧКА * Накры́ть рю́мочку. *Сиб.* В свадебном обряде – дать выкуп родственникам невесты. ФСС, 118.

Уважа́ть рю́мочку. *Пск. Шутл. Любить спиртные напитки.* (Запись 1998 г.).

РЮ́МЫ * Води́ть рю́мы. *Пск. Неодобр.* Плакать, капризничать. СПП 2001, 68.

Распуска́ть/ распусти́ть рю́мы. *Дон., Яросл.* 1. То же, что **водить рюмы.** 2. Выражать обиду. СДГ 3, 78, 101; ЯОС 8, 144.

РЮ́РИК * Быть под рю́риком. *Кар.* Находиться в зависимости от кого-л., в подчинении у кого-л. СРГК 5, 600.

РЮХА * Дать рю́ху *кому. Диал.* Ударить, избить кого-л. Мокиенко 1990, 49.

Попа́сть в рю́ху. *Сиб.* Оказаться в неприятном положении, в сложной ситуации; потерпеть неудачу. Мокиенко 1990, 137; Ф 2, 74.

РЯБО́К * Рябо́к полево́й. *Кар. Шутл.-ирон. или Пренебр.* О слабом, болезненном человеке. СРГК 5, 603.

РЯД * Вести́ ряд. *Ворон.* Соблюдать заведённый порядок. СРНГ 35, 339.

Води́ть кра́сный ряд. *Волог.* Гулять в праздник рядами по деревне. СВГ 3, 121.

В ряд. 1. *Кар.* Вовремя, своевременно. СРГК 5, 606. 2. *с кем. Орл.* Одинаково, наравне с кем-л. СОГ 1989, 96.

Желе́зный ряд. *Жарг. лаг.* Ряд коек вблизи отхожего места — самое худшее место в арестантском бараке. Бен, 44.

Зелёный ряд. *Том. Ирон.* Кладбище. СРНГ 11, 250.

Кала́шный ряд. *Жарг. лаг. Шутл.-одобр.* Хорошее, удобное место в бараке. Бен, 55. < Первоначально – ряд лавок на рынках русских городов, где продавались калачи, т. е. особо вкусный и «деликатный» товар.

Не в ряд. *Кар. Неодобр.* Не так, как положено, неверно, плохо. СРГК 5, 606.

Не идти́ на ряд. *Морд.* Не удаваться, не получаться так, как должно быть. СРГМ 1980, 113.

Опуска́ть/ опусти́ть в желе́зный ряд *кого. Жарг. лаг.* Переводить осуждённого в неворовской разряд (более низкий в тюремной иерархии). Бен, 44.

Ряд де́лу. *Петерб.* Как и должно быть, в нужном порядке. СРНГ 35, 340.

Ряд по поря́дку. *Яросл.* Последовательно, обстоятельно (рассказывать). СРНГ 30, 127; ЯОС 8, 144.

Ряд [с] ря́дом. 1. *Дон., Пск.* Близко, по соседству. СДГ 3, 101; СПП 2001, 68. 2. *Волг., Дон. Одобр.* Как полагается, правильно. Глухов 1988, 143; СДГ 3, 101.

Ста́вить/ поста́вить в оди́н ряд *кого с кем. Разг.* Приравнивать кого-л. к кому-л., считая подобными. Ф 2, 181.

Станови́ться/ стать в оди́н ряд *с кем. Разг.* Уподобляться кому-л. в каком-л. отношении, приравнивать себя к кому-л. Ф 2, 184.

Из ря́да вон выходя́щий. *Разг.* Выдающийся, необычный. ФСРЯ, 99; БТС, 148, 187.

Из ря́да рядо́в. *Перм.* То же, что **из ряда вон выходящий.** Подюков 1989, 179.

На де́сять рядо́в. *Сиб.* Несколько раз. ФСС, 60.

На сто рядо́в. *Перм.* Совсем, полностью. Подюков 1989, 179.

Говори́ть ря́дом. *Орл.* Логично, чётко излагать мысли. СОГ 1989, 153.

Дойти́ ря́дом *до чего. Олон.* Получить что-л., соблюдая очередность. СРНГ 35, 346.

Рядо́м ряди́ть. *Онеж.* Обсуждать что-л., рассуждать о чём-л. СРНГ 35, 346.

Быть в ряду́. *Кар.* Находиться в гостях у соседей. СРГК 5, 605.

В проходно́м ряду́ ве́тром торгова́ть. *Диал. Шутл.-ирон.* Бездельничать. Мокиенко 1990, 65.

Дать ря́ду. *Одесск.* 1. Привести в порядок что-л. 2. Понять что-л. КСРГО.

К ря́ду. *Кар.* К предстоящей, готовящейся свадьбе. СРГК 5, 606.

Сверх ря́ду. *Кар.* Вне очереди; раньше времени. СРГК 5, 606.

Ряды́ ряди́ть. 1. *Волг.* Приводить в порядок что-л. Глухов 1988, 143. 2. *Кар.* Быть судьёй. СРНГ 35, 341.

РЯДЕ́НЬЕ * От ряде́нья се́рдца. *Кар.* Искренно, от всей души. СРГК 5, 606.

РЯ́ДИ * Ря́ди ряди́ть. *Кар.* Договариваться о приданом, подарках, свадебных расходах. СРГК 5, 607.

РЯ́ДКА * Согну́ться в три ря́дки. *Пск.* Сильно согнуться, сгорбиться. СПП 2001, 68.

В одну́ ря́дку. *Волг.* Аккуратно, экономно. Глухов 1988, 13.

РЯДНО́ * Накры́ть мо́крым рядно́м *кого. Одесск.* Выругать кого-л. КСРГО.

РЯДОВА́Я * Пропусти́ть рядову́ю. *Костром.* Выпить рюмку спиртного, пущенную по кругу. СРНГ 35, 345.

Тяну́ть рядову́ю. *Перм.* Делать что-л. наравне с другими. СРНГ 35, 345.

РЯДО́К * Чеса́ться рядка́ми. *Кар.* Развлекаться, гулять. СРГК 5, 609.

Бить рядки́. *Пск.* Приходить к соглашению (при сватовстве). ПОС 7, 16.

РЯ́ДОМ * Ря́дом не лежа́ло *[что с чем]. Разг.* О чём-л. непохожем на что-л., абсолютно ином. СПП 2001, 68.

Ря́дом не сиде́ть. *Кар.* Никогда раньше не видеть кого-л. СРГК 5, 609.

Ходи́ть ря́дом. *Кар.* Ходить по улице и петь под гармошку. СРГК 5, 609.

РЯ́НДЫ * Гуси́ные ря́нды. *Кар.* Затяжные дожди осенью. СРГК 5, 613.

РЯ́ХА * Дать ря́ху *кому. Кар.* Побить, избить кого-л. СРГК 5, 616.

Отъеда́ть/ отъе́сть (нае́сть/ наеда́ть) [себе́] ря́ху. См. **отъедать ряшку (РЯШКА).**

РЯ́ШКА * Отъеда́ть/ отъе́сть (наеда́ть/ нае́сть) [себе́] ря́шку (ря́ху). *Прост. Груб. Неодобр.* О сильно растолстевшем, разъевшемся человеке.

Прокра́сить (раскváсить) ря́шку *кому. Прост. Груб.* Разбить кому-л. в кровь лицо, избить до синяков. СПП 2001, 68.

САВАТЕЙКА * Охотиться за саватейками. *Жарг. угол. Устар. Шутл.* Находиться в бегах; бродяжничать. Трахтенберг, 43; СРВС 1, 50, 135, СРВС 2, 36, 63, 77, 84, 133, 178, 197, 207, 214; СРВС 3, 92, 109; ТСУЖ, 67, 126, 155, 170.

Стреля́ть савате́йки. *Жарг. угол. Устар.* То же, что **охотиться за саватейками.** СРВС 1, 50, 135, СРВС 2, 36, 63, 77, 84, 133, 178, 197, 207, 214; СРВС 3, 92, 109; ТСУЖ, 67, 126, 155, 170. <**Саватейка** – булка, ржаная лепёшка.

СА́ВКА * Тот же Са́вка, на тех же са́нках. *Народн. Ирон.* Об отсутствии изменений в чём-л. ДП, 360.

САВЁЛ * Савёл Проко́фьевич. *Жарг. угол., мол. Шутл.* Савеловский вокзал в Москве. Грачев 1997, 120.

САВЛ * Из Са́вла Па́влом [стать]. *Книжн.* Измениться до противоположности, стать совершенно другим. < Восходит к Библейской легенде об апостоле Павле. БМС 1998, 511.

САВРА́С * Савра́с без узды́. *Разг. Устар.* Необузданный, бесшабашный молодой человек, которого ничто не стесняет, не сдерживает. ФСРЯ, 405; БТС, 1377.

САВРА́САЯ * На савра́сой не объе́дешь *кого. Прост.* О человеке, которого трудно перехитрить, обмануть. ФСРЯ, 292; Мокиенко 1990, 83.

САД * Бе́шеный сад. *Жарг. шк. Шутл.* Школьный двор. (Запись 2004 г.).

Ботани́ческий сад. *Жарг. шк. Шутл.-ирон.* Школа. ШС, 2001. < От **ботаник** — прилежный ученик; *ботать, ботанить* – изучать что-л.

Вишнёвый сад. *Жарг. гом.* Общественный туалет в парке у Академии им. М. В. Фрунзе в Москве. < От названия пьесы А. П. Чехова. Кз., 43.

Выкупа́ть сад. *Влад.* В обряде сватовства: наряжать сосну разноцветными бумажками, развешивать на ней подарки. СРНГ 36, 18.

Де́тский сад. 1. *Разг.* Воспитательное учреждение для детей от трех до семи лет. ШЗФ 2001, 66. 2. *Разг. Ирон. или Пренебр.* О проявлении чьей-л. наивности, непонимания простых вещей. НРЛ-82; Глухов 1988, 34; Мокиенко 2003, 100. 3. *Жарг. студ. (пед.).* Факультет начальных классов. (Запись 2003 г.).

Пойти́ в берёзовый (в зелёный) сад. *Сиб. Ирон.* Умереть. ФСС, 142.

Пойти́ в сад. *Арх.* Проститься с подружками перед свадьбой (о невесте). СРНГ 36, 18.

Са́шкин сад. См. **Сашкин садик (САДИК).**

Сесть в сад. *Ворон.* Заболеть от внезапного потрясения. СРНГ 36, 20.

Чёртов сад. *Новг.* Глухое, непроходимое место. НОС 10, 4.

Рабо́тать на два са́да. *Курск. Шутл.* С аппетитом есть, поедать что-л. СРНГ 36, 20.

Одного́ са́ду ви́шенье. *Пск.* Одинаковый, сходный с кем-л. КПОС. Ср. **Одного́ по́ля я́года.**

Погуля́ть по са́ду. *Жарг. мол. Шутл.* Сходить в туалет, помочиться. Максимов, 319.

Сады́ Арми́ды. *Книжн.* О чём-л. чудесном, сказочном. < Происхождение оборота связывается с поэмой итальянского поэта Т. Тассо «Освобожденный Иерусалим» (1580 г.). БМС 1998, 511.

Сады́ неbри́тых ежей. *Жарг. дигг.* Места в подземных коммуникациях, где обитают колонии бездомных, бомжей. Щуплов, 226.

Сады́ Семирами́ды. *Книжн.* О чём-л. великолепном, прекрасном, чудесном. < Ассирийской царицей Семирамидой были построены «висячие сады» в Вавилоне, которые считались одним из семи чудес света. БМС 1998, 511.

Уйти́ под сады́. *Морд.* Умереть. СРГМ 2002, 14.

СА́ДИК * Ка́тькин са́дик. *Разг., гом. Шутл.* Сквер перед Александровским театром в Санкт-Петербурге с памятником Екатерине II, место встреч гомосексуалистов, шахматистов, представителей различных политических и религиозных направлений. Югановы, 102.

Сашкин садик (сад). 1. *Прост. Шутл.* Александровский сад в Санкт-Петербурге. (Запись 2006 г., С.-Петербург). 2. *Жарг. гом.* Александровский сад в Санкт-Петербурге как место встреч гомосексуалистов. Кз., 64.

САДИ́ЛОВКА * Ходи́ть на сади́ловку. *Жарг. угол.* Совершать кражи во время посадки в общественный транспорт. Балдаев 2, 125. < **Садиловка** – остановка общественного транспорта.

САДИ́ЛЬНИК * Держа́ть сади́льник. См. **Держать садку (САДКА).**

САДИ́ТЬ * Не сади́л, не полива́л, а рвать поспе́л. *Народн. Неодобр.* О человеке, который пользуется результатами чужого труда в своих корыстных целях. Жиг. 1969, 227.

СА́ДКА * Держа́ть са́дку (сади́льник, садо́к). *Жарг. угол.* Совершать кражи при посадке в общественный транспорт, на вокзале. Б., 47, 62; Балдаев 1, 108; Балдаев 2, 25; ББИ, 215; СРВС 4, 27, 44, 75, 104, 135, 183; СВЯ, 27. < **Садка, садильник, садок** – остановка общественного транспорта.

САДО́К * Держа́ть садо́к. См. **Держать садку (САДКА).**

СА́ДОМ * Са́дом сади́ть. *Кар.* Очень быстро делать что-л. СРГК 5, 620.

СА́ЖА * Жи́ть в са́же. *Кар.* О жизни в благополучии, достатке. СРГК 2, 122; СРГК 5, 622.

Гляде́ть сквозь са́жу. *Сиб. Ирон.* Быть грязным, запылённым. ФСС, 43; СРНГ 36, 38.

Ме́рять са́жу колпако́м. *Диал. Неодобр.* Бездельничать. Мокиенко 1990, 65.

СА́ЖЕ́НЬ * Идти́ косовы́м са́женем. 1. *Дон. Шутл.-ирон.* Двигаться в обход, окружным путем. СДГ 2, 82. 2. *Волг.* Шагать широко, размашисто. Глухов 1988, 56.

Ви́деть на три саже́ни в зе́млю. *Народн.* Быть проницательным. Жиг. 1969, 212.

В косу́ю саже́нь. *Разг.* О человеке очень высокого роста. ФСРЯ, 405. < **Косая сажень** – русская мера длины, равная расстоянию от большого пальца вытянутой левой ноги по диагонали человеческого тела до конца указательного пальца поднятой вверх правой руки, т.е. около 216 см.

Коса́я саже́нь в плеча́х. *Разг.* О широкоплечем, богатырского сложения человеке. ФМ 2002, 408. БМС 1998, 511; ФСРЯ, 405.

Косова́я саже́нь. *Дон.* Величина размаха рук. СРНГ 15, 63.

Печа́тная саже́нь. 1. *Ср. Урал.* То же, что **косовая сажень.** СРГСУ 4, 26. 2. *Кар.* Определённый объём леса, распиленный на дрова. СРГК 5, 622.

Саже́нь с вершко́м. *Новг.* То же, что **в косую сажень.** НОС 10, 5; Сергеева 2004, 140.

САЗА́Н * Пасти́/ припасти́ саза́на. *Жарг. угол.* Выслеживать жертву (о воре). Быков, 174; ТСУЖ, 129; СРВС 4, 183.

САЙДА́КИ * Наставля́ть сайда́ки. *Сиб.* Упираться руками в бока. СРНГ 36, 45.

САЙЗ * В сайз *кому. Жарг. мол.* Подходит по размеру. Рожанский, 43. < Из англ. *size.* WMN, 79.

САК * Бить са́ка. *Диал.* То же, что **давить сака.** Мокиенко 1990, 88.

Дави́ть са́ка. *Жарг. угол. Шутл.* Бездельничать. Б., 58. < **Сак** – бездельник. Ср. разг. **сачок**.

СА́КАТЬ * Са́кать да бря́кать. *Кар. Шутл.* Болтать, разговаривать. СРГК 1, 127.

САЛА́ЗКИ * Схлопота́ть по сала́зкам. *Жарг. угол.* Получить удар по скулам. Б., 168.

Вози́ть на сала́зках *кого. Морд.* Бить, наказывать за воровство кого-л. СРГМ 1978, 82.

Выкатить сала́зки. *Прост. Неодобр.* Глазеть, таращиться на кого-л., на что-л. Елистратов 1994, 417.

Загиба́ть/ загну́ть сала́зки. *Прост.* 1. Пригибать лежащему на животе человеку ноги к спине. 2. Жестоко расправляться с кем-л., наказывать, притеснять кого-л. ФСС, 75; Глухов 1988, 46; Подюков 1989, 78.

Лезть/ зале́зть не в свой сала́зки. *Морд., Ряз.* Заниматься не своим делом, вмешиваться не в своё дело. ДС, 499; СРНГ 16, 340; СРНГ 36, 54; СРГМ 2002, 15.

Сала́зки хо́дят *у кого. Морд.* У кого-л. перекосило лицо (от злости, страха, боли). СРГМ 2002, 15.

Свернуть сала́зки *кому. Волг., Морд.* Строго наказать, побить кого-л. Глухов 1988, 145; СРГМ 2002, 15.

САЛАМА́ТЫ * Е́здить по салама́там. *Кар.* В свадебном обряде: навещать родственников новобрачных, угощая их кашей и пирогами. СРГК 5, 624.

Ходи́ть по салама́там. *Олон.* Обходить родственников с плачем и причитаниями. СРНГ 36, 58.

СА́ЛО * Зали́ть са́ла за ко́жу *кому. Перм.* Доставить большие неприятности кому-л. Подюков 1989, 1989, 81.

Сба́вить комари́ного са́ла *кому. Перм. Шутл.-ирон.* Одёрнуть спесивого, высокомерного человека, давая понять, что он в действительности представляет собой. Подюков 1989, 181.

Кома́рье са́ло. *Новг. Ирон.* О худощавом человеке. НОС 10, 6.

Морско́е са́ло. *Арх. Шутл.* Медузы, появляющиеся на поверхности Белого моря в тихую, ясную погоду СРНГ 18, 278.

Нагу́ливать (наеда́ть) са́ло. *Прост.* Полнеть, толстеть. СРНГ 36, 64; ФСС, 117; Глухов 1988, 88.

Са́ло (са́льце) завя́зывается *у кого. Курск.* Кто-л. полнеет. БотСан, 112.

Са́ло за са́ло захо́дит *у кого. Перм. Шутл.* О человеке, живущем в достатке, благополучии. Подюков 1989, 180.

Са́ло за у́хо зашло́ *у кого. Сиб. Шутл.* О полном, тучном человеке. СРНГ 36, 64.

Са́ло за шку́ру зали́ть. *Одесск.* Разбогатеть, начать жить очень благополучно. КСРГО.

Са́ло рассыпно́е. *Жарг. угол. Шутл.* Соль. ТСУЖ, 156; Мильяненков, 225.

Запль́ıть са́лом (са́льцем). *Разг. Неодобр. или Шутл.-ирон.* То же, что **нагуливать сало** наесть. БотСан, 112; ПОС 12, 49.

Ма́зать са́лом по муса́лам. *Курск.* Не выполнять обещаний, вводить кого-л. в заблуждение. СРНГ 17, 294.

Пройти́ са́лом. *Народн. Шутл.-одобр.* Избежать какой-л. опасности. СРНГ 36, 64.

Тем же са́лом, да по тем же ра́нам. *Разг. Ирон.* О новых ранах. БМС 1998, 511.

САЛПА́Н * Прохло́пать салпа́нами. *Урал.* Допустить оплошность, пропустить, прозевать что-л. СРНГ 36, 66.

Разве́сить (распусти́ть) салпа́ны. *Урал.* Слушать что-л. с увлечением и доверчивостью. СРНГ 36, 66.

САЛТЫ́К * На свой салты́к. *Прост.* По-своему, на свой лад, образец. ФСРЯ, 406; Глухов 1988, 92. < Выражение образовано сокращением пословицы **У всякого шлык на свой салтык**, где **шлык** – башлык, **салтык** – обычай (из тюркск.) БМС 1998, 512.

Немо́й салты́к. *Морд. Шутл.* О ребёнке, который долго не начинает говорить. СРГМ 2002, 14.

САЛФЕ́Т * Салфе́т вашей ми́лости! *Сиб. Шутл.* Пожелание чихнувшему человеку. СФС, 160.

Салфе́т в уста́ *кому! Урал.* 1. Доброе пожелание: будьте здоровы! 2. *Груб.* Требование замолчать. СРНГ 36, 66.

СА́ЛЬЦЕ * Запль́ıть са́льцем. См. **Заплыть салом (САЛО).**

Са́льце завя́зывается. См. **Сало завязывается (САЛО).**

САЛЮ́Т * Отдава́ть салю́т. *Жарг. мол. Шутл.* О рвоте. Никитина 1998, 393.

Трехпа́льцевый салю́т. *Жарг. комп. Шутл.* Выключение компьютера одновременным нажатием клавиш Ctrl — Alt — Del. Лихолитов, 1997, 48.

САМ * Владе́ть сам (сама́) собо́й. *Арх.* Быть в состоянии контролировать свои чувства, управлять своими действиями. АОС 4, 124.

Выде́рживать сам себя́. *Коми.* Сдерживаться, не раздражаться, не нервничать. Кобелева, 59.

Выставля́ть сам себя́. *Арх.* Выделяться оригинальным поведением, обращать на себя внимание. АОС 8, 242.

Говори́ть сам (сама́) себе́. *Кар.* Говорить про себя (о внутренней речи). СРГК 6, 256.

Нести́ сам себя́. *Пск. Неодобр.* Важничать, зазнаваться. СПП 2001, 68.

Око́нчить сам себя́. *Кар.* Покончить жизнь самоубийством. СРГК 4, 184.

Сабо́ само́й. *Жарг. мол. Шутл.* Само собой. Зайковская, 42.

Сам без себя́. *Кар.* 1. В состоянии невменяемости, вне себя. 2. В состоянии сильного испуга. СРГК 5, 626.

Сам большо́й. *Прост.* Совершенно независимый, самостоятельный человек, который может поступать так, как ему захочется. ФСРЯ, 406.

Сам в себя́. *Пск.* О ребёнке, не похожем на своих родителей. СПП 2001, 68.

Сам на сам. 1. *Морд.* В одиночестве. СРГМ 2002, 16. 2. *Жарг. мол.* Наедине с кем-л., один на один. Максимов, 373.

Сам не свой. 1. *Разг.* О человеке, находящемся в состоянии горя, печали, сильного расстройства. БМС 1998, 512; ФСРЯ, 406; ЗС 1996, 168; ДП, 145, 867; Верш. 6, 191. 2. *до чего. Волог.* О любителе чего-л. СРНГ 36, 71.

Сам от себя́. *Кар.* По своей вине. СРГК 5, 626.

Сам по себе́. *Разг.* 1. Самостоятельно, без помощи, опеки. 2. По собственной инициативе. 3. Отдельно от других. ФСРЯ, 407; ДС, 500; Верш. 6, 206; Глухов 1988, 143.

Сам Са́мыч. *Разг. Шутл.* Важный начальник. Елистратов 1994, 418.

Сам себе́ (себя́) ива́нит. *Волг., Сиб. Ирон.* О человеке, который сам себя хвалит, превозносит. СРНГ 36, 71; Глухов 1988, 54.

Сам себе́ хозя́ин. *Разг.* О независимом, самостоятельном человеке. ФСРЯ, 407.

Сам себя́ не ви́дит. *Разг. Пренебр.* О пьяном человеке. ДП, 793.

Сам себя́ ши́ре. *Перм. Ирон.* Об очень полном человеке. Подюков 1989, 180.

Сам собо́й. *Разг.* 1. Невольно, непроизвольно, без каких-л. усилий. 2. Самостоятельно, независимо от кого-л., от чего-л. ФСРЯ, 407; СРГК 5, 626; Верш. 6, 206.

Остава́ться сами́м собо́й. *Разг.* Быть естественным, непосредственным. ФСРЯ, 443.

Само́ собо́й [разуме́ется]. *Разг.* Не вызывает никакого сомнения; безусловно, конечно. БМС 1998, 512; ФСРЯ, 407.

Теря́ть самого́ себя́. *Пск.* Опуститься, утратить волю, стать жалким, никчёмным. СПП 2001, 68.

САМАРИТЯ́НИН * Доброде́тельный (до́брый) самаритя́нин. *Книжн.* О человеке, всегда готовом помочь близкому. < Образ заимствован из Библейской притчи. БМС 1998, 512.

СА́МКА * Я са́мка. *Жарг. мол. Шутл.* Телепередача «Я сама». БСПЯ, 2000.

На свою́ са́мку. *Перм. Шутл.* По своей воле, на свой страх и риск. Подюков 1989, 180.

САМОВА́Р * Вкру́те не вы́пить самова́р. *Яросл.* Спешно делать что-л. ЯОС 3, 23; СРНГ 36, 78.

Сесть на гото́вый самова́р. *Кар.* Жить на всём готовом, не работая. СРГК 5, 627.

Выгля́дывать из-за самова́ра. *Кар.* Жить в очень тесном доме. СРГК 5, 627.

Пова́жничать с самова́ром. *Кар.* Попить чаю в компании, побеседовать у самовара. СРГК 4, 575.

САМОГО́Н * Гнать самого́н. *Жарг. мол. Шутл.* Заниматься онанизмом. Декамерон 2001, № 3.

САМОГО́НОЧКА * Вре́заться в самого́ночку. *Яросл.* Начать пить спиртное в больших количествах, стать алкоголиком. ЯОС 3, 44.

САМОЛЁТ * Бить по самолётам. *Жарг. спорт. (футб.). Шутл.-ирон.* Бить намного выше ворот. РТ, 21.09.02.

Пойти пос-с-смотреть, как с-с-самолёты с-с-садятся. *Жарг. мол. Шутл.* Сходить в туалет, помочиться. Никитина 2003, 615. **Посмотреть самолёты.** *Жарг. мол. Шутл.* То же. Максимов, 334.

Самый самолёт. *Жарг. мол. Одобр.* О чём-л. превосходном, отличном. Вахитов 2003, 162.

САМОЛЁТИК * Запускать самолётик. *Жарг. нарк., мол.* Курить сигарету с наркотическим веществом. БСРЖ, 523.

САМОСВАЛ * Вываливать самосвал. *Жарг. мол. Шутл.* Опустошать пепельницу. h-98.

Я упала с самосвала (с сеновала), [тормозила, чем могла]. *Жарг. мол. Шутл.* О неаккуратной женской прическе. Максимов, 502. **Я упала с самосвала, тормозила головой, пока голову искала, две ноги ушли домой.** *Жарг. мол. Шутл.* То же. Максимов, 502.

САМОСОЗНАНИЕ * Пролетарское самосознание. *Жарг. угол. Шутл.-ирон.* Воровство на производстве. Балдаев 1, 358.

САМОТЁК * Пускать/ пустить на самотёк. *Разг. Неодобр.* Давать делу совершаться стихийно, без плана, оставлять что-л. без организационного руководства. Мокиенко 2003, 100.

САМОТРЯС * Вертеть самотрясы. *Кар.* Проводить время в шумных забавах. СРГК 1, 173.

САМОХОДКА * Идти/ пойти (выходить/ выйти) самоходкой. *Кар.* Выходить замуж без венчания. СРГК 5, 632.

САМОЦВЕТЫ * Ставить самоцветы под глаза *кому. Жарг. мол. Шутл.* Избивать кого-л. до синяков. Максимов, 85.

САМСОН * Железный Самсон. *Жарг. мол. Шутл.-одобр.* О человеке атлетического телосложения. Максимов, 130.

Самсон и Далила. *Книжн.* Олицетворение мужской силы и женских чар. < Оборот связан с образами Библейской мифологии. БМС 1998, 512.

САМЫЙ (САМАЯ, САМОЕ) * До самого нельзя. *Вят., Костром., Свердл., Том.* До крайнего предела, до конца. СРНГ 21, 14.

Скрозь до самого. *Морд.* Вплоть до чего-л. СРГМ 2002, 70.

Накласть по самое покорно благодарю *кому. Ворон.* Сильно избить кого-л. СРНГ 28, 399.

По самое некуда. *Пск.* До пресыщения, вволю (наесться). СПП 2001, 68.

САН * Расстригать/ расстричь из сана. *Разг. Ирон.* Снимать кого-л. с занимаемой престижной, высокой должности. Мокиенко 2003, 100.

САНА * Ни сана ни мана. 1. *Народн.* Абсолютно ничего (нет). ДП, 449; СРНГ 21, 214. 2. *Нижегор.* Никому; ни тебе ни мне. СРНГ 17, 354.

САНАТОРИЙ * Быть в санатории. *Жарг. угол. Ирон.* Находиться в заключении, сидеть в тюрьме, лагере, ИТУ или карцере. Р-87, 356; ББИ, 37.

Магаданский санаторий (санаторий-пляж). *Жарг. угол. Ирон.* ИТУ на Колыме, а также на берегу Охотского моря. Балдаев 1, 238; Балдаев 2001, 161.

Сталинский санаторий. *Жарг. лаг. Шутл.-ирон.* Тюрьма, лагерь, заключение. Росси 2, 391.

САНДАЛЬ (САНДАЛИИ) * Вперёд сандали! *Жарг. мол.* Предложение, требование удалиться. Максимов, 70.

Откинуть (скинуть) сандали (сандалии). *Прост. Груб. Шутл.-ирон.* Умереть. БСРЖ, 524; Максимов, 292, 374.

Подровнять сандали. *Жарг. мол. Шутл.-ирон.* То же, что **откинуть сандали.** Максимов, 322.

Поставить сандали в угол. *Жарг. мол. Шутл.-ирон.* То же, что **откинуть сандали.** h-98.

Протянуть сандали. *Пск. Шутл.* То же, что **откинуть сандали.** СПП 2001, 68.

Забрыцать сандаль. *Жарг. угол.* Вскрыть сейф. Хом. 2, 314.

Пьяный в сандаль. *Мол. Шутл.-ирон. или Пренебр.* Очень пьяный. Никитина 2003, 616.

Сандаль в ухо. *Жарг. студ. Шутл.* Сложный для усвоения учебный предмет. (Запись 2003 г.).

Сандалями щёлкнуть. *Жарг. угол., мол. Шутл.-ирон.* То же, что **откинуть сандали.** h-98.

САНДАРАК * Вить сандарак. *Разг. Устар.* Томиться в вынужденном безделье. БМС 1998, 513. < **Сандарак** – канцелярская принадлежность: кусочек смолы, которым затиралось выскобленное на бумаге место.

САНИ * Залезать/ залезть не в свои сани. *Курск. Неодобр.* Вмешиваться не в своё дело. БотСан, 95.

Подковать сани *кому. Диал. Шутл.* Обмануть, провести кого-л. Мокиенко 1990, 128.

Садиться / сесть (лезть) не в свои сани. *Разг. Неодобр.* Занимать более высокое, не соответствующее своим способностям положение по службе, в обществе и т. п. ФСРЯ, 407; БМС 1998, 513; ФМ 2002, 412; Ф 1, 277.

Сани залётные. *Жарг. мол. Шутл.* Гинекологическое кресло. Вахитов 2003, 162.

Хоть в сани запрягай *кого. Перм. Шутл.-одобр.* О сильном, крепком, здоровом человеке. Подюков 1989, 82.

Жить в грубых санях. *Печор.* Жить безрадостно, испытывая трудности, лишения. СРНГП 2, 248.

Сидя на санях. *Разг. Устар.* В старости, на старости лет. БМС 1998, 513.

САНИТАР * Санитар леса 1. *Публ.* Волк. БСРЖ, 524. 2. *Жарг. комп. Шутл.* Человек, который взламывает компьютерные программы. Никитина 2003, 616. 3. *Жарг. мол. Шутл.-ирон.* Об аккуратном, чистоплотном человеке. Никитина 2003, 616.

САНКА * Бить санками. *Пск.* 1. Болтать, пустословить. ПОС 2, 17. 2. Лгать, обманывать. СПП 2001, 68.

Дать под санки (по санкам) *кому. Волг., Сиб.* Сильно ударить кого-л. в челюсть. ФСС, 54; СФС, 60; Мокиенко 1990, 50; Глухов 1988, 30.

Санку набок воротит. *Пск. Шутл.* Об ощущении сильного холода. ПОС 4, 161.

Свернуть санку *кому. Пск.* Сильно избить, поколотить кого-л. СПП 2001, 68. < **Санка** – челюсть.

САНКИ * В санки мать! *Горьк. Эвфем. Бран.* Восклицание, выражающее негодование, раздражение, возмущение. БалСок, 28.

Санки протянувши. *Пск. Ирон.* О слабом, больном человеке. СПП 2001, 68.

САНТИМЕНТЫ * Разводить сантименты. *Книжн. Ирон.* Проявлять излишнюю чувствительность. БМС 1998, 513.

САНТИМЕТР * Ни сантиметра в рот [не брать]. *Жарг. мол. Шутл.* Не курить, бросить курить. Максимов, 368.

САНЯ * Саня пуганый. *Жарг. угол. Шутл.-ирон.* О большом трусе. Б., 21.

САП * Сап его́ зна́ет. *Сиб.* Абсолютно ничего не известно о чём-л. СФС, 161; СРНГ 11, 312; СРНГ 36, 123; Мокиенко 1086, 181.

Сап на са́па (по са́пу). *Волг.* О похожих друг на друга напарниках, партнёрах. Глухов 1988, 143.

Сап хра́па и́щет (нашёл). *Волг., Дон. Шутл.-ирон.* О поисках себе подобного напарника, партнера. Глухов 1988, 143; СДГ 3, 104.

Ти́хим сапом. *Прибайк.* То же, что **тихой сапой (САПА).** СНФП, 108.

СА́ПА * Ти́хой са́пой. *Разг.* Исподтишка, скрытно, нсзамстно (действовать, добиваться чего-л.). БТС, 1325; ЗС 1996, 200, 231, 357; Мокиенко 1990, 129. < **Сапа** – от франц. *sape* – траншея, подкоп. БМС 1998, 513-514; ФСРЯ, 408.

САПЕ́ТКА * Наде́ть сапе́тку. *Народн.* Взять на себя заботу и ответственность за кого-л. СРНГ 19, 233.

САПО́Г * Войти́ в сапо́г. *Новг. Одобр.* Попасть в благоприятную обстановку. НОС 1, 132.

Вы́обуть из сапо́г в ла́пти *кого. Волог.* Разорить кого-л. СРНГ 5, 321; Мокиенко 1990, 129.

Ке́рзовый сапо́г. *Печор. Пренебр.* О коже лица с глубокими порами. СРГНП 1, 309.

Кирзо́вый сапо́г. *Разг. Ирон.* Обувная фабрика «Пролетарская победа» в Ленинграде (1970-е гг.). Синдаловский, 2002, 86.

Не снима́я сапо́г. *Разг. Неодобр.* Грубо, бесцеремонно. НРЛ-97; Мокиенко 2003, 101.

Обу́ть (переобу́ть) из сапо́г в ла́пти *кого. Народн., Новг.* 1. Обмануть, перехитрить кого-л. ДП, 469, 650; ЗС 1996, 46; НОС 5, 8; НОС 7, 123; Сергеева 2004, 230. 2. Обобрать кого-л. Сергеева 2004, 230.

Оде́ть сапо́г. *Жарг. мед.* Загипсовать ногу. Максимов, 285.

Переобу́ться из сапо́г в ла́пти. *Народн.* Обеднеть, разориться. ДП, 469; НОС 5, 8.

Сапо́г круто́й. *Жарг. мол. Одобр.* Большой специалист, человек, компетентный в какой-л. области. ТК-2000.

Сапо́г не лома́ет, чуло́к не мара́ет. *Народн. Шутл.* О щёголе. ДП, 585.

Ступи́ть в кра́сный сапо́г. *Арх.* Неудачно выйти замуж, испытать много страданий в семейной жизни. СРНГ 15, 194.

Два сапога́ па́ра. *Разг. Шутл.* Об очень похожих, подходящих друг другу людях. БМС 1998, 514; ФСРЯ, 407; БТС, 240; ДП, 854; ЗС 1996, 521; Сергеева 2004, 151; Глухов 1988, 31; СПП 2001, 68.

Суди́ть не свы́ше сапога́. *Разг.* Судить лишь о том, что хорошо известно, доступно пониманию говорящего. < Выражение из стихотворения А. С. Пушкина «Сапожник» (1829 г.). БМС 1998, 514.

В ли́чных сапога́х. *Сиб. Шутл.-ирон.* Босиком. СОСВ, 105.

В саморо́дных сапога́х. *Моск. Шутл.-ирон.* То же, что **в личных сапогах.** СРНГ 36, 98.

В сапога́х. 1. *Новг.* О богатом человеке. НОС 10, 10. 2. *Прибайк.* О чём-л. дорогом по цене, недоступном, дефицитном. СНФП, 108.

Молоти́ть (отмолоти́ть) на сапога́х *кого. Жарг. угол., арм.* Бить, избивать кого-л. ногами, сапогами. Б., 106.

Ходи́ть в сапога́х. *Разг. Устар.* Очень дорого стоить (о товаре). БМС 1998, 514.

Бить сапоги́. *Прост.* Проходить срочную службу в армии. НРЛ-79; Мокиенко 2003, 101.

Воро́ньи сапоги́. *Арх.* О растрескавшихся ступнях босых ног. АОС 5, 96; СРНГ 5, 114.

Вы́дать сапоги́ *кому. Жарг. мол.* Уволить кого-л. Максимов, 75.

Дать сапоги́. *Пск. Шутл.* Улететь (о птицах). СПП 2001, 68.

Меня́ть сапоги́ на ла́пти. *Волг. Шутл.-ирон.* Совершать невыгодную сделку. Глухов 1988, 84.

На сапоги́. *Разг. Устар.* О взятке крупного размера. БМС 1998, 514; Ф 2, 89.

Сапоги́ всмя́тку. 1. *Разг. Неодобр. или Шутл.-ирон.* Чепуха, ерунда, полная бессмыслица. ФСРЯ, 408; БТС, 160; БМС 1998, 514. 2. *у кого. Жарг. мол. Шутл.* О состоянии сильной усталости. Максимов, 72.

Топта́ть сапоги́. 1. *Прост. Устар.* Ходить куда-л., к кому-л., добиваясь чего-л. Ф 2, 206. // *Перм. Ирон.* Попусту, безрезультатно ходить куда-л., к кому-л., добиваясь чего-л. Подюков 1989, 204. 2. *Жарг. арм.* Совершать марш-бросок. Афг.-2000. 3. *Жарг. мол.* Служить в армии. Вахитов 2003, 179. 4. *Жарг. мол. Шутл.* Идти пешком. Максимов, 375.

Я про сапоги́, а он про пироги́. *Народн. Шутл.-ирон.* О непонимании друг друга собеседниками. ДП, 457.

Под сапого́м *чьим у кого. Разг.* Под властью, под гнётом. ФСРЯ, 408; БМС 1998, 514.

САПО́ЖНИК * Холо́дный сапо́жник. 1. *Новг.* Человек, который шьёт неутеплённую обувь. НОС 12, 21. 2. *Разг. Неодобр.* Человек, относящийся к делу без души, не увлечённый своим делом. БМС 1998, 515.

САПОЖО́К * Коку́шкины сапо́жки. *Сиб., Приамур.* Растение башмачок крупноцветный. СОСВ, 99; СРГПриам., 121; СФС, 96.

САРА́Й * До́лбаный сара́й. *Жарг. муз. Шутл.* Звуковой эффект Dolby Surround. h-98.

Сара́й балабо́лок. *Разг. Презр.* Центральный лекторий общества «Знание» в Ленинграде (1970-е гг.). Синдаловский, 2002, 163.

Сара́й на колёсах. *Жарг. мол. Шутл.* Трамвай. Максимов, 190.

Сара́й на при́вязи. *Жарг. угол., мол. Шутл.* Троллейбус. h-98; Балдаев 2, 27; ББИ, 216; Мильяненков, 226.

Трёхэта́жный сара́й. *Жарг. шк. Шутл.-ирон.* Школа. ВМН 2003, 118.

По сара́ю *кому что. Жарг. мол.* Безразлично, всё равно, не волнует кого-л. что-л. WMN, 80; Митрофанов, Никитина, 185; Югановы, 299.

Венча́ться/ обвенча́ться вокру́г сара́я. *Прост. обл. Шутл.-ирон.* Начинать супружескую жизнь без официальной регистрации брака. Мокиенко, Никитина 2003, 295.

САРА́ЙЧИК * Ку́рочкин сара́йчик. *Жарг. мол. Шутл.-ирон.* Публичный дом. Максимов, 214.

САРА́НКА * Найти́ сара́нку. *Сиб.* Удариться, ушибиться. ФСС, 118. // Поцарапаться. СРНГ 36, 133.

Нанести́ сара́нку *кому. Сиб. Шутл.* Ударить кого-л. ФСС, 119.

Получи́ть сара́нку. *Сиб. Ирон.* Уплатить штраф. ФСС, 145.

САРАНЧА́ * Поигра́ть в саранчу́. *Жарг. мол. Шутл.* Основательно поесть; съесть запасы продуктов, опустошить холодильник в доме приятеля. Митрофанов, Никитина, 185; Вахитов 2003, 137.

САРАФА́Н * Ба́бий сарафа́н. *Горьк. Неодобр.* Выдумки, сплетни, небылицы. БалСок, 21.

Держа́ться за сарафа́н. *Горьк.* Быть тесно связанным с родителями, пользоваться их помощью, жить за их счёт. БалСок, 37.

Наде́ть сарафа́н *кому. Новг.* Женить кого-л. вопреки его желанию, насильно. СРНГ 36, 136.

Всем сарафа́ном. *Жарг. мол.* Коллективно, всей компанией. Максимов, 71.

СА́РГА́ * Са́рги летя́т. *Свердл.* О быстрой ходьбе, работе. СРНГ 36, 142.

Содра́ть сарѓу. *Сиб.* Ограбить кого-л. СФС, 161; СРНГ 36, 142.

САРЫ́НЬ * Сары́нь на ки́чку! *Народн.* Возглас волжских разбойников, которые, овладев кораблём, таким образом приказывали экипажу отправляться на нос корабля, чтобы не мешали грабить. ДП, 166; БМС 1998, 515; СРНГ 36, 149.

САТАНА́ * Сам сатана́ пе́стовал *кого. Народн. Неодобр.* То же, что **сатане в дядьки годится.** ДП, 134.

Сатана́ бы тебя́ (вас, его́ и пр.) **взял!** *Прост. Устар. Бран.* Выражение возмущения, негодования, досады по поводу кого-л. или чего-л. Мокиенко, Никитина 2003, 295.

Сатана́ в юбке. *Прост. Неодобр.* О неприятной, раздражающей своей непоседливостью, болтливостью и т. п. женщине. Мокиенко, Никитина 2003, 295.

Сатана́ тебя́ подхвати́! *Сиб.* То же, что **сатана бы тебя взял!** СРНГ 36, 150.

Сатане́ в дя́дьки годи́тся. *Народн. Неодобр.* О злом, коварном человеке. ДП, 134.

Пропа́сть за сатану́. *Кар.* Неудачно жениться. СРГК 5, 284.

САТА́Р * Сата́р база́р. *Волг. Неодобр.* Шум, крик, неразбериха. Глухов 1988, 143.

САТИСФА́КЦИЯ * Тре́бовать сатисфа́кции. *Разг. Устар.* Вызывать на дуэль кого-л. БМС 1998, 515.

СА́ХАР * Идти́ на са́хар. *Приамур., Сиб.* Идти свататься со сладостями, предназначенными невесте. ФСС, 86; СРГПриам., 107.

Не са́хар. *Разг. Неодобр.* 1. О человеке с трудным характером, неуживчивом, строптивом. Мокиенко 2003, 101. 2. О чём-л. тягостном, нелёгком, неприятном. НСЗ-80. 3. *кому.* Нелегко, трудно, безрадостно. ФСРЯ, 408.

Са́хар Мёдович. *Народн. Ирон.* О льстивом, угодливом, неестественно слащавом человеке. БМС 1998, 516; ДП, 471.

Соса́ть са́хар. *Новг. Неодобр.* Бездельничать. НОС 10, 12.

Чёрный (кори́чневый) са́хар. *Жарг. нарк.* Героин. БС, 35.

Вари́ть сахара́. *Жарг. мед.* Делать анализ крови на сахар. БСРЖ, 525.

Возраста́ть (расти́) на сахара́х. *Волг., Дон.* Расти, не зная трудностей. Глухов 1988, 13, 140; СДГ 1, 73; СРНГ 36, 153.

Хоть са́харом не корми́ *кого. Сиб.* Очень увлечён делом, любит какое-л. дело. ФСС, 96.

САЧО́К * Бить сачка́. 1. *Диал.* Играть в бабки. 2. *Прост. Неодобр.* Бездельничать, лентяйничать. БМС 1998, 516; Мокиенко 1989, 190.

Дави́ть сачка. *Прост. Неодобр.* То же, что **бить сачка 2.** БМС 1998, 516; Мокиенко 1990, 88.

СБАБУ́НЬ * Со сбабу́нем. *Пск. Шутл.* Об ироничном, насмешливом человеке. СПП 2001, 68.

СБЛЁВ * До сблёву *чего. Жарг. мол.* Много, в большом количестве. Елистратов 1994, 421.

СБЛЁВЫШ * Морко́вный сблёвыш. *Жарг. мол. Пренебр.* 1. Выкидыш. 2. Недоношенный ребёнок. Максимов, 254.

СБО́КУ * Сбоку припёка. См. **ПРИПЕКА.**

СБОР * Сбор блатны́х и ша́йка ни́щих. *Жарг. шк. Шутл.-ирон.* Родительское собрание. (Запись 2003 г.).

Сбор оде́жды для бе́женцев. *Жарг. шк.* Школьный гардероб. (Запись 2003 г.).

Сбор отхо́дов. *Жарг. шк. Пренебр.* Школьная столовая. (Запись 2003 г.).

В сбо́ре. *Жарг. техн.* В собранном состоянии. НРЛ-70.

Мала́ньины сбо́ры. *Народн. Шутл.-ирон.* О больших приготовлениях к чему-л. ДП, 566.

СБО́РИЩЕ * Сбо́рище вампи́ров. *Жарг. шк. Презр.* 1. Педагогический коллектив. 2. Учительская. ВМН 2003, 119.

СБО́РКА * Жёлтая сбо́рка. *Жарг. комп.* О производстве компьютера в странах Азии. Садошенко, 1996; Ваулина, 46.

Коле́нная сбо́рка. *Жарг. комп. Шутл.* О компьютере, собранном на мелкой фирме или дома из отдельных частей. Вахитов 2003, 81.

Кра́сная сбо́рка. *Жарг. комп.* Компьютер отечественного или восточноевропейского производства — ГДР, ВНР, НРБ. Садошенко, 1995; Шейгал, 206; Мокиенко, Никитина 1998, 290.

Се́рая (чёрная) сбо́рка. *Жарг. комп.* Не вполне легальная сборка компьютера. Ваулина, 18–19; Садошенко, 1996.

Поско́нные сбо́рки. *Сиб. Бран.* О неопрятном, неряшливом человеке. СРНГ 30, 166.

Собира́ть сбо́рки. *Прибайк.* 1. Болтать, пустословить. 2. Распространять слухи о ком-л., о чём-л.; наговаривать на кого-л. СНФП, 108.

СБРУ́Я * Офице́рская сбру́я. *Жарг. угол. Ирон.* Верёвочная удавка. Балдаев 1, 301.

Ры́жая сбру́я. *Жарг. угол., мол.* Массивная золотая цепочка. Балдаев 2, 21.

СБУ́ТА * Дать сбу́ту *кому. Кар.* Доставить много забот, хлопот кому-л. СРГК 5, 647.

СВА́ДЕБНОЕ * Броса́ть сва́дебное. *Кар.* В свадебном обряде: бросать на пол пироги, блины и прочее угощение. СРГК 1, 119.

СВА́ДЬБА * Алма́зная (бриллиантовая) сва́дьба. *Разг.* Семидесятилетний юбилей бракосочетания. ФСС, 410.

Ба́бичья сва́дьба. *Одесск.* 1. Угощение после венчанья. 2. Второй день свадьбы. КСРГО.

Золота́я сва́дьба. *Разг.* Пятидесятилетний юбилей бракосочетания. ФСРЯ, 410; ФМ 2002, 412.

Ко́шечья сва́дьба. *Костром. Шутл.-ирон.* Непрочный брак. СРНГ 15, 139-140.

Мала́ньина сва́дьба. *Народн.* О больших приготовлениях к чему-л. ДП, 566.

Свини́ная сва́дьба. *Алт.* Свадьба без венчания и регистрации. СРГА 4, 61.

Серебряная сва́дьба. *Разг.* Двадцатипятилетний юбилей бракосочетания. ФСРЯ, 410; ФМ 2002, 413.

Соба́чья сва́дьба. 1. *Кар. Неодобр.* Неофициальные супружеские отношения. СРГК 5, 649. 2. *Жарг. угол., мол. Груб.* Половое сношение нескольких мужчин с одной женщиной. Балдаев 2, 49. 3. *Волг. Презр.* Компания хулиганов, бродяг. Глухов 1988, 151.

Три́шкина сва́дьба. 1. *Дон. Шутл.* О большом скоплении народа. СДГ 3, 162. 2. *Волг. Презр.* То же, что **собачья свадьба 3.** Глухов 1988, 161.

Чёртова сва́дьба. *Кар. Шутл.* Вихрь пыли. СРГК 5, 649.

Выводи́ть сва́дьбу. *Сиб.* В свадебном обряде: церемония проводов гостей. ФСС, 34.

Е́хать на сва́дьбу (в сватья́, в сва́хи). *Костром.* Помогать в довивании основы на навой (при ткании). Громов 1992, 63.

На Мала́ньину сва́дьбу. *Волг., Пск. Шутл.* О большом количестве приготовленной кем-то еды, пищи, какого-л. продукта. Глухов 1988, 91; СПП 2001, 68.

Перенима́ть сва́дьбу. *Костром.* В свадебных обрядах – останавливать свадебный поезд, требуя выкупа. СРНГ 26, 172.

До сва́дьбы далеко́ (заживёт). *Прост. Шутл.* Слова утешения человеку, получившему ушиб, повреждение. ФСРЯ, 410; ФСС, 53; ЗС 1996, 487; Глухов 1988, 48; СНФП, 109.

СВА́ЙКА * Чёртова сва́йка. *Прост. Устар. Бран.* О человеке, вызывающем возмущение, негодование, раздражение (каким-л. поступком). Мокиенко, Никитина 2003, 296.

Держа́ться за сва́йку. *Жарг. угол.* Заниматься онанизмом. Балдаев 1, 109; ТСУЖ, 47; СРВС 2, 32, 36, 116, 174; СРВС 3, 88, 200; СВЯ, 27; Б., 47; УМК, 93.

СВАЛ * Под свал. 1. *Арх.* Не делая различий, без разбора, всё подряд. СРНГ 36, 205. 2. *Кар.* О беспорядочно уложенных постелях. СРГК 5, 649.

СВАТ * Большо́й сват. *Дон.* Главный распорядитель на свадьбе. СДГ 1, 35.

Коробе́йный сват. *Яросл.* Дружка или родственник невесты, который везёт приданое. ЯОС 5, 68.

Кра́сный сват. *Сиб.* Агитатор, призывающий крестьян вступить в колхоз. ФСС, 172.

Ни сват ни брат *кому. Разг.* Посторонний, чужой человек. ФСРЯ, 411; БТС, 95.

Ни сва́та ни бра́та *у кого. Волг., Пск.* Об отсутствии родственников у кого-л. Глухов 1988, 110; СПП 2001, 68.

Вече́рние сваты́. *Дон.* Родители невесты. СДГ 1, 63.

Вы́правиться в сва́ты. *Пск. Шутл.* То же, что **ехать в сваты.** СПП 2001, 68.

Е́хать/ поехать в сва́ты́. *Пск., Смол. Шутл.* Портиться, скисать (о пище). СПП 2001, 68; СРНГ 36, 216.

Е́хать в сватья́. См. **Ехать на свадьбу (СВАДЬБА).**

СВА́ХА * Кра́сная сва́ха. *Волог.* Женщина-агитатор в годы коллективизации. СВГ 3, 121.

Перее́зжая сва́ха. 1. *Прост.* Человек, часто меняющий место жительства. ФСРЯ, 411. 2. *Волг.* Человек, который часто меняет своё мнение. Глухов 1988, 122.

Е́хать в сва́хи. См. **Ехать на свадьбу (СВАДЬБА).**

СВА́Я * Бить сва́и. *Прибайк.* Очень стараться, проявлять усердие, прилагать невероятные усилия, чтобы достичь чего-л. СНФП, 109.

Заби́ть сва́ю *кому. Жарг. мол.* Совершить половой акт с кем-л. Елистратов 1994, 421.

СВЕЖА́К * На свежака́ (свежачка́). *Разг.* На свежий взгляд, непредвзято. Елистратов 1994, 422.

СВЕЖАЧО́К * На свежачка́. См. **На свежака (СВЕЖАК).**

СВЕ́ЖЕСТЬ * Не пе́рвой све́жести. *Разг.* Бывший в употреблении, изношенный, истрёпанный. ФСРЯ, 411.

СВЕ́РХА * Све́рха нани́з. *Народн.* К старости. СРНГ 20, 48.

СВЕ́РХУ * Све́рху до́низу. *Разг.* 1. Целиком, полностью. 2. Повсеместно, повсюду. ФСРЯ, 411.

Смотре́ть све́рху вниз *на кого. Разг.* Относиться к кому-л. с пренебрежением, вести себя высокомерно. Ф 2, 168.

Топта́ть све́рху. *Жарг. авиа.* Заливать полные баки топлива. Максимов, 423.

СВЕТ * Бе́лый свет. 1. *Народно-поэт.* Окружающий мир, земля со всем существующим на ней. ФСРЯ, 411; БТС, 71; БМС 1998, 517; Верш. 6, 180; ФМ 2002, 414; Мокиенко 1986, 222. 2. *Прибайк.* О большом, огромном пространстве. СНФП, 109. 3. *кому. Прибайк.* О возможности свободно делать что-л. СНФП, 109.

Бе́лый свет тако́го не ви́дел. *Волг.* 1. *Одобр.* О чём-л. превосходном, отличном. 2. *Неодобр.* О чём-л. скверном, очень плохом. Глухов 1988, 145.

Бли́жний свет. *Прост. Ирон.* Очень далеко. Верш. 6, 180; Подюков 1989, 210; Глухов 1988, 4.

Броса́ть/ бро́сить свет *на кого, на что. Разг.* Делать ясным, понятным, разъяснять что-л. Ф 1, 43.

Ви́деть/ уви́деть свет в конце́ тонне́ля. *Разг.* Обнаруживать обнадёживающие признаки улучшения ситуации. Мокиенко 2003, 101.

Во́льный свет. 1. *Морд.* То же, что **белый свет.** СРГМ 1978, 85. 2. *Урал.* О жизни на свободе, на воле. СРНГ 36, 254.

В тёмный свет. *Пск.* Рано утром, до зари. СПП 2001, 68.

Вы́вести на свет *кого. Пск.* Объяснить, разъяснить кому-л. что-л. СПП 2001, 68.

Вы́вести на свет Бо́жий *кого. Пск.* Родить. СПП 2001, 68.

Вы́йти в свет. 1. *Пск.* Начать жить благополучно, в достатке. СПП 2001, 68. 2. *Прикам.* Добиться уважения. МФС, 22.

Выплыва́ть/ вы́плыть на свет Бо́жий. *Прост.* Становиться явным, гласным, обнаруживаться. Ф 1, 97.

Гаси́ (туши́) свет! *Жарг. мол.* 1. Выражение удивления, изумления, восторга. Елистратов 1994, 86; Мокиенко 2003, 101. 2. О неудаче, крахе чего-л. БМС 1998, 527; Подюков 1989, 208. 3. О проявлении чего-л. в высшей степени: очень, чрезвычайно, интенсивно. БСРЖ, 527.

Гнать свет. *Печор., Урал.* Работать на электростанции. СРГНП 1, 137; СРНГ 6, 235.

Гори́т [бе́лый] свет *[от кого]. Пск.* О состоянии душевного подъёма, радости. ПОС 7, 107.

Дава́ть/ дать зелёный свет *кому, чему. Разг.* Позволять или способствовать беспрепятственному осуществлению чего-л. < Из речи транспортников. Мокиенко 2003, 101.

Ёшкин свет! *Жарг. мол.* Восклицание, выражающее сильные эмоции. Максимов, 128.

Заби́л свет *у кого. Сиб.* Кто-л. стал безразличным ко всему, впал в депрессию. СБО-Д1, 142; СРНГ 36, 254.

Зае́хать (обобра́ться, пойти́, уйти́) на тот свет. *Пск.* То же, что **отправляться/ отправиться на тот свет.** СПП 2001, 68.

Закрыва́ть/ закры́ть (заставля́ть) свет *кому. Волг.* Делать кому-л. жизнь трудной, невыносимой. Глухов 1988, 48.

Зелёный свет. *Разг.* Свободный путь, возможность беспрепятственного осуществления чего-л. Мокиенко 2003, 101.

Идти́ на свет. *Кар., Сиб.* Взрослеть, познавать жизнь. СРГК 2, 267; ФСС, 86; СОСВ, 80.

Как свет зароди́вши. *Пск.* С давних пор, издавна. ПОС 12, 95.

Копти́ть бе́лый свет. 1. *Разг. Неодобр.* Жить бесцельно, без пользы. Ф 1, 255. 2. *Волг.* Быть обузой кому-л. Глухов 1988, 76.

Ме́рить [бе́лый] свет. *Пск.* Путешествовать, странствовать; много скитаться по свету. СПП 2001, 69.

Мути́ть [бе́лый] свет. 1. *Кар. Неодобр.* Жить бестолково, отличаться странным поведением. СРГК 3, 273. 2. *Пск. Неодобр.* Обманывать кого-л., увиливать от ответа. СПП 2001, 68.

Накопти́ть бе́лый свет. *Сиб. Ирон.* Прожить долгую жизнь. ФСС, 118.

Нарека́ться/ наре́чься на свет (на све́те). *Сиб.* Рождаться. ФСС, 119; СБО-Д2, 15; Верш. 4, 90; СОСВ, 120.

На чём свет стои́т. *Разг.* Очень сильно, безудержно, грубо (ругать, бранить и т. п.). ФСРЯ, 412; БТС, 1275; ФМ 2002, 415; Мокиенко 1986, 195; БМС 1998, 517; ДП, 266; Глухов 1988, 93.

Не бли́жний свет. *Прост.* Неблизко, далеко. НСЗ-70; Глухов 1988, 94; ЗС 1996, 498; Подюков 1989, 182; Мокиенко 2003, 101.

Не глядé́л бы на во́льный свет. *Народн.* Об угнетённом, подавленном состоянии. ДП, 145.

Не гляде́ть в свет. *Пск.* Вести себя скромно, робко. ПОС 7, 11.

Не дава́ть на свет гля́нуть. *Брян.* Требовать постоянной заботы, внимания. СБГ 5, 4.

Не мил бе́лый свет *кому. Разг.* О человеке, находящемся в безвыходном положении. Глухов 1988, 99.

Не пусти́ли на бе́лый свет *кого. Кар.* О мёртворождённом ребёнке. СРГК 5, 353.

Не свет в окне́ (в око́шке). 1. *Волг.* О неавторитетном, незначительном человеке. Глухов 1988, 104. 2. *Морд.* О неприятной ситуации. СРГМ 2002, 26.

Ни свет ни заря́. *Разг.* Очень рано утром, на рассвете. ФСРЯ, 412; СПП 2001, 69; ФМ 2002, 416; ЗС 1996, 481.

Ни свет ни тюрьма́. *Пск.* О тяжёлой жизни, мучениях. Шт., 1978.

Ни свет ни тьма. *Сиб.* То же, что **ни свет ни заря.** СФС, 127.

Но́вый свет. *Книжн.* Америка. БМС 1998, 517.

Оставля́ть/ оста́вить сей свет. *Разг. Устар.* То же, что **отправляться на тот свет.** Ф 2, 21.

Отпра́вить на тот свет *кого. Разг.* Погубить, убить кого-л. ЗС 1996, 60.

Отправля́ться/ отпра́виться на тот свет. *Разг.* Умирать. ФСРЯ, 412.

Отходи́ть/ отойти́ на тот свет. *Разг. Устар.* То же, что **отправляться на тот свет.** Ф 2, 21.

Перевора́чивать свет. *Волг. Одобр.* Делать что-л. значительное, грандиозное. Глухов 1988, 121.

Подня́ться на свет жить. *Сиб.* Достигнуть зрелости. ФСС, 140; СРГН 28, 100.

Пока́ и свет ви́дел *кого. Новг.* О быстром исчезновении, бегстве кого-л. НОС 10, 21.

Покида́ть/ поки́нуть свет. *Разг. Устар.* То же, что **отправляться на тот свет.** Ф 2, 21.

Поми́луй свет Христо́с! *Пск.* О чём-л. очень плохом, скверном. СПП 2001, 69.

Потеря́ть бе́лый свет. *Сиб.* Умереть. СРНГ 30, 277.

Потеря́ть бе́лый свет из я́сных оче́й. *Арх.* О состоянии гнетущей тоски, депрессии. СРНГ 30, 277.

Потеря́ть свет. *Прибайк.* Прийти в состояние крайнего утомления от работы, невзгод и т. п. СНФП, 110.

Появля́ться/ появи́ться на свет. *Разг.* Рождаться. ФСРЯ, 412.

Производи́ть на свет *кого. Разг.* Рождать кого-л. ФСРЯ, 412.

Пролива́ть/ проли́ть свет *на что. Разг.* Делать ясным, понятным, разъяснять, раскрывать сущность чего-л. ФСРЯ, 363; ЗС 1996, 521.

Пусти́ть на во́льный свет *что. Народн.* Продать что-л. ДП. 533.

Све́дывать свет. *Пск.* То же, что **свет мерить.** СПП 2001, 69.

Свет [в избу́] мешко́м носи́ть. *Кар. Ирон.* 1. Быть невежественным, необразованным человеком. СРГК 5, 656. 2. Бездельничать. Мокиенко 1990, 65.

Свет в конце́ тонне́ля. 1. *Разг.* Обнадёживающий признак улучшения в трудном положении, безвыходной ситуации. Мокиенко 2003, 101. 2. *Жарг. арм. Шутл.* Увольнение военнослужащих срочной службы в запас. Кор., 252. 3. *Жарг. шк. Шутл.-ирон.* Перемена. (Запись 2002 г.).

Свет в окне́. *Разг. Одобр.* О дорогом, любимом человеке. Глухов 1988, 145.

Свет в оча́х затемне́л *у кого. Пск.* О состоянии сильного потрясения. ПОС 12, 175.

Свет в рого́жку пока́жется *кому. Разг.* Кому-л. станет очень плохо (от боли, страха и т. п.). ФСРЯ, 412; БТС, 893.

Свет выкатился [из глаз, из оче́й] *у кого.* 1. *Башк., Сиб.* О потере зрения. СРГБ 1, 78; СФС, 162; ФСС, 173. 2. *Сиб.* О состоянии сильной усталости. ФСС, 173. 3. *Сиб.* О сильной боли, сопровождающейся испугом. СФС, 162; ФСС, 173. 4. *Арх.* Об обморочном состоянии. АОС 8, 61. 5. *Народн.* О наступлении смерти. ДП, 286; СРГК 5, 656.

Свет голубо́й. *Пск. Флк.* О ясном, безоблачном небе. ПОС 7, 70.

Свет далёкой звезды́. *Жарг. арм. Шутл.* То же, что **свет в конце тоннеля**. Кор., 252; Максимов, 377.

Свет за́ очи [идти́]. *Одесск.* Без определённой цели, направления. КСРГО.

Свет засве́тил *[сквозь что]. Кар. Ирон.* О ветхой ткани, одежде. СРГК 2, 197.

Свет из глаз выка́тывается *у кого. Прибайк.* О состоянии чрезмерной усталости от работы, волнений и т. п. СНФП, 110.

Свет из глаз теря́ется *у кого.* 1. *Арх.* У кого-л. темнеет в глазах. АОС 9, 85. 2. *Кар.* О потере сознания. СРГК 5, 656.

Свет кли́ном не сошёлся (не кли́ном сошёлся) *на ком, на чём. Разг.* О том, кто или что не является единственно желаемым, приемлемым или единственно возможным при каком-л. выборе. ФСРЯ, 412; БМС 1998, 518; ДП, 555; ЗС 1996, 96, 167, 491.

Свет откры́лся *кому. Коми.* О прозрении слепого. Кобелева, 76.

Свет пове́сился. *Сиб.* О сумерках. СФС, 162.

Свет поме́рк в оча́х *у кого, чьих. Книжн.* Кому-л. всё стало немило, противно. ФСРЯ, 412.

Свет прошёл (прошла́) и обра́тно идёт. *Новг.* О ловком, хитром человеке, пройдохе. НОС 9, 43.

Свет све́тится. *Кар.* О чём-л. тонком, просвечивающемся. СРГК 5, 656.

Свет торчи́т *на чём. Пск.* Жизнь, взаимоотношения основываются на чём-л. СПП 2001, 69.

Свет ты Христо́с! *Перм. Одобр.* Восклицание, выражающее восторг, приятное удивление. СРНГ 36, 253.

Смути́ть бе́лый свет. *Пск. Неодобр.* Опуститься, сбиться с правильной линии поведения. СПП 2001, 69.

Созда́ть на свет. *Коми.* То же, что **производить/ произвести на свет.** Кобелева, 78.

Спрова́дить на тот свет *кого. Прост.* Довести до смерти, убить кого-л. Ф 2, 178.

Тот свет. *Разг.* Загробный мир. ФСРЯ, 412; Верш. 6, 181; СНФП, 110; ЗС 1996, 181.

Туши́ свет! См. **Гаси свет!**

Убра́ться на тот свет. *Арх.* То же, что **отправиться на тот свет.** АОС 10, 70.

Уви́деть бе́лый свет в клёточку. *Прост. Ирон.* Попасть в тюрьму. Ф 2, 214.

Угоня́ть на тот свет *кого. Пск.* Доводить до смерти, убивать кого-л. СПП 2001, 69.

Унести́ на тот свет *что. Разг.* Умереть, не успев сообщить о чём-л. Верш. 7, 149.

Чуть (чем) свет. *Разг.* Очень рано, на рассвете. ФСРЯ, 412; БМС 1998, 516; СРГМ 2002, 26; Глухов 1988, 171; Верш. 6, 180; ФМ 2002, 417.

Явля́ться/ яви́ться на свет. *Книжн. Устар.* Рождаться. Ф 2, 270.

Выжива́ть/ выжи́ть со све́та *кого. Прост.* То же, что **сживать/ сжить со света.** Ф 1, 92.

До бе́лого света. *Диал.* До рассвета, до утра. СРГБ 1, 110, 113; Мокиенко 1986, 224.

Изжива́ть/ изжи́ть со све́та *кого. Башк.* То же, что **сживать/ сжить со света.** СРГБ 1, 162.

Не взви́деть (невзви́деть, не ви́деть) све́та [бе́лого (во́льного)]. 1. *Разг.* Мучительно страдать от нестерпимой боли, болезни или горя. БМС 1998, 518; ФСРЯ, 412; БТС, 129; СБГ 1, 45; Ф 1, 59; АОС 4, 09. 2. *Алт., Арх., Волг., Пск., Сиб.* Быть постоянно занятым, много работать, мучиться от непосильной работы. СРГА 1, 153; АОС 4, 89; Глухов 1988, 95; СОСВ, 169; Верш. 6, 181; СПП 2001, 69. 3. *Горьк., Морд., Сиб.* О непогоде – буре, метели. БалСок, 22; СРГМ 1978, 76; СОСВ, 169. 4. *Пск. Шутл.-ирон.* Находиться в состоянии сильного алкогольного опьянения. СПП 2001, 69. 5. *Сиб.* Очень быстро бежать, нестись. ФСС, 27.

Не ви́дно све́та (све́ту) Бо́жьего *кому. Пск.* То же, что **невзвидеть света 1-2.** СПП 2001, 69.

Пое́хать вокру́г све́та. *Жарг. мол. Шутл.* Совершить ороанальный половой акт. Максимов, 324.

Све́та тебе́ не вида́ть. *Горьк.* Угроза. БалСок, 52.

Своди́ть/ свести́ (сгоня́ть/ согна́ть) со све́та *кого. Разг. Устар.* То же, что **сживать со света.** ДП, 133; Ф 2, 145, 146.

Сжива́ть/ сжить со све́та (со све́ту) *кого. Разг.* Изводить кого-л. попрёками, придирками, создавая невыносимые условия жизни; губить, доводить до смерти кого-л. ДП, 133; СРГК 1, 50; ФСРЯ, 422; ЗС 1996, 60.

Смотре́ть вон из све́та. *Разг. Устар.* Доживать последние дни жизни. Ф 2, 168.

То́лько и све́та (све́ту) в око́шке *у кого. Разг.* О единственном утешении, единственной радости для кого-л. ФСРЯ, 413; БМС 1998, 519.

Быва́ть в све́те. *Жарг. гом.* Появляться в местах встреч и прогулок гомосексуалистов. Кз., 64; ЖЭСТ-2, 282.

Ви́деть [всё] в ро́зовом (ра́дужном) све́те. *Разг.* Смотреть на всё благодушно, неоправданно оптимистически, идеализировать действительность. ФСРЯ, 413; БМС 1998, 518–519; Ф 1, 63; ШЗФ 2001, 31, 36.

Ви́деть [всё] в чёрном све́те. *Разг.* Смотреть на всё пессимистически. БМС 1998, 519; ШЗФ 2001, 36.

В све́те. *Разг.* 1. *каком.* В каком-л. виде, с какой-л. стороны, каким-л. образом (представить и т. п.). 2. *чего.* С позиции чего-л. ФСРЯ, 413.

В све́те реше́ний КПСС. *Жарг. арест. Ирон.* Об обесточенном ИТУ. ББИ, 49.

На том све́те. *Разг.* В загробном мире. БМС 1998, 518.

На том све́те колёса излома́ли – и́щут *кого. Сиб. Шутл.* То же, что **на том свете с фонарями ищут.** ФСС, 87.

На том све́те с фонаря́ми и́щут *кого. Пск. Шутл.* Об очень старом, близком к смерти человеке. СПП 2001, 59.

Ни в све́те. *Калуж.* Ни в коем случае. СРНГ 21, 213.

Представля́ть в ло́жном све́те *что. Разг.* Описывать, показывать что-л. предвзято, не так, как есть. ФСРЯ, 413; БМС 1998, 519.

Расплати́ться (рассчита́ться) на том све́те уго́лька́ми. *Прост. Шутл.* Забыть о денежном долге. ЗС 1996, 293; Подюков 1989, 68.

Чтоб тебе́ (ему́ и т. п.) на том све́те без при́стани пристава́ть! *Народн. Бран.* Недоброе пожелание, проклятие в адрес человека, вызывающего отрицательные эмоции. ДП, 750.

Чтоб тебе́ на том све́те рю́мку не вы́пить! *Жарг. мол.* Недоброе пожелание в адрес мужчины. Максимов, 418.

Говори́ть све́том. *Жарг. угол.* Переговариваться с помощью условных знаков, жестов. ББИ, 57.

Дыша́ть по́лным све́том. *Пск.* Жить богато, чувствовать себя хозяином жизни. ПОС 10, 88.

Загове́ть све́том. *Волг.* Умереть или быть близким к смерти. Глухов 1988, 46.

Кути́ть-мути́ть бе́лым све́том. *Сиб. Предосуд.* Мошенничать; искать возможности нечестных предприятий. ФСС, 101.

Мета́ть све́том. *Жарг. угол.* Играть в карты; играть в кости. СРВС 1, 146; СРВС 2, 52, 78, 153, 190, 208; СРВС 3, 103; ТСУЖ, 106, 157.

Нару́шиться све́том. *Сиб.* Ослепнуть, потерять зрение. ФСС, 119.

Облива́ться све́том. *Кар.* Блестеть, сверкать. СРГК 5, 656.

Проща́ться/ прости́ться с бе́лым све́том. *Разг.* Умирать. Глухов 1988, 136.

Расстава́ться/ расста́ться с бе́лым (со зде́шним) све́том. *Разг. Устар.* То же, что **прощаться с белым светом.** Ф 2, 121.

Чуди́ть бе́лым све́том. *Морд. Неодобр.* Совершать неблаговидные поступки. СРГМ 2002, 26.

До све́ту. 1. *Прост.* До рассвета, очень рано утром. Глухов 1988, 37; СНФП, 110; ЗС 1996, 481. 2. *Прибайк.* О большом количестве чего-л. СНФП, 110.

Ма́ло све́ту *у кого.* О человеке с плохим зрением. СНФП, 110.

На свету́. 1. *Морд., Прикам.* Рано утром. СРГМ 2002, 26; МФС, 89. 2. *Кар.* В белые ночи. СРГК 5, 656. 3. *Кар.* Засветло. СРГК 5, 656. 4. *Сиб.* В стадии цветения (о растениях). Верш. 6, 181.

Ни све́ту ни сле́ду. *Волг.* О ком-л. пропавшем, исчезнувшем, долго отсутствующем. Глухов 1988, 110.

Не знать све́ту [бе́лого]. 1. *Башк.* Быть слепым. СРГБ 2, 105. 2. *Пск.* Абсолютно ничего не знать о чём-л. СПП 2001, 69.

Полиши́ть све́ту бе́лого *кого. Арх.* Убить кого-л. СРНГ 28, 399.

Приба́вить све́ту. *Омск.* Удивиться. СРНГ 31, 103.

Сба́вить со све́ту *кого. Смол.* То же, что **сживать/ сжить со света.** СРНГ 11, 207.

Со всего́ све́ту бе́лого. *Волг.* Очень сильно (любить, желать чего-л.). Глухов 1988, 151.

Со све́ту сби́ться. *Пск.* Очень устать. СПП 2001, 69.

Све́ту не ви́дно. *Печор. Неодобр.* О чём-л. грязном. СРГНП 1, 73.

Све́ту не ста́ло в глаза́х *у кого. Помор.* Об ухудшении зрения. ЖРКП, 140.

Све́ту нет. *Прикам.* Об очень интенсивном проявлении какого-л. признака, действия, состояния. МФС, 65.

Ходи́ть не по тому́ све́ту, не по друго́му. *Пск.* Переживать горе, испытывать тоску. СПП 2001, 69.

Све́ты из глаз *у кого. Перм.* О невыносимой боли. Подюков 1989, 42.

Светы́ с глаз посы́пались *у кого. Сиб.* О ряби в глазах после сильного удара. СФС, 162; СБО-Д2, 172; Мокиенко 1990, 26.

СВЕТИ́ЛО * Восходя́щее свети́ло. *Книжн.* О человеке, начинающем приобретать славу, известность. БТС 153.

Дневно́е свети́ло. *Книжн.* Солнце. ШЗФ 2001, 67.

Погаси́ть свети́ло. *Жарг. угол.* Разбить уличный фонарь, электролампочку. ТСУЖ, 134; Балдаев 1, 323.

СВЕТИ́ЛЬНИК * Свети́льник ра́зума. *Жарг. шк. Шутл.-ирон.* 1. Отличник. 2. Учитель. Максимов, 377.

СВЕТИ́ТЬ * Не свети́ло, не горе́ло, да вдруг и припекло́. *Народн. Ирон.* О неожиданных трудностях, неприятностях. ДП, 569.

СВЕТО́К * Са́мый свето́к. *Сиб.* О возрасте, когда человек полон сил, здоровья, энергии. ФСС, 173.

Чуть свето́к (свето́чек). *Кар.* Очень рано, на рассвете. СРГК 5, 659.

СВЕТО́ЧЕК * Чуть свето́чек. См. **Чуть светок (СВЕТОК).**

СВЕ́ТУШЕК * Не ви́деть бе́лого све́тушка. *Кар.* Страдать от боли, усталости. СРГК 5, 659.

СВЕЧА́ * Свеча́ пога́сла. *Перм.* О смерти одного из супругов или другого очень близкого человека. Подюков 1989, 182.

Ходи́ть (идти́) со свеча́ми. *Жарг. угол.* Идти по улице с двумя конвойными, держащими в руках оголённые шашки. Трахтенберг, 64. // Идти по улице с конвойными. СРВС 1, 156; СРВС 2, 82, 93, 212; СРВС 3, 123, 131.

Днём со свечо́ю поиска́ть. *Народн.* О чём-л. редком, удивительном. ДП, 572.

Встава́ть/ встать на свечу́. *Жарг. спорт. (конн.)* Вставать на дыбы (о лошади). БСРЖ, 528.

Ста́вить оби́дящую свечу. *Разг. Устар.* Желать гибели обидчику. БМС 1998, 519.

СВЕ́ЧКА * Поту́хни, све́чка. *Жарг. мол.* Требование замолчать. Максимов, 335.

Под све́чками. *Угол., арест. Устар.* Под ружьями. СРВС 3, 230.

При све́чке в очка́х не распозна́ешь *кого. Народн. Неодобр.* О хитром обманщике. ДП, 204.

Све́чки в голова́х стоя́т *у кого. Кар.* О человеке, находящемся при смерти. СРГК 5, 659.

Све́чки с глаз сы́плются *у кого. Кар.* О действии сильного удара по лицу, голове. СРГК 5, 660.

Махну́ть све́чкой. *Жарг. шк. Устар.* Сделать реверанс. ШС, 2001.

Гаси́ть све́чку. *Кар.* Отказываться выйти замуж за кого-л. СРГК 1, 330; СРГК 5, 660.

Заде́лать све́чку *кому. Жарг. угол.* Изнасиловать женщину группой, задрав и завязав над головой платье. Балдаев 2, 30; ББИ, 218.

Заду́ть све́чку. *Жарг. мол.* Замолчать. Максимов, 140.

Заже́чь све́чку. *Жарг. спорт. (футб.).* Направить мяч высоко вверх (о неправильно выполненном ударе). Никитина 2003, 620.

Проси́ть на све́чку *у кого. Арест. Ирон.* Избивать вновь прибывшего арестованного. СРВС 1, 59.

СВИД * Свид на лицо́. *Перм., Сиб.* Очная ставка, личная встреча для выяснения каких-л. противоречий. СГПО, 561; СРНГ 17, 86.

СВИДА́НИЕ * Свида́ние с Ихтиа́ндром. *Жарг. мол. Шутл.-ирон.* Тошнота, рвота (как правило – после большого количества выпитого спиртного). (Запись 2004 г.).

СВИНА́РКА * Свина́рка и пасту́х. *Разг. Шутл.-ирон.* Скульптура В. Мухиной «Рабочий и колхозница» в Москве. Елистратов 1994, 422.

СВИНЕ́Ц * Лю́тый свине́ц. *Нижегор.* Пули. СРНГ 17, 250.

СВИ́НКА * Скорми́ть сви́нкам *кого. Жарг. крим.* Бросить связанного проволокой человека в клеть с голодными боровами, которые съедают его до последней косточки, таким образом не остается никаких следов преступления. Хом. 2, 322.

СВИ́НСТВО * Кура́жить сви́нство. *Сиб. Неодобр.* Куражиться, безобразничать. ФСС, 101.

СВИНЬЯ́ * На трёх свиней ко́рму не разде́лит. *Народн. Ирон.* О глупом, бестолковом человеке. ДП, 436.

Свине́й не нако́рмит. *Сиб. Пренебр.* О нерадивой хозяйке. ФСС, 118.

На свинье́ не объе́хать (не объе́дешь). 1. *кого. Перм.* О чрезмерно гордом, высокомерном человеке. Подюков 1989, 92. 2. *что. Пск.* Трудно справиться с чем-л., противостоять чему-л. Шап. 1959, 314.

Не вида́ть свинье́ не́ба, [а ба́бе Пи́тера]. *Прост. Шутл.-ирон.* О чём-л. недостижимом, неосуществимом. СРГК 4, 521; ЗС 1996, 346.

Свинье́ в подру́жки годи́тся. *Горьк.* О неопрятной женщине. БалСок, 48.

Свинье́ под хвост. *Горьк. Неодобр.* О чём-л. скверном, никчёмном. БалСок, 52.

Когда́ сви́ньи с по́ля бу́дут ша́гом идти́. *Диал. Шутл.* Никогда. Мокиенко 1986, 211.

Одно́й свиньи́ мя́со. *Кар.* О сходных, близких по каким-л. качествам людях. СРГК 3, 268.

От седьмо́й свиньи́ поросёнок. *Прибайк. Шутл.-ирон.* Дальний родственник (чаще — о сомнительном родстве. СНФП, 110.

Лома́ть свинью́. *Горьк. Неодобр.* Бездельничать, лодырничать. БалСок, 52.

Наде́ть на свинью́ хому́т. *Народн. Ирон.* О нелепом, бесполезном поступке человека, стремящегося помочь кому-л. ДП, 633.

Подкла́дывать/ подложи́ть свинью́ *кому. Разг. Неодобр.* Вредить, причинять большую неприятность кому-л. ФСРЯ, 413; БТС, 870; БМС 1998, 519; ФМ 2002, 420; Мокиенко 1990, 142; ЗС 1996, 231, 356; СПП 2001, 69.

Подпихну́ть свинью́ *кому. Сиб. Неодобр.* То же, что **подложить свинью.** ФСС, 140.

Свинью́ соса́л. *Пск. Шутл.* О грязном, перепачканном ребёнке. СПП 2001, 69.

Каба́нская свинья́. *Ворон. Бран.* О грубом, неблагодарном человеке. СРНГ 12, 282.

Кра́сная свинья́ Совде́пии. *Жарг. угол. Презр.* Партийно-советский хозяйственный руководитель, ставший приватизатором. Балдаев, 2001, 160.

Свинья́ в ермо́лке. *Прост. Презр.* О чванливом, бесцеремонном человеке с низкими помыслами и большими претензиями (ничем не обоснованными). < Выражение из комедии

Н. В. Гоголя «Ревизор». Мокиенко, Никитина 2003, 296-297.

Свинья́ гря́зи найдёт. *Прикам. Неодобр.* О человеке, нашедшем компаньона в каком-л. предосудительном деле. МФС, 62.

Свинья́ за угло́м вспомина́ет *кого. Волг. Шутл.* Предсказание икающему человеку. Глухов 1988, 145.

Свинья́ мокрогу́бая. 1. *Волг. Пренебр.* О неряшливом, нечистоплотном человеке. Глухов 1988, 145. 2. *Сиб. Бран.* О человеке, вызывающем отрицательные эмоции. СФС, 163.

Свинья́ на лы́жах. *Жарг. мол. Шутл.-ирон.* или *Пренебр.* Девушка, плохо катающаяся на роликовых коньках. ТК-2000.

Свинья́ на ры́ле поднесла́ (принесла́) *кому что. Народн.* О том, что досталось легко, без особых усилий. ДП, 157; НОС 10, 23.

Свинья́ но́сом переборет и бро́сит. *Пск. Пренебр.* О чём-л. плохом, некачественном, никуда не годном. СПП 2001, 69. < **Перебороть** – перерыть, переворошить.

Свинья́ под ду́бом. *Разг. Презр.* О неблагодарных людях, разрушающих то, плодами чего они прежде пользовались, наслаждались. < Название басни И. Крылова (1825). Мокиенко, Никитина 2003, 297.

Двум сви́ньям по́йло не разольёт. *Сиб. Неодобр.* О неумелой хозяйке. СРНГ 36, 289.

К свинья́м [соба́чьим]! *Прост. Бранно.* Выражение недовольства, раздражения по поводу кого-л., чего-л. Мокиенко, Никитина 2003, 297.

[Ну тебя́ (вас, его́ и пр.)**] к свинья́м [соба́чьим]!** *Прост. Бран.* Пожелание кому-л. убираться; выражение желания отделаться, избавиться от кого-л., чего-л. (обычно — надоедающего, досаждающего). Мокиенко 1986, 182; Мокиенко, Никитина 2003, 297.

Ступа́й к сви́ньям на па́секу! *Ворон. Бран.* Восклицание, выражающее гнев, негодование, возмущение. СРНГ 25, 253.

Трём свинья́м ко́рму не разде́лит. *Перм., Кар. Неодобр.* О глупом, бестолковом, неумелом человеке. СРГК 5, 418; Подюков 1989, 169; Мокиенко 1990, 64.

СВИСТ * То́лстый свист. *Жарг. мол. Неодобр.* Наглая ложь. Максимов, 378.

Худо́жественный свист. *Жарг. мол. Шутл.-ирон.* Слухи, сплетни. БСРЖ, 529.

Просвиста́ть на сви́стах *что. Сарат. Неодобр.* Потерять что-л., лишиться чего-л. из-за легкомыслия, необдуманных поступков. СРНГ 36, 296.

СВИСТО́К * Дать три зелёных свистка́ *кому. Жарг. мол. Шутл.* Подать кому-л. сигнал. Никитина 2003, 622.

Взять (дёрнуть) за свисто́к *кого. Жарг. угол.* Схватить кого-л. за горло. ТСУЖ, 48; СРВС 2, 37, 32, 116, 174; СВЯ, 28; ТСУЖ, 48.

Вы́плюнуть свисто́к. *Жарг. мол.* Перестать лгать, обманывать кого-л. Максимов, 76.

Гла́вный свисто́к. *Жарг. шк.* Директор школы. Максимов, 84.

Пода́ть свисто́к. *Жарг. угол.* Закричать. Балдаев 2, 30; ББИ, 218; Мильяненков, 228.

Проглоти́ть свисто́к. *Жарг. мол.* Солгать, обмануть кого-л. Максимов, 345.

Свисто́к от парово́за. *Жарг. мол. Шутл.-ирон.* Болтун. Максимов, 303.

Уходи́ть/ уйти́ в свисто́к. *Разг. Ирон.* Растрачиваться вхолостую, обращаясь в пустые фразы, слова. БСРЖ, 529.

СВИ́ТЕР * Шерстяно́й сви́тер. *Жарг. гом. Шутл.* Задний проход. Кз., 142.

СВИЩ * Хоть в оре́ховый свищ полеза́й. *Влад.* О безвыходной ситуации. СРНГ 23, 337.

СВОБО́ДА * Свобо́да попуга́ям. *Жарг. шк. Шутл.* Перемена. (Запись 2003 г.). < Из юмористической миниатюры Г. Хазанова.

Свобо́да сло́ва. *Жарг. шк. Шутл.* Каникулы. ВМН 2003, 119.

Научи́ть свобо́ду люби́ть. *Жарг. лаг.* Жестоко расправиться с заключённым, создать невыносимые условия для заключённого. Р-87, 351.

Продава́ть/ прода́ть свобо́ду. *Жарг. угол.* Признаваться в незначительном преступлении с целью скрыть более тяжкое. ТСУЖ, 147; Балдаев 2, 30; ББИ, 218.

СВОБО́ДНО * Дыша́ть свобо́дно. *Разг.* Не испытывать неудобств, стеснения. Ф 1, 181.

СВОД * Сойти́сь сво́дом. *Сиб. Устар.* Жениться без венчания. СБО-Д2, 192.

Не свести́ сво́ду. *Кар.* Не суметь договориться с кем-л. о чём-л. СРГК 5, 655.

Де́лать сво́ды. *Дон.* Сводить жениха с невестой на рукобитье. СДГ 3, 110.

СВОЙ (СВОЁ, СВОЯ) * Брать/ взять своё. *Разг.* 1. Добиваться поставленной цели, желаемого. 2. Проявлять себя во всей полноте, со всей силой. 3. Одолевать, оказывать своё воздействие на кого-л. (о чувстве, состоянии). 4. Сказываться на ком-л. (о возрасте, годах). ФСРЯ, 47.

Вести́ своё. 1. *Арх.* Делать что-л. посвоему, настаивать на своём. АОС 4, 10. 2. *Коми.* Своевольничать. Кобелева, 58.

Вы́брать своё. *Арх.* Добиться своего. АОС 6, 113.

Гоня́ть своё. *Жарг. мол. Шутл.-ирон.* 1. Погрузиться в себя, свои мысли; глубоко задуматься. Урал-98. 2. Разговаривать с самим собой, проговаривать свои мысли вслух. БСРЖ, 530.

Има́ть своё. *Печор.* Поступать посвоему. СРГНП 1, 292.

Нала́дить на своё. *Волг.* Сделать что-л., поступить по-своему. Глухов 1988, 90.

Отдава́ть/ отда́ть за своё. *Прикам.* Разрешать кому-л. усыновить своего ребёнка. МФС, 70.

Станови́ть на своё. *Дон.* Настаивать на своём. СДГ 3, 140.

Нарва́ться (наскочи́ть) на своего́. *Волг.* Получить отпор. Глухов 1988, 92.

Не упуска́ть/ не упусти́ть своего́. *Прост.* Делать всё возможное для удовлетворения своих потребностей, для своей выгоды. Ф 2, 221.

Призна́ть свое́й *что. Угол.* Сознаться в совершении преступления. Балдаев 1, 350; ТСУЖ, 144.

Гоня́ть/ прогна́ть о своём. *Жарг. мол.* Рассказывать о своих проблемах, наболевшем: навязывать кому-л. свои проблемы. Урал-98.

Вести́ на своём. *Арх.* То же, что **вести своё 1.** АОС 4, 10.

Заруби́ть на своём. *Ряз.* Настоять на своём. ДС, 506; СРНГ 8, 11.

Остава́ться/ оста́ться при своём. *Разг. Устар.* Ничего не приобретать и ничего не терять. Ф 2, 20.

Ста́вить на своём. *Разг. Устар.; Морд.* То же, что **стоять на своём.** Ф 2, 182; СРГМ 2002, 131.

Стоя́ть на своём. *Разг.* Не изменять своих взглядов, своего мнения. ФСРЯ, 459; Ф 2, 190; Мокиенко 1990, 96.

И свои́м и чужи́м. *Волг. Неодобр.* О не в меру услужливом человеке. Глухов 1988, 59.

Трепа́ть свои́м. *Новг.* О приступе эпилепсии. НОС 11, 57.

Е́хать на свои́х. *Диал.* Идти пешком. Мокиенко 1990, 83.

Знай свои́х, помина́й на́ших! *Народн.* Угроза, предупреждение кому-л. ДП, 145.

И свои́х не узна́ет. *Пск.* О состоянии человека после сильного удара, побоев. Доп., 1858.

На свои́х двои́х. *Разг. Шутл.* Пешком. ДП, 277; БТС, 241; Ф 2, 127; ЗС 1996, 497; Глухов 1988, 92.

Оста́ться не при свои́х. *Кар.* Ни о чём не договориться, не прийти к соглашению. СРГК 4, 256; Мокиенко 1990, 96.

От свои́х отста́л, а к чужи́м не приста́л. *Народн.* О человеке, утратившем связь со своей средой, со своими единомышленниками. ДП, 473.

Расходи́ться/ разойти́сь при свои́х. *Разг.* Приходить к взаимоприемлемому соглашению. ДП, 460; ЗС 1996, 350.

Свои́х не соберёшь (не узна́ешь)! *Прост.* Угроза расправы. БТС, 1378; СРНГ 35, 37; Глухов 1988, 104.

Зайти́ не в свою́. *Жарг. угол.* Быть задержанным, арестованным. ТСУЖ, 70; Балдаев 1, 141; СРВС 3, 92; СВЯ, 34.

Де́лать своя́-моя́. *Урал.* Получать что-л. по знакомству. СРНГ 36, 329.

Своя́ свои́х не позна́ша. *Народн.* О ситуации, когда по недоразумению сторонника принимают за противника. Жук. 1991, 293.

СВО́ЙСКАЯ * Не в сво́йскую. *Ср. Урал.* Очень громко (кричать). СРГСУ 2, 194.

СВО́РА * Пси́ная сво́ра. *Жарг. угол. Презр.* 1. Штаб добровольной народной дружины. 2. Спецназ, ОМОН. Балдаев 1, 361; УМК, 93.

Пристяжна́я сво́ра. *Разг. угол. Презр.* 1. Личная охрана из уголовников-«быков» руководителей мафиозных структур, связанных с коррумпированной партноменклатурой КПСС. 2. Личная охрана коррумпированных нуворишей из партаппарата. 3. Личная «телесная» охрана руководителей Российской Федерации. Балдаев, 2001, 163.

СВЫСОКА́ * Смотре́ть свысока́ *на кого. Разг. Неодобр.* Вести себя высокомерно, относиться с пренебрежением к кому-л. Ф 2, 168.

СВЯ́ЗКА * Свя́зка ключе́й. *Жарг. шк. Шутл.* Завхоз. Максимов, 379.

Свя́зка шнурко́в. *Жарг. шк. Шутл.* Родительское собрание. (Запись 2003 г.).

Узна́ть, почём свя́зка кренделе́й. *Волг. Ирон.* Испытать много горя, лишений. Глухов 1988, 131, 163.

В одно́й свя́зке *с кем, с чем. Разг.* Вместе, в тесной взаимосвязи с кем-л. НРЛ-81 < Из речи альпинистов. Мокиенко 2003, 102.

Сма́зать свя́зки. *Жарг. мол. Шутл.* Выпить спиртного. Максимов, 379.

Связа́ть свя́зкой (связма́) *кого. Ряз.* Стать кому-л. обузой, помешать свободе действий. ДС, 507; СРНГ 36, 333.

СВЯЗМА́ * Связа́ть связма́. См. **Связать связкой (СВЯЗКА).**

СВЯ́ТО * Крещéнское свя́то. *Яросл.* В дореволюционной деревне – хождение по домам с освящённой в Крещенье водой. ЯОС 5, 89.

СВЯТО́Й (СВЯТА́Я) * Куда́ свята́я вы́ведет. *Пск.* Беспечно, не задумываясь о будущем. ПОС 5, 127.

Пора́ под святы́е положи́ть *кого. Новг. Ирон.* О слабом, близком к смерти человеке. Сергеева 2004, 191.

Не в святы́х и жить. *Новг.* Выражение утешения, успокоения. Сергеева 2004, 27.

Свята́я святы́х. *Книжн.* О чём-л. сокровенном, тайном, заветном, недоступном для непосвященных. < Выражение из Библии. ФСРЯ, 416; БМС 1998, 520.

Не зна́ешь, како́му свято́му моли́ться. *Народн. Ирон.* О большом количестве начальников. ДП, 248.

Моло́ть не ту святу́ю. *Волог.* Говорить чепуху, вздор. СВГ 4, 91.

Быть под святы́м. *Новг.* Быть при смерти, быть близким к смерти. НОС 10, 27.

Лежа́ть под святы́ми. 1. *Калуж., Сиб.* То же, что **быть под святым.** 2. *Волог.* Умереть, скончаться. СРНГ 16, 330; ФСС, 104.

Встать из-под святы́х. *Народн.* Выжить, будучи тяжело больным. ДП, 287.

Наобу́м (на бум) святы́х. *Пск.* Неточно, наугад. СПП 2001, 19.

У всех святы́х на Кули́жках, что в Кожухо́ве за Пречи́стенскими воро́ты, в Тверско́й ямско́й слободе́, не доходя́ Тага́нки, на Вага́нке, в Ма́лых Лужника́х, что в Гончара́х, на Воргу́нихе, у Нико́лы в Толмача́х, на трёх гора́х. *Народн. Ирон.* Нигде. ДП, 555.

Хоть святы́х выноси́. *Разг. Неодобр.* О чём-л. нестерпимом, невыносимом. ЗС 1996, 347; БТС, 176; ДП, 205; ФСРЯ, 416; ФМ 2002, 422; СРНГ 28, 99; АОС 8, 35; СПП 2001, 69; Мокиенко 1990, 129.

СВЯ́ТЦЫ * Не погляде́в в свя́тцы да бух в ко́локол. *Народн. Шутл.-ирон.* О необдуманном поступке. ДП, 822.

Смотре́ть в свя́тцы. *Жарг. угол.* Играть в карты. СРВС 1, 168

СГОН * Стоя́ть сгон. *Новг.* Возмещать долг работой, отрабатывать долг. НОС 10, 29.

Ходи́ть на сгон. *Новг. Устар.* Работать на барщине. НОС 10, 29.

СДА́ТЬСЯ * Сда́ться пить (в пья́нку). *Печор.* Начать сильно пить, пьянствовать. СРНГП 2, 259.

СДА́ЧА * Дава́ть/ дать сда́чи *кому. Разг.* Отвечать ударом на удар, оскорблением на оскорбление. ФСРЯ, 125; ЗС 1996, 65.

СДВИГ * Сдвиг по фа́зе *у кого. Жарг. мол. Шутл.-ирон. или Неодобр.* Ненормальность, странность поведения; утрата самоконтроля. Елистратов 1994, 423; Максимов, 380; Мокиенко 2003, 102.

Со сдви́гом. *Прост. Неодобр.* О человеке с отклонениями в психике. Мокиенко 1986, 64.

СДИРОСКО́ПИЯ * Де́лать/ сде́лать сдироско́пию. *Жарг. шк. Шутл.* Списывать у кого-л. (Запись 2003 г.).

СДО́БА * Вся́кой сдо́бы понемно́гу. *Пск.* О смешанном улове рыбы (на Псковском озере). Кузнецов, 1912–1914; СРНГ, 12, 129.

СДОБРА́ * Выдава́ть сдобра́ *кого. Кем.* Отдавать девушку замуж по её желанию и с согласия родителей. СКузб., 143.

СДОХ * До сдо́ху. *Одесск.* До смерти. КСРГО.

СДЮ́КА * На сдю́ку. *Жарг. угол.* Вдвоём. Грачев 1992, 151. < **Сдюка** – двухкопеечная монета.

СЕА́НС * Дава́ть/ дать сеа́нс (сеа́нсы). 1. *Жарг. угол., арест.* Совершить половой акт (как правило – с пьяной женщиной) на виду у собравшихся. Балдаев 2, 33; ББИ, 220. 2. *Жарг. простит.* Заниматься проституцией. Грачев 1997, 221.

Лови́ть (крути́ть) сеа́нс. *Жарг. угол., арест., мол.* 1. Подсматривать за раздевающейся женщиной. ТСУЖ, 93, 98; УМК, 93; Росси 2, 352. 2. Просматривать порнографические фотографии, журналы, фильмы, получая при этом удовольствие. ТСУЖ, 99; Б., 125; УМК,

93; Балдаев 2, 33; ББИ, 220; Мильяненков, 229; Максимов, 208. 3. *[от чего]*. Получать удовольствие от чего-л. Довлатов 1, 152. 4. Умышленно затягивать половой акт. Балдаев 1, 229.

Сечь сеа́нс (сеа́нсы). *Жарг. угол., мол.* 1. То же, что **лови́ть сеанс** . 2. Умышленно затягивать завершение полового акта. Мокиенко, Никитина 2003, 297.

Францу́зский сеа́нс. *Жарг. угол. Шутл.* Групповой акт онанизма. Балдаев 1, 229.

Для сеа́нсу. *Жарг. лаг.* Для возбуждения похоти (при подглядывании за кем-л., рассматривании порнографических картинок, фотографий). УМК, 93.

Набира́ться/ набра́ться сеа́нсу. *Жарг. угол., арест., мол.* То же, что **ловить сеанс 1-4.** ТСУЖ, 93, 98; УМК, 93; Росси 2, 352; Балдаев 2, 33; ББИ, 220; Мильяненков, 229.

Поды́бать сеа́нсы. *Жарг. лаг.* Смотреть на проходящих в зоне женщин. ТСУЖ, 137; УМК, 93.

СЕБЯ́ * Вести́ (вывози́ть/ вы́везти) на себе́ *что. Разг.* Справляться с чем-л. своими силами; вынести на себе всю тяжесть какого-л. дела. БТС, 167; ПОС 5, 132.

Грести́ в себе́. *Сиб. Неодобр.* Делать всё для своей выгоды. ФСС, 48.

Есть в себе́. *Ряз.* **Набирать вес, тучнеть (о животном). ДС, 162.**

Зае́хать не по себе́. *Новг.* Выбрать (в невесты, в женихи) неравного себе в каком-л. отношении. НОС 3, 26.

Замыка́ться/ замкну́ться в себе́. *Разг.* Становиться необщительным, замкнутым, сторониться, избегать людей. ФСРЯ, 169.

Заста́вить говори́ть о себе́. *Разг.* Добиться признания, стать известным. ШЗФ 2001, 81.

Лежа́ть в себе́. *Кар.* Сохраняться длительное время в одном состоянии, не изменяться, не портиться. СРГК 3, 107.

Мно́го ду́мать о себе́. *Разг. Неодобр.* Важничать, зазнаваться. ФСС, 65.

[Носи́ть] на себе́. *Кар., Яросл.* О менструации. СРГК 4, 44; ЯОС 6, 78.

Не в себе́. *Разг.* 1. В сильном душевном расстройстве. 2. Не в обычном для себя состоянии; чувствуя себя не так, как обычно. ФСРЯ, 417; Глухов 1988, 8, 96.

Не по себе́ *кому. Разг.* 1. Нездоровится. 2. Неловко, неудобно (о состоянии растерянности, смущения). ФСРЯ, 418; Мокиенко 1986, 185.

Не так себе́. *Прикам.* О нездоровом человеке. МФС, 98.

Ни себе́ ни в себе́. *Прибайк.* На уровне бедности; не имея достатка. СНФП, 112.

Ничего́ себе́! *Прост.* 1. Выражение крайнего удивления. 2. О чём-л. достойном, приличном. Глухов 1988, 112.

О себе́. *Яросл.* Самостоятельно, без посторонней помощи. ЯОС 7, 5.

Оставля́ть/ оста́вить при себе́ *что. Разг.* Умалчивать о чём-л., не высказывать вслух чего-л. Ф 2, 21.

Перенести́ на себе́ *что. Арх.* Пережить (горе, обиду и т. п.) молча, без жалоб. СРНГ 26, 174.

Позволять себе́ *что. Разг.* Не считаясь с обстоятельствами, предпринимать что-л. Ф 2, 62.

Помоги себе́ сам. *Жарг. мол. Шутл.* Об онанисте. Максимов, 329.

По себе́. 1. *Разг.* По своему вкусу; в свою пользу. ФСРЯ, 418. 2. *Сиб.* Расположенный обособленно, отдельно от других. Верш. 6, 206.

При себе́. *Твер.* О наступлении менструации. СРНГ 31, 101.

Себе́ доро́же сто́ит. *Разг.* О чём-л., требующем чрезмерных и неоправданных усилий. 277, 1271.

Так себе́. *Разг.* О чём-л. посредственном, не представляющем собой ничего особенного. Верш. 7, 21.

Ходи́ть на себе́. *Пск.* Ходить пешком. СПП 2001, 69.

Блюсти́/ соблюсти́ (соблюда́ть) себя́. *Разг.* Быть воздержанным в половом отношении, целомудренным, верным. Мокиенко, Никитина 2003, 298.

Брать/ взять на себя́ *что. Разг* Обязываться исполнить, осуществить что-л. ФСРЯ, 46.

Брать/ взять на себя́ сме́лость. *Книжн.* Осмеливаться. БТС, 95.

Взойти́ в себя́. *Яросл.* То же, что **приходить/ прийти в себя 1-2.** ЯОС 3, 18.

Ви́деть себя́. *Морд.* Испытывать чувство стыда. СРГМ 1978, 76.

Вкруг себя́. *Новг.* В своём хозяйстве. НОС 1, 128.

Вне себя́. *Разг.* Находиться в крайне возбуждённом или раздражённом состоянии. ФСРЯ, 418; БМС 1998, 520; ШЗФ 2001, 39.

Возвороти́ть себя́. *Сиб.* Принять прежний вид. ФСС, 29.

Вообража́ть из себя́. *Кем. Неодобр.* Быть слишком высокого мнения о себе. СКузб., 47.

Входи́ть/ войти́ в себя́. *Арх., Кар., Сиб.* То же, что **приходить в себя 1-2.** АОС 5, 32; СРГК 1, 221; ФСС, 33.

Выводи́ть из себя́ *кого. Разг.* Приводить кого-л. в состояние крайнего раздражения. ФСРЯ, 91.

Выгля́дывать из себя́. *Яросл.* Выглядеть определённым образом. ЯОС 3, 50.

Выкра́ивать из себя́. *Смол. Неодобр.* Зазнаваться. СРНГ 5, 296.

Выла́зить (вылеза́ть) из себя́. *Башк.* То же, что **выходить из себя 1.** СРГБ 1, 79.

Вылеза́ть/ вы́лезть из себя́. *Прост.* То же, что **выходить из себя 1.** Ф 1, 120–121.

Выла́мывать из себя́. *Морд. Неодобр.* То же, что **высоко ставить себя.** СРГМ 1978, 98.

Вылеза́ть/ вы́лезть из себя́. *Прост.* То же, что **выходить из себя 1.** Ф 1, 94.

Выпры́гивать (выска́кивать) из себя́. *Волг.* 1. Совершать предосудительные, необдуманные поступки. 2. Стараться, проявлять усердие. Глухов 1988, 19.

Высоко́ себя́ вести́. *Перм. Неодобр.* То же, что **высоко себя нести.** Подюков 1989, 23.

Высоко́ себя́ нести́. *Волг., Кар. Неодобр.* Быть заносчивым, вести себя высокомерно. Глухов 1988, 105; СРГК 1, 294.

Высоко́ ста́вить (станови́ть) себя́. *Курск., Ряз. Неодобр.* Быть слишком высокого мнения о себе. БотСан, 88; ДС, 540.

Выходи́ть в себя́. *Арх.* То же, что **приходить в себя 1-2.** АОС 8, 371.

Выходи́ть из себя́. 1. *Разг.* Приходить в состояние крайнего раздражения. ФСРЯ, 99; БТС, 172; АОС 8, 371; Мокиенко 1986, 184. 2. *Пск.* Вести себя несдержанно, грубо. ПО, 6, 96. 3. *Пск.* Шумно веселиться. СПП 2001, 69. 4. *Арх.* О выпадении матки. АОС 7, 240.

Гляде́ть себя́. *Волг.* Заботиться о своей внешности, о своём здоровье. Глухов 1988, 23.

Гнуть из себя́. *Морд.; Жарг. мол. неодобр.* То же, что **высоко ставить себя.** СРГМ 1978, 116; Вахитов 2003, 39.

Грести́ под себя́. *Прост. Неодобр.*

Стремиться присвоить что-л., завладеть чем-л. Подюков 1989, 52; Ф 1, 127; Глухов 1988, 26.

Есть из-под себя́. *Волг. Неодобр.* Жадничать, копить деньги. Глухов 1988, 41.

Загиба́ть (изгиба́ть) из себя́. *Башк.* То же, что **высоко ставить себя.** СРГБ 1, 134, 162.

Знать себя́. *Иркут.* Вести себя скромно, целомудренно. СРНГ 11, 312.

Идти́ ни́же себя́. *Кар.* Жениться, выходить замуж за человека, уступающего по материальному или общественному положению. СРГК 2, 268.

Износи́ть себя́. *Пск.* Потерять здоровье; состариться. СПП 2001, 59.

Из себя́ вон. *Кар.* О человеке в состоянии крайнего раздражения. СРГК 1, 226.

Кида́ть/ ки́нуть че́рез себя́ *кого.* 1. *Волг. Шутл.* Быстро побеждать, одолевать кого-л. Глухов 1988, 74. 2. *Печор.* Относиться к кому-л. с пренебрежением. СРГНП 1, 310.

Класть/ положи́ть под себя́ *что. Волг.* Присваивать что-л. Глухов 1988, 128.

Ко́нчить себя́. *Кар.* Подорвать здоровье. СРГК 2, 406.

Наговори́ть на себя́ и под себя́. *Сиб.* 1. Наговорить много нужного и ненужного, полезного и вредного. СФС, 111. 2. Наговорить лишнего, солгать. ФСС, 116.

Наза́д себя́. *Кар., Прикам.* Навзничь (упасть). СРГК 3, 322; МФС, 62.

Нару́шить себя́. *Печор., Прикам.* Покончить жизнь самоубийством. СРГНП 1, 458; МФС, 63; СГПО, 343.

Не брать самого́ себя́. *Кар.* Быть без сознания. СРГК 1, 104.

Не ви́деть себя́. *Арх.* Потерять ориентировку в пространстве. АОС 4, 90.

Не кра́сить себя́. *Кар.* Быть недовольным собой. СРГК 3, 11.

Не по́мнить себя́. *Разг.* Не отдавать отчёта в своих действиях, словах. ФСРЯ, 340.

Нести́ себя́. *Кар.* Вести себя высокомерно, зазнаваться. СРГК 4, 14.

Носи́ть круг себя́. *Новг.* О менструации. СРНГ 15, 296.

Носи́ть себя́. *Сиб.* Быть в состоянии ходить на ногах. ФСС, 123.

Облегча́ть/ облегчи́ть себя́. *Разг. Эвфем.* Испражняться или мочиться. Мокиенко, Никитина 2003, 298.

Обма́нывать себя́. *Разг.* Стараться уверить себя в чём-л. желательном, игнорируя действительное положение дел. Ф 2, 9.

Оду́мывать себя́. *Урал.* Поступать обдуманно. СРНГ, 23, 67.

От себя́. *Кар.* 1. О самостоятельном, независимом человеке. 2. Отдельно от других. СРГК 4, 270.

Пасть за себя́. *Кар.* Потерять сознание, упасть в обморок. СРГК 4, 406.

Пережива́ть [самого́] себя́. *Разг.* Сохранять свое значение после смерти, оставаться в памяти людей. ФСРЯ, 315.

Переломи́ть себя́. *Разг.* Резко измениться (о характере, привычках). БТС, 809.

Переступи́ть че́рез себя́. *Разг.* Перебороть, преодолеть в себе какое-л. настроение, желание, чувство. Ф 2, 41.

Подмя́ть под себя́ *кого. Разг.* Покорить, подчинить себе кого-л. ЗС 1996, 225, 277; Глухов 1988, 125.

По́мнить себя́. *Разг. Устар.* Осознанно воспринимать окружающую действительность. Ф 2, 72.

Потеря́ть себя́. *Новг.* Вступить в половую связь до замужества. Сергеева 2004, 215.

Превозмога́ть себя́. *Книжн.* Преодолевать в себе какое-л. состояние, желание, чувство. ФСРЯ, 351.

Приходи́ть/ прийти́ в себя́. *Разг.* 1. Выходить из обморочного состояния, из состояния сильного опьянения. 2. Успокаиваться, переставать бояться, беспокоиться. ФСРЯ, 359; Мокиенко 1986, 184; Верш. 6, 205.

Приходи́ть/ прийти́ на себя́. *Кар.* О начале менструации. СРГК 5, 165.

Продава́ть себя́. *Разг.* 1. Заниматься проституцией. 2. Вступать в брак по расчёту. Ф 2, 98.

Про себя́. *Разг.* 1. Тихо, еле слышно, шёпотом. 2. Никак внешне не выражая, не произнося вслух, мысленно. ФСРЯ, 418.

Пусти́ть в себя́ *что. Кар.* Съесть что-л. СРГК 5, 353.

Рабо́тать на себя́. *Горьк. Шутл.-ирон.* Спать. БалСок, 45.

Растра́чивать/ растра́тить себя́. *Разг. Неодобр.* Употреблять свою энергию, физические и душевные силы на что-л. мелкое, пустое, недостойное. Ф 2, 122.

Рвать себя́. *Кар.* Выполнять непосильную работу, надрываться. СРГК 5, 502; Ф 2, 124.

Реши́ть само́ себя́. *Сиб.* Покончить жизнь самоубийством. СРНГ 35, 86.

Сруби́ть себя́ поперёк. *Ворон.* Исчезнуть. СРНГ 29, 305.

Ста́вить (стро́ить) из себя́. *Прост. Неодобр.* Держать себя важно, гордиться собой. ФСРЯ, 418; Глухов 1988, 154; СРГМ 2002, 131; СФС, 178; Вахитов 2003, 174.

Теря́ть/ потеря́ть себя́. 1. *Разг.* Утрачивать свой индивидуальный облик, свои отличительные черты. Ф 2, 203. 2. *Костром.* Совершать что-л. неблаговидное, предосудительное. СРНГ 30, 277. 2. *Кар.* Умирать. СРГК 5, 109.

Уходи́ть/ уйти́ в себя́. *Разг.* 1. Предаваться глубоким размышлениям, не замечая окружающего. 2. Становиться необщительным, замкнутым, избегать людей. ФСРЯ, 500; Ф 2, 226; ЗС 1996, 228; БТС, 1379.

Уходи́ть/ уйти́ от себя́. *Разг.* Избавляться от своих назойливых мыслей, чувств, настроений. Ф 2, 218.

Владе́ть собо́й. *Разг.* Быть хладнокровным, спокойным. Мокиенко 1990, 24.

Води́ться с собо́й. *Арх.* Быть скрытным. АОС 4, 159.

Зва́ться ме́жду собо́й. *Тобол.* Приглашать друг друга в гости. СРНГ 11, 211.

Конча́ть с собо́й. *Разг.* Лишать себя жизни. Ф 1, 252.

Не ви́деть за собо́й. *Арх.* Не замечать своих недостатков. АОС 4, 90.

Облада́ть собо́й. *Разг. Устар.* То же, что **владеть собой.** Ф 2, 7.

Пореши́ть с собо́й. *Разг. Устар.* Совершить акт самоубийства. Ф 2, 77.

Рабо́тать над собо́й. *Разг.* Повышать свою квалификацию, своё образование; совершенствоваться. Ф 2, 110.

Располага́ть собо́й. *Разг. Устар.* Жить, как хочется самому; поступать по своему усмотрению. Ф 2, 119.

Торгова́ть собо́й. *Разг.* Заниматься проституцией. Мокиенко 2003, 100.

СЕ́ВЕР * Заходи́ть с се́вера. *Жарг. угол., мил.* Задавать вопросы, изобличающие в совершении преступления (на допросе); допрашивать с пристрастием. ТСУЖ, 69; Балдаев 1, 154; СРВС 4, 184.

СЕВЕРО́К * Ка́дровый северо́к. *Жарг. гом.* Туалет, где встречаются гомосексуалисты. Мокиенко 1995, 94.

СЕДА́ЛИЩЕ * Седа́лище чу́вственности. *Книжн. Эвфем.* Половой орган. Мокиенко, Никитина 2003, 298.

СЕДА́ЛЫ * Сиде́ть на седа́лах. *Перм., Прикам.* Находиться в отпуске по беременности и родам. МФС, 90; СГПО, 566.

СЕДЁЛКА * Седёлка да подпру́га. *Волг., Дон. Шутл.* О неразлучных друзьях. Глухов 1988, 1988, 147; СРНГ 28, 149; СДГ 3, 113.

Доби́ться до седёлки. *Орл.* Разориться, обеднеть. СОГ 1990, 59.

СЕДИНА́ * Седина́ в го́лову, бес в ребро́. *Разг. Ирон.* О пожилом человеке, ведущем себя легкомысленно. ДП, 178, 298, 747; СПП 2001, 69; Жиг. 1969, 241.

Седина́ в бо́роду, а дурь в го́лову. *Народн. Ирон.* То же, что **седина в бороду, а бес в ребро.** Жиг. 1969, 241.

СЕДЛО * Выбива́ть/ вы́бить из седла́ *кого. Разг.* Лишать кого-л. душевного равновесия, уверенности в чём-л., положения в жизни. ФСРЯ, 89; ШЗФ 2001, 49; ЗС 1996, 229. **Вышиба́ть/ вы́шибить из седла́** *кого. Прост.* То же. Ф 1, 104.

Расшиба́ть сёдла *кому. Жарг. угол.* Избивать кого-л. Максимов, 363.

Сшиба́ть/ сшиби́ть с седла́ *кого. Разг. Устар.* То же, что **выбивать из седла.** Ф 2, 198.

Быть в седле́. 1. *Жарг. авто.* За рулём. БСРЖ, 532. 2. *Жарг. мол.* О готовности быстро выполнить что-л. WMN, 82; Никитина 1996, 186.

Держа́ться в седле́. *Разг.* Сдерживать себя. Ф 1, 161.

Удержа́ться в седле́. *Жарг. студ.* Успешно воспользоваться шпаргалкой, подсказкой на экзамене, контрольной работе. (Запись 2003 г.).

СЕ́ЖЕНЬ * Сади́ться на се́жень. *Пск. Шутл.* Отдыхать дома. СПП 2001, 69.

СЕЗО́Н * Ба́рхатный сезо́н. *Разг.* Осенние месяцы (сентябрь и октябрь) на юге. БМС 1998, 520; ШЗФ 2001, 17; Мокиенко 2003, 102.

Мёртвый сезо́н. 1. *Разг.* Время затишья в курортных местах. БМС 1998, 520. 2. *Жарг. арм.* Карантин для новобранцев в начале их службы. Максимов, 247. < Выражение стало популярным благодаря одноименному названию советского кинофильма. Максимов, 247.

Сезо́н люби́. *Жарг. арм. Шутл.* Вечер в увольнении. БСРЖ, 532.

СЕЙ * Быть по сему́. *Прост. Шутл.* О согласии с каким-л. планом, предложением. БМС 1998, 520.

СЕЙФ * Брать/ взять (взлома́ть) лохма́тый сейф. *Жарг. угол., мол.* Изнасиловать кого-л. ТСУЖ, 100; Флг., 176; УМК, 93; Мокиенко, Никитина 2003, 298.

Поиме́ть сейф. *Жарг. мол. шутл.* Лишить кого-л. девственности. Максимов, 324.

Лохма́тый (лохму́шкин) сейф. *Жарг. угол.* 1. Женские гениталии. ТСУЖ, 100, 159; Балдаев 1, 232; Б., 28; УМК, 93. 2. Насильник. СРВС 4, 175, 184; УМК, 93.

Му́сорный сейф. *Жарг. угол., арест.* Одиночная камера (куда обычно помещают осведомителя — «мусора», для предотвращения побоев). УМК, 93; Балдаев 2, 33; ББИ, 220.

СЕ́КА * На се́ке. *Жарг. угол., мол.* На страже, в карауле. Мокиенко 1986, 89.

Се́ку наводи́ть. *Жарг. мол.* Следить за кем-л., жёстко контролировать кого-л. < **Сека** – наблюдение, слежка. Югановы, 200.

СЕКРЕ́Т * Секре́т Полишине́ля (полишине́ля). *Книжн. Шутл.* Мнимая тайна, секрет, известный всем. БТС, 903. < **Полишинель** – комический персонаж французского народного театра – весёлый, откровенный насмешник, шут. БМС 1998, 521.

СЕКРЕТА́РЬ * Минера́льный секрета́рь. *Жарг. журн., полит. Шутл.-ирон.* Бывший президент СССР, Генеральный секретарь ЦК КПСС М. С. Горбачев (проводивший антиалкогольную кампанию). МННС, 162.

СЕКС * Попа́сть на секс. *Жарг. угл, мол.* Потерпеть неудачу, оказаться в неприятной ситуации. Я — молодой, 1993, № 20.

СЕКСОДРО́М * Сексодро́м «Байкону́р». *Жарг. мол.* Гостиница «Космос» в Москве. Елистратов 1994, 424.

СЕКСОПИ́ЛЕЦ * Масо́нский сексопи́лец. *Жарг. мол. Шутл.* Газета «Московский комсомолец». Щуплов, 16.

СЕКСО́Т *Сексо́т секу́нд. *Разг. Шутл.-ирон.* Ежедневные передачи по ленинградскому (петербургскому) телевидению Независимой телекомпании «600 секунд» во главе с А. Невзоровым (1990-е гг.). < От **сексот** – секретный сотрудник правоохранительных органов. Синдаловский, 2002, 165.

СЕ́КТОР * Се́ктор га́за. *Жарг. шк.* 1. Школьный туалет. 2. Медпункт. ВМН 2003, 120.

СЕКУ́НДА * Секу́нда в секу́нду. *Разг.* Точно в установленное время. ФСРЯ, 419; Мокиенко 1986, 101.

На секу́нду. *Разг.* На очень короткое время, ненадолго. ФСРЯ, 419.

Сию́ секу́нду. *Разг.* 1. Немедленно, сейчас же. 2. В настоящий момент. ФСРЯ, 419.

СЕ́КЦИЯ * Сходи́ть в се́кцию пипи́. *Жарг. мол. Шутл.* Сходить в туалет, помочиться. Максимов, 381.

СЕЛЁДКА * Астраха́нская селёдка. *Прост. Пренебр.* Об очень худой женщине. ЗС 1996, 416.

Селёдка в корсе́те. *Прост. Шутл.-ирон. или Пренебр.* Об очень худой девушке, женщине. Мокиенко 1990, 132.

Ходи́ть с селёдками. *Жарг. угол.* Идти по улице с двумя конвойными (изначально — с конвойными, вооружёнными шашками). Трахтенберг, 64; СРВС 2, 86, 93, 133, 213; СРВС 3, 123, 131.

Есть селёдку. *Жарг. мол. Шутл.* Вступать в половые сношения с кем-л. Югановы, 76.

СЕЛЕЗЁНКА * Селезёнка не тёрпит. *Морд. Шутл.* О непреодолимом желании сделать что-л. СРГМ 2002, 36.

Еби́ (язви́) тебя́ (вас, его́) в селезёнку! *Неценз. Бран.* Выражение недовольства, раздражения; пожелание зла. Мокиенко, Никитина 2003, 300.

Оста́вить селезёнку. *Сиб. Шутл.* Допустить огрех при пахоте или бороновании. СФС, 165; ФСС, 127.

СЕ́ЛЕЗЕНЬ * Держа́ться се́лезня. *Горьк.* Быть всегда рядом с мужем. БалСок, 33.

СЕЛЕ́НИЕ * Отойти́ в селе́ния го́рние (в го́рние селе́ния). *Книжн.* Умереть. Ф 2, 29.

СЕЛО́ * Ни к селу́ ни к го́роду. *Разг. Шутл. или Неодобр.* О чём-л. неуместном, несуразном, сделанном или сказанном некстати, невпопад. ФСРЯ, 419; БТС, 221; СРГМ 2002, 37; ФМ 2002, 424; ДП, 637; СФС, 127; СОГ 1989, 121; ПОС 7, 118. **Ни к селу́ ни к дере́вне.** *Волг. Неодобр.* То же. Глухов 1988, 109.

Ни к селу́, ни к ови́ну, ни к меже́. *Морд. Неодобр.* То же. СРГМ 1986, 33.

СЕЛЬДЬ * Копчёная сельдь. *Жарг. бизн.* Предварительный проспект, в общих чертах информирующий об эмиссии облигационного займа. БС, 133.

СЕ́ЛЬМИ * Уста́вить се́льми. *Морд.* Пристально смотреть на кого-л. СРГМ 2002, 37.

СЕЛЯВА́ * Така́ селява́ (селяву́ха). *Жарг. мол. Шутл.* Такова жизнь. DL, 160; Никольский, 126; h-98. < Шутл. переоформл. франц. *c'est la vie.* Елистратов 1994, 425.

СЕЛЯВУ́ХА * Такова́ селяву́ха. См. **Такова селява (СЕЛЯВА).**

СЕЛЯ́НКА * Зажа́рить селя́нку из гвозде́й. *Морд. Шутл.* Приготовить какое-л. кушанье, не имея всех необходимых продуктов. СРГМ 2002, 38.

СЕМЕ́ЙКА * Весёлая семе́йка. *Прибайк.* Комнатный цветок с мелкими красными цветами. СНФП, 112.

СЕМЕ́ЙСТВО * Пау́тчее семе́йство. *Забайк. Презр.* Семья, где постоянно ссорятся. СРГЗ, 288; СРНГ 25, 284. < **Паутчий** – от **паут** – овод.

СЕМЕРИ́К * Плести́ семери́к. *Жарг. угол.* Оговаривать себя. Балдаев 1, 321.

Семь семерико́в. *Пск. Шутл.* О большом количестве чего-л. СПП 2001, 69.

СЕМЁРКА * Великоле́пная семёрка. *Разг. Шутл.-одобр.* О группе (обычно из 7 человек) удачливых людей, профессионалов. < Название американского кинобоевика. Дядечко 1, 76.

Плести́ семёрки. *Жарг. угол. Неодобр.* Врать, оговаривать кого-л. ТСУЖ, 160.

СЕ́МЕРО * Не се́меро обсе́ли. *Волг.* О множестве детей. Глухов 1988, 147.

СЕ́МЕЧКО (СЕ́МЕЧКИ) * Грызть се́мечки. *Жарг. мол. Шутл.* Совершать половой акт с кем-л. Максимов, 98.

Каба́шные се́мечки в голове́ *у кого. Одесск. Пренебр.* О глупом, несообразительном человеке. КСРГО.

Щёлкать се́мечки. *Волг. Неодобр.* Бездельничать. Глухов 1988, 177.

Прикорми́ть се́мечком *что. Яросл. Шутл.* Украсть что-л. ЯОС 8, 88; СРНГ 31, 258.

СЕМИБОЯ́РЩИНА * Семибоя́рщину припо́мнить. *Народн. Ирон.* Вспомнить что-л. очень давнее. ДП, 298.

СЕМИНА́Р * Быть на семина́ре. *Жарг. угол., арест.* Консультироваться в местах лишения свободы у юридически грамотного заключённого, как вести себя на суде, следствии и т. п. Балдаев 1, 52.

СЕМИРАМИ́ДА * Се́верная Семирами́да. *Книжн.* О Екатерине II. < Слова Вольтера; **Семирамида** – предприимчивая и воинственная правительница Ассирии, основавшая Вавилон с его висячими садами. БМС 1998, 521.

СЕ́МО * Се́мо и ова́мо. *Книжн. Устар.* Туда и сюда; по ту и по другую сторону. < **Семо, овамо** – архаические наречия, образованные от местоимений *сь-* «этот» и *овъ* – «тот». БМС 1998, 521.

СЕМЬ * Семь на во́семь. *Жарг. угол.* Грабёж. Балдаев 2, 35; ББИ, 221.

СЕМЬЯ́ * В семье не без урода. 1. *Разг.* О человеке, выделяющемся своими недостатками из какой-л. группы, коллектива. БМС 1998, 521. 2. *Жарг. арм. Ирон.* Об отличнике боевой и политической подготовки. БСРЖ, 534.

Уйти́ от семьи́. *Прикам.* Умереть. МФС, 104; СГПО, 650.

Больша́я семья́. *Жарг. арм. Ирон.* Армия. < По названию кинофильма. Максимов, 39.

Весёлая семья. *Дон.* Растение флоксы. СДГ 1, 61.

Вся семья́ Блино́вых в гостя́х *у кого. Жарг. карт.* Все четыре туза на руках у кого-л. ТСУЖ, 35.

Семья́ жуко́в. *Жарг. карт., крим. Шутл.-ирон.* Группа телохранителей шулера. Грачев 1997, 65.

Спорти́вная семья́. *Разг. Ирон.* Семья алкоголиков. Балдаев 2, 56.

Шве́дская семья́. *Жарг. мол. Шутл.* О групповом сексе. Максимов, 382.

СЕ́МЯ * Бе́сово се́мя. *Самар. Бран.* О человеке, вызывающем гнев, возмущение. СРНГ 2, 269.

Бля́дино се́мя. *Народн. (фольк.) Бран.* Мерзкий, выделяющийся своими отталкивающими чертами человек. Мокиенко, Никитина 2003, 300.

Га́дово се́мя. *Пск. Бран.* То же, что **бесово семя.** СПП 2001, 69.

Ги́блое се́мя. *Иркут.* О не рожавшей женщине. СРНГ 6, 169.

Голуби́ное се́мя. *Влад.* Растение купырь лесной. СРНГ 6, 338.

Драко́ново се́мя. *Книжн. Устар.* О неприятностях, возникающих по собственной неосторожности. < Восходит к древнегреческому мифу. БМС 1998, 521.

Зло́е се́мя. *Влад. Неодобр.* Об агрессивном, жестоком ребёнке. СРНГ 11, 290.

И́родово се́мя. *Прост. Устар. Бран.* О человеке, совершившем проступок, преступление. < Связано с евангельской легендой об иудейском царе **Ироде**, который устроил избиение младенцев из-за страха перед грядущим царствием родившегося в Вифлееме младенца Иисуса. Мокиенко, Никитина 2003, 300.

Крапи́вное се́мя. *Разг.* 1. *Устар. Презр.* О чиновниках; о чиновниках-взяточниках и бюрократах. ФСРЯ, 420; БМС 1998, 521. 2. О порочном, неисправимом человеке (обычно — из числа служащих, интеллигенции). Подюков 1989, 183; ЗС 259; Мокиенко, Никитина 2003, 300. 3. *Народн.* Внебрачный ребёнок. Мокиенко, Никитина 2003, 300.

На се́мя и на е́мя. *Волг.* С запасом, впрок. Глухов 1988, 92.

Ни се́мя ни е́мя *у кого. Волг.* О крайней бедности. Глухов 1988, 110.

Ца́рское се́мя. *Сиб.* Растение водолюб болотный. СБО-Д2, 258.

Чёртово се́мя. *Прост. Бран.* О людях, вызывающих негодование, гнев, раздражение. Мокиенко, Никитина 2003, 300.

СЕМЯ́НКА * После́дняя семя́нка челове́ческая. *Яросл.* О последнем ребёнке у родителей. ЯОС 8, 71.

СЕ́НИ * Пойти́ под се́ни, а быть на сеня́х. *Новг.* Выйти замуж за бедного и жить счастливо. НОС 8, 76.

Сыгра́ть се́ни *кому. Морд. Шутл.* Избить кого-л. СРГМ 2002, 184.

СЕНО * Ли́бо се́на клок, ли́бо ви́лы в бок. *Народн.* О двух возможностях исхода в каком-л. рискованном деле. ДП, 77; Жук. 1991, 162.

Се́на клок да ви́лы в бок. *Прибайк. Неодобр.* О злобном, сварливом человеке. СНФП, 112.

Не одна́ я в се́не (в по́ле) кувырка́лась. *Разг. Шутл.* О женской причёске, в которой волосы нарочито взлохмачены, всклокочены. БСРЖ, 534.

Невито́е (непови́тое) се́но. 1. *Яросл. Пренебр.* О человеке, не способном к серьёзному труду. ЯОС 6, 127, 137. 2. *Яросл. Пренебр.* О глуповатом, непрактичном человеке. ЯОС 6, 127, 137. 3. *Морд.* О беспорядке где-л. СРГМ 1986, 112.

Се́но с мёдом. *Сиб. Одобр.* Раннее сено хорошего качества. Верш. 6, 217.

СЕНОВА́Л * Я упа́ла с сенова́ла, тормози́ла, чем могла́. см. **Я упала с самосвала (САМОСВАЛ).**

СЕНОКО́С * Са́мый сеноко́с. *Жарг. мол. Шутл.* Самое время (о наиболее подходящем, благоприятном времени для чего-л.). Вахитов 2003, 162.

СЕНТЯ́БРЬ * Смотре́ть (гляде́ть) сентябрём. *Прост. Устар.; Волг.* Быть хмурым, невесёлым. Ф 2, 168; Глухов 1988, 150.

СЕНЬ * Под се́нью *чего, кого. Книжн.* 1. Под защитой, под покровительством кого-л. 2. Под покровом, укрытием чего-л. ФСРЯ, 420.

СЕ́НЬКА * Се́нька, бери́ мяч. *Жарг. мол. Шутл.* Большое спасибо. Максимов, 382. < Трансформация англ. *thank you very much*.

Се́нька па́ужину укра́л. *Прикам. Шутл.-ирон.* О наступлении коротких дней. МФС, 60. < **Паужина** – время во второй половине дня.

По Се́ньке ша́пка [по Ерёме колпа́к]. *Разг.* Кто-л. достоин того, что имеет. БМС 1998, 522; ЗС 1996, 217, 518; Верш. 7, 306; Сб. Ром. 2, 230. **По Се́ньке ша́пка, по Ермо́шке колпа́к (кафта́н).** *Диал.* То же. Мокиенко 1990, 119. **По Се́ньке и ша́пка, по Се́нькиной ма́тери и кафта́н.** *Диал.* То же. Мокиенко 1990, 119. **По Се́ньке и ша́пка, по ба́бе бра́га.** *Диал.* То же. Мокиенко 1990, 119. **По Се́ньке ша́пка, по свинье́ меша́лка.** *Диал.* То же. Мокиенко 1990, 119.

СЕНЬО́Р * Синьо́р помидо́р. *Жарг. шк. Шутл.* Учитель биологии. < По имени персонажа сказки Д. Родари «Приключения Чиполлино». Максимов, 382.

СЕ́РА * Се́ра в уша́х кипи́т (закипе́ла) *у кого. Дон., Яросл.* О шуме в ушах (как правило – в связи с приближением плохой погоды, ненастья). СДГ 1, 171; ЯОС 5, 30.

СЕРАФИ́М * Шестикры́лый серафи́м. *Книжн. Устар.* Святое, чистое существо. < **Шестикрылый серафим** — один из высших ангельских чинов. БМС 1998, 522.

СЕРГЕ́Й * Серге́й Ива́нович. *Жарг. угол.* Висячий замок. СРВС 1, 23. < Ср. **серёжка** – висячий замок.

СЕРДЕ́ЧКО * Отвали́ться от серде́чка. *Пск. Флк.* Перестать обременять кого-л. СРНГ, 24, 129.

Продержа́ть серде́чко. *Кар.* Надолго сохранить добрые отношения, любовь и согласие. СРГК 5, 251.

Серде́чко но́ет *у кого. Разг.* О чувстве тоски, грусти. СОСВ, 125.

СЕ́РДЦЕ * Большо́го се́рдца. *Разг.* Отзывчивый, добрый, душевно щедрый. ФСРЯ, 420.

Вы́кинуть из се́рдца *кого. Горьк.* Забыть кого-л. БалСок, 29.

Вырыва́ть/ вы́рвать из се́рдца *кого, что. Разг.* Заставлять себя забывать о ком-л., о чём-л. ФСРЯ, 96; ЗС 1996, 303; БТС, 180.

До се́рдца *кому что. Прибайк.* Небезразлично кому-л. что-л. СНФП, 112.

Захлестну́ть до се́рдца *кого. Сиб.* Очаровать кого-л. ФСС, 81.

Лечь у се́рдца. *Перм.* Понравиться кому-л. Подюков 1989, 105.

Ме́жду се́рдца *[у кого]. Пск.* О состоянии ссоры, вражды между кем-л. СПП 2001, 69.

От всего́ се́рдца. *Разг.* Совершенно искренне. ФСРЯ, 420; БМС 1998, 522; ЗС 1996, 285, 511.

Отдира́ть/ отодра́ть от се́рдца *кого, что. Разг.* Мучительно расставаться с кем-л., с чем-л. дорогим, любимым. Ф 2, 25.

От до́брого се́рдца. *Разг.* Из добрых побуждений, без злого умысла. ФСРЯ, 420.

Отлегло́ (отошло́) от се́рдца *у кого. Разг.* Кто-л. испытывает чувство облегчения, успокоения. ФСРЯ, 304.

Отрыва́ть/ оторва́ть от се́рдца *что. Разг.* С болью, жалостью отказаться от чего-л. очень дорогого. Ф 2, 29.

От се́рдца. *Коми.* С удовольствием. Кобелева, 76.

Оттяну́ть от се́рдца. *Волг.* 1. *что [у кого].* Лишиться или лишить кого-л. чего-л. ценного. 2. *кого [у кого].* Разлучить, лишить возможности видеть кого-л. Глухов 1988, 120.

От чи́стого се́рдца. *Разг.* 1. То же, что **от всего сердца.** 2. Из самых добрых побуждений. ФСРЯ, 420; ЗС 1996, 290, 511.

С се́рдца. *Морд., Пск.* Сердито, зло. СРГМ 2002, 41; СПП 2001, 69.

По сердца́м. 1. *Алт., Дон., Прибайк., Пск.* В состоянии злобы, раздражения. СРГА 3-2, 137; СДГ 3, 115; СНФП, 113; СПП 2001, 69. 2. *Дон., Ряз.* В состоянии ссоры, вражды. СДГ 3, 115; ДС, 510. 3. *Сиб.* Из мести. СФС, 148.

В сердца́х. *Разг.* В состоянии досады, обиды, гнева. Мокиенко 1989, 19.

Пережива́ть во свои́х сердца́х. *Омск.* Сильно беспокоиться, расстраиваться, страдать. СРНГ 26, 103–104.

Большо́е се́рдце *у кого. Разг.* Кто-л. способен горячо и сильно чувствовать, быть отзывчивым, добрым. ФСРЯ, 420-421.

Брать / взять за се́рдце *кого. Разг.* Сильно, глубоко волновать кого-л. ФСРЯ, 45.

Броса́ть се́рдце. *Дон.* Переставать сердиться на кого-л. СДГ 1, 41.

Бы́чье се́рдце. *Разг.* Сорт помидоров с крупными плодами. СОСВ, 36; Верш. 6, 220.

Взя́ло за се́рдце *кого. Арх.* Кого-л. охватила внезапная тревога. АОС 4, 83.

В одно́ се́рдце. *Перм., Сиб.* Дружно, единодушно. Подюков 1989, 185; СФС, 42; СОСВ, 171.

Вы́ложить се́рдце. *Сиб.* Услужить, угодить кому-л. ФСС, 37.

Вымеща́ть / выместить се́рдце. *Сиб.* Вымещать злобу, досаду на ком-л. ФСС, 37.

Вынима́ть/ вы́нуть се́рдце *у кого. Прост.* Изводить, терзать, мучить кого-л. Ф 1, 96; БотСан, 88.

Вы́сушить се́рдце *кому. Волг., Дон.* То же, что **выпуть сердце.** Глухов 1988, 20; СДГ 1, 91.

Держа́ть (име́ть) се́рдце *на кого. Прост.* Сердиться, гневаться, таить обиду на кого-л. ФСРЯ, 137; БМС 1998, 522; Кобелева, 64.

Дроби́ть се́рдце *кому. Яросл.* Мучить, расстраивать кого-л. ЯОС 4, 19.

Забира́ть/ забра́ть за се́рдце *кого. Волог., Сиб.* То же, что **брать за сердце.** СВГ 2, 96; СОСВ, 171.

Задева́ть/ заде́ть за се́рдце *кого. Разг.* То же, что **брать за сердце.** Ф 1, 195.

Зале́чь в се́рдце *кому. Коми.* Глубоко тронуть кого-л. Кобелева, 63.

Запоро́ть се́рдце. *Пск.* Прийти в сильное возбуждение, распалиться. ПОС 12, 60.

Зассыка́ет на се́рдце *у кого. Печор.* О неприятном ощущении, состоянии, которое вызывает тошноту. СРГНП 1, 269.

Звери́ное се́рдце. *Волг. Неодобр.* О жестоком, черством человеке. Глухов 1988, 147.

Износи́ть се́рдце *над кем. Сиб.* То же, что **вымещать сердце.** ФСС, 87.

Име́ть се́рдце. См. **Держать сердце.**

Кипи́т на се́рдце *у кого. Волг.* О человеке, который испытывает раздражение, сердится на кого-л. Глухов 1988, 74.

Крои́ть се́рдце *кому. Волг.* Расстраивать, беспокоить кого-л. Глухов 1988, 77.

Лежа́ть на се́рдце *у кого. Разг. Устар.* О том, что является причиной чьих-л. постоянных забот. Ф 1, 276.

Лечь на се́рдце *кому. Пск.* Понравиться и надолго запомниться кому-л. СПП 2001, 69.

Морско́е се́рдце. *Народн.* Морская медуза. СРНГ 18, 278; СДГ 2, 142.

Нести́ на своём се́рдце *что. Пск.* Переживать, волноваться о чём-л. СПП 2001, 69.

Обнажа́ть / обнажи́ть се́рдце *перед кем. Разг. Устар.* То же, что **открывать сердце.** Ф 2, 9.

Обрыва́ть/ оборвать се́рдце *кому. Разг.* Вызывать душевные муки, страдания. Ф 2, 12; Глухов 1988, 114, 120.

Отводи́ть/ отвести́ се́рдце. *Разг.* 1. Находить для себя утешение, успокоение, разрядку в чём-л. 2. *на ком.* Вымещать на ком-л. накопившуюся злость, обиду и т. п. Ф 2, 23.

Открыва́ть / откры́ть се́рдце *кому, перед кем. Разг.* Откровенно и искренне рассказывать кому-л. о себе, о своих мыслях, чувствах. Ф 2, 27.

Отомсти́ть се́рдце *на ком. Сиб.* То же, что **вымещать сердце.** ФСС, 129.

Отрыва́ть/ оторва́ть се́рдце *кому. Волг.* То же, что **обрывать сердце**. Глухов 1988, 114, 120.

Пасть на се́рдце *кому.* 1. *Разг. Устар.; Сиб., Р. Урал.* Возникнуть, появиться (о настроениях, чувствах, мыслях). ФСРЯ, 132; СРНГ 25, 124; ФСРЯ, 311; СОСВ, 134. 2. *Прост.* Понравиться, полюбиться кому-л. ФСРЯ, 311; Подюков 1989, 105.

Переломи́ть се́рдце. *Сиб.* Заставить себя полюбить кого-л.; смириться с чем-л. ФСС, 134; СФС, 138.

Переноси́ть на своём се́рдце. *Курск.* Переживать, печалиться в одиночестве. БотСан, 103.

Подкати́ло под се́рдце *кому. Ряз.* О тошноте. СРНГ 28, 28.

Подмыва́ет под се́рдце *кого. Перм.* О сильном волнении, беспокойстве. Подюков 1989, 152.

Поража́ть/ порази́ть в са́мое се́рдце *кого. Разг.* Глубоко потрясать кого-л. 2. Сильно удивлять кого-л. Ф 2, 77.

Похолода́ло на се́рдце *у кого. Волг.* 1. О сильном испуге. 2. О большом разочаровании. Глухов 1988, 131.

Присуши́ть се́рдце. *Прост.* Привязать кого-л. к себе, заставить кого-л. полюбить себя. Ф 2, 93.

Разбива́ть/ разби́ть се́рдце *кому. Разг.* Повергать кого-л. в отчаяние, безнадёжность. Ф 2, 112.

Развёртывать/ разверну́ть се́рдце *перед кем. Разг. Устар.* Делиться с кем-л. своими переживаниями, сокровенными мыслями. Ф 2, 113.

Ре́зать се́рдце без ножа́ *кому. Волг.* Расстраивать кого-л., издеваться над кем-л. Глухов 1988, 141.

Се́рдце боли́т *у кого. Разг.* О сильных душевных переживаниях. ФСРЯ, 421; Глухов 1988, 147; СПП 2001, 69.

Се́рдце выноило *у кого. Печор.* О чувстве тоски, печали, тревоги. СРГНП 1, 112.

Се́рдце вя́нет/ взвя́нет *у кого. Пск.* О чувстве жалости, тоски; о сильном волнении. ПОС 3, 152; СПП 2001, 69.

Се́рдце го́рлом ле́зет. *Перм.* О сильном волнении, страхе. Подюков 1989, 184.

Се́рдце до поро́гу *у кого. Прибайк.* Об отходчивом, быстро успокаивающемся после гнева, не помнящем долго зла человеке. СНФП, 113.

Се́рдце ёкнуло у кого. *Волг.* О чьём-л. предчувствии. Глухов 1988, 147.

Се́рдце завора́чивает *у кого. Кар.* Об остром чувстве беспокойства, жалости. СРГК 2, 94.

Се́рдце задохну́лось *у кого. Одесск.* Об обморочном состоянии. КСРГО.

Се́рдце закипе́ло *у кого. Печор.* Кто-л. разволновался, расстроился. СРГНП 1, 238.

Се́рдце захо́дится/ зашло́сь *у кого. Прост.* О сильном волнении, страхе. Глухов 1988, 147.

Се́рдце захолону́ло *у кого. Морд.* О сильном испуге. СРГМ 1980, 100.

Се́рдце кипи́т *у кого. Морд.* О чувстве тоски, тревоги, беспокойства. СРГМ 2002, 41.

Се́рдце кро́вью облива́ется *у кого. Разг.* Кто-л. испытывает невыносимую душевную боль, страдает, тоскует. ФСРЯ, 421; ЗС 1996, 58, 165; БТС, 472; СПП 2001, 69.

Се́рдце лежи́т *у кого к кому. Коми.* Кому-л. нравится кто-л. Кобелева, 77.

Се́рдце ло́пнуло *у кого. Пск.* У кого-л. кончилось терпение, выдержка. СПП 2001, 69.

Се́рдце надрыва́ется *у кого. Разг.* То же, что **сердце кровью обливается.** ФСРЯ, 421.

Се́рдце на ме́сте *у кого.* 1. *Ленингр.* О благополучной, благоприятной для кого-л. ситуации. СРНГ 18, 130; 2. *Коми, Перм.* Кто-л. спокоен, не испытывает переживаний, волнения. Кобелева, 77; Подюков 1989, 184.

Се́рдце не воро́тится *к кому, к чему. Костром.* То же, что **сердце не лежит.** СРНГ 5, 121.

Се́рдце не лежи́т *у кого к кому, к чему. Разг.* У кого-л. нет интереса, желания, симпатии, доверия к кому-л., к чему-л. ФСРЯ, 150.

Се́рдце не на ме́сте *у кого. Разг.* Кто-л. встревожен, чувствует себя крайне неспокойно. ФСРЯ, 150; СПП 2001, 69; Глухов 1988, 147..

Се́рдце не несёт. *Пск.* Об отсутствии желания делать что-л. СПП 2001, 69.

Се́рдце не перева́ривает *чего. Костром.* О невозможности выдержать, вынести что-л. СРНГ 26, 43.

Се́рдце не приста́нет *к кому. Горьк.* О неприятном человеке. БалСок, 41.

Се́рдце обросло́ мо́хом. *у кого. Разг. Неодобр.* Кто-л. стал бездушным, бесчувственным, черствым. ФСРЯ, 421.

Се́рдце отлома́ло *у кого. Сиб.* О состоянии успокоения после пережитых неприятностей. СФС, 166.

Се́рдце осты́ло *у кого. Дон.* То же, что **сердце отломало.** СДГ 2, 209.

Се́рдце па́дает/ упа́ло *у кого. Разг.* О сильном испуге, чувстве страха, тревоги. ФСРЯ, 421.

Се́рдце перелива́ется *у кого. Кар.* О сильном волнении, беспокойстве. СРГК 4, 453.

Се́рдце перевёртывается (перевора́чивается) *у кого. Разг.* Кто-л. испытывает острое чувство жалости, сострадания к кому-л. ФСРЯ, 150.

Се́рдце петухо́м поёт (запе́ло). 1. *Народн.* О предчувствии несчастья, беды. ДП, 146, 273. 2. *Перм.* О сильном биении сердца от страха, волнения и т. п. Подюков 1989, 185.

Се́рдце пла́чет *у кого. Сиб.* О состоянии отчаяния, тоски. СОСВ, 139.

Се́рдце прикипе́ло *к кому. Волг.* О чувстве привязанности, симпатии к кому-л. Глухов 1988, 147.

Се́рдце припа́ло *к кому. Перм.* То же, что **сердце прикипело.** Подюков 1989, 184.

Се́рдце расколо́лось *у кого. Перм.* О большом горе. Подюков 1989, 184.

Се́рдце Ро́дины (Росси́и). *Публ. Патет.* Город Москва. Новиков, 150.

Се́рдце соба́ки едя́т *у кого. Прибайк.* Кто-л. тревожится, беспокоится. СНФП, 114.

Се́рдце сосёт *у кого. Прибайк.* О состоянии голода. СНФП, 114.

Се́рдце со́хнет *у кого. Волг.* О чувстве беспокойства, тревоги. Глухов 1988, 147.

Се́рдце упа́ло *у кого. Разг.* О внезапном чувстве страха, тревоги. БТС, 1391.

Се́рдце шко́лы. *Жарг. шк. Шутл.* Столовая. ВМН 2003, 120.

Сесть на се́рдце *кому. Перм.* Понравиться кому-л. Подюков 1989, 105, 185.

Сжав се́рдце. *Разг. Устар.* То же, что **скрепя сердце.** Ф 2, 154.

Скрепя́ се́рдце. *Разг.* Против воли, против своих убеждений. ФСРЯ, 421; БМС 1998, 522.

Сокруша́ть/ сокруши́ть се́рдце *кому, чье. Разг. Устар.* Сильно огорчать, лишать душевного покоя кого-л. Ф 2, 173.

Срыва́ть/ сорва́ть се́рдце *на ком. Прост.* Вымещать злобу на ком-л. БМС 1998, 522; ФСРЯ, 421.

Трави́ть се́рдце *кому. Прост.* Расстраивать кого-л., причинять душевную боль кому-л., касаясь в разговоре неприятной темы. Ф 2, 208.

Тро́гать за се́рдце *кого. Книжн.* Сильно, глубоко волновать кого-л. Ф 2, 209.

Тяну́ть за се́рдце *кого. Горьк.* Назойливо расспрашивать кого-л. о чём-л., пытаться узнать что-л. БалСок, 37.

Ужа́лить в са́мое се́рдце *кого. Разг. Устар.* Неожиданно причинить большой вред, неприятность кому-л. Ф 2, 217.

Упа́сть на се́рдце *кому. Одесск.* То же, что **пасть на сердце 2.** КСРГО.

Хвата́ть за се́рдце *кого. Разг.* Производить сильное впечатление, волновать кого-л. БТС, 1440.

Я́зви его́ (тебя́ и т. п.**) в се́рдце!** *Сиб.* Восклицание, выражающее досаду, негодование. Верш. 6, 221.

Всем се́рдцем. *Разг.* Очень сильно, беспредельно, горячо (любить, верить, сочувствовать и т. п.). БМС 1998, 522; ФСРЯ, 421; БТС, 122.

Жить одни́м се́рдцем. *Прикам.* Быть однолюбом. МФС, 38.

Излома́й те се́рдцем! *Ср. Урал. Бран.* Восклицание, выражающее гнев, негодование, возсущение. СРГСУ 1, 200.

Переверну́ться се́рдцем *к кому. Смол.* Проявить симпатию, любовь к кому-л. СРНГ 26, 46.

Прираста́ть/ прирасти́ се́рдцем *к чему. Прост.* Привыкать, привязываться к чему-л. Ф 2, 92.

Расступи́ться се́рдцем. *Новг.* Сжалиться над кем-л. СРНГ 34, 234.

Скрипя́ се́рдцем. *Сиб.* То же, что **скрепя сердце.** СОСВ, 171.

С откры́тым се́рдцем. *Разг.* Ничего не скрывая, честно, искренно. СОСВ, 171.

С се́рдцем. 1. *Разг.* В гневе, сердито (сказать, сделать что-л.). ФСРЯ, 421; БМС 1998, 522; Глухов 1988, 153. 2. *Прибайк.* Увлечённо, азартно, с охотой (делать что-л.). СНФП, 114. 3. *Пск.* Вспыльчивый, грубый (о человеке). СПП 2001, 69.

С тяжёлым се́рдцем. *Разг.* В подавленном состоянии, в беспокойстве, предчувствуя недоброе. ФСРЯ, 421.

С упа́вшим се́рдцем. *Разг.* Испугавшись, испытав страх. ФСРЯ, 422.

С чи́стым се́рдцем. *Разг.* Искренне, с полной откровенностью. ФСРЯ, 422.

Тро́нуться се́рдцем. *Дон.* О заболевании сердца. СДГ 3, 162.

Брать /взять [бли́зко] к се́рдцу (на се́рдце). 1. *что. Пск.* То же, что **принимать близко к сердцу.** ПОС 2, 153; ПОС, 3, 169. 2. *кого. Арх.* Полюбить кого-л.. АОС 4, 83.

Дава́ть/ дать се́рдцу во́лю. *Прост.* Разоткровенничаться. ЗС 1996, 223; ФСС, 52.

Жать к се́рдцу. *Кар.* То же, что **принимать близко к сердцу.** СРГК 2, 40.

К се́рдцу. 1. *кому что. Сиб. Одобр.* Нравится, по вкусу кому-л. что-л. СФС, 96. 2. *Коми, Пск.* С охотой, с удовольствием. Кобелева, 77; СПП 2001, 70.

К се́рдцу ка́мень пудо́вый. *Сиб.* О горе, беде. ФСС, 90.

Лежа́ть к се́рдцу. *Пск.* Нравиться, быть по вкусу кому-л. СПП 2001, 70.

Не по се́рдцу *кому что. Разг.* Не нравится, не по вкусу кому-л. что-л. ФСРЯ, 422.

Подступа́ет к се́рдцу. *Разг.* Кому-л. становится дурно, плохо. Ф 2, 60.

Прижима́ть к се́рдцу *кого, что. Кар.* То же, что **принимать близко к сердцу.** СРГК 5, 160.

Прийти́сь к се́рдцу. *Перм.* Понравиться кому-л. Подюков 1989, 161.

Принима́ть бли́зко к сердцу *что. Разг.* Придавать большое значение чему-л., переживать из-за чего-л., болезненно реагировать на что-л. СПП 2001, 69.

Припа́сть к се́рдцу *кому. Кар., Прикам.* Понравиться кому-л. СРГК 5, 188; МФС, 81.

СЕРЕБРИ́НА * Кра́сная серебри́на. *Одесск.* Шиповник. КСРГО.

СЕРЕБРО́ * Умыва́ется с серебра́. *Народн.* О белолицей девушке. ДП, 311.

Живо́е серебро́. *Дон., Пск.* Ртуть. СДГ3, 115; СПП 2001, 70.

СЕРЕДА́ * Середа́ до́ле пя́тницы *у кого. Сиб. Шутл.* О неряшливо, небрежно одетом человеке, у которого нижняя одежда выглядывает из-под верхней. ФСС, 176. **Середа́ доло́же пя́тницы** *у кого. Пск. Шутл.* То же. ПОС 9, 129. **Середа́ из-под пя́тницы** *у кого. Волг. Шутл.* То же. Глухов 1988, 147.

В середу́ четве́рг *у кого. Новг. Шутл.* О торопливом человеке. Сергеева 2004, 32.

СЕРЕДИ́НА * Золота́я середи́на. *Разг.* Образ поведения, при котором избегают крайностей, рискованных решений; промежуточная позиция. ФСРЯ, 422; БМС 1998, 523; ШЗФ 2001, 85.

Середи́на (середи́нка) на полови́ну (на полови́нку). *Разг.* 1. Ни то, ни другое; нечто промежуточное, среднее. 2. Посредственный; ни хороший, ни плохой. 3. Посредственно; ни хорошо, ни плохо. ФСРЯ, 422; ЗС 1996, 153.

Не знать золото́й середи́ны *в чём. Разг.* Занимать крайние, решительные позиции в чём-л. Ф 1, 213.

СЕРЕДИ́НКА * Середи́нка на полови́нку. См. **Середина на половину (СЕРЕДИНА).**

СЕРЁДКА * Серёдка на полови́ну (на полови́не, на полови́нке). *Народн.* То же, что **середина на половину (СЕРЕДИНА).** ДП, 474; Глухов 1988, 147; СПП 2001, 70; СРГНП 1, 377.

Серёдка руки́. *Сиб.* То же, что **средней руки (РУКА).** Верш. 6, 222.

Вы́вести на серёдку (насерёдку). *Перм.* Выместить зло, гнев на ком-л. СГПО, 90; МФС, 21.

Отогна́ть на серёдку (насерёдку). *Кар.* То же, что **вывести на серёдку.** СРГК 3, 373.

СЕРЁЖКА * Дереве́нские серёжки. *Свердл.* Комнатное растение фуксия. СРНГ 8, 11.

Калмы́цкие серёжки. *Дон.* Клён татарский, черноклён. СДГ 2, 47.

Куку́шкины серёжки. *Сиб.* Травянистое растение ирис, цветки которого напоминают серёжки. СОСВ, 99.

Вы́нуть после́днюю серёжку из у́шка. *Разг. Устар.* Ничего не пожалеть ради кого-л., чего-л. Ф 1, 96.

СЕРЕНА́ДА * Золота́я серена́да. *Жарг. шк. Шутл.* Звонок с урока. Максимов, 157.

СЕ́РО * Ни се́ро ни бе́ло. *Кар., Перм.* Не очень хорошо, но и не плохо. СРГК 1, 55; Подюков 1989, 185.

СЕРКО́ * Променя́ть (сменя́ть) серка́ на волка́. *Народн. Шутл.* Об обмене, не принёсшем кому-л. выгоды. ДП, 535; СПП 2001, 70; Сергеева 2004, 216.

СЕРП * Серпо́м не́где вто́рнуть. *Пск.* О большом скоплении народа где-л. СПП 2001, 70.

Серпо́м по мо́лоту. *Разг. Шутл.-ирон. Эвфем.* О ситуации незаслуженного оскорбления, унижения, избиения. < Шутливая трансформация оборота **как серпом по яйцам**. Мокиенко, Никитина 1998, 544.

Серпо́м по я́йцам. *Жарг. мол. Вульг. Неодобр.* О неприятной неожиданности. Максимов, 382.

Воздыма́ть на серпы́ *что. Арх.* Скашивать с помощью серпа. АОС 5, 21.

СЕ́РЫЙ * Вали́ть на се́рого. *Волг. Шутл.-ирон.* 1. Перекладывать вину на невиновного. 2. Чрезмерно загружать кого-л. поручениями. Глухов 1988, 8.

Не́кто в се́ром. *Книжн.* 1. Символ рока, судьбы. 2. Загадочная, неизвестная личность. < Из пьесы Л. Н. Андреева «Жизнь человека». БМС 1998, 523

СЕРЬГА * Серьга́ гру́бая. *Жарг. угол.* Надёжный замок. СРВС 3, 119; ТСУЖ, 160.

Не ссы в серьга́х. *Волг. Вульг. Ирон.* О гордом, заносчивом человеке. Глухов 1988, 105.

Выдёргивать се́рьги из уше́й *у кого. Волг.* Настойчиво требовать покупки нарядов, украшений. Глухов 1988, 17.

Разби́ть (спусти́ть, снять, ковырну́ть) серьгу́. *Жарг. угол.* Взломать навесной замок. ТСУЖ, 86, 168; СРВС 1, 206; СРВС 2, 79, 89, 209, 131; Балдаев 1, 191; Балдаев 2, 7, 57.

СЕРЬЁЗКА * По серьёзке. *Жарг. мол.* Всерьёз, по-настоящему. *РТР*, 15.05.01.

СЕ́РЯ * Дома́шний се́ря. *Влад.* Домосед, человек, не занимающийся отхожим промыслом. СРНГ 8, 117.

СЕСТРА́ * Ва́ша сестра́. *Разг.* Вы и вам подобные женщины. ФСРЯ, 422.

Дома́шняя сестра́. *Вят.* Немолодая незамужняя женщина, старая дева. СРНГ 8, 117.

Ду́рочкина сестра́. *Жарг. мол. Презр. или Шутл.-ирон.* Об очень глупой девушке. Максимов, 122.

Моло́чная сестра́. *Жарг. мол. Шутл.* 1. Любовница (по отношению к жене или к другой любовнице). 2. Аспирантка (по отношению к другой аспирантке или аспиранту того же научного руководителя. Максимов, 252.

На́ша сестра́. *Разг.* Мы и нам подобные женщины. ФСРЯ, 422.

Сестра́ жи́рного. *Жарг. мол. Презр или Шутл.-ирон.* О полной, упитанной девушке. Максимов, 383.

Сестра́ Зна́менская. *Жарг. мол. Шутл.* Девушка, которая быстро бегает. Максимов, 383. < Аллюзия на братьев Знаменских – чемпионов и неоднократных рекордсменов в беге.

Всем сестра́м по серьга́м. *Народн.* 1. Каждому своё. 2. Каждый будет наказан, каждому достанется (и правому, и виноватому). Жук. 1991, 77; Глухов 1988, 15.

[По] две сестры́ (двум сестра́м). *Арх.* Об узоре из двух цветков, двух полос, расположенных по диагонали вязаного изделия. АОС 10, 291.

СЕСТРЁНКА * Настона́ть сестрёнок. *Сиб. Ирон.* Пустив две нити рядом в основе при ткании холста, испортить его. ФСС, 120.

СЕСТЬ * Так и сел. *Разг.* О выражении крайнего удивления. БМС 1998, 523.

Ни се́ла ни па́ла. *Курск.* Сразу же, в тот же момент, нисколько не ожидая. СРНГ 21, 214.

Се́ла и запе́ла. *Прикам.* О безвыходном положении, когда приходится мириться с тем, что есть. МФС, 89.

Ни сесть ни лечь (ни пасть). *Волг.* О постоянных хлопотах, заботах. Глухов 1988, 111.

Где ся́дешь *на кого*, **там и сле́зешь.** *Разг.* От кого-л. невозможно потребовать, добиться чего-л. СПП 2001, 70.

СЕ́ТКА * Бе́гать по се́тке. *Жарг. комп., мол.* Играть в сетевую компьютерную игру. БСРЖ, 535.

Попа́сть в се́тку. См. **Попасть в сети (СЕТЬ).**

СЕТЬ * Лома́ть се́ти. *Дон.* Вынимать сети из воды. СДГ 2, 119.

Пойма́ть в свои́ се́ти *кого. Разг.* Обольстить кого-л. Ф 2, 63.

Попа́сть (попа́сться) в се́ти (в сеть, в се́тку). *Разг.* 1. *чего.* Оказаться в трудном, безвыходном положении. Ф 2, 75; Мокиенко 1986, 116. 2. *чьи. Ирон.* Влюбиться в кого-л., увлечься кем-л. Ф 2, 75.

Расставля́ть/ расста́вить се́ти *кому. Разг. Ирон.* Стараться перехитрить, обмануть кого-л. Ф 2, 121.

Мизгиро́ва сеть. *Сиб.* Паутина. СФС, 105. < **Мизгирь** – паук.

Раски́дывать/ раски́нуть сеть. *Разг. Устар.* То же, что **расставлять сети.** Ф 2, 118.

Запу́таться в со́бственных сетя́х. *Разг.* Оказаться жертвой своих собственных происков. БМС 1998, 523; ШЗФ 2001, 81.

Ходи́ть [стоя́ть] на сетя́х. *Прибайк.* Ловить рыбу сетью. СНФП, 115.

СЕЧ * Ни с сеча́ ни с плеча́. *Сиб.* Без причины, безосновательно, ни с того, ни с сего. СФС, 128; СРНГ 21, 214.

СЕЧЬ * Зада́ть сечь *кому. Диал.* Избить кого-л. Мокиенко 1990, 46.

СЗА́ДИ * Гоня́ть сза́ди. *Пск.* Делать что-л., подражая кому-л. ПОС 7, 85.

СИБИ́РКА * Чтоб тебя́ сиби́рка подхвати́ла! *Морд. Бран.* Восклицание, выражающее досаду, раздражение, негодование. СРГМ 2002, 45.

СИБИРЯ́К * Жить в сибиряка́х. *Сиб.* Быть коренным сибиряком. ФСС, 71.

СИ́ВКА * Си́вка-бу́рка, ве́щая кау́рка. *Народно-поэт.* О волшебном коне, помогающем своему владельцу сражаться со злыми, тёмными силами; вообще о чём-л. волшебном, сказочном, могущем помочь в трудной ситуации. БМС 1998, 523.

Уходи́ли (ука́тали, укача́ли, умы́кали) сивку круты́е го́рки. *Народн. Шутл.-ирон.* Об уставшем человеке. ДП, 506; Жиг. 1969, 243.

СИ́ВО * Ни си́во ни бу́ро. *Перм.* О чём-л. неопределенном. Подюков 1989, 185.

СИГ[1] * Сиг да миг. *Пск. Неодобр.* О непостоянном, легкомысленном человеке. СПП 2001, 70.

СИГ[2] * Сиг копчёный. *Прост. Шутл.-ирон. или Презр.* О глупом, ограниченном человеке. Мокиенко, Никитина 2003, 301.

СИГА́ЛЬ * Дать сигаля́. *Сев.-Двин.* Убежать, удрать откуда-л. СРНГ 7, 258.

СИГА́РА * Кури́ть сига́ру. *Жарг. мол.* Делать минет. Югановы, 118.

СИГАРЕ́ТКА * Ма́ленькая сигаре́тка. *Жарг. мол. Шутл.* Окурок. Максимов, 236.

Дать прикури́ть сыру́ю сигаре́тку *кому. Жарг. мол.* Совершить с кем-л. половой акт оральным способом. Я — молодой, 1994, № 20; WMN, 83.

СИГНА́Л * Рабо́тать с сигна́лом. *Жарг. угол.* Предупреждать кого-л. об опасности. Максимов, 356.

На сигна́лы. *Жарг. карт.* С использованием условных знаков (играть). СРВС 2, 58.

СИДЕ́ЛКА * Неве́стины сиде́лки. *Дон.* Предсвадебная встреча молодёжи в доме невесты. СДГ 3, 118.

Ни сиде́лки, ни леже́лки *у кого. Волг.* О человеке, живущем без семьи. Глухов 1988, 111.

СИДЕ́НКА * Ни сиде́нки ни лежа́нки. *Сиб. (Ср.-Обск., Том.).* О человеке, не знающем отдыха, покоя. (1965). СРНГ 21, 214; СБО-Д1, 242; СФС, 128; СРНГ 16, 328.

Отбыва́ть (сиде́ть) сиде́нку (сидёнку, сиди́нку). *Дон.* 1. Дежурить в станичном правлении. 2. Находиться под арестом. СДГ 3, 118.

СИДЕ́НЬЕ * Большо́е сиде́нье. *Яросл.* В свадебном обряде – угощение родных жениха в доме невесты накануне венчания. ЯРС 2, 13.

Ма́ленькое сиде́ньице. *Яросл.* В свадебном обряде – застолье в доме невесты, в котором участвуют подруги невесты и друзья жениха; жених угощает всех. ЯОС 6, 630.

СИДЕ́ТЬ * Си́дя (си́дечью) сиде́ть. *Пск.* Долгое время сидеть, не вставая. СПП 2001, 70.

Вот где сиди́т *у кого что. Разг.* О том, что является бременем для кого-л. БМС 1998, 523; ФМ 2002, 428.

Хоть си́дя плачь, хоть сто́я реви́. *Волг.* О крайне тяжёлом, безвыходном положении. Глухов 1988, 170.

СИ́ДЕЧЬЮ * Си́дечью сиде́ть. См. **Сидя сидеть (СИДЕТЬ).**

СИ-ДИ-РО́М * Закры́ть си-ди-ро́м. *Жарг. мол.* Замолчать. (Запись 2004 г.).

СИ́ДКА * Дать си́дки *кому. Морд.* Приговорить кого-л. к тюремному заключению. СРГМ 2002, 47.

Си́дкой сиде́ть. *Сиб.* Продолжительное время сидеть на одном месте. СФС, 168.

Держа́ть си́дку. *Жарг. угол.* Воровать при посадке в поезд. БСРЖ, 536.

СИ́ДМЯ * Си́дмя сиде́ть. *Том.* Постоянно находиться где-л. СПСП, 121.

СИ́ДНЕМ * Си́днем сиде́ть. 1. *Разг.* Всё время находиться дома. БМС 1998, 523. // *Прикам.* Не иметь способности ходить из-за болезни ног. МФС, 90. 2. *Волг. Неодобр.* Бездельничать, бездействовать. Глухов 1988, 148.

СИ́ДНЯ * Си́дня (сидяко́м) сиде́ть. *Приамур.* То же, что **сиднем сидеть.** СРГПриам., 271.

СИ́ДОР * Змеи́ный си́дор. *Пск. Бран.* О человеке, вызывающем гнев, возмущение. СПП 2001, 70.

Си́дор Ка́рлу родно́й терёх. *Народн. Ирон.* Об отдаленном родстве, очень дальнем родственнике. ДП, 389.

Си́дор Полика́рпович. *Жарг. лаг. Шутл.-ирон.* Кличка неприспособленного к ГУЛАГу заключённого, не вора. Р-87, 357; Балдаев 2, 39; ББИ, 223.

Крути́ть (раскула́чивать) си́дора. *Жарг. угол.* Воровать мешки с вещами (как правило — на вокзале). СРВС 4, 30, 44, 80, 108; ТСУЖ, 93, 152; Брон.; Балдаев 1, 211.

Сре́зать си́дора. *Жарг. угол.* Совершить кражу продуктов с балкона, окна. Балдаев 2, 57.

СИДЬМА́ * Сидьма́ сиде́ть. *Морд. Неодобр.* То же, что **сиднем сидеть 2. (СИДНЕМ).** СРГМ 2002, 47.

СИДЯКО́М * Сиде́ть сидяко́м. См. **Сидмя сидеть (СИДМЯ).**

Сидя́к сиде́ть. *Морд.* Полулежать. СРГМ 2002, 47.

СИ́ЖА * Си́жа (си́жем, сижма́) сиде́ть. *Прибайк.* Сидеть, находиться в положении сидя. СНФП, 115. // *Ряз.* Сидеть, не вставая. ДС, 513.

СИ́ЖЕМ * Си́жем сиде́ть. См. **Сижа сидеть (СИЖА).**

СИ́ЖЕНО * Не си́жено не ле́жано *у кого. Новг.* Ничего не готово, не сделано. НОС 5, 13.

СИЖКО́М * Сижко́м сиде́ть. *Кар.* То же, что **сижа сидеть (СИЖА).** СРГК 5, 294.

СИЖМА́ * Сижма́ сиде́ть. См. **Сижа сидеть (СИЖА).**

СИЗА́РЬ * Сиза́рь тупоры́лый. *Жарг. угол. Презр.* Об азиате. Мокиенко, Никитина 2003, 301.

Сиза́рь чухноры́лый. *Жарг. угол. Презр.* Об эстонце, латыше, литовце. Мокиенко, Никитина 2003, 301.

СИ́КА * Си́ка в си́ку. *Жарг. мол. Шутл.* Точно (по времени), секунда в секунду. Максимов, 384.

СИ́ЛА * Выбива́ться/ вы́биться из сил. *Разг.* Сильно устать, утомиться. ФСРЯ, 423; АОС 6, 105.

Вы́било из сил *кого. Арх., Печор.* Кто-л. сильно устал, обессилел. АОС 6, 105; СРГНП 1, 96.

Вы́тянуться из сил. *Арх.* То же, что **выбиваться/ выбиться из сил.** АОС 8, 339.

Выходи́ть/ вы́йти из сил (из си́лы). 1. *Арх., Сиб.* То же, что **выбиваться из сил.** ФСС, 40; АОС 7, 239. 2. *Арх.* Стать немощным, беспомощным. АОС 7, 239.

Из сил вон. *Новг.* То же, что **выбило из сил.** НОС 1, 136.

Бей тебя́ си́ла Бо́жья! *Одесск. Бран.* Восклицание, выражающее гнев, негодование, врзмущение. КСРГО.

Больша́я си́ла *чего. Яросл.* О большом количестве чего-л. ЯОС 2, 13.

Была́ си́ла *[у кого]*, **когда́ мать в манде́ (в пизде́) носи́ла.** *Неценз. Презр.* О ком-л. совершенно бессильном, немощном. Мокиенко, Никитина 2003, 302. **Была́ си́ла, когда́ мать срать носи́ла.** *Вульг.-прост. Презр.* То же. Мокиенко, Никитина 2003, 302.

Водяна́я си́ла. *Арх.* Водяной, злой дух, живущий в воде. АОС 5, 10.

Во́йская си́ла *чего. Влад.* Очень много. СРНГ 5, 33.

Грехово́дная (недарово́ская) си́ла! *Яросл. Бран.* Восклицание, выражающее раздражение, досаду, негодование. ЯОС 3, 107; ЯОС 6, 129.

Дурна́я си́ла. *Пск.* Чары, колдовство. СПП 2001, 70.

Ко́нная си́ла. *Казан.* Поголовье коней, находящееся в чьём-л. распоряжении. СРНГ 14, 258.

Ле́шева си́ла. *Новг.* То же, что **большая сила.** СРНГ 17, 31.

Лихома́тная си́ла! *Пск. Бран.* Восклицание, выражающее негодование, гнев. СПП 2001, 70.

Лошади́ная си́ла. *Разг.* Внесистемная единица измерения мощности., равная 75 кг на 1 м в секунду. БТС, 506.

На́ша си́ла в пла́вках! *Жарг. мол.* Шутливый девиз металлургов. Максимов, 272.

Нела́дная си́ла. *Народн.* То же, что **нечистая сила.** (В. И. Даль). СРНГ 21, 70.

Нелёгкая си́ла. *Пск. Бран.* О человеке, вызывающем отрицательные эмоции, порицание. СПП 2001, 70.

Несме́тная си́ла *чего. Пск.* То же, что **большая сила.** СПП 2001, 70.

Несусве́тная си́ла. *Морд.* То же, что **большая сила.** СРГМ 1986, 121.

Нечи́стая си́ла. *Разг.* Чёрт, дьявол. ФСРЯ, 423; СРГК 1, 472; СРГК 4, 19; АОС 10, 285.

Нечи́стая си́ла дала́ *кого. Арх. Неодобр.* То же, что **нечистая сила несет.** АОС 10, 285.

Нечи́стая си́ла несёт *кого. Прост. Неодобр.* О том, кто пришёл не вовремя, некстати. ФМ 2002, 432.

Побери́ нечи́стая си́ла *кого! Кар.* Восклицание, выражающее гнев, негодование, возмущение кем-л. СРГК 4, 571.

Проваленная си́ла. 1. *Пск.* То же, что **большая сила.** СПП 2001, 70. 2. *Яросл.* То же, что **нелёгкая сила.** ЯОС 8, 96.

Рабо́чая си́ла. *Прикам.* Способность трудиться. МФС, 91.

Си́ла берёт (взяла́) *что. Арх., Морд., Перм.* Хватает физических возможностей для чего-л. АОС 4, 83; СРГМ 2002, 49; Подюков 1989, 186.

Си́ла в де́ле. *Новг.* Об успешном завершении, исходе чего-л. НОС 10, 57.

Си́ла не берёт *что, чего.* 1. *Башк., Дон., Морд., Перм., Сиб.* У кого-л. не хватает физических возможностей для осуществления чего-л. СРГБ 1, 52; СДГ 3, 119; СРГМ 2002, 49; Подюков 1989, 186; СФС, 168; СБО-Д2, 178. 2. *Кар.* О том, что можно сделать легко, без труда. СРГК 1, 108.

Си́ла не забега́ет *у кого. Кар.* То же, что **сила не берёт 1.** СРГК 2, 80.

Си́ла силённая. *Волг., Дон.* То же, **большая сила.** Глухов 1988, 148; СДГ 3, 119.

Си́ла тя́ги (притяже́ния). *Жарг. шк. Шутл.* Физика (учебный предмет. ВМН 2003, 120.

С на́ми кре́стная си́ла. *Разг. Устар.* Восклицание при испуге, изумлении. ФСРЯ, 423.

Что си́ла мочь. *Пск.* Изо всех сил. СПП 2001, 70.

Все́ми си́лами. *Разг.* Любыми средствами, способами. ФСРЯ, 424.

Никаки́ми си́лами. *Разг.* Никак, никакими средствами, никакими способами. ФСРЯ, 242.

Собира́ться/ собра́ться с си́лами. *Разг.* Решаться на что-л., превозмогая страх, робость и т. п. ФСРЯ, 443.

В си́лах. *Морд.* Под силовым давлением кого-л., по принуждению. СРГМ 2002, 48.

Не в си́лах. *Разг.* Не в состоянии (сделать что-л.). ФСРЯ, 424.

Быть (остава́ться) в си́ле. *Разг.* Не меняться; сохранять свою актуальность. Ф 2, 20.

Вы́йти из сило́в. *Морд.* Сильно устать. СРГМ 1978, 97.

Дай сило́в вспо́мнить. *Кар.* Говорится при попытке вспомнить что-л. СРГК 4, 388.

Громово́й бы си́лой взя́ло *кого! Олон. Бран.* Восклицание, выражающее раздражение, досаду, гнев в чей-л. адрес. СРНГ 7, 151.

Опа́сть си́лой. *Прибайк.* Обессилеть, ослабеть (из-за возраста, болезни и т. п.). СНФП, 115.

Со стра́шной си́лой. *Жарг. мол.* Интенсивно, мощно, резко. Югановы, 207; Мокиенко 2003, 102.

Ходи́ть чужо́й си́лой. *Морд.* Жить за чужой счёт. СРГМ 2002, 49.

Си́лою веще́й. *Книжн. Устар.* Вследствие сложившихся обстоятельств, условий. ФСРЯ, 424.

Бра́ть/ взять си́лу. 1. *Прост.* Приобретать власть, влияние. ФСРЯ, 425; СРГБ 1, 71; СОГ 1989, 43. 2. *Прост.* Крепнуть, становиться более сильным. ФСРЯ, 425; МФС, 18; АОС 4, 83. 3. *Алт.* Побеждать кого-л. СРГА 1, 152.

Бра́ться/ взя́ться за си́лу. *Ряз.* То же, что **брать силу 2.** ДС, 513.

Во всю си́лу. *Разг.* С предельным напряжением, интенсивно. ФСРЯ, 424; АОС 4, 15; Верш. 6, 237.

Войти́ в си́лу. 1. *Горьк., Морд.* Повзрослеть, возмужать. БалСок, 28; СРГМ 2002, 48. 2. *Перм.* Окрепнуть, стать сильным. Подюков 1989, 29.

В си́лу. *Разг.* 1. *Устар.* Едва, с трудом, насилу. ФСРЯ, 424. 2. *чего.* По причине, в результате чего-л. ФСРЯ, 424.

В си́лу – не в си́лу. *Прибайк.* Независимо от возможностей, желания. СНФП, 115.

Вы́гнать си́лу. *Арх.* Сильно устать, утомиться. АОС 7, 164.

Набира́ть/ набра́ть си́лу. *Разг.* Крепнуть, усиливаться. ФСРЯ, 259.

На вели́кую си́лу. *Арх.* С большим трудом. АОС 3, 97.

На всю си́лу. *Прост.* То же, что **во всю си́лу.** АОС 4, 15.

На живу́ю си́лу. *Пск.* 1. *То же, что* **на великую силу.** СПП 2001, 70. 2. Свободно, непринуждённо. ПОС 7, 224.

Не брать в си́лу *что, чего.* 1. *Кар.* Не иметь сил для осуществления чего-л. СРГК 1, 109. 2. *Сиб.* Действовать с трудом, тяжело. СФС, 47.

Ни в каку́ю си́лу. *Ряз.* Ни при каких обстоятельствах. ДС, 514.

Не в си́лу *кому что. Разг. Устар.* То же, что **не под силу 2.** ФСРЯ, 425; СРГМ 2002, 49.

Не под си́лу *кому что. Разг.* 1. Совершенно невозможно, тяжело, трудно (сделать что-л.). 2. Не хватает, не достаёт умения, способностей кому-л. для чего-л. ФСРЯ, 425; Верш. 4, 112.

Положи́ть (покласть) си́лу. *Волг., Сиб.* Ослабеть после многолетней тяжёлой работы. Глухов 1988, 128; ФСС, 144.

Слы́шать си́лу. *Прикам.* Становиться физически сильным, крепнуть. МФС, 92.

Через си́лу. 1. *Разг.* С большим трудом, пересиливая себя. ФСРЯ, 425; Глухов 1988, 32, 171. 2. *Пск.* Слишком много, избыточно. СПП 2001, 70.

Из си́лы вон. *Новг.* О сильно уставшем человеке. Сергеева 2004, 241.

Ни в каки́е си́лы. *Сиб.* То же, что **ни в какую силу.** СРНГ 21, 213.

От си́лы. *Разг.* Самое большее (на что можно рассчитывать, что можно получить, предложить и т. п.). СПСП, 121; Глухов 1988, 120.

Про́бовать/ попро́бовать си́лы *в чём. Разг.* Пытаться заняться какого-л. рода деятельностью. Ф 2, 95.

Си́лы бы́строго реаги́рования. *Жарг. арм. Ирон.* Строительные войска. Кор., 257.

Что есть си́лы. *Разг.* 1. Очень громко (кричать, орать, плакать). 2. С предельным напряжением, интенсивностью. ФСРЯ, 425.

СИЛА́Ч * Сила́ч бамбу́ла (бамбу́ра) [подня́л три (четы́ре) сту́ла]. *Прост. Шутл.-ирон.* О физически слабом, хилом человеке. Мокиенко, Никитина 2003, 302.

СИ́ЛКА * Приба́вить си́лки. *Кар. Ирон.* Выдать кого-л. замуж силой. СРНГ 31, 103.

Забра́ть за си́лку. *Ряз.* Приобрести авторитет, влиятельное положение. ДС, 514.

СИЛО́К * Идти́ на сило́к. *Забайк., Сиб.* Добиваться своей цели насильственным путем. СРГЗ, 143; ФСС, 89.

СИ́ЛОЧКА * Во всю си́лочку. *Арх.* То же, что **во всю силу.** АОС 4, 15.

СИ́ЛУШКА * Си́лушка упа́ла *у кого. Новг.* Кто-л. потерял силы, способности, необходимые для осуществления чего-л. НОС 10, 57.

Выкла́дывать все си́лушки. *Сиб.* Работать с большим напряжением, не жалея сил. ФСС, 36.

Во всю си́лушку. *Горьк.* То же, что **во всю силу.** БалСок, 27.

СИ́ЛЬНЫЙ * У си́льного всегда́ бесси́льный винова́т. *Жарг. шк. Ирон.* Об ученике в кабинете директора школы. < Из басни «Волк и ягненок» И. А. Крылова. Максимов, 384.

СИМЕО́Н * Годи́тся под свято́го Симео́на сто́лпника (т. е. в столбы). *Народн. Ирон.* О бестолковом, глупом человеке. ДП, 436.

Сто Симео́нов. *Пск. Шутл.* О большом количестве чего-л. СПП 2001, 70.

СИМУЛЯ́НТ * Гоня́ть симуля́нта. *Пск. Неодобр.* Бездельничать, праздно проводить время. СПП 2001, 70.

СИМФО́НИЯ * Золота́я симфо́ния. *Жарг. шк. Шутл.* Звонок с урока. ВМН 2003, 120.

СИНДРО́М * Синдро́м пенька́. *Жарг. мол. Пренебр.* О глупом, несообразительном человеке. Максимов, 385.

СИ́НИЙ * Свисте́ть по си́ней. *Жарг. мол. Шутл.* То же, что **тащиться в синем.** Максимов, 378.

Тащи́ться в си́нем (на си́нем). *Жарг. мол.* Пить спиртное. < **Синее** – водка, спиртное. Югановы, 202.

СИНИ́ЦА * Наде́лала сини́ца сла́вы, [а мо́ря не зажгла́]. *Разг.* О том, кто много наобещал, но не смог выполнить обещанного. < Цитата из басни А. И. Крылова «Синица» (1811 г.). БМС 1998, 524.

Ухвати́ть сини́цу за хвост. *Прост. Одобр.* Добиться успеха в каком-л. трудном деле. Ф 2, 225.

СИНИ́ЧКА * Сини́чка ледо́к спихну́ла. *Кар. Шутл.* О вскрытии рек с прилётом синиц. СРГК 3, 106.

СИНКО́ПА * Говори́ть в синко́пу *кому что. Жарг. муз.* Возражать кому-л., не соглашаться с кем-л. Никитина 1996, 188.

СИНО́Д * Сино́д собра́лся. *Одесск. Ирон. или Презр.* О сплетницах. КСРГО.

СИ́НУС * Си́нусы подкоси́лись. *Жарг. шк. Шутл.* О двойке по алгебре. (Запись 2003 г.).

СИ́НЬКА * По си́ньке. *Жарг. мол.* В состоянии алкогольного опьянения. < **Синька** – 1. Водка, спиртное. 2. Состояние алкогольного опьянения. h-98.

СИНЬ-ПО́РОХ * Ни си́нь по́рох. *Перм.* Ничтожно мало, почти нисколько. Подюков 1989, 159.

Подня́ть синь-по́рох. *Перм. Шутл.* Привести всё в беспорядок при тщетных поисках чего-л. Подюков 1989, 159.

СИНЯ́ВКА * Отлета́ть по синя́вке. *Жарг. мол. Шутл.* Пить спиртное. Максимов, 292.

СИНЯ́К * Отреставри́ровать синя́к *кому. Жарг. мол. Шутл.* Повторно ударить по лицу кого-л. Максимов, 294.

Не на́шивать синяка́ *от кого. Коми.* Не подвергаться избиениям. Кобелева, 68.

СИП * Сип тебе́ в кады́к [типу́н на язы́к, чи́рий во весь бок]. *Народн. Бран.* Недоброе пожелание в чей-л. адрес. ДП, 743.

СИРЕ́НЬ * Монасты́рская сире́нь. *Дон.* Растение астра альпийская. СДГ 3, 120.

СИРОТА́ * Каза́нская (каза́нский) сирота́. *Разг.* Человек, притворяющийся несчастным, обиженным, беспомощным и т. п., чтобы вызвать сочувствие жалостливых людей. ФСРЯ, 425; БМС 1998, 524–525; ФМ 2002, 432; Мокиенко 1986, 33.

Жить каза́нским сирото́й. *Сиб.* Быть беспомощным, несчастным. Верш. 6, 242.

СИСТЕ́МА * Втора́я сигна́льная систе́ма. *Разг. Шутл.-ирон.* О взаимоотношениях между людьми по принципу «ты — мне, я — тебе». НРЛ-79. < Из научной речи. Мокиенко 2003, 103.

Двои́чная систе́ма. *Жарг. студ. Шутл.* Сильное опьянение. ПБС, 2002.

Ни́ппельная систе́ма. *Разг. Неодобр.* То же, что **система «ниппель» 1-2.** БСРЖ, 538.

Систе́ма «ни́ппель». *Разг. Неодобр.* 1. Об испорченной или плохо работающей технике. Вахитов 2003, 166. 2. О неудаче, крахе. БСРЖ, 538.

Сиде́ть на систе́ме. *Жарг. нарк.* Находиться в наркотической зависимости. Максимов, 384.

Подсе́сть на систе́му. *Жарг. мол.* Привыкнуть к наркотическим инъекциям. Максимов, 323.

Вы́пасть из систе́мы. *Жарг. мол.* Перестать общаться с друзьями, членами компании. КП, 04.12.98.

Слезть с систе́мы. *Жарг. нарк.* Перестать делать инъекции наркотика. Максимов, 386.

СИ́СЬКА * Threeкана́нья си́ська. *Жарг. мол. Презр.* 1. О глупом человеке. 2. О подлом, ничтожном человеке. Максимов, 386.

Гнуть си́ськи. *Жарг. мол. Шутл.* Вести себя заносчиво, гордо. Максимов, 88.

Жмать си́ськи *кому. Жарг. мол. Шутл.* То же, что **мять сиськи 4.** Максимов, 133.

Жать (тяну́ть) си́ськи. *Жарг. мол. Неодобр.* 1. Медлить, долго соображать; намеренно затягивать ответ. Вахитов 2003, 53, 103. 2. Медлить, затягивать дело. Мокиенко, Никитина 2003, 302.

Кобы́льи си́ськи. *Пск.* Растение Iris pseudacorus L. СРНГ 14, 18.

Мять си́ськи. *Жарг. мол.* 1. То же, что **жать сиськи.** 2. Лгать, обманывать кого-л. 3. Бездельничать. 4. *кому.* Обнимать девушку. Максимов, 263.

Ни си́ськи, ни пи́ськи [- и жо́па с кулачо́к] *у кого. Вульг.- прост. Шутл.-ирон.* О невзрачной, тщедушной женщине. Мокиенко, Никитина 2003, 302.

Отня́ть от си́ськи *кого. Волг. Шутл.* Лишить кого-л. чего-л. желаемого, приятного. Глухов 1988, 120.

Пою́щие си́ськи. *Жарг. мол. Шутл.-ирон.* Поп-группа «Виа-гра». (Запись 2004 г.).

Си́ськи отдыха́ют. *Жарг. студ.* О столе в учебной аудитории. (Запись 2003 г.).

Соба́чьи си́ськи. *Перм. Шутл.-ирон.* Несколько фурункулов рядом. СГПО, 594.

Пья́ный (бухо́й) в си́ську (в си́сю). *Жарг. мол. Шутл.* О человеке в состоянии сильного алкогольного опьянения. Вахитов 2003, 22, 153.

СИ́СЯ * Бухо́й в си́сю. См. **Пьяный в сиську (СИСЬКА).**

СИ́ТО * Ни в си́те, ни в решете́. *Петерб.* Посредственно, ни хорошо, ни плохо. СРНГ 21, 213.

Класть на си́то-решето́. *Орл.* В свадебном обряде – класть на блюдо деньги в подарок невесте и жениху. СОГ 1994, 62.

Ни в си́то ни в коры́то. *Морд. Неодобр.* О человеке, которого не ценят, не уважают. СРГМ 2002, 52.

СИЯ́НИЕ * Ви́деть се́верное сия́ние. *Жарг. мол. Шутл.* Приукрашивать действительность. Максимов, 62.

Се́верное сия́ние. *Разг. Шутл.* Смесь спирта или водки с шампанским. Балдаев 2, 34; Елистратов 1994, 431; Вахитов 2003, 164.

СКАЗА́ТЬ * Ни ска́жет, ни спля́шет. *Коми.* О скромном, незаметном человеке. Кобелева, 76.

Ничего́ не ска́жешь. *Разг.* Выражение согласия, подтверждения чего-л. ФСРЯ, 426.

Ска́зано – сде́лано. *Разг.* О точном, быстром выполнении какого-л. поручения, обещания. БМС 1998, 525.

Как сказа́ть. *Разг.* Выражение неуверенности в чём-л. ФСРЯ, 426.

Не́чего сказа́ть. *Разг.* 1. Выражение согласия, подтверждения чего-л., невозможности возразить против чего-л. 2. Выражение возмущения кем-л., чем-л. ФСРЯ, 426.

Так сказа́ть. *Разг.* Оговорка, смягчающая решительность какого-л. утверждения. БМС 1998, 525.

Что и сказа́ть не мо́жно. *Прикам.* О высшей степени проявления какого-л. качества, свойства, состояния. МФС, 91.

СКА́ЗКА * Ска́зка на сала́зках. *Народн. Ирон.* Длинная, скучная история. ДП, 411.

Ска́зка о пра́вде. *Жарг. шк. Ирон.* Классный журнал успеваемости. Максимов, 337.

Ска́зка про бе́лого бычка́. 1. *Разг. Шутл.-ирон.* Бесконечное повторение одного и того же с самого начала. ФСРЯ, 427; БМС 1998, 525; Мокиенко 1986, 237; ФМ 2002, 434; ЗС 1996, 343; СРГК 1, 152. 2. *Жарг. шк. Шутл.* Зоология (учебный предмет); урок зоологии. Максимов, 387.

Ско́ро ска́зка ска́зывается [да не ско́ро де́ло де́лается]. *Разг.* О каком-л. событии, действии, процессе, которые проходят гораздо медленнее, чем хотелось бы. ФМ 2002, 437.

Ара́бские ска́зки. *Разг.* Что-л. удивительное, неожиданное, невероятное, экзотическое. БМС 1998, 526; ЗС 1996, 363.

Ба́бичьи ска́зки. *Волг. Шутл.-ирон.* То же, что **бабьи сказки.** Глухов 1988, 1.

Ба́бушкины ска́зки. 1. *Разг. Шутл.-ирон.* То же, что **бабьи сказки.** ЗС 1996, 363. 2. *Жарг. шк. Шутл.-ирон.* История (учебный предмет). ВМН 2003, 121.

Ба́бьи ска́зки. *Прост. Неодобр.* Вымысел, выдумки, небылицы. ФСРЯ, 427.

Ба́бкины ска́зки. *Курск.* То же, что **бабьи сказки.** БотСан, 82.

Де́душкины ска́зки. *Жарг. арм. Шутл.-ирон.* Рифмованные байки, которые молодые солдаты читают старослужащим («дедам») после отбоя. СЛК 2000, № 1.

Ни ска́зки ни ла́ски. *Волг.* О полном безразличии к кому-л. Глухов 1988, 111.

Разводи́ть ска́зки. 1. *Новг. Неодобр.* Проводить время в праздных разговорах. НОС 1, 26. 2. *Пск. Неодобр.* Не говорить прямо о чём-л., увиливать от ответа. СПП 2001, 70.

Расска́зывать ска́зки. *Прост. Неодобр.* Говорить неправду; рассказывать небылицы. Ф 2, 121.

Ска́зки ска́зывать. 1. *Диал. Шутл.* Болтать, пустословить. Мокиенко 1990, 36. 2. *Сиб.* Расказывать небылицы, говорить вздор. СОСВ, 174.

Точи́ть ска́зки. *Разг. Устар.* Праздно болтать. Ф 2, 207.

Нахва́стать ска́зку. *Морд.* Рассказать что-л. СРГМ 1986, 104.

Не ве́ришь – прими́ за ска́зку. *Жарг. лаг.* Хочешь верь, хочешь нет. Р-87, 50.

Сба́ять доку́чную ска́зку. *Дон.* Рассказать что-л. с большим количеством повторений. СРНГ 36, 162.

СКА́ЗОЧНИК * Вели́кий ска́зочник. *Разг. Шутл.-ирон.* О В. И. Ленине. Елистратов 1994, 431.

До́брый дя́дя-ска́зочник. *Разг. Ирон.* О члене правительства. Елистратов 1994, 431.

СКАК * На скак. *Пск.* Очень быстро, поспешно, бегом. СПП 2001, 70.

СКАКУ́Н * Желе́зный скаку́н. *Публ. Патет. или Ирон.* Об автомобиле. Мокиенко 2003, 103.

СКАЛА́[1] * Я броди́л среди ска́л, я Евро́пу иска́л. *Жарг. шк. Шутл.-ирон.* Об уроке географии. БСРЖ, 539.

Со скалы́. *Жарг. угол.* Из кармана. СРВС 1, 105.

СКАЛА́[2] * Брать скалу́. *Жарг. шк.* Учиться в школе, посещать уроки. < **Скала** – школа, от англ. *school.* ВМН 2003, 121.

СКАЛОЛА́З * Подзе́мный скалола́з. *Публ. Патет. или Ирон.* Спелеолог. ГРЛ-79; Мокиенко 2003, 103.

СКАМЕ́ЙКА * Скаме́йка запасных. *Жарг. журн., полит. Шутл.-ирон.* Резерв кандидатов на замещение значимых государственных должностей. < Из спортивного жаргона. МННС, 129.

Скаме́йка с балала́йкой. *Жарг. угол.* 1. Лошадь с упряжью. 2. Кража лошади с упряжью. ТСУЖ, 161. < **Скамейка** – лошадь.

Лежа́ть на мёртвой скаме́йке. *Дон.* Быть близким к смерти. СДГ 2, 136.

Гоня́ть скаме́йки. *Жарг. угол.* Воровать лошадей. ТСУЖ, 161; СРВС 2, 210; Балдаев 2, 40; ББИ, 224; Мильяненков, 232. < **Скамейка** – лошадь.

Отправля́ть/ отпра́вить на скаме́йку запасны́х *кого. Публ. Ирон.* Увольнять, отправлять в отставку кого-л. (чаще – о политических деятелях). < Из речи спортсменов. Мокиенко 2003, 103.

Отправля́ться/ отпра́виться на скаме́йку запасны́х. *Публ. Ирон.* Увольняться, отправляться в отставку (чаще – о политических деятелях). < Из речи спортсменов. Мокиенко 2003, 103.

Подава́ть на подсу́дную скаме́йку. *Кар.* Обращаться в суд с исковым заявлением. СРГК 4, 678.

Посади́ть на подсу́дную скаме́йку *кого. Прибайк.* Способствовать заключению кого-л. в тюрьму. СНФП, 155.

СКАМЬЯ́ * Попа́сть под скамью́. *Пск.* То же, что сесть на скамью подсудимых. СПП 2001, 70.

Сесть на скамью́ подсуди́мых. *Разг.* Быть привлечённым к суду. БТС, 883.

Подсуди́мая скамья́. *Жарг. угол.* Скамья подсудимых. Р-87, 290.

Скамья́ подсуди́мых. *Жарг. шк. Шутл.-ирон.* Первая парта. (Запись 2003 г.).

Ударя́ть по скамья́м. *Жарг. угол.* Воровать лошадей. СРВС 2, 203; СРВС 3, 114. < **Скамья** – лошадь.

СКАН * Де́лать/ сде́лать скан. *Жарг. шк.* Списывать у кого-л. выполненное задание. ВМН 2003, 121.

СКАНДА́Л * Верхо́м на сканда́ле. *Разг. Ирон.* Любым путем, всеми способами, прибегая к скандалам (добиваться чего-л.). НРЛ-79; Мокиенко 2003, 103.

СКАТ * Пойти́ под скат. 1. *Дон.* Прийти в упадок, разрушиться. СДГ 3, 121. 2. *Волг.* Состариться, одряхлеть (о человеке). Глухов 1988, 127.

СКА́ТЕРТЬ * Ска́тертью доро́га! *Разг.* Говорится тому (или о том), кого не задерживают. Жук. 1991, 300; ФСРЯ, 427; ЗС 1996, 429.

СКА́ТЕРТЬ * Ска́терть-самобра́нка. *Жарг. шк. Шутл.* Повар в школьной столовой. (Запись 2003 г.).

СКАФА́НДР * Не бзди в скафа́ндр, а то всплывёшь! *Жарг. мол. Груб.* Требование замолчать: заткнись! Никитина 1998, 405.

Пло́ский скафа́ндр. *Жарг. угол.* Милицейский щит. Балдаев 2, 40; ББИ, 224; Мильяненков, 232.

СКА́ЧКА * Ска́чка (ска́чки) с препятствием. *Разг.* То, что совершается, проходит неровно, с большими затруднениями. ФСРЯ, 427.

СКАЧО́К * По скачка́м и ти́хой. *Жарг. угол.* Об осторожном проникновении в квартиру ранним утром для совершения кражи. СРВС 3, 114; ТСУЖ, 142.

Бе́гать скачка́ми. *Жарг. угол.* Совершать квартирные кражи. Балдаев, I, 31.

Взять в скачо́к. *Жарг. угол.* Сломать замок с целью кражи. ТСУЖ, 31.
Сде́лать скачо́к. *Жарг. угол.* Выкрасть что-л. из кармана. СРВС 3, 15.
Влепи́ть (залепи́ть, заде́лать, моло́ть/ замоло́ть) скачо́к. *Жарг. угол.* Обворовать квартиру. СРВС 3, 119; СРВС 4, 164, 116, 147, 184; Бен, 108; Балдаев 2, 40; ББИ, 224; Мильяненков, 232. // Обворовать квартиру без наводки. Б., 59, 61.
< **Скачок** – 1. Кража. 2. Квартира, которую можно обокрасть.
СКВОЗНЯ́К * Брать/ взять на сквозня́к. *Жарг. угол.* Скрываться, пользуясь проходным двором. ТСУЖ, 24; Балдаев 1, 45, 63; Б., 22; СВЯ, 16. // Обмануть кого-л. пользуясь проходным двором. ТСУЖ, 31; СРВС 3, 80.
Изобража́ть/ изобрази́ть (рисова́ть/ нарисова́ть, де́лать/ сде́лать) сквозня́к. *Жарг. угол., мол.* Уходить, убегать откуда-л. Быков, 177–178; Вахитов 2003, 71; Максимов, 269.
Посади́ть на сквозня́к *кого. Угол.* 1. Напасть на жертву с разных сторон. 2. Войдя в доверие, взять деньги для приобретения чего-л. и скрыться. Балдаев 1, 341.
Пусти́ть сквозня́к *[кому, на кого]. Жарг. угол., мол.* Обмануть кого-л. Балдаев 1, 364; СРВС 4, 184; ТСУЖ, 149.
Сквозняки́ в голове́ ве́ют *у кого. Волг.* О глупом, неразумном человеке. Глухов 1988, 148.
СКВОЗНЯЧО́К * Пройти́ сквознячко́м. *Жарг. музейн.* Провести сокращённый вариант экскурсии, когда экскурсанты осматривают лишь некоторые экспонаты и проходят маршрут в быстром темпе. (Запись 2001 г.).
Со сквознячко́м в голове́. *Прост. Неодобр.* То же, что **сквозняки в голове веют (СКВОЗНЯК).** ЗС 1996, 244.
СКВОЗЬ * Ви́деть сквозь *кого. Морд.* Отлично знать, предугадывать чьи-л. намеренья, помыслы. СРГМ 2002, 69.
СКВОРЕ́Ц * Пусти́ть (запусти́ть скворца́ [в ду́шу] *кому. Ударить кого-л. в грудь.* ЖЭМТ, 27; Никитина 1998, 405.
СКВОРЕ́ЧНИК * Закры́ть скворе́чник. *Жарг. мол.* Замолчать. Никитина, 1996, 189. < **Скворечник** – рот.
Скворе́чник поe̕хал *у кого. Жарг. мол.* Кто-л. сошёл с ума, начал вести себя странно. Елистратов 1994, 431.
СКВОРЕ́ЧНИЦА * Ста́рая скворе́чница (скворе́чня). *Прост. Пренебр.* О старой женщине (обычно — в обращении к ней). Мокиенко, Никитина 2003, 303.
СКВОРЕ́ЧНЯ * Ста́рая скворе́чня. См. **старая скворечница (СКВОРЕЧНИЦА).**
СКЕЛЕ́Т * Скеле́т в скафа́ндре (на батаре́йках). *Жарг. мол. Шутл.-ирон.* О крайне худом человеке. Максимов, 27, 387.
СКИ́БА * Ски́ба, отре́занная от хле́ба (отре́зана ски́ба от хле́ба). *Дон., Одесск.* О человеке, который становится чужим для кого-л., отдаляется от кого-л. СДГ 3, 121; КСРГО.
СКИ́ДКА * Со ски́дкой. *Жарг. шк.* С минусом (об оценке). ВМН 2003, 212.
СКИ́НУТЬ * Ни ски́нуть ни наде́ть. *Морд. Шутл.-ирон.* О крайней бедности, отсутствии самых необходимых вещей у кого-л. СРГМ 2002, 57.
СКИПИДА́Р * Пое́хать со скипида́ром. *Кар., Ленингр. Шутл.-ирон.* Получить отказ при сватовстве. СРГК 5, 20; СРНГ 28, 287.
СКИПИДА́РЕЦ * Скипида́рцем попа́хивать. *Жарг. угол.* Быть подозрительным; подозреваться в каком-л. тайном намерении. СРВС 1, 48; СРВС 2, 70, 80, 210; СРВС 3, 121; ТСУЖ, 140, 162; Балдаев 1, 339.
СКИРДА́ * Завести́ скирду́. *Пск.* Основать какое-л. дело, хозяйство, заложить основу чего-л. СПП 2001, 70.
СКЛАД * На склад. *Разг.* Впустую (работать), не производя нужной или должного качества продукции. НСЗ-70.
Под склад. *Яросл.* В лад, слаженно. ЯОС 8. 21.
Склад боеприпа́сов. *Жарг. шк. Шутл.* Портфель, ранец. Максимов, 388.
Склад макулату́ры. *Жарг. шк. Шутл.* Библиотека. Максимов, 388.
Чита́ть по склада́м. *Разг.* Произносить при чтении каждый слог отдельно. БМС 1998, 527; ЗС 1996, 379; ФМ 2002, 440.
Ни скла́ду ни ла́ду. *Разг.* Об отсутствии логики, смысла, стройности в чём-л. ФСРЯ, 427; БМС 1998, 527; СРГК 2, 423; ДП, 456, 472; Мокиенко 1990, 149.Кобелева, 77
СКЛА́ДЧИНА * Не в скла́дчину, не в ла́дчину. *Ср. Урал.* Неверно, невпопад. СРГСУ 2, 194.
СКЛА́ДЫВАТЬ * Высоко́ скла́дывать *кого. Жарг. угол. Одобр.* Умело, чисто убивать кого-л. СРВС 2, 170; ТСУЖ, 37. < **Складывать** – убивать.
СКЛЁПКА * Склёпки в голове́ *у кого. Орл.* О глупом, несообразительном человеке. СОГ 1989, 68.
СКЛИ́ЗКОЕ * Вы́вести (навести́) на скли́зкое *кого. Волг., Дон.* Разоблачить кого-л. СДГ 3, 122.
Загоня́ть/ загна́ть (нагонять) на скли́зкое *кого. Волг.* Ставить кого-л. в неловкое, безвыходное положение. Глухов 1988, 46, 88.
Попада́ть/ попа́сть на скли́зкое. *Волг.* Оказываться в крайне тяжёлом положении. Глухов 1988, 130.
СКЛО́КА * Разводи́ть/ развести́ скло́ки. *Волг.* Ссориться. Глухов 1988, 138.
Своди́ть скло́ки. *Пск. Неодобр.* Сплетничать, оговаривать кого-л. СПП 2001, 70.
Собира́ть скло́ки. *Морд.* Слушать сплетни. СРГМ 2002, 97.
СКЛОН * На скло́не лет (дней, жи́зни). *Книжн.* В старости. ФСРЯ, 428; БМС 1998, 527; ЗС 1996, 312, 486.
Разма́заться по скло́ну. *Жарг. спорт. (д/пл.). Шутл.-ирон.* Потерпеть аварию в горах. БСРЖ, 542.
СКЛЫ́КА * Разводи́ть склы́ки. *Дон.* То же, что **разводить склоки.** СДГ 3, 78.
СКЛЯ́НКИ * Бить скля́нки. *Спец. морск.* Показывать текущее время. < От обычая бить в судовой колокол при переворачивании стеклянных песочных часов. БМС 1998, 527.
Сдать под скля́нки *что. Жарг. морск.* Оставить что-л. на хранение кому-л. < От обычая оставлять что-л. на хранение вахтенному, стоявшему у корабельных стеклянных песочных часов. БМС 1998, 528.
СКОБА́ * Не скобо́ю стри́жен. *Пск.* О способном, умелом, удачливом человеке. СПП 2001, 70.
Сде́лать на скобу́ *что. Морд.* Наворожить, наколдовать. СРГМ 2002, 60.
СКОБА́РЬ * Скоба́рь неправосла́вный. *Новг. Бран.* О жителе Псковской области, псковиче. НОС 10, 72.
СКО́БКА * Оста́вить за ско́бками *что. Книжн.* Намеренно не касаться чего-л., умалчивать о чём-л. Ф 2, 21.
В ско́бках. *Разг.* Между прочим, попутно, кстати (сказать, заметить, упомянуть и т. п.). ФСРЯ, 428.
Выводи́ть/ вы́вести за ско́бки *кого. Разг.* Исключать кого-л. из числа равных. Мокиенко 2003, 103.
Выноси́ть/ вы́нести за ско́бки *что. Разг.* Переставать считаться с чем-л.,

исключать из необходимого набора чего-л. Мокиенко 2003, 103.

СКОВОРО́ДКА * Сковоро́дка с поджа́ркой. *Жарг. угол.* Кабинет следователя или оперуполномоченного уголовного розыска. Балдаев 2, 42; ББИ, 225.

Ки́нуть на сковоро́дку *кого. Жарг. угол. Неодобр.* Выдать кого-л., донести на кого-л. Балдаев 1, 185.

Сесть на сковоро́дку благоро́дной за́дницей. *Жарг. мол.* Попасть в трудное положение. Максимов, 35.

СКОВОРО́ДНИК * Сложи́ть сковоро́дники. *Новг.* Обидеться на кого-л. Сергеева 2004, 60. < **Сковородники** – губы.

Отда́ть сковоро́дником. *Пск.* Выдать кого-л. замуж против воли, насильно. СПП 2001, 70.

Хвати́ть сковоро́дником *кого. Диал. Шутл.* Избить кого-л. Мокиенко 1990, 56.

СКОК * В скок. *Дон.* Галопом. СДГ 3, 123.

На воробьи́ный скок. *Прост.* На малое количество, совсем немного. Ф 2, 160.

На жа́бин скок. *Волг. Шутл.* На небольшом расстоянии, совсем близко. Глухов 1988, 89.

С воробьи́ный скок. *Прост.* Крайне мало, совсем немного. Ф 2, 160.

Сде́лать скок. *Жарг. мол.* Убежать откуда-л., скрыться. Максимов, 380.

Скок-перескóк. *Волг. Неодобр.* Поспешно, наспех (делать что-л.). Глухов 1988, 149.

Скок с прихва́том. *Жарг. угол.* Грабёж, разбой. Балдаев 2, 42; ББИ, 225; Мильяненков, 233.

Ковырну́ть (залепи́ть) скок. *Жарг. угол.* Совершить квартирную кражу. СРВС 4, 30, 79, 139, 107, 177; Балдаев 1, 191; Балдаев 2, 42; ББИ, 225; Мильяненков, 233; ТСУЖ, 62, 86; Б., 62.

Поды́бать (поды́бить) скок. *Жарг. угол.* Спланировать кражу из квартиры; совершить удачную кражу из квартиры. СРВС 4, 44, 113; ТСУЖ, 137.

Пойти́ на скок. *Жарг. угол.* То же, что **ковырнуть скок**. СРВС 4, 30, 79, 139, 107, 177; Балдаев 1, 191; Балдаев 2, 42; ББИ, 225; Мильяненков, 233; ТСУЖ, 62, 86.

Рабо́тать на скок. *Жарг. угол.* Воровать без предварительного плана, без подготовки. СРВС 1, 147.

Ходи́ть на скок. *Жарг. угол.* Воровать, проникая в квартиру через окно. СРВС 2, 151.

На все скоки́. *Пск.* Очень быстро (о бегущей лошади). СПП 2001, 70.

Скака́ть скóком. *Пск.* Несвязно рассказывать о чём-л., перескакивая с одного на другое. СПП 2001, 70.

Где скóком, где лётом, где бочкóм, а где и ползкóм. *Народн.* Самыми разными способами, путями. ДП, 426.

Скóком бóком. *Волг.* То же, что **скок перескок.** Глухов 1988, 149.

СКÓЛЬКО * Скóлько влéзет. 1. *Прост.* Очень много; очень долго. ФСРЯ, 428; СРГА 1, 160; Глухов 1988, 149. 2. *Пск.* Изо всех сил. СПП 2001, 70.

СКОНЧА́НИЕ * До сконча́ния вéка. *Книжн.* До смерти, до конца жизни. БМС 1998, 526; ШЗФ 2001, 68.

СКОП * Ни в скоп ни в горсть. *Перм.* О чём-л. бесполезном, ненужном. Подюков 1989, 190. < **Скоп** – нечто скопленное, собранное. Подюков 1989, 190.

Всем скóпом. *Прост.* Вместе, сообща. СПП 2001, 70.

СКОРБЬ * Гражда́нская скорбь. *Книжн. Ирон.* Пессимистические жалобы, интеллигентское нытье. < Этим образным эпитетом в русской критической литературе обычно характеризовалось творчество писателей и поэтов 40–70-х гг. XIX в., которые болезненно и чутко воспринимали окружающую действительность, но чувствовали себя бессильными изменить существующее положение вещей. БМС 1998, 528.

Дрянна́я скорбь. *Яросл.* Сифилис. ЯОС 4, 23.

Мирова́я скорбь. *Книжн. Ирон.* Крайний пессимизм, разочарование. БТС, 545. < Создатель этого выражения – немецкий писатель Жан Поль (И. П. Рихтер), употребивший его в своем произведении «Селина, или О бессмертии души» (1825 г.).

СКÓРИ * На скоря́х. *Морд.* Очень быстро. СРГМ 2002, 67.

СКÓРКИ * Руга́ть на все скóрки *кого. Ряз.* Сильно ругать, бранить кого-л. ДС, 519.

СКОРЛУПА́ * Нагу́ливать скорлупу́. *Кар.* Образовывать крепкую скорлупу, получая в пищу достаточное количество извести (о курице). СРГК 3, 311.

СКÓРО * Не скóро запряга́ет, да скóро éдет. *Прост.* О человеке, который долго не приступает к делу, но затем делает всё четко и быстро. Жиг. 1969, 52.

СКÓРОСТЬ * Со скóростью бéшеного таракáна. *Жарг. мол. Шутл.* Очень быстро. Вахитов 2003, 169.

Со скóростью бéшеной черепáхи. *Жарг. мол. Шутл.-ирон.* Очень медленно. Вахитов 2003, 169.

СКОТ * Ни скота́ ни живота́ *у кого. Прикам., Прибайк. Сиб.* О бедном, неимущем человеке. МФС, 32; СРНГ 21, 214; СФС, 128; СНФП, 116; Мокиенко 1990, 100.

СКОТИ́НА * Скоти́на некомпили́рованная. *Жарг. комп. Бран.* О непорядочном человеке. VHF, 1999.

Освежева́ть скоти́ну (скоти́нку). *Жарг. угол.* Убить, зарезать (человека). ТСУЖ, 122, 162; СРВС 1, 42; СРВС 2, 61, 80, 196, 260; СРВС 3, 108, 121; Балдаев 1, 293.

Ни скоти́ны ни животи́ны *у кого. Волг., Ср.-Обск.* То же, что **ни скота ни живота (СКОТ).** СФС, 128; Глухов 1988, 111.

СКОТИ́НКА * Освежева́ть скоти́нку. См. **Освежевать скотину (СКОТИНА).**

Ни скоти́нки ни животи́нки *у кого. Прибайк.* То же, что **ни скота ни живота (СКОТ).**

СКОЦУ́ХА * Дать скоцу́ху *кому. Жарг. арест.* Простить осуждённому первую мелкую промашку, ошибку. Балдаев 1, 103. < **Скоцуха** – от **скощуха** – амнистия (*жарг. угол.*).

СКРÉЖЕТ * Скрéжет зубóвный. *Книжн.* Ярость, злоба. < От евангельского описания адских мучений. БМС 1998, 528; ФСРЯ, 429.

СКРЁС * Не ви́деть скрёсу [скрéсу]. *Сиб.* Работать с утра до вечера. ФСС, 27.

Не дава́ть скрёсу *кому. Сиб.* Изнурять кого-л. постоянной работой, не давая возможности отдохнуть. ФСС, 52; СФС, 30; МФС, 30.

Не знать скрёсу. *Сиб.* Постоянно и напряжённо работать, не имея отдыха. ФСС, 83.

СКРИЖА́ЛИ * Скрижа́ли истóрии. *Книжн. Высок.* Страницы истории; история. < **Скрижали** – каменные плитки с начертанными на них десятью заповедями, которые, согласно библейской легенде, Бог дал Моисею на горе Синай. БМС 1998, 528.

СКРИП * В оди́н скрип. *Морд.* Вместе, одновременно с кем-л. (войти, выйти). СРГМ 2002, 68.

Со скри́пом. *Разг.* С большим трудом, с напряжением, нехотя, очень медленно (делать что-л. или делается что-л.). ФСРЯ, 429; Глухов 1988, 32.

Боя́ться колёсного скри́пу. *Морд. Шутл.-ирон.* Быть трусливым, бояться всего. **Боя́ться теле́жного скри́пу.** *Волг., Перм., Сиб. Шутл.-ирон.* То же. Глухов 1988, 5; Подюков 1989, 16; ФСС, 15.

Приуча́ть к теле́жному скри́пу *кого. Кар.* Готовить кого-л. к трудностям, неудобствам. СРГК 5, 220.

СКРИ́ПКА * Пе́рвая скри́пка. 1. *Разг.* О самом важном, самом главном человеке в каком-л. деле. ЗС 1996, 525. 2. *Жарг. муз. Ирон.* Голос с частой амплитудой при вибрации. БСРЖ, 544.

Игра́ть на ко́жаной скри́пке в два смычка́ без канифо́ли. *Народн.* Пороть, наказывать кого-л. ДП, 219.

Игра́ть на скри́пке. 1. *Жарг. угол.* Распиливать решётку в камере. Трахтенберг, 26; СРВС 1, 118, 147; СРВС 2, 39, 58, 118; ТСУЖ, 96; Грачев 1997, 75; Балдаев 1, 168; Б., 71; Грачев, Мокиенко 2000, 82. < Калька с франц. арго *jouer du violon*. Ларин 1931, 126. 2. *Жарг. гом.* О групповом половом акте, когда двое партнёров одновременно совершают с третьим оральное и анальное сношение. Кз., 66.

Игра́ть втору́ю скри́пку. *Разг.* Быть не главным, подчинённым в каком-л. деле. ФСРЯ, 429; БМС 1998, 529; ФМ 2002, 442.

Игра́ть пе́рвую скри́пку. *Разг.* Быть главным в каком-л. деле. ФСРЯ, 429; БМС 1998, 529; ЗС 1996, 31; ФМ 2002, 443.

Настра́ивать скри́пку (Страгива́ли). *Жарг. гом. Шутл.* Онанировать (себя или партнёра). Кз., 66; ЖЭСТ-2, 243. < Искаж. **Страдивари** – фамилия известного итальянского скрипичного мастера (1643–1737 г.).

СКРИПУ́ХА * Уда́рить по скрипу́хе. *Жарг. угол.* Поехать поездом для кражи багажа. ТСУЖ, 182. // Совершить кражу вещей у пассажира в поезде. < **Скрипуха** – чемодан, дорожная корзина. Грачев 1997, 14.

СКРО́МНОСТЬ * От скро́мности не умрёт. *Разг. Шутл.-ирон.* О слишком хвастливом, развязном человеке. Ф 2, 219.

СКРЫ́ТА * Де́лать скры́ту. *Сиб.* Утаивать что-л. ФСС, 57.

СКУ́КА * Занима́ться ску́кой. *Кар.* Скучать. СРГК 2, 164.

Броса́ть в ску́ку *кого. Арх.* Заставлять скучать кого-л. АОС 2, 133.

Па́дать в ску́ку. *Кар.* Предаваться скуке. СРГК 4, 366.

Разби́ть ску́ку. *Пск.* Развеселиться, развеять плохое настроение. СПП 2001, 70.

СКУЛА́ * Скула́ скулу́ ест. *Морд.* Об очень худом, тощем человеке. СРГМ 2002, 72.

Рвёт к скуле́. *Дон.* О чём-л. очень кислом. СДГ 3, 90; СРНГ 34, 356.

Взять за скуло́й *что. Жарг. угол.* Похитить что-л. из внутреннего кармана. СРВС, I, 211. Елистратов 1994, 434.

Покупа́ть скулу́. *Жарг. угол.* Совершать кражу денег из внутреннего бокового кармана. СРВС 4, 185; Балдаев 2, 44; ББИ, 226; Мильяненков, 233. < **Скула** – карман; от чеш. *skulina* – щель, трещина, отверстие. Грачев 1997, 76.

Поправля́ть ску́лы *кому. Прост. Шутл.-ирон.* Бить, избивать кого-л. Ф 2, 76.

Есть на обо́и ску́лья. *Волг.* Есть с аппетитом, много, жадно. Глухов 1988, 41.

СЛАБИНА * Дава́ть/ дать слабину́ (слаби́нку). *Разг. Неодобр.* 1. Проявлять в чём-л. слабость, поступаться своими принципами. 2. *кому.* Делать кому-л. послабления, снижать требовательность, проявлять излишнюю снисходительность к чему-л. Мокиенко 2003, 103; СНФП, 116.

Не дава́ть/ не дать слабины́ *кому. Разг.* Не делать кому-л. послаблений, относиться к кому-л. крайне требовательно, без снисхождений. НРЛ-78; Мокиенко 2003, 103.

СЛАБИ́НКА * Дава́ть/ дать слаби́нку. См. **Давать слабину (СЛАБИНА).**

СЛА́БОСТЬ * Пита́ть сла́бость *к кому. Книжн.* Чувствовать неосознанное влечение, расположение к кому-л. Ф 2, 47.

СЛА́ВА * Девя́тая сла́ва на году́. *Арх. Шутл.* О широкой известности. АОС 10, 402.

Сла́ва Бо́гу. *Разг. Одобр.* 1. Хорошо, благополучно. 2. В хорошем состоянии, хороший. 3. Восклицание, выражающее радость, успокоение, облегчение. ФСРЯ, 430; БТС, 86; Мокиенко 1986, 131; Верш. 6, 271.

Сла́ва Герострáта (Герострáтова сла́ва). *Книжн.* Позорная слава. БТС, 201. < **Герострат** – уроженец г. Эфеса (Малая Азия), который из честолюбия, чтобы обессмертить свое имя, поджёг храм Артемиды Эфесской (356 г. до н. э.). БМС 1998, 529.

Сла́ва тебе́ (те) го́споди! *Разг.* То же, что **слава богу 3.** ФСРЯ, 530; Верш. 6, 271.

Так прохо́дит сла́ва ми́ра. *Книжн.* О чём-л. мимолётном, быстро проходящем. < Выражснис из ритуала избрания папы в римско-католической церкви. БМС 1998, 529.

Быть в сла́ве. *Морд.* То же, что **быть на славе.** СРГМ 2002, 75.

Быть на сла́ве. *Перм., Сиб., Ср. Урал.* Славиться, быть известным, быть в почёте. СРГСУ 2, 185; СРГПриам., 34; СФС, 31.

Петь сла́ву *кому, чему. Книжн.* Прославлять, восхвалять кого-л. Ф 2, 44.

Покрыва́ть/ покры́ть сла́вой *кого, что. Книжн.* Прославлять кого-л., что-л. БТС, 897.

Покры́ть себя́ сла́вой. *Книжн.* Прославиться, проявить геройство. БМС 1998, 529; Ф 2, 67.

Вводи́ть/ ввести́ в сла́ву *кого. Волг.* 1. То же, что **покрывать славой.** 2. Опозорить, опорочить кого-л. Глухов 1988, 9.

Дава́ть (де́лать) сла́ву. *Волг. Неодобр.* Создавать видимость работы, скрывая нежелание делать что-л. Глухов 1988, 32, 160.

Наклада́ть сла́ву *на кого. Новг.* Бесчестить, порочить кого-л. НОС 5, 147.

На сла́ву. *Разг. Одобр.* 1. Очень хорошо, искусно. 1. Очень хороший, превосходный, великолепный. ФСРЯ, 430; БМС 1998, 529.

Проводи́ть/ провести́ сла́ву. *Кар.* То же, что **проговаривать славу.** СРГК 6, 239.

Прогова́ривать сла́ву. *Горьк.* Распространять слухи, сплетни. БалСок, 51.

Пропуска́ть сла́ву. *Сиб.* То же, что **проговаривать славу.** СФС, 170.

Пуска́ть сла́ву. *Волг.* То же, что **вводить в славу 1-2.** Глухов 1988, 137.

Для вя́щей сла́вы Бо́жией. *Книжн. Ирон.* О чьих-л. действиях, политике, характеризующихся коварством, обманом и жестокостью. БМС 1998, 529-530.

Для сла́вы. *Морд.* Для вида, для видимости. СРГМ 2002, 75.

СЛА́ВИК * Зайти́ к Сла́вику. *Жарг. мол. Шутл.* Сходить в туалет. Максимов, 141.

СЛАВЯ́НКА * Гру́бая славя́нка. *Жарг. гом. Пренебр.* Пассивный партнёр, ведущий себя грубо, неизящно. Кз., 66.

СЛА́ДКО * Говори́т сла́дко, а де́лает го́рько. *Народн. Неодобр.* О двуличном человеке. Жиг. 1969, 208.

СЛАМ * Дрянно́й слам. *Жарг. угол.* Доля добычи за продажу наркотиков. ТСУЖ, 163.

Растырба́нивать слам. *Жарг. угол.* Делить краденое. Максимов, 363.

Слам на анти́христа (на каплю́жника, на ляга́вого, на мента́, на фарао́на). *Жарг. угол.* Взятка милиции. СРВС 2, 58, 81, 123; СРВС 3, 105, 106, 121; ТСУЖ, 112, 113, 163.

Слам на вы́ручку (на карма́н). *Жарг. угол.* Взятка околоточному надзирателю (*устар.*), участковому инспектору. ТСУЖ, 163; СРВС 1, 48, СРВС 2, 55, 81, 211; СРВС 3, 121.

Слам на крючка́. *Жарг. угол.* Взятка письмоводителю полицейского участка (*устар.*), младшему сотруднику милиции. СРВС 1, 48; СРВС 2, 81, 116, 173, 211; СРВС 3, 87, 105, 121; ТСУЖ, 45.

Слам на ла́пу. *Жарг. угол.* Доля добычи, даваемая кому-л. в качестве взятки. Мильяненков, 234.

Дать сла́му. *Жарг. угол.* Дать взятку. СРВС 1, 26; СРВС 3, 87.

Дать сла́му на гурт. *Жарг. угол.* Дать вскладчину взятку милиции. СРВС 1, 48; СРВС 2, 81, 116, 173, 211; СРВС 3, 87, 105, 121; СРВС 4, 48; ТСУЖ, 45, 163.

< **Слам** – 1. Доля воровской добычи. 2. Взятка.

СЛЕД * В ка́ждый (вся́кий) след. 1. *Орл.* Везде, повсюду. СОГ 1992, 5. 2. *Ряз.* Всегда, во всякое время. ДС, 522.

В еди́ный след. *Кар.* До конца, полностью (убрать, устранить, уничтожить что-л.). СРГК 2, 21.

Вели́кий след. *Морд.* О чём-л. очень нужном, необходимом. СРГМ 2002, 77.

В ка́ждый след. *Волг.* Постоянно, всё время (носить, надевать что-л. – об одежде, обуви). Глухов 1988, 12.

В оди́н след. *Кар., Новг.* Однократно (пахать, бороновать). СРГК 4, 150; НОС 10, 85.

В пусто́й след. *Волг., Сиб.* Напрасно, без результата. СФС, 46; Глухов 1988, 15.

Вынима́ть/ вы́нуть след *чей. Ряз.* Наносить вред чьему-л. здоровью магическими действиями. ДС, 522.

Заки́дывать/ заки́нуть след. *Морд.* Пытаться узнать что-л. о ком-л., о чём-л. СРГМ 1980, 79.

Иди́ на ле́ший след! *Кар. Сиб. Бран.* Восклицание, выражающее гнев, возмущение, нежелание общаться с кем-л. СРГК 2, 267; СРГК 3, 121; СРНГ 17, 33.

И след просты́л *[чей]. Разг.* О человеке, надолго ушедшем, исчезнувшем, бесследно скрывшемся. ДП, 274, 577; ФСС, 27.

Класть/ положи́ть след. 1. *к кому, куда. Пск., Яросл.* Сходить к кому-л., куда-л. СПП 2001, 70; ПОС 14, 176; ЯОС 5, 34. 2. *на что. Кар.* Занимать чужую площадь, территорию. СРГК 2, 360. 3. *о ком. Новг.* Распространять дурные слухи о ком-л. НОС 4, 48.

На ле́ший след. *Кар.* 1. Очень далеко, неизвестно куда. 2. Зачем. СРГК 3, 121.

Напада́ть/ напа́сть на худо́й след. *Новг.* Оказываться под действием нечистой силы. НОС 5, 159.

Не класть след (следа́, сле́ду, следы́) *куда, к кому. Пск., Прибайк., Ряз.* Не ходить куда-л., к кому-л. ДС, 223; СНФП, 117; СПП 2001, 70.

Не наступа́ть на след *чей. Волг.* Избегать встречи с кем-л. Глухов 1988, 92.

Носи́ть в ка́ждый след *что. Сиб.* Надевать одну и ту же одежду независимо от сезона, праздников или будней. ФСС, 123.

Оставля́ть/ оста́вить след. *Книжн.* Добиваться существенных результатов в чём-л., совершать что-л. значительное, заслуживающее высокой оценки и признания в обществе. Ф 2, 21.

Попада́ть/ попа́сть в (на) худо́й след. 1. *Новг.* Оказываться под воздействием нечистой силы. НОС 8, 115. 2. *Кар.* Заблудиться. СРГК 5, 16.

Потопи́ть след. *Кар.* То же, что **заметать/ замести следы.** СРГК 5, 111.

След замело́ и ме́сто просты́ло *чьё. Волг.* О человеке, который поспешно убежал, скрылся. Глухов 1988, 49.

След засты́л. *Кар.* То же, что **след простыл.** СРГК 2, 212.

След просты́л *кого, чей. Разг.* Об исчезновении, бегстве кого-л. ФМ 2002, 445; Верш. 6, 274; ЗС 1996, 205; Глухов 1988, 60.

След себе́ ви́деть. *Сиб.* Плохо видеть (о слабом зрении). ФСС, 27.

Ступа́ть в худо́й след. *Пск.* Тяжело заболевать, попадать в тяжёлое положение. СПП 2001, 70.

В два (три) следа́. *Кар., Новг.* Двукратно, троекратно (пахать, бороновать). СРГК 4, 150; НОС 10, 85.

Следа́ на поро́г не класть. *Морд.* Не появляться где-л., не приходить куда-л., к кому-л. СРГМ 2002, 77.

По горя́чим следа́м. *Разг.* Без промедления, сразу же, непосредственно после какого-л. события. ФСРЯ, 430; ФМ 2002, 446; ЗС 1996, 205; БТС, 222.

Следо́в опусти́ть *чьих. Кар.* Потерять кого-л. из виду. СРГК 4, 230.

И сле́ду нет. *Народн.* То же, что **и след простыл.** ДП, 457.

Не де́лать сле́ду *куда, к кому. Арх.* То же, что **не класть след.** АОС 10, 435.

Не кла́дывать сле́ду *куда, к кому. Волог.* То же, что **не класть след.** СВГ 3, 63.

На следу́ не быва́ть. См. **На следке не бывать (СЛЕДОК).**

Замета́ть/ замести́ следы́. *Разг.* Уничтожать то, что может быть доказательством поступка, преступления, вины; скрывать улики. БМС 1998, 530; ФСРЯ, 430; ФМ 2002, 444; Ф 1, 199; Глухов 1988, 49.

Накла́дывать следы́. *Морд.* Ходить куда-л. к кому-л. СРГМ 1986, 76.

Следы́ преступле́ния. *Жарг. шк. Шутл.* Не стёртые на перемене записи мелом на доске. ВМН 2003, 122.

Стопта́ть следы́ *чьи. Морд.* Прийти куда-л. следом за кем-л. СРГМ 2002, 148.

Топта́ть следы́ *чьи. Волг.* Преследовать кого-л., неотступно ходить за кем-л. Глухов 1988, 160.

Замета́ть сле́дья. *Кар.* В свадебном обряде: символически мести пол от двери к центру комнаты. СРГК 2, 156.

СЛЕДО́К * По ба́бским следка́м. *Пск.* После сенокоса, жатвы (т. е. после женской работы). СПП 2001, 70.

На следке́ (на следу́) не быва́ть *кому. Сиб.* Уступать кому-л. по каким-л. параметрам. ФСС, 19.

Следо́к вя́жет чуло́к. *Жарг. угол. Шутл.-ирон.* Следователь собирает неопровержимые улики, доказательства вины арестованного. Балдаев 2, 45; ББИ, 226. < **Следок** – следователь.

СЛЕДОПЫ́Т * Красный следопыт. *Разг.* О человеке (обычно пионере или комсомольце), ведущем на общественных началах поисковую работу по сбору материалов для музеев революционной, боевой и трудовой славы. Ф 2, 161; Мокиенко 2003, 104.

Чёрный следопы́т. *Разг. Ирон.* Человек, отыскивающий оружие и боеприпасы в местах боевых действий во время 2-й мировой войны (с целью продажи, контрабанды и т. п.). Сенсация-ревю, 1994, № 1, 3.

СЛЕ́ДСТВИЕ * Наводить сле́дствие. *Прикам.* Расследовать преступление. МФС, 62.

Сле́дствие веду́т знатоки́. *Жарг. арм., арест. Шутл.-ирон.* Об утреннем осмотре. БСРЖ, 546.

СЛЕЗА́ * Без слёз не взгля́нешь *на кого. Морд. Пренебр.* О человеке с неприятной, уродливой внешностью. СРГМ 1978, 74.

Класть слёз. *Кар.* Долго плакать, горевать. СРГК 2, 360.

Намота́ть слёз на кула́к. *Арх.* Наплакаться. СРНГ 20, 41.

Хвати́ть го́рького до слёз. *Прост. Ирон.* То же, что **хватить горячего до слёз 2.** Глухов 1988, 156; Ф 2, 235.

Хвати́ть (хлебну́ть) горя́чего до слёз. 1. *Пск. Шутл.* Выпить крепкого алкогольного напитка. ПОС 7, 144. 2. *Прост., Волг., Ирк., Перм.* Испытать много горя, трудностей. БалСок., 55; Ф 2, 235; БотСан., 116; Глухов 1988, 26, 165; Подюков 1989, 221.

Хвати́ть сла́дкого до слёз. *Сиб. Ирон.* 1. То же, что **хватить горячего до слёз 2.** СБО-Д2, 251; СФС, 195; Верш. 6, 272; Верш. 7, 188. 2. Подвергнуться избиению, побоям. Мокиенко 1990, 57.

Золота́я слеза́ не вы́катится *у кого. Волг., Морд. Ирон.* Кто-л. сможет пережить неприятности, успокоится сам. Глухов 1988, 53, 96; СРГМ 2002, 77.

Слеза́ слезу́ догоня́ет *[у кого]. Волг.* То же, что **слеза слезу моет.** Глухов 1988, 150.

Слеза́ слезу́ мо́ет *[у кого]. Новг.* О человеке, который долго горько плачет. НОС 10, 86; НОС 5, 116.

Слеза́ слезу́ погоня́ет *[у кого]. Пск.* То же, что **слеза слезу моет.** СПП 2001, 70.

Хле́бная слеза́. *Разг. Устар.* Водка. ДП, 793; БМС 1998, 530.

Закати́ться слезами. *Сиб.* Безутешно заплакать. ФСС, 77.

Изойти́сь слеза́ми. *Кар.* Долго, безудержно проплакать. СРГК 2, 284.

Облива́ться слеза́ми. *Разг.* Плакать, рыдать. ФСРЯ, 430.

Пла́кать (воспла́каться) крова́выми слеза́ми. *Книжн.* Горько плакать, рыдать. ДП, 223; БМС 1998, 530.

Умыва́ться слеза́ми. *Разг.* Горько плакать. БТС, 1388; Ф 2, 220.

Утира́ться слеза́ми. *Волг., Прикам.* То же, что **умываться слезами.** Глухов 1988, 164; МФС, 106.

Утопа́ть в слеза́х. *Книжн.* То же, что **умываться слезами.** Ф 2, 225.

Быть на слеза́х. *Сиб.* Часто и много плакать. СФС, 32.

Слезо́й слезу́ погоня́ть. *Сиб.* Долго плакать. ФСС, 139; СФС, 171.

Золоту́ю слезу́ не вы́плачешь *из кого. Морд.* О человеке, от которого трудно добиться желаемого. СРГМ 2002, 78.

Золоту́ю слезу́ не уро́нит. *Волг.* О беспечном, безразличном ко всему человеке. Глухов 1988, 54.

Проли́ть слезу́. *Жарг. угол.* Попасться на месте преступления. Трахтенберг, 55; СРВС 1, 147; СРВС 2, 73, 81, 128, 204, 211; СРВС 3, 115; 121, ТСУЖ, 147, 164.

Проли́ть слезу́ на марья́нку. *Жарг. нарк., арест.* Попасться во время инъекции наркотика. ТСУЖ, 147.

Пуска́ть/ пусти́ть слезу́. 1. *Разг.* Плакать. ФСРЯ, 371; ЗС 1996, 53, 116; Ф 2, 106. 2. *Жарг. угол.* Убивать кого-л. ТСУЖ, 150

Ба́бьи слёзы. *Разг. Шутл.* Винно-водочный магазин. Балдаев 1, 24; УМК, 97. // Палатка, где торгуют пивом. СОГ 1989, 51.

Вдо́вьи слёзы. *Ср. Урал.* Комнатное растение с зелеными глянцевыми листьями и красными цветами. СРГСУ 1, 68.

Вы́лить слёзы. *Пск., Сиб.* Много проплакать от горя, переживаний. ПОС 6, 9; ФСС, 37.

Глота́ть слёзы. *Разг.* Сдерживать, подавлять плач, рыдания. БТС, 209.

Коро́вьи слёзы. *Жарг. угол. Шутл.* Молоко, сметана, масло. Балдаев 1, 199; УМК, 97.

Коша́чьи (ко́шечьи) слёзы. *Вят. Ирон.* Об очень малом количестве чего-л. СРНГ 15, 140.

Ко́шкины (коши́ные) слёзы. *Волг., Дон.* Притворный, неискренний плач. Глухов 1988, 77; СДГ 2, 87.

Крокоди́ловы слёзы. *Разг.* Притворные слёзы, неискренние сожаления. ЗС 1996, 46. < От поверья, будто крокодил, съедая свою жертву, плачет. ФСРЯ, 430; БМС 1998, 530.

Куку́шкины слёзы. *Сиб.* Растение лапчатка гусиная. СБО-Д1, 228.

Ку́речьи слёзы. *Перм. Ирон.* О малом количестве чего-л. СРНГ 16, 129.

Кури́ные слёзы. *Жарг. арм. Шутл.-ирон.* Пшённая каша. Максимов, 214.

Лить крокоди́ловы слёзы. *Разг.* Лицемерно жаловаться, притворно, неискренне сожалеть о чём-л. Ф 1, 281.

Ма́мины слёзы. *Сиб.* Растение ирис. СОСВ, 108.

Мота́ть слёзы на кула́к. *Волг., Морд., Сиб.* Жить очень бедно, много страдать. ФСС, 114; Глухов 1988, 86; СРГМ 1986, 85.

Мы́шьи слёзы. *Костром.* Растение сивец луговой. СРНГ 19, 70.

На слёзы. *Ср. Урал.* Обычай дарить невесте перед венчанием подарки. СРГСУ 2, 185.

Огреба́ть слёзы. *Новг.* Бедствовать, терпеть нужду. НОС 6, 131.

Отли́ть слёзы *кому. Прикам.* Отомстить кому-л. МФС, 71.

Отолью́тся слёзы *чьи кому. Разг.* О неизбежности расплаты, возмездия за причинённые кому-л. обиды, несчастья. < Из пословицы **Отольются волку овечьи слёзы.** БМС 1998, 531; БТС, 750; ФСРЯ, 431; СОСВ, 131; Глухов 1988, 299; Верш. 6, 275.

Прикла́дывать слёзы. *Кар.* Унижаться, жалобно просить о чём-л. СРГК 5, 167.

Распуска́ть/ распусти́ть куку́шкины слёзы. *Новг. Неодобр.* Неискренно проявлять жалость. Сергеева 2004, 36.

Распуска́ть/ распусти́ть слёзы. *Прост.* Плакать. Ф 2, 120.

Расчерпа́ть слёзы. *Перм.* Перестать плакать. СРНГ 34, 311.

Рони́ть слёзы. *Арх., Кар., Яросл.* То же, что **распускать слезы.** СРНГ 35, 177; СРГК 5, 559; Ф 2, 128; ЯОС 8, 136.

Слёзы Мичу́рина. *Жарг. мол. Шутл.-ирон.* Вино «Осенний сад». Максимов, 390.

Слёзы недале́че *у кого. Пск.* О слезливом, чрезмерно чувствительном человеке. СПП 2001, 70.

Собира́ть слёзы в кула́к (в рука́в). *Перм.* Горько, безутешно плакать. Подюков 1989, 192.

Точи́ть слёзы. *Перм.* Плакать. Подюков 1989, 205; Мокиенко 1990, 36.

Ударя́ться/ уда́риться в слёзы. *Разг.* Начинать плакать. Ф 2, 216.

Утере́ть слёзы. *Разг.* Утешиться, успокоиться, перестать плакать. БТС, 1405; Ф 2, 224.

СЛЕЗА́К * Дава́ть/ дать слезака́. *Морд.* Плакать. СРГМ 2002, 78.

СЛЁЗКИ * Аню́тины слёзки. 1. *Дон.* Садовый цветок с мелкими листьями и фиолетовыми цветами, анютины глазки. СДГ 1, 5. 2. *Сиб.* Комнатное растение с сочными мелкими листьями и множеством ало-розовых цветов. СРГБ 1, 21; ФСС, 17.

А́ннушкины слёзки. *Дон.* То же, что **Анютины слёзки 1.** СДГ 1, 5.

Ба́бьи слёзки. *Сиб. Ирон.* О водке, вине, приносящих беду женам, женщинам. СОСВ, 26.

Бо́говы (бо́житкины) слёзки. *Брян.* Растение трясунка средняя. СБГ 1, 63.

Бо́жьи слёзки. *Брян.* Растение гвоздика-травянка. СБГ 1, 64.

Воро́ньи слёзки. *Арх.* Растение гвоздика пышная. АОС 5, 95.

Куку́шкины слёзки. 1. *Алт., Сиб.* Растение ирис. СРГА 2-2, 117; СФС, 96; СОСВ, 99. 2. *Приамур.* Растение башмачок вздутый. СРГПриам., 121. 3. *Орл.* Растение трясунка семейства злаковых. СОГ 1992, 139. 4. *Дон.* Растение смолёвка зелено-цветковая. СДГ 2, 98.

Ла́сточкины слёзки. *Дон.* Степное растение. СДГ 2, 108.

Слёзки на колёсах *у кого. Жарг. мол.* О состоянии, когда хочется плакать. Максимов, 190. **Слёзки на колёсках** *у кого. Перм. Шутл.-ирон.* То же. Подюков 1989, 188.

Слёзки на мази́ *у кого. Перм. Шутл.* О человеке, готовом расплакаться. Подюков 1989, 188.

СЛЕПО́Й * Вы́менял слепо́й у глухо́го зе́ркало на гу́сли. *Народн. Ирон.* О невыгодном обмене. ДП, 458.

Игра́ть в слепу́ю (вслепу́ю). *Прикам.* Обманывать кого-л. МФС, 41.

На слепу́ю. *Жарг. угол.* 1. На авось, наудачу. СРВС 1, 148; СРВС 2, 58, 193; СРВС 3, 22; ТСУЖ, 114. 2. Тайно. СРВС 3, 22.

СЛЕ́ПОК * Снять сле́пок *с кого. Жарг. мол.* Избить кого-л. ТК-2000.

СЛЕПОТА́ * Кури́ная слепота́. 1. *Разг.* Растение лютик. СБО-Д1, 231. 2. *Яросл.* Растение смолка клейкая. ЯОС 5, 109.

Ку́рицына слепота́. *Волог.* Растение одуванчик. СВГ 4, 22.

Ку́ричья слепота́. *Прост.* 1. Растение лютик. 2. Болезнь глаз, при которой человек плохо видит в темноте. СГПО, 271; МФС, 92; СБО-Д1, 231; ЯОС 5, 109; БТС, 482.

СЛЕПУ́ХА * Дать слепу́ху. *Жарг. угол.* Пойти на кражу без предварительной подготовки. Балдаев 1, 103.

СЛЕ́САРЬ * На́шему сле́сарю двоюро́дный (троюро́дный) кузне́ц. *Народн. Шутл.* Об очень дальнем родственнике. СПП 2001, 70; ДП, 389.

СЛЁТ * Слёт мух. *Жарг. шк. Презр.* Собрание учителей. Максимов, 390.

СЛИВ * Слив зна́ний. *Жарг. шк. Шутл.-ирон.* Срез знаний (один из видов текущего контроля). (Запись 2004 г.).

СЛИ́ВА * Сли́ва зелёная. *Жарг. мол. Ирон. или Пренебр.* Слишком молодая девушка. Митрофанов, Никитина, 192.

Дави́ть сли́ву. *Жарг. арм. Шутл.* Спать. Лаз., 244.

Де́лать/ сде́лать сли́ву *кому. Жарг. арм., арест.* Зажимать пальцами чей-л. нос и крутить его (вид неуставного наказания в армии и в местах лишения свободы). Максимов, 380.

Зали́ть сли́ву. *Жарг. мол. Шутл.* Напиться пьяным. Я — молодой, 1996, № 8.

Ква́сить сли́ву. *Жарг. мол. Шутл.* Пьянствовать. БСРЖ, 546.

Продаёт сли́вы. *Жарг. мол. Шутл.-ирон.* О человеке с синяком под глазом. Максимов, 346.

СЛИ́ВКИ * Сли́вки о́бщества. 1. *Публ.* Лучшая, привилегированная часть общества. < Калька с франц. *crême de la société.* БМС 1998, 531. 2. *Жарг. шк.* Школьный туалет. < По ассоциации со **сливать.** (Запись 2004 г.).

Снима́ть сли́вки *с чего. Разг.* Брать себе самое лучшее, самое выгодное, обычно – опережая других. ФСРЯ, 441; БМС 1998, 531; ЗС 1996, 92; Мокиенко 1990, 26; ФМ 2002, 446.

СЛИ́ТКИ * Пить /вы́пить сли́тки. См. **Пить литки (ЛИТКИ).**

СЛИТКО́М * Слитко́м слить *что. Разг.* Слить воедино что-л. ДС, 524.

Слитко́м сли́ться. *Ряз.* Слиться в единое целое. ДС, 524.

СЛИ́ЯНИЕ * Сли́яние двух лун. *Публ. Ирон.* Об объединении двух организаций, ведомств и т. п. (напр., МВД и КГБ). < Выражение из древнего китайского трактата «Дао любви, или Небесное наслаждение», обозначающее сексуальное объединение любящих. Мокиенко 2003, 104.

СЛОБОДА́ * Уйти́ в Ершо́ву слободу́. *Народн. Ирон.* Утонуть. ДП, 288.

СЛОВА́РЬ * А́нгло-ру́сский слова́рь. *Жарг. шк. Шутл.* Учитель английского языка. ВМН 2003, 122.

Долби́ть слова́рь. *Жарг. шк. Шутл.-ирон.* Учиться, активно изучать что-л. Максимов, 115.

Кра́ткий слова́рь. *Жарг. шк. Шутл.* Ладонь (исписанная как шпаргалка). Максимов, 205.

Тупо́й слова́рь. *Жарг. шк. Шутл.-ирон.* Дневник. ВМН 2003, 123.

СЛОВЕ́ЧКО * Заки́нуть (запусти́ть) слове́чко. См. **Заки́нуть сло́во (СЛО́ВО).**

Замо́лвить слове́чко. См. **Замо́лвить сло́во (СЛО́ВО).**

Кру́гленькое слове́чко. *Сиб.* Высказывание, имеющее важное значение. Верш. 6, 280.

Перебро́сить (переки́нуть) слове́чко. См. **Перебросить слово (СЛОВО).** *Прост.* Поговорить с кем-л. Ф 2, 38, 39.

СЛО́ВО * Без да́льних слов. *Разг.* Не говоря, не рассуждая много, не теряя времени на разговоры. ФСРЯ, 431.

Двух (трёх) слов связа́ть не мо́жет. *Разг. Неодобр.* О человеке, не умеющем ясно излагать свои мысли. ФСРЯ, 431; БМС 1998, 531.

Слов нет *у кого. Разг.* Конечно, безусловно, бесспорно, нет оснований сомневаться. ФСРЯ, 278.

С *чьих* **слов дом не вы́строишь.** *Пск. Неодобр.* О человеке, который много обещает и не держит слово. СППП. 70.

С чужи́х слов. *Разг.* На основании разговоров, рассказов других людей, а не собственных знаний, наблюдений. ФСРЯ, 431.

Аза́ртные слова́. *Сиб. Неодобр.* Брань, ругань. Верш. 6, 280.

Без второ́го сло́ва. *Одесск.* Без лишних объяснений. Смирнов 2002, 19.

Бо́ек на слова́. *Разг.* О человеке, находчивом в разговоре, красноречивом. ФСРЯ, 41.

Больши́е слова́. *Арх.* Неприличные, грубые, матерные выражения. АОС 2, 70.

Брать/ взять свои́ слова́ обра́тно. *Разг.* Отказываться от данных обещаний, обязательств. ФСРЯ, 431; ЗС 1996, 342.

Броса́ть слова́ на ве́тер. *Разг. Неодобр.* Не выполнять данных обещаний, обязательств. БМС 1998, 531; ЗС 1996, 341; БТС, 98, 122.

Взять сло́ва. *Арх.* Разговориться. АОС 4, 83.
Вывёртывать слова́. *Орл.* Сохранять в речи диалектные особенности. СОГ 1989, 105.
Выходи́ть/ вы́йти из сло́ва. *Арх.* Переставать слушаться кого-л., подчиняться кому-л. АОС 7, 240; АОС 8, 731.
Выпуска́ть слова́. *Сиб.* Начинать говорить (о ребёнке). ФСС, 38.
Говори́ть про́тив (поперёк, напо́перёк) сло́ва *кому. Арх.* Спорить, пререкаться с кем-л., перечить кому-л. АОС 9, 169.
Горо́ховые слова́ *у кого. Пск.* О чьих-л. неубедительных доводах, пустых разговорах. ПОС 7, 132.
Дава́ть слова́. *Кар.* Произносить заклинания. СРГК 1, 420.
До сло́ва. 1. *Разг.* Совершенно точно, дословно. ФСРЯ, 431. 2. *Новг.* Без всяких объяснений, без разговоров. НОС 10, 90.
Дуть слова́ *кому. Коми.* Лечить кого-л. заговором. Кобелева, 62.
Задёргивать слова́. *Пск.* Заикаться. ПОС 11, 180.
Кида́ть слова́. *Пск.* Говорить, болтать. ПОС 14, 106.
Ковыря́ть слова́. *Кар.* Говорить искаженно. СРГК 2, 383.
На два сло́ва. *Разг.* Для короткого разговора, сообщения и т. п. ФСРЯ, 431.
Небылы́е слова́. *Морд.* Ложь, обман. СРГМ 1986, 111.
Не быть поперёк сло́ва *кому. Сиб.* Не ссориться с кем-л., не перечить кому-л. Верш. 6, 280.
Не вы́ступить из сло́ва. *Прикам.* Выполнить свое обещание. МФС, 23; СГПО, 99.
Не говоря́ худо́го сло́ва. *Разг.* Не вступая в пререкания, излишние разговоры. БМС 1998, 531; ФСРЯ, 431.
Ни сло́ва ни полсло́ва. *Волг.* О полном безразличии, отсутствии реакции на что-л. Глухов 1988, 111.
От сло́ва до де́ла сто перего́нов *у кого. Народн. Неодобр.* О необязательном человеке. Жиг. 1969, 73.
От сло́ва до сло́ва. *Разг.* Всё целиком, от начала до конца (рассказывать, читать и т. п.). ФСРЯ, 431.
От сло́ва к сло́ву. *Разг.* По мере развития беседы. ФСРЯ, 431.
Пережи́ть свои́ слова́. *Горьк.* Жить очень долго. БалСок, 49.
Проглоти́ть слова́. *Прост.* Перестать говорить, замолчать, испытывая растерянность, волнение, застенчивость. Ф 2, 97.
Поклада́ть слова́. *Смол.* Договариваться о чём-л. СРНГ 28, 381.
Принима́ть слова́. *Прикам.* Лечиться у знахарки. МФС, 81.
Проно́сные слова́. *Яросл.* Слухи, сплетни. ЯОС 8, 99.
Рыть слова́. *Кар.* Клеветать, оговаривать кого-л. СРГК 5, 597.
Сде́лать слова́. *Прикам.* Произнести заговор от какой-л. болезни. МФС, 89.
Се́рые слова́. *Новг.* Бранные выражения. НОС 10, 47.
Слова́ ба́рхатные, а дела́ ежо́вые. *Народн.* О двуличном человеке. Жиг. 1969, 208.
Слова́ без смы́сла. *Жарг. арм. Ирон.* Воинская присяга. Максимов, 391.
Слова́ вя́знут на языке́ *у кого. Разг.* О человеке, которому не хватает решимости сказать что-л. или трудно произнести что-л. БТС, 190.
Сло́ва не вы́бьешь *из кого. Прост. Неодобр.* То же, что **слова не вытянешь** *из кого.* Глухов 1988, 96.
Сло́ва не вы́тянешь *из кого. Разг. Неодобр.* О молчаливом, неразговорчивом человеке.
Сло́ва не добра́ться (не доберёшься, не дождёшься) *от кого. Морд.* То же, что **слова не вытянешь** *из кого.* СРГМ 1980, 24; СРГМ 2002, 81.
Слова́ не иду́т с языка́ *у кого. Разг.* У кого-л. не хватает решимости сказать что-л. ФСРЯ, 431.
Сло́ва не переста́вит. *Волог.* Об очень послушном человеке. СРНГ 26, 227.
Сло́ва под ла́вкой не и́щет. *Коми. Одобр.* О красноречивом, находчивом в разговоре человеке. Кобелева, 77.
Твои́ бы слова́ да Бо́гу в у́ши. *Пск.* Ответная реплика на добрые пожелания и предсказания. СПП 2001, 70.
Теря́ть слова́. *Пск.* Безрезультатно пытаться убедить кого-л. в чём-л., говорить напрасно. СПП 2001, 70.
Три сло́ва, а три с полови́ной ма́та *у кого. Горьк. Неодобр.* О человеке, который часто сквернословит. БалСок, 54.
Броса́ться слова́ми. *Разг. Неодобр.* Безответственно говорить, обещать что-л. ФСРЯ, 50; ЗС 1996, 341.
Вытря́хивать слова́ми. *Пск.* Употреблять в речи, использовать определённые слова. ПО, 6, с 84.
Игра́ть слова́ми. *Разг.* 1. Острить, каламбурить. 2. Стараться скрыть за словами истинную сущность дела, намерения, цели. ФСРЯ, 180.
Обноси́ть слова́ми *кого. Сиб.* Оскорблять кого-л. ФСС, 129.
Покида́ть слова́ми *кого. Пск.* Обругать, оскорбить кого-л. СПП 2001, 70.
Свои́ми слова́ми. *Разг.* Не буквально, не дословно, передавая только содержание, смысл. ФСРЯ, 431.
Сори́ть слова́ми. *Прост. Неодобр.* Болтать, пустословить; говорить что-л. зря. Ф 2, 175.
На слова́х Во́лгу переплывает, а на де́ле – ни через лу́жу. *Народн. Неодобр.* О хвастливом человеке, краснобае. Жиг. 1969, 73. **На слова́х города́ берёт, а на де́ле – ни ша́гу вперёд.** *Народн. Неодобр.* То же. Жиг. 1969, 73.
На слова́х города́ стро́ит, а на де́ле ничего́ не сто́ит. *Народн. Неодобр.* То же. Жиг. 1969, 211.
На слова́х ми́лости про́сит, а за голени́щем нож но́сит. *Народн. Неодобр.* О двуличном человеке. Жиг. 1969, 208.
Держа́ться на че́стном сло́ве. *Разг. Шутл.-ирон.* Быть непрочным, неустойчивым. ФСРЯ, 432; Глухов 1988, 34; ЗС 1996, 107.
Кре́пок (твёрд) на сло́ве. *Прост. Одобр.* О человеке, который всегда сдерживает свои обещания. ЗС 1996, 340.
Лови́ть/ пойма́ть на сло́ве *кого. Разг.* 1. Заставлять кого-л. сделать то, о чём им было сказано, подтвердить то, что было сказано. 2. Воспользовавшись обмолвкой кого-л. или обнаружив противоречие в словах собеседника, приписывать ему то, о чём он и не думал или не хотел говорить. ФСРЯ, 231; БТС, 502; ЗС 1996, 341.
Не вы́стоять (не усто́ять) в [своём] сло́ве. *Арх. Разг. Устар.* Не сдержать данного обещания. СРНГ 6, 33; Ф 2, 223.
Положи́ть на сло́ве. *Разг. Устар.* Договориться о бракосочетании. Ф 2, 70.
Состоя́ть в сло́ве *с кем. Прибайк.* 1. Быть в сговоре с кем-л. 2. Иметь какие-л. обязательства перед кем-л. СНФП, 117.
Брать/ взять сло́во. *Разг.* 1. *с кого.* Получить с кого-л. обещание. ФСРЯ, 432; БМС 1998, 531; ШЗФ 2001, 24. 2. По своей инициативе выступать на собрании, митинге. ФМ 2002, 448.
Верну́ть сло́во. См. **Вернуть словцо (СЛОВЦО).**

Ве́рить/ пове́рить на́ слово *кому. Разг.* Верить кому-л., полагаясь на его заверения, без подтверждения фактами, доказательствами. ФСРЯ, 432.

Вы́кинуть сло́во. *Печор.* Сказать, произнести что-л. СРГНП 1, 106.

Вы́молотить сло́во *из кого. Волог.* Вызвать кого-л. на разговор, получить ответ. СВГ 1, 96.

Вы́пить за до́брое сло́во. *Дон.* Выпить спиртного по случаю согласия на брак. СДГ 1, 89.

Вы́пустить сло́во. *Кар.* Сказать, произнести что-л. СРГК 1, 284.

Вы́тягать сло́во *из кого. Арх.* Заставить говорить кого-л. АОС 8, 320.

Горба́тое сло́во. 1. *Жарг. угол.* Грубое, матерное выражение. Мокиенко, Никитина 2003, 305. 2. *Жарг. мол. (Одесск.).* Претензия, упрёк. Смирнов 2002, 46.

Дава́ть/ дать сло́во. 1. *Разг.* Обещать что-л., брать на себя какое-л. обязательство. ФСРЯ, 432; ФМ 2002, 449; БТС, 240. 2. *кому. Разг.* Разрешать кому-л. выступить с речью на собрании, заседании. ФМ 2002, 450. 3. *Арх.* Воздействовать на кого-л. магическими словами. АОС 10, 286.

Дарово́е сло́во. *Арх. Неодобр.* Пустые разговоры, болтовня. АОС 10, 267.

Держа́ть роди́тельское сло́во. *Кар.* Беспрекословно подчиняться воле родителей. СРГК 1, 454.

Держа́ть [своё] сло́во. *Разг.* Исполнять, выполнять обещанное. ФСРЯ, 432; ЗС 1996, 340; ФМ 2002, 451.

Дерза́ть сло́во. *Сиб.* Произносить речь. ФСС, 53.

Докати́ть сло́во. *Кар.* Сказать что-л. кстати, уместно. СРГК 1, 474.

Живо́е сло́во. *Разг.* 1. Устная речь в отличие от письменной. 2. Речь, содержащая свежие, интересные мысли, волнующая и трогающая слушателя. ФСРЯ, 432.

Заки́нуть (запусти́ть) сло́во (слове́чко) *за кого, за что.* 1. *Разг.* Упомянуть о чём-л., напомнить о чем-л. кому-л., намекнуть на что-л. БТС, 325. 2. *Пск.* То же, что **замолвить слово.** ПОС 11, 234.

Заложи́ть сло́во. 1. *Кар.* Сказать, произнести что-л. СРГК 2, 151. 2. *Волг.* Дать обещание. Глухов 1988, 49.

Замо́лвить сло́во (слове́чко) *за кого. Разг.* Сказать что-л. в пользу кого-л. ФСРЯ, 432; ЗС 1996, 330; БТС, 333.

Знать сло́во. *Прост.* Уметь колдовать, знать заговоры. БМС 1998, 531; СФС, 171; ФСС, 83; ЯОС 4, 124.

Лихо́е сло́во. *Волог. Неодобр.* Бранное слово, выражение. СВГ 4, 43.

Лови́ть ка́ждое сло́во. *Разг.* Жадно слушать, не упуская ничего. Ф 1, 282.

Немоло́чное сло́во. *Сиб. Неодобр.* То же, что **лихое слово.** СКузб, 131.

Но́вое сло́во *в чём.* Новейшее достижение (техническое, научное и т. п.). ФСРЯ, 432.

Одно́ сло́во. *Разг.* Короче говоря. ФСРЯ, 432.

Перебро́сить (переки́нуть) сло́во (слове́чко). *Прост.* Поговорить с кем-л. Ф 2, 38, 39.

Пе́рвое сло́во *в чём.* 1. Самое начало чего-л. 2. Самое главное, существенное в чём-л. ФСРЯ, 432.

Пе́рво сло́во скажу́ — не отве́тит. *Олон.* О молчаливом, необщительном человеке. СРНГ 26, 18.

Переступи́ть сло́во. *Сиб.* Ослушаться кого-л. ФСС, 134.

Плю́нутое сло́во. *Кар.* Нечто, сказанное попусту. СРГК 4, 553.

Помяну́ть не за до́брое сло́во *кого. Пск.* Поругать кого-л. СПП 2001, 70.

После́днее сло́во. *Разг.* 1. То же, что **новое слово.** ФСРЯ, 432. 2. Заключительный монолог или отказ кому-л. в чём-л. ЗС 1996, 526; Глухов 1988, 131.

Пра́во сло́во. *Народн.* В самом деле, правда. ФСРЯ, 432; Глухов 1988, 132.

Пусти́ть сло́во. *Кар.* Сказать что-л. СРГК 5, 354.

Рони́ть сло́во. *Нар.-поэт.* Произносить, говорить скупо, нехотя. Ф 2, 128.

Своё сло́во на ме́сте *у кого. Пск. Одобр.* О человеке, исполняющем свои обещания, верном своему слову. СПП 2001, 70.

Сказа́ть своё сло́во. *Разг.* Проявить себя в каком-л. деле, оказать влияние на что-л. Ф 2, 158.

Сло́во в сло́во. *Разг.* Точно, дословно, с совершенной полнотой (пересказать, повторить, перевести). БМС 1998, 531; ФСРЯ, 432; ФМ 2002, 454; ЗС 1996, 519.

Сло́во за́ слово. *Разг.* 1. Постепенно (разговориться, расспросить и т. п.). 2. Пререкаясь, препираясь (рассориться, разругаться и т. п.). ФСРЯ, 432.

Сло́во за сло́вом на тарака́ньих но́жках ползёт (ле́пится) *[у кого]. Народн. Неодобр.* О человеке, не умеющем быстро и четко излагать свои мысли. ДП, 415.

Сло́во к сло́ву не кле́ится *у кого. Коми.* О человеке, говорящем невнятно. Кобелева, 78.

Сло́во ми́мо рту суётся. *Коми., Прибайк.* О тщетных усилиях вспомнить какое-л. слово, название. Кобелева, 78; СНФП, 118.

Сло́во мо́лвит – солове́й поёт. *Народн. Одобр.* О приятном женском голосе, плавной, красивой речи. Жиг. 1969, 115.

Сло́во на́до купи́ть *у кого. Пск.* О молчаливом, немногословном человеке. СПП 2001, 70.

Сло́во не съягливать/ не съяглить. *Морд.* Несвязно выражать свои мысли. СРГМ 2002, 184.

Сло́во сло́ву косты́ль подаёт *у кого. Народн.* О человеке с плохо развитой речью. ДП, 415.

Сло́во твёрдое *у кого. Разг.* О верности данному обещанию, о гарантии исполнения чего-л. БМС 1998, 532.

Сло́во три бе́са *у кого. Одесск. Шутл.* О находчивом в разговоре, красноречивом человеке. КСРГО.

Сло́во че́рез губу́. *Новг.* О презрительной, пренебрежительной речи. НОС 2, 66; НОС 10, 90.

Твоё сло́во восьмо́го ма́рта. *Жарг. мол. Шутл.-ирон.* Просьба замолчать, обращённая к девушке, женщине. Вахитов 2003, 177.

Твоё сло́во два́дцать тре́тьего февраля́. *Жарг. мол. Шутл.-ирон.* Просьба замолчать, обращённая к юноше, мужчине. Вахитов 2003, 177.

Твоё сло́во три́дцать пе́рвого ма́рта. *Жарг. мол. Шутл.-ирон.* Просьба, требование замолчать. Вахитов 2003, 177.

Ты ему́ сло́во, а он тебе́ — де́сять. *Разг.* О человеке с быстрой речевой реакцией. ДП, 134.

Худо́е сло́во. *Новг., Сиб. Неодобр.* Брань, ругань. НОС 10, 90; Верш. 6, 284.

Чёрное сло́во. *Прост.* 1. Ругательство, бранное выражение. БТС, 1474; НОС 7, 57; КСРГО; Подюков 1989, 228; СПП 2001, 70. 2. Слово «чёрт», упоминание чёрта. СПП 2001, 70; Мокиенко, Никитина 2003, 305. < Возможно, от народн. **чёрный** – чёрт.

Че́стное сло́во. 1. *Разг.* Выражение уверения в истинности, правдивости чего-л. ФСРЯ, 432; Верш. 6, 281. 2. *RPG.* Записка с подписью «мастера» (организатора ролевой игры), подтверждающей истинность содержащейся в ней информации. СИД, 1994.

Верте́ть/ верну́ть сло́вом. *Кар., Пск.* Нарушать данное обещание, изменять принятое решение. СРГК 1, 178; ПОС, 3, 93.

За сло́вом в карма́н не ле́зет/ не поле́зет (не хо́дит). *Разг. Шутл.-одобр.* О находчивом в разговоре, красноречивом человеке, острослове. ДП, 253, 411; ФМ 2002, 452; БТС, 491; Жиг. 1969, 129; НОС 4, 158; ФСРЯ, 432.

За сло́вом в карма́н не на́до ла́зать *кому. Пск. Шутл.-одобр.* То же, что **за словом в карман не лезет.** СПП 2001, 70.

Обменя́ться сло́вом *с кем. Разг.* То же, что **перекинуться словом.** Ф 2, 9.

Одни́м сло́вом. *Разг.* Короче говоря. ФСРЯ, 432; ЗС 1996, 331.

Переки́нуться сло́вом *с кем. Разг.* Поговорить с кем-л. Ф 2, 39.

Петь *чьим* **сло́вом.** *Кар.* Делать что-л. по чьему-л. желанию, указанию. СРГК 3, 200.

Помина́ть до́брым сло́вом *кого. Разг.* Вспоминая кого-л., хорошо, с благодарностью отзываться, думать о нём. ФСРЯ, 340.

Ре́знуть сло́вом. *Кар.* Грубо выругаться. СРГК 5, 510.

По до́брому сло́ву. *Волг., Дон.* По общей договорённости, миролюбиво. Глухов 1988, 125; СДГ 1, 132.

По после́днему сло́ву *чего. Разг.* В соответствии с новейшими достижениями в какой-л. области. ФСРЯ, 433; БМС 1998, 532.

Прийти́сь к сло́ву. *Разг.* Быть сказанным, рассказанным кстати. ФСРЯ, 433; Ф 2, 94; Верш. 6, 281

СЛОВЦО́ * Для (ра́ди) кра́сного словца́. *Разг. Неодобр.* О чём-л., сказанном лишь для того, чтобы показать свое остроумие, похвастать. БСМ, 532; ДП, 412; Жиг. 1969, 212; ФМ 2002, 451; БТС, 467; ЗС 1996, 337.

Вверну́ть словцо́ (сло́во). *Разг.* Сказать что-л. кстати; пояснить что-л. Ф 1, 51.

Кре́пкое словцо́. *Разг.* Ругательство, бранное выражение. ФСРЯ, 433; ЗС 1996, 325.

СЛОЙ * Па́дшие сло́и населе́ния. *Публ. Ирон.* Проститутки. Мокиенко 2003, 104.

Сло́му нет *кому. Волг.* 1. О неугомонном, энергичном, сильном человеке. 2. *Одобр.* О работоспособном, трудолюбивом человеке. Глухов 1988, 105, 150.

СЛОН * Ро́зовый слон. *Жарг. мол. Шутл.* Водка Yupi. ТК-2000.

Слон без хо́бота. *Жарг. мол. Шутл.* Еврей. Максимов, 391.

Слон в марина́де. *Жарг. мол. Шутл.* О чём-л. неизвестном. БСРЖ, 547.

Слон и Мо́ська. 1. *Разг. Шутл.-ирон.* О людях, различающихся по росту, упитанности и т. п.; о мелком, ничтожном человеке, тщетно пытающемся навредить какому-л. крупному деятелю, предпринимателю и т. п. 2. *Жарг. шк. Шутл. или Пренебр.* Директор и завуч. (Запись 2003 г.). < Оборот возник на основе одноименной басни И. А. Крылова. БМС 1998, 532.

Слон на у́хо (на́ ухо) наступи́л *кому. Разг. Шутл.-ирон.* О человеке без музыкального слуха. ФСРЯ, 434.

Брить слона́. *Разг. Шутл.* Заниматься долгим, нудным делом. Елистратов 1994, 52.

Гоня́ть слона́ (слоно́в). *Волг., Перм. Неодобр.* Бездельничать. Глухов 1988, 25; СГПО, 114; МФС, 27; Мокиенко 1990, 156, 157.

Догна́ть слона́. *Жарг. мол. Шутл.* Быстро убежать откуда-л. СМЖ, 95.

Замочи́ть слона́. *Жарг. мол. Шутл.* Поесть жареной картошки. Максимов, 146.

Нае́хать на слона́. *Жарг. мол.* Нажить сильного, серьёзного врага. Вахитов 2003, 106.

Отвяза́ть слона́. *Жарг. мол. Шутл.* Сходить в туалет, помочиться. Максимов, 291.

Продава́ть слона́. *Кар., Новг. Шутл.-ирон.* Обманывать кого-л., сплетничать. СРГК 5, 250; Мокиенко 1990, 156; НОС 9, 41.

Слепи́ть слона́. *Жарг. мол Шутл.* Испражниться. h-98.

Слона́ не приме́тить. *Разг.* Не заметить самого главного, важного. < Восходит к басне И. А. Крылова «Любопытный» (1814 г.). БМС 1998, 532; Мокиенко 1990, 92.

До ро́зовых слоно́в. *Жарг. мол. Шутл.* О состоянии крайнего опьянения. Максимов, 367.

Раздава́ть/разда́ть слоно́в. 1. *Жарг. мол. Шутл.* Вручать подарки, премии. 2. *Жарг. арм.* Назначать кого-л. на нештатные должности. Лаз., 131.

Слоно́в (слоны́) слоня́ть (води́ть, гоня́ть, продава́ть). *Прост. Неодобр.* бездельничать; слоняться без дела. ДП, 501; ФСРЯ, 434; БМС 1998, 532-533; НОС 2, 35; Мокиенко 1990, 65, 156.

Кача́ть слону́ я́йца. *Вульг-прост. Шутл.-ирон.* Заниматься пустым, бесполезным делом; бездельничать. Мокиенко 2003, 104.

Вы слыха́ли, как пою́т слоны́? *Жарг. мол. Шутл.* Вопрос–предложение вступить в половую связь. < Трансформация названия песни «Вы слыхали, как поют дрозды?» Мокиенко, Никитина 2003, 306.

Пина́ть слоны́. *Диал. Неодобр.* То же, что **гонять слона.** Мокиенко 1990, 157.

Продавать слоны́. *Прибайк. Неодобр.* То же, что **гонять слона.** СНФП, 119.

СЛОНЁНОК * Привяза́ть слонёнка. См. **Привязать слоника (СЛОНИК).**

СЛО́НИК * Запусти́ть сло́ника. *Жарг. угол., простит.* Совершить с кем-л. половой акт оральным способом, украв при этом что-л. из кармана партнёра (действия проститутки). Смирнов 1993, 179.

Привяза́ть сло́ника (слонёнка). *Жарг. мол. Шутл.* Сходить в туалет. Вахитов 2003, 145.

Сыгра́ть в сло́ника. *Жарг. арм. Шутл.* Надеть противогаз. Кор., 280.

Знако́миться с бе́лыми сло́никами. *Жарг. мол.* Совокупляться, заниматься сексом. Максимов, 31.

Это вам не сло́ников из говна́ лепи́ть. *Жарг. мол.* О чём-л., требующем приложения сил, напряжения умственных способностей. (Запись 2002 г.).

Игра́ть в сло́ники. *Жарг. арм. Шутл.* Совершать какие-л. действия в противогазе. Лаз., 132.

Звони́ть сло́нику. *Жарг. мол. Шутл.* Ходить в туалет. Максимов, 154.

СЛОНИ́ХА * Слони́ха со слоня́тами. *Жарг. угол., арест.* Стол со скамейками в камере. ТСУЖ, 164.

СЛУГА́ * Бо́жий слуга́. *Яросл.* О глупом, убогом человеке, калеке. ЯОС 2, 8.

Ваш поко́рный (поко́рнейший) слуга́. *Разг. Устар.* 1. Формула вежливого заключения письма. 2. Выражение, употребляющееся вместо «я» («говорящий»). ФСРЯ, 434; ЗС 1996, 96.

Слуга́ двух госпо́д. 1. *Книжн. Неодобр.* О двуличном человеке, двурушнике. ДП, 658; БМС 1998, 533. 2. *Жарг. шк., студ. Шутл.-ирон.* Староста класса, студенческой группы. Максимов, 391. < Заглавие комедии К. Гольдони (1749 г.).

Слуга́ дья́вола. *Жарг. арм. Презр.* Сержант. Максимов, 391.

Слугá сатаны́. *Жарг. шк. Презр.* Староста студенческой группы. Максимов, 391.

СЛУ́ЖБА * Вини́ловая слу́жба. *Жарг. мол., муз.* Работа диск-жокея. WMN, 85.

Слу́жба хорóшего настроéния. *Публ.* Сфера услуг. Новиков, 152.

Чтóбы слу́жба мёдом не казáлась. *Жарг. арм.* Устойчивое выражение, сопровождающее неуставные приказы старослужащих молодым солдатам. Митрофанов, Никитина, 193.

Ломáть слу́жбу. *Волг., Дон.* Служить в армии, проходить срочную службу. Глухов 1988, 83; СДГ 2, 119.

Наки́нуть слу́жбу *кому. Печор. Флк.* Дать поручение, задание кому-л. СРГНП 1, 448.

Не в слу́жбу, а в дру́жбу. *Разг.* Дружеская просьба о чём-л. ДП, 236.

Нести́ слу́жбу. *Жарг. мол. Шутл.* Сидеть в туалете. Максимов, 274.

Поня́ть слу́жбу. *Жарг. арм. Ирон.* Пройти первые испытания в армии (о молодых солдатах). СЛК 2000, № 1.

Сослужи́ть слу́жбу *кому. Разг.* 1. Оказать кому-л. услугу в чём-л., сделать что-л. полезное для кого-л. 2. Сыграть свою роль в чём-л., принести кому-л. выгоду или вред. ФСРЯ, 447.

Тащи́ть слу́жбу. *Жарг. арм.* То же, что **ломать службу.** Я — молодой, 1995, № 6.

СЛУХ * Брать/ взять на слух. *Дон.* 1. Прислушиваться. 2. Принимать к сведению что-л. СДГ 1, 39.

Взять слух. *Дон.* Услышать, узнать что-л. СДГ 3, 129.

На слух. *Разг.* 1. Только слушая (определять, узнавать что-л.). 2. По памяти, без нот (петь, играть). ФСРЯ, 434.

Обращáться/ обрати́ться в слух. *Разг.* Начинать внимательно слушать кого-л., что-л. ФСРЯ, 352; Ф 2, 11.

Подáть слух. *Диал.* Начать лаять. Мокиенко 1990, 110.

Рéжет слух. *Разг. Неодобр.* Что-л. производит неприятное впечатление своим звучанием, содержанием. Ф 2, 124.

Слу́хом земля́ пóлнится. *Разг.* О наличии известий о ком-л. Верш. 6, 285.

Быть (ходи́ть) в слуху́ (в слыху́). *Пск.* Быть известным, распространённым в народе. СПП 2001, 70.

В слуху́ (в слыху́, в слыхáх) нет (нé было) *чего. Пск.* О полном отсутствии представления о чём-л., традиции использования, употребления чего-л. СПП 2001, 70.

Лежáть на слуху́. *Яросл. Охотн.* Быть настороже (о звере). ЯОС 5, 125.

На слуху́. *Разг.* 1. *Устар.* Поблизости, около, так, что можно услышать. ФСРЯ. 2. В слуховой памяти. БМС 1998, 533. 3. О том, что постоянно произносится, звучит, поётся и т. п. Ф 2, 165; Мокиенко 2003, 104.

Ни слу́ху ни ду́ху *[о ком]. Разг.* Нет никаких известий от кого-л., о ком-л. ФСРЯ, 434; БТС, 289; БМС 1998, 533; ЗС 1996, 502; ФМ 2002, 455; Глухов 1988, 111; ДП, 577; Подюков 1989, 111; Мокиенко 1990, 100, 149; ПОС, 10, 57.

Ни слу́ху ни прóслуху. *Волг.* То же. Глухов 1988, 111.

Заки́нуть со слу́ху *что. Пск.* Выбросить что-л. СПП 2001, 70.

Сидéть на слуху́. *Диал.* Подстерегать кого-л. Д 4, 182; Мокиенко 1986, 90.

СЛУ́ЧАЙ * В крáйнем слу́чае. *Разг.* При острой необходимости. ФСРЯ, 434.

Во вся́ком слу́чае. *Разг.* 1. При любых обстоятельствах. 2. Однако, всё-таки. ФСРЯ, 435.

В слу́чае чегó. *Разг.* Если произойдёт, случится что-л., если возникнут какие-л. неприятности, затруднения, осложнения. ФСРЯ, 435.

Ни в кóем слу́чае. *Разг.* Ни при каких обстоятельствах. ФСРЯ, 435.

При слу́чае. *Разг.* 1. При необходимости, при нужде. 2. При некоторых обстоятельствах, иногда. ФСРЯ, 435.

Пéрвым слу́чаем. *Кар.* Прежде всего. СРГК 4, 428.

Клини́ческий слу́чай. *Разг. Шутл.-ирон.* 1. Трудноразрешимая, тупиковая ситуация. Елистратов 1994, 435. 2. Крайняя степень проявления чего-л. Елистратов 1994, 198.

На вся́кий [пожáрный] слу́чай. *Разг.* Для непредвиденных трудностей, в расчёте на них; для страховки, про запас. ФСРЯ, 533; ЗС 1996, 163.

На пéрвый слу́чай. *Разг.* Для начала. ФСРЯ, 435.

Попáсть в слу́чай. *Разг. Устар.* Оказаться удачливым вследствие расположения, покровительства какого-л. влиятельного лица. Ф 2, 75.

Улови́ть слу́чай. *Разг.* То же, что **не упускать/ не упустить случая.** Ф 2, 219.

Не упускáть/ не упусти́ть слу́чая. *Разг.* Пользоваться благоприятными обстоятельствами для достижения какой-л. цели. Ф 2, 221.

СЛЫХ * Ни слы́ха (слы́ху) ни полслы́ха (полслы́ху). *Пск.* То же, что **ни слуху ни духу.** СПП 2001, 70.

Ни слы́ха ни пóслыха *о ком, от кого. Пск.* То же, что **ни слуху ни духу 1.** СПП 2001, 70.

В слыхáх нет. См. **В слуху нет (СЛУХ).**

Слы́хи пáдали *о ком, о чем. Кар.* Стало известно о ком-л., о чём-л. СРГК 4, 366.

Слы́хом не слы́шать (не слыхáть) *о ком, о чём. Пск., Сиб.* 1. Не иметь никакого представления о чём-л., о ком-л.; долгое время не иметь никаких сведений о ком-л., о чём-л. СПП 2001, 70; ФСРЯ, 436.

Слы́хом слыхáть *о ком, о чем. Сиб.* Знать что-л. по слухам, из разговоров. СБО-Д2, 186; СФС, 171.

В слыху́ нет (нé было). См. **В слуху нет (СЛУХ).**

Быть (ходи́ть) в слыху́ ходи́ть. См. **Быть в слуху (СЛУХ).**

На слыху́. *Ср. Урал.* По слухам. СРГСУ 2, 185.

Ни слы́ху ни вéсти *о ком, от кого. Кем.* То же, что **ни слуху ни духу.** СПСП, 124.

Ни слы́ху ни ды́ху *о ком, от кого. Кар., Пск., Сиб.* То же, что **ни слуху ни духу 1.** СРГК 2, 17; СПП 2001, 70; СКузб., 132; Верш. 6, 287; Мокиенко 1990, 100.

Слы́ху (слы́хом) нет *чего. Сиб.* То же, что **в слуху нет (СЛУХ).** ФСС, 19; СПСП, 124.

СЛЮ́КА * На слю́ку. *Жарг. угол.* О дележе добычи поровну. ТСУЖ, 115.

СЛЮНÁ * Слюнá течёт *у кого. Пск.* О сильном желании выпить, съесть что-л. СПП 2001, 70.

Гоня́ть слю́ни. *Жарг. мол. Шутл.* Целоваться. h-98.

Распускáть/ распусти́ть слю́ни. *Прост.* 1. Плакать, начинать плакать. 2. Сетовать, жаловаться на что-л. 3. Приходить в умиление от чего-л. ФСРЯ, 385; СРНГ 34, 188; Глухов 1988, 140; Мокиенко 1990, 74.

Зашибёшь слюнóй *кого. Новг.* О худом, тщедушном человеке. ЗС 1996, 138.

Вóлчьи слю́ны. *Новг.* Пена, выкипающая на торцах сырых дров при их сжигании. СРНГ 5, 81.

Изойти́ слюня́ми. *Морд.* Испытывать сильное желание съесть, выпить что-л. СРГМ 1980, 119.

Обменя́ться слюня́ми. *Жарг. мол. Шутл.* Поцеловаться. Никитина 2003, 644.

СЛЮ́НКИ * Глота́ть слю́нки. *Разг.* С завистью, вожделением смотреть на что-л. заманчивое, соблазнительное, но недоступное. ФСРЯ, 108; БТС, 209.

Слю́нки кипя́т *у кого. Перм. Шутл.* То же, что **слюнки текут.** Подюков 1989, 188; ЗС 1996, 55.

Слю́нки (слю́ни) теку́т (потекли́) *у кого. Разг.* 1. Кто-л. испытывает сильное желание попробовать, съесть или выпить что-л., обычно – вкусное. 2. Кто-л. испытывает сильное, страстное желание приобрести что-л. заманчивое, овладеть чем-л. ФСРЯ, 437; ЗС 1996, 190; Максимов, 335.

СМА́ЗАННЫЙ * Не гла́дко сма́занный. *Кар. Шутл.-ирон. или Пренебр.* О глуповатом, несообразительном человеке. СРГК 1, 404.

СМАК * Ни сма́ку ни зна́ку *о ком, о чём. Брян.* Абсолютно ничего неизвестно о ком-л., о чём-л. СРНГ 11, 305.

СМА́РКА см. **НАСМАРКУ**

НАСМА́РКУ * Идти/ пойти на смарку (на смарку). *Разг.* Быть уничтоженным, испорченным. СПП 2001, 70. < **Смарка** – от **смарывать** – стирать. Мокиенко 1986, 90; БМС 2005, 462.

СМАХНУ́ТЬ * Смахну́ть не гля́дя. *Жарг. спорт. (д/пл.). Шутл.-ирон.* Сбить при посадке что-л, кого-л. < Трансф. **махнуть не глядя.** БСРЖ, 548.

СМЕК * Сме́ку не знать. *Ряз.* Не иметь представления, не знать о чём-л. СРНГ 11, 312; ДС, 527.

Сме́ку нет (не́ту) *[чему]. Ряз.* О большом количестве чего-л. ДС, 526.

СМЕ́НА * Сме́на карау́ла. 1. *Публ.* О переменах в правительстве, в административных кругах. Мокиенко 2003, 104. 2. *Жарг. мол. Шутл.* О появлении нового друга, любовника. Максимов, 392.

СМЕ́РДУШКА * До сме́рдушки. *Новг.* То же, что **до смерёдушки (СМЕРЁДУШКА).** НОС 10, 94.

СМЕРЁДКА * До смерёдки. *Пск.* Много, интенсивно (работать). СПП 2001, 70.

По са́мую смерёдку. *Пск.* То же, что **до смерёдки.** СПП 2001, 70.

СМЕРЁДУШКА * До смерёдушки. *Пск.* Очень сильно (избить, устать и т. п.). СПП 2001, 71.

СМЕ́РТОНЬКА * До сме́ртоньки. *Горьк.* То же, что **до смередушки (СМЕРЁДУШКА).** БалСок, 34.

СМЕ́РТОЧКА * До сме́рточки. *Сиб.* То же, что **до смередушки (СМЕРЕДУШКА).** СФС, 66.

СМЕРТУ́ШЕЧКА * Добывать смерту́шечки. *Брян. Ирон.* Ждать прихода смерти, быть очень старым. СБГ 5, 24.

СМЕ́РТУШКА * Понести́ сме́ртушку. *Олон.* Умереть. СРНГ 29, 257.

СМЕРТЬ * Без сме́рти сме́рть. 1. *Новг., Ряз.* О чём-л. трудном, тяжёлом, неприятном. НОС 10, 95; ДС, 528. 2. *Новг.* О неожиданной смерти. НОС 10, 95.

Быть (жить) у сме́рти. *Перм.* Находиться в большой опасности, на грани гибели. Подюков 1989, 20.

До́ сме́рти́. *Разг.* Очень сильно, в высшей степени. ФСРЯ, 437; ДС, 528; НОС 6, 5; Верш. 6, 292.

Лежа́ть до́ смерти. *Свердл.* Лежать без движения; быть при смерти. СРНГ 16, 329.

Ни сме́рти ни живота́. *Сиб. Неодобр.* О надоевшей старости, проходящей в муках, болезнях. ФСС, 182.

Преда́ться к сме́рти. *Приамур.* Почувствовать сильное недомогание. СГРП, 221.

Помере́ть с голо́дной сме́рти. *Арх.* Умереть от голода. АОС 9, 256.

Приговори́ть к сме́рти *что. Жарг. мол. Шутл.* Выпить до дна бутылку спиртного. Максимов, 339.

При́ смерти. *Разг.* В очень тяжёлом, опасном для жизни состоянии. ФСРЯ, 437.

Сме́рти не вы́просишь *у кого. Новг. Неодобр.* О жадном, скупом человеке. Сергеева 2004, 134.

Смотре́ть сме́рти в глаза́ (в лицо́). *Книжн.* Находиться в опасности, осознавать возможность своей гибели. Ф 2, 168.

У сме́рти. *Перм.* То же, что **при смерти.** СГПО, 62; МФС, 92.

У сме́рти коне́ц. 1. *Свердл.* То же, что **до смерти.** СРНГ 14, 254. 2. *Курган., Перм.* О чьём-л. тяжёлом состоянии здоровья, близости смерти. СРНГ 14, 254; МФС, 48; Подюков 1989, 93.

Бе́лая смерть. 1. *Разг. Шутл.* Соль. Вахитов 2003, 47. 2. *Разг.* Сахар. Мокиенко 2003, 104. 3. *Жарг. мол.* Кокаин. Вахитов 2003, 47. 4. *Публ.* Снежная лавина. НРЛ-78.

Девя́тая смерть дожида́ет *кого. Арх. Шутл.-ирон.* О чьей-л. необычной живучести. АОС 10, 402.

Жива́я смерть. 1. *Морд. Пренебр.* Об очень бледном, измождённом человеке. СРГМ 2002, 86. 2. *Пск.* О высшей степени проявления признака (напр., об очень сильной жаре): очень, чрезвычайно, крайне. ПОС 10, 224; СПП 2001, 71.

Мо́края смерть. *Народн.* Об утоплении. СРНГ 18, 213.

Нава́жья смерть. *Арх. Шутл.* О том, кто хорошо ловит навагу. СРНГ 19, 145.

Найти́ смерть. *Разг.* Умереть, погибнуть. ФСРЯ, 438.

Околе́ть на смерть (насмерть). *Сиб.* Умереть, погибнуть. Верш. 6, 293.

Пе́нная смерть. *Жарг. мол. Шутл.* Смесь водки с пивом. Максимов, 307.

Придава́ть/ прида́ть себе́ смерть. *Кар., Прикам.* Кончать жизнь самоубийством. СРГК 5, 139; МФС, 81.

Смерть в глаза́х *у кого. Дон.* О человеке, близком к смерти. СДГ 1, 100.

Смерть в рассро́чку. *Жарг. угол., арест.* Пожизненное заключение. Максимов, 362.

Смерть в тростнике́. *Жарг. мол. Шутл.-ирон.* Вьетнамские или корейские сигареты без фильтра. Максимов, 392.

Смерть к во́роту подхо́дит. *Кар.* О приближении смерти. СРГК 1, 228.

Смерть на взлёте. *Жарг. авто. Ирон.* Старая автомашина, опасная для езды. Максимов, 61.

Смерть нашла́ *кого, чья. Перм.* О погибшем человеке. Подюков 1989, 188.

Смерть не берёт *кого. Морд.* О человеке, живущем до глубокой старости. СРГМ 2002, 86.

Смерть не ви́дит *кого. Пск. Ирон.* Об очень старом, потерявшем интерес к жизни человеке. СПП 2001, 71.

Смерть не за гора́ми, а за плеча́ми *у кого. Сиб. Ирон.* О близкой смерти. Верш. 6, 293.

Смерть подобра́ла *кого. Пск.* Кто-л. умер. СПП 2001, 71.

Смерть потеря́ла *кого. Сиб. Шутл.* То же, что **смерть не берёт.** СОСВ, 148.

Смерть причи́ну найдёт. *Сиб. Ирон.* О неожиданной, странной, нелепой смерти. Верш. 6, 293.

Смерть птенцу́! *Жарг. мол. Одобр.* 1. Восклицание, выражающее восхищение, восторг. БСРЖ, 549. 2. Восклицание, выражающее раздражение, неудовлетворение. СМЖ, 67.

Смерть путь ка́жет *кому. Сиб.* О близости чьей-л. кончины. Верш. 6, 293.

Ходя́чая смерть. *Прост. Пренебр.* Об очень худом, измождённом человеке. СПП 2001, 71.

Чёрная смерть. 1. *Разг. Устар.* О чуме. Ф 2, 167. 2. *Публ.* О самолёте «Ил-2» в годы Отечественной войны. Ф 2, 167;

Мокиенко 2003, 105. 3. *Жарг. рыб. Шутл.* Хищная рыба ротан. Панорама, 1999, № 41.

Гоня́ться за сме́ртью. *Прост.* Напрасно, безрассудно рисковать собой. Ф 1, 122.

Игра́ть со сме́ртью. *Разг.* Рисковать собой. Ф 1, 217.

Пасть сме́ртью храбрых. 1. *Книжн.* Умереть, погибнуть героем (в бою, в сражении). ФССРЛЯ 2004, 2, 379. 2. *Жарг. шк. Шутл.* Без уважительной причины отсутствовать на уроке. Никитина, 1998, 409.

Па́хнуть сме́ртью. *Перм. Пренебр.* Вызывать отвращение. Подюков 1989, 145.

То́лько (хорошо́) за сме́ртью посыла́ть *кого.* 1. *Разг. Шутл.-ирон. или Неодобр.* О долго отсутствующем человеке, посланном куда-л. с поручением. ФСРЯ, 347; ДП, 478, 421, 566; Жиг. 1969, 216; Глухов 1988, 159; ЗС 1996, 89, 482. 2. *Кар., Сиб., Пск. Неодобр.* О медлительном, ленивом человеке. СРГК 2, 307; СФС, 79; СПП 2001, 71.

Умере́ть голо́дной сме́ртью. *Прост.* Умереть от голода. Верш. 7, 147.

Умере́ть живо́й сме́ртью. 1. *Кар.* Пропасть без вести, погибнуть. СРГК 2, 56. 2. *Печор.* Уйти из семьи (о муже). СРГНП 1, 207.

Умере́ть не свое́й сме́ртью. *Разг.* Покончить жизнь самоубийством. Верш. 7, 147.

Всем смертя́м назло́. *Книжн.* Вопреки всем препятствиям. < Строка из широко известного стихотворения К. Симонова «Жди меня» (1941 г.). БМС, 533; ЗС 1996, 169.

СМЕСЬ * Грему́чая смесь. 1. *Разг.* О человеке, обладающем мощным темпераментом, незаурядной волей и энергией. БМС 1998, 533-534. 2. *Жарг. шк. Шутл.* Учительница химии. ВМН 2003, 123.

СМЕ́ТА * Сме́ты нет *чему. Курск.* О большом количестве чего-л. БотСан, 114.

СМЕХ * Брать на смех *кого. Алт., Арх., Прикам.* Насмехаться, подшучивать над кем-л. АОС 4, 83; СРГА 1, 152; МФС, 13.

В смех. *Орл.* Не всерьёз, в шутку. СОГ 1989, 97.

Гомери́ческий смех. См. **Гомерический хохот (ХОХОТ).**

Дарово́й смех. *Арх.* О чём-л. очень смешном. АОС 10, 267.

[И] смех и грех (го́ре). *Разг.* О чём-л. трагикомичном, одновременно и смешном, и грустном. ФСРЯ, 438; БТС, 227; Глухов 1988, 60; Мокиенко 1990, 149; Верш. 6, 294; Жигулоев, 261.

Мух-ме́х – тарака́ний смех. *Казан.* О чём-л. маловажном. СРНГ 18, 143.

Подвести́ (пропусти́ть) на смех. *Новг.* Посмеяться, подшутить над кем-л. НОС 8, 22; НОС 10, 95.

Поднима́ть/ подня́ть на́ смех *кого. Разг.* Высмеивать кого-л. ФСРЯ, 438; БТС, 873; Верш. 6 294.

Поста́вить на смех *кого, что. Арх.* Дать повод для насмешек. СРНГ 30, 209.

Разорви́ меня́ смех. *Верш. Шутл.* О чём-л. очень смешном, вызывающем хохот. Верш. 6, 51.

Сардони́ческий смех. *Книжн.* Злобный, желчный, язвительный смех. < Выражение встречается у Гомера в «Одиссее». БМС 1998, 534.

Смех сквозь слёзы. *Разг.* О невеселом смехе вопреки тяжёлому душевному состоянию, печали. БМС 1998, 534.

Ло́пнуть от сме́ха (от сме́ху). *Прост.* Много, безудержно смеяться; нахохотаться до изнеможения. СРГМ 1986, 66; Ф 1, 286. < Калька с франц. *crever de rire.* БМС 1998, 534; ЗС 1996, 373.

Порва́ться от сме́ха. *Арх.* То же, что **лопнуть от смеха.** СРНГ 30, 119.

В смеха́х. *Пск.* В шутку. (Запись 1997 г.).

Подыма́ть на сме́хи *кого. Р. Урал.* То же, что **поднимать на смех.** СРНГ 28, 272.

Взять сме́хом. *Жарг. угол.* Предстать перед окружающими простаком в случае опасности (о действиях карманного вора). Балдаев 1, 63.

Говори́ть/ сказа́ть сме́хом. *Яросл.* Шутить, говорить что-л. в шутку. ЯОС 3, 84.

Быть на смеху́. *Прикам., Ср. Урал, Яросл.* Быть предметом насмешек. МФС, 93; СРГСУ 2, 185; ЯОС 2, 35.

Де́лать сме́ху. *Кар.* Шутить, веселить кого-л. СРГК 1, 444.

Держа́ть на смеху́ *кого. Диал.* Осмеивать, высмеивать кого-л. Мокиенко 1990, 104.

Жить на смеху́. *Сиб.* Постоянно подвергаться насмешкам, унижениям. СОСВ, 70.

Ма́ло ли сме́ху. *Горьк. Ирон.* О чём-л. абсолютно не смешном. СРНГ 17, 331.

На смеху́. *Прикам.* 1. Ради смеха. 2. *Неодобр.* Кое-как, небрежно. МФС, 93.

Не до сме́ху. *Разг.* 1. Не время для шуток, для веселья. 2. *кому.* Кто-л. не расположен веселиться, шутить и т. п. ФСРЯ, 438.

Пока́тываться / покати́ться со́ смеху. *Разг.* Громко, безудержно засмеяться, захохотать. ЗС 1996, 373; Ф 2, 65.

Положи́ть сме́ху. *Морд., Яросл.* Много смеяться. СРГМ 2002, 87; ЯОС 8, 52.

Пропада́ть/ пропа́сть со сме́ху. *Приамур., Сиб.* Очень много смеяться; нахохотаться до изнеможения. СОСВ, 153; СРГП 226.

СМЕХА́Ч * Брать/ взять смехача́ на хара́ктер. 1. *Жарг. угол.* Вступать в разговор с жертвой, которую сам же обворовал. СРВС 4, 9, 45; ТСУЖ, 31; Б., 29; СВЯ, 16. 2. *Жарг. мол.* Настаивать на своем. Максимов, 62.

СМЕХОТА́ * Смехота́ и грехота́. *Диал.* То же, что **и смех и грех.** Мокиенко 1990, 149.

СМЕХУЁЧКИ * Всё (тебе́, вам и т. п.) **смехуёчки да пиздоха́ханьки.** *Жарг. мол. Неценз. Шутл.-ирон.* Неодобрение чьей -л. несерьёзности, постоянных шуток. Мокиенко, Никитина 2003, 306.

СМЕШЕ́НИЕ * Смеше́ние [языко́в] францу́зского с нижегоро́дским. *Разг. Шутл.* О путаной, неправильной речи. < Цитата из комедии А. С. Грибоедова «Горе от ума» (1822–1824 гг.). БМС 1998, 534.

СМЕШИ́НКА * Смеши́нка в рот попа́ла *кому. Разг.* Кто-л. смеётся без причины. ФСРЯ, 438; Жиг. 1969, 262; Ф 2, 167; Глухов 1988, 150.

Смеши́нка на брю́хо попа́ла *кому. Кар.* То же, что **смешинка в рот попала.** СРГК 1, 125.

СМЕШНО́ * И смешно́ и грешно́. *Новг. Ирон.* О чувстве досады, разочарования. НОС 10, 54.

СМЕШНО́Й (СМЕШНО́Е) * До смешно́го. *Разг.* Очень, чрезвычайно. ШЗФ 2001, 68.

До смешно́го дохо́дит. *Разг.* Реплика возмущения по поводу какой-л. нелепости. БМС 1998, 535.

СМЕШО́К * На смешка́х. *Прибайк.* Легко, не напрягаясь (делать что-л.). СНФП, 120.

Брать/ взять (поднима́ть/ подня́ть) на смешки́ *кого. Прибайк., Сиб.* То же, что **поднимать на смех.** СНФП, 120; СФС, 38; СРНГ 28, 99.

СМИТ * Лета́ющий Смит. *Жарг. мол. Шутл.* Рок-группа «Аэросмит». Я — молодой, 1996, № 26.

СМОКО́ВНИЦА * Беспло́дная смоко́вница. *Книжн.* 1. О бесплодной женщине. 2. О ком-л., чья деятельность бесплодна. ШЗФ 2001, 19; БТС, 73. < Из Евангельской легенды. БМС 1998, 535.

Под свое́й смоко́вницей. *Книжн.* О доме, месте, где можно отдохнуть. < **Смоковница** (инжир) часто упоминается в Библии; её тень очень ценилась на Востоке. БМС 1998, 535.

СМОКТУНО́ВСКИЙ * Де́лать Смоктуно́вского. *Жарг. гом. Шутл.* Совершать половой акт с кем-л. оральным способом. Я — молодой, 1995, № 8. < Каламбур, обыгрывающий фамилию известного актера на основе просторечного глагола **смоктать** (из укр. **смоктати**) – 'сосать'.

СМОЛА́ * В смоле́ кипе́ть. *Пск.* Испытать нужду, горе, жить в бедности. СПП 2001, 71.

Вали́ться в смолу́. *Новг.* Оказаться в неприятной, сложной ситуации. Сергеева 2004, 211.

Сказа́ть смолу́. *Морд. Неодобр.* Проговориться, сказать лишнее. СРГМ 2002, 53.

СМОТРЁНЫЙ * Смотре́ть смотрёного *на что. Пск.* С вожделением смотреть на что-л., не имея возможности получить, приобрести. СПП 2001, 71.

СМОТРЕ́ТЬ * Туда́ смотре́ть. *Сиб. Ирон.* Быть очень старым или очень слабым. ФСС, 183.

СМОТРИ́ЛКА * Смотри́лка худа́я *у кого. Перм. Шутл.-ирон.* О слабом зрении. Подюков 1989, 190.

СМОРЧО́К * Оку́чивай сморчки́! *Жарг. мол.* Требование уйти, удалиться. Максимов, 286.

СМУР * Смур нахо́дит/ нашёл *на кого. Жарг. мол.* Кто-л. впал в состояние депрессии. VSEA, 183.

СМУРНЯ́К * Гнать смурняка́. *Жарг. мол.* Рассказывать что-л. невесёлое; нагонять тоску на кого-л. Митрофанов, Никитина, 194.

Коси́ть/ закоси́ть смурняка́. *Жарг. лаг.* Прикидываться сумасшедшим. Р-97, 169.

СМУ́ТА * Своди́ть сму́ты. *Морд.* Сплетничать, вызывая ссору. СРГМ 2002, 28.

Сму́ты да перему́ты. *Прост.* Раздор, распри, нелады. БМС 1998, 533; Мокиенко 1990, 149..

СМУ́ТКИ * Де́лать сму́тки. *Сиб.* Ссорить кого-л. с кем-л. ФСС, 57.

СМЫСЛ * Взойти́ в смысл. *Ряз.* Повзрослеть, начать понимать что-л. ДС, 83.

В здра́вом смы́сле. *Яросл.* О здоровом, трудоспособном человеке. ЯОС 2, 37.

В своём (свое́й) смы́сле. *Дон.* В здравом уме. СДГ 3, 130.

В смы́сле. *Разг.* То есть, а именно. БМС 1998, 535.

Заду́маться о смы́сле жи́зни. *Жарг. мол. Шутл.* Сходить в туалет. Максимов, 140.

СМЫ́ЧКА * Бро́сить/ ки́нуть смы́чку. *Жарг. мол. Шутл.* О рвоте. Никитина, 1998, 410; Максимов, 45.

СМЫЧО́К * В два (в три, в четы́ре и т. п.) смычка́ сде́лать *кого. Жарг. угол., мол.* О групповом изнасиловании. Елистратов 1994, 438; Мокиенко, 1995, 97.

Попа́сть под шерстоби́тный смычо́к *к кому. Народн.* Подвергнуться избиению. ДП, 221.

СНЕГ * Англи́йский снег. *Жарг. авто.* Вид светлой окраски автомобиля. Максимов, 13.

Вы́пал кра́сный снег. *Жарг. мол.* О чём-л. сенсационном. Максимов, 76.

Иска́ть прошлого́дний снег. *Прост. Ирон.* Надеяться вернуть, обнаружить то, чего уже нет, что безвозвратно минуло. Ф 1, 224.

Не пе́рвый снег на го́лову *кому. Народн.* Кому-л. не впервые приходится иметь дело с чем-л. (говорится о человеке с большим жизненным опытом). Жук. 1991, 125; ЗС 1996, 444.

Поло́ть снег. *Нар.-поэт.* Один из видов святочных гаданий: отыскать спрятанное в снегу кольцо. Ф 2, 70.

Поло́ть снег на ро́стани. *Диал. Шутл.* Бездельничать. Мокиенко 1990, 65.

Слепо́й снег. *Приамур.* Снег, падающий мелкими снежинками в солнечный день. СРГПриам., 271.

До бе́лого сне́га (сне́гу). *Алт.* До зимы. СРГА 1, 56.

Зимо́й сне́га (сне́гу) не вы́просишь *у кого. Прост. Неодобр.* О жадном, скупом человеке. СПП 2001, 71; Ф 1, 97; Сергеева 2004, 133; Глухов 1988, 96.

Набра́ть сне́гу. *Жарг. угол.* Украсть бельё, вывешенное для просушки. СРВС 1, 67, 82, 204; СРВС 2, 53, 55, 192, 212; СРВС 4, 177, 185; ТСУЖ, 111, 165; Балдаев 2, 48; ББИ, 228; Мильяненков, 235.

По сне́гу за гриба́ми. *Прост. Шутл.-ирон.* О несвоевременных, запоздалых действиях. ЗС 1996, 473.

СНЕГИ́РЬ * Снегире́й лови́ть. *Ворон. Неодобр.* Бездельничать. СРНГ 17, 101.

СНЕГУ́РОЧКА * Африка́нская снегу́рочка. *Жарг. мол. Пренебр.* О девушке с неприятной внешностью. Максимов, 18.

СНЕЖИ́НА * Снежи́на попа́ла. *Пск.* О забеременевшей девушке. Доп., 1858.

СНИ́ЗУ * Сни́зу до́верху. *Разг.* Целиком. БТС, 265.

СНИ́КЕРС * Занима́ться сни́керсом. *Жарг. мол. Шутл.* Совокупляться, совершать половой акт. Максимов, 146.

СНОП * Ни (не) в сноп ни (не) в горсть. 1. *Сиб., Ср. Урал.* О том, кто мало работает, бездельничает. ФСС, 183; СРГСУ 2, 208; СРНГ 21, 213. 2. *Сиб. Неодобр.* О том, кто плохо, некачественно делает что-л. СРНГ 7, 72. 3. *Челяб.* О какой-л. незаметной работе, не дающей больших результатов. СРНГ 7, 72. 4. *Перм., Прибайк., Сиб.* Зря, напрасно, безрезультатно, без пользы. Сл. Акчим. 1, 216; Подюков 1989, 189; СФС, 123; СНФП, 120; ФСС, 183. 5. *Народн.* О чём-л. неопределённом, посредственном. ДП, 473; АОС 9, 370; Глухов 1988, 108; Мокиенко 1990, 11, 64.

Шагну́ть че́рез сноп. *Морд.* Выйти замуж раньше старшей сестры. СРГМ 2002, 94.

Ни в снопе́, ни в горсте́. *Прибайк.* О плохом урожае зерновых. СНФП, 120.

СНОС * На сно́се. *Прост.* То же, что **на сносях.** Подюков 1989, 190; Мокиенко, Никитина 2003, 306.

Не дава́ть сно́су *кому. Сиб.* Не щадить, не жалеть кого-л. ФСС, 52.

Сно́су нет *чему, кому. Разг.* О прочной, долго не изнашивающейся вещи; о крепком, здоровом человеке. СПП 2001, 71.

На снося́х. *Прост.* О состоянии беременности. Мокиенко, Никитина 2003, 306. // На последнем месяце беременности. ФСРЯ, 442.

СНОСЕ́НЬЕ * На сносе́нье. *Перм., Сиб.* То же, что **на сносях (СНОС).** Подюков 1989, 190; Мокиенко, Никитина 2003, 306.

СНОХА́ * Пристяжна́я сноха́. *Сиб.* Сожительница сына. СРНГ 31, 429.

СНЯТЬ * Ни снять ни оболо́чь. *Перм. Ирон.* О крайне бедном, неимущем человеке. Подюков 1989, 190.

СОБА́КА * Бить соба́к. *Пск. Неодобр.* То же, что **гонять собак.** Мокиенко 1990, 65; ПОС 2, 18.

Брехать на соба́к. *Волг. Неодобр.* Постоянно скандалить, ругаться с кем-л. Глухов 1988, 92.

Ве́шать соба́к *на кого. Прост.* Несправедливо обвинять кого-л. БМС 1998, 536; ФСРЯ, 442; ШЗФ 2001, 35; ЗС 1996, 207. < **Собака** – репейник, который вешался на одежду врага с целью заговора. Мокиенко 1989, 90; Мокиенко 1990, 142.

Гоня́ть соба́к. *Прост.* Бездельничать, праздно проводить время. ФСРЯ, 442; БМС 1998, 536; БТС, 218; ПОС, 7, 84; Глухов 1988, 25; ЗС 1996, 88; Мокиенко 1990, 65. **Гони́ть соба́к.** *Арх. Неодобр.* То же. АОС 9, 303.

Дразни́ть соба́к. *Волг. Неодобр.* То же, что **гонять собак.** Глухов 1988, 37.

Кнуты́ вьёт да соба́к бьёт. *Народн. Неодобр.* О бездельнике, лентяе. ДП, 501.

Корми́ть соба́к. 1. *Олон. Шутл.-ирон.* Оставаться холостым. СРНГ 14, 337. 2. *Перм. Неодобр.* Заниматься ненужным, пустым делом. Подюков 1989, 95.

Ла́ять на соба́к. *Диал. Неодобр.* То же, что **гонять собак.** Мокиенко 1990, 65.

Надражни́ться соба́к; соба́к надражни́ться. *Смол. Ирон.* Натерпеться горя, нужды. < **Надражни́ться** — подразнить много, вдоволь кого-л., посмеяться над кем-л. СРНГ 19, 248.

Научи́лся на соба́к бреха́ть. *Прост. Пренебр.* О невежественном, необразованном человеке. Глухов 1988, 93; ЗС 1996, 129, 349.

От семи́ соба́к [на распу́тье] отгрызётся (отбре́шется, отъе́стся). *Народн.* О человеке, который в споре, в ссоре умеет за себя постоять. ДП, 477; Глухов 1988, 119; СНФП, 121.

Спуска́ть/ спусти́ть соба́к (соба́ку) *на кого. Прост.* Ругать, отчитывать кого-л. ЗС 1996, 510; Ф 2, 179; СРГМ 2002, 125.

Стере́чь соба́к. *Волг. Шутл.* Бездельничать. Глухов 1988, 154.

То́лько соба́к ве́шать. *Морд. Шутл.* Об очень высоком человеке. СРГМ 1978, 72.

Хоть соба́к ве́шай *на кого. Новг. Шутл.* О худом человеке высокого роста. Сергеева 2004, 142.

Чёрных соба́к на́бело перемыва́ть. *Диал.* Бездельничать. Мокиенко 1990, 65.

Бе́лая соба́ка пробежа́ла *между кем. Арх.* Произошла размолвка, ссора. АОС 1, 159.

Ви́дит соба́ка молоко́, да ры́ло коротко́. *Народн. Шутл.-ирон.* Кому-л. очень хочется иметь что-л. недоступное. Жук. 1991, 69.

Вот где соба́ка зары́та. *Разг.* Именно в этом заключается суть дела, истинная причина чего-л. ФСРЯ, 442; БМС 1998, 537; ШЗФ 2001, 43; ЗС 1996, 120; БТС, 343. < Калька с нем. *Da liegt der Hund begraben!* БМС 2005, 649-650.

Вот где соба́ка поры́лась. *Жарг. мол. Шутл.-ирон.* То же, что **Вот где собака зарыта.** Елистратов 1994, 438. < Каламбурная трансформация литературного выражения.

Ди́кая соба́ка ди́нго. *Жарг. арм. Пренебр.* Старшина. Лаз., 130.

До́хлая (жа́реная) соба́ка. *Жарг. мол. Шутл.-ирон.* Горячий бутерброд, хотдог. Елистратов 1994, 438; Максимов, 129. < От англ. *hot dog* – букв. 'горячая собака'.

Заляга́й её соба́ка! *Яросл.* Восклицание, выражающее удивление, изумление. ЯОС 4, 83.

Ка́ждая соба́ка зна́ет *кого. Разг. Шутл.* Об известном в округе человеке. СПП 2001, 71.

Ни одна́ соба́ка. *Прост.* Абсолютно никто. ФСРЯ, 443.

Ни одна́ соба́ка не бре́шет *о ком. Волг. Шутл.-ирон.* О человеке, которого все забыли, не вспоминают. Глухов 1988, 109.

Пропа́ла соба́ка. *Разг. Шутл.* Об отсутствии аппетита. Балдаев 1, 359. < От названия популярной песни О. Газманова.

Соба́ка Баскерви́лей. 1. *Жарг. студ. Презр.* Вахтерша в общежитии. Максимов, 394. 2. *Жарг. шк. Шутл.* Учительница биологии. ВМН 2003, 123. 3. *Жарг. журн., полит. Шутл.* Бывший губернатор Курской области В. Руцкой. МННС, 200.

Соба́ка лете́ла, воро́на на хвосту́ сиде́ла. *Народн. Ирон.* О заведомой лжи, о чём-л. абсурдном. ДП, 206.

Соба́ка на се́не. 1. *Разг. Неодобр.* О том, кто сам не пользуется чем-л. и не даёт другим. БМС 1998, 537; Мокиенко 1990, 26, 93. 2. *Жарг. арм. Неодобр.* Старшина роты. Максимов, 394. < На основе пословицы **Собака на сене лежит: и сама не ест, и скотине не дает.**

Соба́ка не взла́ет *о ком. Перм. Презр.* О ничтожном, никому не нужном человеке. Подюков 1989, 191.

Соба́ка не перепря́нет. *Дон.* О большом количестве чего-л. СРНГ 26, 200.

Соба́ка Па́влова. *Жарг. шк. Шутл.* Учитель биологии, зоологии. ВМН 2003, 123.

Соба́ка се́рая (седа́я). *Жарг. угол.* Серебряные часы. ТСУЖ, 165.

Собака с тёткой. *Жарг. мол. Шутл.* Местный поезд с женщиной-кондуктором. Лапшин-2000.

Соба́ка язы́к отъе́ла *кому. Волг. Шутл.-ирон.* О человеке, который неожиданно замолчал. Глухов 1988, 151.

Что соба́ка не лака́ла. *Пск. Шутл.* Кому-л. многое пришлось испытать в жизни. СПП 2001, 71.

Не догна́ть семи́ соба́кам *кого. Новг.* О быстро бегущем человеке. Сергеева 2004, 233.

Пиха́ть соба́кам *кого. Пск.* Относиться с пренебрежением, не обращать внимания на кого-л. СПП 2001, 71.

Пошёл соба́кам се́но (траву́) коси́ть (дава́ть). *Волг., Новг., Сиб. Шутл.* Об отсутствующем (как правило – бросившем семью) муже, отце. Глухов 1988, 151; Сергеева 2004, 235; ФСС, 97.

Соба́кам животы́ подвя́зывать. *Перм. Шутл.-ирон.* То же, что **собакам сено косить.** Подюков 1989, 99.

Соба́кам на подсти́лку. *Волг. Пренебр.* О грязной, рваной, изношенной одежде. Глухов 1988, 151.

Соба́кам се́но коси́ть. *Волг., Перм., Пск. Неодобр.* Бездельничать, уклоняться от работы; заниматься крайне глупым делом. Подюков 1989, 96; СПП 2001, 71; Мокиенко 1990, 65; Глухов 1988, 77.

Соба́кам хвосты́ крути́ть. *Перм. Неодобр.* То же, что **собакам сено косить.** Подюков 1989, 99.

Семи́ соба́ками не заволокёшь (не заго́нишь) *кого. Волг., Курск., Прикам. Шутл.* Невозможно заставить кого-л. сделать что-л. БотСан, 113; Подюков 1989, 98; МФС, 36.

Семи́ соба́ками не сы́щешь *кого, что. Волг. Шутл.* То же, что **с собаками не сыщешь 1.** Глухов 1988, 105.

Соба́ками рва́ли *кого. Волг. Неодобр.* О человеке в рваной, неопрятной одежде. Глухов 1988, 140, 151.

С соба́ками не сы́щешь *кого.* 1. *Прост.* О долго отсутствующем, находящемся неизвестно где человеке. БТС, 1300; Подюков 1989, 192. 2. *что. Пск. Шутл.* О чём-л. потерянном, пропавшем, что никак не могут найти. СПП 2001, 71.

Е́хать (е́здить) на соба́ках. *Жарг. мол. Шутл.* Добираться в другой город, пересаживаясь с одной электрички на другую. Мазурова. Сленг, 135.

На соба́ках шерсть бить. *Диал. Неодобр.* Бездельничать. Ивашко 1981, 13; Мокиенко 1990, 65.

Надо́лго [ли] соба́ке блин. *Народн. Шутл.-ирон.* О том, кто быстро съел, использовал что-л. ДП, 676.

Оторви́ соба́ке хвост. *Волг., Дон. Шутл.-одобр.* О смелом, бойком, решительном человеке. Глухов 1988, 120; СДГ 2, 214.

Соба́ке под хвост. *Груб.-прост.* 1. Впустую, даром, зря. 2. О чём-л., не заслуживающем внимания, скверном, отвратительном. ФСРЯ, 505–506.

Была́ у соба́ки ха́та. *Волг. Ирон.* 1. *Сиб.* О бедном, неимущем человеке. Глухов 1988, 7; СФС, 31. 2. Об отсутствии чего-л. у кого-л. Глухов 1988, 7.

Взять из-под соба́ки. *Яросл. Охотн.* Добыть зверя с помощью собаки. ЯОС 3, 19.

Все соба́ки зна́ют *кого. Пск.* То же, что **каждая собака знает**. СПП, 71.

Голо́дной соба́ки вы́манить не́чем *кому. Народн. Ирон.* О человеке, живущем в крайней нужде, бедности. Жиг. 1969, 353; ДП, 88.

Его́ соба́ки овся́нку е́ли, а на́ши на них че́рез тын гляде́ли. *Народн. Шутл.-ирон.* То же, что **собаки из одного корыта лакали.** ДП, 389.

[И] соба́ки не бре́шут *о ком. Волг. Презр.* О малозначительном, неавторитетном человеке, которого никто не вспоминает. Глухов 1988, 60.

Соба́ки из одного коры́та лака́ли *чьи. Народн. Шутл.-ирон.* О дальнем родственнике, отдалённом родстве. ДП, 389.

Об э́том уже́ и соба́ки ла́ют. *Народн.* О чём-л. ставшем общеизвестным. ДП, 300, 687.

Позы́чил глаза́ у соба́ки. *Волг. Неодобр.* О бессовестном, наглом человеке. Глухов 1988, 127.

Посмотре́ть, куда́ соба́ки убежа́ли. *Жарг. мол. Шутл.* Сходить в туалет. Максимов, 334.

Пуска́й соба́ки грызу́т *что. Пск.* Что-л. не стоит внимания, не следует придавать значения чему-л. ПОС 8, 58.

Соба́ки войны́. *Публ. Неодобр.* Иностранные наёмники, участвующие в карательных и диверсионных операциях против сил национально-освободительного движения. НРЛ-81.

Соба́ки посу́ду мо́ют *у кого. Волг. Шутл.-ирон.* 1. О лентяе, бездельнике. 2. О бедствующем, голодающем человеке. Глухов 1988, 151.

Соба́ки съе́ли. 1. *кого. Морд. Шутл.-ирон.* Об исчезнувшем, отсутствующем человеке. СРГМ 2002, 96. 2. *что. Перм.* О чём-л. потерянном, безвозвратно исчезнувшем. Подюков 1989, 192.

Ста́рше (старе́е) попо́вой соба́ки. *Горьк. Пренебр.* О пожилом человеке или о чём-л. обветшалом. СРНГ 29, 234.

Те́тринские соба́ки. *Помор. Презр.* Прозвище жителей с. Тетрино Мурманской области. ЖРКП, 159.

Хоть соба́ки ешь. *Прикам.* О равнодушном, безответственном отношении к чему-л. МФС, 93.

Бе́гать с соба́кой. *Урал.* Работать каталем на медном руднике. СРНГ 2, 169.

Брать/ взять на соба́ку (на соба́чку) *кого. Жарг. угол.* Грабить усыплённую сильным наркотиком жертву. ТСУЖ, 24, 115; Балдаев 1, 63; СРВС 2, 20, 24, 152; СВЯ, 16.

Выпуска́ть/ вы́пустить (распусти́ть) соба́ку *на кого. Прост. Неодобр.* Грубо ругаться, бранить кого-л. ФСС, 38; СПП 2001, 71.

[Голо́дную] соба́ку [из-под стола́] не́чем вы́манить. *Перм. Шутл.-ирон.* О крайней бедности, нищете. Подюков 1989, 191.

За соба́ку. *Пск.* Напрасно, зря, ни за что. СПП 2001, 71.

На соба́ку плесни́ – шерсть обле́зет. *Перм. Шутл.* Об очень кислой пище. Подюков 1989, 191.

На соба́ку то́лько ве́шать *кого. Пск. Пренебр.* О никчёмном человеке. Шт., 1978.

Не буди́те спя́щую соба́ку. 1. *Разг.* Совет не раздражать злого или горячего человека. БМС 1998, 538. 2. *Жарг. арм. Шутл.-ирон.* О спящем старшине. БСРЖ, 551.

Пережи́ть попо́вскую соба́ку. *Прикам.* Прожить очень долго. МФС, 74.

Соба́ку встоя́чь зано́сит. *Перм.* Об обильном снегопаде, большом количестве выпавшего снега. Подюков 1989, 191.

Соба́ку вы́манить не́чем. *Прибайк.* О состоянии крайней бедности. СНФП, 121.

Соба́ку съе́л *на чём, в чём.* Об опытном, умелом, знающем все тонкости какого-л. дела человеке. ФСРЯ, 443; БМС 1998, 538; ЗС 1996, 104, 124; БТС, 1299; ДП, 426; Мокиенко 1990, 133; Жиг. 1969, 212.

Спусти́ть соба́ку. См. **Спустить собак.**

То́лько соба́ку ошпа́рить *чем. Перм. Неодобр.* Об очень кислой пище. Подюков 1989, 191.

Убива́ть/ уби́ть соба́ку. *Жарг. мол. Шутл.* Проезжать часть пути из города в город на электричке, пригородном поезде. БСРЖ, 551.

Хоть на соба́ку кида́й. *Пск. Неодобр.* О чём-л. очень плохого качества. ПОС 14, 107.

СОБА́ЧКА * Попо́ва соба́чка. *Яросл.* Гусеница мотылька. ЯОС 8, 64.

Брать/ взять на соба́чку. См. **Брать на собаку (СОБАКА).**

Спусти́ть соба́чку. *Жарг. угол., мол.* Сломать замок. ТСУЖ, 165; Елистратов 1994, 438.

СОБА́ЧЬЕ * Оберну́ть в соба́чье *кого. Якут.* Назвать ребёнка именем только что умершей собаки, спасая этим младенца от злого духа (согласно поверью якутов). СРНГ 22, 34.

СОБО́Р * Иса́киевский собо́р постро́ился! *Пск. Шутл.* О завершении какой-л. затянувшейся работы, дела. СПП 2001, 71.

СОБРА́НИЕ * Собра́ние акционе́ров. *Жарг. мол. Шутл.* Коллективное курение гашиша. Максимов, 395.

СОБРА́НИКИ * Де́лать собра́ники. *Сиб.* Собираться вместе. ФСС, 57.

СОБРА́Т * Собра́т по несча́стью. *Жарг. шк. Ирон.* Одноклассник. ВМН 2003, 123.

СОВА́ * Сова́ менто́вская. *Жарг. угол. Бран.-шутл.* Старушка-общественница, помощница участкового инспектора. Балдаев 2, 49.

СОВА́ТЬ * Ни суй, ни пхай. *Дон. Пренебр.* О никчёмном человеке. СДГ 3, 132.

СОВЕРШЕ́НИЕ * До соверше́ния своего́. *Дон.* До определённого времени, когда должно что-л. произойти. СДГ 3, 132.

СОВЕРШЕ́НСТВО * Соверше́нство лет. *Сиб.* Совершеннолетие. СБО-Д2, 191.

СО́ВЕСТЬ * Боя́ться со́вести и стыда́. *Одесск.* Стыдиться чего-л. КСРГО.

Идти́ по до́брой со́вести. *Сиб. Одобр.* Жить честно. ФСС, 86.

На со́вести *чьей, у кого. Разг.* О моральной ответственности за что-л. ФСРЯ, 444.

От со́вести. *Дон.* От всей души. СДГ 3, 132.

По со́вести. *Разг. Одобр.* Честно, справедливо. ФСРЯ, 444.

По чи́стой сове́сти. *Сиб.* Говоря откровенно, чистосердечно. Верш. 6, 320.

Ба́бья со́весть. *Прост. Ирон.* Женские половые органы. Мокиенко, Никитина 2003, 307.

Брать на свою́ со́весть *что. Разг.* Брать на себя ответственность за что-л. БМС 1998, 539.

В со́весть. *Дон., Яросл.* 1. *кому.* Нравится, подходит кому-л.; вызывает сочувствие. 2. То же, что **на совесть.** СДГ 3, 132; ЯОС 6, 123.

Вы́вести на со́весть *кого. Курск.* Опозорить кого-л. БотСан, 87.

Напусти́ть дурну́ю со́весть. *Волг. Неодобр.* Стать наглым, бессовестным. Глухов 1988, 92.

На со́весть. *Разг. Одобр.* Добросовестно (сделать что-л.). ФСРЯ, 444; БМС 1998, 539; Верш. 6, 320; ЗС 1996, 128.

Не в со́весть *кому что. Волг., Морд.* Не нравится кому-л. что-л. Глухов 1988, 96; СРГМ 2002, 98.

Потеря́ть со́весть. *Жарг. угол. Шутл.-ирон.* От сильного испуга или в пьяном состоянии испражниться, не снимая штанов. Балдаев 2, 50; ББИ, 229.

Сказа́ть не в со́весть. *Яросл.* Солгать, обмануть кого-л. ЯОС 6, 123.

Соба́чья со́весть *у кого. Волг., Морд., Прикам. Неодобр.* О бессовестном, наглом человеке. Глухов 1988, 151; СРГМ 2002, 98; МФС, 94.

Со́весть в рукави́чках хо́дит *у кого. Народн. Неодобр.* О бессовестном человеке. ДП, 308.

Со́весть в голике́ (в кулаке́, под поро́гом) *у кого. Народн. Неодобр.* То же, что **совесть в рукавичках ходит.** ДП, 308.

Со́весть ещё в про́шлом году́ в буты́лке задохну́лась *у кого. Народн. Неодобр.* То же, что **совесть в рукавичках ходит.** ДП, 308.

Со́весть заговори́ла *у кого. Разг.* Кто-л. начал испытывать чувство стыда за свои действия, поступки. ЗС 1996, 201.

Со́весть зае́ла *кого. Разг.* Кому-л. стало стыдно, совестно. ЗС 1996, 43.

Со́весть зазри́ла *кого. Разг. Устар.* То же, что **совесть заела.** ФСРЯ, 444. **Со́весть зазре́ла (дозре́ла, узре́ла).** *Дон., Забайк.* То же. СДГ 3, 132; СРГЗ, 121.

Со́весть игра́ет *у кого. Кар.* То же, что **совесть заела.** СРГК 2, 266.

Со́весть на кнуте́ просви́стана *у кого. Новг. Неодобр.* О нечестном, бессовестном человеке. НОС 9, 47.

Со́весть поби́ла (уби́ла) *кого. Дон., Кар., Новг., Сиб.* То же, что **совесть заела.** СДГ 3, 132; СРГК 4, 567; НОС 11, 83; СФС, 173.

Теля́чья со́весть *у кого. Морд. Неодобр.* То же, что **собачья совесть.** СРГМ 2002, 98.

Откры́ться с чи́стой со́вестью. *Сиб.* Сказать о чём-л. честно, откровенно. ФСС, 129.

Помири́ться со свое́й со́вестью. *Разг.* Достичь спокойствия, душевного равновесия, делая уступку против справедливости. Ф 2, 72.

Со споко́йной со́вестью. *Разг.* Будучи совершенно уверенным в своей правоте. ФСРЯ, 444.

С чи́стой со́вестью. *Разг.* Не испытывая угрызений совести. ФСРЯ, 445.

СОВЕ́Т * Держа́ть сове́т. *Книжн.* Обсуждать актуальные дела, планы. ШЗФ 2001, 66.

Не идти́ на сове́т. *Морд. Неодобр.* Не считаться с чьими-л. указаниями, наставлениями. СРГМ 2002, 98.

Сове́т Бого́в (лохо́в, черте́й). *Жарг. шк. Шутл. или Пренебр.* Педагогический совет. Максимов, 395.

Сове́т не берёт *кого. Сиб.* Об отсутствии согласия между кем-л. Верш. 6, 320.

Сове́т старе́йшин. *Жарг. шк. Шутл.-ирон.* Родительское собрание. Максимов, 395.

Чини́ть сове́т. *Разг. Устар.* Советоваться, совещаться. Ф 2, 253.

СОВЕ́ТНИК * Надво́рный сове́тник. *Жарг. мол. Шутл.* Собака-дворняжка. Максимов, 265.

Та́йный сове́тник. *Жарг. шк. Шутл.* 1. Ученик, который подсказывает. 2. Ученик, который разрешает списывать у себя. Golds, 2001.

СОВО́К * Совки́ совка́. *Разг. Шутл.-ирон.* Граждане Советского Союза. Балдаев 2, 50.

Ста́рый сово́к. *Разг. Ирон.* Ветеран КПСС. Балдаев 2, 59.

< **Совок** — 1. Советский Союз. 2. Гражданин Советского Союза.

СОВРА́ТЬ * Соврёт не до́рого возьмёт. *Разг. Неодобр.* О лгуне или фантазере. БМС 1998, 539.

СОГЛА́С * По согла́су. *Морд.* По общему согласию. СРГМ 2002, 99.

СОГЛА́СИЕ * Войти́ в согла́сие. *Горьк.* Договориться о чём-л. БалСок, 27.

СОГЛА́СНЫЙ * Помере́ть согла́сен. *Пск.* О человеке, близком к смерти. СПП 2001, 71.

СОГЛАШЕ́НИЕ * Джентльме́нское соглаше́ние. *Разг.* Уговор на честность, без подписания каких-л. обязательств. БМС 1998, 539.

СОГРЕШЕ́НЬЕ * Согреше́нье Бо́жье. *Курск., Прикам.* О чём-л. трудном, хлопотном. БотСан, 114; МФС, 94.

СОДО́М *Содо́м и гомо́н. *Пск.* Шум, гам, веселье. ПОС 7, 77. < Трансформация выражения **Содом и Гоморра.**

Содо́м и Гомо́рра. *Книжн. Неодобр.* О распущенности, крайнем беспорядке, шуме, суматохе. < Из библейского мифа о городах Содоме и Гоморре в Древней Палестине, которые за грехи их жителей были разрушены огненным дождем и землетрясением. ФСРЯ, 445; БМС 1998, 539.

СОЗНА́НИЕ * Взойти́ в созна́ние. 1. *Ряз.* То же, что **войти в сознание 1.** ДС, 83. 2. *Курск.* Образумиться. БотСан, 85.

Войти́ в созна́ние. *Орл.* 1. Очнуться, прийти в себя. 2. Проявить сочувствие к кому-л. СОГ 1989, 69.

Вы́шибило созна́ние *кому, у кого. Арх.* Об обмороке, потере сознания. АОС 8, 407.

Приводи́ть/ привести́ в созна́ние *кого. Разг.* Выводить кого-л. из обморочного состояния. Ф 2, 88.

Не укла́дывается в созна́нии. *Разг. Неодобр.* О чём-л., с чем нельзя примириться, что нельзя принять, осмыслить. ФСРЯ, 492.

Без созна́нья. *Пск.* Напряжённо, прикладывая много сил (работать). СПП 2001, 71.

Выходи́ть/ вы́йти из созна́ния. *Арх., Прикам.* Упасть в обморок, потерять сознание. АОС 7, 230; АОС 8, 371; МФС, 22.

Сбива́ться/ сби́ться с созна́ния. *Кар.* То же, что **выходить из сознания.** СРГК 5, 642.

СОЗНА́НКА * Быть не в созна́нке. *Жарг. угол.* Быть в состоянии душевного волнения, без сознания; ничего не знать о чём-л. ТСУЖ, 116.

Идти/ пойти́ в созна́нку. *Жарг. угол.* Признавать свою вину. Балдаев 1, 169; Грачев, 1992, 155.

СОК * Ви́шнёвый сок. *Жарг. угол.* То же, что **красный сок.** Максимов, 64.

Дава́ть/ дать сок. *Жарг. мол. Шутл.-ирон.* 1. Проявлять сентиментальность, размягчаться. 2. Проявлять растерянность, слабость в неожиданной ситуации. Мокиенко 2003, 105.

Дави́ть сок *из кого. Разг.* Мучить, эксплуатировать, лишать сил кого-л. Ф 1, 137.

Кра́сный сок. *Симб. Флк.* Кровь. СРНГ 15, 196.

Са́мый сок. 1. *Сиб.* Как раз, самое время. СФС, 161. 2. *Волг. Одобр.* О красивом, энергичном человеке. Глухов 1988, 143.

Вы́зыбать все сока́ *из кого. Ряз.* Истощить, лишить сил кого-л. ДС, 101.

Выжима́ть со́ки *из кого. Разг.* Жестоко эксплуатировать кого-л. ФСРЯ, 93.

Выса́сывать/ вы́сосать все со́ки *из кого. Разг.* Мучить, утомлять кого-л. БТС, 183; Ф 1, 98.

Вытя́гивать/ вы́тянуть все со́ки (со́ли) *кому, из кого. Пск.* То же, что **высасывать все соки.** ПОС 6, 88.

До́брые со́ки. *Пск.* Всё лучшее, что есть в человеке. ПОС 9, 92.

Жать со́ки *из кого. Брян.* Лишать сил, доводить до изнеможения кого-л. СБГ 5, 61.

Жмать со́ки *из кого. Пск.* Отчитывать, ругать кого-л. СПП 2001, 71.

Перепои́ть все со́ки *кому. Пск.* То же, что **все соки вытянуть.** СПП 2001, 71.

Тяну́ть со́ки *кому. Пск. Неодобр.* Жить за чей-л. счёт, пользоваться чьей-л. материальной поддержкой. СПП 2001, 71.

Вари́ться в со́бственном соку́. *Разг.* Работать, решать проблемы без учёта опыта других, не выходя за рамки своего коллектива. своего учреждения и т. п. ФСРЯ, 445; БМС 1998, 540; ЗС 1996, 122; ШЗФ 2001, 32.

В соку́. 1. О свежесрубленном, ещё не высохшем дереве. ЯОС 2, 38. 2. *Пск.* В зрелом возрасте. СПП 2001, 71. 3. *Сиб.* О среднем уровне воды в реке. СФС, 41. 4. *Сиб.* О половодье. СФС, 41.

Гуля́ть в соку́. *Дон. Шорн.* Находиться в дубильном растворе (о коже). СДГ 1, 118.

СО́КОЛ * Во́льный соко́л. *Горьк.* О свободном человеке, не имеющем семьи. БалСок, 28.

Гол соко́л. *Арх. Ирон.* О бедном, неимущем человеке. АОС 9, 261.

Зо́ркий со́кол. *Жарг. арм. Шутл.* Дежурный по роте. Максимов, 158.

Со́кол высо́кого полёта. *Горьк.* О перспективном человеке. БалСок, 52.

Я́сный со́кол. 1. *Народн. Высок.* О мужчине или воине-юноше. БМС 1998, 540; Мокиенко 1986, 218. 2. *Сиб. Ласк.* Обращение к ребёнку, внуку. СОСВ, 207.

СОЛДА́Т * Смотре́ть, где солда́т слу́жбу несёт. *Жарг. арм. Шутл.* Посещать туалет. Максимов, 393.

Поста́вить солда́та *кому. Жарг. мед.* Установить больному капельницу. БСРЖ, 553.

В солда́тах. *Разг. Устар.; Сиб.* На военной службе. Верш. 6, 329.

Пойти́ посмотре́ть, как солда́ты из ружья́ стреля́ют. *Жарг. мол. Шутл.* Сходить в туалет. WMN, 86.

Сдать в солда́ты *кого. Жарг. угол.* Арестовать кого-л. по доносу. Балдаев 2, 32.

СОЛЁНО * Не солёно поე́вши. *Пск. Ирон.* Не получив ожидаемого. СПП 2001, 71.

СОЛЁНЫЙ (СОЛЁНОЕ) * Хвати́ть солёного. *Перм.* Испытать много трудностей, намучиться. Подюков 1989, 219.

Переболта́ть солёное с пре́сным. *Волг. Неодобр.* Всё перепутать, создать неразбериху. Глухов 1988, 121.

СОЛИДО́Л * Солидо́л Ива́нович. *Жарг. гом.* Активный гомосексуалист. Я — молодой, 1995, № 8.

Быть на солидо́ле. 1. *Жарг. хиппи, панк.* Одеваться в нормальную одежду (в отличие от хиппи, панков). Я — молодой, 1994, № 2. 2. *Жарг. мол.* Одеваться модно, красиво. Максимов, 52. 3. *Одобр.* Что-л. стоящее, ценное, значительное в каком-л. отношении. Митрофанов, Никитина, 196.

СО́ЛНЦЕ * До солнца до жа́ра. *Прибайк.* Очень рано, до восхода солнца. СНФП, 121.

От со́лнца. *Сиб.* На север. СФС, 135.

С (от) со́лнца до со́лнца. *Пск.* С раннего утра до позднего вечера. СПП 2001, 71.

Взойдёт со́лнце и к нам во двор (и на наш двор, и над на́шими воро́тами). *Народн.* Призыв к терпению, надежде. ДП, 55, 117.

Глота́ть со́лнце. *Новг. Неодобр.* Бездельничать. НОС 2, 15.

Иди́ туда́, где со́лнце всхо́дит. *Жарг. мол.* Требование удалиться, оставить в покое кого-л. Вахитов 2003, 70.

Каза́чье со́лнце (со́лнышко). *Народн. Шутл.* Луна. БМС 1998, 540; Грачев, Мокиенко 2000, 155; СРГМ 2002, 104; Подюков 1989, 194; Глухов 1988, 61.

Когда́ со́лнце за́дом оборoти́тся. *Народн. Шутл.* Никогда. ДП, 240.

Круто́е со́лнце. *Яросл.* Солнце в зените. ЯОС 5, 96.

Лови́ть со́лнце решето́м (пихтерём). *Диал. Шутл.-ирон.* Бездельничать. Мокиенко 1990, 65.

Морско́е со́лнце. *Арх.* Животное морская звезда. СРНГ 18, 278.

На одно́м со́лнце о́нучи суши́ли. *Кар. Шутл.* О людях, равных по каким-л. качествам, находящихся в одинаковом положении. СРГК 4, 151; Мокиенко 1990, 129.

На одно́м со́лнце портя́нки суши́ли. *Пск. Шутл., ирон.* Об очень дальнем родственнике, отдалённом родстве. СПП 2001, 71.

На со́лнце. *Сиб.* На юг. СФС, 120.

Одно́ со́лнце на́ше. *Пск.* О крайне бедном хозяйстве, доме и т. п. СПП 2001, 71.

Пить со́лнце. См. **Пить солнышко (СОЛНЫШКО).**

Со́лнце в берёзах (в ве́тках). *Перм.* О наступлении вечера. Подюков 1989, 193.

Со́лнце в дуб (в полду́ба). *Дон.* 1. Положение солнца над горизонтом при восходе или закате. 2. Положение солнца в небе в полдень. СДГ 1, 140.

Со́лнце в за́втраках. *Дон.* Положение солнца в 8–9 часов утра. СДГ 3, 133.

Со́лнце в мешке́. *Жарг. угол.* 1. Обман. Балдаев 2, 51; ББИ, 229; Мильяненков, 236. 2. Подвал. Балдаев 2, 51; ББИ, 229.

Со́лнце в обе́д (в обе́дах, в обе́ды). 1. *Лит.* Положение солнца в полдень. СРНГ 22, 26. 2. *Дон.* Положение солнца после полудня. СДГ 2, 191.

Со́лнце в па́ужине (в па́ужину). 1. *Краснояр.* Четыре-пять часов дня. СРНГ 25, 277. 2. *Иркут.* Пять-семь часов вечера. СРНГ 25, 277. 3. *Хабар.* Время после полудня. СРНГ 25, 280; СРГПриам., 280.

Со́лнце в подвечёрки (в подвечёрках). *Дон.* То же, что **солнце в обед 2.** СДГ 3, 21.

Со́лнце в по́лдни (в по́лднях). *Дон.* Положение солнца в 3–4 часа дня. СДГ 3, 35.

Со́лнце в полду́ба. См. **Солнце в дуб.**

Со́лнце в пуп упёрлось. *Перм. Шутл.* О наступлении полудня. Подюков 1989, 194.

Со́лнце в рукави́це (в рукави́цах). 1. *Приамур.* О солнце, окаймлённом туманной полосой (к ветреной погоде). СРГПриам., 281. 2. *Сиб.* Об отражении солнечных лучей на горизонтальной линии в парах, что образует два радужных пятна (явление, предшествующее стуже). СРНГ 35, 245.

Со́лнце в спи́ну. *Перм. Шутл.* То же, что **солнце в пуп упёрлось.** Подюков 1989, 124.

Со́лнце вста́ло вы́ше е́ли, вре́мя срать, а мы не е́ли! *Вульг.- прост. Шутл.* О чьём-л. очень позднем пробуждении. Мокиенко, Никитина 2003, 307.

Со́лнце за дуб. *Дон.* О заходе солнца. СДГ 1, 140.

Со́лнце за́ лес. *Пск.* Вечер, вечером. СПП 2001, 71.

Со́лнце замкну́ло. *Волог.* О затмении солнца. СВГ 2, 131.

Со́лнце засвети́ло *кому. Жарг. угол.* Кто-л. вышел из тюрьмы, отбыв срок наказания. ТСУЖ, 166; Балдаев 2, 51; ББИ, 229; Мильяненков, 236.

Со́лнце зэка (зе́ка, з.к.). *Жарг. Ирон.* Электролампочка в камере. Балдаев 2, 51; ББИ, 229; Мильяненков, 236.

Со́лнце на е́ли. *Перм.* О наступлении вечера. Подюков 1989, 193.

Со́лнце на зака́т ушло́ *чьё. Печор.* О состарившемся человеке. СРГНП 1, 238.

Со́лнце обмира́ет. *Приамур.* О затмении солнца. СРГПриам., 281.

Со́лнце пя́тится. *Кар.* О сокращении светлого времени суток. СРГК 5, 381.

Со́лнце с обе́д. *Дон.* Положение солнца после полудня. СРНГ 22, 26.

Со́лнце с уша́ми. *Перм. Шутл.* То же, что **солнце в рукавице 2.** Подюков 1989, 194.

Со́лнце у ду́ба. *Дон., Перм.* О положении солнца, близком к закату; о наступлении вечера. СДГ 1, 140; Подюков 1989, 193.

Цыганское со́лнце (со́лнышко). *Народн. Шутл.* Луна. БМС 1998, 540; Грачев, Мокиенко 2000, 155; Подюков 1989, 194.

И пошли́ они́, со́лнцем пали́мы. *Разг. Ирон.* О людях, ушедших откуда-л., ничего не добившись, без надежды на лучшее. < Цитата из стихотворения Н. А. Некрасова «Размышления у парадного подъезда» (1858 г.).

Лежа́ть за со́лнцем. *Волг., Сиб. Неодобр.* Жить праздно, бездельничать. Глухов 1988, 80; СОСВ, 103; СРНГ 16, 330; СБО-Д1, 242; СФС, 99; Мокиенко 1990, 64..

Со́лнцу поворо́т. *Кар.* Солнцестояние. СРГК 4, 597.

СО́ЛНЫШКО * С (от) со́лнышка до со́лнышка. *Пск.* То же, что **с солнца до солнца (СОЛНЦЕ).** СПП 2001, 71.

На одно́м со́лнышке ону́чи суши́ли. *Народн. Шутл.-ирон.* О дальнем родственнике, отдаленном родстве. ДП, 389.

Сиде́ть на со́лнышке. *Пск. Неодобр.* Бездельничать, праздно проводить время. СПП 2001, 71.

Бурла́цкое со́лнышко. *Дон., Перм..* Месяц, луна. СДГ 1, 48; Грачев, Мокиенко 2000, 155.

Верте́ть со́лнышко. *Диал. Неодобр.* Бездельничать. Мокиенко 1990, 65.

Во́лжское (каза́нское) со́лнышко. *Перм.* То же, что **бурлацкое солнышко.** Подюков 1989, 194.

Во́лчье со́лнышко. 1. *Перм. Шутл.* Луна. Подюков 1989, 194. 2. *Жарг. угол.* Электрическая лампочка в камере. СВЯ, 17.

Гляде́ть на со́лнышко. *Волг. Неодобр.* Работать нехотя, лениться. Глухов 1988, 23.

Загоня́ть со́лнышко. *Пск. Шутл.* Отдыхать на улице на закате солнца. ПОС 11, 145.

Каза́чье со́лнышко. См. **Казачье солнце (СОЛНЦЕ).**

Когда́ со́лнышко взойдёт от зака́та. *Народн.* Никогда (отказ). ДП, 240.

Кра́сно (кра́сное) со́лнышко. *Пск.* Честное слово. (Копаневич). СРНГ, 15, 196.

Пе́рвое со́лнышко. *Арх.* О первом муже. СРНГ 26, 16.

Пить со́лнышко (со́лнце). *Пск.* 1. Гулять на солнце, загорая. 2. Не работать, отлынивать от работы (из-за жары). СПП 2001, 71.

Погля́дывать на со́лнышко. *Волг. Неодобр.* Бездельничать. Глухов 1988, 124.

Пра́во со́лнышко. *Вят.* В самом деле, действительно, истинно. СРНГ 31, 59.

Придёт со́лнышко и к на́шим око́шечкам. *Народн.* То же, что **взойдёт солнце и к нам во двор.** ДП, 55.

Распекёт со́лнышко и на на́шем задво́рье. *Арх.* То же, что **взойдёт солнце и к нам во двор.** СРНГ 34, 159.

Со́лнышко в зад (в спи́ну) упёрло (упёрлось). *Перм.* О наступлении полдня, разгаре дня. Подюков 1989, 194.

Со́лнышко в комеля́х валя́ется. *Перм. Шутл.* О наступлении вечера. Подюков 1989, 193.

Со́лнышко поперёк по́ла. *Перм. Шутл.* То же, что **солнышко в зад упёрлось.** Подюков 1989, 194.

Тюре́мное со́лнышко. *Жарг. арест. Шутл.* Электрическая лампочка. Максимов, 396.

Цыга́нское со́лнышко. См. **Цыганское солнце (СОЛНЦЕ).**

Обвести́ по со́лнышку. *Волг. Неодобр.* Затянуть дело. Глухов 1988, 114.

СО́ЛО * Петь со́ло. *Жарг. гом.* Заниматься онанизмом. Кз., 66; ЖЭСТ-2, 234.

Петь со́ло по но́там. *Жарг. гом.* Онанировать, глядя на порнографические картинки, фотографии. Кз., 66; ЖЭСТ-2, 288.

СОЛОВЕ́Й * Ку́рский солове́й. *Разг.* 1. О человеке, который хорошо поет. 2. *Ирон.* О краснобае. БМС 1998, 541; ЗС 1996, 415.

Перелётный солове́й: то на сосну́, то на ель. *Народн. Неодобр.* О непостоянном человеке. Жиг. 1969, 219.

Разводи́ть соловьёв. *Разг. Устар. Ирон.* Болтать, вести пустые разговоры. Ф 2, 114.

С соловьём. *Пск.* О боевом, лихом парне. СПП 2001, 71.

Соловьи́ в карма́не сви́щут *у кого. Народн. Шутл.-ирон.* О бедном, неимущем человеке. Жиг. 1969, 356.

Залива́ть соловья́ *кому. Пск.* Говорить вздор, обманывать кого-л. СПП 2001, 71.

Придави́ть соловья́. *Жарг. угол., арест.* Выключить радиоприёмник. Б., 143; Быков, 180.

СОЛО́МА * Соло́ма в голове́ (в башке́) *у кого. Прост. Пренебр.* О глупом, несообразительном человеке. ФСРЯ, 445.

Соло́ма в шокола́де. *Жарг. мол. Шутл.* Шоколадный батончик «Баунти» с кокосовой начинкой. Максимов, 396.

СОЛО́МИНКА * Се́меро одну́ соло́минку поднима́ют. *Народн. Ирон.* О группе людей, работающих с ленцой, выполняющих лёгкую работу. Жиг. 1969, 202.

Соло́минку не ло́мит (не сло́мит). *Новг. Неодобр.* О лентяе, о человеке, отлынивающем от работы. НОС 5, 39.

Хвата́ться за соло́минку. *Разг.* Пытаясь спастись или выйти из затруднительного положения, прибегать к единственно доступному, обнадеживающему, но бесполезному средству. ФСРЯ, 445; ФМ 2002, 460. < Фразеологизм является усечением древней пословицы **Утопающий хватается и за соломинку.** БМС 1998, 541.

СОЛО́МКА * Сиде́ть под соло́мкой. *Морд.* Жить в нищстс, бедности. СРГМ 2002, 47.

Вста́вить соло́мку *кому. Жарг. нарк.* Ввести воздух в вену кому-л. Б., 143; Быков, 180.

СОЛО́НКА * Деревя́нная соло́нка. *Жарг. арест.* Отделение для приговорённых к смертной казни. СРВС 1, 65, 201; СРВС 2, 116, 174, 212; Балдаев 2, 51; ББИ, 230; Мильяненков, 236.

СОЛОНЦЫ́ * Сиде́ть на солонца́х. *Прибайк.* Быть в засаде (об охоте на диких животных). СНФП, 121.

СОЛЬ * Все со́ли вы́тянуть. *Пск.* То же, что **все соки вытянуть (СОК).** СПП 2001, 71.

Насы́пать со́ли под (на) хвост *кому.* 1. *Прост.* Причинить кому-л. неприятность, сильно досадить кому-л. Ф 1, 319; БМС 1998, 541; БТС, 1441; ФСРЯ, 505; НОС 6, 19. 2. *Волг.* Обидеть, оскорбить кого-л. Глухов 1988, 93. 3. *Пск.* Наказать кого-л., расправиться с кем-л. СПП 2001, 71.

Не́ соли нахлеба́вшись. *Новг.* Обманувшись в своих ожиданиях, не добившись желаемого. НОС 6, 24.

Со́ли со льдо́м не вы́просишь *у кого. Новг. Неодобр.* О скупом, жадном человеке. ЗС 1996, 134.

Стоя́ть бли́зко к со́ли. *Пск. Шутл.* Пересолить пищу при её приготовлении. СПП 2001, 71.

Стоя́ть на со́ли. *Пск.* Находиться в сложной, нестабильной ситуации, в опасности. СПП 2001, 71.

Съесть без со́ли *кого. Прост.* Расправиться с кем-л. Мокиенко 2003, 105.

Атти́ческая соль. *Книжн.* Изящная шутка, утончённое остроумие. < Калька с лат. *Sal Atticus.* БМС 1998, 541; ФСРЯ, 445; ШЗФ 2001, 16.

За́ячья соль. *Сиб.* Растение майник (Majanthemum bifolium L.). СБО-Д1, 164.

Разводи́ть соль. *Морд. Неодобр.* Быть помехой, мешать кому-л. СРГМ 2002, 106.

Сади́ться на соль. *Приамур. Охотн.* Подстерегать зверя у солонца. СРГПриам., 261.

Соль земли́. *Книжн.* Наиболее активная, творческая сила народа. < Выражение из Евангелия. БМС 1998, 542; ФСРЯ, 446.

Соль с пе́рцем. *Жарг. кинол.* Масть миттельшнауцеров. Максимов, 310.

Ходи́ть на соль. *Приамур. Охотн.* Охотиться на зверя, подкарауливая сго у солонца. СРГПриам., 317.

В соля́х. *Прибайк.* Усердно, много, напряженно (работать). СНФП, 122.

СОЛЯ́НКА * Сбо́рная соля́нка. *Прост. Шутл.* О чём-л. разнородном, не отличающемся единством стиля. ЗС 1996, 515.

СОМНЕ́НИЕ * Рассе́ивать/ рассе́ять сомне́ния. *Разг.* Заставлять поверить во что-л. окончательно. < Калька с франц. *dissiper les doutes.* БМС 1998, 542.

СО́МУС * Наводи́ть на со́мус (на со́мусы). *Ср. Урал.* Вводить кого-л. в заблуждение, обманывать кого-л. СРГСУ 2, 186.

СОН * Ли́ха сна не знать. *Сиб.* Не беспокоиться, не волноваться о чём-л.; жить беззаботно, вольготно. ФСС, 83; СФС, 100.

Своего́ сна не знать. *Пск.* Не иметь понятия о чём-л. (чаще — о том, в чём человека обвиняют). СПП 2001, 71.

Во сне Бо́га моли́ть. *Народн. Шутл.-ирон.* Говорить вздор, ерунду; лгать, обманывать кого-л. ДП, 204; 457.

Во сне уви́дишь – трусáми не отмаха́ешься. *Жарг. мол.* О чём-л. ужасном, страшном, вызывающем сильный испуг. Максимов, 393.

Засну́ть (почи́ть) ве́чным (после́дним, моги́льным) сном. *Книжн.* Умереть. БТС, 346; ФСРЯ, 441.

Не знать сном свои́м. *Печор., Прикам.* Не подозревать о чём-л., не ожидать чего-л. СРГНП 1, 283; МФС, 40.

Ни сном ни ду́хом. *Разг.* Нисколько, ничуть (не виноват, не причастен к чему-л.; не знать, не предполагать чего-л.). ФСРЯ, 441; БТС, 289; Глухов 1988, 111.

Поко́иться ве́чным сном. *Книжн.* Быть мёртвым, погребённым. Ф 2, 66.

Сном-де́лом не знать *чего. Арх.* То же, что **своего сна не знать.** АОС 10, 456.

Сном и ро́дом. *Волг.* Всеми возможными способами. Глухов 1988, 151.

Спать ве́чным сном. *Книжн.* Быть мёртвым, умершим. ФСРЯ, 441.

Спать забуду́щим сном. *Кар.* То же, что **спать мертвецким сном.** СРГК 2, 87.

Спать мертве́цким (непробу́дным) сном. *Разг.* Очень крепко спать. БТС, 535; Ф 2, 176.

Спать соловьи́ным сном. *Разг.* О лёгком, чутком, непродолжительном сне. ДП, 517; БМС 1998, 542.

Отходи́ть/ отойти́ ко сну. *Разг.* Готовиться лечь спать. Ф 2, 30.

Наводи́ть сны. *Жарг. арест.* Участвовать в наведении порядков в ИТУ, Балдаев 1, 266.

Богаты́рский сон. *Разг.* О крепком, продолжительном сне. БМС 1998, 542; ШЗФ 2001, 21.

Броса́ет (кида́ет) в сон *кого. Волг.* Кому-л. хочется спать. Глухов 1988, 1988, 74.

Воробьи́ный сон. *Волг.* Беспокойный, чуткий сон. Глухов 1988, 14.

В сон голо́вушку приклони́ть. *Олон.* Заснуть. СРНГ 31, 249.

Гнетёт на сон *кого. Кар.* То же, что **кладет в сон.** СРГК 1, 346.

Идти́ на сон. *Кар.* Дремать, клониться ко сну. СРГК 2, 267.

Кладёт (повело́) в сон *кого. Кар.* То же, что **бросает в сон.** СРГК 2, 359; СРГК 4, 587.

Кобы́лий сон. *Волг., Дон. Шутл.-ирон.* Вздор, чушь, небылицы. Глухов 1988, 75; СДГ 2, 64.

На сон гряду́щий. *Разг.* На ночь, перед сном. ФСРЯ, 446; БМС 1998, 542.

Не ве́рить ни в сон, ни в чох, ни в пти́чий грай. *Разг.* Не верить ни в какие приметы, предзнаменования, предсказания. БМС 1998, 542.

Ни сон ни угомо́н. 1. *кому. Прикам.* О нежелании спать. МФС, 94. 2. *Волг.* О непоседливом человеке. Глухов 1988, 111.

Продра́ть сон. *Кар.* Проснуться. СРГК 5, 255.

Сла́дкий сон. *Жарг. нарк.* Смерть от передозировки наркотика. Максимов, 390.

Сон в ру́ку. 1. *Народн.* О вещем сне, который сбывается наяву. ДП. 519; ЗС 1996, 434; СРГК 2, 360. 2. *Жарг. нарк.* Об инъекции наркотика. Максимов, 396.

Сон наве́ки (на ве́ки). *Горьк.* Смерть. БалСок, 53.

Сон се́рой кобы́лы. *Волг. Шутл.-ирон.* Неправдоподобные вести, вымысел, небылицы. Глухов 1988, 147.

Сон фарао́на. *Книжн.* О необходимости быть бережливым. < По библейскому мифу, Бог возвестил фараону во сне о семи годах изобилия и семи годах голода в земле египетской. БМС 1998, 542.

Упа́сть в ве́чный сон. *Горьк.* Умереть. БалСок, 55.

СОНЕ́Т * Петь соне́ты. *Жарг. муз. Шутл.* Лгать, обманывать кого-л. Максимов, 311.

СО́НИНО * Пода́ться в Со́нино. *Сиб. Шутл.* Уснуть, заснуть. ФСС, 139.

СО́ННИК * Брать/ взять со́нник. *Жарг. угол.* Совершать ночную кражу из квартиры, когда хозяева спят. ТСУЖ, 31; Балдаев 1, 63; ББИ, 44.

Ходи́ть по со́нникам. *Жарг. угол.* Воровать по ночам. СРВС 4, 185, 189; Балдаев 1, 31; ТСУЖ, 142.

Све́тлые со́нники. *Жарг. угол.* Надёжно спрятанные краденые вещи, наркотики. ТСУЖ, 157.

Бе́гать по со́ннику. *Жарг. угол.* То же, что **ходить по сонникам.** Балдаев 1, 31; ТСУЖ, 142.

Заде́лать по со́ннику *кого. Жарг. угол.* Обокрасть спящего. ТСУЖ, 61.

СО́ННЫЙ * Со́нному и ве́чному. *Сиб.* Всякому и каждому, кому угодно. СФС, 175.

СОНТРЕНА́Ж * Отраба́тывать сонтрена́ж. *Жарг. арм., курс. Шутл.* Спать. Лаз., 244.

СО́НЬКА * Дави́ть (даванý́ть/ придави́ть) Со́ньку. *Разг. Шутл.* Спать, дремать. < Образовано каламбурным перифразированием слова *сон* и нарочитой ассоциацией с женским именем. БСРЖ, 554.

СО́НЯ * Бе́гать по со́не (по со́ни). *Жарг. угол.* Уметь воровать. ТСУЖ, 142.

Бо́тать по со́не (по со́ни). *Жарг. угол.* 1. Быть вором; принадлежать к преступному миру. СРВС 4, 114,145; ТСУЖ, 142; Балдаев 1, 44. 2. Говорить на воровском жаргоне. Балдаев 2, 44.

СООБРАЖЕ́НИЕ * Крути́ть соображение *кому. Сиб. Ирон.* Вводить в заблуждение кого-л. ФСС, 99.

СООБРАЗИ́ЛОВКА * Сообрази́ловка тройна́я. *Разг.* Пьянка вскладчину. Хом. 2, 365.

С сообрази́ловкой. *Разг. Одобр.* Об умном, сообразительном человеке. Kusal 2002, 74.

СОПА́ТКА * Дать по сопа́тке *кому. Прост.* Ударить, избить кого-л. Глухов 1988, 31. < **Сопатка** – нос.

СОПА́ТКИ * На сопа́тках. *Морд.* На плечах, на верхней части спины. СРГМ 2002, 107.

СО́ПИКОВ * Зае́хать к Со́пикову и Храпови́цкому. *Разг. Шутл.* Поспать, подремать. < **Сопиков, Храповицкий** – каламбурные образования от *сопеть, храпеть.* БМС 1998, 543.

СО́ПКА * Идти́/ пойти́ на со́пку. *Прибайк.* Умирать. СНФП, 122. **Идти́/ пойти́ под со́пку.** *Жарг. лаг.* То же. Р-87, 121.

Посыла́ть/ посла́ть под со́пку *кого. Жарг. лаг.* Убивать, расстреливать кого-л. Бен, 94.

СОПЛИ́ВЫЙ * Обойдёмся без сопли́вых. *Прост. Пренебр.* Отказ человеку, пытающемуся принять участие в чём-л., дающему советы. Глухов 1988, 2.

СО́ПЛО́ * Закры́ть (заткну́ть) сопло́. *Прост. Груб.* 1. *кому.* Вставить кляп в рот, заставить замолчать кого-л. ТСУЖ, 62; СВЯ, 35; УМК, 98. 2. *чаще повел. накл.* Замолчать. УМК, 98; ТСУЖ, 166.

Оттяну́ть в со́пло *кому. Жарг. мол.* Ударить кого-л. по голове, по лицу. h-98.

СОПЛЯ́ * До сопле́й. *Прибайк. Пренебр.* Очень сильно, до состояния крайнего алкогольного опьянения (напиться). СНФП, 122. **До зелёных сопле́й.** *Жарг. мол.* То же. Максимов, 266.

Зашиби́ть соплёй *кого. Прост. Груб.* Без особых усилий расправиться с кем-л. Ф 1, 207.

Намота́ть (потере́ть) сопле́й на кула́к. *Вят., Перм.* Испытать много трудностей, натерпеться неприятностей, наплакаться. СРНГ 16, 51.

Помота́ть сопле́й на клубо́к. *Пск.* Поплакать, наплакаться. СПП 2001, 71.

Соплёй не перешибёшь *кого. Морд. Шутл.-одобр.* О здоровом, сильном человеке. СРГМ 2002, 108.

Соплёй перешибёшь *кого. Разг. Ирон.* О слабом, худом человеке. ФСРЯ, 446; СПП 2001, 71; Глухов 1988, 121; СРГМ 2002, 108.

Ве́шать со́пли на́ уши *кому. Жарг. мол.* 1. Вводить кого-л. в заблуждение, рассказывать что-л. неправдоподобное. 2. Уходить от ответственности. Мокиенко 2003, 106.

Жева́ть со́пли. 1. *Жарг. мол. Шутл.* Целоваться (Запись 2001 г.). 2. *Жарг. мол. Неодобр.* Говорить невнятно. Вахитов 2003, 53. 3. *Жарг. мол., Разг. Неодобр.* Действовать нерешительно. Быков, 183. 4. *Прост.* Быть невнимательным, рассеянным. Мокиенко 2003, 106. 5. *Жарг. спорт. (д/пл.).* Лететь в слабом восходящем потоке. БСРЖ, 555.

Кра́сные со́пли. *Влад., Костром., Яросл.* Кровь из носа. СРНГ 15, 196; ЯОС 5, 86.

Моро́зить со́пли. *Жарг. авто.* Находиться в пути при плохой погоде. Максимов, 254.

Мота́ть (нама́тывать) со́пли на кула́к. 1. *Прост.* Плакать. ББИ, 144; Мокиенко 2003, 106; Сергеева 2004, 58. 2. *Прост.* Бедствовать, терпеть нужду, лишения. Подюков 1989, 117; Мокиенко 2003, 106; Ф 1, 304. 3. *Жарг. мол.* Долго думать, медленно соображать. Максимов, 212.

Надува́ть со́пли. *Жарг. мол.* Страдать от насморка. Максимов, 266.

Пове́сить со́пли. *Кар.* Расстроиться, опечалиться. СРГК 4, 586.

Подобра́ть со́пли. *Жарг. спорт. (футб.). Шутл.* Завязать шнурки кроссовок. (Запись 2002 г.).

Распуска́ть/ распусти́ть со́пли *Прост. Презр.* 1. Жаловаться, ныть. 2. Проявлять чувствительность, слабость. Глухов 1988, 120; Мокиенко 2003, 106.

Ро́зовые со́пли. *Разг. Шутл.-ирон. или Презр.* О чём-л. слащаво-мелодраматическом, сентиментальном. Мокиенко 2003, 106.

Рыть со́пли по сторона́м. *Кар. Неодобр.* Рыдать, плакать. СРГК 5, 595.

Со́пли Водопля́сова. *Жарг. мол. Шутл.* Панк-группа «Вопли Видоплясова». ЖЭМТ, 28.

Со́пли пузырём (пузыря́ми). *Жарг. мол. Ирон. или Неодобр.* О гордом, заносчивом человеке. Никитина, 1998, 415; w-99.

Тере́ть со́пли на кула́к. *Перм.* То же, что **мотать сопли на кулак 2.** Подюков 1989, 117.

Точи́ть со́пли. *Жарг. мол.* Плакать. Максимов, 397.

Ве́шать соплю́. *Жарг. мол. Неодобр.* Разглашать тайну. h-98.

Вы́кинуть соплю́. *Пск. Неодобр.* Шалить, капризничать (о ребёнке). СПП 2001, 71.

Наве́сить соплю́. *Жарг. комп., техн.* Использовать слишком много олова при пайке. БСРЖ, 555.

Отки́нуть соплю́. *Жарг. мол. Шутл.* Сильно устать. Никитина, 1998, 415.

Пове́сить соплю́. 1. *Жарг. спорт (тенн.).* Ударить по мячу с подрезкой так, чтобы он приземлился непосредственно за сеткой. (Запись 2001 г.). 2. *кому. Жарг. арм.* Присвоить звание ефрейтора кому-л. Лаз., 18.

Подве́сить соплю́. *Жарг. телеф.* Провести воздушную телефонную линию. БСРЖ, 555.

Пусти́ть кра́сную соплю́. *Волг.* Сильно избить кого-л. Глухов 1988, 137.

Сопля́ возгри́вая. *Пск. Бран.* О человеке, вызывающем неприятные эмоции.

Сопля́ зелёная. *Прост. Пренебр. или Бран.* О слишком молодом человеке, не способном понять что-л., разобраться в чём-л. Мокиенко, Никитина 2003, 308.

Сопля́ на забо́ре. *Пск. Шутл.* О худом, тщедушном человеке. СПП 2001, 71.

Сопля́ подвесна́я. *Жарг. телеф.* Воздушная телефонная линия. БСРЖ, 555.

Сопля́ ры́жая. *Жарг. угол.* Золотая или серебряная цепочка. СРВС 3, 9.

Сопля́ скружа́вая. *Жарг. угол.* Серебряная цепочка. СРВС 3, 9.

Сопля́ чеки́стская. *Жарг. лаг. Презр.* Доносчик, осведомитель. Росси 2, 399.

Дать по сопля́м *кому. Прост.* Ударить, избить кого-л. Глухов 1988, 31.

Сопля́ми бу́лькать. *Жарг. мол., крим. Неодобр.* Необоснованно предъявлять претензии к кому-л. более сильному, влиятельному. h-98.

На сопля́х. *Прост. Неодобр.* О чём-л. непрочном, сделанном небрежно, кое-как. ЗС 1996, 107; СРГМ 2002, 108.

СОР * Броса́ть (кида́ть) на сор. *Сиб.* В свадебном обряде: бросать на пол подарки или деньги, чтобы, подметая, молодая всё собрала. ФСС, 17, 92.

Вози́ть сор. *Сиб. Неодобр.* Сплетничать. ФСС, 29.

Вы́бра́сывать на сор *что. Сиб.* То же, что **выносить сор из избы.** ФСС, 34.

Выноси́ть сор из избы́. *Разг.* Разглашать какие-л. тайны, рассказывать о ссорах, неприятностях, происходящих между близкими людьми, родственниками. ФСРЯ, 446; БМС 1998, 543; БТС, 176; ФМ 2002, 402; Янин 2003, 78; Мокиенко 1990, 95; ШЗФ 2001, 51; ЗС 1996, 67. **Выноси́ть сор из ха́ты.** *Волг.* То же. Глухов 1988, 19.

Выноси́ть сор за поро́г. *Сиб.* То же, что **выносить сор из избы.** ФСС, 37.

Вы́сорить сор из избы́. *Горьк.* Намеренно забыть что-л. плохое, обидное. БалСок, 29.

СОРБО́ННА * Ру́сская Сорбо́нна. *Жарг. студ. Шутл.* Стрелка Васильевского острова в Санкт-Петербурге, район многочисленных учебных заведений. Синдаловский, 2002, 159.

СОРИ́НКА * Сори́нка в глазу́. *Волг.* О ком-л., о чём-л. надоевшем, ненужном, нежелательном. Глухов 1988, 152.

СО́РОК * Со́рок сороко́в *чего. Разг. Устар.* О большом количестве, множестве чего-л. < Возникло на базе терминологического сочетания **сорок сороков церквей** (**сороком** на Руси называли группу церквей, состоящую примерно из четырёх десятков). ФСРЯ, 447; БМС 1998, 543; ФМ 2002, 464.

СОРО́КА * Затверди́ла (зала́дила) соро́ка Я́кова [одно́ про вся́кого]. *Народн. Шутл.* О назойливом повторении одного и того же. Жук. 1991, 124; ДП, 410; БМС 1998, 543-544; БТС, 330.

Когда́ соро́ка побеле́ет. *Диал. Шутл.* Никогда. Мокиенко 1986, 211.

Соро́ка в лесу́ сдо́хла. *Волг. Шутл.* О чём-л. необычном, неожиданном, неправдоподобном. Глухов 1988, 152.

Соро́ка на хвосте́ принесла́. *Народн. Шутл.* О неизвестном источнике сообщения, новости (уклончивый ответ на вопрос «Откуда ты знаешь об этом?»). ДП, 689; БТС, 1441; Жук. 1991, 313.

Соро́ка на хвосте́ унесёт. *Морд. Шутл.* То же, что **сороки на гнездо унесут.** СРГМ 2002, 109.

Живы́е соро́ки из рта летя́т *у кого. Кар. Неодобр.* О лживом человеке. СРГК 1, 241; СРГК 2, 56.

Соро́ки на гнездо́ унесу́т *кого. Волг. Шутл.* О чрезмерно чистоплотном человеке. Глухов 1988, 152.

СОРО́ЧКА * Роди́ться в соро́чке. См. **Родиться в рубашке (РУБАШКА).**

СОРТ * Второ́й сорт. *Жарг. арм. Устар.* Военврач второго ранга. Лаз., 130.

Пе́рвый сорт. 1. *Разг.* О чём-л. отличном, превосходном. Глухов 1988, 121. 2. *Жарг. арм. Устар.* Военврач первого ранга. Кор., 208.

Понима́ть сорт *в чём. Пск.* Хорошо разбираться в чём-л. (Запись 2001 г.).

Тре́тий сорт. *Жарг. арм. Устар.* Военврач третьего ранга. Кор., 290.

СОРТИ́Р * Мочи́ть/ замочи́ть в сорти́ре (у пара́ши) *кого. Жарг. угол., арест.* Жестоко расправиться с кем-л. < Крылатое выражение В. В. Путина. БСРЖ, 556; Мокиенко 2003, 106.

СОСЕ́Д * Ходи́ть (ша́рить) по сосе́дям. *Жарг. муз. Неодобр.* Неточно, фальшиво петь, играть (т.е. по соседним нотам). Митрофанов, Никитина, 197; WMN, 87.

СОСЕ́ДКА * Сосе́дка поцелова́ла *кого. Сиб. Шутл.* О появлении прыщей на губах. СФС, 183.

Дать в сосе́дку *кому. Жарг. гом. Шутл.* Совершить половой акт с кем-л. анальным способом. Я — молодой, 1995, № 8; WMN, 87. < **Соседка** – анальное отверстие.

СО́СЕНКА (СОСЁНКА) * Мы́шья со́сенка. *Волог.* Растение хвощ летний. СВГ 5, 13.

Лечь под сосёнки *Пск. Ирон.* Умереть. СПП 2001, 71.

СОСИ́СКА * Блатна́я соси́ска. *Жарг. мол. Неодобр.* О высокомерном, заносчивом человеке. БСРЖ, 556.

Марино́ванная соси́ска. *Жарг. мол. Пренебр.* Вялый, усталый человек. Максимов, 239.

Наткни́сь на ви́лку, блатна́я соси́ска! См. **ВИЛКА**

Соси́ска без плёнки. *Жарг. мол. Шутл.* О крайне худом человеке. Максимов, 398.

Соси́ска сдрю́ченная. *Жарг. угол., мол. Шутл.* Мужской половой орган в состоянии эрекции. Хом. 2, 368.

Соси́ска Се́рбского. *Жарг. арест. Ирон.* Норма питания в психиатрической больнице тюремного типа. Балдаев 2, 52; ББИ, 230.

Соси́ски сра́ные. *Разг. Вульг. Шутл.* Социалистические страны (в речи Л. И. Брежнева и других престарелых членов Политбюро ЦК КПСС). Европацентр, 15.07.93; Ром-Миракян, 96.

Пья́ный в соси́ску. *Жарг. мол. Шутл.-ирон.* О крайней степени опьянения. Елистратов 1994, 442; VHF, 1999.

СО́СКА * Ночна́я со́ска. *Жарг. мол. Шутл.* Проститутка. Щуплов, 349.

Со́ска на кобла́х. *Жарг. мол. Шутл.* Девушка, носящая обувь на высоком каблуке. Максимов, 186.

Клу́бные со́ски. *Разг. Шутл.-ирон.* Областное культпросветучилище в Ленинграде (1970-е гг.). Синдаловский, 2002, 88. < Жарг. **соска** – девушка лёгкого поведения.

СОСЛО́ВИЕ * Двух сосло́вий связа́ть не мо́жет. *Морд. Неодобр.* О человеке, не умеющем связно, чётко выражать свои мысли. СРГМ 2002, 110.

СОСНА́ * К семи со́снам. *Прикам.* Очень далеко. МФС, 94.

Заблуди́ться в двух сосна́х. *Сиб. Шутл.-ирон.* То же, что **заблудиться в трёх соснах.** ФСС, 74.

Заблуди́ться в трёх сосна́х. *Разг. Шутл.-ирон.* Не суметь разобраться в чём-л. очень простом, запутаться в самом простом вопросе. ФСРЯ, 447; БМС 1998, 544; БТС, 310; Мокиенко 1990, 131.

Запу́таться в трёх со́снах. *Разг.* То же, что **заблудиться в трёх соснах.** ЗС 1996, 380; Янин 2003, 50.

Когда́ на сосне́ гру́ши бу́дут. *Народн. Шутл.-ирон.* Никогда (выражение отказа кому-л.). ДП, 240.

В сосну́ голово́й *кого. Новг. Бран.* Выражение гнева, негодования, нежелания общаться с кем-л. Сергеева 2004, 23.

Идти́ под сосну́. *Кар.* Умирать. СРГК 2, 268.

Носи́ть сосну́. *Морд.* В свадебном обряде: нести ветку сосны в дом жениха на второй день свадьбы (о ряженых гостях). СРГМ 2002, 111.

Попада́ть/ попа́сть в со́сны. *Кар.* То же, что **идти под сосну.** СРГК 5, 76.

СОСО́К * Заячьи соски́. *Курск.* Цветы клевера. СРНГ 14, 205.

Соба́чьи соски́. *Прикам.* Несколько фурункулов рядом. МФС, 94.

Порося́чий сосо́к. *Жарг. мол. Презр.* О непорядочном, подлом человеке. Максимов, 333.

Сосо́к съехал *у кого. Жарг. мол.* О человеке, сошедшем с ума. Максимов, 398.

СОСТА́В * Зубно́й соста́в. *Жарг. мол. Шутл.* Зубы. Максимов, 158.

Тро́нулся зубно́й соста́в *у кого. Жарг. мол. Шутл.* О выбитых зубах. Вахитов 2003, 181.

СОСТОЯ́НИЕ * Состоя́ние нестоя́ния. *Жарг. мол. Шутл.-ирон.* 1. О сильном опьянении. 2. О сильной усталости. Максимов, 398.

СОСУ́Д * Сосу́д скуде́льный. *Разгн. Устар.* Слабое, недолговечное существо (о человеке). ФСРЯ, 447.

СОСУ́ЛЬКА * Ткнуть сосулькой. 1. *Жарг.* Совершить половой акт с кем-л. < **Сосулька** — мужской половой орган. БСРЖ, 557. 2. *Жарг. комп.* Воспользоваться программой Soft-Ice. < **Ice** – англ. лед, сосулька. Садошенко, 1995.

СОСЮ́РА * Чита́ть Сосю́ру [болту́]. *Жарг. угол.* Совершать минет. < **Сосюра** – минет; **болт** – мужской половой орган. Балдаев 2, 52; ББИ, 231; Мильяненков, 237.

СО́ТНЯ * Не хо́чешь ли на со́тню гребешко́в? *Пск. Ирон.* Выражение несогласия, отказа кому-л. в чём-л. СПП 2001, 71.

Пое́хать на со́тню гребешко́в. *Пск. Шутл.* Уехать, уйти от кого-л. куда угодно. СПП 2001, 71.

Показа́ть, почём со́тня гребе́шков *[кому]. Пск., Сиб.* Наказать кого-л., расправиться с кем-л. ПОС 8, 10; СРНГ 28, 365.

Почём со́тня гребешко́в? *Пск.* Задиристый вопрос желающего начать драку, скандал. ПОС 8, 10.

Узна́ть, почём со́тня (па́ра) гребешко́в. *Прост.* Испытать много горя, несчастий. ПОС 8, 10; СФС, 191; СРНГ 30, 379; БТС, 227; Подюков 1989, 212; Глухов 1988, 163.

СО́УС * Де́лать со́ус дро́че. *Жарг. гом.* Онанировать. Кз., 67.

Со́ус дро́че. *Жарг. гом. Шутл.* Онанизм. Кз., 66.

Корми́ть со́усом *кого. Народн.* Усовещивать кого-л. БМС 1998, 544; МФС, 49; Мокиенко 1990, 153.

Ни под каки́м со́усом. *Разг.* Ни при каких обстоятельствах. ФСРЯ, 447; ЗС 1996, 96.

Под со́усом *каким. Разг.* В том или ином виде, освещении, в той или иной трактовке. ФСРЯ, 447.

СОФА́ * Не заткнёшь софо́й (тахто́й) *кого. Жарг. мол. Неодобр.* О болтуне. Максимов, 150.

СОФИ́Я * Софи́я Гита́ру. *Жарг. мол. Шутл.* Певица София Ротару. Я — молодой, 1998, № 8.

Со́фья Васи́льевна (Вла́сьевна). *Жарг. угол. Шутл.-ирон.* Советская власть. < От сокращения СВ. Флг., 328; БСРЖ, 557.

СОХА́ * Лени́вая соха́. 1. *Сиб.* Запоздалый выезд на весеннюю пахоту. СФС, 99. 2. *Ср. Урал. Неодобр.* Лентяй, бездельник. СРГСУ 2, 91.

Пе́рвая соха́. *Яросл.* Лошадь, на которой пашут первый раз. ЯОС 7, 90.

Быть в сохе́ и в бороне́. 1. *Сиб.* Много и долго работать в сельском хозяйстве. ФСС, 20. 2. *Волг., Горьк.* Быть предельно занятым. Глухов 1988, 15; БалСок, 28.

Взя́т (взятый) от сохи́. *Жарг. угол., арест. Ирон.* Простофиля (крестьянин, колхозник), не понимающий, за что его осудили. УМК, 99; Росси 2, 373.

Взять от сохи́ на вре́мя *кого. Жарг. угол. Ирон.* Осудить невиновного человека. СРВС 2, 25, 63, 55, 169, 197; СРВС 3, 109; СРВС 4, 9, 102; Грачев, 1992, 155; Балдаев 1, 63; ТСУЖ, 31, 125; СВЯ, 15.

Ни сохи́ ни бороны́ ни кобы́лы вороны́. *Волг. Шутл.-ирон.* О крайней бедности, нищете. Глухов 1988, 111.

На соху́. *Яросл.* О лошади на четвёртом году, когда её можно запрягать в соху. ЯОС 6, 78.

Соху́ на ба́ню. *Перм., Пск. Шутл.* О прекращении половой жизни мужчиной. Подюков 1989, 158; СПП 2001, 72.

Соху́ в тын. *Перм. Шутл.* То же, что **соху на баню.** Подюков 1989, 158.

СО́ХНУТЬ * Не со́хнет, не сто́нет. *Прибайк. Одобр.* О крепком, здоровом человеке. СНФП, 122.

СО́ХОМ * Со́хом засо́хнуть. *Кар.* Сильно, полностью высохнуть. СРГК 2, 204.

СО́ЧЕНЬ * Со́чнем сочи́ть *кого, что. Пск.* Долго, усиленно искать что-л., кого-л. СПП 2001, 72.

СО́ЧИ * Отпра́вить в Со́чи *кого. Жарг. мол.* Убить кого-л. БСРЖ, 557.

Со́чи, тёмные но́чи. *Жарг. шк. Шутл.* Сочинение. Максимов, 399.

СОЧИНЕ́НИЕ * Сочине́ние на во́льную те́му. *Жарг. студ. Шутл. (мед.).* Учебная история болезни. (Запись 2004 г.).

СО́ШКА Ме́лкая со́шка. *Разг. Ирон. или Пренебр.* О незначительном, невлиятельном, неавторитетном человеке. ФСРЯ, 447; БТС, 1244; БМС 1998, 544–545; ЗС 1996, 80, 216; СОСВ, 111; Мокиенко 1989, 38; СПСП, 65; СПП 2001, 72.

СОЮ́З * Бо́жий сою́з. *Яросл.* Бракосочетание. ЯОС 2, 8.

Сою́з меча́ и ора́ла. *Разг. Ирон.* О каких-л. фиктивных, не дающих ничего положительного объединениях людей, предприятиях. < Выражение из романа И. Ильфа и Е. Петрова «Двенадцать стульев» (1928 г.), придуманное Остапом Бендером название несуществующей подпольной дворянской организации. Возможно, навеяно пушкинским выражением *союз меча и лиры* из трагедии «Борис Годунов». Мокиенко. Никитина, 1998, 573.

Сою́з писа́телей. *Разг. Шутл.* Пересадочный узел станций метро «Чеховская», «Горьковская» (ныне «Тверская») и Пушкинская в Москве. Елистратов 1994, 443.

СПАГЕ́ТТИ * Ве́шать спаге́тти на́ уши *кому. Жарг. мол. Шутл.* Лгать, обманывать кого-л. Максимов, 61.

СПА́ЙКА * В спа́йке. *Прост.* В тесной связи, в содружестве, взаимодействии. Мокиенко 2003, 107.

СПАС[1] * Не дава́ть спа́су *кому.* 1. *Кар.* Заставлять кого-л. работать без отдыха, без передышки. СРГК 1, 420. 2. *Морд.* Ругать, бранить кого-л. СРГМ 2992, 114.

Не находи́ть спа́су. *Волог.* Испытывать сильную боль. СВГ 5, 41.

Спа́су нет. 1. *от кого. Прост.* О том, кто надоедает, мешает, мучает кого-л. БТС, 1245; СПП 2001, 72. 2. *Сиб.* О высшей степени проявления какого-л. качества, состояния. ФСС, 122; МФС, 65.

3. *Волг., Сиб.* О безвыходном положении. Глухов 1988, 152; Верш. 6, 340.

СПАС[2] * У Спа́са на кули́чках. *Диал. Шутл.* Очень далеко, в отдалённом, глухом месте (жить). Мокиенко 1990, 8.

СПАСЕ́НИЕ * Спасе́ние девятьсо́т оди́ннадцать. *Жарг. мол. Шутл.* 1. Литровая бутылка водки. 2. Автомашина медвытрезвителя. < По названию американской телепередачи. Максимов, 399.

СПАСЁНОЧКА * Ни спасёночки [нет]. *Сиб.* О полном отсутствии чего-л. СРНГ 21, 215; СФС, 128.

СПАСЕ́НЬЕ * Пойти́ во спасе́нье. *Олон.* Постричься в монахини. СРНГ 28, 361.

СПАСИ́БО * Надава́ть сто спаси́б *кому. Прибайк.* Сердечно поблагодарить кого-л. СНФП, 122.

Дава́ть/ дать спаси́бо *кому. Арх., Кар., Новг., Перм., Печор., Пск., Сиб.* Благодарить кого-л. АОС 10, 201; СРГК 4, 287; НОС 2, 73; СГПО, 128; СРГНП 1, 164; СРНГ 7, 258; СФС, 59.

За спаси́бо. *Разг. Ирон.* Бесплатно, без вознаграждения; без всякой выгоды. ФСРЯ, 448; БТС, 1245; Жиг. 1969, 278; СПП 2001, 72.

Отбива́ть спаси́бо. *Пск.* То же, что **давать спасибо.** (Запись 2001 г.).

СПАТЬ * Когда́ спать, тогда́ и гнать. *Волг.* Не вовремя, в спешке. Глухов 1988, 75.

Спать и ви́деть *что. Разг.* Страстно желать чего-л., мечтать о чём-л. ФСРЯ, 449; БТС, 1246; Глухов 1988, 162.

Не спи, замёрзнешь! *Жарг. шк. Шутл.* Не отвлекайся, слушай внимательно. Митрофанов, Никитина, 197; VSEA, 130.

Си́дя спит, лёжа рабо́тает. *Народн. Неодобр.* О ленивом, нерасторопном человеке. Жиг. 1969, 227.

СПЕНЁК * Сосну́ть спенёк. *Перм. Шутл.* Поспать очень немного. СГПО, 595; МФС, 94.

СПЕНЬ * Втора́я (второ́й) спень. *Дон. Шутл.* Глубокий сон. СДГ 3, 136.

Нагна́ть спень *на кого. Сиб.* Испугать, устрашить кого-л. ФСС, 116.

Пе́рвая (пе́рвый) спень. *Дон., Прикам.* Первая фаза сна, неглубокий, нервный сон. СДГ 3, 136; МФС, 94.

СПЕ́РЕДИ * Ни спе́реди ни сза́ди *у кого. Волг.* Об одиноком человеке, живущем без семьи. Глухов 1988, 111.

СПЕХ * На ско́рый спех. *Одесск.* Наспех, поспешно. КСРГО.

Пойти́ на спех. *Яросл.* Начать спеть, поспевать (об овсе). ЯОС 8, 44.

Спех за став! *Пск.* Приветственное пожелание успеха в работе ткачам. СПП 2001, 72.

Не к спе́ху. *Разг.* О чём-л. несрочном, неактуальном. ФСРЯ, 448; БТС, 1247; ЗС 1996, 480.

СПИНА́ * Спина́ к спине́. *Жарг. бизн.* Сделка с идентичными условиями опциона и продажи. БС, 244.

Спина́ обгры́зенная (обгры́зена) *у кого. Жарг. лаг. Пренебр.* О пассивном лагерном гомосексуалисте. Кз., 142.

Спина́ ши́фером *у кого. Жарг. мол. Шутл.-ирон.* Об удачливом, самодовольном бизнесмене («новом русском»). БСРЖ, 559.

Гуля́ть по спи́нам. *RPG. Неодобр.* Нападать на противника со спины. БСРЖ, 559.

В спине́ де́нег мно́го *у кого. Горьк.* О трудолюбивом, зажиточном человеке. БалСок, 29.

В спине́ лень заросла́ *у кого. Волог. Неодобр.* О лентяе, бездельнике. СВГ 2, 145.

Выезжа́ть (е́здить) на спине́ *чьей. Разг. Неодобр.* Использовать кого-л. для достижения своих целей. БТС, 1248.

На чужо́й спине́ в рай въе́хать. *Разг.* Достичь своей цели, используя кого-л. в личных интересах. Ф 1, 89.

По спине́ дуби́ной хрясь. *Жарг. шк. Презр.* О школьной уборщице. (Запись 2004 г.).

Почу́вствовать на со́бственной спине́. *Разг.* Лично испытать, прочувствовать что-л. БТС, 1248.

Сиде́ть на спине́. *Жарг. мол. Шутл.* Спать. Кор., 257; Максимов, 383.

За спино́й. *Разг.* 1. *у кого, чьей.* Тайно, скрытно от кого-л. 2. *кого, чьей.* Под чьей-л. опекой, на чём-л. иждивении. 3. В прошлом. ФСРЯ, 448; БТС, 1248; ДП, 544.

За спино́й зашевели́лось *у кого. Пск.* Об ощущении страха, сильном испуге. ПОС 12, 262.

Обора́чиваться/ оберну́ться (повора́чиваться/ поверну́ться) спино́й *к кому, к чему. Разг.* Проявлять полное безразличие к кому-л., чему-л. ФСРЯ, 449; Ф 2, 10; БМС 1998, 545.

Стоя́ть за спино́й *чьей. Разг.* Тайно оказывать кому-л. поддержку, покровительство. Ф 2, 190.

Вы́тянуть спи́ну *кому. Сиб. Ирон.* Наказать, побить кого-л. ФСС, 39.

Вшить спи́ну *кому. Диал.* Избить кого-л. Мокиенко 1990, 59.

Ги́бать спи́ну. *Пск.* То же, что **гнуть спину.** СПП 2001, 72.

Гнуть (лома́ть) спи́ну. 1. *Разг. Устар. Ирон.* Заискивающе, подобострастно кланяться. Ф 1, 114. 2. *Разг.* Выполнять тяжёлую, изнурительную работу. ФСРЯ, 449; БТС, 212, 1248; БМС 1998, 545; ЗС 1996, 40, 97; ФМ 2002, 469; БалСок, 53; Ф 1, 285; ДС, 284.

Лечь (сесть) на спи́ну. *Жарг. мол. Шутл.* Лечь спать. Я — молодой, 1995, № 15; Балдаев 2, 37.

Отлуди́ть спи́ну *кому. Пск.* Побить, поколотить кого-л. СПП 2001, 72.

Пока́зывать / показа́ть спи́ну. *Прост.* Убегать от кого-л.; уходить, отступать. БТС, 893; ЗС 1996, 507; Максимов, 325.

Сдвига́ть спи́ну. *Прикам.* То же, что **гнуть спину.** МФС, 89.

Сесть на спи́ну. *Жарг. мол. Шутл.* Лечь, приготовиться ко сну. Максимов, 383.

Строчи́ть спи́ну *кому. Диал.* Бить кого-л. Мокиенко 1990, 53, 60.

Угости́ть в спи́ну *кого. Пск.* Сильно ударить кого-л. СПП 2001, 72.

Уда́рить в спи́ну *кого. Разг.* Совершить предательство по отношению к кому-л. БТС, 1373.

Хорони́ться за чужу́ю спи́ну. *Волг.* Стараться избежать ответственности, наказания, перекладывать вину на другого. Глухов 1988, 157.

Чеса́ть спи́ну *кому. Жарг. мол. Шутл.* Совершать половой акт с кем-л. анальным способом. h-98.

До мо́крой спины́. *Морд.* Усердно, с большим напряжением (работать). СРГМ 2002, 116.

Из чужо́й спины́ ремешки́ крои́ть. *Народн. Ирон.* Эксплуатировать кого-л. ДП, 610.

Не разгиба́ть спины́. *Разг.* Много работать без отдыха. СРГМ 2002, 116; Ф 2, 114.

СПИ́НКА * Ма́зать спи́нку пови́длом *кому. Жарг. мол. Шутл.-ирон.* Исполнять чьи-л. капризы. ВМН 2003, 124.

Почесать спинку *кому. Жарг. мол. Шутл.* Доставить удовольствие кому-л. Максимов, 336.

СПИРОХЕ́ТА * Бле́дная спирохе́та. *Жарг. угол. Ирон. или Презр.* 1. Блондинка, сожительствующая с негром. 2. Осведомительница. Мокиенко, Никитина 2003, 309.

СПИРТУО́З * Спирту́озы Москвы́. *Жарг. студ. (муз.). Шутл.* Ансамбль классической музыки «Виртуозы Москвы». БСПЯ, 2000.

СПИ́СОК * В спи́сках не зна́чился. *Жарг. арм. Шутл.* О перекличке в строю. БСРЖ, 559.

Заноси́ть в чёрный спи́сок *кого. Публ.* Относить кого-л. к подозрительным, неблагонадёжным лицам. Мокиенко 2003, 107.

Небе́сный спи́сок. *Смол.* О предопределении свыше. СРНГ 20, 316.

Оглаша́ть спи́сок поги́бших. *Жарг. шк. Ирон.* Объявлять оценки за четверть. ВМН 2003, 125.

Попада́ть/ попа́сть в чёрный спи́сок. *Публ. Неодобр.* Оказываться отнесённым к подозрительным, неблагонадёжным лицам. Мокиенко 2003, 107.

Чёрный спи́сок. 1. *Публ. Неодобр.* Список подозрительных, неблагонадёжных лиц, не принимаемых на работу или увольняемых в первую очередь. Мокиенко 2003, 107–108. 2. *Жарг. шк. Шутл.-ирон.* Классный журнал. ВМН 2003, 125.

СПИ́ЦА * Девя́тая спи́ца в колесе́. *Морд.* То же, что **последняя спица в колеснице.** СРГМ 2002, 117.

Невелика́ (небольша́я) спи́ца в колесни́це. *Народн. Ирон.* То же, что **последняя спица в колеснице.** ДП, 549, 731.

После́дняя спи́ца в колесе́. *Пск. Ирон.* То же, что **последняя спица в колеснице.** СПП 2001, 72.

После́дняя (пя́тая) спи́ца в колесни́це. *Разг. Ирон.* О ком-л. или о чём-л. второстепенном, лишнем, ненужном. ФСРЯ, 449; БТС, 1249; БМС 1998, 545; ЗС 1996, 30; Мокиенко 1990, 148.

Спи́ца тебе́ в нос! *Кар.* Шутливое пожелание чихнувшему. СРГК 4, 43.

СПИЧ * Толка́ть/ толкну́ть спич. *Жарг. мол. Шутл.* Высказаться, говорить. СМЖ, 95; Максимов, 379. < От англ. *speech* – ‘речь, выступление, доклад’.

СПИ́ЧКА * Подложи́ть спи́чку *кому, куда. Кар.* Поджечь что-л. СРГК 4, 643.

Вставля́ть/ вста́вить спи́чки в глаз *кому. Орл. Шутл.* Обманывать кого-л. СОГ 1989, 98.

Ста́вить спи́чки *кому. Пск.* Колко намекать на что-л. СПП 2001, 72.

Спи́чку в нос! *Волг. Шутл.* Будь здоров (пожелание при чихании). Глухов 1988, 153.

СПЛАВ * Пусти́ть под сплав *кого. Жарг. угол. Неодобр.* 1. Оговорить кого-л. 2. Предать кого-л. Балдаев, I, 364; ТСУЖ, 150.

Сплав ме́ди и ци́нка. *Жарг. шк. Шутл.* Медицинский работник в школе. < По созвучию с **медицина.** Максимов, 400.

СПЛЁТКА * Ля́сничать сплётки. *Морд. Неодобр.* То же, что **Наводить сплетни (СПЛЕТНЯ).** СРГМ 2002, 118.

Наводи́ть (своди́ть / свести́) сплётки. См. **Наводить сплетни (СПЛЕТНЯ).**

Плести сплётки. См. **Плести сплетни (СПЛЕТНЯ).**

Скла́дывать сплётки. *Пск. Неодобр.* Болтать, пустословить. СПП 2001, 72.

СПЛЕ́ТНЯ * Ба́бьи сплéтни. 1. *Арх., Башк., Прикам., Сиб.* Вьющееся комнатное растение. АОС 1, 78; СРГБ 1, 24; МФС, 94; СБО-Д1, 19; СОСВ, 26; СФС, 18; СРГБ 1, 24. 2. *Ср. Урал.* Дикое вьющееся растение. СРГК 1, 29.

Води́ть сплéтни. *Печор.* То же, что **наводить сплетни.** СРГНП 1, 79.

Де́лать сплéтни. *Кар., Морд.* То же, что **наводить сплетни.** СРГК 1, 444; СРГМ 1980, 16.

Наводи́ть / навести́ (своди́ть /свести́) сплéтни (сплётки). *Кар., Пск. Не одобр.* Сплетничать, оговаривать кого-л. СРГК 3, 300; СПП 2001, 72.

Плести́ сплéтни (сплётки). *Кар., Пск.* То же, что **наводить сплетни.** СРГК 4, 541; СПП 2001, 72.

СПЛЕ́ТНИК * Ба́бий сплéтник. *Яросл.* Комнатное растение традесканция. ЯОС 1, 25.

СПЛОТЬ * Сплоть да кря́ду. *Морд.* То же, что **сплошь и рядом.** СРГМ 2002, 118.

СПЛОШЬ * Сплошь и (да) ря́дом. *Разг.* Очень часто, почти всегда; почти везде. ФСРЯ, 449; БТС, 1250; ЗС 1996, 484.

СПОК * Будь спок! *Жарг. мол., Разг.* Призыв к спокойствию. БТС, 1250; Смирнов, 1993, 152; Елистратов 1994, 446; Вахитов 2003, 21.

СПОКО́Й * Быть в споко́е. *Том.* Спать. СПСП, 127.

Повали́ться споко́ем. *Кар.* Умереть спокойно, естественной смертью. СРГК 4, 577.

Дать споко́й *кому. Диал.* Перестать надоедать кому-л., мучить кого-л. Мокиенко 1990, 11.

Пойти́ на споко́й. *Олон.* Лечь спать. СРНГ 28, 358.

Пора́ на споко́й *кому. Перм.* Пришло время умирать кому-л. Подюков 1989, 158.

Уйти́ на споко́й. *Том.* Перестать работать в старости. СПСП, 128.

Не знать споко́ю. *Том.* Не отдыхать, не спать, делая что-л. СПСП, 127.

СПОКО́ЙСТВИЕ * Олимпи́йское споко́йствие. *Разг.* Невозмутимое спокойствие. < Выражение связано с греческоми мифами об Олимпийцах — бессмертных богах, обитавших на горе Олимп и всегда сохранявших торжественность внешнего вида и невозмутимое спокойствие. БМС 1998, 546.

Набра́ть споко́йствия. *Кар.* Успокоиться. СРГК 3, 295.

СПОКУ́ХА * На споку́хе. *Жарг. мол.* В спокойном состоянии. Вахитов 2003, 103.

СПОМИ́Н * Идти́ на споми́н души́. *Пск.* Появляться где-л. в тот момент, когда о тебе говорят. СПП 2001, 72.

Яви́ться на лёгком споми́не. *Пск.* То же, что **идти на споми́н души́.** СПП 2001, 72.

На споми́не лёгких. *Пск.* То же, что **идти на споми́н души́.** СПП 2001, 72.

СПОР * Спор ва́шим грошá м! *Пск.* Приветственное пожелание при встрече гостя. СПП 2001, 72.

Спор в рука́х! *Кар.* Пожелание успешной работы. СРГК 5, 579.

СПОРИ́НА * Спори́на в квашню́ (в те́сто) *кому*! *Сиб. Шутл.-ирон.* 1. Пожелание кому-л. чего-л. неприятного. СФС, 177; СРНГ 13, 164. 2. Приветствие женщине, когда она месит хлебы, заводит квашеное тесто. Балакай 2001, 500.

Спори́на в стряпню́ *кому*! См. **Спорня в стряпню** *кому*! **(СПОРНЯ).**

Спори́на не идёт в ру́ки *кому. Морд.* Нет удачи, не везёт кому-л. СРГМ 2002, 121.

СПОРНЯ́ * Спорня́ в квашню́ *кому*! *Пск.* То же, что **Спорина в квашню** *кому*! **(СПОРЫНЬЯ).** СПП 2001, 72.

Спорня́ (спори́на) в стряпню́ *кому! Перм., Прикам.* Доброе пожелание женщине, занятой приготовлением пищи. СГПО, 599; МФС, 94.

СПОРТ * Во́дный спорт. *Жарг. мол.* Сексуальные игры или половой акт с использованием мочи или мочеиспускания. Калейдоскоп, 1998, № 37.

СПОРЫНЬЯ * Споры́нья в дойни́к (в молоке́) *кому*! *Народн.* Пожелание женщине, доящей корову, козу. Балакай 2001, 500. < **Дойник** – сосуд для хранения сметаны.

Споры́нья в квашню́ *кому*! *Народн.* Пожелание успеха тому, кто месит тесто, печёт хлеб. ДП, 755.

Споры́нья в коры́то (в коры́те) *кому*! *Народн.* Пожелание женщине, стирающей бельё. Балакай 2001, 500.

Споры́нья в работе *кому*! *Народн.* То же, что **Бог в помощь!** Балакай 2001, 500.

Споры́нья в стряпню́ *кому*! *Народн.* Пожелание успеха стряпухе. Балакай 2001, 500.

Споры́нья (спори́на) за щеку́ (в щёки) *кому*! *Народн. Шутл.* Пожелание обедающим. Балакай 2001, 500. < **Споры́нья́ – успех, удача; выгода, прибыль; рост, прок.**

СПО́СОБ * По́рченый спо́соб. *Жарг. карт.* Общеизвестный шулерский приём. СРВС 2, 71, 83; СРВС 3, 114; ТСУЖ, 141.

По спо́собу пе́шего хожде́ния. *Народн. Шутл.-ирон.* Пешком. ДП, 277.

СПОТЫКА́ШКИ * Лете́ть спотыка́шки. *Морд. Шутл.* Падать кувырком. СРГМ 2002, 122.

СПРАВЕДЛИ́ВОСТЬ * Отдава́ть / отда́ть справедли́вость *кому. Книжн. Устар.* Справедливо, адекватно оценивать кого-л., что-л. Ф 2, 24.

СПРА́ВКА * Наводи́ть/ навести́ спра́вку. Интересоваться чем-л. или кем-л. Шевченко 2002, 296.

СПРА́ВОЧНИК * Карма́нный спра́вочник. *Жарг. шк. Шутл.* Ладонь (исписанная как шпаргалка). Максимов, 172.

Телефо́нный спра́вочник. *Жарг. шк. Шутл.* Школьная парта. ВМН 2003, 126.

Ходя́чий спра́вочник. *Разг. Шутл.* Об эрудированном человеке, у которого можно получить сведения по разным вопросам. БТС, 1252.

СПРОТЬ * Спроть наспро́ть. *Морд.* Друг против друга. СРГМ 2002, 124.

СПУД * Извлека́ть (вынима́ть) из-под спу́да *что. Разг.* Начинать использовать, употреблять что-л. скрытое, остававшееся без применения. ФСРЯ, 449; Глухов 1988, 20; ФМ 2002, 473; БТС, 1253.

Держа́ть (оставля́ть) под спу́дом *что. Разг.* Сохранять что-л. без применения, не использовать что-л. ФСРЯ, 449; БМС 1998, 546; ФМ 2002, 471.

Лежа́ть под спу́дом. *Разг.* Оставаться без употребления, в забвении. ФМ 2002, 473.

СПУСК * Не дава́ть спу́ску *кому. Разг.* Не прощать кому-л. обиды, нарушения чего-л. ФСРЯ, 449; БМС 1998, 546; БТС, 1253..

СПУ́ТНИЦА * Ве́чная спу́тница. *Жарг. шк. Шутл.-ирон.* Оценка «удовлетворительно», тройка. Bytic, 1999-2000.

СПЫ́ТКА * Брать спы́тку. *Приамур.* Пробовать что-л., брать пробу. СРГПриам., 30.

СРАВНЕ́НИЕ * Не поддава́ться никакому сравне́нию. *Разг.* О том, что является исключительным, выходит за пределы обычного. БТС, 863.

Сра́зу не похоро́нишь *кого. Народн. Шутл.-ирон.* Об упрямом человеке. ДП, 209.

СРА́КА * До сра́ки ка́ри о́чи *кому. Жарг. мол. Вульг. (Одесск.). Шутл.* Выражение абсолютного безразличия к чему-л., к кому-л. Смирнов 2002, 61.

Иди́ (пошёл) ты в сра́ку! *Вульг.-прост. Бран.* Выражение неприятия кого-л; желание избавиться от кого-л. Мокиенко, Никитина 2003, 310.

Рвать/ порва́ть сра́ку. *Вульг.-прост.* Проявлять показное усердие, угодливость из-за чего- л. Мокиенко, Никитина 2003, 310.

СРАМ * Лепи́ть срам на глаза́. *Сиб. Неодобр.* Делать что-л. постыдное. ФСС, 105.

Нали́ть сра́му. *Кар.* Опозорить кого-л. СРГК 3, 349.

СРА́НЫЙ * Ни сра́ный ни пра́ный. *Пск. Шутл.* О чём-л. неопределённом, посредственном. СПП 2001, 72.

Сра́ный и дра́ный. *Волг. Шутл.* Каждый, всякий. Глухов 1988, 153.

СРЕ́БРЕНИК * Прода́ть (преда́ть) за три́дцать сре́бреников *кого. Книжн. Неодобр.* Предать кого-л. из корыстных соображений. < Из Евангелия. БТС, 1255.

Три́дцать сре́бреников. *Книжн.* Цена предательства. < Основано на евангельском рассказе о тридцати сребрениках, полученных Иудой, предавшим Иисуса Христа. БМС 1998, 546.

СРЕДА́ * Пита́тельная среда́. *Книжн.* Источник обогащения. БМС 1998, 546.

В э́ту сре́ду сто годо́в *кому. Пск. Шутл.* О человеке преклонного возраста. СПП 2001, 72.

СРЕ́ДСТВО * Вы́йти со сре́дства вон. *Пск.* Потерять силы, здоровье, работоспособность. СПП 2001, 72.

Мочего́нное сре́дство. *Жарг. мол. Шутл.* Пиво. Максимов, 256.

Резинотехни́ческое сре́дство. *Жарг. мол. Шутл.* Презерватив. Максимов, 364.

Сре́дство от любви́. *Жарг. арм. Ирон.* Срочная служба в армии. БСРЖ, 561.

СРОК * Дава́ть/ дать (вжа́ривать/ вжа́рить, вка́тывать/вкати́ть, вла́мывать/ вломи́ть, влепи́ть, вма́зывать/ вма́зать, вре́зать, всо́вывать/ всу́нуть, всу́чивать/всучи́ть, втыка́ть/ воткну́ть, заката́ть, наве́шивать/ наве́сить, намета́ть, наре́зать, отмерять/отме́рить/, приклепа́ть, прива́ривать/ привари́ть, пая́ть/ припая́ть, припеча́тать, шить/ приши́ть/ пришива́ть) срок *кому. Жарг. угол., лаг.* Присуждать кому-л. определённый срок заключения, осудить кого-л. СРВС 4, 74, 104, 135; Б., 44, 133; ТСУЖ, 45; Р-87, 387; Бен, 112-113; ББИ, 64, 233; Балдаев 2, 57; ББИ, 232; Мильяненков, 239.

Добавля́ть/ доба́вить (дове́шивать/ дове́сить, отве́шивать/ отве́сить, приве́шивать/ приве́сить, хомута́ть/ отхомута́ть) срок *кому. Жарг. лаг.* Прибавлять срок наказания кому-л. Р-87, 102, 386; Бен, 112.

Мота́ть (воло́чь, тяну́ть) срок. 1. *Жарг. угол., арест. Прост.* Отбывать срок наказания. Б., 105, 150; КА, 1999; СВЯ, 17; ТСУЖ, 181; Грачев, 1992, 155; Балдаев 2, 57; ББИ, 232; БТС, 559. 2. *Жарг. шк. Ирон. или Презр.* Учиться в школе. ВМН 2003, 125.

Отбу́хать (отбараба́нить, отволо́чь, отду́ть, отзвони́ть, отмота́ть, отпыхте́ть, оттяну́ть) срок. 1. *Жарг. угол., арест.* Отбыть срок наказания полностью. ТСУЖ, 122; Грачев, 1992, 155; Р-87, 259, 262; Бен, 113. 2. *Жарг. шк. Ирон.* Закончить школу. Максимов, 290.

Подвести́/ подводи́ть под срок *кого. Жарг. угол.* Обвинять кого-л. в совершении преступления. ТСУЖ, 135.

Срок лома́ется (каря́чится) *кому. Жарг. угол.* Над кем-л. нависла реальная угроза осуждения. СРВС 4, 13, 37, 116; ББИ, 130; Балдаев 1, 230; ТСУЖ, 168; ЕЗР, 201; СВЖ, 12; Балдаев 2, 57; ББИ, 232.

СРЯД * При сря́де. *Яросл.* О человеке, одетом нарядно. ЯОС 8, 82.

Вы́рядиться на сря́ды. *Сиб.* Одеться нарядно, красиво. ФСС, 38; СФС, 120.

ССЕЦ (СТЕЦ) * Кобы́лий ссец (стец). 1. *Прикам., Ср. Урал, Сев.-Двин.* Растение щавель конский. МФС, 95; СРНГ 14, 18; СГПО, 603. 2. *Ворон., Вят.* Подорожник. СРНГ 14, 19.

ССЕЧЬ * Кобы́лий ссечь. *Арх.* То же, что **кобылий ссец (ССЕЦ).** СРНГ 14, 269.

ССЫ́ЛКА * Ссы́лка на ка́торгу. *Жарг. шк. Ирон.* Дорога в школу. Максимов, 173.

Ба́бья сся́ка. *Арх.* Травянистое растение вороника (народное название жимолости). АОС 1, 78.

СТА́ВКА * О́чная ста́вка. *Жарг. мол.* Разговор ученика с директором школы. Максимов, 297.

Де́лать ста́вку *на кого, на что. Разг.* Рассчитывать, ориентироваться в своих поступках, действиях на кого-л., на что-л. БМС 1998, 547.

СТА́ВНИ * Закры́ть ста́вни. *Жарг. мол.* Замолчать. Максимов, 143.

СТАДИО́Н * Сде́лать стадио́н. *Жарг. арм.* Провести огневую подготовку перед штурмом населённого пункта. Кор., 255.

СТА́ДО * Отби́ться от своего́ ста́да. *Разг.* Потерять связь со своей средой, общественной группировкой и т. п. БТС, 1259.

Волче́вье ста́до. *Пск. Бран.* О неспокойной, постоянно двигающейся толпе. СПП 2001, 72.

Пану́ргово ста́до. *Книжн.* О толпе, безрассудно следующей за кем-л. < Из романа Ф. Рабле «Гаргантюа и Пантагрюэль» (1532 г.). ФСРЯ, 452; БТС, 779; БМС 1998, 547.

По пе́рвому (второ́му, тре́тьему) ста́ду. *Ряз.* О возрасте тёлки или бычка с того времени, когда их уже можно гонять в общее стадо. ДС, 539.

СТАЖ * Вписа́ться в стаж. *Пск.* Завести трудовую книжку. ПОС 5, 19.

СТАКА́Н * Бить стака́н. *Волг.* Сердиться, браниться, ссориться. Глухов 1988, 4.

Вника́ть в стака́н. *Морд.* Пьянствовать. СРГМ 1978, 80.

В стака́н. *Жарг. мол.* Домой, на квартиру к кому-л. Митрофанов, Никитина, 199.

Гла́дкий стака́н. *Арх.* Стакан вина, подаваемый при обручении. АОС 9, 72.

Нырну́ть в стака́н. *Разг.* Начать пить спиртное; уйти в запой. Елистратов 1994, 449.

Сесть на стака́н. *Жарг. мол.* То же, что **нырнуть в стакан.** Максимов, 383.

Стака́н на голове́ пронесёт. *Морд. Одобр.* О ловком, проворном человеке. СРГМ 1978, 119.

Стекля́нный стака́н. *Жарг. мол. Шутл.* Телефонная будка. Максимов, 402.

Упа́сть в стака́н. *Жарг. мол.* Напиться до состояния сильного алкогольного опьянения. Максимов, 402.

Страшне́е пусто́го стака́на. *Разг. Шутл.-ирон.* О чём-л. ужасном, страшном. Елистратов 1994, 449.

В стака́не. *Жарг. мол.* Дома (обычно в сочетании **шнурки в стакане,** когда речь идёт о родителях). Никитина, 1996, 196.

На стака́не. *Жарг. мол.* В состоянии алкогольного опьянения. ОРТ, 23.03.99.

Сиде́ть на стака́не. *Жарг. мол.* 1. Пить спиртное в больших количествах. WMN, 88. 2. Быть хроническим алкоголиком. Никитина, 1996, 196.

Води́ть по стака́ну. *Прикам.* Угощать гостей на свадьбе вином, брагой, пивом. МФС, 19.

Стака́ны́ больни́чные. *Дон.* Медицинские банки. СДГ 3, 139.

СТАКА́НЧИК * Опроки́дывать/ опроки́нуть стака́нчик. *Прост.* Выпивать спиртное. Глухов 1988, 117.

Подходи́ть к стака́нчику. *Ср. Урал.* Поздравлять молодых за свадебным столом, одаривая их. СРГСУ 4, 67.

СТАН * Стёбный стан. *Жарг. мол. Шутл.* Станция метро «Тёплый стан» в Москве. Щуплов, 319.

Три ста́на изо льда. *Жарг. муз. Шутл.* Название оперы Р.Вагнера «Тристан и Изольда». БСРЖ, 562.

СТАНДА́РТ * Госуда́рственный станда́рт. *Жарг. шк. Шутл.-ирон.* Учитель, учительница черчения. ВМН 2003, 126.

СТАНО́ВКА * Идти́ под стано́вку. *Сиб.* Умирать. ФСС, 86.

СТАНО́К * От станка́. *Разг. Ирон.* Из рабочих. Мокиенко 2003, 109.

Включи́ть печа́тный стано́к. *Публ.* Начать печатать и вводить в денежный оборот дополнительное количество бумажных денег, не обеспеченных совокупным общественным продуктом. ТС XX в., 146.

Еба́льный стано́к. *Неценз. Презр.* Женщина (как объект совокупления). Мокиенко, Никитина 2003, 311.

Печа́тный стано́к. *Жарг. мол. Шутл.* Женские гениталии. Максимов, 311.

Рабо́чий стано́к. *Жарг. угол., Разг.* О женщине, активно и беспорядочно вступающей в половые контакты. УМК, 100; Б, 48.

Трёхспа́льный стано́к «Ле́нин с на́ми». *Разг. Шутл.-ирон.* Широкая семейная кровать. Балдаев 2, 80.

Ли́ться на одно́м станке́. *Дон.* 1. О людях одного возраста. 2. О людях, очень похожих внешне. СДГ 3, 140.

СТАР. См. **СТАРЫЙ.**

СТА́РЕЦ * Ходи́ть по старцам. *Смол.* Просить милостыню, побираться. ССГ 11, 64.

Вводи́ть / ввести́ в ста́рцы *кого. Волг.* Разорять кого-л. Глухов 1988. < **Старец** – нищий.

СТАРИ́К * Лесно́й стари́к. *Олон.* По суеверным представлениям — лесной дух, похищающий детей. СРНГ 16, 373-374.

Стари́к Блино́в. *Жарг. карт.* Туз (игральная карта). СРВС 2, 213; ТСУЖ, 168; Балдаев 2, 59; ББИ, 234; Мильяненков, 239.

Стари́к Хotта́быч. 1. *Жарг. шк. Шутл.* Учитель химии. Максимов, 402; Golds, 2001; Вахитов 2003, 171. 2. *Жарг. мол. Шутл.* Мужской половой орган. Щуплов, 53.

Стари́к Хотя́быч. *Жарг. шк. Шутл.* Литературная сказка Л. Лагина «Старик Хоттабыч». (Запись 2004 г.).

В старика́х. *Пск.* В старину, очень давно. СПП 2001, 72.

Оста́ться на старика́х. *Новг.* При разделе имущества остаться с родителями. НОС 7, 29.

На старике́. *Сиб.* На исходе лунного месяца. СФС, 120.

Нахвата́ться старико́в. *Жарг. нарк.* Надышаться наркотического дыма среди наркоманов. Максимов, 271.

От старико́в. *Сиб.* То же, что **со стариков.** СФС, 135.

Со стари́ков. *Пск.* С давних пор, издавна. СПП 2001, 72.

Старико́м (стару́хой) па́хнуть. *Сиб. Ирон.* Становиться старым (о человеке). ФСС, 133; СРНГ 25, 291; СФС, 179; СБО-Д2, 204.

На старику́. *Курск.* То же, что **на старике.** БалСок, 103.

Сходи́ть к старику́. *Жарг. студ.* Сдать экзамен профессору. Дубровина, 80.

СТАРИНА́ * Ходи́ть по старине́. *Народн.* Быть старовером. ДП, 45.

Тряхну́ть старино́й. *Разг.* Поступить так, как прежде, как в молодости. ФСРЯ, 454; БТС, 1260, 1350; БМС 1998, 547; ДП, 303.

Вести́ старину́. *Пск.* Соблюдать старинные обычаи. СПП 2001, 72.

Дразни́ть старину́. *Прикам.* Подражать старине. МФС, 34.

Со старины́ веко́в. *Пск.* С давних пор, издавна. СПП 2001, 20.

СТАРИ́НКА * На стари́нке. *Горьк.* В давние времена. БалСок, 45.

По стари́нке. *Прост.* По-старому, по обычаям старых времён. Верш. 6, 373.

Носи́ть стари́нку. 1. *Сиб.* Придерживаться старой моды в одежде. ФСС, 123. 2. *Арх.* Одеваться не по моде. СРНГ 21, 288.

Подде́рживать стари́нку. *Сиб. Ирон.* Вспоминать прошлое. ФСС, 140.

СТА́РИЦА * Охо́ча ста́рица до скля́ницы. *Народн. Ирон.* О любительнице выпить. ДП, 799.

СТАРОСЛА́В * Старосла́в твою́ транскри́пшн! *Жарг. шк. Эвфем. Бран.-шутл.* Выражение досады, раздражения. Максимов, 403. < **Старослав** – старославянский язык (учебный предмет).

СТА́РОСТА * Ба́нной ста́роста. *Прикам. Шутл.* О человеке, любящем мыться в бане. МФС, 95.

СТА́РОСТЬ * На ста́рости лет. *Разг.* В преклонном возрасте. ФСРЯ, 454; БТС, 494; ЗС 1996, 312.

Превзойти́ к ста́рости. *Дон.* Постареть. СДГ 3, 141.

При ста́рости лет. *Волг., Дон.* То же, что **на старости лет.** Глухов 1988, 133; СДГ 3, 141.

Под ста́рость лет. *Ряз.* То же, что **на старости лет.** ДС, 273.

Соба́чья ста́рость. *Перм., Прикам., Прибайк.* Детская болезнь рахит. МФС, 95; СГПО, 605; СНФП, 123.

Ста́рость ду́шит *кого. Сиб.* О больном человеке преклонного возраста. ФСС, 188.

СТАРТ * Брать/ взять старт. *Разг.* Начинать что-л., начинаться. БМС 1998, 547; ФМ 2002, 474.

С ни́зкого ста́рта. *Жарг. мол. Шутл.* Сразу, не раздумывая, без подготовки. WMN, 88; Митрофанов, Никитина, 199.

На ста́рте. *Публ.* В самом начале какого-л. этапа, события, дела. ФМ 2002, 475; Мокиенко 2003, 109.

СТАРУ́ХА * Ме́ряла стару́ха клюко́й, да махну́ла руко́й. *Народн. Ирон.* О большом расстоянии. ДП, 453.

Стару́ха Изерги́ль. *Жарг. шк. Шутл.* 1. Классная руководительница. Максимов, 403. 2. Учительница русского языка. ВМН 2003, 127. < По имени героини рассказа М. Горького.

Стару́ха на́двое сказа́ла. *Народн.* О чём-л. неопределенном, точно не известном. ДП, 849.

Лечи́ть стару́хами (стару́хой) *что. Дон.* Лечиться у знахарок. СДГ 2, 114.

Стару́хой па́хнуть. См. **Стариком пахнуть (СТАРИК).**

Вы́гнуть стару́ху. *Новг.* Дойти до края во время жатвы. НОС 1, 147.

И на стару́ху быва́ет проруха. *Народн. Шутл.-ирон.* О неожиданной ошибке опытного человека. БМС 1998, 547.

СТАРУ́ШКА * До́брая стару́шка. *Жарг. шк. Шутл.* Пожилая учительница. Максимов, 114.

Горба́тая стару́шка. *Народн. Шутл.* Город Москва. ДП, 330.

Напра́сно стару́шка ждёт сы́на домо́й. *Жарг. шк. Шутл.* Об ученике, оставленном на дополнительные занятия. Никитина, 1998, 420. < Строка из популярной песни «Раскинулось море широко», приписываемой разным авторам и зафиксированной в сборниках с 1907 г.

Две стару́шки на просу́шке. 1. *Разг. Шутл.* О двух бросивших пить пожилых женщинах. 2. *Жарг. мол. Шутл.* О двух болтающих подружках. (Запись 2000 г.).

Обмы́ть стару́шку. *Жарг. авто. Шутл.-ирон.* Подготовить старую автомашину к продаже. Максимов, 281.

СТА́РЫЙ (СТА́РОЕ) * [И] стар и мал (млад). *Разг.* Все без различия возраста. ФСРЯ, 454; БТС, 546; ЗС 1996 316.

Наки́нуть на ста́рое. *Новг.* Опохмелиться. НОС 5, 146.

СТАРЬЁ * Старьё да барьё. *Сиб. Пренебр.* О неработающих. СФС, 179; СБО-Д2, 204.

СТАС * Взять в стас *кого. Жарг. угол.* Избить кого-л. ТСУЖ, 31.

Позвони́ть Ста́су (Ста́сику). *Жарг. мол. Шутл.* Сходить в туалет (чаще — об акте мочеиспускания). Елистратов 1994, 450; Вахитов 2003, 137.

Сходи́ть к Ста́су (Ста́сику). Мол. Шутл. То же, что **позвонить Стасу.** Елистратов 1994, 450.

СТА́СИК * Позвонить Стасику. См. **Позвонить Стасу (СТАС).**

Сходи́ть к Ста́сику. См. **Сходить к Стасу (СТАС).**

СТАТУ́ХА * На стату́ху. *Морд. Одобр.* Добросовестно, качественно (сделать что-л.). СРГМ 2002, 137.

СТАТЬ[1] * Не ста́ло, не приста́ло. *Костром. Ирон.* О смерти кого-л. СРНГ 31, 401.

Ста́ло быть. *Разг.* Таким образом, итак (вводные слова). БМС 1998, 548.

Ни стать ни сесть. 1. *Разг.* Очень тесно, негде повернуться. ДП, 149; ФСРЯ, 454. 2. *Волг.* О постоянных хлопотах, заботах. Глухов 1988, 111.

СТАТЬ[2] * Быть в ста́ти. *Приамур.* Иметь силы и способности к выполнению трудной физической работы. СРГПриам., 34.

С како́й ста́ти? *Разг.* По какой причине, зачем, почему? В какой связи? БМС 1998, 548; ФСРЯ, 454.

На э́ту стать. *Морд.* Так, таким образом. СРГМ 2002, 137.

Под стать *кому, чему. Разг.* В полном соответствии с чем-л., с кем-л. ФСРЯ, 454; БМС 1998, 548.

Прийти́ на пре́жнюю стать. *Яросл.* Возвратиться в прежнее положение, состояние. ЯОС 8, 87.

СТАТЬЯ́ * Спры́гнуть (соскочи́ть) со статьи́. *Жарг. угол., мил.* Избежать наказания по какой-л. статье уголовного кодекса. БСРЖ, 563-564.

Лепи́ть/ влепи́ть (вля́пать, пая́ть/ впая́ть/ припая́ть, заката́ть, мота́ть/ намота́ть, нама́тывать, наве́шивать/ наве́сить, хомута́ть/ нахомута́ть) статью́ *кому. Жарг. угол., лаг.* Присуждать кому-л. срок заключения; обвинять согласно какой-л. статье. Р-87, 392; Бен, 114.

Отшива́ть/отши́ть статью *кому. Жарг. угол.* Снимать судимость с кого-л. Б., 115.

Подводи́ть/ подвести́ (подтя́гивать/ подтяну́ть) под статью́ *кого. Жарг. угол., лаг.* Истолковывать деяние так, чтобы последовала уголовная ответственность по определённой статье УК. Р-87, 393.

Сказа́ть статью́. *Прикам.* Рассказать какую-л. историю, интересный случай. МФС, 91.

Бедо́вая статья́. *Оренб.* О чьём-л. бедственном положении. СРНГ 2, 177.

Мохна́тая статья́. *Жарг. угол.* 1. Статья Уголовного кодекса об изнасиловании. Балдаев 1, 256. 2. Осуждённый по статье об изнасиловании. Балдаев 2, 60; ББИ, 234.

Осо́бь статья́. *Разг.* Особое дело, отдельный вопрос. < **Особь** – от наречия *особь* – отдельно, сам по себе (XVII в.). БМС 1998, 548; БТС, 732. **Осо́бая статья́.** *Разг* То же. ЗС 1996, 520.

Шеста́я статья́. *Жарг. угол. Пренебр.* Осведомитель КГБ. Балдаев 2, 159.

Определя́ть/ определи́ть по всем статьям. *Жарг. мол.* Одёргивать выскочку, нахала. Максимов, 71.

По всем статья́м. *Разг.* Во всём, во всех отношениях. ФСРЯ, 454-455; БТС, 1263.

СТА́Я * Во́лчья ста́я. *Жарг. арм. Ирон.* 1. Патруль. БСРЖ, 564. 2. Рота солдат в столовой. Максимов, 68.

СТВОЛ * Стоя́ть под ство́лом. *Жарг. крим.* Быть под обстрелом, обстреливаться. БСРЖ, 564.

СТЁБАНИНА * Дать стёбанины (стёбаницы) *кому. Пск.* Наказать поркой, избить кого-л. СПП 2001, 72; Мокиенко 1990, 46.

СТЁБАНИЦА * Дать стёбаницы. См. **Дать стёбанины (СТЁБАНИНА).**

СТЕ́БЕЛЬ * На ржано́й сте́бель. *Кар.* В период созревания ржи. СРГК 5, 525.

СТЕГА́ * Не ви́деть стеги́. *Новг. Неодобр.* Быть пьяным. Сергеева 2004, 146.

СТЁЖКА * В да́льнюю стёжку. *Ряз.* Поодаль, на значительном расстоянии. ДС, 541.

В стёжку. *Ряз.* Иногда, изредка, коегде. СРНГ 35, 19.

СТЕКЛО́ * Стёкла пла́чут. *Пск.* Об отпотевающих, покрывающихся капельками воды (оконных) стёклах. СПП 2001, 72.

Стёкла сме́рить. *Жарг. угол.* Выдавить оконные стёкла с помощью липкой бумаги, пластыря и т. п. СРВС 2, 82, 84, 211, 213; СРВС 3, 123; ТСУЖ, 169; Балдаев 2, 47.

Стекло́ усы́пать звёздами. *Жарг. угол.* Разбить оконное стекло. СРВС 2, 84, 213; ТСУЖ, 169; Балдаев 2, 60; ББИ, 234.

СТЁКЛЫШКО * Ходи́ть под стёклышком. *Жарг. угол. Шутл.-ирон.* Находиться под постоянным наблюдением (милиции и т. п.). Бен, 133. < Образовано под влиянием фразеологизма **быть под [стеклянным] колпаком** *у кого.*

СТЕКЛЯ́ННЫЙ * [Ты] не стекля́нный! *Прост. Неодобр.* Требование уйти, не мешать, не загораживать обзор. Глухов 1988, 105.

СТЕКЛЯ́ШКА * Стекля́шки мелкомя́гкие. *Жарг. комп. Шутл.* Операционная система Microsoft WINDOWS. Садошенко, 1996. < Ср.: англ. *window* — '[стеклянное] окно'; *micro* – 'мелкий, мельчайший' *soft* – 'мягкий'.

СТЕ́ЛЬКА * Пья́ный в сте́льку. *Разг.* О человеке в состоянии сильного алкогольного опьянения. ФСРЯ, 455; БМС 1998, 548; СНФП, 124; Мокиенко 1990, 157; Вахитов 2003, 153.

Напи́ться (упи́ться) в сте́льку. *Разг.* Напиться пьяным. ФСРЯ, 455; БМС 1998, 548; Мокиенко 1990, 157; ЗС 1996, 100, 193; СПП 2001, 72.

Напьяню́житься в сте́льку. *Пск. Неодобр.* То же, что **напиться в стельку**. СПП 2001, 72.

СТЕНА́ * Стыди́ться стен. *Разг.* Испытывать необыкновенно сильное чувство стыда. БМС 1998, 458.

Вы́росла глуха́я стена́ *чего перед кем, между кем. Книжн.* О прекращении общения между кем-л. Мокиенко 2003, 110.

[Идти́] стена́ на сте́ну. *Разг. Устар.* О кулачном бое. БМС 1998, 548.

Кита́йская стена́. *Шутл.-ирон.* 1. *Жарг. арест.* Основное ограждение ИТУ. Балдаев 1, 186. 2. *Разг.* Кремлёвская стена. Балдаев 1, 186. 3. *Разг. Шутл.-ирон.* Непреодолимая преграда; полная изолированность от кого-л., чего-л. БМС 1998, 549. 4. *Жарг. угол., мол.* Безвыходное положение. Балдаев 1, 186. < От названия колоссальной каменной стены в северном Китае, протянувшейся на 6000 км.

Стена́ пла́ча. *Разг. Шутл-ирон.* Забор на Невском проспекте, у Гостиного двора в Санкт-Петербурге, где коммунисты и национал-патриоты продают свою прессу. Югановы, 209. < По названию стены в Иерусалиме, традиционно считающейся частью святыни Соломона. Верующие евреи ежегодно собираются у неё в августе, чтобы оплакать разрушение святыни римлянами.

Хоть по сте́нам ве́шайся. *Пск.* О состоянии сильной боли. СПП 2001, 72.

Стена́ми не у́же и пла́тьем не ху́же *против кого. Пск.* О полной, крепкой, здоровой, красивой женщине по сравнению с другой. СПП 2001, 72.

Жить (сиде́ть) в четырёх стена́х. *Разг.* 1. Не выходить из дома, из помещения. 2. Ни с кем не общаться, пребывать в одиночестве. ФСРЯ, 455.

Припере́ть (прити́снуть) к стене́ *кого. Прост.* Призвать к ответственности, разоблачить кого-л.; строго наказать кого-л. Глухов 1988, 133; Ф 2, 93.

Прислони́ть к стене́ *кого. Волг.* То же, что **приперетьк стене.** Глухов 1988, 133.

Смоли́ть да к стене́ станови́ть. *Перм. Шутл.* Бездельничать. Подюков 1989, 189.

Би́ться об сте́ну. *Разг.* Приходить в отчаяние от горя, неудач, ошибок. Ф 1, 24.

В сте́ну. *Кар.* В тучах, в облаках (о небе). СРГК 3, 410.

Кида́ться на сте́ну. *Волг.* То же, что **лезть на стену.** Глухов 1988, 74.

Лезть/ поле́зть на сте́ну (на сте́нку). *Разг.* Приходить в крайнее раздражение, исступление. ДП, 131, 443; БТС, 491; ФСРЯ, 225; Ф 1, 277; ЗС 1996, 59, 298, 352; СОСВ, 103; Верш. 6, 386; СПП 2001, 72.

Подпира́ть сте́ны. *Прост. Неодобр.* Бездельничать. Глухов 1988, 126.

Хоть в сте́ну пуля́й. *Волг. Шутл.* О чём-л. крепком, прочном. Ф 2, 59; Глухов 1988, 168.

Бить сквозь сте́ны. *Сиб. Неодобр.* Злословить, говорить о ком-л. плохо в его отсутствие. ФСС, 12.

Иерихо́нские сте́ны. *Книжн.* Твердыня, падающая стремительно. < Восходит к Библии. БМС 1998, 549.

От стены́ пи́шет. *Разг. Устар.* О еврее или татарине. ДП, 348, 420.

Сте́ны съеда́ют *кого. Волг., Курск.* О тоске, скуке одинокого человека. БалСок, 115; Глухов 1988, 154.

СТЕ́НКА * Сте́нка на сте́нку. *Разг.* Друг на друга группами, партиями (сходиться в кулачном бою). ФСРЯ, 455.

Скита́ться по сте́нкам. 1. *Дон.* Жить у разных людей, не иметь своего дома. СДГ 3, 121. 2. *Волг.* Нищенствовать, бродяжничать. Глухов 1988, 148.

Встава́ть/ встать к сте́нке. *Жарг. мол. (графф.).* Начинать заниматься граффити. (Запись 2001 г.).

Прижима́ть/ прижа́ть к сте́нке *кого. Разг.* Разоблачать кого-л. Мокиенко 1986, 28; Глухов 1988, 132.

Припира́ть/ припере́ть к сте́нке *кого. Разг.* Вынуждать кого-л. делать что-л. ДП, 272; МФС, 81; ФСРЯ, 455; ЗС 1996, 231.

Приши́ть к сте́нке. *Жарг. мол.* Убить кого-л. Максимов, 344.

Ста́вить/ поста́вить к сте́нке *кого.* 1. *Разг.* Расстреливать, приговаривать к расстрелу кого-л. ФСРЯ, 455; ЗС 1996, 204, 506; Верш. 6, 387; СПП 2001, 72. 2. *Жарг. мол. (графф.).* Увлекать, привлекать кого-л. к занятиям граффити. (Запись 2001 г.).

Стечь по сте́нке. *Жарг. мол.* Сильно удивиться, изумиться. Максимов, 404.

Стоя́ть у сте́нки. *Жарг. мол. (графф.).* Заниматься граффити. (Запись 2001 г.).

Гляде́ть сте́нки. *Дон.* Осматривать хозяйство жениха. СДГ 3, 142.

Доби́ться до той сте́нки. *Сиб.* Морально опуститься, спиться. СФС, 67; СРНГ 8, 74; ФСС, 61; СБО-Д1, 119.

За сте́нкой. *Жарг. журн.* В Кремле. МННС, 49.

В сте́нку горо́х *кому. Пск. Неодобр.* Кто-л. не реагирует, не обращает внимания на замечания, просьбы. СПП 2001, 72.

Де́лать сте́нку. *Жарг. угол.* Загораживать жертву от взоров других лиц при совершении кражи. ТСУЖ, 46; СВЯ, 26; Балдаев 2, 60; ББИ, 234; Мильяненков, 240.

Стро́ить (выстра́ивать) сте́нку. *Спорт.* Использовать приём «стенка» при штрафном ударе. ОРТ, 15.05.98.

Сыгра́ть в сте́нку *с кем. Жарг. спорт (футб.).* Отдать пас партнеру и получить мяч обратно. (Запись 2001 г.).

Хоть в сте́нку башко́й стучи́ *кого. Коми.* Об упрямом человеке, которого трудно заставить делать что-л. Кобелева, 79.

Хоть на сте́нку лезь. *Разг.* О состоянии отчаяния, бессилия при невозможности что-л. предпринять в сложной, безвыходной ситуации. Ф 1, 277.

Сте́нок сты́дно *кому. Пск.* О сильном чувстве стыда, смущения. СПП 2001, 72.

СТЕНЬ * Стень души́. *Сиб.* О сильно похудевшем человеке. СФС, 189. Ср. **одна тень осталась** *от кого.*

СТЕПЬ * Сте́пи кра́сить. *Прибайк. Неодобр.* Ничего не делать, бездельничать. СНФП, 124.

В ту степь. 1. *Прост.* Далеко, неизвестно куда. Глухов 1988, 16. 2. *Жарг. шк. Шутл.* В туалет. (Запись 2004 г.).

Не в ту степь. *Разг. Шутл.-ирон.* 1. Не туда, не в том направлении (ехать, идти). 2. Невпопад, некстати (говорить, отвечать). БСРЖ, 566; БТС, 1267. < Крылатые слова первоначально в форме *в ту степь* (искаж. *тустеп*) из оперетты «Свадьба в Малиновке», муз. Б. Александрова, киноверсия по сценарию Л. А. Юхвуда (1967 г.).

СТЕ́РВА * Подного́тная сте́рва. *Пск. Бран.* О женщине, вызывающей раздражение, негодование. Доп., 1858.

Сте́рвы кусо́к. *Разг. Бран.* О мерзком, подлом, дрянном человеке. Б., 138.

СТЕРВОТО́ЧИНА * Со стервото́чиной. *Прост. Ирон.* О девушке или женщине с вредным, злобным характером. < Выражение – каламбурная контаминация оборота с **червоточиной** и сущ. **стерва.**

СТЕРВОТО́ЧИНКА * Со стервоточинкой. *Прост. Ирон.* То же, что **со стервоточиной (СТЕРВОТОЧИНА).** Мокиенко, Никитина 2003, 312.

СТЕРВЬ * Стервь стервя́чая. *Прост. Бран.* О крайне злобном, раздражительном, вредном человеке. Мокиенко, Никитина 2003, 312.

СТЕРЁЖКА * Быть на стерёжке. *Диал.* Стоять на карауле. Мокиенко 1986, 89.

СТЁРКА * Больша́я стёрка. *Жарг. шк.* Стиральная резинка. ВМН 2003, 128. < По названию популярной телепередачи «**Большая стирка**».

СТЕЦ. См. **ССЕЦ.**

СТИЛЬ * Держа́ть стиль. *Жарг. мол.* 1. Стильно одеваться. 2. Вести себя соответственно имиджу. СМЖ, 88.

СТИ́МОРОЛ * Гнать сти́морол. *Жарг. мол. Неодобр.* 1. Лгать, обманывать кого-л. 2. Болтать, пустословить. Максимов, 87.

СТИ́РКА * Больша́я сти́рка. *Жарг. шк. Шутл.* 1. Стиральная резинка. 2. Классный час. 3. Родительское собрание. 4. Педсовет. < По названию популярной телепередачи. ВМН 2003, 128.

Ручна́я сти́рка. *Разг. Шутл.-ирон.* Онанизм. Елистратов 1994, 452.

Суха́я сти́рка. *Жарг. арм., мол.* Оставление заношенной вещи в шкафу до следующей носки, когда эта вещь будет наиболее чистой из всех заношенных и не выстиранных. Кор., 279; Лаз., 127.

Мета́ть (шпи́лить) в сти́рку (в сти́рки). *Жарг. карт., угол.* Играть в карты. СРВС 4, 165, 176; ТСУЖ, 204; СВЯ, 19.

Сдать в сти́рку (в сти́рки). *Карт., угол.* Проиграть в карты. Балдаев 2, 32; Перм.; СРВС 4, 165, 184; ТСУЖ, 159.

СТИХ * Стих нашёл *на кого. Разг.* Кем-л. овладевает какое-л. настроение, состояние. БМС 1998, 549; БТС, 1270; ФСРЯ, 456; ДС, 541; ДП, 58, 867; ЗС 1996, 59; Мокиенко 1986, 126; СФС, 63.

Стих сошёл. *Ряз.* О перемене настроения к лучшему. ДС, 541.

В до́бром стиху́. *Ряз.* В хорошем настроении. ДС, 541.

СТИХИ́ * Стихи́ води́ть. *Кар.* Причитать перед свадьбой, на свадьбе. СРГК 1, 212.

Чёрные стихи́. *Жарг. угол., лаг.* Лагерный блатной фольклор. Балдаев 2, 143.

СТИХИ́Я * В свое́й стихи́и. *Разг.* В привычной для себя обстановке. БМС 1998, 550.

СТО * На все сто. *Прост.* 1. Хорошо, отлично (делать что-л.). 2. Целиком, полностью. ФСРЯ, 456; БМС 1998, 550; БТС, 1271; Подюков 1989, 198; Верш. 6, 391. **На все сто два́дцать.** *Прост.* То же. НРЛ-81.

Сто восьмо́й. *Жарг. мол.* Бездомный человек. Максимов, 405.

Сто сот сто́ит. 1. *Морд. Одобр.* О человеке, положительном во всех отношениях. СРГМ 2002, 143. 2. *Перм. Одобр.* О чём-л. крайне ценном, дорогом. Подюков 1989, 198.

СТО́ЕЧКИ * В сто́ечках. *Прикам.* Стоя. МФС, 96.

СТО́ИЧКИ * Сто́ички стоя́ть. *Перм. Народн.* Находиться в вертикальном положении, стоять ровно, прямо. Подюков 1989, 199.

СТО́ЙКА * Ста́вить/ поста́вить по сто́йке сми́рно *кого. Нов.* Заставлять кого-л. подчиняться приказу. НРП-90, 516-517.

Де́лать/ сде́лать сто́йку. 1. *Жарг. угол.* Зажимать жертву при карманной краже. Хом. 1, 267. 2. *Жарг. мол. Шутл.* Совершить половой акт с кем-л. Максимов, 380.

Де́лать/ сде́лать сто́йку на уша́х. 1. *Жарг. мол. Шутл.* Предпринимать огромные усилия для достижения чего-л. (Запись 2003 г.). 2. *Волг.* Лежать, спать. Глухов 1988, 146.

Держа́ть/ вы́держать сто́йку. *Жарг. угол.* 1. Не признаваться в совершении преступления. ТСУЖ, 47; Балдаев 1, 108; СВЯ, 27; Росси 2, 393; СРВС 4, 10, 27, 75, 104, 135; Р-87, 393. // *Жарг. мол.* Не признаваться в чём-л. (Запись 2004 г.). 2. *также Разг.* Вести себя вызывающе. ТСУЖ, 48, Елистратов 1994, 461. 3. *также Разг.* Сохранять спокойствие, держаться с достоинством. Скачинский, 120; Б., 63; Ф 1, 92.

Раскры́ть сто́йку. *Пск.* Снять шляпу. СРНГ 34, 140.

СТОЙКО́М * Стойко́м вы́стать. *Кар.* 1. Встать во весь рост. 2. Расположиться отвесно, вертикально. СРГК 1, 264, 297.

СТО́ЙЛО * Ста́вить/ поста́вить (загоня́ть/ загна́ть) в сто́йло *кого. Жарг. угол.* 1. Вынуждать жертву занять удобное для совершения кражи положение. Балдаев 1, 73; Балдаев 2, 58. 2. Насиловать кого-л. в анальное отверстие. Б., 129.

СТОЙМА * Стоя́ть стойма́. *Народн.* Находиться в вертикальном положении, стоять ровно, прямо. ДС, 542; ДП, 515; СРГМ 2002, 143; Подюков 1989, 199.

СТО́ЙЦЫ * В сто́йцах. *Прикам.* Стоя. МФС, 96.

СТОЛ * Большо́й стол. 1. *Волог.* Свадебный обед в брачный день после венчания. СВГ 1, 38. // *Яросл.* Свадебный обед у невесты накануне свадьбы. ЯОС 2, 13. // *Прикам.* Празднество в доме жениха на второй день свадьбы. МФС, 96. 2. *Яросл.* Праздничный стол, предназначенный для большого количества гостей. ЯОС 2, 13. 3. *Яросл.* О большом количестве гостей. ЯОС 2, 13.

Весёлый стол. *Алт.* Вечер у молодых, на котором не присутствуют девушки, на второй день свадьбы. СРГА 1, 137.

Води́ть стол. *Арх.* Гадать, колдовать за столом. АОС 4, 158.

Встать за стол. *Арх.* Отпраздновать свадьбу. АОС 6, 57.

Второ́й стол. *Дон.* Угощение второй партии гостей на свадьбе. СДГ 3, 143.

Выкупа́ть стол. *Сиб.* В свадебном обряде: одаривать тех, кто ставит стол или другие препятствия на пути свадебного поезда. ФСС, 36.

Га́рный стол. *Нижегор., Пенз., Сарат.* Угощение у молодых после венчания. СРНГ 6, 147.

Голо́дный стол. *Ставроп. Устар.* Стол, за который в учебном заведении сажали оставленных без обеда. СРНГ 6, 315.

Кня́жеский стол. *Волог.* Стол, за которым во время свадьбы сидят новобрачные. СВГ 3, 70.

Княжо́вский стол. *Волог.* 1. Празднество в доме жениха после венчания. 2. Гулянье в доме жениха на второй день свадьбы. СВГ 3, 71.

Кра́сный стол. 1. *Волог., Яросл.* Свадебный стол в день свадьбы (в доме жениха). СВГ 3, 121; ЯОС 5, 86. 2. *Яросл.* Угощение на второй день свадьбы с участием молодых. ЯОС 5, 86. 3. *Яросл.* Богатый праздничный стол. ЯОС 5, 86.

Кру́глый стол. *Офиц.-дел.* 1. Совещание, обсуждение чего-л. с равными правами участников. 2. Переговоры между оппозиционными сторонами. Мокиенко 2003, 110. < Калька с франц. *autour d'une table ronde.* БМС 1998, 550.

Набира́ть/ набра́ть стол. *Волог.* То же, что **накрывать стол 1.** СВГ 5, 22.

Накорми́ть об стол но́сом *кого. Кар.* Оставить голодным кого-л. СРГК 3, 337.

Накрыва́ть/ накры́ть стол. 1. *Разг.* Расставлять посуду, приборы, еду на столе; готовить стол к приёму пищи. 2. *Жарг. мед. Шутл.* Готовиться к операции. Максимов, 267.

Налажа́ть (направля́ть, наставля́ть) на стол. *Волог.* То же, что **набирать стол.** СВГ 5, 47, 61, 73.

Отбыва́ть/ отбы́ть стол. *Дон.* Обедать у кого-л. в праздник. СДГ 3, 143.

Отъе́зжий стол. *Яросл.* 1. Угощение в доме невесты перед отъездом в церковь к венчанию. 2. Угощение в доме жениха на второй день после свадьбы. 3. Вечеринка по случаю отъезда кого-л. куда-л. ЯОС 7, 70.

Пе́рвый стол. 1. *Дон.* Угощение первой партии гостей на свадьбе. СДГ 3, 143. 2. *Яросл.* Первый день свадьбы. ЯОС 7, 90.

Писа́ть (рабо́тать) в стол. *Разг. Ирон.* Создавать литературное произведение, которое не имело шансов быть издано в СССР. Немировская, 514; СП, 158, 177; Мокиенко 2003, 110.

Под стол не зака́тишь, а пешко́м сам пройдёт. *Сиб. Шутл.-ирон.* О полном невысоком человеке. ФСС, 77.

Под стол пешко́м хо́дит. *Разг.* 1. *Шутл.* О малолетнем ребёнке. 2. *Ирон.* О молодом, неопытном человеке. БТС, 1272; СПП 2001, 72.

Прие́зжий стол. *Прикам.* Празднество, устроенное в первый день свадьбы. МФС, 96.

Пья́ный стол. *Кар.* Выпивка, пьянка. СРГК 5, 373.

Разъе́зжий стол. *Прикам.* Угощение в последний день свадьбы в доме жениха. МФС, 96.

Стол жени́ться пое́хал. *кар. Шутл.-ирон.* О беспорядке где-л. СРГК 2, 49.

Стол накры́т, признава́ться по́дано. *Жарг. крим., мил. Ирон.* Призыв признать свою вину после предъявления весомых улик. Хом. 2, 385.

Стря́пкин стол. *Приамур.* Кушанья, приготовленные молодой женой после свадьбы. СРГПриам., 289.

Угости́ть об стол но́сом *кого. Волг.* 1. Грубо отказать кому-л. 2. Обмануть кого-л. Глухов 1988, 162.

Вчера́ до стола́. *Волг., Прикам. Шутл.-ирон.* О ненужности чего-л., кого-л. МФС, 21; Глухов 1988, 16.

Выводи́ть/ вы́вести из-за стола́ *кого. Сиб.* Выдавать замуж, соблюдая все традиционные правила, обычаи (о невесте). ФСС, 34.

Из-под стола́ собаку не́чем вымани́ть *кому, у кого. Прикам.* Об очень бедном человеке. МФС, 22.

Не сходи́ть со стола́. 1. *Разг. Устар.* Постоянно подаваться на стол, не переводиться (о каком-л. кушанье, продукте питания). Ф 2, 195. 2. *Прибайк.* Постоянно, без перерывов готовить пищу, кормить семью, гостей. СНФП, 124.

Сиде́ть на столе́. *Книжн. Устар.* Княжить где-л. Ф 2, 155.

Вести́/ отвести́ столы́. 1. *Кар., Приамур.* Устраивать свадьбу, свадебный пир. СРГК 1, 185. 2. *Приамур., Сиб.* Быть распорядителем на свадьбе. СРГПриам., 188; ФСС, 128.

Гуля́ть сто́лы. *Дон.* Участвовать в праздничном застолье. СДГ 1, 118.

Отсиде́ть столы́. *Волог.* Принять участие в свадебном торжестве. СВГ 6, 100.

Похме́льные (хме́льные) столы́. *Приамур.* Приём гостей у жениха на второй день свадьбы. СРГПриам., 288.

Чаевы́е столы́. *Приамур.* Приём гостей у невесты на второй день свадьбы. СРГПриам., 288.

СТОЛБ (СТОЛП) * Верстово́й столб. *Волг., Горьк. шутл.-ирон.* О человеке высокого роста. Глухов 1988, 10; БалСок, 54.

Лезть на телегра́фный столб. *Морд. Шутл.* Подчеркивать своё превосходство над кем-л. СРГМ 1982, 120.

Преврати́ться в соляно́й столб. *Книжн.* Окаменеть от ужаса или неожиданности. < Восходит к Библии. БМС 1998, 550.

Телегра́фный столб. *Жарг. угол.* Позвоночник. Балдаев 2, 76.

Гаси́ть столба́. *Кар.* Целовать парня. СРГК 1, 330.

Дать столба́. *Жарг. ипподр.* Пересечь финишную линию галопом (результат при этом не засчитывается) – о рысаке. БСРЖ, 567.

Пожа́ловать двумя́ столба́ми с перекла́диной *кого. Народн.* Повесить кого-л. ДП, 278.

Дойти́ до Геркуле́совых столбо́в (столпо́в). *Книжн.* Дойти до предела, до крайней точки чего-л. БТС, 200, 1272; ШЗФ 2001, 69; Ф 1, 166. См. **Геркулесовы столбы.**

Обня́ться со столбо́м. *Жарг. авто. Шутл.* Врезаться в столб на автомашине. Максимов, 281.

Пригвозди́ть (поста́вить) к позо́рному столбу́ *кого. Разг.* Предать кого-л. позору, заклеймить позором. БТС, 891, 1272; Ф 2, 89; ФМ 2002, 475. < **Позорный столб** – столб, к которому в средние века приковывали преступников на всеобщее обозрение. БМС 1998, 551.

Геркуле́совы столбы (столпы). *Книжн.* Крайний предел, граница чего-л.; крайность в чём-л. ДП, 443; БТС, 1272. < **Геркулесовы столбы** – скалы у Гибралтарского пролива. БМС 1998, 550-551.

Сбива́ть столбы́. *Волг. Шутл.* Бездельничать. Глухов 1988, 144.

Ста́вить столбы́. *Жарг. муз.* Делать неоправданные остановки при игре на фортепиано. Максимов, 402.

Счита́ть столбы́. *Разг. Устар.* Отправляться в ссылку, на каторгу. Ф 2, 198.

СТО́ЛБИК * Сто́лбик с глаза́ми. *Прост. Ирон.* О глупой (хотя и получившей диплом) девушке. Флг., 338; Мокиенко 2003, 110.

СТОЛБНЯ́К * Входи́ть/ войти́ в столбня́к *от кого, от чего. Жарг. мол. Одобр.* Приходить в восторг от чего-л., от кого-л. WMN, 88; Пульс, 1994, № 3, 23.

Столбня́к нашёл *на кого. Разг.* Кто-л. опешил, окаменел от удивления, страха. ДП, 443.

СТОЛБУ́ХА * Дать (закати́ть) столбу́ху (столбышину) *кому. Пск.* Ударить кого-л. ПОС 11, 227; Мокиенко 1990, 49.

СТОЛБЫШИНА * Дать столбы́шину. См. **Дать столбуху (СТОЛБУХА).**

СТОЛЕ́ТИЕ * Отмеча́ть столе́тие канаре́йки (ло́шади Будённого). *Жарг. мол. Шутл.* Пить спиртное, выпивать без повода. Елистратов 1994, 185, 53.

СТО́ЛИК * Золото́й сто́лик. *Жарг. арест.* Место в ИТУ, где заключённые тайно играют в карты. Балдаев 1, 160; ТСУЖ, 73.

СТОЛИ́ЦА * Столи́ца Антаркти́ды. *Публ. Патет.* Научно-исследовательская станция «Молодёжная». Новиков, 160.

Столи́ца БА́Ма. *Публ. Патет.* Город Тында. Новиков, 160.

Столи́ца газовико́в. *Публ. Патет.* Город Новый Уренгой. Новиков, 160.

Столи́ца куро́ртов. *Публ. Патет.* Город Сочи. Новиков, 160.

СТОЛО́ВАЯ * Поигра́ть в столо́вую. *Жарг. мол. Шутл.* Зайти к кому-л. поесть. Вахитов 2003, 137.

СТОЛП. См. **СТОЛБ.**

СТОЛПОТВОРЕ́НИЕ * Вавило́нское столпотворе́ние. *Книжн. Шутл.* Беспорядочная толпа людей, суматоха, неразбериха. < Из библейского мифа о строительстве Вавилонской башни. БМС 1998, 551; ФСРЯ, 457; БТС, 109, 1273; ЗС 1996, 338; Янин 2003, 50; ШЗФ 2001, 32.

СТОН * Стон стои́т. 1. *Разг.* Раздаётся неумолкаемый гул, шум. ФСРЯ, 457; СРГМ 2002, 149. 2. *Сиб.* О большом количестве чего-л. СФС, 180.

Сто́ном стоя́ть. *Сиб.* Об интенсивно совершаемом действии. СОСВ, 183.

СТОП * Выпи́сывать/ вы́писать стоп *кому. Жарг. мол.* Отказывать кому-л. в чём-л. Я — молодой, 1998, № 2.

Стоп с прихва́том. *Жарг. угол.* Вооружённый разбой. СРВС 4, 37, 116; Балдаев 2, 62; ББИ, 235; Мильяненков, 240.

Шмальну́ть на стоп. *Жарг. угол., мил.* Сделать предупредительный выстрел. Балдаев 2, 164.

СТОПА́ * Идти́ по стопа́м *чьим.* 1. *Разг.* Следовать чьему-л. примеру. ФСРЯ, 182; БТС, 1273; СОСВ, 143; СПП 2001, 72. 2. *Ряз.* Подчиняться, повиноваться кому-л. ДС, 543.

Па́дать (припада́ть) к стопа́м *чьим. Книжн.* Умолять, просить кого-л. о чём-л. ФСРЯ, 308; БТС, 1273; Ф 2, 32.

Поверга́ть/ пове́ргнуть к стопа́м *кого чьим. Книжн.* 1. Полностью подчинять кого-л. чьей-л. воле, власти, принижать кого-л. 2. *что.* Преподносить кому-л. что-л., выражая свою покорность, зависимость. ФСРЯ, 326; БТС, 1273.

Пойти́ по други́х стопа́х. *Курск.* Не последовать чьему-л. примеру. БотСан, 109.

По одни́х стопа́х. *Курск.* Тем же путём. БотСан, 109.

Идти́ по стопе́ *чьей. Ряз.* То же, что **идти по стопам.** СРНГ 12, 77.

Направля́ть/ напра́вить свои́ сто́пы *куда, к кому. Книжн.* Направляться, идти куда-л., к кому-л. ФСРЯ, 267; БТС, 1273.

СТО́ПАРЬ * Сто́парь краснопёрый. *Жарг. угол. Ирон.* или *Презр.* Сотрудник спецмедвытрезвителя, обворовывающий пьяных. Балдаев 2, 62; ББИ, 235; Мильяненков, 240.

СТО́ПКА * Сиде́ть за сто́пкой книг. *Жарг. мол. Шутл.* О коллективной выпивке. Максимов, 384.

Ходи́ть по сто́пкам. *Прибайк.* Пьянствовать. СНФП, 125.

Дать сто́пку в го́лову *кому. Кар.* Угостить кого-л. спиртным. СРГК 1, 424.

Смотре́ть в сто́пку. *Кар.* Пить спиртное. СРГК 1, 285.

СТОП-КРА́Н * Стоп-кран в самолёте. *Жарг. курс.* Курсант, который подводит всю группу, из-за которого наказывают всю группу. Кор., 274.

СТОРИ́ЦА * Возда́ть стори́цей. *Книжн.* Отплатить с избытком за доброе дело кому-л. ШЗФ 2001, 41; Ф 1, 70. < **Сторицею** – сто раз (*старослав.*). БМС 1998, 552.

СТОРО́ЖКА * Лесна́я сторо́жка. *Жарг. мол. Шутл.* Половые органы с обильным волосяным покровом. Максимов, 221.

СТОРОНА́ * Гнила́я сторона́. *Пск.* Юго-запад. ПОС 7, 26.

Де́дова сторона́. *Сиб.* Север. СФС, 137.

Небе́сная сторона́. *Яросл.* Небосвод. ЯОС 6, 125.

Ночна́я сторона́. *Новг.* Север. НОС 6, 72.

Оборо́тная сторона́ меда́ли. *Разг.* Противоположная, отрицательная, теневая сторона чего-л. ФСРЯ, 458; БМС 1998, 552; БТС, 528, 1274; ЗС 1996, 91.

Сла́бая сторона́ *чья. Разг.* Человеческая слабость, слабая черта характера. ДП, 131.

Говори́ть по сторона́м. *Пск. Неодобр.* Сплетничать, говорить лишнее. СПП 2001, 72.

Зева́ть по сторона́м. *Прост. Неодобр.* Рассматривать что-л., кого-л. с пустым любопытством. Ф 1, 209.

Смотре́ть по сторона́м. *Разг. Устар. Неодобр.* Отвлекаться на пустяки; зря попусту терять время. Ф 2, 168.

Хлы́нуть по сторона́м. *Морд.* Нарушить супружескую верность, изменить жене. СРГМ 2002, 149.

В стороне́. *Разг.* 1. На некотором расстоянии, поодаль. 2. Отдельно от других, не вместе с другими. ФСРЯ, 458.

На стороне́. *Разг.* Не у себя дома, в чужом месте. ФСРЯ, 458; БТС, 1274; СРГМ 2002, 148.

Пасти́сь на стороне́. *Жарг. мол.* Не иметь друзей, не быть членом какой-то молодёжной группировки, компании. Максимов, 304.

Стоя́ть в стороне́. *Разг.* Не принимать непосредственного участия в чём-л. ФСРЯ, 458-459.

Стоя́ть на стороне́ *кого, чьей. Разг.* Разделять чьи-л. взгляды; поддерживать кого-л. в чём-л. ФСРЯ, 460.

Обходи́ть/ обойти́ деся́той стороно́й. *Прост.* 1. Упорно избегать контактов с кем-л. 2. Настойчиво, упорно избегать чего-л. НРЛ-81; Мокиенко 2003, 110.

Ходи́ть по стороне́. *Яросл.* Заниматься отхожим промыслом. ЯОС 8, 11.

Обора́чиваться/ оберну́ться стороно́й *какой. Книжн.* Неожиданно изменяться, приобретать иное направление, иной смысл. Ф 2, 10.

Обходи́ть стороно́й *кого. Разг.* 1. Избегать каких-л. контактов с кем-л. 2. Не затрагивать, не касаться чего-л. Ф 2, 13.

Ходи́ть стороно́й. *Коми. Неодобр.* Изменять супругу, супруге. Кобелева, 81. **Ходи́ть за стороно́й.** *Сиб.* То же. СФС, 196.

Бе́гать на́ сторону. См. **Ходить на сторону.**

Брать/ взять сто́рону *кого, чью. Разг.* То же, что **становиться на сторону.** ФСРЯ, 458; ФМ 2002, 478; БТС, 162, 1274.

Ведёт в сто́рону *кого. Новг.* Кто-л. идет нетвёрдой походкой, шатается, качается. НОС 1, 119.

В сто́рону мо́ря. *Волг.* Далеко, неизвестно куда. Глухов 1988, 16.

Вывора́чиваться/ вы́вернуться на ле́вую сто́рону. *Сиб.* Предпринимать огромные усилия для достижения чего-л. Верш. 6, 399.

Грызть в одну́ сто́рону. *Сиб.* Придерживаться одинаковых принципов. ФСС, 49.

Держа́ть сто́рону. 1. *кого, чью. Разг.* То же, что **стоять на стороне.** ФСРЯ, 458. 2. *Сиб.* Изменять жене, мужу. СФС, 62; ФСС, 59.

Име́ть сто́рону. *Кар.* То же, что **держать сторону 2.** СРГК 2, 290.

На во́нную сто́рону. *Кар.* Наизнанку. СРГК 1, 227.

На ле́вую сто́рону. *Прост.* Наизнанку. Верш. 6, 399.

На сто́рону. 1. *Разг. Устар.* В чужое место. ФСРЯ, 458. 2. *Морд.* За пределы деревни. СРГМ 2002, 148. 3. *Разг. Устар.* Не по назначению. ФСРЯ, 458.

Ни ша́тко, ни ва́лко, ни на́ сторону. *Народн.* Не спеша, без приложения особых усилий. ДП, 667.

Переверну́ть на другу́ю сто́рону. *Кар.* Привить кому-л. новые взгляды, убеждения. СРГК 4, 432.

Перетяну́ть на свою́ сто́рону *кого. Разг.* Сделать противника своим сторонником, сообщником. БМС 1998, 552.

Повора́чивать/ поверну́ть на свою сто́рону *кого. Разг. Устар.* Заставлять кого-л. думать, действовать по своему желанию. Ф 2, 52.

Пойти́ в другу́ю сто́рону. *Прибайк., Сиб. Неодобр.* 1. Начать вести распутный образ жизни. 2. Совершить политическое или уголовное преступление. СНФП, 125; ФСС, 142; СРНГ 28, 360.

Пойти́ на другу́ю сто́рону. *Прикам.* Изменить свои взгляды, убеждения. МФС, 77.

Пойти́ на сто́рону. 1. *Ср. Урал.* Заняться отхожим промыслом. СРГСУ 4, 74. 2. *Прикам.* Выйти замуж; уйти из семьи, начать жить самостоятельно. МФС, 77.

Станови́ться/ стать на сто́рону *кого, чью. Разг.* Присоединяться к чьему-л. мнению, разделять чей-л. образ мыслей, вступаться за кого-л. БМС 1998, 552; ФМ 2002, 480.

Тяну́ть сто́рону *чью. Разг.* Поддерживать кого-л. из каких-л. побуждений или разделяя его взгляды. БТС, 1274.

Уводи́ть/ увести́ в сто́рону *кого. Разг.* Отвлекать кого-л. от главного, заслонять главное второстепенным. Ф 2, 214.

Уезжа́ть на свою́ сто́рону. *Прибайк.* Умирать. СНФП, 125.

Уйти́ в сто́рону мо́ря. *Жарг. угол. Шутл.* 1. Убежать, скрыться. 2. Эмигрировать. 3. Тайно пересечь государственную границу. Балдаев 2, 97.

Уйти́ на ту сто́рону. *Перм.; Жарг. мол. Ирон.* Умереть. Подюков 1989, 213; Максимов, 431.

Уходи́ть/ уйти́ в сто́рону. *Разг.* Отклоняться от темы разговора. Ф 2, 225.

Ходи́ть в одну́ сто́рону. *Кар. Одобр.* Жить дружно, ладить. СРГК 4, 150.

Ходи́ть (бе́гать) на́ сторону. *Разг. Шутл.-ирон.* Изменять в супружестве. Мокиенко, Никитина 2003, 313.

Кача́ть на все сто́роны *кого. Перм., Прикам.* Сильно ругать, поносить кого-л. МФС, 46; СГПО, 228.

На все сто́роны. *Башк.* В любом случае. СРГБ 2, 83.

На все четы́ре сто́роны. *Разг.* Куда хочется, куда угодно (идти, отпускать, прогонять и т. п.). ФСРЯ, 458; БМС 1998, 552-553; ФМ 2002, 479; Ф 1, 219.

Со стороны́. *Разг.* Из числа посторонних, непричастных к чему-л. ФСРЯ, 458; БТС, 1274; СРГМ 2002, 149.

Ткать во все сто́роны. *Прикам.* Находиться в постоянном движении. МФС, 99.

СТОРО́НКА * Е́хать сторо́нкой. *Волг.* Сторониться, избегать кого-л. Глухов 1988, 41.

Занима́ться сторо́нкой. *Прибайк.* Вести разгульный образ жизни. СНФП, 126.

Гнать сторо́нку. *Кар.* Развлекаться с молодыми людьми. СРГК 1, 345.

Гони́ть сторо́нку. *Арх.* Изменять мужу. АОС 9, 302.

Держа́ть сторо́нку. *Народн. Шутл.* Изменять в супружестве. Подюков 1989, 62; Мокиенко, Никитина 2003, 313.

СТОРО́НУШКА * Чёртова сторо́нушка. *Народн. Ирон.* Финляндия. ДП, 348.

СТОЯ́К * На стоя́к. *Яросл.* В вертикальное положение (поставить). ЯОС 6, 78.

В (на) стояка́. *Жарг. мол.* В положении стоя (чаще — о половом акте). VSEA, 192; Мокиенко, Никитина 2003, 313.

СТОЯ́ТЬ * Стои́т да идёт. *Прикам. Ирон.* Не двигается. МФС, 96.

Хоть стой, хоть лежи́. *Кар.* Безразлично, всё равно кому-л. СРГК 3, 107.

Хоть стой, хоть па́дай. *Разг.* О чём-л., вызывающем удивление, изумление, возмущение. Жиг. 1969, 111; СФС, 198; Мокиенко 1990, 117.

Как стою (стои́шь, стои́т и т. п.). *Пск.* Об отсутствии у кого-л. багажа, вещей, хозяйства. СПП 2001, 72.

СТОЯ́ЧКА * В стоя́чку. *Жарг. мол.* То же, что **в стояка.** Мокиенко, Никитина 2003, 313.

На стоя́чку. *Морд.* В вертикальном положении, стоя. СРГМ 2002, 150.

СТРАДА́ * Бе́лая страда́. *Публ. Патет.* 1. О напряжённой работе на уборке риса. НРЛ-81; Мокиенко 2003, 110-111. 2. О напряжённой работе на уборке хлопка. НСЗ-80; Новиков, 162.

Зелёная страда́. *Публ. Патет.* Сенокос, уборка кормовых трав. НРЛ-81; Новиков, 162.

СТРАЖ * Страж грани́цы. *Публ. Патет.* Пограничник. Новиков, 163; Мокиенко 2003, 111.

Страж зако́на. *Публ. Патет.* Работник юстиции, юрист. Мокиенко 2003, 111.

Страж поря́дка. *Публ. Патет.* Полицейский или милиционер. Мокиенко 2003, 111.

Стра́жи не́ба. *Публ. Патет.* Войска противовоздушной обороны. Комс. пр., 04.01.96.

СТРА́ЖА * Быть (стоя́ть) на стра́же. *Разг.* 1. Охранять что-л. 2. Быть начеку, настороже. БТС, 1276.

Под стра́жей. 1. *Разг.* В заключении. ФСРЯ, 460. 2. *Сиб.* В строгости (держать, воспитывать кого-л.). СОСВ, 61.

СТРАМ * Стра́мом застрами́ть. *Сиб.* Сильно поругать кого-л. ФСС, 81.

СТРАМИ́НА * Пасти́ страми́ну. *Сиб. Неодобр.* Срамиться, позориться. ФСС, 132.

СТРАНА́ * О́ркова страна́. *Книжн. Устар.* Страна смерти, ад. < В греческих и римских мифах *Orcus* – преисподняя. БМС 1998, 553.

Страна́ восходя́щего со́лнца. *Публ. Патет.* Япония. Мокиенко 2003, 111.

Страна́ дурако́в. *Жарг. арм. Шутл.* Сон. < Выражение из сказки А. Н. Толстого «Золотой ключик» и фильмов, снятых по её мотивам. Максимов, 406.

Стра́на кleно́вого листа́. *Публ. Патет.* Канада. НСЗ-70; Мокиенко 2003, 112.

Страна́ Лимо́ния. *Жарг. лаг. Шутл.-ирон.* Республика Коми. Балдаев 2, 63; ББИ, 235; Мильяненков, 240.

Страна́ Ма́льборо. *Жарг. арм. Шутл.* О глубоком сне солдата. БСРЖ, 569.

Страна́ обетова́нная. *Книжн.* Место, куда кто-то страстно желает попасть, так как оно представляется ему воплощением изобилия, довольства, счастья. БМС 1998, 553; БТС, 1276.

Страна́ пирами́д. *Публ. Патет.* Египет. Мокиенко 2003, 112.

Страна́ трёх дурако́в [энтузиа́стов, наста́вников и передовико́в]. *Разг. Ирон.* Микрорайон Ржевка-Пороховые в Санкт-Петербурге, где пересекаются проспекты Энтузиастов, Наставников и Передовиков. Синдаловский, 2002, 176.

Стра́на чуде́с. *Жарг. арм. Шутл.-ирон.* Армейская кладовая. Максимов, 406.

Дава́ть/ дать стране́ угля́. *Разг. Шутл.* Совершать что-л. экстраординарное; сильно удивлять всех. Б., 60.

Страны́ не вида́ть. *Сиб.* О полной темноте. ФСС, 27; СФС, 181.

Стра́ны све́та. *Книжн.* Стороны горизонта, четыре главные точки горизонта: север, юг, восток, запад. БМС 1998, 553.

СТРАНИ́ЦА * Чёрная страни́ца. *Книжн.* Неудачное время, случай в жизни. БМС 1998, 553.

Впи́сывать/ вписа́ть но́вую страни́цу *во что. Книжн.* Делать открытия, совершать нечто выдающееся, знаменательное в какой-л. области науки, общественной жизни и т. п. ФСРЯ, 81; БТС, 155.

Открыва́ть/ откры́ть но́вую страни́цу *в чем. Книжн.* То же, что **вписывать новую страницу.** ФСРЯ, 303; Ф 2, 27.

Бе́лые страни́цы. *Книжн.* 1. О чём-л. неизученном, неизвестном. 2. О каких-л. фактах, которые в официальной науке преднамеренно замалчивались или искажались. Мокиенко 2003, 112.

СТРАСТЬ * Зада́ть страсте́й *кому. Пск.* Отругать, отчитать кого-л. СПП 2001, 72.

До стра́сти. *Новг., Ряз., Сиб.* Очень много; крайне, чрезвычайно. Сергеева 2004, 159; ДС, 545; СПСП, 130; ФСС, 145.

Никаки́е стра́сти не понима́ть. *Сиб.* Абсолютно ничего не знать. ФСС, 145.

Стра́сти Бо́жьи. *Пск.* Восклицание, выражающее страх, ужас. СПП 2001, 72.

Стра́сти Госпо́дни. *Книжн.* Страх, ужас. < «Страсти Господни» – торжественная церковная служба в четверг на Страстной неделе Великого поста. БМС 1998, 553.

Дать (вы́дать) страсть (стра́сти) *кому.* 1. *Арх.* Напугать кого-л., внушить страх кому-л. АОС 7, 180; АОС 10, 287. 2. *Печор.* Наказать кого-л. СРНГП 2, 322.

Страсть Бо́жья. *Сиб.* О высшей степени проявления какого-л. признака. Верш. 6, 404.

Быть под стра́стью. *Морд.* Находиться под угрозой смерти. СРГМ 2002, 151.

На страстя́х. *Ряз.* В обстановке, внушающей чувство страха, ужаса. ДС, 545.

СТРАХ * На свой страх и риск. *Разг.* Рассчитывая только на себя, принимая на себя всю ответственность за что-л. ФСРЯ, 460.

Не за страх, а за со́весть. *Разг.* Очень добросовестно, с полным сознанием ответственности за что-л. ФСРЯ, 460; БМС 1998, 553–554; ФМ 2002, 481.

Стра́ха ра́ди иуде́йска. *Книжн.* Из страха перед властями или какой-л. силой. < Восходит к Евангелию. ДП, 46; ФСРЯ, 460; РБФС, 493; БМС 1998, 554.

У стра́ха глаза́ велики́. *Разг.* Об испугавшемся человеке, который преувеличивает опасность. БМС 1998, 554; Жиг. 1969, 145; ЗС 1996, 514.

Стра́хи вели́кие. *Арх.* О чём-л. очень нежелательном. АОС 3, 97.

Стра́хи госпо́дни! *Арх.* Эмоциональное восклицание, выражающее удивление, неодобрение. АОС 9, 388.

Под стра́хом *чего. Разг.* Под угрозой чего-л. ФСРЯ, 461.

Со стра́хом и тре́петом. *Книжн.* Испытывая страх, боязнь. < Восходит к Библии. БМС 1998, 554.

Дава́ть/ дать стра́ху *кому. Кар.* Предостерегать кого-л. от каких-л. действий, угрожать кому-л. СРГК 1, 420.

СТРАХОПИ́ЗДИЩЕ * Стоебу́чее (злоебу́чее) страхопи́здище. *Нецензж. Бран.* О крайне непорядочном человеке. Мокиенко, Никитина 2003, 313.

СТРАХОТА́ * Страхота́ небе́сная. *Пск.* О большом количестве чего-л. (Запись 1999 г.).

СТРЕ́ЖЕНЬ * На стре́жень. *Прост. Устар.* Навстречу ветру. СРГМ 2002, 152.

СТРЕКА́ЛЬ * Дать стрекаля́. *Кар.* То же, что **дать стрекача (СТРЕКАЧА).** СРГК 1, 424.

СТРЕКА́Ч * Дать (зада́ть) стрекача́. *Разг. Шутл.* Броситься бежать, стремительно убежать откуда-л. ФСРЯ, 461; БМС 1998, 554; БТС, 240, 1278; ШЗФ 2001, 61; Мокиенко 1989, 20; Мокиенко 1990, 110; ЗС 1996, 73, 205; СПП 2001, 72.

Попрыгу́нья стрекоза́. *Разг. Шутл.* О ветреной, непостоянной женщине. Мокиенко 1990, 27. < Выражение из басни И. А. Крылова «Стрекоза и муравей».

СТРЕЛ * Стрел тебя́ возьми́! *Диал. Бран.* Восклицание, выражающее досаду, раздражение, возмущение. Мокиенко 1990, 27.

СТРЕЛА́ * Громова́я стрела́. 1. *Арх., Печор., Помор., Прикам.* Молния, разряд молнии. АОС 10, 78; СРНГП 2, 322; ЖРКП, 36; СГПО, 611; МФС, 97. 2. *Печор., Яросл.* Небольшая трубочка, продолговатая окаменелость, получившаяся из сплавившихся от удара молнии песчинок. СРНГП 2, 322; ЯОС 3, 109. 3. *Сиб.* Щепка от разбитого грозой дерева. СФС, 57.

Парфя́нская стрела́. *Книжн. Шутл.* Находчивый довод, приберегаемый к концу спора и приводящий собеседника в замешательство. БМС 1998, 554.

Стрела́ Аму́ра (Купидо́на). *Книжн.* Символ любви. БТС, 1278.

Стрела́ б тебя́ уби́ла! *Новг. Бран.* Восклицание, выражающее досаду, раздражение, возмущение кем-л. Мокиенко 1986, 159.

Дуть по стре́лам. *Яросл. Шутл.* Спать. ЯОС 4, 27.

Надира́ет по стре́лам *кого. Сарат. Неодобр.* Кто-л. ведёт себя возмутительно. СРНГ 19, 236.

Быть на стреле́. *Жарг. мол.* Просить, **«стрелять»** что-л. у кого-л.; пользоваться чем-л., взятым у других, не своим. Митрофанов, Никитина, 203.

Забива́ть/ заби́ть (проби́ть) стрелу́. См. **Забивать стрелку (СТРЕЛКА).**

Переводи́ть/ перевести́ стрелу́. *Жарг. мол.* То же, что **переводить стрелку 1-4. (СТРЕЛКА).** Максимов, 308.

Пуска́ть стрелу́. *Жарг. мол.* Перекладывать свою вину на кого-л. Максимов, 352.

Навести́ стре́лы. *Жарг. мол.* Встретиться с кем-л. Вахитов 2003, 104.

СТРЕ́ЛКА * Стре́лка пахано́в. *Жарг. шк. Шутл.-ирон.* Родительское собрание.

Включа́ть/ включи́ть стре́лки. *Жарг. угол.* 1. Назначать время и место возврата долга. ББИ, 236; Мокиенко 2003, 112.

Гоня́ть стре́лки. *Жарг. мол.* Доносить на кого-л. Максимов, 92.

Мета́ть стре́лки. *Жарг. мол.* Обвинять кого-л. в чём-л. Вахитов 2003, 98.

Забива́ть/ заби́ть (заруби́ть, набива́ть/ наби́ть, проби́ть) стре́лку (стрелу́) *с кем. Жарг. мол.* Назначать время и место встречи, договариваться о встрече с кем-л. Рожанский, 47; Блат.-99; Белянин, Бутенко, 61; Елистратов 1994, 453; СМЖ, 89; Вахитов 2003, 56; Максимов, 264, 345.

Отводи́ть стре́лки наза́д. *Жарг. мол.* Уклоняться от ответа на заданный вопрос. Максимов, 266.

Переводи́ть стре́лки. *Жарг. угол.* 1. Переносить время и место встречи. 2. *на кого.* Сваливать свою или чью-л. вину на другого. Мокиенко 2003, 112.

Разводи́ть/ развести́ стре́лки. *Жарг. крим.* Улаживать конфликты, мирить кого-л. Балдаев 2, 63; ББИ, 236.

Переводи́ть/ перевести́ стре́лку (стре́лки). 1. *на кого. Жарг. угол., мол.* Отводить от себя подозрение, перекладывать вину на кого-л. СМЖ, 93; ТСУЖ, 130; Елистратов 1994, 453; Балдаев 2, 63; ББИ, 235. 2. *Жарг. мол.* Переводить разговор на другую тему; уклоняться от разговора, от ответа. Вахитов 2003, 129. 3. *Жарг. мол.* Менять сексуального партнёра. Максимов, 308. 4. *Жарг. мол.* Изменять время встречи с кем-л. Максимов, 308.

Передви́нуть стре́лки. *Жарг. мол.* Вспомнить что-л. Максимов, 308.

Пуска́ть стре́лки. *Жарг. мол.* Оскорблять обидчика его же словами. Вахитов 2003, 152.

Стре́лки на полшесто́го. *Жарг. мол. Шутл.-ирон.* Об импотенте. Максимов, 328.

Положи́ть стре́лку. *Жарг. авто.* Ехать на предельной скорости. < От положения стрелки на спидометре. Максимов, 327.

Проколо́ть стре́лку. *Жарг. мол.* Не явиться на встречу в условленном месте. ББИ, 236; Балдаев 2, 63. < **Стрелка** – встреча.

СТРЕЛО́К * Вороши́ловский стрело́к. *Жарг. Шутл.-ирон. или Неодобр.* Человек, который часто просит («стреляет») у кого-л. что-л. в долг, не возвращая одолженного. БСРЖ, 569.

Ветряно́й стрело́к хвати́л *кого. Прибайк. Шутл.* Кого-л. продуло ветром, просквозило. СНФП, 126.

СТРЕ́ЛОЧНИК * Стре́лочник винова́т. *Разг. Ирон.* О перекладывании вины за что-л. на исполнителя самого низкого ранга. БМС 1998, 555; БТС, 1278.

Иска́ть стре́лочника. *Разг. Ирон.* Искать рядового исполнителя, чтобы переложить на него вину непосредственно ответственных лиц. Мокиенко 2003, 113.

Находи́ть/ найти́ стре́лочника. *Разг. Ирон.* Находить рядового исполнителя, чтобы переложить на него вину непосредственно ответственных лиц. Мокиенко 2003, 113.

СТРЕЛЬ * Стрель тебя́ возьми́! *Кем. Бран.* Восклицание, выражающее гнев, негодование, возмущение кем-л. СКузб., 201.

СТРЁМ. См. **СТРЁМА.**

СТРЁМА (СТРЁМ) * Быть (стоя́ть) на стрёме (на стрему́). *Жарг. угол., мол.* 1. Быть наблюдателем, предупреждающем об опасности. СРВС 1, 25, 59, 149; СРВС 2, 150, 167; СРВС 3, 68, 81; СРВС 4, 38, 117, 185; ТСУЖ, 27, 170; Б., 145; Быков, 183; Росси 2, 396; Грачев, 1992, 159; Грачев, Мокиенко 2000, 157; WMN, 88; Вахитов 2003, 172. 2. Быть бдительным. Елистратов 1994, 453.

СТРЕМАГА́Н * В стремага́н *кому что. Жарг. мол. Неодобр.* Неприятно, дискомфортно; трудно. Никитина, 1996, 201.

СТРЕМЕННА́Я * Пить/ вы́пить стременну́ю. *Волг.* О прощальной рюмке спиртного по завершении застолья перед уходом гостей. Глухов 1988, 19.

СТРЕ́МЯ * Вста́ть в ста́рое стре́мя. *Пск.* Вернуться в прежнее состояние. СПП 2001, 72.

Ли́бо в стре́мя ного́й, либо в пень голово́й. *Народн.* О возможности добиться желаемого или потерять всё. ДП, 77.

СТРЕНЬ-БРЕНЬ * Стрень-брень с горо́шком. *Разг. Устар. Шутл.-ирон.* Совсем ничего (об имуществе). БМС 1998, 555.

СТРЕТ * Стрет Ива́ныч. *Жарг. мол. Пренебр.* Нехороший, непорядочный человек (г. Хабаровск). Я — молодой, 1996, № 22.

СТРЕ́ШНИК * Стре́шник тебя́ (его́, вас и пр.) **расколоти́!** *Моск.* Пожелание несчастья, зла кому-л., проклятье. < **Стрешник** (от **стреха** – крыша) – название чёрта, живущего на крыше, чердачного домового. Мокиенко, Никитина 2003, 313.

СТРЕЧО́К * Дать стречка́. *Разг.* То же, что **дать стрекача (СТРЕКАЧА).** ФСРЯ, 461.

СТРИ́ЖЕНО * Ему́ [говоря́т] — стри́жено, а он — бри́то. *Разг. Неодобр. или Шутл.* Об упрямом собеседнике. СПП 2001, 72; СРГК 2, 192; Жиг. 1969, 152.

СТРИ́ЖКА * Дать/ зада́ть стри́жку *кому. Диал.* Избить кого-л. Мокиенко 1990, 48.

СТРИПТИ́З * Стрипти́з роя́ля. *Жарг. муз. Шутл.* Арфа. Максимов, 408.

СТРИТ * Бу́дет и на на́шем стриту́ селебре́йшн. *Жарг. мол. Шутл.* Призыв к надежде и терпению. < Трансформация пословицы **Будет и на нашей улице праздник**. Елистратов 1994, 455; Щуплов, 104.

СТРОГА́Ч * Впая́ть строгача́ *кому. Разг.* Объявить строгий выгорор кому-л. Елистратов 1994, 72.

Де́лать строгача́. *Кар.* Держать в повиновении кого-л. СРГК 1, 445.

СТРОЙ * Вводи́ть/ ввести́ в строй *что. Произв.* Сделать действующим, годным к эксплуатации что-л. БМС 1998, 555; БТС, 1281; ФМ 2002, 482.

Вступа́ть/ вступи́ть в строй. *Произв.* Начинать действовать, эксплуатироваться. ФСРЯ, 462; БТС, 1281; ФМ 2002, 483.

Строй капиталисти́ческий. *Жарг. муз. Ирон.* О нарушении строя — системы звучания оркестра, инструмента. БСРЖ, 572.

Выбыва́ть/ вы́быть из стро́я. *Разг.* Терять трудоспособность, прекращать активную деятельность. Ф 1, 89.

Выва́ливаться/ вы́валиться из стро́я. *Арх. Ирон.* То же, что **выбывать/ выбыть из строя.** АОС 6, 124.

Вы́ки́дывать/ вы́кинуть из стро́я *кого, что. Орл.* Переставать помнить, забывать о ком-л., о чём-л. СОГ 1989, 114.

Вылета́ть/ вы́лететь из стро́я. *Арх.* То же, что **выходить из строя 1.** АОС 7, 287.

Выпа́дывать/ вы́пасть из стро́я. *Печор., Пск.* То же, что **выходить из строя 2.** СРГНП 1, 113; СПП 2001, 72.

Выходи́ть/ вы́йти из стро́я. 1. *Произв.* Становиться недействующим, непригодным к эксплуатации. БМС 1998, 555; ШЗФ 2001, 50; ФМ 2002, 484. 2. *Арх.* Переставать употребляться, использоваться. АОС 8, 371. 3. *Пск.* Терять душевное равновесие, спокойствие. СПП 2001, 72. 4. *Разг.* Терять силы, здоровье, способность делать что-л. СПП 2001, 72; Максимов, 75; ФМ 2002, 484.

Повы́бить из стро́я *кого. Кар.* Убить, уничтожить кого-л. СРГК 4, 600.

СТРО́ЙКА * Стро́йка ве́ка. 1. *Публ. Патет. Устар.* О крупном строительном проекте в СССР. Веллер, 1994, 37. 2. *Разг. Ирон.* О строительстве, на котором работают заключённые. Росси, т. 1, 91; Довлатов 1, 409; СП, 211.

Стро́йка коммуни́зма. *Публ. Патет. Устар.* То же, что **стройка века 1-2.** Росси, т. 1, 91.

СТРОК * Лома́ть строк. *Прикам.* Нарушать договор, заключённый на определенный срок. МФС, 55.

Жить по срока́м (по стро́ку). *Прикам., Сиб.* Работать по найму. МФС, 37; ФСС, 72; СКузб, 77.

Ходи́ть по срока́м. *Прикам. Устар.* То же, что **жить по строкам.** МФС, 107.

СТРОКА́ * Чита́ть ме́жду строк. *Разг.* Догадываться о скрытом смысле написанного. ФСРЯ, 462; БМС 1998, 555; ЗС 1996, 377; БалСок, 56.

Бля́дская строка́. *Ред.-изд., журн. Шутл.* Неполная строчка, не уместившаяся внизу страницы или столбца и помещаемая поэтому вверху следующей страницы или столбца. Флг., 41.

Приказна́я строка́. *Разг. Устар. Пренебр.* Чиновник, бюрократ. ФСРЯ, 462.

С кра́сной строки́. *Разг.* С абзаца; со строки, имеющей небольшой отступ вправо. БМС 1998, 555; ФМ 2002, 485.

Не в стро́ку́. *Прост.* Невпопад, некстати (отвечать, говорить что-л.). БТС, 1281.

Ста́вить в строку́ *кому что. Разг. Устар.* Обвинять кого-л., ставить в вину кому-л. что-л. ФСРЯ, 462; БМС 1998, 556; Мокиенко 1990, 95; Ф 1, 86.

СТРОПИ́ЛА * По́лзать на четырёх стропи́лах. *Перм.* Ползать на четвереньках. Мокиенко 1986, 94.

СТРУ́ЖКА * Дава́ть стру́жки. *Жарг. арм. Шутл.-ирон.* Буйствовать в состоянии алкогольного опьянения. Кор., 84.

Стру́жки в голове́ *у кого. Волг. Неодобр.* О крайне глупом, несообразительном человеке. Глухов 1988, 152.

Гнать стру́жку. *Жарг. мол. Неодобр.* Лгать; пустословить. Елистратов 1994, 90.

Снима́ть/ снять стру́жку *с кого. Прост. Шутл.* Ругать, отчитывать кого-л. ФСРЯ, 462; БМС 1998, 556; Глухов 1988, 151; Мокиенко 1990, 60, 129; ЗС 1996, 211; СПП 2001, 72.

Снима́ть стру́жку до штано́в. *Жарг. мол. Шутл.* Решительно требовать чего-л. Максимов, 394.

СТРУНА́ * Сла́бая струна́. См. **Слабая струнка (СТРУНКА).**

Игра́ть/ сыгра́ть на стру́нах души́ *чьей. Книжн.* Воздействовать на чьи-л. чувства. Ф 1, 216.

Держа́ть в струне́ *кого. Прост.* Строго обращаться с кем-л., держать кого-л. в строгих правилах поведения. ФСРЯ, 462; Подюков 1989, 62.

Держа́ть себя́ в струне́. *Прост.* Быть собранным, не позволять себе расслабляться. Ф 1, 161.

Ходи́ть в струне́. *Разг. Устар.* То же, что **ходить по струнке (СТРУНКА).** Ф 2, 237.

Задева́ть/заде́ть [за] стру́ну *какую. Разг. Устар.* Касаться вопроса, особенно волнующего кого-л. Ф 1, 195.

Задева́ть/заде́ть сла́бую стру́ну. См. **Задевать слабую струнку (СТРУНКА).**

Обрыва́ть/ оборва́ть струну́. *Жарг. угол.* 1. *чью.* Убивать кого-л. 2. *также Муз.* Развлекаься, приятно проводить время. Балдаев 1, 286; Мокиенко 2003, 114.

Натяну́ть стру́ны да игра́ть. *Сиб. Шутл.-ирон.* Об очень худом человеке. ФСС, 120.

СТРУ́НКА * Сла́бая стру́нка (струна). *Разг.* Наиболее чувствительное, уязвимое место, сторона характера, на которую можно воздействовать. ФСРЯ, 462; ЗС 1996, 26; Глухов 1988, 149.

Ходи́ть по стру́нке. *Разг.* Беспрекословно подчиняться кому-л. ФСРЯ, 462; БТС, 1448; Мокиенко 1990, 88, 109; ЗС 1996, 266.

Вы́сохнуть в стру́нку. *Волг.* Сильно похудеть. Глухов 1988, 20.

Вытя́гиваться/ вы́тянуться в стру́нку. *Разг.* Становиться, вставать прямо, навытяжку, опустив руки по швам. ФСРЯ, 462; БМС 1998, 556; ФМ 2002, 486.

Задева́ть/ заде́ть сла́бую стру́нку (струну́) *чью. Разг.* Невольно или сознательно воздействовать на человеческие слабости, особенности характера. БМС 1998, 556; Ф 1, 195.

СТРУЯ́ * В одно́й струе́. *Прибайк.* По-прежнему, без изменений. СНФП, 127.

Сиде́ть на струе́. *Жарг. мол. Шутл.* О поносе. Никитина, 1998, 430.

Упере́ться струёй в сте́нку. *Жарг. мол. Шутл.* Помочиться (о мужчине). (Запись 2000 г.).

Не в струю́. *Жарг. мол. Неодобр.* Неуместно, некстати. Вахитов 2003, 110.

Попада́ть/ попа́сть в струю́. 1. *Разг.* Делать или говорить именно то, что нужно в данное время, в данный момент. НСЗ-70. 2. Приспосабливаться к главному направлению какого-л. движения, деятельности. Мокиенко 2003, 114. 3. *Жарг. авто. Шутл.* Заехать на автомобильную мойку. Максимов, 331.

Ни струя́ себе́ [фонта́н, струя́]! *Жарг. мол. Шутл.* Выражение крайнего удивления, восхищения. < Эвфемизм матизма. Вахитов 2003, 113.

Струя́ в глаза́х *у кого. Волг.* О состоянии крайнего возбуждения, когда человек совершает необдуманные поступки. Глухов 1988, 156.

СТРЫВ * Нет стры́ву. О высшей степени проявления признака, интенсивности действия. СПП 2001, 72.

СТРЯ́ПКА * Пойти́ по стря́пкам. *Приамур.* Работать кухаркой в чужом доме. СРГПриам., 213.

СТРЯПНЯ́ * Пошла́ стряпня́, рукава́ стряхня́. *Сиб. Шутл.-ирон.* О неудаче, невезении. СОСВ, 143.

СТУДЕ́НТ * Студент прохла́дной жи́зни. 1. *Горьк. Ирон.* Семейный студент. БалСок, 54. 2. *Волг. Неодобр.* Лентяй, бездельник. Глухов 1988, 156.

СТУ́ЖА * Сту́жа не гру́жа *кому. Прикам.* О человеке, которому всё нипочем. МФС, 97.

Сту́жа и ну́жа. *Прибайк.* Жизненные испытания, лишения, невзгоды. СНФП, 127.

Жить на сту́же. *Пск.* Бедствовать, жить в нищете. СПП 2001, 72.

Терпе́ть сту́жу и ну́жу. *Перм.* Испытывать нужду и лишения. СГПО, 371; МФС, 99.

СТУК * Стук да дрюк да ла́поть. *Волг. Пренебр.* О компании бездельников, хулиганов. Глухов 1988, 156.

Дать сту́ку *кому. Новг.* Изменить девушке в любви, оставить свою подругу. НОС 2, 75; Сергеева 2004, 235.

Ни сту́ку ни гу́ку. *Дон.* О полной тишине. СДГ 3, 146. **Ни сту́ку ни гу́ку, ни бря́ку.** *Волг. Шутл.* То же. Глухов 1988, 111.

СТУКА́Ч * Стука́ч применто́ванный. *Жарг. хиппи. Пренебр.* Доносчик, выдающий милиции своих товарищей-хиппи. ФЛ, 45; Никольский, 134.

СТУКМА́НКА * Дать стукма́нку *кому. Пск.* Ударить кого-л. СПП 2001, 72; Мокиенко 1990, 46.

СТУЛ * Сиде́ть на одно́м сту́ле. *Кар.* Вместе жить, работать. СРГК 4, 151.

Сесть сту́лом. *Пск.* Потерять возможность движения, не иметь возможности провести свои намерения в исполнение; попасть в безвыходное положение. Доп., 1858.

Сиде́ть на сту́лу́. *Пск.* Занимать какую-л. высокую административную должность. СПП 2001, 73.

Сиде́ть ме́жду двух сту́льев (на двух сту́льях). *Разг. Неодобр.* Занимать неопределённую позицию, склоняться одновременно к двум противоположным точкам зрения; угождать обеим противостоящим сторонам. БМС 1998, 556.

СТУЛЬЧА́К * Стульча́к заму́чил *кого. Жарг. мол. Шутл.* О поносе. Максимов, 146.

СТУ́ПА * Сту́па долблёная. *Волг. Пренебр.* О крайне глупом человеке. Глухов 1988, 156.

В сту́пе [песто́м] не пойма́ешь (не пойма́ть) *кого. Новг., Пск. Шутл.* О проворном, хитром, изворотливом человеке. СПП 2001, 73; НОС 8, 76; Сергеева 2004, 132.

В сту́пе [песто́м] не утоло́чь (не утолчёшь) *кого.* 1. *Народн. Неодобр.* Об упрямом человеке. ДП, 426; Глухов 1988, 106; Подюков 1989, 217. 2. *Народн. Неодобр. или Шутл.* То же, что **в ступе пестом не поймаешь.** ДП, 209; НОС 11, 101. 3. *Пск. Неодобр.* О человеке, которого невозможно заставить замолчать. СПП 2001, 73.

Попа́сть в сту́пу песто́м. *Новг.* Угодить кому-л. в чём-л. НОС 8, 115.

СТУПЕ́НЬ * Идти́ на высо́кие ступе́ни. *Кар.* Намереваться жениться на девушке не своего круга. СРГК 2, 267.

СТУПЕ́НЬКА * Поднима́ться вверх по ступе́нькам. *Пск.* Улучшать свое материальное положение, повышать жизненный уровень. СПП 2001, 73.

Три ступе́ньки вниз. *Разг. Шутл.* Пивной бар, винно-водочный магазин, находящийся в подвале. Балдаев 2, 86.

СТУ́ПКА * Дать сту́пку *кому. Арх.* Поколотить, побить кого-л. СРНГ 7, 258; Мокиенко 1990, 49.

СТУПЦА́ * Идти́ бро́довой ступцо́й. *Печор. Флк.* Идти очень медленно. СРГНП 1, 45.

СТУПЬ * Ни сту́пи ни езды́. *Прикам. Неодобр.* О медленном продвижении вперед, о непродуктивности чьих-л. действий. МФС, 97.

СТУЧА́ТЬ * Не стуча́ло не греме́ло. *Пск.* Внезапно, неожиданно, вдруг. Фридрих, 90.

СТЫД * Брать за стыд *что. Кар.* Стыдиться чего-л. СРГК 1, 108.

Вы́вести на стыд *кого. Прикам.* Опозорить кого-л. МФС, 21; СГПО, 90.

Проводи́ть/ провести́ в стыд *кого. Кар.* Ставить кого-л. в неловкое положение. СРГК 5, 239.

Стыд до глаз *кому. Морд.* О человеке, которому очень стыдно. СРГМ 2002, 160.

Стыд не дым. *Разг.* Употребляется как оправдание своего предосудительного поведения, поступка. БМС 1998, 556.

Стыд сказа́ть, грех утаи́ть. *Прикам.* О невозможности избежать какого-л. разговора. МФС, 91.

Боя́ться стыда́. *Новг.* Стесняться чего-л. НОС 1, 82.

Выходи́ть/ вы́йти из стыда́. *Морд.* Становиться наглым, бессовестным. СРГМ 1978, 115.

Не оста́вить стыда́. *Кар. Неодобр.* Не устыдиться, не испытать угрызений совести за что-л. СРГК 4, 253.

Ни стыда́ ни со́вести *у кого. Разг. Неодобр.* О наглом, бессовестном человеке. Глухов 1988, 111. **Ни стыда́ ни соро́му.** *Народн. Неодобр.* То же. ДП, 307.

Сгора́ть/ сгоре́ть от стыда́. *Разг.* Испытывать сильное чувство стыда. ФСРЯ, 463; ДП, 306.

СТЫ́ЧКА * Сты́чка не ка́тит *[у кого с кем]. Жарг. мол.* Об отсутствии взаимопонимания. БСРЖ, 573.

СУББО́ТА * Ко́рмная суббо́та. *Курск.* Суббота перед 26 октября, в которую было принято кормить нищих. СРНГ 14, 338.

Краси́льная суббо́та. *Разг. Устар. Яросл.* Последняя суббота перед Пасхой, когда красят яйца. БМС 1998, 556; ЯОС 5, 85.

Кра́сная суббо́та. *Публ. Патет.* Образно-поэтическое название субботника. Новиков, 169; Розенталь, 1985, 140.

Суббо́та до́льше воскресе́нья. *Кар. Неодобр. или Шутл.-ирон.* О чём-л. свисающем, торчащем из-под чего-л. СРГК 1, 233.

Чёрная суббо́та. *Разг. Ирон. Устар.* В советское время — дополнительный обязательный для всех рабочий день без оплаты с целью выполнения плана или компенсации нерадивости, низкой производительности и просчетов руководства. СIН, 34. < Официально такие субботы были введены не для компенсации нерадивости, а для компенсации «недоработанного» рабочего времени при переходе с шестидневной на пятидневную рабочую неделю. Экспрессивное словосочетание возникло как ироническая оппозиция патетического обозначения субботника — **красная суббота.**

В со́ту суббо́ту. *Кар. Шутл.* Очень редко. СРГК 5, 392.

В э́ту суббо́ту сто лет *кому, чему. Пск. Шутл.* О человеке преклонного возраста; о чём-л. очень старом, ветхом. СПП 2001, 73.

Жить после́днюю суббо́ту. *Пск. Шутл.* Быть очень старым. СПП 2001, 73.

СУББО́ТКА * Зада́ть суббо́тки *кому. Разг. Устар.* Высечь школьника. ДП, 924.

СУББО́ТНИК * Отпра́вить на суббо́тник *кого. Жарг. угол.* Подвергнуть кого-л. групповому изнасилованию. Максимов. 293.

СУБЪЕ́КТ * Субъе́кт федера́ции. *Жарг. мол. Шутл.* Мужской половой орган. Елистратов 1994, 663; Щуплов, 53; ЖЭСТ-1, 142.

СУВЕНИ́Р * Ру́сский сувени́р. *Жарг. шк. Шутл.-ирон.* Двойка (неудовлетворительная оценка), как правило – по русскому языку. Максимов, 370.

СУВО́РОВ * Затёрло Суво́рова с пирога́ми. *Яросл. Шутл.* О нехватке времени для исполнения чего-л. СРНГ 11, 93; ЯОС 4, 107.

СУГО́Н * В суго́н. *Яросл.* Вдогонку. ЯОС 2, 38.

Дать суго́на (суго́нку) *кому. Диал.* Погнать кого-л. куда-л. Мокиенко 1990, 110.

СУГО́НКА * Дать суго́нку *кому. Диал.* Погнать кого-л. куда-л. Мокиенко 1990, 110.

СУГО́РБОК * Вссы́пать в суго́рбок *кому. Сиб.* Побить кого-л. (как правило — по шее). СФС, 48; ФСС, 32; Мокиенко 1990, 53.

СУГУ́БО * Сугу́бо фиоле́тово. См. **ФИОЛЕТОВЫЙ.**

СУД * Вста́ть, суд идёт! *Жарг. шк. Шутл.* О ситуации, когда в класс входит директор школы. ВМН 2003, 129.

Дать суд. *Дон.* 1. *кому, чему.* Рассмотреть дело в судебном порядке. 2. *кому.* Осудить кого-л., выразить неодобрение чьим-л. поступком. СДГ 3, 147.

Еги́петский суд. *Книжн. Устар.* Посмертный суд. < В основе выражения — намёк на суд над умершими фараонами. БМС 1998, 556–557.

Наро́дный суд. *Жарг. шк. Шутл.-ирон.* 1. Школьное собрание. Максимов, 270. 2. Родительское собрание. ВМН 2003, 129.

Отдава́ть/ отда́ть под суд *кого. Разг.* Привлекать к судебной ответственности кого-л. ФССРЛЯ 2004, 2, 464.

Пока́ суд (суть) да де́ло. *Разг.* Пока происходит, делается, совершается что-л. (о длительном, медленном процессе). ФСРЯ, 463; БМС 1998, 559; ФМ 2002, 488; Мокиенко 1990, 136; ЗС 1996, 476; БТС, 1287; Верш. 6., 422.

Потере́ть суд нога́ми. *Смол.* Освободиться из-под суда. СРНГ 30, 275.

Справедли́вый суд. *Жарг. шк. Ирон.* О классном журнале. Максимов, 401.

Суд Ли́нча. *Книжн.* Общественный самосуд, как правило — в случаях захвата преступника на месте преступления. < Связано с именем рабовладельца Линча (XVIII в.). БМС 1998, 557; БТС, 498.

Суд Соломо́на (Соломо́нов суд). *Книжн.* Мудрый и скорый суд. < Восходит к Библии. БМС 1998, 557.

Шемя́кин суд. *Разг. Устар.* Несправедливый суд. < Связано с личностью князя Дмитрия Шемяки (XV в.), произволом и беззаконием феодального суда. БМС 1998, 557; ДП, 173, 346; БТС, 1287, 1494; Мокиенко 1989, 162.

На нет и суда́ нет. *Разг.* Не может быть претензий, недовольства у кого-л., если его желание не может быть удовлетворено. БМС 1998, 557-558.

Не свои́м судо́м. *Ряз.* Не по своей воле. ДС, 547.

Не судо́м Бо́жьим. *Ряз.* 1. Очень сильно. 2. В большом количестве. ДС, 547.

Не к суду́ пришло́. *Олон.* Не должно было осуществиться что-л. СРНГ 31, 234.

Су́ды и (да) пересу́ды. *Разг.* Разные толки, разговоры, сплетни. ФСРЯ, 463; БТС, 818.

СУДА́К * Дать судако́в *кому. Диал.* Избить кого-л. Мокиенко 1990, 61.

Раздава́ть судако́в [и осетро́в] *кому. Диал.* Бить, колотить кого-л. Мокиенко 1990, 159.

СУДЕ́ЙКА * Долгогла́зая суде́йка. *Яросл. Неодобр.* О женщине, которая за всеми следит и судит всех. ЯОС 4, 11.

СУДИБО́ГИ * Класть судибо́ги. 1. *Народн.* Сетовать, жаловаться на что-л. ДП, 154. 2. *Яросл.* По суеверным представлениям – призывать Божий суд, Божью кару на кого-л. ЯОС 5, 34.

СУДИ́ТЬ * Суди́ть да ряди́ть. *Народн.* Рассуждать, толковать о чём-л. ФСРЯ, 463; БМС 1998, 558; ФМ 2002, 489; Мокиенко 1986, 226.

СУДОМО́ЙКА * Вить судомо́йки *из кого. Прибайк.* Полностью подчинять себе, своей воле, главенствовать над кем-л., держать в полном повиновении кого-л. СНФП, 128.

СУДЬБА * Судьба́ попусти́лась. *Киров.* Кому-л. перестало сопутствовать счастье, удача. СРНГ 30, 17.

Судьба́ челове́ка. *Жарг. арм. Шутл.-ирон.* Гауптвахта; нахождение на гауптвахте. Кор., 277. < По названию рассказа М. Шолохова.

Каки́ми судьба́ми? *Разг.* Восклицание, выражающее удивление при неожиданной встрече. ФСРЯ, 463; ЗС 1996, 288, 484.

Никаки́ми судьба́ми. *Сиб.* Ни в коем случае, ни за что. Верш. 4, 152.

Жени́ться не на судьбе́. *Сиб.* О несложившейся семейной жизни. ФСС, 70.

Изжи́ть одно́й судьбо́й *с кем. Прикам.* Прожить долгую совместную жизнь. МФС, 43.

Забра́ть судьбу́. *Новг.* 1. Осуществить предназначенное судьбой. 2. Выйти замуж. НОС 3, 8.

Искуша́ть судьбу́. *Разг.* Подвергать себя излишнему риску, опасности. ФСРЯ, 106; Ф 1, 225.

Ко́нчить судьбу́. *Кар.* Покончить с чём-л. СРГК 2, 417.

Меня́ть судьбу́. *Жарг. угол., арест.* Бежать из мест лишения свободы. СРВС 2, 39, 54, 71, 89, 118, 180, 190, 203, 214; СРВС 3, 93, 103; 113; ТСУЖ, 76, 106, 137, 171; Балдаев 1, 169, 248.

Обре́чь судьбу. *Новосиб.* Предсказать судьбу кому-л. СРНГ 22, 202.

Пересе́чь судьбу́. *Прикам.* Предотвратить что-л. МФС, 74.

Пыта́ть судьбу́. *Книжн.* Рисковать собой. Ф 2, 109.

Верши́ть су́дьбы. *Книжн.* Распоряжаться, управлять чьими-л. жизнями, судьбами. БМС 1998, 558.

СУДЬБИ́НА * Не судьби́ной. *Ряз.* Очень сильно, чрезмерно. ДС, 548.

СУЕТА́ * Суета́ сue᷄т и вся́ческая суета́. *Книжн.* О мелочных заботах, о чём-л. ничтожном, бесполезном, не имеющем истинной ценности. < Выражение из Библии. ДП, 291; БМС 1998, 558.

СУК * Ли́бо в сук, ли́бо в тетеру́. *Народн.* Об удаче, везении. ДП, 77.

Ни в сук, ни в пень. *Народн. Презр. или Шутл.-ирон.* О бестолковом человеке. ДП, 459.

Ни сук, ни крюк, ни кара́куля. *Народн. Презр. или Шутл.-ирон.* О бестолковом, необразованном человеке. ДП, 472.

Подруба́ть/ подруби́ть сук, на кото́ром сиди́шь. *Разг. Шутл.-ирон.* Поступая необдуманно, причинять, наносить себе непоправимый вред. Ф 2, 60.

Разноцве́тный сук. *Жарг. авто. Шутл.* Светофор. БСРЖ, 574.

Расти́ в сук. *Перм. Ирон.* Изменяться в худшую сторону. Подюков 1989, 171.

Сук да дрюк. *Пренебр. Дон.* О сомнительной компании, группе аморальных личностей. СДГ 3, 148.

С су́ка на сук, а всё недосу́г. *Народн.* О постоянно занятом человеке. < «Т. е. прыгает» – прим. В. И. Даля. ДП, 450.

На девя́том суку́. *Арх.* Неизвестно где, очень далеко. АОС 10, 402.

Поверну́ться на суку́, *чаще в форме повел. накл. Кар.* Перестать докучать кому-л., изводить, мучать кого-л. СРГК 4, 584.

СУ́КА * Во́лчья су́ка. *Прост. Бран.* О негодяе, мерзавце. Мокиенко 2003, 114.

Дра́ная су́ка. *Прост. Бран.* 1. О грязной, дешёвой проститутке. 2. О негодяе, мерзавце или предателе. < **Драный.** *Зд.* – от **драть** – сношать кого-л. Мокиенко 2003, 115.

Ёбаная су́ка. *Нецենз. Бран.* То же, что **драная сука 1-2.** Мокиенко 2003, 115.

Кичма́нная су́ка. *Жарг. угол. Бран.* О подлом человеке, мерзавце, находящемся в заключении. < **Кичманный** — тюремный, находящийся в заключении. Мокиенко 2003, 115.

Кумовска́я су́ка. *Жарг. арест.* Заключённый-осведомитель. Балдаев 1, 215; ББИ, 121. < **Кумовская** – от *кум* – оперативный работник тюрьмы, мест заключения.

Ляга́вая сука. *Жарг. угол., мол. Бран.* О милиционере. Мокиенко, Никитина 2003, 315.

Су́ка (су́кой) бу́ду [не забу́ду, век во́ли не вида́ть]! *Жарг. угол.* Клятвенное заверение преступника. СВЖ, 13; СРВС 4, 38, 117; СВЯ, 9; Р-87, 35; Балдаев 2, 65; ББИ, 237; Мильяненков, 242; Флг., 341; УМК, 101; Росси 2, 402; Грачев, 1992, 159; Грачев, Мокиенко 2000, 159.

Су́ка в бо́тах. *Жарг. мол. Неодобр.* О злой, сварливой женщине. Максимов, 42.

Су́ка в пе́рьях. *Жарг. угол. Презр.* Милиционер, следователь. Быков, 149; УМК, 101. < **Перья** – 'погоны'.

Су́ка до гро́ба. *Жарг. угол.* Милиционер, ставший злейшим врагом вора. Максимов, 410.

Су́ка ма́мина. *Вульг.-прост. Бран.* О негодяе, мерзавце. Мокиенко, Никитина 2003, 315.

Су́ка подколо́дная. *Вульг.-прост. Бран.* О коварной, неверной и легкомысленной женщине. Быков, 115; Мокиенко 2003, 115.

Ярова́я су́ка. *Жарг. угол. Неодобр.* 1. Осведомительница, доносчица. 2. Предательница. Мокиенко, Никитина 2003, 315.

Сесть ку́шать с су́ками. *Жарг. лаг. Презр.* Изменить воровскому закону. Р-87, 178; Мокиенко 2003, 115.

Де́лать/ сде́лать су́ку. *Жарг. угол. Неодобр.* Изменять воровскому закону. Бен, 121; Мокиенко 2003, 115.

СУКНО́ * На́шего (одного́) сукна́ епанча́. *Народн. Одобр.* О человеке, близком по духу, по образу жизни говорящему. СРНГ 18, 362; ДП, 854; Глухов 1988, 93, 116; ЗС 1996, 30, 518.

Класть/ положи́ть под сукно́ *что. Разг.* Откладывать какое-л. дело, оставлять его без рассмотрения, не давать ему хода. ФСРЯ, 463; БМС 1998, 558; БТС, 1288; ФМ 2002, 490; ЗС 1996, 342, 476; Мокиенко 1986, 33.

Не про́сто сукно́ — сукма́нина. *Прикам. Одобр.* О чём-л., обладающем большими достоинствами. МФС, 97; СГПО, 617.

Сова́ть/ су́нуть под сукно́ *что. Прост.* То же, что **класть под сукно.** Ф 2, 171.

Чёртово сукно́. *Пск.* Плотная чёрная ткань, используемая для шитья рабочей одежды. (Запись 1998 г.).

Лежа́ть под сукно́м. *Разг.* Оставаться без внимания, без движения (о документе, деловой бумаге). БТС, 491, 1288; Ф 1, 276.

СУЛТА́Н * Водяно́й султа́н. *Яросл.* Растение рогоз широколистый. ЯОС 3, 27.

СУЛЯМА́ * Сулема́ тебе́ на язы́к! *Пск. Бран.* Требование замолчать, перестать говорить. СПП 2001, 83.

СУМА́ * Змеи́ная сума́. *Пск. Бран.* О человеке, вызывающем гнев, досаду, возмущение. СПП 2001, 73.

Перено́сная сума́. *Волог. Неодобр.* Сплетник, сплетница. СРНГ 26, 175.

Перемётная сума́. *Разг. Устар.; Пск., Пренебр. Неодобр.* О непостоянном в своих поступках, действиях, убеждениях человеке. ФСРЯ, 463; БМС 1998, 558–559; СРНГ 26, 161-162; БТС, 810; ФМ 2002, 463; Мокиенко 1990, 129.

Идти́/ пойти́ (ходи́ть) с сумо́й. *Разг.* Нищенствовать, просить милостыню. ФСРЯ, 182; Ф 1, 220; Ф 2, 238; Глухов 1988, 167.

Пуска́ть/ пусти́ть с сумо́й *кого. Разг.* Разорять, заставлять нищенствовать кого-л. ФСРЯ, 463; Ф 2, 107.

Доводи́ть/ довести́ до сумы́ *кого. Прост.* Разорять кого-л. Ф 1, 165.

Доходи́ть/ дойти́ до сумы́. *Прост.* Разоряться. Ф 1, 166.

СУМАСШЕ́ДШИЙ * Сумасше́дшие на во́ле. *Жарг. шк. Шутл.-ирон.* Урок физкультуры. Максимов, 410.

СУ́МКА * Пасту́шья су́мка. *Жарг. шк. Шутл.* Школьная сумка, ранец. ВМН 2003, 129.

Перемётная су́мка. *Арх. Неодобр.* О непоседливом человеке. СРНГ 26, 161.

Жить от (из-под) су́мки. *Орл.* Нищенствовать, побираться. СОГ 1990, 124.

Ходи́ть с су́мкой. *Кар.* Скитаться, бродяжничать. СРГК 5, 121.

Наразгова́ривать су́мку ареста́нтов. *Коми.* Наговорить, рассказать много вымышленного, не соответствующего действительности. Кобелева, 79.

Таска́ть су́мку вдоль поря́дку. *Морд.* То же, что **жить от сумки.** СРГМ 2002, 170.

СУМНЯ́ШЕСЯ * Ничто́же сумня́шеся (сумня́ся). *Книжн. Шутл.* или *Ирон.* Ничуть не сомневаясь, не раздумывая. < Выражение из Послания апостола Иакова (1, 61). БМС 1998, 559; ФСРЯ, 463.

СУ́МОЧКА * Прийти́ с одно́й су́мочкой. *Омск.* Разориться, обнищать. СРНГ 31, 235.

Жить в одну́ су́мочку. *Новг.* Жить дружно, ладить (в семье). НОС 2, 134; Сергеева 2004, 171.

СУНДУ́К * Заложи́ть в сунду́к *кого. Жарг. угол. Неодобр.* Выдать кого-л. с неизбежным последующим арестом. Балдаев 1, 144.

Накря́тать сунду́к. *Яросл. Шутл.* Накопить, заготовить впрок что-л. ЯОС 6, 99.

Сунду́к с клопа́ми. 1. *Жарг. угол. Ирон. или Презр.* Глупый, недалёкий человек. ББИ, 238; Балдаев 2, 66; Мильяненков, 243. 2. *Жарг. угол. Ирон. или Презр.* Простоватый сельский житель. ББИ, 238; Балдаев 2, 66; Мильяненков, 243. 3. *Морд. Шутл.* Беспокойный, непоседливый человек. СРГМ 2002, 171.

Су́нуть в сунду́к *кого. Жарг. арест.* Посадить кого-л. в карцер. Р-87, 402.

Из сундука́ чула́н пропа́л *у кого. Народн. Ирон.* О человеке, прикидывающемся обворованным, чтобы не платить кому-л. ДП, 659.

Сундуки́ ло́мятся *у кого. Волг.* О человеке, живущем в достатке. Глухов 1988, 156.

СУНДУЧО́К * Сундучо́к с секре́том. *Жарг. мол. Шутл.-ирон.* О слабоумном человеке. Максимов, 410.

СУНЬ-ВЫ́НЬ * Игра́ть в сунь-вы́нь. *Жарг. мол. Шутл.* Совокупляться, заниматься сексом. Вахитов 2003, 70, 137.

СУП * Ры́бкин суп. *Жарг. угол. Шутл.-ирон.* Жидкая уха. ТСУЖ, 155.

Суп вари́ть. *Пск.* Танцевать один из видов кадрили с игровыми элементами. ПОС 3, 34.

Суп «майор». *Жарг. арм. Шутл.-ирон.* Очень жидкий суп (одна блёстка жира похожа на одну звезду майора). Кор., 278; Лаз., 242.

Суп из трёх залу́п. *Жарг. арест., Неценз. Пренебр. или Шутл.-ирон.* О скверной похлёбке. Мокиенко, Никитина 2003, 315.

СУ́ПЧИК * Пойти́ на су́пчик. *Жарг. мол. Шутл.* Пойти опохмелиться с утра. h-98.

СУРДИ́НКА * Под сурди́нку. *Разг.* 1. Тихо, приглушённо. 2. Тайком, втихомолку. ФСРЯ, 463; БМС 1998, 559; ЗС 1996, 200; ФМ 2002, 494.

СУРЕ́ПИЦА * Налома́ть суре́пицу. *Сиб.* О сильном утомлении на тяжёлой физической работе. ФСРЯ, 118.

Под суре́пицу. *Морд.* Очень коротко. СРГМ 2002, 173.

СУРНА́ * Верте́ть сурно́й. *Морд.* Вести себя высокомерно. СРГМ 2002, 173.

Сверну́ть сурну́ *кому. Морд.* Разбить лицо кому-л. СРГМ 2002, 173.

Отверну́ть сурну́. *Морд.* О нежелании работать. СРГМ 2002, 173.

СУРО́Г * С суро́гом. *Новг.* Упрямый, своенравный (о коне). НОС 4, 103.

СУСА́ЛО * Дать (сма́зать) по суса́лам *кому. Прост.* Ударить кого-л. по лицу. СРГМ 2002, 174.

Щёлкать по суса́лу *кому. Жарг. мол.* Бить кого-л. по лицу. Максимов, 410.

СУСЕ́К * Ме́рить сусе́к. *Вят.* Гадать, охватывая руками часть стены и, пересчитывая бревна снизу вверх, приговаривать: «Сусек-мешок», «Сусек-мешок». Если последнее слово придётся на слово *сусек*, то жизнь будет богатой. (1903). СРНГ 18, 119.

У сусе́ка дна не ви́деть. *Прикам.* Жить зажиточно. МФС, 18.

Жени́ться сусе́ком. *Прикам.* Устроить богатую, пышную свадьбу. МФС, 36.

СУ́СЛИК * Мочёный су́слик. *Жарг. мол. Пренебр.* Худощавый юноша с грязными волосами. Максимов, 256.

Позвони́ть су́слику. *Жарг. мол. Шутл.* Сходить в туалет. (Запись 2004 г.).

СУ́СЛЫ * Ма́зать по су́слам. *Твер.* Бить кого-л. по зубам, по лицу. СРНГ 17, 294.

СУСТА́В * Экста́зобе́дренный суста́в. *Жарг. гом. Шутл.* Мужской половой орган. Шах.-2000.

СУ́ТЕРП * До су́терпу. *Сиб.* Пока можно терпеть. СФС, 66.

СУ́ТКИ * Быть на су́тках. *Жарг. мол.* Отбывать наказание 15 суток за нарушение общественного порядка. Митрофанов, Никитина, 33.

Как су́тки вон. *Кар.* День и ночь. СРГК 1, 226.

Су́тки на круг. *Новг.* Очень долго (спать, заниматься домашними делами и т. п.). Сергеева 2004, 168.

Су́тки с неде́лей без семи́ дней. *Народн. Шутл.-ирон.* О неопределённом сроке. ДП, 567.

СУ́ТОЛОКА * Мыши́ная су́толока. См. **Мышиная возня (ВОЗНЯ).**

СУТЬ * Ни су́ти ни ря́дни. *Кар.* Бессвязно, невнятно (говорить). СРГК 5, 610.

Пока су́ть да де́ло. См. **Пока суд да дело (СУД).**

СУ́ХА * Пить су́ху. *Кар.* Сильно тосковать о ком-н. СРГК 4, 522.

СУХА́РЬ * Дава́ть / дать сухари́ *кому. Жарг. арест.* Арестовывать, задерживать кого-л. без достаточных оснований. СРВС 2, 214; ТСУЖ, 171; Балдаев 2, 38; ББИ, 63.

Лома́ть сухари́. *Пск.* Бороться таким образом, чтобы спины противников были вместе и, сплетясь руками, стараться поднять противника на спину. Доп., 1858.

Суши́ть сухари́. 1. *Прост. Ирон.* Готовиться к уголовному или политическому наказанию, к тюремному заключению. Ф 2, 195. 2. *Жарг. студ. Шутл.-ирон.* Готовиться к сессии. Максимов, 411. 3. *Перм. Шутл.* Ухаживать за девушкой. Подюков 1989, 200.

Сла́дкий суха́рь. *Жарг. мол.* Сладкое, полусладкое, полусухое шампанское. Максимов, 390.

Сухо́й суха́рь. *Жарг. мол. Шутл.* Сухое вино. Максимов, 411.

Вы́вести из сухаря́ *кого. Арх.* Пригласить на танец, оказать внимание девушке. АОС 6, 135.

Идти́ на сухаря́. *Жарг. угол.* Пытаться избежать ответственности. ТСУЖ, 76; Балдаев 1, 169.

Пройти́ за сухаря́. *Жарг. арест.* Имея большой срок наказания, освободиться из ИТУ с помощью подменщика. Балдаев 1, 357.

Сиде́ть за сухаря́. *Жарг. угол.* Быть осуждённым за чужое преступление. СРВС 3, 21; Балдаев 2, 238.

СУ́ХО * На́ сухо. *Новг.* О большом количестве чего-л. НОС 11, 4.

Прожи́ть ни су́хо ни мо́кро. *Сиб.* Не испытать в жизни ни хорошего, ни плохого., прожить неяркую, однообразную жизнь. СРНГ 21, 215; СФС, 128.

СУХОДУ́ШИНА * Дава́ть/ дать суходу́шину (суходу́шины) *кому. Дон., Прикам.* Бить кого-л. СДГ 3, 150; МФС, 31.

СУХО́Й (СУХА́Я) * Пройти́ с сухо́го до мо́крого. *Пск. Шутл.* Многое испытать в жизни. СПП 2001, 73.
Сухо́й догна́л *кого. Жарг. мол. Шутл.* О сильной жажде. Югановы, 213.
На сухую́. *Сиб.* 1. Ни с чем, впустую. 2. *Ирон.* В трезвом состоянии. ФСС, 193; СФС, 120. 3. *Ирон.* Без спиртного, не распивая водки, вина. Ф 2, 195.
СУХОСТО́Й * Мичу́ринский (ура́льский) сухосто́й. *Жарг. мол. Шутл.-ирон.* 1. О худощавом человеке высокого роста. 2. О малоподвижном человеке. Максимов, 249, 411.
Сухосто́й бьёт *кого. Жарг. мол. Шутл.-ирон.* О сильной жажде с похмелья. БСРЖ, 576.
СУХОСТРЕ́Л * Чтоб тебя́ сухостре́л подхвати́л! *Забайк. Бран.* Восклицание, выражающее гнев, негодование, возмущение кем-л. СРГЗ, 401. < **Сухострел** — резкие боли в животе у животных.
СУХО́ТА * Глазны́е сухо́ты. *Дон.* Сглаз; причинение вреда магическим взглядом. СДГ 1, 100.
СУ́ХОТЬ * Быть у су́хоти. *Одесск.* Не развиваться, не расти. КСРГО.
СУ́ЧКА * Блудли́вая су́чка. *Прост. Презр.* О женщине лёгкого поведения. Мокиенко, Никитина 2003, 317.
И су́чка не ла́яла *о ком. Перм. Пренебр.* О никчёмном, ничтожном человеке. Подюков 1989, 191.
Су́чка с ру́чкой. *Жарг. мол. Бран.* О женщине, вызывающей гнев, негодование, раздражение. Максимов, 411.
Украдёт из-под су́чки. *Волг.* О ловком мошеннике, пройдохе. Глухов 1988, 163.
Отпусти́ть су́чку с цепи́ны *на кого. Прибайк.* Наброситься на кого-л. с нападками, бранью. СНФП, 128.
СУЧО́К * Без сучка́ без задо́ринки. *Разг.* То же, что **ни сучка ни задоринки 1.** ФСРЯ, 464; БТС, 1293; БТС, 320; ШЗФ 2001, 18; ФМ 2002, 496.
Ни сучка́ ни задо́ринки. 1. *Разг.* Без осложнений, помех и препятствий. ДП, 426; ЗС 1996, 128. 2. *Разг.* Никаких изъянов, недостатков. ФСРЯ, 464; БТС, 1293; ЗС 1996, 128; ФМ 2002, 497. 3. *Пск. Шутл.* О ровной, гладкой поверхности чего-л. ПОС 11, 189.
Сбива́ться/ си́ться с сучка́. *Волг.* 1. Терять контроль над собой. 2. Запутываться, переставать понимать что-л. Глухов 1988, 144.
Идти́/ пойти́ по сучка́м по ве́ткам. *Ряз.* 1. Нерационально использоваться. 2. Пропасть, уничтожиться. СРНГ 12, 77; СРНГ 28, 352.
Примова́ривать/ приговори́ть к сучку́ *кого. Кар.* Лечить кого-л. заговорами. СРГК 5, 152.
Сучо́к в глазу́ замеча́ть. *Книжн.* Замечать чьи-л. мелкие недостатки, не замечая своих, более крупных. БМС 1998, 559.
СУ́ША * Хиля́ть по су́ше. *Жарг. угол.* 1. Идти безопасным маршрутом. 2. Избегать опасности. Балдаев 2, 122.
СУ́ШКА * Кроши́ть су́шку *на кого. Жарг. Мол.* 1. Обвинять кого-л. 2. Придираться к кому-л. Максимов, 207.
СУШНЯ́К * Пробива́ет на сушня́к *кого. Жарг. мол.* То же, что **сушняк долбит.** Вахитов 2003, 149.
Сушня́к долби́т (бьёт, да́вит) *кого. Жарг. мол.* Кто-л. страдает от сильной жажды, как правило – в состоянии похмелья. h-98; СМЖ, 67; Вахитов 2003, 176; Максимов, 52, 100.
СУЩЕСТВО́ * Существо́ лёгкого поведе́ния. *Разг. Ирон.* Проститутка. Мокиенко 2003, 115.
СУЩЕСТВОВА́НИЕ * Влачи́ть жалкое существова́ние. *Книжн.* Жить бедно, бедствовать. БМС 1998, 560; ШЗФ 2001, 38.
Расти́тельное существова́ние. *Книжн. Презр.* Жизнь, лишённая духовных интересов, подчинённая удовлетворению самых необходимых потребностей. Мокиенко 2003, 115.
СУЩИ́ * Глота́ть сущи́. *Морд.* Голодать. СРГМ 2002, 179.
СХЕ́МА * По по́лной схе́ме. *Жарг. мол.* В высшей степени, в полной мере, основательно. WMN, 91.
Сходи́ть по схе́ме. *Жарг. авиа. Шутл.* Побывать в туалете перед вылетом. Максимов, 412.
СХО́ЖА * Де́лать схо́жу. *Прикам.* Сходиться, собираться. МФС, 32.
СЦЕ́НА * Устра́ивать сце́ну *кому. Разг.* Учинять скандал кому-л. < Калька с франц. *faire une scène.* БМС 1998, 560; ФСРЯ, 465; ШЗФ 2001, 63.
Сходи́ть/ сойти́ со сце́ны. *Разг.* Оставлять былую деятельность, поприще; переставать играть прежнюю роль в чём-л. ФСРЯ, 464; ЗС 1996, 151.
СЦИ́ЛЛА * Ме́жду Сци́ллой и Хари́бдой. *Книжн.* В таком положении, когда опасность угрожает с двух сторон. < От названия двух мифологических чудовищ, живших по обеим сторонам узкого Мессинского пролива и губивших всех проплывающих мимо. ФСРЯ, 465; БТС, 529, 1439.
СЧАСТЛИ́ВО * Счастли́во остава́ться! *Разг.* До свидания. ФСРЯ, 465; ФМ 2002, 498; ЗС 1996, 436.
СЧАСТЛИ́ВЫЙ * Быть счастли́вым. *Разг. Шутл.-одобр.* Совершать половой акт с кем-л., предаваться совокуплению. УМК, 102; Флг., 345.
СЧА́СТЬЕ * Заколо́дило сча́стье. *Разг.* Кому-л. нет счастья, не везёт. БМС 1998, 560.
Игра́ет сча́стье *чье. Курск.* Кому-л. везёт, сопутствует удача. СРНГ 28, 345.
На Ла́зарево сча́стье. *Смол.* Без надежды на успех. СРНГ 16, 241.
Отмаха́ть своё сча́стье. *Новг.* Вырасти. НОС 7, 51.
Поиме́ть сча́стье. *Жарг. угол. Ирон.* 1. Заразиться сифилисом. 2. Завшиветь. Балдаев, I, 332.
Попа́сть в сча́стье. *Дон.* Стать счастливым, удачливым. СДГ 3, 151.
Попыта́ть сча́стье (сча́стья). *Разг.* Попробовать что-л. сделать, рассчитывая на успех. Ф 2, 76.
Сча́стье не подскочи́ло *кому. Кар.* Кому-л. не повезло. СРГК 4, 671.
Сча́стье улыбну́лось *кому. Разг.* Кому-л. повезло. ЗС 1996, 170.
Шпи́лить на сча́стье. *Жарг. карт.* Играть в карты без шулерских приёмов. Балдаев 2, 167.
Ни сча́стья ни до́ли. *Дон.* Об отсутствии счастья, удачи. СДГ 3, 151.
Ни сча́стья ни тала́ну *у кого. Ср.-Обск.* О невезучем или неумелом, неловком человеке. СРНГ 21, 215.
СЧЁТ * Взять бы на счёт. *Кар.* Что касается меня. СРГК 1, 198.
Га́мбургский счёт. *Разг.* Об оценке чего-л. без скидок и уступок, с предельной требовательностью. БМС 1998, 560; БТС, 193.
Знать счёт де́ньгам. *Разг.* Экономно вести хозяйство. БТС, 1297; Ф 1, 213.
На счёт пру́сского короля́. *Разг. Шутл.* Даром. БМС 1998, 560.
На Шереме́тевский счёт. *Разг. Шутл.* Даром, без денег. < Оборот восходит к фамилии графа Б. П. Шереметева, жертвовавшего большие суммы на благотворительные дела. БМС 1998, 561.
На э́тот счёт. *Разг.* По этому поводу, в этом случае. ФСРЯ, 466.
Не в счёт. *Разг.* Не принимается в расчёт, во внимание, не считается. ФСРЯ, 466.

Неме́цкий счёт. *Жарг. мол.* Организация вечеринки в складчину. WMN, 91.

Предъяви́ть счёт *кому. Книжн.* Заявить кому-л. о своих претензиях, требованиях. БТС, 1297.

Принима́ть/ приня́ть на свой счёт. *Разг.* Считать что-л. относящимся лично к себе. БТС, 1297.

Ро́вный счёт. *Кар.* Чётное число. СРГК 5, 535.

Счёт не берёт *чего. Арх.* О большом количестве чего-л. АОС 2, 110.

Без счёта. *Разг.* В большом количестве. ФСРЯ, 466; БТС, 1297.

В два счёта. *Разг.* Очень быстро, сразу, незамедлительно. БМС 1998, 561; ФСРЯ, 466; ШЗФ 2001, 29; БТС, 1297; ЗС 1996, 484; Верш. 6, 439.

Класть на счета́. *Кар.* Считать на счётах. СРГК 2, 360.

Списа́ть со счёта. *Волг.* Перестать уважать, ценить кого-л. Глухов 1988, 85.

Счёта нет *чему. Разг.* О большом количестве чего-л. БТС, 1297.

В коне́чном счёте. *Разг.* В итоге, в конце концов. БМС 1998, 561; ФСРЯ, 466.

Сбра́сывать/ сбро́сить со счето́в. *Разг.* Переставать принимать во внимание, не брать в расчёт что-л. < Восходит к бытовой системе дощаного счета, применявшегося на Руси в XVI веке. ФСРЯ, 409; БМС 1998, 561; ФМ 2002, 499; БТС, 1298; Мокиенко 1986, 54..

Огуре́чным счётом. *Яросл. Шутл.* Без разбору, скопом. ЯОС 7, 33.

Ро́вным счётом. *Разг.* 1. Совершенно точно. 2. Всего-навсего, только. ФСРЯ, 467; Глухов 1988, 112.

Быть на счету́ *каком у кого. Разг.* Считаться каким-л. ФСРЯ, 467; БТС, 1297.

На пе́рвом счету. *Сиб.* О чём-л., требующем первоочередного внимания. Верш. 6, 439.

По большо́му счёту. *Разг.* Без скидок и уступок, с предельной требовательностью. БМС 1998, 561; БТС, 1297.

Броса́ть/ бро́сить на счёты *что. Разг.* Принимать к сведению, учитывать что-л. Мокиенко 2003, 116.

Поко́нчить счёты *с кем.* Оборвать связи, отношения, расстаться с кем-л. ФСРЯ, 336.

Поко́нчить счёты с жи́знью. *Разг.* То же, что **сводить счёты с жизнью.** Ф 2, 67.

Своди́ть/ свести́ счёты *с кем. Разг.* Мстить кому-л. за обиду, оскорбление. ФСРЯ, 414; ЗС 1996, 60; Ф 2, 145; Глухов 1988, 145.

Своди́ть/ свести́ счёты с жи́знью. *Книжн.* Совершить акт самоубийства. БТС, 1297; Ф 2, 145.

СЧЁТЧИК * Включа́ть/ включи́ть (заряди́ть) счётчик *кому. Жарг. арест., крим., мол.* Назначать кому-л. срок выплаты определённой (вымогаемой) суммы. ТСУЖ, 32; Смена, 1991, № 9, 108; ЮГ, 1994, № 4; СВЯ, 16; Грачев, 1992, 159; WMN, 91; Югановы, 214; Вахитов 2003, 28, 65.

Ста́вить/ поста́вить на счётчик *кого. Жарг. арест., мол., нарк.* То же, что **включать счётчик**. Смена, 1991, № 9, 108; Мы, 1991, № 1, 139; Вахитов 2003, 142.

Снима́ть/ снять счётчик. *Жарг. мол., крим.* Уплачивать назначенную сумму, возвращать долг. WMN, 91; Громов, Кузин, 27.

СШИБ * До сши́бу. *Морд.* То же, что **до сшибачки.** СРГМ 2002, 183.

СШИБА́ЧКА * До сшиба́чки. *Прост.* До крайней степени, очень сильно. Глухов 1988, 87.

СШИТЬ * Ни сшить ни разодра́ть (разорва́ть) [ни потанцева́ть ни пе́сенку спеть]. *Пск. Неодобр.* То же, что **ни сшить ни распороть.** СПП 2001, 73.

Ни сшить ни распоро́ть. *Народн. Неодобр.* О нерасторопном, неумелом, ленивом человеке. ДП, 472; СПП 2001, 73; Подюков 1989, 200.

Ни сшить ни связа́ть, то́лько разорва́ть. *Пск. Неодобр.* То же, что **ни сшить ни распороть.** СПП 2001, 73.

СЪЕДЕ́НИЕ * На съеде́ние. *Жарг. муз. Шутл.-ирон.* О первом номере в концерте, который не воспринимается зрителями, т. к. они разглядывают артистов. РТР, 04.02.97.

СЪЕЗД * Съезд кры́ши. *Жарг. мол. Шутл.* Умопомрачение, состояние, близкое к сумасшествию. ФЛ, 43-44; Мокиенко 2003, 116.

СЪЕДМА́ * Съесть съедма́ *кого. Ряз.* Измучить кого-л. постоянными упрёками, ворчанием, бранью. ДС, 552; Мокиенко 1986, 106.

СЪЁМКА * Обра́тная съёмка. *Жарг. нарк. Шутл.* Галлюцинация. Максимов, 282.

СЫВА́РЫ * Сыва́ры нева́ры. *Сиб. Шутл.* Бестолковщина. СФС, 183.

СЫН * Ба́рхатный сын. *Помор. Флк.* Сын Бабы-Яги. ЖРКП, 20.

Блу́дный сын. *Разг.* 1. О том, кто покинул свой дом, а затем вернулся. 2. О том, кто раскаялся в чём-л. после постигших его неудач. < Выражение возникло из библейской притчи (Лука, 15, 11–32). ШЗФ 2001, 21; Янин 2003, 33; БТС, 85, 1299.

Бля́дин (бля́дский) сын. *Вульг.-прост. Устар. Бран.* То же, что **сукин сын.** Мокиенко, Никитина 2003, 318.

Вра́жий сын. 1. *Прост. Устар.* Злой дух, дьявол; нечистая сила. Мокиенко, Никитина 2003, 318. 2. *Яросл.* Колдун, знахарь. ЯОС 3, 43. 3. *Прост. Бран.* Негодяй, мерзавец. Мокиенко, Никитина 2003, 318.

Второ́й сын. *Одесск. Шутл.-ирон.* О глупом, несообразительном человеке. Смирнов 2002, 33.

Ду́дкин сын. *Народн. Бран.* 1. Незаконнорождённый ребёнок. 2. То же, что **сукин сын. < Дудка.** *Зд.* – стебель растения, вероятно, крапивы. Мокиенко, Никитина 2003, 318-319.

Епи́шин (Епи́шкин) сын! *Перм. Бран.-шутл.* Восклицание лёгкого раздражения, досады, осуждения. < Имя **Епишка** (от **Епифан, Епифаний**) символически осмыслено в народной речи отрицательно – как «глупый, непонятливый», «беспокойный, суматошный». На бранное употребление повлияло и эвфемистическое созвучие с **еби**... Подюков 1989, 201; Мокиенко, Никитина 2003, 319.

Ку́рвин (ку́рвы) сын. *Прост. Бран.* То же, что **сукин сын.** Мокиенко, Никитина 2003, 319.

Ку́рицын (куря́чий) сын. *Прост. Бран.-шутл.* О человеке, совершившем предосудительный поступок, оплошность; негоднике. < Эвфемистический вариант **курвин (курвы) сын.** Мокиенко, Никитина 2003, 319.

Ма́мушкин сын. *Дон. Ирон.* То же, что **маменькин сынок (СЫНОК).** СДГ 2, 129.

Полови́нкин сын. *Народн. Шутл.-ирон.* Ребёнок, рождённый вне брака. СРНГ 29, 90.

Рассу́кин сын. *Прост. Бран.* То же, что **сукин сын.** Мокиенко, Никитина 2003, 319.

Соба́чий сын. *Прост. Бран.* То же, что **сукин сын.** Мокиенко, Никитина 2003, 319; Арбатский, 282, 291.

Су́кин сын. *Прост. Бран.* О человеке, вызывающем возмущение, негодование. БТС, 1299; Мокиенко, Никитина

2003, 319; Арбатский, 282, 291. **Су́чий сын.** *Прост. Бран.* То же. Мокиенко, Никитина 2003, 319.

Сын замёрзшего якýта. *Жарг. мол.* Человек, ни на что не реагирующий. Вахитов 2003, 176.

Сын полкá. 1. *Разг.* Мальчик-подросток, обычно потерявший родителей, во время войны взятый в действующую часть. < Оборот получил популярность благодаря детской повести В. Катаева «Сын полка». Ф 2, 199. 2. *Прост. Шутл.-ирон.* О незаконорождённом мальчике. Мокиенко 2003, 116.

Сын путáны. *Жарг. мол. Бран.* О непорядочном человеке. Вахитов 2003, 176.

Сын ротвéйлера. *Жарг. мол. Ирон.* Ребёнок богатых родителей. Максимов, 413.

Сын трусóв моúх. *Жарг. мол. Бран.* О непорядочном человеке. Вахитов 2003, 176.

Сын эскулáпа. *Книжн. Шутл.* Врач, медицинский работник. < В греческой мифологии **Эскулап** – бог медицины. БМС 1998, 561.

Хáмов (хáмский) сын. *Грубо-прост. Устар. Бран.* О наглом, нахальном человеке (обычно — низкого, «подлого» происхождения). < Возникло на основе Библии, где внук Ноя Ханаан, сын Хама, был проклят Ноем за нескромность и непочтительное отношение своего отца к деду: Хам осмелился взглянуть на обнажённого и пьяного Ноя (Бытие 9, 21–27). Мокиенко, Никитина 2003, 319.

Чёртов сын. *Прост. Бран.* То же, что **вражий сын 1, 3.** Мокиенко, Никитина 2003, 319.

Годúться в сыновья́ *кому;* **в сыновья́ годúться** *кому. Разг.* Быть очень молодым (по сравнению с кем-л.). СНФП, 128. **В сыны́ годúться** *кому. Прибайк.* СНФП, 128.

Сыновья́ лейтенáнта Шмúдта. *Разг. Шутл.* О мошенниках, выдающих себя не за тех, кто они есть на самом деле. < В романе И. Ильфа и Е. Петрова «Золотой телёнок» (1931 г.) рассказывается о ловких мошенниках, выдававших себя за сыновей лейтенанта Шмидта, руководителя революционного восстания матросов в 1905 г. БМС 1998, 561–562; БМШ 2000, 141.

СЫНÓК * Мáменькин сынóк. *Разг. Неодобр.* Избалованный, изнеженный ребёнок. ФСРЯ, 468; БТС, 518; СПП 2001, 73.

Пáпенькин сынóк. *Горьк. Неодобр.* То же, что **маменькин сынок.** БалСок, 49.

Сынóк барáка (отря́да). *Жарг. арест.* Заключённый, переведённый по исполнении 18 лет из детской колонии во взрослую ИТК, которого взяли под своё покровительство авторитетные заключённые старшего возраста. ББИ, 239; Балдаев 2, 69.

СЫ́ПОМ * Сы́пом сы́пать (сы́паться). *Сиб.* Интенсивно сыпаться, осыпаться. СФС, 184; СРГПриам., 294.

СЫР * Ворóний сыр. *Пск.* Народное название гриба-дождевика. СПП 2001, 73.

СЫР-БОР * Вестú сыр-бóр. *Морд.* Браниться, скандалить. СРГМ 2002, 186.

Городúть сыр-бор. *Прост.* Начинать, затевать какое-л. хлопотное, беспокойное, сомнительное дело. Ф 1, 124.

Сыр-бóр загорéлся (разгорéлся). 1. *Разг.* О начале переполоха, какого-л. шумного дела. БМС 1998, 562; БТС, 91, 317. 2. *Пск.* О начале какого-л. интенсивного действия. СПП 2001, 73.

СЫРÉЦ * С сырцóм. *Морд.* О недоваренной пище. СРГМ 2002, 187.

СЫРИ́НА * С сырúной. *Новг.* Влажный, не просохший. НОС 11, 18.

На сырúну. *Новг.* Недоваренный, сырой. НОС 8, 18.

СЫРИ́НКА * Под сырúнку. *Новг.* То же, что **с сыриной (СЫРИНА).** НОС 11, 18.

СЫРОÉЖКА * Блатнáя сыроéжка. *Жарг. мол. Пренебр.* Проститутка-минетчица. Максимов, 35.

СЫРÓЙ * Сы́того не ем, жáреного не хочý, варёного терпéть не могý. *Народн. Неодобр.* О капризном, привередливом человеке. ДП, 210.

СЫРОМЯ́ТИНА * Сыромя́тину валúть *на кого. Пск. Неодобр.* Незаслуженно обвинять, оговаривать кого-л. СПП 2001, 73.

СЫ́РОСТЬ * От сы́рости. *Волг. Шутл.* Без видимой причины. Глухов 1988, 120.

Разводúть сы́рость. *Разг. Шутл.* Плакать. СПП 2001, 73; Ф 2, 114.

СЫСУ́Й * Сысýй в головé *у кого. Морд. Шутл.-ирон.* О глупом, несообразительном человеке. СРГМ 2002, 188.

Сысýй набздéл. *Морд.* О полном отсутствии чего-л. СРГМ 2002, 188.

СЫ́ТЫЙ * Сыт не бит. *Пск.* О благополучной, спокойной жизни. СПП 2001, 73.

Петь сы́тую. *Р. Урал.* Быть сытым, не голодать. СРНГ 26, 337.

СЫТЬ * Поволочúть до сы́ти. *Кар.* Испытать, пережить много горестей, несчастий. СРГК 4, 506.

Вóлчья сыть. *Пск. Бран.* Об упрямом животном (особенно лошади). СПП 2001, 73. < Образовано усечением выражения, часто употребляемого как бранный эпитет по отношению к уставшей лошади: **«Ах ты, волчья сыть, травяной мешок»!**

СЫ́ЩИК * Компью́терный сы́щик. *Жарг. бизн.* Специалист, выслеживающий компьютерного шпиона. БС, 126.

СЮЖÉТ * Сюжéт из жúзни. *Разг. Шутл.-ирон.* О каком-л. бытовом жизненном эпизоде, обычной житейской истории. Мокиенко 2003, 116.

Сюжéт для небольшóго расскáза. *Разг. Шутл.-ирон.* 1. То, о чём стоит рассказать. 2. Какая-л. странная, любопытная история. < Из пьесы А. П. Чехова «Чайка» (1896 г.). Мокиенко 2003, 116.

ТА. См. **ТОТ.**

ТАБÁК * Дéдушкин табáк. *Пск.* Гриб-дождевик. СПП 2001, 73.

На табáк порá пустúть (смолóть). *Перм. Шутл.* О старом, дряхлом человеке. Подюков 1989, 158.

Под табáк. *Разг. Неодобр.* Плохо, скверно. БМС 1998, 563.

Смешнóй (турéцкий) табáк. *Жарг. нарк., угол.* Гашиш. ТСУЖ, 165, 179; Грачев 1994, 28; 1996, 61; Балдаев 2, 48, 89.

Сосéдкин табáк. *Сиб.* То же, что **дедушкин табак.** СФС, 183.

Стерéть в табáк *кого. Пск.* Расправиться с кем-л., уничтожить кого-л. СПП 2001, 73.

Узнáть, как табáк растёт. *Сиб.* Оказаться в трудном положении. СФС, 190.

Чёртов табáк. *Новг.* То же, что **дедушкин табак.** НОС 12, 54.

ТАБАЛÁ * Бить табалý. *Обл. Неодобр.* Бездельничать. Мокиенко 1990, 68.

Т

ТАБАЧИ́НА * Жига́ть табачи́ну. *Кар.* Курить. СРГК 2, 59.
ТАБАЛУ́ХА * Сбира́ть табалу́ху. *Пск. Шутл.* Говорить вздор, рассказывать небылицы. СПП 2001, 73.
ТА́БЕЛЬ * Та́бель о ра́нгах. *Книжн.* Система подчинения младших старшим. БМС 1998, 563.
ТАБЛЕ́ТОЧКА * Приня́ть табле́точку от се́рдца. *Жарг. мол. Шутл.* Покурить. Максимов, 341.
ТАБЛИ́ЦА * Си́няя табли́ца. *Жарг. комп. Шутл.* Программа Norton Commander. Садошенко, 1996; WMN, 91.
ТАБЛО́ * Закры́ть табло́. *Жарг. мол.* Замолчать. Максимов, 143.
Погаси́ть табло́ *кому. Жарг. мол.* Сильно избить кого-л. Максимов, 319.
Прилети́т (прилете́ло) в табло́ *кому. Жарг. мол.* Кто-л. будет избит, подвергся избиению. Никитина 2003б, 567.
Рихтова́ть табло́. *Жарг. мол. Шутл.* Делать пластическую операцию. Максимов, 366.
Прощёлкать табло́м. *Жарг. арм. Шутл.-ирон. или Неодобр.* Не заметить чего-л.; промедлить, не сделать вовремя чего-л. Кор., 234.
ТА́БОР * Та́бор ухо́дит в не́бо. *Жарг. мол. Шутл.-ирон.* Об отправке призывников в армию. Максимов, 414.
ТАБУ́Н * Табу́н молоды́х лошаде́й. *Жарг. арм. Шутл.* Взвод солдат в столовой. БСРЖ, 579.
ТАБУРЕ́ТКА * Бе́шеная табуре́тка. *Жарг. мол. Шутл.* Автомобиль «Ока». НТВ, 27.02.03.
Стоя́ть на табуре́тке. *Жарг. арм.* Быть дневальным. Максимов, 406.
Пиха́ться под табуре́тки. *Кар.* Горбиться, сгибаться от старости. СРГК 4, 525.
ТАЗ * Накры́ться [ме́дным] та́зом (та́зиком). *Разг. Шутл.-ирон.* 1. Умереть. УМК, 201. 2. Не реализоваться, потерпеть крах (о планах, надеждах). БСРЖ, 580; Вахитов 2003, 107.
Пое́м я из та́за. *Жарг. муз. Шутл.* Название произведения А. Скрябина «Поэма экстаза». БСРЖ, 580.
Дви́нуть та́зом. *Жарг. мол.* Подвинуться. Вахитов 2003, 44.
Дёргать та́зом. *Жарг. мол. Шутл.* Танцевать. Вахитов 2003, 46.
ТА́ЗИК * Дать в та́зик. *Жарг. угол.* Ударить кого-л. по голове. СВЯ, 25.
Са́мый та́зик. *Жарг. мол. Шутл.-одобр.* О чём-л. превосходном, отличном. Вахитов 2003, 162.
Та́зик с ру́чкой. *Жарг. мол. Шутл. или Пренебр.* Человек с большой головой и оттопыренными ушами. Максимов, 370.
Моро́зить та́зики. *Жарг. мол. Шутл.* Принимать холодный душ. Максимов, 254.
Пина́ть та́зики. *Жарг. мол. Шутл.* Бездельничать, праздно проводить время. (Запись 2002 г.).
Накры́ться та́зиком. См. **Накрыться тазом (ТАЗ).**
ТАЙГА́ * Вы́йти из тайги́. *Сиб.* Возвратиться с охоты. СФС, 51.
Иди́ ты тайгу́ (ту́ндру) пылесо́сить (подмета́ть)! *Жарг. мол. Бран.-шутл.* Выражение раздражения в адрес надоедливого, болтливого человека. СМЖ, 89; Югановы, 214; Вахитов 2003, 70.
Отпра́вить в тайгу́ грибы́ оку́чивать (со́сны ло́бзиком пили́ть) *кого. Жарг. мол.* Наказать кого-л. Максимов, 293.
ТАЙД * Чи́сто тайд! *Жарг. мол. Одобр.* Всё в порядке, всё прекрасно. h-98. < Из рекламы стирального порошка «Tide».
ТАЙМ * Хай тайм. *Жарг. мол.* Самое время. Бёрджес, Юность, 1991, № 3, 22. <Из англ. *high time.*
ТАЙМ-А́УТ * Брать/ взять тайм-а́ут. *Публ.* Делать перерыв в какой-л. деятельности. < Из речи спортсменов. Мокиенко 2003, 117.
ТА́ЙНА * Та́йна сия́ велика́ есть. *Книжн.* О чём-л. тайном, скрываемом. < Цитата из Послания к ефесянам (5, 32), которое читается во время православного бракосочетания. БМС 1998, 563.
Приня́ть святы́е та́йны. *Новг.* Умереть. Сергеева 2004, 199.
Та́йны мадри́дского двора́. *Книжн. Шутл. или Ирон.* Об интригах, секретах вышестоящих лиц, непонятных их подчиненным. БМС 1998, 563; ЗС 1996, 367. < Фразеологизм возник после появления русского перевода романа немецкого писателя Г. Борна «Тайны мадридского двора (1870 г.).
ТАК * Без так. *Сиб.* Просто так. СФС, 21.
За так. 1. *Разг.* Бесплатно, даром. ДС, 554; СРГК 5, 378; СПП 2001, 73. 2. *Ряз.* Попусту, без надобности. ДС, 554.
Так да сяк. *Прикам.* Кое-как, с трудом. МФС, 98.
Так и гля. См. **Того и гляди (ТОТ).**
Так на́до. *Жарг. шк. Шутл.* Теорема; доказательство теоремы. ВМН 2003, 130.
Так на так. *Волг.* О неизбежности, неотвратимости чего-л. Глухов 1988, 158.
Так не так, а перета́кивать не бу́ду. *Кар.* О нежелании делать что-л. заново, по-иному; переделывать не буду. СРГК 4, 472.
С та́ком. *Прост.* Отдельно, не в сочетании с другими продуктами (есть, употреблять в пищу что-л.).
ТАКО́В * И был тако́в. *Разг.* Кто-л. исчез, скрылся. БМС 1998, 563-564; ДП, 274; 649; ЗС 1996, 502; ФМ 2002, 506.
ТАКО́ВСКИЙ * Тако́вский и есть. *Прикам.* Ирон. Так ему и надо; кто-л. заслуживает чего-л. МФС, 98.
Не на тако́вского напа́л. *Прост.* Имеешь дело не с тем, на кого рассчитывал; недооцениваешь того, с кем имеешь дело. ФСРЯ, 266.
ТАКТ * В такт *чему. Разг.* В соответствии с ритмом чего-л. ФСРЯ, 471.
ТА́КТИКА * Стра́усова та́ктика. *Книжн. Ирон.* Стремление уйти от действительности, избежать принятия решения. БМС 1998, 564.
Та́ктика выкру́чивания рук. *Публ.* Метод грубого нажима, давления на кого-л. с целью добиться выгодного для себя решения вопроса. НСЗ-70; НРЛ-81; Мокиенко 2003, 117.
Та́ктика кнута́ и пря́ника. *Публ.* Метод чередования жёстких и мягких мер при обращении с кем-л., ведении международных отношений. Мокиенко 2003, 117.
ТАКУ́Т * В таку́т твою! *Перм. Бран.* Выражение крайнего раздражения, досады, гнева. Подюков 1989, 201; Мокиенко, Никитина 2003, 320.
Таку́т твою [растаку́т]! *Вят., Перм. Бран.* То же, что **в такут твою!** СРНГ 35, 195; Мокиенко, Никитина 2003, 320.
< Речевое «сгущение» сочетания **Такую-то [мать]!**
ТАЛАЛА́ * Городи́ть талалу́. *Морд. Неодобр.* Говорить вздор, ерунду. СРГМ 1978, 124.
ТАЛА́Н * Мой тала́н съел бара́н. *Народн. Ирон.* О невезучем человеке. ДП, 60.
Тала́н на майда́н! *Жарг. карт.* Приветствие играющих в карты, содержащее пожелание счастья, удачи в игре.

СРВС 1, 168; СРВС 2, 134; Трахтенберг, 58; ТСУЖ, 173; Грачев 1992, 164; Балдаев 2, 73; ББИ, 241; Мильяненков, 245; Грачев, Мокиенко 200, 162. // *Жарг. угол., арест.* Приветствие играющих в любую азартную игру. СРВС 1, 150; СРВС 2, 86, 215; СРВС 3, 125. 2. *Перм., Сиб.* Пожелание удачи, успеха. СРНГ 17, 303. < Из чагатайск., поволжск.-татарск. *talan* «грабёж»; перс.-турецк. *meidan* «площадь, поле, арена, ристалище»; в вор. жаргоне *майдан* — «кусок сукна на нарах; тряпка на нарах»; «бойкое торговое место»; «мешок». Дмитриев 1931, 174, 176.

Нет талану́ на ти́хом Дону́. 1. *Дон. Ирон.* О невезении, неудаче. СДГ 3, 153. 2. *Волг. Ирон.* О глупом, несообразительном человеке. Глухов 1988, 106. < **Талан** — удача, везение.

ТАЛА́НТ * Зарыва́ть/ зары́ть (закопа́ть, схорони́ть) тала́нт в зе́млю. *Разг. Неодобр.* Губить свои способности, не используя их. ФСРЯ, 471; БМС 1998, 564; Янин 2003, 113; ШЗФ 2001, 81; БТС, 1304.

ТАЛДЫ́-ЯЛДЫ́ * Разводи́ть талды́-ялды́. *Волг. Шутл.* 1. Болтать, пустословить. 2. Долго возиться с чем-л., затягивать дело. Глухов 1988, 138.

ТА́ЛИЯ * В та́лию. *Пск.* В обнимку (ходить). СПП 2001, 73.

Как заголя́лась та́лия. *Жарг. шк. Шутл.* Роман Н. Островского «Как закалялась сталь». БСПЯ, 2000.

ТАЛО́Н * Взять тало́нами. *Жарг. угол.* Получить взятку деньгами. Балдаев 1, 63.

ТА́ЛЫ * Та́лы ката́ть. *Народн. Неодобр.* Не отрываясь смотреть на кого-л. выпученными глазами. ДП, 494.

ТАЛЬЯ́НКА * Лома́ть талья́нку. *Жарг. угол.* 1. Скитаться ночью по улицам, не имея ночлега. СРВС 1, 147; СРВС 2, 49, 86, 215; СРВС 3, 125; ТСУЖ, 173; ББИ, 241; Мильяненков, 245. 2. Спать, согнувшись. Балдаев 1, 230.

ТАМА́РА * Мы с Тама́рой хо́дим па́рой. 1. *Разг. Шутл.-ирон.* О людях (как женщинах, так и мужчинах), постоянно появляющихся вместе, неразлучных друзьях. Мокиенко 2003, 117. 2. *Жарг. шк. Шутл.* О неразлучных подругах-одноклассницах. (Запись 2003 г.). 3. *Жарг. шк. Шутл.* Директор и завуч. (Запись 2003 г.). < Строка из стихотворения А. Барто.

ТАМПО́Н * Тампо́н тебе́ на язы́к! *Жарг. мол. Эвфем. Шутл.-ирон.* Выражение раздражения, негодования в адрес человека, предсказывающего что-л. нежелательное. ЖЭСТ-1, 194; ЖЭСТ-2, 83. < Трансформация выражения **Типун тебе на язык!**

ТАМ * Там и сям. *Разг.* Повсюду, в разных местах. ФСРЯ, 471; БМС 1998, 564.

ТАНАНЫ́ (ТЫНАНЫ́) * Игра́ть в тананы́ (в тынаны́). *Пск. Неодобр.* Бездельничать. ПОС 13, 160.

ТАНГО́ * И всё танго́. *Жарг. мол. Шутл.-ирон.* Только и всего. Мокиенко 2003, 117.

ТАНДЕ́М * Рабо́тать в танде́ме. *Публ.* Тесно сотрудничать с кем-л., действовать в паре с кем-л. Мокиенко 2003, 117.

ТА́НЕЦ * Та́нец бе́лых лебеде́й. *Жарг. шк. Шутл.* Женская раздевалка в спортзале. ВМН 2003, 131.

Та́нец бо́ро. *Жарг. угол. Шутл.* Вино. Балдаев 2, 74; ББИ, 241; Мильяненков, 245.

Та́нец на воде́. *Жарг. мол. Шутл.-ирон.* О походке пьяного человека. Максимов, 65, 415.

Верте́ть та́нцы. *Кар.* Танцевать. СРГК 1, 178.

Игра́ть та́нцы. *Одесск.* Танцевать с задором. КСРГО.

Идти́ на та́нцы. *Жарг. арм. Шутл.* Маршировать по плацу. Максимов, 161.

ТАНК * Ки́нуть под танк *кого. Жарг. угол. Неодобр.* Предать кого-л.; переложить свою вину на другого человека. ТСУЖ, 84.

Лета́ющий танк. *Публ.* Советский самолет «Ил-2» времен Отечественной войны. Ф 2, 167.

Тяжёлый танк. *Жарг. угол.* Человек с большими связями, пользующийся покровительством высокопоставленных лиц. Балдаев 2, 92.

Остано́вят то́лько та́нки *кого. Разг. Ирон.* О твёрдом намерении выполнить намеченное. НРЛ-79; Мокиенко 2003, 118.

Посмотре́ть та́нки. *Жарг. мол. Шутл.* Сходить в туалет. Максимов, 334.

ТАНКИ́СТ * Три танки́ста и соба́ка. *Жарг. арм., курс. Шутл.* Наряд по роте — три дневальных и дежурный. БСРЖ, 581.

ТАНО́К * Води́ть тано́к (танки́). 1. *Дон., Одесск.* Танцевать хороводные танцы. КСРГО. СДГ 3, 153. 2. *Одесск.* Хлопотать, возиться с чем-л., с кем-л. КСРГО.

ТАНЦПО́Л * Вскрыва́ть танцпо́л. *Жарг. мол., муз.* Активизировать присутствующих на дискотеке. Максимов, 72.

ТА́НЬКА * Та́нька Ла́рина. *Жарг. студ. Шутл.* Преподавательница русского языка. (Запись 2003 г.).

ТА́ПОК * Заби́ть та́пок. *Жарг. арм.* Отказаться от какой-л. идеи, намеренно забыть что-л. Никитина 2003, 686.

ТА́ПОЧКА (ТА́ПОЧЕК) * Доста́ть до та́почек. *Жарг. мол. Неодобр.* Сильно надоесть кому-л. Вахитов 2003, 50.

Отбро́сить (отки́нуть, скле́ить) та́почки. *Разг., мол. Пренебр.* Умереть. ТСУЖ, 124; h-98; Елистратов 2001, 463; Балдаев 2, 74; ББИ, 241.

Прили́пли (приплы́ли) та́почки к дива́ну. *Жарг. мол. Шутл.-ирон.* О неожиданной неприятности. Никитина 1998, 437; Вахитов 2003, 148.

Та́почки в у́гол поста́вить. *Жарг. мол.* То же, что **отбросить тапочки.** h-98; Елистратов 2001, 463.

Та́почки тебе́ в рот! *Жарг. мол. Пренебр.* Реакция на чью-л. похвальбу. Максимов, 368.

Прики́нуться та́почкой (та́почком). *Жарг. мол. Шутл.* Притвориться непонимающим, глупым. Максимов, 340.

ТАРАБАН * Тараба́н тараба́новский. *Прибайк. Шутл.-ирон.* Крайне глупый, бестолковый человек. СНФП, 129.

ТАРАКА́Н * Англоговоря́щий тарака́н. *Жарг. шк. Шутл. или Презр.* Учитель английского языка. (Запись 2003 г.).

Бере́менный тарака́н. *Жарг. мол. Шутл. или Пренебр.* Объевшийся человек. Максимов, 32.

Запе́чный тарака́н. *Сиб. Неодобр.* О молчаливом и ленивом человеке. СФС, 78.

Лихо́й тарака́н. *Орл. Презр.* Очень злой человек. СОГ-1994, 53.

Морско́й тарака́н. *Кронштадт.* Животное идеотея острохвостая. СРНГ 18, 278.

Тарака́н Тарака́нович. *Жарг. шк. Шутл.* Учитель с усами. (Запись 2003 г.).

На тарака́на с рога́тиной. *Прост. Шутл.-ирон.* О чрезвычайных усилиях по ничтожному поводу. ДП, 457.

С тарака́нами (с тарака́ном) в голове́ (в изви́линах, в котелке́). *Разг. Шутл.-ирон. или Пренебр.* 1. Об умственно отсталом, глупом человеке. ББИ, 233–234; СПП 2001, 73. 2. О человеке со странностями. Рекшан, 124; Никитина, 1996, 207.

Хоть тарака́нов моро́зь. *Прост. Ирон.* О сильном холоде в помещении. ЗС 1996, 480. **Хоть тарака́нов мори́.** *Пск. Ирон.* То же. СПП 2001, 73.

Скажи́ «нет» голо́дному тарака́ну. *Жарг. шк. Шутл.-ирон.* Об обеде в школьной столовой. ВМН 2003, 131.

Тарака́ны завели́сь *у кого. Мол. Шутл.-ирон.* О человеке со странностями, ведущем себя подобно сумасшедшему. Югановы, 215.

ТАРА́Н * Брать/ взять на тара́н *кого. Жарг. угол.* Совершить половой акт с кем-л. (о мужчине). СВЯ, 16. < **Таран** — мужской половой орган.

Сиде́ть на тара́не. *Сиб. Шутл.-ирон.* Остаться на второй год в каком-л. классе. СФС, 120.

ТАРА́НКА * Кве́рху тара́нкой. *Ленингр.* Вверх ногами; вверх дном. СРНГ 13, 166.

ТАРАНТА́С * Разби́тый таранта́с. *Волг. Шутл.-ирон.* О старом, немощном человеке. Глухов 1988, 138.

ТАРА́ * Полтора́ тара́. *Перм. Шутл.* То же, что **полторы тарары (ТАРАРЫ). Ср. полтора арара.**

ТАРАРЫ́ * Вверх тарары́. 1. *Дон.* Вверх тормашками. СДГ 3, 154. 2. *Волг.* Беспорядочно, неаккуратно. Глухов 1988, 16.

В три тарары́. *Волг. Шутл.* Очень далеко, неизвестно куда. Глухов 1988, 16.

Полторы́ тарары́. *Волг., Сиб. Шутл.* Крайне мало, совсем ничего. Глухов 1988, 129; Федоров 1980, 53; СФС, 146; Мокиенко 1990, 30. Ср. **полтора арара; полторы татары.**

Провали́сь (чтоб ты провали́лся) в (на) три тарары́! *Волг., Дон. Бран.* Восклицание, выражающее негодование, гнев, возмущение в чей-л. адрес. Глухов 1988, 134; СДГ 3, 66.

Три тарары́. 1. *Дон., Перм. Шутл.* О небольшом количестве чего-л. СДГ 3, 157; Подюков 1989, 202. 2. *Волг. Неодобр.* О неразберихе, беспорядке. Глухов 1988, 161.

ТАРАТЫ́ * На вон тараты́. *Волг.* То же, что **вверх тарары 2. (ТАРАРЫ).** Глухов 1988, 87.

ТАРА́ХТЕР * Чита́ть тара́хтер *кому. Пск.* Поучать кого-л., читать наставления, нравоучения. СПП 2001, 73.

ТАРА́ХТИНА * Ни тара́хтины. *Пск.* Абсолютно ничего. СПП 2001, 73.

ТАРЕ́ЛКА * Говоря́щая таре́лка. *Жарг. мол. Шутл.* Радио. Максимов, 89.

Лета́ющая таре́лка. *Разг.* Неопознанный летающий объект. БМС 1998, 564.

Обы́грывать таре́лками. *Сиб.* В свадебном обряде: требовать выкупа за невесту. СФРГС, 125.

Быть не в свое́й таре́лке. *Разг.* 1. Пребывать в плохом, подавленном настроении. 2. Чувствовать себя скованно, неуверенно, не на месте. ФСРЯ, 472; БМС 1998, 564-565; БТС, 1307; Мокиенко 1986, 124; Мокиенко 1990, 71; ЗС 1996, 84; ШЗФ 2001, 28.

По таре́лке *чьей, кому. Ряз. Одобр.* Подходит, соответствует кому-л. по каким-л. качествам, в каком-л. отношении. ДС, 556; Мокиенко 1986, 125.

Сиде́ть не в свое́й таре́лке. *Разг. Устар.* То же, что **быть не в своей тарелке 2.** Ф 2, 155.

Жить под таре́лкой *[чьей]. Печор.* Жить под началом кого-л. СРНГП 2, 340.

Вы́ложить на таре́лку *что. Прибайк.* Рассказать кому-л о чём-л. сокровенном, открыться кому-л. СНФП, 130.

Сова́ться/ су́нуться не в свою́ таре́лку. *Новг.* Вмешиваться не в своё дело, браться не за своё дело. НОС 6, 44.

Сова́ться не в свои́ таре́лки. *Сиб.* То же. Мокиенко 1986, 125.

ТАРЕ́ЛОЧКА * Выкла́дывать/ вы́ложить на таре́лочке *кому что. Разг.* Подробно и доходчиво излагать, популярно объяснять кому-л. что-л. Ф 1, 94.

ТАРТАРАРЫ́ * В тартарары́. *Сиб.* 1. Очень далеко. 2. Навсегда, безвозвратно. СФС, 48.

Загреме́ть в тартарары́. *Прост.* Погибнуть. Ф 1, 194.

Провали́ться в тартарары́. *Разг.* Пропасть, исчезнуть, скрыться. БМС 1998, 565; ФСРЯ, 472; Ф 2, 96; ДП, 749. **Свали́ться (уйти́) в тартарары́.** *Жарг. мол.* То же. Максимов, 376, 416. < **Тартар** — преисподняя, ад. БМС 1998, 565.

ТАРТАРЕ́Н * Тартаре́н из Тараско́на. *Книжн. Шутл.-ирон.* О лживом, болтливом и хвастливом человеке. < Герой романа А. Доде «Необыкновенные приключения Тартарена из Тараскона» (1872 г.) — лгун, болтун и хвастун. БМС 1998, 565.

ТАРУ́СА * Борони́ть тару́су. *Новг. Неодобр.* Говорить вздор, пустяки. СРНГ 3, 116.

ТА́РЫ-БА́РЫ * Разводи́ть та́ры-ба́ры. *Разг. Неодобр.* Болтать пустяки, вести пустые разговоры. ФСРЯ, 472; БМС 1998, 565; ФМ 2002, 507.

ТА́СКА (ТА́СКИ) * Быть в та́сках. 1. *Жарг. нарк.* Испытывать наркотическую эйфорию. 2. *Жарг. мол.* Испытывать симпатию, чувство одобрения, удовлетворения чем-л. Я — молодой, 1997, № 22; БСРЖ, 582.

Вы́хватить та́ску. *Жарг. нарк.* Испытать состояние наркотической эйфории. Аврора, 1991, № 1, 21.

Дава́ть/ дать (задава́ть/ зада́ть) та́ску *кому. Обл.* Избивать кого-л. Мокиенко 1990, 46, 159; ДП, 221; Ф 1, 134; Глухов 1988, 47.

ТАСКАЧО́М * Таска́ть таскачо́м *что. Приамур.* То же, что **таском таскать 1. (ТАСКОМ).** СРГПриам., 296.

ТА́СКОМ * Та́ском таска́ть (тащи́ть). 1. *что. Новг., Приамур., Прибайк.* Волоча, передвигать что-л., тащить кого-л. волоком. НОС 7, 60; СРГПриам., 296; СНФП, 130. 2. *кого. Новг.* Постоянно водить за собой кого-л. НОС 11, 25.

ТАСО́ВКА * Задава́ть/ зада́ть тасо́вку *кому. Обл.* То же, что **давать таску (ТАСКА).** Мокиенко 1990, 46.

ТАТА́МИ * На тата́ми. *Жарг. шк. Шутл.-ирон.* В кабинет (в кабинете) директора. (Запись 2003 г.).

ТАТА́РИН * Нам, тата́рам, всё равно (оди́н хрен, оди́н хер, оди́н хуй. *Неценз.). Волг. Шутл.* О полном безразличии к чему-л., к кому-л. Глухов 1988, 91.

Тата́рин беспоя́сный. 1. *Сиб. Пренебр.* О неаккуратном, небрежном, неопрятном человеке. ФСС, 193; СФС, 185. 2. *Волг. Пренебр.* О бедно, неряшливо одетом человеке. Глухов 1988, 158.

Иска́ть у тата́рина (у цыга́на) кобы́лу. *Жарг. угол. Ирон.* Заниматься бесполезным делом. СРВС 1, 168; СРВС 2, 40, 90, 134, 180; СРВС 3, 94, 134; ТСУЖ, 78.

ТАТА́РА * Полторы́ тата́ры. *Сиб. Шутл.* О малом количестве чего-л. Федоров 1980, 53; ФСС, 144. Ср. **полторы тарары; полтора арара.**

ТАТЬЯ́НА * Полторы́ Татья́ны. *Горьк. Шутл.* О женщине высокого роста. БалСок, 50.

ТА́ХТА[1] * В та́хту ни в та́хту (лопота́ть). *Пск. Шутл.* Говорить что попало, не задумываясь, не к месту, невпопад. СПП 2001, 73.

ТАХТА́[2] *** Тахто́й не заткнёшь** *кого. Жарг. мол. Неодобр.* О болтуне. Максимов, 150.

ТА́ЧКА * Бе́лая та́чка. *Жарг. комп.* Компьютер, собранный в Западной Европе или в Северной Америке. Шейгал, 206.

Жёлтая та́чка. *Жарг. комп.* Компьютер производства стран Юго-Восточной Азии. Шейгал, 206.

Кра́сная та́чка. *Жарг. комп.* Компьютер отечественного производства или собранный в бывших европейских соцстранах. Шейгал, 206; WMN, 92; Садошенко, 1995.

Та́чка, да́чка да де́нег па́чка (да с ка́йфом жра́чка). *Жарг. мол. Шутл.-одобр.* Об обеспеченной жизни. Елистратов 2001, 464.

Ударя́ть по та́чкам. *Жарг. угол., мил.* Совершать угоны автомототранспорта. Балдаев 2, 96.

Вози́ть/ везти́ та́чку. *Жарг. спорт. Неодобр.* 1. *(л/атл.).* Бежать очень медленно. БСРЖ, 582. 2. *футб.* Играть без азарта, имитировать спортивную борьбу. Максимов, 66.

В та́чку. *Жарг. полигр., ред.-изд.* Разновидность мягкого переплёта. Елистратов 2001, 464.

Заряди́ть та́чку. *Жарг. мол.* Поймать такси. Югановы, 216.

Кати́ть та́чку *на кого. Пск. Неодобр.* Незаслуженно обвинять кого-л. в чём-л. СПП 2001, 73.

Привезти́ та́чку. *Жарг. спорт. (л/атл.). Неодобр.* Проиграть в забеге. БСРЖ, 582.

Свезти́ та́чку. *Жарг. угол.* 1. Солгать кому-л. СРВС 3, 119, 194. 2. Много наговорить кому-л. о чём-л. ТСУЖ, 157; ББИ, 218. 3. *на кого.* Донести на кого-л. СРВС 2, 77, 87, 133, 208, 215; СРВС 3, 125; ТСУЖ, 173.

ТАЩИ́ТЬ * Тащи́ть и не пуща́ть. *Разг. Неодобр. или Ирон.* Проявлять тупое самоуправство, действовать грубо, по собственному произволу. < Выражение из рассказа Г. И. Успенского «Будка» (1868 г.).

ТАЩИ́ТЬСЯ * Я тащу́сь! *Жарг. мол.* Восклицание, выражающее восторг, приятное удивление. Мазурова. Сленг, 136; Геловани, Цветков, 74.

ТВАРЬ * Вся́кой тва́ри по па́ре. 1. *Разг. Шутл.* О смешанном, пёстром составе людской толпы, группы, общества. БТС, 163; ШЗФ 2001, 49. 2. *Пск.* О большом количестве разных домашних животных у кого-л. СПП 2001, 73. < Оборот возник на основе библейского мифа о всемирном потопе. БМС 1998, 566.

Га́жья тварь. *Пск. Бран.* О человеке, поступившем подло, непорядочно. СПП 2001, 73.

Тварь дрожа́щая. *Жарг. шк. Шутл.-ирон.* Учитель литературы. (Запись 2004 г.).

ТВЁРДОСТЬ * Принима́ть/ приня́ть твёрдость. *Дон.* Становиться требовательным к себе. СДГ 3, 59.

ТВИКС * Взять (съесть) твикс. *Жарг. шк. Шутл.-ирон.* Получить двойку. ВМН 2003, 131.

ТВОЙ (ТВОЯ́, ТВОЁ) * Где твоё всё! *Пск.* Восклицание, выражающее удивление. ПОС 6, 153.

Ёш (ёс) твою два́дцать! *Алт., Пск. Бран.* Восклицание, выражающее гнев, негодование, досаде, возмущение в чей-л. адрес. СРГА 2-1, 67; ПОС, 10, 140.

Растуды́ твою! *Перм. Бран.* То же, что **ёш твою двадцать!** Подюков 1989, 171.

ТВО́РОГ * Пина́ть тво́рог [в бинде́йку]. *Жарг. мол.* Лгать, обманывать кого-л. Максимов, 34, 313.

ТЕ[1] *** Ни в тех ни в сех.** *Сиб.* Ни туда, ни сюда. СФС, 127; СРНГ 21, 213.

ТЕ[2] *** Те (тэ) и де (дэ).** *Жарг. карт.* Особое разделение колоды карт на две части. СРВС 1, 150; СРВС 2, 87; ТСУЖ, 173.

ТЕА́ТР * Большо́й теа́тр. *Жарг. угол. Шутл.-ирон.* Здание суда. Балдаев 1, 42. ББИ, 31.

Ёперный теа́тр. *Жарг. мол.* 1. *Ирон. или Пренебр.* О коллективе глупых, бездарных людей. 2. *в знач. междом.* Выражение удивления, раздражения, досады. Никитина 1998, 439; Вахитов 2003, 53.

Теа́тр абсу́рда. *Публ. Неодобр.* Государственное или другое общественное явление, подчиненное нелепым, иррациональным, лишённым всякого смысла законам. СП, 118; ТС XX в., 37; Мокиенко 2003, 118.

Теа́тр войны́. *Книжн.* Место, где происходят значительные, важные в стратегическом отношении военные действия. БМС 1998, 566.

Теа́тр ка́рликов. *Жарг. мол. Ирон. или Пренебр.* О чём-л. скучном, примитивном, малоинтересном. Никитина 1996, 208.

ТЕГА́ЛЬ * Дать тегаля́. *Кар.* Убежать откуда-л. СРГК 1, 424.

ТЕЙБЛ * Заряди́ть те́йблом об фейс *кого. Жарг. мол.* Ударить кого-л. по лицу. Максимов, 149. < От англ. *table* — стол, *face* — лицо.

ТЁК * Дать тёку. *Прост.* Быстро, стремительно убежать, скрыться. БТС, 1310; Шевченко 2002, 168.

Свои́м тёком. *Спец.* Силой собственной тяжести, самотёком (о движении жидкости). НРЛ-81.

ТЕКСТ * Откры́тым те́кстом. *Разг.* 1. Прямо, без обиняков, намеков, ничего не скрывая. Ф 2, 202. 2. Грубо, резко. НСЗ-70.

ТЕКСТА́ * Гнать тексту́. *Жарг. мол.* Говорить что-л. Елистратов 2001, 465.

ТЕЛЕВИ́ДЕНИЕ * Цветно́е телеви́дение. *Жарг. мол. Шутл.* То же, что **цветной телевизор (ТЕЛЕВИЗОР).** Балдаев 2, 133.

ТЕЛЕВИ́ЗОР * Кита́йский телеви́зор. *Жарг. мол. Шутл.-ирон.* Досмотр на таможне вручную. БС, 113.

Цветно́й телеви́зор. *Жарг. мол. Шутл.* Менструация. Елистратов 2001, 466; Мокиенко, 1995, 104; ТСУЖ, 174; Балдаев 2, 76; ББИ, 242.

Вида́л я вас по телеви́зору! *Жарг. мол.* Выражение, передающее желание прекратить общение. Максимов, 62.

ТЕЛЕ́ГА * Аско́вая теле́га. *Жарг. мол.* Жалобная история, рассказываемая при выпрашивании денег. < **Асковый** — от **аскать** — просить; **телега** — долгий рассказ, как правило — вымышленный. Югановы, 217.

Во́льная (во́льняя) теле́га, *в знач. собир. Ленингр. Бран.-шутл.* О шалунах, своевольных, непослушных детях. СРНГ 5, 86.

Самобе́глая теле́га. *Жарг. спорт (д/пл.). Шутл.* Мотодельтаплан. БСРЖ, 584.

Теле́га без коня́. *Пск. Шутл.* Об автомашине. СПП 2001, 73.

Теле́га в го́лову пришла́. *Жарг. мол.* У кого-л. появилась какая-л. идея. Мокиенко 2003, 119.

Теле́га о тусо́вке Йгоря, сына Святосла́ва, вну́ка Оле́га, изве́стного на Арба́те как Га́рик Выруба́ла. *Жарг. студ. (филол.). Шутл.* «Слово о полку Игореве» (КП, 04.12.98). ВМН 2003, 131.

Теле́га с огло́блей. *Пск.* Название созвездия Большая Медведица. СПП 2001, 73.

Вы́пасть из теле́ги. *Перм.* 1. Отстать от других. 2. Сбиться с пути. Подюков 1989, 36.

Гнать (загоня́ть, прогоня́ть, плести́) теле́ги. *Жарг. мол. Неодобр.* 1. Рассказывать какие-л. длинные, часто — вымышленные истории. Сленг, 136. Мазурова, Розин, 114; Запесоцкий, Файн, 142; Вахитов 2003, 58. 2. Обманывать кого-л. Вахитов 2003, 149.

Вы́катить теле́гу *[на кого]*. *Жарг. угол.* Пожаловаться на кого-л., написать жалобу на кого-л. ББИ, 242.

Гнать (прогоня́ть) теле́гу. *Жарг. шк., студ.* Отвечать на уроке, экзамене, зачёте. ВМН 2003, 131.

Кати́ть теле́гу *на кого.* 1. *Сиб.* Злиться, обижаться на кого-л. ФСС, 92.2. *Сиб.* Наговаривать на кого-л. ФСС, 92. 3. *Жарг. угол. Неодобр.* Собирать порочащие сведения, готовясь к шантажу. ТСУЖ, 82.

Накати́ть (вы́катить) теле́гу *на кого. Жарг. угол.* Написать жалобу прокурору. ТСУЖ, 112; Балдаев 2, 76; ББИ, 242; Мильяненков, 245.

Пойма́ть теле́гу. *Жарг. морск.* Получить радиограмму. БСРЖ, 584.

Распряга́ть теле́гу. *Жарг. мол. Шутл.* Рассказывать о чём-л. Максимов, 362.

Свезти́ теле́гу. *Жарг. угол. Неодобр.* 1. Солгать кому-л. 2. *на кого.* Обвинить, оговорить, очернить кого-л. 3. *на кого.* Донести на кого-л., выдать кого-л. 4. *кому о чём.* Наболтать, наговорить кому-л. о чём-л. ББИ, 218.

Ста́вить/ поста́вить теле́гу впереди́ ло́шади. *Разг. Ирон.* Нарушать принятый, заведённый и логичный порядок действий; поступать вопреки здравому смыслу. (Запись 1997 г., С.-Петербург.)

Тащи́ть теле́гу. *Жарг. мол. Шутл.-ирон.* Работать где-л. Никитина 2003, 691.

Толкну́ть теле́гу (натолка́ть теле́г) *кому. Жарг. мол. Неодобр.* Обмануть, ввести в заблуждение кого-л. СРВС 4, 186; Ненашев, Пилатов, 56.
< **Телега** — сообщение, рассказ.

ТЕЛЕГРА́ММА * Сро́чная телегра́мма. *Жарг. мол. Шутл.* О сильном желании сходить в туалет. Максимов, 401.

Отби́ть телегра́му. *Жарг. мол. Шутл.* Сходить в туалет. Максимов, 290.

ТЕЛЕГРА́Ф * Беспро́волочный (дереве́нский, у́стный) телегра́ф. *Прост. Шутл.-ирон.* О распространении каких-л. слухов, сведений. ЗС 1996, 357; Мокиенко 2003, 119.

На телегра́ф. *Жарг. карт.* Об игре с применением условных шулерских сигналов. СРВС 2, 58; ТСУЖ, 115.

Тя́вкнуть по телегра́фу. *Жарг. мол. Шутл.* Отправить телеграмму. Максимов, 383.

ТЕЛЕ́ЖКА * Вы́лететь из теле́жки. *Перм. Шутл.* Потерять спокойствие, самообладание. Подюков 1989, 35.

ТЕЛЁНОК * Волого́дский телёнок. *Новг. Пренебр.* Прозвище жителей Вологодской области. НОС 11, 29.

Золото́й телёнок. 1. *Книжн. Неодобр.* То же, что **золотой телец.** 2. *Жарг. арм. Шутл.* О посылке из дома. Максимов, 157. 3. *Жарг. арм. Шутл.* О солдате, у которого всегда можно достать съестное. Максимов, 157.

Двух теля́т. *Арх.* О корове, телившейся два раза. АОС 10, 291.

Теля́та ли́жут *кого. Волг. Шутл.* Об излишне скромном, робком человеке. Глухов 1988, 158.

Теля́та язы́к отъе́ли *кому. Волг. Шутл.* О внезапно замолчавшем человеке. Глухов 1988, 158.

ТЕЛЕФО́Н * Междугоро́дний телефо́н. *Жарг. мол. Шутл.* Туалет. Елистратов 2001, 244.

Обрыва́ть/ оборва́ть телефн. *Разг.* Часто и много звонить по телефону. НСЗ-60.

Се́рый телефо́н. *Жарг. Бизн.* Телефон для секретных переговоров, защищенный от прослушивания. БС, 231.

Тря́почный телефо́н. *Жарг. мол. Неодобр.* О сплетнике, клеветнике. Максимов, 418.

Висе́ть/ пови́снуть на телефо́не. *Разг. Ирон.* То же, что **обрывать телефон.** БТС, 132, 853; Мокиенко 2003, 119.

Говори́ть по телефо́ну. *Жарг. арест.* Громко говорить, прижав нижнюю часть лица к металлической кружке и упирая её донышко в стену соседней камеры или используя для этого сточные трубы. Росси 2, 407.

Звони́ть по большо́му бе́лому телефо́ну. *Жарг. мол. Шутл.-ирон.* О рвоте в унитаз. Вахитов 2003, 68.

Позвони́ть по междугоро́дному телефо́ну. *Мол. Шутл.* Сходить в туалет. Елистратов 2001, 244.

ТЕЛЕ́Ц * Золото́й (злато́й) теле́ц. *Книжн.* Олицетворение денег, богатства; власть денег, золота. БТС, 1312. < Из библейского рассказа. ФСРЯ, 473; БМС 1998, 566; Мокиенко 1990, 81. Ср. **золотой телёнок.**

Закла́ть упи́танного тельца́. *Книжн.* Устроить пир, пиршество. < Восходит к библейской притче о блудном сыне. БМС 1998, 566.

Поклоня́ться золото́му тельцу. *Книжн.* Стремиться к накоплению золота, богатства. < Восходит к Библии. БМС 1998, 566.

ТЁЛКА * Желе́зная тёлка. *Жарг. мол.* Вооружённая девушка (МК, 20.11.91). БСРЖ, 585.

Телефо́нная тёлка. *Жарг. мол.* Проститутка, работающая по телефонным вызовам. Максимов, 418.

Едри́ твою́ тёлку! *Обл. Бран.* Восклицание, выражающее досаду, раздражение, негодование. Мокиенко, Никитина 2003, 322.

Снима́ть/ снять тёлку. *Жарг. угол., мол.* Знакомиться с девушкой с целью совершения полового акта. Балдаев 2, 49.

ТЕ́ЛО * Не ви́деть те́ла. *Прикам.* Худеть, терять упитанность. МФС, 18.

Пасть (спасть) с те́ла. *Кар., Курск., Сиб.* Похудеть, исхудать. СРГК 4, 404; БотСан, 115; СФС, 176.

Сби́ться с те́ла. *Кар.* То же, что **пасть с тела.** СРГК 5, 642.

Вы́стоять в своём те́ле. *Новг.* Не умереть. НОС 1, 152.

В те́ле. *Прикам.* 1. Упитанный, дородный. 2. В хорошем состоянии. МФС, 98.

Держа́ть в чёрном те́ле *кого. Разг.* Строго, сурово обращаться с кем-л., заставляя много работать, не позволяя нежиться. < Выражение связано со старинной коневодческой терминологией. БМС 1998, 566; ФСРЯ, 473.

Ввести́ в те́ло *кого. Горьк.* Откормить кого-л. БалСок, 29.

Взять в те́ло *что. Сиб.* Взять что-л. в аренду за плату. СФС, 48.

Входи́ть/ войти́ в те́ло. *Разг.* Полнеть, прибавлять в весе. БТС, 145; ФСРЯ, 473; Подюков 1989, 29.

Гре́шное те́ло. *Горьк.* Покойник. БалСок, 31.

Держа́ть те́ло. *Колым.* Сохранять определённую полноту, упитанность. СРНГ 8, 21.

Наводи́ть/ навести́ те́ло. 1. *Сиб.* Выздоравливать, поправляться. СФС, 110; ФСС, 116. 2. *Кар., Перм., Яросл., Сиб.* Полнеть, прибавлять в весе. СРГК 3, 300; СРНГ 19, 172; ЯОС 6, 85; ФСС, 116. 3. *Волог.* Худеть. СВГ 5, 27.

Опусти́ть те́ло. *Кар.* То же, что **потерять тело.** СРГК 4, 230.

Поднима́ть те́ло. *Новг.* Отпевать покойника. СРНГ 28, 99.

Потеря́ть те́ло. *Кар., Курск., Новг., Прикам.* Похудеть, стать тощим. СРГК 5, 109; БотСан, 110; МФС, 80; НОС 8, 153.

Превраща́ть те́ло в ду́шу. *Разг. Эвфем. Шутл.* Совершать половой акт с кем-л. < По свидетельству В. Ф. Ходасевича, автором этого эвфемизма является А. С. Пушкин. Дуличенко 2001, 111.

Те́ло без души́. *Народн. Неодобр.* О бездушном человеке. ДП, 304.

Те́ло запли́вчиво, дело забы́вчиво. *Волог. Ирон.* О ком-л., о чём-л. быстро забывшемся. СВГ 2, 139.

Ута́ивать те́ло. *Смол.* Худеть. ССГ 11, 29.

Молоды́м те́лом. *Ср. Урал.* В молодости. СРГСУ 2, 135.

Ста́рым те́лом. *Новг., Пск.* За счёт имеющихся в организме жировых отложений (жить, выжить и т. п.). НОС 1, 153; СПП 2001, 73.

Бли́же к те́лу. *Разг. Шутл.* Намёк на интимную близость. Б., 102; Елистратов 2001, 467.

ТЕЛО́К * Тело́к недо́енный. *Прост. Бран.* О недовольном, неприветливом и глуповатом человеке. Мокиенко, Никитина 2003, 323.

Тело́к отжева́л *что. Перм. Шутл.* О чём-л. исчезнувшем, пропавшем. Подюков 1989, 202.

ТЕ́МА * Быть в те́ме. *Жарг. мол.* Знать о чём-л., быть в курсе дела. БСРЖ, 585.

Ля́згать (шелесте́ть, шурша́ть) не по те́ме. *Жарг. мол. Неодобр.* Говорить не то, что надо. Максимов, 419; Максимов, 233.

В те́му. *Жарг. мол. Одобр.* Кстати, к месту. СМЖ, 88; Вахитов 2003, 110.

Въезжа́ть/ въе́хать в те́му. *Жарг. мол. Одобр.* Понимать что-л. Вахитов 2003, 33; Мокиенко 2003, 120.

Не в те́му. *Жарг. мол. Неодобр.* Не к месту, некстати. Вахитов 2003, 110.

Пасти́ те́му. *Жарг. мол., крим.* Заниматься изучением конкретной проблемы. Pulse, 2000, № 9, 9.

Прокача́ть тему. *Жарг. мил.* Проработать факты по обходным каналам (при расследовании). БСРЖ, 585.

Слома́ть те́му. *Жарг. журн. (ТВ).* Изменить тему при записи интервью (ОРТ, 05.03.97). БСРЖ, 585.

Тере́ть/ перетере́ть те́му. 1. *Жарг. крим., мол.* Обсуждать важный вопрос. 2. *Жарг. шк. Шутл.* Отвечать у доски. (Запись 2003 г.).

Толка́ть те́му. *Жарг. мол.* Лгать, обманывать. Максимов, 419.

ТЕМА́К * В тема́к. *Жарг. мол.* То же, что **в тему (ТЕМА).** Вахитов 2003, 25.

Не в тема́к. *Жарг. мол. Неодобр.* То же, что **не в тему (ТЕМА).** Вахитов 2003, 110.

ТЕМА́ЧКА * Не в тема́чку. *Жарг. мол. Неодобр.* То же, что **не в тему (ТЕМА).** Вахитов 2003, 110.

ТЕМКИ́ (ТЁМКИ) * До темко́в. *Новг.* До наступления темноты, дотемна. НОС 11, 30.

С темко́в до темко́в. *Пск.* То же, что **с темна до темна (ТЕМНО).** СПП 2001, 73.

С тёмок до тёмок. *Новг.* То же, что **с темна до темна (ТЕМНО).** НОС 11, 30.

ТЁМНАЯ * Игра́ть [в] тёмную. 1. *Жарг. карт.* Набирая карты, не открывать их до определённого момента. Быков, 186. 2. *Прост.* Действовать рискованно, не зная ситуации, веря в случайную удачу. Ф 1, 216.

Идти́/ пойти́ на тёмную. *Жарг. угол.* Принимать решение задушить жертву; покушаться на убийство удушением. СРВС 2, 39, 58, 180; СРВС 3, 93; ТСУЖ, 76, 115. // Решаться на убийство. Балдаев 1, 169.

Идти́/ пойти́ в тёмную. *Жарг. угол.* 1. Совершить кражу без предварительной разведки. Балдаев 1, 169. 2. Сознаться в содеянном на допросе. ТСУЖ, 76.

Накры́ть [в] тёмную *кого.* 1. *Жарг. арест.* Сильно избить провинившегося сокамерника, накрыв одеждой, одеялом. СРВС 2, 57, 87, 123, 152; СРНГ 19, 351. 2. *Жарг. угол.* Совершить убийство удушением. СРВС 1, 41.

Игра́ть/ сыгра́ть тёмную *кому. Волг.* То же, что **устраивать темную.** Глухов 1988, 157.

Устра́ивать/ устро́ить тёмную *кому. Жарг. угол., Разг.* Избивать кого-л. так, чтобы тот не знал, кто его бьёт. БТС, 1313; ФМ 2002, 509; ТСУЖ, 84, 183; Ф 2, 224; Росси 2, 408; СВЖ, 14; Б., 46, 148; Быков, 186; СРВС 4, 38, 117; ТСУЖ, 183; ФСРЯ, 473.

Тёмный да чёрный. *Волг. Пренебр.* Крайне бедный, неимущий, необразованный человек. Глухов 1988, 158.

ТЕМНО́ (ТЁМНО) * Дыша́ть темно́ *кому. Волг.* О крайне тяжёлом, безвыходном положении. Глухов 1988, 40.

С темна́ до темна́. *Сиб.* С раннего утра до позднего вечера. СФС, 179; СПСП, 134. **С тёмна до тёмна.** *Пск.* То же. СПП 2001, 73.

ТЕМНОТА́ * Ли́сья темнота́. *Забайк.* Предрассветная часть ночи. СРГЗ, 186.

Пуща́ть темноту́ в глаза́ *кому. Горьк.* Обманывать кого-л. БалСок, 54.

Раски́дывать/ раски́нуть темноту́. *Разг. Неодобр.* Притворяться, симулировать что-л.; врать, темнить. Р-87, 408; Бен, 120.

ТЕМНУ́ХА * Лепи́ть темну́ху. *Жарг. угол.* Вводить кого-л. в заблуждение. Б., 91.

ТЁМНЫЙ (ТЁМНОЕ) * С (от) тёмного до тёмного. *Волг., Кар., Курск., Пск., Сиб.* То же, что **с темна до темна (ТЕМНО).** Глухов 1988, 154; СРГК 3, 37; БотСан, 115; ПОС, 2, 86; СБО-Д2, 223; СОСВ, 186.

ТЕМП * В те́мпе. *Разг.* Очень быстро, энергично. ФСРЯ, 473. **В те́мпе бе́шеной коро́вы.** *Жарг. мол.* То же. Максимов, 419. **В те́мпе ва́льса.** *Жарг. мол. Шутл.* То же. Вахитов 2003, 25.

В те́мпе бе́шеной черепа́хи. *Жарг. мол. Шутл.* Очень медленно. Максимов, 419.

ТЕМПЕРАТУ́РА * Какова́ температу́ра? *Жарг. крим.* Какова обстановка, всё ли в порядке? Хом. 2, 415.

ТЕМЬЯ́Н * Дыша́ть на темья́н. *Народн.* Быть близким к смерти. Д 4, 398. < **Темьян.** *Пск.* — ладан.

ТЕ́МЯ * В те́мя не коло́чен. *Народн. Одобр.* О неглупом, сообразительном человеке. ДП, 431.

Не в те́мя бит. *Волг. Шутл.-одобр.* То же, что **в темя не колочен.** Глухов 1988, 96.

ТЕНЁТА * Попа́сть в тенёта. *Обл.* Оказаться в сложном, безвыходном положении, в беде. Мокиенко 1990, 137.

ТЕНЬ * Боя́ться свое́й (со́бственной) те́ни. *Разг. Неодобр.* О крайней степени трусости, необоснованного страха. ДП, 272; БМС 1998, 567.

Быть (держа́ться, остава́ться) в тени́. *Разг.* Быть незаметным, незамеченным, невыдающимся. ФСРЯ, 473.

Те́ни исчеза́ют в по́лдень. *Жарг. арм. Шутл.* О солдатах в самовольной отлучке. Максимов, 419.

Броса́ть/ бро́сить тень *на кого, на что. Разг.* Порочить кого-л., вызывать сомнение в чьей-л. добропорядочности; очернять кого-л.; омрачать что-л. БТС, 98; Ф 1, 314. < Калька с франц. *jeter une ombre sur qn, qch.* БМС 1998, 567; ФСРЯ, 473; ЗС 1996, 39.

Наводи́ть/ навести́ тень на плете́нь (на я́сный день). *Разг. Шутл.-ирон.* Намеренно запутывать, делать неясным что-л., сбивать с толку кого-л. ФСРЯ, 473; БТС, 842; ФМ 2002, 510; БМС 1998, 567; Глухов 1988, 87; Жиг. 1969, 220. // *Пск. Неодобр.* Лукавить, обманывать кого-л. СПП 2001, 73.

Наки́дывать/ наки́нуть тень *на что. Разг. Устар.* То же, что **бросать тень.** Ф 1, 314.

Ни тень ни лень. *Перм. Неодобр.* О лентяе, бездельнике. Подюков 1989, 203.

Одна́ (то́лько) тень оста́лась *от кого. Прост., Пск.* О сильно похудевшем человеке. СПП 2001, 73; Ф 2, 203. Ср. **стень души.**

Перепрыгивать/ перепрыгнуть собственную тень. *Нов.* Превосходить все свои возможности. < Калька с нем. *Niemand kann über seinen Schatten springen* — «никто не можете перепрыгнуть через собственную тень». НРЛ-91, 336.

Тень Ба́нко. *Книжн.* О ком-л. неотступно преследующем кого-л. < Восходит к трагедии У. Шекспира «Макбет»: тень Банко, убитого по приказанию Макбета, неотступно преследует его. БМС 1998, 567.

Тень забы́того пре́дка. *Жарг. шк. Шутл.* Об ученике у доски. Максимов, 419.

Тень Офе́лии. *Жарг. мол. Шутл.* Очень худая девушка. Максимов, 419.

Уходи́ть/ уйти́ в тень. *Разг.* Становиться незаметным, терять свою важность, значение. Ф 2, 225; Мокиенко 2003, 120.

ТЕ́НЬ-ТЕЛЕЛЕ́НЬ * Ни тень-телеле́нь. *Перм. Шутл.* Нисколько, ничуть. Подюков 1989, 203.

ТЕОРЕ́МА * Теоре́ма Пифаго́ра. *Жарг. шк. Шутл.* Учительница математики. ВМН 2003, 131.

Теоре́ма Пофига́тора. *Жарг. шк. Шутл.* Теорема Пифагора. ВМН 2003, 108.

Теоре́ма Фа́ллоса. *Жарг. студ. (матем.). Шутл.* Теорема Фалеса. (Запись 2003 г.).

Теоре́ма хана́-бана́ха. *Жарг. студ. Шутл.* Что-л. непонятное, странное. Golds, 2001.

ТЕПЕ́РЬ * Тепе́рь или никогда́. *Книжн.* О чём-л. требующем безотлагательного решения. < Фраза стала популярной после битвы при Ватерлоо. БМС 1998, 567.

ТЁПЛЕНЬКИЙ * Чуть тёпленький. 1. *Разг. Шутл.-ирон.* Очень пьян. ФСС, 196; Глухов 1988, 174. 2. *Волг., Сиб.* Едва живой, слабый, больной. Глухов 1988, 174; СПСП, 135.

Дать тёпленького. *Пск. Шутл.* Проявиться, подействовать на кого-л. с большой силой. ПОС, 8, 133.

ТЕПЛО́ * Ни тепла́ ни завете́рья *от кого. Пск. Неодобр.* О чёрством, нечутком человеке. (Запись 2000 г.).

Сиде́ть в тепле́. *Морд.* Работать в помещении. СРГМ 2002, 47.

Загоня́ть тепло́. *Сиб.* Отапливать, утеплять помещение. ФСС, 76.

Ни тепло́ ни хо́лодно *кому. Разг.* Безразлично, всё равно — о равнодушном отношении к чему-л., к кому-л. ФСРЯ, 156; ДП, 473.

ТЁПЛЫЙ * Купи́ть тёплого. *Жарг. угол., мил.* Задержать кого-л. с поличным. СРВС 2, 186; СРВС 3, 99; ТСУЖ, 94; Балдаев 1, 216.

ТЕПЛЯ́К * Тепляка́ што́порить/ штопорну́ть (што́пать). Грабить пьяного. СРВС 4, 186; Перм.; Балдаев 2, 77; ББИ, 243; Мильяненков, 247.

ТЁР * Тёр да ёр (ёр да тёр). *Дон. Шутл.-ирон.* 1. О небольшом количестве чего-л. 2. О чём-л. неудавшемся. СДГ 3, 156.

ТЕРАПИ́Я * Пя́тая терапи́я. *Жарг. мед. Шутл.-ирон.* Патолого-анатомическое отделение в больнице. Максимов, 355.

Шо́ковая терапи́я. *Публ.* 1. Сокращение социальных расходов, урезывание заработной платы малообеспеченных слоёв населения. НРЛ-82. 2. Комплекс радикальных мер, направленных на оздоровление экономики, сопровождающихся рядом отрицательных последствий. СП, 246; ТС XX в., 628; Мокиенко 2003, 120.

ТЕРЕБА́К * Дать тереба́ка *кому. Сиб.* Оттаскать за волосы кого-л. в качестве наказания. ФСС, 54.

ТЕРЕБА́ЧКА * Дать тереба́чку *кому. Прикам.* 1. Наказать кого-л. МФС, 31. // *Перм.* Наказать (ребёнка), резко дёрнув за волосы. СГПО, 128. 2. Избить кого-л. СГПО, 628; Мокиенко 1990, 51.

ТЕРЁБОЧКА * Сде́лать терёбочку *кому. Обл.* То же, что **дать теребачку (ТЕРЕБАЧКА).** Мокиенко 1990, 51.

ТЕРЕ́ТЬ * Ни три ни мни [сухи́е ремни́]. *Дон.* 1. *Шутл.-ирон.* О медлительном, нерасторопном человеке. 2. *Неодобр.* О никчёмном, неумелом человеке. СДГ 3, 156.

ТЁРКА * Дава́ть/ дать тёрку *кому. Сиб.* 1. Наказывать кого-л. 2. Заставлять кого-л. быть осмотрительным, благоразумным, опытным. ФСС, 52; Мокиенко 1990, 46.

ТЕ́РМИН * Откопти́ть те́рмин. *Жарг. угол., арест.* Отбыть срок наказания. СРВС, I, 43. < Ср.: нем. *Termin* — срок, дата.

ТЕРМИНА́ТОР * Сушёный Термина́тор. *Жарг. мол. Шутл.-ирон.* Об очень худом человеке. Максимов, 420. < По имени супер-героя американских кинофильмов

Термина́тор в ю́бке. *Жарг. шк. Пренебр.* Строгая, придирчивая учительница. ВМН 2003, 131.

ТЕРНО́ВНИК * Поющие в терно́внике. *Жарг. мол. Шутл.-ирон.* Правительство России. Максимов, 337. < По названию романа К. Макклоу.

ТЕРПЕ́НИЕ * Теря́ть терпе́ние. *Разг.* То же, что **выходить из терпения.** Ф 2, 203.

Выбива́ть/ вы́бить (выбира́ть/ вы́брать) из терпе́ния *кого. Арх.* То же, что **выводить из терпения.** АОС 6, 103, 105, 113.

Выводи́ть/ вы́вести из терпе́ния *кого. Разг.* Нервировать, раздражать кого-л. АОС 6, 103; Ф 1, 90.

Выходи́ть/ вы́йти из терпе́ния. *Разг.* Приходить в крайне раздражённое состояние. БМС 1998, 567–568; Ф 1, 103.

Выжива́ть/ вы́жить из терпе́ния. *Арх.* То же, что **выходить из терпения.** АОС 7, 213.

ТЕ́РРА * Те́рра инко́гнита. *Жарг. шк. Шутл.* Тетрадь. ВМН 2003, 132.

Те́рра не́йтра. *Жарг. крим.* Нейтральная территория (напр., для встречи глав мафиозных группировок). Хом. 2, 416.

ТЕРРИТО́РИЯ * На террито́рии. *Жарг. мол.* Дома (Я — молодой, 1996, № 18-19). БСРЖ, 586.

ТЕРРО́Р * Бе́лый терро́р. *Книжн.* О массовом истреблении контрреволюцией руководителей и участников революционного движения. < Восходит к временам реставрации Бурбонов (Франция, 1815 г.), когда по стране прокатилась волна арестов революционеров и бонапартистов (сторонники Бурбонов выступали под белым флагом). БМС 1998, 568.

Кра́сный терро́р. *Книжн.* Крайние меры, принимаемые революционным правительством для подавления сопротивления классовых врагов и враждебных действий внутренней и внешней контрреволюции. БАС 15, 367.

ТЕРЦ * Дать терца́ *кому. Жарг. угол.* Избить кого-л. ББИ, 244.

ТЕРЬЯ́К * Тёмный терья́к. *Жарг. нарк.* Фальсификат наркотика. < **Терьяк** — опий. ТСУЖ, 175.

ТЕСА́ТЬ * Теса́ть да ска́лывать. *Новг. Ирон.* Делать что-л. бесполезное, ненужное. НОС 11, 34.

ТЕ́СТО * Из друго́го те́ста [сле́плен]. *Разг.* Не схожий с другим по образу жизни, характеру, взглядам. ФСРЯ, 475; БМС 1998, 568; Ф 1, 225.

Из одного́ те́ста [заме́шаны, сде́ланы]. *Разг.* О людях, схожих по характеру, взглядам, положению. БМС 1998, 568; ФСРЯ, 475; Ф 1, 225; ЗС 1996, 31; Глухов 1988, 152.

Мять те́сто. *Жарг. мол. Шутл.* Обнимать девушку. Максимов, 263.

ТЕ́ТЕР * Тетера́ моло́тят в голове́ *у кого. Прикам.* О болезненных ощущениях в голове, о состоянии головокружения от переутомления, болезни. МФС, 98. < **Тетер** — тетерев.

ТЕТЁРА * Глуха́я тетёра. 1. *Арх.* Самка глухаря. АОС 9, 127. 2. *Пск. Бран.* О женщине, не расслышавшей чего-л., не реагирующей на замечания, просьбу и т. п. СПП 2001, 73. 3. *Арх. Бран.* То же, что **глухая тетеря (ТЕТЕРЯ).** АОС 9, 127.

ТЕ́ТЕРЬ * Глухо́й те́терь. *Арх. Бран. или Шутл.-ирон.* То же, что **глухая тетеря (ТЕТЕРЯ).** АОС 9, 127.

ТЕТЕ́РЯ * Глуха́я тете́ря. *Прост. Бран.* О глухом, ничего не слышащем человеке. БМС 1998, 568; ФСРЯ, 475; АОС 9, 127; СРГБ 1, 127; Мокиенко 1990, 86; ФМ 2002, 512; ШЗФ 2001, 54.

Лени́вая тете́ря. *Прост. Неодобр.* О вялом, неповоротливом, ленивом человеке. ФМ 2002, 513.

Со́нная тете́ря. *Прост. Пренебр.* 1. О человеке, который очень любит поспать. 2. О нерасторопном, медлительном, вялом человеке. Глухов 1988, 152; ЗС 1996, 34; ФСРЯ, 475; ФМ 2002, 514; ЗС 1996, 89, 125.

< **Тетеря** — областное название тетерева.

ТЁТКА * Глуха́я тётка с масли́нами. *Жарг. мол. Шутл.* Пистолет с патронами. Расо-2003.

Желе́зная тётка. *Жарг. мол. Шутл.* Автоинформатор в системе сотовой связи. (Запись 2004 г.).

Моско́вская тётка. *Орл.* 1. Фабрика по пошиву одежды. 2. Одежда фабричного производства. СОГ-1994, 147.

Тётка бьёт *кого. Прост.* О приступе лихорадки. БМС 1998, 568.

Тётка пришла́ *к кому. Разг. Шутл.* О менструации. УМК, 202; Флг., 348-349.

Тётка тебя́ (его́, вас и пр.**) за́ ногу!** *Прост. Эвфем. Бран.* Восклицание, выражающее досаду, раздражение, возмущение.

< **Тётка.** *Народн. эвфем.* — сердечный удар и смерть от него, кондрашка. Мокиенко, Никитина 2003, 323.

По тётке Ва́сихе дя́дька Заха́р. *Пск. Шутл.-ирон.* Об очень дальнем родственнике. (Запись 2004 г.).

С усо́льскую тётку. *Прикам. Шутл.-ирон. или Пренебр.* Об очень высоком человеке. МФС, 99.

ТЕТРА́ДЬ * Больша́я тетра́дь. *Жарг. шк. Шутл.* Классная доска. (Запись 2004 г.).

Запасна́я тетра́дь. *Жарг. шк. Шутл.* Парта. ВМН 2003, 132.

Чёртова тетра́дь (тетра́дка). *Жарг. шк. Шутл.-ирон.* Дневник. ВМН 2003, 132.

ТЁТЯ * Тёте Хану́м совсе́м пло́хо. *Жарг. нарк.* Условная фраза продавцов и покупателей наркотиков, означающая: поставлен некачественный наркотик. Грачев 1994, 29; Грачев 1996, 62; Балдаев 2, 78; ББИ, 244.

Пойма́ть тётю Блю. *Жарг. мол. Шутл.* Испытать рвоту. Максимов, 325.

Ва́жная тётя. *Жарг. шк. Шутл.* Директор школы. (Запись 2003 г.).

Здра́вствуйте, я ва́ша тётя! *Разг.* Выражение удивления по поводу нелогичности высказывания. Ф 1, 209. < Реплика Королевы Марго, героини кинокомедии «Лёгкая жизнь», студия им. М. Горького, 1964 г.). Дядечко 2, 86.

Тётя А́ся. *Жарг. шк. Шутл.* Стиральная резинка. (Запись 2003 г.). < По имени персонажа из рекламы отбеливателя.

Тётя в ша́пке. *Жарг. шк. Шутл.* Учительница в парике. Xml, 2002.

Тётя Глобус. *Жарг. шк. Шутл.* Полная, тучная учительница. ВМН 2003, 132.

Тётя на кра́сной маши́не. *Жарг. мол. Шутл.* О менструации. Вахитов 2003, 178.

Тётя Пе́ня. *Жарг. шк. Шутл. или Пренебр.* Учительница пения. (Запись 2003 г.).

Тётя с кра́сным кресто́м. *Жарг. шк. Шутл.* Медработница в школе. ВМН 2003, 132.

Тётя Та́ся. *Разг. Устар. Шутл.* ТАСС (Телеграфное агентство Советского Союза). Максимов, 421.

Тётя Хрю-хрю́. *Жарг. шк. Пренебр.* Учительница с нечёткой дикцией. (Запись 2003 г.).

ТЕ́ХНИКА * Наро́дная те́хника. *Жарг. мол. Шутл.-ирон.* Спички. Зайковская, 40; Максимов, 270.

Те́хника на гра́ни фанта́стики. *Разг.* 1. *Одобр.* О том, что является технически совершенным, передовым. 2. *Ирон.* О том, что является технически устаревшим, несовершенным. БТС, 1416.

ТЕЧЕ́НИЕ * Ныря́ть по тече́нию. *Горьк.* То же, что **плыть по течению.** БалСок, 47.

Плыть по тече́нию. *Разг.* Жить, действовать пассивно, подчиняясь сложившимся обстоятельствам, принятым образцам. БМС 1998, 568; ФСРЯ, 475; ЗС 1996, 151, 499; Мокиенко 1990, 129.

Идти́ (плыть) против тече́ния. *Разг.* Действовать наперекор сложившимся традициям, мнениям. ФСРЯ, 183; Ф 2, 49; ЗС 1996, 499.

ТЕ́ЧКА * Начала́сь те́чка. *Жарг. мол., спорт.* Об обильном потоотделении. Вахитов 2003, 178.

ТЕЧМА́ * Течь течма́. *Народн.* Течь мощной струей, потоком. ДП, 515.

ТЕ́ШКА * В те́шках [и бажка́х] (расти́). *Печор.* В холе и заботе. СРНГП 2, 348.

ТЁЩА * Тёща с зо́нтиком. *Жарг. угол., Разг. Шутл.-ирон.* Унитаз. УМК, 202; Балдаев 2, 78; ББИ, 244; Мильяненков, 247.

Чёртова тёща. *Коми.* Сорная огородная трава. Кобелева, 82.

Мое́й тёще двою́родный плете́нь. *Волг. Шутл. или Пренебр.* О чужом человеке, не родственнике. Глухов 1988, 85.

Под тёщей. *Прост. Шутл.-ирон.* Маленький ресторанчик-подвальчик с семейной атмосферой. Флг., 349.

ТИГА́ЛЬ * Дава́ть/ дать (задава́ть/ зада́ть) тигаля́. 1. *Волг., Перм., Пск., Сиб.* Убегать, уходить откуда-л. Глухов 1988, 47; Подюков 1989, 59; СПП 2001,

73; ФСС, 76. 2. *Пск.* Отказываться от чего-л. (Копаневич). СПП 2001, 73.

ТИГР * Бе́лый тигр. *Публ.* О снежной лавине. НРЛ-78.

Уби́ть ти́гра. *Жарг. арм. Шутл.* Ударить храпящего во сне человека. Максимов, 421.

Не крути́ ти́гру я́йца. *Жарг. мол.* Совет быть осторожнее. Максимов, 208.

ТИ́ГРА * Ти́гра Льво́вна. *Шутл.-ирон.* 1. *Жарг. угол., арест.* Начальник женской ИТК (как правило — властная, злая женщина). Балдаев 2, 78; ББИ, 244. 2. *Жарг. шк.* Властная, требовательная учительница. БСРЖ, 588.

ТИК * Тик в тик. *Прост.* Совершенно точно, строго по правилам. Мокиенко 2003, 120.

ТИКА́ЛЬ * Дава́ть/ дать тикаля́. *Сиб.* Ускорять бег, ходьбу (как правило — чтобы скрыться от преследования). СФС, 60; ФСС, 54; СБО-Д1-110; Мокиенко 1990, 110.

ТИМОФЕ́Й * Сам себе́ Тимофе́й. *Волг., Курск.* О гордом, независимом человеке. Глухов 1988, 143; БотСан, 112.

ТИМУ́Р * Тиму́р и его́ кома́нда. *Жарг. арм. Шутл.* Армейский патруль. Максимов, 421. < По названию популярного детского фильма — экранизации повести А. Гайдара.

ТИ́НА * Поква́кал — и в ти́ну! *Жарг. мол.* Требование замолчать. Максимов, 325.

Уйти́ в ти́ну. *Жарг. мол.* Спрятаться, скрыться в надёжном месте. Максимов, 421.

Вы́тащить из ти́ны *кого. Жарг. угол.* Оказать помощь попавшему в сложное положение. ТСУЖ, 37.

ТИНЬ * Ни ти́нь (тинь-тинь) тилили́ (тилили́нь). *Перм., Сиб.* Совсем ничего, нисколько, ничуть. Подюков 1989, 203; СФС, 126, 128; СРНГ 21, 215.

ТИПУ́Н * Типу́н на язы́к *кому! Разг.* Недоброе пожелание кому-л., кто говорит не то, что следует. ФСРЯ, 475; БМС 1998, 569; ЗС 1996, 437; ФМ 2002, 514; БТС, 1532; СПП 2001, 73.

ТИРА́Ж * Выходи́ть/ вы́йти в тира́ж. 1. *Разг.* Устаревать, выходить из употребления. ФСРЯ, 476; БМС 1998, 569; БТС, 1324; ЗС 1996, 157. 2. *Жарг. мол. Шутл.* Выходить замуж. Максимов, 421.

Спи́сывать/ списа́ть в тира́ж *кого. Разг.* Отстранять кого-л. от какой-л. деятельности, считая непригодным к ней. ФСРЯ, 449; БТС, 1249.

ТИСКИ́ * Держа́ть в тиска́х *кого. Разг.* Держать кого-л. в полной зависимости, лишив свободы действий, поступков. ФСРЯ, 476.

Брать/ взять (зажа́ть) в тиски́ *кого. Разг.* Лишать кого-л. свободы действий, полностью подчинять кого-л. ФСРЯ, 476; БТС, 1324; Глухов 1988, 5.

ТИ́СЫ * Взять в ти́сы *кого. Дон.* То же, что **брать/ взять в тиски (ТИСКИ)**. СДГ 3, 157.

ТИТА́Н * Тита́н Байкону́р. *Жарг. мол. Шутл.* Певец Богдан Титомир. ЖЭМТ, 14.

ТИТЛ * Говори́ть под ти́тлом. *Волг., Яросл.* Говорить с намёками, загадочно, не договаривая чего-л. Глухов 1988, 126; ЯОС 3, 84.

ТИ́ТУЛ * Приложи́ть сто ти́тул. *Волг., Дон.* Грубо обругать кого-л. СРНГ 31, 269; Глухов 1988, 133.

ТИ́ТЬКА * Су́чья ти́тька. *Приамур., Сиб.* Нарыв, фурункул под мышкой. СРГПриам., 293; СБО-Д2, 215.

Тарака́нья ти́тька. *Разг. Бран.-шутл.* О непорядочном, неправильно поступившем человеке (чаще о женщине). Никитина 1998, 443.

Ти́тька в ка́ске. *Жарг. мол. Бран.-шутл.* О непорядочном, неправильно поступившем человеке (чаще — о женщине). Урал-98.

Кобы́льи ти́тьки. *Волог., Перм.* Растение Lonicera coerulea, жимолость голубая. СРНГ 14, 18.

Куря́чьи ти́тьки. *Народн. Вульг. Устар. Ирон.* Абсолютно ничего. Мокиенко, Никитина 2003, 324.

Куря́чьи (ку́ричьи) ти́тьки да сви́ньи рога́ (ро́жки). *Арх. Шутл.* 1. Ерунда, чушь. СРНГ 16, 130. 2. О крайне малом количестве чего-л. СРНГ 35, 156.

Ове́чьи ти́тьки. *Кар.* Ягоды жимолости. СРГК 4, 129.

ТИ́ТЯ * Бинтова́ть ти́ти. *Жарг. муз. Шутл.* Заканчивать песню. Максимов, 34.

ТИХА́РЬ * В тихаря́ (втихаря́). *Прост.* Скрытно, так, чтобы никто не знал. Мокиенко 2003, 120.

ТИ́ХИЙ (ТИ́ХАЯ) * Ти́хим прийти́. *Пск.* 1. Прийти, приехать с хорошими новостями. 2. (в вопросит. форме). Зачем, с какой целью? СПП 2001, 73.

По ти́хой. *Жарг. угол.* О краже через открытое окно, дверь. ТСУЖ, 143; СРВС 2, 71, 126; СРВС 3, 114; СРВС 4, 145.

Рабо́тать по ти́хой. *Жарг. угол.* 1. Совершать кражи из открытых неохраняемых помещений. 2. Совершать кражи вещей у пассажиров. 3. Совершать кражи путём подбора ключей, с помощью отмычек. Балдаев 2, 6.

Идти́ на ти́хую. *Жарг. угол.* 1. Идти на кражу, не имея при себе огнестрельного оружия. ТСУЖ, 76. 2. Совершать кражу без взлома. Балдаев 1, 169.

На ти́хую. *Жарг. угол.* Незаметно, тихо, тайно. СРВС 3, 22; ТСУЖ, 151; Б., 107.

Ста́вить ти́хую. *Морд.* Притворяться спокойным. СРГМ 2002, 131.

Сторгова́ть на ти́хую. *Жарг. угол.* Проникнуть днём в квартиру, зная, что там находятся люди, и совершить кражу верхней одежды из прихожей. СРВС 1, 151.

< **Тихая** – кража через открытое окно или незапертую дверь, не представляющие трудности для вора.

ТИ́ХО * Ти́хо и свя́то. *Волг. Одобр.* О спокойствии, полном согласии где-л. Глухов 1988, 159.

ТИ́ХОН * Ти́хон подъезжа́ет *[к кому]. Кар. Шутл.* Кому-л. хочется спать. СРГК 5, 14.

Ти́хон пришёл. *Перм. Шутл.* Об успокоившемся, затихшем человеке. Подюков 1989, 204.

ТИ́ШЕ * Ти́ше дыши́! *Жарг. угол.* Призыв не разглашать что-л., не рассказывать всё до конца. СРВС 4, 38, 117; СВЯ, 30; ТСУЖ, 176.

ТИШИНА́ * Настро́ить тишину́. *Жарг. мол. Шутл.* Замолчать. Я — молодой, 1996, № 35; БСРЖ, 589; Максимов, 270.

Тишины́ да посо́бны! *Печор.* Пожелание рыбакам хорошей погоды и попутного ветра. СРНГП 2, 121.

ТИШЬ * Тишь да гладь [да Бо́жья благода́ть]. *Разг.* О благополучии, безмятежности, полном спокойствии. ФСРЯ, 476; БТС, 206.

Тишь да крышь. *Народн.* То же, что **тишь да гладь**. СРНГ 15, 354.

ТКА́ЛЬЯ * Ни тка́лья ни пря́лья. *Сиб. Неодобр.* О неумелой, нерасторопной женщине. СФС, 128; СРНГ 21, 215; Мокиенко 1990, 11.

ТКАНЬ * Грему́чая ткань. *Одесск.* Крепдешин. КСРГО.

Ткань Пенело́пы. *Книжн.* Об изощрённой хитрости. < Восходит к поэме Гомера «Одиссея». БМС 1998, 569.

ТКАТЬ * Ни ткать, ни прясть, ни поча́тки мота́ть. *Народн. Неодобр.* То же, что **ни ткалья ни прялья (ТКАЛЬЯ)**. ДП, 429.

ТМА * Тма тму́щия. *Коми.* То же, что **тьма тьмущая (ТЬМА).** Кобелева, 79.

ТО. См. **ТОТ.**

ТОВА́Р * Во́льный (ле́вый, тёмный) това́р. *Жарг. угол.* Краденая вещь. СРВС 1, 22, 25, 26, 34, 97; СРВС 2, 87, 216; СРВС 3, 64, 69; ТСУЖ, 176.

Живо́й това́р. 1. *Прост.* Люди, которые могут являться предметом купли-продажи (рабы и т. п.). Мокиенко 2003, 121. 2. *Прост. Устар.* Невеста. Ф 2, 205. 3. *Разг. Ирон.* Проститутка. Флг., 113; УМК, 202. 4. *Жарг. угол.* Жертва насильника. ББИ, 78.

Кра́сный това́р. 1. *Жарг. угол.* Изделия из золота; драгоценности. СРВС 1, 39; СРВС 2, 45, 88, 185; 216; СРВС 3, 98; ТСУЖ, 92, 176; Балдаев 1, 207. 2. *Прикам., Сиб.* Ткани, текстиль. МФС, 99; СФС, 93.

Мя́гкий това́р. 1. *Жарг. угол.* Меховые вещи, меха. СРВС 1, 41; СРВС 2, 54, 88, 192, 216; ТСУЖ, 110, 176; Балдаев 1, 260. 2. *Спец. экон.* О неконкурентоспособном на мировом рынке товаре. Мокиенко 2003, 121.

Пока́зывать/ показа́ть това́р лицо́м. *Разг.* Показывать лучшие, выигрышные качества, стороны чего-л. ФСРЯ, 477; БМС 1998, 569; БТС, 501.

Твёрдый това́р. *Спец. экон.* О товарах, сбываемых за твёрдую, свободно конвертируемую валюту. Мокиенко 2003, 121.

Чужо́й това́р. *Приамур. Шутл.* О девушке, живущей в доме родителей. СРГПриам., 298.

ТОВА́РИЩ * Това́рищ Зю. *Публ. Нов. Ирон.* О генеральном секретаре Коммунистической партии России (после перестройки) Г. А. Зюганове. Wins, 2001, 240.

Това́рищ Ша́риков. *Жарг. угол. Презр.* 1. Сторожевая служебная собака конвоя МВД. 2. Рядовой член КПСС. 3. Партаппаратчик ЦК КПСС. 4. Партиец, не сдавший свой партбилет члена КПСС. 5. Член Госдумы РФ. Балдаев, 2001, 165. < По фамилии персонажа повести М. Булгакова «Собачье сердце».

Сотова́рищи. *Разг. Ирон.* Со своими верными друзьями, сотрудниками. < Оборот, употреблявшийся в древнерусском языке и сохранивший архаичную форму *тв. п. мн. ч.* Мокиенко 2003, 121.

Три това́рища. 1. *Жарг. угол., арест.* Вид камерной игры. Балдаев 2, 86. 2. *Жарг. мол. Шутл.-ирон.* Смесь коньяка, пива и самогона. < По названию романа немецкого писателя Э. М. Ремарка. БСРЖ, 589.

ТО́ГА * Надева́ть то́гу *кого. Книжн. Устар.* То же, что **рядиться в то́гу.** Ф 1, 311-312.

Ряди́ться в то́гу *кого, чего. Книжн.* Своим поведением претендовать на какую-л. общественную роль, не соответствуя ей. ФСРЯ, 477; БМС 1998, 569; БТС, 1327.

ТОДЫ́ * Тоды́ седы́. *Сиб.* Иногда, кое-когда. СФС, 186.

ТОК * Продави́ть ток. *Жарг. мол.* Говорить, сказать что-л. на иностранном языке, выдавая себя за иностранца. Рожанский, 50.

ТО́КАРЬ * То́карь по хле́бу. *Прост. Шутл.-ирон.* Дармоед, много потребляющий и мало работающий человек. Мокиенко 2003, 121.

ТОК-ШО́У * Ток-шо́у «У Га́ли (Та́ни, Ма́ши и т. п.)**».** *Жарг. шк.* Классный час. (Запись 2003 г.). < С использованием имени классной руководительницы.

ТОЛБУ́ХА * Съесть толбу́ху. *Пск.* Попасть в беду, в трудную ситуацию. СПП 2001, 73.

ТОЛДЫ́-ЯЛДЫ́ * Разводи́ть (распуска́ть) толды́-ялды́. *Дон. Шутл.-ирон.* Болтать, пустословить. СДГ 3, 85; СРНГ 34, 188.

ТО́ЛИК * Ржа́вый То́лик. *Жарг. журн., полит. Шутл.* Председатель Правления РАО «ЕЭС России» А. Чубайс. МННС, 218.

Позвони́ть То́лику. *Жарг. мол. Шутл.* Сходить в туалет. Вахитов 2003, 137.

ТО́ЛИКА * Ма́лая то́лика. *Книжн.* Небольшое количество, малая часть чего-л. ФСРЯ, 477-478; БМС 1998, 570; БТС, 1327.

ТОЛК[1] * Брать/ взять в толк *что. Разг.* Понимать, уяснять, осознавать что-л. ФСРЯ, 478; БМС 1998, 570; ФМ 2002, 516; Ф 1, 36; ЗС 1996, 240.

Вня́ться в толк. *Арх.* То же, что **брать/ взять в толк.** АОС 4, 140.

Дать толк (то́лку). 1. *кому. Яросл.* Научить кого-л. чему-л., объяснить, растолковать кому-л. что-л. ЯОС 3, 121. 2. *Кар.* То же, что **дать себе толк.** СРГК 1, 424.

Дать себе́ толк. *Волг.* Понять что-л., разобраться в чём-л. Глухов 1988, 31.

Доста́ть толк. *Кар.* Добиться успеха, результата. СРГК 1, 497.

Доходи́ть/ дойти́ до то́лку. *Волг.* 1. То же, что **дать себе толк.** 2. Стать взрослым, самостоятельным. Глухов 1988, 37.

Знать (понима́ть) толк. 1. *в чём. Разг. Одобр.* Хорошо разбираться в чём-л. ФМ, 2002, 518. 2. *с инфинитивом. Печор.* Быть в силах, мочь. СРГНП 1, 283.

Найти́ толк. *Сиб., Яросл.* То же, что брать/ взять в толк. ФСС, 118; ЯОС 6, 96.

Пойти́ в толк. *Пск.* Поумнеть, образумиться. СПП 2001, 73.

Терять/ потеря́ть толк. *Прибайк.* Об утрате памяти, умственных способностей в старости. СНФП, 130.

Толк вы́йдет, одна́ бе́столочь оста́нется *из кого. Шутл.-ирон.* О перспективах крайне глупого человека. Глухов 1988, 17.

Вы́йти из то́лка. *Сиб.* 1. Потерять сообразительность, сноровку в чём-л. ФСС, 36. 2. Лишиться рассудка. СРНГ 5, 286.

Ра́зного (вся́кого) то́лка. *Разг.* О людях разного рода, всех видов. БМС 1998, 570.

Без то́лку. *Разг.* 1. Неразумно, бестолково. 2. Напрасно, впустую. ФСРЯ, 478.

Вы́житься из то́лку. *Кар.* Лишиться памяти, разума. СРГК 1, 263.

Дать то́лку. *Печор.* Понять что-л. СРГНП 1, 166.

Не знать то́лку *в чем. Прибайк., Сиб.* Ничего не понимать, не разбираться в чём-л. СНФП, 131; Верш 7, 58.

Неня́ть то́лку. *Новг.* Не понимать чего-л., не разбираться в чём-л. НОС 6, 46.

Не родило́сь то́лку. *Прикам.* Бесполезно, напрасно. МФС, 86.

Не свести́ то́лку. *Сиб.* Не сообразить, не понять чего-л. СФС, 186.

Ни то́лку ни ёку *От кого. Волг. Шутл.* О непригодном к делу человеке. Глухов 1988, 111.

Ни то́лку ни поря́дку. *Волг. Неодобр.* О неразберихе, беспорядке где-л. Глухов 1988, 111.

Ни то́лку ни уто́рку. *Яросл. Шутл.-ирон.* О чём-л. ненужном, бесполезном. ЯОС 6, 145.

От то́лку. *Кар.* Толково, разумно, обстоятельно. СРГК 4, 270.

Потеря́ть с то́лку *что. Новг.* То же, что **выйти из толка.** НОС 8, 153.

Сбива́ть/ сбить с то́лку *кого. Разг.* 1. Приводить в заблуждение, запутывать кого-л. 2. Заставлять кого-л. изменить поведение в худшую сторону, толкать на что-л. предосудительное. ФСРЯ, 408; ФМ 2002, 518; ЗС 1996, 241.

Сбива́ться/ сби́ться с то́лку. 1. *Разг.* Приходить в замешательство, в растерянность; запутываться. ФСРЯ, 409. 2. *Пск.* Терять счёт времени, путать дни, даты. СПП 2001, 73. 3. *Разг.* Изменять линию своего поведения в худшую сторону. ФСРЯ, 409.

Теря́ться с то́лку. *Новг.* Быть беспомощным в чём-л. НОС 11, 34.

ТОЛК[2] * То́лком вы́толкать. *Сиб.* Грубо прогнать, выгнать кого-л. откуда. ФСС, 39.

ТОЛКА́Ч * Дать толкача́ *кому. Жарг. угол.* Толкнуть кого-л. ТСУЖ, 45.

ТОЛКУ́Н * Толку́н пробра́л *кого. Новг.* Сильно замёрзнуть, окоченеть от холода. НОС 11, 43.

ТО́ЛСТЫЙ * Не то́лста, а са́льна, не ба́ска, а за́рна. *Перм. Одобр.* О привлекательной девушке. СГПО, 553; СРНГ 36, 70.

Поперёк [себя́] то́лще. *Прост. Шутл.-ирон.* Об очень полном человеке. ФСС, 146; СФС, 147; СРНГ 29, 305; БалСок, 50; Подюков 1989, 157; Глухов 1988, 130.

Расти́ то́лще! *Волг., Сиб. Шутл.* Пожелание при чихании. СБО-Д2, 155; Глухов 1988, 159.

ТОЛЧЁНЫЙ * Ни толчёно, ни мо́лото. *Новг.* О беспорядке, путанице, отсутствии ясности в чём-л. НОС 5, 94; Сергеева 2004, 247.

ТОЛЧИ́НА * Никако́й толчи́ны *от кого, от чего. Жарг. мол. Неодобр.* О чём-л. бесполезном, ненужном. Никитина, 1998, 444.

ТОЛЧО́К[1] * Дать толчка́ *кому. Волг.* Ударить, побить кого-л. Глухов 1988, 31; Мокиенко 1990, 46.

Брать/ взять в толчки́ *кого. Волг.* 1. Бить, избивать кого-л. 2. Подчинять себе кого-л. Глухов 1988, 31.

Гнать (выгоня́ть) в толчки́ *кого. Волг., Морд., Сиб.* Грубо прогонять, выталкивать кого-л. откуда-л. СРГМ 1978, 96; Глухов 1988, 24; ФСС, 43, 70; СФС, 49.

Дать толчо́к. *Жарг. нарк.* Принять дозу наркотика. ТСУЖ, 45.

Дать толчо́к мозга́м. *Жарг. нарк.* Понюхать кокаину и впасть в состояние наркотической эйфории. СВЯ, 25; ТСУЖ, 45.

ТОЛЧО́К[2] * Говори́ть с толчко́м. *Жарг. мол.* Испытывать рвоту. Максимов, 89. **Подра́ться с толчко́м.** *Жарг. мол. Шутл.* То же, что **говорить с толчком.** Елистратов 2001, 472.

Пуга́ть/ напуга́ть толчо́к. *Жарг. мол.* То же, что **говорить с толчком.** Максимов, 269.

Толкну́ть толчо́к. *Жарг. мол. Шутл.* Сходить в туалет. Максимов, 422. < **Толчок** — унитаз.

ТО́ЛЬКО * Ни то́лько ни полсто́лько. *Волг. Шутл.* Об отсутствии чего-л. Глухов 1988, 111.

ТОМА́ТЫ * Шевели́ть тома́тами. См. **Шевелить помидорами (ПОМИДОРЫ).**

ТО́ММИ * То́мми захвора́л (заболе́л). *Жарг. мол. Шутл.* Певец Томми Болин (Tommi Bolin). БСРЖ, 590.

ТОН * В тон. *Разг.* 1. Созвучно чему-л. 2. Соответственно цвету, оттенку цвета чего-л. 3. В стиле, в манере чего-л. ФСРЯ, 478.

Задава́ть/ зада́ть тон. *Разг.* Показывать пример в чём-л., быть образцом для других; начиная что-л. определённым образом, влиять на ход дела, развитие процесса. ФСРЯ, 478; ШЗФ 2001, 78; БМС 1998, 570.

Повыша́ть/ повы́сить тон. *Разг.* Говорить раздраженно, громче, чем обычно. Ф 2, 53.

Попада́ть/ попа́сть в тон. *Жарг. мол. Одобр.* Добиваться успеха, популярности. Максимов, 331.

Без то́на на ухо. *Жарг. мол.* Спокойно, без крика и раздражения. БСРЖ, 590.

Дава́ть то́ну. *Жарг. байк.* Очень быстро ехать на мотоцикле. (Я — молодой, 1995, № 6). БСРЖ, 590.

ТОНА́ЛЬНОСТЬ * Врать в тона́льности ре-мино́р (ре-мажо́р). *Жарг. мол., гом. Шутл.* О безудержной лжи. Кз., 69.

ТО́НКО * То́нко вя́жет. *Прикам.* 1. О чём-л. имеющем большое количество изгибов. 2. О человеке, интересно рассказывающем что-л. МФС, 24.

ТО́НЦЫ * Своди́ть то́нцы. *Прикам.* О дружном, согласованном пении. МФС, 89.

ТОНЬ * Дать (протяну́ть) тонь. *Приамур.* Забросить и вытащить невод один раз. СРГПриам., 69, 227.

ТОП * Попа́сть в топ. *Жарг. муз.* Стать популярным. ЖЭМТ, 33.

Быть в то́пе. *Жарг. муз.* Иметь успех, пользоваться популярностью. ЖЭМТ, 33. < Из англ. *top.*

ТОПАТЫ́ * Игра́ть топаты́. *Пск.* Суетиться, хлопотать, не садясь, не отдыхая. ПОС 13, 161.

ТО́ПКА * Бро́сить (забро́сить, загрузи́ть) в то́пку. 1. *Жарг. мед.* Дать больному большое количество таблеток (о работниках скорой помощи). БСРЖ, 591. 2. *кому. Жарг. мол. Шутл.* Совершить половой акт с кем-л. (Запись 2001 г.).

Ки́нуть в то́пку. *Жарг. мол. шутл.* Поесть. Вахитов 2003, 77.

ТО́ПЛИВО * Голубо́е то́пливо. *Публ. Патет.* О природном горючем газе. НРЛ-82.

ТО́ПОЛЬ * Ля-ля́ тополя́. *Жарг. мол. Шутл.* 1. Пустой разговор, болтовня. 2. Обман. Максимов, 233.

Три то́поля на Плющи́хе. *Жарг. шк. Шутл.-ирон.* Школьная линейка. < По названию кинофильма. ВМН 2003, 134.

ТОПО́Р * Быть подведённым под топо́р. *Кар.* Оказаться под угрозой смерти. СРГК 4, 616.

Вари́ть топо́р. *Дон. Шутл.-ирон.* Голодать при полном отсутствии съестного. СДГ 1, 55.

Взять топо́р. *Кар.* Попытаться убить кого-л. СРГК 1, 199.

Налете́л топо́р на сук. *Прост.* О начале разногласий, ссоры. ЗС 1996, 225.

Наскочи́л топо́р на сучо́к. То же. *Народн.* ДП, 163.

Пусти́ть под топо́р *что. Прост.* Вырубить (обычно — о лесе). Ф 2, 107.

Топо́р обува́ет, топори́щем подпо́ясывается. *Народн. Ирон.* О бедном, неимущем человеке. ДП, 459.

[Хоть] топо́р ве́шай. *Разг. Шутл.* О густом дыме в помещении. ФСРЯ, 478; ЗС 1996, 392; ФМ 2002, 520; БТС, 123; СПП 2001, 73; АОС 4, 39.

Два топора́. *Разг. Шутл.* Автобус № 77. Никитина, 1998, 445.

Из-под топора́. *Пск. Неодобр.* О чём-л. сделанном небрежно, неаккуратно. СПП 2001, 74.

Коло́ть без топора́. *Сиб.* 1. Говорить чётко и убедительно. 2. Говорить язвительно. ФСС, 94.

Получи́ть топора́. *Пск.* Попасть в неприятную ситуацию, быть наказанным. СПП 2001, 74.

Три топора́ (топо́рика). 1. *Разг. Шутл.* Портвейн «777». Никитина

1996, 209. 2. Дискотека «Супер-3» в г. Пскове (на окнах и рекламных щитах изображены три семёрки). БСРЖ, 591.

Но́чью уви́дишь — топоро́м не отмаха́ешься. *Жарг. мол. Неодобр.* О человеке с неприятной внешностью. Максимов, 272.

Рабо́тать топоро́м да плечо́м. *Кар.* Выполнять тяжёлую физическую работу. СРГК 4, 546.

Руби́ топоро́м. *Пск.* Ни за что, ни в коем случае. СПП 2001, 74.

Хоть топоро́м по ше́е руби́. *Новг.* 1. *Неодобр.* Об упрямом человеке. 2. О спокойном человеке. НОС 12, 24.

Хоть топоро́м режь. *Пск. Ирон.* О чёрством, твёрдом, засохшем хлебе или другом продукте питания. СПП 2001, 74.

Хоть топоро́м руби́. *Волг.* О чём-л. прочном, крепком. Глухов 1988, 170.

Не занести́ топоры́. *Кар.* О густом лесе. СРГК 2, 163.

ТОПО́РИК * Три топо́рика. См. **Три топора (ТОПОР).**

ТО́РБА * То́рба для идио́тов. *Жарг. шк. Пренебр.* Школьный ранец, портфель, сумка. ВМН 2003, 134.

Жить и в то́рбе и в меху́. *Пск.* Многое испытать в жизни. СПП 2001, 74.

Жить под то́рбой. *Пск.* Бедствовать, нищенствовать. СПП 2001, 74.

Пусти́ть с то́рбой. *Волг.* 1. Разорить кого-л. 2. Выгнать из дома кого-л. Глухов 1988, 137.

Трясти́ то́рбой. *Пск.* То же, что **жить под торбой.** СПП 2001, 74.

Бро́сить в то́рбу *кого. Жарг. угол., арест.* 1. Арестовать кого-л. 2. Посадить кого-л. в штрафной изолятор. СВЯ, 11; ТСУЖ, 24; Балдаев 1, 47.

В то́рбу не поса́дишь *кого. Пск. Шутл.* О человеке, которого трудно провести, обмануть, смутить. СПП 2001, 74.

Не наде́ть то́рбу. *Новг.* Не справиться с каким-л. делом. НОС 5, 138.

Одева́ть (наде́ть) то́рбу. *Пск.* Обеднеть, начать нищенствовать. СПП 2001, 74.

Дожи́ться до то́рбы. *Пск.* Дойти до нищеты. ПОС 9, 112.

Как не то́рбы пове́сить *[на кого]. Пск.* О бедном, малоимущем человеке. СПП 2001, 74.

То́рбы пове́сить *[на кого]. Пск.* Пойти побираться. СПП 2001, 74.

ТОРЕ́Ц * Дать (вы́писать, присла́ть) в торе́ц *кому. Жарг. мол.* Ударить, избить кого-л. Митрофанов, Никитина, 212.

Наби́ть торе́ц *кому. Жарг. мол.* То же, что **дать в торец.** БСРЖ, 592.

Дать торца́ *кому. Жарг. угол.* Ударить кулаком в лицо кому-л. Быков, 60.

ТОРМА́ШКИ * Вверх торма́шками. *Прост.* 1. Кувырком, через голову, вверх ногами. 2. В беспорядке, вверх дном. БТС, 1333; ФМ 2002, 521; ФСРЯ, 478; СДГ 3, 159. **Кве́рху торма́шками.** *Волг.* То же. Глухов 1988, 74.

Отки́нуть торма́шки. *Пск.* Лечь спать. СПП 2001, 74.

< **Тормашки** — от диал. **тормы, торманы** — ноги. БМС 1998, 571.

ТО́РМОЗ * Зае́ло то́рмоз *у кого. Жарг. мол. Неодобр.* О глупом, несообразительном человеке. Максимов, 140.

Ручно́й то́рмоз. *Жарг. мол. Шутл.* Мужской половой орган. Елистратов 2001, 663; Щуплов, 53.

То́рмоз от са́мой большо́й маши́ны. *Жарг. мол. Шутл.-ирон.* О крайне глупом человеке. Вахитов 2003, 179.

Тормоза́ до́ма оста́вил. *Жарг. мол. Неодобр.* О человеке, ведущем себя подобно сумасшедшему. Вахитов 2003, 179.

Тормоза́ срыва́ются *у кого. Прост. Неодобр.* Кто-л. не может сдержаться, ведет себя бестактно, грубо. Ф 2, 206; Мокиенко 2003, 122.

Спуска́ть/ спусти́ть на тормоза́х *что. Разг.* Улаживать что-л. неприятное без шума и широкой огласки. БМС 1998, 571; ЗС 1996, 349; ФМ 2002, 524.

Спусти́ть с тормозо́в. *Жарг. мол.* Перестать владеть собой, потерять самоконтроль. Максимов, 401.

ТОРМОЗУ́НЧИК * Тормозу́нчик напа́л *на кого. Жарг. мол. Шутл.-ирон.* О чьей-л. ошибке, промахе. Максимов, 57.

ТОРПЕ́ДА * Запуска́ть/ запусти́ть торпе́ду. *Жарг. мол. Шутл.* Испражняться. Максимов, 146.

Полирова́ть торпе́ду. *Жарг. мол. Шутл.* Совершать половой акт с кем-л. Максимов, 326.

ТОРТ * Ста́линский торт. *Разг. Шутл.* Высотное здание сталинского времени, часто со шпилем на крыше. Елистратов 2001, 473.

ТОРЧ * Торч (то́рчи) лови́ть/ пойма́ть. *Жарг. мол.* Испытывать удовольствие. Елистратов 2001, 473.

Под то́рчем. *Жарг. нарк.* Под воздействием наркотика, в состоянии наркотической эйфории. (Смена, 1988, № 3, 7). БСРЖ, 593. < **Торч** — состояние наркотической эйфории.

ТОРЧМЯ́ * Торча́ть торчмя́. *Сиб.* Топорщиться. СФС, 187.

ТОРЧО́К * Слови́ть торчка́. *Жарг. авиа.* Не получить разрешения на взлёт. Максимов, 391.

ТОСКА́ * Вавило́нская тоска́. *Книжн.* О глубокой тоске, сильных переживаниях. < Восходит к 136-му псалму Библии, в котором говорится о тоске иудеев, находившихся в вавилонском плену. БМС 1998, 571.

Тоска́ бьёт *кого. Кар.* О сильном душевном терзании. СРГК 1, 73.

В тоске́. *Жарг. угол.* Без денег. СРВС 1, 57.

Тоски́ не прибра́ть *кому. Кар.* О сильных переживаниях, душевной боли. СРГК 5, 146.

Наводи́ть (вызыва́ть) тоску́. *Неодобр.* Тосковать, вспоминая что-л. Шевченко 2002, 297.

Отли́ть тоску́. *Дон.* Вылечить от тоски кого-л. СДГ 2, 213.

Пасть в тоску́. *Сиб.* Затосковать. ФСС, 132.

ТО́СКОМ * То́ском таска́ть. *Волг. Неодобр.* Постоянно воровать, присваивать себе чужое. Глухов 1988, 160.

ТОТ * Не тем будь помя́нут. *Волг.* О человеке, оставившем плохую память о себе. Глухов 1988, 105.

Ни то ни сё. *Разг.* 1. Ничем не выделяющийся, средний, посредственный. 2. Нечто среднее, невыразительное. 3. Посредственно, ни плохо и ни хорошо. 4. Ни да ни нет. ФСРЯ, 476; Мокиенко 1990, 11.

Ни то ни сё и того хуже. *Орл.* То же, что **ни то ни сё 1-2.** СРНГ 21, 215.

То да сё. *Разг.* Разное, всё что угодно (говорить, рассказывать и т. п.). ФСРЯ, 476.

Не на того́ напа́л (наскочи́л). *Прост.* Имеешь дело не с тем, на кого рассчитывал; недооцениваешь того, с кем имел дело. ДП, 268; ФСРЯ, 266. **Не на того́ наверну́лся.** *Кар.* То же. СРГК 3, 299. **Не на того́ нае́хал.** *Пск.* То же. СПП 2001, 74.

Ни с того́ ни с сего́. *Разг.* Неизвестно почему, без каких-л. явных оснований. ФСРЯ, 477; Глухов 1988, 111..

Ни того́ ни сего́ *у кого. Волг.* О крайней бедности. Глухов 1988, 111.

Того́ и гляди́ (жди). *Прост.* Об ожидании возможного в любой момент неприятного, нежелательного действия. ФСРЯ, 477. **Того́ и гля́нешь.** *Пск.* То же. СПП 2001, 74.

Тот (та, то) ещё. *Разг. Неодобр.* О таком, который выделяется своими (чаще отрицательными) свойствами, качествами. НСЗ-70.

Тот-то его́ зна́ет. *Дон.* Абсолютно ничего не известно о чём-л. СДГ 3, 160.

Тот-то тебя́ забери́! *Дон. Бран.* Восклицание, выражающее гнев, негодование в чей-л. адрес. СДГ 3, 160.

ТОЧИ́ЛО * Верте́ть точи́ло. *Арх. Неодобр.* Болтать, пустословить. АОС 3, 122.

ТО́ЧКА * Болева́я то́чка. *Книжн.* 1. Насущный вопрос, актуальная проблема. Ф 2, 207. 2. О какой-л. назревшей, но не решённой проблеме. НСЗ-80; Мокиенко 2003, 123.

Горя́чая то́чка. 1. *Публ.* О месте, где происходят какие-л. чрезвычайные события, характеризующиеся обострением ситуации, возникновением напряженности, кризисами. НСЗ-70; БТС, 222. 2. *Публ.* Об отраслях человеческой деятельности, переживающих большие трудности, упадок. НСЗ-70; Hau, 49. 3. *Жарг. шк. Шутл.* Школьная столовая. Максимов, 94.

Мёртвая то́чка. *Разг.* 1. Состояние неподвижности, бездействия. 2. Стадия, в которой невозможно больше достичь прогресса. < Калька с франц. *point mort.* БМС 1998, 571; Мокиенко 2003, 123.

Пя́тая то́чка. 1. *Разг. Шутл.* Зад, ягодицы. Флг., 291; Мокиенко 2003, 123. 2. *Жарг. тур.* Коврик, привязанный к ягодицам. Максимов, 355.

Отправна́я то́чка. *Книжн.* Исходный, начальный пункт рассуждения, мысли, действия. ФСРЯ, 479.

То́чка в то́чку. *Разг.* Абсолютно точно. ФСРЯ, 479; БМС 1998, 571; ЗС 1996, 519; ФМ 2002, 528; Мокиенко 1986, 101; ДП, 856.

То́чка зре́ния. *Разг.* Определённый взгляд на что-л., своё, особое отношение к чему-л. ФСРЯ, 480; БТС, 1336; БМС 1998, 571.

То́чка ру (.ru). *Жарг. шк. Шутл.* Русский язык (учебный предмет). ВМН 2003, 134.

То́чка, то́чка, запята́я. *Жарг. шк. Шутл.* Учитель, учительница русского языка. (Аврора, 1993, № 8, 158). БСРЖ, 594.

На да́льней то́чке. *Жарг. шк.* На последней парте. Максимов, 101.

На мёртвой то́чке. *Разг.* В одном и том же состоянии, без движения, развития. ФСРЯ, 480; ФМ 2002, 526.

На то́чке замерза́ния. *Разг.* То же, что **на мертвой точке.** ФСРЯ, 480; ФМ 2002, 526; ЗС 1996, 118.

До то́чки. *Разг.* В мельчайших подробностях, в совершенстве (знать, видеть что-л. и т. п.). ФСРЯ, 480.

Доводи́ть/ довести́ до то́чки *кого. Волг.* 1. Разорять кого-л. 2. Ставить кого-л. в крайне сложное, безвыходное положение. Глухов 1988, 35.

Доходи́ть/ дойти́ до то́чки. *Разг.* 1. Попадать в безвыходное, бедственное положение. 2. Доходить до предела в своих чувствах, поступках. ФСРЯ, 480; Ф 1, 166.

Из то́чки в то́чку. *Урал.* То же, что **точка в точку.** Мокиенко 1986, 102.

Сдвига́ть/ сдви́нуть с мёртвой то́чки. *Книжн.* 1. Придавать чему-л. подвижность, преодолевать застой в чём-л. 2. Начинать делать какое-л. приостановленное дело. БМС 1998, 572; ФМ 2002, 147, 527; Мокиенко 2003, 123.

Сдвига́ться/ сдви́нуться с мёртвой то́чки. *Книжн.* Получать ход, начинать продвигаться вперед (о деле, предприятии, вопросе, требующем решения. Ф 2, 147.

Ста́вить/ поста́вить то́чки над «и». 1. *Разг.* Давать пояснения, уточнить, внести полную ясность во что-л.; довести что-л. до конца. ЗС 1996, 338. < Калька с франц. *mettre les points sur les «i».* БМС 1998, 572; ФСРЯ, 480. 2. *Жарг. угол., лаг.* Стрелять в затылок (напр., при расстреле). < Над «i» — над иудами, т.е. предателями. Балдаев 2, 59; ББИ, 233.

С то́чки зре́ния ве́чности. *Книжн.* О несущественности, мизерности чего-л. при более масштабном подходе. < Выражение Б. Спинозы, впервые употребленное им в «Этике» (1677 г.). БМС 1998, 572.

Ста́вить/ поста́вить на четыре то́чки *кого. Жарг. угол., мол.* Изнасиловать кого-л. в анальное отверстие. Б., 116, 129; УМК, 204.

Бить в одну́ то́чку. *Публ.* Действовать согласованно, с единой целью. НРЛ-81; Мокиенко 2003, 124.

Законопа́тить пя́тую то́чку *кому. Жарг. угол.* Сурово наказать кого-л. Б., 116; УМК, 204.

Получи́ть то́чку. *Кар.* Демобилизоваться с военной службы. СРГК 5, 67.

Попа́сть в [са́мую] то́чку. *Разг.* Сказать или сделать именно то, что нужно. БМС 1998, 572; ЗС 1996, 380, 519.

Ста́вить/ поста́вить на то́чку. *Прост. Устар.* 1. *кого.* Заставлять кого-л. поступать, вести себя надлежащим образом. 2. *кого, что.* Приводить кого-л. или что-л. в надлежащее положение, в надлежащий вид. Ф 2, 112.

Ста́вить/ поста́вить то́чку. *Разг.* Завершать, заканчивать какое-л. дело. ЗС 1996, 527; Ф 2, 182.

Уйти́ в то́чку. *Жарг. мол. Шутл.* Быстро убежать откуда-л. СМЖ, 96.

ТО́ЧНОСТЬ * С точностью до наоборо́т. *Разг. Шутл.-ирон.* О чём-л., оказавшемся противоположностью ожидаемого. Мокиенко 2003, 124.

ТО́ШНЕНЬКО * А́хти (о́хти) то́шненько! *Новг., Пск.* Восклицание, выражающее сожаление, удивление. НОС 7, 73; СПП 2001, 74.

ТО́ШНО * Рвать то́шно. *Волг. Пренебр.* О чём-л. крайне неприятном, отвратительном, надоевшем. Глухов 1988, 141, 180.

ТОШНО́ТИКИ * Тошно́тики беру́т *кого. Жарг. мол.* О тошноте. Елистратов 2001, 475.

ТПРУ * Ни тпру ни ну. *Прост. Неодобр.* 1. О чьём-л. бездействии. 2. Об отсутствии результатов в каком-л. деле. ФСРЯ, 480; БМС 1998, 572; Мокиенко 1990, 11, 61; ФМ 2002, 530.

Ни тпру ни мя. *Дон. Пренебр.* О человеке, плохо владеющем речью. СДГ 3, 160.

ТПРУ́КАНЬЕ * Не знать ни тпру́канья ни ну́канья. *Прикам. Неодобр.* Не поддаваться воспитанию. МФС, 99.

ТРАБАЧЕ́ЛЬ * Валя́ть трабаче́ль. *Новг. Неодобр.* Болтать, пустословить. НОС 11, 54.

ТРАВА́ * Богоро́дицына (богоро́дицкая) трава́. *Арх., Дон.* Растение чабрец обыкновенный. АОС 2, 45; СДГ 1, 32-33.

Богоро́дская трава́. 1. *Прибайк., Прикам.* То же, что **богородицкая трава.** СНФП, 133; МФС, 99. 2. *Сиб.* Травянистое растение чабрец ползучий. Верш. 7, 74.

Варе́ничная трава́. *Дон.* Валерьяна лекарственная. СДГ 1, 55.

Гры́жная трава́. *Прикам.* Растение кошачьи лапки. МФС, 100.

Желту́шная (золоту́шная) трава́. *Прикам.* Растение череда. МФС, 100.

Же́нская (ма́точная) трава́. *Прикам.* Растение повилика. МФС, 100.

Зано́зная трава́. *Волог.* Подорожник. СВГ 2, 133.

Картóвная травá. *Волог.* Ботва, стебли картофеля. СВГ 3, 42.
Лýковая травá. *Волог.* Зеленые листья, перья лука. СВГ 4, 54.
Мы́льная травá. *Сиб.* Травянистое растение горицвет. СОСВ, 115.
Пердя́чая травá. *Влад. Вульг. Шутл.* О том, что доставляет неприятности. СРНГ 26, 15.
Поясни́чная (спиннáя) травá. *Прикам.* Ромашка лекарственная. МФС, 101.
Серéбряная травá. *Дон.* Полынь обыкновенная. СДГ 3, 115.
Смешнáя травá. *Жарг. нарк.* Гашиш. Максимов, 392.
Травá от девянóста девяти болéзней. *Разг.* О зверобое. Мокиенко 2003, 124.
Травá с могилки Хо Ши Ми́на. *Жарг. мол. Шутл.-ирон.* Сигареты низкого качества. Максимов, 426.
Хоть (и) трáва не расти́ *кому. Разг.* О полном безразличии, равнодушии к чему-л. ФСРЯ, 481; БМС 1998, 573; ДП, 608, 612; Верш. 7, 75; СРГМ 1986, 114.
Лежáть на травé. *Дон.* Будучи на диете, лечиться целебными травами. СДГ 2, 110; СРНГ 16, 330.
На пéрвой (на вторóй, трéтьей) травé. *Колым., Якут.* Годовалый, двухлетний, трехлетний (о возрасте лошади, коровы). СРНГ 14, 274, 349; СФС, 91.
Сидéть на травé. *Жарг. мол.* Курить гашиш. Митрофанов, Никитина, 214; Рожанский, 50; DL, 80.
Травé не расти́. *Сиб.* При любых условиях, обязательно. Верш. 7, 75.
Есть вторýю (трéтью и т. п.) **травý.** *Перм.* Быть в определённом возрасте (о животных). Подюков 1989, 79.
Идти́/ пойти́ на травý (на трáвушку-мурáвушку). *Жарг. арест.* Совершать побег из заключения (в летнее время). СРВС 2, 39, 58, 71, 118, 128; СРВС 3, 93; Балдаев 2, 169; ТСУЖ, 77.
Коси́ть травý. *Жарг. мол.* Молчать. Максимов, 199.
Класть в травý *кого. Дон.* Лечить кого-л. травами. СДГ 3, 160.
Мять травý. *Новг., Перм.* Жить, существовать. НОС 5, 118; Сергеева 2004, 188; Подюков 1989, 191.
На пéрвую (вторýю, трéтью) травý. *Новг.* То же, что **на первой (второй, третьей) траве.** НОС 11, 60.
Нюхнýть травý. *Жарг. нарк.* Покурить гашиша. Вахитов 2003, 115.
Топтáть травý. *Перм.* То же, что **мять траву.** Подюков 1989, 204.
Ни́же травы́. *Сиб.* Скромно, незаметно. Верш. 7, 74.
Считáть ни́же травы́ *кого. Коми.* Не уважать кого-л. Кобелева, 69.
Травы́ не одерёт. *Волог.* О тихом, скромном человеке. СВГ 6, 30.
ТРÁВКА * Бóжья трáвка. 1. *Одесск.* Полынь. КСРГО. 2. *Жарг. нарк.* Гашиш. ТСУЖ, 22, 136; Грачев 1994, 29; Грачев 1996, 63; СВЯ, 9; СРВС 4, 187; Елистратов 2001, 475; Балдаев 2, 83; Росси 2, 410; ББИ, 246; Мильяненков, 249.
Летýчая трáвка. *Яросл.* Крылатый муравей. ЯОС 5, 129; СРНГ 17, 26.
Нащипáться блатнóй трáвки. *Жарг. мол. Неодобр.* Зазнаться, начать важничать, вести себя высокомерно. Вахитов 2003, 110; Максимов, 35.
Общипáться трáвки-борзя́нки. *Жарг. мол. Неодобр.* Начать вести себя вызывающе, нагло. Вахитов 2003, 119.
Пощипáть трáвки. *Жарг. мол. Шутл.* Выпить спиртного. Максимов, 377.
Пинáть зáячью трáвку. *Жарг. нарк.* Пытаться достать, раздобыть наркотики. Вахитов 2003, 131.
ТРАВОМÉЛИНА * Мять травомéлину. *Перм.* Выполнять разнообразную, не очень сложную работу. СГПО, 638.
ТРАВОЯ́ДНОЕ * Фи́гушки, я травоя́дное! *Жарг. мол. Шутл.* Выражение категорического отказа. Вахитов 2003, 189.
ТРÁВУШКА * И трáвушка не расти́ *кому. Волг.* То же, что **хоть трава не расти (ТРАВА).** Глухов 1988, 40.
Топтáть зелёной трáвушки. *Перм.* То же, что **мять траву (ТРАВА).** Подюков 1989, 204.
ТРÁВУШКА-МУРÁВУШКА * Идти́/ пойти́ на трáвушку-мурáвушку. См. **Идти на траву (ТРАВА).**
ТРАГÉДИЯ * Мáленькие трагéдии. *Жарг. шк. Шутл.-ирон.* О психологическом состоянии ученика после получения неудовлетворительной оценки. < По названию цикла пьес А. С. Пушкина. Максимов, 236.
ТРАКТ * Москóвский тракт. *Жарг. арест.* Пеший этап. Балдаев 1, 255.
Пойти́ по Усóльскому трáкту. *Жарг. арест., угол.* Умереть. < На пути в Усолье находится арестантское кладбище. СРВС 2, 157.
ТРÁКТОР * Скоростнóй трáктор. *Жарг. авто. Шутл.* Автомобиль КРАЗ. Максимов, 389.
Чи́сто трáктором *кому что. Жарг. мол. Шутл.* Неинтересно, безразлично, бесполезно кому-л. что-л. СМЖ, 96.
ТРАМВÁЙ * Роди́лся в трамвáе. *Жарг. мол. Неодобр.* 1. О человеке, который не закрывает за собой дверь. 2. О глупом, несообразительном человеке. Максимов, 367.
Побывáть под трамвáем. *Жарг. угол.* Стать жертвой группового изнасилования. Мокиенко 1995, 106.
Прики́нуться трамвáем. *Жарг. мол.* Притвориться глупым, не понимающим чего-л. Максимов, 340.
Поеби́ трамвáй на поворóте! *Нецензю. Бран.* Восклицание недоверия, презрения или отказа кому-л. Мокиенко, Никитина 2003, 326.
Пусти́ть (пропусти́ть) под (через) трамвáй *кого. Жарг. угол.* Совершить групповое изнасилование. Балдаев 1, 364; Росси 2, 410.
Выходи́ть/ вы́йти из-пóд трамвáя. *Нов. Разг.* Становиться достоянием публики после конъюнктурных изменений под давлением цензуры, в изуродованном виде (о сценарии фильма). НРЛ-91, 510.
ТРАНЗИ́СТОР * Эмалирóванный транзи́стор. *Жарг. мол. Шутл.-ирон.* О человеке, выдающем себя за преуспевающего бизнесмена. Максимов, 427.
ТРÁПЕЗА * Дели́ть трáпезу *с кем. Книжн.* Питаться совместно. < По ассоциации с братской трапезой — общим столом в монастыре. БМС 1998, 573.
ТРАС * Посади́ть в трас *кого. Груз.* Обмануть, подвести кого-л. СРНГ 30, 134.
ТРÁССА * Трáсса вéка. *Публ. Патет.* Байкало-Амурская магистраль. Новиков, 171.
Ходи́ть (éздить) по трáссе. *Жарг. мол.* Передвигаться, путешествовать автостопом. Рожанский, 51; Запесоцкий, Файн, 143.
Морóзить трáссу. *Жарг. мол.* Медлить, затягивать с ответом, решением, исполнением чего-л. Максимов, 254.
Проклáдывать трáссу. *Жарг. мол.* Лгать, обманывать кого-л. Максимов, 346.
Шлифовáть трáссу, *чаще в форме повел. накл. Жарг. мол.* Отвечать за свои дела, слова. h-98.
ТРÁУР * Дéлать/ сдéлать трáур *кому. Морд.* Хоронить кого-л. СРГМ 2002, 32.

ТРАХТ * Сбить с тра́хту *кого. Пск.* Помешать кому-л. в чём-л., сбить кого-л. с правильного пути. СПП 2001, 74.

ТРЕ́БА * В тре́бу. 1. *кому что. Новг.* Кому-л. нужно, необходимо что-л. НОС 11, 67. 2. *Прикам.* Если потребуется. МФС, 101.

ТРЕ́БОВАТЬСЯ * Что и тре́бовалось доказа́ть. *Разг.* Возглас подтверждения своей правоты. < Восходит к формуле Евклида, которой кончалось каждое его математическое рассуждение. БМС 1998, 573.

ТРЕВО́ГА * Бить/ заби́ть трево́гу. *Разг.* Обращать всеобщее внимание на грозящую опасность, стремясь предупредить её, призывая бороться с нею. ФСРЯ, 481; БМС 1998, 573; ЗС 1996, 360; ФМ 2002, 532.

ТРЕЗВО́Н * Дава́ть/ дать (задава́ть/ зада́ть) трезво́н (трезво́на, трезво́ну). *Разг.* 1. Буйствовать, кутить. Ф 1, 194. 2. *кому.* Наказывать, избивать кого-л. ФСРЯ, 481, БМС 1998, 573; Мокиенко 1990, 47.

ТРЕЗВЯ́К * Лепи́ть трезвя́к. *Жарг. мол. Шутл.* Скрывать состояние опьянения. Максимов, 221.

По трезвяку́. *Разг.* В трезвом состоянии. БСРЖ, 596.

ТРЕЗУ́БНИК * Подноси́ть/ поднести́ трезу́бника *кому. Смол.* Бить кого-л. в нижнюю часть лица. СРНГ 28, 104.

ТРЁКА * Идти́ в трёку. *Сиб. Неодобр.* Отказываться от своих слов. ФСС, 85; СФС, 49.

ТРЁКАЛО * База́рное трёкало. *Жарг. угол. Презр.* О человеке, который не может держать секрет, которому нельзя доверять. ТСУЖ, 15.

Трёкало на броневичке́. *Разг. Шутл.-ирон. или Пренебр.* Памятник Ленину у Финляндского вокзала. < **Трёкало** — болтун, человек, которому нельзя доверять. Сидаловский, 2002.

ТРЕ́НЕР * Пья́ный (стекля́нный) тре́нер. *Жарг. мол. Шутл.* Бутылка спиртного. Никитина 2003, 706; Максимов, 354.

ТРЕПА́К * Дли́нный трепа́к. *Прост. Груб.* Гонорея пищевода. Мокиенко, Никитина 2003, 327.

Коро́ткий трепа́к. *Прост. Груб.* Гонорея половых органов. Мокиенко, Никитина 2003, 327.

Очко́вый трепа́к. *Прост. Груб.* Гонорея прямой кишки и анального отверстия. < **Очковый** — от **очко** — задний проход. Мокиенко, Никитина 2003, 327.

Подхвати́ть трепа́к. *Жарг. шк. Шутл.* Получить двойку. (Запись 2003 г.).

Дава́ть/ дать трепака́. 1. *Алт., Курск.* Азартно, задорно плясать. СРГА 2-1, 6; Верш. 7, 80. // *Сиб.* Плясать, притопывая. ФСС, 52; СФС, 59; СБО-Д1, 109. 2. *Одесск.* Быстро бежать, убегать откуда-л. КСРГО. 3. *Сиб.* Бить, избивать кого-л. Мокиенко 1990, 46.

Задава́ть/ зада́ть трепака́ *кому. Волг., Сиб.* Строго наказывать, бить кого-л. Глухов 1988, 47; ФСС, 76.

ТРЕПА́НЬЕ * Дать трепа́нья *кому. Пск.* То же, что **дать трёпку 1.** СПП 2001, 74.

ТРЁПКА * Дава́ть/ дать (задава́ть/ зада́ть) трёпку (трёпки) *кому.* 1. *Разг.* Пороть, бить, наказывать кого-л. ДП, 260; БМС 1998, 573; ЯОС 3, 121; Глухов 1988, 28; СРГК 1, 265; Ф 1, 195; ПОС 11, 172; Мокиенко 1990, 25, 46. 2. *Пск.* Мучить, утомлять кого-л.; доставлять много хлопот кому-л. СПП 2001, 74.

ТРЕСК * Прова́ливаться/ провали́ться с тре́ском. *Прост.* Неожиданно терпеть большую неудачу. Ф 2, 96.

ТРЕ́СНУТЬ * Хоть тре́сни. *Разг.* В любом случае, при любых обстоятельствах. ФСРЯ, 481; БМС 1998, 573.

ТРЕСО́СКИ * Вы́тырить тресо́ски *кому. Пск. Неодобр.* Рассказать кому-л. то, что не следует, разгласить что-л. ПОС 6, 85.

ТРЕСТ * Мозгово́й трест. *Книжн.* Источник идей, проектов. < Выражение создано по английской модели (ср. *brain's trust*). БМС 1998, 573.

ТРЕСЬ * Тресь его́ (её) побери́! *Прикам. Бран.* Восклицание, выражающее возмущение, досаду, удивление, восхищение кем-л., чем-л. МФС, 102.

ТРЕ́СЬЯ * Тре́сья тебе́ (ему́, ей) на язы́к! *Прикам. Бран.* Недоброе пожелание тому, кто говорит не то, что следует. МФС, 102.

ТРЕ́ТИЙ * Тре́тий ли́шний. *Разг. Шутл.-ирон.* 1. О ком-л., оставшемся отвергнутым в любовном треугольнике. 2. О ситуации, когда дело касается только двоих. Мокиенко 2003, 124.

Отда́ть под-за тре́тье *кого, что. Курск.* Отдать в третьи руки кого-л., что-л. СРНГ 28, 11.

С тре́тьего на деся́тое. *Пск. Неодобр.* Беспорядочно, неполностью (рассказывать, понимать). ПОС 9, 56.

Тре́тьего не дано́. *Разг.* Необходимо сделать выбор одной из двух возможностей, каждая из которых не вполне удовлетворяет. < Калька с лат. *tertium non datur.* БМС 1998, 573; ЗС 1996, 511.

ТРЕТИ́НА * Ве́рить из трети́ны в полови́ну. *Арх.* Не доверять кому-л., сомневаться в чём-л. АОС 3, 117.

ТРЕУГО́ЛЬНИК * Берму́дский треуго́льник. 1. *Публ. Ирон.* О чём-л. непонятном, запутанном. НРЛ-83. 2. *Жарг. мол. Шутл.* Женская грудь. Максимов, 32.

Вермýтский треуго́льник. *Разг. Шутл.-ирон.* 1. Распитие спиртных напитков втроём. Щуплов, 175. 2. Винный магазин — отделение милиции — спецмедвытрезвитель. Балдаев 1, 59.

Си́ний треуго́льник. *Жарг. мол. Шутл.* Трое людей, пьющих спиртное вместе. Максимов, 385.

ТРЕУ́Х * Скрои́ть (дать) треу́ха *кому. Прост.* Ударить по затылку, по уху, избить кого-л. БМС 1998, 574; Ф 2, 161; Мокиенко 1990, 59.

Треухо́в надава́ть *кому. Пск. Шутл.* Избить, поколотить кого-л. СПП 2001, 74.

ТРЁХМЕТРО́ВКА * Трёхметро́вка слюне́й. *Жарг. мол. Шутл.* Поцелуй. Максимов, 428.

ТРИ * Зри в три́! *Астрах., Волг., Нижегор.* Призыв быть внимательным, бдительным. СРНГ 11, 348; Глухов 1988, 54.

Три сбо́ку (сбо́ку три). *Жарг. арест.* 1. Тюремный надзиратель. ТСУЖ, 178. // Старший тюремный надзиратель. СРВС 1, 152; СРВС 2, 89, 133; СРВС 3, 127. 2. Предупреждение о приближении надзирателя. ТСУЖ, 157.

Три ха-ха́. *Разг.* О ком-л., о чём-л., вызывающем смех. БМС 1998, 574.

Че́рез три два́дцать три. *Жарг. мол. Шутл.* О чём-л. непонятном. (Запись 2004 г.).

ТРИБУ́НА * С са́мой высо́кой трибу́ны. *Публ.* От имени высшего руководства. Мокиенко 2003, 124.

ТРИ́ДЦАТЬ * Три́дцать шесть. *Жарг. арест., угол.* Предупреждение о приближении старшего надзирателя. СРВС 1, 106.

Три́дцать шесть и шесть. *Разг. Неодобр.* О чём-л., о ком-л. посредственном, заурядном. НРЛ-82. < От нормальной температуры тела. Мокиенко 2003, 125.

ТРИ́ППЕР * Бе́лый три́ппер. *Жарг. арм. Шутл.* Нательное белье. Лаз., 55.

Си́ний три́ппер. *Жарг. арм.* Синие кальсоны (часть уставной одежды). Лаз., 44.

ТРО́Е * Соображá́ть/ сообрази́ть (раздави́ть) на трои́х. *Разг.* Выпить бутылку спиртного втроём. Немировская, 482; Мокиенко 2003, 125.

ТРОЕБО́РЬЕ * Офице́рское троебо́рье. *Жарг. арм. Шутл.* Распитие спиртного напитка, состоящего из пива, вина и водки (пропорции — по вкусу). БСРЖ, 598.

ТРО́ИЦА * Свята́я Тро́ица. 1. *Народн.* Обозначение города Пскова. < По имени святого покровителя города. БМС 1998, 574. 2. *Жарг. шк. Шутл.* Директор школы, завуч, учитель. ВМН 2003, 135.

Де́лать Тро́ицу. *Кар. Шутл.* Трижды повторять что-л. СРГК 1, 444.

ТРО́ЙКА * Золота́я тро́йка. *Жарг. угол.* Авторитетный адвокат. Балдаев 1, 159.

Е́хать на тро́йках. *Пск. Ирон.* Учиться посредственно. СПП 2001, 74.

ТРОЙНИЧО́К * Заторча́ть в тройничке́. *Жарг. мол. Шутл.* Выпить спиртного втроём. Максимов, 150.

ТРОЙНО́Й * Тройно́й горя́чий. *Разг. Шутл.* Сношение с женщиной последовательно во влагалище, через задний проход и в форме минета. Прокопенко, 1999.

ТРОЛЛЕ́ЙБУС * На оди́ннадцатом тролле́йбусе. *Жарг. мол. Шутл.* Пешком. Вахитов 2003, 103.

Чтоб тебе́ с тролле́йбусом переспа́ть! *Жарг. мол. Бран.-шутл.* Недоброе пожелание женщине, вызывающей раздражение, досаду. Максимов, 418.

ТРОН * Трон на раскоря́ку. *Жарг. мед., мол.* Гинекологическое кресло. УМК, 205; Балдаев 2, 86; ББИ, 248.

ТРОПА́ * Во́лчья тропа́. *Жарг. арм. Шутл.* Дорога в столовую. Максимов, 68.

Звери́ная (змеи́ная) тропа́. *Жарг. шк. Шутл.-ирон.* Дорога в школу. БСРЖ, 598; ШП, 2002; Muravlenko, 2002.

Сюда́ не зарастёт наро́дная тропа́. 1. *Жарг. арм. Шутл.* Об армейской чайной, буфете. БСРЖ, 598. 2. *Жарг. арм. Ирон.* О гауптвахте. Максимов, 413. 3. *Жарг. шк.* О школьном туалете. (Запись 2003 г.). < Шутливая переделка известной цитаты из стихотворения А. С. Пушкина «Я памятник себе воздвиг нерукотворный» (1836 г.). БСРЖ, 598.

Тропа́ испыта́ний. *Жарг. шк.* То же, что **звериная тропа.** ВМН 2003, 135.

Тропа́ сме́лых. *Жарг. шк.* То же, что **звериная тропа.** (Запись 2003 г.).

Ходи́ть крыси́ной тропо́й. *Жарг. угол., мол. Неодобр.* Воровать у своих товарищей. Максимов, 462.

ТРОПА́К * Дава́ть/ дать (зада́ть) тропака́. *Пск.* 1. С увлечением, жаром исполнять какой-л. танец, плясать, отплясывать. 2. *кому.* Наказывать, бить кого-л. СПП 2001, 74.

ТРОПИ́НА * По тропи́не не дать ходи́ть *кому. Пск.* Попрекать на каждом шагу кого-л. чем-л. ПОС 8, 130.

ТРО́СТОЧКА * Холоста́я тро́сточка. *Одесск.* Конопля без зёрен, идущая на изготовление нитей. КСРГО.

ТРОТУА́Р * Шлифова́ть тротуа́р. *Разг. Устар. Ирон.* 1. Много ходить пешком. 2. Гулять, ходить без дела. Ф 2, 264.

ТРОШ * Иссечённый в трош. *Пск.* Сильно обветренный (о лице). СПП 2001, 74.

ТРУБА́ * Иерихо́нская труба́. *Книжн.* Громкий, трубный голос. < Восходит к библейскому мифу. БМС 1998, 574; БТС, 1347; ФСРЯ, 482.

Нетолчёная труба́. *Разг. Устар.* О большом скоплении народа. < **Нетолченая** — от **толочить** — торить, прокладывать путь. БМС 1998, 574; ФСРЯ, 482; СРГМ 1986, 122.

Труба́ зовёт. *Жарг. мол. Шутл.* О телефонном звонке. Максимов, 157.

Быть на трубе́. *Жарг. мед.* Находиться на искусственной вентиляции лёгких. (Запись 2001 г.).

Игра́ть на трубе́. 1. *Жарг. гом., простит.* Делать минет. Балдаев 2, 188. 2. *Жарг. мол.* Заниматься онанизмом. Балдаев 1, 168.

Вогна́ть в трубу́ *кого. Пск.* Выругать, отчитать кого-л. СПП 2001, 74.

Войти́ в трубу́. *Смол.* Войти в берега после разлива (о реке). СРНГ 5, 34.

Вы́лететь в трубу́. 1. *Разг.* Разориться, обанкротиться. ФСРЯ, 482; БМС 1998, 574; ЗС 1996, 205; ФМ 2002, 534; БТС, 174; ШЗФ 2001, 51. 2. *Пск.* Навлечь на себя большие неприятности. ПОС 6, 7.

Вы́лететь в трубу́ с ды́мом. *Обл.* То же, что **вылететь в трубу 1.** Мокиенко 1990, 117.

Загна́ть в трубу́ *кого. Новг.* Утомить кого-л. НОС 3, 19.

Навести́ трубу́. *Волг.* Испортить, уничтожить что-л. Подюков 1989, 87.

Полете́ть в трубу́. *Пск.* То же, что **вылететь в трубу 1-2.** СПП 2001, 74.

Поста́вить в трубу́ *кого. Сиб.* Поставить кого-л. в затруднительное положение. СРНГ 30, 209.

Проле́зть в трубу́. *Волг., Дон.* Найти выход из трудного положения благодаря своему опыту, хитрости. Глухов 1988, 135; СДГ 3, 68.

Пуска́ть/ пусти́ть в трубу́. *Разг.* 1. *кого.* Разорять, лишать денег, имущества кого-л. 2. *что.* Тратить, расходовать зря, безрассудно что-л. ФСРЯ, 369; ФМ 2002, 536; Глухов 1988, 136.

Дуде́ть во все тру́бы. *Публ. Ирон.* Широко оповещать о грозящей опасности. НРЛ-81; Мокиенко 2003, 125.

Е́здить вокру́г трубы́. *Жарг. авто. Шутл-ирон.* Совершать поездки по короткому маршруту. НРЛ-81.

Зали́ть тру́бы. *Жарг. мол.* Выпить спиртного. Максимов, 144.

Кача́ть тру́бы. *Жарг. нарк.* Напрягать вены ритмичным сжиманием кулака. Собеседник, 1992, № 13; WMN, 93.

Ме́дные тру́бы. *Жарг. мол. Шутл.* Самогон. Максимов, 243.

Ме́рить тру́бы. *Жарг. мол.* Пьянствовать, пить алкогольные напитки. СМЖ, 47.

Промочи́ть тру́бы. *Жарг. мол.* Опохмелиться. Максимов, 347.

Тру́бы со́хнут (вы́сохли) *у кого.* **1.** *Жарг. нарк.* О нарушении кровообращения при сужении вен вследствие постоянных инъекций наркотиков. ТСУЖ, 37; Грачев 1994, 30; Грачев 1996, 63. 2. *Жарг. мол.* То же, что **трубы горят.** Максимов, 77, 309.

Тру́бы горя́т *у кого. Разг.* О сильной жажде при похмельном синдроме. БСРЖ, 599; БТС, 1347; Вахитов 2003, 182; Подюков 1989, 205.

ТРУ́БКА * Воню́чая тру́бка. 1. *Разг. Бран.* О непорядочном человеке. Флг., 354. 2. *Ряз. Бран.* О поросёнке. ДС, 565.

Кли́стирная тру́бка. *Жарг. мол. Шутл.-ирон.* Медицинская сестра. Максимов, 183.

В ка́ждой тру́бке гвоздь. *Пск. Неодобр.* О человеке, который непрошенно вмешивается во все дела. СПП 2001, 74.

На голо́дной тру́бке. *Арх.* Натощак. АОС 9, 256.

В тру́бку тебе́! *Ряз. Бран.* Восклицание, выражающее гнев, негодование в чей-л. адрес. ДС, 565.

Вы́курить тру́бку ми́ра. *Книжн.* Примириться, прекратить раздоры, распри. БМС 1998, 574; ЗС 1996, 237, 509.

Кури́ть ко́жаную тру́бку (тру́бочку). *Жарг. угол., гом.* Совершать орогенитальный половой акт. Балдаев 1, 216; ТСУЖ, 94; УМК, 205.

ТРУБМЯ́ * Трубмя́ труби́ть. *Перм.* Громко возвещать о чём-л. Подюков 1989, 205.

ТРУБОЧИСТ * Пусти́ть трубочи́ста. *Народн. Шутл.* Дать кому-л. слабительное. ДП, 401.

ТРУ́БОЧКА * Кури́ть ко́жаную тру́бочку. См. **Курить кожаную трубку (ТРУБКА).**

ТРУД * Брать/ взять на себя́ труд. *Книжн.* Соглашаться сделать что-л. < Калька с франц. *prendre la peine de…* БМС 1998, 575; ШЗФ 2001, 36; ФСРЯ, 482.

Геркуле́сов труд. См. **Геркуле́сова рабо́та (РАБОТА).**

Еги́петский труд. См. **Египетская рабо́та (РАБОТА).**

Класть труд. *Перм.* Трудиться; прикладывать большие усилия, выполняя работу. Подюков 1989, 91.

Марты́шкин труд. *Разг. Неодобр.* Бестолковый процесс работы, бесполезные усилия, напрасные старания. БТС, 522, 1348. < Восходит к басне И. А. Крылова «Обезьяна» (1811 г.). БМС 1998, 575.

Сизи́фов труд. *Книжн.* Тяжёлая, бесконечная и бесплодная работа. < Оборот возник на основе древнегреческого мифа. БМС 1998, 575; БТС, 1348; Мокиенко 1989, 77-78.

Труд на по́льзу! *Перм., Пск.* Приветствие работающим. Подюков 1989, 206; СПП 2001, 74.

Не брать труда́. *Разг. Устар.* Не пытаться сделать что-л. Ф 1, 41.

Не сто́ит труда́ *что. Разг.* Что-л. не заслуживает прилагаемых усилий, затраченных сил. Ф 2, 187.

С труда́ с плеча́. *Прибайк.* Тяжёлым трудом, прилагая большие усилия. СНФП, 133.

Труды́ приня́ть [положи́ть]. *Прибайк.* Приложить усилия, потратить силы на что-л. СНФП, 133.

ТРУ́ДНО * Тру́дно лежа́ть. *Курск.* Тяжело болеть. БотСан, 115.

ТРУ́ЖЕНИЦА * Тру́женица лёгкого поведе́ния. *Разг. Шутл.-ирон.* Проститутка. УМК, 206.

ТРУП * Живо́й труп. *Разг.* 1. О человеке, находящемся между жизнью и смертью; больном, измождённом. ШЗФ 2001, 75. < Калька с франц. *un mort vivant.* 2. О человеке, потерявшем интерес к жизни, оторвавшемся от жизни, ставшем анахронизмом. БМС 1998, 575. 3. *Жарг. студ. Ирон.* Студент на экзамене. Максимов, 131. < Восходит к драме Л. Н. Толстого «Живой труп». БМС 1998, 575.

Переступи́ть (перешагну́ть) через труп *чей. Разг. Неодобр.* Погубить чью-л. жизнь, карьеру для достижения личных целей. БТС, 823, 1349.

То́лько через мой труп. *Разг.* Категорический протест против чьего-л. действия.

Труп, завёрнутый в тулу́п. *Жарг. арм. Шутл.* Часовой. БСРЖ, 599.

Ходи́ть (шага́ть) по тру́пам. 1. *Разг. Неодобр.* Для достижения личных целей использовать окружающих людей, ломая их жизнь, карьеру. БТС, 1349, 1488; Ф 2, 259. 2. *Жарг. угол. Шутл.* Совершать кражи на кладбищах. Балдаев 2, 126. 3. *Жарг. угол. Шутл.* Грабить пьяных. Балдаев 2, 126.

Тру́по це два креста́. *Жарг. комп. Шутл.* Язык программирования TURBO C++. Садошенко, 1995.

ТРУС * Тру́са (тру́су) пра́здновать. *Разг. Шутл.* Трусить, бояться чего-л. БМС 1998, 575-576; БТС, 1349; ФСРЯ, 482; ДП, 272; ФМ 2002, 537; Мокиенко 1990, 13; СФС, 187.

ТРУ́СИКИ * Шевели́ть тру́сиками. *Жарг. мол. Шутл.* Быстро идти, уходить. Максимов, 486.

ТРУСЫ́ * Труса́ми не отмаха́ешься *от кого. Жарг. мол. Шутл.-ирон. или Пренебр.* 1. О человеке с отталкивающей внешностью, вызывающем отвращение. Вахитов 2003, 120. 2. О чём-л. страшном, вызывающем сильный испуг. Максимов, 292.

Ва́тные трусы́. *Жарг. мол. Шутл.* Ватные брюки. Максимов, 55.

Надува́ть/ наду́ть трусы́. *Жарг. мол. Шутл.* 1. *куда.* Собираться в дорогу; отправляться куда-л. Максимов, 211. 2. Торопиться, спешить. Максимов, 266.

Трусы́ с глуши́телем. *Жарг. мол. Шутл.* Кальсоны. Максимов, 431.

ТРУХ * Дать тру́ха. *Забайк.* Быстро убежать откуда-л. СРГЗ, 416.

ТРУХА́ * Труха́ в голове́ *у кого. Прост. Пренебр.* О глупом, несообразительном человеке. ЗС 1996, 244.

Труха́ сы́плется *из кого. Прост. Ирон.* О старом, дряхлом человеке. Глухов 1988, 161.

ТРУШО́К * Дать трушка́. *Пск.* Побежать рысью (о лошади). (Запись 2001 г.).

ТРЫН-ТРАВА́ * Коси́ть трын-траву́. *Жарг. нарк.* Собирать урожай конопли этих сортов. ТСУЖ, 178.

ТРЮМ * Загаси́ться в трюм. *Жарг. угол.* Попасть в тюрьму. СВЯ, 33; СВЖ, 14.

Спусти́ться в трюм. *Жарг. лаг.* Специально провиниться, чтобы попасть в карцер. Росси 2, 412.

ТРЯ́ПКА * Всеве́дущая тря́пка. *Жарг. угол. Пренебр.* Жалоба прокурору. ТСУЖ, 35.

Полова́я тря́пка. 1. *Прост. презр.* О безвольном, несамостоятельном человеке. ЗС 1996, 277. 2. *Жарг. шк. Пренебр.* Школьная уборщица. (Запись 2003 г.).

Быть в тря́пках. *Жарг. мол. Шутл.* Спать. Вахитов 2003, 23.

Порва́ть на жёлтые тря́пки *кого. Жарг. мол.* Расправиться с кем-л. (угроза). Никитина 2003, 712.

Объе́сться тря́пок. *Жарг. мол.* Сойти с ума. Максимов, 283.

ТРЯ́ПОЧКА * Молча́ть (пома́лкивать) в тря́почку. *Разг. Шутл.* Не выражать словами своего отношения к чему-л. ФСРЯ, 482-483; БТС, 1350; БМС 1998, 576; ЗС 1996, 358, 365; ФСС, 114; СПП 2001, 74; Вахитов 2003, 100.

ТРЯС * Быть на тря́сах. *Жарг. нарк.* Испытывать лихорадочное состояние при абстинентном синдроме. Slang-2000.

Дава́ть/ дать тря́су *кому. Обл.* Бить, колотить кого-л. Мокиенко 1990, 46.

ТРЯ́СКА * Тря́ска на ха-ха́ (на хихи́). *Жарг. угол., мил.* Психиатрическая экспертиза. Балдаев 2, 87; ББИ, 249.

Тря́ской тряси́сь. *Перм.* Сильно дрожать. Подюков 1989, 207.

Зада́ть тря́ску *кому. Прост.* Побить, избить кого-л. БТС, 1350; ЯОС 4, 68; Мокиенко 1990, 46.

ТРЯСКО́М * Тряси́сь тряско́м. *Алт.* То же, что **тряской трясись (ТРЯСКА).** СРГА 4, 165.

ТРЯСОГУ́Б * Дава́ть/ дать трясогу́бу. *Волг., Дон.* Сильно дрожать от холода. Глухов 1988, 28; СДГ 3, 164.

ТРЯСУ́ХА * Трясу́ха (трясца́) тебя́ (его́, вас и пр.) **бей!** *Волг., Перм. Бран.* Выражение негодования, озлобления на кого-л.; злое пожелание, заклятие. < **Трясуха** — лихорадка или падучая болезнь. Глухов 1988, 161; Подюков 1989, 207; Мокиенко, Никитина 2003, 329.

ТРЯСЦА́ * Трясца́ тебя́ (его́, вас и пр.) **бей!** См. **Трясуха тебя́ бей!**

ТРЯСЬМИ́ * Трясьми́ трясти́сь. *Прибайк.* Испытывать чувство боязни, страха. СНФП, 134.

ТУ * Ни ту ни мя. *Волг. Пренебр.* О никчёмном, непригодном к жизни человеке. Глухов 1988, 112.

ТУ́ВИЛЬ * Поку́пка тувиле́й. *Жарг. угол.* Кража бумажников. < **Тувиль** — бумажник. СРВС 1, 95.

ТУГЕ́ЗЕ * Лежа́ть в туге́зе. *Жарг. мол. Шутл.* О совокуплении в положении лёжа. ЖЭСТ-2, 54. < От англ. *together* — вместе.

ТУ́ГО * Не ту́го запря́жено. *Перм. Шутл.* О возможности изменить обстоятельства. Подюков 1989, 82.

ТУГО́Й * На туги́х. *Яросл.* В состоянии сильного алкогольного опьянения. ЯОС 6, 78.

ТУДА́ * Дава́ть/ дать туда́. *Жарг. гом.* О сношении в задний проход. Кз., 70.

Зае́хать не туда́. *Прост. Неодобр.* Сказать что-л. невпопад, не то, что следует. ФСРЯ, 164; Глухов 1988, 106.

Иди́ туда́, неве́домо куда́, ищи то, неве́домо что. *Народн. Шутл.-ирон.* О неточной формулировке поручения, приказа. ДП, 460.

[И] ни туда́ [и] ни сюда́. 1. *Разг.* О ком-л. неподвижно лежащем, сидящем, стоящем. ДП, 473; БТС, 1351; СПП 2001, 74. 2. О сложном положении, состоянии неопределённости. ДП, 473. 3. *Пск., Сиб. Неодобр.* О чём-л. очень плохом, некачественном. СПП 2001, 74; Верш. 6, 451.

Мота́ть туда́ и сюда́. *Орл.* 1. Быть непостоянным в отношениях с другими. 2. Жить за счёт других, часто прибегая для этого к низким, недостойным средствам. СРНГ 18, 296.

Финти́т, верти́т, не туда́ гляди́т. *Народн. Неодобр.* О непостоянном, ненадёжном человеке. ЖП, 237; Жиг. 1969, 219.

ТУДЫ́М-СЮДЫ́М * Туды́м-сюды́м, а пото́м никуды́м. *Пск. Шутл.* Ответ на вопрос: «Куда ты идёшь?» СПП 2001, 74.

ТУ́ЕС * Ни ту́еса, ни губ *от кого, от чего. Прикам. Неодобр.* О ком-л., о чём-л., не приносящем пользы. < **Губы** — грибы. МФС, 102.

ТУЕСО́К * Туесо́к бездённый. *Перм. Пренебр.* О невежественном, отсталом, необразованном человеке. СГПО, 642; МФС, 102.

ТУЖ * Колыва́нский туж. *Жарг. угол. Ирон.* Доверчивый простак. СРВС 2, 89, 44, 183, 217; СРВС 3, 127; ТСУЖ, 83, 178. < Ср.: **туз колыванский (ТУЗ).**

ТУЖИ́ЛКА * В тужи́лку. *Новг.* Очень тонко. НОС 11, 70.

ТУ́ЖМАН * Дать ту́жмана. См. **Дать тузмана (ТУЗМАН).**

ТУЗ * Дать в туз *кому. Жарг. мол.* Ударить кого-л. по носу. Максимов, 101.

Козы́рный (козырно́й) туз. 1. *Народн.* Начальник; человек, занимающий высокое общественное положение. ДП, 248; ЗС 1996, 219. 2. *Жарг. угол. Уваж.* Авторитетный вор. Максимов, 188.

Мыши́ный туз. *Жарг. мол. Ирон. или Пренебр.* Майор, подполковник, полковник милиции. h-98; Максимов, 262.

Но́чной туз. *Жарг. карт.* Девятка пик. Максимов, 278.

Туз колыва́нский. *Жарг. угол. Ирон.* Чрезмерно доверчивый человек. ТСУЖ, 179; Балдаев 2, 87; ББИ, 249; Мильяненков, 252.

Туз коря́чится. *Жарг. угол. Шутл.-ирон.* О человеке, который бездумно тратит деньги в ресторане. ТСУЖ, 178; Мильяненков, 252.

Туз нача́льник (туз-нача́льник). *Жарг. угол. Шутл.* Задний проход, анальное отверстие. УМК, 206; СРВС 3, 127; Кз., 143; Балдаев 2, 87; ББИ, 249; ТСУЖ, 178.

Черво́нный туз. *Жарг. гом.* Известный в своём кругу гомосексуалист. УМК, 206; Балдаев 2, 87; ББИ, 249; Мильяненков, 252.

Дава́ть/ дать туза́ *кому. Прост.* Бить, ударять кого-л. Ф 1, 135; БМС 1998, 576.

Объяви́ть туза́ за фигу́ру. *Жарг. угол.* Притвориться непонимающим, наивным. Балдаев 1, 287.

Пойма́ть туза́. *Жарг. угол. Ирон.* Быть осуждённым к лишению свободы. СРВС 2, 71, 89, 128, 217, 203; СРВС 3, 113, 127; ТСУЖ, 137; Балдаев 1, 332.

Уда́рить (ха́рить) в туза́ *кому. Жарг. угол., гом.* Совершить с кем-л. анугенитальный половой акт. ТСУЖ, 36; Балдаев 2, 96; УМК, 206; Кз., 143.

Дать (надава́ть) тузо́в *кому. Обл.* То же, что **дать туза.** Мокиенко 1990, 46.

Навра́ть тузо́в и бара́нов. *Кар. Шутл.-ирон.* Наговорить вздора, ерунды. СРГК 3, 304.

ТУ́ЗИК * Ту́зика дава́ть. *Жарг. мол. Шутл.* Проводить время в компании. Митрофанов, Никитина, 217. < От **тусоваться.**

ТУ́ЗМАН * Дать ту́змана (ту́жмана) *кому. Прикам.* Ударить кого-л. МФС, 31; СГПО, 642; Мокиенко 1990, 46.

ТУК * Идти́/ пойти́ в тук. 1. *Кар.* Жиреть, полнеть. СРГК 2, 267. 2. *кому. Разг. Устар.* Быть полезным кому-л. Ф 1, 219. // *Сиб.* Идти на пользу организму. СФС, 49.

Попада́ть/ попа́сть в тук (в тюк). *Перм.* Точно ответить на вопрос, угадать что-л. Мокиенко 1986, 101.

ТУКМА́НЕЦ * Корми́ть тукма́нцами *кого. Прост.* Колотить, бить кого-л. Мокиенко 1990, 60; БМС 1998, 576.

ТУ́КМА́НКА * Дать ту́кманки *кому. Пск.* Побить, ударить кого-л. (Запись 1999 г.).

Раздава́ть тукма́нки. *Обл.* То же, что **кормить тукманцами (ТУКМАНЕЦ).** Мокиенко 1990, 46.

Дать ту́кманку *кому. Перм.* Ударить кого-л. Подюков 1989, 59; Мокиенко 1990, 46.

ТУ́ЛКА * Ту́лка с колеса́. *Пск. Презр.* О никчёмном, ничтожном человеке. СПП 2001, 74.

ТУЛУ́П * Деревя́нный тулу́п. *Жарг. угол., Разг. Ирон.* Гроб. Грачев 1995, 9; ТСУЖ, 179; Балдаев 2, 88; ЗС 1996, 181; ББИ, 249; Мильяненков, 252. **Деревя́нный тулу́п о шести́ до́сках.** *Перм. Ирон.* То же. Подюков 1989, 208.

Наде́ть деревя́нный (дубо́вый, сосно́вый) тулу́п. *Прост. Ирон.* Умереть. Елистратов 2001, 481.

Оде́ться в деревя́нный тулу́п. *Прост.* То же, что **надеть деревянный тулуп.** БМС 1998, 576.

В тулу́пах (тулу́пчиках). *Новг. Шутл.* О картофеле, сваренном в кожуре. НОС 11, 71.

ТУЛУ́ПЧИК * В тулу́пчиках. См. **В тулупах (ТУЛУП).**

ТУМА́К * Дать тумака́ *кому. Волг., Дон.* Ударить, побить кого-л. Глухов 1988, 31; Мокиенко 1990, 51

Доби́ться (дожи́ть) до тумака́. *Волг.* Оказаться в тяжёлом, безвыходном положении. Глухов 1988, 35–36.

Пода́ть тумака́ *кому. Сиб.* Ударить кого-л. по голове. ФСС, 139.

Пусти́ть (подпусти́ть) тумака́ [в глаза́] *кому. Пск. Неодобр.* То же, что **напускать/ напустить туману (ТУМАН).** СПП 2001, 74.

Накорми́ть тумака́ми *кого. Обл.* Избить кого-л. Мокиенко 1990, 60.

ТУМА́Н * Задёрнуться (срыгну́ть) в тума́н, *чаще в форме повел. накл. Жарг. мол. Груб.* Уйти откуда-л. h-98; Вахитов 2003, 39.

Пуска́ть/ пусти́ть тума́н в глаза́ *кому. Прост.* Создавать ложное мнение о ком-л., о чём-л.; дурачить, обманывать кого-л. Ф 2, 107.

Уйти́ в тума́н. *Жарг. мол.* Исчезнуть, скрыться. Максимов, 432.

Тума́ном стума́нивать *кого. Волг. Неодобр.* Вводить в заблуждение, обманывать кого-л. Глухов 1988, 161.

Напуска́ть/ напусти́ть (подпуска́ть/ подпусти́ть) тума́ну. *Разг.* Вносить неясность во что-л., запутывать, вводить в заблуждение кого-л. ФСРЯ, 267; СРНГ 28, 152; Ф 2, 60; ЗС 1996, 367; СПП 2001, 74.

ТУ́МБА * Бить ту́мбы. *Прибайк.* Не работать, бездельничать. СНФП, 134.

ТУ́МБЛЕР * Включа́ть/ включи́ть ту́мблер. *Жарг. мол.* Притворяться непонимающим. Максимов, 64.

Переключи́ться с ту́мблера ду́рочки. *Жарг. мол. Шутл.* Перестать дурачиться. Вахитов 2003, 129.

ТУ́МБОР * Пойти́ ту́мбором. *Дон. Неодобр.* Прийти в состояние полного беспорядка. СДГ 3, 164.

ТУ́МБОЧКА * Стоя́ть на ту́мбочке. *Жарг. арест.* Исполнять обязанности дежурного в бараке ИТУ. Балдаев 2, 62.

ТУ́НДРА * Иди́ ту́ндру пылесо́сить! См. **Иди тайгу пылесосить! (ТАЙГА).**

Съе́здить в ту́ндру. *Жарг. мол. Шутл.* Сходить в туалет. Максимов, 413.

ТУ́ННОСТЬ * В ту́нности. *Сиб. Неодобр.* Без пользы. СФС, 49.

ТУ́НЯ * Жирномо́рдый ту́ня. *Жарг. угол. Презр.* Профсоюзный деятель на производстве. Балдаев 1, 130. < **Туня** — тунеядец.

ТУПА́РЬ * Выхва́тывать/ вы́хватить тупаря́. *Жарг. нарк.* Замыкаться в себе, становиться мрачным, угрюмым (под воздействием наркотика). ССВ-2000.

ТУПИ́К * Встава́ть/ встать в тупи́к. *Разг.* То же, что **заходить в тупик.** БМС 1998, 576.

Загоня́ть/ загна́ть в тупи́к *кого. Разг.* Доводить кого-л. до безвыходного положения. Ф 1, 194.

Заходи́ть/ зайти́ в тупи́к. *Разг.* Оказываться в безвыходном положении. ФСРЯ, 483; ЗС 1996, 118; Мокиенко 1990, 92; Ф 1, 206; ФМ 2002, 538. Ср. **Садиться в тупик.**

Затя́гивать/ затяну́ть в тупи́к *кого. Пск.* То же, что **ставить в тупик.** ПОС 12, 210, 211.

Кра́сный тупи́к. *Разг. Шутл.-ирон.* Госагиттеатр в Ленинграде на Стремянной ул., 10 (1930-е гг.). Синдаловский, 2002, 96.

Приводи́ть/ привести́ в тупи́к *кого. Разг.* То же, что **ставить в тупик.** Ф 2, 88.

Сади́ться/ се́сть в тупи́к. *Новг.* То же, что **заходить в тупик.** НОС 10, 48.

Ста́вить/ поста́вить в тупи́к *кого. Разг.* Приводить кого-л. в крайне затруднительное положение, в состояние растерянности, замешательства. ФСРЯ, 483; ФМ 2002, 541.

Стать в тупи́к. *Прибайк.* Остановиться в росте, развитии (о растениях). СНФП, 135.

Тупи́к коммуни́зма. *Разг. Шутл.-ирон.* 1. Здание НКВД–МГБ–КГБ–ФСБ на Лубянке в Москве. Балдаев 2, 88. 2. Улица Пролетарской Диктатуры в Ленинграде (1970-е гг.). Синдаловский, 2002, 184.

Тупи́к КПСС. *Разг. Ирон.* Аллея, ведущая к Смольному от площади Пролетарской Диктатуры (1970-е гг.). Синдаловский, 2002, 184.

ТУПНЯ́К * Вы́йти на тупня́к. *Жарг. мол.* 1. Не понять чего-л. 2. Совершить глупый поступок. Максимов, 75.

Лови́ть тупняка́ (тупняки́). 1. *Жарг. нарк.* Испытывать состояние наркотического голодания. 2. *Жарг. мол.* Испытывать состояние подавленности, заторможенности. WMN, 93.

Быть в тупняке́ (в тупняка́х). *Жарг. нарк., мол.* То же, что **ловить тупняка 1-2.** WMN, 93.

Уйти́ в тупняки́. *Жарг. нарк., мол.* То же, что **ловить тупняка 1-2.** WMN, 93.

ТУР * Иди́ (пошёл) ты на́ тур (к ту́ру)! *Новг., Яросл. Бран.* Восклицание, выражающее гнев, раздражение, нежелание общаться с кем-л. < **Тур** — черт. НОС 11, 72; СРНГ 28, 361.

Ту́ром тури́ть *кого.* 1. *Сиб.* Очень быстро гнать кого-л. СФС, 188. 2. *Волг., Дон.* Выгонять, выпроваживать кого-л. откуда-л. Мокиенко 1990, 147, 156; Глухов 1988, 161.

Шёл бы ты к ту́ру! *Новг. Бран.* То же, что **иди ты на тур!** НОС 11, 72.

ТУРА́Н * Под тура́ном. *Перм. Шутл.* В состоянии лёгкого опьянения. Подюков 1989, 208.

ТУРА́Х * Под тура́хом. *Перм., Прикам., Сиб. Шутл.* В состоянии алкогольного опьянения. МФС, 102; ФСС, 199; ДП, 792.

ТУРАХА́Н * Под тураха́ном. *Перм. Шутл.* То же, что **под тураном (ТУРАН).** Подюков 1989, 208.

ТУРА́ШКА * Под тура́шкой. *Перм. Шутл.* То же, что **под тураном (ТУРАН).** Подюков 1989, 208.

ТУРКИ́ * Вы́ходить турки́ и борки́. *Пск. Шутл.* Много ходить по лесам, полям. СПП 2001, 74.

ТУ́РМАН * Дать ту́рмана. *Обл.* 1. То же, что **сыграть турмана.** Мокиенко 1990, 111. 2. *кому.* Ударив, заставить кого-л. двигаться. Подюков 1989, 59.

Сыгра́ть ту́рмана. *Пск.* Упасть вниз головой. Доп., 1858.

Полете́ть кве́рху ту́рманом. *Волг. Шутл.* Упасть. Глухов 1988, 128.

ТУРУ́СЫ (ТУРУ́СА) * Подъезжа́ть с туру́сами *к кому. Прост.* Склонять кого-л. к чему-л. разговорами, обещаниями. ФСРЯ, 333.

Говори́ть/ наговори́ть туру́су в лесу́. *Яросл. Шутл.-ирон.* То же, что **нести турусы.** ЯОС 3, 84.

Собира́ть (завести́) туру́су. *Пск. Шутл.* То же, что **нести турусы.** СПП 2001, 74.

Нести́ (подпуска́ть, разводи́ть) туру́сы. *Разг.* Рассказывать небылицы, пустословить. ФСРЯ, 483; БМС 1998, 577; БТС, 1354; Мокиенко 1986, 33; Мокиенко 1990, 155; ЗС 1996, 332, 368; Ф 2, 114; ФМ 2002, 542; ЯОС 8, 114.

Справля́ть туру́сы. *Морд. Шутл.-ирон.* Удовлетворять чьи-л. прихоти. СРГМ 2002, 123.

Туру́сы на колёсах. *Разг.* Неправдоподобные выдумки, болтовня; явная ложь, вранье. < **Турусы** — осадные башни из брёвен, применявшиеся татаро-монголами, которые перекатывавшиеся на мощных деревянных колесах; рассказы о них, передаваемые из уст в уста дополнялись невероятными подробностями. БМС 1998, 577; БТС, 1354; ДП, 162; ФМ 2002, 544; ФСРЯ, 483.

ТУРУРУ́ШКА * Бежа́ть в туруру́шку (тюрюрю́шку). *Пск.* Литься в большом количестве. СПП 2001, 74.

Перебира́ть туруру́шки. *Ряз. Неодобр.* Болтать, пустословить. ДС, 393; СРНГ 26, 27.

ТУРЫБА́ЛОВО * На турыба́лово́. *Яросл. Шутл.-ирон.* Очень далеко. ЯОС 6, 78.

ТУСЕ́НЬ * Разводи́ть тусе́нь. *Жарг. мол.* То же, что **наводить тусняк (ТУСНЯК).** Максимов, 358.

ТУСНЯ́К * Наводи́ть тусня́к. *Жарг. мол.* Собираться компанией. Вахитов 2003, 105.

ТУСО́ВКА * Культу́рная тусо́вка. *Жарг. шк. Шутл.-ирон.* Общешкольное мероприятие, утренник. ВМН 2003, 136.

Менто́вская тусо́вка. *Разг. Пренебр.* Институт усовершенствования следственных работников в Санкт-Петербурге. Синдаловский, 2002, 116.

Тусо́вки нареза́ть. *Жарг. угол.* Бесцельно прогуливаться где-л. ТСУЖ, 179.

ТУТ * Тут да и́нде. *Прикам.* То в одном, то в другом месте; кое-где. МФС, 102.

Тут да сюд. *Прикам.* То же, что **тут и там.** МФС, 102.

Тут и там. *Разг.* В разных местах, во многих местах. ФСРЯ, 471.

Тут как тут. *Разг.* Сразу, вдруг, в этот самый момент (оказаться, появиться где-л.). ФСРЯ, 484; ЗС 1996, 392.

ТУ́ФЛЯ * Загну́ть ту́флю *кому. Жарг. угол.* Обмануть кого-л. (обычно — женщину). Балдаев 1, 138.

Ту́фля рыжая. *Жарг. крим.* Взятка золотом. Хом. 2, 435.

ТУФТА́ * Гнать (поро́ть) туфту́. *Жарг. угол., мол. Неодобр.* Говорить ерунду; обманывать кого-л. СВЯ, 23; Митрофанов, Никитина, 219; Балдаев 1, 89; Вахитов 2003, 39; Максимов, 333.

Заряжа́ть/ заряди́ть (заправлять/ запра́вить) туфту́. *Жарг. лаг., Разг. Неодобр.* Делать работу некачественно, недобросовестно, лишь для видимости, для отчёта. Р-87, 416; Бен, 124; Грачев, Мокиенко 2000, 168.

ТУХЛЯ́К * Порва́ть тухля́к *кому. Жарг. мол.* Изнасиловать мужчину. Максимов, 332. < **Тухляк** — заднепроходное отверстие.

ТУХЛЯ́ТИНА * Тухля́тиной па́хнет. *Жарг. угол. Неодобр.* О деятельности, вызывающей подозрение. ТСУЖ, 180.

ТУ́ЧА * Зашла́ ту́ча за со́лнце. *Жарг. мол. Шутл.-одобр.* Об удаче, везении. Максимов, 152.

О́гненная ту́ча. *Новг.* Грозовая туча. НОС 6, 127.

Серди́тая ту́ча. *Новг.* Туча тёмного цвета. НОС 11, 74.

Ту́ча тёмная (чёрная) *чего. Пск.* О большом количестве чего-л. СПП 2001, 74.

Ту́чи сгуща́ются (собира́ются) *над кем, над чем. Разг.* Кому-л. или чему-л. угрожает опасность, беда, несчастье. ФСРЯ, 484.

Держа́ть ту́чу (ту́чку). *Жарг. угол.* Совершать кражи на рынке. СРВС 4, 10, 27, 75, 104, 135; ТСУЖ, 48; СВЯ, 27; Балдаев 1, 109; ББИ, 250; Мильяненков, 253. < **Туча** — рынок (от **тульч** — рынок в Одессе). Грачев 1997, 43.

Е́хать в ту́чу. *Кар.* Быть уверенным в чём-л., знать что-л. наверняка. СРГК 2, 28.

ТУ́ЧКА * Ту́чка настуча́ла. *Башк. Шутл.* Пошёл сильный дождь. СРГБ 2, 99.

Пригна́ть ту́чки до ку́чки. *Смол.* Наказать кого-л. сразу за все провинности. СРНГ 31, 172.

Держа́ть ту́чку. См. **Держать тучу (ТУЧА).**

Тяну́ть ту́чку. *Жарг. метео.* Прогнозировать погоду по облачности предыдущего дня. БСРЖ, 605.

ТУ́ША * По свое́й ту́ше. *Прикам.* В соответствии со своим возрастом. МФС, 102.

Мёртвые ту́ши. *Жарг. шк. Шутл.* Поэма Н. В. Гоголя «Мертвые души». БСПЯ, 2000.

Ни из ту́ши, ни из ро́жи. *Прикам. Пренебр.* О худом и некрасивом человеке. МФС, 102.

ТУШЁНКА * Сде́лать тушёнку. *Жарг. арм.* Подбить из гранатомета танк, бронетранспортёр, уничтожив весь экипаж. Кор., 255.

ТЫ * Вот тебе́ (те) и на (и раз)! *Прост.* Восклицание, выражающее удивление, разочарование, досаду. ФСРЯ, 81; СПП 2001, 74.

Не при тебе́ говори́ть. *Волг.* О чём-л. общеизвестном, понятном собеседнику. Глухов 1988, 103.

При тебе́ — за тебя́, без тебя́ — на тебя́. *Народн. Неодобр.* О двуличном человеке. Жиг. 1969, 208.

Соску́чился по тебе́. *Жарг. арест., нарк. Эвфем.* Нужны наркотики, передай наркотики. Балдаев 2, 52.

Чтоб тебе́ вы́слепило! *Ворон. Бран.* Выражение гнева, негодования в чей-л. адрес. СРНГ 6, 83.

Истрафи́ (поморни́) тебя́! *Сиб. Бран.* Выражение досады, неудовольствия. ФСС, 89, 145.

Мазни́ (подхвати́) тебя́! *Сиб.* Бран.-шутл. Выражение лёгкой досады, раздражения, недоброжелательства в чей-л. адрес. ФСС, 109, 141.

Пома́хивало тебя́! *Сиб. Бран. или Ирон.* Выражение безразличия, пренебрежения к кому-л., к чему-л. ФСС, 145.

Чтоб тебя́ порва́ло! *Сиб. Бран.* Выражение гнева, негодования в чей-л. адрес. ФСС, 146.

Будь ты нела́ден! *Прост. Бран.* Выражение крайнего неудовольствия кем-л., чем-л. ФСРЯ, 51.

Будь ты три́жды про́клят! *Прост. Бран.* Выражение крайнего возмущения кем-л. ФСРЯ, 51.

Быть на ты *с кем-л. Разг.* Быть в дружеских, приятельских отношениях с кем-л. (когда в обращении друг к другу говорят «ты»). ФСРЯ, 484; Мокиенко 1986, 63.

Вот поди́ ж ты! *Разг.* Выражение удивления, недоумения по поводу чего-л. неожиданного, странного. ФСРЯ, 80.

Каки́м ты был, таки́м ты и оста́лся. *Разг.* 1. *Шутл.* О том, кто не стареет. 2. *Шутл.-ирон.* О том, кто не меняет своих взглядов. < Первая строка песни «Каким ты был» (сл. М. Исаковского, муз. И. Дунаевского, 1949 г.) из кинофильма «Кубанские казаки». Дядечко 2, 128.

Пить на ты *с кем. Разг. Устар.* Устанавливать дружеские отношения и обращение на «ты» с кем-л., выпивая вино, взявшись об руку. Ф 2, 47.

Поди́ ж ты пожа́луй! *Олон.* Выражение удивления и сожаления. СРНГ 28, 23.

Подь ты совсе́м. *Сиб. Бран.* Выражение несогласия с кем-л. ФСС, 141.

Ты — мне, я — тебе́. 1. *Разг. Шутл.-ирон.* Принцип взаимного оказания услуг при решении тех или иных проблем. Немировская, 481. 2. *Жарг. шк. Шутл.* Драка. Максимов, 433.

Чтоб ты не ды́хал! *Дон. Бран.* Выражение гнева, недоброжелательства в чей-л. адрес. СДГ 1, 145.

Что ты бýдешь дéлать (подéлаешь)! *Прост.* Выражение досады. Верш. 7, 288.

ТЫК * В тык. *Беломор.* Впритык, абсолютно точно. Мокиенко 1986, 102.

ТЫ́КА * Ты́ка в ты́ку *чего. Прибайк.* Об ограниченном количестве чего-л.; о том, чего хватает в обрез, только-только. СНФП, 135.

Из ты́ки в ты́ку. *Прибайк.* Совершенно точно, без каких-л. отклонений. СНФП, 136.

ТЫ́КАЛКА * Конёвая ты́калка. *Пск.* Слепень. СПП 2001, 74.

ТЫ́КАНИЦА * Ты́каницу спрáвишь — мáканицы нет. *Новг. Шутл.-ирон.* Об отсутствии чего-л. необходимого для нормальной жизни, завершения работы. НОС 5, 66.

ТЫ́КАТЬСЯ * Тыкаться да мыкаться. *Кар.* Препираться с кем-л. СРГК 3, 277.

ТЫ́КВА * Насовáть в ты́кву *кому. Жарг. мол.* Избить кого-л. Максимов, 270. < **Тыква** — голова.

ТЫ́КВИНА * Дать ты́квину *кому. Новг.* Ударить, побить кого-л. НОС 11, 74; Сергеева 2004, 181.

ТЫЛ * Покáзывать тыл *кому. Разг. Устар.* Отступать. Ф 2, 65.

Заходи́ть/ зайти́ (подходи́ть/ подойти́) с ты́ла *к кому. Разг.* 1. Приближаться, подкрадываться к кому-л. сзади. 2. Задавать кому-л. неожиданный и непрямой вопрос. Мокиенко 2003, 126.

В тылý врагá. 1. *Жарг. шк. Шутл.-ирон.* О сидящих на первой парте. ВМН 2003, 137. 2. *Жарг. шк.* Об ученике в учительской. Максимов, 434. 3. *Жарг. арм. Ирон.* О солдатах в самовольной отлучке из части. Максимов, 434.

ТЫЛÓК * Дать тылкá. *Твер.* Уйти, убежать откуда-л. СРНГ 7, 258.

ТЫН * Ёшкин тын! *Обл. Эвфем. Бран.-шутл.* 1. Выражение недовольства, озлобления. 2. *Одобр.* Восклицание удивления, восхищения. Мокиенко 2003, 126.

Ни в тын ни в ворóта. 1. *Новг. Неодобр.* Не к месту, некстати. НОС 1, 138. 2. *Дон. Неодобр.* Скверный, никуда не годный. СРНГ 21, 213. 3. *Волг., Дон. Пренебр.* О никчёмном человеке. Глухов 1988, 108; СДГ 3, 166.

Ни в тын ни в мир. *Дон Пренебр.* То же, что **ни в тын ни в ворота 3.** СДГ 3, 166.

Тын да ови́н. *Прикам. Неодобр.* О беспорядке где-л. МФС, 103; Мокиенко 1990, 149.

Хоть тын подопри́ *кем. Перм.* О согласном на всё, послушном человеке. Подюков 1989, 153.

Ты́ном ворóта подпирáет. *Ворон. Ирон.* Одна беда следует за другой. СРНГ 28, 137.

ТЫНАНЫ́ см. **ТАНАНЫ́.**

ТЫНÓК * Под тынкóм. *Перм. Шутл.* В состоянии лёгкого опьянения. Подюков 1989, 208.

ТЫР * Ни в тыр, ни в мир [ни в собáчий пир]. *Курск. Неодобр.* То же, что **ни в тын ни в ворота 2.** БотСан, 105.

Тыр да ёр. *Одесск. Неодобр.* О беспорядке в доме. КСРГО.

ТЫ́РКА * Золотáя ты́рка. *Жарг. угол. Одобр.* Очень удачная кража. СРВС 1, 51; СРВС 2, 38, 89, 179, 217; СРСВ 3, 93, 127; ТСУЖ, 180. < **Тырка** — кража.

ТЫРХÝН * Тырхýн с вертунóм. См. **Тыхтун с вертуном (ТЫХТУН).**

ТЫ́СЯЧА * Ты́сяча льёт с нéба. *Пск. Шутл.* О проливном дожде. СПП 2001, 74.

Больши́е ты́сячи. *Арх.* 1. *чего.* О большом количестве чего-л. 2. О крупной сумме. АОС 2, 70.

ТЫХТÝН * Тыхтýн (тырхýн) с вертунóм. *Жарг. угол.* Автомобиль с водителем. СРВС 3, 127; ТСУЖ, 180. < От звукоподраж. **«тых-тых»**, **«тыр-тыр»** (звуки, издаваемые машиной, мотоциклом).

ТЫ́ЧКА * Ты́чка ты́чкой. *Прибайк.* Об одиноком человеке. СНФП, 135.

Вы́писать ты́чку *кому. Жарг. мол.* Ударить по лицу кого-л. Максимов, 76.

ТЫЧÓК * Давáть/ дать тычкá *кому.* 1. *Прост.* Бить, ударять, толкать кого-л. резким ударом без размаха. БМС 1998, 578; БотСан, 91; Мокиенко 1990, 46, 105; МФС, 31; Ф 1, 135. 2. *Сиб.* Причинять вред кому-л. ФСС, 54; СФС, 60; СРНГ 7, 258.

Летáть/ летéть с тычкá на тычóк (на поты́чку). *Волг.* Постоянно подвергаться побоям. Глухов 1988, 81, 156.

Расти́ с тычкá на тычóк. *Прикам.* Подвергаться постоянным побоям со стороны родителей. МФС, 103; СГПО, 644.

ТЬМА * Бéсова (чёртова) тьма. *Пск.* То же, что **тьма тьмущая.** СПП 2001, 74.

Еги́петская тьма. *Книжн.* 1. Беспросветная, угрожающая тьма. 2. Невежество, духовная темнота. БТС, 294, 1356. < Выражение библейского происхождения. БМС 1998, 578.

Коримёшная тьма. *Орл.* То же, что **кромешная тьма 1.** СОГ-1992, 83.

Кромéшная тьма; тьма кромéшная. *Книжн.* 1. Полная, абсолютная темнота. БМС 1998, 578; БТС, 472. 2. Невежество, тягостная, мрачная жизнь. БМС 1998, 578. 3. *Пск.* Отдалённое глухое место. СПП 2001, 74. 4. *Жарг. шк. Ирон.* Обучение в школе. ВМН 2003, 137.

Тьма лю́тая. *Пск. Бран.* О злобном, коварном человеке. СПП 2001, 74.

Тьма тьмýщая *чего, кого. Разг.* О большом количестве чего-л., кого-л. ФСРЯ, 484; БМС 1998, 578.

Чёртова тьма. См. **Бесова тьма.**

ТЮ́БИК * Питáтельный тю́бик. *Жарг. мол. Шутл.* Мужской половой орган. Балдаев 1, 319. // *Жарг. гом.* Мужской половой орган как объект минета. УМК, 207.

Сблы́знуть в тю́бик. *Жарг. мол.* Уйти, удалиться откуда-л. не по своей воле. БСРЖ, 606.

Ски́нуться в тю́бик. *Жарг. мол.* Начать вести себя скромнее, замолчать. ТК-2000.

ТЮБЕТÉЙКА * Сейчáс, тóлько тюбетéйку надéну. *Жарг. мол. Шутл.-ирон.* Выражение отказа кому-л. в чём-л. Вахитов 2003, 164.

ТЮ́КА * Доби́ться (дожить, дожи́ться, дойти́) до тю́ки. *Перм., Сиб.* Оказаться в крайней нужде, бедности. Подюков 1989, 64; СФС, 67; ФСС, 62; СРНГ 8, 74.

ТЮ́КАТЬ * Тю́кать да чýкать. *Одесск. Шутл.* Давать советы, указания кому-л. КСРГО.

ТЮ́ЛЬКА * Гнать тю́льку [косякóм]. 1. *Прост.* Волноваться без особых на то причин, по незначительному поводу. БМС 1998, 579. 2. *Жарг. угол.* Обманывать, лгать. СРВС 4, 187; ТСУЖ, 180; Б., 37; СВЯ, 22; Елистратов 2001, 484. 3. *Жарг. угол., арест.* Притворяться сумасшедшим. СВЯ, 22; Мокиенко 2003, 126. < Из речи рыбаков; **тюлька** — название мелкой рыбешки. Гвоздарев 1982, 193; Гвоздарев 1988, 188-189.

ТЮЛЬПÁН * Чёрный тюльпáн. 1. *Жарг. мол. Пренебр.* Крайне глупый, несообразительный человек. Максимов, 475. 2. *Жарг. арм.* Боевой вертолёт «МИ-24», который участвовал в Афганской войне. DL, 125.

ТЮРЬМА́ * Тюрьма́ наро́дов. *Публ. Неодобр.* 1. О государстве, в котором процветает национальное угнетение. Мокиенко, Никитина 1998, 615. 2. О царской России. Мокиенко, Никитина 1998, 615. 3. Об СССР. Мокиенко 2003, 126. 4. О тяжёлых бытовых условиях жизни в СССР. Мокиенко 2003, 126.

Тюрьма́ (остро́г) пла́чет *по ком. Разг.* Кто-л. заслуживает тюремного заключения, сурового наказания. БМС 1998, 579; ЗС 1996, 199; БТС, 1357.

ТЮРЮ́ШКА * Бежать в тюрю́шку. См. **Бежать в турурушку (ТУРУРУШКА).**

ТЮРЯ́ГА * Хлеба́ть тюря́гу. *Жарг. арест.* Отбывать наказание в тюрьме. Грачев 1992, 184.

ТЮ́ТЕЛЬКА * Тю́телька в тю́тельку. *Разг.* Абсолютно точно. ФСРЯ, 485; БМС 1998, 579; ЗС 1996, 389; ФМ 2002, 544; БТС, 1357; Мокиенко 1986, 127; СПП 2001, 74.

Из тю́тельки в тю́тельку. *Ветл. Вят.* То же, что **тютелька в тютельку.** Мокиенко 1986, 102.

Угоди́ть в тю́тельку. *Обл. Одобр.* Сделать, сказать что-л. точно, к месту. Мокиенко 1986, 102.

ТЮ́ТЯ * Поднести́ тю́тю *кому. Пск.* Ударить кого-л. Доп., 1858.

Тю́тя в тю́тю. *Обл.* То же, что **тютелька в тютельку (ТЮТЕЛЬКА).** Мокиенко 1986, 103.

ТЮ́ХА * Тю́ха да матю́ха. *Разг. Ирон.* О простоватом, нерасторопном, медлительном человеке. БМС 1998, 579. // *Пск.* О беспомощном, беззащитном человеке. СПП 2001, 75.

Тю́ха да Матю́ха [да Воропа́й (Ковыря́й, Колупа́й) с бра́том)]. *Перм. Презр.* О случайном сборище малоуважаемых людей. Подюков 1989, 209.

Тю́ха да Пантю́ха (Тюха-Пантю́ха), да Колупа́й с бра́том. 1. *Алт., Костром. Шутл.-ирон.* О ленивых работниках. СРГА 2-II, 119; СРНГ 25, 200. 2. *Костром. Презр.* О морально опустившихся людях. СРНГ 25, 200.

ТЮ́ХА-МАТЮ́ХА * Наплести́ тю́хуматю́ху. *Пск. Шутл.* Наговорить ерунды, рассказать много небылиц. СПП 2001, 75.

ТЯ * Ни тя, ни ча. *Ср. Урал. Неодобр.* О чём-л. посредственном, неопределённом. СРГСУ 2, 206.

ТЯГ * Брать/ забра́ть тя́гу. *Пск.* 1. Расти; прорастать. 2. Выздоравливать. СПП 2001, 74.

Дава́ть/ дать тя́гу. *Прост. Шутл.* Убегать, бросаться бежать откуда-л. БТС, 1357; Глухов 1988, 31; СПП 2001, 75; СФС, 60; Ф 1, 135; ЗС 1996, 205; Мокиенко 1990, 110, 145.

ТЯ́ГА * Ходи́ть в тя́ге. *Перм., Сиб.* Быть беременной. Подюков 1989, 209; СФС, 196.

Сади́ться/ сесть на тя́гу. *Жарг. нарк.* Пребывая в компании наркоманов и заряжаясь их эмоциональным состоянием, чувствовать состояние опьянения без употребления наркотиков. Урал-98.

ТЯ́ГАЛЬ * Дать тя́галя. *Новг.* То же, что **дать тягу (ТЯГ).** НОС 11, 79. **Дать тягаля́.** *Печор.* То же. СРГНП 1, 166.

ТЯГА́Ч * Дать тягача́. *Прост.* То же, что **дать тягу (ТЯГ).** Ф 1, 195.

ТЯ́ГИЛЬ * Дать тя́гиля. *Моск.* То же, что **дать тягу (ТЯГ).** СРНГ 7, 258.

ТЯ́ГОСТЬ * Быть в тя́гости (в тя́гостях). 1. *Горьк. Перм., Сиб.* Быть беременной. СФС, 49; Подюков 1989, 209; ФСС, 20, 200; БотСан, 29. 2. *Сиб. Ирон.* Находиться в состоянии сильного алкогольного опьянения. ФСС, 200.

Быть в тя́гость *кому. Разг.* 1. Быть обузой для кого-л. 2. Быть неприятным, невыносимым для кого-л. ФСРЯ, 485.

Тя́гость напа́ла *на кого. Кар.* Кто-л. затосковал, впал в депрессию. СРГК 3, 357.

ТЯ́ЖЕСТЬ * Быть в тя́жести. *Сиб.* То же, что **быть в тягости 1. (ТЯГОСТЬ).** ФСС, 200.

ТЯ́ЖКИЙ * Пусти́ться (уда́риться) во все тя́жкие (во вся тя́жкая). *Разг.* 1. С полной отдачей, интенсивно начать делать что-л. 2. *Неодобр.* Безудержно, не зная предела предаваться какому-л. предосудительному занятию. < На основе выражения **ударить во все тяжкие колокола** — звонить с исключительной силой. БМС, 579; ФСРЯ, 485; БТС, 122, 1360; Мокиенко 1986, 52; Мокиенко 1990, 82-83; ШЗФ 2001, 40; ДП, 255; Ф 2, 216.

ТЯ́МА * Не хвата́ет тя́мы *кому. Дон. Шутл.-ирон.* О человеке, который не может чего-л. понять, сообразить. СДГ 3, 167.

ТЯ́МКА * Брать/ взять в тя́мки *что. Волг.* Понимать, осознавать что-л., разбираться в чём-л. Глухов 1988, 5.

Не в тя́мки *кому что. Волг.* То же, что **не в тямку 2.** Глухов 1988, 58.

Не в тя́мку *кому что. Пск.* 1. Кто-л. не может вспомнить, припомнить чего-л. 2. Кто-л. не может догадаться о чём-л., сообразить что-л. СПП 2001, 75.

Попа́сть в тя́мку. *Новг.* 1. Оглупеть. 2. Потерять рассудок. НОС 11, 81.

ТЯНУ́ТЬ * Ни тя́нет ни везёт. 1. *Сиб. Неодобр.* О чьём-л. бездействии, нерешительности. СФС, 126. 2. *Волг. Неодобр.* О неумелом, неловком человеке. Глухов 1988, 106. 3. *Прикам.* О чём-л. посредственном. МФС, 98.

Не тяни́ — порва́л! *Яросл.* Угроза, предостережение: не делай этого — поплатишься. СРНГ 30, 119.

Тя́нет рвать *[от чего, от кого]. Прост. Пренебр.* О чём-л., о ком.-л., вызывающем неприятие, отвращение. Глухов 1988, 161.

ТЯП * Ни тяп ни ляп. 1. *Кар. Шутл.-ирон.* О неумелом, нерасторопном человеке. СРГК 3, 178. 2. *Прикам.* О незначительном, ничем не выделяющемся человеке. МФС, 103.

Тяп да ляп. *Разг. Неодобр.* Небрежно, кое-как, недобросовестно. БМС 1998, 579; ФСРЯ, 487; БТС, 511, 1361; ЗС 1996, 107; СПП 2001, 75.

ТЯ́ПКА * Заморо́зить тя́пку. *Жарг. мол. Шутл.- ирон. или Неодобр.* Зазнаться, начать вести себя высокомерно. w-99.

Наруби́ть тя́пку. *Жарг. мол. Шутл.* Напиться пьяным. Максимов, 270.

ТЯТЬ * Ни тять ни потя́ть. *Сиб. Шутл.-ирон.* О бестолковом, нерасторопном человеке. СРНГ 21, 215.

ТЯ́ТЯ * [Не промычи́т] ни тя́ти ни ма́мы. *Перм. Шутл.-ирон.* О человеке, не способном говорить (от страха, опьянения и т. п.). Подюков 1989, 210.

Тя́ти с ма́мой не́ было *у кого. Сиб. Ирон.* О человеке с отклонениями в психике. СОСВ, 189.

Ста́рый тя́тя. *Морд.* Дедушка. СРГМ 2002, 137.

У * Ни у ни бэ. *Кар.* Абсолютно ничего (не понимать). СРГК 1, 156.

УБЕ́Г * Идти́/ пойти́ на убе́г. *Олон.* Убегать, совершать побег откуда-л. СРНГ 28, 358.

Убега́ть/ убежа́ть убе́гом (убёгом). *Алт., Забайк., Прибайк., Прикам., Сиб.* Выходить замуж без согласия родителей. СРГА 4, 168; СРГЗ, 421; СНФП, 135; СКузб., 213; СФС, 189; МФС, 103; Мокиенко 1990, 147.

УБЁЛ * Бе́лый на убе́л. *Олон.* Очень белый. СРНГ 2, 233.

УБИ́ЙЦА * Уби́йцы в бе́лых хала́тах. *Публ. Осуд.* Врачи, лечившие кремлёвскую верхушку, подозреваемые в намерении убить Сталина и других вождей. Росси 2, 422–423; Мокиенко 2003, 127.

УБИ́ТЫЙ * На́взничь уби́тый. *Жарг. комп. Неодобр.* Скверный, оцениваемый резко отрицательно. БСРЖ, 608.

УБИ́ТЬ * Хоть убе́й. *Разг.* 1. О невозможности понять, уяснить что-л., поверить чему-л., сделать что-л. 2. Клятвенное заверение, обычно при отрицании чего-л. ФСРЯ, 487.

УБИ́ТЬСЯ * Уби́ться мо́жно. *Прост.* О чём-л. поразительном, удивительном. Ф 1, 301.

УБО́Й * На убой. 1. *Разг.* На неминуемую смерть, на верную гибель (посылать, идти). ФСРЯ. 487. 2. *Разг.* Сытно, обильно (кормить). ФСРЯ, 487. 3. *Кар.* До состояния сильного опьянения (пить спиртное). СРГК 4, 522.

УБО́Р * Одева́ть/ оде́ть под убо́р *что. Новг.* Заправлять блузку, кофту под пояс юбки. НОС 11, 83.

Ни убо́ру ни прибо́ру. *Сиб.* О беспорядке где-л. СРНГ 31, 119.

Убо́ру нет. *Новг.* О большом количестве чего-л. НОС 11, 83.

УБО́РНАЯ * Я с ним в [одно́й] убо́рной ря́дом не ся́ду. *Прост.* О полном нежелании общаться с кем-л. Подюков 1989, 186; Мокиенко, Никитина 2003, 332.

УБЫ́ТОК * В убы́тках. *Прикам.* С ущербом для чего-л. МФС, 103.

УВАЖА́ТЬ * Ты меня́ уважа́ешь? *Прост.* 1. Восклицание пьяницы, предлагающего кому-л. выпить с ним за компанию. 2. *Шутл.-ирон.* Выяснение степени уважения, почтения друг к другу. Мокиенко 2003, 127.

УВАЖЕ́НИЕ * Де́лать уваже́ние. *Кар.* Выполнять чью-л. просьбу. СРГК 1, 444.

УВАЖУ́ХА * Быть в уважу́хе. *Жарг. мол.* Пользоваться уважением. БСРЖ, 608.

УВА́Л * На ува́л. *Новг.* Наклонно. НОС 11, 84.

До ува́лу. 1. *чего. Пск.* О большом количестве чего-л. СПП 2001, 75. 2. *Пск., Яросл.* О сильной степени опьянения. СПП 2001, 75; ЯРС 4, 7.

УВЕРТЮ́РА * Крути́ть увертю́ру. *Разг. Шутл.-ирон.* Работать сверхурочно. Елистратов 1994, 487.

УВЕ́Т * На уве́те. *Смол.* На примете. ССГ 11, 9.

УВИ́ДЕТЬ * Уви́деть воо́чию. *Книжн.* Наглядно убедиться в чём-л., увидеть своими глазами. < **Воочию** — от *во очию* (предложно-падежная форма двойственного числа слова *око*). БМС 1998, 580.

УВО́Д * Уводи́ть/ увести́ уво́дом *кого. Забайк., Новг.* Красть невесту из дома родителей; брать девушку замуж без согласия родителей. СРГЗ, 422; НОС 11, 84.

УВЫ́ * Увы́ и ах! *Разг. Шутл.* Восклицание, выражающее сетование по поводу чего-л. ФСРЯ, 488.

УГЛА́Н * Угла́н ры́жный. *Жарг. угол. Неодобр.* Любитель ухаживать за женщинами, бабник. < **Углан** — 1. Подросток. 2. *Неодобр.* Необщительный, нелюдимый человек. **Рыжный** — от **ярыжник** — человек, сожительствующий с несовершеннолетними; насильник. Мокиенко, Никитина 2003, 332.

УГЛА́НЧИК * Угла́нчики в глаза́х бе́гают *у кого. Обл.* Рябит, пестрит в глазах у кого-л. Мокиенко 1990, 17, 34. < Данное выражение — вариант оборота **мальчики в глазах бегают; угланчик** — мальчик, подросток (диал.). БМС 1998, 580.

УГОВО́Р * Де́лать угово́р. *Кар.* Договариваться. СРГК 1, 444.

Угово́р на берегу́. *Перм. Шутл.* Призыв заранее договориться о чём-л. Подюков 1989, 211.

УГО́ДНИК * Да́мский уго́дник. *Книжн.* Ловелас, любитель ухаживать за женщинами. БТС, 1370.

УГОВО́РКА * Идти́ на угово́рку. *Кар.* Договариваться о свадьбе. СРГК 2, 267.

У́ГОЛ * Брать/ взять с девя́того угла́. *Сиб.* О побочных доходах. СОСВ, 190.

Из девя́того угла́. *Сиб.* Наобум, безосновательно, бездумно. Верш. 7, 122.

Из-за угла́. *Разг.* Вероломно, тайно, исподтишка. ФСРЯ, 488; МФС, 103; Верш. 7, 122.

Из-под угла́ соляны́м напу́ганный. *Морд. Шутл.* О человеке со странностями, отклонениями в психике. СРГМ 2002, 106.

Из угла́ в у́гол. *Разг.* Туда и обратно, в разных направлениях (ходить, шагать внутри какого-л. помещения). ФСРЯ, 488; Мокиенко 1990, 65.

Ни угла́ ни приту́лья *у кого. Народн.* О бедном, бездомном человеке. ДП, 89.

С ба́нного угла́. *Волг. Шутл.* То же, что **из девятого угла.** Глухов 1988, 144.

Четы́ре угла́ гостя́т *у кого. Народн. Ирон.* Об одиноком, замкнутом человеке. ДП, 791.

По угла́м. *Разг.* Тайно, скрытно (говорить, шептаться). ФСРЯ, 488; Глухов 1988, 131.

По угла́м чернецы́ забе́гали (заигра́ли). *Пск.* О наступлении темноты (вечером). ПОС, 11, 9.

Шепта́ть по угла́м. *Волг.* Тайно сговариваться с кем-л. о чём-л. Глухов 1988, 175.

Бе́гать по-за угла́ми. *Волг.* Прятаться, избегать встречи с кем-л. Глухов 1988, 2.

Ходи́ть вокру́г угло́в. *Пск. Неодобр.* Бездельничать, праздно слоняться. СПП 2001, 75.

Найти́ за угло́м. *Сиб. Ирон.* Родить ребёнка вне брака. ФСС, 118.

Под угло́м зре́ния. *Книжн.* Об определённом понимании чего-л., взгляде на что-л. БМС 1998, 580.

Лежа́ть (сиде́ть) в углу́. *Пск.* Тяжело болеть, не вставать с постели (о больном). СПП 2001, 75.

С ба́нного углу́. *Прикам.* Без достаточных оснований. МФС, 103.

Зелёные углы́. *Жарг. крим., мил.* Формуляры «Интерпола» рассылаемые по разным странам (о возможных или осуществлённых преступлениях). БС, 71.

Конопа́тить углы́. *Коми. Шутл.-ирон.* Не танцевать, вести себя скромно на гулянье. Кобелева, 65.

Обтира́ть углы́. *Яросл. Неодобр.* Бродить без дела. ЯОС 7, 23.

Подпира́ть углы́. *Волг. Неодобр.* Бездельничать. Глухов 1988, 126.

Сгла́живать (среза́ть) о́стрые углы́. *Разг.* Снимать или смягчать остроту разногласий, противоречий. ФСС, 416; Ф 2, 146, 180.

Смотре́ть углы́. *Алт.* Знакомиться с родителями жениха. СРГА 4, 171.

Сшиба́ть углы́. *Жарг. мол. Шутл.* С трудом передвигаться в состоянии сильного алкогольного опьянения. Максимов, 413.

Ба́енный у́гол! *Помор. Бран.* Восклицание, выражающее досаду, раздражение. ЖРКП, 19.

В у́гол запи́хан. *Пск. Шутл.-ирон.* О робком, незаметном человеке. ПОС 12, 40.

Гнило́й у́гол. 1. *Волог., Казан., Пенз., Ср. Урал; Тамб., Тобол.* Юго-запад. СРНГ 6, 246; СОСВ, 49. 2. *Казан., Пенз. Урал.* Юг. СРНГ 6, 246. 3. *Иркут.* Север. СРНГ 6, 246. 4. *Перм.* Северо-запад. СРНГ 6, 246. 5. *Якут.* Северо-восток. СРНГ 6, 246. 6. *Колым.* Восток. СРНГ 6, 246. 7. *Том.* Запад. СРНГ 6, 246. 8. *Арх., Перм., Приамур.* Сторона, направление, откуда дуют приносящие дождь ветры, приходят дождевые тучи. АОС 9, 157; Подюков 1989, 211; СРГПриам., 307.

Дуть в оди́н у́гол. *Кар.* Быть заодно с кем-л. СРГК 2, 11.

Загоня́ть/ загна́ть в у́гол *кого. Разг.* Ставить кого-л. в тяжёлое, безвыходное положение. Ф 1, 194; ЗС 1996, 209, 231.

Заде́ть за́ угол. *Кар. Шутл.-ирон.* Напиться пьяным. СРГК 2, 115.

Зацепи́ть за у́гол. *Волг. Неодобр.* Сделать что-л. неаккуратно, грубо. Глухов 1988, 52.

Золото́й у́гол отвали́лся *кому. Волг. Шутл.* О внезапно разбогатевшем человеке. Глухов 1988, 54.

Иска́ть пя́тый у́гол. 1. *Сиб.* Угрожать кому-л. ФСС, 88. 2. *Волг., Морд.* Скрываться, спасаться от преследования, наказания. Глухов 1988, 59; СРГМ 1980, 121. 3. *Прибайк.* Тщетно искать спасения. СНФП, 135.

Кра́сный у́гол. *Разг.* Самое почётное место в избе или в комнате. < **Красный** — в устаревшем значении — 'почетный'. БМС 1998, 580; ФМ 2002, 545.

Лечь в у́гол. *Пск.* Умереть. СПП 2001, 75.

Медве́жий у́гол. *Разг.* Захолустное, отдалённое, глухое место. БМС 1998, 580; ФСРЯ, 489; ЗС 1996, 417

Мо́крый (сыро́й) у́гол. *Перм.* Сторона горизонта, откуда приходят дожди. Подюков 1989, 211.

Не в у́гол ро́жей. 1. *Новг. Одобр.* О человеке с красивым лицом. НОС 11, 86. 2. *Перм. Шутл.* О человеке не хуже других. Подюков 1989, 211. 3. *где, у кого. Новг.* О человеке, не подходящем кому-л., не соответствующем требованиям, предъявляемым где-л. Сергеева 2004, 152.

Непоча́тый у́гол. *Перм. Шутл.* О большом количестве чего-л. Подюков 1989, 211.

Показа́ть за́дний у́гол *кому. Сиб.* Наказать кого-л., расправиться с кем-л. ФСС, 143.

Показа́ть пя́тый у́гол *кому. Жарг. угол.* Избить кого-л. Б., 125.

Попа́сть в девя́тый у́гол. *Жарг. угол.* Быть сильно избитым. Балдаев 1, 338.

Припира́ть/ припере́ть в у́гол *кого. Прост.* Ставя кого-л. в затруднительное или безвыходное положение, вынуждать признать или сделать что-л. ФСРЯ, 358.

Пья́ный у́гол. *Разг. Шутл.-ирон.* Место сбора алкоголиков. Балдаев 1, 366.

Пя́тый у́гол. *Жарг. угол.* 1. Жёстокое избиение. Балдаев 1, 367. 2. Безопасное место при скандале, драке. ТСУЖ, 151.

Сесть в у́гол. *Пск.* Тяжело заболеть, стать нетрудоспособным. СПП 2001, 75.

Сорва́ть (отверну́ть, отверте́ть, вертану́ть) у́гол. *Жарг. угол.* Украсть чемодан. < **Угол** — чемодан. СРВС 4, 35, 46, 102, 112, 143, 187. Быков, 190; ТСУЖ, 29.

Сухо́й у́гол. 1. *Новг.* Юг. НОС 11, 6. 2. *Перм.* Угол дома, направленный на юго-восток, на солнечную сторону. Подюков 1989, 211.

Сшить на ба́нный у́гол. *Прибайк.* Сделать что-л. плохо, некачественно. СНФП, 135.

У́гол зре́ния. *Книжн.* Определённый взгляд на те или иные явления, определённое понимание их. ФСРЯ, 489.

У́гол отвали́лся *кому. Волг.* О неожиданно разбогатевшем человеке. Глухов 1988, 162.

У́гол паде́ния. *Жарг. мол. Шутл.* 1. Место проведения вечеринки со спиртным. 2. Пивная. 3. Винный магазин. Максимов, 437.

У́гол с угло́м. *Орл.* Рядом, по соседству (жить). СОГ 1990, 124.

Уда́риться об у́гол. *Жарг. мол. Шутл.* Сказать глупость. Максимов, 437.

Хоть об у́гол бей *кого. Новг.* О чём-л. крепком, твёрдом. Сергеева 2004, 204.

УГОЛО́К * Глупо́й уголо́к. *Арх. Пренебр.* О глупом, несообразительном человеке. АОС 9, 120.

Дать уголо́к *кому. Сиб.* Приютить кого-л. СРНГ 7, 258; ФСС, 54; СФС, 60.

Завива́ть в уголо́к. *Пск.* Обживаться, устраиваться где-л. ПОС 11, 77.

Кра́сный уголо́к. *Разг. Устар.* Место в учреждении, воинской части и т. п., предназначенное для идейно-воспитательной работы. ФМ 2002, 546.

Укро́мный уголо́к. *Разг.* Уединенное, тихое место. БМС 1998, 581.

У́ГОЛЬ * Бе́лый уголь. *Публ.* Вода как источник энергии. БТС, 1370.

Голубо́й у́голь. *Публ.* Ветер как источник энергии. БТС, 1370.

Дуть в оди́н у́голь. *Волог.* То же, что **дуть в один угол (УГОЛ).** СВГ 6, 30.

Жечь у́голья *на ком. Новг.* Мучать, истязать кого-л. Сергеева 2004, 183.

У́ГОЛЬЕ * Истолкчи́ на у́гольё *кого. Волог.* Ударами, побоями нанести тяжёлые увечья кому-л. СВГ 3, 27.

УГОМО́Н * Угомо́н возьми́ *кого. Прост. Шутл.* Просьба успокоиться. уняться. БТС, 1371; СПП 2001, 75.

Не дава́ть угомо́ну *кому. Орл.* Постоянно беспокоить кого-л. СОГ 1990, 42.

Не знать угомо́ну. *Морд.* Не знать меры в чём-л. СРГМ 1980, 108. // *Ряз.* Не соблюдать меры в работе, работать очень много. ДС, 572; СРНГ 11, 312.

Ни угомо́ну ни утоло́ку. *Волг. Шутл.* О непоседливом человеке. Глухов 1988, 112.

Угомо́ну нет *кому. Ряз.* У кого-л. отсутствует чувство меры в чём-л. ДС, 572.

УГРО́ЗКА * Дава́ть угро́зку *кому. Пск.* Угрожать, грозить кому-л. СРНГ 7, 258.

УГРЫЗЕ́НИЕ * Угрызе́ния со́вести. *Разг.* Страдания, душевные переживания по поводу какого-л. своего неблаговидного поступка. БМС 1998, 581.

У́ДА́ * Уди́ть золото́й удо́й *[что]. Народн. Шутл.-ирон.* Покупать что-л. ДП, 81.

Заки́нуть у́ду. *Прост.* То же, что **закидывать/ закинуть удочку.** БТС, 1372.

Зальну́ть на уду́. *Кар.* То же, что **попадаться/ попасться на удочку (УДОЧКА).** СРГК 2, 153.

Лови́ть на уду́ *кого. Разг. Устар.* Стремиться использовать кого-л. в своих интересах. Ф 1, 283.

Попада́ться/ попа́сться на свою́ у́ду. *Разг. Устар.* Строя козни другим, страдать от них самому. Ф 2, 76.

Пойма́ть (подцепи́ть) на у́ду *кого. Прост.* То же, что **поймать на удочку.** БТС, 1372.

Попада́ться/ попа́сться на у́ду *кого. Прост.* То же, что **попадаться/ попасться на удочку.** БТС, 1372.

И у́ды оборва́л. *Волг.* О человеке, потерпевшем неудачу, разочаровавшемся в чём-л., потерявшем надежду на что-л. Глухов 1988, 60.

УДА́В * Поне́жить уда́ва. *Жарг. мол. Шутл.* Совершить акт онанизма. Декамерон 2001, № 3.

УДАВИ́ТЬСЯ * Ни удави́ться ни заре́заться не́чем. *Народн. Ирон.* О бедном, неимущем человеке. ДП, 591.

УДА́ВКА * Брать/ взять на уда́вку *кого. Жарг. угол.* Душить кого-л. петлёй. Максимов, 43.

Че́рез уда́вку кричи́. *Сиб.* О безвыходном положении. ФСС, 99.

У́ДАЛЬ * Всей и у́дали *у кого,* **что за ло́жкой поте́ть.** *Народн. Шутл.-ирон.* О лентяе, бездельнике. Жиг. 1969, 226.

Брать/ взять на себя́ у́даль. *Волг.* Проявлять смелость, решительность. Глухов 1988, 6, 11.

УДА́Р * Дать уда́р *кому. Прибайк.* Победить кого-л. в бою. СНФП, 136.

Небе́сный уда́р. *Смол.* Гром и молния. СРНГ 20, 316.

Идти́/ пойти на уда́р. *Твер.* Идти в наступление. СРНГ 28, 359.

Принима́ть/ приня́ть уда́р на себя́. *Разг.* Брать на себя ответственность за какие-л. действия. БТС, 1372.

Слови́ть уда́р в го́рло. *Жарг. мол.* Напиться до состояния сильного алкогольного опьянения. Максимов, 93.

Ста́вить/ поста́вить под уда́р *кого, что. Разг.* Создавать опасное, угрожающее, рискованное положение для кого-л., для чего-л. Ф 2, 183.

Углево́дный уда́р. *Жарг. спорт.* Употребление большого количества углеводов после углеводного голодания. Максимов, 436.

Уда́р в спи́ну. *Разг. Неодобр.* Предательство, коварная измена. БТС, 1372.

Уда́р ло́ся. *Жарг. арм.* Один из видов издевательств над молодыми солдатами при неуставных отношениях: жертва скрещивает руки на лбу ладонями вверх; удар по голове наносится сквозь ладони, чтобы не оставалось видимых повреждений. АиФ, 1999, № 5.

Уда́р мозго́в. *Одесск.* Кровоизлияние в мозг. КСРГО.

Уда́р ни́же по́яса. *Разг.* Нечестный, недозволенный прием. < Из речи боксеров. БМС 1998, 581; ЗС 1996, 351.

Уда́р хвати́л *кого. Разг.* Кто-л. внезапно разбит параличом. ФСРЯ, 489.

В уда́ре. *Разг.* 1. В состоянии душевного подъёма, вдохновения. 2. *Устар.* Настроен, расположен сделать что-л. ФСРЯ, 489-490; БМС 1998, 581; БТС, 1372.

Под уда́ром. *Разг.* В опасном, критическом положении. БТС, 1372.

УДАРЕ́НИЕ * Дава́ть/ дать ударе́ние. *Кар.* Вызывать тепловой удар. СРГК 1, 420.

УДА́РНИК * Уда́рник комтруда́. *Жарг. угол., арест., мол. Ирон.* Большая совковая лопата, кувалда, кирка. Балдаев 2, 96; ББИ, 253.

У́ДЕРЖ * Не знать у́держу. *Прост.* Быть неумеренным, невоздержанным. Ф 1, 213.

У́держу нет. *Волг.* 1. О сильном желании, страсти. 2. *кому.* О несдержанном, непоседливом человеке. Глухов 1988, 106, 163.

УДИВЛЕ́НИЕ * На удивле́ние. *Разг. Одобр.* 1. Очень хороший, отличный. 2. Очень хорошо, отлично. ФСРЯ, 139.

УДИЛА́ * Заку́сывать/ закуси́ть удила́. 1. *Прост.* Действовать, не отдавая себе отчёта в своих поступках, не считаясь с обстоятельствами и здравым смыслом. ФСРЯ, 491; БМС 1998, 581-582; БТС, 329, 1374; ЗС 1996, 68, 226; Ф 1, 198; ФМ 2002, 547. 2. *Пск.* Буйствовать, бесноваться. СПП 2001, 75.

УДО́ * Получи́ть удо́. *Жарг. шк. Шутл.* Получить освобождение от урока физкультуры. ВМН 2003, 138. < **УДО** — условно-досрочное освобождение.

УДО́БА * В (на) твою (мою, его́, её) удо́бу. *Смол.* О сходстве по внешнему виду, по возрасту. ССГ 11, 13.

УДОВО́ЛЬСТВИЕ * Подхвати́ть удово́льствие. *Жарг. мол. Ирон.* Заразиться венерической болезнью. Б., 65.

Два́дцать четы́ре удово́льствия. *Разг.* О большом количестве того, что развлекает, веселит. АОС 10, 293.

УДОСТОВЕРЕ́НИЕ * Удостовере́ние дурака́. *Жарг. мол. Шутл.* Фальшивый документ. WMN, 98; Мокиенко 2003, 127.

Удостовере́ние ли́чности. *Жарг. угол. Шутл.* Пистолет. ТСУЖ, 182; Балдаев 2, 97; ББИ, 254; Мильяненков, 255.

У́ДОЧКА * Сма́тывать/ смота́ть у́дочки. *Прост.* Поспешно удаляться, уходить, отступать. БМС 1998, 582; ФСРЯ, 491; ФМ 2002, 552; Мокиенко 1990, 89, 107, 129; БТС, 1375; ЗС 1996, 205; СПП 2001, 75.

Заки́дывать/ заки́нуть (забра́сывать/ забро́сить) у́дочку. 1. *Разг.* Осторожно разузнавать, выяснять что-л. предварительно. БМС 1998, 582; ЗС 1996, 48, 367; БТС, 325, 1375; ФМ 2002, 548; ФСРЯ, 491. 2. *Жарг. мол. Шутл.* Пытаться познакомиться с девушкой. Максимов, 142. 3. *Жарг. мол. Шутл.* Совершать половой акт с кем-л. Никитина 2003, 604.

Има́ть на у́дочку *кого.* Обнаружить перед всеми чьи-л. недостойные поступки, действия, разоблачить кого-л. СНФП, 137.

Клева́ть/ клю́нуть на у́дочку. *Разг. Шутл.* То же, что **попадаться/ попасться на удочку.** ФМ 2002, 550; Мокиенко 1990, 129; СПП 2001, 75.

Пойма́ть (подцепи́ть) на у́дочку *кого. Разг.* Обмануть, перехитрить кого-л. БТС, 1375; ДП, 650; Глухов 1988, 127; ФМ 2002, 551.

Пойти́ на у́дочку *чью. Разг. Устар.* То же, что **попадаться/ попасться на удочку.** Ф 2, 64.

Попада́ться/ попа́сться на у́дочку *чью. Разг.* Давать себя обмануть, перехитрить, провести. БМС 1998, 582; БТС, 1372; Мокиенко 1990, 134; ФМ 2002, 551; ФСРЯ, 491.

Ски́нуть у́дочку. *Жарг. угол.* Передать что-л. из камеры в камеру (как правило — из верхней в нижнюю). ТСУЖ, 162; Балдаев 2, 41.

УДУ́ШКА * Лежа́ть на уду́шку. *Прикам.* Находиться в тяжёлом состоянии, испытывая приступ удушья. МФС, 53.

УЕБА́ТЬ * Уёбен зи битте! *Жарг. Нецензш. Шутл.* Требование уйти, удалиться. < Подражание немецкой речи. Мокиенко, Никитина 2003, 332.

УЁМ * Дать уём *кому. Сиб.* Унять кого-л., наказав или пригрозив. ФСС, 54.

Нет уёму *кому. Волг.* О несдержанном, неугомонном человеке. Глухов 1988, 163.

Ни уёму ни закли́ну. *Волг. Шутл.* То же, что **нет уёму.** Глухов 1988, 112.

УЖАС * Наводи́ть/ навести́ у́жас *на кого. Разг.* Заставлять кого-л. бояться, испытывать страх. БМС 1998, 582.

Приводи́ть/ привести́ в у́жас *кого. Разг.* То же, что **наводить ужас.** БМС 1998, 582-583.

Ти́хий у́жас. *Жарг. шк. Ирон.* 1. Контрольная работа. 2. Урок, на котором приходится много работать, напрягаться. ВМН 2003, 138.

У́жасы на́шего городка́. *Жарг. шк. Шутл.-ирон.* Сочинение. ВМН 2003,

138. 2. *Ответ ученика у доски.* Никитина 2003в, 217. < По названию рубрики популярной телепередачи «Городок».

У́ЖИН * По́сле у́жина горчи́ца. *Разг. Шутл.* О чём-л., получаемом с опозданием, когда в этом отпала надобность. ДП, 642; БМС 1998, 583.

УЗДА́ * Води́ть в (на) узде́ *кого. Арх.* Заставлять кого-л. делать что-л. АОС 4, 158.

Держа́ть в узде́ *кого. Разг.* 1. Сурово, строго обращаться с кем-л. 2. Ограничивать чью-л. свободу действий, сдерживать кого-л. ФСРЯ, 491; Ф 1, 158; ЗС 1996, 227.

Остава́ться/ оста́ться с одно́й уздо́й. *Сиб.* Разоряться, становиться бедным, малоимущим. ФСС, 127.

Брать/ взять в узду́ *кого. Прост.* Сдерживать кого-л. Ф 1, 37.

Надевать/ наде́ть узду́ *на кого. Разг.* Подчинять себе кого-л., подавлять кого-л., ограничить чьи-л. действия. БМС 1998, 583; НОС 5, 138; Ф 1, 311.

Узду́ ва́шу разузду́! *Урал. Эвфем. Бран.* Восклицание, выражающее гнев, негодование, возмущение в чей-л. адрес. СРНГ 34, 70.

УЗДЕ́ЧКА * Снима́ть/ снять узде́чку *с кого. Пск.* Ослаблять надзор, контроль за кем-л., разрешать кому-л. вести себя своевольно, капризничать. СПП 2001, 75.

У́ЗЕЛ * Го́рдиев у́зел. *Книжн.* Сложный, запутанный вопрос, трудная задача. БТС, 219, 1377. < Восходит к древнегреческой мифологии. БМС 1998, 583; ФСРЯ, 491.

Завя́зывать [в] калмыцкий у́зел. *Волг.* 1. Жадничать, скупиться. 2. Экономно вести хозяйство. Глухов 1988, 45.

Завя́зывать/ завяза́ть в у́зел *кого. Разг.* Заставлять кого-л. быть покорным, полностью подчинять кого-л. своей воле. БТС, 1377; Ф 1, 193.

Завяза́ть у́зел. См. **Завязать узелок (УЗЕЛОК).**

Развя́зывать/ развяза́ть у́зел. *Прост.* Решать какое-л. сложное, запутанное дело. Мокиенко 2003, 127.

Разруба́ть/ разруби́ть (рассека́ть/ рассе́чь) Го́рдиев у́зел. *Книжн.* Быстро и смело решать сложный вопрос, трудную задачу. БТС, 219, 1377.

У́зел к жо́пе подступа́ет (подсту́пит) *кому. Вульг.-прост. Презр.* О наступающих у кого-л. трудностях, больших неприятностях, неудачах. Подюков 1989, 212; Мокиенко, Никитина 2003, 333.

У́зел свя́зи. *Жарг. мол. Шутл.* Мужской половой орган. Щуплов, 54; ЖЭСТ-1, 142.

Вяза́ть (завя́зывать) в три узла́ (узло́м) *что. Волг. Шутл.-ирон.* 1. Надёжно прятать, сохранять что-л. 2. Экономно расходовать деньги. Глухов 1988, 21, 46.

Корми́ть узла́ми *кого. Жарг. гом., арест.* Совершать гомосексуальный (в т. ч. насильственный) половой акт с кем-л. СРВС 1, 169; СРВС 2, 44, 90, 184, 218; СРВС 3, 97; ТСУЖ, 89.

Сиде́ть на узла́х. *Разг.* Собрав вещи, ждать отъезда. ФСРЯ, 423; БТС, 1377.

Узло́м к гу́зну [пришло́сь]. *Перм. Вульг. Неодобр.* О наступающих у кого-л. трудностях, больших неприятностях, неудачах. Подюков 1989, 212; Мокиенко, Никитина 2003, 333.

Вяза́ть в узлы́ *кого. Прост.* То же, что **завязывать в узел.** Ф 1, 105.

Узлы́ развя́жутся (развяза́лись) *[у кого]. Перм. Шутл.* 1. О близких, приближающихся родах. 2. О близкой, приближающейся смерти. Подюков 1989, 212. < Возможно, оборот — мифологическая характеристика жизненно важного события через сопутствующее действие: развязывание узлов издревле считалось магическим средством облегчения от мук, страданий. Мокиенко, Никитина 2003, 333.

УЗЕЛО́К * Вяза́ть полтора́ узелка́. *Жарг. морск. Шутл.* Идти очень медленно (о судне). Кор., 70.

Завя́зывать в узело́к. *Волг Шутл.* Экономно расходовать, копить деньги. Глухов 1988, 46.

Завяза́ть узело́к (у́зел). 1. *Жарг. угол.* Прекратить воровать. ТСУЖ, 59; Балдаев 1, 137; СРВС 4, 28, 76. 2. *Жарг. мол.* Прекратить заниматься чем-л. (Запись 2004 г.).

Завяза́ть узело́к на па́мять. *Разг.* Постараться хорошо запомнить что-л. Ф 1, 193.

Развя́зывать/ развяза́ть узелок. *Жарг. угол.* Возвращаться в воровскую компанию. Бен, 101.

Узело́к развяза́лся. *Коми. Шутл.* О первых родах. Кобелева, 80.

У́ЗЛО * Подошло́ у́зло к гу́зну. *Костром., Перм.* О тяжёлом положении, безвыходной ситуации. СРНГ 28, 114; Подюков 1989, 212.

У́ЗНИК * У́зник со́вести. *Публ.* Лицо подвергнутое властями аресту или заключению по политическим, религиозным и т. п. вопросам. Р-87, 424; СП, 219.

У́ЗНИЦА * Бухенва́льдская у́зница. *Жарг. шк. Шутл.* Гардеробщица. (Запись 2003 г.).

УЗО́Р * Разводи́ть узо́ры. *Волг. Шутл.* Болтать, пустословить. Глухов 1988, 138.

У́ЗЫ * Кро́вные у́зы. *Книжн.* Кровное родство. ФСРЯ, 491.

У́зы (це́пи) Гимене́я. *Книжн.* Брак, супружество. < **Гименей** — в древнегреческой мифологии бог брака, освящённого религией и законом. БМС 1998, 583; БТС, 203; ФСРЯ, 491; Мокиенко 1989, 177.

УЙТИ́ * Уйди́ на... *Жарг. муз. Эвфем.* Шутливое название произведения Ф. Листа «Ундина». БСРЖ, 611.

Далеко́ уйти́ (пойти́). *Разг.* Добиться больших успехов, значительных результатов в чём-л. ФСРЯ, 491.

Недалеко́ уйти́ *в чем. Разг.* Не добиться больших успехов, значительных результатов в чём-л. ФСРЯ, 491.

Уйти́ нале́во. *Жарг. угол.* 1. *Неодобр.* Прекратить преступную деятельность. ТСУЖ, 182. 2. Быть расстрелянным. ТСУЖ, 184.

УКА́З * Не ука́з (не ука́зка) *кому. Разг.* 1. Не является авторитетом. 2. Не может быть примером, основанием для чего-л. ФСРЯ, 491-492.

Пья́ный ука́з. *Разг. Шутл.* Указ о борьбе с пьянством и алкоголизмом. Ненашев, Пилатов, 22.

Запрети́ть именны́м ука́зом. *Разг. Ирон.* Строго, категорически запретить что-л. БМС 1998, 583.

УКАЗА́НИЕ * Дава́ть/ дать це́нные указа́ния *кому. Разг.* 1. Наставлять, разъяснять, указывать кому-л., как действовать. 2. *Шутл.-ирон.* Поучать кого-л., читать кому-л. нотации. Мокиенко 2003, 127.

УКА́ЗКА * Не ука́зка. См. **Не указ (УКАЗ).**

УКЛО́Н * Идти́/ пойти́ под укло́н. *Разг.* 1. Развиваться в неблагоприятном направлении. 2. Близиться к концу (о жизни). ФСРЯ, 182.

УКО́Л * Золото́й уко́л. *Жарг. нарк.* Последняя (перед смертью) инъекция наркотика, доставляющая наркоману особенно сильное наслаждение. Грачев 1994, 30; Грачев 1996, 65.

Мясно́й уко́л. *Жарг. крим., мол. Шутл.* Изнасилование. Хом. 2, 50.
УКО́Р * Живо́й уко́р. *Разг.* О ком-л., о чём-л., находящемся перед глазами и вызывающем угрызения совести. БТС, 305.
УКОРО́Т * Де́лать/ сде́лать укоро́т *кому. Волг.* Приводить кого-л. в покорность, подчинять себе кого-л. Глухов 1988, 146.
УКО́С * Идти́/ пойти́ под уко́с. *Сиб.* Становиться неудачливым, невезучим. СОСВ, 143.
УКРАШЕ́НИЕ * Украше́ние за́дницы. *Жарг. мол. Шутл.* Пассажир на заднем сиденье мотоцикла. Максимов, 438.
УКРЕ́ПА * Де́лать/ сде́лать укре́пу. *Новг.* Укреплять своё здоровье, силу, выносливость. НОС 11, 91.
УКРИ́К * Крича́ть на укри́к. *Яросл.* Очень громко кричать. ЯОС 5, 91.
УКРО́П * Укро́п Помидо́рович. *Жарг. лаг. Шутл.-ирон.* Мягкий, покладистый заключённый-интеллигент. Быков, 190.
УКРОТИ́ТЕЛЬ * Укроти́тель ти́гров. *Жарг. шк. Шутл.-ирон.* Классный руководитель. Максимов, 438; Bytic, 1999–2000.
УКРОЩЕ́НИЕ * Укроще́ние стропти́вой. *Книжн.* О перевоспитании трудного характера. < По названию комедии У. Шекспира. БМС 1998, 583.
У́КСУС * У́ксусом подби́то. *Разг. Шутл.-ирон.* О шинели, пальто без подкладки. < Калька с франц. *manteau double de vinaigre.* БМС 1998, 584.
УЛЁЖ * Лежа́ть на улёж (улёжем). *Костром.* Лежать не поднимаясь (о больных и лентяях). СРНГ 16, 330.
УЛЁЖКА * До улёжки. *Прибайк.* Очень сильно. СНФП, 137.
Лежа́ть в улёжку. *Обл.* То же, что **лежать на улёж (УЛЕЖ).** Мокиенко 1990, 157.
УЛИВНО́Й * В уливну́ю. *Пск.* Навзрыд, много, долго (плакать). СПП 2001, 75.
УЛИВУ́ННЫЙ * В уливу́нную. *Пск.* 1. То же, что **в уливную (УЛИВНОЙ).** 2. *чего.* О большом количестве какой-л. жидкости, напитков. СПП 2001, 75.
УЛИ́КА * Ули́ка, которой не хвата́ло Джорда́но Бру́но. *Жарг. шк. Шутл.* Глобус. Максимов, 439.
Смыть ули́ки. *Жарг. мол. Шутл.* Об акте мочеиспускания. Я — молодой, 1997, № 45.
У́ЛИЦА * Зелёная у́лица. 1. *Арм. Устар.* Вид наказания, использовавшегося в царской России (прогон наказуемого сквозь строй солдат со шпицрутенами). 2. *Разг.* Свободный прямой путь, беспрепятственное продвижение.ФСРЯ, 492; БМС 1998, 584; ЗС 1996, 110; ШЗФ 2001, 82; БТС, 1383.
У́лица Бедоку́ра. *Жарг. мол. Шутл.* Улица Белы Куна в Санкт-Петербурге. Синдаловский, 2002, 187.
У́лица Лёни Го́ленького. *Жарг. мол. Шутл.* Улица Лёни Голикова в Санкт-Петербурге. Синдаловский, 2002, 187.
У́лица с односторо́нним движе́нием. *Разг. Неодобр.* Об отсутствии взаимопонимания договаривающихся сторон. Мокиенко 2003, 127.
Бу́дет и на на́шей у́лице пра́здник. *Разг.* Призыв к надежде и терпению: и к нам придёт удача, наступят счастливые времена. ФСРЯ, 492; БМС 1998, 584; ШЗФ 2001, 25; Янин 2003, 40; ДП, 55.
По у́лице. *Яросл.* Танец кадриль. ЯОС 8, 11.
Выбра́сывать/ вы́бросить (выки́дывать/ вы́кинуть) на у́лицу *кого. Прост.* Лишать кого-л. жилья. ФСРЯ, 492; БТС, 1383; АОС 7, 252.
Выноси́ть на у́лицу *что. Разг.* Выставлять на всеобщее, публичное обсуждение что-л. ФСРЯ, 492.
Вышвы́ривать/ вы́швырнуть на у́лицу *кого. Разг.* Увольнять, лишать кого-л. работы, заработка. Ф 1, 101.
Гляде́ть в у́лицу. *Волг.* 1. *Неодобр.* Распутничать, вести аморальный образ жизни. 2. Намереваться уйти, покинуть кого-л. Глухов 1988, 23.
Дава́ть/ дать (открыва́ть/ откры́ть) зелёную у́лицу *кому, чему. Разг.* Устранять препятствия, мешающие осуществлению чего-л. ФМ 2002, 554; Ф 1, 133.
Ки́нуть на широ́кую у́лицу *кого. Пск.* Выгнать из дому кого-л. СПП 2001, 75.
Открыва́ть/ откры́ть зелёную у́лицу *кому, чему. Разг.* Предоставлять свободный путь, обеспечивать беспрепятственное продвижение кому-л., чему-л. ФСРЯ, 492.
Подмета́ть у́лицу. *Волг. Неодобр.* Бездельничать, бродить без дела. Глухов 1988, 125.
Ре́зать у́лицу. *Пск. Неодобр.* Бегать туда-сюда (о детях). СПП 2001, 75.
С у́лицы. *Разг.* Случайный, совсем неизвестный (о человеке). ФСРЯ, 492.
У́лицы кра́сить. *Прибайк.* Ничего не делать, вести праздный образ жизни, бездельничать. СНФП, 137.
УЛО́Г * Лечь в уло́г. *Ряз.* Сильно устать, утомиться. ДС, 575.
Положи́ть в уло́г *кого. Ряз.* Сильно утомить кого-л. ДС, 575.
УЛОЖЕ́НИЕ * Собо́рное уложе́ние. *Жарг. шк. Шутл.* Родительское собрание. (Запись 2003 г.).
У́ЛОЧКА * Идти́ на чи́стую у́лочку. *Кар.* Выходить замуж без приданого. СРГК 2, 268.
УЛУ́С * Бе́гать по-за улу́сам. *Яросл. Неодобр.* Бродить неизвестно где. ЯОС 1, 45.
УЛЫ́БКА * Мефисто́фельская улы́бка. *Книжн.* Коварная улыбка. < Источник выражения — произведение И. В. Гете «Фауст». БМС 1998, 584.
Улы́бка авгу́ров. *Книжн.* Обмен улыбками людей, хорошо понимающих друг друга; улыбка обманщиков. < Авгуры — в Древнем Риме жрецы, толковавшие волю богов по полету и крику птиц. БМС 1998, 584–585.
Улы́бка Ру́звельта. *Жарг. арм. Шутл. Устар.* Консервированная американская колбаса. Кор., 297; Лаз., 15.
Дари́ть улы́бки. *Сиб. Ирон.* Угождать, льстить кому-л. ФСС, 53.
Жить с улы́бкой. *Пск.* Не унывать, не жаловаться на жизнь. СПП 2001, 75.
Дави́ть (тяну́ть) улы́бку. *Жарг. мол. Шутл.* Улыбаться. Максимов, 100, 435.
УЛЫБО́Н * Сконструи́ровать улыбо́н [шесть на де́вять]. *Жарг. мол. Шутл.* Улыбнуться [широко, жизнерадостно]. ЖЭСТ-2, 301.
УЛЬЯ́НА * С одно́й стороны́ Улья́на, с друго́й Фома́. *Обл. Шутл.-ирон.* О человеке с отклонениями в психике. Мокиенко 1989, 167.
УМ * Бить в ум *кому. Пск.* Быть лёгким, доступным для усвоения. СПП 2001, 75.
Брать в ум *что.* 1. *Прост.* Запоминать, заучивать что-л. БМС 1998, 585; ПОС, 2, 153; БалСок, 24; СНФП, 137; Подюков 1989, 16; СФС, 29; Кобелева, 57. 2. *Прост.* Понимать что-л. Ф 1, 36. 3. *Ряз.* Принимать во внимание что-л. ДС, 575. 4. *Арх., Кар.* Начинать думать о чём-л. АОС 4, 83; СРГК 1, 198. 5. *Курск.* Становиться благоразумным, умнеть. БотСан, 87.
Брать на ум *что. Прибайк, Сиб.* То же, что **брать в ум 1.** СНФП, 137; ФСС, 16.

Бра́ться/ взя́ться за ум. *Разг.* Изменять своё поведение в лучшую сторону, становиться благоразумнее, рассудительнее. ФСРЯ, 48; БТС, 1385; ЗС 1996, 242.

Взбрести́ на ум. 1. *Разг.* Внезапно появиться, возникнуть (о мысли, идее). ФСРЯ, 64; ДП, 432; ЗС 1996, 247. 2. *Арх., Горьк.* Вспомниться, припомниться. АОС 4, 58; БалСок, 26.

Взойти́ (войти) в ум. *Перм., Сиб.* Очнуться, прийти в себя. Подюков 1989, 29; Мокиенко 1990, 109; ФСС, 26.

Взойти́ на ум. *Сиб.* То же, что **взбрести на ум 1.** ФСС, 26.

Вкрути́ть в ум. *Кар.* Вспомниться кому-л. СРГК 1, 204.

Вложи́ть в ум *кому что. Разг. Устар.* Внушить кому-л. что-л. БМС 1998, 585.

Впасть на ум. *Сиб.* То же, что **взбрести на ум 1.** ФСС, 31; СФС, 45.

Впа́сться на ум. *Кар.* То же, что **взбрести на ум 1.** СРГК 1, 238.

Вспа́сть в (на) ум. *Кар.* То же, что **взбрести на ум 2.** СРГК 1, 244.

Вста́вить ум *кому. Сиб. Ирон.* Выругать, отругать кого-л. ФСС, 32.

Всходи́ть/ взойти́ на ум. *Разг. Устар.* Возникать, появляться в сознании. Ф 1, 86.

Входи́ть/ войти́ в ум. 1. *Пск., Сиб.* Умнеть, становиться благоразумным, рассудительным. СПП 2001, 75; СРНГ 5, 34; ФСС, 30. 2. *Пск.* Приходить в сознание, выходить из обморочного состояния. СПП 2001, 75. 3. *Сиб.* Выздоравливать после психического заболевания. ФСС, 30; СФС, 43. 4. *[кому].* Припомниться, вспомниться. СПП 2001, 75. 5. *Разг.* Внезапно появляться, возникать (о мысли, идее). ФСРЯ, 87; ФСС, 31. 6. *Сиб.* Внезапно появляться, возникать (о желании, намерении). ФСС, 31.

Входи́ть/ войти́ на ум. 1. *Арх.* То же, что **входить в ум 1.** АОС 5, 32. 2. *Пск.* То же, что **входить в ум 6.** СРНГ 5, 34.

Вы́бежал ум *у кого. Арх.* То же, что **выкинуло из ума.** АОС 6, 99.

Выжива́ть/ вы́жить ум. *Дон.* То же, что **выживать из ума.** СДГ 1, 86.

Вы́кинуло из ума́ *что. Арх.* Что-л. забылось, выпало из памяти. СРНГ 5, 290.

Выпада́ть на ум *кому.* 1. *Арх.* То же, что **входить в ум 4.** АОС 8, 49. 2. *Ср. Урал.* То же, что **входить в ум 5.** СРГСУ 2, 190.

Вы́трясти ум. *Арх.* Дойти до полного физического и психического истощения. АОС 8, 306.

Глу́пенький ум. *Прикам. Шутл.-ирон.* О человеке, не достигшем зрелого возраста, юном. МФС, 104.

Горо́ховый ум *у кого. Пск. Ирон.* О слабом уме, плохой памяти. ПОС 7, 132.

Зайти́ в ум. *Кар.* 1. Понять, сообразить что-л. 2. Очнуться, прийти в себя. СРГК 2, 126.

Зайти́ на ум *кому. Сиб.* То же, что **входить/ войти в ум 4.** ФСС, 77.

Идти́/ пойти́ на ум *кому.* 1. *Пск.* То же, что **приходить/ прийти на ум 1.** СПП 2001, 75. 2. *Пск.* То же, что **приходить/ прийти на ум 2.** ПОС 4, 105. 3. *Прост.* То же, что **приходить/ прийти на ум 3.** Ф 1, 220; Верш. 7, 145.

Лёгкий (легкова́тый) ум (умо́к) *у кого. Печор.* О легкомысленном человеке. СРГНП 1, 378.

Лёгонький ум (умо́к) *у кого. Перм., Урал. Неодобр.* О легкомысленном, ветреном, не слишком умном человеке. СРНГ 16, 314; МФС, 104.

Молоти́ть что на ум взбредёт. *Орл. Неодобр.* Говорить вздор, болтать, пустословить. СОГ-1994, 142.

Наводи́ть/ навести́ на ум *кого. Разг. Устар.* Давать разумные советы кому-л. Ф 1, 309.

Найти́ на ум. 1. *Дон., Волг., Пск.* Вспомниться, припомниться. СДГ 2, 161; Глухов 1988, 90; СПП 2001, 75. 2. *Дон.* Образумиться, поумнеть. СДГ 2, 161. 3. *Сиб.* Излечиться от душевной болезни. ФСС, 118. 4. *Сиб.* Очнуться, прийти в сознание. ФСС, 118.

Намо́рщить ум. *Жарг. мол. Шутл.-ирон.* Задуматься о чём-л. w-99.

Напа́сть на ум *кому. Кар., Сиб.* То же, что **приходить на ум 1.** СРГК 3, 357; ФСС, 119.

Наставля́ть/ наста́вить на ум *кого. Прост.* Советами добиваться нужного поведения. БТС, 1385; Верш. 7, 145.

На ум тараты́. *Перм. Шутл.* Наобум, как попало. Подюков 1989, 202.

Не идёт на ум *кому что. Разг.* 1. Что-л. не усваивается, не запоминается, не воспринимается кем-л. 2. У кого-л. нет желания или возможности делать что-л., думать о чём-л. ФСРЯ, 180; БТС, 1385; СПП 2001, 75.

Непо́лный ум *у кого. Коми. Пренебр.* О слабоумном человеке. Кобелева, 68.

Па́дать/ пасть в ум *кому.* 1. *Кар.* То же, что **приходить на ум 1.** СРГК 4, 406; Ф 2, 35. 2. То же, что **приходить на ум 2.** СРГК 4, 336, 406. 3. *Пск.* Казаться, чудиться кому-л. СПП 2001, 75.

Пасть на ум *кому.* 1. *Прост.* То же, что **приходить на ум 1.** Ф 2, 35. 2. *Прикам. Сиб.* То же, что **приходить на ум 3.** СБО-Д 2, 68; Верш. 7, 145; ФСС, 132; МФС, 73.

Перепуска́ть ум за ра́зум. *Разг. Устар. Неодобр.* Начинать отвлеченные, ненужные рассуждения, мудрствовать. Ф 2, 40.

Подходи́ть/ подойти́ на ум. *Кар., Одесск.* То же, что **приходить на ум 1.** СРГК 4, 653; КСРГО.

Попа́сть в ум *кому. Сиб.* Запомниться кому-л. СФС, 146; ФСС, 146; Верш. 7, 145.

Попа́сть на ум *кому. Пск., Сиб.* То же, что **приходить на ум 1-2.** СПП 2001, 75; ФСС, 146.

Потеря́ть ум. *Курск.* Сойти с ума. БотСан, 116.

Приложи́ть ум. *Волог.* Приспособиться, приноровиться к чему-л., к кому-л. СРНГ 31, 270.

Пристегну́ть ум. *Арх., Кар.* Вспомнить что-л. СРНГ 31, 413; СРГК 5, 207.

Приходи́ть/ прийти́ на ум *кому. Разг.* 1. Возникать, появляться в сознании (о мысли, идее, желании, намерении). ФСРЯ, 359; ДП, 432; БТС, 1385; ЗС 1996, 241. 2. *Горьк, Сиб.* Вспоминаться, припоминаться. БалСок, 45; Верш. 7, 146.

Свой ум держа́ть. *Сиб.* Стараться быть независимым. ФСС, 60.

Сесть на ум. *Прибайк.* Одуматься; остепениться. СНФП, 138.

Собра́ть ум. *Забайк.* Сосредоточиться на чём-л., попытаться решить какую-л. проблему. СРГЗ, 426.

Собра́ться в ум. *Прикам.* Повзрослеть, поумнеть. МФС, 93.

Схвати́ться за ум. *Разг.* Стать благоразумнее, рассудительнее; образумиться. ФСРЯ, 464; БТС, 1295.

Ум в толку́й, а бес в ребро́. *Новг. Шутл.-ирон.* О супружеской неверности. НОС 11, 43.

Ум выта́птывать. *Смол.* Пытаться проникнуть в чью-л. душу с корыстными намерениями. ССГ 11, 18-19.

Ум ги́бнет. *Кар.* О трудности сделать выбор в сложной ситуации. СРГК 1, 333.

Ум запада́ет *у кого. Кар.* Об ухудшении памяти у кого-л. СРГК 2, 168.

Ум за ра́зум захо́дит *у кого. Разг.* О потере способности трезво, разумно рассуждать, действовать. ФСРЯ, 492; БТС, 1385; ЗС 1996, 104, 392; Верш. 7, 146; ДС, 576. **Ум за ра́зум не захо́дит** *у кого. Прикам.* То же. МФС, 104.

Ум [за ум] кида́ется *у кого. Арх.* О неспособности сосредоточиться на чём-л. СРНГ 13, 199.

Ум к голо́вушке не пристаёт *у кого. Шутл. Кар.* Кто-л. не может догадаться о чём-л., придумать что-л. СРГК 5, 205.

Ум ко́роток *у кого. Прост. Неодобр.* О глупом, недалеком человеке. БТС, 1385.

Ум наза́д идёт *у кого. Сиб.* Об ухудшении памяти в старческом возрасте. СРНГ 28, 363.

Ум на раскоря́чку *у кого. Сиб., Забайк.* О невозможности сообразить, понять что-л.; о несобранности в мыслях. СНФП, 140; СФС, 191; СРНГ 34, 132; СРГЗ, 426.

Ум отобра́ло *у кого. Дон.* Об отсутствии ясности ума. СДГ 2, 214.

Ум пошёл *у кого. Олон.* Кто-л. начал размышлять, думать. СРНГ 28, 363.

Ум пошёл на берёзу *у кого. Смол. Неодобр.* О забывчивости, отсутствии памяти. ССГ 11, 18.

Ум разошёлся *у кого. Сиб.* Кто-л. не может понять чего-л., сосредоточиться на чём-л., догадаться о чём-л. СРНГ 34, 51.

Ум раскоря́чился *у кого. Калуж., Пск.* Кто-л. потерял способность здраво рассуждать, соображать. СРНГ 34, 133; СПП 2001, 75.

Ум расшара́шился *у кого. Сиб.* То же, что **ум раскорячился.** СРНГ 34, 320.

Ум теря́ется *у кого. Дон.* Кто-л. теряет способность здраво рассуждать, соображать. СДГ 3, 171.

Хвати́ться за ум. *Прост.* Стать благоразумнее, рассудительнее. БТС, 1440; Ф 2, 233.

Ба́ять не с ума́. *Волог.* Говорить, не подумав. СВГ 1, 26.

Без ума́. 1. *от кого, от чего. Разг.* В восторге, в восхищении. ФСРЯ, 493; БТС, 1385. 2. *Прост.* Сильно, интенсивно. ФСРЯ, 493; ДС, 575; БТС, 1385; Вахитов 2003, 14; Верш. 7, 145. 3. *Сиб.* Очень громко. СРНГ 15, 262; ФСС, 127. 4. *Прост.* Очень много, в большом количестве. БотСан, 83; Вахитов 2003, 14. 5. *Курск., Сиб.* Бестолково, неэффективно. БотСан, 83; СФС, 21. 6. *Сиб.* Без сознания, в обморочном состоянии. СФС, 21.

Брать/ взять с ума́. *Сиб.* Самостоятельно находить решение какой-л. проблемы. СФС, 29; ФСС, 16.

Вложи́ть ума́ *кому.* 1. *Прост.* Образумить кого-л. СДГ 1, 68; ЗС 1996, 242, 258. 2. *Волг.* Воспитать кого-л. Глухов 1988, 12.

Выбива́ет из ума́. *Сиб.* 1. *кого.* Кто-л. теряет сознание. 2. *что.* Что-л. забывается. ФСС, 33, 39.

Выбива́ться/ вы́биться из ума́. 1. *Арх., Сиб.* Доходить до очень тяжёлого психического состояния; сходить с ума. АОС 6, 101; Верш. 7, 145; ФСС, 33. 2. *Пск.* Забываться, уходить из памяти. СПП 2001, 75.

Выбра́сывает из ума *кого.* 1. *Арх.* То же, что **выбивает из ума 1.** АОС 6, 110. 2. *Прикам.* Кто-л. на время теряет способность здраво рассуждать, соображать. МФС, 21.

Выводи́ть/ вы́вести из (с) ума́ 1. *кого. Прост.* Вводить в заблуждение, заставлять кого-л. поступить неразумно. СПП 2001, 75. 2. *Арх., Кар., Пск.* Приводить кого-л. в состояние крайнего утомления, раздражения. АОС 6, 141; СРГК 1, 138; СПП 2001, 75. 3. *что. Кар.* Выпытывая, выспрашивая, заставлять кого-л. вспомнить что-л. СРГК 1, 254.

Вывора́чивать/ вы́воротить из ума́. *Кар. Неодобр.* Придумывать, выдумывать что-л. СРГК 1, 255.

Вы́дернуло с ума́ *у кого что. Пск.* Что-л. забылось, ушло из памяти у кого-л. СПП 2001, 75.

Выжива́ть/ вы́жить из ума́. *Разг.* Утрачивать умственные способности в старости. ФСРЯ, 493; БТС, 171, 1385; ЗС 1996, 316; АОС 7, 213. **Выжива́ться/ вы́житься из ума́.** *Арх., Сиб.* То же. АОС 7, 208, 213.

Выходи́ть/ вы́йти из ума́. 1. *Дон., Ряз.* То же, что **выживать/ выжить из ума.** ДС, 575; СДГ 1, 86. 2. *Арх., Дон.* То же, что **выпасть из ума.** СДГ 1, 86; АОС 7, 240.

Вы́качать из ума́ *кого. Сиб. Неодобр.* Довести кого-л. до состояния крайнего расстройства. ФСС, 36; СФС, 51.

Выки́дывать/ вы́кинуть из ума́ *что. Арх.* Забывать что-л. АОС 8, 42.

Вы́пасть из ума́. *Коми.* Сойти с ума, потерять рассудок. Кобелева, 59.

Вы́ронить из ума́ *что. Прибайк.* Забыть что-л. СНФП, 138.

Вы́стегнуло из ума́. 1. *у кого что.* То же, что **вышибло из ума 1.** *Кар., Прибайк., Сиб.* СРГК 1, 297; СНФП, 138; ФСС, 39. 2. *кого. Волог.* Кто-л. на время лишился рассудка в результате сильного потрясения. СВГ 1, 100.

Выстига́ть из ума́. *Сиб.* Быть в тяжёлом состоянии (о больном). Верш. 7, 146.

Выступа́ть/ вы́ступить из ума́. *Разг. Устар.; Перм.* Потерять рассудок, сойти с ума. Ф 1, 99; Подюков 1989, 88.

Выходи́ть/ вы́йти из ума́ *у кого. Арх., Пск.* Забываться, не вспоминаться. АОС 8, 371; СПП 2001, 75.

Вы́шибло из ума́. *Арх., Сиб.* 1. *у кого что.* Что-л. забылось, не вспоминается. 2. *кого.* Кто-л. потерял сознание. АОС 8, 406; ФСС, 40; СФС, 182.

Дава́ть/ дать ума́ *кому.* 1. *Кар., Курск., Перм.* Учить, поучать кого-л. СРГК 1, 424; БотСан, 91; Подюков 1989, 56. 2. *Кар.* Советовать кому-л. что-л. СРГК 1, 420. 3. *Костром., Курск.* Наказывая, бить, пороть кого-л. БотСан, 91; СРНГ 7, 258; Мокиенко 1990, 48. 4. *Пск. Неодобр.* Устраивать скандалы, драться с кем-л. ПОС 8, 108. 5. *Сиб. Неодобр.* Досаждать кому-л., поступая вопреки его требованиям, желаниям. ФСС, 52.

Дать себе́ ума́. *Ворон.* Сообразить, понять что-л. СРНГ 7, 258.

Держа́ться своего́ ума́. *Яросл.* Самостоятельно решать все проблемы, принимать решения. ЯОС 3, 130.

Доводи́ть/ довести́ до ума́. *Разг.* 1. *кого.* Воспитывать, готовить к самостоятельной жизни кого-л. 2. Успешно выполнять начатое дело. БТС, 265; НСЗ-70; СБГ 5, 25; БотСан, 34; СРГМ 1980, 24; Ф 1, 165; Глухов 1988, 35; Мокиенко 2003, 127.

Зря ума́. 1. *Куйбыш., Сиб.* Напрасно, безрезультатно. ФСС, 83; СРНГ 11, 351. 2. *Курск. Неодобр.* Небрежно, как попало. СРНГ 11, 350.

Из ди́кого ума. *Прикам. Неодобр.* По глупости. МФС, 105.

Из ума́ вон [вы́скочило] *у кого что. Разг.* Что-л. забылось, не вспоминается. ФСРЯ, 493; БТС, 1385; АОС 5, 79.

Копи́ть ума́. *Сиб.* Становиться умным, рассудительным. СРНГ 14, 290; ФСС, 96.

Лиша́ться/ лиши́ться ума́. *Разг.* Терять рассудок, сходить с ума. БТС, 1385; Глухов 1988, 82.

Набира́ться/ набра́ться ума́. *Разг.* Умнеть, перенимать чей-л. опыт. БТС, 570, 1385.

Накача́ть ума́ *кому. Коми.* Сделать внушение, отчитать кого-л. Кобелева, 68.

Не выкла́дывать/ не выложить из ума́ *что. Разг. Устар.* Постоянно помнить, не забывать о чём-л. Ф 1, 94.

Не до ума́ *кому. Прибайк.* О невозможности, неспособности догадаться о чём-л. СНФП, 138.

Не идти́ (не выходи́ть) из ума́. *Разг.* Быть предметом постоянных раздумий, волнений, заботы. СРНГ 12, 77; ЗС 1996, 239; БТС, 1385; ФСРЯ, 493.

Не моего́ (твоего́, ва́шего и т. п.) **ума́ де́ло.** *Прост.* Меня (тебя, вас) это не касается. БТС, 1385; Верш. 7, 145; Глухов 1988, 98.

Не мочь ума́ предста́вить. *Новг.* Не иметь возможности понять что-л. НОС 5, 104.

Не от ума́. *Сиб. Неодобр.* Неправильно, глупо. СФС, 124.

Непо́лного ума́. *Пск. Ирон.* О человеке слабоумном, с плохой памятью, придурковатом. СПП 2001, 75.

Не с по́лного ума́. 1. *Сиб.* Будучи в состоянии невменяемости. СФС, 125. 2. *Волг.* О глупом, несообразительном человеке. Глухов 1988, 104.

Не ума́ *кому.* 1. *Сиб.* Невдомёк. СФС, 17, 105, 128. 2. *Яросл.* О чём-л. забытом. ЯОС 6, 124.

Ни ума́ ни ра́зума *у кого.* 1. *Волг.* О глупом, несообразительном человеке. Глухов 1988, 112. 2. *Сиб.* О человеке в состоянии растерянности. Верш. 7, 145.

Облаже́ть (ошале́ть) с ума́. *Пск.* То же, что **сходить с ума** 1. СПП 2001, 75.

От (с) большо́го ума́. *Разг. Ирон.* По глупости, сдуру (сделать что-л.). БТС, 1385; ЗС 1996, 242.

От (с) до́бра ума́. *Сиб. Ирон.* Намеренно, умышленно (делать что-л.). ФСС, 57; СРНГ 8, 80.

Отстава́ть/ отста́ть от ума́. 1. *Ср. Урал.* То же, что **сходить с ума 1.** СРГСУ 3, 90; 92. 2. *Прибайк.* Терять способность здраво рассуждать в состоянии крайнего удивления. СНФП, 138.

Отходи́ть/ отойти́ от ума́. *Дон.* 1. Лишиться рассудка. 2. *Неодобр.* Поступить неразумно, нелепо. СДГ 3, 170.

Покати́ться с ума́. *Арх.* То же, что **сходить с ума** 1. СРНГ 28, 372.

Помеша́ться с ума́ (умо́м). *Пск., Прибайк., Сиб.* То же, что **сходить с ума 1.** СПП 2001, 75; ФСС, 145; СНФП, 140; СФС, 192.

Приобняли́сь и ума́ набрали́сь. *Кар. Шутл.* О людях, которые, пожив вместе, приобрели определённый опыт, знания. СРГК 5, 185.

Попыта́ть ума́. *Сиб., Приамур.* Посоветоваться о чём-л. ФСС, 146; СРНГ 30, 25.

Попя́тить с ума́. *Вят.* То же, что **сходить с ума 1.** СРНГ 30, 27.

Приши́ть ума́ *кому. Курск.* Сделать внушение, отчитать кого-л. БотСан, 110.

Рехну́ться ума́ (с ума́, умо́м). 1. *Прост.* То же, что **сходить с ума 1.** СПП 2001, 75; ДС, 576; ЗС 244; Ф 2, 126; Верш. 6, 107; Мокиенко 1990, 98; Глухов 1988, 156; Подюков 1989, 174. 2. *Ряз.* О чём-л. значительном, интенсивном. ДС, 576. 3. *Ряз.* То же, что **с ума сойти 2.** ДС, 576.

Сбива́ть/ сбить с ума́ *кого.* 1. *Сиб.* То же, что **сводить с ума 1.** СФС, 161. 2. *Кар.* Запутывать, дезинформировать кого-л. СРГК 5, 642.

Сбива́ться/ сби́ться с ума́. 1. *Морд., Перм., Прибайк., Сиб.* То же, что **сходить с ума 1.** СРГМ 2002, 20; Подюков 1989, 201; СНФП, 138; СОСВ, 168; Мокиенко 1990, 65; СФС, 162. 2. *Коми., Прибайк. Неодобр.* Измениться в худшую сторону; начать вести себя предосудительно. Кобелева, 76.

Сбре́ндить с ума́. *Прост.* То же, что **сходить с ума 1.** Ф 2, 140.

Свихну́ть (свихнуться) с ума́. *Прост.* То же, что **сходить с ума 1.** Ф 2, 144.

С глу́па ума́. *Ряз. Неодобр.* По глупости. ДС, 113.

Сбре́дить с ума́. *Разг. Устар.* Потерять способность здраво рассуждать (как правило — под влиянием алкоголя). БМС 1998, 585.

Сброди́ть с ума́. *Перм., Сиб.* Сойти с ума. Подюков 1989, 201; СРНГ 36, 184.

Своди́ть/ свести́ с ума́ *кого. Разг.* 1. Доводить кого-л. до потери рассудка. 2. Увлекать, очаровывать кого-л. БМС 1998, 585; БТС, 1385; ФСРЯ, 493.

Сдви́нуться с ума́. *Сиб.* То же, что **сходить с ума 1.** СФС, 169.

Сдуре́ть с ума́. *Сиб.* То же, что **сходить с ума 1.** СФС, 165.

Сжить с ума́. *Пск.* То же, что **выживать из ума.** СПП 2001, 75.

Соскочи́ть с ума́. *Прост.* То же, что **сходить с ума 1.** СОВРЯ, 185.

Слеза́ть/ слезть с ума́. *Перм.* То же, что **сходить с ума 1.** Подюков 1989, 201.

Спо́ртиться ума́. *Пск.* То же, что **сходить с ума 1.** СПП 2001, 75.

Спры́гнуть с ума́. *Прост.* То же, что **сходить с ума 1.** Ф 2, 178.

Спя́тить (спя́титься) с ума́. *Прост.* То же, что **сходить с ума 1.** БТС, 1254; ЗС 1996, 244; Ф 2, 180; СПП 2001, 75; Мокиенко 1990, 25.

С ума́. *Прикам.* 1. Очень сильно, интенсивно. 2. Разумно, осмысленно. МФС, 105.

С ума́ доло́й. *Новг.* То же, что **сходить с ума 1.** НОС 2, 93.

С ума́ сойти́! *Разг.* 1. О высшей степени проявления признака. 2. Восклицание, выражающее восторг, удивление. Верш. 7, 146; СПП 2001, 75.

Сходи́ть/ сойти́ с ума́. *Разг.* 1. Становиться сумасшедшим, терять рассудок. 2. Не отдавать себе отчёта в своих поступках, действиях, действовать безрассудно. 3. *от кого, от чего.* Проявлять чрезмерное восхищение, восторг, неистовствовать, увлекаясь чем-л. 4. Расстраиваться, переживать по какому-л. поводу. ФСРЯ, 465; БТС, 1385; Верш. 6, 437; Мокиенко 1990, 81; СПП 2001, 75.

Сшиба́ть/ сшибить с ума́ *кого. Прикам.* То же, что **сводить с ума 2.** МФС, 98.

Съезжа́ть/ съе́хать с ума́. *Прост.* То же, что **сходить с ума 1.** Ф 2, 199; Мокиенко 2003, 128; Подюков 1989, 201; СНФП, 140.

Тро́гаться/ тро́нуться [с] ума́. *Прост.* То же, что **сходить с ума 1.** СПП 2001, 75; Мокиенко 1990, 98.

Тряхну́ться ума́ (умо́м). *Пск., Сиб.* То же, что **сходить с ума 1.** СПП 2001, 75; СФС, 191, 192.

Ума́ два гумна́, а ба́ня без ве́рху. *Перм. Ирон.* О бесхозяйственном человеке. Подюков 1989, 100.

Ума́ (умо́м) кря́нуться. *Пск.* То же, что **сходить с ума 1.** СПП 2001, 75.

Ума́ не дам (не прида́м). *Сиб.* То же, что **ума не приложу.** ФСС, 53; СФС, 191; СРНГ 31, 184.

Ума́ не занима́ть *кому. Сиб. Одобр.* Об умном, сообразительном человеке. ФСС, 79.

Ума́ не предста́вить *кому. Новг.* То же, что **ума не приставить.** НОС 9, 5.

Ума́ не приберу́. *Курск., Омск.* То же, что **ума не приложу.** СРНГ 31, 112.

Ума́ не приложу́. *Разг.* Не могу, не в состоянии сообразить, понять что-л., догадаться о чём-л. ФСС, 356; БТС, 1385; Глухов 1988, 103.

Ума́ не примени́ть (не приме́рить). *Кар.* То же, что **ума не приставить.** СРГК 5, 178.

Ума́ не приста́вить *кому. Кар., Пск., Сиб.* Быть не в состоянии понять, сообразить вспомнить что-л., догадаться о чём-л. СРГК 5, 205; СБО-Д2, 239; СФС, 191; СРНГ 31, 406.

Ума́ пала́та *у кого. Разг. Одобр.* Об очень умном человеке. ФСРЯ, 308; БТС, 775; ФМ 2002, 559; ЗС 1996, 137; Глухов 1988, 163.

Ума пала́та, да не покры́та. *Разг. Ирон.* О глупом человеке. БМС 1998, 585; Мокиенко 1990, 117.

Ума́ пала́та, а ключа́ нет. *Жарг. мол. Шутл.-ирон.* О неглупом человеке с замедленной реакцией. Максимов, 439.

Ума́ тро́нуться. *Смол.* Сойти с ума. ССГ 11, 18.

Упа́сть с ума́. *Жарг. мол. Шутл. или Неодобр.* Сделать глупость. Я — молодой, 1997, № 27.

Ума́ це́лая сума́ *у кого. Волг. Шутл.-одобр.* Об умном, сообразительном человеке. Глухов 1988, 163.

Ума́ — [це́лая] сума́ [да ещё] с подсу́мком. *Сиб. Ирон.* О человеке с большим самомнением. СРНГ 28, 206; СФС, 192.

Хвати́ться ума́. *Волг.* Спохватиться, образумиться. Глухов 1988, 165.

Я сошла́ с ума́. *Жарг. шк. Шутл.* Об учительнице со странностями. (Запись 2003 г.). < Из песни группы «Тату».

Быть на ума́х. *Кар.* То же, что **быть в (на) уме.** СРГК 3, 392.

Блужда́ть на уме́. *Дон.* Мечтать. СДГ 1, 31.

Брать в уме́. *Пск.* Задумываться о чём-л., размышлять над чем-л. СПП 2001, 75.

Бултыха́ться на уме́. *Башк.* То же, что **вертеться на уме.** СРГБ 1, 55.

Быть в (на) уме́ *у кого. Разг.* Быть постоянным предметом мыслей, раздумий, намерений. ДП, 432; ФСРЯ, 494; БотСан, 84; ДС, 575.

Быть на уме́ с горо́шком. *Пск.* Иметь какие-л. скрытые намерения, быть хитрым. ПОС 7, 133.

Верте́ться на уме́. *Народн.* Никак не вспоминаться. ДП, 447.

Весть на уме́. *Ряз.* 1. Думать, размышлять о чём-л. 2. Заботиться, беспокоиться о ком-л., о чём-л. 3. Намереваться сделать что-л. ДС, 576.

В здра́вом уме́. *Разг.* То же, что **в своём уме 1.** БМС 1998, 585; ШЗФ 2001, 29.

Во всём уме́. *Арх., Волог.* Об умном, здравомыслящем человеке. АОС 4, 16; СВГ 1, 65.

Води́ть в уме́. *Волг.* Думать, размышлять о чём-л. Глухов 1988, 13.

В своём уме́. 1. *Разг.* В нормальном психическом состоянии. ФСРЯ, 493; ДС, 575; БТС, 1385. 2. *Пск.* О спокойном, уравновешенном человеке. СПП 2001, 75. 3. *Пск.* В трезвом состоянии. СПП 2001, 575.

В уме́. 1. *Разг.* Мысленно, не записывая (считать, решать). Верш. 7, 145. 2. *Прикам.* В зрелом возрасте. МФС, 105.

В уме́ не предста́вить *что, чего. Прикам.* Трудно вообразить что-л. МФС, 81.

В уме́ несовершенноле́тний. *Коми. Пренебр.* О слабоумном человеке. Кобелева, 80.

Держа́ть в (на) уме́ *что. Прост.* 1. Помнить о чём-л. БТС, 239, 1385; Мокиенко 1990, 24; БалСок, 45; Кобелева, 61; Подюков 1989, 62. 2. Скрывать от других какие-л. мысли, намерения. Ф 1, 159.

Держа́ть самого́ себя́ в уме́. *Сиб.* Быть сдержанным, скрытным. ФСС, 59.

Ду́мать на уме́ *о чём, о ком. Ряз.* Думать о чём-л., о ком-л. ДС, 575.

Заруби́ть на уме́. *Сиб.* Крепко, навсегда запомнить что-л. ФСС, 80.

Кружи́ться на уме *у кого. Сиб.* То же, что **вертеться на уме.** ФСС, 99.

Меша́ться/ помеша́ться в уме́. *Разг.* То же, что **сходить с ума 1.** ФСРЯ, 494; БТС, 1385.

Мы́читься на уме́. *Алт.* То же, что **вертеться на уме.** СРГА 3-I, 141.

Не весь в уме́. *Арх.* То же, что **не во всем уме.** АОС 4, 16.

Не во всём уме́. *Арх. Неодобр.* О недалёком, с умственными недостатками, странном человеке. АОС 4, 15.

Не води́ть (не води́ться) в уме́. *Арх.* 1. Не обращать внимания на кого-л., на что-л. 2. Не помнить чего-л. 3. Не помышлять, не подозревать о чём-л. АОС 4, 158.

Не в своём уме́. *Разг.* О человеке с нарушениями в психике, сумасшедшем. ФСРЯ, 493; БТС, 1385; ЗС 1996, 244; Верш. 6, 191; СПП 2001, 75.

Не в уме́. *Курск., Прикам.* То же, что **не в своём уме.** БотСан, 104; МФС, 105.

Не при уме́. 1. *Одесск. Ирон.* О глупом, несообразительном человеке. КСРГО. 2. *Сиб.* То же, что **не в своём уме.** СФС, 125; СРНГ 31, 101.

Подержа́ть в уме́. *Арх.* Запомнить, сохранить в памяти что-л. СРНГ 28, 4.

Попу́таться в уме́ (умо́м). *Арх.* То же, что **сходить/ сойти с ума 1.** СРНГ 30, 19.

Себе́ на уме́. *Разг.* О скрытном, хитром человеке. ФСРЯ, 494; БТС, 1385; БМС 1998, 585; СРНГ 28, 125.

Ходи́ть в уме́. *Прибайк.* Не терять рассудка, сохранять способность думать, соображать. СНФП, 137.

Что на уме́, то и на гово́ре *у кого. Арх.* То же, что **что на уме, то и на языке.** АОС 9, 184.

Что на уме́, то и на гумне́ *у кого. Пск. Шутл.-ирон.* То же, что **что на уме, то и на языке.** ПОС 8, 88.

Что на уме́, то и на языке́. *Народн.* О простодушном, открытом человеке. Жиг. 1969, 103.

Беси́ться умо́м. *Коми.* Терять рассудок. Кобелева, 56.

Би́ться умо́м. *Сиб.* Сомневаться в чём-л. ФСС, 12.

Води́ть умо́м. *Перм.* То же, что **водить в уме.** Подюков 1989, 28.

Ворохну́ться умо́м. *Сиб.* То же, что **сходить/ сойти с ума.** ФСС, 30.

Глянь умо́м. *Арх.* Если подумать, поразмыслить. АОС 9, 144.

Граблён умо́м. *Сиб. Ирон.* О глупом, недоразвитом человеке. ФСС, 48.

Дово́лен умо́м. *Новг. Одобр.* Об умном, сообразительном человеке. НОС 2, 88.

Доходи́ть/ дойти́ свои́м умо́м. *Разг.* Самостоятельно понимать что-л., разбираться в чём-л. ФСРЯ, 494; Ф 1, 172; БМС 1998, 586.

Ду́мать умо́м. *Перм.* Размышлять о чём-л., не высказываясь. Подюков 1989, 67.

Жить за́дним умо́м. *Народн. Неодобр.* Сначала делать что-л., затем обдумывать это. ШЗФ 2002, 556; ДП, 482.

Жить свои́м умо́м. *Разг.* Придерживаться своих взглядов, убеждений, быть самостоятельным в своих действиях, поступках. ФСРЯ, 494; БТС, 307; СБГ 5, 74.

Жить чужи́м умо́м. *Разг. Неодобр.* Придерживаться чужих взглядов, убеждений; не быть самостоятельным в своих действиях, поступках. ФСРЯ, 158; БТС, 307, 1385; ЗС 1996, 121.

За́дним умо́м кре́пок (дога́длив). *Разг. Ирон.* Не способен вовремя сообразить, принять нужное решение. ДП, 642; ФСРЯ, 212, 494; ЗС 1996, 109; БМС 1998, 586; ШЗФ 2001, 79; БТС, 320, 468, 1385; ФМ 2002, 557.

Крича́ть не свои́м умо́м. *Курск.* Громко плакать. БотСан, 99.

Кря́нуться умо́м. *Новг.* То же, что **ума крянуться.** НОС 4, 166.

Лёгонький умо́м. *Перм. Ирон.* О глупом, придурковатом человеке. СРНГ 16, 314.

Лиши́ться умо́м. *Морд.* То же, что **сходить с ума 1.** СРГМ 1982, 128.

Меша́ться/ помеша́ться умо́м. *Прост.* То же, что **сходить с ума.** ФСРЯ, 494; БТС, 1385.

Мути́ть умо́м *кого. Перм.* Запутывать, сбивать с толку кого-л. Подюков 1989, 118.

Надорва́ться умо́м. *Сиб.* 1. Стать умственно неполноценным в результате психического заболевания. 2. То же, что **сходить с ума 1.** ФСС, 117; СФС, 191.

Нака́занный умо́м. *Кар.* О глупом человеке. СРГК 3, 327.

Натряхну́ться умом. *Прикам.* То же, что **сходить с ума 1.** МФС, 64.

Не блиста́ть умо́м. *Разг., Смол. Пренебр.* О не очень умном, недалёком человеке. *Смол.* ССГ 11, 59.

Недово́льный (недово́лен) умо́м. *Печор., Прибайк., Сиб.* О психически ненормальном, слабоумном человеке. СРГНП 1, 471; СБО-Д2, 22, 289; СНФП, 138; СФС, 124, 191; ФСС, 121.

Непо́лный умо́м. *Сиб.* То же, что **неполного ума.** ФСС, 121.

Не приби́ться умо́м *к чему. Волг.* Трудно понять что-л., разобраться в чём-л. Подюков 1989, 102.

Не приби́ться умо́м. *Дон.* Не сообразить, не догадаться о чём-л. СРНГ 31, 111.

Не со всем умо́м. *Коми, Ср. Урал., Сиб.* То же, что **не во всём уме.** СРГСУ 2, 206; Коделева, 78; Верш. 7, 145.

Обнища́ть (обноси́ться, отоща́ть) умо́м. *Прост. Пренебр.* То же, что **сходить/ сойти с ума 1.** ЗС 1996, 244.

Пиха́ться умо́м. *Пск.* Пугаться чего-л. СПП 2001, 75.

Повести́ умо́м. *Кар.* Понять что-л. СРГК 4, 587.

Помеша́ться умо́м. См. **Помешаться с ума.**

Помути́ться умо́м. *Прост.* То же, что **сходить с ума 1.** Ф 2, 72.

Поперхну́ться умо́м. *Сиб. Шутл.* То же, что **сходить с ума 1.** ФСС, 146.

Пошатну́ться умо́м. *Перм.* То же, что **сходить с ума 1.** Подюков 1989, 160.

Приби́ться умо́м *к чему. Волг.* Найти решение, разумный выход из сложной ситуации. Глухов 1988, 132.

Раски́дывать/ раски́нуть умо́м. *Разг.* Обдумывать что-л., мысленно рассчитывать, прикидывать. ФСРЯ, 384; БТС, 1385.

Рехну́ться умо́м. См. **Рехнуться ума.**

Ру́хнуться умо́м. *Дон., Перм.* То же, что **сходить с ума 1.** СДГ 3, 99; Подюков 1989, 178.

Свои́м умо́м. *Разг.* Самостоятельно (понять что-л., разобраться в чём-л.). Глухов 1988, 146.

Собра́ться с умо́м. *Волг. Ирон.* 1. Впасть в безрассудство. 2. Выдумать что-л. глупое, нелепое. Глухов 1988, 156.

Собра́ться умо́м. *Пск.* Поумнеть, повзрослеть. СПП 2001, 75.

Спору́шиться умо́м. *Дон.* То же, что **сходить с ума 1.** СДГ 3, 137.

Тро́кнуться умо́м. *Сиб.* Догадаться о чём-л. СФС, 187.

Тро́нуться умо́м. *Прост.* То же, что **сходить с ума 1.** ФСРЯ, 494; ДС, 576; Глухов 1988, 161; Подюков 1989, 205; ЗС 1996, 244; СПП 2001, 75.

Тряхну́ться умо́м. *Прибайк., Сиб.* То же, что **сходить с ума 1.** СНФП, 141; СФС, 188; СОСВ, 188.

Умо́м вы́шел. *Пск. Одобр.* О способном, умном человеке. СПП 2001, 75.

Умо́м дово́лен. *Прибайк.* О рассудительном, разумном человеке. СНФП, 141.

Умо́м не вести́ (не поводи́ть). *Кар.* Не думать, не помышлять, не подозревать о чём-л. СРГК 1, 185.

Умо́м не дошёл. *Забайк. Ирон.* О недалеком, глуповатом чяеловеке. СГРЗ, 426.

Умо́м огра́блен. *Сиб. Ирон.* О неразвитом человеке. СФС, 191.

Чо́хнуться умо́м. *Пск. Шутл.* То же, что **сходить с ума 1.** СПП 2001, 75.

В по́лном уму́. *Сиб.* О человеке в нормальном психическом состоянии. СБО-Д2, 239.

Не знать ни уму́ ни за́клику. *Алт., Сиб.* Своевольничать; быть непослушным, недисциплинированным (о ребёнке). СРГА 2-I, 122; СФС, 124; ФСС, 83.

Ни уму́ ни се́рдцу. *Прост. Неодобр.* О чём-л. очень плохом, некачественном, выполненном небрежно; о чём-л. бесполезном, ненужном. ЗС 1996, 103; Глухов 1988, 112; СПП 2001, 75; СРГК 1, 504; СРНГ 21, 213.

Подходи́ть/ подойти́ к уму́. 1. *Дон.* Приходить в сознание. СРНГ 28, 114; СДГ 3, 26. 2. *Волг.* Взрослеть, умнеть. Глухов 1988, 127.

По уму́. *Сиб. Одобр.* Правильно, как следует, как положено. Верш. 7, 146.

Приходи́ть/ прийти́ к уму́. *Кар.* Вспоминать, припоминать что-л. СРГК 5, 165.

Прийти́ (прийти́сь) по уму́ *кому. Печ., Онеж.* Понравиться кому-л. СРНГ 31, 235.

Уму́ непостижи́мо. *Разг.* Совершенно непонятно, необъяснимо. ФСРЯ, 275; БТС, 1385; Глухов 1988, 163.

УМА́Т * В ума́т (в ума́те). 1. *Разг.* В состоянии сильного алкогольного опьянения. НОС 5, 160; ЯОС 2, 38; БСРЖ, 612; Вахитов 2003, 108. 2. *Жарг. мол.* В состоянии восторга, восхищения. Югановы, 227.

Не в ума́т *кому что. Жарг. мол. Неодобр.* Неприятно, скверно. БСРЖ, 612.

УМАТЕ́НЬ * В уматéнь. *Жарг. мол.* То же, что **в умат 1. (УМАТ).** БСРЖ, 612.

УМЁК * Взять на умёк *кого. Сиб., Забайк.* Похитить невесту. ФСС, 26; СРГЗ, 426.

УМЁНКА * С умёнки (с уми́нки) вон (доло́й) *у кого что. Пск.* Кто-л. забыл о чём-л. ПОС 4, 144.

УМЕРЕ́ТЬ * Умере́ть и воскре́снуть. *Жарг. крим.* Имитировать смерть в местах лишения свободы, совершить побег и начать жить по новым документам. Хом. 2, 450.

Умере́ть — не вста́ть! 1. *Разг.* Восклицание, выражающее удивление. 2. *Жарг. шк. Шутл.* Экзаменационная сессия. (Запись 2003 г.).

УМИ́НКА С уми́нки вон (доло́й). См. **С умёнки вон (УМЁНКА).**

УМИРА́ТЬ * Умира́ть не на́до. *Сиб. Одобр.* Очень хорошо, прекрасно, отлично. ФСС, 117; СФС, 191.

Хоть умира́й (умри́). *Разг.* Во что бы то ни стало. ФСРЯ, 494.

УМИРУ́ЩИЙ * В умиру́щую. *Пск.* 1. О высшей степени интенсивности какого-л. действия. Доп., 1858. 2. О сильной степени опьянения. СПП 2001, 76.

У́МНЫЙ * у́мный, то́лько ху́денький. *Жарг. мол. Шутл.-ирон.* Якобы похвала. Белянин, Бутенко, 162.
Сде́лать у́мное. *Жарг. угол.* Зарезать кого-л. ТСУЖ, 184.
УМНЯ́К * Лепи́ть (натя́гивать/ натяну́ть) умня́к. *Жарг. мол.* Стараться произвести впечатление умного человека. Максимов, 221, 271.
Сесть (подсе́сть) на умня́к. 1. *Жарг. мол. Шутл.* Сделать умное выражение лица. 2. *Жарг. мол.* Заняться каким-л. делом всерьёз. 3. *Жарг. нарк.* Впасть в глубокую задумчивость после приема наркотика. Максимов, 323.
Посади́ть на умня́к *кого. Жарг. мол.* Заставить кого-л. задуматься о чём-л. Максимов, 334.
Замака́рить умняка́. *Жарг. угол.* Постараться произвести впечатление образованного человека; заважничать. ТСУЖ, 183; Балдаев 2, 99; ББИ, 255.
Быть на умняке́. *Жарг. мол.* Соображать, мыслить здраво. СМЖ, 16.
Сиде́ть на умняке́. *Жарг. нарк.* Сосредоточенно думать о чём-л., находясь под воздействием наркотика. ССВ-2000.
УМО́К * Лёгонький умо́к. См. **Лёгонький ум (УМ).**
Лёгкий (легкова́тый) умо́к. См. **Лёгкий ум (УМ).**
УМО́Р (УМО́РА) * Дойти́ до умо́ру (умо́ры). *Орл.* Очень устать. СОГ 1990, 64.
Не знать умо́ры. *Волг.* Быть неугомонным, неуёмным. Глухов 1988, 98.
УМОПОМРАЧЕНИЕ * До умопомраче́ния. *Разг.* Чрезвычайно сильно, до крайней степени. ФСРЯ, 494.
УМ-РА́ЗУМ * Ум-ра́зум расхо́дит *у кого. Терск.* То же, что **ум за разум заходит.** СРНГ 34, 300.
Учи́ть уму́-ра́зуму *кого. Разг.* Поучать, наставлять кого-л. БТС, 1385.
УМЫВА́ЛЬНИК * Умыва́льников нача́льник. *Жарг. шк.* Школьная уборщица. (Запись 2003 г.). < Из стихотворения К. Чуковского «Мойдодыр».
УМЫ́ТЫЙ * Всё умы́то, всё укры́то. *Горьк.* О чём-л., свершившемся тайно. БалСок, 27.
УНИВЕРСИТЕ́Т * Колхо́зный университе́т. *Жарг. студ. Шутл.-ирон.* Аграрный университет, сельскохозяйственная академия. Вахитов 2001, 247.
Университе́т и́мени Мариу́поля. *Разг. Шутл.-ирон.* Ленинградский государственный университет им. А. А. Жданова (1960–1970-е гг.). < До 1948 г. город Жданов назывался Мариуполем. Синдаловский, 2002, 188.
Университе́т миллио́нов. *Жарг. мол. Шутл.-ирон.* Гуманитарный университет профсоюзов. < От ленинского высказывания с намеком на стоимость обучения. Синдаловский, 2002, 188.
Ходя́чий университе́т. *Разг.* Человек, обладающий самыми разносторонними знаниями, у которого всегда можно узнать, спросить что-л. ФСРЯ, 495; ЗС 242.
УНИЖЕ́НИЕ * Униже́ние па́че го́рдости. *Книжн.* О напускном, неискреннем самоуничижении. БМС 1998, 586.
УНИ́ЖЕННЫЙ * Уни́женные и оскорблённые. *Книжн.* О людях, испытывающих унижение, угнетённых, обиженных, смиренных. < Заглавие романа Ф. М. Достоевского (1861 г.). БМС 1998, 586.
УНИСО́Н * В унисо́н. *Разг.* 1. Созвучно (петь и т. п.). 2. Согласованно (действовать). ФСРЯ, 495; БМС 1998, 586.
УНИТА́З * Петь в унита́з. *Жарг. муз. Шутл.-ирон. или Неодобр.* Фальшивить при пении в унисон. БСРЖ, 613.
Понюха́й унита́з! *Жарг. мол.* Требование оставить в покое кого-л., отстать от кого-л. Вахитов 2003, 139.
Похо́дный унита́з. *Жарг. мол. Презр.* О крайне глупом человеке. Максимов, 336.
Пуга́ть унита́з. 1. *Разг. Шутл.-ирон.* Страдать рвотой. Балдаев 2, 22. 2. *Жарг. мол.* Страдать поносом. Максимов, 350.
Рыча́ть на унита́з. *Жарг. мол. Шутл.* То же, что **пугать унитаз.** БСРЖ, 613.
Спуска́ть/ спусти́ть в унита́з *что. Прост. Неодобр.* Расходовать материальные средства впустую, бессмысленно и бездумно. Мокиенко 2003, 128.
Унита́з с педа́лями. *Жарг. авто. Пренебр.* Автомашина в плохом техническом состоянии. Максимов, 306.
Бесе́довать (разгова́ривать) с унита́зом. *Жарг. мол. Шутл.-ирон.* То же, что **пугать унитаз.** WMN, 99; Максимов, 358.
Балова́ться с унита́зом. *Жарг. мол. Шутл.-ирон.* То же, что **пугать унитаз.** Максимов, 23.
Обнима́ться с унита́зом. *Жарг. мол. Шутл.-ирон.* То же, что **пугать унитаз.** Максимов, 281.
УНТ * Большо́й унт. *Жарг. студ.* Санкт-Петербургский государственный университет. ВМН 2003, 138.
У́НТЕР * У́нтер Пришибе́ев. *Разг. Презр.* О человеке, считающем себя вправе во всё вмешиваться, грубо, командным тоном делать всем замечания. < По имени героя одноименного рассказа А. П. Чехова (1885 г.). БМС 1998, 586.
УПА́Д * Быть в упа́де. *Жарг. мол.* Испытывать какую-л. сильную эмоцию. Елистратов 1994, 492.
До упа́ду. *Разг.* До полного изнеможения, до полной потери сил. ФСРЯ, 496; Верш. 7, 150; СНФП, 142; СРГК 1, 473.
УПА́ДОК * Дойти́ до упа́дка. *Смол.* Обессилеть. ССГ 11,21.
УПА́СТЬ * Упа́сть да пропа́сть. *Приамур. Шутл.* Крепко заснуть. СРГПриам., 309.
УПОКО́Й * Ложи́ться на упоко́й. *Коми.* Умирать. Кобелев, 66.
УПО́Р * В упо́р. *Разг.* 1. Очень близко (подойти, подступить). 2. Пристально, прямо (смотреть). 3. Прямо, откровенно (сказать что-л.). ФСРЯ, 497.
В упо́р не ви́деть *кого, что. Разг.* Не любить, недолюбливать кого-л., игнорировать кого-л. НРЛ-78; Б., 117; Ф 1, 64; СМЖ, 87.
На упо́ре со́лнца. *Яросл.* На солнцепёке. ЯОС 6, 79.
До упо́ра. 1. *Разг.* Очень сильно, до предела. ФСРЯ, 497; Мокиенко 2003, 128. 2. *Яросл.* Досыта. ЯОС 4, 7.
Сня́ться с упо́ра. *Жарг. мол.* Потерять самоконтроль. Максимов, 394.
УПРА́ВА * Упра́ва рабовладе́льцев. *Разг. Шутл.-ирон.* Управление исправительно-трудовых учреждений ГУВД Ленинграда (1970-е гг.). Синдаловский, 2002, 188.
Найти́ упра́ву *на кого. Прост.* Отыскать способ подчинить себе, наказать кого-л. Ф 1, 314; Глухов 1988, 90.
УПРАВИ́ТЕЛЬ * Управи́тель с морко́вкой. *Сиб. Шутл.-ирон.* О заносчивом человеке, превышающем свои полномочия. Верш. 7, 154.
УПРАВЛЕ́НИЕ * Гла́вное управле́ние басту́ющих арме́йцев. *Жарг. арм. Шутл.* Гауптвахта (расшифровка жаргонного слова «губа», обозначающего гауптвахту). БСРЖ, 613.
УПРЁК * Броса́ть/ бро́сить упрёк *кому. Разг.* Упрекать кого-л. в чём-л. БМС 1998, 586.

Ста́вить в упрёк *кому что. Разг.* То же, что **бросать упрек.** БТС, 1394.

УПРО́С * Упро́сом проси́ть *кого о чём. Перм.* Умолять, упрашивать кого-л. Подюков 1989, 165.

УПРУ́Г * Вече́рний упру́г. *Дон.* Период работы от обеда до вечера. СДГ 3, 172.

Второ́й упру́г. *Дон.* Период работы от завтрака до вечера. СДГ 3, 172.

Обе́дний упру́г. *Дон.* Период работы до обеда. СДГ 3, 172.

Пе́рвый упру́г. *Дон.* 1. Период работы с утра до полудня. 2. Первая борозда при пахоте. СДГ 3, 172.

Тре́тий упру́г. *Дон.* Время работы от обеда до вечера. СДГ 3, 172.

УПРЯ́ЖКА * Втора́я упря́жка. *Дон.* То же, что **второй упруг (УПРУГ).** СДГ 3, 172.

Пе́рвая упря́жка. *Дон.* То же, что **первый упруг (УПРУГ).** СДГ 3, 172.

В одно́й упря́жке. *Разг.* Вместе, сообща, в постоянном и тесном рабочем общении (делать что-л.). БМС 1998, 586-587; ФМ 2002, 561; БТС, 1394.

Держа́ть в упря́жке *кого. Прост.* Сдерживать кого-л. Ф 1, 158.

В упря́жку. *Яросл.* О лошади трёх лет. ЯОС 2, 39.

Класть в упря́жку. *Кар.* 1. Умирать. 2. Упрямиться. СРГК 2, 359.

На одну́ упря́жку. *Новг.* Всё сразу. НОС 11, 95.

УПЫ́РЬ * Упыря́ поро́ть. *Жарг. шк. Шутл.* Пропускать уроки без уважительной причины. ВМН 2003, 139.

УРА* На ура́. 1. *Разг.* Стремительным нападением, атакой (захватить, победить). ФСРЯ, 498; ФМ 2002, 563. 2. *Разг.* В расчёте на удачу, на случайный успех. ФСРЯ, 498; ФМ 2002, 563. 3. *Жарг. врест.* Особый вид массового побега, когда при выходе на работу заключённые бросаются на конвойных, отбирают у них оружие и бросаются в разные стороны. СРВС 2, 153. 4. *Жарг. мол.* Один из приёмов атаки у агрессивных молодёжных группировок. АиФ, 1992, № 27.

Поднима́ть на ура́ *кого. Волг.* Заставлять кого-л. энергично действовать, требовать решительных действий от кого-л. Глухов 1988, 125.

Принима́ть (встреча́ть) на ура́ *кого, что. Разг. Одобр.* Высоко оценивать, одобрять что-л., кого-л. ФМ 2002, 564.

Рыча́ть на ура́. *Кар.* Приветствовать кого-л. СРГК 5, 598.

На уру́. *Жарг. угол., мол.* То же, что **на ура 3-4.** СРВС 2, 153; БСРЖ, 614.

УРА́З * Дать ураза́. *Яросл. Неодобр.* Допустить промах. ЯОС 3, 121.

УРА́ЛЬСКАЯ * Ура́льская вислоза́дая. *Жарг. мол. Пренебр.* О девушке с короткими ногами и большими ягодицами. Максимов, 440.

УРА́Н * Пойти́ на ура́н. *Жарг. угол.* Быть приговорённым к смертной казни. Балдаев 1, 333.

УРВА́ТЬ * Урви́ да пода́й. *Пск.* Об алчных или вороватых людях. Доп., 1858.

УРЁВ * Реве́ть на урёв. *Арх.* Громко, навзрыд плакать. СРНГ 35, 6.

У́РЕВО * Косо́е у́рево. *Ср. Урал. Пренебр.* О человеке с постоянным выражением недовольства на лице. СРГСУ 2, 53; СРНГ 15, 65.

УРЕ́З * В уре́з. *Пск.* Навзрыд, громко рыдая (плакать). СПП 2001, 76.

У́РКА * У́рки и му́рки игра́ют в жму́рки. *Жарг. угол. Шутл.* Воры прячутся от агентов уголовного розыска. Хом. 2, 453. < **Мурки** — от **МУР** — Московский уголовный розыск.

У́РНА * Привокза́льная у́рна. *Жарг. мол. Пренебр.* 1. Сплетница. 2. Проститутка. Максимов, 339.

У́РОВЕНЬ * В у́ровень. *Разг.* 1. *с кем. Устар.* Наравне, на равные условия, в одинаковое положение (поставить, стать и т. п.). 2. *с чем.* В полном соответствии с чем-л. (проходить, развиваться). ФСРЯ, 498.

На у́ровне. *Разг.* В состоянии удовлетворять самым строгим требованиям. ФСРЯ, 498.

Пообща́ться на гормона́льном у́ровне. *Жарг. мол. Шутл.* Совершить половой акт. Максимов, 93, 330.

УРО́Д * Мора́льный уро́д. *Жарг. мол. Презр.* О человеке, не имеющем собственного мнения, конформисте. Максимов, 253.

УРО́К * Вести уро́к. *Помор.* Учиться. ЖРКП, 170.

На уро́к. *Яросл.* Быстро, без отдыха (работать). ЯОС 6, 79.

Преподава́ть/ препода́ть уро́к *кому. Книжн.* Показывать что-л. кому-л. на примере; поучать кого-л. Ф 2, 87.

Уро́к нуди́стики. *Жарг. шк. Пренебр.* Нелюбимый учебный предмет. Максимов, 441.

Дава́ть уро́ки. *Жарг. угол. Шутл.* Бездельничать. СРВС 2, 31, 90, 173, 116, 218; СРВС 3, 87; ТСУЖ, 44, 184; СВЯ, 25; Балдаев 2, 100; ББИ, 255.

УРУ́ГИ * Уру́ги руга́ться. *Прикам.* Грубо ругаться, браниться. МФС, 87.

У́РФИН * У́рфин Джус (Джюс). *Жарг. журн., полит. Шутл.-ирон.* Лидер КПРФ В. Зюганов. МННС, 170. < По внешнему сходству с персонажем романа-сказки А. Волкова «Урфин Джюс и его деревянные солдаты».

УРЫ́В * Нет уры́ву *чему. Прикам.* Беспрерывно, безостановочно. МФС, 66.

УРЮ́К * Иди́ урю́к коси́ть! *Жарг. мол. Шутл.-ирон.* Требование удалиться, оставить в покое кого-л. (ОРТ, 29.11.99). БСРЖ, 615.

УС * Брать/ взять на ус. *Волг.* То же, что **мотать/ намотать на ус.** Глухов 1988, 6.

В ус не гнуть. *Пск.* То же, что **и в ус не дуть.** ПОС 7, 30.

И в ус не дуть. *Разг. Шутл.* Не обращать внимания на кого-л., что-л., не беспокоиться ни о чём. ФСРЯ, 148; БТС, 289, 1401; ЗС 1996, 57; ДП, 217, 447; Глухов 1988, 55.

Измота́ть себе́ на ус. *Горьк.* То же, что **мотать/ намотать на ус.** БалСок, 38.

Има́ть на ус *что. Кар.* То же, что **мотать/ намотать на ус.** СРГК 2, 289.

Мота́ть/ намота́ть [себе́] на ус *что. Разг. Шутл.* Запоминать, принимать к сведению то, что может пригодиться. ФСРЯ, 498; БТС, 559; ЗС 1996, 297; ФМ 2002, 365; БМС 1998, 587; Глухов 1988, 86.

Не брать в ус *что. Арх.* То же, что **и в ус не дуть.** АОС 2, 110.

Ни у́са (усо́в) ни бороды́, ни сохи́, ни бороны́ *у кого. Народн. Ирон.* Об очень бедном, неимущем человеке. ДП, 88; Жиг. 1969, 355.

Идёт по уса́м, по борода́м, а не по нам *что. Пск. Ирон.* Кому-л. не достаётся чего-л. (что достаётся другим). СПП 2001, 76.

Ма́зать по уса́м. *Прост.* Обещать что-л. и не выполнять обещанного. Ф 1, 289.

Сам с уса́м. *Волг. Шутл.* О самостоятельном, независимом человеке. Глухов 1988, 143.

Са́ми с уса́ми. *Разг. Шутл.* О самостоятельных, уверенных в себе (часто — необоснованно) людях. ФСРЯ, 498; БТС, 1404; ФМ 2002, 568; БМС 1998, 587; ДП, 490; Мокиенко 1990, 145, 149.

У́сом не вести́/ не повести́. *Волг., Горьк.* То же, что **в ус не дуть.** Глухов 1988, 60; БалСок, 38.

Лежа́ть на усу́. *Калуж.* Мужать, взрослеть (о половом созревании мужчины). СРНГ 16, 330.

Будённовские усы́ из-под трусо́в выгля́дывают. *Прост. Шутл.-ирон.* О чрезмерно большом, выдающемся наружу волосяном покрове женских гениталий. Мокиенко, Никитина 2003, 334.

Мочи́ть усы́. *Перм. Шутл.* Пить спиртное. Подюков 1989, 117.

УСА́МА * Уса́ма бен Ла́ден. *Жарг. шк. Шутл. или Презр.* Классный руководитель. (Запись 2003 г.). < По имени крупного международного террориста.

Уса́ма твою́ ла́ден! *Жарг. мол. Бран.* Восклицание, выражающее досаду, раздражение, негодование. (Запись 2003 г.).

УСЕ́ДОМ * Сиде́ть усе́дом. 1. *Перм.* Сидеть, не делая попыток встать, уйти. Подюков 1989, 186. 2. *Горьк.* Быть усидчивым. БалСок, 52.

У́СЕР (УСЁР) * У́сер (усёр) ануа́л. *Жарг. комп.* Справочник пользователя. < От англ. *user manual*). WMN, 100.

У́сер (усёр) бряк. *Жарг. комп. Шутл.* Прерывание программы, выполненное пользователем. < От англ. *user break.* Садошенко, 1995.

У́сер (усёр) интерфа́ся. *Жарг. комп.* Интерфейс пользователя. < От англ. *user interface.* Садошенко, 1995.

УСКОРЕ́НИЕ * Дава́ть/ дать ускоре́ние. *Жарг. шк., студ. Шутл.* Уходить без разрешения, убегать с лекции, с урока. КТ, 164; Никитина 1996, 220. < Первонач. термин легкоатлетов-бегунов.

Придава́ть/ прида́ть ускоре́ние *кому. Жарг. мол. Шутл.-ирон.* Выгонять, выпроваживать кого-л. откуда-л. Елистратов 1994, 495.

Реакти́вное ускоре́ние. *Жарг. арм. Шутл.* Удар (подзатыльник) или пинок. Кор., 243.

УСЛУ́ГА * Медве́жья услу́га. *Разг. Шутл.-ирон. или Неодобр.* Неумелая, неуместная помощь, причиняющая неприятности. < На основе басни И. А. Крылова «Пустынник и медведь». БТС, 528; Мокиенко 1989, 22.

У́СМЕРТ * До у́смерту. *Сиб.* До крайней степени, до предела. СФС, 67.

У́СМЕРТЬ * Лежа́ть в у́смерти. *Сиб.* Тяжело болеть, быть при смерти. ФСС, 104.

В у́смерть. *Прост.* Очень сильно (устать, напиться пьяным и т. п.). Подюков 1989, 216.

УСО́К * Помара́ть усо́к. *Арх. Шутл.* Попробовать какой-л. пищи, питья. СРНГ 29, 198.

УСПЕ́ТЬ * Не успе́л (не успе́ешь) огляну́ться (а́хнуть, о́хнуть). *Разг.* Об очень быстром наступлении чего-л. Ф 2, 222, 223; ЗС 1996, 472; Верш. 4, 218.

УСРА́ТЬСЯ * Усра́мся, [но] не сда́мся. *Вульг.-прост. Ирон.* О человеке, не желающем уступать или соглашаться ни при каких обстоятельствах; крайнем упрямце. Мокиенко, Никитина 2003, 334.

Усра́ться и не жить! *Жарг. мол. Вульг. Неодобр.* Выражснис досады, раздражения. Смирнов 2002, 222.

Усра́ться (усса́ться) мо́жно. *Вульг.-прост. Шутл.-ирон.* 1. О чём-л. очень смешном. 2. О чём-л., вызывающем большое удивление, восхищение, доставляющем удовольствие. Мокиенко, Никитина 2003, 334.

УСРА́ЧКА * До усра́чки. *Вульг.-прост.* С большим напряжением сил, интенсивно. Балдаев, 2001, 160.

УССА́ТЬСЯ * Усса́ться мо́жно. См. **Усраться можно (УСРАТЬСЯ).**

УСТА́ * Из вторы́х (тре́тьих) уст. *Разг.* Через посредников, не от очевидцев (узнать, услышать что-л.). ФСРЯ, 498; БТС, 1401.

Из пе́рвых у́ст. *Разг.* Непосредственно от очевидцев, от участников (узнать, услышать что-л.). ФСРЯ, 498; БТС, 1401.

Из уст в уста́. *Книжн.* От одного человека к другому (передаваться — о слухах, новостях). ФСРЯ, 498; БМС 1998, 588; БТС, 1401.

Не сходи́ть с уст. *Разг.* Быть предметом постоянных разговоров. БТС, 1401.

Вкла́дывать/ вложи́ть в уста́ *чьи что. Книжн.* Вводить в речь персонажа слова и выражения, отражающие мысли автора. БТС, 136, 1401.

Отверза́ть/ отве́рзнуть уста́. *Книжн.* Начинать говорить, рассказывать о чём-л. Ф 2, 22.

Твои́ми (ва́шими) бы уста́ми да мёд пить. *Народн.* О человеке, говорящем что-л. приятное слушающему. БТС, 527, 835, 1401; ДП, 55; СПП 2001, 76.

Быть на уста́х *у кого. Книжн.* Постоянно повторяться, упоминаться кем-л. в речи, в разговоре. ФСРЯ, 499; БТС, 1401.

Не выпуска́ть из усто́в *что. Прикам.* Постоянно упоминать в речи, в разговоре что-л. МФС, 23.

УСТА́В * Чита́ть уста́вы *кому. Дон.* Читать наставления кому-л. СДГ 3, 173.

У́СТАЛЬ * Без у́стали. *Разг.* Непрерывно, неутомимо (делать что-л.). БМС 1998, 588.

УСТА́ТОК * С уста́тку. *Ряз., Приамур.* В состоянии усталости; от усталости. ДС, 576; СРГПриам., 292.

Уста́ток не берёт *кого.* 1. *Волг.* О неугомонном, непоседливом человеке. Глухов 1988, 163. 2. *Горьк.* О выносливом человеке. БотСан., 55.

УСТА́ЧА * С уста́чи. *Ряз.* То же, что **с устатку (УСТАТОК).** ДС, 576.

УСТИ́ЛОЧКА * Усти́лочки дава́ть. *Сиб.* Долго болеть. ФСС, 52; СФС, 192.

У́СТРИЦА * Голуба́я у́стрица. *Жарг. мол. Шутл.* Пассивный гомосексуалист. Максимов, 90.

Ро́зовая у́стрица. *Жарг. мол. Шутл.* Пассивная лесбиянка. Максимов, 367.

У́стрица пусты́ни. *Жарг. мол. Шутл.* Смесь виски и джина. Мильяненков, 257.

УСТРО́ЙСТВО * Заря́дное устро́йство. *Жарг. мол. Шутл.* Спиртное. Елистратов 1994, 163.

УСТУ́ПКА * Пусти́ться на все усту́пки. *Кар. Неодобр.* Морально опуститься. СРГК 5, 354.

УСУ́ШКА * Усу́шка и утря́ска. *Разг. Шутл.* Неизбежные и необходимые потери при каких-л. действиях, при адаптации к какой-л. среде. БТС, 1408. < Из речи товароведов. Мокиенко 2003, 128.

УСТЯ́ * Устя́ рукава́ спустя́. *Волг. Пренебр.* О неумелом, робком человеке. Глухов 1988, 164.

УТЁК * Пойти́ в утёк. *Ряз.* Броситься бежать. СРНГ 28, 358.

У́ТЕЛЬКА * Ни у́тельки. *Обл.* Абсолютно ничего, нисколько. Мокиенко 1986, 103. < **Утелька** — крошка.

УТЁНОК * Га́дкий утёнок. 1. *Разг.* О человеке, несправедливо оценённом ниже своих достоинств, открывающихся неожиданно для окружающих. БМС 1998, 589; БТС, 191, 1405. 2. *Жарг. мол. Шутл.* Мужской половой орган. ЖЭСТ-1, 141. < Заглавие сказки Г.-Х. Андерсена (1805-1875).

УТЕ́ЧКА * Уте́чка мозго́в (умо́в). *Публ.* Уход из учреждений, предприятий, эмиграция из страны способных специалистов, видных ученых. БМС 1998, 589; ТС XX в., 396, 649; Нau, 229–230.

УТИ́Х * Без ути́ху. *Сиб.* Беспрерывно, постоянно. Верш. 7, 164.

У́ТКА * Газе́тная у́тка. *Публ. Неодобр.* О лживом известии, напечатанном в газетах. БМС 1998, 589.

Подсадна́я у́тка. *Публ. Неодобр.* Подставное лицо, приманка для кого-л. Мокиенко 2003, 128.

У́тка два нуля́. *Жарг. мол. Пренебр.* Человек в очках. Максимов, 441.

У́тка с гнёздами. *Сиб.* Созвездие Плеяды (Стожары). СБО-Д2, 244.

У́ткам по коле́но. *Алт. Шутл.-ирон.* О неглубоком месте в водоёме. СРГА 1, 177.

Увида́л, что на у́тках о́зеро пла́вает. *Народн. Шутл.-ирон.* О глупом, бестолковом человеке. ДП, 460.

Позвони́ть у́тке в Чика́го. *Жарг. мол. Шутл.* Сходить в туалет. Вахитов 2003, 137.

Ди́кие у́тки. *Жарг. бизн.* Люди на предприятии, в компании, не подвластные администрации, борющиеся с бюрократическими тенденциями. БС, 50.

Гоня́ть у́тку. *Жарг. мол. Шутл.* Онанировать. Максимов, 92.

Наступи́ть на у́тку. *Жарг. мол. Шутл.* С шумом выпустить газы во время ходьбы. Вахитов 2003, 109.

Покупа́ть у́тку. *Сиб. Шутл.-ирон.* Свататься. ФСС, 144.

Пуска́ть/ пусти́ть у́тку. *Разг.* Распространять какую-л. ложную информацию. ЗС 1996, 356.

УТОЛО́К * Не знать утоло́ку. *Волг. Неодобр.* Быть неугомонным, непоседливым. Глухов 1988, 98.

УТО́ПЛЕННИК * Уто́пленники пересыха́ют. *Пск. Шутл.* Идёт дождь и светит солнце. СПП 2001, 76.

У́ТРО * Чтоб мне до утра́ не дожи́ть! *Народн.* Клятвенное заверение в чём-л. ДП, 654.

Весёлое у́тро. *Дон.* Первое утро после свадьбы. СДГ 1, 61.

До́брое у́тро! 1. *Разг.* Приветствие при встрече. ШЗФ 2001, 68. 2. *Одесск.* Название цветов, раскрывающихся утром. КСРГО. 3. *Жарг. угол.* Кража в утреннее время через открытое окно, форточку. Трахтенберг, 21; ТСУЖ, 112.

Идти́ (ходи́ть) на до́брое у́тро. *Жарг. угол.* 1. Совершать кражу у проживающих в гостинице. СРВС 2, 55, 58, 192; СРВС 3, 105, 131; ТСУЖ, 112. 2. Совершать кражу в утреннее время через открытое окно, форточку. Трахтенберг, 21; Балдаев 2, 125.

Начало́сь в колхо́зе у́тро. *Жарг. мол. Неодобр.* О начале какого-л. интенсивного действия, процесса. Вахитов 2003, 110.

У́тро в куря́тнике. *Жарг. мол. Шутл.* О растрёпанных волосах. Максимов, 215.

У́тро в сосно́вом лесу́. *Жарг. студ.* Первое по расписанию утреннее учебное занятие. (Запись 2003 г.).

У́тро стреле́цкой ка́зни. *Жарг. шк.* Ответ у доски. (Запись 2003 г.).

Поздравля́ть/ поздра́вить с до́брым у́тром *кого. Жарг. угол.* 1. Обкрадывать, грабить кого-л. утром. СРВС 3, 113; СРВС 4, 34, 144; Балдаев 1, 332. // Совершать кражу через незапертую на ночь дверь. ТСУЖ, 137. 2. Совершать кражу в гостинице или на даче. СРВС 3, 113.

С до́брым у́тром! *Жарг. угол.* Условная фраза, используемая вором, предлагающим свои услуги. СРВС 4, 184, 186.

С до́брым у́тром, с позо́рным ну́тром! *Кар.* Шутливое утреннее приветствие. СРГК 4, 55.

Не к у́тру идёт, а к ве́черу. *Арх. Ирон.* О приближении старости. АОС 4, 28.

УТРО́БА * Пять утро́б отмя́ть. *Пск.* Очень устать от тяжёлой работы. СПП 2001, 76.

Блага́я утро́ба. *Кар.* Послушный, покладистый человек. СРГК 1, 74.

Ло́пни утро́ба! *Твер.* Клятвенное заверение в чём-л. СРНГ 17, 137.

Набива́ть/ наби́ть (напи́хивать/ напиха́ть) [свою] утро́бу. *Прост. Груб.* Наедаться, съедать большое количество пищи. СПП 2001, 76.

Надрыва́ть/ надорва́ть утро́бу. *Пск.* Терять здоровье от тяжёлой работы. СПП 2001, 76.

Ненапо́ристая утро́ба. *Морд. Груб.* То же, что **ненасытная утроба.** СРГМ 1986, 117.

Ненасы́тная утро́ба. *Прост. Груб.* 1. О прожорливом человеке или животном. 2. Об алчном, жадном человеке. РАФС, 546; ФСРЯ, 500; БТС, 1408; СПП 2001, 76.

Утро́ба ло́пнувши *[у кого]. Пск. Груб.* Кто-л. очень устал от тяжёлой работы. СПП 2001, 76.

Утро́ба растре́скалась *у кого. Кар.* О заболевшем человеке. СРГК 5, 482.

Отъеда́ть/ отъе́сть утро́бу *кому. Волг. Неодобр.* Сильно надоедать, утомлять кого-л., докучать кому-л. Глухов 1988, 120.

УТРЯ́НКА * По утря́нке. *Жарг. угол., мол.* Рано утром, на рассвете. Росси 2, 430; Б., 129.

УТЫ́ * Ни у́ты ни бу́ты. *Курган.* О неготовности к чему-л. СРНГ 21, 215.

УТЮ́Г * Идти́ на утю́г. *Жарг. угол., мол.* Знакомиться с иностранцем, чтобы вступить с ним в половую связь и/или обворовать его. ТСУЖ, 77.

Утю́г коммуни́зма. *Жарг. мол., Разг. Шутл.-ирон.* Крейсер «Аврора». Балдаев 2, 101; ББИ, 256; Мокиенко 2003, 128.

Гла́дить / погла́дить утюго́м по голове́ *кого. Жарг. мол. Шутл.* Наказывать кого-л. Максимов, 84.

Утюго́м по пи́се. *Жарг. мол. Шутл.* О чём-л. неожиданном, шокирующем. Максимов, 314.

УХА́ * Демья́нова уха́. *Разг. Неодобр.* О том, что назойливо предлагают, навязывают кому-л. против его воли и в неумеренном количестве. БМС 1998, 589; ШЗФ 2001, 65; БТС, 250, 1408; ФМ 2002, 569; Мокиенко 1989, 23.

Уха́ с мя́сом. *Омск. Шутл.* О хитром человеке. СРНГ 19, 89.

Ни ухи́ ни ры́бы *от кого, от чего. Пск. Шутл.-ирон.* Нет абсолютно никакой пользы, никакого толку от кого-л., от чего-л. СПП 2001, 76.

Хлеба́й уху́, помина́й ба́бушку глуху́! *Сиб. Шутл.* Говорится детям, которые едят уху. СФС, 195.

УХА́Б * Найти́ уха́б. *Новг., Пск.* Попасть в беду, оказаться в безвыходном положении. НОС 5, 144; СПП 2001, 76.

УХВА́ТКА * Каза́цкая ухва́тка. *Волг. Шутл.-одобр.* Ловкий, проворный, смелый человек. Глухов 1988, 61, 164.

До́брой ухва́тки *кому! Прикам.* Пожелание успеха, удачи. МФС, 106.

УХЛА́Й * Навести́ ухла́й. *Волг. Неодобр.* Испортить, уничтожить что-л. Глухов 1988, 87.

У́ХО * Бить с у́ха на́ ухо *кого. Перм.* Избивать кого-л. Подюков 1989, 218.

Не вести́ у́ха. *Новг.* То же, что **не вести ухом.** НОС 1, 119.

Не у́ха режь. *Кар. Шутл.-одобр.* О способном, умелом, находчивом человеке. СРГК 5, 569.

Ни у́ха ни мя́са. *Волг. Неодобр.* То же, что **ни уха ни рыла 2.** Глухов 1988, 112.

Ни у́ха ни ры́ла. 1. *Разг.* Абсолютно ничего (не знать, не понимать, не смыслить в чём-л.). ФСРЯ, 500; БМС 1998, 589–590; БТС. 1409; СПП 2001, 76; ДП, 471, 473. 2. *Волг. Неодобр.* О невзрачном, внешне невыразительном человеке. Глухов 1988, 112.

Слезть с у́ха. *Жарг. мол.* Замолчать. Никитина, 1998, 468.

Хоть у́хами об зе́млю. 1. *Брян.* О безвыходном положении, сложной ситуации. СРНГ 11, 257. 2. *Волг. Неодобр.* Об упрямом, бессовестном человеке. Глухов 1988, 170.

Спать на у́хе. *Новг.* Спать очень чутко. НОС 6, 23.

Набива́ть в у́хи *кому [чего]. Курск. Неодобр.* Наговаривать на кого-л. БотСан, 87.

Тупова́т (тупо́й) на́ ухи (на́ ухо). *Пск.* О человеке, который плохо слышит. СПП 2001, 76.

Ба́бье у́хо. *Арх., Волог. Шутл.* Съедобный гриб с неправильной, изуродованной шляпкой. АОС 1, 78; СВГ 1, 17.

Бережно́е у́хо. *Яросл.* Прорубь во льду, к которой сводятся крылья невода во время зимнего подлёдного лова рыбы. ЯОС 1, 53.

Ве́сить (прове́сить) у́хо. *Арх., Новг., Пск. Шутл. или Неодобр.* Быть невнимательным, нерасторопным, упускать удобный, благоприятный случай для чего-л. АОС 3, 154; НОС 11, 103; СПП 2001, 76.

Влезть в у́хо. *Кар.* Сбыться (о сне, предсказании). СРГК 1, 205.

В одно́ у́хо вле́зет, в друго́е вы́лезет. *Народн. Неодобр.* О хитром, льстивом пройдохе, обманщике. ДП, 161, 661; Жиг. 1969, 220.

В одно́ у́хо влета́ет, из друго́го вылета́ет *у кого. Разг. Неодобр.* О невнимательном, забывчивом человеке. Глухов 1988, 13; Ф 1, 67; СПП 2001, 76.

В одно́ у́хо впуска́ть, из друго́го выпуска́ть. *Пск. Неодобр.* Невнимательно слушать, не запоминать услышанное, не реагировать на услышанное. СПП 2001, 76.

Вцепи́ться в у́хо *кому. Жарг. мол.* Настойчиво пытаться объяснить кому-л. что-л. Максимов, 74.

Вы́валить у́хо. *Кар.* Прислушаться, напрячь слух. СРГК 1, 253.

Вя́лить у́хо. *Новг. Неодобр.* Бездельничать. НОС 1, 157.

Дави́ть на у́хо (на у́ши). *Жарг. мол.; Перм. Шутл.* Спать. Максимов, 100; Подюков 1989, 56.

Дать в у́хо *кому. Прост.* Сильно ударить; избить кого-л. СПП 2001, 76.

Держа́ть у́хо вверху́. *Кар.* То же, что **держать ухо востро.** СРГК 1, 454.

Держа́ть у́хо востро́. *Разг.* 1. *с кем.* Не доверяться кому-л., быть осмотрительным, осторожным. 2. Быть настороже, начеку. ФМ 2002, 570; ФСРЯ, 138; БТС, 153, 1409; Глухов 1988, 39.

Заки́нуть за́ ухо *что. Пск.* Съесть что-л. с большим аппетитом. (Запись 1992 г.).

Зале́зть в у́хо *кому. Сиб.* Обмануть, провести кого-л. ФСС, 78; СФС, 49.

Зали́ть за у́хо. *Народн. Шутл.* Выпить спиртного. ДП, 792.

Заложи́ть за́ ухо. *Сиб.* То же, что **залить за ухо.** ФСС, 78.

Заряди́ть в у́хо *кому. Смол.* То же, что **дать в ухо.** СРНГ 11, 15.

За у́хо да туда́, где су́хо. *Волг. Шутл.* О привлечении к ответственности, строгом наказании. Глухов 1988, 52.

За́ ухо зашло́. *Сиб. Шутл.* О запасах чего-л. на будущее. ФСС, 81.

За́ячье у́хо (у́шко). 1. *Дон.* Растение лопушник паутинистый. СДГ 3, 175. 2. *Яросл. Шутл.* Вытянутый в длину перелесок. ЯОС 4, 115.

Крепкова́т (кре́пок) на́ ухо. *Прост.* То же, что **туг на ухо.** ФСРЯ, 483; СПП 2001, 76.

Лить за́ ухо. *Прост.* Пить спиртное, пьянствовать. ЗС 1996, 196.

Лошако́во у́хо. *Дон.* Растение чернокорень аптечный. СДГ 3, 175.

Медве́жье у́хо. *Дон., Яросл.* Растение коровяк скипетровидный. СДГ 3, 175; ЯОС6, 38.

Навари́ть у́хо. *Новг. Шутл.* Присвоить что-л. чужое. НОС 5, 127.

Наве́шивать/ наве́сить на у́хо га́лку (пти́чку) *кому. Перм. Шутл.* Вводить в заблуждение, обманывать кого-л. Подюков 1989, 122.

Наводи́ть/ навести́ у́хо. *Прикам.* Внимательно, с интересом прислушиваться. МФС, 62; СГПО, 326; Подюков 1989, 127.

Навостри́ть у́хо *на что. Разг. Устар.* То же, что **навострить уши.** Ф 1, 316.

Надставля́ть/ надста́вить у́хо. *Сиб.* То же, что **наводить ухо.** ФСС, 117.

Нака́чивать/ накача́ть в у́хо *кого. Пск.* Сильно избивать, колотить кого-л. СПП 2001, 76.

Нама́тывать/ намота́ть на́ ухо. *Пск.* То же, что **мота́ть на ус (УС).** СПП 2001, 76.

На одно́ у́хо босо́й. *Сиб. Ирон.* Глухой, плохо слышащий. ФСС, 15.

Наставля́ть/ наста́вить у́хо. *Перм.* То же, что **наводить ухо.** Подюков 1989, 127.

Наступи́ть на у́хо *кому. Жарг. мол. Шутл. или Неодобр.* То же, что **вцепиться в ухо.** Максимов, 271.

На́ ухо. *Разг.* По секрету; тихо, чтобы никто не слышал (сказать, говорить что-л.). ФСС, 500.

На у́хо не ся́дет му́ха *кому. Пск. Шутл.-одобр.* О ловком, умелом, остроумном человеке. СПП 2001, 76.

Не брать/ не взять в у́хо *что. Пск.* То же, что **не вести ухом.** СПП 2001, 76.

Не ви́сит у́хо. *Перм. Шутл.* О расторопном, пронырливом человеке. Подюков 1989, 218.

Не пьёт, только за́ ухо льёт. *Сиб. Шутл.-ирон.* О том, кого ошибочно считают трезвенником. СФС, 125; СРНГ 17, 74; ДП, 792.

Ни у́хо ни ры́ло. *Обл.* О чём-л. посредственном, невыразительном, неопределённом. Мокиенко, 1990, 11.

Оторви́ у́хо. *Перм.* Об отчаянном человеке. Подюков 1989, 140.

Получи́ть у́хо, го́рло, нос, си́ську, пи́ську, хвост. *Вульг.- прост. Ирон.* Абсолютно ничего не получить. Мокиенко, Никитина 2003, 335.

Преклони́ть у́хо. *Разг. Устар.* Внимательно выслушать что-л., обратить внимание на то, что говорят. Ф 2, 87.

Прикла́дывать/ приложи́ть у́хо. *Пск.* Прислушиваться к чьему-л. разговору, подслушивать. СПП 2001, 76.

Прове́сить у́хо. См. **Весить ухо.**

Пропусти́ть за́ ухо *что. Кар.* Прозевать что-л., не услышать чего-л. СРГК 5, 288.

Ре́зать у́хо. *Разг.* Об очень громком, скрежещущем, неприятном звуке; о плохо воспринимаемых музыке, стихах и других произведениях искусства. БМС 1998, 590; ФСРЯ, 500..

Сесть на́ ухо *кому. Жарг. мол. Неодобр.* Начать докучать, надоедать кому-л. разговорами, просьбами. Митрофанов, Никитина, 224.

Су́хо — по са́мое у́хо. *Народн. Ирон.* О мокрой погоде, среде. < Из оборота **сухо — вода по самое ухо.** БМС 1998, 590.

Съе́здить в у́хо *кому. Прост.* Сильно ударить кого-л. Глухов 1988, 157. Мокиенко 53.

Твёрдый на́ ухо. *Пск.* То же, что **туг на ухо.** СПП 2001, 76.

Тре́тье у́хо. *Разг. Шутл.-ирон.* Подслушивающее устройство, установленное сотрудниками КГБ. СІН, 145. // *Крим., мил.* Подслушивающее устройство в телефонном аппарате. Кор., 290.

Туг (туго́й, тугова́т) на́ ухо. *Прост.* О плохо слышащем человеке. ФСРЯ, 483; ФСС, 199; СФС, 189.

Тупо́й на́ ухо. *Пск.* То же, что **туг на ухо.** СПП 2001, 76.

Тяжёлый на́ ухо. *Прикам., Сиб.* То же, что **туг на ухо.** СФС, 32, 189; ФСС, 20, 200; МФС, 103.

У́хо в у́хо (к у́ху) *с кем. Разг.* Совсем рядом, наравне (идти, бежать — о животных). ФСРЯ, 500; ЗС 1996, 497.

У́хо заложи́ло *у кого на что. Народн. Шутл.-ирон.* О том, кто намеренно не слушает кого-л., не обращает внимание на то, что говорят. ДП, 318.

У́хо на у́хо. 1. *Дон.* Наедине. СДГ 3, 175. 2. *Волг.* Тайно, по секрету. Глухов 1988, 164. 3. *Дон., Пск., Ряз.* О равноценном обмене. Шт., 1978; ДС, 579; СДГ 3, 175.

У́хо ре́жет (режь), а кровь не ка́нет (не кань). *Кар.* О бойком, бедовом человеке. СРГК 2, 325; СРГК 5, 509.

У́хо с гла́зом (с мя́сом). *Волг., Перм., Сиб. Шутл.-одобр.* О ловком, находчивом, хитром человеке. Глухов 1988, 164; Подюков 1989, 218; СОСВ, 193; СФС, 193.

У́хо спание́ля. *Жарг. мол. Шутл.-ирон. или Пренебр.* Отвисшая женская грудь. Максимов 443.

У́хо с са́лом. *Сиб.* То же, что **ухо с глазом.** СРНГ 36, 64.

Хоть в у́хо вдень (вдеть). *Новг.* О тихом, спокойном, покладистом человеке. НОС 1, 110; Мокиенко 1990, 96.

Хоть в у́хо вдёрни. *Прибайк.* То же. СНФП, 142.

Хоть в у́хо пхай *кого. Волг. Неодобр.* Об очень глупом человеке. Глухов 1988, 168.

Хоть у́хо режь. *Пск.* У кого-л. нет сил терпеть что-л. СПП 2001, 76.

Хриплова́т на́ ухо. *Пск.* То же, что **туг на ухо.** СПП 2001, 76.

Чтоб в друго́е у́хо писто́н вы́летел. *Кар.* О сильном ударе по голове. СРГК 4, 520.

И за у́хом не сверби́т (не че́шется) *у кого.* 1. *Волг.* О полном безразличии к чему-л., беспечности. Глухов 1988, 57. 2. *Орл.* Кто-л. не подозревает, не догадывается о чём-л. СРНГ 36, 234.

Мёртвых у́хом слы́шать. *Морд.* Обладать острым слухом. СРГМ 2002, 83.

Не вести́ у́хом. *Разг.* Не обращать внимания на что-л., не реагировать на что-л.; ничем внешне не проявлять своего отношения к чему-л. ФСРЯ, 500; ДП, 317, 487; ЗС 1996, 154, 163, 475; 322; ПОС 7, 29.

Не гнуть (не кива́ть) у́хом. *Пск.* То же, что **не вести ухом.** СПП 2001, 76.

Не пра́вить у́хом. *Перм.* То же, что **не вести ухом.** Подюков 1989, 160.

Не тура́ть у́хом. *Прикам.* То же, что **не вести ухом.** МФС, 102.

Ни у́хом ни рылом. *Пск. Ирон.* О молодом, неопытном, несамостоятельном человеке. СПП 2001, 76.

Слу́шать одни́м у́хом. *Разг.* Слушать невнимательно, занимаясь каким-л. другим делом. ЗС 1996, 322, 355; БТС, 1409.

Слу́шать у́хом, а не брю́хом, *чаще в форме повел. накл. Прост. Груб.* Слушать внимательно. Жук. 1991, 306.

Бить по́ уху *кого. Арх.* Опережать кого-л. в каком-л. отношении. АОС 2, 27.

Оплести́ по́ уху *кого. Новг.* Избить, поколотить кого-л. НОС 7, 7.

По́ уху *кому что. Жарг. мол. Шутл.* Всё равно, безразлично. < Эвфемизм нецензурной брани **по́ хую.** Кор., 225.

Съе́здить по́ уху *кому. Прост.* Сильно ударить кого-л. НОС 11, 16.

Проме́ж уш пролета́ет *у кого. Пск.* То же, что **в одно ухо влетает, в другое вылетает.** СПП 2001, 76.

Дать по уша́м *кому.* 1. *Прост.* Побить, наказать кого-л. 2. *Жарг. угол.* Лишить воровского звания, изгнать из воровской группировки кого-л. СРВС 4, 62; СВЯ, 25.

Е́здить по уша́м *кому [чем]. Жарг. мол. Неодобр.* 1. Долго и нудно рассказывать кому-л. о чём-л. Я — молодой, 1994, № 10. 2. Обманывать кого-л. Вахитов 2003, 53.

Накла́сть по уша́м. *Кар.* То же, что **дать по ушам 1.** СРГК 3, 333.

Настеба́ть по уша́м *кому. Пск., Сиб. Груб.* То же, что **дать по ушам 1.** СПП 2001, 76; ФСС, 120.

Не ве́рить свои́м уша́м. *Разг.* Очень удивляться. поражаться услышанному. ФСРЯ, 60.

Прое́хать (прое́хаться) по уша́м *кому. Угол., мол.* Обмануть кого-л. СРВС 4, 187; ТСУЖ, 175; Балдаев 2, 77, 163; 102; ББИ, 256; Смирнов 1993, 183; Мильяненков, 258.

Топта́ться по уша́м *кому. Жарг. мол.* Лгать, обманывать кого-л. Максимов, 423.

Уша́м го́рячо. *Пск.* Кому-л. стыдно, неприятно слышать что-л. ПОС 7, 145.

Шо́ркать по уша́м *кому. Жарг. мол.* Лгать, обманывать кого-л. Максимов, 443.

Греби́ уша́ми в камыши́! *Жарг. мол. Груб.* Требование уйти, удалиться. Белянин, Бутенко, 42; Елистратов 1994, 99; Югановы, 61; Щуплов, 85.

Грести́ уша́ми. 1. *Прост.* Быть пассивным, ничего не предпринимать. НРЛ-83. 2. *Жарг. мол. Неодобр.* Не понимать юмора. Максимов, 96.

Дыши́ уша́ми! *Жарг. мол. Шутл.* Совет успокоиться. Максимов, 125.

Ещё за уша́ми клей не обсо́х *у кого. Пск. Ирон.* О молодом, неопытном человеке. СПП 2001, 76.

Загреба́ть уша́ми. *Жарг. мол. Шутл.* Лгать, обманывать кого-л. Максимов, 138.

За уша́ми пищи́т (трещи́т) *у кого. Разг.* О человеке, который ест с аппетитом, с удовольствием. ФСРЯ, 501; БТС, 1344, 1409; ЗС 1996, 186; Глухов 1988, 161; СФС, 79; ФСС, 137; СРГМ 1986, 69; БалСок, 37. **За ушами свисти́т** *у кого. Новг.* То же. НОС 10, 23. **За уша́ми хви́щет** *у кого. Пск.* То же. СПП 2001, 76.

Не вороти́ть уша́ми. *Новг.* Сильно устать. НОС 1, 138.

Не поло́пать у́ша́ми. *Пск.* Очень удивиться сказанному. СПП 2001, 76.

Прохло́пать уша́ми *что. Прост.* Проявив пассивность, упустить какую-л. возможность. Ф 2, 103.

Пря́сть уша́ми. *Разг. Устар.* Упрямиться. < Намёк на прядущих ушами упрямых лошадей. БМС 1998, 590.

Стричь уша́ми. *Прост. Ирон.* Напряжённо прислушиваться (испытывая страх, тревогу). Ф 2, 192.

Хло́пать уша́ми. 1. *Разг. Шутл.* Не понимать того, о чём говорится. ФСРЯ, 508; БТС, 1445. 2. *Разг. Неодобр.* Ротозейничать. ФСРЯ, 508; Глухов 1988, 166. 3. *Пск.* Удивляться. СПП 2001, 76.

Висе́ть на уша́х *у кого. Жарг. мол. Неодобр.* То же, что **ездить по ушам.** Мазурова. Сленг, 128.

В уша́х закипе́ло. *Дон.* О зуде в ушах. СДГ 1, 171.

Ни в уша́х ни на во́роте. *Кар.* О человеке, который выглядит трезвым. СРГК 1, 228.

Стоя́ть в уша́х *у кого. Разг.* Постоянно вспоминаться, представляться (о каком-л. звуке, звучании). Глухов 1988, 155.

Стоя́ть на уша́х. *Жарг. мол.* 1. Прикладывать максимальные усилия для достижения, исполнения чего-л. НРЛ-83. 2. Вести себя необузданно, делать всё, что хочется. Ф 2, 191; Мокиенко 2003, 129.

Дава́ть/ дать проме́ж уше́й *кому. Перм.* Ударить по голове, избить кого-л. Подюков 1989, 218.

Доводи́ть/ довести́ до уше́й *чьих что. Волг.* Сообщать кому-л. что-л. (как правило — о тайной, секретной информации). Глухов 1988, 36.

До уше́й. 1. *чего Волг., Сиб.* О чрезмерно большом количестве чего-л. Глухов 1988, 32; Верш. 7, 167. 2. *Горьк.* О состоянии сильного алкогольного опьянения. БалСок, 51.

Идти́ / пройти ми́мо уше́й *кому. Пск. Неодобр.* Не волновать, не трогать кого-л., не вызывать никакой реакции у кого-л. СПП 2001, 76.

Не вида́ть как свои́х уше́й *кому чего. Разг.* Совсем, никогда не получить кому-л. чего-л., не завладеть чем-л. ФСРЯ, 66; ДП, 64.

Пропуска́ть/ пропусти́ть ми́мо уше́й *что. Разг.* Не обращать внимания на то, что говорят. БТС, 1409.

Проска́льзывать/ проскользну́ть ми́мо уше́й. *Прост.* Оставаться не услышанным, не замеченным. Ф 2, 101.

Беспла́тные у́ши. *Жарг. мол. Шутл.* О терпеливом слушателе. Максимов, 32.

Ввали́ться по́ уши в смолу́. *Новг.* Оказаться в неприятной ситуации. НОС 1, 109.

Ве́шать у́ши. 1. *Морд., Пск.* Слушать кого-л. доверчиво, с большим интересом. СРГМ 1978, 72; СПП 2001, 76. 2. *Арх. Неодобр.* Поступать необдуманно, глупо, позволять обманывать себя. АОС 4, 39.

Ви́деть у́ши. *Перм. Шутл.* Очень радоваться чему-л. Подюков 1989, 26.

Вкла́дывать/ вложи́ть в у́ши *кому что. Волг.* Внушать кому-л. что-л., убеждать кого-л. в чём-л. Глухов 1988, 12.

Во все у́ши. *Разг.* Очень внимательно (слушать). БТС, 1409.

Впере́ть в у́ши *кому. Перм.* Быть услышанным. СРНГ 5, 171.

Встава́ть/ встать на́ уши. *Новг.* Начинать возмущаться, проявлять гнев, негодование. Сергеева 2004, 42.

Вста́вить у́ши. 1. *Пск.* Насторожиться, начать внимательно слушать. ПОС 5, 69. 2. *Жарг. угол.* Вставить в головку полового члена путем хирургического вмешательства несколько пластмассовых шариков. ТСУЖ, 184.

Вы́ставить у́ши. *Кар.* Прислушаться, насторожиться. СРГК 1, 296.

Говори́ть под у́ши. *Коми.* Произносить что-л. очень тихим голосом. Кобелева, 80.

Греть у́ши. *Жарг. мол. Неодобр.* Подслушивать. h-98; Никитина 1998, 468; Вахитов 2003, 42.

Дава́ть в у́ши *кому что. Кар.* Рассказывать кому-л. о чём-л. СРГК 1, 419.

Дави́ть на у́ши. См. **Давить на ухо.**

Дать за́ уши. *Жарг. спорт. (футб.).* Слишком далеко вбросить мяч из-за боковой линии. Максимов, 102.

Держа́ть у́ши топо́риком. *Морд. Шутл.* Вести себя осмотрительно, осторожно. СРГМ 1980, 18.

Дуть в у́ши *[кому что]. Жарг. мол. Неодобр.* Сплетничать. Максимов, 123.

Заве́шивать/ заве́сить у́ши. *Горьк.* Не слушать того, что говорится в твоём присутствии. БалСок, 36.

Заглуши́ть у́ши *кому. Кар.* Утомить кого-л. шумом. СРГК 2, 104.

Загружа́ть/ загрузи́ть (запи́сывать/ записа́ть) на́ уши *кому. Жарг. мол.* Лгать, вводить в заблуждение кого-л. Максимов, 139, 148.

За́ уши не держа́ть *кого. Новг.* Не принуждать кого-л. к чему-л. НОС 2, 85.

За́ уши не отта́щишь (не оття́нешь) *кого от чего. Прост. Одобр.* О вкусной еде. ЗС 1996, 103, 190; Верш. 7, 167; НОС 7, 60; СРГК 2, 236. **За́ уши не ста́щишь** *кого от чего. Сиб. Одобр.* То же. СФС, 79; СБО-Д2, 204. **За́ уши не оттрясёшь** *кого от чего. Пск. Одобр.* То же. СПП 2001, 76.

Кле́ить у́ши *кому. Жарг. мол.* То же, что **загружать на уши.** Максимов, 182.

Клепа́ть на́ уши *кому что. Жарг. мол.* Долго говорить, рассказывать кому-л. что-л. Максимов, 182.

Мида́совы у́ши *у кого. Книжн. Устар.* О глупом, болтливом человеке. < Восходит к греческой мифологии. БМС 1998, 590.

Мота́ть на у́ши. *Сиб.* То же, что **мотать на ухо.** ФСС, 114.

Мыть у́ши компо́том *кому. Жарг. мол. Шутл.* Лгать, обманывать кого-л. Максимов, 193.

Мять у́ши. *Сиб.* 1. *Неодобр.* Уклоняться от работы, бездельничать. 2. *Шутл.* Много курить. ФСС, 115.

Наболта́ть у́ши *кому. Волг.* То же, что **надрать уши.** Глухов 1988, 87.

Навева́ть на́ уши *кому что. Горьк. Неодобр.* Надоедать кому-л. пустыми разговорами. БалСок, 43.

Навостри́ть у́ши. *Разг.* Внимательно прислушаться. БМС 1998, 590; БТС, 508, 573,1409; ФМ 2002, 573; ЗС 1996, 322; Мокиенко 1986, 28; ФСРЯ, 501.

Надра́ть у́ши *кому. Прост.* Наказать, побить, отругать кого-л. РАФС, 517; СПП 2001, 76; Глухов 1988, 38.

Надува́ть/ наду́ть в у́ши *кому что.* 1. *Разг. Неодобр.* Сплетничать, наушничать, наговаривать кому-л. на кого-л. ФСРЯ, 501; ЗС 1996, 357, 322. 2. *Горьк. Неодобр.* Обманывать кого-л. БалСок, 44.

Надува́ть у́ши ве́тром *кому. Сиб. Неодобр.* То же, что **надувать в уши 1.** ФСС, 117.

Наезжа́ть/ нае́хать (наступать) на уши *кому. Жарг. мол.* То же, что **надувать в уши 1.** Максимов, 266, 271.

Найти́ свобо́дные у́ши. *Жарг. мол.* Рассказывать что-л., найдя собеседника, слушателя. Максимов, 267.

Напева́ть/ напе́ть в у́ши *кому что. Прост. Неодобр.* То же, что **надувать в уши 1.** Ф 1, 316; СПП 2001, 76.

Напева́ть/ напе́ть на у́ши *кому что. Прикам. Неодобр.* То же, что **навевать на уши.** МФС, 63; СГПО, 338.

Напе́ть по́лные у́ши *кому что. Прикам.* Очень много наговорить, рассказать кому-л. МФС, 63.

Напиха́ть за́ уши *кому что. Сиб.* Накормить кого-л. сверх меры. ФСС, 119; СБО-Д2, 246; СФС, 79; СОСВ, 193; СРНГ 20, 76.

Насвисте́ть в у́ши *кому. Прост.* То же, что **натарахтеть в уши.** Ф 1, 318.

Наставля́ть/ наста́вить у́ши. *Волг.* Внимательно слушать, прислушиваться. Глухов 1988, 92.

Настрека́ть в у́ши *кому что. Морд. Неодобр.* То же, что **натарахтеть в уши.** СРГМ 1986, 99.

Натарахте́ть в у́ши *кому что. Волг. Неодобр.* Насплетничать, очернить кого-л. Глухов 1988, 93.

Натруби́ть в у́ши *кому что. Разг.* Сообщить, рассказать, внушить кому-л. что-л. БТС, 1409; Ф 1, 320.

Наштропали́ть у́ши. *Морд.* Насторожиться, прислушаться. СРГМ 1986, 109.

На́ уши пихýчка се́ла *кому. Горьк. Шутл.-ирон.* О невнимательном, плохо слышащем человеке; о глухом челдовеке. БалСок, 45. **На́ уши пичýжка се́ла** *кому. Ср. Урал. Шутл.-ирон.* То же. СРГСУ 2, 190.

Не отстава́ть/ не отста́ть на иго́льные у́ши. *Волог.* Нисколько не отставать от кого-л. СВГ 6, 101.

Оболта́ть у́ши *кому. Разг. Устар.* Оттаскать кого-л. за уши. Ф 2, 10.

Оборва́ть у́ши *кому. Прост.* Расправиться с кем-л., наказать кого-л. Глухов 1988, 114; БалСок, 48.

Обрюзжа́ть у́ши *кому. Арх. Неодобр.* То же, что **прожужжать все уши.** СРНГ 22, 220.

Объе́сть у́ши *кому. Волг. Неодобр.* Сильно надоесть кому-л. Глухов 1988, 115.

Отзвони́ть у́ши *кому. Волг. Неодобр.* То же, что **прожужжать все уши.** Глухов 1988, 119.

Опе́ть все у́ши *кому. Кар., Прикам., Ср. Урал. Неодобр.* То же, что **прожужжать все уши.** СРГК 4, 316; МФС, 69; СРГСУ 3, 59; СГПО, 396.

Опуска́ть у́ши до по́лу. *Жарг. мол. Неодобр.* Подслушивать. Максимов, 288.

Опусти́ть у́ши. *Пск. Шутл.* То же, что **повесить уши 2.** СПП 2001, 76.

Отара́щить у́ши. *Кар.* Поднять, насторожить уши (о животном). СРГК 4, 271.

Открути́ть у́ши *кому. Пск.* То же, что **оборвать уши.** БотСан, 48.

Отсиде́ть у́ши. *Прост. Шутл.* Оглохнуть. БМС 1998, 590.

Петь/ напе́ть в у́ши *кому что. Прост.* Настойчиво, постоянно говорить кому-л. о чём-л. БТС, 829; СРНГ 26, 337.

Пина́ть у́ши *кому. Жарг. мол. Шутл. или Неодобр.* Говорить вздор, ерунду. Максимов, 313.

Пове́сить у́ши. 1. *Кар.* Завянуть (о растении). СРГК 4, 586. 2. *Пск.* Приуныть, опечалиться. СПП 2001, 76.

По [са́мые] у́ши. 1. *Разг.* Очень сильно (влюбиться). ФСРЯ, 501; ФСС, 33; СФС, 49; Глухов 1988, 16; Вахитов 2003, 33. 2. *Разг.* Всецело, полностью, целиком. БТС, 1409; ФСРЯ, 501; СРНГ 22, 231; Сергеева 2004, 211. 3. *Разг.* Сверх всякой меры. ФСРЯ, 501; ЗС 1996, 293. 4. *чего. Пск.* О большом количестве чего-л. СПП 2001, 76. 5. *Пск.* Вдоволь, досыта. СПП 2001, 76.

Приложи́ть у́ши. *Тобол.* Приготовиться слушать, заинтересоваться чем-л. СРНГ 31, 270.

Приседа́ть/ присе́сть на́ уши *кому. Жарг. мол. Шутл.* 1. Лгать, обманывать кого-л. 2. Рассказывать о чём-л. Максимов, 342.

Притя́гивать/ притяну́ть за́ уши *что. Разг.* Использовать с натяжкой, без достаточных оснований (о фактах при доказательстве). ФСРЯ, 501; БМС 1998, 591; ЗС 1996, 221, 355.

Проболта́ть все у́ши *кому с чем. Пск. Шутл.* Надоесть кому-л. постоянными просьбами. СПП 2001, 76.

Прогунде́ть все у́ши *кому. Прост. Неодобр.* То же, что **прожужжать все уши.** Ф 2, 97.

Проду́ть у́ши *кому. Жарг. мил.* Наговорить кому-л. что-л. для получения нужной информации. БСРЖ, 617.

Прожужжа́ть все у́ши *кому. Разг. Неодобр.* Надоесть кому-л. постоянными разговорами об одном и том же. ФСРЯ, 362; БТС, 1409; ЗС 1996, 322.

Протруби́ть все у́ши *кому. Волг. Неодобр.* То же, что **прожужжать все уши.** Глухов 1988, 135.

Пуска́ть/ пусти́ть в у́ши *что. Кар.* Сообщать, говорить о чём-л. СРГМ 5, 353.

Разве́шивать/ разве́сить у́ши. 1. *Разг.* Слушать кого-л. с интересом, увлеченностью, заслушиваться. ФСРЯ, 377; Мокиенко 1990, 64; СОСВ, 193; ФМ 2002, 574. 2. *Разг.* Заслушавшись, не реагировать на что-л. должным образом. ФСРЯ, 377; ЗС 1996, 322; ДП, 478. 3. *Пск. Неодобр.* Подслушивать. СПП 2001, 67.

Распуска́ть/ распусти́ть у́ши. *Прост.* То же, что **развешивать уши 1.** Ф 2, 120; СРГК 5, 463; СПП 2001, 76; СНФП, 142.

Расставля́ть/ расста́вить у́ши. *Волг.* То же, что **развешивать уши 1-2.** Глухов 1988, 140.

Растрепа́ть у́ши. 1. *Калуж.* Не слушать, не обращать внимания на чьи-л. слова. 2. *Ворон.* Стать рассеянным, невнимательным. СРНГ 34, 275.

Рвать у́ши *кому. Прост. Неодобр.* Раздражать слух резким или неприятным звуком. Ф 2, 124.

Ремённые у́ши. *Пск. Шутл.* Об унылом, невесёлом человеке. СПП 2001, 76.

Ры́жие у́ши. *Жарг. угол.* Золотые серьги. Балдаев 2, 21.

Све́сить у́ши. *Прибайк.* Быть нерасторопным, неловким, медлительным (в работе, в делах). СНФП, 142.

Свины́е у́ши. *Том.* Комнатное растение бегония. СБО-Д2, 172.

Свисте́ть в у́ши *кому. Жарг. мол.* Обманывать, лгать. Вахитов 2003, 163.

Сде́лать у́ши. *Жарг. спорт. (авто).* Перевернуться на спину в гоночном автомобиле. (РТ, 03.08.99). БСРЖ, 617.

Ста́вить/ поста́вить на́ уши *кого.* 1. *Разг.* Тревожить, волновать кого-л.; производить сильное впечатление, вызывать сильные эмоции у кого-л. Вахитов 2003, 135, 142; БСРЖ, 617. 2. *Жарг. угол., мол.* Бить, избивать кого-л.; устраивать нагоняй кому-л. ТСУЖ, 142; Максимов, 334; Б., 129, 144; Балдаев 1, 342; Балдаев 2, 58. 3. *Жарг. угол.* Грабить, обворовывать кого-л. Балдаев 1, 342; Балдаев 2, 58; ТСУЖ, 115; // Грабить кого-л. в безлюдном месте. ТСУЖ, 168.

Тащи́ть за́ уши *кого. Разг.* 1. Всеми способами, всячески помогать кому-л., обычно неспособному, нерадивому человеку в учёбе, в продвижении по службе. 2. Насильно склонять кого-л. к какой-л. вере, учению и т. п. ФСРЯ, 472.

Тере́ть/ потере́ть (втира́ть, причёсывать, шлифова́ть) у́ши *кому. Угол., мол.* Обманывать кого-л. Б., 152; СМЖ, 94; Быков, 192; Урал-98.

Тра́хнутый в у́ши. *Жарг. мол. Пренебр.* О глухом, слабослышащем человеке. Максимов, 427.

Труби́ть в у́ши *кому. Волг. Неодобр.* 1. Надоедливо болтать. 2. Клеветать, наговаривать на кого-л. Глухов 1988, 161.

Уеба́ть у́ши *кому. Жарг. мол. Нецენз. Неодобр.* Обмануть кого-л. Мокиенко, Никитина 2003, 335.

У́ши в жо́пу засу́нуть *кому. Жарг. мол. Вульг.* Сурово расправиться с кем-л. Вахитов 2003, 187.

У́ши в отморо́зке *у кого. Жарг. мол. Неодобр.* О человеке, который не может понять чего-л. Максимов, 293.

У́ши в тру́бочку завора́чиваются (сверну́лись) *у кого.* 1. *Жарг. угол.* Об ощущении сильного холода. Б., 32. 2. *Жарг. мол. Шутл.* О реакции на то, что неприятно слушать. Елистратов 1994, 32; Максимов, 387. 3. *Жарг. мол. Шутл.* О состоянии сильного удивления. Вахитов 2003, 187. 4. *Жарг. нарк.* О состоянии наркотического голодания. Максимов, 430.

У́ши вы́мучены *у кого. Пск.* Об оглохшем человеке. СПП 2001, 76.

У́ши вя́нут *[у кого]. Разг.* Кому-л. неприятно, стыдно, не хочется слушать что-л. (неприличное и т. п.). ФСРЯ, 501; БМС 1998, 591; БТС, 190; ЗС 1996, 322; ДП, 411; СПП 2001, 76; Вахитов 2003, 187.

У́ши заца́пались *у кого. Пск.* У кого-л. перехватило дыхание (от усталости). СПП 2001, 76.

У́ши к за́ду приши́ть *кому, обычно в форме повел. накл. Жарг. угол.* Угроза: строго наказать кого-л. Флг., 122–123.

У́ши пу́хнут/ опу́хли *у кого.* 1. *Жарг. угол.; Волг.* О сильном желании курить. ТСУЖ, 184; Балдаев 2, 102; ББИ, 256; Глухов 1988, 164. 2. *Прост.* Кому-л. надоело выслушивать упрёки, нарекания, нотации. Ф 2, 227; Мокиенко 2003, 129.

У́ши пряду́т *у кого. Разг. Одобр.* О человеке с острым слухом. НОС 11, 103.

У́ши торча́т *у чего. Прост. Ирон.* Налицо недостатки, недоделки; работа сделана недобросовестно, неквалифицированно. Мокиенко 2003, 129.

У́ши торча́т из гря́зи *у кого. Волг. Пренебр.* О неряшливом, нечистоплотном человеке. Глухов 1988, 164.

У́ши шеве́лятся *у кого. Перм. Шутл.* Об испуганном, крайне обеспокоенном человеке. Подюков 1989, 218.

Хоть у́ши режь. *Новг.* То же, что **уши вянут.** НОС 9, 125.

Че́рез у́ши наскво́зь тебя́ (его́, вас и пр.)! *Прост. Бран.* Выражение крайнего недовольства, злобы на кого-л.; злобное пожелание, заклятие. Мокиенко, Никитина 2003, 335.

Шлифова́ть у́ши *кому. Жарг. мол.* Лгать, обманывать кого-л. Смирнов 2002, 262.

Шо́рить у́ши *кому. Жарг. мол.* То же, что **шлифовать уши.** Максимов, 444.

Лови́ть ушо́м (на у́шке) *кого. Пск.* Внимательно слушать кого-л. СПП 2001, 76.

УХО́Д * Нести́ ухо́д. *Дон.* Ухаживать за кем-л. СДГ 3, 175.

Уходи́ть/ уйти́ (пойти́) ухо́дом. *Дон., Прикам., Пск., Сиб.* Выходить замуж без ведома, без согласия родителей. СПП 2001, 76; СФС, 193; МФС, 104; СДГ 3, 175.

УЧА́СТОК * Уча́сток но́мер три. *Жарг. угол. Шутл.-ирон.* Кладбище. ТСУЖ, 184; Балдаев 2, 102; ББИ, 256; Мильяненков, 257; Смирнов 1993, 182.

УЧЕНИ́К * Учени́к со ста́жем. *Жарг. шк. Шутл.-ирон.* Второгодник. ВМН 2003, 139.

УЧЁНЬЕ * Отда́ть в учёнье *что. Народн. Шутл.-ирон.* Заложить какую-л. вещь. ДП, 537.

УЧИ́ТЕЛЬ * Говори́ть с учи́телем. *Жарг. мол. Шутл.* Распивать бутылку спиртного. Максимов, 89.

Дрочи́ть учи́теля. *Жарг. шк. Шутл.* Молчать у доски. ВМН 2003, 139.

УЧИ́ТЬ * Уча́ у́чимся. *Книжн.* О творческом преподавании. < Выражение древнеримского философа Сенеки. БМС 1998, 591.

УЧУ́Н * Учу́н хвати́л *кого. Сиб.* О внезапной боли в спине. СФС, 193.

УША́Т * Обли́ть (окати́ть) уша́том холо́дной воды́ *кого. Прост.* Охладить пыл, рвение; привести в замешательство кого-л. Ф 2, 8; ЗС 1996, 298.

У́ШКО * Лови́ть на у́шке. См. **Ловить ушом (УХО).**

Дава́ть/ дать на иго́льные у́шки *кому чего. Приамур.* Давать кому-л. чего-л. в очень небольшом количестве. СРГПриам., 69.

[Держа́ть] у́шки на маку́шке. *Прост.* Вести себя осторожно, осмотрительно. БТС, 515; Мокиенко 1990, 148; Ф 1, 161; ФМ 2002, 572; Глухов 1988, 34.

Жо́пьи (по́пкины) у́шки. *Жарг. мол. Вульг. Шутл.* Жировые отложения на пояснице. ЖЭСТ-1, 89.

За́ячьи у́шки. *Яросл.* То же, что **лисьи ушки.** ЯОС 4, 115.

Ли́сьи (лиси́чьи, лиси́чкины) у́шки. *Орл.* Грибы лисички. СОГ-1994, 49.

Медвежьи у́шки. *Разг.* Растение толокнянка. Верш. 7, 171.

Потере́ть у́шки. *Пск. Ирон.* Не получить ожидаемого. (Запись 2000 г.).

По у́шки в наво́зе. *Сиб.* 1. На грязной, тяжёлой работе (работать). 2. В бедности, в нищете, в грязи (жить). ФСС, 116.

У́шки на маку́шке *у кого. Разг.* Кто-л. очень внимателен, готов к чему-л. непредвиденному или неожиданному. БМС 1998, 591; ФСРЯ, 501; ДП, 947.

У́шки топо́риком *у кого. Прикам. Шутл.* То же, что **ушки на макушке.** МФС, 106.

За ушко́ да на со́лнышко [выволи́ть/ вы́вести (вы́тащить)] *кого. Разг.* О разоблачении, привлечении к ответственности кого-л. Ф 1, 90; Глухов 1988, 52; ЗС 1996, 211; СПП 2001, 76.

За́ячье у́шко. См. **Заячье ухо (УХО).**

Медве́жье у́шко. *Орл.* Лекарственное растение толокнянка. СОГ-1994, 120.

Проле́зет в (сквозь) иго́льное ушко́. *Волг., Морд., Новг.* Об опытном, хитром, изворотливом человеке. Глухов 1988, 135; СРГМ 2002, 70; Сергеева 2004, 132.

Проткну́ть в иго́льное ушко́ *кого. Дон.* Оговорить, оклеветать кого-л. СДГ 3, 167.

Протяну́ть в иго́льное ушко́ *что. Волг.* Завершить трудное, тонкое дело. Глухов 1988, 135.

Тяну́ть в иго́льное ушко́ *кого. Волг., Дон.* Оговаривать, позорить кого-л. СДГ 3, 167. 2. *Волг.* Жить в крайней бедности. Глухов 1988, 161.

УШНЯ́К * Жева́ть ушня́к. *Жарг. мол.* Обманываться, заблуждаться, верить заведомой лжи; быть доверчивым, наивным. Урал-98. < Ср. **вешать лапшу на уши.**

УЩЕРБ * В (на) ущерб; на уще́рбе. *Приамур.* О третьей фазе луны, когда она принимает вид серпа. СРГПриам., 154.

ФАБРИКА * Гондонная фабрика. *Жарг. мол. Шутл.* Предприятие, выпускающее резиновые изделия. Мокиенко, Никитина 2003, 335.

Макаро́нная фа́брика. *Разг. Шутл.-ирон.* О растрёпанных, торчащих волосах. Вахитов 2003, 95.

Фа́брика грёз. *Жарг. шк. Шутл.* Объяснение нового материала. ВМН 2003, 140.

Шара́шкина фа́брика. *Прост. Шутл.-ирон.* 1. Плохо управляемое предприятие. 2. Абсолютный беспорядок. Р-87, 454; Мокиенко 2003, 129.

ФАВО́Р * Быть в фаво́ре *у кого. Разг.* Пользоваться чьим-л. расположением. ФСРЯ, 501; ШЗФ 2001, 26; БМС 1998, 592.

ФА́ГА * Пойти́ на фа́гу. *Жарг. арм., курс.* Покурить. Кор., 218, 229. < **Фага** — курево.

Приня́ть фа́гу. *Жарг. арм., курс.* То же, что **пойти на фагу.** Кор., 218, 229.

ФАДДЕ́Й * Владе́й, Фаддей, криво́й Ната́льей. *Прикам. Ирон.* Совет примириться с тем, что имеешь. МФС. 19.

Владе́й, Фадде́й, мое́й Мала́ньей. *Народн.* Пусть будет так. Жук. 1991, 70.

ФА́ЗА * Фа́за замкну́ла *у кого. Жарг. мол.* 1. О человеке, который не понял чего-л. 2. О человеке, сошедшем с ума. Максимов, 145.

Фа́за кли́нит *у кого. Жарг. мол.* О состоянии заторможенности, отсутствии сообразительности. Максимов, 183.

Фа́за Луны́. *Жарг. комп. Шутл.* Неожиданное включение вышедшего из строя компьютера, самооживление какой-л. программы. Лихолитов, 1997, 48.

Фа́за мкнёт *у кого. Жарг. мол.* Об отклонениях в психике у кого-л. Максимов, 249.

Фа́за ноль! *Жарг. мол.* Требование выключить освещение. Максимов, 445.

Фа́за пробива́ет у *кого. Жарг. мол. Шутл.* Кому-л. хочется спать. Вахитов 2003, 187; Максимов, 344.

Е́хать по фа́зе. *Жарг. мол.* Сходить с ума, вести себя подобно сумасшедшему. Кор., 100.

Не совпада́ть/ не совпа́сть по фа́зе. *Прост.* 1. Действовать в разных временных и функциональных циклах, пределах. 2. Расходиться в пути, не встречаться (из-за разных временных возможностей, пределов). Мокиенко 2003, 129.

Сту́кнуть по фа́зе. *Жарг. мол. Шутл.* То же, что **плюнуть на фазу.** Максимов, 409.

Выходи́ть/ вы́йти в заверша́ющую фа́зу. *Публ.* Приближаться к окончанию, завершению. Мокиенко 2003, 130.

Коло́ть (топта́ть) фа́зу. *Жарг. арм.* Включать или выключать освещение. Максимов, 191, 423.

Плю́нуть на фа́зу (по фа́зе). *Жарг. мол. Шутл.* Включить или выключить свет в помещении. Белянин, Бутенко, 122; Никитина 1996, 221; Елистратов 1994, 499; Максимов, 317.

ФАЗА́Н * Золото́й фаза́н. *Жарг. арм.* Солдат, прослуживший полтора года. Максимов, 157.

Тяну́ть/ протяну́ть фаза́на. *Жарг. угол.* 1. Лгать. ТСУЖ, 184. 2. Не исполнять обещаний. ТСУЖ, 184. 3. Продавать похищенную вещь, а затем отнимать её. Мильяненков, 258. < **Фазан** — ложь, обман.

ФАЗА́НЩИК * Фаза́нщик блатно́й. *Жарг. угол.* Скупщик краденого. Балдаев 2, 105; ББИ, 258. < **Фазанщик** — лгун, обманщик.

ФА́ЗКА * Сорва́ть фа́зку. *Жарг. мол.* Сделать одну за другой три затяжки при курении. < **Фазка** — три затяжки при курении. БМС 1998, 618.

ФА́ЙЕР * Дать (зада́ть) фа́йеру *кому. Смол.* Наказать, дать нагоняй. ССГ 11, 38.

ФА́ЙКА * Фа́йка дурна́я. *Жарг. нарк.* Окурок сигареты, папиросы, начинённой гашишем. < **Файка** — папироса, сигарета. ТСУЖ, 184.

ФАЙЛ * Почи́стить файл. *Жарг. комп. Шутл.* Выпить спиртного. Максимов, 336.

Фа́йлы не сошли́сь *у кого. Мол. Шутл.-ирон. или Неодобр.* Кто-л. недоумевает, не понимает чего-л., сильно удивлён чем-л. БСРЖ, 618.

ФАЙТО́Н * Файто́н без коне́й. *Одесск. Шутл.* Автомобиль. КСРГО.

ФАК * Фак твою́ мать! *Жарг. мол. Бран.-шутл.* Восклицание, выражающее досаду, раздражение. Мокиенко, Никитина 2003, 336.

Фак тебе́ в ру́ки (в ру́ку)! Выражение досады, негодования. Никитина 1998, 480; Англицизмы 2004, 336–337. < Трансформация оборота **флаг тебе в руки!**

Прия́тного фа́ка жела́ем! *Жарг. мол. Шутл.* Пожелание приятно провести время. DL, 161; Англицизмы 2004, 336. < **Фак** — половое сношение; от англ. *fuck*.

ФА́КЕЛ * Фа́кел разгоре́лся. *Жарг. мол. Шутл.* О сексуальном возбуждении. Никитина 1998, 472. < **Факел** — мужской половой орган; по ассоц. с **факать** — 'совершать половой акт с кем-л.'.

ФАКС * Факс твою мать! *Жарг. мол. Бран.-шутл.* То же, что **фак твою мать! (ФАК).** Мокиенко, Никитина 2003, 336.

Получи́ть по фа́ксу. *Жарг. мол. Шутл.* Получить удар по лицу. Максимов, 328.

Посла́ть по фа́ксу *кого. Жарг. мол. Бран.-шутл.* Нецензурно выругаться в чей-л. адрес; отказать кому-л. в чём-л. в грубой форме. < По звуковой ассоциации с англ. *fuck*. БСРЖ, 619; Англицизмы 2004, 339.

ФАКТ * Ста́вить/ поста́вить перед фа́ктом *кого. Разг.* Сообщать кому-л. о чём-л. уже произошедшем. Ф 2, 182.

Не по фа́кту. *Жарг. мол. Неодобр.* 1. Безосновательно. 2. Неуместно. СМЖ, 92, 97.

Шурша́ть не по фа́кту. *Жарг. мол. Неодобр.* Обманывать, вводить в заблуждение кого-л. Вахитов 2003, 208.

Жа́реные фа́кты. *Публ. Ирон.* Сенсационные негативные сведения о ком-л., о чём-л. СП, 70; Мокиенко 2003, 130.

Фа́кты в ку́чу! *Жарг. мол.* Требование говорить правду. Максимов, 215.

ФА́КТОР * Фа́ктор стра́ха. *Жарг. шк. Шутл.-ирон.* 1. Экзамен. ВМН 2003, 140. 2. Кабинет директора. Никитина 2003, 217. < По названию популярной телепередачи.

Челове́ческий фа́ктор. *Публ.* Совокупность идейно-нравственных, социальных, психологических качеств человека, которые, реализуясь в его трудовой и общественной деятельности, решающим образом влияют на жизнь общества. СП, 239. < Авторство оборота приписывается М. С. Горбачеву. Мокиенко 2003, 130.

ФАКТУ́РА * По факту́ре. *Жарг. мол.* По правде, на самом деле. Елистратов 1994, 500.

ФАЛА́НГА * Гнуть фала́нги. *Жарг. мол. Неодобр.* Важничать, зазнаваться, демонстрировать своё превосходство над кем-л. h-98.

ФА́ЛЛОС * Фа́ллос в ли́фчике. *Жарг. мол. Шутл.* Обелиск у Московского вокзала в Санкт-Петербурге. Синдаловский, 2002, 190.

ФАЛЬСИФИКА́ЦИЯ * Фальсифика́ция-90. *Разг. Шутл.-ирон.* Программа «Интенсификация — 90». Синдаловский, 2002, 190.

ФАМБО́СЫ * Выбра́сывать / вы́бросить фамбосы. *Орл. Шутл.* Совершать экстравагантные поступки. СОГ 1989, 104.

ФАМИ́ЛИЯ * Отписа́ться от фами́лии. *Алт.* Выйти замуж. СРГА 3-I, 206.

Прокла́дывать фами́лии. *Кар.* Давать прозвища людям. СРГК 5, 266.

Ебу́т *кого* **и фами́лию не спрашива́ют.** *Неценз. Неодобр.* Делают с кем-л. всё, что хотят, издеваются как угодно (обычно — о представителях власти). Мокиенко, Никитина 2003, 337.

Ва́ша фами́лия Му́хин, вы в пролёте. *Жарг. мол. Шутл.* Отказ выполнить чью-л. просьбу. Максимов, 56.

Обломи́сь, твоя́ фами́лия Ве́точкин! *Жарг. мол. Шутл.* 1. Требование уйти, удалиться. 2. Совет отказаться от своих желаний, планов. 3. Отказ кому-л. в чём-л. Максимов, 281.

У́личная фами́лия. *Забайк.* Прозвище. СРГЗ, 425.

ФАНЕ́РА * Дава́ть/ дать фане́ру. *Жарг. метео.* Давать неверный прогноз погоды. БСРЖ, 620.

Разби́ть фане́ру *кому. Жарг. арест.* Повредить кому-л. грудную клетку молотком. Балдаев 2, 7.

Приня́ть на фане́ру. *Жарг. мол. Шутл.* Выпить спиртного. Максимов, 341.

Пробива́ть (проверя́ть) фане́ру. *Жарг. мол., арм.* Бить кого-л. кулаком в грудь. Максимов, 345.

Простуча́ть фане́ру *кому. Жарг. арм.* Избить кого-л. Максимов, 348.

Скола́чивать фане́ру. *Жарг. мол.* Зарабатывать деньги. Елистратов 1994, 500.

Фане́ру к осмо́тру! *Жарг. арм.* Сигнал к началу одного из «традиционных» наказаний молодых солдат старослужащими. (Наказуемый должен стоять по стойке «смирно», ожидая удара в грудь; обычно удары наносятся с таким расчётом, чтобы «выровнять», сплющить металлические пуговицы на груди). ЖЭСТ-1, 245; БСРЖ, 620.

Ча́бать фане́ру. *Жврг. мол. Шутл.* Играть на гитаре, петь под гитару. Максимов, 446.

ФА́НТА * Нацеди́ть фа́нты. *Жарг. мол. Шутл.* О мочеиспускании. Никитина 1998, 473.

ФА́НТИК * Бо́рькин фа́нтик. *Разг. Шутл.-ирон.* Купюра в 10 000 рублей, самая ходовая до деноминации при Б. Н. Ельцине. Балдаев 1, 43.

Фа́нтик Ре́льсина. *Разг. Шутл.-ирон.* То же, что **Борькин фантик.** Балдаев 1, 43.

ФАНТОМА́С * Фантома́с разбушева́лся. 1. *Жарг. шк. Шутл.-ирон.* Директор на родительском собрании. (Запись 2003 г.). 2. *Жарг. шк. Шутл.-ирон.* Отец после родительского собрания. Bytic, 1999-2000. 3. *Жарг. арм.* Старшина на построении. Максимов, 446. < По названию популярного кинофильма.

ФАНФА́РЫ * Загреме́ть под фанфа́ры. *Разг. Шутл.* Потерпеть неудачу, быть публично разоблачённым. < Выражение Юргина, героя телефильма «Тени исчезают в полдень» (1972–1974 гг.). Дядечко 2, 73.

ФА́РА * Быть на фа́ре. *Жарг. мол.* Делить что-л. поровну. h-98.

На фа́ру. *Жарг. мол.* За чужой счёт, даром. Вахитов 2003, 103.

Включа́ть/ включи́ть за́дние фа́ры. *Жарг. мол.* 1. Уклоняться от откровенного разговора. 2. Отказываться от своих слов. Максимов, 64.

Вы́ключить фа́ры. *Жарг. мол.* Закрыть глаза. Максимов, 76.

Зали́ть фа́ры. *Разг. Пренебр.* Напиться пьяным. ТСУЖ, 63; Балдаев 1, 144.

Погаси́ть фа́ры. *Жарг. мол. Шутл.* Закрыть глаза. КА, 1999.

Помы́ть (нарисова́ть) фа́ры *кому. Жарг. угол.* Ударить кого-л. ножом, бритвой по глазам. Балдаев 1, 337; ТСУЖ, 139.

Фа́ры «Мерседе́са». *Жарг. мол. Шутл.* Большие глаза. Максимов, 447.

ФАРАО́Н * На фарао́на слам. *Жарг. угол.* Взятка работнику милиции. СРВС 2, 81, 123, 193.

ФАРТ * Идти́ (ходи́ть) на фарт. 1. *Жарг. угол.* Совершать кражу, воровать. СРВС 1, 154; СРВС 2, 152. 2. *Жарг. простит.* Заниматься проституцией. СРВС 2, 59, 93, 194, 221; СРВС 3, 106; ТСУЖ, 115.

Лови́ть фарт. *Жарг. угол.* Удачно использовать случай; быть удачливым. Быков, 193.

На фарт. *Жарг. угол., Разг.* Наудачу, в надежде на счастливый случай. СРВС 1, 154.

ФАРТА́ * Раздува́ть фарту́. *Новг.* Делать что-л. прибыльное, удачное. Сергеева 2004, 211.

ФАРТОВИ́К * Кра́сный фартови́к. *Жарг. угол. Одобр.* Опытный, бывалый вор. СРВС 2, 45, 98, 185, 135, 219; ТСУЖ, 185; Балдаев 2, 106; ББИ, 259.

ФАРШ * Мета́ть фарш. *Жарг. мол. Шутл.-ирон.* О рвоте. Slang-2000; Вахитов 2003, 98.

Фарш да́вит на кла́пан *у кого. Жарг. мол. Шутл.* О сильном желании сходить в туалет. Максимов, 100.

Фарш кана́ет *у кого. Жарг. мол. Шутл.-ирон.* У кого-л. в данный момент имеются деньги. Блат.-99; Вахитов 2003, 188.

Следи́ть за фа́ршем. *Жарг. мол.* Контролировать свою речь, не говорить лишнего. Максимов, 390.

ФАРШМА́К (ФОРШМА́К) * Глухо́й фаршма́к. 1. *Жарг. бизн., крим. Пренебр.* Большой позор для делового человека. Смирнов 1993, 179. 2. *Жарг. студ. Неодобр.* Неудовлетворительная оценка на экзамене. ВМН 2003, 140.

Дать форшма́к *кому. Жарг. угол.* 1. Жестоко проучить кого-л. 2. Избить кого-л. Балдаев 1, 103.

Заде́лать форшма́к *кому. Жарг. арест.* Совершить над кем-л. позорящие действия. УМК, 214.

ФАС * На фас. *Жарг. угол. Одобр.* Хорошо, прекрасно. СРВС 3, 15.

ФАСА́Д * Вде́лать в фаса́д *кому. Сиб.* Ударить кого-л. по лицу. ФСС, 23.

Наводи́ть фаса́д. *Жарг. мол. Шутл.* Причёсываться. Максимов, 265.

Для фаса́да. *Разг. Неодобр.* С целью ввести в заблуждение, представить что-л. в более выгодном виде, чем есть на самом деле. Мокиенко 2003, 130.

За (под) фаса́дом *чего. Публ. Неодобр.* Под прикрытием чего-л. (обычно — красивых фраз, демагогии). НРЛ-79; Мокиенко 2003, 130-131; СП, 880.

ФА́СКА * Протяну́ть фа́ску *кому. Жарг. угол.* Обмануть кого-л. < **Фаска** — обман, мошенничество. ТСУЖ, 148; Скачинский, 133.

ФАСО́Н * Брать/ взять (дави́ть) фасо́н. *Волг. Неодобр.* Зазнаваться, пренебрежительно относиться к окружающим. Глухов 1988, 11, 28.

Держа́ть фасо́н. 1. *Разг.* Одеваться богато, модно. Ф 1, 161; СПП 2001, 77. 2. *Жарг. угол., мол.* Вести себя гордо, с достоинством. СРВС 2, 31, 91, 116; ТСУЖ, 48, 185; Смирнов 2002, 59.

Лома́ть фасо́н. *Прост.* Держаться самодовольно, важничать. Ф 1, 285.

ФАТЕ́РА * Идти́ на ве́чную фате́ру. *Сиб. Шутл.-ирон.* Умирать. ФСС, 89.

ФАЦ * Дать фа́ца *кому. Жарг. угол.* Ударить кого-л. по уху. Балдаев 1, 103; ББИ, 259; Мильяненков, 259.

ФА́ЦА * Поста́вить на фа́цу. *Жарг. нарк.* Украсть наркотики из аптеки, больницы. Балдаев 1, 342.

ФЕВРА́ЛЬ * Февра́ль в голове́ *у кого. Пск. Шутл.* О слабоумном придурковатом человеке. ПОС 7, 51.

Приходи́ три́дцать пе́рвого февраля́. *Прост. Шутл.* Отказ кому-л. в чём-л. ЗС 1996, 477.

ФЕДО́РА * Полторы́ Федо́ры. *Волг. Шутл.* О человеке высокого роста. Глухов 1988, 129.

ФЕДО́Т * Федо́т, да не тот. *Народн. Шутл.* 1. О том, кто на самом деле хуже того, за кого его принимают или за кого он себя выдает. 2. Другой человек, не тот, кто нужен. Жук. 1991, 340; Жиг. 1969, 232; БМС 1998, 592.

ФЕДУ́Л (ФЕДУ́ЛА) * Феду́л гу́бы наду́л. *Народн. Шутл.* Об обидевшемся, нахмурившемся человеке. ДП, 312; СПП 2001, 77. **Феду́ла гу́бы наду́ла.** *Волг. Шутл.* То же. Глухов 1988, 165.

Феду́ла переду́ла. *Волг. Шутл.* О непостоянном, ненадёжном человеке. Глухов 1988, 165.

ФЕ́ДЯ * Фе́дя Крю́ков. *Жарг. мол. Шутл.* Фредди Крюгер, популярный персонаж фильмов ужасов. Митрофанов, Никитина, 226.

Фе́дя Касто́ркин. *Разг. Шутл.* Лидер кубинских коммунистов Фидель Кастро. ЖЭСТ-2, 129. < Образовано шутливой адаптацией испанских имени и фамилии к русской антропонимической модели. Ср. **Федя Костров.**

Фе́дя Костро́в. *Разг. Шутл.* То же, что **Федя Касторкин.** (Запись 2006 г., С.-Петербург.)

ФЕЙС. См. **ФЭЙС.**

ФЕ́ЛИКС * Желе́зный Фе́ликс. *Жарг. мол.* 1. *Шутл.* Выносливый человек. Елистратов 1994, 503. 2. *Ирон.* Громоздкий металлический прибор старого образца (дырокол, арифмометр, пишущая машинка). Никитина 1996, 223. < Первоначально — патетическое прозвище Ф. Э. Дзержинского.

ФЕН * Сбе́гать под фен. *Жарг. нарк.* Сходить куда-л. для введения в организм дозы фенамина. Югановы, 232.

Под фе́ном. *Жарг. нарк.* Под воздействием фенамина. Югановы, 232.

ФЕ́НЬКА * Фе́нька Тормозе́нко. *Жарг. мол. Шутл.-ирон. или Пренебр.* Об очень глупой девушке. Максимов, 424.

До фе́ньки. *Жарг. мол.* То же, что **до фени (ФЕНЯ).** Мокиенко 1992, 17-24.

ФЕ́НЯ * Бо́тать (курса́ть, пе́трить, пуля́ть, сту́кать, стуча́ть) по фе́не. *Жарг. угол.* Говорить на воровском жаргоне. СРВС 2, 203; СРВС 3, 60, 69, 114; СРВС 4, 35, 38, 114; ТСУЖ, 23, 143, 170; Б., 19, 107; Р-87, 37; СВЯ, 10; Балдаев 1, 363; ЕЗР, 232; Грачев 1992, 175. < Трансформация выражения **болтать по офене.** Грачев 1997, 32. 2. *Жарг. мол.* Говорить на молодёжном жаргоне. БСРЖ, 624; Максимов, 42.

Иди́ (кати́сь, пошёл, убира́йся) [ты] к ебе́не (ядрёной) фе́не [ба́бушке]! *Прост. Бран.* Грубое пожелание убираться откуда-л.; выражение нежелания продолжать общение с кем-л. Мокиенко, Никитина 2003, 338.

К едре́не (ядрёной) фе́не. *Прост.* 1. *Бран.* Выражение презрения или пренебрежения к кому-, чему-л. 2. *Бран.* Выражение желания избавиться, отделаться от кого-л., чего-л. 3. О полном исчезновении, уничтожении кого-л., чего-л. 4. *Неодобр.* О полной ненужности, бесполезности, излишности чего-л. Глухов 1988, 74; Мокиенко, Никитина 2003, 338.

Ходи́ть по [ти́хой] фе́не. *Жарг. угол.* Заниматься преступной деятельностью, воровать. БСРЖ, 624.

До фе́ни *кому что. Жарг. мол.* Кого-л. не интересует что-л., кто-л. равнодушен, безразличен к чему-л. DL, 143; Югановы, 299; Мокиенко 1992, 17-24.

Выкинуть фе́ню. *Жарг. мол.* Совершить какой-л. смешной поступок. Никитина 1998, 476. < **Феня** — что-л. смешное.

Ебе́ня фе́ня! *Нецензю Бран.* То же, что **ядрёна феня 3!** Мокиенко, Никитина 2003, 338.

Фе́ня в бо́тах. *Жарг. угол., мол. Шутл.-ирон.* Человек, изучающий воровской или молодёжный жаргон. Балдаев 2, 107; ББИ, 259.

Фе́ня Ве́никова. *Жарг. мол.* Об очень глупой девушке. Максимов, 57.

Ядрёна (ядре́ня) фе́ня! *Прост.* 1. О грубой, здоровой и крепкой женщине, девушке (деревенского вида). 2. О крепких нецензурных ругательствах, матерной брани. 3. *Бран.* выражение досады, раздражения, возмущения. Мокиенко, Никитина 2003, 338.

ФЕРТ * Таки́м (э́таким) фе́ртом. *Забайк., Приамур.* Таким образом. СРГЗ, 405; 434; СРГПриам., 313.

ФЕРУ́ЛА * Быть под феру́лой (под феру́лою) *у кого, чьей. Книжн. Устар.* Быть в подчинении, под строгим началом кого-л. < **Ферула** — от лат. *ferula* — прут, лоза, розга. БМС 1998, 593.

ФЕСТИВА́ЛЬ * Устра́ивать/ устро́ить фестива́ль. *Жарг. мол.* 1. Коллективно принимать наркотик или пить спиртное. 2. Совершать хулиганский поступок. Максимов, 441.

ФЕ́ФЕР * Дава́ть/ дать (задава́ть/ зада́ть) фе́феру *кому.* 1. *Разг. Устар.; Кар., Пск.* Бранить, наказывать кого-л. БМС 1998, 593; СРГК 1, 424; ПОС 11, 172; Мокиенко 1990, 161. < Полукалька с нем. *Pfeffer geben jdm.* 2. *Пск.* Утомлять, мучить кого-л. СПП 2001, 77.

Показа́ть фе́феру *кому. Обл.* То же, что **давать/ дать феферу 1.** Мокиенко 1990, 51.

ФЕ́Я * Вокза́льная (привокза́льная, у́личная) фея. *Разг. Шутл.-ирон. или Пренебр.* Проститутка, промышляющая на вокзалах, на улице. Флг., 360; WMN, 102.

Но́чная фе́я. *Жарг. мол.* Проститутка. Максимов, 278.

ФИА́Л * Вы́пить фиа́л [блаже́нств]. *Книжн. Устар.* Насладиться жизнью. < **Фиал** (греч. *phiale*) — кубок с широким дном. БМС 1998, 593.

ФИА́ЛКА * Ночна́я фиа́лка. *Жарг. мол. Шутл.* 1. Проститутка. Максимов, 278. 2. Мужской половой орган. Щуплов, 53.

ФИА́СКО * Потерпе́ть фиа́ско. *Книжн.* Потерпеть неудачу. < Полукалька с франц. *faire fiasco.* БМС 1998, 593.

ФИ́БРЫ * Все́ми фи́брами души́. *Книжн.* Очень сильно, всем существом (ненавидеть, презирать и т. п.). БТС, 122, 290; Янин 2003, 73. < **Фибра** — от лат. *fibra* — 'волокно, жилка'. БМС 1998, 593.

ФИГ * Бли́нский фиг! *Жарг. мол. Бран.* Восклицание, выражающее гнев, раздражение, досаду. Вахитов 2003, 16.

Иди́ (пошёл) [ты] на фиг! *Вульг.-прост. Бран.* Требование удалиться; выражение нежелания продолжать общение с кем-л. БТС, 1421; Мокиенко, Никитина 2003, 339; Верш. 7, 138.

На́ фиг. *Прост. Груб.* Зачем, для чего. ФСРЯ, 502; БТС, 1421.

На́ фиг ну́жен (сда́лся) *кому. Прост. Неодобр.* О ком-л., о чём-л. совершенно не нужном кому-л. Мокиенко, Никитина 2003, 339.

[Не] за фиг соба́чий. *Жарг. угол.* 1. Без оснований, без причины. 2. Даром, бесплатно. Мокиенко, Никитина 2003, 339.

Посыла́ть/ посла́ть на фиг *кого. Прост. Бран.* Ругать кого-л., выражая негодование, возмущение и т. п. Верш. 7, 175; Мокиенко, Никитина 2003, 339.

По фиг *что кому. Вульг.-прост. Пренебр.* Абсолютно безразлично, неинтересно кому-л. что-л. Мокиенко, Никитина 2003, 339.

Фиг зна́ет. *Прост. Груб.* Абсолютно ничего не известно о чём-л. СПП 2001, 77.

Фиг ли ты, шампу́нь блатна́я, пе́нишься? *Жарг. мол.* Совет вести себя скромнее. Максимов, 448.

Фиг с тобо́й (с ним, с ва́ми и пр.). *Прост. Груб.* 1. Выражение, полной, абсолютной утраты интереса к кому-л., к чему-л. 2. Выражение утешения: ничего страшного. Мокиенко, Никитина 2003, 339.

До фига́ *чего. Прост. Груб.* Очень много. БТС, 1421; Верш. 7, 175; СПП 2001, 77.

На фига́. *Прост. Груб.* То же, что **на фиг.** Мокиенко, Никитина 2003, 339.

Ни фига́. *Прост.* 1. *Груб.* Абсолютно ничего (нет, не имеется). ФСРЯ, 502; БТС, 1421; Верш. 7, 175. 2. [**себе́**]! Выражение удивления. Вахитов 2003, 113; БТС, 1421.

Фи́га [с] два. *Прост. Груб.* То же, что **фига с маслом.** БТС, 1421; Мокиенко, Никитина 2003, 339.

ФИ́ГА * Фи́га в карма́не. *Прост. Шутл.* 1. О полном отсутствиии денег, материальных средств. 2. О трусливой, обычно не высказанной угрозе, возражении кому-л. или несогласии с кем-л. Мокиенко, Никитина 2003, 340.

Фи́га (фи́гу) с ма́слом. *Прост.* Абсолютно ничего. ФСРЯ, 502; БМС 1998, 594; БТС, 1421; Глухов 1988, 165; ЗС 1996, 295; Мокиенко, Никитина 2003, 339-340.

Натяну́ть фи́гу на нос *кому. Новг.* Обмануть, перехитрить кого-л. Сергеева 2004, 230.

Пока́зывать/ показа́ть фи́гу *кому. Прост.* Отказывать кому-л. в чём-л. БМС 1998, 594.

Пока́зывать/ показа́ть фи́гу в карма́не *кому. Прост. Ирон.* Трусливо и скрытно выражать несогласие с кем-л., маскировать свои угрозы кому-л. Мокиенко, Никитина 2003, 340.

Съесть фи́гу. *Прост.* Потерпеть неудачу в чём-л. БМС 1998, 594.

Фи́гу под нос *кому. Прост. Презр.* Выражение категорического отказа (дать, сделать что-л.). Мокиенко, Никитина 2003, 340.

ФИ́ГАРО * Фи́гаро здесь, Фи́гаро там. 1. *Разг.* О расторопных людях, одновременно выполняющих несколько дел. < Выражение из каватины Фигаро в первом действии оперы «Севильский цирюльник» Д. Россини по комедии П. О. Бомарше. БМС 1998, 594. 2. *Жарг. арм. Шутл.* Дежурный по роте. БСРЖ, 594.

ФИГЕ́ЙРА (ФИГЕ́ЙРО) * На фиге́йро? *Жарг. мол. Шутл.* Зачем, для чего, с какой целью? (Запись 2004 г.).

Ни фиге́йры. *Жарг. мол. Шутл.* Абсолютно ничего. (Запись 2004 г.).

ФИ́ГЛИ-МИ́ГЛИ * Выки́дывать (де́лать, стро́ить) фи́гли-ми́гли. *Разг. Устар. Неодобр.* 1. Проказничать, шалить; фиглярничать. 2. *кому.* Обманывать кого-л. Ф 1, 93. < Выражение известно с XVIII в. и является заимствованием из польск. яз. Мокиенко, Никитина 2003, 340.

Подводи́ть фи́гли-ми́гли *кому. Прост. Устар. Ирон.* Любезничать с кем-л. Мокиенко, Никитина 2003, 340. < **Фигли-мигли** — польск. **figle-migle (figli-migli)** — проказы, шалости, связанное с **figi-migi** — фортели, фокусничество. (XVI в.).

ФИГНЯ́ * Страда́ть фигнёй. *Жарг. мол. Неодобр.* 1. Бездельничать. Максимов, 406. 2. Совершать глупые поступки. Белянин, Бутенко, 164; Вахитов 2003, 172.

Педагоги́ческие фи́гни. *Жарг. студ. (пед.). Пренебр.* Педагогическая технология (учебный предмет). (Запись 2003 г.).

Простра́нственно-временна́я фигня́. *Жарг. мол. Шутл.* Тяжёлое похмелье. Максимов, 348.

Фигня́ на по́стном ма́сле. *Жарг. мол. Неодобр.* Ерунда, чушь. Мокиенко, Никитина 2003, 341.

ФИГУ́РА * Замо́рская фигу́ра. *Жарг. карт.* Двойка (игральная карта). СРВС 2, 91, 36, 117, 177, 219; ТСУЖ, 63; Балдаев 2, 108; ББИ, 260; Мильяненков, 260.

Не фигу́ра. *Пск.* Легко, не составляет труда. СПП 2001, 77.

Фигу́ра высшего пилота́жа. *Жарг. курс. Шутл.* Проход пьяного курсанта через КПП. БСРЖ, 625.

Фигу́ра умолча́ния. *Книжн. Ирон.* О чём-л. недоговорённом, невысказанном. БТС, 1421.

Шевели́ть фигу́рой. *Жарг. мол.* Быстро идти, шагать. Максимов, 486.

Выставля́ть фигу́ры. *Прибайк.* Совершать вздорные неоправданные поступки, капризничать. СНФП, 143.

Стро́ить фигу́ры. *Волг., Прикам.* Высмеивать, оскорблять кого-л. Глухов 1988, 156; МФС, 97.

ФИГУ́РКА * Выта́чивать фигу́рки. *Коми.* Плясать, выполняя различные фигуры, коленца. Кобелева, 59–60.

Ла́дить фигу́рки. *Орл.* Танцевать слаженно, синхронно. СОГ-1994, 11.

Лепи́ть фигу́рки из жёлтой гли́ны. *Жарг. мол. Шутл.* Испражняться. Максимов, 221.

ФИ́ЗИК * Фи́зики и ли́рики. *Разг. Шутл.* О людях науки и людях искусства. < От заголовка стихотворения Б. Слуцкого (1959 г.). БМС 1998, 594.

ФИЗИОНО́МИЯ * Отвора́чивать физионо́мию *от кого, от чего. Прост. Груб.* С пренебрежением отказываться от чего-л., игнорировать кого-л. ФСРЯ, 301.

Расстега́ть физионо́мию *кому. Яросл.* Избить, поколотить кого-л. ЯОС 8, 124.

ФИ́ЗИЯ * Нарисова́ть фи́зию. *Жарг. мол. Шутл.* Сделать макияж. Максимов, 269.

ФИЗРУ́ЧКА * Физру́чка отрыва́ется. *Жарг. шк. Шутл.* Об уроке физкультуры. (Запись 2003 г.).

ФИКС (ФИ́КСА́) * Пусти́ть фиксу́. *Жарг. муз. Неодобр.* Сыграть фальшиво (обычно — о саксофонисте). Югановы, 189.

Суши́ть фи́ксы. *Жарг. мол. Неодобр.* Говорить, болтать, пустословить. < **Фикс, фикса** — вставной зуб, металлическая коронка. БСРЖ, 626.

ФИЛЕ́ * Филе́ нам. *Жарг. комп. Шутл.* Название файла < От англ. *file name.* Шейгал, 206.

ФИЛЕМО́Н * Филемо́н и Бавки́да. *Книжн.* О неразлучной паре старых супругов. < Из древнегреческого сказания, обработанного Овидием («Метаморфозы»). БМС 1998, 595.

ФИЛИ́ПП * Фили́пп Хардко́ров. *Жарг. мол. Шутл.-ирон.* Певец Филипп Киркоров. АиФ, 1999, № 25.

ФИ́ЛКИ́ * Втыка́ть фи́лки́. *Жарг. угол.* Совершать кражи из карманов. Грачев 1997, 13.

Проби́ть фи́лки (фи́лы). *Жарг. мол.* Достать, раздобыть денег. Вахитов 2003, 149.

Сажа́ть на фи́лки *кого. Жарг. крим.* Вымогать деньги у кого-л. (о рэкетирах). h-98. < **Филки** — деньги.

ФИЛО́СОФ * Чита́ть фило́софов. *Жарг. мол. Шутл.-ирон.* 1. Пить спиртное. 2. Ходить в туалет. Максимов, 477.

ФИЛОСО́ФИЯ * Разводи́ть филосо́фию. *Разг. Неодобр.* Бесплодно рассуждать, не способствуя делу. БМС 1998, 595.

ФИ́ЛЫ * Проби́ть фи́лы. См. **Пробить филки (ФИЛКИ).**

ФИЛЬ * Ни филя́. *Пск.* То же, что **ни фига (ФИГ).** СПП 2001, 77.

К филя́м! *Пск.* Прочь, вон, долой! СПП 2001, 77.

ФИ́ЛЬКА * Ни фи́льки. *Пск.* То же, что **ни фига (ФИГ).** СПП 2001, 77.

За пе́рвую фи́льку. *Прибайк.* С восторгом, с радостью, охотно (принимать, воспринимать что-л.). СНФП, 143.

Получи́ть фи́льку. *Пск. Шутл.* Ничего не добиться, получить отказ в ответ на какое-л. своё предложение. СПП 2001, 77.

Фи́льку в нос! *Пск. Шутл.* Абсолютно ничего, нисколько. СПП 2001, 77.

Фи́льку вы́куси! *Пск. Груб.* Отказ выполнить чью-л. просьбу, приказ, требование. СПП 2001, 77.

ФИ́ЛЬМА * Крути́ть/ накрути́ть [на] фи́льму *[что]. Жарг. кино, ТВ.* Снимать что-л. на плёнку, снимать кино. БСРЖ, 626.

ФИ́ЛЬТР * Дыша́ть че́рез фильтр. *Жарг. мол. Шутл.* Курить. Максимов, 125.

Проходи́ть че́рез фильтр. *Разг.* Преодолевать систему какого-л. досмотра, контроля, проверок. Мокиенко 2003, 131.

ФИ́ЛЯ * Фи́ля тобо́льский. *Пск. Шутл.-ирон.* О несообразительном, рассеянном человеке. СПП 2001, 77.

ФИМИА́М * Кури́ть (воскуря́ть, возжига́ть, кади́ть) фимиа́м *кому. Книжн. Ирон.* Льстиво, преувеличенно восхвалять кого-л. < Калька с греч.; **фимиам** — благовонное вещество для курения (сжигания). БМС 1998, 595; Ф 1, 70, 77; ФСРЯ, 502; ЗС 1996, 41.

ФИНА́ЖКИ (ФИНА́ШКИ) * Поню́хать фина́шки за дурь. *Жарг. нарк.* Прицениться к гашишу. ТСУЖ, 140. < **Финажки** — деньги (от жарг. **финаги**).

ФИНА́НСЫ * Фина́нсы поют рома́нсы *у кого. Разг. Шутл.* Об обнищании, отсутствии денег у кого-л. (Запись 1999 г.).

Фина́нсы вста́ли ра́ком *у кого. Жарг. мол.* То же, что **финансы поют романсы.** Максимов, 72.

ФИ́НИК * Наста́вить фи́ников *кому. Жарг. мол.* Избить кого-л. до синяков. Югановы, 233.

ФИНИ́Ш * Приходи́ть/ прийти́ к фи́нишу. *Публ.* Достигать конца, заключительного этапа чего-л. Мокиенко 2003, 132.

ФИ́НИСТ * Фи́нист ясный со́кол. *Народно-поэт.* Добрый молодец (в русских народных сказках). БМС 1998, 595.

ФИНТ * Выки́дывать/ вы́кинуть финт. *Разг.* Совершать неожиданный предосудительный поступок. Ф 1, 94.

Де́лать/ сде́лать финт уша́ми. *Жарг. мол., Разг.* 1. Совершать что-л. неожиданное, ловкое, проворное. Б., 153; Максимов, 443. 2. *в форме повел. накл.* Просьба, требование: уйди, скройся! Б., 153. 3. Хитрить, использовать какую-л. уловку для достижения своей цели. VSEA, 219.

Финт уша́ми. *Разг.* Чьи-л. изощрённые уловки, хитрости. Грачев, Мокиенко 2000, 173.

Дать финта́. *Пск.* Обойти какую-л. территорию. (Запись 2001 г.).

ФИОЛЕ́ТОВО * Сугу́бо (глубоко́) фиоле́тово *кому. Жарг. мол.* Абсолютно безразлично, неинтересно, всё равно. Я — молодой, 1994, № 2; Максимов, 409.

ФИОЛЕ́ТОВЫЙ * Сугу́бо (глубоко́) фиоле́товый. *Жарг. мол.* Равнодушный, безразличный к кому-л., к чему-л. Никитина 1996, 225; Максимов, 409.

ФИРГУЛЁК * Сыгра́ть фиргулька́. *Волг.* Строго наказать, побить кого-л. Глухов 1988, 157.

ФИ́РМА́ * Жёлтая (ры́жая) фи́рма. *Жарг. мол. Шутл.-ирон.* Товары производства азиатских стран. Елистратов 1994, 506.

Сосе́дняя фи́рма. *Жарг. шк. Шутл.-ирон.* Школа для детей с замедленным психическим развитием. (Запись 2003 г.).

Фи́рма ве́ников не вя́жет. *Жарг. мол. Шутл.-одобр.* О высоком уровне сделанной работы. НРЛ-79; Вахитов 2003, 190.

Фи́рма «Спи споко́йно». *Шутл.-ирон.* 1. *Разг.* Похоронное бюро. ББИ, 260; Хом. 2, 468. 2. *Жарг. крим.* Киллер; фирма, выполняющая заказные убийства. Никитина 2003, 748.

По фирме́. *Жарг. мол. Одобр.* Модно, во всё фирменное, западного производства (одеваться). ТСУЖ, 23; Митрофанов, Никитина, 228; Никольский, 146; Елистратов 1994, 506.

ФИ́РМЕННЫЙ * Пристегну́ть (присоба́чить) фи́рменную. *Жарг. крим.* Принудить работать на мафию проститутку, владеющую иностранными языками. Хом. 2, 469.

ФИСТА́ХА * Метну́ть фиста́ху. *Жарг. мол. Шутл.* Совершить половой акт с кем-л. h-98. < **Фистаха** — от **фисташка** — 'малолетняя проститутка'.

ФИТИ́ЛЬ * Вставля́ть / вста́вить фити́ль *кому. Жарг. угол.* 1. Совершать акт мужеложства с кем-л. 2. Ругать, отчитывать кого-л. Флг., 57; Мокиенко 2003, 132; МК, 214.

Прикрути́ть (прикры́ть) фити́ль. *Жарг. мол.* Замолчать. Максимов, 341.

Светя́щийся фити́ль. *Жарг. арест. Пренебр.* Заключённый — осведомитель оперчасти. Балдаев 2, 30.

Дава́ть/ дать фитиля́ *кому. Разг.* Ругать, отчитывать кого-л. ФЛ, 105; Мокиенко 2003, 132.

ФИ́ТЬКА * Ни фи́тьки. *Пск.* То же, что **ни фига (ФИГ).** СПП 2001, 77.

ФИ́ШКА * Как фи́шка ля́жет (фи́шки ля́гут). *Жарг. мол.* В зависимости от обстоятельств. СМЖ, 90; Югановы, 100; Максимов, 232.

Фи́шка съехала *у кого. Жарг. мол.* О человеке, совершившем странный поступок. Максимов, 413.

Стоя́ть (быть) на фи́шке. *Жарг. мол., крим.* Стоять на страже, следить за безопасностью при осуществлении какой-л. акции. БСРЖ, 627–628.

Крути́ть фи́шки *[с кем]. Жарг. мол.* Ухаживать за девушкой, склонять её к вступлению в близкие отношения. Я — молодой, 1997, № 45.

Замути́ть фи́шку. *Жарг. мол., крим.* Успешно осуществить какую-л. сделку, операцию. БСРЖ, 628.

Ки́нуть фи́шку. *Жарг. мол.* Совершить неординарный, оригинальный поступок. Вахитов 2003, 77.

Наруби́ть фи́шку. *Жарг. мол. Шутл.* Напиться пьяным. Максимов, 270.

Пасти́ фи́шку, *чаще в форме повел. накл. Жарг. мол.* Обращать на что-л. особое внимание, замечать что-л. Никитина 2003, 749.

Просека́ть/ просе́чь (руби́ть/ сруби́ть, сруба́ть, рю́хать, ха́вать) фи́шку. *Жарг. мол.* 1. *в чём.* Разбираться в чём-л., понимать сущность чего-л. Балдаев 2, 20; Я — молодой, 1995, № 12; Максимов, 348, 451. 2. Проявлять изворотливость, сообразительность, интуицию. Югановы, 197; Елистратов 1994, 508.

Разби́ть фи́шку. *Жарг. мол.* Впасть в состояние безделья. Максимов, 357.

ФЛАГ * Бе́лый флаг на тёмном фо́не. *Жарг. мол. Шутл.-ирон.* О человеке, резко отличающемся от остальных. Максимов, 420.

Выбра́сывать/ вы́бросить бе́лый флаг. *Разг.* Признавать себя побеждённым, просить о пощаде. НСЗ-70; Мокиенко 2003, 132.

[Кра́сный] флаг вы́бросить (дать, пусти́ть). *Жарг. мол. Шутл.* О менструации. Мокиенко 1995, 113; УМК, 214; Флг., 357; Вахитов 2003, 86; Максимов, 205.

Лы́сый флаг. *Жарг. морск.* Флаг отплытия корабля (синий с белым квадратом посередине). Кор., 161.

Порва́ть на брита́нский флаг *кого. Жарг. мол. Шутл.* Устроить нагоняй, сильно обругать кого-л. Никитина 2003, 750.

Флаг адмира́ла. *Жарг. угол. Шутл.* Смесь коньяка с шампанским. Балдаев 2, 109; ББИ, 261.

Флаг в за́дницу (по са́мые гла́нды) *кому. Жарг. мол. Презр.* Выражение досады, раздражения в чей-л. адрес. Максимов, 451.

Флаг в ру́ки *кому! Жарг. мол.* 1. Разрешение, призыв сделать что-л. Никитина 1996, 226; Белянин, Бутенко, 165; Смирнов 2002, 227. 2. **[и бараба́н на ше́ю]** *кому! также Ирон.* Пожелание удачи (как правило — хвастливому человеку). Вахитов 2003, 190; Максимов, 451.

Ходи́ть во фла́ге. *Жарг. мол.* Носить одежду и обувь советского производства, как правило, значительно уступающие по качеству и красоте импортным. Личко, Битенский, 292.

Остава́ться/ оста́ться за фла́гом. *Разг. Устар.* Оказываться в положении проигравшего. Ф 2, 20.

Под фла́гом *чего. Публ.* Прикрывая чем-л. свои истинные намерения, цели. ФСРЯ, 502; Мокиенко 2003, 132.

Ходи́ть под чужи́м фла́гом. *Жарг. морск.* О ситуации, когда девушка, не дождавшись моряка, выходит замуж за другого. Грачев 1997, 168.

ФЛАКО́Н * Отыгра́ть флако́н. *Жарг. мол. Шутл.* Выпить бутылку водки. Максимов, 296.

ФЛА́НГИ * Фла́нги топта́ть. *Жарг. арм.* Служить в пограничных войсках. ЖЭСТ-1, 245; Елистратов 1994, 472.

ФЛЕ́ГМА * Включа́ть/ включи́ть фле́гму. *Жарг. мол.* Замедлять осуществление каких-л. действий. Максимов, 64.

ФЛЕЙМ * Подня́ть флейм. *Жарг. комп. Неодобр.* Начать говорить не по существу, отклониться от темы разговора. < **Флейм** — болтовня, пустые разговоры. Никитина 2003, 751.

ФЛЕ́ЙТА * Игра́ть на фле́йте. *Жарг. мол., гом.* Совершать орогенитальный половой акт с кем-л. ТСУЖ, 75.

Игра́ть на волше́бной фле́йте. *Жарг. мол. Шутл.* Заниматься онанизмом. Декамерон 2001, № 3.

Купи́ть фле́йту. *Жарг. угол., арест.* Бежать из заключения. СРВС 3, 99; ТСУЖ, 94; Балдаев 1, 216.

ФЛЁР * Наки́нуть (набро́сить) флёр *на что. Книжн.* Придать чему-л. таинственность. ФСРЯ, 264.

ФЛОП * Двойно́й флоп. *Жарг. шк. Эвфем.* Число 10, номер 10. < **Флоп** — число 5, цифра 5. ПНН, 1999.

ФЛО́РА * Фло́ра и Помо́на. *Книжн. Устар.* Цветы и плоды. < У древних римлян **Флора** — богиня цветов, **Помона** — богиня плодов. БМС 1998, 595.

Сдава́ть/ сдать фло́ру и фа́уну. *Жарг. мол. Шутл.* О сдаче медицинских анализов. Максимов, 380.

ФЛОТ * Седьмо́й флот. *Жарг. бизн., мил.* Отдел внутренней разведки. БСРЖ, 629.

Тю́лькин флот. *Жарг. морск. Шутл.* Рыболовный флот. БСРЖ, 629.

ФЛЯ́ГА * Фля́га бры́зжет (свисти́т) *у кого. Жарг. мол. Шутл.-ирон.* О человеке со странностями, о сумасшедшем. h-98; Максимов, 45, 149.

ФО́КУС * Де́лать/ сде́лать фо́кус. *Жарг. мол.* 1. Уходить откуда-л. 2. Помогать кому-л. Максимов, 380.

Отбыва́ть/ отбы́ть фо́кус. *Жарг. мол. Неодобр.* Присутствовать где-л., ни в чём не участвуя, ничем не занимаясь. Митрофанов, Никитина, 230.

Попра́вить фо́кус. *Жарг. мол.* Посмотреть внимательнее. БСРЖ, 629.

Фокуса́ отде́лывать. *Алт.* Плясать. СРГА 4, 190.

Пройти́ фо́кусом. *Жарг. угол.* Случайно пройти, пробраться, проскочить куда-л. ТСУЖ, 148.

Выки́дывать (выде́лывать) фо́кусы. 1. *Разг. Неодобр.* Совершать неожиданные поступки, удивлять окружающих своими проделками. СБГ 3, 71. 2. *Сиб.* Колдовать. ФСС, 36. 3. *Жарг. мол. Шутл.* Страдать рвотой. Максимов, 75.

Удира́ть фо́кусы. *Сиб.* То же, что **выкидывать фокусы.** СФС, 190; СБО-Д2, 257.

ФОМА́ * Фома́ Горде́ев. *Жарг. мол. Шутл.* Мужской половой орган. Елистратов, 663; Щуплов, 54.

Фома́ да Ерёма. *Народн.* О глупых, недалёких людях. < **Фома и Ерёма** — традиционные русские скоморошные персонажи. БМС 1998, 596. **Фома́ да Ерёма, да Колупа́й с бра́том.** *Сиб. Шутл.-ирон.* То же. СФС, 194.

Фома́ Ива́нович (Фоми́ч). *Жарг. угол.* Лом. СРВС, I, 23; Балдаев, II, 110; ББИ, 261; Мильяненков, 261. < От жарг. **фомка** — лом.

Фома́ неве́рный (неве́рующий). *Книжн.* О человеке, которого трудно заставить поверить чему-л. < Оборот из Евангелия. БМС 1998, 596; ФСРЯ, 502; БТС, 1428; ДП, 666.

Я (оди́н) про Фому́, а он (друго́й) про Ерёму. *Прост. Шутл. или Неодобр.* О людях, которые не могут найти общего языка. ДП, 449; СПП 2001, 77.

ФО́МКА * Фо́мка да Ерёмка. *Забайк.* О случайно собравшихся людях, которые берутся что-л. делать сообща. СРГЗ, 434.

Фо́мка Серёжку поборо́л. *Жарг. угол. Шутл.* О взломе замка. СРВС 1, 26. < **Фомка** — лом; **серёжка** — висячий замок.

Быть знако́мым с Фо́мкой. *Жарг. угол. Шутл.* Ходить воровать с ломом. СРВС 1, 25. < **Фомка** — лом.

ФОН * С фо́ном. *Прибайк. Неодобр.* О высокомерном, самодовольном человеке. СНФП, 144.

ФОНА́РЬ * Быть на фонаре́. *Жарг. угол.* 1. Ждать, ожидать кого-л. СВЯ, 13; СРВС 4, 184; ТСУЖ, 160; Балдаев 1, 52; Максимов, 52. 2. Быть на страже. Балдаев 2, 37.

Наве́шивать/ наве́сить (подве́шивать/ подве́сить, насади́ть) фонаре́й *кому. Прост.* Бить, избивать кого-л. до синяков. Ф 2, 55; Глухов 1988, 87; Верш. 4, 95; СОСВ, 120.

Иска́ть с фонарём Диоге́на *кого, что. Книжн.* Упорно, но тщетно стремиться найти кого-л., что-л. < Греческий философ Диоген однажды зажёг днём фонарь и, расхаживая с ним, говорил: «Я ищу человека». БМС 1998, 596.

Не найти́ с фонарём *кого, что. Разг. Шутл.* О ком-л., о чём-л. исчезнувшем, пропавшем. Глухов 1988, 100.

Ве́шать фонари́. *Жарг. арм.* Сбрасывать осветительные бомбы. Лаз., 128.

Налива́ть фонари́. *Новг.* Напиваться пьяным. НОС 5, 152.

Бубно́вый фона́рь. *Жарг. мол. Неодобр.* Скверная, недоброкачественная вещь. h-98.

Засвети́ть фона́рь *кому. Прост.* Ударом кулака подбить глаз кому-л. Ф 1, 203.

Кра́сный фона́рь. 1. *Разг.* Условный знак публичного дома. Мокиенко, Никитина 2003, 342. 2. *Жарг. спорт.* Предупреждение на дистанции (спортивная ходьба). БСРЖ, 630.

Пове́сить на фона́рь *что. Жарг. мол.* Не сдержать данного слова. Максимов, 318.

Пове́сить фона́рь *кому. Жарг. мол.* Соврать, рассказать небылицу, ввести в заблуждение кого-л. Югановы, 234.

Поста́вить фона́рь. 1. *кому. Прост.* Избить кого-л. до синяков. ДП, 260; Глухов 1988, 131; СПП 2001, 77. 2. *Жарг. журн., изд.-ред.* Написать слово с заглавной буквы. Максимов, 334.

Сесть на фона́рь. *Жарг. угол.* То же, что **быть на фонаре 1-2.** СРВС, IV, 184; ТСУЖ, 160; Балдаев 1, 52.

Стекля́нный фона́рь. *Жарг. мол. Шутл.* Синяк. Максимов, 404.

До фонаря́ *кому что. Разг.* Кому-л. абсолютно безразлично что-л.; кто-л. равнодушен, безразличен к чему-л. Мокиенко 1992, 17-24.

Лепи́ть фонаря. 1. *кому. Жарг. угол.* Обвинять кого-л. по статье уголовного кодекса. 2. *Жарг. мол.* Шутить. 3. *Жарг. мол.* Говорить глупости. 4. *Жарг. мол.* Обманывать кого-л., лгать. Максимов, 221.

От фонаря́. *Разг. Неодобр.* Наобум (сказать что-л.). Б., 115; СВЯ, 26.

С фонаря́ми [на том све́те] и́щут *кого. Пск. Шутл.-ирон.* Об очень старом, близком к смерти человеке. СПП 2001, 77.

ФОНД * Золото́й фонд *кого, чего. Книжн.* Самое лучшее, самое ценное, замечательное. ФСРЯ, 502; БТС, 1428.

ФОНЕ́ТИКА * Занима́ться фоне́тикой. *Жарг. шк. Шутл.* Издавать нечленораздельные звуки. Максимов, 146.

ФОНТА́Н * Заткну́ть (закры́ть, сре́зать) фонта́н, *чаще в форме повел. накл. Прост. Груб.* Замолчать. ФСРЯ, 502; Ф 1, 205; ШЗФ 2001, 82; БМС 1998, 596; Максимов, 143, 401.

Не фонта́н. *Разг. Неодобр.* О чём-л., оцениваемом отрицательно, не вызывающем одобрения (в т. ч. подделке, некачественном товаре). DL, 145; Балдаев 1, 278; ЗС 1996, 124; Смирнов 1993, 181.

Стриги́ фонта́н! *Жарг. мол. Груб.* Требование замолчать, перестать утомлять кого-л. разговором. Максимов, 408.

Всё фонта́ном. *Жарг. мол. Одобр.* Всё в порядке, дела идут хорошо. Никитина 2003, 753.

ФО́РА * Дава́ть/ дать фо́ру *кому.* 1. *Жарг. спорт.* Заранее давать преимущество кому-л. 2. *Разг.* Давать кому-л. преимущества, заранее ставить кого-л. в более выгодные условия. БСРЖ, 630; БТС, 240; Ф 1, 140; ФСРЯ, 503.

ФО́РМА * Фо́рма «Гвоздь». *Жарг. арм., морск. Шутл.-ирон.* Шинель и фуражка; шинель и бескозырка. Кор., 305.

По всей фо́рме. *Разг.* 1. Как полагается, как должно быть. 2. *Устар.* Типичный, настоящий. ФСРЯ, 502-503.

ФОРМА́Т * Быть в форма́те *чьем. Жарг. мол.* Нравиться кому-л. Никитина 1998, 482.

ФОРС * Дави́ть форс. *Жарг. угол.* Зазнаваться, важничать. СРВС 3, 146.

Держа́ть форс. *Сиб.* Сохранять видимость благополучия независимо от обстоятельств. ФСС, 60.

Име́ть форс. *Жарг. угол.* 1. Выиграть деньги. Балдаев 1, 170. 2. Располагать крупной суммой денег. ТСУЖ, 78.

Сбива́ть/ сбить форс *с кого. Прост.* Заставлять кого-л. умерить свою спесь, проучить кого-л. Мокиенко 2003, 133.

Вставля́ть фо́рсу. *Пск.* Важничать, зазнаваться, хвастаться чем-л. СПП 2001, 77.

Для фо́рсу. *Прост. Шутл.* С целью демонстрации своей значительности, важности. Мокиенко 2003,

Задава́ть/ зада́ть фо́рсу. *Прост. Неодобр.* Важничать, выставлять что-л. напоказ. Мокиенко 2003, 133; Ф 1, 195.

С девя́того фо́рсу. *Арх. Шутл.-ирон.* О гордом, заносчивом человеке. АОС 10, 403.

ФОРСА́Ж * Включа́ть/ включи́ть форса́ж. *Жарг. мол. Шутл.* С шумом выпускать газы из кишечника. Максимов, 64.

ФОРСУ́НКА * Заби́ло форсу́нки *кому. Жарг. мол. Шутл.* О насморке. Максимов, 135.

ФОРТ * Форт отлу́пленный. *Жарг. угол.* Открытое окно. СРВС 3, 129.

ФО́РТЕЛЬ * Выки́дывать/ вы́кинуть фо́ртель. *Разг.* Прибегать к неожиданным выходкам, уловкам, трюкам. БМС 1998, 596; ЗС 1996, 64; СПП, 77.

ФОРТЕПИА́НО * Сама́ ты, бля, фортепиа́но. *Жарг. муз. Шутл.* Соната для фортепиано. БСРЖ, 630.

ФОРТЕЦЕ́П * Для фортеце́па. *Жарг. угол.* Для вида, для видимости. Б., 46.

ФО́РТОЧКА * Рабо́тать из-под фо́рточек. *Жарг. комп. Шутл.* О работе в операционной системе MS WINDOWS. Садошенко, 1996.

Стуча́ть фо́рточками. *Жарг. комп. Шутл.* Работать с MS WINDOWS. Садошенко, 1996. <

Горба́тые (колхо́зные, мся́вые) фо́рточки. *Жарг. комп. Шутл.* Операционная система MS WINDOWS. Садошенко, 1995. < От англ. *windows* — окна.

До фо́рточки *кому что. Разг.* Глубоко безразлично кому-л. что-л. НРЛ-81; Мокиенко 1992, 17-24. < Оборот — одна из речевых вариаций модели **до лампочки, до фонаря, до фени.**

Спать с откры́той фо́рточкой. *Жарг. мол. Шутл.* Спать одному. Максимов, 292. < Фраза из анекдота серии «Армянское радио». На вопрос, «Можно ли спать с открытой форточкой?» «Армянское радио» отвечает: «Можно, если больше не с кем».

Фо́рточка прикры́та *у кого. Жарг. мол. Неодобр.* Об умственно неполноценном человеке. Максимов, 341.

Фо́рточки для сара́ев. *Жарг. комп. Шутл.* Операционная система MS WINDOWS Work Halls. Садошенко, 1996.

Фо́рточки для рабо́в. *Жарг. комп. Шутл.* Операционная система MS WINDOWS for Work Group. Садошенко, 1996. < От англ. *windows* — окна.

Закры́ть фо́рточку. *Жарг. мол.* 1. Замолчать. Максимов, 143. 2. Застегнуть ширинку. Вахитов 2003, 62.

Нагре́ть фо́рточку. *Жарг. угол., мол.* Обокрасть квартиру через форточку. h-98; Максимов, 265.

Наду́ло в фо́рточку *кому. Жарг. мол. Шутл.* О беременности. Никитина 2003, 754.

Положи́ть в фо́рточку (ракету, снаряд). *Жарг. арм. Одобр.* Метко поразить небольшую целью Лаз., 132.

ФОРТУ́НА * Слепа́я Форту́на (форту́на). *Книжн.* Слепое счастье, случай. < **Фортуна** — в римской мифологии богиня слепого случая, счастья. БМС 1998, 597.

ФОРТЫ́ * Раздува́ть/ разду́ть форты́. *Пск. Одобр.* Начинать жить более зажиточно. СПП 2001, 77.

ФО́РУМ * Высо́кий фо́рум. *Публ. Патет.* Об авторитетном массовом собрании, принимающем ответственные решения. Мокиенко 2003, 134.

ФОРШЛА́Г * Без форшла́гов. *Жарг. муз.* Без матерных выражений. Никитина 1998, 482–483.

Опуска́ть форшла́ги. *Жарг. муз.* Не использовать в речи грубых выражений, мата. Максимов, 288.

ФО́ТКА * Зама́зать фо́тку. *Жарг. угол.* Скрыть, изменить свою фамилию. Хом. 2, 473.

Попо́ртить фо́тку *кому. Жарг. мол.* То же, что **помять фотокарточку (ФОТОКАРТОЧКА).** СМЖ, 77.

ФО́ТО * Посла́ть фо́то (фотогра́фию) *кому. Жарг. арест.* Сообщить кому-л. порочащие сведения о лице, отбывающем наказание. ТСУЖ, 186; Балдаев 2, 111; ББИ, 261; Мильяненков, 261.

Фо́то све́тит фонаря́ми. *Жарг. угол.* **Лицо в синяках. Хом. 2, 473.**

ФОТОГРА́ФИЯ * Посла́ть фотогра́фию. См. **Послать фото (ФОТО).**

ФОТОКА́РТОЧКА * Помя́ть фотока́рточку *кому. Жарг. мол.* Избить кого-л. Максимов, 329.

ФРАГМЕ́НТ * Не́сколько фрагме́нтов из жи́зни ма́ршала Рокоссо́вского. *Жарг. мол. Шутл.* Полная ерунда, чушь. Елистратов 1994, 408.

ФРА́ЕР (ФРА́ЙЕР) * Ве́чный фра́ер. 1. *Жарг. угол., мол.* Плохо слышащий человек. ТСУЖ, 30; Балдаев, II, 111; ББИ, 262; Мильяненков, 261. 2. *Жарг. мол. Неодобр.* Крайне глупый человек. Максимов, 60.

Гру́бый фра́ер. *Жарг. угол.* Хорошо одетый, имеющий при себе деньги человек как потенциальная жертва вора. СРВС 3, 86, 129; ТСУЖ, 187.

Желе́зный фра́ер. 1. *Жарг. угол., мол. Шутл.* Трактор. Максимов, 130. 2. *Жарг. угол. Шутл.* Ржаной хлеб. Балдаев 1, 128; ТСУЖ, 55; СВЯ, 31.

Захарчёванный фра́ер. *Жарг. угол. Одобр.* Вор, хорошо знающий уголовное законодательство и обладающий высокой квалификацией. ТСУЖ, 187; Балдаев 1, 153; h-98. // Лицо, выдающее себя за знатока преступной среды, её правил, законов. Балдаев 2, 111; Смирнов 1993, 183; ББИ, 262; Мильяненков, 261.

Козырно́й фра́ер. *Жарг. угол.* Авторитетный вор. Максимов, 188.

Набушла́ченный фра́ер. *Жарг. угол.* 1. Человек, хорошо знающий воровские обычаи, но не принадлежащий к ворам. ТСУЖ, 111; СРВС 4, 111, 142; Балдаев 2, 111; ББИ, 262; Мильяненков, 262. 2. Случайный сообщник. ТСУЖ, 187.

Стопоры́лый фра́ер. *Жарг. угол.* Ворординочка. ТСУЖ, 187; Балдаев 2, 111; ББИ, 262.

Фра́ер зуб да два шнифта́. *Жарг. угол. Презр.* Доносчик, осведомитель. Балдаев 2, 112; ББИ, 262; Мильяненков, 261. < **Шнифт** — глаз.

Фра́ер на кату́шках. *Жарг. угол. Ирон. или Пренебр.* Бойкий, шустрый человек. ТСУЖ, 187; СРВС 4, 188; Балдаев 2, 111; ББИ, 262; Мильяненков, 262.

Фра́ер поёт. *Жарг. угол.* Потерпевший зовёт на помощь. Балдаев 2, 111; ББИ, 262; Мильяненков, 262.

Фра́ер с ку́шем. *Жарг. угол.* То же, что **грубый фраер.** СРВС 3, 86, 129; ТСУЖ, 187.

Фра́ер срисова́л *кого. Жарг. угол.* Потерпевший заметил или узнал преступника. СРВС 2, 219; ТСУЖ, 187.

Фра́йер уша́стый. *Жарг. угол. Ирон.* Глупая жертва преступления. Грачев 1992, 178.

Ста́вить фра́ера. *Жарг. угол.* Теснить жертву группой, загораживать от других при совершении кражи. СРВС 4, 37, 116; ТСУЖ, 168.

Чеса́ть фра́ера. *Жарг. карт.* Обманывать в карточной игре кого-л. ТСУЖ, 195.

< **Фраер** (от нем. *Freier*) — жертва вора, шулера. Грачев 1997, 71.

ФРА́ЗА * Вы́рубить фра́зу. *Жарг. мол. Шутл.* 1. Замолчать, перестать говорить. 2. Выключить освещение. < **Фраза** — трансф. *фаза.* Максимов, 77.

ФРАНТ * Франт за мокроту́. *Жарг. угол.* Свидетель убийства. Хом. 2, 475.

Франт за шара́шку. *Жарг. угол.* Свидетель ограбления. Хом. 2, 475.

ФРАНЦ * Франц хера́ус. *Народн. Шутл.-ирон.* О рвоте. ДП, 401.

ФРАНЦУ́З * На хрена́ (нахрена́) францу́зу чум. *Жарг. мол. Шутл.-ирон.* О явном несоответствии, абсурде; о ненужности чего-л. Елистратов 1994, 275.

ФРАНЦУ́ЗИК * Францу́зик из Бордо́. *Разг. Ирон.* О заносчивом, хвастливом иностранце. < Из комедии А. С. Грибоедова «Горе от ума» (1824 г.). БМС 1998, 597.

ФРЕ́ДДИ * Фре́дди Крю́гер. *Жарг. шк. Презр.* Злобный, коварный учитель. (Запись 2003 г.). < По имени персонажа фильма ужасов.

ФРИКАСЕ́ * Сде́лать фрикасе́ *из кого. Разг. Шутл.* Избить кого-л. (чаще — как угроза). < Намёк на французское кушанье **фрикасе** — измельчённое варёное мясо. БМС 1998, 597.

ФРОЛ * Фрол большекро́мый. *Перм. Неодобр.* О жадном человеке. БТС, 1435.

ФРОНТ * Пла́тный посте́льный фронт. *Публ. Ирон.* Сфера занятий проституцией. Мокиенко, Никитина 2003, 343.

На два фро́нта. *Разг.* Одновременно в двух разных направлениях (о чьих-л. действиях, деятельности). ФСРЯ, 503; БТС, 141.

Срисова́ть с фро́нта *кого. Жарг. угол.* Узнать, опознать кого-л. с первого взгляда. СРВС 2, 213; СРВС 3, 123; СРВС 4, 37, 46, 116; ТСУЖ, 168; Балдаев 2, 57.

Еди́ным фро́нтом. *Книжн.* Дружно, сплочённо. ФСРЯ, 503; БТС, 1435.

ФРУ́НЗЕ * Фру́нзе на па́лочке. *Жарг. мол. Шутл.-ирон.* Памятник М. В. Фрунзе на Арсенальной улице у завода «Арсенал» в Санкт-Петербурге. < Бюст установлен на высоком и узком прямоугольном пьедестале. Синдаловский, 2002, 193.

ФУГА́С * Взорва́ть фуга́с. *Жарг. мол. Шутл.* Выпить большую бутылку креплёного вина. Максимов, 61.

ФУЙ * На фуя? *Вульг.-прост. Эвфем.* Зачем, с какой целью? Мокиенко, Никитина 2003, 343.

ФУК * Пусти́ть фу́ка. *Жарг. угол.* Поджечь что-л. СРВС 3, 15.

ФУНДА́МЕНТ * Заложи́ть фунда́мент. 1. *чего. Книжн.* Создать то, что является исходным, главным, основополагающим для чего-л. БМС 1998, 597; ФМ 2002, 577; ФСРЯ, 503. 2. *Жарг. мол. Шутл.* Зачать ребёнка. Максимов, 144.

ФУ́НИ * Надý́ть фу́ни. *Горьк.* Рассердиться, обидеться на кого-л. БалСок, 55.

Распусти́ть фу́ни. *Горьк.* Расплакаться. БалСок, 55. < **Фу́ни** — губы.

ФУНТ * Вот так фунт! *Прост.* Выражение удивления, разочарования. ШЗФ 2001, 44; БТС, 1436.

Знать / узна́ть, почём фунт ли́ха. *Разг.* Испытать в полной мере горе, трудности. БМС 1998, 598; ФМ 2002, 578; БТС, 1436; ФСРЯ, 503. **Знать/ узна́ть, почём фунт жа́реного гвозди́ (изю́ма).** *Волг., Пск. Шутл.* То же. Глухов 1988, 163; СПП 2001, 77.

Не фунт изю́му. *Разг.* Не пустяк, не шутка, дело вовсе не лёгкое. ФСРЯ, 503; БМС 1998, 598; БТС, 1436; ФМ 2002, 579; СПП 2001, 77.

Фунт ды́ма. *Жарг. угол. Ирон.* Ничтожная добыча. ТСУЖ, 187; Балдаев 2, 113; ББИ, 263; Мильяненков, 262.

Фунт изю́ма. *Жарг. угол. Ирон.* Строгий режим содержания в ИТУ. Балдаев 2, 113; ББИ, 263; Мильяненков, 262.

Фунт с косырём. *Куйбыш. Шутл.-ирон.* О малом весе. СРНГ 15, 95.

ФУ́РА * На фу́ру. *Жарг. угол. Неодобр.* Непрочно, ненадёжно. Балдаев 1, 274.

ФУРА́ЖКА * Зелёные фура́жки. *Публ.* О пограничниках. БМС 1998, 598.

Засо́вывать (загоня́ть, толка́ть) фура́жку (фуфа́йку) в у́хо *кому. Жарг. мол. Шутл.* Лгать, обманывать кого-л. Максимов, 138, 149, 422.

ФУРГО́Н * Зелёный фурго́н. *Жарг. шк. Шутл.* Молодой учитель. < По названию кинофильма. Максимов, 155.

ФУРМА́ * Метну́ть фурму́. *Жарг. угол. Пренебр.* Испугаться. ТСУЖ, 187.

ФУТ * Семь фу́тов под ки́лем! *Жарг. морск.* Пожелание доброго пути судну или человеку, уходящему в море. БМС 1998, 598.

ФУТБО́Л * Игра́ть в футбо́л. *Жарг. угол.* Бить, избивать кого-л. ногами. Бен, 119; Мокиенко 2003, 134.

Футбо́л без грани́ц. *Жарг. мол. Шутл.* О разбитом мячом окне. < По названию телепередачи. Максимов, 454.

Футбо́л не рабо́тает *у кого. Прибайк. Шутл.* О несообразительном человеке. СНФП, 144.

ФУФА́ЙКА * Загоня́ть (толка́ть) фуфайку в у́хо. См. **Засо́вывать фура́жку в у́хо (ФУРАЖКА).**

ФУ́ФЕЛ * Гнать (заса́живать, толкать) фу́фел. См. **Гнать фуфло (ФУФЛО).**

Многозаря́дный фу́фел. *Жарг. мол. Презр.* О человеке, говорящем ерунду, вздор. Максимов, 249.

Чи́стить фу́фел. *Жарг. мол.* Объяснять кому-л. что-л. Вахитов 2003, 200.

ФУФЛО * Гнать/ прогна́ть (дви́гать/ дви́нуть, задвига́ть/ задви́нуть, заса́живать/ засади́ть, мета́ть/ метну́ть, толка́ть/ толкну́ть) фуфло́ (фу́фел, фуфлы́гу, фуфля́к). 1. *кому. Жарг. угол., мол. Неодобр.* Обманывать кого-л., говорить вздор, ерунду. СМЖ, 96; Вахитов 2003, 98; Максимов, 139, 148. 2. *Жарг. угол., мол. Неодобр.* Не исполнять данного обещания. // *Жарг. карт.* Не уплачивать карточный долг. ТСУЖ, 46, 188. 3. *Жарг. нарк.* Продать фальсификат наркотика. ТСУЖ, 67. 4. *Жарг. угол., мол. Неодобр.* Поступить непорядочно. Митрофанов, Никитина, 231; Б., 37, 45, 65, 148; СВЯ, 22, 33; Балдаев 1, 89, 151, 104; Балдаев 2, 280; УМК, 215; ББИ, 263; Мильяненков, 263.

Заду́ть фуфло́. *Жарг. угол.* Загордиться, стать заносчивым. Грачев 1992, 75.

Дви́гать/ двигану́ть фуфло́м. *Жарг. арест.* Уклоняться от работы, пытаться избежать чего-л. Б., 45; Быков, 60.

ФУФЛОГО́Н * Потёмкинский фуфлого́н. *Разг. Устар. Пренебр.* Руководитель-очковтиратель. < Образовано контаминацией жарг. оборота **гнать фуфло** и выражения **потёмкинские деревни**. Мокиенко, Никитина 2003, 344.

ФУФЛЫ́ГА * Гнать (дви́гать/ дви́нуть, задвига́ть/ задви́нуть, толка́ть/ толкну́ть) фуфлы́гу. См. **Гнать фуфло (ФУФЛО).**

ФУФЛЫ́ЖКА * Погре́ть фуфлы́жку *кому. Жарг. гом.* Совершить анальное сношение с кем-л. Кз., 71.

ФУФЛЯ́К * Гнать (дви́гать/ дви́нуть, толка́ть/ толкну́ть) фуфля́к. См. **Гнать фуфло (ФУФЛО).**

ФУФУ́ (ФУ-ФУ́) * Брать/ взять на фуфу́ *кого. Волг.* Шутить, потешаться над кем-л. Глухов 1988, 6.

На фуфу́. *Разг.* 1. Легкомысленно, неосновательно, кое-как. 2. Обманным путём. 3. Впустую, неудачно. ФСРЯ, 503; БТС, 1437.

Оста́ться на фуфу́. *Новг.* Не получить, не добиться желаемого. Сергеева 2004, 214.

Поднима́ть/ подня́ть на фуфу́ *кого. Прост.* Вводить в заблуждение, обманывать кого-л. БТС, 1437.

Пойти́ на фуфу́. *Прост. Ирон.* Пропасть, исчезнуть навсегда, не удасться. БТС, 1437.

Толка́ть фу-фу́ *кому. Жарг. угол.* Лгать, обманывать кого-л. БСРЖ, 635.

ФУФУ́Л * Почи́стить (прочи́стить) фуфу́л *кому. Жарг. угол.* Сильно избить кого-л. Б., 155; Быков, 196. < Искажённое **фуфыл** — зад, ягодицы.

ФУ́ЦАН * Фу́цан безвре́дный. *Жарг. угол.* 1. Человек, не связанный с преступным миром, не представляющий опасности для вора. 2. Безразличный ко всему человек. Мокиенко, Никитина 2003, 344.

ФЫ́ФА * Фы́фа замо́рская. *Пск. Неодобр.* О ярко одетой, с большим количеством косметики на лице женщине. ПОС 11, 336.

ФЭЙС (ФЕЙС) * Бей об фейс. *Жарг. мол. Шутл.* Поп-группа «Эйс оф бэйс» («Ace of Base»). Я — молодой, 1997, № 38.

Фэ́йсом об му́зыку. *Жарг. мол. Шутл.* О неудачах, неприятностях в жизни музыкантов. Англицизмы 2004, 355.

Фэ́йсом об тэйбл. *Жарг. мол.* 1. **[ру́хнуть].** Упасть (от удивления). ЮГ, 1994, № 9; Англицизмы 2004, 354. 2. **[бить]** *кого.* Ставить кого-л. перед трудностями, проблемами, неприятностями. СМЖ, 96; Англицизмы 2004, 354. 3. [**получи́ть**]. О какой-л. неудаче, безуспешной попытке сделать что-л. Митрофанов, Никитина, 226; Вахитов 2003, 188; Максимов, 328; Англицизмы 2004, 354. 4. **[тащи́ться].** *Ирон.* Испытывать удовольствие. Максимов, 417. < Из англ.: *face* — лицо и *table* — стол; по модели прост. **мордой об лавку**.

По фе́йсу ке́йсом *кого. Жарг. мол. Бран.-шутл.* Угроза побить, наказать кого-л. Белянин, Бутенко, 123; Англицизмы 2004, 354.

ХАБАЛЫ * Хабалы точить. *Смол.* Пустословить. < Хабалы — старые, ненужные вещи. ССГ 11, 42.

Ха́балы сплета́ть/ сплести́ (собира́ть/ собра́ть). *Смол.* Сплетничать. ССГ 11, 42.

ХАБА́Р * Напа́сть (попа́сть) в (на) хаба́р. 1. *Дон. Неодобр.* Начать жить за чужой счёт. СРНГ 29, 293; СДГ 2, 165; СДГ 3, 177. 2. *что. Волг. Неодобр.* Захватить, бессовестно, нагло присвоить что-л. Глухов 1988, 91.

Ходи́ть на хабара́х. *Смол. Неодобр.* Праздно проводить время. ССГ 11, 64.

ХА́ВА * Закрыва́ть/ закры́ть ха́ву (ха́вало), *чаще в форме повел. накл.. Жарг. угол.* Замолкать. УМК, 217. < **Хава, хавало** — рот.

ХА́ВАЛО * Закры́ть ха́вало. См. Закрыть хаву (ХАВА).

Открыва́ть/ откры́ть ха́вало. *Жарг. мол.* Начинать кричать, ругаться. Максимов, 292.

ХА́ВАЛЬНИК * Начи́стить ха́вальник *кому. Жарг. угол., Прост.* Избить, побить кого-л. Югановы, 235. < **Хавальник** — рот, лицо.

ХАВАНИ́Н * Ха́вать хавани́ну. *Жарг. мол.* Быть обманутым. Урал-98. < **Хаванина** — ложь.

ХАВИ́РА (ХАВЕ́РА) * Залепи́ть хави́ру (хаве́ру). *Жарг. угол.* Совершить квартирную кражу. СРВС 4, 28, 25, 77, 102; СВЯ, 16.

Позвони́ть в хави́ру (в хаве́ру). *Жарг. угол.* Разбить оконное стекло, проникнуть в квартиру через разбитое стекло. СРВС 4, 133, 144; ТСУЖ, 137.

< **Хавира, хавера** — квартира.

ХА́ВКА * Ненасы́тная ха́вка. *Костром. Неодобр.* О прожорливом, ненасытном человеке. СРНГ 21, 93.

Мета́ть/ метну́ть ха́вку. *Жарг. мол.* 1. Извергать рвоту. 2. Накрывать на стол. Максимов, 246.

Пробива́ет на ха́вку (на ха́вушку) *кого. Жарг. нарк.* О сильном чувстве голода после приёма наркотика. Максимов, 344-345.

Ски́нуть ха́вку. *Жарг. мол. Шутл.-ирон.* То же, что **метать/ метнуть хавку.** h-98.

< **Хавка** — 1. Рот. 2. Еда, пища.

ХАВЛО́ * Залива́ть/ зали́ть хавло́. *Жарг. угол.* Напиваться пьяным. УМК, 217; ББИ, 85.

ХА́ВУШКА * Пробива́ет на хавушку. См. Пробивает на хавку (ХАВКА).

ХА́ВЧИК * Прика́лываться/ приколо́ться (прикольнуться) за ха́вчик (на хавчик, по ха́вчику). *Жарг. мол.* 1. Испытывать голод. 2. Есть, принимать пищу. Вахитов 2003, 146-147; Максимов, 340.

Приколо́ть ха́вчик. *Жарг. мол.* Поесть, закусить. Максимов, 340.

Пробива́ет на ха́вчик *кого. Жарг. мол.* Кто-л. испытывает чувство голода. Вахитов 2003, 149.

ХА́ЗА * Бакла́нья ха́за. *Жарг. мол.* Спортивная школа бокса, восточных единоборордств. < **Бакланий** — от **баклан** — хулиган; человек, осуждённый за хулиганство. ББИ, 22.

Би́тая ха́за. *Жарг. угол.* То же, что **битая хата (ХАТА).** Балдаев 1, 36; ББИ, 28.

Блатна́я ха́за. *Жарг. угол.* То же, что **блатная хата (ХАТА).** ББИ, 29. // Квартира проститутки, обворовывающей клиента. СРВС 1, 207; СРВС 2, 92, 220.

На ха́зу. *Жарг. угол.* Домой. СРВС 3, 143.

ХАЙ * Бить ха́ем. *Кар.* Громко кричать. СРГК 1, 73.

Хай да май. *Обл. Пренебр.* Сброд, никчёмные люди. БМС 1998, 600; Мокиенко 1990, 149.

ХА́ЙЗЕР * Блу́дный ха́йзер. *Жарг. мол.* Квартира, где можно выпить, потанцевать, переночевать. АиФ, 1992, № 21; Максимов, 36.

ХАЙЛО́ * Драть хайло́. *Прикам., Перм.* Громко говорить, кричать, плакать. МФС, 34, 85; СГПО, 660.

Закры́ть хайло́. *Жарг. мол.* Замолчать. Максимов, 143.

Заткну́ть хайло́ *кому.* 1. *Жарг. угол.* Вставить кляп кому-л. ТСУЖ, 188; Максимов, 148. 2. *Разг.* Заставить замолчать кого-л. УМК, 217.

Мы́лить хайло́ *кому. Жарг. мол.* Бить кого-л. по лицу. Максимов, 261.

Открыва́ть/ откры́ть хайло́. *Жарг. мол.* Начинать ругаться, скандалить. Максимов, 292, 361.

Разева́ть/ рази́нуть хайло́. 1. *Прикам., Сиб.* Начинать плакать. МФС, 34; СФС, 156. 2. Громко кричать. Ф 2, 115; Мокиенко 1990, 87.

Раскры́ть хайло́ ши́ре ба́нного окна́. *Прикам. Шутл. или Неодобр.* Начать громко, навзрыд плакать. МФС, 85.

Распя́лить хайло́. *Сиб. Неодобр.* Раскричаться. СФС, 157; СРНГ 34, 198.

Раствори́ть хайло́. *Волг. Неодобр.* То же, что **открывать/ открыть хайло.** Глухов 1988, 140.

Хайло́ на хайле́ хо́дит. *Волг. Неодобр.* О ссорящихся, ругающихся людях. Глухов 1988, 165.

Крича́ть хайло́м. *Сиб.* Громко кричать, надрываться. ФСС, 99.

Ходи́ть хайло́м на хайле́. *Сиб. Неодобр.* Злобно, грубо ругаться. СФС, 194.

ХА́ЙНА * Ни ха́йны. *Сиб.* Совсем ничего, нисколько. СФС, 128; СРНГ 21, 215.

ХАЙРА́ТНИК * Поднести́ жёлтый хайра́тник *кому. RPG.* Изнасиловать кого-л. < В ролевой игре — жёлтая повязка вокруг головы (хайратник) — показатель того, что игрок изнасилован. БСРЖ, 639.

ХАЛА́Т * Деревя́нный хала́т. *Вят. Ирон.* Гроб. СРНГ 8, 17, 130.

ХАЛИМО́НИНА * С халимо́ниной. *Смол.* О глуповатом человеке. < **Халимо́нина** — глупость, придурь. ССГ 11, 44.

ХАЛТО́Н * На халто́н. *Жарг. угол.* За чужой счёт. СВЯ, 12; ТСУЖ, 26; Балдаев 1, 274; УМК, 217.

ХАЛТУ́РА * Кита́йская халту́ра. *Жарг. муз. Ирон.* Игра музыкантов без оплаты. Митрофанов, Никитина, 88.

ХАЛЯ́ВА * Больша́я халя́ва. *Жарг. мол.* Мусорное ведро. Максимов, 39.

Ста́рая халя́ва. *Жарг. угол. Презр.* О немолодой, некрасивой женщине. Флг., 374.

Халя́ва, лови́сь! *Жарг. студ.* Ритуальное восклицание перед экзаменом. БСРЖ, 641.

Халя́ва плиз. *Жарг. мол. Шутл.* О том, что даётся легко, без усилий. < Из анекдота. Максимов, 457.

Халя́ва энд. *Жарг. студ.* Экзаменационная сессия. (Запись 2003 г.).

Гнать халя́ву. *Жарг. мол.* Бездельничать. Максимов, 87.

Корми́ть халя́ву (халя́вку). *Жарг. студ.* Название предэкзаменационного ритуала привлечения удачи, когда в окно бросают вкусную пищу. Никитина, 1996, 232.

< **Халява** — 1. Воровка. 2. Проститутка. 3. Получение чего-л. за чужой счёт; без труда, за счёт наглости, напора. 4. О чём-л. необременительном, не доставляющем трудностей. 5. Безответственность, небрежное отношение к делу.

На халя́ву (на халя́вку, на халя́винку, на холя́винку). *Ряз.* 1. *Жарг. угол.* О получении доли добычи без участия в деле. СРВС 3, 106; ТСУЖ, 115; УМК, 218. 2. *Ряз. Жарг. угол., мол.* Бесплатно, за чужой счёт. ДС, 587; УМК, 218. 3. *Жарг. угол., мол.* Наобум, как придётся, наудачу. Б., 107; Митрофанов, Никитина, 235.

Ни халя́вы. *Сиб. Груб.* Абсолютно ничего. Верш. 7, 185.

ХАЛЯ́ВИНКА * На халя́винку. См. **На халяву (ХАЛЯВА).**

ХАЛЯ́ВКА * Корми́ть халя́вку. См. **Кормить халяву (ХАЛЯВА).**

На халя́вку. См. **На халяву (ХАЛЯВА).**

ХАЛЯ́ВЩИНА * На халя́вщину. *Жарг. угол.* То же, что **на халяву 2. (ХАЛЯВА).** СРВС 4, 102; УМК, 218.

ХАМ * Хам трамва́йный. *Прост. Презр.* Грубый, наглый, нахальный человек, скандалист. Мокиенко, Никитина 2003, 348.

ХАН * Хан в дыре́. *Жарг. угол. Шутл.* Церковь. < От цыг. *kxandiri* – 'ходить по церквам'. Баранников 1931, 156; Грачев 1997, 84; БСРЖ, 642. < По мнению О. Горбача, возведение оборота к цыганскому глаголу не совсем правомерно. Скорее, в основе его лежит деформированный вставным *-н-* и наращением *-ирити* глагол прежде распространённого типа, напр. *ванд-зирити* 'вести' или *пандьıкати* 'клянчить' (из арго украинских лирников). Горбач 2006, 377.

Хан кры́мский да Папа Ри́мский. *Народн. Шутл.* О врагах. ДП, 144.

Брать ха́ном *что. Сиб.* Отнимать у кого-л. что-л., применяя силу. ФСС, 16.

ХАНА́ * Хана́ по пу́нктам. *Жарг. студ. Шутл.-ирон.* Экзамен. (Запись 2003 г.).

Хана́ прича́лу. *Жарг. угол.* Об обнаруженном милицией притоне наркоманов. ТСУЖ, 189.

Де́лать хану́. *Арх.* Губить кого-л. АОС 10, 435–436.

ХАНДРА́ * Хандра́ за́ ногу хвата́ет *кого. Жарг. нарк. Шутл.-ирон.* О наркотической ломке. Максимов, 276.

Быть в хандре́. *Жарг. нарк.* Испытывать наркотический голод. Грачев 1994, 31; Грачев 1996, 67.

ХА́НКА * Захорово́дить ха́нку. *Жарг. нарк.* Употребить наркотик. ТСУЖ, 70; Балдаев 1, 154.

ХАНУМА́ * Ханума́ пришла́ *кому. Жарг. мол. Шутл.-ирон.* О чьём-л. провале, крахе. Елистратов 1994, 517. < **Ханума** — по созвучию с **хана.**

ХАПА́Й * Хапа́й-лапа́й. *Смол. Неодобр.* Кое-как, как-нибудь (делать *что-л.*). ССГ 11, 47.

ХАПО́К * Брать/ взять на хапо́к *что. Жарг. угол.* Выхватывать что-л. из рук жертвы и скрываться. СРВС 4, 9, 25, 45, 102; Б., 29.

ХА́ПСУС * Ха́псус гевéзен. *Разг. Устар. Ирон.* О даче или получении взятки. < Оборот основан на немецких вспомогательных глаголах *haben* — 'иметь', *gewesen* — 'было'. БМС 1998, 600.

ХАП-ХА́П *Хап-ха́п конто́ра. *Разг. Шутл.-ирон.* Управление по распределению жилой площади в г. Ленинграде — Санкт-Петербурге (пер. Антоненко, 4). Синдаловский, 2002, 194.

ХАРАКИ́РИ * Сде́лать хараки́ри *кому. Жарг. мол.* Выругать, отчитать кого-л. Максимов, 380.

ХАРА́КТЕР * Брать/ взять на хара́ктер *кого. Жарг. угол.* 1. Обворовывать кого-л., отвлекая разговором. СРВС 2, 59; СРВС 3, 106; СРВС 4, 9, 25, 45; ТСУЖ, 24, 31, 115; СВЯ, 16. 2. Действовать нагло, нахально. БСРЖ, 643.

Войти́ в хара́ктер. 1. *Кар.* Настоять на своём. СРГК 1, 221. 2. *Пск.* Рассердиться, разгневаться на кого-л. ПОС 4, 106.

Выде́рживать/ вы́держать хара́ктер. *Разг.* Проявлять стойкость, непреклонность; оставаться верным принятому решению. ФСРЯ, 93; Ф 1, 92; БТС, 1439.

Вы́кинуть хара́ктер. *Арх. Неодобр.* Показать, обнаружить дурной характер. АОС 7, 254.

Вы́нести хара́ктер. *Сиб.* То же, что **выдерживать/ выдержать характер.** СВГ 1, 96.

Жить не в хара́ктер *с кем. Пск.* Постоянно ссориться, браниться, не находить общего языка с кем-л. СПП 2001, 77.

Пока́зывать/ показа́ть хара́ктер. *Разг.* Проявлять стойкость, непреклонность, оставаться верным принятому решению. Ф 2, 65.

Вы́вести с хара́ктера *кого. Пск.* Рассердить кого-л. СПП 2001, 77.

В хара́ктере. 1. *кого, чьём. Разг.* Свойственно, присуще кому-л. ФСРЯ, 503. 2. **[быть].** *Пск.* Пребывать в плохом настроении, сердиться. СПП 2001, 77.

По хара́ктеру *кому что. Яросл. Одобр.* Нравится, подходит кому-л. что-л. ЯОС 8, 11.

ХА́РЕВО * Идти́ (е́хать) на ха́рево. *Жарг. угол.* 1. Идти к женщине для совершения полового акта. ТСУЖ, 53. 2. О поездке проститутки куда-л. с целью заработать. Балдаев 2, 274. < От **харить** — совершать половой акт с кем-л.

ХАРИТО́Н * Харито́на мять. *Жарг. мол. Шутл.* Спать. Елистратов 1994, 518. < От грубо-прост. **харя.**

ХАРЧ * Мета́ть (спусти́ть) харч (харчи́). *Жарг. мол. Шутл.* О рвоте. Елистратов 1994, 519; Вахитов 2003, 98.

Хва́стать (хвали́ться) харча́ми. *Жарг. мол. Шутл.* То же, что **метать харч.** Елистратов 1994, 519; Максимов, 458.

Гнать харчи́. *Жарг. мол. Шутл.* То же, что **метать харч.** Елистратов 1994, 519.

ХА́РЧИК * Собира́ть ха́рчики. *Жарг. угол.* Вытирать плевки. Б., 156.

ХА́РЯ * Дать (залимо́нить) по ха́ре *кому. Прост. Груб.* Ударить, избить кого-л. СПП 2001, 77.

На ха́ре хоть топоры́ точи *[у кого, чьй]. Народн. Шутл.-ирон. или Пренебр.* О некрасивом лице человека. ДП, 310.

Дава́ть/ дать в ха́рю *кому. Прост.* Избивать кого-л. Мокиенко 1990, 50.

Дави́ть (мочи́ть, плю́щить, топи́ть) ха́рю. *Жарг. мол.* Спать. БСРЖ, 644; Максимов, 100, 256, 423.

Накуса́ть ха́рю. *Жарг. мол. Шутл.* Располнеть, прибавить в весе. Максимов, 268.

Нали́ть ха́рю. *Прост. Неодобр.* Напиться пьяным. СПП 2001, 77.

Наруби́ть ха́рю. *Жарг. мол.* Напиться пьяным. Максимов, 270.

Придави́ть ха́рю. *Жрг. арм.* Поспать какое-то время. Лаз., 45.

Сплю́щить ха́рю. *Жарг. арм., курс. Шутл.* Заснуть (как правило — на занятиях). Кор., 270.

Бессты́жая ха́ря. *Яросл. Бран.* Бессовестный, нахальный человек. ЯОС 1, 57.

Лубо́шная ха́ря. *Горьк. Пренебр.* То же, что **бесстыжая харя.** БотСан, 42.

Ха́ря ло́пать хо́чет. *Пск. Груб.* О круглом, полном лице. СПП 2001, 77.

ХА́ТА * Би́тая ха́та. *Жарг. угол.* Раскрытый милицией воровской притон или явочная квартира. ТСУЖ, 20; ББИ, 28.

Блатна́я ха́та. *Жарг. угол.* Воровской притон или явочная квартира. ББИ, 29; Быков, 198.

Больша́я ха́та. *Жарг. шк.* Школа. ВМН 2003, 144.

Была́ у соба́ки ха́та см. **Собака.**

Водяна́я (во́дная) ха́та. *Разг. Шутл.* Спецмедвытрезвитель. Балдаев 1, 67; ББИ, 46.

Моя́ ха́та с кра́ю. *Разг.* Это меня не касается, это не моё дело. < Усеченный вариант поговорки **Моя хата с краю, я ничего не знаю.** ДП, 621; ФМ 2002, 580; ФСРЯ, 504; БМС 1998, 600; Мокиенко 1990, 26.

Пра́вильная ха́та. *Жарг. арест.* Камера, в которой действуют воровские законы. Максимов, 337.
Родна́я ха́та. *Разг. Шутл.-ирон.* То же, что **водяная хата.** Балдаев 2, 18.
Тёмная ха́та. *Жарг. угол.* Запертая квартира. СРВС 4, 189; Балдаев 2, 76; Мильяненков, 265.
Тре́тья ха́та. *Жарг. угол.* Милиция, отделение милиции. СРВС 4, 64; Балдаев 2, 85; ТСУЖ, 178.
Ха́та на кука́не. *Жарг. угол.* Квартира под наблюдением. СРВС 4, 188; Мильяненков, 265.
Хи́мкина ха́та. *Жарг. угол., мол. Шутл.-ирон.* Морг. Б., 157; Максимов, 460.
До́хнуть на ха́те. *Жарг. угол.* Ночевать где-л. без прописки, скрываться от милиции; жить без прописки у знакомых. СРВС 4, 27, 136; СВЯ, 29; ТСУЖ, 50; Мильяненков, 115; СВЖ, 5.
Тормози́ться на ха́те. 1. *Жарг. угол.* Скрываться в притоне, на тайной квартире в случае опасности. СРВС 4, 186; ТСУЖ, 177; Балдаев 2, 85. 2. *Жарг. мол.* Сидеть дома. Никитина, 234.
Ста́вить/ вы́ставить (подла́мывать/ подломи́ть, поднима́ть/ подня́ть, снима́ть/ снять) ха́ту. *Жарг. мол.* Обкрадывать квартиру. Максимов, 77, 321, 394, 402.
Заде́лать (сде́лать, обу́ть) ха́ту. *Жарг. угол.* Совершить квартирную кражу. СРВС 4, 105, 137; ТСУЖ, 36, 61; Балдаев 2, 33.
Зайти не в свою ха́ту. *Жарг. угол. Ирон.* Попасться с поличным и быть арестованным или осуждённым. ТСУЖ, 61.
Идти́ на ха́ту. *Жарг. угол., арест.* Освободиться из ИТУ. Балдаев 1, 169.
На ха́ту. *Жарг. мол.* Домой. СтМ, 1991, № 2, 42; Югановы, 300.
Не угада́ешь родну́ю ха́ту. *Волг.* Угроза наказания, расправы. Глухов 1988, 106.
Пали́ть/ спали́ть ха́ту. 1. *чью. Жарг. угол.* Разоблачать кого-л. в совершении преступления. СРВС 4, 185, 189. 2. *Жарг. мол. Неодобр.* Делать что-л. неправильно, поступать опрометчиво. АиФ, 1996, № 1.
Ста́вить/ поста́вить на ха́ту *кого. Жарг. угол.* Обкрадывать чью-л. квартиру. Балдаев 1, 342; Мильяненков, 265.
Ста́вить/ поста́вить ха́ту на́ уши. *Жарг. угол.* Совершать квартирный разбой. Балдаев 1, 343.
Идти́ пове́рх ха́ты. *Волг. Неодобр.* Хулиганить, безобразничать. Глухов 1988, 56.
Ни ха́ты ни лопа́ты *у кого. Волг. Шутл.-ирон.* О крайней бедности. Глухов 1988, 112.
ХА́УЗ * До ха́уза. *Жарг. мол. Шутл.* Домой. Митрофанов, Никитина, 238. < От нем. *Haus* — 'дом' по украинской модели **до дому**.
ХА-ХА́ * Лови́ть/ слови́ть (пойма́ть) ха-ха́ (ха-ха-ха́). 1. *Жарг. угол.* Издеваться над кем-л. Б., 156; Быков, 198. 2. *Жарг. мол.* Пребывать в отличном настроении. Никитина 2003, 771. 3. *Жарг. мол.* Безудержно смеяться. Вахитов 2003, 92, 168; Максимов, 325.
Пойти́ на ха-ха́. *Жарг. угол.* Подвергнуться психиатрической экспертизе. Балдаев 1, 333.
Пробива́ет на ха-ха́ *кого.* 1. *Жарг. нарк.* О приступе смеха в состоянии наркотической эйфории. ССВ-2000. 2. *Жарг. мол.* О беспричинном смехе. Никитина 2003, 771; Вахитов 2003, 149.
Слови́ть ха-ха́. *Жарг. мол.* Много, долго заразительно смеяться, хохотать. Вахитов 2003, 168.
ХА́ХАК * Пря́тать ха́хак. *Кар.* Сдерживать смех. СРГК 5, 340.
ХА́ХАЛЬНИК * Заткну́ть ха́хальник, *чаще в форме повел. накл. Жарг. угол.; Прост. Груб.* Замолчать. Бен, 132.
ХА́ХАНЬКИ * Разводи́ть ха́ханьки (ха́хи). *Перм.* Смеяться, веселиться. Подюков 1989, 168.
ХА́ХИ * Разводи́ть ха́хи. См. **Разводить хаханьки (ХАХАНЬКИ).**
ХА́ЮШКИ * Ха́юшки булы́! *Жарг. мол. Шутл.* Здравствуй, привет. Вахитов 2003, 194. < **Хаюшки** — от *хай* (англ. hi) — здравствуй.
ХВАСТНЯ́ * Не в хвастню́. *Сиб.* Не хвастаясь. Верш. 7, 187.
ХВАСТЬ * Хва́сти — во все пя́сти. *Пск. Неодобр.* О большом хвастовстве, кичливости кого-л. СПП 2001, 77.
ХВАТ * Хва́том гро́бом. *Пск.* Очень быстро, поспешно. СПП 2001, 77.
ХВАТКА * Мёртвая хватка (мёртвой хваткой). *Разг.* Умение вцепиться во что-л. надолго, не ослабляя усилий. БТС, 535, 1441; СПП 2001, 77.
На хва́тках. *Прибайк.* О поспешной, быстрой еде во время её приготовления. СНФП, 145.
Хвата́ть в хва́тки *кого. Кар.* Охотно брать в жёны кого-л. СРГК 5, 488.
ХВАТОВЩИ́НА * Бе́сова хватовщи́на. *Пск.* Пьянство (Копаневич). СРНГ 2, 269; СПП 2001, 77.
ХВОРО́БА * Где хворо́ба толка́ет *кого? Пск. Неодобр.* О человеке, который отсутствует в нужном месте, находится неизвестно где. СПП 2001, 77.
Ка́бы хворо́ба взяла́ (обобра́ла бы) *кого! Пск. Бран.* То же, что **лихая хвороба возьми!** ПОС 3, 171.
[Лиха́я] хворо́ба (холе́ра) возьми́ (забери́, побери́, подхвати́) *кого! Пск. Бран.* Восклицание, выражающее гнев, негодование, раздражение, досаду, проклятие в чей-л. адрес. СПП 2001, 77.
Хворо́ба (холе́ра) зна́ет *кого, что. Пск., Сиб.* Абсолютно ничего не известно о ком-л., о чём-л. СПП 2001, 77; Верш. 7, 209.
Хворо́ба нелю́дная. *Пск. Бран.* О шаловливом ребёнке. СПП 2001, 77.
Хворо́ба поднесла́ (принесла́) *кого, что. Пск. Неодобр.* О нежелательном появлении кого-л., наступлении чего-л. СПП 2001, 77.
Доскочи́ть хворо́бы. *Смол.* Внезапно заболеть. СРНГ 8, 141.
ХВО́РОСТ * Лома́ть хво́росты. *Кар.* В свадебном обряде — переламывать палочку с целью узнать, кто будет главой семьи. СРГК 3, 143.
ХВО́РОСТЬ * Наёмная хво́рость. *Сиб. Шутл.-ирон.* Тяжёлое похмелье. ФСС, 210.
ХВОРЬ * Дурна́я хворь. *Жарг. угол., Прост.* Венерическое заболевание. Флг., 96.
Загну́ла бы тебя́ (его́, вас и пр.) **хворь!** *Обл. Бран.* Пожелание зла, болезней кому-л.; заклятие. Мокиенко, Никитина 2003, 349.
Наёмная хворь. *Волг. Шутл.* Похмелье. Глухов 1988, 89.
Чёрная хворь. *Забайк.* Оспа. СРГЗ, 453.
ХВОСТ * Был бы прост, да привя́зан ли́сий хвост. *Народн. Шутл.-ирон.* О подхалиме. Жиг. 1969, 220.
Бы́чий хвост. См. **Коровий хвост.**
Вздыма́ть хвост. *Арх., Пск. Неодобр.* То же, что **поднимать хвост 1.** АОС 4, 68; СПП 2001, 77.
Взять хвост в зу́бы. *Жарг. мол.* Замолчать. Максимов, 67.
В ла́сточкин хвост. *Пск.* Очень тесно, близко друг к другу (о соединении деревянных деталей плотниками). СПП 2001, 78.
В хвост и в гри́ву. *Разг.* Очень сильно, интенсивно (бить, колотить, гнать,

погонять и т. п.) кого-л. ФСРЯ, 505; БТС, 228, 1441; Мокиенко 1990, 53.

Вы́дернуть хвост *кому.* 1. *Жарг угол.* Лишить кого-л. воровских прав. ТСУЖ, 36. 2. *Жарг. карт.* Обыграть кого-л. ТСУЖ, 36; СРВС 2, 170.

Вы́дернуть хвост из мясору́бки. *Жарг. мол. Шутл.* Остаться безнаказанным. Максимов, 75.

Вы́драть (вы́рвать) хвост *кому. Сиб.* 1. Избить, побить, физически наказать кого-л. 2. Уволить, выгнать кого-л. с работы. ФСС, 38; СФС, 195.

Го́лый (пусто́й) хвост. *Жарг. мол. Ирон.* Неоправдавшаяся надежда получить что-л. за чужой счёт. Митрофанов, Никитина, 236.

Да́мский хвост. *Прост. Устар. Презр.* Любитель ухаживать за женщинами, волокита. Мокиенко, Никитина 2003, 349.

Держа́ть за хвост *кого. Прост.* Не давать кому-л., чему-л. уйти, ускользнуть. Ф 1, 159.

Держа́ть хвост ду́дкой, *чаще в форме повел. накл. Брян.* Не робеть, не унывать. СБГ 5, 44.

Держа́ть хвост крючко́м. *Кар.* То же, что **держать хвост морковкой.** СРГК 1, 454.

Держа́ть хвост морко́вкой (пистоле́том, трубо́й). *Разг.* Держаться уверенно, независимо, с достоинством. БТС, 557, 1441; Глухов 1988, 34; Ф 1, 161; ЗС 1996, 166.

Дли́нный хвост. *Жарг. угол.* Цепь нераскрытых преступлений, совершённых одним человеком. Балдаев 1, 111; ББИ, 69.

Зада́ть под хвост *кому. Прост. Груб.* Очень сильно побить кого-л. Мокиенко, Никитина 2003, 350.

Задира́ть / задра́ть хвост. 1. *Прост. Неодобр.* Зазнаваться, важничать. НОС 1, 27; СПСП, 41; СПП 2001, 77; СФС, 75; ФСС, 76; БТС, 1441; Глухов 1988, 47; Подюков 1989, 79; ЗС 1996, 36; Верш. 7, 191. 2. *Сиб.* Рассердившись, быстро уйти. ФСС, 76; СФС, 75; СОСВ, 195.

Задуби́ть хвост. 1. *кому. Дон.* То же, что **выдрать хвост.** СДГ 1, 168. 2. *Волг.* То же, что **задирать/ задрать хвост.** Глухов 1988, 48. 3. *Волг.* Проявлять упрямство. Глухов 1988, 48.

Заки́нуть хвост. *Жарг. мол.* Почувствовать интерес, симпатию к кому-л. Максимов, 142.

Залупа́ть хвост. *Разг. Груб.* Кокетничать. УМК, 219.

Залупи́ть хвост. *Волг. Неодобр.* Начать вести себя несдержанно, безрассудно. Глухов 1988, 49.

Замара́ть хвост. *Прост.* Опозорить, осрамить себя. Ф 1, 199.

Запихну́ть хвост в мясору́бку. *Жарг. угол.* Понести ответственность за преступление. Максимов, 148.

Зараба́тывать свой хлеб. *Разг.* Добывать своим трудом средства для существования. Ф 1, 202.

За хвост да на пого́ст. *Пск. Шутл.* 1. О быстро совершающемся действии. 2. *[кого].* О разоблачении кого-л. СПП 2001, 78.

[И] в хвост и в гри́ву. *Прост.* Очень сильно, интенсивно (ругать, бить, гнать, погонять кого-л.). ФСРЯ, 505; ДП, 568; СНФП, 145; СПП 2001, 78.

И ли́сий хвост, и во́лчий зуб. *Ворон. Неодобр.* О двуличном человеке. СРНГ 11, 353.

И хвост засты́л *чей. Башк. Шутл.* О быстро ушедшем, исчезнувшем человеке. СРГБ 1, 149.

Кобы́лий (ко́нский) хвост. *Народн.* Вид хвоща. СРНГ 14, 19, 269.

Коро́вий (бы́чий) хвост. *Жарг. угол.* Длинный галстук. СРВС 3, 142; СВЯ, 13.

Ла́ять на свой со́бственный хвост. *Прост.* Горячиться, распаляться по ничтожному поводу. Ф 1, 275.

Лиза́ть хвост *кому. Яросл. Неодобр.* Угодничать, льстить кому-л. ЯОС 5, 131.

Лови́ть/ пойма́ть за хвост. *Разг.* 1. *что.* Получать, добывать что-л. трудно дающееся. Ф 1, 282. 2. *что.* Находить, обнаруживать что-л. Ф 1, 282. 3. *кого.* Привлекать к ответственности за какой-л. предосудительный поступок. Ф 2, 127.

Лови́ть со́бственный хвост. *Разг. Ирон.* Придумывать себе какое-л. дело, занятие, предпринимать что-л. (как правило — бессмысленное, бесполезное) по собственной инициативе. НРЛ-82.

Мо́крый хвост. *Пск.* 1. *Пренебр.* Молокосос, сопляк. 2. *Шутл.* Маленький ребёнок с мокрым, грязным подолом, одеждой. СРНГ, 18, 213.

Навари́ть хвост *кому. Прост.* 1. Сделать кому-л. что-л. неприятное. БМС 1998, 600. 2. Избить кого-л. Мокиенко 1990, 53.

Навяза́ть на хвост *кому что.* 1. *Волог.* Сообщить, рассказать кому-л. что-л. СВГ 5, 30. // Сообщить, рассказать кому-л. что-л., давая повод для сплетен. СРГМ 1986, 61. 3. *Волог.* Заставить запомнить что-л. СВГ 5, 30.

Накрути́ть хвост (хвоста́) *кому. Прост.* В грубой форме сделать выговор, внушение кому-л., выругать, разбранить кого-л. ФСРЯ, 264; БТС, 1441; СПСП, 72; Подюков 1989, 125.; СОСВ, 118.

Нарома́ть хвост *кому. Новг.* Сильно избить кого-л. НОС 5, 154.

Намы́лить хвост *кому. Жарг. мол.* То же, что **наломать хвост.** Максимов, 268.

Насе́сть на хвост *кому.* См. **падать на хвост.**

Наступа́ть/ наступи́ть на хвост *кому.* 1. *Разг.* Решительно воздействовать на кого-л. Ф 1, 319. 2. *Прост.* Обижаясь, задевать кого-л.; ущемлять чьи-л. интересы. ФСРЯ, 269; ЗС 1996, 204, 209. 3. *Жарг. мол.* Оскорблять кого-л. Максимов, 271. 4. *Прост.* Настигать, догонять кого-л. ФСРЯ, 269; БТС, 1441. 5. *Жарг. мол.* Побеждать кого-л. в споре. Максимов, 271. 6. *Волг.* Подчинять себе кого-л. Глухов 1988, 93.

Нести́ хвост высоко́. *Волг. Неодобр.* Быть заносчивым, высокомерным. Глухов 1988, 105.

Ни в хвост, ни в го́лову. *Ряз.* Без перерыва, не отдыхая. ДС, 119.

Носи́ть хвост *за кем. Ворон. Шутл.-ирон.* Угождать кому-л. СРНГ 21, 288.

Обруби́ть (отруби́ть) хвост. 1. *Жарг. угол.* Уйти от слежки. Елистратов 1994, 520. 2. *Жарг. мол.* Отказать кому-л. в дармовой выпивке, еде и т. п.; дать отпор кому-л. Грачев 1997, 218; Митрофанов, Никитина, 236. 3. *Жарг. мол.* Прогнать нежелательного сопровождающего. Максимов, 282, 294.

Ове́чий хвост. *Прост. Бран.* 1. О крайне глупом, незначительном и мерзком человеке. 2. О трусливом человеке. Глухов 1988, 115; Мокиенко, Никитина 2003, 350.

Опуска́ть/ опусти́ть хвост. *Прост.* Приходить в уныние, отчаиваться. Ф 2, 19; Глухов 1988, 117.

Отки́нуть (отбро́сить) хвост. 1. *Кар. Шутл.* Заснуть. СРГК 4, 291. 2. *Жарг. угол., мол.; Сиб. Пренебр.* Умереть. СФС, 193; СРВС 4, 189; ТСУЖ, 124; Б., 113; Балдаев 1, 207; Балдаев 2, 121; ББИ, 164, 104, 268; Мильяненков, 266.

Отломи́ть хвост *кому.* 1. *Прикам.* То же, что **прижимать/ прижать хвост 1.** МФС, 71. 2. *Волг.* Пресечь чьё-л. предосудительное поведение, хулиганство. Глухов 1988, 120.

Отруби́ть хвост *кому. Волг.* То же, что **отломить хвост 2.** Глухов 1988, 120.

Отруби́ть хвост по са́мые у́ши (я́йца) *кому. Жарг. мол. Вульг.* Убить кого-л. Максимов, 294; Мокиенко, Никитина 2003, 350.

Па́дать/ упа́сть (сади́ться/ сесть, насе́сть, пры́гнуть, прицепи́ться) на хвост (на хвоста́) *кому.* 1. *Жарг. угол.* Устанавливать слежку, наблюдение за кем-л. СРВС 4, 184; ТСУЖ, 160. 2. *Жарг. мол., нарк. Неодобр.* Навязывать кому-л. своё присутствие в надежде получить что-л. (обычно — выпивку, еду, наркотики) за чужой счёт. ТСУЖ, 127; Дьячок, 40; Личко, Битенский, 292; Югановы, 161; СМЖ, 92; Балдаев 2, 99; Вахитов 2003, 161, 165; Максимов, 298.

Подверну́ть хвост. *Разг. Устар.* Стать более осмотрительным, осторожным, испугавшись последствий своих действий, поступков. Ф 2, 55.

Подвяза́ть хвост *кому. Нов.* Пригрозить кому-л. НОС 8, 24.

Подмели́ть хвост. *Влад.* 1. Опустить хвост (признак болезни у животных). 2. Приуныть, загрустить. СРНГ 28, 79.

Поджима́ть/ поджа́ть хвост. 1. *Прост.* Становиться менее самоуверенным, более осторожным, осмотрительным, испугавшись чего-л. БМС 1998, 600; ФСРЯ, 505; БТС, 1441; ЗС 1996, 73, 234; Верш. 7, 191; СОСВ, 141. 2. *Пск.* Испугавшись, броситься бежать. СПП 2001, 78.

Поджу́лить хвост. *Пск.* 1. Замолчать, перестать сопротивляться, возражать кому-л. 2. *кому.* Потеснить, заставить отступать кого-л. СПП 2001, 78.

Поднима́ть/ подня́ть хвост. 1. *Прост.* Сопротивляться, не считаться с кем-л., с чем-л. Ф 2, 58. Ср. **Вздымать хвост.** 2. *на кого. Разг.* Задираться, провоцировать драку, ссору. ББИ, 268; Балдаев 2, 121. // *Жарг. угол.* Критиковать кого-л. более авторитетного. Б., 124. 3. *Жарг. угол.* Совершать преступления в одиночку (игнорируя мнение других). ББИ, 268; Балдаев 2, 121; Мильяненков, 266.

Подня́ть хвост да пойти́ на пого́ст. *Народн. Шутл.-ирон.* Умереть. ДП, 288.

Подобра́ть хвост. *Сиб. Ирон.* Привести в порядок своё жилище, произвести уборку где-л. ФСС, 140.

Подруби́ть хвост *кому. Прост.* То же, что **прижимать/ прижать хвост 1.** ДП, 731.

Подшлёпать хвост *кому. Калуж. Шутл.* Забрызгать грязью кого-л. СРНГ 28, 259.

Подфили́ть хвост. *Волог.* То же, что **поджимать/ поджать хвост 1.** СРНГ 28, 232.

Пока́зывать/ показа́ть хвост *кому. Прост.* Скрываться, уходить, убегать от кого-л. БалСок, 55; БТС, 1441; Ф 2, 65.

Положи́ть хвост *на кого. Жарг. мол.* Склонить девушку к половому акту (КП, 10.01.98). БСРЖ, 645.

Попадёт (попа́ло) под хвост *кому. Пск. Шутл.* О начале какого-л. интенсивного, продолжительного действия. СПП 2001, 78.

По́ротый хвост. *Кар. Пренебр.* О недевственной невесте. СРГК 5, 84.

После́дний хвост. *Кар. Шутл.-ирон.* О человеке, приехавшем куда-л. последним. СРГК 5, 92.

Потяну́лся хвост. *Жарг. мол.* О начале неприятностей. Максимов, 335.

Прижану́ть хвост *кому. Новг.* Подчинить кого-л. своей воле. Сергеева 2004, 185.

Прижима́ть хвост/ прижа́ть хвост. 1. *кому. Прост.* Ограничивать свободу действий, поступков, ставить кого-л. в затруднительное положение. ФСРЯ, 354; БТС, 1441; Ф 2, 89; Подюков 1989, 161. 2. *Пск.* То же, что **поджулить хвост 1.** СПП 2001, 78. 3. *Волг.* Пугаться, отступать. Глухов 1988, 132.

Прикрути́ть хвост *кому. Волг.* Покорить, подчинить кого-л. своей воле. Глухов 1988, 133.

Присека́ть (отсека́ть) хвост *кому. Курск.* Обижать, притеснять кого-л. БотСан, 116.

Прити́снуть хвост. *Новг.* 1. *кому.* То же, что **прижимать/ прижать хвост 1.** 2. Замолчать. НОС 9, 30.

Прицепи́ться на хвост *кому.* См. **падать на хвост.**

Прише́й хвост. *Сиб. Шутл.-ирон. Сиб.* О малоинтересном человеке, с которым тем не менее приходится иметь дело. СФС, 152–153.

Приши́ть (пришпи́лить) хвост *кому. Прост.* То же, что **прижимать/ прижать хвост 1.** Ф 2, 94.

Прищеми́ть хвост *кому. Жарг. угол.* Пригрозить кому-л. ББИ, 268; Балдаев 2, 121; Мильяненков, 266.

Пружи́нить хвост. *Жарг. мол.* Не выполнять обещанного, не выполнять данного слова. Максимов, 350.

Пры́гнуть на хвост *кому.* См. **падать на хвост.**

Распуска́ть/ распусти́ть [павли́ний (пы́шный)] хвост *[перед кем]. Разг. Шутл.-ирон.* Пытаться понравиться, произвести хорошее впечатление (обычно — о мужчине перед женщиной). Ф 2, 120; Глухов 1988, 140; Подюков 1989, 170; Мокиенко, Никитина 2003, 350.

Распуши́ть хвост. *Прост. Неодобр.* Стать заносчивым, дерзким. Ф 2, 120.

Расчеса́ть хвост. *Жарг. студ. Шутл.* Сдать академическую задолжность («хвост»). СИ, № 1998, № 10; Максимов, 363.

Сади́ться/ сесть на хвост *кому.* См. **падать на хвост.**

Сбро́сить хвост. *Жарг. угол.* Уйти от погони. Балдаев 2, 29.

Свя́зывать хвост с хвосто́м. *Волг.* Ссорить кого-л. с кем-л. Глухов 1988, 145.

Соба́чий хвост. *Волг. Презр.* О никому не нужном, никчёмном человеке. Глухов 1988, 151.

Станови́ться на хвост. *Волг.* Противиться чему-л., упрямиться, оказывать сопротивление кому-л. Глухов 1988, 154.

Су́нуть под хвост *кому.* 1. *Народн.* Дать взятку кому-л. ДП, 174. 2. *Жарг. мол. Груб.* Совершить половой акт с кем-л. h-98.

Су́чий хвост. *Вульг.-прост. Бран.* О злобном, низком человеке, мерзавце. Мокиенко, Никитина 2003, 350.

Схвати́ть за хвост *что. Разг.* Достичь, добиться чего-л. трудно дающегося, неуловимого. Ф 2, 195.

Трепа́ть хвост. *Прост. Презр.* Вести распутный образ жизни, распутничать (о женщине). Мокиенко, Никитина 2003, 350.

Убира́ть/ убра́ть (утяну́ть) хвост. *Перм.* Скрываться, уходить откуда-л. Подюков 1989, 210.

Укороти́ть хвост *кому. Прост.* Заставить кого-л. быть более покладистым. ФСРЯ, 492; БТС, 1441; Ф 2, 219.

Ухвати́ть за хвост *что. Прост. Шутл.* Внезапно найти удачное решение проблемы. Ф 2, 225.

Хвост в зу́бы (на спи́ну). *Пск. Шутл.* О человеке, который быстро собрался и пошёл куда-л. СПП 2001, 77; ПОС 13, 110.

Хвост и гри́ва. *Горьк. Ирон.* О сильно похудевшем человеке. БалСок, 55.

Хвост задра́вши. *Пск.* То же, что **хвост в зубы.** СПП 2001, 77.

Хвост запа́чкан (зама́ран) *у кого. Прост. Неодобр.* О чьей-л. дурной славе. БМС 1998, 600; Подюков 1989, 220; СПП 2001, 77.

Хвост крючко́м *у кого. Новг.* О быстро бегущем человеке. Сергеева 2004, 234.

Хвост на́ сторону. 1. *Перм. Ирон.* О человеке, уклоняющемся от ответственности. Подюков 1989, 220. 2. *Волг. Ирон.* Об умершем человеке. Глухов 1988, 165.

Хвост от велосипе́да. *Жарг. мол. Бран.* О человеке, вызывающем раздражение, негодование. Максимов, 57.

Хвост подтяну́вши. *Пск. Шутл.-ирон.* Важно, гордо. СПП 2001, 77.

Хвост просты́л *чей, кого. Смол.* О полном исчезновении кого-л., чего-л.; след простыл. ССГ 11, 51.

Хвост тебе́ (ему́, вам и т. п.**) в у́хо!** *Обл. Бран.* Злое пожелание тому, кто плохо или недостаточно внимательно слушает. Мокиенко, Никитина 2003, 350.

Хвост тебе́ (те, ему́, вам и т. п.**) на го́лову!** *Перм. Бран.* Пожелание зла, несчастья; проклятье. Подюков 1989, 220; Мокиенко, Никитина 2003, 350.

Хвост трубо́й *у кого.* 1. *Сиб. Одобр.* О бодром, энергичном человеке. Верш. 7, 191. 2. *Сиб., Пск.* То же, что **хвост в зубы. СОСВ, 195;** СПП 2001, 77.

В два (в три) хвоста́. *Жарг. угол., мол.* Вдвоём, втроём (о распитии спиртных напитков). Грачев 1997, 218.

Выкола́чивать, вы́колотить из хвоста́ пыль *у кого. Волг. Шутл.* Строго наказывать кого-л. Глухов 1988, 18.

Дать хвоста́. *Жарг. мол.* Совершить прогулку. Chernomorets-2004.

Накрути́ть хвоста́. См. **Накрутить хвост.**

Налома́ть хвоста́ *кому. Смол.* Наказать кого-л. *Смол.* ССГ 11, 51.

Не́где хвоста́ протяну́ть. *Перм. Шутл.* Об очень тесном помещении. Подюков 1989, 165.

Не завя́зывать хвоста́. *Морд. Неодобр.* Ходить из дома в дом без дела. СРГМ 1980, 70.

Подноси́ть хвоста́ *кому. Курск.* Угождать кому-л. БотСан, 116.

Приде́лать хвоста́ *кому. Жарг. угол.* Установить слежку за кем-л. ТСУЖ, 144; Балдаев 1, 350.

Пры́гнуть на хвоста́ *кому. Жарг. мол.* Присоединиться к кому-л. Максимов, 350.

Сбро́сить (ски́нуть, снять) с хвоста́ *кого.* 1. *Жарг. угол.* Уйти от слежки. Елистратов, 520. 2. *Жарг. мол.* Убежать, скрыться. Максимов, 388. 3. *Жарг. мол.* То же, что **обрубить хвост 2.** Никитина, 1996, 234; Вахитов 2003, 166.

[Сруби́сь] с хвоста́! *Жарг. мол.* Требование не рассчитывать на получение чего-л. за чужой счёт. Никитина 2003, 772.

Ходи́ть хвоста́ми. *Прикам.* Плыть на плоту вслед за сплавляемыми брёвнами, чтобы сталкивать с берегов оставшиеся там поленья. МФС, 108.

Висе́ть на хвосте́ *у кого.* 1. *Разг.* Настигая, догоняя, непосредственно следовать за кем-л. ФСРЯ, 69; БТС, 1441. 2. *Жарг. спорт. (авиа, д/пл.).* Следовать за кем-л. в полёте. Гончаренко, 220. 3. *Жарг. угол.* То же, что **канать на хвосте.** СВЯ, 16; Б., 74, 150; ТСУЖ, 80; Балдаев 1, 177.

В хвосте́. *Разг.* Позади всех. ФСРЯ, 506; БТС, 1441.

Кана́ть на хвосте́ *у кого. Жарг. угол.* Следить за кем-л., выслеживать кого-л. СВЯ, 16; Б., 74, 150; ТСУЖ, 80; Балдаев 1, 177.

Нанести́ на хвосте́ *что. Сиб. Неодобр.* Насплетничать. ФСС, 119.

На хвосте́. 1. *у кого. Разг.* В непосредственной близости от преследуемого. ДП, 259. 2. *Сиб.* В последнюю очередь. СФС, 121.

Приноси́ть/ принести́ на кобы́льем хвосте́. *Перм. Шутл.* Распространять слухи, сплетни. Подюков 1989, 162.

Тащи́ть на хвосте́ *кого. Жарг. угол.* Вести за собой работников милиции. ТСУЖ, 173.

Навести́ (навяза́ть) хвосто́в. *Пск. Неодобр.* Наговорить ерунды, насплетничать, соврать. СПП 2001, 78.

Бить хвосто́м. 1. *Жарг. угол., арест.* Уклоняться от работы. Балдаев 1, 37. 2. *Волг. Неодобр.* Бездельничать, праздно проводить время. Глухов 1988, 4. 3. *Жарг. угол. Неодобр.* Доносить, выдавать соучастников. Балдаев 1, 37; ТСУЖ, 20. 4. *Жарг. угол. Неодобр.* Подхалимничать. СРВС 2, 93, 220; СРВС 3, 78; ТСУЖ, 190; ББИ, 28.

Верну́ть хвосто́м. *Пск.* Неожиданно уйти от кого-л., оставив кого-л. ПОС 3, 93.

Верте́ть хвосто́м. 1. *Прост. Неодобр.* Хитрить, лукавить. ФСРЯ, 60; БТС, 120, 441; ЗС 1996, 49; Ф 1, 266; СОСВ, 37; Мокиенко 1990, 86; Глухов 1988, 10; ПОС 3, 97. 2. *Прост.* Уклоняться от решения, прямого ответа и т. п. ФСРЯ, 60. 3. *Прост. Неодобр.* Легкомысленно вести себя, флиртовать с кем-л. Ф 1, 266; БотСан, 116; ПОС 3, 97.

Виль-ви́ль хвосто́м. *Орл.* Прибегая к хитрости, уловкам. СОГ 1989, 46.

Виля́ть хвосто́м. *Прост. Неодобр.* 1. Заискивать перед кем-л., лицемерить. 2. То же, что **вертеть хвостом 1.** ФСРЯ, 68; БМС 1998, 600-601. ПОС 4, 18.

Вить хвосто́м. *Пск.* Идти виляющей походкой. ПОС 4, 29.

Заверте́ть хвосто́м. *Пск.* Начать кокетничать с кем-л. ПОС 11, 64.

Кади́ть хвосто́м. *Пск. Неодобр.* Распространять ложные слухи, сплетничать. ПОС 13, 375.

Крути́ть хвосто́м. 1. *Прост.* То же, что **вертеть хвостом 1.** ФСРЯ, 60; СПП 2001, 78; Ф 1, 266; СОГ-1992, 121. 2. *Прост.* То же, что **вертеть хвостом 2.** ФСРЯ, 60; СПП 2001, 78; СОГ-1992, 121. 3. *Прост.* То же, что **вертеть хвостом 3**. Максимов, 208; Ф 1, 266. 4. *Жарг. мол.* Обманывать кого-л., лгать. Максимов, 208.

Мести́ хвосто́м. *Жарг. мол.* То же, что **вертеть хвостом 3.** Максимов, 245.

Накры́ться хвосто́м. *Жарг. угол.* Избежать наказания, уйти от ответственности. ББИ, 268; Балдаев 2, 121; Мильяненков, 266.

Промести́ (помести́) хвосто́м. *Ужарг. угол.* 1. Совершить преступление и скрыться. СРВС 4, 182, 189; ТСУЖ, 147. 2. Пустить ложный слух с целью скрыть следы преступления. ББИ, 268; Балдаев 2, 121; Мильяненков, 266.

С хвосто́м. *Жарг. угол.* О преступнике, за которым числятся нераскрытые преступления. ББИ, 239; Балдаев 2, 68; Мильяненков, 243.

Трепа́ть хвосто́м. *Волг. Неодобр.* То же, что **бить хвостом 2.** Глухов 1988, 161.

Хвости́ть хвосто́м. *Волг. Неодобр.* Вести аморальный образ жизни, распутничать. Глухов 1988, 165.

Хвосто́м виля́ет, а зу́бы ска́лит. *Народн. Неодобр.* О двуличном человеке. Жиг. 1969, 208.

Ходи́ть с гря́зным хвосто́м. *Пск. Неодобр.* Быть непорядочным, нечестным, не раскаиваться в своих грехах. СПП 2001, 78.

Шевели́ть хвосто́м. *Жарг. угол.* 1. Нарушать воровские обычаи, традиции. СРВС 4, 189; ТСУЖ, 200. 2. Задираться, провоцировать драку, ссору. ББИ, 268; Балдаев 2, 121. // Критиковать кого-л. более авторитетного. Б., 124; ББИ, 268; Балдаев 2, 121; Мильяненков, 266.

Щёлкнуть (ша́ркнуть) хвосто́м. *Жарг. угол., мол.* Умереть. ТСУЖ, 84, 190; ББИ, 268; Максимов, 459.

Вози́ть хвосты́. *Сиб. Неодобр.* То же, что **вязать хвосты.** ФСРШС, 29.

Волочи́ть хвосты́. *Арх.* Быть последней в хороводе. АОС 5, 64.

Вяза́ть /связа́ть (завя́зывать, своди́ть/ свести́) хвосты́. *Волг., Орл., Пск. Неодобр.* Сплетничать, судачить о ком-л., наговаривать напраслину на кого-л. Глухов 1988, 46; СОГ 1989, 129; ПОС, 6, 113; СПП 2001, 78.

Заноси́ть / занести́ хвосты́. *Волг., Дон. Неодобр.* 1. Угодничать, подхалимничать. 2. Важничать, зазнаваться. Глухов 1988, 50; СДГ 2, 11.

Коша́чьи хвосты́ (хво́стики). 1. *Перм., Прикам.* Дикорастущий клевер. МФС, 107; СГПО, 662. 2. *Прибайк.* Перистые облака. СНФП, 145.

Надлома́ть хвосты *кому. Новг.* Обмануть кого-л., нечестно поступить с кем-л. НОС 9, 138.

Обреза́ть хвосты́ *кому. Пск.* Отнимать, забирать у кого-л. излишки чего-л. СПП 2001, 78.

Отки́нуть хвосты́. 1. *Жарг. спорт.* Быть нокаутированным. 2. *Жарг. мол.* Потерять сознание. Максимов, 292.

Руби́ть хвосты́. *Жарг. мол.* 1. Отказывать кому-л. в чём-л. 2. Прекращать общение с нежелательным человеком. Максимов, 369.

Своди́ть/ свести́ хвосты́. См. **Вязать хвосты.**

Хвати́ть за хвосты́. *Народн. Шутл.* Выпить спиртного. ДП, 792.

ХВО́СТИК * Коша́чьи хво́стики. См. **Кошачьи хвосты (ХВОСТ).**

Павли́ний хво́стик. *Перм., Прикам.* Название созвездия. СГПО, 662; МФС, 106.

Порося́чий хво́стик. *Жарг. радио. Шутл.-ирон.* Небольшая и неэффективная вертикальная антенна. БСРЖ, 645.

Пуши́стый хво́стик. *Жарг. мол.* Мужской половой орган большого размера. ЖЭСТ-2, 304.

С хво́стиком. *Разг. Шутл.* С небольшим (о возрасте). ЗС 1996, 312.

ХЁЛЬ * Иди́ ты (да пошёл ты) в хёль! *Жарг. мол. Бран.* Восклицание, выражающее раздражение, негодование. < **Хёль** в скандинавской мифологии — ад, преисподняя. БСРЖ, 645.

ХЕР * Идти́/ пойти́ на́ хер. *Жарг. (муз.). Шутл.* Идти на занятия по хоровому пению, на репетицию хора. < Трансформация словосочетания **на хор**. Мокиенко, Никитина 2003, 351.

На кой (како́й) хер. *Вульг.-прост. Неодобр.* Зачем, для чего. Мокиенко, Никитина 2003, 351.

На́ хер ну́жен *кому. Вульг.-прост.* О чём-л. абсолютно ненужном. Мокиенко, Никитина 2003, 351.

Посыла́ть/ посла́ть на́ хер *кого. Вульг.-прост.* Грубо прогонять, отделываться, избавляться от кого-л. Мокиенко, Никитина 2003, 351.

Прики́нуть хер к жо́пе (к но́су). *Жарг. мол. Шутл.* Понять, разобраться в чём-л.; сообразить, рассудить. Мокиенко, Никитина 2003, 351.

С гу́лькин хер. *Арх. Шутл.-ирон.* Очень мало. АОС 10, 142.

Ста́рый хер. *Вульг.-прост. Пренебр.* О неприятном (ворчливом, придирчивом и т. п.) пожилом человеке. Мокиенко, Никитина 2003, 351.

Хер его́ зна́ет. *Вульг.-прост.* Абсолютно ничего не известно о ком-л., о чём-л. Мокиенко, Никитина 2003, 351.

Хер с горы́ Ма́рьей вдовы́. *Пск. Бран.* О хитром, наглом, бесцеремонном человеке. СПП 2001, 78.

Хер с тобо́й (с ним, с ва́ми и пр.)**!** *Вульг.-прост.* Выражение крайнего нежелания иметь дело с кем-л. Мокиенко, Никитина 2003, 351.

Хер цена́ *кому, чему. Вульг.-прост. Неодобр.* О ком-л., о чём-л. ничего не стоящем, малозначительном. Мокиенко, Никитина 2003, 351.

Хер цена́ в торго́вый день *кому, чему. Пск. Пренебр.* О ком-л., о чём-л. незначительном, ничтожном, не представляющем никакой ценности. СРРР, 78.

Хер цена́ институ́ту Ге́рцена! *Вульг.-прост. Шутл.-ирон.* О Российском государственном педагогическом университета им. Герцена. < По устному преданию, афоризм В. В. Маяковского, так оценившему, по просьбе его слушателей, Педагогический институт в Ленинграде, где он публично выступал. Мокиенко, Никитина 2003, 351.

Ни хера́. *Вульг.-прост.* Абсолютно ничего. Мокиенко, Никитина 2003, 351.

Хе́ром перечеркну́ть *что. Прост.* Положить конец чему-л., совершенно покончить с чем-л. < В основе образа внешнее сходство буквы **Х** («**херъ**») с крестом. БМС 1998, 601.

ХЕРУВИ́М * Лесно́й херуви́м. *Влад.* Леший. СРНГ 16, 373.

ХЕ́РШИ * Слива́ть/ слить хе́рши. *Жарг. мол. Шутл.* О мочеиспускании. Максимов, 391.

ХИ́ЖА * Ни хи́жи, ни зату́лья, ни бу́йной голо́вушке приту́лья. *Народн.* О бедном, неимущем человеке. ДП, 105.

ХИМ[1] * Гнуть хим. *Курск.* Трудиться, работать до изнеможения. БотСан, 89.

Проезжа́ть на чужо́м химу́. *Курск.* Жить за чужой счёт. БотСан, 101. < **Хим** — спина.

ХИМ[2] * Хим Бе́йсинджер. *Жарг. шк. Шутл.* Учительница химии. Uralsk–2003.

ХИ́МА * Га́дова хи́ма. *Пск. Бран.* О скверном, подлом человеке. СПП 2001, 78.

ХИМЕ́РА * Гоня́ться за химе́рами. *Разг.* О нереальных, сумасбродных намерениях, планах. Ф 1, 122. < **Химера** — первонач. — чудовище, извергающее пламя, в древнегреческой мифологии, перен. — игра воображения, плод фантазии. БМС 1998, 601.

Стро́ить химе́ры. *Разг.* То же, что **гнаться за химерами.** БМС 1998, 601.

ХИ́МИЯ * Больша́я хи́мия. 1. *Публ. Патет.* О крупном химическом комбинате. Мокиенко, Никитина 1998, 639. 2. *Жарг. лаг.* Принудительные физические работы на вредном производстве. Росси 2, 436.

Хи́мия по-чёрному. *Жарг. угол., арест.* Промышленный объект, где творится произвол уголовников над физически более слабыми осуждёнными мужчинами и женщинами, посланными на принудительные работы. Балдаев 2001, 165.

ХИМО́ * Брать/ взять за химо́ *кого. Прост. Груб.* 1. Подчинять кого-л.

своей воле, добиваться покорности от кого-л. 2. Настойчиво требовать чего-л. Глухов 1988, 6.

ХИНЬ * Пойти́ в хинь. *Ряз.* То же, что **идти/ пойти хинью.** ДС, 582.

Идти́/ пойти́ хи́нью. *Дон., Ряз., Сиб.* Пропасть, разрушиться, не состояться. СДГ 3, 178; СРНГ 12, 77; СФС, 47; ФСРПГС, 85.

ХИ́ПЕЖ (ХИ́ПЕШ, ХИ́ПИШ) * Поднима́ть хи́пеж (хи́пеш). *Жарг. угол., мол.* Шуметь, скандалить. Б., 124.

ХИ́РША * Брать/ взять за хи́ршу *кого.* 1. *Дон.* Притеснять кого-л. СДГ 3, 179. 2. *Угол.* Сурово наказывать кого-л. УМК, 221. < **Хирша** — зад, ягодицы. Ср. пск. **кы́ршень** — шея, загривок. ПОС 16. (Прим. редактора).

ХИ́РЯ * Прижа́ть хи́ри к ги́ре *[кого]. Пск.* С большой силой воздействовать на кого-л. ПОС 6, 164.

ХИ́ТРОСТЬ * Пройти́ все хи́трости. *Дон. Неодобр.* Стать пройдохой. СДГ 3, 179.

Не велика́ хи́трость. *Разг.* О чём-л. несложном, легко осуществимом. ФСРЯ, 506; БТС, 116.

Жить на хи́тростях. *Дон. Неодобр.* Быть обманщиком, пройдохой. СДГ 1, 155.

ХИ́ХАНЬКИ-ХА́ХАНЬКИ * Хи́ханьки-ха́ханьки стро́ить. *Пск.* Шутить, балагурить, весело болтать. СПП 2001, 78.

ХИ-ХИ́ * Пробира́ет на хи-хи́ *кого. Мол., нарк. Шутл.-ирон.* Кто-л. веселится, смеётся, как правило — находясь в состоянии лёгкого наркотического опьянения. БСРЖ, 649; Вахитов 2003, 149; Максимов, 345.

Упа́сть на хи-хи́. *Жарг. мол. Шутл.* Рассмеяться. Вахитов 2003, 186.

ХИХИТУ́НЧИК * Хихиту́нчик напа́л *на кого. Жарг. мол. Шутл.* О приступе смешливости. Максимов, 268.

ХИ́ЩНИК * Хи́щник над жёртвой. *Жарг. шк. Шутл.* Учитель над классным журналом. Максимов, 460.

ХЛАМ * В хлам (в хлами́ну). *Разг.* О состоянии сильного опьянения. ББИ, 49; Вахитов 2003, 153; Максимов, 385; Мокиенко 2003, 136.

ХЛАМИ́НА * В хлами́ну. См. **В хлам (ХЛАМ).**

ХЛЕБ * Бе́лый хлеб. *Разг.* О лёгкой и приятной части какого-л. дела, деятельности. НРЛ-82; Мокиенко 2003, 136.

В *чей* **хлеб не па́риться.** *Печор.* Питаться отдельно, самостоятельно. СРНГП 2, 10.

Второ́й хлеб. *Разг.* О картофеле как важном продукте питания. Мокиенко 2003, 136; СПП 2001, 78.

Да́ром есть хлеб. *Разг. Неодобр.* Жить, не делая ничего полезного. ФМ 2002, 583; СНФП, 146.

Есть чужо́й хлеб. *Разг. Неодобр.* Жить за чужой счёт, быть на чьём-л. иждивении. БМС 1998, 602; БТС, 297; ФМ 2002, 583; ФСРЯ, 506.

Живёт — не жнёт, а хлеб жуёт. *Народн. Неодобр.* О бездельнике, лентяе. ДП, 257. **Живёт — хлеб жуёт, спит — небо копти́т.** *Народн. Неодобр.* То же. ДП, 257.

Живу́ и хлеб жую [, а нет, так па́льцы грызу́]. *Пск. Шутл.-ирон.* О тихой, спокойной жизни. СПП 2001, 78.

Жи́дкий хлеб. *Жарг. мол. Шутл.* 1. Пиво. (Запись 2004 г.). 2. Спиртное. Максимов, 131.

И то хлеб. *Разг.* Хорошо, что есть хоть что-то. ФСРЯ, 506.

Ката́ть хлеб. *Сиб.* Печь мучные изделия различной формы. ФСС, 91.

Кроши́ть хлеб *на кого. Жарг. мол. Неодобр.* Выступать против кого-л. более сильного. Никитина 1996, 237.

Мирско́й хлеб. *Кар.* Подаяние, милостыня. СРГК 3, 200.

На лёгкий хлеб. *Пск.* На заработки (чаще всего — в город из деревни). СПП 2001, 78.

Направля́ть хлеб. *Волог.* Подавать на стол. СВГ 5, 61.

Не знать, на чём хлеб растёт. *Ворон. Ирон.* Не разбираться, ничего не понимать в сельском хозяйстве. СРНГ 34, 257.

Оста́вить на хлеб (на хле́бы). *Кар.* Освободить от военной службы единственного кормильца в семье. СРГК 4, 253.

Отбива́ть/ отби́ть (отнима́ть/ отня́ть) хлеб *у кого. Разг.* Лишать кого-л. заработка, берясь за ту же самую работу. ФСРЯ, 506; Ф 2, 28; БМС 1998, 603.

Печь хлеб в пе́чке сосе́да. *Разг. Устар.* Сожительствовать с кем-л., иметь интимную связь на стороне. БМС 1998, 602.

Пое́сть хлеб (хле́ба) из мно́гих пе́чек. *Волг.* То же, что **съесть не один хлеб.** Глухов 1988, 126.

Преломи́ть хлеб *с кем. Разг. Устар.* Разделить с кем-л. трапезу. Ф 2, 87.

Сади́ться/ сесть на хлеб и во́ду. *Разг.* Лишать себя самого необходимого в еде; ограничивать себя в самом необходимом. ФСРЯ, 405.

Сажа́ть/ посади́ть на хлеб и во́ду *кого. Разг.* Наказывать кого-л. голодом, резким ограничением в пище. ФСРЯ, 406; БМС 1998, 602; ФМ 2002, 586.

Съесть не оди́н хлеб. *Пск.* Многое пережить, испытать в жизни. СПП 2001, 78.

Тяжёлый хлеб. *Волг.* О чём-л., приобретённом тяжёлым трудом. Глухов 1988, 161.

Хлеб да похлёбка! *Новосиб.* Приветствие тем, кто ест. СРНГ 28, 284.

Хлеб да соль! *Разг.* Приветственное пожелание приятного аппетита кому-л. ФСРЯ, 506; БМС 1998, 602; ФМ 2002, 587; ЗС 1996, 287, 437; Мокиенко 1986, 229-230; СРНГ 20, 328.

Хлеб ест *кого. Народн. Ирон.* Пища не идёт на пользу кому-л. (об очень худом человеке). Жиг. 1969, 253; СПП 2001, 78; СРГК 2, 29.

Хлеб [наш] насу́щный. *Разг.* Средство, необходимое для существования; что-л. важное, жизненно необходимое. < Выражение из Евангелия. БМС 1998, 602-603; ФСРЯ, 506.

Доста́ть хле́ба на лету́. *Брян.* Быстро выполнить какую-л. работу. СРНГ 17, 15.

И хле́ба и к хле́бу. *Волг. Одобр.* О жизни в достатке, изобилии. Глухов 1988, 60.

Кара́ться о́коло хле́ба. *Пск.* Работать в выгодном месте. ПОС 492.

Мно́го хле́ба съесть. *Пск.* То же, что **съесть не один хлеб.** СПП 2001, 78.

Наша́стать хле́ба. *Пск.* Распахать земли под посевы зерновых. СРНГ 20, 294.

Не про́сит хле́ба. *Волг. Шутл.* О запасе, который не помешает, не будет лишним. Глухов 1988, 103.

Ни хле́ба в суме́, ни гроша́ в котоме́ *у кого. Народн. Ирон.* О бедняке, нищем. Жиг. 1969, 355.

Ни хле́ба мя́гкого, ни сло́ва гла́дкого *у кого. Народн. Неодобр.* О негостеприимном человеке. Жиг. 1969, 355.

Отки́нуло от хле́ба *кого. Перм.* О потере аппетита. Подюков 1989, 140.

Переби́ваться с хле́ба на квас (на во́ду). *Прост.* Бедствовать, жить впроголодь. ФСРЯ, 507; БМС 1998, 603; БТС, 793; Ф 2, 37; ФМ 2002, 585; Глухов 1988, 156; СПП 2001, 78.

Сбыва́ть/ сбыть с хле́ба *кого. Разг. Устар.* Избавляться от забот о ком-л., о пропитании кого-л. Ф 2, 140.

Станови́ться/ стать на хлеба́ *к кому. Разг. Устар.* Устраиваться к кому-л. питаться за плату, столоваться. Ф 2, 185.

С хле́ба до хле́ба. *Пск.* С урожая до урожая. СПП 2001, 78.

С хле́ба на ко́рку. *Волог. Ирон.* О переменах в чьей-л. жизни в худшую сторону. СРНГ 14, 334.

Хле́ба есть! *Прикам.* Приветственное пожелание приятного аппетита тому, кого застали за едой. МФС, 107.

Хле́ба и зре́лищ! *Разг.* О потребно-стях невежественных, недалеких людей, жаждущих лишь пропитания и низкопробных развлечений. < Выражение из 7-й сатиры Ювенала. БМС 1998, 603.

Жить на гуля́щих хлеба́х. *Пск.* Легко и много зарабатывать (не имея постоянного места работы). ПОС 8, 86.

Жить на хлеба́х *у кого. Разг.* 1. *Устар.* Получать в качестве оплаты жильё и стол в чужой семье. 2. Быть на чьём-л. иждивении, содержании. ФСРЯ, 507; ФСС, 72.

Жить в одно́м хле́бе *с кем. Коми.* Питаться совместно с кем-л. Кобелева, 70.

Жить на ла́сковом хлебе. *Волг.* Жить беспечно, пользуясь чьей-л. заботой, вниманием, материальной поддержкой. Глухов 1988, 43.

Отъе́лся на ру́сском хлебе. *Народн. Презр.* О сытом и богатом иностранце. ДП, 346.

Сиде́ть на хлебе и воде́. *Разг.* Резко ограничивать себя в пище. ФСРЯ, 507.

Сиде́ть на чёрном хлебе. *Разг. Устар.* Жить впроголодь. Ф 2, 155.

Испыта́ть мно́го хлебо́в. *Кар.* То же, что **съесть не один хлеб.** СРГК 2, 301.

Пиха́ть хле́бом *кого. Кар.* Кормить кого-л. СРГК 4, 523.

Пое́сть мно́го хлебо́в. *Волг.* То же, что **съесть не один хлеб.** Глухов 1988, 126.

Хле́бом не корми́ *кого. Разг.* О сильном пристрастии к чему-л., увлеченности чем-л.; о стремлении получить, осуществить что-л. ФСРЯ, 207; ЗС 1996; 103; ФМ 2002, 588; СПП 2001, 78; БМС. 604.

Насыла́ться на хлебы́ *к кому. Перм.* Предлагать кому-л. питаться совместно. МФС, 64; СГПО, 247.

Упа́сть на хлебы́ *кому. Прибайк.* Перейти на иждивение к кому-л. СНФП, 146.

ХЛЕБА́ЛКА * Драть хлеба́лку. *Пск. Неодобр.* Громко кричать. Доп., 1858.

ХЛЕБА́ЛО * Дать в хлеба́ло *кому. Прост.* Ударить, избить кого-л. Мокиенко 1990, 50.

Заткну́ть хлеба́ло. 1. *кому. Жарг. угол.* Задушить кого-л. 2. *кому. Прост. Груб.* Заставить замолчать кого-л. 3. *Прост. Груб.* Замолчать. ТСУЖ, 68; БСРЖ, 649.

Разева́ть /рази́нуть (раскры́ть) хлеба́ло (хлеба́льник). *Прост. Неодобр.* 1. Начинать громко кричать, ругаться, возражать кому-л. 2. *на что.* Засматриваться на что-л., завидовать чему-л. СПП 2001, 78.

ХЛЕБА́ЛЬНИК * Заткну́ть хлеба́льник. См. **Заткну́ть хлебало (ХЛЕБАЛО).** УМК, 221.

Щёлкать хлеба́льником. *Разг. Неодобр.* Быть растяпой; упускать какую-л. возможность. Елистратов 1994, 525.

ХЛЕБА́ЛЬНИЦА * Открыва́ть/ откры́ть хлеба́льницу. *Новг.* То же, что **разевать хлебало (ХЛЕБАЛО).** Сергеева 2004, 177.

ХЛЕБИ́НЫ * Е́здить на хлеби́ны. *Волог.* В свадебном обряде — приезжать на угощение к молодой хозяйке. СРНГ 8, 330.

ХЛЕ́БНИЦА * Закры́ть хле́бницу. *Жарг. мол.* Замолчать. Максимов, 143.

ХЛЁБОВО * Разводи́ть хлёбово. *Жарг. мол. Неодобр.* Вести пустые разговоры. Елистратов 1994, 525.

ХЛЕБОРЕ́ЗКА * Рази́нуть хлеборе́зку. *Жарг. мол. Неодобр.* Начать говорить, кричать. Никитина 1996, 237.

Почини́ть хлеборе́зку *кому. Жарг. мол. Шутл.* Ударить в челюсть; избить кого-л. Елистратов 1994, 525.

ХЛЕБ-СОЛЬ * Велича́ть хлеб-со́ль. *Яросл.* Благодарить за угощение хозяев, выходя из-за стола. ЯОС 2, 53.

Води́ть хлеб-со́ль *с кем. Прост.* Находиться в приятельских отношениях с кем-л. БМС 1998, 601; Мокиенко 1986, 232; ФМ 2002, 582; ЗС 1996, 284; СПП 2001, 78; ДП, 179.

Дели́ть хлеб-соль *с кем. Разг.* О тесной дружбе. БМС 1998, 601.

Забыва́ть/ забы́ть хлеб-соль *чью. Разг. Устар.* Проявлять неблагодарность к тому, чьим гостеприимством и дружелюбием когда-то пользовался. БМС 1998, 602; ФМ 2002, 584; Глухов 1988, 45.

Подноси́ть хлеб-со́ль *кому. Народн.* О доброжелательном приёме, встрече дорогих, желанных гостей. БМС 1998, 602.

Встреча́ть с хлебом-со́лью. *Народн.* То же, что **подносить хлеб-соль.** БМС 1998, 602; ЗС 1996, 290.

ХЛЕ́БУШКО * Чёрное хле́бушко. *Новг.* Болезнь колосового хлеба; спорынья. НОС 12, 15.

ХЛЕВ * Во хле́ве живёт, а по-го́рничному ка́шляет. *Волг., Сиб. Ирон.* О человеке, который старается бездумно подражать во всём богатым, манерничает, зазнается. Глухов 1988, 42; ФСС, 71.

ХЛИМ * Дела́ть хлим. *Жарг. угол.* Отправляться на кражу. СРВС 3, 131; ТСУЖ, 190. < **Хлим** — от **хлить** — 'идти куда-л.'

В оди́н хлоп. *Горьк.* Одновременно, вместе с кем-л. выйти из дома. БалСок, 77.

Одни́м хло́пом. *Волг.* Сразу, вместе. Глухов 1988, 116.

Лови́ть с хло́пу *что. Волг. Одобр.* Быстро и правильно воспринимать, понимать что-л. Глухов 1988, 82.

ХЛО́ПОТЫ * Хлопо́т по́лон рот *у кого. Разг. Шутл.* Об очень занятом человеке. БМС 1998, 604; Мокиенко 1990, 92; СПП 2001, 78.

ХЛОПО́ЧЕК * Держа́ть в хлопо́чках *кого. Разг. Устар.* Нянчить, пестовать кого-л. Ф 1, 158.

ХЛОПУ́ША * Хлопу́ша нахло́пал. *Вят. Шутл.-ирон.* Об откровенной лжи. СРНГ 20, 263.

ХЛЫНЦО́Й * Бежа́ть хлынцо́й. *Сиб.* Ехать, не торопясь. ФСС, 11.

ХЛЫСТ * Дать хлыст *кому. Сиб.* Выпороть кого-л. Верш. 7, 199.

Закурпе́чить хлысто́м *кого. Сиб.* Избить кого-л. до смерти. ФСС, 78.

ХЛЫСТЕЛИ́ * Надава́ть хлыстеле́й *кому. Обл.* Выпороть кого-л. Мокиенко 1990, 46.

ХЛЮП * Ба́хнуться по хлю́пу. *Жарг. мол. Ударить кого-л.* Н-НI, 2000, № 3, 42.

ХЛЮ́ПКА * В хлю́пку. *Новг.* Трусцой. НОС 12, 17.

ХЛЮСТ * Рукопа́шный хлюст. *Жарг. угол. Неодобр.* Драчун, хулиган. Мокиенко, Никитина 2003, 354.

ХЛЯ́БИ * Разве́рзлись (отве́рзлись, раствори́лись) хля́би небе́сные. *Книжн. Шутл.* О проливном дожде. БТС, 1447; Ф 2, 236. < Восходит в библейскому мифу о всемирном потопе. БМС 1998, 604; ФСРЯ, 508.

ХМÁРА * Етú хмáра *когó! Пск. Бран.* Восклицание, выражающее гнев, негодование, досаду. ПОС 10, 138.

ХМЕЛЁК * Под хмелькóм. *Разг. Шутл.* В состоянии лёгкого опьянения. БТС 1447.

ХМЕЛЬ * Под хмéлем. *Разг.* То же, что **во хмелю́.** БТС, 1447. **Под хмелём.** *Новг.* То же. Сергеева 2004, 146.

Хмель вы́летел (вы́скочил, вы́шел) из головы́ *у когó. Разг.* О человеке, который быстро отрезвел. ФСРЯ, 508; Глухов 1988, 166.

Хмель вы́шибло *у когó. Разг.* Кто-л. быстро отрезвел под воздействием какого-л. потрясения. ФСРЯ, 508; БТС, 188.

Во хмелю́. *Разг.* В состоянии алкогольного опьянения. ФСРЯ, 508; БТС, 1447. **Во хмеля́х.** *Перм.* То же. Подюков 1989, 222.

ХМЕЛЬНЯ́К * Хмельнякú дáвят *когó. Перм. Неодобр.* О пьяном человеке, не контролирующем свои действия. Подюков 1989, 222.

ХМЫРЬ * Болóтный (зелёный) хмырь. 1. *Жарг. угол., мол. Бран.* О неуважаемом, угрюмом или подозрительном человеке. ТСУЖ, 190; БТС, 1447; Флг., 342; УМК, 222; Росси 2, 437; Максимов, 39. 2. *Жарг. мол., нарк. Пренебр.* Об опустившемся алкоголике, наркомане. Елистратов 1994, 526.

Козлоборóдый хмырь. *Жарг. арест.* Об изображении В. И. Ленина на портрете. Балдаев 2001, 160.

ХНЫ * Хоть бы хны *комý. Прост.* 1. Абсолютно безразлично, не волнует, не беспокоит кого-л. что.-л. 2. Всё нипочем, никак не отражается на ком-л. ФСРЯ, 508; БТС, 1452; ЗС 1996, 168; БМС 1998, 605.

ХНЫ́КАЛО * Рассупóнить хны́кало. *Прост. Неодобр.* Стоять, пристально и глуповато глядя на кого-л., на что-л.; раскрыть рот. < **Хныкало** — рот. Мокиенко, Никитина 2003, 354.

ХОБ * Хоб хóба. *Перм.* То же, что **хоть бы хны (ХНЫ).** Подюков 1989, 222.

ХÓБОТ * Брать/ взять за хóбот (за хоботóк) *когó. Жарг. угол., Разг.* Требовать чего-л., угрожая силой. Балдаев 1, 45; СРВС 3, 146; Мокиенко 1990, 53; Максимов, 62.

Дать хóбот. *Арх. Шутл.* Пройти лишнее расстояние, идя окольным путём. СРНГ 7, 258. // *Сиб.* Обойти что-л. стороной. СФС, 196; ФСС, 55.

Навари́ть хóбот *комý. Обл.* Избить кого-л. Мокиенко 1990, 55.

Намя́ть (намы́лить) хóбот *комý. Жарг. мол.* Устроить нагоняй, отругать кого-л. СМЖ, 92.

Подержáться за хóбот. *Жарг. мол. Шутл.* Об акте мочеиспускания у мужчины. Вахитов 2003, 135.

Я́сный хóбот. *Жарг. мол.* О чём-л. очевидном, общеизвестным. БСРЖ, 650.

Никóим хóботом. *Пск., Твер.* Ни в коем случае. СРНГ 21, 232.

Таки́м хóботом. *Сб.* Так, таким образом. СФС, 185.

ХОБОТÓК * Брать/ взять за хоботóк. См. **Брать за хобот (ХОБОТ).**

ХОД * Брать/ взять нá ход *когó. Арх.* Подчинять кого-л. себе. АОС 4, 83.

Давáть/ дать зáдний ход. *Прост.* Отступать от ранее сказанного, сделанного, от прежних взглядов, убеждений, поступков. БМС 1998, 605; ШЗФ 2001, 59; ФСРЯ, 508; Ф 1, 132.

Давáть/ дать ход. 1. *чемý.* Содействовать, способствовать осуществлению чего-л., продвигать что-л. ФСРЯ, 125-126; ФМ 2002, 590. 2. *Том.* Идти куда-л. СРНГ 7, 258.

Дéлать/ сдéлать ход конём. *Разг.* Использовать хитрый и эффективный приём для достижения цели. Ф 1, 145.

Желéзный ход. *Волог.* Лёгкая телега. СВГ 2, 81.

Идти́/пойти́ в ход. 1. *Разг.* Находить себе применение, использоваться, оказываться в употреблении. ФСРЯ, 181; Ф 1, 219. 2. *Арх., Олон.* Отправляться, уходить куда-л. СРНГ 28, 358.

Лёгкий на ход. *Ряз.* О быстроногом человеке. СРНГ 16, 310.

Нормáльный ход [пóршня]. *Жарг. угол., мол. Одобр.* Всё в порядке. ТСУЖ, 118; Елистратов 1994, 527.

Пи́ковый ход. *Жарг. угол.* Воровской, преступный образ жизни. Максимов, 312.

Подня́ть на ход *когó. Кар.* Заставить кого-л. плясать, танцевать. СРГК 4, 650.

Попадáть/ попáсть в ход. *Новг.* Оказываться на месте в нужный момент, вовремя. НОС 8, 115.

Постáвить на пóлный ход *что. Прикам.* Привести в порядок, благоустроить жилище, помещение. МФС, 80.

Пускáть/ пусти́ть в ход *что. Разг.* Прибегать к какому-л. средству, приёму; применять что-л. ФСРЯ, 309; Верш. 7, 200; Ф 2, 106.

Хи́трый ход. *Разг.* Ловкие обманные действия, уловки. Мокиенко 2003, 137.

Ход конём. 1. *Разг.* Решительное средство, которое пускается в ход в крайнем случае; находчивый и хитрый поступок, вносящий неожиданные изменения в сложную ситуацию. БМС, 605; ЗС 1996, 48, 231; ФМ 2002, 592. 2. *Жарг. авто.* Об аварии автомашины. Максимов, 194.

Ход ладьёй. *Жарг. мол., авто.* То же, что **ход конём 1-2.** Максимов, 217.

Ход не пáлся. *Кар.* Кому-л. не удалось сделать что-л. СРГК 4, 407.

Ход с червéй. *Жарг. угол.* О деле, поступке с заранее известным результатом. ББИ, 270; Балдаев 2, 125; Мильяненков, 268.

Давáть / дать (задавáть /задáть) хóда (хóду) *комý.* 1. *Прост.* Стремительно, поспешно убегать откуда-л. ФСРЯ, 162. 2. *Сиб.* Прогонять кого-л. откуда-л. СФС, 59. 3. *Кар., Пск., Сиб.* Ругать, бранить, наказывать кого-л. СРГК 1, 424; СРГК 2, 113; ПОС, 11, 168; СРНГ 7, 258; ФСС, 52. 4. *Пск.* Кусать, жалить кого-л. СПП 2001, 78.

Не имéть обрáтного хóда. *Разг.* Не повторяться, не поворачивать вспять. Мокиенко 2003, 137.

С чёрного хóда. *Разг.* Не прямым путём, в обход закона. Ф 2, 236; Мокиенко 2003, 137.

На ходáх. *Ср. Урал.* Наготове. СРГСУ 2, 191.

Идти́ хóдом. *Кар.* Спориться, удаваться. СРГК 2, 268.

Пóлным хóдом. *Разг.* 1. Интенсивно. 2. С предельной скоростью. ФСРЯ, 510.

Ходи́ть хóдом. *Прикам., Перм.* Находиться в постоянном движении. МФС, 108; Мокиенко 1986, 111.

Черепáшьим хóдом. *Разг. Ирон.* Очень медленно. ФСРЯ, 510.

Чёрным хóдом. *Волг.* Тайно, скрываясь. Глухов 1988, 172.

Бежáть на ходý. *Арх.* Идти очень быстро. АОС 1, 145.

В ходý. *Разг.* В употреблении, в обращении, в деле. ФСРЯ, 510; ДС, 585; Верш. 7, 200.

Давáть/ дать хóду. 1. *Прост.* Поспешно уходить, убегать откуда-л. СОГ 1990, 46. 2. *комý. Обл.* Бить, избивать кого-л. Мокиенко 1990, 46.

На резúновом ходý. *Прост. Шутл.* На резиновой подошве. СПСП, 146.

На ходý. 1. *Разг.* Попутно, одновременно с другим занятием. ФСРЯ, 510; Верш. 7, 200. 2. *Разг.* С лёгкостью, без усилий. ФСРЯ, 510. 3. *Жарг. спорт. (футб.). Одобр.* В хорошей форме (ОРТ, 10.12.99). БСРЖ, 651.

На хо́ду подмётки рвёт (ре́жет). 1. *Разг. Шутл.* О ловком, плутоватом, предприимчивом человеке. ФСРЯ, 510; БМС 1998, 605; Грачев, Мокиенко 2000, 100; Глухов 1988, 93; СПП 2001, 78. 2. *Разг.* Об очень старательном или очень активном человеке. БМС 1998, 605.

На холосто́м ходу́. *Прост.* Не производя полезной работы, напрасно, безрезультатно (работать, действовать). БМС 1998, 605; ФМ 2002, 501.

Ни хо́ду ни вы́ходу. *Волг., Дон.* О тяжёлом, безвыходном положении. Глухов 1988, 112; СДГ 3, 180.

Поддава́ть/ подда́ть хо́ду. *Прост.* Ускорять ходьбу, бег. Ф 2, 56.

Помере́ть на ходу́. *Ряз.* Скоропостижно скончаться. ДС, 585.

По хо́ду. *Жарг. мол.* Наверное, вроде бы. БСРЖ, 651.

С хо́ду. *Разг.* 1. Не останавливаясь, не делая перерыва. 2. Сразу, тотчас. ФСРЯ, 510; Верш. 7, 200.

Ви́деть все ходы́ и вы́ходы *чьи.* 1. *Разг.* Хорошо разбираться в ситуации. 2. *Пск.* Понимать чьи-л. уловки, хитрости. ПОС 6, 93.

Де́лать ходы́ и вы́ходы. *Морд.* Искать пути для достижения чего-л. СРГМ 1980, 16.

Знать все ходы́ и вы́ходы. *Разг.* Хорошо ориентироваться где-л.; проявлять находчивость в разных ситуациях. БТС, 187; Глухов 1988, 33; ПОС 6, 93.

Хо́дя спать. *Морд. Неодобр.* Быть медлительным, нерасторопным. СРГМ 2002, 115.

ХО́ДА * Идти́ хо́дой. *Волг.* 1. Быстро расходоваться, тратиться (о деньгах). 2. Быстро продвигаться, развиваться в нужном направлении (о делах). Глухов 1988, 57.

Ходи́ть хо́дой. *Ряз.* 1. Быстро ходить, передвигаться пешком. 2. Быстро расти. ДС, 586.

ХОДЕНЁМ * Ходи́ть ходенём. 1. *Приамур., Прикам., Ряз., Сиб.* 1. То же, что **ходить ходуном 2 (ХОДУН).** МФС, 108; СРГПриам., 317; ДС, 585; Верш. 7, 205; Мокиенко 1986, 111; Ф 2, 238; ССГ 11, 64. 2. *Прибайк.* Испытывать сильный страх. СНФП, 147. 3. *Смол.* Ходить без устали. ССГ 11, 64.

ХО́ДИКИ * Хо́дики хо́дят *у кого. Жарг. гом. Шутл.* Об оргазме. Кз., 71; ЖЭСТ-2, 304.

ХОДИ́ТЬ * Хо́дя и не ды́хая. *Пск. Шутл.-ирон.* О гордом, заносчивом человеке. СПП 2001, 78.

ХО́ДКА * Хо́дки по пя́тому кали́бру. *Жарг. шк. Шутл.-ирон.* Придирки учителей. ВМН 2003, 146.

Де́лать/ сде́лать хо́дку. 1. *Жарг. арм.* Совершать боевой вылет, рейс. Афг.-2000. 2. *Кар.* Идти в разведку. СРГК 1, 444.

ХОДО́К * Лесно́й ходо́к. *Волог.* Охотник. СРНГ 16, 373.

Ходо́к по клубни́чке. *Разг. Шутл.* Ловелас, любитель женщин. Елистратов 1994, 527.

ХО́ДОР * Ходить на хо́дорах. *Сиб.* То же, что **ходить ходуном 1. (ХОДУН).** СФС, 121; Мокиенко 1990, 156.

Ходи́ть хо́дором. 1. *Волг., Курск., Сиб.* 1. То же, что **ходить ходуном 1. (ХОДУН).** Глухов 1988, 167; БотСан, 117; СБО-Д2, 254; Мокиенко 1990, 24, 156; СФС, 198; Ф 2, 238; ССГ 11, 64. 2. *Перм.* То же, что **ходить ходуном 2. (ХОДУН).** Подюков 1989, 224. 3. *Одесск.* О сильном шуме, беспорядке. КСРГО. 4. *Алт.* Сильно волноваться, находиться в возбуждённом состоянии. СРГА 4, 196. 5. *Смол.* Ходить без устали. ССГ 11, 64.

ХОДУ́Н * Ни ходу́н ни седу́н. *Волг.* Об очень старом, слабом, больном человеке. Глухов 1988, 112.

Ходи́ть / пойти́ (заходи́ть) ходуно́м. 1. *Разг.* Быть в постоянном движении. ФСРЯ, 510; БМС 1998, 606; БТС, 1448; Ф 2, 237; Мокиенко 1990, 115, 147, 156; БотСан, 117. 2. *Разг.* Сильно сотрясаться. ФСРЯ, 510; БМС 1998, 606; НОС 1, 13; Ф 2, 237; Мокиенко 1990, 115, 147, 156. 3. *Сиб.* Перемещаться большой массой. СОСВ, 196.

ХОДУНИ́ЦА * Ходи́ть (заходи́ть) ходуни́цей. *Пск.* То же, что **ходить ходуном 1. (ХОДУН).** ПОС, 12, 237.

ХОДЫМА́ * Ходи́ть ходыма́. *Обл.* То же, что **ходить ходуном 1. (ХОДУН).** Мокиенко 1986, 111.

ХО́ДЫРЕМ * Ходи́ть хо́дырем. *Обл.* То же, что **ходить ходуном 1. (ХОДУН).** Мокиенко 1986, 111; Мокиенко 1990, 156.

ХОДЬБА́ * Ходи́ть по ходьбе́. *Смол.* Просить милостыню, побираться. ССГ 11, 64.

Ходи́ть ходьбо́й. *Пск.* Много ходить пешком, проводить целые дни на ногах, в движении, в хлопотах. СПП 2001, 78.

ХОДЬМА́ * Ходьма́ ходи́ть. *Пск.* То же, что **ходить ходуном 1. (ХОДУН).** СПП 2001, 78; Мокиенко 1990, 156.

ХОДЬМИ́ * Ходьми́ ходи́ть. *Алт.* Усиленно ухаживать за кем-л. СРГА 4, 196.

ХОЖДЕ́НИЕ * Хожде́ние за бе́лыми медве́дями. *Жарг. шк. Шутл.* География (учебный предмет). Максимов, 31.

Хожде́ние по му́кам. 1. *Книжн.* Тяжёлые жизненные испытания, которым кто-л. подвергается в течение длительного времени. ФСРЯ, 510; БТС, 563; ФМ 2002, 593; БМС 1998, 606. 2. *Курс. Шутл.-ирон.* Строевая подготовка. Никитина 1998, 501. 3. *Жарг. шк. Шутл.-ирон.* Урок. Никитина 1998, 501. 4. *Жарг. шк. Шутл.-ирон.* Учебный день. Максимов, 462. 5. *Жарг. шк. Шутл.-ирон.* Учебный год. ВМН 2003, 144. 6. *Жарг. шк. Шутл.-ирон.* Контрольная работа. Максимов, 462. < По названию романа А. Н. Толстого.

ХОЗЯ́ИН * Ба́енный (ба́нный) хозя́ин. *Арх., Новг., Яросл.* По суеверным представлениям — дух, живущий в бане. АОС 1, 90; НОС 12, 20; ЯОС 1, 34.

Гумённый хозя́ин. *Арх.* По суеверным представлениям — дух, живущий на гумне. АОС 10, 152.

Дворово́й хозя́ин. 1. *Арх.* Мифическое существо, обитающее в помещениях для скота. АОС 10, 339. 2. *Брян., Орл.* Мифическое существо, обитающее в доме, домовой. СБГ 5, 10; СОГ 1990, 48.

До́брый хозя́ин соба́ку не вы́гонит. *Пск. Ирон.* О плохой погоде. СПП 2001, 78.

Домово́й хозя́ин. *Кар.* Мифическое существо, обитающее в доме, домовой. СРГК 1, 472.

Зови́ меня́ про́сто «хозя́ин». *Жарг. мол. Шутл.* Ответ на вопрос «как тебя зовут?». Елистратов 1994, 527.

Лесно́й хозя́ин. *Волог.* Леший. СРНГ 16, 373.

Ови́нный хозя́ин. *Кар.* Мифическое существо, обитающее в овине. СРГК 4, 131.

Печно́й хозя́ин. *Помор.* То же, что **домовой хозяин.** ЖРКП, 111.

Ри́гачный хозя́ин. *Кар.* То же, что **рижный хозяин.** СРГК 5, 528.

Ри́жный хозя́ин. *Новг.* Дух, живущий в риге. НОС 12, 20.

Сам себе́ хозя́ин. *Разг.* О самостоятельном, ни от кого не зависящем человеке. ЗС 1996, 134; СПП 2001, 78; ФСРЯ, 510. **Сам собо́й хозя́ин.** *Урал.* То же. СРНГ 36, 72.

Хозя́ин большо́й зо́ны. *Жарг. лаг. Ирон. Устар.* В. И. Сталин. Балдаев 2, 126; ББИ, 270-271.

Хозя́ин своего́ сло́ва. *Разг. Одобр.* Человек, который всегда выполняет свои обещания, делает то, что говорит. ФСРЯ, 510.

Хозя́ин тайги́. *Жарг. арм.* Начальник воинской части. < По названию кинофильма. БСРЖ, 651.

Жить (быть) у хозя́ина. *Жарг. угол., арест.* Отбывать срок наказания в ИТУ. СРВС 4, 187; h-98; ТСУЖ, 57; Росси 2, 437; Балдаев 1, 52.

Ломи́ть на хозя́ина. *Жарг. арест.* 1. Отбывать срок наказания в ИТУ. 2. Сотрудничать с оперчастью ИТУ. 3. Выдавать кого-л., доносить на кого-л. Балдаев 1, 230.

Нет хозя́ина. *Вологор. Ирон. или Пренебр.* О старой, покрытой заплатами одежде, обуви. СВГ 5, 105.

Отва́лить от хозя́ина. *Жарг. угол.* Освободиться из мест лишения свободы. Максимов, 291.

Прибы́ть от хозя́ина. *Жарг. угол.* Вернуться из ИТУ. Балдаев 1, 349.

Рассчита́ть без хозя́ина. *Разг. Устар.* Ошибиться в расчётах, ожиданиях. БМС 1998, 606.

Уйти́ от хозя́ина. *Жарг. угол., арест.* 1. Совершить побег из ИТУ. 2. Освободиться из ИТУ по окончании срока наказания. Балдаев 2, 98.

Загреме́ть (определи́ться) к хозя́ину. *Жарг. угол.* Попасть в места лишения свободы. ТСУЖ, 122.; Максимов, 138.

Определи́ть к хозяину *кого. Жарг. угол.* Осудить кого-л. к лишению свободы. БСРЖ, 651.

ХОЗЯ́ЙКА * Хозя́йка ме́дной горы́. *Жарг. шк. Шутл.* Женщина-завхоз. (Запись 2003 г.).

Хозя́йка мохна́того котлова́на. *Жарг. угол., арест. Шутл.-ирон.* Начальник женского ИТУ. ББИ, 271; Балдаев 2, 126; Мильяненков, 268.

ХОЗЯ́ЙСТВО * Води́ть/ вести́ хозя́йство. *Разг., Смол.* Хозяйничать. ССГ 11, 66.

Вязать хозя́йство. *Сиб.* То же, что **Водить хозя́йство.** ФСС, 40.

Ро́бить хозя́йство. *Прикам.* То же, что **водить хозяйство.** МФС, 85.

ХО́ИН * Хо́ин бы на тебя напа́л! *Забайк. Бран.* Восклицание, выражающее досаду, раздражение. СРГЗ, 443. < **Хоин** — ломота в плечах.

Флоппово́дческое хозя́йство. *Жарг. комп. Шутл.* Весь имеющийся объём дискет — флоппи. Садошенко, 1995. < **Флоппи** — дискета.

ХОККЕ́Й * Всё хокке́й. *Жарг. мол. Шутл.-одобр.* Всё в порядке. DL, 143. < По ассоц.: **о'кей.**

ХОЛЕ́РА * Ни одна́ холе́ра. *Сиб.* Никто. СФС, 127; Верш. 7, 208; СОСВ, 106.

Ни одна́ холе́ра не возьмёт *кого. Волг., Курск.* Ничего не случится с кем-л. Глухов 1988, 110; БотСан, 106.

Холе́ра зна́ет. См. **Хвороба знает (ХВОРОБА).**

Холе́ра не берёт *кого. Волг.* 1. О терпеливом, выносливом человеке. 2. О человеке, который всегда избегает ответственности, наказания. Глухов 1988, 60, 167.

Холе́ра побери́. См. **Хвороба возьми (ХВОРОБА).**

Холе́ра сиди́т в костя́х *у кого. Волг. Неодобр.* Об озорном, подвижном человеке. Глухов 1988, 167.

Холе́ра тебе́ (ему́ и т. п.**) в загри́вок!** *Забайк. Бран.* Недоброе пожелание в адрес человека, вызывающего досаду, раздражение. СРГЗ, 443.

Холе́ра тебя́ за живо́т! *Сиб. Бран.* То же, что **холера тебе в загривок!** СФС, 198; СБО-Д2, 254; СОСВ, 196.

Чтоб тебя́ (его́ и т. п.**) холе́ра поима́ла (хвати́ла)!** *Сиб. Бран.* То же, что **холера тебе в загривок!** СФС, 198; СБО-Д2, 254.

К холе́рам! *Одесск.* Прочь, вон, долой! КСРГО.

Поди́ (подь [ты]) к холе́ре! *Прост. Бран.* Выражение возмущения, негодования, желания избавиться, отделаться от кого-л. Верш. 7, 208; Мокиенко, Никитина 2003, 355.

Ни холе́ры. *Сиб.* Совсем ничего, нисколько. СРНГ 21, 215; СБО-Д2, 254; Верш. 7, 208; СОСВ, 196.

Под три холе́ры. *Дон.* Очень далеко. СДГ 3, 101.

Холе́ры кусо́к. *Перм. Бран.* Пройдоха, хулиган. Подюков 1989, 167.

ХО́ЛКА * Гнать по хо́лке *кого. Пск.* Прогонять кого-л. ПОС 7, 16.

Сиде́ть на хо́лке *у кого, чьей. Прост. Неодобр.* Быть на иждивении, содержании у кого-л., жить за счёт кого-л. НОС 10, 53; СПП 2001, 78; Мокиенко 1990, 26; .

За ма́ткиной хо́лкой бе́гать. *Пск. Неодобр.* Быть несамостоятельным, долго находиться на иждивении родителей. СПП 2001, 79.

Брать/ взять за хо́лку *кого. Перм.* 1. Привлекать кого-л. к ответственности. 2. Принуждать кого-л. к чему-л. Подюков 1989, 24.

Вздыма́ть (вставля́ть) хо́лку. *Пск.* Вести себя вызывающе. СПП 2001, 79.

Намя́ть (намы́лить) хо́лку *кому. Прост.* Избить, наказать кого-л. побоями. ФСРЯ, 510; СПП 2001, 79; Ф 1, 315; Подюков 1989, 126; Мокиенко 1990, 53, 59.

Себе́ на хо́лку. *Пск.* Во вред себе. СПП 2001, 79.

ХОЛМ * Ста́рый холм. *Пск. Бран.-шутл.* О старом холостяке. СПП 2001, 79.

Холм Вене́ры. *Книжн. Эвфем.* Лобковое возвышение. Мокиенко, Никитина 2003, 355.

Два холма́. *Книжн.-поэт. Эвфем.* Женские груди. Мокиенко, Никитина 2003, 355.

ХОЛМИ́НА * Холми́на в голове́ *у кого. Пск. Ирон.* О слабоумном, придурковатом человеке. СПП 2001, 79.

С холми́ной. *Пск. Ирон.* То же, что **холмина в голове.** СПП 2001, 79.

ХО́ЛОД * Вороти́ть (повора́чивать) на хо́лод. *Кар.* Холодать (о погоде). СРГК 1, 229; СРГК 4, 582.

Креще́нский хо́лод. *Разг.* О сдержанном, суровом обращении с кем-л. БМС 1998, 606.

Мета́ть хо́лод. *Арх., Перм.* Бросать снег и утрамбовывать его в специальном помещении для хранения скоропортящихся продуктов; набивать погреб снегом. СРНГ 18, 135; СГПО, 306.

И в хо́лоде, и в го́лоде. *Горьк.* Очень бедно, в нищете (жить). БалСок, 29.

И хо́лодом, и го́лодом. *Сиб.* То же, что **и в холоде, и в голоде.** СБО-Д2, 254; Верш. 7, 209.

Пове́яло хо́лодом *на кого. Разг.* О состоянии отчуждения, равнодушия по отношению к кому-л. Ф 2, 52.

Хо́лодом оде́ло *кого. Сиб.* О состоянии внезапного страха, испуга. ФСС, 125; СОСВ, 128.

Нагна́ть хо́лоду. *Перм. Шутл.* Напугать кого-л. Подюков 1989, 123.

Напусти́ть хо́лоду. *Волг.* То же, что **нагнать холоду.** Глухов 1988, 92.

Нахвата́ть хо́лоду. *Волог.* Переохладиться. СВГ 5, 82.

ХОЛОДЕ́НЫ * На холоде́нах. *Яросл.* В холодном помещении, например, в летней горнице. ЯОС 6, 79.

ХОЛОДИ́ЛЬНИК * Бомби́ть холоди́льник. *Жарг. мол.* Есть, принимать пищу. Максимов, 40. // *Жарг. нарк.* Поедать все съестные припасы при сильном чувстве голода, возникающем в конце гашишного опьянения. Личко, Битенский, 290.

Борода́тый холоди́льник. *Жарг. мол. Шутл.* Дед Мороз. h-98.

Напуга́ть холоди́льник. *Жарг. мол.* Съесть все продукты, которые находятся в холодильнике. Максимов, 269.

Положи́ть в холоди́льник *что. Жарг. комп.* Оставить файл для адресата. Садошенко, 1995.

Холоди́льник для яи́ц. *Жарг. мол. Шутл.* Мужские трусы. Максимов, 463.

Жить в холоди́льнике. *Жарг. мол. Неодобр.* 1. Держаться особняком. 2. Быть нелюдимым человеком. Максимов, 132.

ХОЛО́ДНЫЙ * Под холо́дную. *Волго-Касп.* От первых заморозков до появления льда в море, а также ранней весной. Копылова, 55.

ХОЛОДО́К * За́ячий (заячи́нный) холодо́к. 1. *Дон. Шутл.-ирон.* О лёгкой работе. СДГ 3, 181. 2. *Волг. Шутл.-ирон.* О ненадёжном укрытии, ветхом жилище. Глухов 1988, 52.

ХОЛО́Р * Холо́п смердя́щий. *Жарг. мол. Шутл.* Обращение к другу, товарищу. Максимов, 463.

ХОЛОСТЯ́ * Плати́ть холостяка́. *Сиб. Шутл.* Уплачивать налог за бездетность. СФС, 140.

Жени́ться на холостяке́. *Сиб. Ирон.* Будучи совершеннолетним и работая, начать платить налог за бездетность. ФСС, 70.

ХО́ЛЯ * В хо́ле да в во́ле. *Курск.* Вольготно. БотСан, 87.

Задава́ть/ зада́ть хо́лю *кому. Волг. Шутл.-ирон.* Бить, наказывать кого-л. Глухов 1988, 47.

ХОЛЯ́ВИНКА См. **ХАЛЯВИНКА.**

ХО́МО * Хо́мо сове́тикус. *Публ. Ирон.* О советском человеке как члене социума. < Образовано по аналогии с научным термином *homo sapiens* — человек разумный. Мокиенко 2003, 137.

ХОМУ́Т * Брать/ взять на хому́т *кого. Жарг. угол.* 1. Хватать жертву сзади за горло при грабеже. СРВС 1, 156; СРВС 2, 20, 24, 56, 166; СРВС 3, 80; Б., 29; ТСУЖ, 24. 2. Хватать кого-л. за шиворот. ТСУЖ, 24, 31. 3. Душить кого-л. с помощью удавки. ТСУЖ, 31. 4. Грабить задушенную жертву. СРВС 3, 106; Балдаев 1, 45, 63. // Грабить кого-л. с применением силы. Росси 2, 438.

Ве́шать/ пове́сить хомут *кому. Жарг. угол., мил.* Обвинять кого-л. в совершении преступления. Б., 107.

Запряга́ть/ запря́чь в хому́т *кого. Волг.* Эксплуатировать, заставлять кого-л. выполнять тяжёлую работу. Глухов 1988, 50.

Ки́нуть хому́т *[кому]. Жарг. угол.* 1. Задушить кого-л. 2. Ограбить кого-л. ББИ, 104.

Надева́ть/ наде́ть хому́т. 1. *Прост.. Неодобр.* Непомерно обременять себя чем-л. Ф 1, 311. 2. *Прост.* Жениться, выходить замуж. СДГ 2, 157; Максимов, 417. 3. *кому. Пск.* Женить или выдавать замуж кого-л. Доп., 1858. 4. *кому. Сиб.* Вызывать у кого-л. заболевание внутренних органов колдовством, наговором. ФСС, 117; СРНГ 19, 233. 5. *на кого. Прост.* То же, что **запрягать в хомут.** ДП, 834; Глухов 1988, 89.

Надева́ть/ наде́ть (наложи́ть) хому́т на живо́т *кому. Прибайк.* По суеверным представлениям: колдовством вызывать у кого-л. болезнь внутренних органов. СНФП, 148.

Надева́ть/ наде́ть хому́т себе́ на ше́ю. *Разг.* Непомерно обременять себя чем-л. ФСРЯ, 261; БТС, 517, 1496; Глухов 1988, 89; ФМ 2002, 505.

Найти́ хому́т. *Сиб. Ирон.* Нарожать много детей. ФСС, 118.

Наки́дывать/ наки́нуть хому́т *на кого. Прост.* Пытаться подчинить, смирить кого-л. Ф 1, 314.

Ни в хому́т ни на козлы. *Народн. Пренебр.* О неумелом, никчёмном человеке. ДП, 472.

Оде́ть /оде́ть хому́т. 1. *Пск.* То же, что **надевать/ надеть хомут 2.** СПП 2001, 79. 2. **[на ше́ю]** *кому. Новг.* То же, что **надевать/ надеть хомут 4.** НОС 6, 136.

Пе́рвый хому́т. *Яросл.* Лошадь трёх лет. ЯОС 7, 90.

Посади́ть хому́т. *Жарг. угол.* Заразиться венерической болезнью. ББИ, 271; Балдаев 2, 127; Мильяненков, 268.

Снима́ть/ снять с себя́ хому́т. *Волг.* Освобождаться от забот, тяжёлой работы. Глухов 1988, 151.

Тяну́ть хому́т. *Жарг. мол. Шутл.-ирон.* Быть семейным человеком. Максимов, 417.

Вы́йти из хомута́. *Жарг. угол., арест.* Добиться оправдания, быть оправданным. СВЯ, 19; СРВС 4, 134; Балдаев 1, 76.

Ла́дить хомуты́. *Сиб.* То же, что **надевать хомут 3.** СБО-Д2, 255.

ХОМУТЕ́Ц * Подсерде́чный (серде́чный) хомуте́ц. *Прикам.* Болезнь, передаваемая посредством колдовства, наговора. МФС, 108.

ХОМЯЧО́К * Хомячо́к в но́рку. *Жарг. мол. Шутл.* О половом акте. Елистратов 1994, 528.

ХОП * Хоть хоп *кому. Пск.* То же, что **хоть бы хны (ХНЫ).** СПП 2001, 79.

ХОР * Иди́ ты на́ хор! *Жарг. студ. (муз.). Бран.* Выражение раздражения, негодования. (Запись 2003 г.).

Пусти́ть (пропусти́ть, поста́вить, продра́ть, пропихну́ть, протяну́ть) на хор (хо́ром) *кого. Жарг. угол.* Совершить групповое изнасилование. СРВС 4, 13, 35, 47, 114, 147; Флг., 185; Мокиенко 1995, 119; Б., 129, 158; ТСУЖ, 142, 148; Елистратов 1994, 528; Балдаев 1, 342.

Хор голо́дных ко́шек. *Жарг. шк.* Урок музыки. Максимов, 463.

Хор из о́перы «Отда́й мою́ горбу́шку». *Жарг. шк. Шутл.* Шум в школьной столовой. (Запись 2003 г.).

Огуля́ть хо́ром *кого. Жарг. угол.* То же, что **пустить на хор.** Р-87, 438; Бен, 134.

Побыва́ть под хо́ром. *Жарг. лаг.* Стать жертвой группового изнасилования. Росси 2, 438.

ХОРЁК * Пойти́ на хорёк. *Жарг. мол.* Уйти из дома, пойти куда-л. в поисках любовных приключений. Митрофанов, Никитина, 240.

Ста́рый хорёк. *Прост. Бран.* О непорядочном, пакостливом пожилом человеке. Мокиенко 2003, 137.

Дави́ть/ придави́ть хорька́. *Жарг. мол. Шутл.* Спать. Я — молодой, 1998, № 8; Максимов, 100.

Иска́ть хорька́ (хори́цу). *Жарг. угол., мол.* Подыскивать полового партнера. СРВС 4, 189; ТСУЖ, 78; Балдаев 1, 171; УМК, 224. < **Хорёк** — по созвучию с *харить* — 'совершать половой акт с кем-л.'

Пуска́ть/ пусти́ть хорька́. *Разг. Шутл.* 1. Портить воздух, выпуская газы из кишечника. Мокиенко, Никитина 2003, 356. 2. *кому.* Совершать половой акт с кем-л. Флг., 374.

ХОРИ́ЦА * Иска́ть хори́цу. См. **Искать хорька (ХОРЁК).**

ХОРОВО́Д * Води́ть хорово́д. *Жарг. угол.* Быть во главе преступной группировки. СРВС 2, 101. // *Жарг. мол.* Компания, группа друзей. Елистратов 1994, 528.

ХОРО́МЫ * Пусть хоро́мы нечи́стый растрясёт *кому! Пск. Бран.* Восклицание, выражающее досаду, негодование, гнев, проклятие в чей-л. адрес. СПП 2001, 79.

ХОРОНИ́ТЬ * Хорони́ть за́живо *кого. Разг.* Считать отжившим, ненужным, негодным. БМС 1998, 607; ФСРЯ, 510.

Хорони́ть себя́ за́живо. *Разг.* Отказываться от общения с другими людьми. ФСРЯ, 511.

ХОРО́ШИЙ * До хоро́шего. *Яросл.* Очень сильно. ЯОС 4, 7.

О́коло хоро́шего. *Кар.* Сносно, терпимо. СРГК 4, 180.

Дать хоро́ших *кому. Сиб.* Избить кого-л. Верш. 7, 217.

В хоро́шую. *Яросл.* Серьезно, по-настоящему. ЯОС 2, 38.

ХОРОШО́ * Ни хорошо́ ни кра́сно. *Курск., Прикам.* Безрадостно. БотСан, 106; МФС, 108.

ХОРЬ * Ни хорь ни ла́сточка. 1. *Дон.* О ком-л., о чём-л., ни на что не похожем. СДГ 3, 132. 2. *Волг. Пренебр.* О невзрачном, внешне невыразительном человеке. Глухов 1988, 112.

Хорь в норе́ (в я́ме). 1. *Жарг. мол. Шутл.* Начальник в кабинете. СИ, 1998, № 10; Мильяненков, 268. 2. *Жарг. шк.* Директор в кабинете. ВМН 2003, 147.

Хорь и Кали́ныч. *Жарг. шк. Шутл.* Директор и завуч. ВМН 2003, 147.

Дави́ть (души́ть) хоря́. *Волг. Шутл.* 1. Много спать. 2. Храпеть во сне. Глухов 1988, 28.

ХОТЕ́ЛКА * Хоте́лка не вы́шла *у кого. Перм. Ирон.* О неисполнившемся желании. Подюков 1989, 190.

ХОТЕ́ТЬ * Как хо́чет, так и воро́тит. *Пск.* О самостоятельном, независимом человеке. СПП 2001, 79.

Хо́чет ло́пнуть. *Волг. Шутл.* 1. О полном, упитанном человеке. 2. О много съевшем человеке. Глухов 1988, 170.

И хо́чется и ко́лется [и ма́ма не вели́т]. *Народн. Шутл.* О противоречивом желании; о нерешительности, боязни последствий чего-л. ДП, 236; Глухов 1988, 60.

Хо́чешь не хо́чешь. *Разг.* Независимо от чьего-л. желания, по необходимости. БМС 1998, 607; БТС, 1452; Ф 2, 240.

Че́рез не хочу́. *Разг.* По необходимости, не имея желания. БТС, 1452.

Хошь не хошь. *Прост.* То же, что **хочешь не хочешь.** Ф 2, 240; СПСП, 146.

ХОТУ́ЛЬ * Взял хоту́ль да и был поту́ль. *Новг. Шутл.* О том, кто быстро собрался и ушел. НОС 1, 120.

ХОТЮ́НЧИК * Хотю́нчики зае́ли *кого. Жарг. мол. Шутл.* Кто-л. завидует кому-л. w-99.

ХО́УМ * Гоу хо́ум. *Жарг. мол.* Идти домой (Юность, 1991, № 4, 71) БСРЖ, 654. < Из англ.: *go home.*

ХОХЛОМА́ * Нести́ (направля́ть) хохлому́. *Жарг. мол. Шутл.* Говорить ерунду, обманывать кого-л. Елистратов 1994, 529.

Расписа́ть под хохлому́ *кого. Жарг. мол. Шутл.* Избить кого-л. до синяков. Максимов, 361.

ХО́ХМА * Для хо́хмы. *Разг.* Ради шутки. Б., 27.

ХО-ХО́ * А хо-хо́ (ху-ху́) не хо-хо́? *Разг. Шутл.* Форма вульгарного отказа: не много ли хочешь? Флг., 378; Б., 10; Мокиенко, Никитина 2003, 354.

ХОХО́Л * У трёх хохло́в. *Разг. Шутл.* Район улиц Дыбенко, Крыленко, Антонова-Овсеенко в Санкт-Петербурге. Синдаловский, 2002, 186.

ХОХО́Т * Гомери́ческий хо́хот. *Книжн.* Неудержимый, громкий, раскатистый смех. ШЗФ 2001, 56; БТС, 217. < Из описания смеха богов в поэмах Гомера. БМС 1998, 607.

Мефисто́фельский хо́хот. *Книжн.* Злорадный, сатанинский смех. < Оборот возник на основе впечатлений от смеха Мефистофеля в опере Ш. Гуно «Фауст» (1859 г.). БМС 1998, 607.

Хохота́ть хо́хотом. *Сиб.* Громко смеяться, хохотать. Верш. 7, 222.

Наде́лать хо́хоту. *Курск.; Прикам.* Насмешить окружающих. БотСан, 102; МФС, 62.

ХОХОТА́ЛКА * Начи́стить хохота́лку *кому. Жарг. мол.* Избить кого-л. Митрофанов, Никитина, 240.

ХОХОТА́ЛЬНИК * Заткну́ть хохота́льник *кому. Разг. Груб.* Заставить кого-л. замолчать; заткнуть рот кому-л. Бен, 134.

Прикры́ть хохота́льник *кому. Жарг. угол.* Заткнуть кому-л. рот кляпом. Балдаев 1, 351; ББИ, 193; УМК, 224.

Получи́ть по хохота́льнику (хохота́льничку). *Жарг. мол.* Подвергнуться избиению. Митрофанов, Никитина, 240.

ХОХОТА́ЛЬНИЧЕК * Получи́ть по хохота́льничку. См. **Получить по хохотальнику (ХОХОТАЛЬНИК).**

ХОХРЯ́К * Брать/ взять на свой хохря́к. *Волг., Дон.* Делать всё по-своему; упорно добиваться своего. Глухов 1988, 6; СДГ 3, 182.

На свой хохря́к. *Волг.* По своему желанию. Глухов 1988, 92.

ХРА́БРОСТЬ * Буты́лочная хра́брость. *Народн. Шутл.-ирон.* Похвальба в состоянии алкогольного опьянения. ДП, 271.

ХРАНЦУ́З * Хранцу́з тебя́ огложи́! *Калуж. Бран.* Восклицание, выражающее гнев, негодование, возмущение кем-л. СРНГ 22, 318.

ХРАМ * Храм Бо́жий. *Жарг. шк. Шутл.-ирон.* Учительская. (Запись 2003 г.).

Храм Спа́са-на-карто́шке. *Разг. Ирон.* Собор Воскресения Христова, или Храм-на-крови (Спас-на-крови) в Ленинграде, который в советское время использовался как овощехранилище. Синдаловский, 2002, 195.

ХРАП * Брать/ взять на храп *кого. Жарг. угол.* Добиваться чего-л. обманом, угрозами. Балдаев 1, 62. < **Храп** — горло.

Брать/ взять на свой храп. *Ряз.* На свою ответственность. ДС, 588.

Име́ть храп *на кого. Одесск.* Сердиться на кого-л. КСРГО.

ХРАПАКА́ * Дава́ть (задава́ть /зада́ть, дави́ть) храпака́ (Храпови́цкого). *Разг. Шутл.* Спать. ФСРЯ, 511; БТС, 1453; БМС 1998, 607-608; ЗС 1996, 174; ШЗФ 2001, 79; ПОС 11, 168; Ф 1, 195; СОГ 1990, 46; Мокиенко 1989, 178; Мокиенко 1990, 84, 155.

ХРАПНИ́ЦКИЙ * Чита́ть Храпни́цкого. *Жарг. мол. Шутл.* То же, что **давать храпака.** Никитина 2003, 783.

ХРАПОВИ́ЦКИЙ * Задава́ть Храпови́цкого. См. **Давать храпака (ХРАПАКА́).**

ХРАПО́К * Брать/ взять на храпо́к (нахрапо́к) *кого.* 1. *Жарг. угол.* Хватать кого-л. за горло. СРВС 1, 51; СРВС 2,

20, 25, 59, 167; СРВС 3, 80, 106; ТСУЖ, 24. 2. *Жарг. угол.* Совершать ограбление с удушением жертвы. БСРЖ, 379. 3. *Разг.* Принуждать кого-л. к чему-л.; добиваться своего, угрожая силой. Елистратов 1994, 529; СФС, 38, 121; СНФП, 148; ФСС, 26. 3. *Забайк., Сиб.* Внезапно нападать на кого-л. СРГЗ, 78; ФСС, 26. 4. *Сиб.* Действовать наудачу, без подготовки. Верш. 7, 224.

Брать/ взять на свой храпóк. *Сиб.* То же, что **брать на свой храп (ХРАП).** ФСС, 16.

ХРАПУНÉЦ * Задáть храпунцá. *Сиб. Шутл.* Крепко поспать какое-л. время. СФС, 75; ФСС, 76; Мокиенко 1990, 24.

ХРÁПЧИК * Поймáть хрáпчик. *Жарг. мол. шутл.* О желании поспать. Максимов, 325.

ХРЕБÉТ * Гúбать (ломáть) хребéт (хребтó). *Перм., Пск.* То же, что **гнуть хребет.** Глухов 1988, 108; СПП 2001, 79.

Гнуть хребéт. *Разг.* Трудиться до изнеможения, изнурять себя тяжёлой работой. ФСРЯ, 109; СПП 2001, 79.

Наломáть хребéт *кому. Новг.* Побить, поколотить кого-л. НОС 5, 154.

Переломúть хребéт. *Сиб.* Перейти через горы. ФСС, 134.

Полoмáть (сломáть) хребéт (хребтó). *Пск.* 1. Потерять здоровье от тяжёлой физической работы. 2. Не выдержать чего-л. СПП 2001, 79.

Тянýть хребéт. *Жарг. мол.* Медленно идти, шагать. Максимов, 435.

Без хребтá. *Прост. Неодобр.* О несамостоятельном, уступчивом, нестойком человеке. Мокиенко 2003, 138.

Хребтá не перелóмит. *Пск. Неодобр.* О человеке, работающем не в полную силу, лентяе. СПП 2001, 79.

Éхать (катáться) на хребтé *у кого. Пск., Яросл. Неодобр.* То же, что **сидеть на хребте.** СПП 2001, 79; ЯОС 4, 38.

Сидéть на хребтé *у кого. Прост. Неодобр.* Пользоваться результатами чужого труда, жить чужим трудом. Ф 2, 155.

С хребтóм. *Прост. Одобр.* С твёрдым характером, принципиальный, энергичный. НРЛ-83; Мокиенко 2003, 138.

ХРЕБТИ́НА * Гнуть хребтúну. *Арх.* То же, что **гнуть хребет.** АОС 9, 165.

Ломáть хребтúну. *Сиб.* То же, что **гнуть хребет.** ФСС, 107.

ХРЕБТÓ * Гúбать (ломáть) хребтó. См. **Гибать хребет (ХРЕБЕТ).**

ХРЕН * Вот-то нáте, хрен в томáте! *Жарг. мол. Шутл.* Восклицание, выражающее удивление. Максимов, 70, 271.

Девя́тый хрен без сóли доедáет. *Волг. Ирон.* О бедствующем, голодающем человеке. Глухов 1988, 32.

И в хрен не дуть. *Волг. Шутл.* Беспечно, безразлично относиться к чему-л. Глухов 1988, 55.

И в хрен не трубúть. *Пск. Шутл.* То же, что **и в хрен не дуть.** (Запись 2001 г.).

Идú (пошёл) ты нá хрен! *Прост. Бран.* Восклицание, выражающее пожелание избавиться, отделаться от кого-л. БСРЖ, 654; Мокиенко, Никитина 2003, 357.

Кой (какóй) хрен! *Прост. Неодобр.* Выражение сильного неудовлетворения, раздражения. Мокиенко, Никитина 2003, 357.

Моржóвый хрен. *Жарг. мол. Бран.* О человеке, вызывающем гнев, раздражение, негодование. Максимов, 254.

На кой хрен? *Прост.* Зачем, для чего? ФСРЯ, 511; БТС, 1454; Мокиенко, Никитина 2003, 357.

Нé хрен *Прост.* Не нужно, не стоит (делать что-л. кому-л.). БСРЖ, 654.

Ни за хрен [собáчий]. *Прост.* Совершенно напрасно, зря. БСРЖ, 654; Вахитов 2003, 113.

Ни одúн хрен. *Прост.* Никто. БСРЖ, 654.

Одúн хрен. *Прост.* Одно и то же, абсолютно то же самое. БСРЖ, 654.

Порéзать хрен. *Жарг. радио.* Сократить продолжительность радиосюжета. Pulse, 2000, № 9, 10. < **Хрен** — хронометраж.

Сосáть/ пососáть (отсосáть) хрен. *Прост.* Абсолютно ничего не получать, оставаться без денег, пищи. БСРЖ, 654.

Стáрый хрен. *Прост. Бран.* О злом, вредном старике. БТС, 1454; СПП 2001, 79.

Хоть бы хрен. *Прост.* 1. *кому.* На кого-л. ничто не действует. 2. Кому-л. всё безразлично. БСРЖ, 654.

Хрен вóсемь нá семь! *Прост. Шутл.-ирон.* Возглас удивления, восхищения или негодования, возмущения. Мокиенко, Никитина 2003, 357.

Хрен в пя́тку (в гóлову) *кому! Прост.* Выражение удивления, восхищения, восторга или возмущения, негодования. ФСРЯ, 511.

Хрен знáет. *Прост.* Абсолютно ничего не известно о ком-л., о чём-л. БТС, 1454; Мокиенко, Никитина 2003, 358.

Хрен плодлúвый. *Забайк. Бран.* О мышах, мошкаре, гнусе. СРГЗ, 445.

Хрен по дерéвне *кому что. Обл. Ирон.* 1. О чём-л. безвредном, безобидном для кого-л. 2. О чём-л. неинтересном для кого-л. БСРЖ, 654.

Хрен проссы́шь *что. Жарг. мол. Шутл.* О чём-л. непонятном, сложном. Вахитов 2003, 196.

Хрен с гóря. *Жарг. мол. Неодобр.* Неизвестный человек. Максимов, 94.

Хрен с [прованским] мáслом. *Разг. Шутл.* Абсолютно ничего; о полном отсутствии чего-л. БСРЖ, 654; Вахитов 2003, 196.

Хрен собáчий. *Прост. Бран.* О подлом, непорядочном человеке. Вахитов 2003, 196.

Хрен тебе (ему, вам и пр.) **[в глазá (в глóтку, в рот, в голову, в пя́тку, в сýмку)]!** *Прост. Презр.* Выражение грубого отказа, отрицания: ничего не получишь, ничего не выйдет! БТС, 1454; Мокиенко, Никитина 2003, 358.

Хрен тебé в ýхо, бамбýк на воротнúк! *Жарг. мол.* То же, что **Хрен тебе!** Максимов, 464.

Хрен ценá *кому, чему. Прост. Пренебр.* О ком-л., о чём-л. ничего не стоящем, малозначительном. БСРЖ, 654.

До хренá *кого, чего. Прост.* Очень много, в большом количестве, в избытке кого-л., чего-л. (обычно — малоценного, незначительного). Мокиенко, Никитина 2003, 359; Верш. 7, 224.

Какóго хрéна. *Прост.* 1. Почему, отчего, зачем? 2. Вовсе нет, совсем нет. Мокиенко, Никитина 2003, 359.

На хренá. *Жарг. мол.* То же, что **на кой хрен.** БСРЖ, 654.

Ни хренá. *Прост. Груб.* 1. *чего.* О полном отсутствии чего-л. где-л. 2. Нисколько, ничуть. 3. *кому.* Никаких последствий для кого-л. БСРЖ, 654-655; БТС, 1454; СПП 2001, 78; Вахитов 2003, 113; Мокиенко, Никитина 2003, 359.

Ни хренá себé! *Прост. Одобр.* 1. Довольно хорошо, сносно. 2. Восклицание удивления, восхищения. БСРЖ, 655; Вахитов 2003, 113; БТС, 1454.

От хрéна ýши. *Волг. Груб.* О полном отсутствии чего-л. Глухов 1988, 120.

Хрéна с два! *Вульг.-прост.* Форма отказа, категорического отрицания: как бы не так; ничего подобного. Мокиенко, Никитина 2003, 359.

К хрена́м соба́чьим *кого, что! Прост. Презр.* Восклицание, выражающее желание избавиться от кого-л., чего-л. БСРЖ, 655.

ХРЕ́НЬКА * Ме́лкие хре́ньки. *Жарг. торг., мол. Шутл.* 1. Носки. 2. Товары для новорождённых. Бумеранг, 1999, № 10.

ХРИП * Брать/ взять за хрип *кого. Волг., Дон.* Притеснять, принуждать кого-л. к чему-л. Глухов 1988, 6; СДГ 3, 182.

Гнуть (лома́ть) хрип. *Обл.* Напряжённо трудиться. Глухов 1988, 24; Подюков 1989, 44; Ф 1, 114, 286.

Свои́м хри́пом. *Ряз.* Тяжёлым трудом (добиваться чего-л., зарабатывать что-л.). ДС, 589.

ХРИСТОЛЮ́Б * Ти́хие христолю́бы. *Жарг. угол., арест.* Заключённые, осуждённые за свои религиозные убеждения, не примыкающие ни к каким группировкам в ИТК, живущие своей внутренней жизнью, как правило хорошо работающие. Балдаев 2001, 165.

ХРИСТО́С * Жить у Христа́ в па́зухе. *Сиб. Одобр.* Жить беззаботно, вольготно. СБО-Д2, 64; СРНГ 25, 150.

Пода́йте, Христа́ ра́ди. *Жарг. шк. Шутл.* О сборе макулатуры. ВМН 2003, 147.

Твою́ (его́, ва́шу и пр.) **Христа́ Бо́га мать!** *Прост. Бран.* Восклицание, выражающее раздражение, гнев, негодование. Мокиенко, Никитина 2003, 360.

Христа́ крича́ть. *Смол.* Петь пасхальные песни. ССГ 11, 72.

Христа́ ра́ди. *Прост.* 1. Пожалуйста, очень прошу. 2. Из милости (делать что-л.). БТС, 1454; Верш. 7, 226.

Христа́ сла́вить. *Разг. Шутл. Устар.* Много хлопотать, обходя нужных людей ради успеха дела; делать праздничные визиты. < Происхождение оборота связано с Рождественскими обычаями. БМС 1998, 608.

Христо́м Бо́гом проси́ть *кого. Разг.* Усиленно, настоятельно просить кого-л. о чём-л. БТС, 1454.

Вот те Христо́с! *Разг.* Клятвенное заверение в чём-л. ФСРЯ, 512; БТС, 1454.

Христо́с босы́ми нога́ми по пу́зу [прошёл, пробежа́л]. *Пск. Шутл.* О несытной пище. ПОС 2, 131.

Христо́с гого́чет. *Пск. Шутл.* Об обильном угощении, большом количестве пищи. ПОС 7, 39.

Христо́с по душе́ босико́м (в лапотка́х) пробежа́л (прошёлся). *Пск. Шутл.* О высшей степени удовольствия. ПОС 2, 130.

Христо́с с тобо́й! *Разг.* 1. Пусть будет так (выражение согласия, прощения, уступки). 2. Как можно, зачем (выражение удивления, упрёка, несогласия). ФСРЯ, 40; БТС, 1454.

Христы́-то тебя́ посла́ли! *Сиб.* Выражение удивления по поводу чьего-л. неожиданного действия, поступка. СФС, 199; СРНГ 30, 174.

ХРИСТОФО́Р * Христофо́р Колу́мб. *Жарг. мол. Шутл.* Мужской половой орган. Щуплов, 54.

ХРОМОСО́МА * Волоса́тая хромосо́ма. *Жарг. угол.* 1. *Шутл.* Женские гениталии. 2. *Пренебр.* Глупый, недалёкий человек. УМК, 226; ББИ, 272; Балдаев 2, 128; Мокиенко 2003, 138.

Жи́рная хромосо́ма. *Жарг. угол. Пренебр.* 1. Женщина, страдающая гонореей. 2. Работница торговли. ББИ, 272; Балдаев 2, 128.

Това́ристая хромосо́ма. *Угол. Пренебр.* 1. Дородная женщина. 2. Женщина-руководитель. ББИ, 272; Балдаев 2, 128; Мокиенко 2003, 138.

Ха́вать хромосо́мы. *Жарг. мол., гом.* Совершать минет. ББИ, 272; Балдаев 2, 129.

ХРО́НИКА * Сканда́льная хро́ника. *Разг.* Скандальные события, происшествия. < Калька с франц. *chronique scandaleuse*; происходит от названия одной из глав книги о Людовике XI, вышедшей в 1611 г. БМС 1998, 608.

Хро́ника пики́рующего бомбарди́ровщика. *Жарг. арм. Шутл.* О поведении пьяного курсанта. Максимов, 465.

ХРУ́ЛЯ * Хру́ля таба́чная. *Пск. Шутл.* О человеке, нюхающем табак. Доп., 1858.

ХРУ́НЫ * Распусти́ть хру́ны. *Калуж.* Обеднеть в результате бесхозяйственности. СРНГ 34, 188.

ХРУСТ * Лома́ть хрусты́. *Жарг. угол.* Подделывать денежные купюры. НТВ, 19.03.01. < **Хруст** — рубль.

ХРУ́СТОЧКА * В хру́сточку. *Новг.* О чём-л. недоваренном. НОС 12, 26.

ХРУТЕ́НЬ * Хруте́нь офе́сный. *Офен.* Крестный отец. Бондалетов, 108.

ХРЫЧ * Ста́рый хрыч. *Прост. Бран.* То же, что **старый хрен (ХРЕН).** Мокиенко 1986, 221; СПП 2001, 79.

ХРЫЧО́ВКА * Ста́рая хрычо́вка. *Прост. Бран.* О зловредной престарелой женщине. СПП 2001, 79.

ХРЮ́КАЛО * Закры́ть хрю́кало. См. **Закрыть хрюкальник (ХРЮКАЛЬНИК).**

Начи́стить хрю́кало. См. **Начистить хрюкальник (ХРЮКАЛЬНИК).**

ХРЮ́КАЛЬНИК * Закры́ть хрю́кальник (хрю́кало), *чаще в форме повел. накл. Прост. Груб.* Замолчать. УМК, 227.

Начи́стить хрю́кальник (хрю́кало) *кому. Жарг. угол., мол.* Избить кого-л. (обычно — ударами по лицу до крови). Б., 107; Никитина 1996, 239; ББИ, 272; Балдаев 2, 129; Максимов, 272.

ХРЯК * Хряк воню́чий. *Разг. Бран.* О непорядочном человеке, негодяе. Флг., 378.

ХРЯ́ПА * Поноси́ть хря́пы. *Новг. Ирон.* Много поработать. НОС 8, 111.

ХРЯ́ПКА * Ста́рая хря́пка. *Курск. Бран.* То же, что **старая хрычовка (ХРЫЧОВКА).** БотСан, 117.

Нагну́ть хря́пку *кому.* 1. *Волг., Сиб.* Избить, поколотить кого-л. Глухов 1988, 88; Мокиенко 1990, 59; ФСС, 116; СФС, 111. 2. *Сиб.* Изуродовать, изувечить кого-л. ФСС, 116; СФС, 111.

ХРЯС * Не устоя́ть на хрясу́. *Пск. Неодобр.* Сбиться с правильной линии поведения. Доп., 1858.

ХРЯ́СТАНЬЕ * Хря́станье с ха́нкой. *Жарг. угол.* Закуска с выпивкой. ТСУЖ, 192.

ХРЯЩ * Хрящ любви́. *Жарг. угол. Шутл.-ирон.* Мужской половой орган. ББИ, 272; Балдаев 2, 129.

ХУ * А ху (ху-ху́) не хо (хо-хо́)? *Прост. Эвфем. Ирон. или Презр.* Резкая реплика-отказ просящему чего-л. Мокиенко, Никитина 2003, 361.

Ни ху ни да [ни кукаре́ку]. *Волг., Дон. Шутл.* Совершенно ничего. Глухов 1988, 112; СДГ 1, 121; СДГ 3, 183.

ХУА́Н * Не по Хуа́ну сомбре́ро. *Жарг. мол. Шутл.-ирон.* О каком-л. непосильном задании, деле. Вахитов 2003, 111. < Трансформация пословицы **По Сеньке шапка.**

ХУДИ́НА * С худи́ной (с худи́нкой). *Ряз.* О чём-л. худом, дырявом. ДС, 589.

ХУДИ́НКА * С худи́нкой. См. **С худиной (ХУДИНА).**

ХУДКИ́ * Худки́ с ним (с ней и т. п.). Восклицание, выражающее безразличие, равнодушие, уступку. СПП 2001, 79. < **Худки́** — нечистая сила.

ХУ́ДО * Ху́до [ли], некоры́стно [ли]. *Прикам. Неодобр.* Кое-как. МФС, 108; СРНГ 15, 35.

Ху́же не́куда. *Разг. Неодобр.* Крайне плохо. БМС 1998, 608.

ХУДОБА́ * Худоба́ его́ (её, их и т. п.) зна́ет. *Прикам.* Абсолютно ничего не известно о ком-л., о чём-л. МФС, 108.

За како́й худобо́й? *Прикам.* То же, что **на какую худобу?** МФС, 108.

На каку́ю худобу́? *Перм. Неодобр.* Зачем, с какой целью? СГПО, 671.

ХУДО́ЖНИК * И́ди ты на худо́жника учи́ться! *Жарг. мол. Эвфем.* Восклицание, выражающее раздражение, негодование, нежелание продолжать общение с кем-л. Вахитов 2003, 70.

ХУДО́Й * Бей тебя́ худо́е! *Брян. Бран.* Восклицание, выражающее гнев, негодование, возмущение кем-л. СБГ 1, 55.

Взять худо́е. *Новг. Неодобр.* Выпить слишком много спиртного. НОС 1, 120.

Худо́й попу́тал. *Коми. Неодобр.* О предосудительном поступке. Кобелева, 81.

ХУЁВИНА * Хуёвина с морко́виной. *Неценз. Шутл.-ирон.* Нечто мудрёное, излишне запутанное, непонятное. Мокиенко, Никитина 2003, 362.

ХУЕПЕДЕРА́СТ * Ёбаногандо́нный хуепедера́ст. *Жарг. мол. Неценз. Презр.* О крайне непорядочном человеке. Мокиенко, Никитина 2003, 363.

ХУЕПУ́ПОЛО * Хуепу́поло залупогла́зое (промандобля́дское). *Жарг. Неценз. презр.* О подлом человеке, мерзавце. Мокиенко, Никитина 2003, 363.

ХУЕСО́С * Хуесо́с ёбаный (сра́ный). *Неценз. Бран.* Гнусный человек, мерзавец. Мокиенко, Никитина 2003, 363.

ХУИ́ЛА * Хуи́ла с Ни́жнего Таги́ла. *Неценз. Презр.* О сильном, здоровом, но умственно ограниченном мужчине. Мокиенко, Никитина 2003, 363.

ХУЙ * За́ хуем? *Неценз.* Зачем, для чего? Мокиенко, Никитина 2003, 364.

Ты что, ху́ем подави́лся? *Неценз. Груб.* Вопрос, выражающий недовольство и недоумение по поводу молчания собеседника. Мокиенко, Никитина 2003, 364.

Ху́ем гру́ши окола́чивать (выкола́чивать, сбива́ть). *Неценз. Шутл.-ирон.* Бездельничать, заниматься никчёмными делами. Мокиенко, Никитина 2003, 364–365.

Ху́ем заде́ть (толкну́ть) *кого. Жарг. мол. Неценз.* 1. Совершить половой акт с кем-л. 2. Обмануть кого-л. Мокиенко, Никитина 2003, 365.

Ху́ем награди́ть (умы́ть) *кого. Жарг. угол. Неценз.* Изнасиловать кого-л. Мокиенко, Никитина 2003, 365.

Влы́ндить (засанда́лить) хуй *кому. Жарг. мол. Неценз.* Совершить половой акт с кем-л. Мокиенко, Никитина 2003, 367.

Вот те на́те — хуй в тома́те! *Жарг. мол. Неценз.* Восклицание, выражающее крайнее удивление, возмущение. Вахитов, 2003, 30.

В хуй ды́шит (ду́ет) *кто кому. Жарг. мол. Неценз. Шутл.-ирон.* О человеке небольшого роста. Мокиенко, Никитина 2003, 365.

Девя́тый хуй без со́ли доеда́ть. *Неценз. Шутл.-ирон.* Голодать длительное время. Мокиенко, Никитина 2003, 365.

Дрочи́ть хуй *на кого. Жарг. мол. Неценз.* Иметь претензии к кому-л. Мокиенко, Никитина 2003, 367.

Засанда́лить хуй *кому.* См. **Влындить хуй.**

[И] в хуй не дуть. *Неценз.* Не обращать абсолютно никакого внимания на кого-л., на что-л. Мокиенко, Никитина 2003, 365.

Иди́ (пошёл) [ты] на́ хуй! *Неценз. Бран.* 1. Требование удалиться. 2. Выражение желания отделаться, избавиться от кого-л. Мокиенко, Никитина 2003, 365.

Како́й хуй? *Неценз. Презр.* Кто? Мокиенко, Никитина 2003, 365.

На кой (како́й) хуй? *Неценз. Неодобр.* Зачем, для чего, почему? Мокиенко, Никитина 2003, 365.

На́ хуй! *Неценз.* Прочь, вон, долой. Мокиенко, Никитина 2003, 365.

На́ хуй? *Неценз.* Зачем, для чего, почему? Мокиенко, Никитина 2003, 365.

На́ хуй ни́тки мота́ть. *Неценз. Неодобр.* Обманывать, дурачить кого-л. Мокиенко, Никитина 2003, 365.

На хуй ни́щих, Бог пода́ст. *Неценз. Презр.* Грубый отказ кому-л. просящему. < Первоначально — отказ нищим: обращайтесь к Богу, а не к нам. Мокиенко, Никитина 2003, 365.

На́ хуй ну́жен (ну́жно). *Неценз. Презр.* Абсолютно не нужен (не нужно). Мокиенко, Никитина 2003, 365.

На хуй со́ли насыпа́ть/ насы́пать *кому. Неценз.* 1. Очень сильно досаждать кому-л. 2. Строго наказывать кого-л. Мокиенко, Никитина 2003, 365.

На хуй шку́рку натя́гивать/ натяну́ть. *Неценз. Ирон.* Пытаться отрицать то, что всем очевидно. Мокиенко, Никитина 2003, 365.

Наде́нь на хуй ча́йник (ча́йничек)! *Жарг. арест. Неценз.* Перестань говорить, объявлять что-л. (способ выражения отсутствия интереса к тому, что собирается объявить надзиратель или начальник). Мокиенко, Никитина 2003, 365.

Не счита́ть хуй за мя́со. *Неценз. Неодобр.* Отбирать пищу, быть слишком разборчивым в пище. Мокиенко, Никитина 2003, 367.

Ни за́ хуй. *Неценз.* Безо всяких оснований, без причины (сидеть в тюрьме, давать срок заключения кому-л.). Мокиенко, Никитина 2003, 366.

Ни оди́н хуй. *Неценз.* Абсолютно никто. Мокиенко, Никитина 2003, 366.

Оди́н хуй *кому. Неценз.* Абсолютно безразлично, всё равно кому-л. что-л.

Поёб, да и хуй подмы́шку. *Неценз. Шутл.-ирон.* О мужчине, который не платит женщине за сексуальные услуги. Мокиенко, Никитина 2003, 366.

По́лный хуй воды́ *у кого. Жарг. арест. Неценз.* О необходимости сходить в туалет (утверждение, которым заключённый подкрепляет требование выпустить его в уборную, напр. в вагоне для перевозки заключённых). Мокиенко, Никитина 2003, 366.

Положи́ть хуй [с прибо́ром] *на кого, что. Неценз.* Выразить полное безразличие, пренебрежение или презрение к кому-л., к чему-л. Мокиенко, Никитина 2003, 366.

Посыла́ть/ посла́ть на́ хуй *кого. Неценз.* Грубо прогонять, сильно обругав кого-л. Мокиенко, Никитина 2003, 366.

Пусть (пуска́й) мне хуй на пятаки́ разре́жут! *Жарг. угол. Неценз.* Клятвенное уверение в истинности сказанного, божба. Мокиенко, Никитина 2003, 366.

С гу́лькин хуй. *Неценз. Шутл.-ирон.* 1. *чего.* Крайне мало чего-л. 2. О чём-л. мизерно малом, небольшом, кратком. < Вульгарный вариант известного оборота **с гулькин нос.** Мокиенко, Никитина 2003, 366.

Сесть на́ хуй. *Жарг. мол. Неценз. Ирон.* Потерпеть неудачу, крах. Мокиенко, Никитина 2003, 366.

Соса́ть хуй. *Неценз. Презр.* 1. Ничего не получать. 2. Находиться в бедственном положении. 3. Бездельничать. Мокиенко, Никитина 2003, 366.

Соси́ хуй [уто́пленника]! *Нецենз.* 1. Выражение презрения, желания оскорбить кого-л. 2. Выражение грубого отказа. 3. Угроза. Мокиенко, Никитина 2003, 366. **Соси хуй, не маленький!** *Нецենз.* То же. Мокиенко, Никитина 2003, 366.

Сра́внивать/ сравни́ть хуй с па́льцем. *Нецենз. Шутл.-ирон.* Сопоставлять несопоставимые, совершенно различные вещи. Мокиенко, Никитина 2003, 366.

Ста́рый хуй. *Нецենз. Бран.* О старом человеке. Мокиенко, Никитина 2003, 366.

Точи́ть хуй. *Жарг. мол. Нецենз. Шутл.-ирон.* Заниматься онанизмом. Мокиенко, Никитина 2003, 367.

Хоть бы хуй *кому что. Нецենз.* 1. На кого-л. ничего не действует, кому-л. абсолютно не страшно. 2. Кто-л. не обращает абсолютно никакого внимания на кого-л., на что-л. Мокиенко, Никитина 2003, 367.

Хуй боево́й. *Жарг. мол. Нецենз. Шутл.* Мужской половой орган в состоянии эрекции. Мокиенко, Никитина 2003, 367.

Хуй в шля́пе. *Нецենз. Презр.* О грубоватом, простоватом на вид человеке, которому шляпа (как символ образованности) не подходит. Мокиенко, Никитина 2003, 367.

Хуй выходно́й (до́хлый). *Жарг. мол. Нецենз. Шутл.-ирон.* Мужской половой орган после совершения полового акта. Мокиенко, Никитина 2003, 367.

Хуй голла́ндский. *Нецենз. Бран.* То же что **хуй моржовый 1-2.** Мокиенко, Никитина 2003, 367.

Хуй да кле́щи. *Жарг. лаг. Нецենз. Шутл.-ирон.* Ответ на вопрос о вещах заключённого: Какие вещи? — «Хуй да клещи». Мокиенко, Никитина 2003, 367.

Хуй деся́тых. *Нецենз. Неодобр.* Абсолютно ничего. < Усечённый вариант оборота **ноль целых хуй деятых.** Мокиенко, Никитина 2003, 367.

Хуй дома́шний. *Жарг. мол. Нецենз. Шутл.* Женатый мужчина. Мокиенко, Никитина 2003, 367.

Хуй дублёный. *Жарг. угол. Нецենз. Шутл.-одобр.* Опытный, бывалый человек. Мокиенко, Никитина 2003, 367.

Хуй желе́зный. *Жарг. угол., мол. Нецենз. Одобр.* Надёжный, безотказный челолвек. Мокиенко, Никитина 2003, 367.

Хуй звонко́вый. *Жарг. угол., арест. Нецենз. Презр.* Предатель, доносчик. Мокиенко, Никитина 2003, 367.

Хуй зна́ет. *Нецենз.* Абсолютно ничего не известно о ком-л., о чём-л. Мокиенко, Никитина 2003, 367.

Хуй марино́ванный. *Нецենз.. Бран.* О безынициативном, ненадёжном, мерзком человеке. Мокиенко, Никитина 2003, 367.

Хуй моржо́вый. *Нецենз.* 1. *Бран..* О зловредном, никчёмном человеке. 2. *Шутл.-ирон.* О неприспособленном к жизни, глуповатом человеке. Мокиенко, Никитина 2003, 367.

Хуй на́! *Нецենз.* Грубый и абсурдный ответ на вопрос: «- А?» Мокиенко, Никитина 2003, 367.

Хуй на блю́де. *Нецենз. Пренебр.* О чём-л. никуда не годном, никому не нужном. Мокиенко, Никитина 2003, 367.

Хуй на колёсах. *Жарг. мол. Нецենз. Шутл.* Мужчина, имеющий автомашину. Мокиенко, Никитина 2003, 367.

Хуй на па́лочке. *Нецենз. Шутл.-ирон.* 1. О ничтожном, ни на что не годном человеке. 2. О зловредном, подловатом человеке. 3. О чём-л. ненужном, ни на что не пригодном. Мокиенко, Никитина 2003, 367.

Хуй на пружи́нке. *Жарг. мол. Нецենз. Шутл.* Легко возбуждающийся мужской половой орган. Мокиенко, Никитина 2003, 367.

Хуй на цепо́чке. *Нецենз. Шутл.-ирон.* Абсолютно ничего. Мокиенко, Никитина 2003, 367.

Хуй не встаёт (не вста́нет, не стои́т) *у кого. Нецենз.* 1. *на кого. Неодобр.* О нежелании кого-л. совокупляться с кем-л.; о непривлекательности женщины для кого-л. 2. *на что. Жарг. мол.* О нежелании делать что-л. 3. *на что. Жарг. мол.* О неготовности к чему-л. Мокиенко, Никитина 2003, 367.

Хуй поло́манный. *Нецենз. Бран.* О слабосильном, непригодном для трудного дела человеке. Мокиенко, Никитина 2003, 367.

Хуй с бугра́. *Нецենз.* Случайный человек. Мокиенко, Никитина 2003, 367.

Хуй с лапшо́й! *Нецենз.* Грубый и абсурдный ответ на вопрос: «Кто такой?» Мокиенко, Никитина 2003, 367.

Хуй с тобо́й (с ним, с ва́ми и пр.)! *Нецենз.* 1. Выражение уступки, согласия и т. п. с кем-л., с чем-л.: пусть будет так; ладно, можно обойтись без кого-л., чего-л. 2. Выражение равнодушия, нежелания иметь дело (особенно — неприятностей) с кем-л. Мокиенко, Никитина 2003, 367.

Хуй с я́йцами. *Жарг. мол. Нецենз. Шутл.* Что-л. исключительное, как предел мечтаний. Мокиенко, Никитина 2003, 367.

Хуй соба́чий. *Нецենз. Презр.* Презренный, жалкий человек. Мокиенко, Никитина 2003, 367.

Хуй стои́т *у кого. Жарг. мол. Нецենз.* 1. *на что.* Большое желание, большая охота на что-л. 2. Кто-л. согласен с кем-л. 3. Кто-л. принимает участие в чём-л. Мокиенко, Никитина 2003, 367.

Хуй тебе́ (ему́, вам и пр.)! *Нецենз. Бран.* Выражение грубого отказа, отрицания. Мокиенко, Никитина 2003, 368.

Хуй тебе́ (ему́, вам и пр.) **в глаз (в глаза́, в гло́тку, в го́рло, в го́лову)!** *Нецենз. Бран.* 1. Выражение презрения. 2. Выражение грубого отказа. Мокиенко, Никитина 2003, 368.

Хуй тебе́ в жо́пу (в за́дницу, в сра́ку)! *Нецենз. Бран.* То же, что **хуй тебе в зубы!** Мокиенко, Никитина 2003, 368.

Хуй тебе́ в зу́бы (в рот) [, смотри́, не подави́сь]! *Нецենз. Бран.* Выражение категорического отказа, неприятия кого-л., чего-л., неприязни к кому-л., чему-л. Мокиенко, Никитина 2003, 368.

Хуй тебе́ (ему́, вам и пр.) **в су́мку!** *Нецենз. Бран.* То же, что **хуй тебе!** < **Сумка** — *зд.*: женский половой орган. Мокиенко, Никитина 2003, 368.

Хуй тебе́ (ему́, вам и пр.) **под лопа́тки!** *Нецենз. Бран.* То же, что **хуй тебе!**

Хуй тряпи́чный. *Жар. мол. Нецենз. Шутл.-ирон.* Пассисный гомосексуалист. Мокиенко, Никитина 2003, 368.

Хуй трясётся (флюгери́т) *у кого. Жарг. мол. Нецենз.* Кто-л. испытывает страх, боится чего-л. Мокиенко, Никитина 2003, 368.

Хуй це́лых, хуй деся́тых. *Нецենз.. Шутл.-ирон.* О полном отсутствии чего-л. Мокиенко, Никитина 2003, 368.

Хуй цена́ [в база́рный день] *кому, чем. Нецենз. Пренебр.* О ком-л., о чём-л. ничего не стоящем, малозначительном. < Нецензурный вариант известного оборота **грош цена [в базарный день]**. Мокиенко, Никитина 2003, 368.

Хуй через плечо́! *Нецենз.* Грубый и абсурдный ответ на вопрос: «Что? (Чё?)» Мокиенко, Никитина 2003, 368.

Хуй шокола́дный. *Жарг. мол. Неценз. Шутл.* Активный гомосексуалист. Мокиенко, Никитина 2003, 368.

Через хуй зари́ не ви́дит. *Неценз.* О пьяном человеке. (Запись 2004 г.).

Что́бы у тебя́ хуй на лбу вы́рос! *Прост. Бран.* Проклятие, дурное пожелание в чей-л. адрес. Мокиенко, Никитина 2003, 368.

Я́сен хуй! *Неценз.* Утвердительное восклицание: всё понятно, всё ясно. Мокиенко, Никитина 2003, 368.

На хую́ ни́тки мота́ть. *Неценз. Неодобр.* Бездельничать. Мокиенко, Никитина 2003, 368.

Поверте́ться (проверну́ться) на хую́ *чьём. Неценз. Шутл.-ирон.* Угодить кому-л. Мокиенко, Никитина 2003, 368.

На чужо́м хую́ в рай е́хать/ въе́хать. *Неценз. Неодобр.* Использовать других в собственных корыстных интересах. Мокиенко, Никитина 2003, 368.

До хуя́ [и бо́льше] *кого, чего. Неценз.* Очень много, в большом количестве, в избытке кого-л., чего-л. (обычно — малоценного, незначительного). Мокиенко, Никитина 2003, 368.

Како́го ху́я? *Неценз.* Почему, отчего, зачем? Мокиенко, Никитина 2003, 368.

Како́го ху́я твой хуй моего́ ху́я на́ хуй посыла́ет? *Неценз. Шутл.* Зачем нам ругаться, ссориться? (Призыв к примирению). Мокиенко, Никитина 2003, 368.

На хуя́. *Неценз. Груб.* Зачем, для чего? Мокиенко, Никитина 2003, 368.

На хуя́ козе́ бая́н [когда́ пизда́ гармо́шкой]? *Неценз. Шутл.* Зачем, для чего это нужно? (О чём-л. абсолютно не нужном, излишнем, неподходящем). Мокиенко, Никитина 2003, 368.

На хуя́ попу́ гармо́нь? *Неценз. Шутл.* То же, что **на хуя козе баян.** Мокиенко, Никитина 2003, 368.

Ни хуя́! *Неценз.* 1. Выражение изумления, крайнего удивления. 2. Абсолютно ничего. 3. Ничуть, нисколько. 4. Выражение ободрения, подбадривания кого-л. Мокиенко, Никитина 2003, 368.

Ни хуя́ уха́ из петуха́! *Неценз. Шутл.* Выражение крайнего удивления, изумления. Мокиенко, Никитина 2003, 368.

От ху́я у́ши (у́шки). *Неценз. Ирон.* Абсолютно ничего. Мокиенко, Никитина 2003, 370.

С ху́я сорва́ться. *Жарг. мол. Неценз. Неодобр.* 1. Неожиданно сильно рассердиться, рассвирепеть. 2. Не помнить себя, вести себя ненормально, находясь в состоянии крайнего возбуждения. 3. Начать вести себя подобно сумасшедшему, потерять ощущение реальности. Мокиенко, Никитина 2003, 370.

Ху́я с два. *Неценз.* Как бы не так; ничего подобного. < Образовано заменой слова **чёрт** в обороте **чёрта с два!** Мокиенко, Никитина 2003, 370.

К хуя́м [соба́чьим] *[кого, что, с кем, с чем]! Неценз. Бран.* Выражение презрения, пренебрежения, желания избавиться от кого-л., от чего-л. Мокиенко, Никитина 2003, 370.

Не бу́дем ме́риться хуя́ми. *Жарг. мол. Неценз.* Предложение не ссориться. Вахитов 2003, 110.

ХУЙНЯ́ * Городи́ть (нести́, поро́ть, заводи́ть, разводи́ть) хуйню́. *Неценз. Неодобр.* Болтать вздор, говорить глупости. Мокиенко, Никитина 2003, 373.

ХУЛИГА́Н * Хулига́н роди́лся. *Перм. Шутл.-ирон.* О внезапной тишине в ходе групповой беседы. Подюков 1989, 175. Ср. **милиционер родился.**

ХУМА́Р * Быть в хума́ре (в хума́рах). *Жарг. нарк.* 1. Испытывать абстинентный синдром. Балдаев 1, 51. 2. Находиться в состоянии наркотической эйфории. < **Хумар** — состояние наркотической эйфории или абстинентного синдрома. ТСУЖ, 27.

ХУ́НДЫ-МУ́НДЫ * Собира́ть ху́нды-му́нды. *Перм.* Готовиться к отъезду. Подюков 1989, 192.

ХУ́ТОР * Въе́хать в ху́тор. *Жарг. нарк., угол.* Испытывать состояние наркотической эйфории. Балдаев 1, 75; ББИ, 50.

Иди́ (пошёл) [ты] на ху́тор ба́бочек лови́ть. *Прост. Эвфем. Шутл.-ирон.* 1. Требование уйти, удалиться. 2. Выражение желания избавиться, отвязаться от кого-л. Мокиенко, Никитина 2003, 373. < Выражение — эвфемистическое развёртывание оборота **иди на хуй!**

Рома́нов (Рома́новский) ху́тор. *Жарг. угол., арест. Устар.* Тюрьма. Грачев 1997, 65; СРВС 1, 121, 144, 156; СРВС 2, 76, 129, 150, 206; СРВС 3, 117.

Коша́чьи хутора́. *Ворон. Шутл.* Полати. СРНГ 15, 140.

ХУХЛЫ́-МУХЛЫ́ * На хухлы́-мухлы́. *Вят. Неодобр.* Кле-как, небрежно, недобросовестно. СРНГ 19, 37.

Не хухлы́-мухлы́. *Сиб.* То же, что **не хухры-мухры (ХУХРЫ-МУХРЫ).** СРНГ 19, 37.

ХУХРЫ́-МУХРЫ́ * Не хухры́-мухры́. *Прост.* Не так просто, не как попало. БМС 1998, 608; Подюков 1989, 224.

ХУ-ХУ́ * А ху-ху́ не хо-хо́? См. **А ху не хо? (ХУ).**

ХУ́ЧА * Ту́ева ху́ча. *Жарг. мол. Шутл.* О большом количестве чего-л. Супер 2003, № 9. < Трансформация оборота **хуева туча.**

ХЭД * Взбрести́ в хэд *кому. Жарг. мол. Шутл.* Прийти в голову, появиться (о мысли, желании, намерении). ФЛ, 50. < Из англ.: *head* — 'голова'.

ЦА́ПА * Дави́ть (жать) на ца́пу. *Жарг. кино, ТВ.* Нажимать на кнопку камеры, начинать запись, съёмку (об операторе). БСРЖ, 658.

ЦАПКИ * На ца́пках. *Ряз.* На задних лапах. ДС, 590.

На ца́пки. *Ряз.* На задние лапы. ДС, 590.

ЦА́ПОЧКИ * На ца́почках. *Дон.* На цыпочках. СДГ 3, 184.

ЦАРЕ́ВНА * Царе́вна Несмея́на. *Народн. Шутл. или Ирон.* Серьёзная, задумчивая девушка, которую трудно рассмешить; тихоня, скромница. < По имени героини русских народных сказок. БМС 1998, 609.

Царе́вна пла́чет. *Кар. Шутл.* О мелком дожде при солнце. СРГК 4, 530.

ЦАРЕДВО́РЕЦ * Лука́вый царедво́рец. *Книжн.* Хитрый, ловкий человек, умеющий всегда угодить начальству. < Из трагедии А. С. Пушкина «Борис Годунов» (1825 г.). БМС 1998, 609.

ЦАРИ́ЦА * Ночна́я цари́ца. *Дон.* Растение левкой однолетний. СДГ 2, 188.

Упаси́ (спаси́, сохрани́) царица небе́сная! *Разг.* 1. Выражение предупреждения, предостережения о нежелательности, недопустимости чего-л. ФСРЯ, 496; РКФС, 23.

Цари́ца поле́й. *Публ. Патет.* Кукуруза. Мокиенко, Никитина 1998, 644.

ЦА́РСКОЕ * Ни ца́рское ни ба́рское не спра́шивается *с кого. Морд.* О человеке, живущем вольготно, без забот и хлопот. СРГМ 2002, 123.

ЦА́РСТВИЕ * Ца́рствие (ца́рство) небе́сное *кому. Разг. Устар.* Пожелание покойному загробной жизни в раю (употребляется при упоминании покойного). ФСРЯ, 512; БТС, 1457; Верш. 4, 113.

Преста́виться в ца́рствие небе́сное. *Книжн.* Умереть. Мокиенко 1990, 98.

ЦА́РСТВО * Жить в ца́рстве. *Сиб. Одобр.* Иметь достаток, быть хорошо обеспеченным. СФС, 72; СБО-Д1, 139; СОСВ, 70; ФСС, 71.

В тридевя́том (тридеся́том) ца́рстве. *Народн.* Очень далеко. < Оборот встречается в русских народных сказках. БМС 1998, 609.

Сади́ться/ сесть (ступи́ть) на ца́рство. *Разг. Устар.* Становиться царём, королём. Ф 2, 136, 193.

Со́нное ца́рство. 1. *Разг. Шутл.* О покое, безмолвии, когда все спят. ФСРЯ, 512; ДП, 518; Подюков 1989, 225. 2. *Жарг. шк. Шутл.-ирон.* О ситуации, когда в классе никто не готов к уроку. (Запись 2001 г.).

Тёмное ца́рство. *Книжн.* Атмосфера самодурства, косности. < Выражение стало известным после появления в печати статьи Н. А. Добролюбова «Тёмное царство» (1859–1860 г.). БМС 1998, 609.

Тридевя́тое ца́рство (госуда́рство). *Фольк.* Далекая страна, земля. БТС, 1345, 1457.

Ца́рство небе́сное. См. **Царствие небесное (ЦАРСТВИЕ).**

ЦАРЬ * При царе́ Горо́хе (Косаре́, Копыле́). *Разг. Шутл.* Очнь давно, в незапамятные времена. ФСРЯ, 512; БТС, 1458; БМС 1998, 609; МФС, 108; СРНГ 13, 62; СРГА 3-III, 167; ЖРКП, 72; Мокиенко 1989, 33, 184; Мокиенко 1990, 16, 155; Глухов 1988, 134; ЗС 1996, 339; Янин 2003, 238; МФС, 108; СОСВ, 197; ЯОС, 8, 82. **При царе́ Горо́хе, когда́ люде́й было тро́хи.** *Пск. Шутл.* То же. Шт., 1978.

Стари́нных царе́й. *Пск. Шутл.* О чём-л. очень старом, древнем, давнем. СПП 2001, 79.

С царём в голове́. *Разг. Одобр.* Очень умён, смышлён, сообразителен. ФСРЯ, 512; Мокиенко 1990, 93.

Когда́ царь Горо́х с гриба́ми воева́л. *Народн. Шутл.* То же, что **при царе Горохе.** ДП, 300.

Куда́ ца́рь пешко́м хо́дит. *Прост. Эвфем. Шутл.* В туалет. СПП 2001, 79; Мокиенко, Никитина 2003, 375.

Лесово́й царь. *Кар.* Леший. СРГК 3, 117.

Царь в голове́. *Разг. Устар.* Ум, разум. ФСРЯ, 513.

Царь звере́й. 1. *Разг.* Лев. 2.*Жарг. шк. Шутл.* Директор школы. Максимов, 466.

Царь коле́нками не вы́гнетет (не вы́бьет). *Смол.* Никто не отберёт, не вытолкнет. ССГ 11, 76.

Царь небе́сный. *Книжн.* Бог. БТС, 1458.

Царь пижа́мы. *Жарг. мол. Шутл.* Мужской половой орган. Щуплов, 54.

Царь почв. *Публ. Патет.* О чернозёме. НСЗ-80; Мокиенко 2003, 138.

Царь тайги́. *Публ. Патет.* О кедре. НРЛ-79; Мокиенко 2003, 138.

Хоть к царю́ сходи́ть. *Пск. Одобр.* Об отчаянном, бойком, смелом человеке. СПП 2001, 79.

Без царя́ в голове́. *Разг. Ирон.* О взбалмошном, глупом, неосмотрительном человеке, не умеющем управлять собой. ФСРЯ, 513; ФМ 2002, 599; Мокиенко 1990, 93; ЗС 1996, 244; БТС, 1458; ШЗФ 2001, 18; Янин 2003, 24; БМС 1998, 610.

В царя́. *Прикам. Шутл.-одобр.* О крепком, здоровом человеке. МФС, 108.

За царя́. *Пск.* Бесплатно, безвозмездно. СПП 2001, 79.

Не на́шего царя́. *Пск.* Чужой, нездешний. (Запись 2000 г.).

Ни царя́ ни зако́на. *Народн.* О беззаконии, произволе где-л. ДП, 243.

По́мнит ещё царя́ Горо́ха. *Народн. Шутл.-ирон.* Об очень старом человеке. ДП, 447.

Сиде́ть за царя́. *Жарг. угол., арест. Ирон.* Отбывать срок наказания в ИТУ полностью, без учёта времени пребывания под следствием. СРВС 1, 156; СРВС 2, 59, 79, 133, 194, 209; СРВС 3, 106; ТСУЖ, 116, 161.

У царя́ ба́ня дотла́. *Сиб. Неодобр. или Ирон.* То же, что **без царя в голове.** ФСС, 9.

У царя́ ба́ню сжёг. *Сиб. Неодобр.* О человеке, который уступает другим по каким-л. качествам. СБО-Д2, 178; СФС, 193 СОСВ, 173.

ЦАЦУ́НОК * Цацу́нку нема́ *кому. Смол.* 1. Нет покоя кому-л. 2. Нет времени у кого-л., некогда кому-л. ССГ 11, 77.

ЦА́ЦЫ-ВА́ЦЫ * Разводи́ть ца́цы-ва́цы. *Пск. Шутл.* Бездельничать, ведя пустые разговоры. СПП 2001, 79.

ЦВЕСТИ́ * Цвести́ и па́хнуть. *Разг.* Жить в благополучии, достатке, процветать. СРГК 5, 445.

ЦВЕТ[1] * В цвет. 1. *Жарг. угол., мол.* Безошибочно, точно; к месту. СВЯ, 19; ББИ, 50; Балдаев 1, 74; Вахитов 2003, 25. 2. *кому. Разг.* Что-л. кому-л. подходит, годится. НРЛ-80; Мокиенко 2003, 139.

Не в цвет. *Жарг. угол.* 1. Ошибочно, неправильно. 2. *кому.* Неудачно, плохо. Балдаев 1, 275.

Попа́сть в цвет. *Жарг. угол.* 1. Отгадать, определить что-л. СВЯ, 19; ТСУЖ, 36; Балдаев 1, 338. 2. Уличить кого-л. в чём-л.; изобличить кого-л. на допросе. СРВС 2, 170; ТСУЖ, 140. 3. Угодить кому-л. СРВС 2, 170; ТСУЖ, 140.

Потеря́ть деви́чий цвет. *Дон.* Утратить девичью свежесть, красоту. СДГ 3, 49.

Цвет жи́зни. Комнатное растение алоэ. КПОС.

Защища́ть цвета́ *кого, чьи. Публ.* Играть в команде какого-л. спортивного клуба, общества, объединения. ОШ, 903.

Цве́та де́тской неожи́данности. *Разг. Шутл.* Жёлтый. Максимов, 466.

Ви́деть в ро́зовом цве́те *что. Разг.* Воспринимать что-л. идеализированно. БТС, 1458; ЗС 1996, 154. < Калька с франц. *voir tout couleur de rose.* БМС 1998, 610; ФСРЯ, 513.

Ви́деть в чёрном цве́те *что. Разг.* Воспринимать, представлять с пессимизмом, что-л. хуже, чем есть на самом деле. ФСРЯ, 513; БТС, 1458.

Во цве́те лет. *Разг.* В молодые годы, в пору расцвета физических и духовных сил. ФСРЯ, 513; ЗС 1996, 180, 312.

Зимо́й и ле́том одни́м цве́том. *Разг. Шутл.* О чём-л. неизменном, постоянном. СПП 2001, 79.

Расцвета́ть пы́шным цве́том. *Разг.* Получать мощное развитие. Ф 2, 122.

ЦВЕТ[2] * Вы́кидаться на цвет. *Арх.* Начать цвести, зацвести. АОС 7, 252.

Подземе́льный (подзе́мный) цвет. *Прикам.* Растение копытень европейский. МФС, 108.

Приколо́ть жёлтый цвет *кому. Новг.* Изменить кому-л. в любви. Сергеева 2004, 237.

Обли́ться цве́том. *Новг.* Покрыться цветами (о плодовых деревьях). НОС 6, 90.

ЦВЕТО́К (ЦВЕТЫ) * Лежа́ть в цвета́х. *Пск.* Быть мёртвым, умереть. СПП 2001, 79.

Голубóй цветóк. *Разг. Устар.* Несбыточная мечта. < Восходит к роману немецкого писателя Новалиса «Генрих фон Офтердинген» (1802 г.). БМС 1998, 611.

Лазóревый цветóк. *Дон.* Степной тюльпан. СДГ 2, 106.

Под цветóк. *Пск. Шутл.* В состоянии сильного алкогольного опьянения. СПП 2001, 79.

Попóвский цветóк. *Дон.* Растение сирень. СДГ 3, 42.

Тепли́чный цветóк. *Разг. Шутл.-ирон.* О слабом, изнеженном человеке. БТС, 1458.

Цветóк жи́зни. *Разг. Шутл.-ирон.* 1. Женские гениталии. 2. Водка. УМК, 234; ББИ, 275; Балдаев 2, 134; Мильяненков, 270; Мокиенко 2003, 139.

Цветóк мохнáтки. *Разг. Ирон.* Мужчина, взявший фамилию жены. ББИ, 274; Балдаев 2, 134; Мильяненков, 270.

Цветóк шахны́. *Жарг. угол., Разг. Ирон.* Мужчина, делающий карьеру с помощью родственных связей жены. ББИ, 274; Балдаев 2, 134; Мильяненков, 270.

Чёрный цветóк. *Жарг. арест., мил.* Труп заключённого. ББИ, 279.

Метáться на рáзные цветы́. *Калуж. Неодобр.* Вести разгульную жизнь. СРНГ 18, 136.

Плáкать на цветы́. *Народн.* Обряд вызывания дождя у славян. БМС 1998, 611.

Срывáть цветы́ удовóльствия. *Книжн.* Беспечно предаваться радостям жизни. БТС, 1375. < Слова Хлестакова из комедии Н. В. Гоголя «Ревизор». БМС 1998, 611; ФСРЯ, 450.

Цветы́ красноре́чия. *Книжн.* О высокой риторике. БТС, 1458.

ЦВЕТÓЧЕК * Áленький цветóчек. 1. *Жарг. шк. Шутл.-ирон.* Ученик у доски. 2. *Жарг. мол. Шутл.* Мужской половой орган. ЖЭСТ-140.

ЦÉВКА * Бить (лить) на цéвку. *Волг.* Течь струёй. Глухов 1988, 3, 81.

ЦЕЙТНÓТ * Попадáть/ попáсть в цейтнóт. *Разг. Шутл. или Ирон.* Об остром недостатке времени, приближающемся сроке исполнения чего-л. < Восходит к терминологии шахматной и шашечной игры. БМС 1998, 611.

ЦЕЛИКÓМ * Целикóм и пóлностью. *Книжн.* Совершенно, безоговорочно (поддерживать, одобрять). БМС 1998, 612.

ЦЕЛИНÁ * Пóднятая целинá. *Жарг. шк. Шутл.* Уборка класса. Максимов, 321. < По названию романа М. Шолохова.

Пахáть/ вспахáть (подня́ть) целину́. 1. *Публ. Патет.* Добиваться значительных успехов в новом деле, начинании. Мокиенко 2003, 139. 2. *Жарг. угол., мол. Шутл.* Совершить половой акт с девственницей. Мокиенко 1995, 127; Вахитов 2003, 57.

ЦÉЛКА * Ломáть/ сломáть (проломи́ть) цéлку кому. 1. *Разг.* Лишать невинности кого-л. Флг., 175, 384; DL, 53; Б., 93; Быков, 202. 2. *Жарг. угол., мил.* Взламывать, срывать пломбу. УМК, 235.

Сиде́ть за цéлку. *Жарг. угол.* Отбывать срок наказания за изнасилование девственницы. Флг., 384; УМК, 235.

Стрóить [из себя́] цéлку. *Разг. Неодобр.* Притворяться невинной, скромной. Б., 20; Девкин 1994, 11; УМК, 235.

ЦЕЛКÓВЫЙ * Стóить целкóвого. *Прикам. Одобр.* Обладать ценными качествами, значимостью. МФС, 96.

ЦЕЛЛОФÁН * Голи́мый целлофáн. *Жарг. мол. Неодобр. или Пренебр.* Некачественная, нестоящая вещь. Я — молодой, 1997, № 27.

ЦЕЛЛОФÁНКА * Целлофáнка от пáчки сигарéт. *Жарг. мол. Шутл.-ирон.* Девушка лёгкого поведения. Глухов 1988, 170.

ЦЕЛÓВКИ * Нечеловéческие целóвки, переходя́щие в потрáшки. *Жарг. мол. Шутл.-ирон.* О любовных ласках. Елистратов 1994, 533.

ЦÉЛОЧКА * Покажу́ цéлочку с твою тарéлочку. *Вульг.-прост. Шутл.- ирон.* О развратной женщине, пытающейся изобразить невинность. Мокиенко, Никитина 2003, 376.

ЦЕЛЬ[1] * Бить ми́мо цéли. *Разг.* Не достигать желаемого, требуемого результата. ФСРЯ, 36.

Бить пря́мо в цель. *Разг.* Действовать целенаправленно; достигать требуемого, желаемого результата. БМС 1998, 37.

Цель опрáвдывает срéдства. *Разг.* Об оправдании безнравственных способов достижения целей. БМС 1998, 612.

ЦÉЛЬ[2] * Меня́ться на целя́х. *Кар.* О равноценном обмене. СРГК 3, 222.

ЦЕЛЯ́К * Взрывáть/ взорвáть целя́к. *Жарг мол.* То же, что **ломать целку (ЦЕЛКА).** Максимов, 61.

ЦЕНА* Не знать цен. *Яросл. Шутл.-ирон.* Быть очень старым, дряхлым, ветхим (об одежде, обуви). СРНГ 11, 313.

Однá ценá *кому. Ряз.* Безразлично, всё равно кому-л. ДС, 591.

Успокáивающая ценá. *Жарг. бизн.* Цена чуть ниже круглой величины, устанавливаемая как психологический приём привлечения покупателя. БС, 305.

Ценá вопрóса. *Жарг. крим.* Размер взятки крупному государственному чиновнику за положительное решение вопроса, исполнение просьбы мафиозной группировки. Хом. 2, 514.

Ценá — копéйка в базáрный день. *Волг. Пренебр.* О чём-л. малоценном, ненужном. Глухов 1988, 170.

Ценá с примáнкой. *Жарг. бизн.* Низкая, доступная цена на товар, к которому затем требуется богатый набор сопутствующих. БС, 305.

Быть в ценé. *Разг.* Дорого стоить, высоко цениться. ФСРЯ, 513.

Не стоя́ть в ценé. *Яросл.* Не считаться с ценой. ЯОС 2, 38.

Пáдать в ценé. *Разг.* Становиться дешевле. Ф 2, 32.

По схóдной ценé. *Разг.* По цене, устраивающей продающего и покупающего. БМС 1998, 612.

Любóй ценóй. *Разг.* Не считаясь ни с какими затратами, усилиями, жертвами; какими угодно средствами. ФСРЯ, 514; БМС, 612; ЗС 1996, 103.

Не стоя́ть/ не постоя́ть за ценóй. *Разг.* Не жалеть ничего, не скупиться, быть готовым заплатить любую цену за что-л. Ф 2, 190.

Знать себé цéну. *Разг.* Правильно оценивать свои возможности, достоинства; быть гордым, не унижаться. БМС 1998, 612; ШЗФ 2001, 84.

Набивáть/ наби́ть себé цéну. *Разг.* Возвышать себя во мнении других. БТС, 569; ЗС 1996, 33; Ф 1, 308.

Не выходи́ть из цены́. *Морд.* Продаваться дорого. СРГМ 1978, 102.

Нет цены́ *чему, кому. Разг. Одобр.* О чём-л., о ком-л., обладающем большими достоинствами. ЗС 1996, 132; Верш. 4, 144.

Не цени́ть цены́ *кому, чему. Волг., Дон.* Очень дорожить чем-л., кем-л. Глухов 1988, 107; СДГ 3, 185.

Цены́ себе не сложи́ть. *Волг., Курск.* Слишком высоко ценить, превозносить себя, важничать, зазнаваться. Глухов 1988, 104; БотСан, 117.

Цены́ себé не станови́ть. *Ряз.* То же, что **знать себе цену.** ДС, 591.

Цены́ себе́ уста́вить. *Волг. Неодобр.* То же, что **цены себе не сложить.** Глухов 1988, 106.

ЦЕ́ННОСТЬ * Непреходя́щая це́нность. *Книжн.* То, что долгое время не теряет своей значимости. < Калька с греческого. БМС 1998, 612.

ЦЕНТР * Центр нападе́ния. *Жарг. шк.* Буфет, школьная столовая. Bytic, 1999-2000.

Центр тя́жести. *Разг.* Самое главное, основное; сущность чего-л. БМС 1998, 612; ФСРЯ, 514; БТС, 1360.

ЦЕНТРО́ВКА * Центро́вка нару́шена *у кого. Жарг. авиа. Шутл.* О человеке в состоянии сильного алкогольного опьянения. Максимов, 270.

ЦЕП * Перемётный цеп. *Курск. Неодобр.* О непостоянном человеке. СРНГ 26, 162.

ЦЕПУ́РА * Цепу́ра зара́зная. *Жарг. нарк.* Цепочка, по которой наркотики передают от изготовителя к потребителю. ТСУЖ, 193.

ЦЕПЬ * Бе́гать по це́пи. *Жарг. угол.* Воровать с веревки развешанное для просушки бельё. СРВС 3, 78; ТСУЖ, 18; Балдаев 1, 31; ББИ, 26.

Разбива́ть (разрыва́ть) це́пи *чего. Книжн.* Избавляться, освобождаться от чего-л. Ф 2, 112, 117.

Сорва́ться с цепи́. *Разг. Неодобр.* Начать кричать, ругаться, скандалить. Мокиенко 1990, 132.

Це́пи Гимене́я. См. **Узы Гименея (УЗЫ).**

ЦЕРЕМО́НИЯ * Кита́йские церемо́нии. *Разг. Шутл.-ирон.* Утомительные и ненужные условности; излишнее проявление вежливости; бессмысленный этикет. ФСРЯ, 514; БТС, 1462; БМС 1998, 613.

ЦЕ́РКОВЬ * Це́ркви не вида́ть! *Морд.* Клятвенное заверение в чём-л. СРГМ 1978, 76.

Крича́ть во всю це́рковь. *Сиб.* Очень громко кричать. ФСС, 99.

ЦЕХ * Агра́рный (се́льский) цех. *Публ.* Подсобное хозяйство предприятия, производящее сельскохозяйственную продукцию. Новиков, 183.

Зае́хать в шокола́дный цех. *Жарг. угол. Шутл.* Совершить половой акт анальным способом. СВЯ, 34; УМК, 236.

Зелёный цех. *Публ.* 1. Лес. Новиков, 1983; Мокиенко 2003, 139. 2. *То же что* **аграрный цех.** Новиков, 183.

Колба́сный цех. *Жарг. шк. Шутл.* Класс, учебный кабинет. (Запись 2003 г.). < От названия популярной передачи Радио-«Рекорд» (СПб).

Торпе́дный цех. *Жарг. арм. Шутл.* Солдатская столовая. Максимов, 424.

Цех здоро́вья. *Публ.* Лечебное или оздоровительное учреждение, предприятие. Новиков, 183.

Цех пита́ния. *Публ.* Столовая на предприятии. Новиков, 183.

Шлифова́льный цех. *Жарг. гом. Шутл.-ирон.* Дом, квартира, где собираются лесбиянки. Кз., 145.

Шокола́дный цех. *Жарг. угол. Шутл.* Анальное отверстие. h-98.

ЦИКЛ * Нулево́й цикл. *Разг.* начало любой деятельности. БМС 1998, 613.

ЦИКЛО́Н * Одноно́гий цикло́н. *Жарг. мол. Шутл.* Унитаз. (Запись 2004 г.) < Каламбур, основанный на словосочетании **одноглазый циклоп** и контаминацией со словом **циклон** (аллюзия на звуки, издаваемые унитазом при смывании нечистот).

ЦИКО́РИЙ * Лома́ть цико́рий. *Сев. Кавк.* Буянить. СРНГ 17, 118.

ЦИЛИ́НДР * Необка́танный цили́ндр. *Жарг. мол.. Ирон. или Пренебр.* Девственница. Никитина 1996, 241.

Обката́ть цили́ндр. *Жарг. мол. Шутл.* Совершить половой акт с женщиной. Никитина 1998, 508.

Обка́тка цили́ндра. *Жарг. мол. Шутл.* Половой акт, совокупление. Никитина 1998, 508.

Пя́тый цили́ндр. *Жарг. авто. Шутл.-ирон.* Женщина-водитель. БСРЖ, 661.

ЦИМБА́ЛЫ * По́лные цимба́лы. *Дон. Шутл.* 1. О полном составе оркестра. 2. О ком-л., о чём-л., имеющемся в полном составе, в полном комплекте. СДГ 3, 186.

ЦИ́МУС (ЦИ́МИС, ЦЫ́МУС) * По́лный ци́мус. *Жарг. угол. Одобр.* Всё в порядке, дела идут хорошо. Б., 159; Быков, 202. < Вероятно, из идиш или иврита, где слово является оценкой высшего качества. Елистратов 1994, 537.

ЦИНК * Дать цинк. *Жарг. угол.* Предупредить, дать сигнал об опасности. Б., 44; Балдаев 1, 103.

Стоя́ть на ци́нке (на цинку́). *Жарг. угол.* Стоять на страже при совершении преступления. СРВС 3, 68, 106; СРВС 4, 186; ТСУЖ, 116, 145, 170; Р-87, 396.

Хлеба́ть по ци́нку. *Жарг. угол.* Отвечать, расплачиваться за своих друзей, проходить по их делу. БСРЖ, 662.

ЦИРК * Цирк на льду. *Жарг. мол. Шутл.* О чём-л. веселом, смешном. Вахитов 2003, 197.

Цирк прие́хал. *Жарг. мол. Ирон.* Об очень глупом человеке. Максимов, 339.

ЦИ́РКУЛЬ * Сде́лать ци́ркуль. *Жарг. спорт (авиа).* Совершить ошибку на посадке — резкий разворот вокруг конца крыла планера, уткнувшегося в землю. Гончаренко, 149.

ЦИ́РЛЫ (ЦЫ́РЛЫ́) * Бе́гать (дыбить, ходи́ть) на ци́рлах. 1. *Дон., Смол. Жарг. угол.* Ходить на цыпочках. СДГ 3, 186; ССГ 11, 89; СРВС 4, 111, 142; Б., 107; Грачев 1992, 186. 2. *Жарг. угол.* Находиться в подчинении у авторитетного вора, главаря. СРВС 4, 32, 189; СВЯ, 30. 3. *Жарг. угол. мол.; Новг., Одесск. Неодобр.* Заискивать, подхалимничать. ТСУЖ, 116; Балдаев 1, 119; Балдаев 2, 125; Росси 2, 444; Елистратов 1994, 538; КСРГО; Вахитов 2003, 14, 195. 4. *Пск.* Находиться в возбуждённом, напряжённом состоянии, нервничать. СПП 2001, 79. 5. *Волг. Неодобр.* Важничать, зазнаваться. Глухов 1988, 167. 6. *Волг.* Пребывать в радостном, приподнятом настроении. Глухов 1988, 112.

На цы́рлах. *Жарг. угол. Неодобр.* Быстро и аккуратно; с угодливостью, услужливостью. Р-87, 444; Бен, 135.

Скака́ть на ци́рлах. *Жарг. мол.* То же, что **бегать на цирлах 3.** Максимов, 387.

ЦИТАДЕ́ЛЬ * Цитаде́ль револю́ции. *Публ. Патет.* Кронштадт. Синдаловский, 2002, 198.

ЦИ́ФРА * Записа́ть в ци́фре *что. Жарг. кино, ТВ.* Сделать цифровую видео-, звукозапись. БСРЖ, 662.

Две после́дние ци́фры телефо́на. *Жарг. гом. Шутл.* О длине мужского полового члена в сантиметрах. Кз., 45–46.

Некраси́вые ци́фры. *Жарг. шк. Неодобр.* Неудовлетворительные оценки, двойки. School 129, 2003.

ЦОБ * Ни цоб ни цобэ́. *Волг. Пренебр.* О непрактичном, не приспособленном к жизни человеке. Глухов 1988, 112.

ЦО́БА (ЦО́БЕ) * О́ба (о́бе) цо́ба (цо́бе). *Волг., Дон. Шутл.* О двух одинаковых, очень похожий людях. Глухов 1988, 1988, 114; СДГ 3, 186.

Ходи́ть в цо́бах. *Дон.* Находиться в тяжёлом положении. СДГ 3, 186.

ЦОТ * Цот в цот. *Смол.* Точь-в-точь, очень точно. ССГ 11, 91.

ЦО́ТКА * Цо́тка в цо́тку. *Смол.* Точь-в-точь, очень точно. ССГ 11, 91.

ЦУ * Ни цу ни ня. *Пск. Шутл.* О чьём-л. бездействии, молчании. СПП 2001, 79.

ЦУГУ́НДЕР * Взять (притяну́ть) на цугу́ндер *кого*. 1. *Разг. Устар.* Подвергнуть кого-л. наказанию, расправе. БМС 1998, 613; БТС, 1465. 2. *Жарг. угол.* Посадить в тюрьму кого-л. Елистратов 1994, 538. < От нем. *zu hundert* — 'к сотне (ударов розгами, шпицрутенами)' — приказ о наказании провинившегося в русской армии (XVIII-XIX вв.). Мих. 1, 627.

ЦУПЫ́РКИ * Ходи́ть на цупы́рках. *Смол.* 1. На цыпочках. ССГ 11, 92. 2. На корточках. ССГ 11, 92.

На цупы́рки (стать, встать и т. п.). *Смол.* 1. На цыпочки. ССГ 11, 92. 2. На корточки. ССГ 11, 92.

ЦУПЫ́РОЧКИ * Ходи́ть на цупы́рочках. *Смол.* 1. На цыпочках. ССГ 11, 92. На корточках. ССГ 11, 92.

На цупы́рочки (стать, встать и т. п.). *Смол.* 1. На цыпочки. ССГ 11, 92. 2. На корточки. ССГ 11, 92.

ЦУР * В цур и прах. *Одесск.* Полностью, до основания (разрушить что-л.). КСРГО.

ЦЫГА́Н * Цыга́н в печку́ забра́вши. *Пск. Шутл.* О хлебе, растрескавшемся при выпечке. СПП 2001, 79.

Цыга́н костры́ку потеря́л. *Одесск. Шутл.* О Млечном пути. КСРГО.

Цыга́н шу́бу прода́л. *Волг. Шутл.* О несвоевременном, запоздалом холоде. Глухов 1988, 170.

Цыга́нам кнуто́м не доста́ть *чего. Пск.* О чём-л., находящемся очень высоко. СПП 2001, 79.

Ка́ждому цыга́ну мать. *Сиб. Презр.* О безродной женщине. ФСС, 110.

Цыга́ну долг отда́ть. *Курск. Шутл.* Сходить в туалет. БотСан, 117.

ЦЫГА́НКА * Цыга́нка нагада́ла *что. Волг. Шутл.-ирон.* О неправдоподобных, недостоверных фактах. Глухов 1988, 170.

Цыга́нке в зубу́ поковыря́ть не́чем. *Пск. Неодобр.* О плохом травостое, редких всходах. ПОС 13, 110.

ЦЫК * Цык с гвоздя́ми. *Жарг. мол. Неодобр.* Большая неприятность. Максимов, 82.

ЦЫ́ЛЯ * Бе́лая цы́ля. *Жарг. угол.* Бриллиант в платиновой оправе. ББИ, 276; Балдаев 2, 136.

Жёлтая цы́ля. *Жарг. угол.* Бриллиант в золотой оправе. ББИ, 276; Балдаев 2, 136.

ЦЫ́ПА * Жа́реный цы́па. *Жарг. мол. Пренебр.* О бесхарактерном человеке. Максимов, 129.

ЦЫ́ПКИ * Ходи́ть на цы́пках *перед кем. Разг. Неодобр.* Заискивать, угождать кому-л. БТС, 1465.

Разводи́ть цы́пок. *Пск.* Заводить много детей. (Запись 1999 г.).

ЦЫ́ПОЧКИ * Ходи́ть на цы́почках. *Разг.* 1. *перед кем.* Заискивать перед кем-л. Ф 2, 237. 2. Вести себя осторожно, осмотрительно. Глухов 1988, 166.

ЦЫПУ́ЛЬКИ * Ходи́ть на цыпу́льках. *Смол.* На цыпочках. ССГ 11, 94.

На цупу́льки (стать, встать и т. п.). *Смол.* На цыпочки. ССГ 11, 94.

ЦЫПУ́ШКИ * Ходи́ть на цыпу́шках. *Смол.* На цыпочках. ССГ 11, 94.

На цупу́шки (стать, встать и т. п.). *Смол.* На цыпочки. ССГ 11, 94.

ЦЫПУ́ШЕЧКИ * Ходи́ть на цыпу́шечках. *Смол.* На цыпочках. ССГ 11, 94.

На цупу́шечки (стать, встать и т. п.). *Смол.* На цыпочки. ССГ 11, 94.

ЦЫРБА́ЛЫ * Ходи́ть на цырба́лах. *Новг.* Передвигаться тихо, незаметно. НОС 12, 36.

ЦЫРЛЫ. См. **ЦИРЛЫ.**

ЧА́ВКА * Ча́вка отви́сла *у кого. Жарг. мол. Шутл.-ирон.* О сильном удивлении, изумлении. Югановы, 242.

ЧА́ДО * Ча́до с ды́мом. *Волг. Пренебр.* О нерасторопном, непригодном к делу человеке. Глухов 1988, 171.

ЧАЁК * Чайко́м поба́ловаться. *Жарг. мол. Шутл.* Заняться сексом. (Запись 2003 г.).

Чайку́ поку́шать да орга́нчика послу́шать (ми́лости про́сим)! *Прост. Устар. Шутл.* Приглашение в гости. Балакай 2001, 566.

ЧАЕПИ́ТИЕ * Устро́ить чаепи́тие. *Жарг. мол. Шутл.* Организовать вечеринку со спиртным. Максимов, 441.

ЧАЙНСКИЙ * Приколо́ться по ча́йнскому. *Жарг. мол. Шутл.* Выпить чаю. Максимов, 340.

ЧАЙ * Ча́ем на Руси́ ещё никто́ не подави́лся. *Прост. Шутл.* Ответ на извинение хозяйки, что чаинки попали в чашку. Балакай 2001, 567.

Гоня́ть чай. *Прост.* Сидеть за чаепитием. АОС 9, 316.

Ва́нькин чай. *Арх.* То же, что **Иванов чай** АОС 3, 43.

Дать на чай *кому. Разг.* Заплатить сверх установленной платы кому-л. ФСРЯ, 514; БМС 1998, 614.

Ива́нов чай. *Волог.* Растение Иван-чай. СВГ 3, 3.

Ко́нский чай. *Том.* Щавель. СРНГ 14, 269.

Не на чай ходи́ть. *Волг.* О серьёзном, большом деле. Глухов 1988, 100.

Пить чай без перча́ток. *Волг. Шутл.* Кашлять без причины. Глухов 1988, 137.

Пить чай с косоту́ром. *Костром., Перм. Шутл.* Пить чай без сахара. СРНГ 15, 69.

Собира́ть чай. *Приамур. Шутл.* Сплетничать. СРГПриам., 279.

Соли́ть чай *кому. Жарг. мол.* Вредить, доставлять неприятности кому-л. Максимов, 396.

Хоть чай пей. *Сиб. Шутл.* О ситуации, когда дома нет еды, продуктов. ФСС, 133.

Чай в оглóблю. *Волог. Шутл.* Крепко заваренный чай. СВГ 6, 20.

Чай да са́хар! *Прост.* Приветствие, доброе пожелание тому, кого застали за чаепитием. ФСРЯ, 514; Мокиенко 1986, 229; Подюков 1989, 226; ЗС 1996, 437; Балакай 2001, 566. **Чай-са́хар!** То же. Балакай 2001, 566. **Чай с са́харом!** *Прост., Сиб.* То же. Балакай 2001, 566; Верш. 7, 247. **Чай да са́хары!** *Обл.* То же. Балакай 2001, 566.

Чай да чаёк да жа́реная води́чка *у кого. Волг. Шутл.-ирон.* О бедности, скудном питании. Глухов 1988, 171.

Чай на двои́х (вдвоём). *Жарг. муз. Шутл.* О музыкальной импровизации дуэтом. Вахитов 2003, 197.

Чай на чай ла́дится. *Кар.* Предложение выпить ещё одну чашку чаю. СРГК 3, 89; СРГК 4, 569.

Чай не водка — мно́го не вы́пьешь. *Прост. Шутл.* Отказ от предложения выпить ещё чашечку чаю. Балакай 2001, 567.

Чай пить не́где. *Сиб.* Нет места, где можно остановиться на ночлег. ФСС, 137.

Чай с позоло́той. *Народн.* Чай с ромом. ДП, 818.

Чай с прику́ской! *Том.* То же, что **чай да сахар.** СРНГ 31, 266.

Чай с са́харом! *См.* **Чай да сахар!** Верш. 7, 247.

До ча́ю. *Яросл.* Период работы до завтрака. ЯОС 4, 7.

Не в чаю. *Прибайк.* Бесполезно, зря (прожить жизнь). СНФП, 148.

Пригласи́ть к ча́ю *кого. Жарг. муз. Шутл.* Предложить кому-л. совместно поимпровизировать. Вахитов 2003, 145.

ЧА́ЙКА * Астраха́нская (вологóдская) ча́йка. *Жарг. мол. Неодобр.* Попрошайка. Максимов, 17, 67.

ЧАЙКО́ВСКИЙ * Послу́шать (включи́ть, заряди́ть) Чайкóвского. *Жарг. мол. Шутл.* Приготовить и выпить чаю. Елистратов 1994, 539; Максимов, 334.

Пойти́ к Чайкóвскому. *Жарг. мол. Шутл.* То же, что **послушать Чайковского.** Максимов, 325.

ЧА́ЙНИК * Дать ча́йник *кому. Одесск. Шутл.* Отказывать кому-л. при сватовстве. КСРГО.

Дуть в ча́йник. *Жарг. мол. Неодобр.* Говорить что-то невнятно, непонятно. Вахитов 2003, 52.

Навари́ть ча́йник. *Жарг. угол.* Заразиться гонореей. УМК, 237.

Наве́сить (навяза́ть) ча́йник *кому.* 1. *Курск. Шутл.* То же, что **дать чайник.** БотСан, 117. 2. *Перм. Шутл.* Отвергнуть чьи-л. ухаживания. Подюков 1989, 161.

Прицепи́ть (привяза́ть, подве́сить) ча́йник *кому. Дон. Шутл.* 1. Не дать согласия на брак. 2. Прекратить дружбу, знакомство с кем-л. СДГ 3, 64; СРНГ 28, 104.

Ча́йник кипи́т *у кого. Жарг. мол. Шутл.* О состоянии переутомления при умственной работе. Никитина 1998, 509.

Ча́йник поéхал (свисти́т) *у кого. Жарг. мол. Шутл.* Кто-л. перестал здраво рассуждать, адекватно оценивать ситуацию. Вахитов 2003, 197.

Ча́йник слома́ли *кому. Жарг. мол. Шутл.-ирон.* 1. О человеке с непредсказуемым поведением. 2. О крайне глупом человеке. Максимов, 391.

Ча́йник со свисткóм. *Жарг. мол. Пренебр.* Милиционер. Максимов, 378.

Ча́йник с ти́тьками. *Жарг. мол. Ирон.* О полной женщине. Максимов, 469; Мокиенко, Никитина 2003, 377.

Прики́нуться ча́йником. *Жарг. мол. Шутл.* Стараться казаться наивным, не понимающим чего-л. Елистратов 1994, 540.

Дать (заéхать, впая́ть) по ча́йнику *кому. Жарг. мол.* Ударить кого-л. по голове; избить кого-л. Елистратов 1994, 72, 540.

Жа́хнуть по ча́йнику. *Жарг. мол. Шутл.* Принять наркотик. Максимов, 129.

Получи́ть по ча́йнику. *Жарг. мол.* Подвергнуться избиению. DL, 139; СМЖ, 81.

ЧАЛДО́Н * Чалдóн желторóтый. *Сиб.* 1. *Презр.* О крестьянине-сибиряке. СОСВ, 68. 2. *Бран.* О человеке, вызывающем гнев, раздражение. Верш. 4, 258.

ЧАЛДО́Н * Чалдóн пустóй *у кого. Костром. Презр.* О глупом, легкомысленном человеке. < **Чалдóн** — голова. ЖКС 2006, 326.

ЧА́ЛКА * Брóсить ча́лку *к кому. Разг.* Попытаться познакомиться с девушкой, начать ухаживать за ней. Степанов 1999, 82.

Лома́ть ча́лку. *Жарг. угол.* Отбывать срок наказания; идти или ехать по этапу. СРВС 3, 64, 70; ТСУЖ, 194.

Надева́ть/ наде́ть (наки́дывать/ наки́нуть) ча́лку *на кого. Жарг. угол.* Задерживать, арестовывать кого-л. Бен, 136; Мокиенко 2003, 140.

Оде́ть ча́лку. *Жарг. угол.* Быть осуждённым к лишению свободы, попасть в тюрьму. Балдаев 1, 289; ТСУЖ, 194.

ЧАЛМА́ * Мота́ть/ намота́ть чалму́. *Жарг. угол., арест.* 1. Отбывать срок наказания. 2. *кому.* Определять срок наказания кому-л. Б., 105; ББИ, 277; Балдаев 2,139.

ЧА́ЛЫЙ * Ча́лый и дра́ный. *Забайк., Сиб. Пренебр.* Каждый встречный, кто попало. СРГЗ, 450; СФС, 200.

ЧАН * Чан течёт *у кого. Жарг. мол. Шутл.-ирон. или Неодобр.* Кто-л. плохо соображает, поступает странно, ведёт себя подобно сумасшедшему. Елистратов 1994, 541.

Дать по ча́ну *кому. Жарг. угол.* Ударить, избить кого-л. СВЯ, 25.

Заработать по ча́ну. *Жарг. мол.* Подвергнуться избиению. Югановы, 243.

ЧАНТ * Сбива́ть/ сбить с ча́нту *кого. Смол.* Сбить с правильной мысли, с правильного пути. ССГ 11, 95. Ср. **сбивать с панталы́ку** *кого.*

ЧА́О * Ча́о кака́о! *Жарг. мол.* Приветствие при расставании: привет, пока! Мокиенко 2003, 140.

ЧАПА́ЕВ * Игра́ть в Чапа́ева. *Жарг. арм., арест. Шутл.-ирон.* Окунать кого-л. лицом в тазик с грязной водой (вид издевательства над молодыми солдатами, сокамерниками). DL, 122; Собеседник, 1998, № 43.

ЧА́ПОЧКИ * На ча́почках. *Дон.* На корточках. СДГ 3, 187.

ЧА́РКА * Ча́рка бьёт *кого. Народн. Неодобр.* О пьянице, алкоголике. ДП, 793.

ЧАС * Адмира́льский час. *Разг. Шутл. Устар.* Полдень, время завтрака или раннего обеда с выпивкой. ФСРЯ, 514; БМС 1998, 614; ШЗФ 2001, 14; БТС, 30; Янин 2003, 12; ФМ 2002, 600.

Би́тый час. *Разг.* Очень долго. ФСРЯ, 515; БМС 1998, 614; ЗС 1996, 487; ШЗФ 2001, 19; БТС, 80, 1467.

В дóбрый час! *Разг.* Пожелание удачи, благополучия в пути при расставании или при начинании какого-л. дела. ФСРЯ, 515; БМС 1998, 615; ФМ 2002, 602; ЗС 1996, 480, 499; Глухов 1988, 171; СРГБ 1, 111.

В (чéрез) час по ча́йной лóжке. *Разг. Неодобр.* Очень медленно, очень долго, с перерывами. БМС 1998, 615; ФСРЯ, 516; ЗС 1996, 477, 484; БТС, 503, 1467.

Вóсемь часóв гражда́нки. *Жарг. арм. Шутл.* Солдатский сон. Максимов, 69.

Звёздный час. 1. *Книжн.* Момент высшего подъёма, напряжения и испытания сил. БТС, 1467; ФМ 2002, 603. < Выражение С. Цвейга из предисловия к его сборнику исторических новелл «Звёздные часы человечества» (1927 г.). БМС 1998, 615; Мокиенко 2003, 140. 2. *Жарг. шк. Шутл.* Астрономия (учебный предмет); урок астрономии. (Запись 2003 г.). 3. *Жарг. мол. Шутл.* Потеря девственности. Максимов, 154.

Коменда́нтский час. *Жарг. шк. Шутл.-ирон.* Классный час. ВМН 2003, 148.

Мёртвый (ти́хий) час. 1. *Разг.* Время послеобеденного отдыха в больницах, санаториях, детских садах и т. п.). ФСРЯ, 515. 2. *Жарг. курс. Шутл.* Самоподготовка. БСРЖ, 665. 3. *Жарг. шк. Шутл.-ирон.* Урок истории. ВМН 2003, 148. 4. *Жарг. шк. Шутл.-ирон.* Урок литературы. (Запись 2003 г.). 5. *Жарг. шк. Шутл.-ирон.* То же, что **комендантский час.** (Запись 2003 г.).

Москóвский час. *Народн. Шутл.* Неопределённо долгое время. ДП, 329, 567.

Не в час. *Ср. Урал.* Несвоевременно. СРГСУ 2, 194.

Не рóвен час. *Прост.* Выражение опасения, предположения, что может произойти что-л. неприятное, неожиданное. ФСРЯ, 515; БМС 1998, 615; ЗС 1996, 487; БТС, 1467; ДП, 65.

Под го́рький час. *Арх.* В состоянии возбуждения, гнева, раздражения. СРНГ 7. 88.

Пойти́ не в час. *Новг.* Оказаться под действием нечистой силы. НОС 8, 76.

Сме́ртный час. *Книжн.* Смерть, время смерти. ФСРЯ, 515; БМС 1998, 615.

Соба́кин час. *Прост.* Время перед восходом солнца. НРЛ-83; Мокиенко 2003, 140.

Уда́рил час. *Книжн. Устар.* То же, что **час пробил.** Ф 2, 246.

Фельдфе́бельский час. *Разг. Устар.* О времени, когда кто-л. бывает пьян. < Выражение связано с обыкновением фельдфебелей (низший чин в царской русской армии) напиваться в определённое время, когда их не вызывает начальство. Мих. 2, 439; БМС 1998, 615.

Худо́й час. *Новг.* Время действия нечистой силы. НОС 12, 39.

Час во́лка. *Разг. Шутл. (Моск. 1960–1980 гг.).* Одиннадцать часов утра (время, с которого была разрешена торговля спиртным в магазинах). < По фигурке волка, на которую в 11 часов была направлена стрелка на часах здания кукольного театра С. Образцова. Югановы, 243.

Час в час. *Разг.* В точно назначенное время, в установленный срок. ФСРЯ, 515; Мокиенко 1986, 101.

Час до́брый! *Разг.* То же, что **в добрый час!** ФСРЯ, 515.

Час открове́ний. *Жарг. шк. Шутл.* Классный час. Максимов, 470.

Час о́т часу. *Разг.* 1. Постепенно, с течением времени (усиливаться, ослабляться и т. п.). ФСРЯ, 516. 2. Ежечасно, каждый час. БМС 1998, 615.

Час о́т часу не ле́гче. *Разг.* Чем дальше, тем хуже, больше новых неприятностей, затруднений. ФСРЯ, 516; БТС, 490, 1467; ЗС 1996, 392, 487; Жук. 1991, 348.

Час пик. *Разг.* Время наивысшего напряжения, наибольшей загруженности в работе транспорта, электросети. БМС 1998, 515–516; БТС, 831; ЗС 1996, 472.

Час поте́хи. *Жарг. шк. Шутл.* Классный час. ВМН 2003, 148.

Час про́бил (уда́рил). *Разг.* Пришло время, пришла пора для чего-л. ФСРЯ, 516; БТС, 1467; ЗС 1996, 487. **Час пробы́лся.** *Кар.* То же. СРГК 5, 234.

Че́рез час по ча́йной ло́жке. См. **В час по чайной ложке.**

Дожида́ться своего́ ча́са. *Разг.* Надеяться на совершение задуманного, желаемого. Ф 1, 166.

По часа́м. 1. *Разг.* В точно установленное время, в точно определённое время. ФСРЯ, 516. 2. *Ряз.* Очень быстро. ДС, 593.

Стоя́ть на часа́х. *Разг.* Находиться в карауле. ФСРЯ, 460; Мокиенко 1986, 89; ФМ 2002, 605.

Ча́сом с ква́сом, поро́й с водо́й. *Народн.* Бедно, впроголодь. Жук. 1991, 349; БМС 1998, 616.

Меж двух оста́ться на ча́се. *Жарг. угол. Устар.* Попасться с поличным, потерпеть неудачу. СРВС 2, 123.

В горя́чем часу́. *Волог.* В момент раздражения, возбуждения; сгоряча. СРНГ 7, 88.

На одно́м часу́. *Кар.* В это время. СРГК 4, 150.

На часу́. *Ряз.* В течение небольшого промежутка времени. ДС, 503.

На часу́ семь пя́тниц *у кого. Горьк.* О непостоянном человеке. БалСок, 45.

С ча́су на час. *Разг.* 1. В самое ближайшее время, с часу на час. 2. Постепенно, по мере течения времени. ФСРЯ, 516; ЗС 1996, 476.

Ча́су не часова́ть. *Ряз.* Не оставаться где-л. на более или менее продолжительное время. ДС, 593.

Архиере́йские часы́ *у кого. Разг. Шутл. Устар.* О том, кто является с опозданием и ссылается на свои неточные часы. БМС 1998, 616.

В часы́. *Курск.* Вовремя. БотСан, 87.

Наложи́ть часы́. *Кар.* Назначить определённое время. СРГК 3, 350.

Часы́ часу́ются. *Арх.* О течении времени. АОС 6, 25.

Чита́ть часы́. *Перм.* Читать псалтырь у покойника. СРГПриам., 682; МФС, 111.

ЧА́СИКИ * Перейти́ на ча́сики. *Жарг. мол.* Переключить мобильный телефон на тариф с посекундной тарификацией. Костин, 245.

ЧАСИ́НА * Худа́я часи́на. *Новг.* То же, что **худой час (ЧАС).** НОС 12, 39.

ЧАСОВО́Й * Часово́й возду́шных грани́ц (не́ба). *Публ. Патет.* Воин противовоздушной обороны. Новиков, 185.

Часово́й грани́ц (рубеже́й). *Публ. Патет.* Пограничник. Новиков, 185.

Часово́й поря́дка. *Публ. Патет.* Милиционер. Новиков, 186.

ЧАСО́К * По часка́м. *Новг.* Урывками. НОС 12, 39.

ЧАСТОКО́Л * Городи́ть частоко́л. *Пск.* Говорить чепуху, врать. Доп., 1858.

Ме́рить частоко́л. *Новг.* Вид гадания в Святки. НОС 12, 40.

ЧАСТОТА́ * Дать частоты́ *кому. Пск.* Быстро расправиться с кем-л. СПП 2001, 79.

ЧАСТУ́ШКА * В часту́шку. *Новг.* Часто, близко друг к другу. НОС 12, 40.

ЧАСТЬ * Перерва́л бы на ча́сти *кого. Смол.* Выражение сильного гнева, возмущения в чей-л. адрес. СРНГ 26, 205.

Разрыва́ться (рва́ться) на ча́сти. *Разг.* Усердствовать, стараться сделать сразу много дел. БМС 1998, 616; ФСРЯ, 516; Ф 2, 117, 124.

Бо́лее часть (ча́стью). *Дон.* Преимущественно, большей частью. СДГ 1, 34.

Говя́жья часть. *Волог.* Жаркое на свадебном пиру. СРНГ 6, 261.

Избра́ть благу́ю часть. *Книжн. Ирон.* Принимать наиболее выгодное для себя решение; заниматься лучшим, в сравнении с другими, делом. ШЗФ 2001, 20. < Восходит к Евангелию. БМС 1998, 616.

Самостоя́тельная часть те́ла. *Жарг. мол. Шутл.* О большой женской груди. Максимов, 374.

Столе́вская (столо́вская, столо́вая) часть. *Жарг. угол.* Кража со взломом. СРВС 1, 149; СРВС 2, 84, 95, 222; ТСУЖ, 169.

ЧАСЫ́ * Носи́ться с часа́ми. *Жарг. угол. Шутл.-ирон.* 1. Гордиться чем-л., быть высокомерным, заносчивым. СРВС 12, 169; СРВС 3, 153. 2. Хвастаться. Балдаев 2, 69.

Биологи́ческие часы́. *Научн.* О механизмах живого организма, обеспечивающих его приспособление к ритмическим процессам, происходящим в живой природе. НСЗ-70; Мокиенко 2003, 140.

Меня́ть/ поменя́ть часы́ на трусы́. *Прост. Шутл.-ирон.* Ошибаться, проигрывать при обмене, выборе. Глухов 1988, 84; Мокиенко 2003, 140.

Останови́ть часы́ *чьи, кому. Жарг. угол.* 1. Убить кого-л. 2. Опозорить кого-л. ББИ, 277; Балдаев 2, 140.

Сда́ть часы́ в ремо́нт. *Жарг. мол. Шутл.* Сходить в туалет. Максимов, 364.

ЧА́ТИЕ * От ча́тья ве́ка. См. **От начала века (НАЧА́ЛО).**

ЧАТЬ * Ни чать ни начáть. *Сарат. Неодобр.* Ничего не уметь, не знать. СРНГ 21, 215.

Ни чать ни кончáть пришлó. *Влад. Ирон.* У кого-л. плохи дела, кто-л. оказался в сложной ситуации. СРНГ 21, 215.

ЧÁХИ * Мéжду чáхи и ляхи. *Арх. Неодобр.* 1. Кое-как; посредственно. 2. Праздно, без дела, без работы. СРНГ 18, 79.

ЧАХÓТКА * Кармáнная чахóтка. *Прост. Шутл.-ирон.* Полное безденежье. ФСРЯ, 517.

Чахóтка в кармáне *у кого. Новг., Сиб.* То же, что **карманная чахотка.** НОС 12, 41; Сергеева 2004, 227; СОСВ, 84.

ЧÁЧАЛА * Чáчалу завязáть *кому [за что]. Смол.* Отомстить кому-л. за что-л. ССГ 11, 97.

ЧÁША * Да минýет меня чáша сия. *Книжн.* Пусть не коснется меня это горе, несчастье. ШЗФ 2001, 59; БТС, 544. < Выражение из Евангелия. БМС 1998, 617.

Донскáя чáша. *Дон.* Куст винограда с лозами, подвязанными в виде круга. СДГ 1, 137.

Пóлная чáша. 1. *Разг.* Об изобилии. ФСРЯ, 517; Мокиенко 1990, 96-97. 2. *Сиб.* О богатом, зажиточном человеке. СОСВ, 145.

Чáша терпéния перепóлнилась *чья, у кого. Разг.* Нет никакой возможности терпеть, переносить что-л. ФСРЯ, 517; БТС, 814, 1469; Жиг. 1969, 149.

Пить из пóлной чáши. *Разг. Устар.* Жить полнокровной жизнью, соответственно своим желаниям, своему предназначению. Ф 2, 47.

Скúдывать/ скúнуть с чáши весóв *кого, что. Книжн.* Не брать в расчёт, не придавать значения кому-л., чему-л. Ф 2, 159.

Бросáть/ брóсить (класть/ положúть) на чáшу весóв *что. Книжн.* Рисковать самым важным, значительным во имя успеха, удачи. БТС, 98, 122, 1469; Ф 1, 44, 239.

Вы́пить (испúть) гóрькую чáшу [до дна]. *Книжн.* Испытать много страданий, горестей. БТС, 178; Мокиенко 1990, 84-85; Ф 1, 225.

Допúть свою́ чáшу до днá. *Книжн.* то же, что **выпить горькую чашу.** БТС, 275; Янин 2003, 79.

Испúть пóлную чáшу. *Книжн.* Испытать что-л. в полной мере. БТС, 1469; Ф 1, 225.

Переполня́ть/ перепóлнить чáшу терпéния. *Книжн.* Лишать кого-л. возможности терпеть, выносить что-л. БТС, 1469.

Пить мёртвую чáшу. *Разг. Устар.* Запойно пить спиртное. ФСРЯ, 517; БТС, 1469.

Пить однý чáшу *с кем. Разг. Устар.* Нести ответственность за что-л. вместе с кем-л. Ф 2, 47.

Попáсть в плохýю чáшу. *Прибайк.* Испытать много трудностей, бедствий, лишений. СНФП, 150.

ЧÁШКА * Прáвая чáшка. *Жарг. авиа.* Кресло помощника командира корабля в пилотской кабине. Кор., 236.

Жить за чáшки да лóжки. *Новг.* Работать, не получая денег. НОС 12, 41.

Из чáшки лóжкой. *Прост. Шутл.-ирон.* О нерадивом, ленивом работнике, бездельнике. Кобелева, 82; Глухов 1988, 138.

Чáшки в ýгол кúнуть (постáвить). *Пск.* Умереть. СПП 2001, 79.

Покры́ть чáшку. *Яросл.* Перевернуть чашку, показав хозяину, что чаю выпито достаточно. СРНГ 29, 17.

Чáшку не переéхать *[кому]. Пск. Шутл.* Кто-л. не может съесть тарелку предложенной еды. СПП 2001, 79.

ЧÁЯНИЕ * Пáче чáяния. *Разг. Устар.* Сверх ожидания, неожиданно. ФСРЯ, 517; БМС 1998, 617; ФМ 2002, 606; БТС, 788.

ЧÁЯНО * Не чáяно, не гáдано. *Арх.* Внезапно, неожиданно. АОС 9, 22.

ЧЕ * Наш Че. *Жарг. журн., Полит.* Бывший Премьер-министр РФ В. С. Черномырдин. МННС, 212.

ЧЕБУРÁХ * Сойти с чебурáха. *Сиб.* Напиться пьяным. ФСС, 185.

ЧЕБУРÁШКА * Ловúть чебурáшек [в кустáх]. *Жарг. мол. Шутл.* Быть в состоянии сильного алкогольного опьянения. Максимов, 215.

ЧЕБУРÉК * Чебурéк хлюпает *у кого. Жарг. мол. Шутл.* О проявлении сексуального влечения у женщины. Максимов, 461.

ЧЕКÁ * Чеки не умéет застругáть. *Курск. Неодобр.* О неумелом, ни к чему не приспособленном человеке. БотСан, 118.

ЧЕЛÓ * Бить челóм *кому. Разг. Устар.* 1. Почтительно низко кланяться, приветствуя кого-л. ЗС 1996, 295; ПОС 2, 20. 2. Почтительно просить кого-л. о чём-л. ПОС 2, 20; ФСРЯ, 518; БТС, 1479; Янин 2003, 31; ШЗФ 2001, 20; БМС 1998, 617. 3. *за что.* Благодарить кого-л. ПОС 2, 20; ФСРЯ, 518; ФМ 2002, 608; БМС 1998, 617. 4. *о чём.* Каяться, просить прощения. ПОС 2, 20. 5. *на кого, против кого.* Жаловаться, прося защиты. ШЗФ 2001, 20; ПОС 2, 20-21.

ЧЕЛОВÉК * Бессýдный человéк. *Яросл.* Младенец. ЯОС 1, 57.

Бóжий человéк. 1. *Нар., Разг.* Нищий, странник. БТС, 1470. 2. *Разг.* Религиозный человек. ЯОС 2, 8. 3. *Яросл.* Честный, совестливый человек. ЯОС 2, 8. 4. Юродивый. БТС, 1470; ЯОС 2, 8.

Большóй человéк. 1. *Жарг. угол.* Авторитетный вор-рецидивист. ББИ, 31; Балдаев 1, 42; ТСУЖ, 22. 2. *Жарг. угол., нарк.* Главарь преступной группировки, распространяющей наркотики. ТСУЖ, 22.

Деловóй человéк. *Жарг. угол.* Авторитетный вор; профессиональный преступник. Грачев 1992, 67.

Дрéвний человéк. *Жарг. шк. Шутл.-ирон.* Учитель истории. Максимов, 118.

Духóвный человéк. *Жарг. угол.* Советник главаря преступной группировки. ТСУЖ, 52.

Голýтвенный человéк. *Перм.* Бедняк. СРНГ 6, 344.

Желéзный человéк. *Публ. Патет.* И. В. Сталин. Вайскопф 2001, 290.

Зóванный человéк. *Жарг. арм. Шутл.* Солдат. < **Зованный** — от **мобилизованный.** Максимов, 157.

Мáленький человéк. *Разг. Пренебр. или Ирон.* Незначительный, ничтожный в социальном или интеллектуальном отношении человек. БМС 1998, 618.

Мой человéк. *Жарг. угол., мил.* Осведомитель. Максимов, 251.

Наш человéк. 1. *Жарг. студ. (ист.). Шутл.* Русский царь Петр-I. (Запись 2003 г.). 2. *Жарг. мол. (Одесск.). Шутл.* Еврей. Смирнов 2002, 127.

Нýжный человéк. *Разг.* Человек, по протекции которого решались те или иные проблемы в эпоху социализма. Немировская, 481.

Олдóвый человéк. *Жарг. мол. Уваж.* Старший в молодёжной группировке, являющийся идейным консультантом. Максимов, 289. < **Олдовый** — от англ. *old.*

Пятнáдцать человéк на сундýк мертвецá. *Жарг. арм. Шутл.-ирон.* О по-

солдатом посылки из дома. ни из романа Р. Г. Стивенсона «Остров сокровищ» и кинофильма, снятого по мотивам этого романа. Максимов, 355.

Са́мый челове́чный челове́к. 1. *Публ. Устар. Патет.* О В. И. Ленине. Немировская, 368. < Цитата из поэмы В. В. Маяковского «Владимир Ильич Ленин», 1924 г. 2. *Жарг. шк.* Заболевший учитель. Перемены, 2002.

Систе́мный (тусо́вочный) челове́к. *Жарг. мол.* Хиппи. Мазурова. Сленг, 99.

Челове́к без па́спорта. *Жарг. арм. Шутл.-ирон.* 1. Солдат. 1. Офицер. Максимов, 304.

Челове́к в футля́ре. *Разг. Неодобр.* О человеке, который замкнулся в кругу узких обывательских, мещанских интересов, отгородился от реальной жизни, боится нововведений и перемен. < По названию рассказа А. П. Чехова (1898 г.). БМС 1998, 619; БТС, 1470; ФМ 2002, 609; ФСРЯ, 503.

Челове́к в шта́тском. *Разг. Ирон.* О работнике спецслужб, госбезопасности. Мокиенко 2003, 140-141.

Челове́к из подпо́лья. *Жарг. мол. Шутл.* Мужской половой орган. Щуплов, 54.

Челове́к из яйца́. *Жарг. мол. Шутл.* О человеке со странностями, резко отличающемся от окружающих. Вахитов 2003, 198.

Челове́к на карма́нной тя́ге. *Жарг. студ., шк.* Абитуриент. (Запись 2003 г.).

Челове́к с большо́й бу́квы. *Разг. Одобр.* Человек, достойный уважения, отличающийся высокими моральными качествами. БМС 1998, 619.

Челове́к со спра́вкой. *Жарг. мол. Шутл.-ирон.* О глупом, неуравновешенном человеке. Максимов, 401.

Челове́к со стороны́. *Разг.* О ком-л. постороннем, чуждом для какого-л., уже сложившегося коллектива, группы. НСЗ-70; Мокиенко 2003, 141.

Челове́к с ружьём. *Разг.* 1. *Шутл.* Солдат, вооружённый человек. // *Жарг. арм. Шутл.* Часовой. (Запись 1998 г.). 2. *Неодобр.* Вооружённый грабитель, бандит. < По названию пьесы Н. Погодина (1937 г.). БМШ 2000, 538; Мокиенко 2003, 141.

Челове́к с холо́дной голово́й, горя́чим се́рдцем и чи́стыми рука́ми. *Публ. Устар. Патет.* Чекист. Немировская, 349.

Не счита́ть за челове́ка *кого. Разг.* Унижать, презирать кого-л. Глухов 1988, 105.

Полтора́ челове́ка. *Пск. Шутл.* О небольшом количестве людей где-л. СПП 2001, 79.

Сде́лать челове́ком *кого. Разг.* Воспитать в ком-л. хорошие человеческие качества; благотворно повлияв на чьё-л. поведение, судьбу, помочь занять достойное место в жизни. Ф 2, 148.

ЧЕЛОВЕ́ЧЕК * Пля́шущие челове́чки. *Жарг. нарк. Шутл.* Наркотические таблетки. Максимов, 415.

ЧЕЛОВЕ́ЧИЩЕ * Матёрый челове́чище. *Публ. Патет.* Об опытном, сведущем в чём-л., имеющем вес в какой-л. области человеке. < Слова В. И. Ленина о Л. Н. Толстом, приводимые М. Горьким в очерке «В. И. Ленин», 1924 г. Мокиенко, Никитина, 1998, 659.

ЧЕ́ЛЮСТЬ * Ходя́чие че́люсти. *Жарг. мол. Шутл.* О человеке, жующем жевательную резинку. Максимов, 462.

Вставна́я че́люсть (вставны́е че́люсти). *Жарг. мол. Шутл.-ирон.* 1. Район массовой застройки. < Первоначально в Англии. Мокиенко 2003, 141. 2. Улица Новый Арбат в Москве. Щуплов, 191.

Кни́жная че́люсть. *Жарг. шк.* Библиотекарь. (Запись 2003 г.).

Собира́ть че́люсть. *Жарг. мол.* Приходить в себя после какого-л. потрясения. Митрофанов, Никитина, 244. < От **челюсть отвисла.**

Отдира́ть че́люсть от по́ла. *Жарг. мол. Шутл.* То же, что **собирать челюсть.** Вахитов 2003, 121.

Че́люсть до асфа́льта *у кого. Жарг. мол. Шутл.* То же, что **челюсть отвисла.** Максимов, 17.

Че́люсть отви́сла (отпа́ла) *у кого. Прост.* О состоянии удивления, изумления. Вахитов 2003, 198; Максимов, 293.

ЧЕ́МЕР (ЧЕ́МЕРЬ, ЧЁМОР, ЧО́МОР, ЧО́МЕР) * Че́мер лома́ет *кого. Волг. Неодобр.* Кто-л. хулиганит, совершает предосудительные поступки. Глухов 1988, 171.

Понеси́ тебя́ (его́ и т. п.**) чёмор!** *Прикам. Бран.* Восклицание, выражающее гнев, негодование, возмущение. МФС, 109.

Чёмор (чо́мор) зна́ет *кого, что. Перм., Прикам.* Абсолютно ничего не известно о ком-л., о чём-л. МФС, 109; СГПО, 684; Мокиенко 1986, 181.

Чтоб тебя́ че́мер заби́л! *Курск. Бран.* Недоброе пожелание в адрес человека, вызывающего негодование, возмущение. БотСан, 118.

Како́го чёмора (чо́мора) на́до? *Перм., Прикам. Неодобр.* Чего нужно? МФС, 110; СГПО, 683.

Ни чёмора. *Перм.* Абсолютно ничего, нисколько. Мокиенко 1986, 170.

До че́мери *кого, чего. Смол.* О множестве кого-л., чего-л. ССГ 11, 100.

Како́го-то чо́мора. *Перм.* Почему-то, неизвестно отчего. СГПО, 683.

Иди́ (подь, поди́, пойди́) ты к чёмору (че́меру, чо́меру)! *Алт., Перм., Прикам., Сиб. Бран.* Восклицание, выражающее досаду, неудовольствие, желание избавиться от кого-л. СРГА 2-I, 174; Подюков 1989, 227; МФС, 15; СФС, 144; ФСС, 141; Мокиенко, Никитина 2003, 379.

До чёмору (чо́мору). *Перм., Прикам.* О большом количестве чего-л. МФС, 110; СГПО, 683.

Че́мерь бьёт (ударит) в го́лову. *Смол.* О состоянии припадка. *Смол.* ССГ 11, 100.

Че́мерь тебе́ (вам, ему и т. п.**) на язык!** *Смол.* Пожелание плохого. ССГ 11, 100.

Че́мерь тебя́ (вас, его и т. п.**) возьми́ (забе́й)!** *Смол.* Пожелание плохого. ССГ 11, 100.

Че́мерь на тебя́ (на вас, на него и т. п.**) сойди!** *Смол.* Пожелание плохого. ССГ 11, 100.

Не в че́мерях (чи́мерях). *Смол.* Чрезмерно, с излишком (напр., о поедаемой кем-л. пище). ССГ 11, 100.

< **Че́мер, че́мерь, чо́мер, чёмор** — 1. Нечистая сила, черт. 2. Насекомое, мошкара. 3. Брюшная болезнь животных, человека. 4. Нарыв, фурункул.

ЧЕМОДА́Н * Лечь в сосно́вый (ду́бо́вый) чемода́н. *Жарг. мол. Шутл.-ирон.* Умереть. Елистратов 1994, 544.

Пусто́й чемода́н. *Жарг. мол. Пренебр.* О крайне глупом человеке. Максимов, 352.

Чёрный чемода́н. 1. *Разг. Груб.* Женские гениталии. УМК, 237; Флг., 386. 2. *Публ.* О чём-л. секретном, скрываемом, неизвестном, непознанном. НСЗ-70; Мокиенко 2003, 141.

Сиде́ть на чемода́нах. *Разг.* Быть готовым к отъезду. БТС, 1471; ЗС 1996, 498; Ф 2, 155.

Распако́вывать чемода́ны. *Разг.* 1. Обживаться, устраиваться где-л.

2. Привыкать, адаптироваться к новой деятельности, работе. Мокиенко 2003, 141.

Шевели́ть чемода́ны. *Жарг. мол. Шутл.* Производить таможенный досмотр багажа (на таможне). Елистратов 1994, 544.

ЧЕМПИО́Н * Чемпио́н по литрбо́лу. *Жарг. мол. Шутл.* Алкоголик, пьяница. Вахитов 2003, 198; Максимов 472.

Чемпио́н по прыжка́м влéво (в ширину́). *Жарг. мол. Шутл.-ирон.* О крайне глупом человеке. Максимов, 472.

ЧЕПÉЦ * Забро́сить чепéц чéрез мéльницу. *Разг. Устар.* Полностью забросить светские приличия, пренебречь общественным мнением во имя личных увлечений. < Калька с франц. *jeter son bonnet par-dessus les moulins.* БМС 1998, 620.

ЧЕПУ́РКИ * На чепу́рках (чепу́рочках). *Ряз.* На корточках. ДС, 594.

ЧЕПУ́РОЧКИ * На чепу́рочках. См. **На чепу́рках (ЧЕПУРКИ).**

ЧЕПУХА́ * Чепуха́ на по́стном ма́сле. *Разг. Неодобр.* О чём-л., не заслуживающем внимания, о глупых рассуждениях. ФСРЯ, 518; БТС, 1471; БМС 1998, 620; СПП 2001, 80.

Ки́нуть чепухи́ мусора́м. *Жарг. угол.* Обмануть работников милиции. ТСУЖ, 84.

Гнуть чепуху́. *Арх.* То же, что **городить чепуху.** АОС 9, 166.

Городи́ть (моло́ть, нести́, поро́ть) чепуху́. *Разг. Неодобр.* Говорить глупости, вздор. ФСРЯ, 518; БМС 1998, 621; ЗС 1996, 249, 333; СОГ 1989, 102; ШЗФ 2001, 57.

ЧÉРВИ * Выкинуть чéрви. *Жарг. крим.* Проявить хитрость. Хом. 2, 521.

ЧЕРВО́НЕЦ * Черво́нец с пятернёй. *Жарг. угол.* Пятнадцать лет лишения свободы. ББИ, 278; Балдаев 2, 141.

Мéлкие черво́нцы. *Жарг. угол. Шутл.* Вши. ББИ, 278; Балдаев 2, 141.

ЧЁРВЬ * Чéрви гло́жут *кого. Башк., Перм.* О человеке, заражённом глистами. СРНГ 6, 200; СРГБ 1, 84.

Кни́жный червь. *Жарг. шк. Шутл.-ирон. или Пренебр.* Библиотекарь. (Запись 2003 г.).

Мазну́ть червя́. *Жарг. ол. Шутл.* Дать взятку таможеннику. Максимов, 234.

ЧЕРВЯ́К * Ви́нный червя́к сосёт за сéрдце *кого. Обл. Шутл.-ирон.* О сильном желании выпить спиртного. Мокиенко 1986, 23.

Червя́к в корсéте. *Жарг. мол. Ирон. или Пренебр.* Об очень худой девушке. БСРЖ, 667; Максимов, 198. < Ср. диал. **селёдка в корсете.**

Вскорми́ть червяка́. *Сиб.* Поймать первую рыбу на удочку. ФСС, 32.

ЧЕРВЯЧО́К * Задави́ть (заби́ть) червячка́ *[кому]. Жарг. мол. Шутл.* Заняться любовью, совершить половой акт. Елистратов 1994, 544; Никитина 1998, 511.

Замори́ть червячка́. *Разг. Шутл.* Слегка закусить. СРНГ, 6, 202; ФСРЯ, 518; БМС 1998, 621; ШЗФ 2001 80; БТС, 333; ЗС 1996, 186; Мокиенко 1986, 21-23; ФМ 2002, 611; ДП, 806.

Замори́ть червячка́-алкаша́. *Жарг. мол. Шутл.* Выпить спиртного. Щуплов, 62.

Клева́ть с червячко́м. *Новг. Шутл.-ирон.* Оказываться в неприятном, невыгодном положении из-за своей оплошности или неосведомленности. НОС 4, 48.

ЧЕРДА́К * Закры́ть черда́к. *Жарг. мол.* Замолчать. Вахитов 2003, 62.

Раздерба́нить черда́к. *Жарг. угол.* Вытащить, выкрасть что-л. (обычно — деньги) из нагрудного кармана. Балдаев 2, 8.

Сверну́ть чердак *кому. Жарг. мол. Неодобр. или Ирон.* Свести с ума кого-л. < **Чердак** — голова. Митрофанов, Никитина, 244.

Сма́зать черда́к *кому. Жарг. угол.* Ударить кого-л. по голове. Балдае в 2, 47.

Соба́чий черда́к. *Помор.* Отсек на рыболовном судне, где работает чистильщик рыбы. ЖРКП, 147.

Черда́к без вéрху: одного́ стропи́льца нет *у кого. Народн. Ирон.* О глупом, несообразительном человеке. ДП, 436.

Черда́к дыми́т *у кого. Жарг. мол.* 1. О проявлении психического расстройства. 2. О состоянии сильного алкогольного опьянения. Максимов, 124.

Черда́к заклини́ло *у кого. Жарг. мол. Шутл.* Кто-л. плохо соображает, не может понять чего-л. Никитина 1996, 243.

Черда́к переéхал в подва́л *у кого. Жарг. мол.* Об утрате рассудка. Максимов, 308.

Черда́к потёк (протёк, течёт, поéхал, сдви́нулся) *у кого. Жарг. мол.* 1. *Неодобр.* О чьём-л. странном, глупом поведении. Вахитов 2003, 198. 2. Об алкогольном или наркотическом опьянении. Максимов, 323. 3. *Неодобр.* О проявлении психического расстройства. Максимов, 324, 418. < По модели **крыша поехала**. Елистратов 1994, 545.

ЧЕРДАЧО́К * Чердачо́к «Фру́ттис». *Жарг. мол. Шутл.* Автобус жёлтого цвета. < По названию популярной телепередачи. БСРЖ, 668.

ЧЕРЁВО (ЧЕРЁВО) * Выпустить черéво *кому. Брян.* Лишить жизни, убить кого-л. СБГ 3, 78.

Выма́тывать / вы́мотать черёво (черéвы). 1. *Волг.* Утомлять себя тяжёлой работой. Глухов 1988, 19. 2. *кому. Волг., Дон. Неодобр.* Мучить кого-л., издеваться над кем-л. СДГ 3, 190.

ЧЕРЁД * Отводи́ть/ отвести́ черёд. *Прост.* Делать что-л. не по желанию, а ради соблюдения обычая, правил. Ф 2, 23.

Идти́ свои́м чередо́м. *Разг.* Развиваться нормально, как обычно (о ситуации, делах). БТС, 1472.

ЧЕРЕДА́ * Вперёд череды́. *Арх.* Раньше положенного времени. АОС 5, 141.

ЧЕРЕМИ́ТЬ * Череми́ть да кипяти́ть. *Новг.* Сплетничать, осуждать кого-л. Новг. 4, 42.

ЧЕРЁМУХА * Толкну́ть черёмуху. *Жарг. угол.* Солгать, обмануть кого-л. ББИ, 278; Балдаев 2, 141.

ЧÉРЕН * Подвезти́ (поднести́) под чéрен *кому. Сиб. Ирон.* Ударить кого-л. в челюсть. ФСС, 139.

ЧÉРЕНЬ * Чéрень забро́сить *[кому]. Жарг. угол.* Обмануть кого-л. ББИ, 278; Балдаев 2, 141; Мильяненков, 273.

ЧÉРЕП * Ада́мов чéреп. *Арх. Шутл.* Лысая голова. АОС 1, 63.

Брать чéреп. *Сиб.* С помощью топора или другого орудия делать выемку в верхнем бревне сруба. СРГК 1, 108.

Га́жий чéреп. *Пск. Бран.* О человеке, вызывающем негодование, возмущение. СПП 2001, 80.

Лы́сый чéреп. *Жарг. шк. Шутл.-ирон. или Пренебр.* Лысый учитель, директор школы. Школа-2001; Xml, 2002; Максимов, 231.

Му́чить чéреп. *Жарг. мол. Шутл.-ирон.* Думать, размышлять о чём-л. Максимов, 261.

ЧЕРЕПА́ХА * Черепа́ха Торти́лла (Тарти́лла). *Жарг. шк. Шутл.* 1. Библиотекарь. (Запись 2003 г.). 2. Пожилая учительница. (Запись 2003 г.).

ЧЕРЕПА́ШКА * Черепа́шки Ни́ндзя. *Жарг. мол. Шутл.* Бойцы ОМОНа. (Запись 2003 г.).

ЧЕРЕПО́К * Пошкря́бать черепо́к. *Жарг. мол. Шутл.* Вымыть голову. (Запись 2004 г.).

ЧЕРЕ́ПЬЯ * Бить чере́пья. *Кар.* В свадебном обряде: разбивать глиняные горшки как свидетельство целомудрия невесты. СРГК 1, 73.

Чтоб тебя́ (его́, вас и т. п.) **попола́м да в чере́пья!** *Обл. Бран.* Пожелание зла, проклятье. Толстой 1993, 124-130.

ЧЕРЕ́ПКА * Отойти́ под чере́пку. *Волог.* Сгнить, испортиться. СВГ 6, 95.

ЧЕРЕСПОЛО́СИЦА * Городи́ть чересполо́сицу. *Пск. Неодобр.* Говорить ерунду, вздор. Доп., 1858.

ЧЕРЕ́ШНЯ * Отвали́, моя́ чере́шня! *Прост.* Требование оставить в покое, замолчать, прекратить донимать кого-л. Вахитов 2003, 120; Максимов, 290.

ЧЕРНЕ́Ц * Води́ть чернеца́. *Дон.* Водить хоровод с песней. СДГ 3, 191.

Чернецы́ по угла́м забе́гали. См. **По углам чернецы заиграли (УГОЛ).**

ЧЕРНИ́ЛА * Купа́ться в черни́лах. *Народн. Шутл.-ирон.* Служить в приказных. ДП, 709.

ЧЕРНИ́ТЬ * Не черни́т не бе́лит. *Волг. Неодобр.* О неумелом, непригодном к делу человеке. Глухов 1988, 107.

ЧЕРНОТА́ * Гнать (разводи́ть) черноту́. См. **Гнать чернуху (ЧЕРНУХА).**

ЧЕРНУ́ХА * Кра́сная черну́ха. *Разг. Пренебр.* Редакция газеты «Ленинградская правда» (1970-е гг.). Синдаловский, 2002, 96.

Гнать (заправлять, лепи́ть, разводи́ть, разбра́сывать, раски́дывать, раскла́дывать, са́дить, толка́ть) чернуху (черноту). *Жарг. угол., мол.* 1. Обманывать, вводить в заблуждение кого-л., сообщать ложные сведения. 2. Клеветать на кого-л. Б., 148, 160; Елистратов 1994, 546; ТСУЖ, 195; Росси 2, 447; Югановы, 244; Р-87, 447; ББИ, 278; ЕЗР, 247; Балдаев 2,142; Бен, 137; Быков, 203; Мокиенко 2003, 142.

Обгреба́ть/ обгрести́ на черну́ху. *Прост. Неодобр.* Добиваться чего-л. путём грубого обмана. Бен, 137; Мокиенко 2003, 142.

ЧЁРНЫЙ * Из чёрного де́лать бе́лое (бе́лым). *Разг.* То же, что **выдавать черное за белое.** БМС 1998, 621.

Роди́ть чёрного. *Жарг. мол.* Об акте дефекации. Вахитов 2003, 158.

Выдава́ть чёрное за бе́лое. *Разг.* Выдавать плохое, ложное за хорошее, истинное. < Восходит к стихам древнеримского поэта Овидия. БМС 1998, 621.

Называ́ть чёрное бе́лым (бе́лое чёрным). *Разг.* Принимать или выдавать что-л. за противоположное, плохое за хорошее, хорошее за плохое. Ф 1, 313-314.

Тормози́ть на чёрном. *Жарг. угол.* Воровать в поездах (Потапов С.М.). Грачев 1997, 14; ТСУЖ, 176.

Торча́ть на чёрном. *Жарг. нарк.* Употреблять опиаты. < **Чёрный** — опий. Югановы, 245.

Ступа́й к чёрному! *Обл. Бран.* Требование уйти, удалиться. Мокиенко 27.

Чёрный виси́т (сиди́т) *где. Жарг. угол.* О двери, закрытой навесным замком. СРВС 3, 125; ТСУЖ, 173.

Чёрным по бе́лому [написано]. *Разг.* Ясно, чётко недвусмысленно. ФСРЯ, 519; БМС 1998, 621; Жиг. 1969, 97; ЗС 1996, 376; ФМ 2002, 613; БТС, 1474; СПП 2001, 80.

ЧЕРНЫШЕ́ВСКИЙ * Хвата́ть/ хвати́ть Чернышевского. *Жарг. угол., арест. Шутл.-ирон.* Плохо питаться, голодать. < **Чернышевский** — чёрный хлеб. Балдаев 2, 142; Мильяненков, 273; ББИ, 279.

ЧЕРНЬ * Раски́дывать/ раски́нуть чернь. *Жарг. арест.* Плести интриги в ИТУ с целью натравить одну группировку осуждённых на другую. Балдаев 2, 10. // *Жарг. мол.* Начинать интригу. Максимов, 361.

ЧЕРНЯ́К * В черня́к. *Жарг. мол.* 1. *кому.* Скверно, плохо. Митрофанов, Никитина, 245. 2. Очень, сильно, в высшей степени. СМЖ, 88.

ЧЕРНЯ́ШКА * Толка́ть/ толкну́ть черня́шку. *Жарг. угол.* Умышленно пускать ложный слух. Балдаев 2, 80; ББИ, 245.

ЧЁРТ * Верёвочный чёрт. *Пск. Бран.* Об обманщике, сумасброде (Карпов). ПОС 3, 81.

Вертя́чий чёрт. *Курск., Ряз. Бран.* О непоседливом ребёнке. БотСан, 85; ДС, 78.

Водяно́й чёрт. *Ряз. Бран.* О человеке, вызывающем негодование, возмущение. ДС, 91.

Дави́ чёрт *кого*! *Арх. Бран.* Восклицание, выражающее гнев, негодование, возмущение в чей-л. адрес. АОС 10, 212.

Двори́ тебе́ чёрт *за что*! *Пск. Бран. Устар.* Недоброе пожелание в чей-л. адрес. ТФ, 490, ПОС 8, 156.

Ещё чёрт в кулачки́ не игра́л. *Морд. Шутл.* Очень рано утром, перед рассветом. СРГМ 1982, 101. **Ещё чёрт в ладо́ши не хло́пал.** *Обл. Шутл.* То же. Мокиенко 1986, 184.

Забу́бленный чёрт. *Жарг. арест. Презр.* Осведомитель оперчасти ИТУ из заключённых, который впоследствии освобождается условно-досрочно. Балдаев 1, 136.

За кой чёрт? *Кар. Неодобр.* То же, что **на кой чёрт.** СРГК 1, 465.

Когда́ чёрт перекре́стится. *Обл. Шутл.* Никогда (В. И. Даль). Мокиенко 1986, 210.

Колба́сный чёрт. *Жарг. мол. Одобр.* Весельчак, шутник. Никитина 2003, 800.

Морго́тный чёрт. *Яросл. Бран.* О человеке, вызывающем негодование, возмущение. ЯОС 6, 58.

На ко́й чёрт. *Прост. Бран.* Зачем, для чего? ФСРЯ, 519; БМС 1998, 622; СПП 2001, 80.

Наста́вленный чёрт. *Морд. Шутл.* О человеке, очень похожем на кого-л. СРГМ 1986, 98.

[Не] чёрт нёс (понёс) на худо́й (дыря́вый) мост *кого. Народн. Шутл.* Кто-л. напрасно, зря пошёл, поехал куда-л., взялся за какое-л. дело. ДП, 479; СПП 2001, 80; ПОС 10, 85.

Ни оди́н чёрт. *Разг.* Никто. ФСРЯ, 519; БТС, 1475.

Ну и чёрт с ним, что пропа́л Макси́м. *Прикам. Шутл.* Об отсутствии сожаления, об утрате интереса к кому-л., чему-л. МФС, 110.

Оди́н чёрт. *Разг.* 1. Одинаково, подобным образом. 2. *кому.* Всё равно, безразлично. ЗС 1996, 518; БТС, 1475; Глухов 1988, 116; СПП 2001, 80.

Оди́н чёрт малева́л *кого. Волг. Шутл.* Об очень похожих друг на друга людях. Глухов 1988, 116.

Пога́ный чёрт. *Жарг. угол. Презр.* Изнасилованный мужчина. Максимов, 319.

Пошёл чёрт по бо́чкам (по ла́вкам). 1. *Народн. Неодобр.* О начале запоя, интенсивной пьянки. ДП, 255. 2. *Омск.* О человеке, у которого не спорится работа, что-то не ладится, не получается. СРНГ 28, 363.

Пришел чёрт на череду́. *Новг. Неодобр.* О беспричинной ругани, ссоре. Сергеева 2004, 178.

Пулева́тый чёрт. *Кар. Пренебр.* О человеке, страдающем насморком. СРГК 5, 346. < **Пу́ли** — сопли.

Пусть твой чёрт ста́рше. *Дон.* Признание чьей-л. победы в споре. СДГ 3, 141.
Рези́новый чёрт. *Жарг. мол. Шутл.* Презерватив. Максимов, 364.
Сам чёрт лы́ком связа́л *кого. Народн. Шутл.-ирон.* О неразлучных друзьях, вызывающих неодобрение своим поведением. ДП, 772.
[Сам] чёрт не брат *кому. Разг. Одобр.* О независимом, смелом, решительном человеке. ФСРЯ, 519; БМС 1998, 622; БТС, 95; Мокиенко 1986, 185; ДП, 132; СПП 2001, 80.
Сам чёрт не разберёт (не разберётся). *Разг. Шутл. или Неодобр.* Невозможно разобраться где-л. в чём-л. ЗС 1996, 107; СРНГ 20, 270.
[Сам] чёрт но́гу сло́мит *где.* 1. *Разг. Шутл. или Неодобр.* То же, что **сам чёрт не разберёт.** ФСРЯ, 520; ЗС 1996, 107; ДП, 582. 2. *Пск. Неодобр.* О большом беспорядке где-л. СПП 2001, 80. 3. *Жарг. шк. Шутл.* Об уроке иностранного языка. Максимов, 373.
Чем чёрт не шу́тит. *Разг.* Может случиться произойти всё, что угодно. ФСРЯ, 20; БМС 1998, 423; БТС, 1508; ЗС 1996, 479; ДП, 65, 293. **Чем чёрт не шу́тит: из дуби́нки вы́палит.** *Народн. Шутл.* То же. ДП, 146; Мокиенко 1990, 93.
Чёрт бежа́л — но́гу перелома́л. *Прикам. Шутл.* О большом расстоянии, о чём-л. занимающем большое пространство. МФС, 110.
Чёрт бей *кого! Том.* То же, что **чёрт возьми.** СПСП, 149.
Чёрт бы тебя́ (его́, вас и т. п.**) побра́л!** *Прост. Бран.* То же, что **чёрт возьми!** БТС, 1475; Мокиенко, Никитина 2003, 379. **Чёрт бы тебя́ (его́, вас** и т. п.**) забра́л (подра́л)!** *Пск. Бран.* То же. СПП 2001, 80. **Чёрт бы тебя́ утащи́л!** *Сиб. Бран.* То же. Верш. 7, 268.
Чёрт в ладо́ши не клепа́л. *Пск. Шутл.* Очень рано утром. СПП 2001, 80.
Чёрт ве́дает. *Пск.* То же, **что чёрт зна́ет.** СПП 2001, 80.
Чёрт возьми́! *Прост.* Восклицание, выражающее удивление, досаду, раздражение или негодование. ФСРЯ, 520; БТС, 128; Верш. 7, 268; БМС 1998, 623; СРГК 1, 136; Мокиенко 1986, 182; Мокиенко, Никитина 2003, 379.
Чёрт во плоти́. *Жарг. шк. Шутл. или Пренебр.* Учитель. ВМН 2003, 149.
Чёрт в подкла́дке *у кого. Народн. Неодобр.* О злом, коварном человеке. ДП, 131.
Чёрт вы́дернул *кого, что. Пск.* О внезапном появлении кого-л., начале чего-л. СПП 2001, 80.
Чёрт гнал *кого, куда. Пск.* То же, что **чёрт дёрнул.** СПП 2001, 80.
Чёрт дёрнул *кого. Прост. Неодобр.* О чьём-л. необдуманном, опрометчивом поступке. ФСРЯ, 520; БТС, 253; Глухов 1988, 172; Мокиенко, Никитина 2003, 379.
Чёрт дёрнул за язы́к *кого. Прост. Неодобр.* О человеке, который сказал то, что не следовало. ФСРЯ, 521; БТС, 253, 1532; ФМ 2002, 619; Мокиенко 1986, 183-184; Мокиенко, Никитина 2003, 379.
Чёрт его́ ба́тьку зна́ет. *Пск.* То же, что **черт знает.** СПП 2001, 80.
Чёрт его́ в ду́шу! *Сиб. Бран.* То же, что **черт возьми!** Верш. 7, 268.
Чёрт его́ дави́! *Сиб. Бран.* То же, что **черт возьми!** Верш. 7, 268.
Чёрт е́здит *на ком. Коми.* О бессовестном, способном на преступление человеке. Кобелева, 82.
Чёрт жени́ться поеха́л. *Кар. Шутл.-ирон.* О беспорядке где-л. СРГК 2, 49.
Чёрт заволо́к *что куда. Пск. Шутл.-ирон.* Об исчезнувшей, пропавшей, потерянной вещи. СПП 2001, 80.
Чёрт зна́ет. *Прост.* 1. *кого, что.* Абсолютно ничего не известно о ком-л., о чём-л. ФСРЯ, 38; БТС, 1475; Верш. 7, 268; СПСП, 149; СПП 2001, 80. 2. *Бран.* Восклицание, выражающее возмущение, негодование. ФСРЯ, 384 СПП 2001, 80.
Чёрт зна́ет что. *Прост.* Нечто невообразимое. ФСРЯ, 39; СПП 2001, 80; СРГМ 2002, 88.
Чёрт ко́лом не развернёт. *Курск. Шутл.* О зажиточной, благополучной жизни. БотСан, 118.
Чёрт коря́вый. *Прост. Бран.* О рябом человеке. Мокиенко, Никитина 2003, 381.
Чёрт косогла́зый. *Прост. Презр.* Кличка китайцев. Мокиенко, Никитина 2003, 381.
Чёрт косо́й. *Прост. Бран.* 1. О косоглазом, косом человеке. 2. Об очень пьяном человеке. Мокиенко, Никитина 2003, 381.
Чёрт кудря́вый. *Прост. Бран.* О лохматом, очень кудрявом человеке. Мокиенко, Никитина 2003, 381.
Чёрт ла́ду не даёт *кому. Волг.* Кому-л. трудно понять что-л., разобраться в чём-л. Глухов 1988, 172.
Чёрт ла́пой накры́л *что. Пск. Шутл.* То же, что **чёрт заволок.** СПП 2001, 80.
Чёрт ли писа́л, что Заха́р комисса́р. *Народн. Шутл.-ирон.* О чём-л. неправдоподобном, об откровенном обмане. ДП, 206.
Чёрт лоба́тый. *Лит., Лат. Бран.* О человеке, вызывающем отрицательные эмоции. СРНГ 17, 95.
Чёрт малогла́зый. *Кар. Бран.* О человеке с маленькими глазами. СРГК 3, 193.
Чёрт ме́рял — верёвку потеря́л. *Прикам. Шутл.* О глубокой реке, озере. МФС, 110.
Чёрт му́тной воды́. *Жарг. угол. Неодобр.* Человек, не связанный с преступным миром, выдающий себя за вора. Мокиенко, Никитина 2003, 381.
Чёрт на воздуся́х (на помеле́). *Волг. Шутл.* О человеке в состоянии крайнего возбуждения. Глухов 1988, 172.
Чёрт навяза́л *кому что. Сиб.* О чём-л., о ком-л. ненужном, бесполезном, обременительном. Верш. 7, 268.
Чёрт на ду́дочке не игра́л. *Волг. Шутл.* О времени перед рассветом, о раннем утре. Глухов 1988, 172.
Чёрт на душе́ сиди́т *у кого. Пск. Неодобр.* О скрытном, двуличном человеке. СПП 2001, 80.
Чёрт на ко́же пи́шет *кому. Пск.* О проницательном человеке, умеющем предвидеть что-л., предсказывать будущее. СПП 2001, 80.
Чёрт на кры́шу не забро́сит *что. Перм. Шутл.* О большом количестве чего-л. Подюков 1989, 228.
Чёрт на о́череди. *Пск. Неодобр.* О каком-л. неприятном происшествии, скандале. СПП 2001, 80.
Чёрт недоде́ланный. *Прост. Бран.* О глупом, несообразительном и медлительном человеке. Мокиенко, Никитина 2003, 381.
Чёрт на шку́ру не берёт *кого. Пск. Неодобр.* Об озорном, шаловливом ребёнке. СПП 2001, 80.
Чёрт не берёт *кого. Волг. Неодобр.* Об упрямом, несговорчивом человеке. Глухов 1988, 172.
Чёрт не наберётся *на кого чего. Пск. Неодобр.* О человеке, не берегущем свои вещи. СПП 2001, 80.
Чёрт несёт *кого. Прост. Неодобр.* 1. О неожиданном или нежелательном появлении кого-л. БМС 1998, 623; Мокиенко 1986, 182. 2. *куда.* О чьей-л.

нежелательной поездке, отправлении куда-л. ФСРЯ, 521; БТС, 1475.

Чёрт нескладно́й. *Новг. Неодобр.* О человеке, ненаходчивом в разговоре. НОС 6, 51.

Чёрт некрещёный. *Пск. Бран.* О человеке, вызывающем негодование, возмущение. СПП 2001, 80.

Чёрт не схва́тит *чего. Пск.* О большом количестве чего-л. СПП 2001, 80.

Чёрт нёс (понёс) на дыря́вый мост. См. **Не чёрт ли нес на худой мост.**

Чёрт нёс не сма́завши колёс *кого. Пск. Ирон.* Кому-л. пришлось много скитаться, странствовать. СПП 2001, 80.

Чёрт не унесёт *чего. Перм. Шутл.* О большом количестве чего-л. Подюков 1989, 228.

Чёрт но́гу слома́ет (сло́мит). *Прост. Неодобр.* О беспорядке где-л. СПП 2001, 80.

Чёрт но́сит *кого. Прост. Неодобр.* 1. Кто-л. пропадает, бродит неизвестно где. 2. *где.* Кто-л. некстати, не вовремя ходит, бродит где-л. ФСРЯ, 521; Мокиенко 1990, 27.

Чёрт пиха́ет *кого. Прибайк.* О сильном желании что-л. сделать, несмотря на риск, опасность. СНФП, 152.

Чёрт побе́ри (подери́) *кого, что! Прост. Бран.* То же, что **черт возьми!** БТС, 849, 878; СПП 2001, 80; Мокиенко, Никитина 2003, 379. **Чёрт побери́ на тёмный лес** *кого, что! Новг. Бран.* То же. Сергеева 2004, 25.

Чёрт повёл *кого куда. Сиб. Неодобр.* О нежелательной, бесцельной поездке, походе куда-л. СОСВ, 140.

Чёрт подобра́л *кого. Пск.* То же, что **чёрт попутал.** СПП 2001, 80.

Чёрт попу́тал *кого. Прост. Неодобр.* Кто-л. поддался соблазну сделать что-л. предосудительное. ФСРЯ, 521-522; БТС, 1475; СПП 2001, 80; Верш. 7, 268; Мокиенко 1986, 182; Мокиенко, Никитина 2003, 379.

Чёрт пособи́л *кому. Прикам., Пск. Неодобр.* То же, что **чёрт попутал.** СПП 2001, 80; МФС, 110.

Чёрт принёс *кого. Прост. Неодобр.* О неожиданно появившемся где-л. человеке. БТС, 1475; Верш. 7, 268; . **Чёрт на хвосте́ принёс** *кого. Перм. Неодобр.* То же. Подюков 1989, 228.

Чёрт разберёт *что. Прост. Неодобр.* О чём-л. непонятном, запутанном. БТС, 1475; Верш. 6, 50; Верш. 7, 268.

Чёрт расхва́тывает *кого. Ворон. Неодобр.* Кого-л. охватывает сильное возбуждение. СРНГ 34, 292.

Чёрт рога́тый. 1. *Жарг. угол. Шутл.-ирон.* Зоотехник; дояр. Мильяненков, 274. 2. *Жарг. арест. Пренебр.* Деградировавший, унижаемый всеми заключённый. ББИ, 279; Балдаев 2, 144.

Чёрт сбро́сил *кого. Сиб. Шутл.* О чём-л., о ком-л. упавшем. Верш. 6, 170.

Чёрт с ви́ру. *Брян. Неодобр.* Незнакомый человек. СБГ 3, 30.

Чёрт с попа́ми. *Прибайк.* О чём-л. нелепом, несуразном. СНФП, 152.

Чёрт с рога́ми. *Волг. Неодобр.* Озорник, хулиган. Глухов 1988, 172.

Чёрт сухопу́тный. *Курск. Бран.* О человеке, вызывающем отрицательные эмоции. БотСан, 118.

Чёрт съел *что. Перм.* О чём-л. потерянном, исчезнувшем. Подюков 1989, 192.

Чёрт тебя́ дери́! *Прост. Бран.* То же, что **чёрт возьми!** БТС, 283.

Чёрт-те что [и сбо́ку ба́нтик]. *Прост. Неодобр.* О чём-л. странном, несуразном. Максимов, 475; Вахитов 2003, 199; Верш. 7, 268.

Чёрт тя́нет за язы́к *кого. Прост. Неодобр.* То же, что **черт дернул за язык.** Глухов 1988, 172.

Чёрт уса́тый. *Жарг. угол. Неодобр.* Кличка И. В. Сталина. Росси 2, 428; Мокиенко, Никитина 2003, 381.

Чёрт ухвати́! *Пск. Бран.* То же, что **чёрт возьми!** СПП 2001, 80.

Чёрт чи́стой воды́. *Жарг. угол.* Доверчивый, наивный человек, потенциальная жертва преступников. Мокиенко, Никитина 2003, 381.

Чёрт шелуда́вый. *Пск. Бран.* О непослушном животном. СПП 2001, 80.

Чёрт я́драми ко́рмит *кого. Сиб. Шутл.* О полном, упитанном человеке. ФСС, 217.

Что за чёрт? *Прост. Неодобр.* Что это значит, как это понять? (Выражение недоумения.) ФСРЯ, 522.

Брать у чёрта *что. Прикам.* Брать что-л. неизвестно откуда. МФС, 14.

Вкрути́ть чёрта. *Пск. Шутл.* Сказать что-л. смешное, удачно пошутить. СПП 2001, 80.

Вы́вернуть самого́ чёрта наизна́нку. *Прост. Устар.* Сделать что-л. трудное, опасное, почти невозможное. Ф 1, 90.

Для како́го чёрта. *Прост. Груб.* 1. Зачем, для чего? 2. Выражение восторга, восхищения. Мокиенко, Никитина 2003, 381.

До чёрта (до черта́). *Прост.* 1. Очень сильно, до крайней степени (устать и т. п.). 2. *чего.* О большом количестве чего-л. ФСРЯ, 522; Верш. 7, 267; Мокиенко 1986, 170; СПП 2001, 80; СРГК 1, 417.

Како́го чёрта? *Прост. Неодобр.* Зачем, для чего? ФСРЯ, 522; БМС 1998, 623.

Ломи́ть чёрта (чертоло́мину). *Кар., Прикам.* Много работать, изнуряя себя. СРГК 3, 143; МФС, 55.

На черта́? *Прост.* То же, что **какого черта?** ФСРЯ, 523; Верш. 7, 267; СПСП, 148.

Не́ черта. *Прост.* Абсолютно нечего. Верш. 7, 268.

Ни черта́. *Прост.* Абсолютно ничего. ФСРЯ, 523; Мокиенко 1986, 170; СПСП, 148; БМС 1998, 624.

Ни чёрта *кому. Том. Одобр.* Хорошо, неплохо кому-л. СПСП, 148.

Ни чёрта ни дьявола *у кого. Волг.* Об одиноком человеке. Глухов 1988, 112.

Пойма́ть чёрта за хвост. *Прост.* Добиться успеха в каком-л. трудном деле. Ф 2, 63.

Показа́ть чёрта в сту́ле. *Пск.* Удивить кого-л. чем-л. диковинным, необычным. (Запись 2001 г.)

Помина́ть чёрта. *Пск. Неодобр.* Грубо выражаться, ругаться, используя слово «чёрт». СПП 2001, 80.

Тяну́ть чёрта за во́лосы. *Прибайк.* Работать очень напряжённо. СНФП, 151.

У чёрта блины́ поёл. *Брян. Одобр.* О мудром человеке. СБГ 1, 60.

У чёрта в ту́рках. *Прибайк.* Очень далеко. СНФП, 152.

У чёрта за́втрак из зубо́в вы́рвет. *Пск. Одобр.* О ловком, проворном, предприимчивом человеке. СПП 2001, 80.

У чёрта на кули́жках. *Народн.* То же, что **у черта на куличках.** ДП, 555.

У чёрта на кули́чках. *Прост.* Очень далеко, в глуши, неизвестно где. ФСРЯ, 523; БМС 1998, 624; БТС, 479; Мокиенко 1990, 8, 63, 145; ФМ 2002, 618; ЗС 1996, 488, 492.

У чёрта на рога́х. *Прост.* То же, что **у черта на куличках.** ФСРЯ, 523; ЗС 1996, 488; Мокиенко 1990, 8.

Чёрта вида́ть. *Морд. Шутл.-ирон.* О жидкой постной похлёбке. СРГМ 1978, 76.

Чёрта два. *Пск.* То же, что **чёрта с два.** СПП 2001, 80.

Чёрта лы́сого. *Прост.* 1. Абсолютно ничего. БМС 1998, 624; БТС, 1475. 2.

Выражение категорического несогласия, отказа кому-л. ФСРЯ, 523; ЗС 1996, 295.

Чёрта в сту́пе. *Прост.* То же, что **черта лысого 1-2.** БМС 1998, 625; Мокиенко 1986, 188.

Чёрта перевернёт. *Коми. Шутл.-одобр.* О сильном, здоровом человеке. Кобелева, 82.

Чёрта с два. *Прост.* Как бы не так (выражение категорического отрицания чего-л., несогласия с кем-л.). ФСРЯ, 523; БТС, 241; БМС 1998, 625; Мокиенко 1986, 170; ЗС 1996, 295; Вахитов 2003, 199.

Всы́пать черте́й *кому. Прост.* То же, что **давать/ дать чертей 1-2.** Глухов 1988, 16; Мокиенко 1990, 51; Ф 1, 87.

Дава́ть/ дать (надава́ть) черте́й *кому. Прост.* 1. Бить, наказывать кого-л. 2. Ругаться, браниться. ФСС, 52; Мокиенко 1990, 126; Ф 1, 140.

Ещё не всех черте́й вы́слепил. *Народн. Ирон.* О человеке, который продолжает пить или возобновил распитие спиртного. СРНГ 6, 23.

Кли́нить черте́й. *Ворон. Неодобр.* Бездельничать. СРНГ 13, 297.

Семь черте́й твоёй голове́! *Одесск.* То же, что **чёрт возьми!** КСРГО.

Слепи́ть черте́й. *Волг. Шутл.* Сидеть в темноте, не включая электричество. Глухов 1988, 167.

Ты́сяча черте́й! *Прост. Бран.* 1. Восклицание недовольства, раздражения. 2. *Одобр.* Восклицание восхищения, восторга. Мокиенко, Никитина 2003, 380.

Черте́й слепи́ть. *Народн.* Пить спиртное, напиваться пьяным. ДП, 792.

Где че́рти хомуты́ не ве́шали. *Волг., Пск. Шутл.* Очень далеко, в отдалённом месте. СПП 2001, 80; Глухов 1988, 21.

[Ещё] че́рти в кулачки́ (в кулачо́к) не бьют (не би́ли). *Волог., Приамур. Шутл.* Очень рано утром. СРНГ 28, 317; СРГПриам., 324. **Ещё че́рти на кулачки́ (на кулачка́х) не бьются (не дра́ли́сь).** *Морд., Перм.* То же. СРГМ 1982, 99; Сл. Акчим. 1, 71.

Кумовски́е че́рти. *Жарг. арест.* 1. Заключённые, занимающиеся уборкой помещения оперчасти ИТУ. 2. Заключённые, дежурящие у дверей оперчасти ИТУ в часы приёма. Мокиенко, Никитина 2003, 381.

Неси́ тебя́ че́рти! *Морд. Неодобр.* Восклицание, выражающее неудовольствие по случаю отъезда кого-л. СРГК 1986, 121.

Побери́ че́рти се́меры *кого! Новг. Бран.* То же, что **чёрт возьми!** Сергеева 2004, 25.

Пятна́й тебя́ (его́, вас и пр.) **че́рти!** *Обл. Бран.* Пожелание зла, проклятье в чей-л. адрес. Мокиенко, Никитина 2003, 380.

Хоть бы че́рти се́меро побра́ли *кого. Новг. Бран.* То же, что **чёрт возьми.** НОС 10, 40.

Че́рти бы тебя́ (его́, вас и пр.) **нюха́ли!** *Перм. Бран..* Пожелание зла, проклятье в чей-л. адрес. Подюков 1989, 229; Мокиенко, Никитина 2003, 380.

Че́рти верхи́ пое́хали *на ком. Волг. Неодобр.* О возбужденном, взбешённом человеке. Глухов 1988, 171.

Че́рти горо́х молоти́ли на лице́ *[у кого]. Пск. Шутл.* О следах оспы на лице у кого-л. СПП 2001, 80.

Че́рти ду́шу пере́ели *кому. Волг.* Кому-л. надоело, стало неприятным что-л. Глухов 1988, 171.

Че́рти ду́шу скребу́т *кому. Волг., Горьк.* О состоянии смятения. Глухов 1988, 171; БалСок, 56.

Че́рти на игру́шки унесли́ *что. Волг. Шутл.* О чём-л. исчезнувшем, пропавшем. Глухов 1988, 171.

Че́рти на когтя́х унесу́т *что. Новг. Пренебр.* О грязной, рваной одежде. Сергеева 2004, 204.

Че́рти на кулачка́х бьются. *Перм. Шутл.* Об окончании ночи, наступлении утра. Подюков 1989, 229.

Че́рти [на рога́х] принесли́ *кого. Прост. Неодобр.* О ком-л., неожиданно, некстати появившемся, пришедшем. ЗС 1996, 288; Глухов 1988, 171.

Че́рти на том све́те бу́дут во́ду вози́ть *на ком. Пск. Шутл.-ирон.* О сердитом, мрачном человеке. СПП 2001, 80.

Че́рти обобра́ли *кого. Пск. Неодобр.* О пропавшем, исчезнувшем, уехавшем надолго человеке. СПП 2001, 80.

Че́рти осе́тили. *Пск. Неодобр.* То же, что **черт попутал.** СПП 2001, 80.

Че́рти подты́кивают *кого. Кемер. Неодобр.* То же, что **черт попутал.** СРНГ 28, 317.

Че́рти полоса́тые! *Прост. Бран.* Возглас раздражения или возмущения. БМС 1998, 625; Мокиенко 1986, 188; Мокиенко, Никитина 2003, 380.

Че́рти разбира́ют *кого. Волг. Неодобр.* О крайне возбуждённом человеке. Глухов 1988, 172.

Че́рти сидя́т *в ком. Волг. Неодобр.* То же, что **черти разбирают.** Глухов 1988, 171.

Че́рти с ква́сом съе́ли *кого. Волг. Шутл.* О ком-л. ушедшем, скрывшемся, исчезнувшем. Глухов 1988, 172.

Че́рти ти́скают *кого. Пск. Неодобр.* То же, что **черт носит 1.** СПП 2001, 80.

Че́рти трясу́т *кого. Горьк.* О состоянии испуга. БалСок, 35.

Че́рти я́йца несу́т *у кого, кому. Дон. Шутл.-одобр.* Об удачливом человеке. СДГ 3, 192.

Чтоб че́рти твою́ ду́шу вы́тянули! *Курск. Бран.* То же, что **черт возьми!** БотСан, 118.

Чтоб че́рти ухвати́ли *кого! Пск. Бран.* То же, что **чёрт возьми!** СПП 2001, 80.

Выщемля́ть (щеми́ть) черто́в. *Жарг. мил.* Проводить профилактическую облаву. Максимов, 78, 473.

Па́хнуть чёртом. *Перм. Пренебр.* Вызывать отвращение у кого-л. Подюков 1989, 145.

Чёртом ме́ченый. *Волг. Неодобр.* О крайне глупом человеке. Глухов 1988, 85.

Чёртом подши́тый. *Волг. Неодобр.* Озорник, хулиган. Глухов 1988, 172.

И чёрту и попу́. *Горьк. Неодобр.* О непостоянном человеке. БалСок, 38.

Иди́ к чёрту! *Разг. Бран.* Восклицание, выражающее раздражение, гнев, желание избавиться от кого-л. БТС, 1475; Мокиенко 1990, 27; Верш. 7, 267; СПСП, 149.

К чёрту! *Прост.* Прочь, вон, долой! ФСРЯ, 524; Верш. 7, 267.

К чёрту на рога́ (на кули́чки). *Прост. Шутл.-ирон.* Очень далеко, в отдалённые, глухие места. ФСРЯ, 524; ФМ 2002, 617; ЗС 1996, 417; СПП 2001, 80; Жиг. 1969, 349. **К чёрту на кула́вки.** *Волог. Шутл.-ирон.* То же. СВГ 4, 15.

Лезть к чёрту в зу́бы. *Прост. Неодобр.* Совершать рискованные, опасные поступки. Глухов 1988, 80; Ф 1, 277.

Лезть к чёрту на рога́. *Прост.* Действовать сгоряча, не считаясь ни с чем, не думая о последствиях. Ф 1, 277.

Лете́ть к чёрту. *Прост.* Рушиться, заканчиваться крахом. БТС, 494.

Ни к чёрту. *Прост. Неодобр.* О чём-л. очень плохом, скверном. ФСРЯ, 525; Верш. 7, 268; СПП 2001, 80. **Ни к чёрту го́жий.** *Арх., Кар. Неодобр.* То же. АОС 9, 212; СРГК 1, 350.

Одному́ чёрту изве́стно. *Разг.* Абсолютно ничего не известно о ком-л., о чём-л. ФСРЯ, 525; БТС, 1475.

Отда́ть чёрту ду́шу. *Курск.* Покончить жизнь самоубийством. БотСан, 118.

Посыла́ть/ посла́ть к чёрту (ко всем чертя́м, к чертя́м соба́чьим). *Прост.* 1. *кого.* Грубо и решительно прогонять кого-л. 2. *кого.* Ругать кого-л., выражая негодование, возмущение и т. п. 3. *что.* Решительно и окончательно избавляться от чего-л., прекращать что-л. Верш. 7, 268; Мокиенко 1986, 199; Мокиенко, Никитина 2003, 381; Сергеева 2004, 170.

Рос чёрту на семена́. *Волг. Шутл.* О бойком, смелом, решительном человеке. Глухов 1988, 142.

Самому́ чёрту то́шно. *Прост.* О чём-л. выходящем за рамки обычного по силе своего проявления. ФСРЯ, 480.

Слома́ет чёрту рога́. *Волг. Шутл.-одобр.* О смелом, решительном человеке. Глухов 1988, 150.

Чёрту бара́н. *Разг. Презр. Устар.* О самоубийце. ЗС 1996, 179. < Возникло на базе народного поверья о том, что самоубийцы на том свете временно превращаются в животное, на котором ездят или возят воду черти. БМС 1998, 625; ДП, 258, 278; БотСан, 118.

Чёрту брат. *Сиб. Шутл.-одобр.* О смелом, отчаянном человеке. Верш. 7, 268.

Чёрту в казну́. *Пск.* О чём-л. пропавшем, потерянном, утраченном или сделанном напрасно, не принёсшем пользы. СПП 2001, 80.

Чёрту на печь не заки́нуть *чего. Кар.* О большом количестве чего-л. СРГК 4, 503.

Всем чертя́м назло́. *Прост.* Вопреки, наперекор всему. Ф 1, 313.

Иди́ ко всем чертя́м! *Прост.* То же, что **иди к чёрту!** БТС, 1475.

Иди́ к чертя́м соба́чьим (свиня́чьим)! *Прост.* То же, что **иди к чёрту!** БТС, 1475.

[Иди́] чертя́м на переде́лку! *Волг., Дон. Бран.* То же, что **иди к чёрту!** СДГ 3, 192; Глухов 1988, 79; СРНГ 26, 83.

К чертя́м на буты́рки. *Обл. Шутл.-ирон.* Очень далеко, в отдалённое место, неизвестно куда. Мокиенко 1990, 8.

К чертя́м на переде́лку. *Волг.* То же, что **к чертям на бутырки.** Глухов 1988, 91.

Лете́ть к чертя́м. *Прост.* Рушиться; гибнуть. Ф 1, 278.

Чертя́м на раскума́рку. *Жарг. мол. Шутл.* Об остатках водки в бутылке. Вахитов 2003, 199.

Чертя́м то́шно ста́нет. *Волг., Перм.* О предстоящем наказании, расправе с кем-л. Глухов 1988, 160; Подюков 1989, 149.

Ни в чертя́х, ни в окая́нных. *Кар. Неодобр.* О чём-л. неопределенном, посредственном. СРГК 4, 172.

ЧЕРТА́ * Переступа́ть/ переступи́ть черту́. *Разг.* 1. Нарушать правило, норму поведения, закон. 2. Переходя из одного качества в другое, достигать совершенства, высокой степени проявления какого-л. качества, свойства. Ф 2, 41.

Подводи́ть/ подвести́ черту́. *Книжн.* Заканчивая какое-л. дело, подводить итоги. БМС 1998, 625; ФСРЯ, 525; ЗС 1996, 338; Ф 2, 56; ФМ 2002, 621.

Вы́нуть с черты́ *кого. Пск.* Вылечить кого-л. (как правило — колдовством), спасти от смерти. ПОС, 6, 25.

Вы́ступить с черты́. *Пск.* Выйти из крайне тяжёлого состояния, выздороветь (в результате лечения колдовством). СПП 2001, 80.

Дойти́ до черты́. *Разг.* Оказаться в тяжёлом положении. Ф 1, 166.

Иди́ под три черты́! *Волг., Дон. Бран.* Восклицание, выражающее раздражение, негодование, желание избавиться от кого-л. Глухов 1988, 56; СДГ 3, 192.

Под три черты́. *Дон.* Очень далеко. СДГ 3, 192.

ЧЁРТИК * Чёртик в табаке́рке. *Жарг. шк. Шутл.* Учитель физкультуры. (Запись 2004 г.). < Образовано сокращением сравнительного оборота **выскочить как чёртик из табаке́рки.**

Гоня́ть чёртика. *Пск. Шутл.* Дурачиться, вести себя несерьёзно. СПП 2001, 80.

До чёртиков. *Разг.* 1. В высшей степени, очень сильно. ФСРЯ, 424; БТС, 1475. 2. До нервного расстройства, до галлюцинаций, до белой горячки (напиться пьяным). ФСРЯ, 524; ФСС, 116, 119; ДП, 793; ЗС 1996, 196.

ЧЕРТОЛО́МИНА * Ломи́ть чертоло́мину. См. **Ломить чёрта (ЧЕРТ).**

ЧЁС * Дава́ть (задава́ть) /дать (зада́ть) чёсу *кому. Прост.* 1. Строго обращаться с кем-л., быть требовательным к кому-л. СПП 2001, 80. 2. Бранить, наказывать кого-л., расправляться с кем-л. Доп., 1858; ФСРЯ, 163; ДП, 221; БТС, 1476; СРНГ 7, 258; Мокиенко 1990, 46. 3. Поспешно убегать, скрываться. Глухов 1988, 47.

Накла́сть чёсу *кому. Кар.* Вызвать у кого-л. колдовством сильное ощущение зуда по всему телу. СРГК 3, 333.

ЧЕСАКА́ * Дава́ть/ дать чесака́. *Кар.* Быстро убегать откуда-л. СРГК 1, 424.

ЧЁСКА * Дава́ть /дать чёски (чёску) *кому. Волг., Одесск.* 1. Бить, избивать кого-л. 2. *То же, что* **давать чёсу 2. (ЧЁС).** Глухов 1988, 31, 47; КСРГО.

ЧЕСНО́К * Дать чесноку́ *кому. Обл.* Избить кого-л. Мокиенко 1990, 48, 161.

По чесноку́. *Жарг. мол.* Честно, ничего не скрывая. БСРЖ, 670.

ЧЕ́СТНОСТЬ * На че́стность. *Пск.* Добросовестно, честно (работать). (Запись 1999 г.).

ЧЕ́СТНЫЙ * На че́стную выводи́ть *кого. Жарг. угол., мол.* Вызывать кого-л. на откровенность. Б., 107.

ЧЕСТЬ * Быть в (на) често́. *Перм., Прикам.* 1. То же, что **быть в чести.** 2. Дорого цениться. СГПО, 61, 680; МФС, 110

Быть в чести́. *Разг. Устар.* Пользоваться уважением, быть в почёте. БМС 1998, 625; ШЗФ 2001, 27; Подюков 1989, 227.

Вы́йти с че́сти. *Олон.* Уйти откуда-л. без скандала. СРНГ 5, 286.

К че́сти *кого, чьей. Разг.* Отдавая должное достоинствам, заслугам кого-л. (сказать, заметить что-л.). ФСРЯ, 526.

По че́сти. *Разг.* 1. Должным образом; так, как надо. 2. *Устар.* Откровенно, чистосердечно (сказать что-л.). ФСРЯ, 526.

Удоста́ивать/ удосто́ить че́сти *кого. Книжн.* Оказывать уважение кому-л. каким-л. действием. Ф 2, 217.

Была́ бы честь предло́жена *кому. Разг.* Равнодушный, безразличный ответ на чей-л. отказ принять предложение, согласиться с чем-л. БМС 1998, 625; Ф 2, 253.

Вести́ честь. *Кар.* Уделять большое внимание кому-л., ухаживать за кем-л. СРГК 1, 185.

Войти́ в честь. *Арх.* Оказать внимание кому-л. АОС 5, 32.

Вы́йти в честь. *Арх.* Заслужить чью-л. благодарность, уважение. АОС 7, 240.

В честь *кого, чего. Разг.* В знак почтения, уважения, признания. ФСРЯ, 526.

Де́лает честь *кому что. Разг.* О том, что вызывает уважение к кому-л., о чём-л. достойном кого-л. БМС 1998, 626; ФСРЯ, 526.

Наложи́ть честь *на кого. Кар.* Обеспечить некрасивой девушке успех у мужчин при помощи колдовства. СРГК 3, 250.

Ни в честь, ни в сла́ву, [ни в до́брое сло́во]. *Народн.* Напрасно, зря. ДП, 472; СФС, 127; СПП 2001, 80; СНФП, 152.

Отдавать/ отда́ть честь *кому.* 1. *Разг.* Приветствовать кого-л., приложив руку к головному убору. БМС 1998, 625; Ф 2, 24. 2. *Разг. Шутл.* Оказывать должное внимание кому-л. БМС 1998, 625. 3. *Кар.* Называть кого-л. по имени и отчеству. СРГК 4, 287. 4. *Пск. Ирон.* Бить, избивать кого-*л.* СПП 2001, 80.

Отня́ть (отобра́ть) честь *у кого. Жарг. угол.* Изнасиловать девственницу. Б., 39; Флг., 186.

Подойти́ в честь *кому. Кар.* Стать чьим-л. приближённым, доверенным лицом. СРГК 4, 653.

Пора́ и честь знать. *Разг.* 1. Настало время прекратить, закончить что-л. 2. Настало время уйти, удалиться. ФСРЯ, 344; Жиг. 1969, 199.

Прийти́ в честь. *Олон.* Быть оцененным по достоинству. СРНГ 31, 234.

Приложи́ть честь. *Кар.* Проявить внимание, уважение к кому-л. СРГК 5, 176.

Снима́ть честь *у кого, с кого. Новг.* Распространять компрометирующие слухи, осуждать кого-л. НОС 12, 55.

Честь и ме́сто. *Разг. Устар.* 1. Вежливое приглашение сесть. 2. *кому.* О госте, которому рады, готовы принять. ФСРЯ, 526; ЗС 1996, 84.

Честь име́ю [кла́няться]! *Разг. Устар.* До свидания, прощайте. ФСРЯ, 525; БМС 1998, 626; ФМ 2002, 622.

Честь мунди́ра. *Разг. Ирон.* О внешней благопристойности и мнимо безупречной репутации. БМС 1998, 626; БТС, 563.

Честь по коме́дии. *Пск.* То же, что **честь по чести.** СПП 2001, 80.

Честь по че́сти (по чести́. *Пск.,* **че́стью).** *Разг.* Так, как следует, как нужно, как положено. ФСРЯ, 527; СПП 2001, 80.

Повы́ше че́стью. *Кар. Одобр.* То же, что **не чета (ЧЕТА).** СРГК 4, 602.

ЧЕТА́ * Не чета́ *кому, чему. Разг.* О чём-л. лучшем, более достойном по сравнению с чём-л., с кем-л. ФСРЯ, 527; ЗС 1996, 30, 518; Глухов 1988, 100.

В чету́. *Новг.* В том числе, вместе. НОС 1, 104.

ЧЕ́ТВЕРГ * Чёрный четве́рг. *Жарг. шк. Шутл.-ирон.* Родительское собрание. Перемены, 2002.

Наговори́ть семь четверго́в [и все сря́ду]. *Народн. Шутл.* Очень много наговорить, рассказать (как правило — вымышленного, неправдоподобного). Жиг. 1969, 212. **Наговорить семь четверго́в на неде́ле.** *Коми. Шутл.* То же. Кобелева, 76.

Наплести́ четверго́в. *Перм. Шутл.* Много наговорить, пытаясь оправдаться. Подюков 1989, 126.

Насказа́ть четверго́в [с пя́тницами]. *Обл. Шутл.* То же, что **наговорить семь четвергов.** Мокиенко 1990, 140.

ЧЕТВЕРЕ́НЬКИ * Стоя́ть на четвере́ньках. *Пск. Шутл.* Работать на огороде. (Запись 2001 г.).

ЧЕТВЕРНЯ́ * Пое́хал четверней. *Волг. Шутл.* О пьяном, который не держится на ногах. Глухов 1988, 127.

ЧЕ́ТВЕРТЬ * Укороти́ть на три че́тверти *кого. Народн.* Расправиться с кем-л. ДП, 219.

Ле́тняя трудова́я (пя́тая) че́тверть. *Публ.* Работа старших школьников в сельском хозяйстве в период летних каникул. Новиков, 186.

ЧЁТКИ * Монасты́рские чётки. *Жарг. арест. Устар. Шутл.* Кандалы. СРВС 3, 210.

ЧЕТЫ́РЕ * Четы́ре на четы́ре. *Жарг. мол. Шутл.* О широком лице. Максимов, 474.

Четы́ре шесты́х. *Жарг. лаг. Устар.* Указ от 4 июня (4/6) 1947 г. «О хищении государственного и общественного имущества», предусматривавший наказания от 10 до 25 лет лишения свободы. Р-87, 448.

ЧЕТЫ́РКИ * На четы́рках. *Беломор., Сиб., Ср. Урал.* На четвереньках. СФС, 197; СРГСУ 2, 192; Мокиенко 1986, 94.

ЧЁХЛИК * Корнево́й че́хлик. *Жарг. мол. Шутл.* Презерватив. (Запись 2004 г.).

ЧЕЧЕ́НЕЦ * Чече́нец ры́жий. *Жарг. угол.* Золотая олимпийская сторублёвая монета. ТСУЖ, 196.

ЧЕЧЁТКА * Пляса́ть чечётку. *Жарг. угол. Неодобр.* Доносить, выдавать кого-л. Балдаев 1, 322.

ЧЕ́ШКИ * Заверну́ть (сверну́ть) че́шки. *Жарг. мол. Шутл.* Заморозить ноги. Максимов, 136, 377.

Наре́зать че́шки. *Жарг. мол. Шутл.-ирон.* 1. Убежать откуда-л. 2. Умереть. Максимов, 269.

Чеса́ть че́шки. *Жарг. мол. Шутл.* Идти, шагать. Максимов, 473.

ЧЕШУЯ́ * Блесте́ть чешуёй. *Жарг. мол. Шутл.-ирон.* Хвастаться, зазнаваться. Максимов, 36.

Хвали́ться чешуёй. *Жарг. мол. Неодобр.* Важничать, зазнаваться, вести себя высокомерно. Максимов, 458.

ЧИ́ВЕР * Чи́вера тебе́ (ему́ и т. п.**) на язы́к!** *Волг., Прикам.* Недоброе пожелание, проклятие в адрес говорящего что-л. нежелательное. Глухов 1988, 172; МФС, 110.

ЧИ́ГИ * Чи́ги протара́нить *кому. Жарг. угол.* Ударить кого-л. по глазам. ТСУЖ, 196. < **Чиги** — глаза.

ЧИК * Чик в чик. *Волг., Сиб.* Очень точно, аккуратно. СФС, 202; Глухов 1988, 172.

ЧИ́КА́ * Кли́нит чика́ *у кого. Жарг. мол.* О состоянии заторможенности, утрате сообразительности. Максимов, 183.

Плю́щить чи́ки. *Жарг. мол. Неодобр.* О странных поступках, действиях человека. Максимов, 318.

Включа́ть/ включи́ть чи́ку. *Жарг. мол.* Попытаться вспомнить что-л. Максимов, 64.

Лови́ть чи́ку. *Жарг. мол.* Находиться в состоянии алкогольного или наркотического опьянения. БСРЖ, 671.

ЧИЛЬ * В чиль (вчиль). *Жарг. угол.* Одинаково, идентично, очень точно. ББИ, 50.

ЧИН * Ни чин ни почи́н. *Р. Урал.* Жив и здоров (о человеке, у которого всё в порядке). СРНГ 31, 12.

Ни чи́ну ни почи́ну *у кого. Р. Урал.* 1. О полной неготовности к чему-л. 2. То же, что **ни чин ни почин.** СРНГ 31, 12.

Чин из четы́рнадцати овчи́н. *Разг. Устар. Ирон.* О мелком чиновнике. БМС 1998, 626.

Чин по чи́ну. *Разг.* То же, что **чин чином.** ФСРЯ, 527; ФМ 2002, 625; СНФП, 152; ЗС 1996, 84.

Чин чинарём. *Прост.* То же, что **чин чином.** СПП 2001, 80; Б., 161; ТСУЖ, 196; Глухов 1988, 172; Быков, 204.

Чин чи́ном. *Разг.* Всё как положено, как надо, как следует. ФСРЯ, 527; БМС 1998, 626; ФМ 2002, 625.

Без чино́в. *Разг. Устар.* Без церемоний, запросто, как дома. БМС 1998, 626.

Лиши́ть чино́в и зва́ния *кого. Гом.* Подвергнуть кого-л. гомосексуальному изнасилованию. Кз., 145.

Выводи́ть/ вы́вести в чины́ *кого. Разг. Устар.* Содействовать успешному продвижению по службе кого-л. Ф 1, 90.

Вы́скочить в чины́. *Разг. Устар.* Быстро сделать карьеру, выслужиться. Ф 1, 99.

Выходи́ть/ вы́йти в чины́. *Разг. Устар.* Достигать высокого служебного положения. Ф 1, 102.

ЧИНГАЧГУ́К * Чингачгу́к в противога́зе. *Жарг. шк.* Учитель начальной военной подготовки. Максимов, 476.

ЧИНЬ-БРИ́НЬ * Чинь-бри́нь на высо́ких каблуках. *Одесск. Шутл.-ирон.* О франте, моднице. КСРГО.

ЧИП * Чип и Дейл. *Жарг. шк. Шутл.* Директор и завуч. ВМН 2003, 150. < По имени героев популярного мультфильма.

ЧИ́ПЕР * По чи́перу. *Жарг. мол.* Дёшево. Я — молодой, 1994, № 2.

ЧИ́ПСЫ * Отбро́сить чи́псы. *Жарг. мол. Шутл.* 1. Потерять сознание. 2. Умереть. Максимов, 290.

ЧИ́ПЧИКИ * На чи́пчиках. *Сиб.* На цыпочках. СФС, 121.

ЧИ́РЕЙ * Чи́рей мне на язы́к! *Прост. Устар.* Клятвенное заверение в истинности сказанного. Мокиенко, Никитина 2003, 383.

Чи́рей тебе́ (ему́, вам и пр.) **в у́хо!** *Перм.* Недоброе пожелание, проклятье. Подюков 1989, 229.

Чи́рей тебе́ на запя́тки! *Прост. Устар. Бран.* То же, что **чирей тебе в ухо!** Мокиенко, Никитина 2003, 383. < **Запятки** — зад, ягодицы.

Чи́рей тебе́ (ему́, вам и пр.) **на язы́к!** *Прост. Бран.* Недоброе пожелание говорящему нечто плохое, не то, что следует. БТС, 1480; Мокиенко, Никитина 2003, 383.

ЧИ́РИКИ * Топта́ть чи́рики. *Волг.* Бесцельно бродить без дела. Глухов 1988, 160.

ЧИСЛО́ * Выходи́ть из чи́сел (из числа́). *Арх., Кар.* Не иметь постоянной календарной даты (о церковных праздниках). АОС 8, 370; МРГК 1, 311.

Без числа́. *Ряз., Сиб.* Выше меры, слишком. ДС, 598; СРНГ 20, 76.

Несть числа́ *кому, чему. Книжн. Устар.* О большом количестве кого-л., чего-л. < **Несть** — результат сращения сочетания *не есть.* БМС 1998, 627; ФСРЯ, 528.

В чи́слах. *Сиб.* В один и тот же определённый день (о церковных праздниках). Верш. 7, 277.

Всы́пать (зада́ть, прописа́ть) по пе́рвое число́ *кому. Разг.* Сильно наказать кого-л. БМС 1998, 627; БТС, 1480; ФСРЯ, 528; Ф 2, 100; ЗС 1996, 203, 525.

Кра́сное число́. *Разг.* 1. *Устар.* Праздник, который является нерабочим днем. Мокиенко, Никитина, 1998, 661. 2. *Шутл.* Начало менструации. Мокиенко, Никитина 2003, 383.

Че́рез число́. *Волг. Неодобр.* Сверх меры (о чём-л. предосудительном, неприемлемом). Глухов 1988, 171.

За́дним число́м. *Разг.* Позднее, спустя некоторое время после свершившегося. ФСРЯ, 528; БТС, 320.

Молоды́м число́м. *Волог.* В молодом возрасте. СВГ 4, 89.

Таки́м числом. *Новг.* Тогда. НОС 12, 60.

Ходи́ть одни́м число́м. *Смол.* В один и тот же день. ССГ 11, 64.

Число́м побо́лее, ценóю подеше́вле. *Разг. Ирон.* О погоне за количеством в ущерб качеству. < Из комедии А. С. Грибоедова «Горе от ума» (1822–1824 гг.). БМС 1998, 627.

ЧИ́СМЕНИЦА * Беспу́тная чи́сменица. *Кар. Неодобр.* Нерадивая хозяйка. СРГК 1, 70.

ЧИСТИ́ЛИЩЕ * Крова́вое чисти́лище. *Жарг. шк. Шутл.-ирон.* Класс, учебный кабинет. ВМН 2003, 150.

Пройти́ сквозь (че́рез) чисти́лище. *Книжн.* Выдержать большие трудности, испытания. БТС, 1481.

ЧИ́СТКА * Чи́стка зубо́в. *Жарг. филат.* Чистка иголкой зубцовки марки. Левитас, 225.

ЧИ́СТО * На чисте́. *Яросл.* На открытом месте, на виду. ЯОС 6, 79.

Ни в чи́сте ни в ра́дости. *Волг.* О тяжёлом, безвыходном положении. Глухов 1988, 108.

Води́ть чи́сто. *Кар. Одобр.* Соблюдать, поддерживать чистоту. СРГК 1, 213.

Чи́сто торгова́ть. *Жарг. угол.* 1. Ловко совершать кражи. СРВС 2, 222; ТСУЖ, 196. 2. Красть исключительно бумажники с деньгами, не трогая вещей, документов. СРВС 1, 158; СРВС 2, 96, 216.

ЧИСТОГА́Н * Под чистога́н. *Разг.* Абсолютно всё, до основания, целиком. ДС, 598; СПП 2001, 80.

ЧИСТОТА́ * В чистоте́. *Жарг. угол.* Вне подозрений. ТСУЖ, 36.

Вести́ чистоту́. *Новг.* Наводить порядок в доме. НОС 1, 119.

Выбива́ть / вы́бить чистоту́ *от кого. Новг.* Требовать от кого-л. соблюдения чистоты, личной гигиены. НОС 1, 145.

Дава́ть/ дать чистоты́ *кому. Волг.* Строго наказывать, ругать кого-л. Глухов 1988, 31.

ЧИ́СТЫЙ (ЧИ́СТАЯ) * По чи́стой. *Дон.* Откровенно, начистоту (говорить что-л.). СДГ 1, 120.

Обнести́ в чи́стую *кого. Жарг. карт.* Полностью обыграть кого-л. в карты. Б., 109.

Укра́сть на чи́стую. *Жарг. угол.* Украсть бумажник с деньгами, но без документов. СРВС 2, 59, 194; СРВС 3, 106; ТСУЖ, 116.

Де́лать чи́стые. *Жарг. угол.* Воровать деньги. ТСУЖ, 46.

Экологи́чески чи́стый. *Жарг. мол. Шутл.* О непьющем и некурящем человеке. Вахитов 2003, 209.

ЧИСТЯ́К * Под чистя́к. *Новг.* То же, что **под чистоган (ЧИСТОГАН).** НОС 12, 62.

ЧИ́ТА * Чи́та бестолко́вая. *Новг. Неодобр.* Вялый, медлительный человек. НОС 12, 63.

ЧИТА́ * Уе́хать в Читу́. *Жарг. мол. Шутл.* Сойти с ума, потерять рассудок. Максимов, 438.

ЧИТА́ЛКА * Пойти́ в чита́лку. *Жарг. мол.* Выпить спиртного. Елистратов 1994, 551.

ЧИТИЛИ́ * Дать читили́. *Сиб.* Быстро убежать, скрыться. ФСС, 55.

ЧИ́ТЫЙ * Чи́тый не поймёт, а пья́ный не разберёт. *Пск. Шутл.* О плохо сделанной работе. СПП 2001, 80. < **Читый** — трезвый.

ЧИХ * Ни чи́ху ни пы́ху. *Сиб.* О полной неизвестности, отсутствии сведений о ком-л., о чём-л. СРНГ 21, 215; СФС, 128.

ЧИХА́ТЬ * Чиха́ть хоте́л *на кого, на что. Прост.* О полном безразличии, пренебрежении к кому-л., чему-л. Глухов 1988, 174.

ЧИХНУ́ТЬ * Ни чихни́, ни пёрдни. *Жарг. студ. Вульг. Шутл.* О лекции строгого преподавателя. (Запись 2003 г.).

ЧИ́ЧА * Чи́ча на тара́н. *Жарг. мол. Шутл. или Неодобр.* О спешащем, идущем напролом человеке. СМЖ, 81.

Потара́нить чи́чи (чи́чу) *кому. Жарг. угол.* 1. Ударить по глазам кого-л. Максимов, 335. 2. Выколоть глаза кому-л. Мильяненков, 275. 3. Проткнуть ножом живот кому-л. Максимов, 335. < **Чича** — 1. Лицо. 2. Глаз. 3. Живот.

ЧИ́ЧЕР * Брать/ взять за чи́чер (за чи́черки) *кого. Дон.* Таскать за волосы кого-л. в качестве наказания. СДГ 3, 195.

Ни чи́чер (чи́черы). *Дон.* О полной тишине. СДГ 3, 195.

ЧИ́ЧЕРА * Дать (сыгра́ть) чи́черы *кому. Дон.* То же, что **брать/ взять за чичер (ЧИЧЕР).** СДГ 3, 191, 195.

Ни чи́черы. См. **Ни чичер (ЧИЧЕР).**

ЧИ́ЧЕРКИ * Брать за чи́черки. См. **Брать за чичер (ЧИЧЕР).**

ЧИЧИ́ГА * Дава́ть/ дать (драть) чичи́гу *кому. Обл.* Избивать кого-л.; таскать кого-л. за уши в качестве наказания. ФСС, 55; Мокиенко 1990, 51.

ЧИЧО́РА * Чичо́ра боло́тная. *Пск. Бран.* О женщине, вызывающей досаду, раздражение. СПП 2001, 80.

ЧИШМЯ́ * Зада́ть чишмя́. *Сиб.* Убежать откуда-л. СФС, 202.

ЧЛЕН * Заби́ть член *на что. Жарг. угол., мол. Груб.* 1. Проигнорировать, оставить без внимания кого-л., что-л. 2. Прекратить делать что-л., перестать заниматься чем-л. ББИ, 281; Балдаев 2, 147; УМК, 241; Елистратов 1994, 143.

Член корреспонде́нта на цепо́чке. *Разг. Шутл.-ирон. или Презр.* О член-корреспонденте Академии наук. Флг., 387.

Член политбюро́ (прави́тельства). *Жарг. мол. Шутл.* Мужской половой орган. ЖЭСТ-1; Щуплов, 54; ББИ, 281; Балдаев 2, 147.

Член сове́та безопа́сности. *Жарг. мол. Шутл.* Презерватив. Максимов, 477.

Чле́ны кружка́. *Разг., Жарг. мол. Шутл.-ирон.* Сожители, любовники одной и той же женщины. УМК, 241; ББИ, 281; Балдаев 2, 147.

ЧМО * Чмо боло́тное (зелёное, безобра́зное). *Прост. Презр.* О неприятном, отвратительном человеке. СПП 2001, 80; Елистратов 1994, 551.

Чмо волоса́тое. *Жарг. мол. Презр.* 1. О плохо одетом человеке. 2. О человеке с какими-л. физическими недостатками. Максимов, 68.

Чмо из Зажо́пинска. *Жарг. мол. Пренебр.* Простофиля-провинциал. Елистратов 1994, 150.

ЧО * Да чо да. *Перм.* И ещё кое-что. СШПО, 683.

ЧО́МЕР. См. **ЧЕМЕР.**

ЧОХ * Не ве́рить ни в чох, ни в жох. *Разг. Устар.* Ни во что не верить, не быть суеверным. < **Чох** — чихание; **жох** — определённое положение гадальной кости. БМС 1998, 627. **Не ве́рить ни в чох, ни в сон, ни в воро́ний (пти́чий) грай.** *Прост.* То же. БТС, 225, 1489.

Не понима́ть ни чох ни мох. *Волг.* То же, что **не понимать ни чох-мох (ЧОХ-МОХ).** Глухов 1988, 102.

ЧОХ-МОХ * Не понима́ть ни чох-мох. *Сиб.* Абсолютно ничего не понимать. СРНГ 18, 309; СФС, 128. **Не понима́ть чо́ху-мо́ху.** *Дон.* То же. СДГ 3, 196.

ЧРЕ́СЛА * Опоя́сать (перепоя́сать) [свои́] чре́сла. *Книжн. Устар.* Приготовиться к бою. БТС, 1483. < Из Библии. БМС 1998, 627; ФСРЯ, 528.

Шевели́ть чре́слами. *Жарг. мол. Шутл.* Танцевать. Максимов, 478.

ЧТИ́ВО * Фи́лькино чти́во [«Мойдодыр»]. *Жарг. арест., угол. Ирон. или Пренебр. Устар.* Конституция СССР, РСФСР. Балдаев 2, 109; Балдаев, 2001, 165.

ЧТО * Ни с чего́ ни по что́. *Сиб.* По непонятной причине. Верш. 4, 157.

Чего́ нет *у кого, где. Новг.* Об изобилии, большом количестве и разнообразии чего-л. НОС 12, 65.

Быть ни в чём. *Ворон.* Болеть. СРНГ 21, 213.

Вести́ ни в чём *кого. Арх.* С презрением, пренебрежением относиться к кому-л. АОС 4, 10.

Знать, чем па́хнет. *Волг.* Предвидеть результат. Глухов 1988, 53.

Ни перед чем перекрести́ться, ни чем задави́ться. *Народн.* Об очень бедном человеке. ДП, 89.

Оста́ться ни при чём. *Яросл.* Не достичь, не получить ожидаемого. ЯОС 6, 145.

Поню́хать, чем па́хнет. *Волг.* Познать нужду, горе, лишения. Глухов 1988, 129.

Пошёл (ходи́л) ни за чем (ни по что), принёс (привёз) ничего́. *Народн. Неодобр.* О бесполезно потраченном времени. СФС, 150; СРНГ 28, 363.

Сади́сь на чём стои́шь. *Волг. Шутл.* Приглашение сесть при отсутствии места. Глухов 1988, 143.

Сиде́ть ни о чём. *Жарг. мол. Шутл.-ирон.* Бездельничать; тратить время попусту. Максимов, 384.

С чем его́ едя́т. *Разг. Шутл.* О чём-л. неизвестном, непонятном. Глухов 1988, 156.

Чем я тебя́ породи́л, тем я тебя́ и убью́! *Разг. Бран.-шутл.* Угроза. < Пародия на слова Тараса Бульбы. Флг., 385.

Ни к чему́. 1. *Разг.* Не нужно, незачем. Верш. 4, 157. 2. *Дон. Неодобр.* О беспомощном, ни на что не способном человеке. СРНГ 21, 214.

А́бы на что. *Сиб. Неодобр.* Неряшливо, неаккуратно, кое-как. ФСС, 7.

Во что бы то ни ста́ло. *Разг.* Обязательно, непременно. ЗС 1996, 103; БТС, 1483.

За ни за что. *Волг.* Бесплатно, даром. Глухов 1988, 50.

За что боро́лись, на то и напоро́лись. *Разг. Шутл.-ирон.* Сами виноваты во всем; винить в своих трудностях, неудачах некого. БСРЖ, 73.

За что купи́л, за то и продаю́. *Прост.* Ничего не прибавляя от себя, пересказывать услышанное, не ручаясь за достоверность. Ф 1, 272.

Знать что почём. *Разг.* Понимать истинное значение, содержание, смысл чего-л. НСЗ-70.

Идти́ ни на что. *Курск.* Сильно худеть. СРНГ 21, 214.

Лата́ть — не́ за что хвата́ть. *Волг. Шутл.-ирон.* О ветхой одежде. Глухов 1988, 80.

На что гля́дя. *Яросл.* Для чего, зачем. ЯОС 6, 89.

Не за́ что. *Яросл.* Напрасно, зря. ЯОС 6, 123.

Не за что подня́ться *кому. Влад.* У кого-л. нет возможностей разбогатеть. СРНГ 28, 100.

Ни во что не почита́ть *кого. Кар.* То же, что **ни во что не ставить.** СРГК 2, 128.

Ни во что не ста́вить (не счита́ть) *кого. Разг.* Не уважать, не ценить кого-л. СПП 2001, 80.

Ни за что. *Разг.* Ни при каких обстоятельствах, ни в коем случае. Верш. 4, 157; Глухов 1988, 109.

Ни за что, ни по что. *Ср. Урал.* То же, что **ни за что ни про что 1.** СРНГ 21, 213; Верш. 7, 286.

Ни за что, ни про что. 1. *Разг.* Понапрасну, зря; без причины, без повода. ФСРЯ, 528; БМС 1998, 628; БТС, 1483; СФС, 126; СРГСУ 2, 208; МФС, 111; СПП 2001, 80. 2. *Прикам.* Посредственно; ни хорошо, ни плохо. МФС, 111.

Ни на что не нахо́дит. *Печор. Неодобр.* О чём-л. плохом, скверном. СРГНП 1, 467.

Ни про что. *Сиб.* То же, что **ни за что ни про что 1.** СБО-Д2, 269; СРНГ 21, 214.

Пове́дай (пове́й) что. *Кар.* Неизвестно, непонятно почему. СРГК 4, 581.

Подержа́ться не́ за что. *Прост. Шутл.-ирон.* О худом, сухощавом человеке. Ф 2, 56.

Почита́ть ни за что *кого, что. Разг. Устар.* Проявлять крайнее пренебрежение, презрение к кому-л., к чему-л. Ф 2, 83.

Хоть бы что *кому. Разг.* О беспечности, безразличии к чему-л. БТС, 1452.

Что встре́чу. *Пск.* Что попало, что придёт в голову (говорить, болтать). СПП 2001, 80.

Что? Где? Когда́? *Жарг. студ. Шутл.* Статистика (учебный предмет). БСПЯ, 2000.

Что и ну! *Оренб.* Восклицание, выражающее удивление. СРНГ 12, 52.

Что к чему́. *Разг.* В чём суть дела. ФСРЯ, 529.

Что ни говори́. *Разг.* Несмотря ни на что; несмотря на то, что говорится о ком-л., о чём-л. ФСРЯ, 109.

Что поде́лаешь. *Разг.* Выражение вынужденного примирения с чем-л. ФСРЯ, 329.

Что тако́е хорошо́ и что тако́е пло́хо, *Жарг. шк. Шутл.-ирон.* Классный час. (Запись 2002 г.).

ЧУБ * Води́ть за чуба́ *кого. Курск.* Обманывать кого-л. БотСан, 94.

ЧУ́БЧИК * Ки́сло в чу́бчик *кому. Разг. Одобр.* Не так плохо, как кажется. НВ, 1997, № 35.

Чу́бчик кучеря́вый. 1. *Жарг. шк. Шутл.* А. С. Пушкин. (Запись 2003 г.). 2. *Жарг. журн., полит. Шутл.* Один из лидеров Союза правых сил Б. Немцов. МННС, 192.

ЧУВА́К * Захарчо́ванный чува́к. *Жарг. угол.* Человек, выдающий себя за вора. СРВС 4, 77, 106, 137; ТСУЖ, 197.

Нулево́й чува́к. *Жарг. мол. Неодобр.* Человек без денег. Максимов, 278.

Чува́к с горы́. *Жарг. мол. Одобр.* Об удачливом, преуспевающем человеке. Максимов, 94.

Чува́к с па́узой. *Жарг. мол. Шутл.* 1. О лысом мужчине. 2. О человеке с замедленной реакцией. Максимов, 304.

ЧУВА́ЧКА * Приклепа́ть чува́чку. *Жарг. мол.* Понравиться девушке. СИ, 1998, № 9.

ЧУ́ВСТВО * Вы́биться из чу́вств. *Сиб.* Потерять сознание. ФСС, 33.

Вы́кинуть из чу́вства *кого. Арх.* Лишить кого-л. способности чувствовать, понимать что-л. АОС 7, 254.

Вышиба́ет из чу́вства *кого. Арх.* О потере сознания. АОС 8, 406.

Вы́йти из чу́вства. *Прикам.* Сойти с ума. МФС, 22.

Дойти́ в чу́вства. *Кар.* То же, что **войти в чувство.** СРГК 1, 173.

Быть в чужи́х чу́вствах. *Сиб.* Находиться в состоянии обморока, без сознания. ФСС, 21.

Находи́ться в растрёпанных чу́вствах. *Разг. Шутл.* Быть печальным, расстроенным. БМС 1998, 628.

Войти́ в чу́вство. *Арх., Кар., Печор.* Прийти в сознание; очнуться, опомниться. АОС 5, 31; СРГК 1, 221; СРГНП 1, 82.

Взя́ться (зайти́) в чу́вство. *Кар.* То же, что **войти в чувство.** СРГК 1, 199; СРГК 2, 232.

Шесто́е чу́вство. *Разг.* Обострённая интуиция. БТС, 1496.

Чу́вство ло́ктя. *Публ.* Взаимная поддержка, верность товариществу. ФСРЯ, 529; ФМ 2002, 628; ЗС 1996, 122, 282; БТС, 504.

С чу́вством, с то́лком, с расстано́вкой. *Разг. Шутл. или Ирон.* Обстоятельно, неторопливо, с пониманием. < Слова Фамусова из комедии А. С. Грибоедова «Горе от ума» (1822-1824 гг.).

ЧУ́ВЫ * Чу́вы да вы́чувы. *Прикам. Ирон.* О манерном, важничающем человеке. МФС, 111.

ЧУВЫ́РЛО * Бра́тское чувы́рло. 1. *Прост. Пренебр.* Отвратительная, отталкивающая внешность, лицо человека. СФС, 29; СРВС 2, 20, 96, 166, 223; СРВС 3, 79; СРВС 4, 8, 24, 71, 50, 101; ТСУЖ, 23, 197; СВЯ, 10; Балдаев 1, 44. // *Жарг. угол., арест.* Заключённый с отталкивающей внешностью. УМК, 241. 2. *Жарг. мол. Шутл.* Знакомый человек, приятель. Максимов, 43.

ЧУГУ́Н * Чугу́н с лапшо́й. *Жарг. угол.* Карманные часы с цепочкой. ТСУЖ, 197; ББИ, 282; Балдаев 2, 148; Мильяненков, 276.

ЧУДА́К * Чуда́к на бу́кву «М». *Жарг. мол. Шутл.-ирон. Эвфем.* О глупом, простодушном человеке. Вахитов 2003, 201; Максимов, 479.

ЧУДЕ́СА. См. **ЧУДО.**

ЧУ́ДЕЧКО * Чу́дечко на блю́дечке. *Сиб., Забайк. Шутл.-ирон.* О неудачнике. СРГЗ, 455; СФС, 202.

ЧУДИ́ЛЬНИК * Совко́вый чуди́льник. *Разг. Шутл.-ирон.* Госдума Российской Федерации. Балдаев 2, 50.

ЧУ́ДНО * Ни чу́дно, ни ди́во. *Дон.* О чём-л., не вызывающем удивления. СДГ 3, 196.

Чу́дно, да ну́дно. *Забайк. Пренебр.* О чём-л. надоевшем. СРГЗ, 455.

ЧУ́ДО * Семь чуде́с све́та. *Разг. часто Ирон.* О чём-л. необычном, удивительном, редкостном, выдающемся. БМС 1998, 628.

Чудеса́ в решете́. *Разг. Шутл.* О чём-л. удивительном, невероятном, поражающем своей необычностью. ФСРЯ, 529; БМС 1998, 629; ФМ 2002, 629; ЗС 1996, 221, 319; БТС, 1485; Мокиенко 1990, 93.

Андро́ново чу́до. *Сиб., Бран.-шутл.* О непослушном ребёнке. СФС, 203.

Восьмо́е чу́до све́та. *Разг. часто Ирон.* О чём-л. необычном, удивительном, выдающемся. БМС 1998, 629; БМШ 2000, 400.

Горо́ховое чу́до. *Арх. Неодобр.* О человеке, вызывающем досаду, раздражение. АОС 9, 366.

Кавка́зское чу́до. *Жарг. авто. Шутл.-ирон.* Автомобиль КАЗ («Колхида»). БСРЖ, 677.

Мавзоле́йное чу́до. *Жарг. мол. Шутл.* О В. И. Ленине. Максимов, 234.

Обыкнове́нное чу́до. *Жарг. мол. Шутл.* Мужской половой орган. Елистратов 1994, 664; Щуплов, 53. < По названию кинофильма.

Финба́нское чу́до. *Разг. Шутл.-ирон.* Памятник В. И. Ленину у Финляндского вокзала. Синдаловский, 2002, 191. < **Финбанский** — от *Финбан* — 'Финляндский вокзал'

Чу́до в пе́рьях. *Жарг. мол. Шутл.-ирон. или пренебр.* О человеке со странностями. Вахитов 2003, 201; Мокиенко 2003, 143.

Чу́до чу́дное. *Народно-поэт.* О чём-л. необычном, сказочном. БМС 1998, 629.

ЧУЖАЧО́К * На чужачка́. *Прост.* За чужой счёт. Мокиенко 2003, 143.

ЧУЖБИ́НКА * Хвати́ть чужби́нки. *Новг.* Испытать трудности жизни на чужбине. НОС 12, 9.

Заня́ться чужби́нкой. *Морд. Шутл.* Изменить мужу, жене. СРГМ 1980, 87.

На чужби́нку. *Прост.* То же, что **на чужачка (ЧУЖАЧОК).** Мокиенко 2003, 143.

На чужби́нку. *Ряз.* За чужой счёт. ДС, 600.

ЧУЖБЯ́К * На чужбя́к. *Волг.* Даром, за чужой счёт. Глухов 1988, 93.

ЧУЖО́Й * Прийти́ на чужи́х. *Кар.* Выйти замуж за человека с детьми. СРНГ 31, 234.

ЧУК * Чук и Гек. *Жарг. шк. Шутл.* Директор и завуч. (Запись 2003 г.). < По имени героев одноименной повести А. Гайдара.

ЧУ́КЧА * у́мный чу́кча. *Разг. Шутл.-ирон.* О глупом, несообразительном человеке. Мокиенко 1995, 132; Балдаев 2, 99.

Чу́кча — писа́тель. *Жарг. мол. Шутл.* О пишущем что-л. человеке. Никитина, 1998, 517.

Чу́кча — чита́тель. *Жарг. мол. Шутл.* О читающем что-л. человеке. Никитина, 1998, 517.

ЧУЛО́К * Три чулка́ с языка́ [снять у себя́]. *Разг. Устар.* Много и долго говорить с целью уговорить кого-л. БМС 1998, 630.

Шевели́ть чулка́ми. *Жарг. мол. Шутл.* Идти, шагать быстрее. Максимов, 486.

Чулки́ в стака́не. *Жарг. мол.* Родители дома. Максимов, 402.

Чулки́ но́вы, а пя́тки го́лы *у кого. Народн. Ирон.* О бестолковом человеке. ДП, 459.

Кра́сный чуло́к. *Пск. Пренебр.* О женщине лёгкого поведения. СПП 2001, 80.

Ма́мин чуло́к. *Прост. Бран.* О неуклюжем, неповоротливом и избалованном молодом человеке. Мокиенко 2003, 143.

Ни чуло́к ни ва́ленок. *Прибайк.* Не отличающийся ничем положительным. СНФП, 153.

Си́ний чуло́к. 1. *Разг. Устар. Неодобр.* О педантичной женщине, лишенной обаяния и женственности и поглощённой лишь научными интересами. ФСРЯ, 530; БТС, 1486. 2. *Жарг. мол.* Об очень нудном и надоедливом человеке. Максимов, 385. < Из англ. яз. БМС 1998, 630.

ЧУМ * Вы́йти из чу́ма. *Арх.* Перестать заниматься оленеводством. АОС 7, 240.

В куро́пачьем чуму́ ночева́л. *Печор. Шутл.* О заблудившемся, не нашедшем дорогу домой человеке. СРГНП 1, 366. < **Куропачий** — относящийся к куропатке.

ЧУМА́ * Бе́лая чума́. *Публ. Неодобр.* О наркомании. НРЛ-79; Мокиенко 2003, 143.

Боло́тная чума́. *Жарг. мол.* 1. *Пренебр.* О девушке с отвратительной внешностью. 2. О проститутке, готовой к любому сексуальному контакту. Максимов, 38.

Индустриа́льная чума́. *Жарг. бизн.* Промышленный шпионаж. БС, 86.

Кори́чневая чу́ма́. *Публ.* 1. О фашизме или фашистах. БМС 1998, 630. 2. О неофашизме и неофашистах. НСЗ-70; Мокиенко 2003, 143.

Чума́ в го́лову вхо́дит *кому. Пск. Шутл.* О потере способности соображать, понимать что-л. ПОС 4, 105.

Чума́ двадца́того ве́ка. *Публ.* О синдроме приобретённого иммунодефицита человека (СПИД). СП, 244.

Чума́ нахо́дит *на кого. Пск.* То же, что **чума в голову вхо́дит.** СПП 2001, 80.

ЧУМА́К * Чума́к за со́лью е́дет. *Одесск.* О Млечном Пути. КСРГО.

Пуска́ть чумака́ в глаза́ *кому. Пск.* Обманывать кого-л. СПП 2001, 80.

ЧУР * Име́ть чур. *Кар.* Не переходить границ дозволенного. СРГК 2, 290.

Чур меня́! *Разг.* 1. *Устар.* Возглас, оберегающий от нечистой силы. 2. Возглас, запрещающий касаться чего-л., переходить за какой-л. предел. БМС 1998, 630.

Без чу́ра. *Прибайк.* Без ограничений; очень много. СНФП, 153.

До без чу́ру. *Прибайк.* Очень много, в большом количестве. СНФП, 153.

Не знать чу́ру (чу́ра, чуры́). 1. *Разг. Устар.; Сиб.* Не придерживаться установленных правил. БМС 1998, 631; СФС, 203. 2. *Дон., Ряз.* Не знать меры в чём-л. СРНГ 11, 312; ДС, 601; СДГ 3, 197. 3. *Волг.* Быть ненасытным, есть слишком много. Глухов 1988, 98. 4. *Сиб.* Быть несдержанным, не уметь управлять собой. ФСС, 83. 5. *Волг.* Плохо разбираться в чём-л. Глухов 1988, 98.

ЧУ́РА * Без чуры́. 1. *Ряз.* Чрезмерно, слишком. ДС, 601. 2. *Прибайк.* То же, что **до без чуру (ЧУР)**. СНФП, 153.

ЧУРБА́Н * Чурба́н неотёсанный (нетёсанный). 1. *Прост.* О глупом, неразумном человеке. Глухов 1988, 174. 2. *Горьк. Бран.* О человеке, вызывающем раздражение, негодование. БалСок, 57.

Чурба́н с глаза́ми. *Прост. Бран.* То же, что **чурбан неотёсанный 1-2.** ЗС 1996, 34, 244.

ЧУРЕ́К * Наворо́чать чуре́ков (чуре́ки). *Дон. Неодобр.* Плохо испечь хлеб. СДГ 3, 197.

ЧУ́РКА * Чу́рка дров. См. **Полено дров (ПОЛЕНО).**

Чу́рка на у́хе *у кого. Сиб., Забайк. Шутл.-ирон.* О глухом человеке. ФСС, 218; СРГЗ, 456.

Чу́рка с глаза́ми. *Прост.*1. *Презр.* О глупом человеке. СРГЗ, 456; СФС, 203; СНФП, 154; Мокиенко 1990, 106, 112, 132; Вахитов 2003, 201. 2. *Шутл.* Селёдка. Флг., 258; ТСУЖ, 87.

Ката́ть на чу́рке *кого. Новг.* Смеяться, шутить над тем, кому изменили в любви. НОС 12, 70.

С чу́ркой на у́хе. *Забайк.* То же, что **чурка на ухе.** СРГЗ, 456.

Жить за чу́рку. *Брян. Презр.* Быть никому не нужным. СБГ 5, 73.

ЧУ́ТКО * Не чу́тко и не ви́дко. *Арх. Шутл.-ирон.* О полном отсутствии чего-л. АОС 4, 92.

ЧУХ * Быть без чу́ху. *Прибайк.* Находиться в бессознательном состоянии. СНФП, 154.

В чух не брать *что. Прибайк.* Не реагировать, оставаться равнодушным к чему-л. СНФП, 154.

Чу́ху нет *у кого. Прибайк.* О несообразительном, бестолковом человеке. СНФП, 154.

ЧУ́ХА * Нести́ чу́ху. *Народн. Неодобр.* Говорить вздор, ерунду. ДП, 411.

ЧУХНА́ * Чухна́ нема́занная. *Новг. Презр.* Прозвище жителей пригородов Санкт-Петербурга. НОС 6, 44.

ЧУ́ЧА * Чу́ча тебя́ возьми́! *Сиб. Бран.* Восклицание, выражающее гнев, негодование, досаду в чей-л. адрес. СФС, 203; Мокиенко 1990, 27.

ЧУ́ЧЕЛО * Пора́ на чучела́. *Яросл. Шутл.* Пора спать. ЯОС 8, 65.

Ходи́ть/ пойти́ на чучела́. *Новг.* 1. Охотиться на тетерева с использованием чучела. НОС 12, 72. 2. *Шутл.* Провожать друг друга после посиделок. СРНГ 28, 362. 3. *Шутл.* Ходить на свидания с любимой девушкой. НОС 8, 76; НОС 12, 72.

Чу́чело горо́ховое (огоро́дное). 1. *Прост. Неодобр.* О нелепо, безвкусно одетом человеке. БМС 1998, 631; ФСРЯ, 530; ЗС 1996, 244; БТС, 221; МФС, 111; Глухов 1988, 174; СРГК 4, 14. 2. *Пск. Ирон.* О неряшливо одетом, неопрятном человеке. СПП 2001, 80. 3. *Прост. Ирон.* О человеке, служащем посмешищем. БМС 1998, 631; ЗС 1996, 126.

Чу́чело заболо́тское. *Сиб. Презр.* То же, что **чучело гороховое 2.** СФС, 203; ФСС, 219.

Чу́чело замша́лое. *Забайк. Пренебр.* О человеке с отсталыми взглядами. СРГЗ, 457.

Чу́чело ста́рого козла́. *Жарг. мол. Шутл.-ирон.* Памятник М. И. Калинину на площади Калинина в Ленинграде — Санкт-Петербурге. Синдаловский, 2002, 203.

Чу́чело Улья́нова. *Жарг. мол. Шутл.* Мумия В. И. Ленина в Мавзолее. Максимов, 481.

ЧУ́ШКА * Морска́я чу́шка. *Азов.* Тупорылый дельфин. СРНГ 18, 278.

Сдви́нуть чу́шки. *Волг.* Сойтись в драке. Глухов 1988, 146.

ЧУШЬ * Нести́ (моло́ть, поро́ть) чушь. *Прост. Неодобр.* Говорить глупости, бессмыслицу. БМС 1998, 631; Мокиенко 1990, 65; ЗС 1996, 249, 332.

ЧУ́ЯТЬ * Чу́ет, где ночу́ет. *Волг.* О человеке, правильно оценивающем ситуацию, хорошо осведомлённом в чём-л. Глухов 1988, 174.

ША * Ни ша. *Пск.* О невозможности, запрете сдвинуться с места. СПП 2001, 81.

ШАБА́ЛА́ * Бить шабалу́ (шаба́лы, шебалу́, шо́балы). *Кар. Неодобр.* Бездельничать. СРГК 1, 73; Мокиенко 1990, 65, 68; Ф 1, 24.

Сбива́ть шаба́лы. *Волг. Неодобр.* То же, что **бить шабалу.** Глухов 1988, 144.

ШАБА́Х * Поднима́ть/ подня́ть шаба́х. *Смол.* Поднимать крик, шум. ССГ 11, 121.

ШАБА́Ш * На шабаша́х. *Дон.* 1. Бесплатно. 2. За чужой счёт. СДГ 3, 198.

ШАБА́ШКА * Сбить шаба́шку. *Пск. Шутл.* Получить побочный, дополнительный заработок где-л., подработать. СПП 2001, 81.

ШАБЕ́ЛЫ * Обива́ть шабе́лы. *Обл. Неодобр.* То же, что **бить шабалу (ШАБАЛА).** Мокиенко 1990, 68.

ШАБЁР (ШАБЁРА) * Дать (поднести́) шабёра (шабёру) *кому. Пск.* Ударить кого-л. СПП 2001, 81; Мокиенко 1990, 61, 160. < **Шабёр, шабёра** — лещ.

ШАВЕРА́ * Шавера́ в голове́ *у кого. Печор. Неодобр.* О легкомысленном, несерьёзном человеке. < **Шавера́** — небольшой ветерок, который рябит воду. СРНГП 2, 433.

ШАГ * Воробьи́ный шаг. *Перм.* О чём-л. непродолжительном по времени. Подюков 1989, 232.

Де́лать/ сде́лать пе́рвый шаг. *Разг.* 1. Приступать к чему-л., начинать делать что-л. 2. Проявлять инициативу, идти на сближение, на контакт с кем-л. Ф 2, 147-148.

Де́лать/ сде́лать шаг навстре́чу *кому, чему. Разг.* Предпринимать что-л. для сближения с кем-л. или для приближения чего-л. Ф 2, 148.

Держа́ть шаг. *Разг.* Идти в такт, одновременно с другими. ФСРЯ, 530.

На воробьи́ный шаг. *Волг., Сиб.* На небольшое расстояние. Глухов 1988, 87; СФС, 110.

На шаг *от чего. Разг.* Очень близко. БМС 1998, 633; ФСРЯ, 530.

Не переступи́ть шаг. *Кар.* Беспрекословно повиноваться кому-л. СРГК 4, 472.

Не ступи́ть на шаг. *Ряз.* Не уступить кому-л. ни в чём. ДС, 602.

Печа́тать шаг. *Разг.* Идти строевым шагом. Ф 2, 45.

Шаг вперёд, два ша́га наза́д. *Разг. Неодобр. или Ирон.* О медленном, незначительном продвижении чего-л. (дела, работы и т. п.). < По названию книги В. И. Ленина (1904 г.). БМС 1998, 633.

Шаг в шаг. *Разг.* О чётком повторении движения. Мокиенко 1986, 101.

Шаг за ша́гом. *Книжн.* 1. Постепенно, неуклонно. 2. Последовательно, одно за другим. ФСРЯ, 531.

Широ́кий шаг *у кого. Перм.* О привычке жить расточительно, неэкономно. Подюков 1989, 232.

Не хвати́ло ша́га до побе́ды. *Жарг. шк. Шутл.* О получении оценки «четыре». (Запись 2003 г.).

Семими́льными шага́ми. *Разг.* Очень быстро, стремительно (идти, шагать и т. п.). БМС 1998, 633; ФСРЯ, 531; ЗС 1996, 496.

В двух (трёх) шага́х *от кого, от чего. Разг.* Очень близко, рядом. ФСРЯ, 531; ЗС 1996, 498.

На больши́е шаги́. *Арх.* Широким шагом, быстро (идти). АОС 2, 70.

Отме́ривать (отмеря́ть) шаги́. *Разг.* Идти крупным шагом. Ф 2, 28.

Пе́рвые шаги́. *Разг.* Самое начало, начальный этап каких-л. действий, какой-л. деятельности. ФСРЯ, 531; ЗС 1996, 525.

Счита́ть шаги́. *Жарг. мол.* Играть в карты. Максимов, 413.

Одни́м ша́гом. *Кар.* Без остановки. СРГК 4, 151.

Черепа́шьим ша́гом. *Разг. Неодобр.* Очень медленно. ФСРЯ, 531; ЗС 1996, 110, 496.

Взять ша́гу. *Арх.* Ускорить шаг, пойти быстрее. АОС 4, 83.

На ка́ждом шагу́. *Разг.* Повсюду, везде. ФСРЯ, 531; ЗС 1996, 484.

Ни шагу. *Разг.* 1. Выражение запрета двигаться с места. 2. Выражение запрета делать что-л. 3. *откуда, от кого, от чего.* О неотлучном пребывании где-л. 4. О полном бездействии кого-л. ФСРЯ, 531-532.

Подтяну́ть ша́гу. *Кар.* То же, что **взять шагу.** СРГК 4, 683.

Ша́гу не́где ступи́ть. *Разг.* 1. О большом скоплении людей. 2. О тесноте где-л. ФСРЯ, 274.

Ша́гу не отстава́ть *от кого. Прикам.* Не отходить от кого-л. МФС, 71.

ША́ГЛЫ * Ши́рить ша́глы. *Печор.* Выражать недовольство. < **Ша́глы** — жабры. СРНГП 2, 446.

ШАГНУ́ТЬ * Что ни шагнёт, то брехнёт. *Волг. Неодобр.* О неискреннем, лживом человеке. Глухов 1988, 173.

ШАЖО́К * Идти́ по кури́ному шажку́. *Пск. Шутл.-ирон.* Передвигаться медленно, небольшими шагами. СПП 2001, 81.

ША́ЙБА * Ша́йба в воро́тах. *Жарг. шк. Шутл.-ирон.* Оценка «единица» в журнале. (Запись 2003 г.).

Забива́ть/ заби́ть (загоня́ть/ загна́ть) ша́йбу. *Жарг. угол. Шутл.* Совершать половой акт с кем-л. ТСУЖ, 198; Балдаев 1, 135; Елистратов 1994, 558; УМК, 244; ББИ, 81.

ША́ЙКА * Не ша́йка, не ле́йка. *Коми. Шутл.-ирон.* Сборный коллектив. Кобелева, 83.

ША́ЙКА * Ша́йка бритоголо́вых. 1. *Жарг. арм. Пренебр.* Солдаты до принятия присяги. 2. *Жарг. журн.* Редакционная коллегия. Максимов, 482.

Намоло́ть ша́йкуареста́нтов. См. **Наговорить бочку арестантов (БОЧКА).**

Пода́ть ша́йку *кому. Жарг. угол. Неодобр.* Донести о готовящемся преступлении. Балдаев 1, 324; Мильяненков, 196; СРВС 3, 188, 220; ББИ, 178.

ШАЙТА́Н * Шайта́н на гайта́н! *Жарг. карт.* Ответ на пожелание счастья в картах (букв. «Чёрт тебе на шею!»). Трахтенберг, 68; Грачев 1992, 187; СРВС 1,158; СРВС 2, 96, 141, 223; ТСУЖ, 198. < Рифмующееся сочетание (в турецком духе) от **шайтан** — «татарин» (угол., бран.) и **гайтан** «тесьма, шнурок» (османск., азербайдж., туркменск. *gajtan*). Дмитриев 1931, 178.

ШАЛАБА́ЙКА * Свари́ть шалаба́йкой. *Сиб. Шутл.* Сообразить, принять удачное решение. Верш. 7, 303.

ШАЛА́ВА * Залётная шала́ва. *Жарг. угол.* Проезжая воровка. БСРЖ, 681.

ШАЛА́Й-БАЛА́Й * На шала́й-бала́й. *Одесск. Неодобр.* Кое-как. КСРГО.

ШАЛА́НДА * Шала́нда (шала́нды), по́лная (по́лные) кефа́ли. *Жарг. шк. Шутл.-ирон.* Дневник отличника. Вахитов 2001, 231. < Слова песни из кинофильма «Два бойца». Максимов, 482.

Шала́нды, по́лные фека́лий. *Жарг. мол. Шутл.-ирон.* О загазованной улице. Вахитов 2003, 202.

ШАЛА́Ш * Кры́тый шала́ш. *Жарг. угол.* Женщина лёгкого поведения, имеющая жилье. УМК, 244; Балдаев 1, 212; ББИ, 119.

Некры́тый шала́ш. *Жарг. угол.* 1. Девственница. 2. Незнакомая проститутка. ББИ, 154.

Непокры́тый шала́ш. *Волг. Пренебр.* О глупом, неразумном человеке. Глухов 1988, 175.

Пусто́й шала́ш. *Жарг. мол. шутл.-ирон.* Отсутствие денег. Максимов, 352.

Ле́нин в шалаше́. См. ЛЕНИН.

ШАЛА́ШИК * Пионе́рский шала́шик. *Жарг. тур.* Костер, в котором ветки сложены в виде шалаша, стога. Максимов, 314.

ШАЛУ́ХА * Дать шалу́ху *кому. Пск.* Отругать кого-л., сделать внушение кому-л. СПП 2001, 81.

ША́ЛЫ * С ша́лами да с ба́лами. 1. *Прикам.* С шутками, прибаутками, с озорством. МФС, 111; Мокиенко 1990, 33; Глухов 1988, 157. 2. *Волг. Неодобр.* О пустой болтавне. Глухов 1988, 157.

ШАЛЬ * Вскрыва́ть из-под ша́ли *кого. Арх.* Снимать платок, покрывало с невесты, открывать лицо невесты. СРНГ 5, 206.

Вы́мять шаль. *Арх.* Отучить кого-л. от дурной привычки, от чего-л. неразумного. АОС 8, 31.

ШАЛЬНО́Й (ШАЛЬНА́Я) * Шальна́я куси́ла *кого. Новг.* 1. *Шутл.* О человеке, который внезапно без причины рассмеялся. НОС 4, 165. 2. *Неодобр.* О вздорном, раздражительном человеке. НОС 12, 78; Сергеева 2004, 41.

Идти́/ пойти́ на шальну́ю. *Жарг. угол.* Совершать кражу без заранее обдуманного плана, предварительной разведки. ТСУЖ, 77; Балдаев 1, 170.

ШАМА́ЛЫ * Держа́ть в шама́лы *кого. Пск.* Обращаться строго с кем-л., держать в подчинении кого-л. СПП 2001, 81.

ШАМПА́НСКОЕ * Шампа́нское, господа́! *Жарг. мол. Шутл.* Об отрыжке. Вахитов 2003, 202.

ШАМПУ́Р * [По-офице́рски] на шампу́р. *Разг.* Способ полового сношения, когда ноги партнерши лежат на плечах у партнера. УМК, 245.

ШАМШУ́РА * Шамшу́ру на го́лову, а тоску́ в па́зуху. *Прикам. Ирон.* О безрадостной жизни женщины после замужества. МФС, 111.

ША́НА́ * Пирхо́тить ша́ну. *Жарг. угол.* Употреблять гашиш. ТСУЖ, 133. < **Шана** — гашиш.

ШАНЕ́ЛЬ * Шане́ль но́мер пять. *Жарг. мол. Шутл.-ирон.* Глупая, наивная девушка. СИ, 1998, № 9.

ША́НКЕР * Лохма́ткин ша́нкер. *Жарг. угол. Разг. Пренебр. или Шутл.-ирон.* Мужчина, взявший фамилию жены. < **Лохматка** — ‘женские половые органы’. ББИ, 130.

ША́НЦЫ-ВА́НЦЫ * Ша́нцы-ва́нцы вытряха́нцы. *Волг. Шутл.* О безделье, праздном проведении времени. Глухов 1988, 175.

ША́ПКА * Говоря́щая ша́пка. *Жарг. авиа. Шутл.* Шлемофон. БСРЖ, 682.

Кра́сная ша́пка. *Разг. Устар.* О солдате. < Связано с цветом шапок у солдат. БМС 1998, 634.

О́гненная ша́пка. *Пск.* О шаровой молнии. СПП 2001, 81.

Ох, тяжела́ ты, ша́пка Монома́ха! *Разг. Шутл.* О тяжёлом бремени обязанностей, сопряжённых с высоким постом и большой ответственностью. < Заключительные слова сцены «Царские палаты» драмы А. С. Пушкина «Борис Годунов». БМС 1998, 634.

Полна́ ша́пка воло́сьев *у кого. Арх.* Об испугавшемся человеке. АОС 5, 52.

Рва́ная ша́пка. *Волго-Касп.* Сильный северный, северо-западный ветер. Копылова, 92.

Ша́пка воло́с *у кого. Новг.* То же, что **полна шапка волосьев.** НОС 12, 80.

Ша́пка на волоса́х подняла́сь *у кого. Перм.* О состоянии сильного испуга. Подюков 1989, 232.

Ша́пка не сде́ржится на голове́. *Пск.* О чём-л. очень высоком. СПП 2001, 81.

Ша́пка обле́зла *у кого. Жарг. мол. Шутл.-ирон.* О лысом человеке. Елистратов 1994, 561.

Ша́пка с зало́мом *у кого. Прост. Неодобр.* О самонадеянном, заносчивом человеке. Мокиенко 2003, 144.

Закида́ть ша́пками *кого. Разг. Ирон.* Победить врагов без особых усилий, благодаря своей многочисленности. ФСРЯ, 532; БМС 1998, 634; БТС, 325; ЗС 1996, 347, 507..

Дава́ть/ дать по ша́пке *кому. Прост.* 1. Наказывать за проступок. 2. Выгонять, прогонять, увольнять кого-л. откуда-л. ФСРЯ, 532; БМС 1998, 635; ЗС 1996, 211; ФМ 2002, 632; ШЗФ 2001, 61; Глухов 1988, 28; СНФП, 154; Ф 1, 134; СПП 2001, 81.

Огре́ть (хлестну́ть) по ша́пке *кого. Народн.* То же, что **давать/ дать по шапке.** ДП, 262.

Получа́ть/ получи́ть по ша́пке. *Разг.* 1. Подвергаться наказанию за проступок. 2. Быть изгнанным, уволенным откуда-л. ФСРЯ, 532; ЗС 1996, 204; ФМ 2002, 635.

Роди́ться в ша́пке. *Курск.* Быть удачливым, везучим. БотСан, 112.

Без ша́пки. 1. *Пск.* Интенсивно, напряжённо (работать). СПП 2001, 81. 2. *Кар. Неодобр.* О человеке в крайней степени опьянения. СРГК 5, 374.

И ша́пки не лома́ет (с головы́ не снима́ет). *Волг.* О гордом, независимом человеке. Глухов 1988, 60.

Кла́няться без ша́пки *кому. Прикам.* Униженно просить кого-л. о чём-л. МФС, 47.

Не криви́ть ша́пки *кому. Олон.* Не снимать шапку при встрече с кем-л. в знак уважения. СРНГ 15, 243. // *Кар.* Не здороваться с кем-л. СРГК 1, 294.

Не лома́ть ша́пки. *Башк.* Важничать, зазнаваться. СРГБ 2, 64.

Ни ша́пки, ни опоя́ски, ни чирка́, ни чулка́, ни живота́, ни скоти́ны, ни куска́, ни десяти́ны *у кого. Народн.* Об очень бедном человеке. Жиг. 1969, 357.

Ша́пки в оха́пку. См. **Шапку в охапку.**

Ша́пки не сы́мешь *с кого. Народн.* С кого-л. ничего не получишь, не добьёшься. ДП, 838.

Быть под кра́сной ша́пкой. *Нижегор. Устар.* Служить в армии. СРНГ 15, 196.

Проспа́ть под ша́пкой *что. Коми.* Пропустить что-л. по невнимательности. Кобелева, 78.

Ша́пкой не сшибёшь *кого. Морд.* Об опытном, уверенном в себе человеке. СРГМ 2002, 183.

Вы́сватать за ша́пку *кого. Орл. Шутл.* Сосватать невесту в отсутствие жениха. СОГ 1989, 120.
Заломи́ть ша́пку. *Прост. Неодобр.* Зазнаться, начать вести себя высокомерно. ЗС 1996, 36; Глухов 1988, 49.
Лома́ть ша́пку. 1. *перед кем. Разг.* Заискивать, угодничать перед кем-л. ФСРЯ, 532; БМС 1998, 635; БТС, 504, 1490; ФМ 2002, 634; ЗС 1996, 40. 2. *Сиб.* Распушать сноп, которым покрывают суслон. ФСС, 107.
Ломи́ть ша́пку *перед кем. Разг. Устар.* Кланяться кому-л., раскланиваться с кем-л. Ф 1, 286.
Наде́ть глуху́ю ша́пку. *Волг., Курск.* Не слышать или не видеть чего-л. (как правило — намеренно). Глухов 1988, 89; БотСан, 89.
Наде́ть ша́пку *кому. Новг., Пск.* Пристыдив, заставить кого-л. замолчать. СРНГ 19, 233.
Накла́сть в ша́пку *кому. Яросл.* 1. Избить кого-л. 2. Причинить кому-л. неприятности. ЯОС 6, 97. **Накласть под ша́пку** *кому. Волг.* То же. Глухов 1988, 90.
Насо́рить в ша́пку *кому. Пск.* То же, что **накласть в шапку 1.** СРНГ 20, 182.
Не возьму́ ша́пку золоты́х. *Ряз.* Ни за что, ни в коем случае. ДС, 603.
Ни в ша́пку. *Пск.* 1. *кого.* Не зависеть (материально) от кого-л., не обращаться с просьбами к кому-л. 2. *кому.* Не обращая внимания на кого-л., не стесняясь, не стыдясь кого-л. СПП 2001, 81.
Ни в ша́пку ни в колпа́к *кому. Пск.* Не уважать кого-л.; не здороваться с кем-л. СПП 2001, 81.
Никому́ ни в ша́пку. *Волг.* О гордом, независимом человеке. Глухов 1988, 109.
Одева́ть глуху́ю ша́пку. *Ворон.* Ничего не слушать. СРНГ 9, 23.
Отруби́л, да и в ша́пку. *Народн.* О чьих-л. твёрдых словах. ДП, 413.
Под кра́сную ша́пку *кого. Разг. Устар.* В солдаты (пойти, отдавать кого-л. и т. п.). ФСРЯ, 532; БМС 1998, 635.
Пусти́ть ша́пку по кру́гу. *Разг.* Собирать денежные, материальные средства на что-л. Мокиенко 2003, 144; Ф 2, 107.
Снять ша́пку *с кого. Народн.* Публично пристыдить, опозорить кого-л. ДП, 218; БМС 1998, 635.
Хоть ша́пку о́б земь! *Народн.* Об отчаянном положении. СРНГ 22, 54. < **Земь** — земля, пол.
Ша́пку в лоха́нь [вки́нуть]. *Пск.* Об отказе невесты при сватовстве. СПП 2001, 81.
Ша́пку (ша́пки) в оха́пку. *Прибайк., Пск. Шутл.* О быстрых сборах в дорогу, быстром уходе откуда-л. СНФП, 154; СПП 2001, 81. **Ша́пку в оха́пку, сюрту́к за рука́в.** *Волг. Шутл.* То же. Глухов 1988, 175.
Ша́пку залома́л на четы́ре беды́. *Народн.* О зазнавшемся человеке. Жиг. 1969, 210.
Ша́пку лома́ть *перед кем. Пск.* Унижаясь, просить кого-л. о чём-л. СПП 2001, 81.
Ша́пку на́ ухо пове́сить. *Коми.* Пропустить что-л. по невнимательности; растеряться, не среагировать на что-л. Кобелева, 72.
Ша́пку (ша́пки) не лома́ть. *Ряз.* 1. Не здороваться с кем-л., не кланяться кому-л. 2. Не обращать внимания на что-л. ДС, 281.
Шепта́ть под ша́пку. *Ряз.* Говорить о человеке в его отсутствие. ДС, 603.
Ша́пок не сдержа́ть на голове́. *Пск. Шутл.* О чём-л. очень непродолжительном. ПОС 7, 51.
ША́ПОЧКА * Кра́сная ша́почка. 1. *Коми.* Гриб подосиновик. Кобелева, 65. 2. *Разг. Шутл.* Дежурная в метро. БСРЖ, 682. 3. Арм. Военнослужащий внутренних войск. Лаз., 232. 4. *Жарг. арм.* Солдат, уволенный в запас из войск МВД. ТСУЖ, 91; УМК, 245; Балдаев 3, 205. 5. *Жарг. арм.* Внутренние войска. Лаз., 232. 6. *Арест.* Осуждённый — бывший офицер. Балдаев 1, 205. 7. *Жарг. угол.* Авторитетный вор, прекративший преступную деятельность. СРВС 4, 173, 190; ТСУЖ, 91; Балдаев 1, 205. 8. *Жарг. арест.* Воровская группировка, не признающая тюремных традиций и нарушающая режим в колонии. ТСУЖ, 91. 9. *Жарг. мол. Шутл.* Мужской половой орган. ЖЭСТ-1, 141. 10. *Жарг. гом. Шутл.* Пассивный гомосексуалист. ТСУЖ, 91; DL, 87. 11. *Жарг. угол., мол.* Сифилис. Балдаев 1, 205; УМК, 245. 12. *Жарг. мол.* Триппер. Максимов, 204. < По названию сказки Ш. Перро.
Си́няя ша́почка. *Жарг. угол.* Человек, порвавший с преступным миром. ТСУЖ, 161.
Францу́зская ша́почка. *Жарг. мол. Шутл.* Презерватив. Никитина 1998 521.
Ша́почка (ша́почки) близнецо́в. *Жарг. мол. Шутл.* Бюстгальтер. Никитина 1998 521; Максимов, 36.
Ша́почка Джи́мми. *Жарг. мол. Шутл.* Презерватив. Максимов, 484.
Ша́почки не покриви́ть *кому. Пск.* Не причинить вреда, не сделать ничего плохого кому-л. СПП 2001, 81.
Козыря́ть в ша́почку *кому. Пск.* Просить кого-л. о чём-л. СПП 2001, 81.
Никого́ ни в ша́почку. *Новг.* Не бояться никого. НОС 12, 80.
Пра́вить ша́почку *перед кем. Пск.* Унижаться перед кем-л., подчиняться кому-л. СПП 2001, 81.
ШАР * Броса́ть/ бро́сить (кида́ть/ ки́нуть) чёрный шар *кому. Разг.* Голосовать против кого-л. (при избрании на какую-л., особенно академическую должность, защите диссертации). Мокиенко 2003, 144.
Возду́шный шар. *Жарг. мол. Ирон.* Об одиноком человеке. Максимов, 66.
Загна́ть шар [в лу́зу]. *Жарг. мол. Шутл.* Совершить половой акт с кем-л. Елистратов 1994, 561.
Про́бный шар. 1. *Техн. Устар.* Воздушный шар, выпускаемый для испытания условий полёта. 2. *Разг.* Приём, способ, к которому прибегают, пытаясь выяснить что-л. БМС 1998, 635; ФСРЯ, 532.
Проглоти́ть возду́шный шар. *Жарг. мол. Шутл.* Забеременеть. Никитина, 1998 521.
Шар шаро́м покати́. *Новг.* То же, что **хоть шаром покати.** Сергеева 2004, 228.
Бить по шара́м *кому. Жарг. мол.* Откровенно говорить о чём-л. Максимов, 34.
Дава́ть/ дать по шара́м *кому, также безл. Жарг. мол.* Оказывать опьяняющее воздействие на кого-л. Максимов, 101.
Шара́м свои́м не ве́рить. *Прост.* Сильно удивляться, радоваться увиденному. Шевченко 2002, 312. Ср. **глазам своим не верить.**
Би́ться шара́ми о сте́нку. *Жарг. мол. Шутл.-ирон.* Усердствовать, очень стараться, добиваясь чего-л. Вахитов 2003, 16.
[Хоть] шаро́м покати́. *Народн.* О полном отсутствии чего-л. у кого-л. Жиг. 1969, 357; СРНГ 28, 372; ЗС 1996, 140; Верш. 7, 306; СРГМ 1986, 119; СПП 2001, 81. **Хоть шаро́м кати́ (пусти́).** *Пск.* То же. СПП 2001, 81. **Хоть ша-**

ро́м покати́сь. *Р. Урал.* То же. СРНГ 28, 372.

Ба́бьи шары́. *Прикам. Бран.-шутл.* О бойком, непослушном мальчике. МФС, 111.

Воро́ньи шары́. *Ср. Урал.* Ядовитое растение вороний глаз. СРГСУ 1, 92.

Вы́воротить (вы́круглить) шары́. *Печор.* то же, что **вылупить шары.** СРГНП 1, 99, 108.

Вы́лупить (вы́катить) шары́. *Прост. Неодобр.* Уставиться, внимательно, не отрываясь, смотреть на кого-л. АОС 7, 248; СПП 2001, 81; СФС, 51; СРГА 1, 190; СГПО, 94; МФС, 22; Мокиенко 1990, 25; Вахитов 2003, 34; Максимов, 136.

Гнать шары́ *на кого. Жарг. угол.* 1. Подбирать обвинительный материал на кого-л. СРВС 4, 26, 74, 103, 134; ББИ, 285; Балдаев 2, 156; Мильяненков, 278. 2. *Неодобр.* Выдавать кого-л., доносить на кого-л. СРВС 3, 86; ТСУЖ, 40; Балдаев 1, 89; СВЯ, 22.

Гоня́ть шары́. 1. *Разг.* Играть в бильярд. 2. *Жарг. мол. Шутл.-ирон.* Заниматься онанизмом. Елистратов 1994, 564.

Задра́ть шары́. *Сиб.* То же, что **вылупить шары.** ФСС, 76.

Заду́ть шары́. *Жарг. нарк.* Накуриться наркотика. Максимов, 140.

Закати́ть шары́ наве́рх. *Жарг. мол. Одобр.* Получить удовольствие. Максимов, 141.

Закосну́ть в шары́ *кому. Сиб.* Быть замеченным, броситься в глаза кому-л. ФСС, 77.

Залива́ть/ зали́ть шары́. *Прост. Неодобр.* Напиваться пьяным. БТС, 331; СПП 2001, 81; ФСС, 78; СПСП, 151; Вахитов 2003, 62; Мокиенко 2003, 144.

Ката́ть шары́. 1. *на кого. Жарг. угол.* Собирать порочащие сведения, готовясь к шантажу. ТСУЖ, 82. // Подбирать обвинительный материал на кого-л. СВЖ, 6; СРВС 4, 9, 29, 78, 138, 107. 2. *Жарг. мол.* Нападать, приставать, вести себя агрессивно по отношению к кому-л. Никитина 2003, 815. 3. **[в карма́не].** *Жарг. мол. Шутл.* Раздражать половые органы рукой, находящейся в кармане брюк, с целью получения полового возбуждения. Югановы, 102; Вахитов 2003, 75. 4. *Волг., Горьк. Неодобр.* Бездельничать, праздно проводить время. Глухов 1988, 73; БалСок, 57.

Кати́ть шары́ *на кого. Жарг. угол.* Избивать кого-л. СРВС 3, 133; ББИ, 285; Балдаев, II, 156; ТСУЖ, 199. // *Жарг. мол.* Нападать, приставать, вести себя агрессивно по отношению к кому-л. Елистратов 1994, 564.

Наби́ть шары́ *кому. Обл.* Избить кого-л. Мокиенко 1990, 54.

Набу́ткать (отбу́ткать, напласта́ть, насгиба́ть) шары́ *кому. Перм.* То же, что **набить шары.** СГПО, 339, 405; Мокиенко 1990, 53-54.

Наду́ть ша́ры. 1. *кому. Перм.* Обмануть, провести кого-л. СГПО, 330; МФС, 62. 2. *Жарг. мол. Шутл.* Иметь большую грудь (о женщине). Максимов, 266.

Налива́ть/ нали́ть шары́. *Прост. Неодобр.* То же, что **заливать шары.** ФСС, 118; СГПО, 335; СРГЗ, 461; Ф 1, 315.

Нахлеста́ть шары́. *Перм. Неодобр.* Напиться пьяным. СРНГ 20, 262.

Обморо́зить шары́. *Жарг. мол.* Ослепнуть. Вахитов 2003, 117.

Подка́тывать шары́ *к кому. Жарг. мол. Шутл.* Ухаживать за девушкой, склонять её к сексуальной близости. БСРЖ, 683; Максимов, 320.

Попа́сть (угоди́ть) под шары́. *Жарг. угол.* 1. Подвергнуться избиению. СРВС 3, 133; ТСУЖ, 137; Балдаев 1, 339. 2. Быть арестованным, задержанным. Гиляровский, 10.

Потеря́ть шары́. *Перм.* Испортить зрение. МФС, 80.

Пя́лить шары́. *Жарг. мол.* Внимательно, удивлённо смотреть на кого-л., на что-л. Максимов, 354.

Разу́ть шары́. *Жарг. мол.* Посмотреть внимательно. Максимов, 359.

Сде́лать шары́ в ку́чу (в пучо́к). *Жарг. мол.* 1. Удивиться. 2. Заболеть. 3. Умереть. Максимов, 215, 353.

Стрясённые шары́. *Перм. Бран.-шутл.* О бойком, непослушном мальчике. МФС, 112.

Ты́кать/ ткнуть в шары́ *кому. Перм., Прикам.* Бить, ударять кого-л. МФС, 103; СГПО, 643; Мокиенко 1990, 53.

Уста́вить шары́. *Перм.* Смотреть непонимающими глазами. СГПО, 655.

Хоть шары́ сшей. *Перм. Ирон.* О состоянии бессонницы. МФС, 98.

Чи́стить шары́ *кому. Перм.* Сильно ругать, бранить кого-л. МФС, 110; СГПО, 681.

Шары́ валя́ть да к сте́нке приставля́ть. *Перм. Шутл.* Бездельничать. Подюков 1989, 189; Мокиенко 1990, 65.

Шары́ [вста́ли] на (в) ку́чу *у кого. Жарг. мол.* 1. О состоянии сильного удивления. 2. О состоянии крайней усталости. 3. О пьяном человеке. Максимов, 72, 215-216.

Шары́ де́вять на двена́дцать *у кого. Жарг. мол. Шутл.* О человеке в состоянии сильного удивления, изумления. Вахитов 2003, 203.

Шары́ на ба́не (на ба́ню) *у кого. Жарг. мол. Шутл.* То же, что **шары девять на двенадцать.** Вахитов 2003, 203; Максимов, 25.

Шары́ на лоб поле́зли (вы́лезли). *Прост.* О человеке, испытывающем сильный страх, сильную боль. Мокиенко 2003, 144.

Шары́ на полдевя́того *у кого. Жарг. мол.* То же, что **шары девять на двенадцать.** Максимов, 325.

Шары́ на про́волоке бе́гают *у кого. Волг., Перм. Шутл.-одобр.* О бойком, внимательном человеке. МФС, 112; Глухов 1988, 175.

Шары — 1. Глаза. 2. Мошонка.

ША́РА * На ша́ру. 1. *Жарг. мол. Неодобр.* Недобросовестно, небрежно. Митрофанов, Никитина, 249; Смирнов 1993, 18; Максимов, 87. 2. *Жарг. мол.* Наудачу, наобум. Митрофанов, Никитина, 249. 3. *Жарг. мол.* Без труда, легко. Никитина 1996, 247. 4. *Жарг. мол.* Бесплатно, даро́м. Елистратов 1994, 561; Грачев, Мокиенко 2000, 185. 5. *Жарг. комп. Шутл.* О получении программного продукта Shareware. Садошенко, 1995.

ШАРА́ГЛА * Вздыма́ть шара́глу. *Пск.* Противится, сопротивляться чему-л., возражать кому-л. СПП 2001, 81. < **Шарагла** — верхние плавники рыбы.

ШАРАМЫ́ГА * На шарамы́гу. *Горьк.* То же, что **на шармака 1 (ШАРМАК).** БалСок, 45.

ШАРАМЫ́ЖКА * На шарамы́жку. *Пск.* То же, что **на шармака 1 (ШАРМАК).** СПП 2001, 81.

ШАРА́П * Брать/ взять на шара́п (на шара́па) *кого, что.* 1. *Жарг. угол.* Действовать смело, решительно. СРВС 2, 167; СРВС 3, 80; ТСУЖ, 24. 2. *Разг.* Добиваться чего-л. за счёт грубости, нахальства. Б., 22; СРВС 1, 52; СРВС 2, 20, 25, 58; ТСУЖ, 31; СВЯ, 10; Грачев, Мокиенко 2000, 185.

На шара́п! *Прост. Груб.* Призыв расхватывать что кому придётся. БАС 17, 1274; ФСРЯ, 532.

ШАРЁНКИ * Вы́лупить шарёнки. *Сиб.* То же, что **вылупить шары.** СФС 203; СБО-Д2, 274.

ША́РИК * Блатно́й ша́рик. *Жарг. угол. Шутл.* Солнце. Б., 17; ТСУЖ, 21; ББИ, 285; Балдаев 2, 155; Балдаев 1, 38.

Гоня́ть (погоня́ть) ша́рик. *Разг.* Играть в футбол. WMN, 112.

Надува́ть ша́рик. *Жарг. мол.* Пользоваться презервативом. Максимов, 266.

Уса́тый ша́рик. *Жарг. мол. Шутл.* Презерватив с усиками. Максимов, 441.

Ша́рик в упако́вке. *Жарг. мол. Шутл.* Презерватив. Никитина 2003, 816.

Ша́рик с ни́тками. *Жарг. мол. Шутл.-ирон.* О лысом человеке. Максимов, 275.

На ша́рика. *Жарг. мол. Шутл.* Наудачу, наобум; без труда. Зайковская, 42.

Шевели́ть ша́риками. *Разг. Шутл.* Соображать, обдумывать что-л. Р-87, 454; Мокиенко 2003, 144.

Закру́чивать/ закрути́ть ша́рики *кому. Сиб.* Сбивать с толку, обманывать кого-л. ФСС, 78.

Крути́ть ша́рики *кому. Жарг. мол.* Обманывать, дурачить кого-л. Максимов, 208.

Не все ша́рики до́ма *у кого. Пск. Ирон.* О сумасшедшем, слабоумном, глуповатом человеке. СПП 2001, 81.

Подкати́ть ша́рики *[на кого]. Жарг. угол. Неодобр.* Донести на кого-л. Балдаев 1, 326.

Расписа́ть (раски́нуть, раската́ть) на ша́рики *кого. Жарг. мол.* О групповом сексе с участием нескольких мужчин и одной женщины. Елистратов 1994, 562.

Ша́рики за ро́лики захо́дят *у кого. Волг. Шутл.-ирон.* 1. Кому-л. трудно понять, осмыслить что-л. 2. О крайне глупом, неразумном человеке. 3. О психически ненормальном человеке. СОСВ, 76, 201; Верш. 6, 119; Глухов 1988, 52, 175.

Ша́рики кру́тятся (шевеля́тся) *у кого. Прост. Шутл.* О сообразительном, догадливом человеке. Ф 2, 260.

Напи́ться до ша́риков. *Перм.* О крайней степени опьянения. Подюков 1989, 232.

ШАРКО́М * Шарко́м да щу́пом. *Прибайк.* Вслепую, наощупь. СНФП, 154.

ШАРМА́К * На шармака́ (на шермака́, на ша[illegible]). *Жарг. угол., Разг.* [illegible]есплатно. 2. Запро[illegible] Балдаев 1, 274; Б., [illegible]; УМК, 245; ББИ, [illegible]Шт., 1978; БотСан,

ШАРМА́НКА * Заводи́ть/ завести́ (тяну́ть) шарма́нку. *Разг. Неодобр.* 1. Нудно, многократно говорить о чём-л. БМС 1998, 636; БТС, 313; ФСРЯ, 532; Ф 1, 193. 2. Поучать кого-л. ТСУЖ, 59.

Крути́ть шарма́нку. 1. *Разг.* То же, что **заводить шарманку.** БМС 1998, 636; ФСРЯ, 532; Ф 1, 266. 2. *Жарг. угол.* Отвлекать внимание жертвы и окружающих при совершении кражи. ТСУЖ, 93; Балдаев 1, 211.

На шарманку. См. **На шармака (ШАРМАК).**

ШАРМА́НОЧКА * Под шарма́ночку. *Кар.* Незаконно, тайком. СРГК 4, 615.

ШАРМАЧО́К * На шармачка́. 1. *Жарг. угол.* То же, что **на шармака 1.** Балдаев 1, 274; Б., 22, 107; ТСУЖ, 116; УМК, 245; 2. *Пск.* Кое-как, небрежно, не прикладывая много сил. СПП 2001, 81.

ШАРНИ́Р * [Весь] на шарни́рах. 1. *Прост.* О слишком подвижном, непоседливом человеке. 2. *Жарг. мол.* О человеке, ведущем себя агрессивно. Максимов, 59.

ШАРО́К * Гоня́ть шарки́. *Коми. Шутл.* Жить беззаботно. Кобелева, 60.

ШАТ * Шат бьёт (ва́лит, ведёт/ повёл, заколоти́л) *кого. Пск.* О сильном головокружении. ПОС 11, 253.

Шат в голове́ *у кого. Перм.* О головокружении, шуме в голове. Подюков 1989, 47.

Ша́том шата́ет *кого. Сиб.* Кого-л. качает от усталости. СФС, 204.

Ша́том шата́ться. *Обл. Неодобр.* Бродить без дела. Мокиенко 1990, 156.

Продава́ть ша́ты (ша́тни). *Прост.* Ходить без дела, слоняться, бездельничать. БМС 1998, 636; Мокиенко 1990, 65, 156.

ШАТАЛОВ * Рабо́тать у Шата́лова. *Прибайк. Неодобр.* Не работать, бездельничать. СНФП, 155.

ША́ТКО * И ша́тко и ва́лко. *Волг. Одобр.* Успешно, результативно (о развитии дел). Глухов 1988, 60.

Ни ша́тко ни ва́лко. 1. *Разг.* Посредственно; ни хорошо, ни плохо. ФСРЯ, 532; БТС, 110, 1491. 2. *Пск.* Медленно, не спеша. СПП 2001, 81.

ША́ТНИ * Продава́ть ша́тни. См. **Продавать шаты (ШАТ).**

ШАФЕ́. См. **ШЕФЕ.**

ШАХ * Ме́жду ша́хом и ля́хом. *Прост.* Неизвестно как; неизвестно где. БМС 1998, 636.

Идти́ (отпра́виться) к ша́ху. *Пск.* Умереть, погибнуть. СПП 2001, 81.

ША́ХТА * Утопи́ть в ша́хте *кого. Жарг. угол.* Спровоцировать изнасилование с целью привлечения к уголовной ответственности неугодного человека. Балдаев 2, 101.

ШАХТЁР * Отпра́вить в шахтёры *кого. Разг. Шутл.-ирон.* Закопать в землю (обычно — о новорождённых котятах, щенках). Никитина 1998, 522.

ШАШ * Ни ша́ша ни ба́ша. *Пск. Шутл.* Абсолютно ничего. СПП 2001, 81.

ША́ШКА * Дымова́я ша́шка. *Жарг. мол. Шутл.* Курящая девушка. Максимов, 124.

Крути́ть ша́шки. *Жарг. мол.* Кокетничать, заигрывать с кем-л. Максимов, 208.

Сбива́ть ша́шки. *Пск.* Работать временно, по найму; подрабатывать. СПП 2001, 81.

Сшиба́ть ша́шки. *Обл. Неодобр.* Бездельничать. Мокиенко 1990, 68.

ША́ШЛЫ * Заводи́ть/ завести́ ша́шлы. *Волг., Дон.* Вступать в интимные отношения с кем-л. Глухов 1988, 45; СДГ 3, 199.

ШАШЛЫ́К * Посади́ть на шашлы́к *кого. Жарг. гом.* Совершить с кем-л. анальное сношение. Кз., 145.

Пусти́ть на шашлы́к *кого. Жарг. угол.* Совершить половой акт с кем-л. Балдаев 1, 364.

ША́ШМА * Забро́сить ша́шму. *Жарг. нарк., угол.* Положить табак под язык. ТСУЖ, 59.

ШАШМАРИ́ * Надава́ть шашмаре́й *кому. Волг.* Избить кого-л. Глухов 1988, 88.

ША́ШНИ * Крути́ть ша́шни *с кем. Прост.* Находиться в любовных отношениях с кем-л. Ф 1, 266.

Любо́вные ша́шни. *Прост.* Интимные отношения. ФССРЛЯ 2004, 2. 786.

ШАШО́К. См. **ШИШОК.**

ШВА́БРА * Шва́бра в ли́фчике. *Жарг. мол. Пренебр.* Девушка. Максимов, 224.

Э́то вам не шва́брой гво́зди забива́ть. *Жарг. мол.* О важном, серьёзном деле. (Запись 2001.).

ШВЫРО́К * В швыро́к. *Пск.* Очень быстро, стремительно (ехать). СПП 2001, 81.

ШЕБАЛА́ * Бить шебалу́. См. **Бить шабалу (ШАБАЛА).**

ШЕ́ЙКА * Ра́ковая ше́йка. 1. *Дон.* Кактус членистолистый. СДГ 3, 82. 2. *Жарг. угол., мол. Шутл.-ирон.* Патрульная милицейская автомашина с красными полосками. Балдаев 2, 9; Б., 135.

Висе́ть на ше́йке ма́тки. *Разг. Шутл.-ирон.* Быть на иждивении престарелой матери. Балдаев 1, 64; ББИ, 44.

ШЕ́ЙНИК * Зада́ть по ше́йнику *кому. Кар.* Ударить, побить кого-л. СРГК 2, 113.

ШЕ́ЛЕХ * До ше́леха. *Ср. Урал.* Абсолютно всё, без остатка. СРГСУ 1, 144.

ШЕЛУГА́ * Игра́ть в шелугу́. *Обл. Неодобр.* Бездельничать. Мокиенко 1990, 68.

ШЕЛУХА́ * Змеи́ная шелуха́. *Пск. Бран.* О человеке, вызывающем возмущение, гнев, негодова̀ние. СПП 2001, 81.

Шелуху́ нести́. *Жарг. мол.* Говорить ерунду. Елистратов 1994, 566.

ШЕЛЫГА́ * Подгоня́ть шелыгу́. *Пск.* Угощать зятя вином. (Запись 2001 г.).

ШЕЛЬ * Шель да шеве́ль (шеше́ль). *Сиб.* О неторопливых хлопотах, сборах, медленно выполняемых действиях. СФС, 204; Верш. 7, 380.

ШЕН * В шен (шин). *Приамур.* Соединяя руки в хороводном танце. СРГП, 48.

ШЕПОТО́К * Шепото́к во весь рото́к. *Кар. Шутл.-ирон.* О громкой речи, крике. СРНГ 35, 206.

ШЁПОТОМ * Говори́ть шёпотом. *Новг.* Опасаться огласки чего-л. НОС 12, 89.

ШЕПТУ́Н * Пуска́ть/ пусти́ть шептуна́ (шептуно́в). *Жарг. мол. Шутл.* Бесшумно выпускать газы. Вахитов 2003, 152; Максимов, 352.

ШЕРМА́К * На шермака́. 1. *Жарг. угол., Разг.* То же, что **на шармака 1. (ШАРМАК).** Балдаев 1, 274; Б., 22, 107; ТСУЖ, 116; УМК, 245. 2. *Горьк.* Обманным путём, без затрат. БалСок, 45.

На шермака́х. *Сиб. Неодобр.* То же, что **на шермака 2.** СФС, 121.

Ше́рочка с маше́рочкой. 1. *Разг. Шутл. или Ирон.* О женщине с женщиной в одной паре (обычно — о женщинах, танцующих в одной паре из-за отсутствия мужчин, или о неразлучных подругах). < От франц. *ma chère* — 'моя дорогая'. БМС 2005, 766; ФСРЯ, 533. 2. *Жарг. шк. Шутл.* Директор и завуч. ВМН 2003, 152. 3. *Жарг. мол.* Танцевальная группа из двух девушек, сопровождающая выступление эстрадного певца. Максимов, 487.

ШЕРСТИ́НОЧКА * До шерсти́ночки. *Волг.* Всё без остатка. Подюков 1989, 37.

ШЁРСТКА * Гла́дить по шёрстке *кого. Пск.* То же, что **гладить по шерсти (ШЕРСТЬ).** СПП 2001, 81.

ШЕРСТЬ * Гла́дить по ше́рсти *кого. Разг.* Хвалить кого-л.; потворствовать кому-л. ФСРЯ, 533.

Гла́дить про́тив ше́рсти *кого. Разг.* Говорить или делать что-л. наперекор кому-л. ФСРЯ, 102; БТС, 1495; Глухов 1988, 22; ЗС 1996, 60, 351; СРНГ 29, 305.

Гра́бить про́тив ше́рсти *кого. Арх.* То же. АОС 10, 15.

Есть ли в нём се́рой ше́рсти клок? *Народн.* О воре. ДП, 161.

Ищи́ в шерсти́ *кого, что. Народн. Ирон.* О ком-л., о чём-л. бесследно исчезнувшем, пропавшем. ДП, 576.

Лы́сить про́тив ше́рсти. *Морд.* То же, что **гладить против шерсти.** СРГМ 1982, 136.

Ни ше́рсти, ни пера́! *Олон.* Пожелание удачи охотнику. СРНГ 26, 287.

Прийти́сь не по ше́рсти *кому. Яросл.* Не понравиться кому-л. СРНГ 31, 235.

Сказа́ть про́тив ше́рсти *кому что. Смол.* Возразить, сказать кому-л. что-л. неприятное кому-л. СРНГ 28, 372.

Бить (рвать, стричь) шерсть на соба́ках. *Народн. Неодобр.* Бездельничать. ДП, 456; НОС 1, 50; НОС 9, 118; СПП 2001, 71; СРГК 1, 73. **Перебива́ть шесть на соба́ках.** *Ворон.* То же. СРНГ 26, 26.

Вы́бить ки́слую шерсть *из кого. Перм.* Подвергнуть кого-л. суровому наказанию. Подюков 1989, 34.

Вы́бить кра́сную шерсть *из кого. Яросл.* Отучить кого-л. от дурных привычек, поступков. ЯОС 3, 48.

Гла́дить под шерсть *кого. Волг.* Жалеть, щадить кого-л., прощать кому-л. что-л. Глухов 1988, 21.

Дава́ть/ дать шерсть. *Обл.* Клясться в чём-л. Ф 1, 140.

Завора́чивать шерсть *кому. Волг.* Строго наказывать, бить кого-л. Глухов 1988, 45.

Ки́слая шерсть. 1. *Жарг. угол. Устар. Шутл.-ирон.* Солдат-пехотинец. УМК, 246; Мокиенко 2003, 145. 2. *Жарг. арест. Пренебр.* Конвоир. СРВС 2, 97, 42, 182, 223; ТСУЖ, 200.

Кра́сная шерсть. *Жарг. угол., арест.* Осуждённый — член секции внутреннего порядка в ИТУ. Балдаев 1, 205.

Медве́жья шерсть. *Прикам.* Травянистое растение. МФС, 112.

Мы́шья шерсть. *Прикам.* Низкая, Очень жёсткая трава. МФС, 112; СГПО, 690. // *Горьк.* Низкая, пожелтевшая трава. БалСок, 43.

Обрасти́ в волче́вью шерсть. *Пск.* То же, что **обрастать/ обрасти собачьей шерстью.** СПП 2001, 81.

Оста́ться шерсть пря́сти. *Кар.* Не выйти замуж, остаться старой девой. СРГК 4, 256.

Сдира́ть шерсть *с кого. Жарг. угол.* Грабить кого-л. СРВС 4, 184; Балдаев, II, 33; ТСУЖ, 159.

Своло́чь шерсть. *Жарг. угол. Шутл.* Побриться. СРВС 4, 184, 191; ТСУЖ, 158, 200.

Шерсть вста́ла ды́бом *у кого. Прост.* Об озябшем человеке. Максимов, 72.

Шерсть кве́рху *у кого. Перм.* О недовольстве, возмущении. Подюков 1989, 230.

Шерсть лети́т. *Волг.* О драке, перебранке. Глухов 1988, 175.

Обраста́ть/ обрасти́ во́лчьей ше́рстью. 1. *Новг., Пск.* То же, что **обрастать собачьей шерстью.** ПОС 4, 133; НОС 6, 105. 2. *Волг.* Становиться нелюдимым. Глухов 1988, 114.

Обраста́ть /обрасти́ соба́чьей ше́рстью (в соба́чью, волче́вью шерсть). *Пск., Новг. Неодобр.* Становиться своевольным, нахальным. ПОС 4, 133; НОС 6, 105.

ШЕРША́ВЫЙ * Вре́зать шерша́вого *кому. Вульг.-прост.* То же, что **загнать шершавого** 1-2. Мокиенко, Никитина 2003, 391.

Держи́ шерша́вого! *Жарг. мол.* Категорическая форма отказа, несогласия и т. п. Югановы, 249.

Загна́ть (засади́ть) шерша́вого [под ко́жу] *кому. Разг. Груб.* Совершить половой акт с кем-л. Елистратов 1994, 567; Белянин, Бутенко, 61; Балдаев 1, 72; УМК, 246. 2. Совершить акт мужеложства с кем-л. Мокиенко, Никитина 2003, 391.

< **Шерша́вый** — мужской половой орган.

ШЕ́РШЕНЬ * Бе́сов (чёртов) ше́ршень. *Пск. Бран.* О злой, сварливой женщине. СПП 2001, 81.

ШЕСТ * Привести́ (принести́) шест. *Горьк., Ср. Урал.* Вернуться с отказом после неудачного сватовства. БалСок., 51; СРГСУ 4, 122.

Пое́хать с шесто́м. *Сиб.* То же, что **привести шест.** ФСС, 141; СРНГ 28; 287.

Шесто́м [головы́] не доста́ть (не доста́нешь). *Кар., Новг., Пск. Неодобр.*

О высокомерном, гордом, заносчивом человеке. СРГК 1, 497; НОС 12, 91; СПП 2001, 81; Мокиенко 1990, 128.

ШЕСТЁРКА * Шестёрка на подъёме. *Жарг. карт.* Шулер, инсценирующий проигрыш в картёжной игре. ББИ, 287; Балдаев 2, 159; Мильяненков, 279.

ШЕСТНА́ДЦАТЬ * Круго́м шестна́дцать! *Перм.* Возглас сожаления, удивления, недовольства. Подюков 1989, 98.

ШЕСТЬ * Шесть два. *Жарг. угол. Шутл.-ирон.* Алкоголик. Мильяненков, 279. < От номера статьи (62) Уголовного кодекса РСФСР. ТСУЖ, 200.

Шесть и два сбо́ку! *Жарг. арест.* Предупреждение о приближении тюремного надзирателя. СРВС 1, 106.

ШЕСТЬДЕСЯ́Т * Шестьдеся́т де́вять. *Прост.* Положение при совокуплении, когда половые органы находятся в соприкосновении со ртом партнёра. Максимов, 487; Мокиенко, Никитина 2003, 392.

ШЕФ * Найти́ ше́фа. *Жарг. угол.* Выпить за чужой счёт. < Из литературного языка «учёных воров». Ларин 1931, 120. // Получить что-л. за чужой счёт. СРВС 3, 105; ТСУЖ, 112; Балдаев 1, 268.

Приня́ть от ше́фа факс. *Жарг. мол. Шутл.* Об акте дефекации. Никитина 1998, 524.

Тяну́ть на ше́фа. *Жарг. мол. Неодобр.* Хвастаться. БСРЖ, 688.

Позвони́ть ше́фу. *Жарг. мол. Шутл.* 1. Сходить в туалет. Митрофанов, Никитина, 250. 2. О мочеиспускании. Никитина 1998, 524; Максимов, 324.

ШЕФЕ́ (ШАФЕ́, ШОФЕ́) * Под шефе́ (шафе́, шофе́). *Разг. Шутл.* Навеселе, в состоянии лёгкого опьянения. < От франц. *chauffé* — нагретый, подогретый алкоголем. БМС 2005, 766-767; ДП, 792; ФСРЯ, 533.

ШЕ́ШКА * Ше́шка тебя́ возьми́! *Обл. Бран.* Выражение досады, раздражения, возмущения. Мокиенко 1990, 27.

ШЕ́Я * Брать/ взять на ше́ю *кого. Прибайк.* Обременять себя заботами, хлопотами о чём-л., о ком.-л. СНФП, 155.

Ви́снуть на ше́е *у кого. Разг. Неодобр.* Усиленно добиваться расположения, любви мужчины. БТС, 1496.

Дава́ть/ дать (надава́ть) по ше́е (в ше́ю, по шея́м) *кому. Прост.* Бить, избивать кого-л. БТС, 576, 1496; Ф 1, 134, 310.

Ката́ться на гото́вой ше́е. *Пск. Неодобр.* То же, что **сидеть на шее.** СПП 2001, 81.

Костыля́ть/ накостыля́ть по шее *кому. Разг.* То же, что **давать по шее.** Ф 1, 258.

Пови́снуть на ше́е *у кого. Разг.* Стать обузой, дополнительным бременем для кого-л. БТС, 853.

Потере́ть по ше́е по́лозом *кому.* 1. *безл. Прикам. Ирон.* О тяжёлых испытаниях, лишениях, трудностях. МФС, 80; Подюков 1989, 155. 2. *Волг.* Строго наказать, проучить кого-л. Глухов 1988, 131.

Рассе́сться на ше́е *у кого. Волг. Неодобр.* Стать нахлебником, тунеядцем. Глухов 1988, 140.

Сиде́ть на ше́е *у кого. Разг. Неодобр.* Жить за чей-л. счёт, быть иждивенцем. ФСРЯ, 533; БМС 1998, 637; БТС, 1496; Мокиенко 1990, 26; СПП 2001, 81.

Гнать/ вы́гнать в три ше́и (в ше́ю) *кого. Прост.* Решительно или грубо прогнать кого-л. откуда-л. БТС, 1345, 1496; СРГК 2, 414; СПП 2001, 81; ЗС 1996, 212; Глухов 1988, 24; ФСРЯ, 534.

Сжива́ть/ сжить с ше́и *кого. Разг.* Избавиться, освободиться от кого-л. Ф 2, 155.

Скача́ть (стряхну́ть) с ше́и *кого. Перм.* То же, что **сживать/ сжить с шеи.** Подюков 1989, 187.

Спи́хивать/ спихну́ть с ше́и *кого. Разг.* То же, что **сживать/ сжить с шеи.** Ф 2, 177.

Срыть с ше́и *кого. Ряз.* То же, что **сживать/ сжить с шеи.** ДС, 538.

Ве́шаться на ше́ю *кому. Разг. Неодобр.* Приставать к кому-л. с ласками, нежностями; усиленно добиваться чьего-л. расположения, взаимности в любви. БТС, 123, 1496; Глухов 1988, 10; ФСРЯ, 63. **Ве́ситься на ше́ю** *кому. Волог.* То же. СВГ 1, 64. **Ве́снуться на ше́ю** *кому. Арх.* То же. АОС 4, 7.

Влеза́ть/ влезть на ше́ю *кому. Прост.* Начинать жить за чей-л. счёт. Ф 1, 67.

Вы́торнуть в ше́ю *кого. Пск.* То же, что **гнать в три шеи.** СПП 2001, 81.

Гнуть ше́ю *перед кем. Разг. Неодобр.* Унижаться, заискивать перед кем-л. БТС, 212, 1496; ФСРЯ, 109.

Дава́ть/ дать в ше́ю. *См.* **Давать по шее.**

Забра́ть за шею *кого. Пск.* Заставить кого-л. сделать что-л. ПОС 11, 37.

Завора́чивать гу́сью ше́ю. *Жарг. мол. Шутл.* Об онанизме. Урал-98.

Завяза́ться за ше́ю *кому. Сиб. Неодобр.* Навязываться, надоедать кому-л., добиваясь расположения, внимания. ФСС, 75.

Залива́ть за ше́ю па́току *кому. Волг.* Льстить, угождать кому-л. Глухов 1988, 49.

Кида́ться/ ки́нуться на ше́ю *кому. Разг.* 1. Усиленно добиваться расположения, взаимности в любви. 2. Проявлять своё расположение, любовь к кому-л. Ф 1, 236.

На большу́ю ше́ю. *Ряз.* С большим убытком, невыгодно. ДС, 604.

Наватла́ть на свою ше́ю. *Волг.* Сделать что-л. во вред себе. Глухов 1988, 87.

Наводи́ть ше́ю. *Перм. Шутл.-ирон.* Полнеть, поправляться. СРНГ 19, 173.

Навяза́ть на ше́ю *чью. Разг. Неодобр.* 1. *кого.* Заставить кого-л. заботиться о ком-л. 2. *что.* Принудить кого-л. принять что-л. против своего желания. Ф 1, 309.

Навяза́ться на ше́ю *чью. Разг. Неодобр.* Оказаться в тягость кому-л. БМС 1998, 637; БТС, 1496; СПП 2001, 81.

Нагре́ть ше́ю *кому. Прост. Устар.* То же, что **намылить шею.** Ф 1, 310.

Нае́хать себе́ на ше́ю. *Сиб.* 1. Ошибиться в выборе дороги. СРНГ 19, 265; ФСС, 117. 2. *Устар.* Понести убытки, участвуя в ямском промысле. СБО-Д2, 8; СОСВ, 117; ФСС, 117. 3. *также Волг.* Повредить себе самому, потерпеть убыток. Глухов 1988, 89; СРГСУ 2, 165; СРНГ 19, 265.

Накара́ться (нахора́ться) на ше́ю *кому. Новг., Пск.* То же, что **навязаться на шею.** НОС 5, 145; СПП 2001, 81-82.

Накла́сть в ше́ю *кому. Прост.* То же, что **намылить шею.** Ф 1, 315.

Накло́чить на свою ше́ю. *Сиб.* Навлечь на себя неприятности. СОСВ, 117; Верш. 4, 59.

Накостыля́ть [в] ше́ю *кому. Сиб.* То же, что **намылить шею.** ФСС, 118; Мокиенко 1990, 53-54.

Нала́дить в ше́ю *кому. Волг.* Прогнать, выгнать кого-л. откуда-л. Глухов 1988, 90.

Налома́ть (намя́ть) ше́ю *кому. Прост.* То же, что **намылить шею.** БТС, 1496; Мокиенко 1990, 133.

Намота́ть на ше́ю *что. Морд.* Ошибиться не в свою пользу в денежных расчётах. СРГМ 1986, 85.

Намузо́лить ше́ю *кому. Морд. Неодобр.* Надоесть кому-л. постоянными просьбами о чём-л. СРГМ 1986, 85.

Намы́лить ше́ю *кому. Прост.* Избить, поколотить кого-л. БТС, 1496; ФСРЯ, 534; Мокиенко 1990, 25; ЗС 1996, 211; СПП 2001, 81; Ф 1, 306.

Намя́ть ше́ю *кому. Прост.* То же, что **намылить шею.** Ф 1, 310.

Напра́вить ше́ю *кому. Алт.* То же, что **намылить шею.** СРГА 3-I, 129.

На свою́ ше́ю. *Прост.* Себе во вред, себе на беду. Верш. 7, 316; СПП 2001, 81.

Натря́хать в ше́ю *кому. Пск.* То же, что **намылить шею.** СРНГ 20, 233.

Нахо́лить ше́ю *кому. Ворон.* То же, что **намылить шею.** СРНГ 20, 269.

Нахомута́ть на ше́ю *что. Влад.* Сильно задолжать кому-л. СРНГ 20, 270.

Переéсть ше́ю *кому. Сиб.* Надоесть кому-л. упрёками, нотациями. ФСС, 133; СФС, 204; СРНГ 26, 98.

Перепили́ть ше́ю *кому. Волг.* То же, что **переесть шею.** Глухов 1988, 122.

Пове́ситься на ше́ю *кому. Разг. Неодобр.* Начать усиленно добиваться расположения, любви мужчины (о женщине). БТС, 852.

Подержа́ть за ше́ю жира́фа. *Жарг. мол. Шутл.* О мочеиспускании у мужчины. Вахитов 2003, 135.

Подцепи́ть на ше́ю *кого. Новг. Шутл.-ирон.* Жениться на ком-л. Сергеева 2004, 243.

Посади́ть на ше́ю *кому кого. Разг.* Навязать кому-л. заботу, попечение о ком-л. БТС, 1496.

Проводи́ть под ше́ю *кого. Сиб. Шутл.-ирон.* Выгнать кого-л. откуда-л. Верш. 7, 316.

Сади́ться/ сесть на ше́ю *кому. Прост. Неодобр.* То же, что **навязаться на шею.** ДП, 145; БТС, 1496; ЗС 1996, 228; СПП 2001, 82.

Сверну́ть (свихну́ть, слома́ть) себе́ ше́ю. *Прост.* Сильно травмироваться, покалечиться, погибнуть (в результате несчастного случая, аварии). ФСРЯ, 411; БТС, 1496; Ф 2, 165; Глухов 1988, 141; СПП 2001, 82.

Сверну́ть ше́ю *кому. Прост.* Убить, уничтожить кого-л. ФСРЯ, 411; Ф 2, 141.

Сверну́ть ше́ю зелёной я́щерице. *Жарг. мол. Шутл.* Выпить спиртного. Щуплов, 64.

Сломи́ть ше́ю *от кого. Морд.* Убежать от кого-л. СРГМ 2002, 82.

Ста́вить ше́ю. *Жарг. угол.* Рисковать. ББИ, 287; Балдаев 2, 159.

Цепля́ться за ше́ю *чью. Горьк.* Не отпускать от себя кого-л. БалСок, 56.

Гу́сья ше́я *Жарг. мол. Шутл.* Мужской половой орган. Урал-98.

Набо́кая ше́я. *Перм. Пренебр. или Ирон.* О кособоком человеке. СГПО, 324; МФС, 112.

Дава́ть/ дать (надава́ть) по шея́м *кому.* См. **Давать по шее.**

Накла́сть по шея́м *кому. Пск.* Избить, поколотить кого-л. СПП 2001, 81.

Получи́ть по шея́м. *Прост.* Подвергнуться избиению. Глухов 1988, 129.

ШИБА́ЛКИ * Сбива́ть шиба́лки. *Обл. Неодобр.* Бездельничать. < **Шибалка** — битка в детской игре в бабки. БМС 1998, 637; Мокиенко 1989, 85..

ШИ́ВОРОТ * Брать/ взять за ши́ворот *кого. Прост.* 1. Подчинять кого-л. своей воле. 2. Настойчиво требовать чего-л. от кого-л. Глухов 1988, 6.

Накла́сть в ши́ворот *кому. Яросл.* То же, что **наколотить в шиворот.** ЯОС 6, 97.

Наколоти́ть ши́ворот *кому. Обл.* Побить, поколотить кого-л. Мокиенко 1990, 53, 60.

ШИ́ВОРОТОК * Гнать в ши́вороток *кого. Пск.* То же, что гнать **в три шеи (ШЕЯ).** СПП 2001, 82.

ШИЗА́ * Шиза́ гуля́ет (разгуля́лась) *у кого. Жарг. мол.* Кто-л. ведёт себя странно, подобно сумасшедшему. Запесоцкий, Файн, 148; Максимов, 358.

Шиза́ за шизу́ зашла́ *у кого. Пск.* Об утрате способности здраво рассуждать, соображать. СПП 2001, 82.

Шиза́ кро́ет *кого. Жарг. мол.* То же, что **шиза гуляет.** Максимов, 206.

Заводи́ть шизу́. *Жарг. мол. (спорт.).* Устраивать драку, потасовку на футбольном матче или после него с фанатами команды-противника. БСРЖ, 689. < **Шиза** — Сумасшествие.

ШИЗО́ * Шизо́ ко́сит и гло́жет. *Жарг. мол. Шутл.-ирон.* Ситуация становится всё более абсурдной. Югановы, 249.

ШИЗОФРЕ́НИК * Обе́сться шизофре́ников. *Жарг. мол. Шутл.* Сказать что-л. нелепое, сделать глупость. Максимов, 283.

ШИК * Дава́ть/ дать (задава́ть/ зада́ть) ши́ку. *Разг.* Жить с роскошью, расчитывая на внешний эффект. Ф 1, 195.

Шик, блеск и треск. *Пск. Шутл.* О модно одетом человеке. СПП 2001, 82.

ШИ́ЛЛИНГ * Зашиби́ть ши́ллинг. *Жарг. угол.* Выкрасть деньги из сейфа или денежного ящика. СРВС 1, 66, 202; СРВС 2, 37, 97, 178, 224; СРВС 3, 192; ТСУЖ, 70, 200.

ШИ́ЛО * Меня́ть ши́ло на мы́ло. *Разг. Шутл.* Выбирать из плохого худшее; не получать выгоды при обмене. БМС 1998, 638; БТС, 533; Глухов 1988, 84; Мокиенко 1990, 149; СПП 2001, 82; Сергеева 2004, 217. **Меня́ть ши́ло на сва́йку.** *Обл.* То же. Мокиенко 1990, 29, 149.

Меня́ть ши́ло на пи́во. *Жарг. мол. Шутл.* Пить спиртное. Щуплов, 62.

Перевести́ ши́ло на мы́ло. 1. *Курск. Неодобр.* О бесполезном труде. БотСан, 108. 2. *Волг.* То же, что **свести шило на мыло 2.** Глухов 1988, 121.

Свести́ ши́ло на мы́ло. 1. *Курск., Прикам.* Скрыть улики, утаить что-л. БотСан, 113; МФС, 89. 2. *Волг.* Истратить, израсходовать зря (деньги, средства). Глухов 1988, 145.

Ши́ло в жо́пе (в за́днице, в заду́) *у кого. Прост. Шутл.* О непоседливом, подвижном человеке (чаще — ребёнке). СПП 2001, 82.

Ши́ло в мешке́. *Разг.* Нечто тайное, что обязательно станет явным. < От пословицы **Шила в мешке не утаишь.** БМС 1998, 638.

Бри́тый (бри́лся) ши́лом. *Жарг. угол., мол. Шутл.-ирон. или Пренебр.* О человеке со следами оспы на лице. СРВС 4, 191; СВЯ, 11; Быков, 22; Максимов, 44.

Хлеба́ть ши́лом. *Прикам.* Жить очень экономно. МФС, 107; Подюков 1989, 221; Мокиенко 1990, 128.

Хлебну́ть (хвати́ть, схвати́ть) ши́лом па́токи. *Народ. Ирон.* Многое испытать в жизни, перенести много трудностей. ДП, 61; ЗС 1996, 346; Ф 2, 235; СРНГ 25, 273; СРГК 4, 408; НОС 12, 9; Сергеева 2004, 225; СПП 2001, 82.

Хвати́ть ши́лом па́кли. *Кар.* То же. СРГК 4, 374.

Ни к ши́лу, ни к де́лу. *Арх.* О чём-л. бесполезном, несуразном. АОС 10, 455.

ШИ́ЛЬЦЕ * Довести́ до ши́льца *кого. Пск.* Погубить кого-л. СПП 2001, 82.

Ши́льцем хлеба́ть [моло́ко]. *Сиб.* О запрете на употребление молока во время церковных постов; о малом количестве молока, потребляемого во время поста. СРНГ 18, 236; СФС, 204. // *Новг.* О малом количестве молока. НОС 12, 93.

ШИН * В шин. См. В шен (ШЕН).

ШИНЕ́ЛЬ * Бери́ шине́ль, пошли́ домо́й! *Разг.* 1. Приглашение, предложение пойти домой. 2. Просьба или приказ оставить все дела. < Название и рефрен песни (сл. Б. Окуджавы, муз. В. Левашова) из кинофильма «От зари до зари» («Мосфильм», 1975 г.). Дядечко 1, 51.

Неудо́бно шине́ль в тру́сы заправля́ть. *Жарг. мол.* Шутливый ответ на реплику «неудобно». Никитина 2003б, 700.

ШИП * Держа́ть в шипа́х *кого. Горьк.* Иметь власть над кем-л., сурово обращаться с кем-л. БалСок, 32.

Жить на шипа́х. *Горьк.* Испытывать трудности, жить в тяжёлых условиях. БалСок, 45.

ШИПИ́ЦА * Кака́я шипи́ца [тебе́ на́до]? *Прикам., Перм.* Что тебе нужно? МФС, 112; СГПО, 682. < **Шипица** — шиповник.

ШИ́ПКА * На Ши́пке всё споко́йно. *Разг. Ирон.* Употребляется по адресу тех, кто скрывает, приукрашивает невыгодное для него, опасное положение. < Название трёх картин В. В. Верещагина (1842–1904 гг.), объединённых одним сюжетом времен русско-турецкой войны 1877–1878 гг. БМС 1998, 638.

ШИПУНО́К * Пуска́ть/ пусти́ть шипунка́. *Прост. Шутл.* Портить воздух, пускать газы из кишечника. Мокиенко, Никитина 2003, 392.

ШИРИ́НКА * Трясти́ шири́нкой. *Перм. Шутл.* Вести себя излишне возбуждённо, беспокойно. Подюков 1989, 206; Мокиенко, Никитина 2003, 392.

Загля́дывать /загляну́ть в шири́нку *кому. Пск.* Наказывать, сечь, бить кого-л. СПП 2001, 82.

ШИ́РКА * Сади́ться/ сесть на ши́рку. *Жарг. нарк.* Стать наркоманом, принимающим наркотики внутривенно. Максимов, 373. < **Ширка** — 1. Шприц. 2. Наркотическая инъекция.

ШИ́РМА[1] * Дрянна́я ши́рма. *Жарг. угол.* 1. Фальшивая денежная купюра, ассигнация, кредитная карточка. СРВС 1, 66, 201; СРВС 2, 33, 97, 175, 224; ТСУЖ, 200. 2. *Неодобр.* Малоценная вещь. ТСУЖ, 50.

ШИ́РМА[2] * Ши́рма пое́хала *у кого. Жарг. мол. Шутл. или Неодобр.* Кто-л. сошёл с ума, ведёт себя подобно сумасшедшему. Митрофанов, Никитина, 251.

ШИ́РМА[3] * Бить (ударя́ть, руби́ть, ходи́ть, бе́гать) по ши́рме. *Жарг. угол.* Красть из карманов. СРВС 3, 14, 78, 117; СРВС 4, 8, 24, 39, 71, 44, 101, 119; ББИ, 28; ТСУЖ, 20, 154, 182, 191; СВЯ, 8; Балдаев 1, 37; Балдаев 2, 20, 96, 126.

По ши́рме. *Жарг. угол.* О карманной краже. СРВС 3, 114; Грачев, 1992, 191; ТСУЖ, 143; Елистратов 1994, 568.

Нырну́ть (зале́зть) в ши́рму. *Жарг. угол.* Залезть в карман, прикрывая руку каким-л. предметом. СРВС 4, 165; ТСУЖ, 118; Балдаев 1, 280. < **Ширма** — карман.

ШИРО́КАЯ * Широ́кой кве́рху. *Жарг. мол. Ирон.* Плохо, неумело, неудачно. Мокиенко, Никитина 2003, 392. < **Широкая** — зад, ягодицы.

ШИРОКО́ * Ши́ре да да́ле. *Арх.* О большом количестве чего-л. АОС 10, 243.

Широ́ко не убежи́шь. *Пск.* Об ограниченных материальных возможностях. СПП 2001, 82.

ШИРЬ * Во всю ширь. *Разг.* 1. Безгранично, беспредельно. 2. Всесторонне, в полной мере. ФСРЯ, 534.

ШИ́ТО * Ши́то и кры́то. *Разг.* О чём-л., что остается тайным, неизвестным. БТС, 476, 1499.

ШИТЬ * И шьёт, и по́рет, и лощи́т, и плющи́т. *Народн. Шутл.* О болтуне, пустомеле. ДП, 411.

Ни шьёт ни по́рет. *Народн. Неодобр.* О бездействующем, уклоняющемся от определённого решения, высказывания человеке. ДП, 510; БТС, 1499; ФСРЯ, 537; Глухов 1988, 107; СОСВ, 203; Верш. 7, 320.

ШИТЬЁ * Шитья́ мно́го, а поро́ть ещё бо́льше. *Кар.* О большом объёме работы, который предстоит выполнить. СРГК 5, 84.

ШИ́ФЕР * Пу́хлый ши́фер. *Жарг. нарк.* Крупный торговец наркотиками. ТСУЖ, 201.

Ши́фер протека́ет (съе́хал, сы́плется) *у кого. Жарг. мол. Неодобр.* Кто-л. сошёл с ума, ведёт себя подобно сумасшедшему. БСРЖ, 691; Вахитов 2003, 204; Максимов, 348, 413.

Ти́хо ши́фером шурша́, кры́ша е́дет не спеша́. *Жарг. мол. Шутл.* О помутнении рассудка. Вахитов 2003, 178; Максимов, 422.

ШИФОНЬЕ́Р * Шифонье́р на косты́ля́х. *Жарг. мол. Пренебр.* О женщине атлетического телосложения. Максимов, 200.

ШИФР * Наводи́ть шифр. *Жарг. мол.* 1. Прятать что-л. 2. Прятаться, скрываться. Максимов, 265.

ШИШ[1] * Не шиш воро́на. *Пск. Шутл.* О бывалом, опытном человеке. ПОС 4, 156.

Пока́зывать/ показа́ть шиш *кому.* 1. Выражать (обычно — с помощью соответствующего жеста) презрительный отказ кому-л., издёвку. 2. Абсолютно ничего не давать кому-л. Мокиенко, Никитина 2003, 393; Ф 2, 65.

Пото́м — шиш винто́м. *Прост. Шутл.-ирон.* Реплика на обещание сделать что-л. «потом». Мокиенко, Никитина 2003, 393.

Шиш да мале́нько *[чего]. Прост. Шутл.* О крайне малом количестве чего-л. Глухов 1988, 176.

Шиш с ма́слом (на по́стном ма́сле). *Прост.* То же, что **ни шиша.** БМС 1998, 638; БТС, 1499; ФСРЯ, 535; ДП, 106; Глухов 1988, 176; Вахитов 2003, 205.

Како́го шиша́? *Грубо-прост.* Зачем, для чего, почему? Мокиенко, Никитина 2003, 393.

Ни шиша́. *Прост.* Абсолютно ничего. БТС, 1499; СПП 2001, 82; Вахитов 2003, 113.

Съесть шиша́. *Пск.* Не добиться своего, получить отказ в чём-л. СРНГ, 11, 270.

На каки́е ши́ши? *Грубо-прост. Ирон.* На какие деньги, на какие средства (обычно — риторический вопрос при безденежье). Мокиенко, Никитина 2003, 393.

ШИШ[2] * Ядрёна шиш! *Обл. Бран.-шутл.* Восклицание неодобрения, удивления, сожаления. Мокиенко, Никитина 2003, 393. < **Шиш** — название нечистой силы, чёрта с маленькими рожками.

ШИШИ́ГА * Шиши́га понюхала *кого. Волг. Шутл.-ирон.* О глупом, неразумном человеке. Глухов 1988, 176.

Шиши́га тебя́ возьми́! *Волг., Горьк. Бран.* Восклицание, выражающее гнев, негодование в чей-л. адрес. Глухов 1988, 176; БалСок, 57. < **Шишига** — нечистая сила, кикимора.

ШИ́ШКА * Надава́ть ши́шек *кому. Пск.* Побить, поколотить кого-л. СПП 2001, 82; Мокиенко 1990, 48.

С каки́х ши́шек? *Жарг. мол.* Почему, с какой стати? УМК, 246.

Больша́я (ва́жная) ши́шка. *Разг. Ирон.* Важный, значительный человек. ШЗФ 2001, 22; Мокиенко 1989, 56; Глухов 1988, 8; БМС 1998, 638.

Ело́ва ши́шка! *Перм. Бран.-шутл.* 1. Лёгкое фамильярное порицание. 2. Выражение чувства удовольствия, удовлетворения. Подюков 1989, 231; Мокиенко, Никитина 2003, 393.

Ши́шка дыми́тся *у кого. Жарг. мол.* О сексуально озабоченном или возбуждённом человеке. WMN, 113.

Ши́шка на ро́вном ме́сте. *Прост. Пренебр. или Ирон.* О человеке, неоправданно высоко оценивающем себя, зазнавшемся, важном. БМС 1998, 639; БТС, 1499; Жиг. 1969, 210; ФСРЯ, 535; Мокиенко 1989, 56; Глухов 1988, 176; Вахитов 2003, 205.

Ши́шка обсе́рилась. *Сиб.* О выступании смолы на шишках хвойных деревьев. СФС, 205.

Ядрёна ши́шка! *Перм. Бран.-шутл.* То же, что **елова шишка!** Подюков 1989, 231; Мокиенко, Никитина 2003, 394.

Бежа́ть в ши́шках. *Сиб.* Ехать цугом, гуськом. // Ехать цугом, когда к обычной запряжке впереди пристёгивают ещё одну лошадь, на которую садится ямщик и понукает её. ФСС, 10; СРГЗ, 62; СРНГ 2, 179; СФС, 20.

Бить ши́шки. 1. *Обл. Неодобр.* Бездельничать, праздно проводить время. Мокиенко 1990, 68. 2. *Жарг. мол.* Совершать глупые поступки. Максимов, 39.

Все ши́шки ва́лятся *на кого. Прост. Шутл.* О неудачнике, невезучем человеке. СПП 2001, 82; ФСРЯ, 535.

В ши́шки. *Жарг. мол.* До состояния сильнейшего алкогольного опьянения (напиться). WMN, 114; Митрофанов, Никитина, 252.

Дойти́ до большо́й ши́шки. *Кар.* Стать важным, влиятельным человеком. СРГК 1, 473.

Набива́ть ши́шки. *Прост.* Приобретать опыт, совершая ошибки, расплачиваясь за них. Ф 1, 308.

Сбива́ть ши́шки. *Волг. Неодобр.* То же, что **бить шишки 1.** Глухов 1988, 144.

Скола́чивать ши́шки. *Пск. Неодобр.* То же, что **бить шишки 1.** СПП 2001, 82.

Собира́ть ши́шки. *Жарг. нарк.* Курить гашиш. Максимов, 394.

Ши́шки в го́ру. *Прибайк.* Обгоняя друг друга, вперегонки. СНФП, 155.

Ши́шки летя́т. *Волг. Шутл.* О драке, перебранке. Глухов 1988, 176.

Ши́шки нет на голове́ *у кого. Разг. Устар.* Об отсутствии какой-л. способности, наклонности у кого-л. БМС 1998, 639.

Держа́ть ши́шку. *Жарг. мол.* 1. Быть на высоте положения, пользоваться авторитетом, популярностью. СМЖ, 88; Вахитов 2003, 46. 2. Заниматься культуризмом. КП, 25.02.98.

Завороти́ть ши́шку. *Прибайк. Неодобр.* Загордиться, начать важничать. СНФП, 155.

Лезть в ши́шку. *Кар.* Затевать ссору, драку. СРГК 3, 108.

Па́рить ши́шку. *Жарг. мол. Шутл.* 1. Заниматься онанизмом. Максимов, 302. 2. Совокупляться, совершать половой акт с кем-л. h-98.

Сажа́ть на ши́шку *кого. Жарг. мол.* Совершать половой акт с кем-л. (о мужчине). Вахитов 2003, 161.

Точи́ть ши́шку. *Жарг. мол.* Заниматься онанизмом. Елистратов 1994, 569.

Ши́шку ело́ву тебе́ (ему́ и т. п.)! *Прикам.* Формула отказа: абсолютно ничего (не дать, не получить). МФС, 112.

Ши́шку на обо́рку. *Прибайк.* О человеке, ведущем себя самодовольно, высокомерно, выражающим своё превосходство. СНФП, 155.
< **Шишка** — 1. Важный значительный человек. 2. Мужской половой орган.

ШИШКО́ * Боло́тный (боло́тное) шишко́. *Новг.* Нечистая сила, обитающая на болоте. НОС 12, 97-98.
< **Шишко́** — чёрт, нечистая сила.

ШИШО́К (ШАШО́К) * Ба́енный шишо́к. *Новг., Пск.* 1. Нечистая сила, обитающая в бане. СРНГ 2, 167; НОС 12, 97. 2. *Бран.* О человеке, вызывающем возмущение, досаду, гнев. НОС 1, 41; СПП 2001, 81.

Ри́жный шишо́к. *Новг.* Нечистая сила, обитающая в овине (риге). НОС 12, 98.

Трясоголо́вый шишо́к. *Печор. Бран.* О человеке, вызывающем гнев, раздражение, возмущение. СРГНП 1, 259.

Шашо́к но́сит *кого где. Пск. Неодобр.* Кто-л. куда-л. надолго ушёл, отсутствует в нужном месте. СПП 2001, 82.
< **Шашо́к, шишо́к** — чёрт, нечистая сила.

ШКАРЁНКИ * Покупа́ть шкарёнки. *Жарг. угол.* Вытаскивать из кармана жертвы какие-л. ценности. СРВС 4, 191. < **Шкарёнки** — похищаемые ценности.

ШКАТУ́ЛКА * Музыка́льная шкату́лка. *Жарг. арест., арм. Шутл.* Пытка, истязание в виде несильных ударов по голове (напр., мягкой колотушкой). ББИ, 288; Балдаев 1, 258.

ШКАФ * Бри́тый шкаф на па́льцах. *Жарг. мол. Ирон. или Пренебр.* Представитель коммерческо-криминальных структур («новый русский»). БСРЖ, 692.

Многоуважа́емый шкаф. *Разг. Шутл.-ирон.* О бесполезных речах, которые произносятся вместо того, чтобы предпринять что-л. < Из пьесы А. П. Чехова «Вишневый сад». БМС 1998, 639.

ШКВА́РА * Кида́ть шква́ры. *Жарг. сол.* Шутить, оригинальничать, веселить кого-л. Урал-98.

ШКВА́РКА * Заши́ренная шква́рка. *Жарг. нарк. Ирон.* Человек, измождённый наркотиками. ТСУЖ, 201.

Есть шква́рки. *Пск.* Платить фант в игре поцелуем. Ивашко 1993.

ШКЕ́НТЕЛЬ * Стоя́ть на шке́нтеле. *Жарг. шк.* Стоять в конце строя на уроке физкультуры. (Запись 2003 г.).

ШКЕРЫ * Торгова́ть из шкер. *Жарг. угол.* Воровать из карманов брюк. ТСУЖ, 176. < **Шкеры** — брюки.

ШКИ́ПЕР * Ста́рый шки́пер. *Жарг. угол.* Бывший вор, не порывающий связи с преступным миром. ТСУЖ, 201.

ШКИ́РКА * Брать/ взять (забра́ть) за шки́рку (за шкирму́тку) *кого.* Применять силу по отношению к кому-л., силой принуждать кого-л. к чему-л. БТС, 1500; СПП 2001, 82.

ШКИРМУ́ТКА * Забра́ть за шкирму́тку. См. **Взять за шкирку (ШКИРКА).**

ШКИФТ * По шкифту́. *Жарг. угол.* О краже через взломанное окно. ТСУЖ, 143.

ШКО́ДА * Зайти́ в шко́ду. *Одесск.* Причинить ущерб, доставить неприятности кому-л. КСРГО.

ШКО́ЛА * Шко́ла злосло́вия. *Книжн.* Сборище сплетников. < От заглавия комедии Р. Б. Шеридана (1780). БМС 1998, 639.

Шко́ла коммуни́зма. *Публ. Устар.* 1. О профсоюзах. 2. О колхозах. Мокиенко, Никитина 1998, 670. < Высказывание В. И. Ленина о профсоюзах: «Будучи школой коммунизма вообще, профсоюзы должны быть в частности школой управления социалистической промышленностью». (Ленин В. И. Собр. соч., т. 33, 164).

ШКУРА́ * Содра́ть три́дцать шкур *с кого. Прибайк.* Избить, наказать кого-л. СНФП, 156.

Бараба́нная шку́ра. 1. *Разг. Устар.* Военный, служака, бездушный и суровый с подчинёнными. 2. *Прост. Бран.* О подлом, непорядочном человеке. ФСРЯ, 535; Глухов 1988, 176.

Дублёная шку́ра *у кого. Прост.* О человеке, невосприимчивом к неприятностям, ударам судьбы. БМС 1998, 639.

Неворо́ченая шку́ра. *Перм. Ирон.* О человеке, не испытавшем трудностей, не имеющем жизненного опыта. Подюков 1989, 231.

Прода́жная шку́ра. *Прост. Презр.* О человеке, который ради выгоды готов пойти на бесчестные поступки. СОСВ, 152.

Шку́ра гори́т (сверби́т) *у кого. Волг.* О сильном желании, нетерпении. Глухов 1988, 176.

Шку́ра хо́дит *у кого. Волг. Шутл.* О подвижном, непоседливом человеке. Глухов 1988, 176.

Быть в шку́ре *чьей, кого. Разг.* Быть, находиться в положении кого-л. (обычно — незавидном). ФСРЯ, 535.

Не вмеща́ется в шку́ре. *Волг. Шутл.-ирон.* О полном, упитанном человеке. Глухов 1988, 95. **Не толпи́тся в шку́ре.** *Курск. Шутл.-ирон.* То же. БотСан, 88. **Не толпи́тся в шку́ру.** *Волг. Шутл.-ирон.* То же. Глухов 1988, 106.

Испы́тывать/ испыта́ть на со́бственной шку́ре *что. Прост.* Убеждаться в чём-л. на собственном опыте. БМС 1998, 639.

Роди́лся в соба́чьей шку́ре. *Волг. Неодобр.* Об агрессивном, вздорном человеке. Глухов 1988, 141.

Вла́зить/ влезть в соба́чью шку́ру. *Волг. Неодобр.* Становиться агрессивным, грубым, наглым. Глухов 1988, 12.

Влеза́ть/ влезть (залеза́ть/ зале́зть) в шку́ру *чью. Прост.* Ставить себя в положение кого-л. ФСРЯ, 535; БМС 1998, 639; ШЗФ 2001, 39; Ф 1, 67, 198.

Вы́колотить шку́ру *кому. Обл.* Избить кого-л. Мокиенко 1990, 54.

Дели́ть шку́ру неуби́того медве́дя. *Разг.* Распределять прибыль от ещё не осуществлённого дела, предприятия. < На основе басни Ж. Лафонтена «Медведь и два товарища». ФСРЯ, 535; БМС 1998, 639; БТС, 246, 1500.

Драть/ содра́ть/ сдира́ть шку́ру *с кого.* 1. *Разг.* Жестоко эксплуатировать, притеснять кого-л. ФСРЯ, 146; БТС, 283, 1500. 2. *Пск.* Строго обращаться с кем-л., быть очень требовательным к кому-л. ПОС 9, 198. 3. *Волг.* Дорого продавать что-л. Глухов 1988, 38.

Жа́рить шку́ру *кому. Волг. Шутл.* Бить, строго наказывать кого-л. Глухов 1988, 41.

Жечь шку́ру. *Жарг. мол. Шутл.* Загорать. Максимов, 130.

Залива́ть/ зали́ть за шку́ру ма́сла. *Народн. Шутл.* Запасаться чем-л. СРНГ 36, 64.

Зата́лкивать/ затолка́ть под шку́ру *что. Жарг. мол. Шутл.-ирон.* Съесть что-л. без аппетита. Максимов, 150.

Лезть под шку́ру *к кому. Жарг. мол.* Раздражать, нервировать кого-л. Максимов, 220.

Наде́вать/ наде́ть соба́чью шку́ру. *Волг. Неодобр.* То же, что **влазить в собачью шкуру.** Глухов 1988, 89.

Покупа́ть/ купи́ть соба́чью шку́ру. *Волг. Неодобр.* То же, что **влазить в собачью шкуру.** Глухов 1988, 127.

Полосова́ть шку́ру *кому. Волг.* То же, что **жарить шкуру.** Глухов 1988, 129.

Потрепа́ть шку́ру *кому. Обл.* Избить кого-л. Мокиенко 1990, 54.

Сдира́ть/ содра́ть шку́ру *с кого. Разг.* 1. Жестоко притеснять, обирать кого-л. 2. То же, что **снимать шкуру.** Ф 2, 148.

Снима́ть/ снять (спусти́ть) шку́ру *с кого. Разг.* Сурово наказывать кого-л. ФСРЯ, 535; ЗС 1996, 45; СПП 2001, 82.

Снима́ть/ снять ове́чью шку́ру *с кого. Разг.* Уличать кого-л. в чём-л. ДП, 199.

Спаса́ть свою́ шку́ру. *Прост. Неодобр.* Трусливо уклоняться от опасности (предавая интересы других людей). Ф 2, 176; Верш. 6, 340.

Трясти́сь за свою́ шку́ру. *Разг.* Бояться за свою жизнь, благополучие. Ф 2, 210.

Чи́стить шку́ру *кому. Волг.* То же, что **жарить шкуру.** Глухов 1988, 173.

Вы́лазить (вылеза́ть) из шку́ры. *Волг.* 1. *Неодобр.* Совершать необдуманные предосудительные поступки. 2. То же, что **лезть из шкуры вон.** Глухов 1988, 18.

Драть [в] три шку́ры. *Прост. Неодобр.* Продавать что-л. по слишком высокой цене. БТС, 283, 1500; Мокиенко 1990, 57; ЗС 1996, 97; Ф 1, 173; ПОС 9, 198.

Лезть из шку́ры [вон]. *Разг.* Очень стараться, усердствовать, прикладывать много усилий для достижения чего-л. ФСРЯ, 535; СПП 2001, 82; Ф 1, 276; Подюков 1989, 104.

Одни́ шку́ры да ко́сти. *Пск.* Об очень худом, измождённом человеке. СПП 2001, 82.

Слу́шаться бараба́нной шку́ры. *Жарг. угол., арест.* Лишаться прав состояния. СРВС 2, 16, 81, 98, 165, 211; ТСУЖ, 202.

ШКУ́РКА * Шку́рка мента́м (мусора́м). *Жарг. угол. Неодобр.* Донос в милицию (письменный или устный). ББИ, 289; Балдаев 2, 162.

Гоня́ть (погоня́ть, прогоня́ть) шку́рку. *Жарг. мол.* Заниматься мастурбацией. ЖЭСТ-1, 67; Максимов, 92, 319.

Сдать шку́рку. *Жарг. арест. Ирон. или Пренебр.* О письменном или устном доносе администрации ИТУ. Балдаев 2, 32.

ШКУ́РОЧКА * Шку́рочка трещи́т *у кого. Волг. Шутл.* 1. О каком-л. сильном желании. 2. О чувстве голода. Глухов 1988, 176.

ШЛАГБА́УМ * Закрыва́ть/ закры́ть шлагба́ум *чему. Публ.* Препятствовать свободному росту, развитию чего-л., запрещать какую-л. деятельность, сковывать чью-л. инициативу. Мокиенко 2003, 145.

Открыва́ть/ откры́ть шлагба́ум *чему. Публ.* Предоставлять возможность для роста, развития чего-л. НРЛ-81; Мокиенко 2003, 145.

ШЛАК * Выпада́ть/ вы́пасть в шлак. *Жарг. мол.* Сильно пугаться, бояться. Максимов, 76.

Кида́ть/ ки́нуть шлак. *Жарг. мол. Шутл.* Совершать дефекацию. Югановы, 250.

ШЛАМБО́Т (ШЛАНБО́Т) * Дать шламбо́т *кому. Пск. Шутл.* Ударить кого-л. СРНГ 7 258; Мокиенко 1990, 49..

Надава́ть/ дать шланбо́тов *кому. Пск.* Избить, поколотить кого-л. СПП 2001, 82.

ШЛАНБО́Т. См. **ШЛАМБОТ.**

ШЛАНГ * Гофри́рованный (пробитый) шланг. *Жарг. мол. Неодобр.* Бездельник, лентяй. СМЖ, 97; Максимов, 94, 345.

Ходя́чий шланг. *Жарг. мол. Шутл.-ирон.* О пьяном человеке. Максимов, 462.

Шла́нги горя́т *у кого. Прост.* О жажде при похмельном синдроме. БТС, 1501; Щуплов, 522.

Прики́дываться/ прики́нуться [гофри́рованным] шла́нгом. *Жарг. мол. Шутл.* Принимать безучастный вид, притворяться не понимающим чего-л., невиновным или слабым. СМЖ, 94; Митрофанов, Никитина, 252; Вахитов 2003, 146; Максимов, 94, 340.

ШЛА́НГА * Гофри́рованная шла́нга. *Жарг. мол. Пренебр.* Крайне глупая девушка, женщина. Максимов, 94.

Гнуть из себя́ шла́нгу. *Жарг. мол. Неодобр.* 1. Вести себя высокомерно. 2. Намеренно привлекать к себе внимание окружающих. Максимов, 88.

ШЛАНГИ́Т * Боле́ть шланги́том. *Жарг. мол. Неодобр. или Шутл.* Бездельничать, отлынивать от работы. Урал-98. < Ср.: **шланг** — бездельник, лентяй; **шланговать** — бездельничать.

ШЛЕЙФ * Пуска́ть шлейф. *Жарг. мол. Шутл.-ирон.* Дышать перегаром. (Запись 2004 г.).

ШЛЕМА́К * Шевели́ть шлемако́м. *Жарг. мол.* Думать, соображать. Елистратов 1994, 572. < **Шлемак** — 1. Шлем. 2. Голова.

ШЛЁНДРЫ * Справля́ть шлёндры. *Одесск. Неодобр.* То же, что **бить шлёнды (ШЛЁНДЫ).** КСРГО.

ШЛЁНДЫ * Бить шлёнды (шлы́нды). *Обл. Неодобр.* Бездельничать. Мокиенко 1990, 69.

ШЛЕПЕ́НЬ * Вя́тский шлепе́нь. *Прикам. Пренебр.* О неуклюжем, неповоротливом человеке. МФС, 112.

ШЛЕПО́К * Напи́ться до шлепка́. *Морд. Шутл.-ирон.* Напиться пьяным. СРГМ 1986, 89.

Майоне́зный шлепо́к. *Жарг. шк. Презр.* Ученик начальных классов. (Запись 2004 г.).

Теля́чий шлепо́к. *Жарг. мол. Презр.* О ничтожном, подлом человеке. Максимов, 419.

ШЛЕЯ́ * Вали́ть че́рез шлею́. *Прикам. Неодобр. или Шутл.-ирон.* Обманывать, рассказывать небылицы. МФС, 16.

Шлея́ под хвост попа́ла *кому. Прост. Неодобр.* О человеке в неуравновешенном состоянии, проявляющем упорство, взбалмошность, самодурство. ФСРЯ, 74; БТС, 1501; СПП 2001, 82; Глухов 1988, 176.

ШЛИФТ * По шлифту́. *Жарг. угол.* О краже со взломом окна. СРВС 3, 115; ТСУЖ, 143. < **Шлифт** — окно.

ШЛЫК * Взя́вши шлык, да в подворо́тню шмыг. *Народн. Шутл.* О поспешном бегстве. ДП, 274.

Напра́вить шлык *кому. Алт.* 1. Ударить по голове. 2. Наказать кого-л. СРГА 3-I, 129.

Поправля́ть/ попра́вить шлык *кому. Обл.* Избивать кого-л. Мокиенко 1990, 60.

ШЛЫ́НДЫ * Бить шлы́нды. См. **Бить шлёнды (ШЛЁНДЫ).**

ШЛЮЗ * Откры́ть шлю́зы. 1. *Жарг. угол. Неодобр.* Заговорить на допросе. ТСУЖ, 124; Мокиенко 2003, 145. 2. *Жарг. мол. Шутл.* Совершить акт дефекации. Елистратов 1994, 573.

ШЛЯ́ГА * Толка́ть/ толкну́ть шля́гу. *Жарг. угол. Неодобр.* 1. Лгать, обманывать. 2. Льстить, заискивать. ББИ, 290; Балдаев 2, 163; Мильяненков, 281.

ШЛЯ́МБУР * Мокну́ть (толкну́ть) шля́мбур *кому. Жарг. угол., мол.* Совершить половой акт с кем-л. УМК, 249; Балдаев 1, 252; Балдаев 2, 80; ББИ, 245. < **Шлямбур** — 1. Воровской ломик. 2. Мужской половой орган.

ШЛЯ́ПА * Шля́па задыми́лась (пе́нится, шипи́т) *у кого. Жарг. мол. Шутл.* Об эрекции. БСРЖ, 695; Максимов, 307, 488.

Босико́м, да в шля́пе. *Сиб. Ирон.* О безвкусно, несуразно одетом человеке. ФСС, 14.

Накры́ться мо́крой (бордо́вой) шля́пой. *Вульг.-прост. Шутл.* 1. Потерпеть большую неудачу. 2. Опозориться, опростоволоситься. 3. Пропасть, подеваться куда-л.; бесследно исчезнуть. < Образовано эвфемизацией выражения **пиздой накрыться**. Мокиенко, Никитина 2003, 396.

Ки́нуть шля́пу на во́здух. *Разг. Устар.* Прийти в восторг, очень сильно обрадоваться чему-л. Ф 1, 237.

Попра́вить шля́пу *кому. Обл. Шутл.* Избить кого-л. Мокиенко 1990, 60.

Прийти́ за свое́й шля́пой. *Пск.* Взять реванш. СПП 2001, 82.

Пригласи́ть на шля́пу *кого. Жарг. мол.* Пригласить кого-л. для неприятного разговора, отчитать, выругать кого-л. Максимов, 339.

Попа́сть под шля́пу. *Пск. Шутл.* Оконфузиться, попасть в неловкое положение. СПП 2001, 82.

Пронести́ шля́пу на у́хе. *Народн. Шутл.* Пройти мимо кого-л., модно одевшись, с гордым видом. ДП, 587.

Снима́ть/ снять шля́пу *перед кем. Разг.* Выражать своё почтение, уважение кому-л. ФСРЯ, 535; Ф 2, 170; СОВРЯ, 101.

Хвата́ться за шля́пу. *Разг. Устар.* Поспешно уходить (взяв шляпу). Ф 2, 232.

Зака́тывать шля́пы. *Коми.* Смешить, веселить кого-л. Кобелева, 63.

ШЛЯХ * Чума́цкий шлях. *Одесск.* Млечный путь. КСРГО.

ШМАК * Ни шма́ка. *Коми.* Нисколько, ничуть. Кобелева, 83.

ШМЕЛЬ * Слу́шать шмеле́й. *Обл. Шутл.* Бездельничать. Мокиенко 1990, 65.

Шмель с верхо́в. *Жарг. угол.* Кошелёк, бумажник в верхнем кармане. СРВС 3, 26.

Шмель с низо́в. *Жарг. угол.* Кошелёк, бумажник в брючном кармане. СРВС 3, 26.

Пусти́ть шмеля́. *Жарг. угол.* Залезть в карман жертвы за кошельком. ТСУЖ, 150.

Спусти́ть шмеля́. *Жарг. угол.* Выбросить краденый кошелёк при задержании. ББИ, 232. < **Шмель** — кошелек, бумажник.

ШМОН * Вели́кий шмон. *Жарг. угол.* Повальный обыск. ТСУЖ, 202.

Наводи́ть/ навести́ шмон. 1. *Жарг. угол.* Обыскивать кого-л., устраивать обыск где-л. Быков, 211. 2. *Жарг. мол.* Устраивать неожиданную проверку. Вахитов 2003, 104.

Шмон по сою́зу. *Жарг. угол., мил.* Всесоюзный розыск. Быков, 211.

ШМО́ТКИ * Заби́ть (забу́хать, загна́ть, спусти́ть, толкну́ть) шмо́тки. *Жарг. угол.* Продать краденые вещи. СРВС, IV, 28, 38, 76; Б., 57; ТСУЖ, 168.

Прогна́ть шмо́тки. *Жарг. угол.* Обменять вещи. Балдаев 1, 356.

Сесть на шмо́тки. *Прикам.* Потерять силу, здоровье. МФС, 90.

Тёмные шмотки. *Жарг. угол.* Краденые вещи. ББИ, 291; Балдаев 2, 165; Мильяненков, 282.

ШНИ́ПАРЬ * Чеса́ть шни́пари. *Пск. Шутл.* Бездельничать. СПП 2001, 82.

ШНИФТЫ́ * Вы́рубить (вы́нуть, погаси́ть) шнифты́ *кому. Жарг. угол.*

Выколоть глаза кому-л. СВЯ, 19; ББИ, 51; ТСУЖ, 203.

Ды́бать шнифта́ми. *Жарг. мол.* Следить за кем-л. h-98.

< **Шнифты** — **глаза.**

ШНО́БЕЛЬ * Засу́нуть шно́бель на часы́. *Жарг. мол. Шутл.* Выяснить точное время. Смирнов 2002, 75.

Су́нуть шно́бель *куда, во что. Жарг. мол. Неодобр.* Проявить чрезмерное любопытство. Смирнов 2002, 286.

< **Шнобель** — большой нос.

ШНУРО́К * Завяза́ть шнурки́. *Жарг. мол.* Остаться дома без родителей. Максимов, 137.

Погла́дь (постира́й) шнурки́! *Жарг. мол.* Требование оставить в покое, прекратить донимать кого-л. Вахитов 2003, 206.

Развяза́ть шнурки́. *Жарг. мол. Шутл.* О мочеиспускании. Урал-98.

Сейча́с, то́лько шнурки́ поглажу. *Жарг. мол.* Выражение категорического отказа кому-л. в чём-л. Вахитов 2003, 164.

Шнурки́ в стака́не (в банке, в боти́нке). *Жарг. мол.* Родители дома. СМЖ, 97; Я — молодой, 1994, № 6; Елистратов 1994, 576; Никольский, 161; Югановы, 251; WMN, 115; Вахитов 2003, 206, 208; Максимов, 25.

Шнурки́ завя́заны *у кого. Жарг. мол.* Родителей нет дома. БСРЖ, 699.

Шнурки́ с ни́тками. *Жарг. мол. Шутл.* Макароны с тушёнкой. Максимов, 275.

Шнуро́к с Не́вки. *Жарг. студ. (ист.).* Александр Невский. (Запись 2003 г.).

ШНЯ́ГА * Гнать (чеса́ть) шня́гу. *Жарг. мол. Неодобр.* Говорить ерунду. Вахитов 2003, 200; Максимов, 87.

Замути́ть (запога́нить) шня́гу. *Жарг. нарк.* Кустарно изготовить наркотик. Мазурова. Сленг, 138.

Заруби́ть в ме́лкую шня́гу *кого. Жарг. мол.* Сильно избить кого-л. Вахитов 2003, 65.

Стели́ть шня́гу *[кому]. Жарг. мол. Неодобр.* Лгать, вводить в заблуждение кого-л. h-98.

Тренирова́ть шня́гу. *Жарг. мол. Шутл.* Заниматься онанизмом. Декамерон 2001, № 3.

ШО́БАЛЫ * Бить шо́балы. См. **Бить шабалу (ШАБАЛА).**

ШОВ * По всем швам. *Пск.* Интенсивно, с большой силой. СПП 2001, 82.

Располза́ться (треща́ть) [по всем] швам. *Разг.* Разрушаться, приходить в расстройство, в упадок. БМС 1998, 639; БТС, 352; ФСРЯ, 533; Ф 2, 119; Мокиенко 1990, 128.

Проверя́ть потоло́чные швы. *Жарг. авто. Шутл.* Спать. Максимов, 335.

ШОК * Электри́ческий шок. *Жарг. шк. Шутл.* Указка. (Запись 2003 г.).

ШОКОЛА́Д * Достава́ть/ доста́ть шокола́д. *Жарг. гом.* Совершать половой акт анальным способом. ТСУЖ, 49.

[Всё] в шокола́де! *Жарг. мол. Одобр.* Всё в порядке, всё отлично. h-98.

ШОКОЛА́ДКА * Раскупо́рить шокола́дку. *Жарг. гом.* Совершить анальное сношение с партнером. Кз., 72.

Стуча́ть в шокола́дку. *Жарг. мол.* Совершать половой акт анальным способом. Я — молодой, 1994, № 10.

ШОЛТЫ́К * Шолты́к на волты́к. *Новг. Неодобр.* Кое-как. НОС 12, 105.

ШОПЕ́Н * Слу́шать Шопе́на. *Жарг. угол.* Совершать кражи на похоронах. Балдаев 2, 47.

Лаба́ть (игра́ть/ сыгра́ть) Шопе́на *кому. Разг. Ирон.* Хоронить кого-л. Белоус, 28; БМС 1998, 640.

ШО́РА * Быть под шо́рой. *Жарг. угол., арест.* Ожидать наказания. Балдаев 1, 52. < **Шора** — угроза.

ШО́РОХ * Дава́ть шо́рох. *Сиб.* Шуршать. СРНГ 7, 258.

Под шо́рох свои́х шаго́в. *Жарг. театр.* Без аплодисментов (об актёре, уходящем со сцены после неудачного выступления). Мокиенко 2003, 144–145.

Шо́рох забра́л *кого. Пск.* О сильном испуге, страхе. СПП 2001, 82.

Дава́ть/ дать (задава́ть/ зада́ть, навести́) шо́роху. 1. *кому. Жарг. угол.; Прост.* Наказывать, ругать, отчитывать кого-л. СРГК 1, 424; Б., 44; Вахитов 2003, 105. 2. *кому. Кар.* Пугать кого-л. СРГК 1, 424; Ф 1, 195. 3. *Перм., Яросл.* Устраивать скандал. Подюков 1989, 59; ЯОС 3, 121. 4. *Жарг. угол.* Буянить, хулиганить. Б., 44.

ШО́РШНИ * Шо́ршни разводи́ть. *Алт.* Ссориться. СРГА 4, 241.

ШО́РЫ * Де́ржать в шо́рах *кого. Разг.* Ограничивать чью-л. свободу действий, держать кого-л. в подчинении. ШЗФ 2001; БТС, 1503.

Шо́рить на шо́рах. *Жарг. мол. Шутл.* Работать. Максимов, 494.

Брать/ взять в шо́ры *кого.* 1. *Разг.* Заставлять кого-л. действовать определённым образом, подчинять кого-л. своей воле. БМС 1998, 640; ШЗФ, 2001, 23; БТС, 1503; ФСРЯ, 535; СПП 2001, 82; АОС 4, 84. 2. *Сиб.* Окружать кого-л., не давая проходу. СФС, 38.

Взять за шо́ры *кого. Башк.* Поругать, побранить кого-л. СРГБ 1, 71.

Дать шо́ры *кому. Жарг. угол.* Направить кого-л., подсказать, указать кому-л. на что-л. Балдаев 1, 104.

< **Шоры** — наглазники для лошади, прикреплявшиеся так, чтобы она не могла смотреть по сторонам и пугаться чего-л.

ШО́РЫ-ЁРЫ * Разводи́ть шо́ры-ёры. *Перм. Неодобр.* Вести пустые, беспредметные разговоры. Подюков 1989, 168.

ШОТА́ * Идти́ на Шота́ Руставе́ли. *Жарг. мол. Шутл.* Идти медленным шагом, шатаясь. Максимов, 161.

ШО́У * Шо́у шепеля́вых. *Жарг. шк. Шутл.-ирон. или Пренебр.* Об учителе, учительнице с нечёткой дикцией. (Запись 2003 г.). < По названию рубрики популярной телепередачи.

ШО́ХЕР * Пойма́ть шо́хер. *Жарг. угол.* Быть замеченным. СРВС 3, 113.

ШОФЕ́. См. **ШЕФЕ.**

ШО́ША * Шо́ша да еро́ша. *Волг., Сиб. Презр.* Никчёмные, ничтожные люди; всякий сброд. Глухов 1988, 176; СФС, 205; Мокиенко 1990, 149.

ШПА́ГА * Городска́я шпа́га. *Арх. Неодобр.* О непорядочном человеке. АОС 9, 361.

Шпа́га дыми́т *у кого. Жарг. мол. Шутл.* О состоянии эрекции. Максимов, 124.

Скре́щивать/ скрести́ть шпа́ги. 1. *Разг. Устар.* Вступать в поединок, в бой на шпагах с кем-л. 2. *Книжн.* Вступать в идейный спор, в противоборство с кем-л. Ф 2, 161.

Лезть со шпа́гой на мясору́бку. *Разг. Шутл.-ирон.* Действовать сгоряча, не задумываясь о последствиях для себя. Б., 111.

Брать/ взять на шпа́гу *кого, что. Разг. Устар.* Захватывать, добывать в бою кого-л. или что-л. Ф 2, 264.

Полирова́ть шпа́гу. *Жарг. мол. Шутл.* Совершать половой акт с кем-л. Максимов, 326.

ШПА́ЛА * Ста́рая шпа́ла. *Прост. Бран.* О старом, дряхлом человеке. Мокиенко 2003, 146.

ШПА́РКА * Дать шпа́рку *кому.* 1. *Пск.* Наказать, избить, поколотить кого-л. СПП 2001, 82. 2. *Новг.* Измучить кого-л., напр., искусать. НОС 2, 75.

ШПЕНТ * До шпе́нту. До основания, полностью. НОС 12, 106.

ШПИ́ЛЬКА * Подпуска́ть/ подпусти́ть шпи́льки (шпи́льку) *кому. Прост.* Делать что-л. назло, задевать кого-л. злой шуткой. ЗС 1996, 368; Ф 2, 60; СРНГ 28, 152.

Ста́вить шпи́льки *кому. Разг.* Говорить кому-л. колкости, делать кому-л. язвительные замечания. Ф 2, 183.

Воткну́ть шпи́льку *кому. Разг.* Сделать острые, едкие иронические замечания в чей-л. адрес. Мокиенко 2003, 146; Ф 1, 79.

ШПО́РА * Вгоня́ть/ вогна́ть шпо́ры. *Жарг. угол., мол.* Вживлять в мужской половой член инородные предметы (обычно пластмассовые шарики). Мокиенко, Никитина 2003, 398.

Чи́стить шпо́ры *кому. Спец. охотн.* Ходить позади охотника, а не искать впереди зверя, дичь (о легавой собаке). Ф 2, 254.

ШПРИЦ * Пусто́й шприц. *Жарг. нарк. Неодобр.* О крайне глупом человеке. Максимов, 352.

ШПУНТ * Класть в шпунт. *Кар.* Соединять доски без гвоздей. СРГК 2, 358.

Шпунт под все бо́чки. *Волг. Шутл.-ирон.* Об угодливом, услужливом человеке. Глухов 1988, 176.

ШПЫЛЬ * На оди́н шпыль. *Перм.* Одинаково, на один лад. СГПО, 696; МФС, 113.

ШРАМ * Нарисова́ть со шра́мом *кого. Жарг. угол.* 1. Порезать жертве лицо бритвой. 2. Ударить кого-л. в лицо, оставив видимые повреждения. ТСУЖ, 114; Балдаев 1, 272.

ШТАБ * Штаб фаши́стов. *Жарг. шк. Презр.* Учительская. (Запись 2003 г.).

ШТАМЫ́НКА * Лома́ть штамы́нку. *Жарг. угол. Устар.* Провести ночь без ночлега. СРВС 3, 135.

ШТАНИ́НА * Вынима́ть из широ́ких штани́н дублика́том бесце́нного гру́за. *Разг. Шутл.-ирон.* Доставать из карманов что-л. очень ценное, важное. Мокиенко, Никитина 1998, 671. < Цитата из стихотворения В. В. Маяковского «Стихи о советском паспорте», 1929 г.

ШТАНИ́ШКИ * Выраста́ть/ вы́расти из коро́тких штани́шек. *Разг. Шутл.-ирон.* 1. Становиться взрослым, взрослеть. 2. Делаться более зрелым, опытным в каком-л. деле, виде деятельности. Мокиенко 2003, 146.

ШТАНЫ́ * Трясти́ штана́ми. *Прост. Презр.* Вести себя возбуждённо, проявляя повышенный интерес к женщинам; распутничать. Подюков 1989, 207; Мокиенко, Никитина 2003, 398; Ф 2, 210.

Шевели́ть (шурша́ть) штана́ми. *Жарг. мол. Шутл.* Быстро идти, шагать. Вахитов 2003, 208; Максимов, 486.

Мя́гко ста́ло в штана́х *у кого. Жарг. мол. Шутл.* О состоянии сильного испуга. Максимов, 263.

Вперёд штано́в. *Жарг. мол. Шутл.* Очень быстро. Максимов, 70.

Выпры́гивать/ вы́прыгнуть из со́бственных штано́в. *Прост.* О человеке, который находится в состоянии азарта, восторга, буйной радости, переживая успех. Ф 1, 97.

И штано́в не соберёт. *Прост. Неодобр.* О рассеянном, беспорядочном, неорганизованном человеке. Мокиенко, Никитина 2003, 398.

Оставля́ть/ оста́вить без штано́в *кого. Прост. Шутл.* Разорить кого-л. ЗС 1996, 46.

Остава́ться/ оста́ться без штано́в. *Прост. Шутл.* Разориться, обанкротиться. СПП 2001, 82; Ф 2, 20.

Брать/ взять за штаны́ *кого. Прост. обл. Шутл.* Строго спросить, потребовать (наказав) от кого-л. что-л. Мокиенко, Никитина 2003, 398.

Даду́т — штаны́ опаду́т. *Прост. Шутл.* Об угрозе сильного наказания. Мокиенко 2003, 146.

Кро́ить штаны́ *с кого. Сиб. Ирон.* Помыкать кем-л. ФСС, 99.

Лесовы́е штаны́. *Вост.-Сиб.* Штаны зверолова. СРНГ 17, 10.

Наеда́ть/ нае́сть штаны́. *Волг., Дон.* Толстеть, полнеть. СДГ 2, 159; Глухов 1988, 89.

Наколоти́ть в штаны́ *кого. Прибайк.* Побить кого-л. СНФП, 157.

Наложи́ть в штаны́. *Прост. Шутл.-ирон.* Сильно испугаться. Глухов 1988, 91; СПП 2001, 82.

Намета́ть по́лные штаны́. *Жарг. мол. Шутл.* То же, что **наложить в штаны.** Максимов, 268.

Намочи́ть штаны́ [со стра́ху]. *Прост. Неодобр.* То же, что **наложить в штаны.** Мокиенко, Никитина 2003, 398.

Напусти́ть в штаны́. *Прост. Неодобр.* То же, что **наложить в штаны.** Мокиенко, Никитина 2003, 398.; Глухов 1988, 92; Подюков 1989, 127.

Неудо́бно штаны́ через го́лову надева́ть. *Разг. Шутл.-ирон.* Ответ на реплику, начинающуюся словом «неудобно». БСРЖ, 702; Вахитов 2003, 112.

Обсту́кивать штаны́ я́йцами. *Жарг. мол. Шутл.* Сильно замерзнуть, продрогнуть. Максимов, 282.

Пифаго́ровы штаны́. *Жарг. шк. Шутл.* Теорема Пифагора, устанавливающая соотношение между площадями квадратов, построенных на гипотенузе и катетах прямоугольного треугольника. БТС, 835.

Протира́ть штаны́. *Прост. Неодобр.* Заниматься бесполезным делом. ЗС 1996, 252; Верш. 7, 330.

Те же штаны́ (портки́), то́лько наза́д (наоборо́т, вниз) га́шником. *Пск. Шутл.* То же самое, но названное или сделанное по-другому. ПОС 6, 145. **Те же штаны́, то́лько наза́д пу́говкой (узло́м).** *Перм. Шутл.* То же. Подюков 1989, 233.

Тот, у кого́ штаны́ во все сто́роны равны́. *Жарг. шк. Шутл.* Пифагор. (Запись 2003 г.).

Штаны́ на ля́мках. 1. *Жарг. шк. Шутл.-ирон.* или *Пренебр.* Ученик младших классов. (Запись 2003 г.). 2. *Жарг. мол. Шутл. или Презр.* Обращение к молодому человеку, юноше. Максимов, 305.

Штаны́ с мо́чками. *Забайк.* Галифе. СРГЗ, 465.

ШТАТ * Оста́ться за шта́том. *Разг. Устар.* Оказаться ненужным, без дела. БМС 1998, 640.

ШТЕМП см. **ШТЫМП.**

ШТИ́РЛИЦ * А вас, Шти́рлиц, попрошу́ оста́ться! *Разг. Шутл.* Просьба задержаться для разговора, обращённая только к одному из покидающих помещение. < Восходит к реплике Мюллера, героя телефильма «Семнадцать мгновений весны» (1973 г.). Дядечко 1, 13.

ШТО́ПОР * Входи́ть/ войти́ (уходи́ть/ уйти́, сорва́ться) в што́пор. 1. *Разг.* Запить (о начале запоя). БСРЖ, 703; Максимов, 397, 438, 443. 2. *Разг.* Начать скандалить. Югановы, 52. 3. *Жарг. угол.* Стать невольным участником преступления. Балдаев 1, 67; Югановы, 52. 4. *Жарг. мол.* Попасть в крайне сложное положение. УМК, 250. 5. *Жарг. мол.* Начать испытывать возбуждение, влюблённость, увлечённость кем-л., чем-л. УМК, 250; ББИ, 46.

Выходи́ть/ вы́йти из што́пора. *Разг.* 1. Прекращать запой. 2. Исправлять положение. Балдаев 1, 76; ББИ, 50.

ШТО́РКА * Што́рки закрыва́ются *у кого. Жарг. мол. Шутл.* О человеке, у когорого глаза слипаются от сонливости. Вахитов 2003, 207.

ШТО́РЫ * Опуска́ть/ опусти́ть што́ры. *Жарг. спорт.* Заслоняться руками от атаки в спортивной борьбе. Максимов, 288.

Раздвига́ть/ раздви́нуть што́ры. *Публ.* Открывать что-л. всеобщему обозрению, делать достоянием гласности. Мокиенко 2003, 146.

ШТУ́КА * Вот так шту́ка! *Разг.* Выражение удивления. ФСРЯ, 535; ШЗФ 2001, 44; БМС 1998, 640.

Свобо́дная шту́ка. *Калуж.* О чём-л. вполне возможном. СРНГ 36, 305.

На все шту́ки про́йма. *Кар. Шутл.-одобр.* О бойком, изобретательном человеке. СРГК 5, 262.

Выки́дывать/ вы́кинуть (отка́лывать/ отколо́ть, отмочи́ть) шту́ку (шту́ки). *Разг.* Совершать, проделывать что-л. необычное, неожиданное. ФСРЯ, 535; БМС 1998, 640; ЗС 1996, 64, 244, 372; Глухов 1988, 18, 119; Шевченко 2002, 147.

Дёргать шту́ку. *Жарг. мол. Шутл.* Заниматься онанизмом. Декамерон 2001, № 3.

Отки́дывать/ отки́нуть (отлива́ть/ отли́ть) шту́ку. *Разг. Устар.* То же, что **выкидывать штуку.** Ф 2, 26.

ШТУРМ * Штурм Зи́мнего. *Шутл.-ирон.* 1. *Жарг. курс.* Утренний туалет курсанта военного училища. Синдаловский, 2002, 207. 2. *Разг.* Давка, очередь у прилавка, чаще всего винноводочного магазина. Синдаловский, 2002, 207. 3. *Жарг. шк. Шутл.* Толпа учеников у гардероба после окончания занятий. ВМН 2003, 154. 4. *Жарг. арм., шк. Шутл.* Вход солдат или учеников в школьную столовую. Максимов, 496.

Штурм Измаи́ла. *Жарг. шк. Шутл.* Попытка ответить у доски. (Запись 2003 г.).

Брать/ взять шту́рмом *что, кого. Разг.* Завладевать чем-л., захватывать что-л., кого-л. приступом, силой. БМС 1998, 640.

ШТУ́ЧКА * О́страя шту́чка. *Жарг. шк. Шутл.* Циркуль. (Запись 2003 г.).

Шту́чка в брю́чках. *Прост. Шутл.-ирон.* Хитрая, ловкая, лживая женщина. Мокиенко 2003, 146.

ШТЫБ * Измельчи́ть в штыб *кого. Жарг. угол.* Сильно избить, жестоко наказать кого-л. (употребляется как угроза). < **Штыб** — из нем. *Staub* — 'пыль'. БСРЖ, 703.

ШТЫК * Сажа́ть/ посади́ть на штык *кого. Жарг. угол.* 1. Нанести кому-л. удар острым ножом. 2. *также Мол.* Совершить половой акт с кем-л. 3. Назначить кому-л. обязательную встречу в условленном месте. Балдаев 1, 341; ББИ, 188.

Сбежа́ться на штыке́. *Жарг. угол.* Встретиться в условленном месте. Балдаев 2, 28.

Встреча́ть/ встре́тить (принима́ть/ приня́ть) в штыки́ *кого, что. Разг.* Крайне враждебно, с неприязнью встречать, принимать кого-л., что-л. ФСРЯ, 536; ЗС 1996, 69, 360, 508.

Опира́ться/ опере́ться на штыки́. *Книжн.* Удерживаться силой войск, основываться на военной силе. Ф 2, 18.

Поднима́ть/ подня́ть на штыки́ *кого. Разг. Устар.* Закалывать, убивать кого-л. штыком. Ф 2, 57.

ШТЫМП * (ШТЕМП, ШТЭМП). Мёртвый штемп. *Жарг. угол.* Работник милиции, не представляющий опасности для воров. Балдаев 1, 249.

Штымп с ды́рочкой. *Жарг. угол.* Человек, не принадлежащий к преступному миру, но выдающий себя за вора. СРВС 3, 147.

Купи́ть штымпа́. *Жарг. угол.* 1. Изобличить человека, выдающего себя за вора; изобличить доносчика, осведомителя. Балдаев 1, 216. 2. Обнаружить обман. БСРЖ, 704.

Уговори́ть штымпа́. *Жарг. угол.* Убить свидетеля преступления. СРВС 3, 154. < **Штымп** — 1. Человек, выдающий себя за вора. 2. Свидетель преступления. 3. Оперативный работник.

ШТЭМП см. ШТЫМП.

ШУ́БА * Деревя́нная (сосно́вая, дубо́вая, квадра́тная) шу́ба. *Разг. Шутл.-ирон.* Гроб. Елистратов 1994, 581.

Та же шу́ба, то́лько навы́ворот. *Курск., Прикам.* То же самое, но подругому названное или сделанное. БотСан, 115; МФС, 113.

Шу́ба, ва́ленки бегу́т (иду́т). *Жарг. шк. Шутл.* Предупреждение о появлении учителя. Максимов, 496.

Шу́ба завора́чивается. *Жарг. мол. Одобр.* О состоянии удовлетворения, наслаждения. БСРЖ, 704.

Шу́ба на ба́сеньку! *Арх.* Приветствие стригущим овец. АОС 1, 117.

Шу́ба с ве́шалки упа́ла. *Жарг. мол.* 1. Сигнал опасности. Белянин, Бутенко, 178. 2. Сигнал ложной тревоги. Максимов, 496. 3. Об изменении ситуации в лучшую сторону, когда заканчиваются неприятности, трудности, заботы. Максимов, 496.

Шу́ба с кры́шкой. *Разг. Шутл.-ирон.* то же, что **деревянная шуба.** Елистратов 1994, 581.

Не в шу́бе де́ньги зараба́тывать. *Кар. Ирон.* О деньгах, которые нелегко заработать. СРГК 2, 189.

Не к шу́бе рука́в. 1. *Прост.* Неустроенно, не найдя своего места в жизни (жить, существовать). ФСРЯ, 396; ЗС 1996, 518. 2. *Ворон. Неодобр.* О чём-л. неправильно сделанном, неуместном, непригодном для дела. СРНГ 35, 245.

Ни в шу́бе (у шу́бы) рука́в (рукава́, рукаво́в). *Кар., Новг., Перм., Сиб.* О невыполненной работе, незавершённом к сроку деле. СРГК 5, 579; НОС 9, 156; НОС 12, 107; Сергеева 2004, 247; Подюков 1989, 233; СРНГ 35, 245.

Вы́вернуть шу́бу. *Волг. Неодобр.* Неожиданно рассердиться, вспылить. Глухов 1988, 17.

Не в шу́бу рука́в. *Сиб. Ирон.* О никчёмном человеке. СРНГ 35, 245.

Не шу́бу шить. *Волг.* О чём-л. значимом, нужном. Подюков 1989, 107.

Расстила́ть шу́бу. *Новг.* Обряд при венчании. НОС 12, 107.

Шу́бу на́ кол. *Пск.* О чьей-л. смерти. СПП 2001, 82.

Шу́бы не сошьёшь *из чего. Разг. Шутл.* О невозможности получения пользы от чего-л. ФСРЯ, 536; БМС 1998, 640; Подюков 1989, 200.

ШУБА́РКА * Надава́ть шуба́рок *кому. Пск.* Избить, поколотить кого-л. СПП 2001, 82.

ШУБНЯ́К * Шубня́к напа́л *на кого. Жарг. мол.* Кто-л. испытывает состояние страха. Афг.-2000. < Трансформация слова **шугняк** — состояние страха, дискомфорта при абстинентном синдроме.

Сесть на шубня́к. *Жарг. мол.* Испугаться. Максимов, 383.

Быть на шубняке́. *Жарг. мол.* Испытывать страх. Вахитов 2003, 23.

ШУБЛЁНЫЙ * Ни шублёного, ни дублёного, ни наря́дного, ни обря́дного. *Народн.* Об очень бедном человеке. Жиг. 1969, 355.

ШУБУРЕ́Й * Шубуре́й на ры́бьем меху́. *Забайк., Сиб.* О плохо одетом человеке. < **Шубурей** — короткая шуба, покрытая домотканым материалом. СРГЗ, 466; ФСС, 221.

ШУ́ГАНЬ * Посади́ть на шу́гань. См. **Посадить на шугняк (ШУГНЯК).**

Пробива́ет на шу́гань. См. **Пробива́ет на шугняк (ШУГНЯК)**

ШУГНЯ́К * Посади́ть на шугня́к (на шу́гань) *кого. Жарг. мол.* Сильно испугать кого-л. Максимов, 334.

Пробива́ет на шугня́к (на шу́гань) *кого. Жарг. мол.* Кто-л. испытывает страх, боится чего-л. Вахитов 2003, 149; Максимов, 345.

ШУЗ * Кирзо́вый шуз. *Жарг. мол. Шутл.-ирон.* Армия; служба в армии. Вахитов 2003, 78.

ШУ́ЙЦА * Шу́йца и десни́ца. *Разг. Устар.* Левая и правая руки. БМС 1998, 640.

ШУМ * Бе́лый шум. *Жарг. бизн.* Техника затирания фактов, состоящая в подаче большого количества материала (в т. ч. дезинформации) о деятельности фирмы с целью скрыть мотивы дезинформации. БС, 17.

Выноси́ть шум из избы́. *Пск. Неодобр.* Разглашать сведения, касающиеся внутренних раздоров, ссор, неприятностей. < **Шум** — сор, мусор. СПП 2001, 82

Зелёный шум. *Нар.-поэт.* О пробуждении природы весной. < В русском литературном языке распространилось благодаря стихотворению Н. А. Некрасова «Зеленый шум» (1863 г.).

Изобража́ть шум морско́го прибо́я. *Разг. Шутл.* 1. Не вмешиваться, притворяться посторонним. 2. Страдать рвотой. Елистратов 1994, 177.

Не шум шуми́т, не гам гами́т. *Арх.* О большом количестве чего-л., издающего шум. АОС 9, 37.

Шум шуми́т. *Сиб. Шутл.* О массовом празднике, застолье. Верш. 7, 334.

Без шу́ма и пы́ли. *Разг. Шутл.* Очень тихо, не привлекая внимания, в строжайшей тайне. БТС, 1508. < Реплика героя кинофильма «Бриллиантовая рука» («Мосфильм», 1969 г.). Дядечко 1, 45.

Мно́го шу́ма (шу́му) из ничего́. 1. *Разг.* О больших волнениях по незначительному поводу; о шумных никчёмных разговорах. БМС 1998, 641. < От названия комедии У. Шекспира (1600 г.). 2. *Шк. Шутл.-ирон.* Классный час, классное собрание. БСРЖ, 705; Bytic, 1999–2000.

Уходи́ть/ уйти́ с шу́мом. *Жарг. угол.* Скрываться с места преступления на глазах очевидцев. СРВС 4, 39, 118; ТСУЖ, 182; Балдаев 2, 98.

Задава́ть/ зада́ть шу́му *кому. Обл.* Бить, избивать кого-л. Мокиенко 1990, 47.

Наде́лать шу́му. *Разг.* Вызвать толки, разговоры, произвести сильное впечатление на окружающих. Ф 1, 311.

Ни шу́му, ни гро́му. *Арх., Сиб.* Очень тихо, спокойно. АОС 10, 75; СОСВ, 204.

ШУМЕ́ТЬ * Шуме́ть да греме́ть. *Печор.* Скандалить. СРГНП 1, 156.

ШУМИ́НА * Шуми́ны неломи́ть. *Пск. Неодобр.* Бездельничать, не работать. СПП 2001, 82. < **Шуми́на** — соринка.

ШУ́МНО * Не шу́мно, не га́мно. *Кар.* Незаметно, тихо. СРГК 1, 327.

ШУМО́К * Под шумо́к. *Разг.* Тайком, неприметно для других, пользуясь чьей-л. занятостью, суетой, суматохой. ФСРЯ, 536; ЗС 1996, 200.

ШУ́НДРЫ-МУ́НДРЫ * Собира́ть шу́ндры-му́ндры (шу́ни-му́ни). *Перм. Шутл.* Готовиться к отъезду. Подюков 1989, 192.

ШУ́НИ-МУ́НИ * Собира́ть шу́ни-му́ни. См. **Собирать шундры-мундры (ШУНДРЫ-МУНДРЫ).**

ШУ́РА * Шу́ра ве́ники лома́ла. *Сиб. Ирон.* О слабоумной женщине. СФС, 205.

ШУРУ́П * Зави́нчивать шуру́пы. *Жарг. мол. Шутл.* Ужесточать режим, вводить строгий порядок. Елистратов 1994, 145. < Трансформация выражения **завинчивать гайки.**

Сосчита́ть (пересчита́ть) все шуру́пы на обши́вке. *Жарг. арм., авиа.* О неправильно выполненном прыжке с парашютом, когда прыгающего протаскивает снизу по обшивке самолета. БСРЖ, 706.

Шуру́п отвинти́лся *у кого. Жарг. мол.* О человеке, потерявшем рассудок. Максимов, 291.

На шуру́пах. *Волг. Шутл.* О подвижном, непоседливом человеке. Глухов 1988, 94.

Шуру́пов не хвата́ет [в голове́] *у кого. Прост. Неодобр.* О глупом, несообразительном человеке. БТС, 1508.

ШУРУ́ПЧИК * Шуру́пчик с отре́занной башко́й. *Жарг. мол. Шутл.* О человеке маленького роста. Максимов, 497.

ШУРФ * Опусти́ть в шурф (в шурш) *кого. Жарг. угол.* Лишить кого-л. воровских прав, изгнать из воровской группировки. ТСУЖ, 122; Балдаев 1, 292.

ШУРШ * Опусти́ть в шурш. См. **Опустить в шурф (ШУРФ).**

ШУ́РЫ-МУ́РЫ * Заводи́ть/ завести́ (крути́ть, разводи́ть) шу́ры-му́ры *с кем. Разг.* Начать ухаживать за кем-л., вступать в интимные отношения с кем-л. ЗС 1996, 272; Ф 1, 266; Ф 2, 114; Глухов 1988, 138.

ШУТ * На кой (како́й) шут? *Прост. Груб.* Зачем, для чего, к чему? Мокиенко, Никитина 2003, 400.

Оди́н шут. *Прост. Груб.* 1. Абсолютно одно и то же; то же самое. 2. *[кому].* Абсолютно всё равно. Мокиенко, Никитина 2003, 400.

Шут Бала́кирев. *Волог. Шутл.-ирон.*- То же, что **шут гороховый 1-2**. СРНГ 2, 70.

Шут горо́ховый. *Разг.* 1. Простоватый человек, чудак, служащий своебщим посмешищем. 2. Смешно, некрасиво или старомодно одетый человек. ФСРЯ, 536; БМС 1998, 641; ЗС 1996, 371; БТС, 221, 1508.

Шут его зна́ет. *Прост.* Абсолютно ничего не известно, никто не знает о чём-л. ФСРЯ, 536. **Шут его́ ба́тька зна́ет.** *Прикам.* То же. МФС, 113.

Шут полоса́тый. *Прост. Бран.* О человеке, вызывающем гнев, негодование, возмущение. < **Шут** — первоначально — некое божество, домовой, леший. БМС 1998, 641.

Шут тебя́ (его́, вас и пр.) **возьми́ (побери́, дери́, подери́)!** *[с кем, с чем]. Прост. Бран.* 1. Выражение негодования, возмущения, недовольства, досады. 2. Выражение восторга, восхищения. Мокиенко, Никитина 2003, 400.

Како́го шута́? *Прост.* 1. Для чего, зачем? 2. Чего ещё, что ещё (надо, не хватает, недостаёт *кому*). 3. Вовсе нет, совсем нет; некого, нечего. Мокиенко, Никитина 2003, 400.

Лома́ть шута́. *Прост.* Дурачиться, паясничать. Ф 1, 285.

На шута́? *Прост.* То же, что **какого шута?** Мокиенко, Никитина 2003, 400.

Ни шута́. *Прост.* Совершенно, абсолютно ничего (не понимать, не иметь и т. п.). ФСРЯ, 523.

Разы́грывать шута́ горо́хового. *Прост.* Паясничать, дурачиться. ФСРЯ, 383.

Шута́ ко́рчить. *Пск. Неодобр.* Дурачиться, вести себя несерьёзно. СПП 2001, 82.

ШУ́ТКА * Армя́нская (грузи́нская) шу́тка. *Жарг.* Анально-генитальный контакт с женщиной. Мокиенко, Никитина 2003, 401.

Шу́тка в де́ле. *Сиб.* Легко сказать. СФС, 205; СБО-Д2, 283.

Шу́тка сказа́ть. *Разг.* Выражение почтительного, неподдельного удивления по поводу значительности чего-л. ФСРЯ, 537; БМС 1998, 641.

В шу́тках. *Дон.* То же, что **на шутках.** СДГ 3, 204.

На шу́тках. *Прикам.* Шутя, несерьёзно (сказать, назвать, спросить). МФС, 113.

Вымýчивать шу́тки. *Дон.* Шутить, веселить, развлекать кого-л. СДГ 3, 204.

Ничего́ себе́ шу́тки (хоро́шие шу́тки) — полхýя в желу́дке. *Неценз.-прост. Ирон.* 1. О человеке, слишком поздно понявшем, что его жестоко надули. 2. Дело (выдаваемое первоначально за шуточное) приняло серьёзный оборот; тут шутки плохи. Мокиенко, Никитина 2003, 401.

Предъявля́ть шу́тки. *Кар.* Шутить. СРГК 5, 141.

Хоро́шие шу́тки, — сказа́л пету́х, слеза́я с у́тки. *Вульг-прост. Шутл.-ирон.* О ситуации обмана, надувательства. Мокиенко, Никитина 2003, 401.

Шу́тки в сто́рону (прочь). *Разг.* 1. Говоря серьёзно. 2. Призыв оставить какую-л. тему, занятие. ФСРЯ, 537; БТС, 1274, 1509.

Шу́тки пло́хи *с кем, с чем. Разг.* Опасно шутить, обращаться неосторожно, невнимательно с кем-л., с чем-л. во избежание неприятных последствий. БТС, 845.

Дать (зада́ть, прописа́ть) шу́тку *кому. Яросл.* Побить, избить кого-л. ЯОС 3, 121; ЯОС 4, 68; ЯОС 8, 100.

Не на шу́тку. *Разг.* Очень сильно, основательно, всерьез. ФСРЯ, 537.

Ста́вить в шу́тку. *Пск.* Шутить. (Запись 1998 г.).

Сыгра́ть [злу́ю] шу́тку *с кем. Разг.* Зло подшутить, посмеяться над кем-л. БМС 1998, 641; Ф 2, 199; ЗС 1996, 372.

Сыгра́ть (сде́лать) кавка́зскую шу́тку *с кем. Жарг. угол.* Употребить мужчину для совокупления. Мокиенко, Никитина 2003, 401.

Кро́ме шу́ток. *Разг.* Совершенно серьёзно, в самом деле. ФСРЯ, 537.

ШУТИ́ТЬ * Не шутя́. *Разг.* Всерьез, по-настоящему. ФСРЯ, 537.

Не (ни) шутя́, не (ни) вза́быль. *Арх.* Никак, никаким способом, никаким образом. АОС 4, 46-47.

ШУ́ТХЕР * Чтоб тебя́ (его́ и т. п.) шу́тхер забра́л! *Забайк. Бран.* Восклицание, выражающее гнев, негодование, возмущение в чей-л. адрес. СРГЗ, 466.

ШУ́ХЕР * Подня́ть шу́хер. *Жарг. угол., мол.* 1. Подать сигнал об опасности. СРВС 1, 160; СРВС 4, 34, 51, 113, 144; Б., 124, 176; Быков, 213. 2. Затеять скандал. Елистратов 1994, 582; ТСУЖ, 136.

Пойма́ть шу́хер. *Жарг. угол.* Быть замеченным. ТСУЖ, 137.

Быть (стоя́ть) на шу́хере. *Жарг. угол., мол.* Стоять на страже, предупреждая сообщников об опасности. СРВС 4, 37, 117; Быков, 213; БТС, 1509; ТСУЖ, 170; Мокиенко 1986, 89; Вахитов 2003, 172.

ШУ́ШЕРА * Цветна́я шу́шера. *Жарг. мол. Презр.* Милиционер. Максимов, 466.

ШУШУ́ (ШУ-ШУ́) * [Брать/ взять] на шушу́ (шу-шу́) *кого. Жарг. угол.* Об уличной краже у разговаривающих людей. СРВС 1, 160; СРВС 2, 59, 194; СРВС 3, 107; СВЯ, 10; ТСУЖ, 116.

ШХЕ́ЛЬДА * Пойти́ (сходи́ть) на шхе́льду. *Жарг. тур.* Побывать в туалете. Максимов, 412.

ЩА * Ща бемоль. *Жарг. студ., шк. (муз.).* Фальшивая нота. (Запись 2003 г.).

ЩА́ДРЫ * Взять за ща́дры *кого. Пск.* Ограничить чью-л. свободу действий, заставить действовать определённым образом. СПП 2001, 82.

ЩЕБЛЫ́ * Щеблы́ не закрыва́ются *у кого. Новг.* О болтуне, пустомеле. НОС 12, 112. < **Щеблы** — рот.

ЩЕГОЛИ́ХА * Камча́тная щеголи́ха. *Яросл. Шутл.* Модно и богато одетая женщина. ЯОС 5, 18.

ЩЁГОЛЬ * Лесно́й щёголь. *Народн.* Юрок. СРНГ 16, 376.

Щёголь — коро́вьи но́ги. *Калуж., Курск., Вят. Шутл.-ирон.* О человеке, одевающемся безвкусно или несоответственно своему положению. СРНГ 14, 351.

ЩЕДРИ́ВО * Попа́сть в щедри́во. *Пск.* Оказаться в сложной ситуации, в беде. СПП 2001, 82.

ЩЕДРО́ТЫ * От щедро́т [свои́х]. *Разг. Устар.* В меру своей щедрости. ФСРЯ, 538.

ЩЕКА́ * Щека́ к щеке́ приросла́ *у кого. Перм. Шутл.* Об исхудавшем человеке. Подюков 1989, 234.

Ще́ка щеку́ ест *у кого. Народн. Ирон.* Об очень худом человеке. Жиг. 1969, 253; СРГМ 1980, 49.

Позвони́ть по щека́м *кому. Кар. Шутл.* Надавать пощёчин кому-л. СРГК 5, 30.

То́лько щека́ми рабо́тать. *Кар. Ирон.* Давать пустые обещания. СРГК 5, 387.

Точи́ть щека́ми. *Обл. Шутл.* Болтать, пустословить. Мокиенко 1990, 33.

Несдержи́мый в щека́х. *Печор. Флк.* О человеке, склонном к брани, ссорам. СРГНП 1, 478.

Все щёки перее́сть *кому. Кар. Неодобр.* Надоедливо приставать к кому-л. с просьбами, уговорами и т. п. СРГК 4, 443.

Дёргать за щёки *кого.* 1. *Волог. Неодобр.* Заставлять, просить кого-л. высказаться о чём-л. СРНГ 8, 9. 2. *Волг. Неодобр.* Назойливо приставать к кому-л., надоедать, докучать кому-л. Глухов 1988, 34.

Есть (уплета́ть, упи́сывать) за о́бе щеки́. *Рагз. Шутл.* С аппетитом есть что-л. РАФС, 591; ФСРЯ, 538; Ф 2, 220; СФС, 70. **Переть за о́бе щёки.** *Волг.* То же. Глухов 1988, 122. **Плести за о́бе щеки́.** *Пск. Шутл.* То же. СПП 2001, 82. **Охмина́ть за обе щёки.** *Сиб.* То же. СФС, 135; ФСС, 130.

Мозо́лить щёки. *Коми, Печор. Шутл. или Неодобр.* Много говорить, болтать. Кобелева, 67; СРГНП 1, 423.

Мочи́ть щёки. *Перм. Шутл.* Плакать. Подюков 1989, 1989, 117.

Надува́ть щёки. *Прост. Неодобр.* Выражать крайнее неудовольствие, раздражаться, сердиться. Мокиенко 2003, 147.

Не за си́ние щёки. *Сиб.* Заслуженно, не просто так. СФС, 124.

Разгово́рные щёки *у кого. Кар. Шутл.* О словоохотливом, разговорчивом человеке. СРГК 5, 406.

Раздува́ть щёки. *Разг. Шутл.* Делать важный вид. Смирнов 2002, 270.

Щёки бря́кают *у кого. Кар.* О внешнем виде здорового, полного сил человека. СРГК 1, 127.

Щёки разве́сить. *Прибайк.* Стать полным, упитанным (о человеке). СНФП, 156.

Щёки хотя́т ло́пнуть *[у кого]. Разг.* О толстощёком, полном человеке. РАФС, 591.

За щеко́й не де́ржится *у кого. Кар.* О человеке, который любит много говорить. СРГК 1, 455.

Лома́ть щеко́й. *Кар. Неодобр.* Говорить неправильно, не так, как принято. СРГК 3, 143.

Брать/ взять (тащи́ть) за щёку *кого. Жарг. угол., гом., мол.* Совершать с кем-л. половой акт оральным способом (в т. ч. в порядке принуждения). СВЯ, 10; Б., 152; ТСУЖ, 23, 31; Балдаев 1, 45; Балдаев 2, 75; УМК, 253; ББИ, 32, 242; Максимов, 43. // Принуждать кого-л. заниматься оральным сексом. Б., 152.

Залива́ть (лить) за щеку́. *Кар., Пск.* Много пить, пить запоем. СРГК 3, 131; ПОС 11, 294.

Лома́ть (ломи́ть) щеку́ (щёку). *Печор.* Говорить не по-местному, акать. СРГНП 1, 391.

ЩЁЛК * Щёлк в щёлк. *Волг. Одобр.* Точно, аккуратно. Глухов 1988, 177.

ЩЁЛКА * Гото́в в щёлку зале́зть. *Сиб.* 1. О человеке, испытывающем трудности, большую нужду. 2. О чрезмерно угодливом человеке. ФСС, 48.

ЩЕЛКИ́ * Щелки́ по щелки́. *Печор.* О сильном, трескучем морозе. СРНГП 2, 458.

ЩЕЛЧО́К * Ходи́ть на щелчка́х. *Сиб.* 1. Приплясывать. 2. Быть бодрым, жизнерадостным, не унывать. СФС, 122.

ЩЕЛЬ * Замкну́ть щель. *Жарг. мол.* Замолчать. Максимов, 145.

Срамна́я щель. *Книжн.* Щелевидное пространство, ограниченное с боков большими срамными губами (женского полового органа). Мокиенко, Никитина 2003, 402.

ЩЕМИ́ЛА * Брать/ взять в щеми́ла (щеми́лы) *кого. Сиб.* Подчинять кого-л. своей воле; сурово, строго обращаться с кем-л. ФСС, 26; Мокиенко 1990, 138.

ЩЁМЫ * Попада́ть/ попа́сть в щёмы. *Обл.* Оказываться в сложном, безвыходном положении. Мокиенко 1990, 138.

ЩЕНО́К * Брать/ взять борзы́ми щенка́ми. *Разг. Ирон.* Брать взятки (при этом берущий в своё оправдание говорит, что берёт не деньгами, а натурой. < Выражение из комедии Н. В. Гоголя «Ревизор» (1836 г.). БМС 1998, 642.

В щенка́х заморо́жен. *Народн. Ирон. или Пренебр.* О человеке, который смолоду глуп. ДП, 436.

ЩЕ́ПКА * Ще́пка к ще́пке (на ще́пку). *Новг.* О любви, знакомстве. НОС 12, 115.

Довести́ до ще́пки *кого. Новг.* Довести кого-л. до духовного и физического истощения. Сергеева 2004, 181-182.

Дойти́ до ще́пки. *Новг.* Быть близким к смерти. НОС 2, 90.

Разноси́ть в ще́пки *кого, что. Разг.* Полностью уничтожать кого-л., разбивать что-л. Ф 2, 116.

Ревни́вый до ще́пки. *Дон. Неодобр.* Об очень ревнивом человеке. СРНГ 35, 9; СДГ 3, 90.

Ще́пки не ло́мить. *Новг. Неодобр.* Бездельничать. НОС 12, 116.

ЩЕПО́ТА * Щепо́та тебе́ в ру́ки (в шары́, на язы́к)! *Прикам., Перм. Бран.* Недоброе пожелание человеку, вызывающему досаду, раздражение, возмущение. СПГО, 701; МФС, 113; СРНГ 35, 241.

ЩЕТИ́НА * Воткну́ть щети́н *кому.* 1. *Пск.* Выпороть, высечь кого-л. СРНГ, 5, 158. 2. *Перм.* Причинить неприятности кому-л. Подюков 1989, 187.

Быть в щети́не, а стать в пуху́. *Дон.* Разбогатеть. СДГ 3, 205.

Ежо́вой щети́ной обро́с. *Народн. Неодобр.* Об упрямом человеке. ДП, 210.

Вкру́чивать/ вкрути́ть щети́ну *кому. Волг.* Строго наказывать кого-л. Глухов 1988, 12.

Выставля́ть/ вы́ставить щети́ну. *Пск.* Противиться, сопротивляться, защищаться (Копаневич). СПП 2001, 82.

Повыдёргивать щети́ну *кому. Сиб.* Отобрать, изъять у кого-л. что-л. СОСВ, 205.

Поднима́ть / подня́ть щети́ну. *Разг. Устар.* Сердиться, злиться на кого-л. Ф 2, 58.

ЩЕТИ́НКА * Вкру́чивать/ вкрути́ть щети́нку *кому. Дон.* Ругать, отчитывать кого-л. СДГ 1, 68.

Воска́ть щети́нку *кому.* 1. *Сиб.* Доставлять неприятности кому-л. ФСС, 31; СРНГ 5, 134; СФС, 44. 2. *Волг.* Строго наказывать кого-л. Глухов 1988, 14.

Срыва́ть/ сорва́ть золоту́ю щети́нку *с чего. Прост. Устар.* Наживаться на чём-л., получать доход, прибыль. Ф 2, 180.

Сучи́ть/ всучи́ть (ссучи́ть) щети́нку. 1. *кому. Народн.* Наказывать, бить кого-л., расправляться с кем-л. ДП, 221; СПП 2001, 221; Мокиенко 1990, 60. 2. *кому. Жарг. угол.* Душить жертву ремнём, верёвкой. ББИ, 296; Балдаев 2, 175. 3. *кому. Разг. Устар.; Жарг. угол.; Перм.* Доставлять неприятности кому-л. Ф 1, 86; ББИ, 296; Балдаев 2, 175; Мильяненков, 286; Подюков 1989, 187. 4. *во что. Разг. Устар.* Делать какое-л. колкое замечание, язвить. Ф 1, 86.

ЩЁТКА * Принима́ть/ приня́ть в две щётки *кого. Обл.* Избивать кого-л. Мокиенко 1990, 58.

Сесть на щётки. *Приамур., Сиб.* Состариться, ослабеть. СРГП, 271; Верш. 7, 338.

Вычища́ть/ вы́чистить щётку. *Приамур.* Выкорчёвывать кустарник, молодую поросль деревьев на месте, отведённом под пашню. СРГП, 53.

Коси́ть под щётку. *Новг.* Скашивать траву низко, под самый корень; делать низкий срез травы. НОС 12, 116.

Копа́ть щётку. *Сиб.* То же, что **вычищать щётку.** ФСС, 95.

Крыть под щётку. *Спец. Устар.* Укладывать солому на крыше гладкими, ровными связками. Ф 2, 267.

Чи́стить щётку. *Прибайк.* Корчуя пни, готовить землю под пашню. СНФП, 157.

ЩЕТЬ * Лезть в щеть. *Сиб.* Агрессивно реагировать на что-л., начиная ссору; ощетиниваться. ФСС, 105.

ЩЁЧКА * Закла́дывать за щёчку. *Прибайк. Шутл.* Выпивать, пьянствовать. СНФП, 157.

ЩИ * Настуча́ть по щам *кому. Жарг. мол.* Избить кого-л. Gaz-2004.

Быть во щах и в ка́ше. *Волг. Шутл.* Многое испытать, быть опытным. Глухов 1988, 8.

Ули́ть щей на ло́жку *кому. Обл. Шутл.* Избить кого-л. Мокиенко 1990, 60.

Быть чем щи налива́ют (развлива́ют). *Перм., Пск. Ирон.* Быть безвольным, несамостоятельным. Подюков 1989, 20; СПП 2001, 82.

Ки́слые щи. *Жарг. мол.* Депрессия, подавленное состояние. Вахитов 2003, 78.

Проли́ть щи. *Волг.* Поссориться с кем-л. Глухов 1988, 135.

Хлеба́ть щи. 1. *Жарг. угол., арест. Шутл.-ирон.* Отбывать срок наказания в ИТУ. 2. *Разг. Неодобр.* Находиться в глупом положении, в неприятной ситуации. ББИ, 296; Балдаев 2, 175.

Хлеба́ть щи ото́пком. *Новг. Ирон.* Жить в крайней бедности. Сергеева 2004, 226. < **Отопок** — сношенный лапоть.

Щи да ка́ша. *Народн.* Старинные названия русских горячих блюд, издавна распространённых в народе и ставших символом русской кухни. БМС 1998, 642.

Щи — хоть но́ги полощи́. *Жарг. арм., курс. Шутл.-ирон. или Пренебр.* О жидком супе в столовой. Кор., 339.

Щи — хоть рот полощи́. *Шутл.-одобр.* Об очень вкусных щах. (Запись 1998 г.).

Щи — хоть штаны́ полощи́. *Шутл.-неодобр.* Об очень невкусных, неаппетитно выглядящих щах. (Запись 1976 г.).

Э́ти щи из Царягра́да пе́ши шли. *Народн. Ирон.* Об испортившихся щах, об испортившейся пище. ДП, 813.

ЩИПАЧИ́ХА * Дава́ть/ дать щипачи́ху *кому. Прост.* Наказывать кого-л. Ф 1, 140.

ЩИПО́К * Не вида́ть щипка́. 1. *Прикам. Одобр.* Жить в семье дружно, в согласии. МФС, 18. 2. *Волг.* Жить под защитой, опекой кого-л. Глухов 1988, 95.

Щипко́м прищипа́ло *кого. Кар.* О человеке, очень сильно замёрзшем, продрогшем на морозе. СРГК 5, 231.

На щипо́к. *Пск.* 1. Легко одетым (ходить). 2. О модном фасоне одежды. СПП 2001, 82.

ЩИПЦЫ́ * Жить на свои́х щипца́х. *Морд.* Зарабатывать прядением и вязанием. СРГМ 1980, 60.

ЩИТ * Поднима́ть/ подня́ть на щит *кого, что. Книжн.* Возвеличивать, расхваливать кого-л. БМС 1998, 642; ФСРЯ, 538; БТС, 873; Мокиенко 1990, 117, 129; ФМ 2002, 638.

Со щито́м и́ли на щи́те. *Книжн.* Оказаться победителем или погибнуть со славой; добиться цели или потерпеть полную неудачу. БМС 1998, 642; ФСРЯ, 538; ЗС 1996, 438.

ЩУ́КА * Щу́ка шибе́рная. *Жарг. угол., нарк.* Крупный торговец наркотиками. ТСУЖ, 205.

К щу́ке в пасть. *Прост. Шутл.* На верную гибель. БТС, 786.

Бро́сить щу́ку в ре́ку. 1. *Разг.* Освободить виновного от заслуженной кары (как правило — сделав вид, что он наказан). Мокиенко 1990, 92; Янин 2003, 40. < Восходит к басне И. А. Крылова «Щука» (1830 г.). 2. *Жарг. угол., арест.* Освободить досрочно вора, не отказавшегося от преступных намерений. ТСУЖ, 24.

Пойма́ть щу́ку с ру́ку. *Новг. Шутл.* Предпринять удачное, выгодное дело. Сергеева 2004, 210.

Пойма́ть щу́ку с я́йцами. *Пск. Шутл.* Не поймать никакой рыбы. СПП 2001, 84.

Утопи́ть щу́ку. *Народн. Ирон.* Принять меры, ни к чему не ведущие. ДП, 639, 660.

ЩУП * Взять в щуп *кого. Новг.* Подчинить кого-л. своему влиянию. НОС 1, 125.

На щуп. *Жарг. карт.* Об игре в карты, на которых метка нащупывается пальцами. ТСУЖ, 116; СРВС 1, 160; СРВС 2, 59; Грачев 1997, 113.

ЩУ́ЧКА * Щу́чка съе́ла *что. Волг. Шутл.* Об истраченных, израсходованных деньгах. Глухов 1988, 177.

Со щу́чки одни́ щёчки ку́шает. *Народн. Неодобр.* О капризном, привередливом человеке. ДП, 817.

ЭВГЛЕ́НА * Эвгле́на зелёная. *Жарг. шк. Презр.* Учительница биологии. Humor-2002.

ЭГИ́ДА * Под эги́дой. *Книжн.* Под защитой, под покровительством кого-л. БТС, 1513; Мокиенко 1990, 121–122. < В греч. мифологии **эгида** — щит верховного божества Зевса. БМС 1998, 644.

Э́ДИК * Звать (вызыва́ть/ вы́звать) Э́дика. *Жарг. мол.* 1. Страдать рвотой (как правило — после большого количества выпитого спиртного). 2. Провоцировать рвоту. Максимов, 75, 152, 325.

ЭКВА́ТОР * Сиде́ть на эква́торе. *Жарг. морск. Устар.* Быть без денег. ДП, 89; БМС 1998, 644.

ЭКЛЕ́Р * Экле́р напа́л *на кого. Жарг. мол. Шутл.* Кто-л. не может вспомнить чего-л. Никитина 2003, 840. < По созвучию со словом **склероз.**

ЭКРА́Н * Свали́ть с экра́на. *Жарг. шк.* Отойти от доски. Никитина 1998, 538.

Стере́ться с экра́на, *чаще в форме повел. накл. Жарг. мол.* Уйти откуда-л. Никитина 2003, 841.

ЭКОНО́МИЯ * Эконо́мия на спи́чках. *Разг. Шутл.-ирон.* О ничтожно малой, пустяковой экономии. ОШ, 940.

ЭКРА́Н * Голубо́й экра́н. *Публ.* О телевизоре. НСЗ-60; Мокиенко 2003, 147.

ЭКСПЕДИ́ЦИЯ * Пропа́вшая экспеди́ция. *Жарг. курс. Шутл.* Патруль, который ушёл следить за курсантами в увольнении и не вернулся вовремя. БСРЖ, 710.

ЭКСПОНА́Т * Экспона́т с клешнёй. *Жарг. мол. Шутл.-ирон.* Памятник Ленину у Финляндского вокзала. Синдаловский, 2002.

Э́КСПОРТ * Бро́совый э́кспорт. *Жарг. бизн.* Продажа экспортируемых товаров по очень низким ценам с целью захвата внешних рынков. БС, 22.

ЭКСТА́З * Сольёмся в экста́зе. *Разг. Шутл.-ирон.* 1. Предложение вступить в половую связь. 2. Предложение к совершению чего-л. интенсивного, требующего большой отдачи сил, эмоций, нервной энергии. < Фраза из русской версии английской кинокомедии «Мистер Питкин в тылу врага», популярной в 60-е гг. Мокиенко, Никитина 2003, 403.

ЭЛЕМЕ́НТ * Несозна́тельный элеме́нт. *Сов. Неодобр.* О несознательных, идеологически неблагонадёжных людях. РАФС, 591.

Пя́тый элеме́нт. *Жарг. шк. Шутл.* 1. Шпаргалка. Никитина 2003в, 217. 2. Учительница химии. ВМН 2003, 156. < По названию кинофильма.

В элеме́нте. *Жарг. мол.* Элементарно, просто (говорится в знак согласия. Елистратов 1994, 586; Никитина 1998, 538; VSEA, 250.

Разлага́ться/ разложи́ться на элеме́нты. *Разг. Шутл.-ирон.* 1. Доходить до полного морального упадка, опускаться. 2. Умирать, погибать. Мокиенко 2003, 148.

ЭЛЕ́Н * Эле́н и ребя́та. *Жарг. мол. Шутл.* Сигареты L&M. < По названию французского телесериала. Максимов, 500.

ЭЛИКСИ́Р * Же́нский эликси́р. *Жарг. мол. Шутл.* Сперма. УМК, 254; Балдаев 1, 129; ББИ, 78.

Жи́зненный эликси́р. См. **Эликсир жизни.**

Эликси́р бо́дрости. *Жарг. мол.* То же, что **женский эликсир.** ББИ, 298.

Эликси́р жи́зни (жи́зненный эликси́р). *Книжн.* 1. *Устар.* Чудодейственный напиток, который пытались получить средневековые алхимики для сохранения молодости. Ф 2, 268. 2. О том, что бодрит, придаёт силы. БМС 1998, 644; БТС, 1521; Мокиенко 2003, 148.

ЭЛЕКТРОВЕ́НИК * Прики́дываться электрове́ником. *Жарг. мол. Шутл.* Изображать недоумение, непонимание. Максимов, 340.

Э́ЛЛИН * Нет ни э́ллина ни иуде́я. *Книжн.* Все люди равны для кого-л., чего-л. < Выражение из Евангелия. (Гал., 3, 27-28). РКФС, 687; БМШ 2000, 322.

Э́ЛТОН * Э́лтон Джон. *Жарг. мол. Шутл.* Мужской половой орган. Щуплов, 54. < Э. Джон — известный поп-певец.

ЭЛЬ * Све́тлый эль. *RPG.* Чай. БСРЖ, 711.

Тёмный эль. *RPG.* Кофе. БСРЖ, 711.

Э́МЕРСОН * Э́мерсон лёг и по́мер. *Жарг. мол. Шутл.* Рок-группа E.L.P.-Emerson Like * Palmer. БСРЖ, 711.

ЭМПИРЕ́И * Вита́ть в эмпире́ях. *Книжн. Неодобр.* Предаваться бесплодным фантазиям, мечтать, жить в отрыве от реальности. Ф 1, 65. < **Эмпирей** в греческой мифологии — самая верхняя часть неба, где обитают боги. БМС 1998, 644; ФСРЯ, 538.

Э́НГЕЛЬС * Э́нгельс твою́ Маркс! *Разг. Эвфем. Шутл.-ирон.* Восклицание, выражающее досаду, раздражение, негодование. Мокиенко, Никитина 1998, 676. < Ф. Энгельс, один из основоположников теории научного коммунизма.

ЭНТИ́ * Под энтя́ми. *Жарг. комп.* О работе в системе Windows NT, о программе для Windows NT. БСРЖ, 711.

ЭНЦИКЛОПЕ́ДИЯ * Мирова́я энциклопе́дия. *Жарг. шк. Шутл.-одобр.* Отличник; умный, эрудированный ученик. Максимов, 248.

Ходя́чая энциклопе́дия. *Разг. Шутл.* О человеке, осведомлённом в самых разных областях знания, могущем дать справку по любому вопросу. БМС 1998, 644; ФСРЯ, 538; БТС, 1523; Максимов, 462.

Энциклопе́дия «Что? Где? Когда?». *Жарг. шк.* Дневник. (Запись 2003 г.).

ЭПОЛЕ́ТЫ * С эполе́тами. *Разг. Шутл.* О половом акте, когда ноги партнёрши лежат на плечах партнёра. Флг., 100.

ЭРО́ТИКУС * Эротикус недоста́тикус. *Жарг. мол. Шутл.* О сексуально неудовлетворённом человеке. Максимов, 500.

Э́РА * Открыва́ть / откры́ть но́вую э́ру. *Книжн.* Знаменовать собой новый этап в развитии чего-л. Ф 2, 27.

Э́РЫ * Задава́ть э́ры. *Книжн. Устар.* Важничать, вести роскошную жизнь. < От франц. *donner de grands aires* — «жить на широкую ногу'. БМС 1998, 645.

ЭСКАДРИ́ЛЬЯ * Ко́жаная эскадри́лья. *Жарг. авиа.* О лётчиках, допущенных к полётам за границу. Максимов, 186.

ЭСКИ́З * Эски́з к портре́ту. *Публ.* 1. Небольшой публицистический очерк о каком-л. интересном человеке. 2. Краткая, сжатая информация о каком-л. событии, явлении, факте. Мокиенко 2003, 148.

ЭСКИМО́С * Эскимо́су по но́су. *Кар. Шутл.* О сильном морозе. СРГК 4, 43.

ЭСТАФЕ́ТА * Рабо́чая эстафе́та. *Публ. Устар.* Об одном из видов социалистического соревнования. БМС 1998, 645.

Передава́ть/ переда́ть (донести́) эстафе́ту. 1. *Книжн.* Передавать что-л., не прекращая движения вперёд. БМС 1998, 645. 2. *Публ.* Передавать кому-л. свой опыт. ФМ 2002, 639. 3. *Жарг. мол.* Передавать кому-л. партнершу при групповом половом сношении. Никитина 2003, 845. 4. *Жарг. мол.* Заража́ть кого-л. венерическим заболеванием. Максимов, 308.

Принима́ть/ приня́ть эстафе́ту. 1. *Книжн.* Продолжать чьи-л. начинания, традиции. ФСРЯ, 538; БМС 1998, 645; Мокиенко 1990, 129; ФМ 2002, 641; 2. *Жарг. мол.* Продолжать в порядке очереди половое сношение с общей партнёршей. Никитина 2003, 845. 3. *Жарг. мол.* Заражаться венерическим заболеванием. Максимов, 341.

ЭТА́Ж * Ни́жний эта́ж. *Разг. Шутл.* Половые органы, нижняя часть тела. УМК, 255. // Женские половые органы. БСРЖ, 712.

Загиба́ть/ загну́ть в три этажа́. *Прост. Неодобр.* О грубой брани, ругани. Мокиенко, Никитина 2003, 404.

В три этажа́, четвёртым не покры́ть. *Сиб. Неодобр.* То же. ФСС, 144.

Рабо́тать в ве́рхнем этаже́. *Жарг. гом.* Быть активным участником орального сношения. Кз., 42.

Загиба́ть/ загну́ть в семь (де́сять) этаже́й. *Прост.* То же, что **загибать в три этажа.** Мокиенко, Никитина 2003, 404.

Ве́рхние этажи́ вла́сти. *Публ.* О высших структурных подразделениях иерархической системы управления. СП, 252; Мокиенко 2003, 149.

ЭТА́П * Настро́ить эта́п *кому. Жарг. угол. Шутл.* Прогнать кого-л. СРВС 1, 24, 26.

Пойти́ по эта́пу. *Жарг. спорт. (бокс).* Нанести серию ударов. (Запись 2001 г.).

По эта́пу. *Разг.* Под конвоем, этапным порядком (гнать, вести и т. п.). ФСРЯ, 538.

Пройти́ по эта́пу. *Жарг. нарк.* Закончить курс лечения в наркологической клинике. Максимов, 346.

Э́ТО * Про э́то. *Публ. Эвфем.* Об информации, рекламе и т. п., связанных с сексуальной жизнью, любовью. Мокиенко, Никитина 2003, 404.

ЭТЮ́Д * Крути́ть этю́д. *RPG.* Совершать игровые действия, импровизируя на заданную «мастером» тему. БСРЖ, 712.

ЭФИО́П * Эфио́п твою́ мать! *Жарг. мол. Эвфем. Шутл.* Выражение крайнего раздражения, возмущения. < Трансформация бранного выражения **Ёб твою мать!** Мокиенко, Никитина 2003, 404.

ЭФИ́Р * Раствори́ться в эфи́ре. *Жарг. мол. Шутл.-ирон.* Умереть. Максимов, 362.

ЭФФЕ́КТ * Производи́ть/ произвести́ эффе́кт. *Разг.* Нравиться кому-л., производить впечатление на кого-л. БМС 1998, 645.

Эффе́кт каска́да. *Публ.* Следствие жёсткой взаимозависимости, взаимообусловленности каких-л. процессов, видов деятельности, объектов производства. Мокиенко 2003, 149.

Эффе́кт разорва́вшейся бо́мбы. *Публ.* Мощное эмоциональное потрясение как реакция на какое-л. сообщение, событие, действие. Мокиенко 2003, 149.

Эффе́кт сне́жного ко́ма. *Публ.* Следствие неизбежного и прогрессирующего возрастания, увеличения чего-л. Мокиенко 2003, 149.

ЭШАФО́Т * Идти́/ пойти́ (всходи́ть/ взойти́) на эшафо́т. *Книжн.* 1. Приносить себя, свою жизнь в жертву чему-л. 2. Рисковать своей карьерой, благополучием. Мокиенко 2003, 149.

Быть под эшафо́том. *Жарг. угол., Разг.* Быть под судом, под следствием. Елистратов 1994, 587.

ЭШЕЛО́Н * Второ́й эшело́н. *Публ.* Второстепенные по степени значимости, влиянию правящие органы, государственные структуры, лица. Мокиенко 2003, 149.

Ве́рхние (вы́сшие) эшело́ны [вла́сти (па́ртии, госуда́рства)]. *Публ.* Правящие органы, лица, непосредственно стоящие у власти. Мокиенко 2003, 149.

Эшело́ны вла́сти. *Публ.* О структурах, подразделениях иерархической структуры управления. СП, 252; БТС, 1528; Мокиенко 2003, 149.

Ю́БКА * Ситóвая ю́бка набекре́нь. *Сиб. Ирон. или Пренебр.* О немодной одежде. ФСС, 222.

Ю́бка ло́пается *у кого. Жарг. мол. Шутл.* О сильном желании сходить в туалет. Максимов, 226.

кто **В ю́бке**. *Разг. Ирон. или Шутл.* О женщине, которая занимается каким-л. мужским делом, напоминает по поступкам какого-л. мужчину. Мокиенко, Никитина 2003, 404.

Выпры́гивать/ вы́прыгнуть из ю́бки. *Жарг. мол. Шутл.* Очень стараться, прикладывать много усилий для достижения цели. Максимов, 76.

Трепа́ть ю́бки. *Разг. Неодобр. Устар.* Вести распутную жизнь (о женщине). ФСРЯ, 481. **Трепа́ть ю́бкой.** *Волг. Неодобр.* То же. Глухов 1988, 161.

Ю́бки вы́ше гу́бки. *Прост. Шутл.* О чрезмерно коротких мини-юбках. Мокиенко 2003, 150.

Бе́гать (гоня́ться) за ка́ждой ю́бкой. *Разг. Шутл.* Активно ухаживать за женщинами. (Запись 1979 г.).

Трясти́ ю́бкой *[перед кем, за кем]. Разг.* Флиртовать, показывать свою сексуальную заинтересованность в ком-л. Мокиенко, Никитина 2003, 404.

Держа́ться за [ба́бью] ю́бку. *Разг. Неодобр.* Быть в полном подчинении у женщины, в полной зависимости от неё. ФСРЯ, 138; ЗС 1996, 73.

Держа́ться за ма́мину (ма́мкину) ю́бку. *Разг. Неодобр.* Быть несамостоятельным (о взрослом сыне). ЗС 1996, 150, 499; Ф 1, 161.

Лезть/ зале́зть (поле́зть) под ю́бку *кому.* 1. *Прост. Неодобр.* Грубо и вульгарно ухаживать за женщиной. Мокиенко, Никитина 2003, 405. 2. *Разг. Шутл.-ирон.* Переходить на фамилию жены при заключении брака. Балдаев 1, 144.

Наде́ть ю́бку *кому. Жарг. угол., арест.* Изнасиловать кого-л. (о гомосексуальном акте). Балдаев 1, 267; ББИ, 149.

Оде́ть ю́бку в поло́ску. *Жарг. мол. Шутл.* Напиться пьяным. Максимов, 285.

Сшей ю́бку. *Жарг. мол.* Совет хоккейному вратарю, который пропустил шайбу между щитков. Максимов, 413.

Цепля́ться за ка́ждую ю́бку. *Разг. Шутл.* Активно ухаживать за женщинами. Глухов 1988, 170.

ЮДО́ЛЬ * Юдо́ль пла́ча (печа́ли, слёз). *Книжн.* Земная жизнь с её горестями и страданиями. < Выражение из Библии. БМС 1998, 646.

ЮЗОМ * Идти́ ю́зом. *Жарг. угол., арест.* Совершить побег. ТСУЖ, 206.

Маха́ть ю́зом. *Жарг. угол.* Ползти. ББИ, 300; Балдаев 2, 183.

Ю́ЛЫ * Ю́лы в голове́ *у кого. Пск.* О ветреном человеке. Доп., 1858.

Ю́МОР * Ю́мор ви́сельника. *Разг. Ирон.* Шутки, остроты человека, находящегося в безвыходном положении. БТС, 1529.

Ю́НОША * Архи́вные ю́ноши. *Книжн. Шутл.* О людях, работающих с бумагами, книгами. < Приятель А. С. Пушкина библиофил С. А. Соболевский назвал архивными юношами группу философствующих дворян (20-е гг. XIX в.).

Ю́РА * Ю́ра Архи́пов. *Жарг. мол. Шутл.* Рок-группа Uriah Heep. Никитин, 1996, 255.

Ю́ра охри́п. *Жарг. мол. Шутл.* То же, что **Юра Архипов**. Я — молодой, 1995, № 6.

Ю́РИЙ * На ма́ленького Ю́рия. *Одесск. Шутл.* Неизвестно когда; никогда. КСРГО.

ЮС * Юс большо́й. *Жарг. мол. Шутл.* Пенис большого размера. Максимов, 501.

Юс ма́лый. *Жарг. мол. Шутл.* Пенис небольшого размера. Максимов, 501.

Ю́сы стро́ить. *Разг. Устар.* Подстраивать хитроумные судейские уловки, быть крючкотвором. < **Юс** — перен. ‘приказной крючок’. БМС 1998, 646.

ЮХ * Ни юх ни ры́ба. *Пск. Неодобр.* О чём-л. бесполезном, ненужном. СПП 2001, 83. < **Юх** — уха.

ЮХТ * Сби́ться с ю́хту. *Новг.* 1. Прийти в замешательство. НОС 12, 120. 2. Сильно устать. Сергеева 2004, 242.

Ю́ШКА * Пусти́ть ю́шку *кому. Жарг. угол.; Прост.* Избить кого-л. до крови. Б., 168; Быков, 217; Ф 2, 107; Елистратов 1994, 589; Глухов 1988, 137. < **Юшка** — кровь.

Я * Без меня́ меня́ жени́ли. *Разг. Шутл.* О ситуации, когда кому-л. поручено что-л. без его ведома, согласия. БТС, 302; ФСС, 70; Жук. 1991, 39; СПП 2001, 83.

Меня́ не жда́ли, а я припёрлася. *Жарг. студ. Шутл.-ирон.* О декане факультета. (Запись 2003 г.).

Не тронь меня́ (не-тро́нь-меня́). *Сиб.* Растение чертополох. Верш. 7, 87.

Позови́ меня́ с собо́й. *Жарг. шк. Шутл.* Прогул всем классом. ВМН 2003, 156. < По названию популярной песни А. Пугачевой.

А́хти мне! *Сиб.* Восклицание, выражающее досаду, сожаление, удивление. СФС, 17.

Счита́й на мне, а получа́й на пне. *Сиб.* О безнадёжном должнике. СРНГ 25, 346.

За мной не гоня́ет. *Дон.* Мне некуда торопиться. СРНГ 7, 15.

За мной не пропадёт. *Разг.* Обещание отплатить, расплатиться с кем-л. Подюков 1989, 103.

А я беда́ (страсть, ши́бко) зна́ю? *Сиб.* Абсолютно, совсем не знаю чего-л., о чём-л. ФСС, 83.

Будь я три́жды про́клят! *Разг.* Клятвенное заверение в чём-л. ФСРЯ, 538.

Про́сто Я. *Жарг. студ. Шутл.-ирон.* Преподаватель, рассказывающий на лекциях о своих достижениях в науке. (Запись 2003 г.).

Чтоб я так жил! *Разг.* Клятвенное заверение в истинности сказанного. Смирнов 2002, 254.

Я не я. *Волг. Неодобр.* О высокомерном, заносчивом человеке. Глухов 1988, 176.

Я не я бу́ду. *Разг.* Выражение решительного намерения сделать что-л. ФСРЯ, 538.

Я те дам. *Волг., Сиб. Одобр.* 1. О сильном, крепком человеке. 2. О чём-л. добротном, качественном. Глухов 1988, 178; ФСС, 223.

Я́БЛОКО * В я́блоках. *Разг.* С круглыми тёмными пятнами на шерсти (о лошади). БТС, 1530.

Ада́мовы я́блоки. *Жарг. мол. Шутл.* Мошонка. Мокиенко, Никитина 2003, 405.

Дели́ть я́блоки. *Одесск.* Ссориться. КСРГО.

Помы́ть я́блоки. *Жарг. мол. Шутл.* Помочиться (о мужчине). Вахитов 2003, 139.

Я́блоки Геспери́д. *Книжн.* О запретном плоде, о чём-л. трудно достижимом. < Из греческой мифологии. БМС 1998, 647.

Я́блоки па́дают (сы́плются). *Жарг. мол. Шутл.-ирон.* О крупном скандале. WMN, 116.

Ада́мово я́блоко. *Книжн.* Кадык. БТС, 1530; ШЗФ 2001, 14; Янин 2003, 12. < Калька с нем. *Adamsapfel.* БМС 1998, 647.

Вкуси́ть я́блоко зла и добра́. *Горьк.* Познать плохое и хорошее. БалСок, 27.

Волчи́ное я́блоко. *Брян.* Нарост на коре дуба в виде круглой шишки. СБГ 3, 46.

Глазно́е я́блоко. *Спец. (мед.).* Шарообразное тело глаза. БТС, 1530.

Земляно́е я́блоко. *Алт., Волог.; Яросл.* Картофель. СРГА 2-I, 162; СВГ 2, 169; ЯОС 4, 320.

Смеси́ть в го́рькое я́блоко *кого, что. Пск.* Разрушить что-л., разбомбить кого-л., что-л. СПП 2001, 83.

Съесть я́блоко. *Книжн.-поэт. Эвфем.* Согрешить, стать физически близкими. Мокиенко 2003, 150.

Я́блоко раздо́ра (Эри́ды). *Книжн.* Повод, причина ссоры, спора, серьёзных разногласий. БТС, 1530. < Из греческой мифологии, где **Эрида** — богиня раздора. БМС 1998, 647.

Я́блоко с червото́чинкой. *Новг. Неодобр.* О человеке, небезупречном в нравственном отношении (чаще — о девушке). Сергеева 2004, 205.

Ки́слому я́блоку не прокати́ться. *Новг.* То же, что **яблоку негде упасть.** Сергеева 2004, 160.

Я́блоку не́где упа́сть. *Разг.* О большом скоплении народа, тесноте. ДП, 555; ФСРЯ, 539; БТС, 1391, 1539; БМС 1998, 647; СОСВ, 205. **Я́блоку не́куда упа́сть.** *Пск.* То же. СПП 2001, 83.

Я́БЛОЧКО * С я́блочками. *Сиб.* То же, что **в яблоках (ЯБЛОКО).** Верш. 7, 349.

Бо́говы (бо́жьи) я́блочки. *Дон.* 1. *Устар.* Плоды китайской яблони. 2. Яблоки, освященные в церкви в Третий Спас. 3. *Устар.* То же, что **огородные яблочки.** СДГ 1, 32.

Огоро́дные я́блочки. *Дон.* Помидоры. СРНГ 22, 349.

Брать/ взять (хвата́ть/ схвати́ть) за я́блочко *кого. Прост. Шутл.* 1. Ставя кого-л. в трудные условия, заставлять что-л. сделать. 2. Взыскивать с кого-л. со всей строгостью, привлекать к ответственности. Подюков 1989, 25; Мокиенко, Никитина 2003, 405.

Попада́ть/ попа́сть в [са́мое] я́блочко. 1. *Разг. Одобр.* Точно, правильно говорить, угадывать что-л.; делать, говорить то, что нужно, в нужный момент. Ф 2, 74; БМС 1998, 647; Ф 2, 74. 2. *Жарг. мол. Шутл.* Совершать половой акт с кем-л. Максимов, 331.

ЯВИ́ТЬСЯ * Яви́лся еси́. *Разг.* Наконец-то пришёл (с коннотацией недовольства). < Ироническая стилизация книжных выражений. БМС 1998, 648.

Яви́лся — не запыли́лся. *Прост. Неодобр.* О нежелательном приходе кого-л. Ф 2, 270; НСЗ-70; БМС 1998, 648; Ф 2, 70; ЗС 1996, 502.

ЯВЛЕ́НИЕ * Явле́ние Христа́ наро́ду. *Жарг. мол. Шутл.* О приходе нежданных гостей. < По названию картины художника А. А. Иванова (1837–1857 гг.). Максимов, 502.

Я́ВЫ * В я́вах. *Прикам.* Открыто, не скрывая чего-л. МФС, 114.

Я́ГОДА * Волчи́ная я́года. *Дон.* То же, что **волчьи ягоды.** СДГ 1, 76.

Кони́на я́года. *Кар.* Бузина. СРНГ 14, 257.

Медве́жья я́года. *Прикам.* То же, что **волчьи ягоды.** МФС, 114.

Со́лнечная я́года. *Публ. Патет.* О винограде. НРЛ-81; Мокиенко 2003, 150.

Я́года из-под ове́чьего хвоста́. *Пск. Бран.* О непорядочном человеке. СПП 2001, 83.

Я́года за я́году захо́дит *у кого. Сиб.* У кого-л. остаются запасы варенья из ягод до нового урожая. Верш. 7, 351.

Бирю́чьи я́годы. *Ворон., Урал.* Растение спаржа. СРНГ 2, 295.

Во́лчьи я́годы. *Разг.* Растение волчеягодник, кустарник с красными несъедобными ягодами. БалСок, 28.

Е́левые я́годы. *Вят.* Молодые еловые шишки. СРНГ 8, 339.

Зимо́й собира́ть я́годы. *Жарг. мол.* Лгать, обманывать кого-л. Максимов, 156.

Петухо́вы (петуши́ные) я́годы. *Новг.* Плоды шиповника. НОС 7, 135.

Хвати́л спе́лой я́годы виндерю́хи. *Народн. Ирон.* О человеке, испытавшем неудачу. ДП, 61.

ЯД * Не́жный яд. *Жарг. шк. Шутл.* Химия (учебный предмет). < По названию бразильского телесериала. ВМН 2003, 156.

Яд в конце́. *Книжн.* О неожиданном, едком или неприятном конце рассказа. < От древнеримской поговорки *In cauda venenum.* БМС 1998, 648.

Яд удали́ть, а жа́ло оста́вить. *Жарг. угол.* Сделать так, чтобы человек никому не смог причинить зла. СРВС 4, 192.

Заха́вать (заглоти́ть) я́да. *Жарг. угол.* Принять наркотик (в таблетках). ТСУЖ, 206.

Угости́ть я́дом *кого. Жарг. крим.* Бросить неугодного человека в подвал с ядовитыми змеями. Хом. 2, 444.

ЯДРЁНА * Ядрёна зелёна! *Перм. Бран.-шутл.* Восклицание, выражающее лёгкое раздражение, досаду. Подюков 1989, 235.

ЯДРИ́ЦА * Всы́пать ядри́цы *кому. Прост. обл.* 1. Сильно побить, физически наказать кого-л. 2. Очень сильно отругать, наказать кого-л. < Образовано скрещением фразологической модели **всыпать перцу, задать берёзовой каши** и т. п. и глагола **ядрить** в выражениях типа **Ядри (едри) твою мать!** Мокиенко, Никитина 2003, 406.

ЯДРО́ * Отдава́ть/ отда́ть покло́ны я́драм. *Народн. Устар. Шутл.-ирон.* Приседать, испугавшись (о солдатах на поле боя); бояться, трусить. ДП, 272.

Твёрдое ядро. *Жарг. бизн.* Пакет акций, принадлежащий крупнейшим акционерам. БС, 249.

ЯЗВА * Вся́кая я́зва. *Том.* Мешанина, набор разнородных мелочей. СБО-Д2, 289.

Сиби́рская я́зва. *Жарг. карт.* Семёрка (игральная карта). Грачев 1997, 41.

Я́зва желу́дка. *Жарг. студ. Ирон.* Столовая в учебном заведении. (Запись 2003 г.).

Каку́ю я́зву? *Перм. Неодобр.* Зачем, для чего? Подюков 1989, 235.

Я́ЗВИНА * Дать я́звину *кому. Волог.* Ударить кого-л. СРНГ 7, 258.

ЯЗЫ́К * Ба́бий язы́к. *Арх.* Растение алоэ. АОС 1, 78.

Ба́йковый язы́к. *Жарг. угол.* Воровской жаргон. СРВС 1, 31, 203.

Балантре́сий язы́к *у кого. Коми.* О разговорчивом человеке. Кобелева, 83.

Баско́й на язы́к. *Яросл.* Бойкий, несдержанный человек. ЯОС 1, 40.

Бить язы́к о зу́бы. *Пск. Неодобр.* Болтать, пустословить. ПОС 2, 16.

Бить язы́к по́пусту. *Сиб. Неодобр.* Говорить, доказывать что-л. безрезультатно. ФСС, 12.

Блюсть язы́к за щека́ми. *Ряз.* То же, что **держать язык за зубами.** ДС, 59.

Бо́ек на язы́к. *Разг. Одобр.* Находчив в разговоре, красноречив. ФСРЯ, 41.

Болту́чий твой язы́к! *Пск. Неодобр.* О человеке, говорящем что-л. нелепое, вздор. СПП 2001, 83.

Брать/ взять на язы́к *что. Разг.* Пробовать на вкус что-л. Ф 1, 39.

Бро́ский на язы́к. *Пск. Одобр.* Об остроумном, умеющем чётко, метко охарактеризовать что-л. человеке. ПОС 2, 180.

Бросква́тый на язы́к. *Пск. Неодобр.* О болтливом, несдержанном человеке. ПОС 2, 180.

Була́тный язы́к. *Шутл.* О болтуне, пустомеле. СПП 2001, 83.

Вало́вий на язы́к. *Сиб. Пренебр.* О молчаливом, угрюмом человеке. СФС, 32; ФСС, 22.

Весёлый на язы́к. *Орл.* То же, что **броский на язык.** СОГ 1989, 18.

Всу́нуть (втыка́ть/ воткну́ть) язы́к. *Волг. Неодобр.* Не вовремя и без позволения вступить в разговор. Глухов 1988, 16.

Вы́валить язы́к. *Арх., Сиб.* Сильно, чрезмерно устать. АОС 6, 124; ФСС, 34.

Вы́валить язы́к на плечо́. *Волг.* То же. Глухов 1988, 17.

Выви́рывать язы́к. *Пск.* 1. *Неодобр.* Болтать вздор, врать. 2. Говорить что-л. напрасно, не вовремя. ПОС 5, 129.

Вы́вороти́ть язы́к. *Сиб. Неодобр.* Сказать что-л. грубое, неприличное. ФСС, 34.

Выпи́хивать язы́к. *Арх. Неодобр.* Болтать сверх меры, рассказывая нежелательное. АОС 8, 82.

Выпи́хивать язы́к на губу́. *Коми. Неодобр.* Некстати вмешиваться в разговор. Кобелева, 59.

Вы́пнуть язы́к. *Кар.* Рассказать, сообщить, что не следует. СРГК 1, 279.

Вы́пялив язы́к. *Сиб.* 1. То же, что **высунув язык 1.** 2. Торопливо, кое-как (делать что-л.). ФСС, 38.

Вы́пялить язы́к. *Яросл. Неодобр.* Сказать что-л. некстати, невпопад. ЯОС 3, 56.

Вы́пятить язы́к. *Кар.* Издохнуть. СРГК 1, 284.

Вы́пятить язы́к на плечо́. *Сиб.* Предельно устать от тяжёлой работы. ФСС, 38.

Вы́садить язы́к. *Сиб.* Надорваться от тяжёлой работы. ФСС, 38.

Высо́вывать/ вы́сунуть язы́к. 1. *Перм.* Говорить лишнее, разглашать какую-л. информацию. Подюков 1989, 38. 2. *Волг. Неодобр.* Не вовремя и без разрешения вступать в разговор. Глухов 1988, 20.

Вы́ставить язы́к. *Горьк.* Проговориться, сказать, что не следует. БалСок, 57.

Вы́сунув (вы́сунувши, вы́суня) язы́к. 1. Торопясь, очень быстро. 2. С признаками усталости. 3. С усердием. БМС 1998, 648; ШЗФ 2001, 52; ФМ 2002, 641; БМС 1998, 539.

Вы́сунуть язы́к. 1. *Сиб. Неодобр.* То же, что **выставить язык.** СФС, 53; ФСС, 39. 2. *Прост.* Сильно устать, утомиться. Ф 1, 100; Глухов 1988, 21.

Вытеля́чивать язы́к. *Арх. Неодобр.* Дерзко, непочтительно говорить с кем-л. АОС 8, 282.

Вы́тянуть язы́к. 1. *Арх.* Сказать, проговорить что-л. АОС 8, 337. 2. *чей. Арх.* Заставить кого-л. сказать что-л. АОС 8, 326. 3. *Кар.* Натрудить язык долгим говорением. СРГК 1, 307.

Вы́чинить язы́к *кому. Пск.* Рассмешить кого-л. шуткой, весёлым рассказом. СПП 2001, 83.

Гнило́й язы́к *у кого. Пск. Неодобр.* О человеке, говорящем глупости, вздор. ПОС 7, 26.

Гора́здый на язы́к. *Морд.* О болтливом человеке. СРГМ 1978, 122.

Держа́ть язы́к за зуба́ми. *Разг.* Молчать, воздерживаться от каких-л. высказываний, не говорить лишнего. ФСРЯ, 539; БТС, 252, 1532; БМС 1998, 648; Мокиенко 1990, 92; ЗС 1996, 207; Глухов 1988, 34; ПОС 2, 244.

Держа́ть язы́к за па́зухой. *Горьк.* То же, что **держать язык за зубами.** БалСок, 33.

Держа́ть язы́к на верёвочке. *Перм.* То же, что **держать язык за зубами.** Подюков 1989, 62.

Держа́ть язы́к на при́вязи. *Пск. То же, что* **держать язык за зубами. БТС, 252;** СПП 2001, 83.

Держа́ть язы́к о́коло себя́. *Морд.* То же, что **держать язык за зубами.** СРГМ 1980, 18.

Держа́ть язы́к покоро́че. *Пск.* Не говорить лишнего, не разглашать что-л. СПП 2001, 83.

Де́рзкий на язы́к. *Яросл. Одобр.* То же, что **боек на язык.** ЯОС 3, 130.

Дли́нный язы́к *у кого. Разг. Неодобр.* О болтливом, говорящем много лишнего человеке. ДП, 318, 414; ФСРЯ, 539; Жиг. 1969, 105; Верш. 7, 354; ПОС, 9, 76.

До́лгий язы́к *у кого.* 1. *Народн. Неодобр.* То же, что **длинный язык.** ДП, 318; ДС, 147; ЯОС 4, 11. 2. *Пск. Одобр.* То же, что **боек на язык.** СПП 2001, 83.

Долгова́тый язы́к. *Печор.* То же, что **длинный язык.** СРГНП 1, 183.

Дра́ть язы́к. *Пск. Неодобр.* Долго, назойливо говорить о чём-л. СПП 2001, 83.

Жева́ть язы́к. *Жарг. мол. Шутл.-ирон.* Говорить, выступать с докладом. Елистратов 1994, 225.

Завя́зывать/ завяза́ть язы́к. *Новг., Перм.* Замолкать, молчать. НОС 3, 17; Подюков 1989, 78.

Заки́дывать язы́к за у́ши. *Кар. Шутл.* Очень много говорить, болтать. СРГК 2, 129.

Заку́сывать язы́к. *Пск.* То же, что **завязывать язык.** ПОС 11, 281.

Зарони́ть язы́к. *Кар.* Лишиться способности говорить. СРГК 2, 192.

Засу́нуть язы́к в жо́пу (в за́дницу). *Жарг. мол. Груб.* Замолчать. Максимов, 150; Мокиенко, Никитина 2003, 406.

Зато́лнуть язы́к *кому. Пск.* Заставить кого-л. замолчать. СПП 2001, 83.

Затя́гивать язы́к. *Кар.* Вызывать вяжущий привкус. СРГК 2, 223.

Злой на язы́к. *Прост. Неодобр.* О язвительном, злопамятном человеке. Ф 1, 211; Глухов 1988, 53.

Зло́й язы́к. *Разг.* 1. Манера, способность остро, резко, насмешливо говорить, судить о ком-л., о чём-л. 2. *у кого.* О человеке, который зло, саркастически, иронически говорит, судит о ком-л., о чём-л. ФСРЯ, 540.

Змеи́ный язы́к *[у кого]. Народн. Неодобр.* О злобном человеке, клеветнике. ДП, 416; ЗС 1996, 324, 357.

Игра́ть в (на) язы́к. *Пск.* 1. Петь плясовые песни. СРНГ, 12, 68. 2. Напевать какую-л. мелодию (без слов). СПП 2001, 83.

Идти́ на язы́к *чей. Прибайк.* Слушаться кого-л. (о животном). СНФП, 158.

Име́ть язы́к *к кому. Коми. Одобр.* Уметь договориться, найти подход к кому-л. Кобелева, 64.

Карта́вый (коря́вый) язы́к *[у кого]. Пск.* О человеке, говорящем на местном наречии. СПП 2001, 83.

Ко́жаный язы́к *[у кого]. Волог.* О человеке, говорящем неотчётливо, невнятно. СРНГ 14, 51.

Конфе́тный язы́к. *Жарг. мол. Шутл.* Рекламный текст. Максимов, 195.

Коро́вий язы́к. *Калуж.* Растение семейства сложноцветных сивец луговой. СРНГ 14, 352.

Косо́й язы́к. *Неодобр.* 1. *Прикам.* То же, что **кривой язык.** 2. *Ср. Урал.* Косноязычие. СРГСУ 2, 54.

Криво́й (кривозу́бый) язы́к. *Прикам. Неодобр.* Неправильная речь. МФС, 114.

Куса́ть себя́ за язы́к. *Волг.* Сердиться, злобствовать. Глухов 1988, 79.

Куси́ть себя́ за язы́к. *Пск.* 1. Замолчать. 2. Спохватиться, обнаружить свою оплошность, промах. СПП 2001, 83.

Лёгкий на язы́к. *Волг. Неодобр.* О болтливом, несдержанном человеке. Глухов 1988, 81.

Лепетли́вый на язы́к. *Новг.* О человеке, любящем поговорить. НОС 5, 18.

Ло́маный язы́к. *Разг.* Искажённая, неточная речь иностранца на неродном, плохо знакомом ему языке. БМС 1998, 648.

Лома́ть язы́к. *Разг. Неодобр.* Говорить неправильно, искажать слова, звуки. БТС, 1532.

Ма́сленый язы́к *[у кого]. Вят.* О коварном, льстивом человеке. СРНГ 18, 13.

Медо́вый язы́к, да ка́менное се́рдце. *Народн. Неодобр.* О двуличном человеке, подхалиме. Жиг. 1969, 216, 220.

Метро́вый язы́к *[у кого]. Яросл.* О сплетнике, клеветнике. ЯОС 6, 45.

Моло́ть язы́к. *Пск. Шутл.* Болтать, много говорить. СПП 2001, 83.

Морско́й язы́к. *Обл.* Рыба Solea vulgaris, косорот обыкновенный. СРНГ 18, 278.

Навари́ть язы́к. *Кар., Новг.* Сильно устать от разговора. СРГК 3, 298; НОС 5, 127.

Нала́мывать язы́к. *Пск. Неодобр.* Коверкать, искажать слова. СПП 2001, 83.

Нанома́ть язы́к. 1. *Дон.* Приобрести умение красноречиво говорить, спорить. СДГ 2, 164. 2. *Волг., Пск.* Научиться, привыкнуть говорить на местном наречии. Глухов 1988, 91; СПП 2001, 83.

Намозо́лить язы́к. *Пск. Ирон.* Устать от долгих разговоров. СПП 2001, 83.

Намы́ленный язы́к *[у кого]. Кар.* О болтливом человеке. СРГК 3, 355.

Наступа́ть/ наступи́ть на язы́к *кому. Разг.* Заставлять кого-л. замолчать. ФСРЯ, 269; СДГ 2, 173; Глухов 1988, 93.

Наступи́ на язы́к — не спихнёт. *Пск. Шутл.* О спокойном, смирном, кротком человеке. СПП 2001, 83.

Находи́ть/ найти́ о́бщий язы́к *с кем. Разг.* Добиваться, достигать полного взаимопонимания с кем-л. ФСРЯ, 270; ЗС 1996, 338.

Невы́мятый язы́к. *Волог.* Нелитературная речь. СВГ 5, 89.

Не слома́й язы́к (несломай-язы́к). *Жарг. студ. Шутл.* Иностранный язык. (Запись 2003 г.).

Носи́ть язы́к с собо́й. *Курск.* Не бояться расспросить о чём-л. БотСан, 119.

Оббива́ть/ обби́ть язы́к. *Прост. Ирон.* Долго говорить о чём-л. без толку. Ф 2, 5.

Обкороти́ть язы́к *кому. Прост. Ирон.* Заставить кого-л. поменьше разговаривать, быть менее дерзким. Ф 2, 7.

Обре́зать язы́к. 1. *Пск.* Замолчать. СПП 2001, 83. 2. *кому. Сиб.* Заставить замолчать кого-л. ФСС, 124.

О́бщий язы́к. *Разг.* Полное взаимопонимание, полная согласованность в каких-л. действиях. ФСРЯ, 540.

Оста́вить язы́к за поро́гом. *Народн.* Оторопеть, опешить, потерять способность говорить от испуга, неожиданности. ДП, 273; СРНГ 30, 65.

Остёр на язы́к. *Разг.* Об остроумном, язвительном человеке. ФСРЯ, 299; ДП, 414.

О́стрый язы́к. *Разг.* 1. Умение выразительно, ярко писать, говорить. < Калька с франц. *langue acérée.* БМС 1998, 648; Жиг. 1969, 106. 2. *у кого.* Кто-л. остроумен, язвителен в разговоре. ФСРЯ, 540.

Открыва́ть язы́к. *Новг.* Говорить попусту, болтать. НОС 12, 123.

Отсо́хни у меня́ язы́к! *Разг.* Клятвенное заверение в чём-л. БТС, 1532; СПП 2001, 83.

Оттолкну́ть язы́к. *Прибайк.* Начать расспрашивать, наводить справки. СНФП, 158.

Переверну́ть язы́к. *Кар.* Начать говорить о другом, изменить тему разговора. СРГК 4, 433.

Переки́нуть язы́к че́рез плечо́. *Жарг. мол.* Сильно устать. Вахитов 2003, 129.

Пиха́ться на язы́к. *Кар.* О тщетном усилии вспомнить что-л. хорошо известное. СРГК 4, 525.

Плохо́й на язы́к. *Сиб. Неодобр.* О несдержанном, грубом человеке. ФСС, 138.

Подре́зать язы́к *кому. Волг.* Заставить кого-л. замолчать. Глухов 1988, 126.

Подсека́ть/ подсе́чь язы́к *кому. Прибайк., Пск.* То же, что **подрезать язык.** СНФП, 158; СПП 2001, 83.

Под язы́к. *Яросл.* Под аккомпанемент собственного голоса (плясать). ЯОС 8, 21.

Пока́зывать язы́к *кому.* 1. *Прост.* Выражать пренебрежение, презрение кому-л. (показывая язык). Ф 2, 65. 2. *Волг.* Дразнить, раздражать кого-л. Глухов 1988, 128.

Покуса́ть язы́к. *Пск.* Приложить значительные усилия для достижения, осуществления чего-л. СПП 2001, 83.

Полоска́ть язы́к. *Перм. Шутл.* Болтать, сплетничать. Подюков 1989, 156.

Пома́зать язы́к. 1. *Пск. Шутл.* Выпить немного спиртного. СПП 2001, 83. 2. *Курск.* Попробовать, отведать чего-л. БотСан, 119. 3. *кому. Прикам.* Дать взятку кому-л. МФС, 79.

Помозо́лить язы́к. *Пск. Шутл.* Поговорить, поболтать. СПП 2001, 83.

Попада́ть/ попа́сть на язы́к *кому, к кому. Разг.* Становиться предметом разговора, обсуждения, пересудов. ФСРЯ, 342.

Попо́вский язы́к. *Рск.* 1. О многословном, болтливом человеке. 2. О немногословном, молчаливом человеке. СРНГ 29, 325.

Пораспусти́ть язы́к. *Ср. Урал, Заур.* Наговорить лишнего. СРНГ 30, 46.

Потеря́ть язы́к. *Волг.* Замолчать. Глухов 1988, 131.

Поточи́ть язы́к. *Прост.* Поболтать, посплетничать. БТС, 1532.

Привяза́ть язы́к *кому. Разг. Устар.* Заставить кого-л. замолчать. Ф 2, 89.

Придержа́ть язы́к. *Разг.* Удержаться от высказывания. БТС, 1532.

Прижану́ть язы́к. *Новг.* 1. То же, что **прикусить язык.** 2. *кому.* То же, что **привязать язык.** СРНГ 31, 204; НОС 9, 14; Сергеева 2004, 185.

Прикора́чивать/ прикороти́ть язы́к *кому. Волг.* Заставлять кого-л. молчать, сдерживаться. Глухов 1988, 132.

Прикра́нить язы́к. *Одесск.* То же, что **прикусить язык.** КСРГО.

Прикуси́ть (закуси́ть) язы́к. *Разг.* Замолчать; воздержаться от высказывания. ФСРЯ, 355; БТС, 1532; СПП 2001, 83; СНФП, 158; Глухов 1988, 133.

Присека́ть язы́к *кому. Волг. Шутл.* То же, что **прикорачивать язык.** Глухов 1988, 133.

Притяну́ть язы́к. *Новг.* То же, что **прикусить язык.** НОС 9, 32.

Приши́ть язы́к ни́же пя́ток *кому. Народн.* Жестоко расправиться с кем-л. (угроза). ДП, 222.

Проглоти́ть язы́к. *Разг.* Замолчать от растерянности, не ответить на вопрос. БМС 1998, 649; ФСРЯ, 540; БТС, 1532; Глухов 1988, 134.

Проре́зать язы́к. *Пск.* Открыто сказать, заявить о чём-л. СПП 2001, 83.

Про́сится на язы́к. *Разг.* Очень хочется сказать о чём-л. ФСРЯ, 365; БТС, 1532.

Просто́й на язы́к. *Кар.* О болтливом человеке. СРГК 5, 300.

Пти́чий язы́к. 1. *Разг.* Псевдонаучный, непонятный для многих язык; тайный, намеренно закодированный язык. БМС 1998, 649; ЗС 1996, 324, 378. 2. *Комп. Шутл.* Графическое представление работы программы. Садошенко, 1996.

Пусто́й язы́к. *Ряз. Неодобр.* Лживый человек, обманщик. ДС, 472.

Рабо́чий язы́к. *Жарг. угол. Шутл.* 2. Активная лесбиянка. WMN, 116; ББИ, 204. 2. Мужчина, предпочитающий орально-генитальные контакты с женщинами. Мокиенко, Никитина 2003, 407.

Разбива́ть язы́к. *Пск. Ирон.* Говорить попусту, без пользы. СПП 2001, 83.

Развя́зывать/ развяза́ть язы́к. *Разг.* 1. *кому, у кого.* Побуждать, заставлять или давать возможность кому-л. высказаться, разговориться. 2. Начинать говорить после молчания, давая показания, раскрывая какую-л. тайну. ФСРЯ, 379; Глухов 1988, 117; БТС, 1532.

Распуска́ть /распусти́ть язы́к. *Прост. Неодобр.* Говорить лишнее. ФСРЯ, 386; БМС 1998, 649; БТС, 1532; СПП 2001, 83.

Речи́стый на язы́к. *Олон., Пск. То же, что* **боек на язык.** СРНГ 35, 81; СПП 2001, 83.

Ры́бий язы́к. *Жарг. угол.* 1. Воровской жаргон. Бен, 104; Балдаев 2, 21. 2. Условные жёсты (воровские). ББИ, 213. 3. *Жарг. мол. Шутл.* Азбука глухонемых. Максимов, 371.

Связа́ть язы́к *кому. Разг.* Заставить молчать кого-л.; не дать возможности кому-л. свободно, без стеснения говорить, высказываться. БТС, 1532.

Се́рый язы́к. *Пск. Шутл.* О человеке, говорящем на местном наречии. СПП 2001, 83.

Сиде́ть за язы́к. *Жарг. лаг.* Быть под следствием или быть осуждённым за агитацию. Росси 2, 468.

Скверни́ть язы́к. *Пск. Неодобр.* Выражаться грубо, ругаться матом. СПП 2001, 83.

Слаб на язы́к. *Прост. Неодобр.* О болтливом человеке. ФСРЯ, 429; ЗС 1996, 324; Глухов 1988, 149.

Соба́чий язы́к. *Приамур.* Лекарственное растение чернокорень растопыренный. СРГП, 279.

Суко́нный язы́к. 1. *Народн.* Картавая, искажённая речь. ДП, 416; ЗС 1996, 378. // *Пск.* Местное наречие. СПП 2001, 83. 2. *Одесск.* Иностранный язык. КСРГО. 3. *Пск.* Оскомина. СПП 2001, 83.

Сулята́ тебе́ на язы́к! См. **СУЛЯМА.**

Съесть язы́к. *Горьк.* То же, что **проглотить язык.** БалСок, 57.

Тёщин язы́к. 1. *Дон.* Кактус с длинным плоским стеблем. СДГ 3, 157. 2. *Жарг. авто.* Крутой изогнутый спуск или подъём на дороге. Максимов, 421. 3. *Жарг. авто.* Длинный двухсалонный автобус «Икарус». Максимов, 421.

То́лстый язы́к. *Алт. Пренебр.* О неграмотном, неумело выражающем свои мысли человеке. СРГА 4, 253.

Точи́ть язы́к. *Арх., Курск.* Болтать, пустословить. БотСан, 115; Мокиенко 1990, 33; Ф 2, 207

Тяну́ть за язы́к *кого. Разг.* Вынуждать кого-л. высказаться, ответить на вопрос и т. п. ФСРЯ, 486; БТС, 1360, 1532; Глухов 1988, 162.

Укора́чивать/ укороти́ть язы́к *кому. Прост.* Заставлять замолчать кого-л. ФСРЯ, 540; БТС, 1532; Глухов 1988, 163; БМС 1998, 649.

Уреза́ть/ уре́зать язык *кому. Волг.* То же, что **укорачивать язык.** Глухов 1988, 133.

Хвата́ть за язы́к *кого. Прост.* Заставлять кого-л. молчать, не говорить чего-л., о чём-л. Ф 2, 231.

Хоть на язы́к наступи́ *кому. Сиб. Шутл.-ирон. или Неодобр.* О состоянии крепкого сна или полного равнодушия, спокойствия. ФСС, 120.

Хоть привяжи́ язы́к. *Пск. Бран.-шутл.* О человеке, который слишком много говорит, болтает. СПП 2001, 83.

Чеса́ть язы́к. *Прост.* Болтать, пустословить. ФСРЯ, 540; ЗС 1996, 333.

Чтоб у тебя́ (у него́, у вас и пр.) **язы́к отсо́х!** *Прост. Бран.* Пожелание лишиться дара речи собеседнику, говорящему нечто дурное, неприятное, предвещающему несчастье; проклятье. Мокиенко, Никитина 2003, 407.

Шёлковый язы́к. *Прикам.* Плавная, гладкая речь. МФС, 114.

Щека́тый на язы́к. *Новг. Одобр.* То же, что **боек на язык.** НОС 12, 112.

Эзо́повский (Эзо́пов) язы́к. *Книжн.* Иносказательное выражение мыслей; язык, полный намёков, аллегорий. БТС, 1513, 1532; < От имени греческого баснописца Эзопа. ФСРЯ, 540; БМС 1998, 649.

Язы́к без косте́й *у кого. Разг.* О болтливом человеке. ФСРЯ, 540; ЗС 1996, 324, 391; Глухов 1988, 177; МФС, 114; Жиг. 1969, 116; Жук. 1991, 369; БМС 1998, 649.

Язы́к без при́вязи *у кого. Народн.* То же, что **язык без костей.** Жиг. 1969, 204; БалСок, 57.

Язы́к болта́ется *у кого. Пск. Шутл.* Кто-л. очень любит поговорить. СПП 2001, 83.

Язы́к бы на поро́г не вы́тянуло. *Пск.* Кто-л. мог бы, должен был бы сказать что-л., но не сделал этого. ПОС 6, 88.

Язы́к в жо́пе (в за́днице) *у кого. Прост. Шутл.-ирон.* О человеке, который отмалчивается. СПП 2001, 83; Мокиенко, Никитина 2003, 407.

Язы́к в зуба́х завя́з (навя́з) *у кого. Волг., Калин.* О человеке, который молчит, потеряв способность говорить от испуга, неожиданности. Глухов 1988, 177; СРНГ 11, 354.

Язы́к вы́вихнешь. *Прост. Шутл.* Об очень трудных для произношения словах, фразах. Ф 1, 90.

Язы́к вы́работался *у кого. Пск.* У кого-л. сложилась привычка много говорить. СПП 2001, 83.

Язы́к гла́дко хо́дит *у кого. Волг. Шутл.* О болтливом, словоохотливом человеке. Глухов 1988, 177.

Язы́к гуди́т *у кого. Кар.* 1. О человеке, который говорит, болтает без перерыва. 2. О человеке, который клевещет, наговаривает на кого-л. СРГК 1, 411.

Язы́к до по́ла. *Пск. Шутл.* О человеке, который любит поговорить. СПП 2001, 83.

Я́зык долго́й держа́ть. *Пск. Неодобр.* Говорить лишнее, болтать вздор. СПП 2001, 83.

Язы́к до́ма оставля́ть. *Пск.* Молчать, не вступать в разговор. СПП 2001, 83.

Язы́к задёрнуло *у кого. Пск.* О потере речи (от страха, испуга). ПОС 11, 181.

Язы́к за зу́бы цепля́ется *у кого. Волг. Шутл.* О человеке, который не может говорить (в состоянии опьянения, от страха и т. п.). Глухов 1988, 177.

Язы́к закиря́ется *у кого. Кар.* То же, что **язык заплетается.** СРГК 2, 130.

Язы́к заплета́ется *у кого. Разг.* Кто-л. не может членораздельно, ясно сказать что-л. ФСРЯ, 540; ЗС 1996, 195.

Язы́к за пле́чи завя́зывается. *Волг. Шутл.* О человеке, который болтает без умолку. Глухов 1988, 178.

Язы́к заро́с (заро́сся) *у кого. Кар.* То же, что **язык задёрнуло.** СРГК 2, 189-190.

Язы́к зата́лкивает *у кого. Пск.* О человеке, который не может ничего сказать, вспомнить. ПОС 12, 167.

Язы́к зато́рнулся *у кого. Пск.* То же, что **язык задернуло.** ПОС 12, 193.

Язы́к за у́ши хо́дит *у кого. Волг.* То же, что **язык за плечи завязывается.** Глухов 1988, 178.

Язы́к зацепа́ется *у кого. Пск.* Кому-л. трудно говорить. ПОС 12, 248.

Язы́к за щёку завали́лся *у кого. Сиб.* О человеке, уставшем от долгого разговора. СФС, 206.

Язы́к за язы́к. *Волг. Неодобр.* О ссоре, перебранке. Глухов 1988, 178.

Язы́к здоро́вый *у кого. Пск.* О человеке, который любит поговорить и умеет говорить красноречиво, выразительно. СПП 2001, 83.

Язы́к игло́й к губе́ приши́ть *кому. Пск.* Заставить замолчать кого-л. (Запись 2001 г.).

Язы́к из зубо́в выбива́ется *у кого. Волг. Шутл.* То же, что **язык за плечи завязывается.** Глухов 1988, 178.

Язы́к к зуба́м приро́с *у кого. Волг.* То же, что **язык задёрнуло.** Глухов 1988, 178.

Язы́к куда́ дёван *у кого. Арх. Неодобр.* Об упорно молчащем человеке. АОС 10, 363.

Язы́к мя́сен *у кого. Пск. Шутл.* О болтуне, любителе поговорить. СПП 2001, 83.

Язык на боку́ *у кого. Перм. Шутл.* То же, что **язык на плече.** Подюков 1989, 236.

Язы́к на губа́х *у кого. Кар.* То же, что **язык на плече.** СРГК 1, 409.

Язы́к на губе́ [ви́снет] *у кого. Арх.* 1. *Шутл.* О готовности петь. 2. То же, что **язык на плече.** АОС 10, 124.

Язы́к на плече́ (на плечо́) *у кого. Разг.* О состоянии крайней усталости. ФСРЯ, 540; БТС, 842; ЗС 1996, 324; СПП 2001, 83. **Язык на плечо́ пове́сить.** *Сиб.* То же. СОСВ, 206.

Язы́к на по́лом ме́сте *у кого. Перм. Шутл.* О болтливом человеке. Подюков 1989, 236.

Язы́к на поро́г *у кого. Пск.* 1. То же, что **язык на плече.** 2. *Пренебр.* О состоянии сильного опьянения. СПП 2001, 83.

Язы́к на сто́рону *у кого. Прост.* То же, что **язык на плече.** СПП 2001, 83.

Язы́к на стороне́ *у кого. Перм.* То же. Подюков 1989, 236.

Язы́к не заплетётся *у кого. Пск.* О человеке, любящем поговорить, способном много говорить, не уставая. ПОС 12, 44.

Язы́к не выно́сит *чего, что. Арх.* То же, что **язык не поворачивается.** АОС 8, 40.

Язык не доно́сит *у кого. Печор.* О косноязычном человеке. СРГНП 1, 185.

Язы́к не повора́чивается. *Разг.* Кто-л. боится, не решается, стесняется что-л. сказать, спросить. БМС 1998, 649; ФСРЯ, 540.

Язы́к ни́ткой не перевя́зан *у кого. Народн.* То же, что **боек на язык.** ДП, 792.

Язы́к отня́лся *у кого. Разг.* Кто-л. замолчал от страха, удивления, растерянности. ФСРЯ, 541; Верш. 7., 354.

Язы́к отня́ло *у кого. Волг.* То же. Глухов 1988, 178.

Язы́к пло́хо подве́шен *у кого. Разг. Неодобр.* О человеке, не умеющем свободно, чётко излагать свои мысли. ФСРЯ, 541.

Язы́к под ла́вкой *у кого. Перм. Ирон.* Об отмалчивающемся человеке. Подюков 1989, 236.

Язы́к поёт *у кого. Кар.* О словоохотливом, разговорчивом человеке. СРГК 4, 495.

Язык пове́терлив *у кого. Пск.* О болтуне, любителе поговорить. ТФ, 406.

Язы́к подвя́зан *у кого. Жарг. мол. Шутл.* О человеке, который умеет красиво и интересно говорить. Максимов, 320.

Язы́к попере́чку *у кого. Арх.* То же, что **язык на плечо.** СРНГ 29, 308.

Язы́к потаи́лся *у кого. Кар.* То же, что **язык отнялся.** СРГК 5, 159.

Язы́к потеря́лся *у кого. Коми.* То же, что **язык отнялся.** Кобелева, 83.

Язы́к по плеча́м хо́дит *у кого. Волг.* О человеке, который болтает без умолку. Глухов 1988, 178.

Язы́к прили́п к горта́ни *у кого. Разг.* То же, что **язык отнялся.** ФСРЯ, 541; БМС 1998, 649; БТС, 222, 1532.

Язы́к приро́с *у кого. Кар.* О молчаливом человеке. СРГК 5, 145.

Язы́к приро́стить. *Кар.* Промолчать, сдержаться. СРГК 5, 146.

Язы́к присо́х *у кого. Волг.* О человеке, который не может говорить (от страха, волнения и т. п.). Глухов 1988, 178.

Язы́к прогло́тишь. *Разг. Одобр.* О чём-л. очень вкусном. ФСРЯ, 541; БТС, 1532; Верш. 7, 354; СПП 2001, 83.

Язы́к про́дал. *Кар. Шутл.* О молчаливом человеке. СРГК 5, 251.

Язы́к проре́зался *у кого. Яросл.* О ребёнке, который начал говорить. ЯОС 8, 100.

Язы́к развяза́лся *у кого. Разг.* Кто-л. начал говорить после долгого молчания — давать показания, рассказывать что-л. тайное и т. п. ФСРЯ, 541; БТС, 1532.

Язы́к с балабо́нчиком *у кого. Волг. Шутл.* О болтливом человеке. Глухов 1988, 178.

Язы́к сглотнёшь. *Сиб. Одобр.* То же, что **язык проглотишь.** СФС, 206.

Язы́к ско́блецца *у кого. Пск.* Кому-л. очень хочется сказать что-л., рассказать о чём-л. СПП 2001, 83.

Язы́к слома́ешь. *Разг.* О словах, фразах, очень трудных для произношения. ФСРЯ, 433; БТС, 1532.

Язы́к хорошо́ подве́шен *у кого. Разг. Одобр.* О красноречивом, остроумном человеке. ФСРЯ, 541; БТС, 1532; БМС 1998, 649; Глухов 1988, 178; СПП 2001, 83.

Язы́к че́шется *у кого. Разг.* Кто-л. не может сдержаться, утерпеть, чтобы не заговорить, не рассказать что-л. ФСРЯ, 541; ЗС 1996, 324; ДП, 414.

Брать/ взять языка́. 1. *Разг.* Брать кого-л. в плен с целью получения информации о противнике. ЗС 1996, 324. 2. *Жарг. крим.* Получать нужную информацию у собеседника. Хом. 2, 590.

Вы́тянуть с языка́ *у кого что. Пск.* Разузнать у кого-л. о чём-л., заставить кого-л. рассказать о чём-л. СПП 2001, 84.

Не спуска́ть с языка́. *Волг.* Постоянно сплетничать о ком-л. Глухов 1988, 104.

Не сходи́ть с языка. *Разг.* Постоянно быть предметом разговоров. БТС, 1532.

Оста́ться без языка́. *Сиб.* Потерять способность говорить от испуга, неожиданности и т. п. ФСС, 127, 129. // *Пск.* Потерять речь в результате болезни. СПП 2001, 83.

Сади́ть без языка́. *Пск.* Интенсивно, напряжённо работать. СПП 2001, 83.

Соска́кивать/ соскочи́ть (срыва́ться/ сорва́ться) с языка́ *у кого. Разг.* Быть сказанным случайно, необдуманно. БТС, 1532; Ф 2, 175; ЗС 1996, 365.

Сходи́ть/ сойти́ с языка́ *у кого. Разг. Устар.* Говориться, произноситься (о словах, речах). Ф 2, 196.

Сцепи́ться языка́ми. *Прост.* Долго разговаривать о чём-л. Максимов, 412.

Съе́хать с языка́. *Волг.* Проболтаться, сказать лишнее. Глухов 1988, 157.

Идти́/ пойти́ по языка́м. *Разг. Устар.* Получать широкую огласку, становиться предметом сплетен. Ф 1, 220.

Говори́ть на ра́зных языка́х. *Разг.* Не понимать друг друга. БТС, 213; ФМ 2002, 642; ЗС 1996, 338.

Би́ться на язы́ке *[у кого]. Пск.* Помниться, держаться в памяти (о слове, выражении, каком-л. тексте). СПП 2001, 84.

Ве́ртится на языке́ *у кого что. Разг.* 1. Кому-л. очень хочется сказать, спросить что-л. 2. Что-л. никак не вспоминается. ФСРЯ, 541; БМС 1998, 649; Ф 1, 56.

Ве́сится на язы́ке *у кого что. Прикам.* То же, что **вертится на языке 1.** МФС, 17.

Говори́ть (разговаривать) на языке́ си́лы *с кем. Публ.* Действовать по отношению к каким-л. государствам с позиции силового давления. Мокиенко 2003, 150.

Держа́ться на языке́. *Пск.* Сдерживаясь, не говорить, не разглашать чего-л. СПП 2001, 84.

Мота́ется на языке́ *у кого что.* 1. *Нижегор.* То же, что **вертится на языке 1.** СРНГ 18, 296. 2. *Морд.* О тщетном усилии вспомнить что-л. известное, но в данный момент забытое. СРГМ 1986, 33.

На языке́ бо́лька *у кого. Шутл. Пск.* О человеке, который очень много говорит. ПОС 2, 95. < **Бо́лька** — рана, болячка.

На языке́ мёд (медо́к), а на се́рдце лёд (ледо́к). *Народн. Неодобр.* О двуличном человеке. ДП, 660; Жиг. 1969, 220.

На языке́ ре́ку (через Москву́) перее́дет. *Прикам.* О словоохотливом, красноречивом человеке. МФС, 73.

Чири́кать (каля́кать) на ры́бьем языке́. *Жарг. угол.* Говорить на воровском жаргоне. СРВС 4, 177, 190; ТСУЖ, 80, 196.

Злы́е (дурны́е) языки́. *Прост. Предосуд.* О людях, любящих злословить, сплетниках. ЗС 1996, 357; Мокиенко, Никитина 2003, 407.

Коро́вьи языки́. 1. *Олон. Пренебр.* О карелах. СРНГ 14, 351. 2. *Уфим.* Растение семейства сложноцветных серпуха венечная. СРНГ 14, 352.

Пусты́е (досу́жие, пра́здные) языки́. *Прост. Предосуд.* О людях, занимающихся пустыми разговорами, пересудами. Мокиенко, Никитина 2003, 407.

Балабо́нить языко́м. *Дон., Пск. Неодобр.* То же, что **болтать языком.** СДГ 1, 13; СПП 2001, 84.

Бала́ндить языко́м. *Яросл. Неодобр.* То же, что **болтать языком.** ЯОС 1, 31.

Балмочи́ть свои́м языко́м. *Новг.* То же, что **болтать языком.** НОС 1, 29.

Бараба́нить языко́м. *Пск. Неодобр.* Говорить лишнее. СПП 2001, 84.

Бить языко́м. *Неодобр.* 1. *Новг., Пск., Яросл.* То же, что **болтать языком.** НОС 1, 58; СРНГ 2, 300; ПОС 2, 17; ЯОС 1, 60; Мокиенко 1996, 98. 2. *Пск.* Надоедливо твердить одно и то же. ПОС 2, 17. 3. *Кар.* Лгать, обманывать. СРГК 1, 73.

Бить языко́м об зу́бы. *Волг. Неодобр.* То же, что **бить языком.** Глухов 1988, 178.

Блекота́ть языко́м. *Волг., Пск., Яросл.* То же, что **болтать языком.** Глухов 1988, 4; СПП 2001, 84; ЯОС 1, 62.

Бле́ять (бракова́ть, бры́хать, бря́згать) языко́м. *Пск. Неодобр.* То же, что **болтать языком.** ПОС 2, 37, 39, 142, 187, 190; СПП 2001, 84.

Блуди́ть языко́м. *Яросл. Неодобр.* То же, что **бить языком 3.** ЯОС 1, 64.

Болта́ть языко́м. *Прост. Неодобр.* Болтать, пустословить. ФСРЯ, 542; БМС 1998, 650; Мокиенко 1989, 75; Мокиенко 1990, 65, 98; СОСВ, 206.

Борони́ть языко́м. *Яросл. Неодобр.* То же, что **болтать языком.** ЯОС 2, 16.

Бо́тать языко́м. *Сиб. Неодобр.* 1. То же, что **болтать языком.** 2. Говорить лишнее, разглашать секрет. ФСС, 15.

Бракова́ть языко́м. См. **Блеять языком.**

Бро́ский языко́м. *Пск.* То же, что **боек на язык.** ПОС 2, 180.

Бры́хать языко́м. См. **Блеять языком.**

Бря́згать языко́м. См. **Блеять языком.**

Бря́кать языко́м. *Свердл. Неодобр.* 1. То же, что **болтать языком.** 2. То же, что **бить языком 3.** СФС, 30; СРНГ 3, 229; СРГСУ 1, 58.

Ватла́ть языко́м. *Сиб. Неодобр.* Много и быстро говорить о чём-л. незначительном, о чём не следует. ФСС, 22; СФС, 33.

Взболтну́ться (вы́болтнуться) языко́м. *Сиб. Неодобр.* То же, что **высунуться с языком.** ФСС, 34; СФС, 184.

Вки́нуться языко́м *куда. Пск.* Вступить в спор, поссориться с кем-л. СПП 2001, 84.

Вороши́ть языко́м. *Кар.* Говорить, болтать. СРГК 1, 232.

Вылеза́ть со свои́м языко́м. *Волг. Неодобр.* Говорить что-л. некстати; говорить лишнее. Глухов 1988, 18.

Вы́сунуться с языко́м. *Волг., Горьк. Неодобр.* Сказать лишнее, разгласить что-л. Глухов 1988, 20; БалСок, 30.

Говори́ть/ сказа́ть ру́сским языко́м *что. Разг.* Ясно и понятно говорить что-л. ФСРЯ, 542; БМС 1998, 650; ФМ 2002, 643.

Дрягáть языкóм. *Яросл.* То же, что **болтать языком.** ЯОС 4, 22.

Завиля́ть языкóм. *Пск.* Разговориться. СПП 2001, 84.

Зацепи́ться языкóм. *Прост.* Задержаться где-л., чтобы поговорить, поболтать. Максимов, 152.

Звони́ть языкóм. *Прост. Неодобр.* Болтать, пустословить, распространять ложные слухи. Ф 1, 208; Глухов 1988, 53.

Звя́кать языкóм. *Пск. Неодобр.* Сквернословить, выражаться нецензурно. СПП 2001, 84.

Игрáть языкóм. *Обл. Неодобр.* Бездельничать. Мокиенко 1990, 65.

Клепáть языкóм. *Прост. Неодобр.* Сплетничать, оговаривать кого-л. Ф 1, 241; Подюков 1989, 109; СПП 2001, 84.

Крути́ть языкóм. *Перм. Неодобр.* То же, что **болтать языком.** Подюков 1989, 99.

Лебези́ть языкóм. *Яросл.* То же, что **болтать языком.** ЯОС 5, 123; СРНГ 16, 303.

Лóпать языкóм. *Пск. Неодобр.* То же, что **болтать языком.** ПОС 2, 37, 39, 142, 187, 190; СПП 2001, 84.

Лóпнуть (ля́пать) языкóм. *Пск.* Говорить, сказать что-л. СПП 2001, 84.

Лоскотáть языкóм. *Пск. Неодобр.* То же, что **болтать языком.** ПОС 2, 37, 39, 142, 187, 190; СПП 2001, 84.

Лупи́ть языкóм. *Обл.* То же, что **болтать языком.** Мокиенко 1990, 98.

Ля́згать (ля́скать) языкóм. *Прост. Неодобр.* То же, что **болтать языком.** Ф 1, 288; Глухов 1988, 83; СПП 2001, 84; ФСС, 108; СФС, 102.

Ля́кать языкóм. *Кар. Неодобр.* То же, что **болтать языком.** СРГК 3, 177.

Ля́пать языкóм. См. **Блеять языком.**

Ля́цкать языкóм. *Коми Неодобр.* Лгать, обманывать кого-л. Кобелева, 66.

Метáться языкóм. *Пск. Неодобр.* Говорить вздор, болтать попусту. СРНГ 18, 136.

Мозготáть языкóм. *Пск. Неодобр.* То же, что **болтать языком.** ПОС 2, 37, 39, 142, 187, 190; СПП 2001, 84.

Молóть языкóм. 1. *Разг. Неодобр.* То же, что **болтать языком.** БМС 1998, 650; ДП, 172; Мокиенко 1990, 98. 2. *Пск. Неодобр.* Говорить вздор, ерунду, неправду. СПП 2001, 84. 3. *Пск.* Говорить лишнее. СПП 2001, 84. 4. *Пск.* Постоянно, настойчиво говорить о чём-л. СПП 2001, 84.

Навалáндать языкóм. *Горьк. Неодобр.* То же, что **навалять языком.** БалСок, 43.

Навaля́ть языкóм. *Башк. Неодобр.* Наговорить много лишнего. СРГБ 2, 95.

Нати́лькать языкóм. *Печор.* То же, что **навaландать языком.** СРГНП 1, 462.

Не ворóчает языкóм. *Прост.* 1. О сильно замёрзшем человеке. 2. О человеке в крайней степени опьянения. Глухов 1988, 95.

Не поспевáть с языкóм. *Пск.* Молчать, не вступать в разговор. СПП 2001, 84.

Облизнýть языкóм. *Пск. Неодобр.* Сказать что-л. опрометчиво, не подумав. СПП 2001, 84.

Обмывáть языкóм *кого. Волг. Неодобр.* Постоянно сплетничать о ком-л. Глухов 1988, 114.

Плести́ языкóм. *Перм. Неодобр.* То же, что **болтать языком.** Подюков 1989, 79.

Подшивáть языкóм *кого. Народн. Шутл.* Подшучивать над кем-л. (В. И. Даль). СРНГ 28, 256.

Посыкнýться с языкóм. *Горьк. Неодобр.* Некстати вмешаться в разговор. СРНГ 30, 255.

Похлóмать языкóм. *Пск.* Поговорить, рассказать что-л. СПП 2001, 84.

Похлóпать языкóм. *Кар.* Поболтать, поговорить попусту. СРГК 5, 120.

Проби́ть языкóм. *Пск. Неодобр.* Провести много времени в пустых разговорах. СПП 2001, 84.

Сечь языкóм. *Пск.* То же, что **болтать языком.** (Запись 2000 г.).

С языкóм. *Пск. Неодобр.* 1. О болтливом, говорящем лишнее человеке. 2. О человеке, способном оклеветать, оговорить другого. СПП 2001, 84.

С тóлстым языкóм. *Пск.* О человеке, говорящем на местном наречии. СПП 2001, 84.

Стебáть языкóм. *Пск.* Говорить, разговаривать. СПП 2001, 84.

Стучáть языкóм. *Прост. Неодобр.* То же, что **болтать языком.** Ф 2, 193.

Сучи́ть языкóм. *Прост. Неодобр.* То же, что **болтать языком.** Ф 2, 195.

Ти́лькать языкóм. *Печор. Неодобр.* То же, что **болтать языком.** СРНГП 2, 349.

Толóчь языкóм. *Перм. Неодобр.* То же, что **болтать языком.** Подюков 1989, 109.

Трепáть языкóм. *Прост. Неодобр.* То же, что **болтать языком.** ФСРЯ, 542; БМС 1998, 650; Верш. 7, 354; Мокиенко 1990, 65, 90; Ф 2, 209; СОСВ, 186.

Трепáться языком. *Новг., Сиб. Неодобр.* То же, что **болтать языком.** НОС 1, 30; СОСВ, 187.

Хлёбать (хлоботáть, хломотáть) языкóм. *Пск. Неодобр.* То же, что **болтать языком.** СПП 2001, 84.

Хлоботáть языкóм. См. **Хлёбать языком.**

Хлóмать языкóм. *Пск. Неодобр.* 1. Говорить ерунду, болтать, пустословить. 2. Обманывать, говорить неправду. СПП 2001, 84.

Хломотáть языкóм. См. **Хлёбать языком.**

Хлóпать языкóм. *Неодобр.* 1. *Новг., Перм.* То же, что **болтать языком.** НОС 12, 16; Подюков 1989, 109. 2. То же, что **хломать языком 2.** СПП 2001, 84.

Чесáть языкóм. *Прост. Неодобр.* То же, что **болтать языком.** ФСРЯ, 542; СПП 2001, 84; Мокиенко 1990, 98; СОСВ, 199.

Шлёпать языкóм. *Новг., Пск. Неодобр.* То же, что **болтать языком.** НОС 12, 100; СПП 2001, 84.

Щёлкать (щелкотáть) языкóм. *Пск. Неодобр.* То же, что **болтать языком.** СПП 2001, 84; Мокиенко 1990, 65.

Язы́ком дёрг-дёрг. *Пск. Неодобр.* То же, что **болтать языком.** СПП 2001, 84.

Языкóм кружевá плетёт. *Народн.* О словоохотливом, красноречивом человеке. ДП, 411.

Языкóм обернýть нé за что. *Кар. Шутл.-ирон.* О ничтожно малом количестве пищи. СРГК 4, 76.

Языкóм хорóший. *Сиб. Одобр.* О красноречивом, умеющем чётко излагать свои мысли человеке. СФС, 107.

Вы́пустить с языкý *что. Кар. Неодобр.* Проговориться, сказать, что не следует. СРГК 1, 284.

ЯЗЫЧÓК * С мя́гким язычкóм. *Прибайк.* О подхалиме, льстеце. СНФП, 159.

Вы́сунуть язычóк на себя́. *Сиб.* Оговорить себя, наговорить лишнего на себя. ФСС, 39.

Поворáчивать язычóк. *Пск. Шутл.* Говорить. (Запись 2000 г.).

Язычóк мéлет *чей. Пск.* Кто-л. много говорит, болтает. СПП 2001, 84.

ЯЙЧКО * Не без яи́чка. *Пск. Шутл.* О хитром, скрытном человеке. СПП 2001, 84.

Ката́ть яи́чки. *Волг. Неодобр.* Бездельничать. Глухов 1988, 73.

Дай ему́ яи́чко, да ещё облу́пленное. *Народн. Шутл.-ирон. или Неодобр.* О капризном, привередливом человеке. ДП, 505; СРНГ 22, 112.

ЯИ́ЧНИЦА * Глаза́стая яи́чница. *Пск.* Яичница-глазунья. (Запись 2001 г.).

Дать яи́чницу *кому. Обл.* Избить, поколотить кого-л. Мокиенко 1990, 48, 160.

Сде́лать яи́чницу *[кому]. Разг. Шутл.* Ударить кого-л. в пах. Флг., 402; УМК, 256.

ЯЙЦО́ * Начина́ть от яи́ц Ле́ды. *Книжн.* Начинать с самого начала. Мокиенко 1986, 9. < Восходит к Горацию, использовавшему древнегреческий мифологический сюжет. БМС 1998, 650.

Бара́ньи я́йца. *Ср. Урал.* Растение жимолость. СРГСУ 1, 34.

Брать/ взять за я́йца *кого.* 1. *Жарг. мол. Вульг. Шутл.* Трогать, волновать, вызывать положительные эмоции у кого-л. Максимов, 62. 2. *Жарг. мол. Неодобр.* Строго, сурово обращаться с кем-л. Вахитов 2003, 27. 3. *Прост. Устар.* Взимать налог за бездетность с кого-л. Максимов, 62.

Взлете́ть хочу́, а я́йца не пуска́ют. *Жарг. арм. Вульг. Шутл.* О петличной эмблеме автомобильных войск. Максимов, 61.

Воро́ньи я́йца. *Яросл.* Гриб-дождевик. ЯОС 3, 37. **Воро́нье яйцо́.** *Арх.* То же. АОС 5, 96.

Вы́еденного яйца́ не сто́ит. *Разг. Ирон.* О чём-л. незначительном, пустяковом. БТС, 171, 1271, 1532; ЗС 1996, 103; ДП, 471; ФСРЯ, 456; СПП 2001, 84.

Выпа́ривать (запа́ривать) я́йца. *Волог., Якут.* Высиживать цыплят. СРНГ 5, 324; СВГ 2, 136.

За монго́льские я́йца с мокру́хой. *Жарг. угол. Вульг.* За убийство азиата (отбывать наказание). Мокиенко, Никитина 2003, 407.

Застуди́ть (простуди́ть) я́йца. *Вульг.-прост. Вульг.* Очень сильно замёрзнуть. Мокиенко, Никитина 2003, 407.

Кле́ить я́йца. *Жарг. мол. Вульг.* Склонять кого-л. к сексуальной близости. Максимов, 182.

Круты́е я́йца. *Жарг. мол. Вульг. Шутл.-одобр.* Герой, смельчак. Максимов, 209.

Кру́че то́лько я́йца, [вы́ше то́лько звёзды]. *Жарг. мол. Вульг. Шутл.-одобр. или Ирон.* Восхваление собеседника. Елистратов 1994, 590; Никольский, 72. // О преуспевающем в бизнесе и в жизни молодом человеке-бизнесмене («**крутом**»). БСРЖ, 715.

Моро́чить (крути́ть) я́йца *кому. Разг. Вульг.* Обманывать, вводить в заблуждение кого-л. Флг., 163, 403.

Начина́ть от яйца́. См. **Начинать от яиц Леды.**

Нести́ валю́тные я́йца. *Нов.* Зарабатывать валюту (с пользой для государства). < Ср. сюжет русской народной сказки «Курочка Ряба», в которой снесла не простое яйцо, а золотое. НРЛ-90, 609. Ср. **Резать курицу, несущую золотые яйца.**

Па́рить я́йца. 1. *Яросл.* То же, что **выпаривать яйца.** ЯОС 7, 82. 2. *Омск. Неодобр.* Бездельничать. СРНГ 25, 225; Мокиенко 1990, 65.

Пове́сить за я́йца *кого. Прост. Вульг.* Сурово физически наказать кого-л., расправиться с кем-л. Мокиенко, Никитина 2003, 408.

Подка́тывать я́йца *к кому. Жарг. мол. Вульг. Шутл.* Ухаживать за девушкой, стараться понравиться ей, склонять к вступлению в близкие отношения. Я — молодой, 1997, № 27; Вахитов 2003, 135.

Подкла́дывать я́йца *кому. Жарг. мол. Вульг. Шутл.* То же, что **подкатывать яйца.** Максимов, 320.

Раска́тывать я́йца. *Жарг. мол. Вульг. Шутл.* Знакомиться с девушкой. Максимов, 361.

Сажа́ть на я́йца *кого. Волог.* Устраивать угощение для молодоженов в Петров день, 29 июня по ст. ст. (о родителях невесты). СРНГ 36, 39.

Си́ние я́йца. *Жарг. шк. Вульг. Шутл.-ирон.* Об отличнике. Максимов, 388.

Усе́сться на свои́ я́йца. *Пск. Вульг. Шутл.-ирон.* Не получить ожидаемого. (Запись 1996 г.).

Чёрные я́йца. *Жарг. Вульг. Шутл.-ирон.* Негр, темнокожий.

Чеса́ть я́йца. *Вульг.-прост. Неодобр.* Бездельничать, заниматься пустяками. Мокиенко, Никитина 2003, 408.

Я́йца в у́зел *у кого. Жарг. мол. Вульг.* 1. *Ирон.* О высшей степени эмоционального или физического напряжения. 2. *Шутл.-одобр.* Выражение высшей степени восторга. Югановы, 254.

Я́йца гвоздём к по́лу. *Жарг. лаг. Вульг.* Лёгкое членовредительство с целью избежать этапирования. < «Операцию» проводит очень быстро сам субъект: опустив штаны, он садится на пол и гвоздём прибивает к нему мошонку, не задевая ядер. Мокиенко, Никитина 2003, 408.

Я́йца замира́ют *у кого. Разг. Вульг. Ирон.* О сильном испуге. Девкин 1994, 12.

Я́йца на сковоро́дке. *Жарг. мол. Вульг. Шутл.* Дискотека. Максимов, 388.

Я́йца седы́е *у кого. Мол. Вульг. Шутл.-ирон.* О взрослом, немолодом человеке. VSEA, 252.

Я́йца съёжились *у кого. Вульг.-прост.* О сильно замёрзшем человеке. Мокиенко, Никитина 2003, 408.

По я́йцам. *Жарг. муз. Вульг. Шутл.* «Паяцы», опера Леонкавалло. БСРЖ, 715.

По я́йцам пройдёт, ни одного́ не разда́вит. *Народн. Одобр.* Об очень осторожном, аккуратном человеке. ДП, 427.

Гоня́ться за двумя́ я́йцами. *Жарг. мол. Вульг. Шутл.* Заниматься онанизмом. Щуплов, 213. < Трансформация выражения **гоняться за двумя зайцами.**

Опозда́ть с я́йцами на база́р. *Волг. Шутл.-ирон.* Слишком поздно принять нужное решение, начать какое-л. дело. Глухов 1988, 117, 165.

Шевели́ть я́йцами. *Жарг. мол. Вульг. Шутл.* Быстро идти, шагать. Вахитов 2003, 203.

Ни в яйце́ — весь на лице́. *Новг.* Об открытом, ничего не скрывающем человеке. НОС 12, 124.

Воро́нье яйцо́. См. **Вороньи яйца.**

Вы́еденное яйцо́. *Разг.* Пустяк, ничего не стоящее дело. ФСРЯ, 542.

Золотое яйцо. *Жарг. мол. Шутл.* Фольклорный ансамбль «Золотое кольцо». Я — молодой, 1998, № 8.

Колу́мбово яйцо́. *Книжн.* Остроумное решение трудной задачи, неожиданно простой и смелый выход из затруднительного положения. < Из анекдота, отнесенного к Х. Колумбу в «Истории Нового Света» Бенцони (1565 г.). БМС 1998, 651; ФСРЯ, 542.

Ле́вое яйцо́. *Жарг. спорт. Вульг.* Второй помощник тренера. Максимов, 219.

Пога́ное яйцо́. *Коми.* Картофель. Кобелева, 72.

Пра́вое яйцо́. *Жарг. спорт. Шутл. Вульг.* Первый помощник тренера. Максимов, 337.

Снести́ золото́е яйцо́. *Жарг. мол.* 1. Высказать дельную мысль. 2. Сделать что-л. неожиданное, удивительное. Максимов, 157.

Яйцо́ жёлтой ку́рицы. *Волг. Пренебр.* О крайне глупом человеке. Глухов 1988, 178.

Яйцо́, отру́бленное в боево́й схва́тке с журавлём. *Жарг. шк. Вульг. Шутл.-ирон.* Учитель ОБЖ — основ безопасности жизнедеятельности. (Запись 2003 г.).

Пе́рвым яйцо́м. *Яросл.* О курице, которая несётся первый год. ЯОС 7, 90.

Угости́ть до́лгим яйцо́м *кого. Обл. Шутл.* Избить кого-л. Мокиенко 1990, 45, 60, 138.

ЯК * Як ёлуп. *Брян. Пренебр.* О глупом, несообразительном человеке. СБГ 5, 54.

Я́КИ * На вся́ки я́ки. *Морд.* По-разному. СРГМ 1978, 91.

Безо вся́ких я́ков. *Морд.* Обязательно, непременно. СРГМ 1978, 91.

Я́КОРЬ * Держа́ть на я́коре *что. Разг.* Сдерживать что-л., мешать развитию чего-л. НРЛ-82; Мокиенко 2003, 151.

Стоя́ть на я́коре. *Жарг. угол. Ирон.* Бездельничать. ТСУЖ, 170; Балдаев 2, 63.

Стреля́ть на я́коре. *Жарг. угол.* Просить милостыню сидя; попрошайничать, притворяясь калекой. Балдаев 2, 63; ТСУЖ, 170; ББИ, 236; Грачев 1997, 15; Мильяненков, 240.

Бро́сить я́корь. 1. *Жарг. морск. Шутл.-ирон.* Не понять чего-л, перестать понимать что-л., плохо соображать в какой-л. ситуации. Никитина 1998, 541. 2. *Разг.* Осесть где-л., обосноваться на длительное время или на постоянное жительство. БМС 1998, 651; Ф 1, 43; ФСРЯ, 542; Мокиенко 1990, 129. 3. *Жарг. мол.* Сесть, присесть где-л. Максимов, 45.

Взять на я́корь *кого. Жарг. угол.* Задержать, арестовать кого-л. СРВС 2, 169.

Забро́сить (загрузи́ть) я́корь. *Жарг. мол.* То же, что **бросить якорь 3.** Максимов, 135, 139.

Са́мый я́корь. *Сиб. Одобр.* О чём-л. превосходном, отличном, самого высшего качества. СФС, 161.

Сесть на я́корь. *Жарг. угол.* 1. Попасть в тюрьму. СРВС 4, 116, 147. // Быть осуждённым на длительный срок. СРВС 4, 37, 51; ТСУЖ, 160; Балдаев 2, 37. 2. Определиться на постоянное место жительства. ТСУЖ, 160. 3. Покончить с преступным прошлым. ТСУЖ, 160. 4. Начать попрошайничать. ТСУЖ, 160.

Стать на я́корь. *Разг.* То же, что **бросить якорь 2.** БМС 1998, 651.

Урони́ть я́корь. *Жарг. мол.* Задержаться где-л., подождать кого-л. Максимов, 441.

Я́корь задави́ *[кого]! Перм. Бран.* Восклицание, выражающее досаду, гнев, возмущение кем-л. Подюков 1989, 236.

Я́корь спасе́ния. *Книжн.* Последняя надежда, последнее средство спасения. ФСРЯ, 542.

Я́корь тебя́ (его́, вас и пр.) **[задави́]!** *Прост. Бран.* Выражение досады, негодования, раздражения и т. п.; бранное пожелание. Мокиенко, Никитина 2003, 408.

Кида́ть якоря́. *Жарг. мол. Неодобр.* Говорить что-л. невпопад, некстати. Я — молодой, 1996, № 35.

ЯЛДА́ * Ялда́ на имени́нах. *Волг. Шутл.-ирон.* О ленивом, изнеженном человеке. Глухов 1988, 187.

Ялда́ на меду́. *Дон.* 1. *Шутл.* Медовый пряник. 2. *Неодобр.* О чьих-л. чрезмерных требованиях. СДН 3, 207.

Я́ЛИК * Ката́ться на я́лике. *Жарг. арест. Ирон. Устар.* Быть высеченным розгами. СРВС 1, 23. < **Ялик** — скамейка, на которой секут розгами.

Я́ЛОВИ́ЦА * Пойма́ть я́лови́цу. *Пск.* Закончить работу в поле, на уборке зерна. СПП 2001, 84.

Я́ЛЫ * Наеда́ть я́лы. *Сиб.* Жить в достатке, в довольстве. ФСС, 117.

ЯМ * Иска́ть я́ма. *Кар.* Готовиться к смерти; быть близким к смерти. СРГК 2, 295.

Я́МА * Там, где со́рок ям. *Волг. Шутл.* Очень далеко, неизвестно где. Глухов 1988, 158.

Бездённая я́ма. *Башк. Шут.-ирон.* О чрезмерном аппетите. СРГБ 1, 38.

Возду́шная я́ма. *Жарг. бирж.* Неустойчивое положение, в котором оказываются фондовые ценности с внезапным падением их курса. БС, 32. < Из авиационной терминологии.

Долгова́я я́ма. *Разг.* 1. *Устар.* Тюрьма. 2. Большие, грозящие судебными разбирательствами долги. Мокиенко 2003, 151.

Дурна́я я́ма. *Жарг. нарк.* Притон наркоманов. УМК, 259; Грачев 1994, 34; Грачев 1996, 74.

Моя́ я́ма. *Разг. Шутл.* Мой шеф. СРВС 4, 177. < Вероятно, шутливое подражание японскому. УМК, 259; Мокиенко 2003, 151.

Помо́йная я́ма. *Жарг. шк. Шутл.* Портфель, ранец, школьный рюкзак. (Запись 2003 г.).

То я́ма, то кана́ва. *Жарг. мол. Шутл.* 1. Японская автомашина типа «Джип». 2. О чём-л. японском. < Подражание японской речи. Максимов, 503.

На межево́й я́ме сечён. *Разг. Устар.* Знаю, помню, на себе испытал. < От обычая сечь мальчиков на меже, чтобы они навсегда запоминали, где проходит граница земельных участков. БМС 1998, 652.

В я́му пора́ *кому. Пск.* Об очень старом человеке. СПП 2001, 84.

В прова́льную я́му. *Волг., Сиб. Неодобр.* Без толку, напрасно. Глухов 1988, 15; СБО-Д2, 289.

Громи́ть я́му. *Казан.* Ловить рыбу в омуте. СРНГ 7, 150.

Затя́гивать/ затяну́ть кого-л. в долгову́ю я́му *кого. Разг.* Приводить кого-л. к долгам. Мокиенко 2003, 151.

Копа́ть (рыть) я́му *кому. Разг.* Готовить большую неприятность, вредить кому-л. ФСРЯ, 542; Ф 1, 253; Мокиенко 1990, 26; ФМ 2002, 644. // *на кого. Пск.* То же. СПП 2001, 84. // *под кого, над кем. Яросл.* То же. ЯОС 8, 143; СРНГ 19, 220. < От пословицы **Не рой другому яму, сам в нее попадёшь.** БМС 1998, 652.

Ложи́ться/ лечь в я́му. *Пск., Сиб.* Умирать (Копаневич). СРНГ 17, 109; СОСВ, 105.

Лома́ть я́му. *Сиб.* Прорубать прорубь для ловли рыбы. ФСС, 107.

Попада́ть/ попа́сть в долгову́ю я́му. *Разг.* Попадать в большие, грозящие судебными разбирательствами долги. Мокиенко 2003, 151.

Рыть я́му *кому. Волг.* Тайно или явно вредить кому-л. Глухов 1988, 143.

Упа́сть в си́нюю я́му. *Жарг. мол.* Начать пить спиртное запоем. Максимов, 385.

ЯМА́Н * Ни яма́н, ни якши́, ни сре́дней руки́. *Народн.* О чём-л. посредственном, неопределённом. ДП, 474. < **Яман** — тат. ‘плохой’, **якши** — тат. ‘хороший’.

Я́МКА * Коша́чья я́мка. *Жарг. мол. Шутл.* Туалет. Максимов, 203.

В я́мку све́чку ста́вить. *Олон. Шутл.* Совершать половой акт с кем-л. СРНГ 36, 272.

ЯМСКА́ * Стоя́ть в ямску́. *Сиб. Устар.* То же, что **водить ямщину (ЯМЩИНА)**. СБО-Д2, 289.

ЯМЩИ́НА * Води́ть (вози́ть) ямщи́ну. *Сиб. Устар.* Работать ямщиком. ФСС, 29.

Гоня́ть ямщи́ну. 1. *Сиб. Устар.* То же, что **водить ямщину.** ФСС, 48. 2. *Кар., Сиб. Устар.* Возить почту на лошадях. СРГК 1, 365; ФСС, 48. 3. *Морд. Неодобр.* Бродить без дела. СРГМ 1978, 121. 4. *Сиб. Шутл.-ирон.* Страдать расстройством желудка. ФСС, 46.

Я́НУС * Двули́кий Я́нус. *Книжн.* Неискренний, двуличный человек. ШЗФ 2001, 62; БТС, 242; Янин 2003, 95. < В римской мифологии бог времени **Янус** изображался с двумя лицами. ФСРЯ, 542; БМС 1998, 652.

ЯНЫЧА́Р * Янычáр и янычáрка. *Жарг., мол. Шутл.* Скульптурная композиция «Рабочий и колхозница» в Москве. Щуплов, 330.

ЯПО́НЕЦ * На япо́нце ма́йку съе́м! *Жарг. мол.* Клятва в истинности сказанного, в нерушимости данного слова. Максимов, 504.

Я́РКА * Иска́ть я́рку. *Ряз.* В свадебном обряде: о посещении дома жениха ряжеными родственниками и знакомыми невесты, которые разыгрывают сцену «наказания виновных в краже ярки» — невесты. СРНГ 12, 214.

ЯРЛЫ́К * Наве́шивать/ наве́сить (накле́ивать/ накле́ить, прикле́ивать/ прикле́ить) ярлы́к (ярлыки́) *на кого. Разг.* Поверхностно и односторонне характеризовать кого-л. или что-л. ФСРЯ, 542; РБФС, 581; БМС 1998, 652; СП, 253; Ф 2, 90; ФМ 2002, 646; Мокиенко 2003, 151.

Я́РМАРКА * Каза́цкая я́рмарка. *Арх.* Время перед летними полевыми работами, когда крестьяне нанимаются работниками. СРНГ 12, 314.

Соро́чинская я́рмарка. *Жарг. шк. Шутл.* 1. Классный час. Максимов, 398. 2. Перемена в школе. Максимов, 398. 3. Урок; ученики на уроке. ВМН 2003, 157. < По названию повести Н. В. Гоголя.

Я́рмарка тщесла́вия. *Книжн.* Об общественной среде, основными стимулами деятельности которой являются тщеславие и карьеризм. < Выражение из книги англ. писателя Дж. Веньяна «Путешествие пилигрима» (1678–1684 гг.). БМС 1998, 652.

Е́хать с я́рмарки. *Пск. Ирон.* Быть в преклонном возрасте. СПП 2001, 84.

Пора́ с я́рмарки *кому. Прост. Шутл.-ирон.* О престарелом, близком к смерти человеке. ЗС 1996, 314, 527.

ЯРМО́ * Не выла́зить из ярма́. *Брян.* Испытывать материальные трудности, жить в нищете. СБГ 3, 72.

Жить (ходи́ть) в ярме́. *Одесск.* То же, что **быть под ярмом.** КСРГО.

Ве́шать ярмо́ на ше́ю *кому. Волг.* Эксплуатировать, заставлять кого-л. выполнять тяжёлую работу. Глухов 1988, 10.

Впряга́ться в ярмо́. *Прост.* Браться за длительную или трудную работу. Ф 1, 80.

Наде́ть ярмо́ [себе́ на ше́ю]. 1. *Прост.* Обременять себя непосильной работой, заботами, хлопотами. Глухов 1988, 89. 2. *Жарг. угол.* Признаться в совершении преступления. БСРЖ, 716.

Нести́ ярмо́. *Разг.* Обременять себя тяжёлой, непосильной работой. Ф 1, 325.

Мота́ть ярмо́. *Жарг. арест.* Добиваться перевода на тюремный режим отрицательным поведением в ИТУ. ББИ, 302; Балдаев 2, 189; Мильяненков, 287.

Тяну́ть ярмо́. *Прост.* Выполнять тяжёлую работу. Глухов 1988, 162; Ф 2, 213.

Быть под ярмо́м. *Разг.* Находиться в зависимом, порабощённом положении. БМС 1998, 652; Мокиенко 1989, 33.

Я́РОСТЬ * Приходи́ть в я́рость. *Разг.* Свирепеть. < Калька с франц. *entrer en colère.* БМС 1998, 652.

Я́РОЧКА * Кра́сная я́рочка. *Алт. Фольк.* Невеста. СРГА 2-II, 94.

Я́РУС * Лежа́ть на я́русе. *Арх. рыб.* Дрейфовать возле яруса (рыболовного снаряда) в тихую погоду. СРНГ 16, 330.

Я́СИР * Я́сир Арафа́т. *Жарг. мол. Шутл.* Мужской половой орган. Елистратов, 664; Щуплов, 54; ЖЭСТ-1, 142.

Я́СЛИ * Де́тские я́сли. *Жарг. студ. Шутл.* Факультет начальных классов в пединституте. (Запись 2003 г.).

Менто́вские я́сли. *Жарг. мол.* Приёмник-распределитель. (Запись 2000 г.).

Я́СНОСТЬ * Замя́ть для я́сности. *Жарг. угол.* 1. Прекратить неудачную кражу. ТСУЖ, 64. 2. Прекратить разговор, оставшись при своём мнении. ТСУЖ, 64; Б., 44; ЗС 1996, 365.

Я́СТРЕБ * Гудзо́нский я́стреб. *Жарг. шк. Шутл.* Требовательный, строгий учитель. (Запись 2003 г.).

Я́стреб же́нский. *Жарг. журн., полит. Шутл.* С. В. Ястржембский, помощник В. В. Путина. МННС, 223.

ЯТЬ * На ять. *Разг. Устар.* 1. Как следует, как полагается, очень хорошо, отлично. 2. *также Пск.* Очень хороший, прекрасный. ФСРЯ, 543; БМС 1998, 652; ФМ 2002, 647; СПП 2001, 84. < **Ять** — название буквы в старославянском и древнерусском языках (правила её правописания были очень сложными, их нужно было знать крепко, «на зубок»). ФСРЯ, 542; БМС 1998, 652–653.

Я́УЗА * За Я́узой на Арба́те, на Вороши́ловском по́ле, близ Вши́вой го́рки, на Петро́вке, не доходя́ Покро́вки. *Народн. Шутл.-ирон.* Нигде. ДП, 555.

ЯЧИ́ЧА * Мочи́ть ячи́чу. *Сиб. Ирон.* Браниться, сквернословить. ФСС, 115.

Я́ЩЕР * Я́щер печно́й. *Жарг. арест., гом. Шутл.-ирон.* Активный гомосексуалист. Б., 169; Быков, 218; УМК, 259.

Прогуля́ть я́щера. *Жарг. мол. Шутл.* Сходить в туалет. Максимов, 346.

Говори́ть о зелёных я́щерах. См. **Говорить о зелёных ящерицах (ЯЩЕРИЦА).**

Я́ЩЕРИЦА * Говори́ть о зелёных я́щерицах (я́щерках, я́щерах). *Волг., Дон. Шутл.* Болтать, пустословить, говорить о пустяках. Глухов 1988, 24; СДГ 3, 79.

Дои́ть/ подои́ть (ти́скать/ поти́скать) я́щерицу. *Жарг. мол.* О мочеиспускании. h-98; Вахитов 2003, 136; Максимов, 322. < **Ящерица** — мужской половой орган.

Я́ЩЕРКА * Говори́ть о зелёных я́щерках. См. **Говорить о зелёных ящерицах (ЯЩЕРИЦА).**

Я́ЩИК * Голубо́й я́щик. *Прост. Шутл.-ирон.* О телевизоре. Мокиенко 2003, 152.

До́лгий я́щик. *Жарг. угол. Шутл.* 1. Гроб. 2. Тёмный коридор. Балдаев 1, 113; Мокиенко 2003, 152. < Ср. **откладывать в долгий ящик.**

Загна́ть в я́щик *кого. Жарг. мол.* Довести кого-л. до смерти. Вахитов 2003, 58.

Класть в дли́нный я́щик *что. Разг. Устар.* То же, что **откладывать в долгий ящик.** Ф 1, 238.

Мета́ть в чёрный я́щик. *Жарг. гом.* Совершать акт мужеложства с кем-л. УМК, 259.

Нало́говый я́щик. *Нов.* Специальный кассовый аппарат, с помощью которого владелец магазина (в Италии) фиксирует даже самые небольшие денежные поступления. < Калька с ит. НРЛ-90, 610.

Откла́дывать/ отложи́ть (положи́ть) в до́лгий я́щик *что. Разг.* Оттягивать исполнение какого-л. дела на неопределённое время. ФСРЯ, 543; БТС, 271, 1535; ШЗФ 2001, 29; ФМ 2002, 649; ЗС 1996, 222, 342, 474, 476; Ф 2, 69; БМС 1998, 653; Мокиенко 1986, 39; ДП, 565.

Ло́жить в до́лгий я́щик. *Пск.* То же. СПП 2001, 84.

Отодви́нуть я́щик. *Жарг. мол. Шутл.* Раскрыть рот от удивления. Вахитов 2003, 123.

Почто́вый я́щик. 1. *Разг.* Закрытое предприятие, номерное (закодированное номером почтовой части) учреждение. БТС, 1535; Мокиенко 2003, 152. 2. *Жарг. угол. Ирон.* Тюрьма, место заключения. ТСУЖ, 143; Балдаев 1, 345; ББИ, 190.

Пригна́ть я́щик *кому. Жарг. арест.* Прислать посылку кому-л. ТСУЖ, 129.

Расколо́ть я́щик. *Жарг. угол.* 1. Совершить кражу в ночное время. СРВС 1, 69, 205; СРВС 2, 75, 100, 205, 226; СРВС 3, 117; ТСУЖ, 151. 2. Совершить кражу из торгового ларька. Балдаев 2, 11; ББИ, 206; Мильяненков, 288.

Си́ний я́щик. *Жарг. угол., арест.* Почта. Балдаев 2, 39.

Сложи́ться в я́щик. *Жарг. мол. Шутл.-ирон.* Умереть. СМЖ, 95.

Соба́чий я́щик. *Жарг. угол.* Ящик под вагоном, в котором ездят безбилетные пассажиры. Бен, 110.

Сыгра́ть в я́щик. *Прост.* Умереть. ФСРЯ, 543; БТС, 1535; ЗС 1996, 111, 151, 180; СПП 2001, 84; Вахитов 2003, 176.

У́мный я́щик. *Жарг. шк. Шутл.* Учебник. ВМН 2003, 157.

Чёрный я́щик. 1. *Разг.* Явление, не поддающееся наблюдению; какой-л. объект, внутреннее устройство которого неизвестно. БМС 1998, 653. 2. *Жарг. гом.* Анальное отверстие, задний проход. БСРЖ, 717. 3. *Жарг. бизн.* Метод сохранения конфиденциальной информации при описании технических новшеств в печати. БС, 170. 4. *Жарг. шк. Шутл.* Пенал. (Запись 2003 г.).

Я́щик для дурако́в (для идио́тов). *Жарг. мол. Ирон. или Пренебр.* Телевизор. Елистратов 1994, 591; Я — молодой, 1995, № 15; Мокиенко 2003, 152.

Я́щик Пандо́ры. *Книжн.* Источник всевозможных бедствий, несчастий, неприятностей. < Выражение из поэмы Гесиода (VIII–VII вв. до н. э.) «Труды и дни», в которой используются мифологические мотивы. БМС 1998, 653–654.

Я́щик с ки́пишем. *Жарг. угол., арест.* Радиоприёмник, радиола. ББИ, 302; Балдаев 2, 189; Мокиенко 2003, 152.

Я́щик с клопа́ми. *Разг. Пренебр.* Смольный. Синдаловский, 2002, 211.

Я́щик с му́тными виде́ниями. *Жарг. мол. Шутл.* Телевизор. (Запись 2004 г.).

Оста́вить ни в я́щике, ни за я́щиком, ни в сусе́ке, ни в мешке́. *Сиб. Ирон.* Не оставить кому-л. ничего. ФСС, 127.

Пуска́ться в до́лгие я́щики. *Пск.* Вести долгие бесполезные разговоры. ПОС 9, 129; Мокиенко 1986, 39.

Я́щики да прика́зчики. *Пск. Шутл.* Об отсутствии товаров в магазине. СПП 2001, 84.

СПИСОК ИСТОЧНИКОВ

1. АБЛ 2004: Алексеенко М. А., Белоусова Т. П., Литвинникова О. И. Человек в русской диалектной фразеологии. Словарь. — М.: ООО «ИТИ ТЕХНОЛОГИИ», 2004. — 238 с.

2. Англицизмы 2004: Вальтер Х., Вовк О., Зумп А., Конупкова Х., Кульпа А., Порос В. Словарь: Заимствования в русском субстандарте. Англицизмы. Словарь-справочник. — М.: ООО «ИТИ ТЕХНОЛОГИИ», 2004. — 415 с.

3. Аникин 1957: Аникин В. П. Русские народные пословицы, поговорки, загадки и детский фольклор. М.: гос. учебно-пед. изд-во Мин-ва просвещения РСФСР, 1957. — 240 с.

Аникин 1988: Аникин В. П. (ред. и сост.). Русские пословицы и поговорки. М., 1988. — 774 с.

АОС: Архангельский областной словарь. Вып. 1-11 / Под ред. О. Г. Гецовой. М.: изд-во МГУ, 1980–2001.

4. Арбатский 2000: Арбатский Л. А. Толковый словарь русской брани. 2-е изд. – М.: ООО Изд-во Яуза, 2000. — 448 с.

5. Афг.-2000: Бойко Б. Л., Борисов А.: Афганский лексикон. (Военный жаргон ветеранов афганской войны 1979–1989 гг.). In: http://www.rus.org/afgan/atxtve.htm. 12.9.2000.

6. Б.: Быков В. Русская феня: Словарь современного интержаргона асоциальных элементов. – München: Verlag Otto Sagner, 1992. — 173 с.

7. Балдаев: Балдаев Д. С. Словарь блатного воровского жаргона: В 2-х т. – М.: Кампана, 1997.

8. Балдаев 2001: Балдаев Д. С. Татуировки заключенных. Санкт-Петербург. Лимбус-Пресс, 2001.

9. Бабина 2001: Бабина А. К. Жаргон наркоманов и молодежный сленг. – http://annababina.narod.ru/slovarik1.html.24.08.01

10. Балакай 1999: Балакай А. А. Доброе слово. Словарь-справочник русского речевого этикета и простонародного доброжелательного обхождения. Т. 1. — 311 с.; т. 2. — 317 с. — Кемерово: Кемеровский обл. ин-т усовершенствования учителей, 1999.

11. Балакай 2001 — Балакай А. А. Словарь русского речевого этикета: 2-е изд., испр. и доп. — М.: АСТ-ПРЕСС, 2001. — 672 с.

12. БалСок: Балясников Л. В., Соколова С. И. Материалы к словарю диалектной фразеологии деревни Горки Варнавинского района Горьковской области // Труды Самаркандского государственного университета им. Алишера Навои. Новая серия. Вып. № 272. Вопросы фразеологии, VIII. — Самарканд, 1975. — С. 21–57.

Баранников 1931: Баранников А. П. Цыганские элементы в русском воровском арго // Язык и литература. Т. 7. Л., 1931. С. 139–158.

13. БАС: Словарь современного русского литературного языка. Тт. 1–17. М.-Л.: Изд-во Академии наук СССР, 1948–1965. (Большой академический словарь)

14. БАС-2: Словарь современного русского литературного языка. Изд. 2-е, переработанное. Тт. 1-4. М.: «Русский язык», 1991–1993. (ССРЛЯ)

15. БАС-3: Словарь современного русского литературного языка. Изд. 3-е, переработанное. / Главный редактор К. С. Горбачевич. Научный координатор издания А. С. Герд. — Тт. 1–2. М.: «Русский язык», 2004–2005.

16. ББИ: Словарь тюремно-лагерно-блатного жаргона (речевой и графический портрет советской тюрьмы) / Авт.-сост. Д. С. Балдаев, В. К. Белко, И. М. Исупов. – М.: Края Москвы, 1992. — 526 с.

17. Белоус 1993: Белоус Т. А. Жаргонный словарь. – Одесса, 1993. — 50 с.

18. Белянин, Бутенко: Белянин В. П., Бутенко И. А. Живая речь. Словарь разговорных выражений. – М.: ПАИМС, 1994. — 192 с.

19. Бен: Бен-Якоб Броня. Словарь арго ГУЛАГа. – Frankfurt am Main: Posev-Verlag, 1982. — 149 с.

20. Бец: Бец В. Босяцкий словарь выражений, употребляемых босяками. – Одесса, 1903. — 14 с.

21. Блат.-99: Блатной словарь, 1999. — www.razvod.com.

22. Блат.-2001: Блатной словарь // http://www.bratok.com/frames.htm

23. БМС 1998: Бирих А. К., Мокиенко В. М., Степанова Л. И. Словарь русской фразеологии. Историко-этимологический справочник / Под ред. проф. В. М. Мокиенко. — СПб.: изд-во СПбГУ — Фолио-Пресс, 1998. – 704 с.

24. БМС 2005: Бирих А. К., Мокиенко В. М., Степанова Л. И. Русская фразеология. Историко-этимологический словарь. Около 6000 фразеологизмов. /СПбГУ: Межкафедральный словарный кабинет им. Б. А. Ларина. — Под ред. В. М. Мокиенко. — 3-е изд., испр. и доп. — М.: Астрель: АСТ: Люкс, 2005. — 926. [2] с.

25. БМС-Син 2001: А. К. Бирих, В. М. Мокиенко, Л. И. Степанова. Словарь фразеологических синонимов русского языка. — М.: «Астрель» и «Аст», 2001. — 495 с.

26. БМШ 2000: Берков В. П., Мокиенко В. М., Шулежкова С. Г. Большой словарь крылатых слов русского языка. – М.: Астрель — АСТ, 2000. — 624 с.

27. Бондалетов 1974: Бондалетов В. Д. Условные языки русских ремесленников и торговцев. – Рязань, 1974. — 111 с.

28. Борисова 1980: Борисова Е. Г. Современный молодёжный жаргон // РР, 1980. — № 5. — С. 51–54.

29. Борисова 2005: Борисова О. Г. Кубанские говоры: Материалы к словарю. — Краснодар: Кубанский гос. ун-т, 2005. — 252 с.

30. БотСан: Ботина Л. Г., Санжарова В. П. Материалы для диалектного фразеологического словаря (село Будки Курской области) // Труды Самаркандского государственного университета им. Алишера Навои. Новая серия. Вып. № 272. Вопросы фразеологии, VIII. — Самарканд, 1975. — С. 82–119.

31. Бр.: Брейтман Г. Н. Преступный мир: Очерки быта профессиональных преступников. – Киев, 1901. — 303 с.

32. Брысина 2003: Брысина Е. В. Этнокультурная идиоматика донского казачества: Монография. — Волгоград: «Перемена», 2003. — 293 с.

33. БС: Бизнес-сленг для "новых русских". — Донецк: Сталкер, 1996. — 368 с.

34. БСПЯ, 2000: Бестолковый словарь просторусского языка// http://www.zovu.ru/bes/-бестолковый словарь.

БСРЖ: Мокиенко В. М., Никитина Т. Г. Большой словарь русского жаргона. 25 000 слов и 7000 устойчивых сочетаний. — СПб.: «Норинт», 2000. — 720 с.

35. БТС: Большой толковый словарь русского языка. /Сост. и гл. ред. С. А. Кузнецов. — СПб.: «Норинт», 1998. — 1536 с.

36. Бугрий 1986: Бугрий Е. П. Лексические и фразеологические диалектизмы в прозе В. Белова (способы семантизации). — Автореф. канд. дисс. ... филол. наук. — Л., 1986. — 16 с.

37. Быков 1994: Быков В. Русская феня. — Смоленск: Траст-Имаком, 1994. — 222 с.

38. Вайскопф 2001: Вайскопф М. Писатель Сталин. — М.: ООО «Новое литературное обозрение», 2001. — 383 с.

39. Вальтер, Мокиенко 2005: Вальтер Х., Мокиенко В. М. Антипословицы русского народа. СПб.: Издательский Дом «Нева», 2005. — 578 с.

40. Вальтер, Мокиенко 2006: Вальтер Х., Мокиенко В. М. Прикольный словарь (антипословицы и антиафоризмы). — Санкт-Петербург–Москва: Издательский Дом «Нева», 2006. — 382 с.

41. Ваулина 1998: Ваулина Е. Ю. Толковый словарь пользователя PC. — СПб.: Атон, 1998.

42. Вахитов 2001: Вахитов С. В. Словарь уфимского сленга. — Уфа: Изд-во БГПУ, 2001. — 262 с.

43. Вахитов 2003: Вахитов С. В. Словарь уфимского сленга. — 2-е изд., испр. и доп. – Уфа: Изд-во БГПУ, 2003. — 236 с.

44. Веллер 1994: Веллер М. И. Легенды Невского проспекта. — СПб.: Лань, 1994.

45. Верш.: Вершининский словарь. Тт. 1-7./ Главный редактор О. И. Блинова. — Томск: изд-во Том. ун-та. — 1998–2002. (т. 1: А-В, 1998); т.2: Г-З, 1999; т. 3: И-М, 2000; т. 4: Н-О, 2001; т. 5: П, 2001; т. 6: Р-С, 2002; т. 7: Т-Я, 2002.

46. ВМН 2003: Вальтер Х., Мокиенко В. М., Никитина Т. Г. Словарь русского школьного и студенческого жаргона. – Greifswald, 2003. — 183 с.

47. ВМН 2005: Вальтер Х., Мокиенко В. М., Никитина Т. Г. Толковый словарь русского школьного и студенческого жаргона. Около 5000 слов и выражений. — М.: АСТ-Астрель-Транзиткнига, 2005. — 361 с.

48. Волков 1993: Волков А. Англо-русский и русско-английский словарь табуированной лексики. — Минск: ПКФ "Петит", 1993. — 126 с.

49. Галкина-Федорук 1954: Галкина-Федорук Е. М. Современный русский язык. Лексика: Курс лекций. – М.: МГУ, 1954.

50. Гвоздарев 1982: Гвоздарев Ю. А. Пусть связь речений далека… — Ростов-на-Дону, 1982. — 208 с.

51. Гвоздарев 1988: Гвоздарев Ю. А. Рассказы о русской фразеологии. – М., 1988. — 192 с.

52. Геловани, Цветков 1991: Геловани Г. Г., Цветков А. М. Русско-английский разговорник бытовой лексики и слэнга. — М.: Никарт, 1991.

53. Гиляровский 1985: Гиляровский В. А. Трущобные люди. — М.: Правда, 1985.

54. Глухов 1988: Глухов В. М. Словарь русской просторечно-диалектной фразеологии (собран в говорах Иловлинского р-на Волгоградской области). – 1988 (Машинопись).

55. Гончаренко 1974: Гончаренко В. Техника и тактика парящих полетов. – М.: ДОСААФ, 1974.

56. Горбач 2006: Олекса Горбач. Арго в Україні. — Львів: Інститут Українознавства ім. І Крип'якевича України, 2006. — 686 с.

57. Грачев 1992: Грачев М. А. Язык из мрака: блатная музыка и феня. Словарь. — Нижний Новгород: Флокс, 1992. — 207 с.

58. Грачев 1994: Грачев М. А. Методические рекомендации по применению жаргонных слов в деле разоблачения дельцов наркобизнеса. – Нижний Новгород, 1994.

59. Грачев 1995: Грачев М. А. Откуда слова "тусовка" и "тусоваться"? // РЯШ, 1995. — № 3. — С. 81–86.

60. Грачев 1996: Грачев М. А. Жаргон и татуировки наркоманов. Краткий словарь-справочник. — Н. Новгород: Нижегородский гуманитарный центр, 1996. — 34 с.

61. Грачев 1997: Грачев М. А. Русское арго. — Нижний Новгород: Изд-во НГЛУ им. Добролюбова, 1997. — 345 с.

62. Грачев, Мокиенко 2000: Грачев М. А., Мокиенко В. М. Историко-этимологический словарь воровского жаргона. – СПб.: Фолио-Пресс, 2000. — 256 с.

63. Грінченко 1909: Грінченко Б. Д. Словарь української мови. Тт. 1-4. Київ, 1909; Київ, 1969;

64. Громов 1992: Громов А. В. Словарь. Лексика льноводства, прядения и ткачества в костромских говорах по реке Унже. — Ярославль, 1992.

65. Громов 2000: Громов А. В. Жгонский язык: Словарь лексики пимокатов Макарьевского, Мантуровского и Нейского районов Костромской области. — М.: Энциклопедия российских деревень, 2000. — 126 с.

66. Д. 1-4: Даль В. И. Толковый словарь живого русского языка. 3-е изд. Тт. 1-4. М.: 1955.

67. Девкин 1994: Девкин В. Д. Немецко-русский словарь разговорной лексики. – Москва: РЯ, 1994.

68. Дмитриев 1931: Дмитриев Н. К. Турецкие элементы в русских арго // Язык и литература. – Л., 1931. Т.7. – С. 159–179.

69. Довлатов 1995: Довлатов С. Собрание сочинений: В 3 т. — СПб: Лимбус Пресс, 1995.

70. Доп.: Дополнение к "Опыту областного великорусского словаря". — СПб, 1858. — 328 с.

71. ДП: Даль В. И. Пословицы русского народа. М.; «Художественная литература», 1957. — 992 с.

72. ДС: Словарь современного русского народного говора (д. Деулино Рязанского района Рязанской области) / Под ред. И. А. Оссовецкого. — М., 1969. — 612 с.

73. Дубровина 1980: Дубровина К. Н. Студенческий жаргон // НДВШ. Филологические науки, 1980. — № 1. — С. 78–81.

74. Дуличенко 2001: Дуличенко А. Д. «…Я тело в душу превращаю», или кое-что о русском срамословии: (Размышления в связи с выходом «Словаря русской бранной лексики» В. М. Мокиенко // Studia Slavica Hungarica, XLVI. – Budapest, 2001. – S. 11–128.

75. Душенко 1997: Душенко К. В. Словарь современных цитат: 4300 ходячих цитат и выражений XX века, их источники, авторы, датировка. – М.: Аграф, 1997. — 632 с.

76. Дьячок 1992: Дьячок М. Т. Солдатский быт и солдатское арго // Русистика, 1992. — № 1. — С. 35–42.

77. Дядечко 2001–2003: Дядечко Л. П. Новое в русской и украинской речи: Крылатые слова – крилаті слова (материалы для словаря). – Ч. 1–4. – Киев, 2001–2003.

78. Европацентр: Независимая русскоязычная газета, Берлин.

79. ЕЗР: Ермакова О. П., Земская Е. А., Розина Р. И. Слова, с которыми мы все встречались. Толковый словарь общего жаргона / Под общим руководством Р. И. Розиной. — М.: Азбуковник, 1999. — 320 с.

80. Елистратов 1994: Елистратов В. С. Словарь московского арго.– М.: Русские словари, 1994. — 699 с.

81. Елистратов 2000: Елистратов В. С. Словарь московского арго. (Материалы 1980–1994 г). Около 9000 слов, 3000 идиоматических выражений. – М.: Русские словари, 2000. — 693 с.

82. Жиг. 1969: Жигулев А. М. Русские пословицы и поговорки. М., 1969. — 448 с.

83. Житинский 1990: Житинский А. Н. Путешествие рок-дилетанта. – Л.: Лениздат, 1990.

84. ЖКС 2006: Живое костромское слово. Краткий костромской областной словарь / сост.: Н. С. Ганцевская, Г. И. Маширова; отв. ред. Н. С. Ганцевская — Кострома: ГОУВПО КГУ им. Н. А. Некрасова, 2006. — 347 с.

85. ЖРКП: Меркурьев И. С. Живая речь кольских поморов. — Мурманск: Мурманское книжное изд-во, 1979. — 184 с.

86. Жук. 1991: Жуков В. П. Словарь русских пословиц и поговорок. 4-е изд., испр. и доп. М.: РЯ, 1991. — 534 с.

87. ЖЭМТ: Макловски Т., Кляйн М., Щуплов А. Жаргон-энциклопедия музыкальной тусовки. М.: Издательский центр, 1997. — 175+145 с.

88. ЖЭСТ-1, ЖЭСТ-2: Макловски Т., Кляйн М., Щуплов А. Жаргон-энциклопедия сексуальной тусовки для детей от 18 до 80 лет и дальше. — М.: Лист Нью, 1998. — 258+313 с.

89. Зайковская 1993: Зайковская Т. В. "Можно мозжечокнуться? — Сабо самой!" // РР, 1993. — № 6. — С. 40–43.

90. Зайнульдинов 1995: Зайнульдинов А. Ироническое использование русской мелиоративной лексики и фразеологии как фактор создания экспрессивности текста // Функционирование фразеологии в тексте в периоды кризиса идеологии и культуры. — Оломоуц, 1995. — С. 26–27.

91. Запесоцкий, Файн: Запесоцкий А. С., Файн А. П. Эта непонятная молодежь: Проблемы неформальных молодежных объединений. – М.: Профиздат, 1990. — 224 с.

92. Земская и др.: Земская Е. А., Китайгородская М. В., Ширяев Е. Н. Русская разговорная речь. — М.: Наука, 1981.

93. Зильберт 1994: Зильберт Б. А. Языковая личность и "новояз" эпохи тоталитаризма // Языковая личность и семантика. — Волгоград, 1994. — С. 50.

94. ЗС 1996: Зимин В. И., Спирин А. С. Пословицы и поговорки русского народа. — М: «Сюита», 1996. — 544 с.

95. Ивашко, 1979 — Ивашко Л. А. Устойчивые сочетания слов, связанные с обрядами в псковских говорах // Севернорусские говоры. Вып. 3. — 1979. — С. 118–125.

96. Ивашко 1981: Ивашко Л. А. Очерки русской диалектной фразеологии. Л.: изд-во ЛГУ, 1981. — 111 с.

97. Ивашко Д. Д: Ивашко Л. А. Диалектная фразеология и её формирование на базе лексики народной речи. — Дисс. на соиск. уч. степени доктора филол. наук. Машинопись, 1990.

98. Ивашко, 1993 — Ивашко Л. А. Из псковской фразеологии // Вопросы теории и истории языка. — СПб, 1993. — С. 167–173.

99. Ивашко 1999: Ивашко Л. А. Фразеологическая оценка физического здоровья в народной речи // ARS PHILOLOGICA. Festschrift für Baldur Panzer zum 65. Geburstag (hrsg. v. Karsten Grünberg und Wilfried Potthoff). Frankfurt am Main-Berlin-Bern-New York-Paris-Wien: Peter Lang-Verlag, 1999. — S. 407–410.

100. Иллюстров 1910: Иллюстров И. И. Жизнь русского народа в его пословицах и поговорках. СПб, 1910. — 480 с.

101. Иллюстров 1915: Иллюстров И. И. Жизнь русского народа в его пословицах и поговорках. СПб, 1915. — 480 с.

102. Карпов: Краткий сборник простонародных слов преимущественно Новорж., Опоч., Остров., Порхов. и Пск. уездов Псковской и Осташковского Тверской губернии. — Собрал окончивший курс Псковской губ. гимназии Ив. Ил. Карпов. – СПб, 1855 (Рукописный отдел БАН).

103. Кз.: Козловский В. Арго русской гомосексуальной субкультуры. Материалы к изучению. New York: Chalidze Publications, 1986. — 228 с.

104. Клушина 1996: Клушина Н. И. Мифологизация речевых средств в языке современной газеты // РР, 1996. — № 5. — С. 36–42.

105. Кобелева 1999: Кобелева И. А. Фразеология русских говоров республики Коми. Учебное пособие к спецкурсу. — Сыктывкар, 1999. — 312 с.

106. Кожевников 2001: Кожевников А. Ю. Большой словарь: Крылатые фразы отечественного кино. — СПб.: «Издательский дом «Нева»; М.: «ОЛМА-ПРЕСС», 2001. — 831 с.

107. Козырев 1912: Козырев Н. Семь сказок и одна легенда Псковской губернии. – Живая старина, 1912. Вып. 2–4. — С. 297–308.

108. Копаневич: Словарь И. К. Копаневича. 1902–1904 гг. Рукописный отдел БАН, 25.4.1.

109. Копылова 1984: Копылова Э. В. Ловецкое слово: Словарь рыбаков Волго-Каспия. — Волгоград: Нижн.-Волж. кн. изд-во, 1984. — 128 с.

110. Кор.: Коровушкин В. П. Словарь русского военного жаргона. — Екатеринбург: Изд-во Уральского ун-та, 2000. — 372 с.

111. Костин 2004: Костин А. Ю. Жаргон абонентов сотовой связи стандарта GSM: семантический и словообразовательный аспекты // Социальные варианты языка-III: Мат-лы междунар. научн. конфер. – Нижний Новгород: НГЛУ им. Н. А. Добролюбова, 2004. — С. 243–245.

112. Костомаров 1994: Костомаров В. Г. Языковой вкус эпохи. Из наблюдений над речевой практикой масс-медиа. — М.: Педагогика-Пресс, 1994. — 247 с.

113. Костючук 1983: Костючук Л. Я. Псковская фразеология в её прошлом и настоящем: Уч. пос. к спецкурсу. — Л.: Изд-во Ленинград. пед. ин-та, 1983. — 82 с.

114. Костючук 1992: Костючук Л. Я. Из истории псковской лексики и фразеологии. Учебное пособие к спецкурсу по русскому языку. Псков: Изд-во Псковского пед. ин-та., 1992. — 66 с.

115. Костючук 1997: Костючук Л. Я. Старое и новое в псковских говорах как закономерность развития и функционирования // Псковские говоры. История и диалектология русского языка. Под. ред. Яна Ивара Бьёрнфлаттена. — Oslo: Solum Forlag, 1997. С. 95–109.

116. Костючук 2001: Костючук Л. Я. Лексика как отражение некоторых языковых антиномий на рубеже веков // Проблемы филологии и методики преподавания иностранных языков на рубеже веков. Межвузовский сборник научно-методических статей. — Псков: Псковск. гос. пед. ин-т им. С. М. Кирова, 2001. — С. 28–38.

117. Костючук 2001а: Костючук Л. Я.Фразеологизмы и устойчивые сочетания слов как отражение синхронии и диахронии в языке и тексте // Переходные явления в области лексики и фразеологии русского и других славянских языков. Материалы международного научного симпозиума. — Великий Новгород, 2001. — С. 155–157.

118. КПОС см. Картотека ПОС.

119. Крысин 1996: Крысин Л. П. Эвфемизмы в современной русской речи // Русский язык конца XX столетия. 1985–1995. — М.: Языки русской культуры. — 1996. — С. 384–408.

120. Крысин 2005: Крысин Л. П. Толковый словарь иноязычных слов. Свыше 25 000 слов и словосочетаний / 3-е изд., доп. — М.: Изд-во Эксмо. — 2005. — 344 с.

121. КСРГК: Картотека СРГК.

122. КСРГО: Картотека Словаря русских говоров Одессщины. (материнские говоры — курско-орловские). — Одесский государственный университет, кафедра русского языка. Материалы присланы в 1987 г. Л. И. Демьяновой.

123. Кузнецов 1915: Кузнецов Д. Рыбопромышленный словарь. По материалам, собранным участниками Псковской промыслово-научной экспедиции 1912–1913 гг.- Пг., 1915. — 159 с.

124. Кунин 1988: Кунин В. В. Интердевочка // Аврора, 1988. — № 2. — С. 87–139; № 3. — С. 89–125.

125. Кунин 1991: Кунин В. В. Иванов и Рабинович, или "Ай гоу ту Хайфа". — Л., Мюнхен: Ретур, 1991.

126. Купина 1995: Купина Н. А. Тоталитарный язык: Словарь и речевые реакции. — Екатеринбург — Пермь, 1995.

127. Лаз.: Лазаревич С. В. Лексика и фразеология русского военного жаргона (семантико-словообразовательный анализ). — Дисс. ... канд. филол. наук. — Нижний Новгород, 2000.

128. Лапшин-2000: Толковый словарь автостопщика /Сост. Г. Лапшин. — http://www.avp.travel.ru/tolk_ slov_AS.htm (2000).

129. Ларин 1931: Ларин Б. А. Западноевропейские элементы русского воровского арго// Язык и литература. — Л., 1931. — Т. 7. — С. 113–130.

130. Ларин 1997: Ларин Б. А. История русского языка и общее языкознание (избранные работы). — М.: Просвещение, 1977. — 224 с.

131. Левины 1991: Левин Б. М., Левин М. Б. Наркоманы и наркомания. — М.: Просвещение, 1991.

132. Левитас 1986: Левитас И. Я. Основы практической филателии. – М.: Радио и связь, 1986.

133. Лилич 2000: Лилич Г. А. Чешская «бархатная революция» и ее круги на славянской воде // Rossica Olomucensia XXXVIII. — 2 část. — Olomouc, 2000. — С. 393–396.

134. Лихачев 1992: Лихачев Д. С. Черты первобытного примитивизма в воровской речи [Заключительная статья] // Словарь тюремно-лагерно-блатного жаргона (речевой и графический портрет советской тюрьмы)/ Авт.-сост. Д. С. Балдаев, В. К. Белко, И. М. Исупов. – М.: Края Москвы, 1992. – С. 355–405.

135. Лихолитов 1994: Лихолитов П. В. Жаргонная речь уличных торговцев // РР, 1994. — № 4. — С. 61–66.

136. Лихолитов 1997: Лихолитов П. В. Компьютерный жаргон // РР, 1997. — № 3. — С. 43–49.

137. Личко, Битенский 1991: Личко А. Е., Битенский В. С. Подростковая наркомания. — Л.: Медицина, 1991.

138. Ломтев 2001: Ломтев А. Г. Корпоративный жаргон лиц, потребляющих наркотики (словник). – http://www.teneta.ru/rus/aa/agrotrava.html.15.10.01.

139. Мазурова 1991: Мазурова А. И. Сленг хип-системы // По неписаным законам улицы. — М., 1991. — С. 118–138.

140. Мазурова, Розин 1981: Мазурова А. И., Розин М. В. Развитие, структура и сущность хиппизма // По неписаным законам улицы. – М., 1981. – С. 99–118.

141. Максимов: Максимов Б. Б. Фильтруй базар: Словарь молодежного жаргона города Магнитогорска. – Магнитогорск. МаГУ, 2002. — 506 с.

142. Мальчишник. Энциклопедия для юношей /Авт.-сост. В. В. Иванова. — М.: Лабиринт-К, 1999.

143. Марочкин 1998: Марочкин А. И. Лексико-фразеологические особенности молодежного жаргона (на материале речи молодежи г. Воронежа): Автореф. дисс. ... канд. филол. наук. — Воронеж, 1998. — 16 с.

144. МАС (Малый академический словарь): Словарь русского языка: В 4-х т. /АН СССР; Под ред. А. П. Евгеньевой. 2-е изд. – М.: Русск. яз., 1984.

145. Мелерович, Мокиенко 1997: Мелерович А. М., Мокиенко В. М. Фразеологизмы в русской речи. Словарь. — М.: «Русские словари», 1997 — 864 с.; изд. 2-е. — М.: «Русские словари, Аст-

рель», 2001 — 855 с.; изд. 3-е. — М.: «Русские словари, Астрель», 2005 — 855 с.

146. Мильяненков 1992: Мильяненков Л. По ту сторону закона: Энциклопедия преступного мира. – СПб: Ред. журн. «Дамы и господа», 1992. — 318 с.

147. Митрофанов, Никитина 1994: Митрофанов Е. В., Никитина Т. Г. Молодёжный сленг: Опыт словаря. — М.: Из глубин, 1994. — 278 с.

148. Митьки: Митьки, описанные В. Шинкаревым и нарисованные А. Флоренским. – Л.: Смарт, 1990.

149. Мих. 1, 2: Михельсон М. И. Русская мысль и речь. Свое и чужое. Опыт русской фразеологии. Сборник образных слов и иносказаний. Предисловие и комментарии В. М. Мокиенко. — М.: «Русские словари», 1994.

150. МКЩ: Макловски Т., Кляйн М., Щуплов А. Жаргон-энциклопедия московской тусовки. — Москва, 1997. — 258 + 313 с.

151. МННС: Моченов А. В., Никулин С. С., Ниясов А. Г., Савваитова М. Д. Словарь современного жаргона российских политиков и журналистов. – М.: Олма-Пресс, 2003. — 253 с.

152. Мокиенко 1980: Мокиенко В. М. Славянская фразеология. – М.: ВШ, 1980. — 287 с.

153. Мокиенко 1989: Мокиенко В. М. В глубь поговорки. — К.: Рад. шк., 1989. — 221 с.

154. Мокиенко 1992: Мокиенко В. М. Из истории жаргонной фразеологии: до лампочки или до фонаря? // Russistik, 1992. — № 1. – С. 17–24.

155. Мокиенко 1994: Мокиенко В. М. Субстандартная фразеология русского языка и некоторые проблемы ее лингвистического изучения // La revue russe, 1994. — № 7. – С. 53–75.

156. Мокиенко 1995: Мокиенко В. М. Словарь русской бранной лексики (матизмы, обсценизмы, эвфемизмы с историко-этимологическими комментариями). А-А — ЯЯ. Mit einem Nachwort von Soia A.Koester-Thoma. — Berlin: Dieter LENZ Verlag, 1995. — XXV + 151 с.

157. Мокиенко 1999: Мокиенко В. М. Принцип лексикографической полноты и славянская фразеография // Славянская филология. Вып. VIII. — СПб.: изд-во СПбГУ, 1999. — С. 56–70.

158. Мокиенко 2000: Мокиенко В. М. Рец.: Словарь русских говоров Карелии и сопредельных областей / Гл. ред. А. С. Герд. СПб: изд-во СПбГУ. Вып. 1 (А-дрожанник), 1994, 509 с.; Вып. 2 (Дрожжевик — косячок). 1995. — 447 с. // Вопросы языкознания, 1997. — № 2. — С. 181–185.

159. Мокиенко 2003: Новая русская фразеология. – Opole: Uniwersytet Opolski – Instytut Filologii Polskiej, 2003. — 168 с.

160. Мокиенко 2003а: Мокиенко В. М. Словарь сравнений русского языка. — СПб.: «Норинт», 2003. — 608 с.

161. Мокиенко 2003б — Мокиенко В. М. Почему так говорят? От Авося до Ятя: Историко-этимологический справочник по русской фразеологии. — СПб.: «Норинт», 2003. — 512 с.

162. Мокиенко, Никитина 1998: Мокиенко В. М., Никитина Т. Г. Толковый словарь языка Совдепии. — СПб.: Фолио-Пресс, 1998. — 704 с.

163. Мокиенко, Никитина 2003: Мокиенко В. М., Никитина Т. Г. Словарь русской брани. – СПб.: Норинт, 2003. — 448 с.

164. Мокиенко, Сидоренко 1999: Мокиенко В. М., Сидоренко К. П. Словарь крылатых выражений Пушкина. — СПб.: изд-во СПбГУ — Фолио-Пресс, 1999. — 752 с.

165. Мокиенко, Сидоренко 2005: Мокиенко В. М., Сидоренко К. П. Школьный словарь крылатых выражений Пушкина. — СПб.-Москва: издательский Дом «Нева», 2005. — 800 с.

166. МФС: Прокошева К. Н. Материалы для фразеологического словаря говоров Северного Прикамья. — Пермь, 1972. — 114 с.

167. Незнанский 1991: Незнанский Ф. Ярмарка в Сокольниках. – М.: Мегаполис, 1991.

168. Немировская 1997: Немировская Ю. «Русские культурные идиомы». = Nemirovskaya Yulia. Inside the Russian Soul: A historical survey of Russian cultural patterns/ — New York, Mc Graw – Hill Companies, Inc., Primus Custom Publishing, 1997.

169. Ненашев, Пилатов 1990: Ненашев С. В., Пилатов С. Г. Дети андеграунда. – Л.: Лениздат, 1990.

170. Никитина 1996: Никитина Т. Г. Так говорит молодежь. Словарь сленга. По материалам 70–90-х годов. — М.: Из глубин, 1996. 280 с.

171. Никитина 1998: Никитина Т. Г. Так говорит моложежь. — Изд. 2-е испр. и доп. — СПб: Фолио-пресс, 1998. — 203 с.

172. Никитина 2003: Никитина Т. Г. Молодежный сленг. Толковый словарь. Более 12 000 слов; свыше 3000 фразеологизмов. — М.: Астрель, АСТ, 2003. — 360 с.

173. Никитина 2003а: Никитина Т. Г. Современные русские социолекты: школьный жаргон // Практика, 2003, № 2. — С. 7–9.

174. Никитина 2003б: Никитина Т. Г. Толковый словарь молодежного сленга. Слова, непонятные взрослым. Около 2000 слов. Москва: Астрель, АСТ, 2003. — 912 с.

175. Никитина 2003в: Никитина Т. Г. Школьный жаргон: динамика лексико-фразеологического состава // Социальные варианты языка –II. Мат-лы междунар. конфер. – Н. Новгород: НГЛУ им. Н. А. Добролюбова, 2003. – С. 215–218.

176. Никольский 1993: Никольский В. Д. Dictionary of contemporary Russian slang. — М.: Панорама, 1993. — 175 с.

177. Новиков 1999: Новиков А. Б. Словарь перифраз русского языка. — М.: Рус. яз., 1999. — 224 с.

178. НОС: Новгородский областной словарь. — Сост. В. П. Строгова, А. В. Клевцова, Л. Я. Петрова и др. — Отв. ред. В. П. Строгова. Вып. 1–13. — Новгород, 1991–2000.

179. НРЛ-77: Новое в русской лексике: Словарные материалы-77/ Н. З. Котелова, В. П. Петушков, Ю. Е. Штейнсапир, Н. Г. Герасимова. — Под ред. Н. З. Котеловой. М.: «Русский язык»,. М., 1980. — 176 с.

180. НРЛ-78: Новое в русской лексике: Словарные материалы-78 / Н.Г. Герасимова, Н. З. Котелова, Т. Н. Поповцева, В. П. Петушков. — Под ред. Н. З. Котеловой. М.: «Русский язык», 1981.– 262 с.

181. НРЛ-79: Новое в русской лексике: Словарные материалы-79 / Н. З. Котелова, М. Н. Судоплатова, Н. Г. Герасимова, Т. Н. Поповцева. — Под ред. Н. З. Котеловой. М.: «Русский язык»,1982. — 320 с.

182. НРЛ-80: Новое в русской лексике: Словарные материалы-80 / В. П. Петушков, Т. Н. Поповцева, Н. В. Соловьев, М. Н. Судоплатова. — Под ред. Н. З. Котеловой. М.; «Русский язык», 1984. — 286 с.

183. НРЛ-81: Новое в русской лексике: Словарные материалы-81 / Н. З. Котелова, Н. В. Соловьев, М. Н. Судоплатова, Ю. Ф. Денисенко, Т. Н. Буцева, С. И. Алаторцева. — Под ред. Н. З. Котеловой. М.; «Русский язык»,1986. — 288 с.

184. НРЛ-82: Новое в русской лексике: Словарные материалы-82 / Н. З. Котелова, М. Н. Судоплатова, Ю. Ф. Денисенко, Т. Н. Поповцева, С. И. Алаторцева, Т. Н. Буцева. — Под ред. Н. З. Котеловой. М.; «Русский язык», 1986. — 253 с.

185. НРЛ-83: Новое в русской лексике: Словарные материалы-83 / В. П. Петушков. — Под ред. Н. З. Котеловой. М.; «Русский язык», 1987. — 191 с.

186. НРЛ-84: Новое в русской лексике: Словарные материалы-84 / В. Н. Плотицын, М. Н. Судоплатова, Н. З. Котелова. — Под ред. Н. З. Котеловой. М.; «Русский язык», 1989. — 426 с.

187. НРЛ-85: Новое в русской лексике. Словарные материалы 1985 / Н. З. Котелова, В. Н. Плотицын, М. Н. Судоплатова, С. И. Алаторцева. — Под ред. Н. З. Котеловой и Ю. Ф. Денисенко; РАН. Ин-т лингвистических исследований. — СПб.: «Дмитрий Буланин», 1996. — 351 с.

188. НРЛ-86: Новое в русской лексике. Словарные материалы 1986 / В. Н. Плотицын, М. Н. Судоплатова, Н. З. Котелова, Ю. Ф. Денисенко и др. — Под ред. Н. З. Котеловой, С. И. Алаторцевой и Т. Н. Буцевой; РАН. Ин-т лингвистических исследований — СПб.: «Дмитрий Буланин», 1996. — 381 с.

189. НРЛ-87: Новое в русской лексике. Словарные материалы 1987 / Н. З. Котелова, Ю. Ф. Денисенко, М. Н. Судоплатова,

Т. Н. Буцева, И. А. Бочкарева. — Под ред. Н. З. Котеловой и Ю. Ф. Денисенко; РАН. Ин-т лингвистических исследований — СПб.: «Дмитрий Буланин», 1996. — 352 с.

190. НРЛ-88: Новое в русской лексике. Словарные материалы 1988 / Т. Н. Буцева, Ю. Ф. Денисенко, Е. П. Холодова, М. Ф. Найденышева и др. — Под ред. Е. А. Левашова; РАН. Ин-т лингвистических исследований — СПб.: «Дмитрий Буланин», 1996. — 420 с.

191. НРЛ-89: Новое в русской лексике. Словарные материалы 1989 / М. Н. Судоплатова, В. Н. Плотицын, Н. В. Соловьев и др. — Под ред. Н. В. Соловьева. Институт лингвистических исследований РАН — СПб.: «Дмитрий Буланин», 2001. — 370 с.

192. НСЗ-60: Новые слова и значения: Словарь-справочник по материалам прессы и литературы 60-х годов / Под ред. Н. З. Котеловой, Ю. С. Сорокина. М. 1971.

193. НСЗ-70: Новые слова и значения: Словарь-справочник по материалам прессы и литературы 70-х годов/ Под ред. Н. З. Котеловой. М., 1984. — 805 с.

194. НСЗ-80: Новые слова и значения. Словарь-справочник по материалам прессы и литературы 80-х годов / Т. Н. Буцева, Ю. Ф. Денисенко, Е. П. Холодова и др. — Под ред. Е. А. Левашова; РАН. Ин-т лингвистических исследований. — Спб.: «Дмитрий Буланин», 1997. — 904 с.

195. Опыт: Опыт областного великорусского словаря. СПб, 1852.

196. Орел 1972: Орел М. В. Диалектная фразеология среднеобских старожильческих говоров (материалы для словаря) // Вопросы фразеологии. — Вып. VI. Самарканд: изд-во СамГУ, 1972. — 205–260 с.

197. Османова 1990: Османова Т. А. Материалы к словарю фразеологическох новообразований русского языка 80-х гг. (машинопись).

198. Отр. угол: Отрицательный угол. Подросток: цена самоутверждения. – М.: Мол. гвардия, 1990. — 256 с.

199. ОШ: Ожегов С. И., Шведова Н. Ю. Толковый словарь русского языка. – М.: Азъ, 1992. — 955 с.

200. Пахотина АКД: Пахотина Н. К. Опыт исследования фразеологической деривации (на материале ошинских говоров Омской области). — Автореф. канд. дисс. ... филол наук. — М., 1973. — 17 с.

201. ПБС, 2002: Приколы. Бестолковый словарь// http://superanekdot.narod.ru/dict/1.html.

202. Перемены, 2002: Перемены. Интернет-газеты (Обзор периодики) // http://www.eurekanet.ru/lc-r/item-ipspub/meth-v/obj-09411.html.

203. Платонова 1999: Платонова Н. Слова, которые употребляет молодёжь. — Greifswald, 1999.

204. ПНН, 1999: Прикольные названия номеров// http://pimpovoz111.chat.ru/vp5.htm.-3K-14.10.1999

205. Подберезкина 1992: Подберезкина Л. З. Заповедник природный и лингвистический // Русистика, 1992. — № 1. — С. 82–85.

206. Пд: см. Подюков 1989.

207. Подюков 1982: Подюков И. А. Экспрессивно-стилистическая характеристика диалектных фразеологических единиц (на материале говоров Северного Прикамья). Канд. дисс.... филол. наук. Л., 1982. — 176 с.

208. Подюков 1982а: Подюков И. А. Экспрессивно-стилистическая характеристика диалектных фразеологических единиц (на материале говоров Северного Прикамья). Автореф. канд. дисс.... филол. наук. Л., 1982. — 18 с.

209. Подюков 1989: Подюков И. А. Материалы к словарю-справочнику по русской народной фразеологии. Пермь, 1989 (машинопись).

210. Подюков 1991: Подюков И. А. Народная фразеология в зеркале народной культуры. Уч. пособие. Пермь: ПГПИ, 1991. — 127 с.

211. Подюков 1994: Подюков И. А. Сны, приметы, загадки, поговорки. Сост. Подюков И. А. — Пермь, 1994.

212. Подюков 1997: Подюков И. А. Культурно-семиотические аспекты народной фразеологии. — Автореф. докторской дисс. ... филол. наук. СПб., 1997. — 39 с.

213. Подюков 1997а: Подюков И. А. Культурно-семиотические аспекты народной фразеологии. — Докторская дисс. ... филол. наук. СПб., 1997.

214. Подюков 2001: Подюков И. А. Круговорот жизни. Народный календарь Прикамья. Пермь: изд-во ПРИПИТ, 2001. — 100 с.

215. Подюков, Маненкова 1991: Подюков И. А., Маненкова Н. Ю. Жаргонизированная лексика и фразеология в обиходно-разговорной речи молодежи // Лингвистическое краеведение. — Пермь, 1991. — С. 78–85.

216. ПОС: Псковский областной словарь с историческими данными. Основан Б. А. Лариным. Вып. 1–16. Л.-СПб: изд-во ЛГУ-СПбГУ, 1967–2004.

217. Потапов: Словарь жаргона преступников (блатная музыка) /Сост. по новейшим данным С. М. Потапов. – М.: НКВД, 1927. — 196 с.

218. ППЗ: Пословицы, поговорки, загадки в рукописных сборниках XVII–XX веков / Издание подготовили М. Я. Мельц, В. В. Митрофанова, Г. Г. Шаповалова. М.-Л., 1961. — 289 с.

219. Прокопенко 1999: Прокопенко Ю. Полный сексологический словарь. Изд. 3-е, перераб. и доп. — М.: РИПОЛ КЛАССИК, 1999. — 395 с.

220. Прокошева 1981: Прокошева К. Н. Материалы для фразеологического словаря говоров северного Прикамья. Пермь. (Материалы в карточках, присланные В. М. Мокиенко в 1981 г.).

221. Прокошева 1986: Дополнения к «Материалы для фразеологического словаря говоров Северного Прикамья» (МФС). Машинопись, 1986.

222. Прокошева 2002: Прокошева К. Н. Фразеологический словарь пермских говоров. Пермь: Пермский гос. пед. ун-т, 2002. — 432 с. Ср. МФС.

223. Протченко 1975: Протченко И. Ф. Лексика и словообразование советской эпохи. — М.: Наука, 1975.

224. Р-87: Росси Ж. Справочник по ГУЛАГу: Исторический словарь советских пенитенциарных институций и терминов, связанных с принудительным трудом. 2-е изд. – London: Overseas Publications Interchang Ltd., 1987. — 546 с.

225. Раскин 1996: Раскин И. З. Энциклопедия хулиганствующего ортодокса. — М.: Грамма, 1996. — 476 с.

226. РАСлОльх.: Ройзензон Л. И., Андреева Л. А. Словарь русской диалектной фразеологии Ольхонского района Иркутской области. — Вопросы фразеологии. — Вып. 6. Самарканд, 1972. — С. 114–204.

227. РАФС: Русско-армянский фразеологический словарь. Под ред. Р. Л. Мелкумяна и А. М. Погосяна. Ереван: изд-во ЕрГУ, 1975. — 615 с.

228. РБФС: Русско-болгарский фразеологический словарь. Сост.: К. Андрейчина, С. Влахов, С. Димитрова, К. Запрянова. Под ред. С. Влахова. М.-София: Русский язык-Наука и изкуство, 1980. — 582 с.

229. Рекшан 1988: Рекшан В. Кайф. Почти документальное повествование // Нева, 1988. — № 3. — С. 111–149.

230. Решетникова 2001: Решетникова Е. А. Национально-культурный компонент семантики цветообозначений в русском и английском языках // Лингвистическое отечествоведение. – Елец, 2001. – С. 158–166.

231. РКФС: Русско-китайский фразеологический словарь (Ehan chengyu cidian). Под ред. Чжоу Цзишэнь. Пекин, 1984. — 722 с.

232. Рожанский 1992: Рожанский Ф. И. Сленг хиппи. Материалы к словарю. — СПб-Париж: Изд-во Евр. дома, 1992. — 64 с.

233. Розин 1981: Розин М. В. Последствия контркультурного образа жизни // По неписаным законам улицы. – М., 1981. – С. 156–172.

234. РойзБалСл. 1972: Ройзензон Л. И., Балясников А. В. Словарь диалектной фразеологии деревни Коты Оёкского района Иркутской области // Вопросы фразеологии. — Вып. 6. — Самарканд, 1972. — С. 325–241.

235. Ройз.Хаз.Сл.: Ройзензон Л. И., Хазова Л. Н. Материалы к диалектному фразеологическому словарю народных говоров Нижнедевицкого района Воронежской области // Вопросы фразеологии VI. — Самарканд, 1971. — С. 290–306.
236. Ром-Миракян 1996: Ром-Миракян Е. Забытые слова // Русистика, 1996. — № 1-2. — С. 89–96.
237. Росек 1990: Росек Б. Дневник наркоманки. – М.: Новелла, 1990.
238. Росси 1991: Росси Ж. Справочник по ГУЛАГу: В 2 ч. — М.: Просвет, 1991.
239. РСЖ: Русский сленг и жаргон. // http://sandym.chat.ru/argo.htm.
240. РЩН: Ройзензон Л. И., Щигарева Б. К., Николова О. И. Материалы к словарю диалектной фразеологии Невельского района Псковской области. // Вопросы фразеологии, X. — Самарканд, 1976. — С. 123–151.
241. Садошенко 1995: Садошенко Д. Словарик компьютерного сленга. Днепропетровск, 1995. — 2:464/666. 13@ fidonet.
242. Садошенко 1996: Садошенко Д. Computer Slang Dictionary. Version 1451. — Dniepropetrovsk, 1996. — 2: 464/2000. 16 @fidonet. 1996.
243. САР: Словарь Академии Российской. – СПб., 1789–1794.
244. САР 1847: Словарь церковно-славянского и русского языка, сост. Вторым отд. Академии Наук. — Тт. 1–4. — СПб., 1847; Репринтное издание. — СПб.: изд-во С.-Петербургского ун-та, 2001–2003.
245. Сарнов 2002: Сарнов Б. М. Наш советский новояз. Маленькая энциклопедия реального социализма. — М.: «Материки», 2002. — 600 с.
246. СБГ : Словарь брянских говоров. Вып. 1–5. Л., 1976–1988.
247. СБО-Д1: Словарь русских старожильческих говоров средней части бассейна р. Оби (Дополнение) / Под ред. О. И. Блиновой, В. В. Палагиной. — Часть 1. — Томск: Изд-во Томского ун-та, 1975.
248. СБО-Д2: Словарь русских старожильческих говоров средней части бассейна р. Оби (Дополнение) / Под ред. О. И. Блиновой, В. В. Палагиной. — Часть 1. — Томск: Изд-во Томского ун-та, 1975.
249. Сб.Ром.: Рукописный сборник «Древних русских пословиц», опубликованный Е. Р. Романовым // Зап. Сев.-Зап. отделения Русского географического общества. Кн. 1. Вильна, 1910; кн. 2. Вильна, 1912.
250. СВГ: Словарь вологодских говоров. Научн. ред. Т. Г. Паникаровская. Т. 1–10. Вологда, 1983–2005.
251. СВЖ: Феня. Словарь воровского жаргона: Пособие для оперативных и следственных работников. – Киев, 1964.
252. СВЯ: Словарь воровского языка. Слова, выражения, жесты, татуировки. – Тюмень: НИЛПО, 1991. — 170 с.
253. СГПО: Словарь говоров Соликамского района Пермской области. Сост. — О. П. Беляева. Пермь: Пермский гос. пед. ин-т, 1973. — 706 с.
254. СДГ: Словарь русских донских говоров. Тт. 1-3. Ростов-на-Дону, 1976.
255. Сергеева 2004: Сергеева Л. Н. Материалы для идеографического словаря новгородских фразеологизмов, Вел. Новг.: НовГУ, 2004.
256. Серов 2003: Серов В. Крылатые слова: Энциклопедия. — М.: Локид-Пресс, 2003. — 831 с.
257. СИД 1994: Словарь Игрового Движения. Ок. 200 слов. Спец. издание. /Сост. А. Рябова, М. Викторова, А. Глинская, С. Громов. — Красноярск, 1994.
258. Синдаловский 2002: Синдаловский Н. А. Словарь петербуржца. – СПб.: Норинт, 2002. — 320 с.
259. Скачинский 1982: Скачинский А. Словарь блатного жаргона в СССР. – Нью-Йорк, 1982. — 248 с.
260. СКузб.: Словарь русских говоров Кузбасса /Под ред. Н. В. Журавской, О. А. Любимовой. — Новосибирск: НГПИ, 1976. — 233 с.
261. Сл. Акчим. 1–4: — Словарь говора д. Акчим Красновишерского района Пермской области (Акчимский словарь). Вып.1–4. /Гл. ред. Ф. Л. Скитова. — Пермь: Пермский государственный университет, 1984–1999.
262. Словарь Шолохова 2005: Словарь языка Михаила Шолохова. — Автор и руководитель проекта, главный ред. Е. И. Диброва. — М.: ООО «ИЦ «Азбуковник»», 2005. — 964 с.
263. СМЖ: Словарь молодежного жаргона. Слова, выражения, клички рок-звезд, прозвища учителей / Под ред И. А. Стернина. — Воронеж: Логос, 1992. — 113 с.
264. Смирнов 1993: Смирнов В. П. Гроб из Одессы. — Одесса: Вариант — Два слона, 1993.
265. Смирнов 2002: Смирнов В. П. Полутолковый словарь одесского языка. – Одесса: Друк, 2002. — 276 с.
266. Снегирев 1831–1834: Снегирев И. М. Русские в своих пословицах. М. Книжка 1. 1831. — 174 с.; Книжка 2. 1831. — 180 с.; Книжка 3. 1832. — 289 с.; Книжка 4. 1834. — 212 с.
267. СНФП: Словарь народной фразеологии Прибайкалья / Под ред. Н. Г. Бакановой. Компьютерный вариант, представленный в «Интернете».
268. СОВРЯ: Словарь образных выражений русского языка. Сост. Т. С. Аристова, М. Л. Ковшова, Е. А. Рысева, В. Н. Телия, И. Н. Черкасова. Под ред. В. Н. Телия. М.: Отечество, 1995. — 366 с.
СОГ: Словарь орловских говоров / Ред. Т. В. Бахвалова. Вып. 1–14. Орёл, — 2003.
269. СОСВ: Словарь образных слов и выражений народного говора / Под ред. О. И. Блиновой, — Томск: изд-во НТЛ, 1997. — 208 с.
270. СОСВ 2001: Блинова О. И. Мартынова С. Э., Юрина Е. А. Словарь образных слов и выражений народного говора / Под ред. О. И. Блиновой. Изд. 2-е. — Томск: изд-во Томск. ун-та, 2001. — 312 с.
271. СОГ: Словарь орловских говоров /Ред. Т. В. Бахвалова. Вып. 1-12. Орёл, 1989–2001.
272. СП: Словарь перестройки /Сост. Максимов В. И. и др. — СПб.: Златоуст, 1992. — 256 с.
273. СПП 2001: Словарь псковских пословиц и поговорок / Сост. В. М. Мокиенко, Т. Г. Никитина. Научн. ред. Л. А. Ивашко. 13 000 единиц. — СПб.: «Норинт», 2001. — 176 с.
274. СПСП: Словарь просторечий русских говоров Среднего Приобья /Ред. О. И. Блинова. — Томск: Томский ун-т, 1975. — 182 с.
275. СРВС: Собрание русских воровских словарей: В 4-х т. / Сост. и примечания В. Козловского. – New York, 1983.
276. СРГА: Словарь русских говоров Алтая. Вып. 1-4. / Под ред. И. А. Воробьёвой, А. И. Ивановой. — Барнаул: Изд-во Алтайского гос. ун-та, 1993–1998.
277. СРГБ: Словарь русских говоров Башкирии /Под ред. З. П. Здобновой. Вып. 1–2. — Уфа: Гилем, 1997–2000.
278. СРГЗ: Элиасов Л. Е. Словарь русских говоров Забайкалья. — М.: Наука, 1980.
279. СРГК: Словарь русских говоров Карелии и сопредельных областей / Главный редактор А. С. Герд. Вып. 1–6. СПб.: изд-во СПбГУ, 1994–2005.
280. СРГМ: Словарь русских говоров на территории Мордовской АССР. Т. 1–8. Саранск: изд-во Мордовского ун-та, 1978–2006.
281. СРГНП: Словарь русских говоров Низовой Печоры / Под ред. Л. А. Ивашко. — Т. 1–2. — СПб: Филологический ф-т СПбГУ. 2003–2005.
282. СРГПриам.: Словарь русских говоров Приамурья / Отв. ред. Ф. П. Филин. — М.: Наука, 1983. — 341 с.
283. СРГСУ: Словарь русских говоров Среднего Урала. — Вып.1–4. — Свердловск: Изд. УрГУ, 1964–1983.
284. СРНГ: Словарь русских народных говоров / Под ред. Ф. П. Филина и Ф. П. Сороколетова. Вып. 1–40. Л.-СПб, 1965–2006.
285. ССВ-2000: Словарь сленговых выражений или культура курения конопли //www.tanais.narod./ru./htm (2000 г.)
286. ССГ: Словарь смоленских говоров. Вып. 1-11 / Отв. ред.: Л. З. Бояринова, А. И. Иванова. Смоленск: СГПИ, 1974–2005.

287. ССРЛЯ: Словарь современного русского литературного языка: В 20 т. — Т.1–6. — М.: Рус. яз., 1991 — 1994. См. БАС-2.

288. Степанов 1999: Степанов Е. Н. «Приморская» метафора в современной Одессе // Актуальні питання металінгвістики. – Київ, Черкаси: Брама, 1999. – С. 81–84.

289. СТРА 2003: Грачев М. А. Словарь тысячелетнего русского арго: 27 000 слов и выражений. — М.: РИПОЛ КЛАССИК, 2003. — 1120 с.

290. Суворов 1993: Суворов В. Освободитель. СПб: Конец века, 1993.

291. СФС — Словарь фразеологизмов и иных устойчивых словосочетаний русских говоров Сибири /Сост. Н. Т. Бухарева, А. И. Федоров. — Новосибирск: Наука, 1977. — 207 с.

292. СШС, 2003: Словарь школьного сленга. http://www.aportnn.narod.ru/sslang.htm. 13.2.2003.

293. ТВ-Ост.: Телеканал «Останкино».

294. ТК-2000 — Татьяна Колесникова: Словарь молодежного сленга. — http://kulichki-win.rambler.ru/moshkow/INDEXLESS/slovar/index.htm. (2000).

295. Толстой 1993: Толстой Н. И. Заметки по славянской демонологии // Вопросы истории и теории языка. – СПб.: СПбГУ, 1993. — С.124–130.

296. Трахтенберг 1908: Трахтенберг В. Ф. Блатная музыка: Жаргон тюрьмы / Под ред. и с предисл. И. А. Бодуэна де Куртене. — СПб., 1908. — 116 с.

297. ТС XX в.: Толковый словарь русского языка конца XX века: Языковые изменения / Под ред. Г. Н. Скляревской, — РАН. Институт лингвистических исследований. — СПб.: Фолио-Пресс, 1998. — 700 с.

298. ТСУЖ: Толковый словарь уголовных жаргонов. Под общей редакцией Ю. П. Дубягина и А. Г. Бронникова. — М., 1991. — 207 с.

299. ТФ (Разговорник Тонниеса Фенне): Fenne 1961–1970: Tönnies Fenne's Low German Manual of Spoken Russian. Pskov 1607. — Ed. by L.L. Hammerich, R. Jacobson, E. van Schooneveld, T. Starck and Ad. Stender-Peterson. Vol. 1-IV. Prof. Roman Jakobson and Elizabeth van Schooneveld. — Kobenhavn, 1961–1986.

300. УМК: Мак-Киенго, Уоллер. Словарь русской брани. — Калининград, 1997. — 261 с.

301. Уолш, Берков 1984: Уолш И. А., Берков В. П. Русско-английский словарь крылатых слов. М., 1984. — 281 с.

302. Урал-98: Шинкаренко Ю. В.: БАЗАРГО. Жаргон уральских подростков. Справочное издание. М: ЮНПРЕСС, 1998.

303. Усп., 1992: Успенский Э. М. Школа клоунов. – Петрозаводск: Карелия, 1992.

304. Усп., 2000: Успенский Э. М. Меховой интернат. Повесть-сказка. – М.: Астрель, 2000.

305. Ушаков: Толковый словарь русского языка: В 4-х т. /Под ред. Д. Н. Ушакова. — М.: Русские словари, 1994.

306. Ф: Фразеологический словарь русского литературного языка конца XVIII–XX вв. /Под ред. А. И. Федорова: В 2-х т. – Новосибирск, 1995.

307. Федоров 1980: Федоров А. И. Сибирская диалектная фразеология. Новосибирск, 1980. — 192 с.

308. ФЛ: Файн А., Лурье В. Всё в кайфе. СПб., 1991. — 196 с.

309. Флг.: Флегон А. За пределами русских словарей. London: Flegon Press, 1973. — 408 с.

310. ФМ 1990: Фелицына В. П., Мокиенко В. М. Русские фразеологизмы. Лингвострановедческий словарь. Под ред. Е. М. Верещагина и В. Г. Костомарова. М.: «Русский язык», 1990. — 222 с.

311. ФМ 1999: Фелицына В. П., Мокиенко В. М. Школьный фразеологический словарь русского языка. — М.: ЭКСМО-Пресс, 1999. — 384 с.

312. ФМ 2002: Фелицына В. П., Мокиенко В. М. Школьный фразеологический словарь русского языка. — М.: ЭКСМО-Пресс, 2002.

313. ФМ 2005: Фелицына В. П., Мокиенко В. М. Фразеологический словарь для школьников. Более 1 000 выражений. — СПб.: «Норинт», 2005. — 512 с.

314. ФСРЛЯ: Фразеологический словарь русского литературного языка конца XVIII–XX вв. /Под ред. А. И. Федорова: В 2-х т. — Новосибирск, 1995.

315. ФСРЯ: Фразеологический словарь русского языка. Под ред. А. И. Молоткова. М.: «Русский язык», 1967. — 543 с.

316. ФСРЯ 1994: Фразеологический словарь русского языка. Под ред. А. И. Молоткова. Изд. 5-е, стереотипное. СПб.: «Вариант», 1994. — 543 с.

317. ФСРЯа: Фразеологический словарь русского языка /Под ред. А. И. Молоткова. – Изд. 6-е, испр. и доп. – М.: Астрель-АСТ, 2001.

318. ФСС: Фразеологический словарь русских говоров Сибири. Сост. Л. Г. Панин, Л. В. Петропавловская, А. И. Постнова, А. И. Федоров. Под ред. А. И. Федорова. Новосибирск: «Наука», 1983. — 232 с.

319. ФССРЛЯ: Фразеологический словарь современного русского литературного языка. — Более 35000 фразеологических единиц. Под ред. А. Н. Тихонова. — Т. 1–2. — М.: изд-во «Флинта», изд-во «Наука». – 2004.

320. Хан-Пира 1999: Хан-Пира Э. Толковый словарь советизмов (Рец.: В. М. Мокиенко, Т. Г. Никитина.Толковый словарь языка Совдепии. — СПб.: Изд-во СПбГУ — «Фолио-Пресс», 1998. — 704 с.). //Знамя, 1999. — N 7 (http://magasines/russ/ru/znamia/1999/7/han-pira/html/)

321. Хом.: Хоменко О. Б. Язык блатных, язык мафиози. Энциклопедический синонимический словарь. Т. 1–2. — Киев: Форт-М, 1999.

322. Чернышев 1931: Чернышев В. И. Псковское наречие. – Труды комиссии по русскому языку. Т.1. – Л., 1931. – С. 161–185.

323. Шап. 1959: Шаповалова Г. Г. Псковский рукописный сборник пословиц XVIII в. // Русский фольклор. Материалы и исследования. — Вып. IV. М.–Л.: Наука, 1959. – С. 305–330.

324. Шарифулин 1997: Шарифулин Б. А. «Своё» и «чужое» в русском экспрессивном фонде // РР, 1997. — № 6. – С. 45–47.

325. Шах.-2000: Владимир Шахиджанян: Я+Я. Сленг сексуальных меньшинств //(http://an-winnt40.demos.su/books/I+I/0094.htm.

326. Шевченко 2002: Шевченко Н. М. Фразеологический словарь русского языка. — Бишкек: КРСУ, 2002. — 541 с.

327. Шейгал 1996: Шейгал Е. И. Компьютерный жаргон как лингвокультурный феномен // Языковая личность: культурные концепты. – Волгоград: Перемена, 1996. – С. 204–210.

328. Шестакова 1972: Шестакова Е. Н. Материалы к диалектному фразеологическому словарю Воронежской области // Вопросы фразеологии. VI. — Самарканд, 1972. — С. 261–289.

329. ШЗФ: Шанский Н. М., Зимин В. И., Филиппов А. В. Опыт этимологического словаря русской фразеологии. – М.: РЯ, 1987. — 367 с.

330. Школа-2001: Мы всё это проходили или Школа как она есть// http://journal.spbu.ru/2001 (05.11.2001).

331. ШП, 2002 : Школьные приколы. // http://nazareth5.narod.ru/myweb9/shpr.htm.

332. ШС, 2001: Школьный сленг. // http://archive.1september.ru/rus/2001/23/6

333. ШСП 2002: Школьный словарь живых русских пословиц. Сост.: Ю. А. Ермолаева, А. А. Зайнульдинов, Т. В. Кормилицына, В. М. Мокиенко, Е. И. Селиверстова, Н. Я. Якименко. Гл. ред. В. М. Мокиенко, редакторы: Е. К. Николаева, Е. И. Селиверстова. — СПб.: Издательский дом «Нева»; «ОЛМА-ПРЕСС», 2002. — 352 с.

334. Шт.: Штурбабина О. И. Материалы к словарю диалектной фразеологии Невельского района Псковской области // Вопросы русской и славянской фразеологии. — Самарканд, 1978. — С. 78–98.

335. Шулежкова 1994, 4: Шулежкова С. Г. Крылатые выражения из области искусства. Материалы к словарю. Выпуск 4. – Челябинск: Изд-во ЧГПИ «Факел», 1994. — 163 с.

336. Щуплов 1998: Щуплов А. Жаргон-энциклопедия современной тусовки. При участии Т. Макловски и М. Кляйн. — М.: Голос, Колокол-Пресс, 1998. — 544 с.

337. Югановы: Юганов И., Юганова Ф. Словарь русского сленга (сленговые слова и выражения 60–90-х годов) / Под ред. А. Н. Баранова. — М.: Метатекст, 1997. — 318 с.

338. Янин 2003: Янин И. Т. История крылатых слов и выражений. – Калининград: ФГУИПП «Янтарный сказ», 2003. — 52 с.

339. ЯОС: Ярославский областной словарь. – Вып. 1–8. – Ярославль, 1981–1989.

340. Aksamitow, Czurak 2000: Aksamitow Anatol, Czurak Maria. Słownik frazeologiczny białorusko-polski. — Warszawa. Fundacja Sławistyczna. Instytut Sławistyki Polskiej Akademii Nauk, 2000. — 260 s.

341. CIH: Corten I. H.Vocabulary of Soviet Society and Culture. A Selected Guide to Russian Words, Idioms, and Expressions of the Post-Stalin Era, 1953–1991. Duke University Press. Durham & London, 1992.

342. Bytic, 1999–2000: Http://www.bytic.ru/compcamp/nopublished/1999–2000.html.

343. Chernomorets-2004: http://www.chernimorets.com

344. DL: Dvořák L. Эй, чувак! Ruský slang aneb Český hambář jazyka ruského. — Praha: Horizont, 1995. — 149 s.

345. E-styleisp.-2003: http://www.e-styleisp.ru

346. Fantaz: http://fantaz.narod.ru/pricol

347. fish-2000: Рыболовный сленг или "бухарская феня" // webmaster@fishing.kiev.ua

348. Fomenko: http://www.Fomenko.ru/

349. Gaz-2004: http://gaz-gangrena.narod.ru

350. Golds, 2001: http://osa.golds.ru/slang/02.htm. — 12K — 11.07.2001.

351. h-98: http: // onwin. wplus. net./ mafia / blat/. — 1998.

352. Hau: Haudressy Dola. Les mutations de la langue russe. Ces mots qui disent l'actualité (= Новые слова. Отражают события 1991 года. Словарь-справочник). – Paris: Institut d'études slaves, 1992. — 269 s.

353. H-HI: Hip-Hop Info. Иллюстрированный журнал. СПб.

354. Holler 1995: Holler H. G. Sprachliche Besonderheiten in russischen Internet. Diskussionsgruppen / Ed. V. Mokienko. – Greifswald, 1995. — 36 s.

355. Humor-2002: http://humor.21.ru-21k-21.10.2002.

356. HW: Harry Walter. Русско-немецкий словарь наркожаргона. — Greifswald, 2002. — 117 s.

357. KA, 1999: Kiev. Anekdot by Dmitri Provodnikov, 1999.

358. Kanowa 1999: Kanowa E. Aktuelle Wortbildungstypen in der russischen Publizistik (am Beispiel von Sendungen des russischen Fernsehens) // Russischunterricht in Deutschland — Rückblicke und Perspectiven. 2. — Halle, 1999. — S. 211–218.

359. KT: Koester-Toma S. Die Lexik der russischen Umgangssprache. Forschungsgeschichte und Darstellung. — Berlin, 1996. — 275 s.

360. Kusal 2002: Kusal Krzysztof. Rosyjsko-polski słownik homonimów międzyjęzykowych. — Wrocław: Wydawnictwo Uniwersytetu Wrocławskiego, 2002. — 190 s.

361. Lehfeldt 2001: Lehfeldt W. «Язык советской эпохи» или «Новояз». (Рец.: В. М. Мокиенко, Т. Г. Никитина.Толковый словарь языка Совдепии. — СПб.: Изд-во СПбГУ — «Фолио-Пресс», 1998. — 704 с.). // Russian Linguistics. — № 25. — 2001. — С. 243–253.

362. LD-2000: Live dictionary. — http://www/ets.ru/livelang/htm (2000).

363. Menac-Mihalić 2005: Menac-Mihalić Mira. Frazeologia novoštokavskih ikavskih govora u Hrvatskoj. S rječnikom frazema i značenjskim kazalom s popisom sininimnih frazema. — Zagreb: Institut za hrvatski jezik i jezikoslovlje — Školska knjiga, 2005. — 501 s.

364. Muravlenko, 2002: http://gate.muravlenko.ru/razvl/school.shtml.

365. Paco-2003: http://www.paco.net/~odessa-mag/slovar/

366. Pricols, 2002: http://school1876.h1.ru/rus/pricols.htm.

367. Pulse (иллюстрированный журнал). – СПб.

368. Röhrich 1977: Röhrich Lutz. Das große Lexikon der sprichwörtlichen Redensarten. Bd. 1-IV. Freiburg-Basel-Wien, 1977.

369. Röhrich 1995: Röhrich Lutz. Das große Lexikon der sprichörtlichen Redensarten. Bd. 1-V. Feiburg-Basel-Wien, 1995.

370. RCWT: Ryazanova-Clarke L., Wade Terence. The Russian Language Today. — New York, 1999. — 369 p.

371. SchA: V. Shlyakov, E.Adler. Dictionnary of Russian Slang. — New York: Barron's, 1999.

372. School 129: http://school129kgd.narod.ru/teachers.html-11k-22.05.2003.

373. School, 2002: http://www.school-jokes.narod.ru/studenrs.html.

374. Slang-2000: http://www.chat.ru/~wwwah/slang.htm (2000).

375. Sleng-99 — http://www.chance.ru: 100/5_corners/sleng.shtml (1999).

376. TK-2000: Татьяна Колесникова: Словарь молодёжного сленга. — http://kulichki-win.rambler.ru/moshkow/INDEXLESS/slovar/index.htm (2000).

377. Uralsk-2003: http://www.k-uralsk.ru (2003).

378. VHF, 1999: Vam.Humor.Filtered (Избранный волгоградский юмор. — Волгоград, 1999).

379. Vologda-2004: http://vologda-hools.narod.ru

380. VSEA: V.Shlyakov, E.Adler. Dictionnary of Russian Slang. — New York: Barron's, 1995.

381. w-99: В. В. Медведев // wowik@rrb. psc.ru. — 1999.

382. Wins 2001: Wins S. Куда уходят вожди мирового пролетариата» глазами семантики // Świat słowian w języku i kulturze. II. Materiały z III Męzynarodowej Studenckiej Konferencji Sławisticznej poświęconej pamięci profesora Uniwersytetu Szczecińskiego Edwarda Siekierzyckiego. 21–23 listopada 2000. / Pod red. naukową Ewy Komorowskiej. – Szczecin, 2001. – С. 239–246.

383. WM: Walter H., Mokienko V. Russisch-Deutsches Jargon-Wörterbuch. — Peter Lang: Frankfurt a.M., Berlin, Bern, Brüssel, New York, Oxford, Wien, 2001. — 579 s.

384. WMN: Walter H., Mokienko V., Niemeyer M. Sprache der Jugend. Kleines russisch-deutsches Wörterbuch. — Greifswald, 1999. — 122 s.

385. Xml, 2002: http://xml.nsu.ru/own/metaphor/index.php?id=autor_kid&mode=full–11K

386. Zaorálek 1963: Zaorálek Jaroslav. Lidová rčení. Vyd. 2-é. — Praha, 1963.–779 s.

СМИ

Аврора. Общественно-политический, литературно-художественный ежемесячный журнал. — СПб.

АиФ: Аргументы и факты. Еженедельная газета. — М.

Вожатый. Ежемесячный молодежный журнал. – М.

Глагол. Независимая от взрослых газета для подростков. – М.

Декамерон. Приложение к газете «Спид-Инфо». – М.

ДР – Дорожное радио. – М.

ЗР: За рулем. Ежемесячный журнал. – М.

Калейдоскоп. Еженедельная газета. — СПб.

Карьера-капитал. Еженедельный журнал. — СПб.

Космополитен. — Ежемесячный журнал. — М.

КП: Комсомольская правда (газета). — М.

Круто. Молодёжный журнал издательства «Бурда». – М.

ЛГ: Литературная газета. – М.

Лиза. Ежемесячный журнал. — М.

Миллионер. Ежемесячная газета. — СПб.

Митьки: Митьки-газета. – СПб.

МК: Московский комсомолец (газета). — М.

МН: Московские новости. Еженедельная газета. — М.

Молоток. Молодёжный иллюстрированный журнал. – М.

Мото. Ежемесячный журнал издательства "За рулем". — М.

Мы. Ежемесячный журнал для подростков. – М.

НВ: Новое время. Еженедельник. — М.

Неон. Новое музыкальное поколение. Музыкальный журнал. — М.

НТВ – телеканал.

Огонек. Еженедельный журнал. – М.

ОРТ – телеканал.

Панорама. Еженедельная рекламная газета. – Псков.

Пр.: Правда (газета). — М.
Пульс. Ежемесячный журнал для молодёжи. – М.
Ровесник. Ежемесячный молодёжный журнал. — М.
Радио «Новая волна» (Волгоград).
Радио «Норд-вест» (Псков).
Радио «Свобода».
РР: Русская речь. Научно-популярный журнал. — М.
РТР – телеканал.
Рус. радио – «Русское радио».
РЯШ: Русский язык в школе. Научно-методический журнал. — М.
Сенсация-ревю. Еженедельная газета. – М.
СИ: Спид-Инфо. Еженедельная газета. — М.
СЛК: Самарская лавка коллекционера. Газета для увлеченных и не только. – Самара.
Смена. Литературно-художественный и общественно-политический журнал. — М.
Собеседник. Еженедельное приложение к “Комсомольской правде”. — М.
СтМ: Студенческий меридиан Ежемесячный журнал. – М.
Стрела. Еженедельная газета. – СПб.
Ступени. Иллюстрированный журнал. – М.
Супер: Спид-Супер. Приложение к газете «Спид-Инфо». – М.
ТВ-6 – телеканал.
ТНТ – телеканал.
ЧП: Час пик (газета). — СПб.
Шанс: Реклама-шанс. Еженедельная газета. – СПб.
ЭГ: Экспресс-газета. — СПб.
ЮГ: Юношеская газета. Российская газета для подростков. — М.
Юность. Литературно-художественный молодёжный журнал. — М.
Я – молодой. Ежемесячное приложение к газете “Аргументы и факты”. — М.
Cool. Еженедельный молодёжный журнал. М.
ETS: ETS publishing house. Иллюстрированный журнал. — СПб.
H-HI: Hip-Hop Info. Иллюстрированный журнал. СПб.
SPR: St.Petersburg Review. — СПб.

Ответственный за выпуск *С. З. Кодзова*
Автор проекта и научный редактор
профессор В. М. Мокиенко
Редактор *Л. А. Ивашко*
Корректор *Ю. Б. Гомулина,*
Верстка *Н. А. Платоновой*
Оформление макета *Л. П. Роговой*
Оформление обложки *Е. Ю. Дьяченко*

Подписано в печать 14.04.08
Гарнитура MinionC. Формат $84\times108^1/_{16}$.
Бумага офсетная. Печать офсетная.
Уч.-изд. л. 106,5. Усл.-печ. л. 82,32.
Изд. № ОП-08-0154-СС.
Тираж 2000 экз.

ЗАО «ОЛМА Медиа Групп»
105062, Москва, ул. Макаренко, д. 3, стр. 1
http://www.olmamedia.ru

Отпечатано в Китае